하나님의 아들의 부활

하나님의 아들의 부활

N.T. 라이트
박문재 옮김

THE RESURRECTION OF THE SON OF GOD

크리스챤다이제스트

독자 여러분들께 알립니다!

'CH북스'는 기존 **'크리스천다이제스트'**의 영문명 앞 2글자와
도서를 의미하는 **'북스'**를 결합한 출판사의 새로운 이름입니다.

하나님의 아들의 부활

1판 1쇄 발행 2005년 7월 30일
1판 중쇄 발행 2020년 5월 6일

발행인 박명곤
사업총괄 박지성
편집 신안나, 임여진, 이은빈
디자인 구경표, 한승주
마케팅 김민지, 유진선
재무 김영은
펴낸곳 CH북스
출판등록 제406-1999-000038호
대표전화 070-4917-2074 **팩스** 031-944-9820
주소 경기도 파주시 회동길 37-20
홈페이지 www.hdjisung.com **이메일** main@hdjisung.com
제작처 영신사 월드페이퍼

차례

제1부 무대설정

제5부 신앙, 사건, 의미

서문

I

이 책은 제1권인 『신약성서와 하나님의 백성』(*The New Testament and the People of God*)을 시작으로 한 『기독교의 기원과 하나님의 문제』(*Christian Origins and the Question of God*)라는 총서의 제2권인 『예수와 하나님의 승리』(*Jesus and the Victory of God*)의 마지막 장으로서 그 생명을 시작하였다. 본서는 이 총서 중에서 제3권에 해당한다. 이것은 원래의 계획으로부터 벗어난 것이어서, 사람들이 흔히 나에게 도대체 어떻게 된 것이냐고 묻기 때문에, 약간의 설명이 필요할 것 같다.

내가 『예수와 하나님의 승리』(*Jesus and the Victory of God*, 이후에는 *JVG*로 약칭함)에 대하여 작업을 끝마치기 수개 월 전에 SPCK의 사이먼 킹스턴(Simon Kingston)이 내게 찾아와서 책 표지가 이미 인쇄된 상태이기 때문에, 내가 쓴 원고 분량이 더 이상 많아지면 안 된다고 말하였다. 이때 내가 무슨 제안을 했겠는가? 만약 원래의 계획대로 진행된다면, 지금 본서에 담겨져 있는 내용을 70쪽 정도로 압축해야 했고(나는 어리석게도 그런 압축을 내가 할 수 있을 것이라고 생각하였다), *JVG*는 적어도 800쪽 이상이 되어서, 새로운 책표지가 잘 맞지 않게 되었을 것이고, 중년의 학자들이 상당히 보기 힘들게 되었을 것이다.

섭리 때문인지는 몰라도, 이와 동시에 나는 *JVG*의 출간 날짜 직후인 1996년 가을에 내가 하기로 되어 있었던 예일대학교 신학부에서의 셰퍼(Shaffer) 강좌를 위한 주제를 내 마음속에서 바꾸고 있었다. 원래 하기로 예정되어 있었던 주제는 예수와 관련된 내용이었다. 나는 방금 출간된 큰 분량의 책의 내용을 어떻게 압축할 수 있을지, 아니면 내가 그 책에서 다루지 못했던 예수의 어떤 측면에 대한 강좌를 시도할 것인지(나는 그 책이 모든 내용을 남김없이 다루기를 원했었다; 분명히 나는 원래의 내용에 포함시킬 가치가 있는 세 번의 강좌 내용을 남겨둘 의도가 아니었다)를 놓고 고민하였다. 이 두 가지 문제는 한꺼번에 해결되었다: *JVG*로부터 부활에 관한 장을 빼내서 예일대에서의 강좌를 부활이라는 주제로 하고, 거기서 행한 세 번의 강좌를 작은 책으로 묶어서 현재의 총서 속에서 *JVG*와 원래 제3권으로 계획되었던 바울 — 이것은 이제 제4권이 되었다 — 중간에 출간하는 것이었다. (이것은 *JVG*를 검토한 몇몇 신학자들이 나를 예수의 부활에 대하여 관심이 없거나 부활을 믿지 않는다고 비난하는 예기치 않은 결과를 가져왔다. 나는 이러한 비난이 이제는 조용히 사그러들 것이라고 믿는다.)

어쨌든 나에게는 셰퍼 강좌들은 대단히 흥미로운 것이었다. 예일대학교 신학부 관계자들은 내 아내와 나를 따뜻하게 환대해 주었고, 그들이 나를 초청할 때에 보여준 정중함에 더해서 그들의 반응은 나를 고무시키는 것이었다. 그러나 각각의 강좌는 상당한 정도로 확장될 필요가 있다는 것이 분명해졌다. 따라서 나는 이 주제를 가지고 짤막한 책을 쓰고자 했기 때문에, 다음 3년에 걸쳐서 다른 곳에서 강의를 할 때마다 동일한 주제를 자주 선택하였다: 텍사스주의 포트 워스에 있는 사우스웨스턴 신학교에서의 드럼라이트 강좌, 윈체스터에서의 주교 강좌, 테네시주 스와니에 있는 사우스 대학교에서의 뒤보스 강좌, 노스캐롤라이나주의 더햄에 있는 듀크 신학교에서의 케니스 W. 클라크 강좌, 버지니아주 리치먼드에 있는 유니온 신학교에서의 스프런트 강좌. (스와니에서 행한 강좌들은 *Sewanee Theological Review* 41.2, 1998, 107-56에 수록되었다; 나는 이 주제에 관한 그 밖의 다른 강좌들과 논문들을 시간이 있을 때마다 출간하였는데, 그 자세한 내용은 참고문헌에 나와 있다.) 나는 세인트 앤드류스에서 열린 프린스턴 신학교의 여름학기에서도 이와 비슷한 강좌들을 하였고, 볼티모어에 있는 세인트 마이클 신학교, 로마에 있는 교황 그레고리우스 대학교, 텍사스주 와코에 있는 트루엣 신학교, 베일러 대학교를 비롯한 여러 기관들에서도 이러한 논증을 단일한 강좌로 압축하여 발표하였다. 나는 이 모든 기관들에 대하여 감사하는 마음을 전한다. 그들의 환대는 한결같이 대단한 것이었다.

그러나 나로 하여금 이 주제를 훨씬 더 자세하게 구성할 수 있게 해주고 내게 많은 틈새들을 찾아내어 채워 넣을 수 있는 시간과 공간을 허락해준 최고의 기회는 내가 1999년 가을 학기에 하버드 신학부의 맥도날드 교환교수로 임명되었을 때에 찾아왔다. 서너 번의 강좌가 아니라, 이 주제에 관하여 지적이고 비평적인 많은 수의 학생 청중들 앞에서 20번 이상을 강의할 수 있는 기회가 갑자기 내게 찾아온 것이었다. 물론, 나는 강의를 할 때마다 이 주제가 여전히 훨씬 더 확장될 필요가 있다는 것을 깨달았다. 내가 생각했던 대로 이 책을 쓰고자 했던 나의 최초의 꿈(그리고 그것이 작은 책이 될 것이라는 나의 최초의 예상)은 실현될 수 없는 것이었다. 그러나 나는 놀라울 정도로 호의적인 배경 속에서 이전보다 훨씬 더 깊게 현재의 작업을 위한 토대를 놓을 수 있었다. 나는 하버드에 있는 나의 동료들과 친구들, 그리고 나의 작업을 위해 개인적으로 지원하고 열정적으로 도와줌으로써 나로 하여금 큰 격려를 얻게 해 주었던 석좌교수직의 후원자인 앨 맥도날드에게 심심한 감사를 드린다. 이렇게 해서 이 책은 1999년 말 이래로 그 형태를 상당한 정도로 바꾸었지만, 예일대에서 뿌려진 씨앗들은 하버드대에서 마침내 본서로 추수의 열매를 거두게 되었다. 나는 이 두 권위 있는 기관들에 있는 나의 친구들이 이렇게 서로 결부되어 있는 것을 발견하고는 반대하지 않을 것이라고 믿는다.

II

이 책이 현재와 같은 분량에 이르게 된 것은 부분적으로 내가 이 주제를 놓고 작업하면서 방대한 이차 자료들을 가능한 한 많이 읽어내려가면서, 핵심적인 관념들과 핵심적인 본문들에 관한 온갖 종류의 잘못된 인식들이 세월이 흐르면서 널리 받아들여져 왔다고 내게 생각되었기 때문이다. 채마밭의 몇몇 유형의 잡초들의 경우에서처럼, 우리가 유일하게 해야 할 일이 뿌리로부터 잡초들을 제거하기 위해서 더 깊이 파는 것인 경우들이 있다. 특히, 가장 초기의 그리스도인들이 예수가 죽은 자로부터 몸으로 부활하였다고 생각하지 않았다는 것이 신학교에서 널리 받아들여져 왔고, 바울은 통상적으로 사람들이 좀 더 "영적인" 관점이라고 부르는 것에 대한 주요한 증인으로 인용된다. 이것은 너무도 오도된 것이고(학자들은 그들의 동료들이 명백히 잘못되었다고 말하기를 싫어하지만, "오도된"이라는 말은 바로 그와 동일한 것을 가리키는 우리의 암호이다) 너무도 널리 퍼져 있기 때문에, 잡초를 뿌리째 제거하는 일은 대단히 깊이 파는 것을 요구했고, 역사에 토대를 둔 대안의 씨앗을 심는 데에도 상당한 정도의 주의 깊은 파종이 요구되었다. 독자들은 내가 여기저기에서 유대교와 신약성서에 대한 오도된 견해들이라고 보는 것의 몇몇 이해들을 강조할 수 있는 지면을 갖지 못한 것을 기뻐할 수도 있을 것이다. 나는 장황한 "문제 제기"를 제시하여 그것으로 하여금 이 지평을 지배하게 하기보다는 일차 자료들을 해설하고 그것들로 하여금 이 책을 형성하도록 하는 쪽을 택하였다. (『예수와 하나님의 승리』의 제1부는 이러한 논의에 대한 전체적인 배경을 제공해 준다.)

만약 내가 나의 견해와 일치하든 불일치하든 그 무언가를 배운 모든 저술가들과의 논쟁 속으로 들어갔다면 이 책은 상당한 정도로 부피가 늘어났을 것이고, 만약 내가 이 특정한 고속도로를 벗어나서 흥미로워 보이는 모든 이차적인 도로들을 누비고 다녔더라면 이 책의 분량은 두 배로 늘어났을 것이다. 수많은 부차적인 쟁점들은 살짝살짝 건드리고 넘어갈 수밖에 없었다. 예를 들면, 투린의 수의(Turin Shroud)에 관하여 계속해서 연구하고자 하는 사람들은 여기서 그것에 관한 추가적인 언급이 없다는 것을 발견하고 실망할지도 모른다.[1] 나는 몇몇 논의들에 대해서는 다른 것들보다도 훨씬 더 자세하게 설명하였고, 몇몇 경우들에 있어서는 내 자신의 견해를 직설적으로 진술하는 것으로서 동료들 및 친구들과의 세부적인 논쟁을 대신하기도 하였다는 것을 잘 알고 있다. 이것은 특히 제2부에서 바울을 다룰 때에 그러하였다. 이것에 대해서 나는 이 총서의 다음 권에서 적어도 어느 정도로는 보완하고자 한다.

여기서 나의 주된 관심은 분명한 진술을 절박하게 필요로 하고 있다고 보이는 전체적인 논증을 제시하는 것이었다. 나는 본서가 제1권 및 제2권과는 달리 기본적으로 단일한 사고의 흐름을 지닌 단순한 연구서로 상정하였고, 이것에 대하여 나는 제1장에서 미리 그 지도를 제시하였다. 논증의 형태는 별로 새로운 것은 아니지만, 특정한 내용, 즉 이교도들에 의해서 부정되었고 상당히 많은 수의 유대인들에 의해서 긍정되었던 "부활"이 초기 그리스도인들에 의해서 재긍정됨과 동시에 재정의된 방식에 관한 연구는 본서 이전에는 그와 같은 식으로 연구된 것이 없었다고 나는 생각한다. 또한 상당 부분의 자료들 — 그

1) 예를 들면, Whanger and Whanger 1998을 보라.

것들 중 일부는 많은 독자들이 접근할 수 없는 것들이다 — 은 과거에는 이런 식으로 활용된 적이 없었다. 나는 이 책이 역사적 이해 및 책임 있는 신앙과 아울러서 장래의 논의들의 명확성에 대해서도 기여하기를 소망한다.

문체 및 내용과 관련된 몇 가지 서론적인 문제들은 『신약성서와 하나님의 백성』(이하에서는 *NTPG*로 약칭함)의 서문들에서 다루어졌다. 내가 종종 받는 질문들과 관련해서 여기서는 한 가지만 새롭게 말해두고자 한다. 나는 고대 세계에서 유대인과 그리스도인이 아닌 사람들을 대부분의 고대 역사가들이 하고 있는 것과 동일한 이유로 "이교도들"로 지칭한다: 내가 이 용어를 사용하고자 하는 것은 모욕적인 용어로 사용하는 것이 결코 아니고, 그 밖의 다른 점들에 있어서는 서로 천차만별인 수많은 민족들을 지칭하기에 가장 편리한 방식이라고 생각했기 때문이다. 물론, 이 용어는 언어와 행동에 관한 서술에 있어서 기능면을 문제 삼지 않는다(즉, 어쨌든 우리 시대에 있어서 이 용어는 어떤 사람들이 자기들 스스로를 묘사하기 위하여 사용되고 있는 용어가 아니라, 다른 사람들의 관점, 이 경우에는 유대인들과 그리스도인들이 다른 사람들을 바라보는 관점을 반영하고 있는 용어이다). 그것은 여기에서 순전히 발견학습적인 가치를 지닌다.

일부의 우려에도 불구하고, 나는 대부분의 경우에 있어서 계속해서 하나님(God) 대신에 "신"(god)이라는 용어를 사용하였다. 이것은 아무래도 좋은 것이 아니다. 이 용어는 독자들에게와 마찬가지로 내게도, 주후 20세기에서처럼 주후 1세기에서 문제는 우리가 "하나님"(우리 모두가 이 단어가 누구 또는 무엇을 가리키는지 알고 있다는 것을 전제한 채)을 믿느냐 안 믿느냐가 아니라, 수많은 후보자들 중에서 어느 신에 관하여 우리가 말하고 있느냐 하는 것임을 상기시켜 준다. 주후 1세기 유대인들과 초기 그리스도인들이 "죽은 자를 다시 살린 신"이라고 말했을 때, 그들은 암묵적으로 이 신, 창조주 신, 이스라엘의 계약의 신이 사실 하나님, 이 단어가 유일하게 적절하게 지칭할 수 있는 한 분 유일한 존재라고 주장하고 있는 것이었다. 그들의 동시대인들의 대부분은 그것을 그와 같이 보지 않았다: 초기 그리스도인들은 "무신론자들"로 알려졌을 정도였다.[2] 심지어 신약학자들조차도 "하나님"이라는 단어를 보고, 쉽게 그렇

---

2) 예를 들면, *Mt. Pol.* 9.2를 참조하라.

게 지칭되는 존재의 정체성에 관한 보증되지 않은 것들을 전제하는 우를 범할 수 있다 — 본서와 같은 연구가 도전하고자 하는 바로 그러한 종류의 전제들. 하지만 내가 초기 그리스도인들의 견해들을 서술하고 그들의 글들로부터 인용할 때, 나는 흔히 저자들이 바로 그 점을 말하고 있고, 그들이 예배하고 그 이름을 부른 신이 사실 하나님이었다는 것을 보여주기 위해서는 하나님이라는 용어를 사용할 것이다. 마지막 장들에서 나는 나중에 명백해질 이유들로 인해서 내가 *JVG*에서 그렇게 했던 것과 마찬가지로 하나님이라는 용어를 사용하기 시작하게 될 것이다. 나는 이것이 너무 혼란스럽지 않기를 소망한다. 이것의 대안은 표준적인 용법을 채택함으로써, 대부분의 시간 동안 대다수의 독자들이 이 총서 전체의 근저에 놓여 있는 가장 중요한 문제에 대하여 경각심을 갖지 못하게 하는 것이다.

본서의 본론 부분에서는 자세하게 서술할 기회가 없을 것이기 때문에, 나는 여기에서 한 가지 중요한 문제를 언급해 두고자 한다[3] 나는 끊임없이 "은유적" 부활과 반대되는 "문자적" 부활에 관하여 장황한 말을 늘어놓을 것이다. 나는 사람들이 이런 말을 할 때에 그 말이 의미하는 것을 알지만, 그러한 단어들은 그런 것을 말하는 데에 도움이 되지 않는다. "문자적"과 "은유적"이라는 용어들은 원래 단어들이 사물들을 가리키는 방식들을 나타내는 것이고, 단어들이 가리키는 사물들을 나타내는 것이 아니다. 후자와 관련하여 적절한 단어는 "구체적인"과 "추상적인"이라는 단어들일 것이다. "플라톤의 형상 이론"이라는 어구는 문자적으로 추상적인 실체(사실, 이중으로 추상적인 실체)를 가리킨다. "불결한 싸구려 식당"이라는 어구는 은유적으로 및 환유적으로 구체적인 실체, 즉 길거리에 있는 값싼 식당을 가리킨다. 언어가 문자적으로 또는 은유적으로 사용되고 있다는 사실은 우리에게 그것이 가리키고 있는 실체들의 종류에 관하여 아무것도 말해주지 않는다.

고대 유대인들, 이교도들, 그리스도인들이 죽음을 가리키기 위하여 "잠자다"라는 단어를 사용하였을 때, 그들은 사물의 구체적인 상태를 가리키기 위하여 은유를 사용하고 있었던 것이다. 우리는 종종 이 동일한 언어를 정반대의 방식

---

3) 나는 이 점을 "In Grateful Dialogue" 261f.에서 어느 정도 자세하게 서술하였다. 예를 들면, 아래의 제3장 제4절과 제5장 제7절을 보라.

으로 사용한다: 깊이 잠든 사람을 우리는 "세상에 대하여 죽었다"고 말한다. 에스겔 37장에서처럼 종종 유대인 저술가들은 "부활" 언어를 구체적인 정치적 사건들, 더 구체적으로 말하면 유대인들이 바벨론의 포로생활로부터 돌아오는 것에 대한 은유로 사용하였다. 이러한 은유는 에스겔 선지자로 하여금 새 창조, 새로운 창세기의 위대한 행위에 관한 관념에 대한 내포(connote)과 아울러 구체적인 사건을 가리키는 외연(denote)을 동시에 표현할 수 있게 해 주었다. 앞으로 보게 되겠지만, 그리스도인들은 그들 나름대로의 새로운 은유적 용법들을 발전시켰는데, 그것들도 마찬가지로 사물의 구체적인 상태들을 가리키는 것이었다. 그러나 대체로 부활을 긍정하든(바리새인들) 또는 부정하든(사두개인들과 헬라-로마의 이교 사상의 세계 전체), 부활에 관하여 말하였던 유대인들과 이교도들은 장래에 일어날 가설적인 구체적인 사건, 즉 현재적으로 죽어 있는 사람들이 몸으로 살아나게 되는 것을 가리키는 데에 이 단어를 사용하였다. 그들이 사용한 단어들(예를 들면, 헬라어로 '아나스타시스')은 좀 더 폭넓은 의미를 지니고 있었지만('아나스타시스'는 기본적으로 어떤 것 또는 어떤 사람을 일어나게 만들거나 스스로 일어나는 행위를 가리킨다), 이러한 죽은 자로부터 "다시 살아난다"는 특별한 초점을 지닌 의미를 획득하게 되었다. 이러한 이 언어의 통상적인 의미는 문자적으로 사물의 구체적인 상태를 가리키는 것이었다. 이 책의 주된 질문들 중의 하나는 그토록 많은 점들에 있어서 기꺼이 그리고 열심을 가지고 혁신자들이 되었던 초기 그리스도인들이 부활의 언어를 마찬가지로 그와 같이 사용하였느냐 하는 것이다.

III

나는 여러 해에 걸쳐서 토론해 준 많은 가족 구성원들, 친구들, 동료들, 강의 수강자들에게 감사한다. 나는 많은 사람들로부터 많은 것을 배웠고 앞으로도 그렇게 되기를 소망한다. 나는 특히 내 사랑하는 아내와 자녀들이 격려해주고 지원해 준 것에 대하여 감사하고, 자신의 역사적 연구를 하는 와중에서 시간을 내어서 본서를 끝까지 읽고 여러 가지 도움이 되는 평들을 해준 것에 대하여 내 아들 줄리안 라이트 박사에게 감사한다. 가장 놀라운 형태의 격려들 중 하나는 뜻밖에 요한복음 20장과 21장을 토대로 해서 폴 스파이서(Paul Spicer)

의 『부활절 오라토리오』(*Easter Oratorio*)의 대본을 써달라는 요청을 통해서 왔다. 이 작품은 2000년 7월에 리치필드 축제에서 초연되었고, 그 이후로 대서양의 양안에서 공연되어 왔으며, 부분적으로는 BBC 라디오의 전파를 타기도 했다. 폴과 나는 이러한 체험에 관한 글을 Jeremy Begbie가 편집한 *Sounding the Depths*(London : SCM Press, 2002)에 기고하였다. 폴과 함께 작업하면서 나는 부활을 몇 가지 새로운 시각에서 생각하게 되었고, 지금은 요한복음에 나오는 부활절 이야기들을 읽을 때마다 그의 음악이 나의 뇌리에서 내내 떠나지 않는데, 이것에 대하여 나는 무한한 감사와 특권을 받았다는 느낌을 갖게 된다.

*JVG*의 출간이 늦어진 것이 내가 집과 직장을 옮겼기 때문이라고 이전에 말했었는데, 여기에서도 나는 그러한 말을 다시 해야 할 것 같다 ; 우리는 1999-2000년에 웨스트민스터로 이사했고, 그러한 과정에서 시간과 정력이 많이 들어서, 본서의 작업은 불가피하게 지연될 수밖에 없었다. 내가 이 작업에 다시 박차를 가하게 된 것은 특히 나의 새로운 동료들, 그 중에서 웨스트민스터 참사회 의장인 웨슬리 카 박사와 나의 동료 참사회원들, 그리고 크고 작은 일들에서 나를 기꺼이 도와주었던 참사회 서기 애브릴 바텀스 양 덕분이었다. 기술적인 면에서는 나는 다시 한 번 스티브 시버트와 *Nota Bene*라는 소프트웨어 제작자들에게 너무도 많은 학자들이 정확한 정보들을 만들어 내는 데에 도움이 되었고 이 복잡한 저작을 위해서도 큰 도움이 되었던 대단한 제품을 만들어준 것에 대하여 감사한다. 나는 이 책의 원고의 일부 또는 전부를 읽고서 나로 하여금 실수들을 피할 수 있도록 도와 주었던 몇몇 친구들과 동료들에게 매우 감사한다 ; 물론, 이 책에 여전히 남아 있는 실수들에 대해서는 그들에게 책임이 없다. 특히, 나는 Joel Marcus, Paul House, Gordon McConville, Scott Hafemann ; Drs John Day, Jason König, Andrew Goddard ; 그리고 텍사스주 와코에 있는 Baylor University의 여러 학과에 속한 사람들, 특히 Stephen Evans, David Garland, Carey Newman, Roger Olson, Mikeal Parsons, Charles Talbert 교수에게 감사하는데, 이들 각자는 이 책이 완성되어 갈 무렵에 날카로운 비판과 세부적인 논평을 통해서 나를 도와준 사람들이다. 모나 후커 교수는 너그럽게도 내게 새롭게 출판된 그의 저작에 대한 복사본을 빌려주어서, 나는 마지막 순간에 그것을 참조할 수 있었다. 물론, 아직도 남아

있는 많은 오류들은 전적으로 나의 책임이다.

하지만, 감사의 글에 있어서 최고의 자리는 이번에는 나의 책들을 출간한 SPCK에게 돌아가야 할 것 같다. 이 방대한 총서를 쓰도록 내게 도전하였던 그들은 편집부서에서만이 아니라 한 명의 연구조교를 붙여주는 형태로도 놀라운 지원을 아끼지 않았다. 스스로도 저서를 출간한 적이 있는 학자인 니콜라스 페린 박사는 지난 2년 동안에 지치지 않고 기꺼이 그러한 역할을 수행하여서, 그가 닦은 폭넓은 전문 기술을 나를 위하여 사용하였고, 고대와 현대의 자료들을 샅샅이 조사하고, 대학교의 조교실에 해당하는 1인 조교실 역할을 수행하여서, 나로 하여금 개념들을 생각해내고 즉각적으로 품질검사를 받게 해주고, 조력자, 조언자, 비평자, 친구로서 전천후로 도움을 주었다. 거의 매일 그와 함께 일을 한 것은 지적으로나 개인적으로나 기쁨이었다.

이 헌사는 오랫동안 쌓아온 우정과 학문의 이중적인 채무를 반영한 것이다. 나는 옥스퍼드대에서의 나의 첫 날에 올리버 오 도너반을 만났다(히브리어 시간에): 그의 지혜로운 우정, 학문적인 모범, 심오한 신학적 · 철학적 이해는 그 이후로 내게 하나의 영감이 되어 왔다. 나는 우리 두 사람이 1986년에 옥스퍼드로 다시 돌아왔을 때에 로완 윌리엄스를 알게 되었다. 우리의 공동의 교수생활, 그리고 그것을 둘러싼 여러 층의 우정은 그 세월에 대한 나의 가장 행복한 기억들에 속한다. 물론, 올리버와 로완은 부활에 관한 유명한 책들을 썼고, 그것만으로도 내가 그들에게 이러한 애정과 존경의 표시를 하는 것을 정당화해 줄 것이다. 그러나 내가 이 책의 마지막 절을 쓴 날에 로완이 캔터베리의 신임 대주교가 되었다는 소식이 전해졌을 때, 나의 판단이 옳았다는 의식은 억제하기 어려운 심정으로 바뀌었다. 그에게 축하를 드리고, 이 두 사람 모두에게 감사를 드린다.

N. T. 라이트

웨스트민스터 대성당에서

제 1 부

무대 설정

참아내어라, 성난 슬픔에 양보하지 말아라;
너희 아들을 슬퍼해야 아무 소용 없으리니,
네가 죽기 전에는 그를 다시 일으키지 못하리라.

Homer, *The Illiad*, 24.549-51

장정이라도 죽으면 어찌 다시 살리이까?

욥기 14:14

제1장

과녁과 화살들

1. 서론: 과녁

예루살렘에 있는 거룩한 무덤 교회(the Church of the Holy Sepulchre)를 방문하는 순례자들은 몇 가지 당혹스러운 일에 부딪친다. 이것이 나사렛 예수가 십자가에 못 박힌 후에 매장된 곳이란 말인가? 무덤은 우리가 예상했던 것과는 달리 왜 성벽 바깥이 아니라 안쪽에 있는 것인가? 현재의 건물은 원래의 터와 어떤 관계에 있는 것인가? 이 장소는 어떻게 해서 신약성서가 우리로 하여금 예상하게 하는 것(골고다라 불리는 언덕에서 가까운 동산 안의 무덤)과 이토록 달라지게 된 것인가? 이곳이 대체적으로 바로 그 장소라고 한다고 할지라도, 이곳이 과연 바로 그 지점인가? 지금은 위층에 있는 예배당 안에 둘러싸여 있는 이 우뚝 솟은 바위가 실제로 골고다의 봉우리였단 말인가? 이 대리석판이 정말 죽은 예수께서 누워 계셨던 바로 그곳인가? 이 화려하게 장식된 성소가 정말 예수의 무덤의 부지였던가? 왜 서로 다른 부류의 그리스도인들이 여전히 이 장소를 누가 소유하느냐를 놓고 으르렁거리고 있는 것인가? ― 이것은 좀 다른 종류의 질문이긴 하지만, 많은 순례자들에게 절실한 문제이다. 하지만 이러한 당혹스러운 문제들은 이 장소가 주는 감동에 별 영향을 미치지 못한다. 고고학적 · 역사적 · 교파적 승강이들에도 불구하고, 이 교회는 여전히 그 도발적이고 영적인 힘을 보유하고 있다. 순례자들은 여전히 무수하게 무리를 지어서 이곳으로 몰려온다.[1)]

---

1) 자세한 것은 Murphy-O'Connor 1998 [1980]; Walker 1999를 보라.

순례자들 중 일부는 여전히 예수의 부활이 과연 정말 일어난 것인지에 대하여 의문을 제기한다. 나사렛 예수는 정말 죽은 자로부터 부활하였는가라고 그들은 묻는다. 그들이 깨닫든지 못 깨닫든지, 그들은 다른 종류의 순례자들의 무리에 합류하고 있는 것이다: 처형된 후 제삼일에 예수의 무덤에서 일어난 사건들에 관한 이상한 보도들을 앞다투어 조사하고자 하는 지나치게 열띤 역사가들의 무리. 여기서 그들은 앞에서 말한 것과 비슷한 일련의 문제점들에 직면한다. 부활절(Easter)에 관한 이야기는 예수의 무덤이라고 추정된 장소에 세워진 교회와 마찬가지로 세월이 지나면서 여러 차례 허물어뜨려졌다가 다시 재건되었다. 거룩한 무덤 교회가 순례자들에게 당혹스러운 것과 마찬가지로, 복음서들에 나오는 현기증 나는 이야기들은 독자들에게 당혹스러운 것이다. 이 이야기들은 전체적으로 서로 어떻게 부합될 수 있는 것인가? 정확히 무슨 일이 일어난 것인가? 오늘날에 있어서 어느 사상 학파가 이 이야기를 진실되게 이야기하고 있는 것인가? 많은 사람들이 예수의 십자가 처형 후에 제삼일에 무슨 일이 일어났는지를 찾아내려다가 절망하고 말았다. 그렇지만 당혹감과 회의론에도 불구하고, 전 세계의 무수한 그리스도인들은 부활절 신앙에 관한 원래의 신앙고백을 주기적으로 반복한다: 십자가 처형 후 제삼일에 예수께서 다시 살아나셨다.

그렇다면, 부활절 아침에 도대체 무슨 일이 일어났던 것인가? 본서의 중심적인 주제인 이 역사적 질문은 왜 기독교가 시작되었고, 왜 기독교는 현재의 모습을 지니게 되었는가라는 문제와 밀접하게 연관되어 있다.[2] 이것은 내가 『예수와 하나님의 승리』에서 설정해 놓은 다섯 가지 질문들 중에서 네 번째 질문에 해당한다 — 나는 이미 거기에서 처음 세 가지 질문(예수는 유대교 내에서 어디쯤에 속하는가? 예수의 목표들은 무엇이었는가? 왜 예수는 죽었는가?)에 대하여 대답들을 제시한 바 있다. (나는 복음서들이 왜 현재의 모습을 지니게 되었는가 라는 다섯 번째 질문에 대해서는 다음 권에서 대답하고자 한다.) 기독교의 기원에 관한 문제는 필연적으로 초대 교회에 관한 문제이자 예수 자신에 관한 문제일 수밖에 없다. 초기 그리스도인들이 스스로에 관하여 무엇을 얘기하였든, 통상적으로 그들은 예수에 관하여 말함으로써 그들 자신의 실존과

---

2) *JVG* 109-12를 보라.

특징적인 활동들을 설명하였다.

지금으로부터 대략 2000년 전의 어느 특정한 날에 무슨 일이 일어났는가를 결정하기 위해서 우리는 아주 다양하고 광범위한 증인들 — 이들 중 일부는 이 문제에 대한 다른 대답들을 지지하는 자들에 의해서 의문시되고 있다 — 을 불러내서 대질 심문을 하지 않으면 안된다는 것은 이상한 일이지만 엄연한 사실이다. 이 논증은 종종 지나친 단순화들에 의해서 망쳐져 왔기 때문에, 우리는 이러한 것을 피하기 위하여 사실들을 꽤 자세하게 제시할 필요가 있다. 그렇긴 하지만, 이 주제에 관한 연구사를 모두 자세하게 서술하기에는 지면이 부족하다. 그래서 나는 몇몇 대화 상대방들을 선택하였는데, 더 많은 대화 상대방들을 수용할 여지가 없었다는 것을 유감스럽게 생각한다. 문헌들을 읽으면서 내가 받은 인상은 학자들이 일차 자료들조차도 충분히 잘 알고 있지 못하거나 주의 깊게 연구하지 않았다는 것이다. 본서에서는 언제나 특정한 견해에 찬성하거나 반대하는 학자들을 일일이 지적하지는 않겠지만, 바로 그 점을 교정하고자 한다.[3)]

---

3) 여기에 언급된 다른 저작들에 나오는 것들 외에도 부활에 관한 상당한 분량의 참고문헌들은 Wissman, Stemberger, Hoffman et al. 1979; Alves 1989, 519-37; Ghiberti and Borgonovo 1993; Evans 2001, 526-9 등에서 찾아볼 수 있다. G. Habermas에 의한 완벽한 서지가 곧 나올 예정이라고 한다. 부활에 관하여 최근에 나온 논문집으로는 Avis 1993a; Barton and Stanton 1994; D'Costa 1996; Davis, Kendall and O'Collins 1997; Longenecker 1998; Porter, Hayes and Tombs 1999; Avemarie and Lichtenberger 2001; Mainville and Marguerat 2001; Bieringer et al. 2002 등이 있다. 또한 *Ex Auditu* 1993을 참조하라. 내가 본서를 집필하는 동안에 암묵적으로 대화를 나누어 온 주요한 연구서들로는 Evans 1970; Perkins 1984; Carnley 1987; Riley 1995; Wedderburn 1999; 그리고 다소 다른 범주들에 속한 것들이긴 하지만 Barr 1992, Lüdemann 1994 and Crossan 1998 등이 있다. (Lüdemann에 대해서는 Rese 2002를 보라.) 과거의 저작들, 특히 Moule 1968; Marxsen 1970 [1968]; Fuller 1971은 전제되어 있지만(흔히 동의하는 부분들과 동의하지 않는 부분들 모두를 포함해서), Oberlinner 1986; Miiller 1998; Pesch 1999 등과 같은 최근의 대륙계의 학자들과 마찬가지로, 그들과의 충분한 대화는 지면상의 제약으로 어려웠다. Marxsen과 Fuller에 대해서는 Alston 1997에 나오는 유익한 비평을 보라. 또한 나는 Gerald O'Collins에게도 빚을 졌는데, 부활에 관한 그의 많은 저작들(예를 들면, 1973; 1987; 1988; 1993; 1995 ch. 4)은 종종 나와 견해가 다르긴 했어도 끊임

이 프로젝트 전체의 명칭이 보여주듯이, 내가 제1권의 제1부에서 설명했듯이, 나의 의도는 기독교의 역사적 기원과 신의 문제에 관하여 글을 쓰는 것이다. 물론, 나는 200년이 넘게 학자들은 역사와 신학, 또는 역사와 신앙이 서로 간의 간격을 좁힐 수 있도록 애를 써왔다는 것을 잘 알고 있다. 이러한 시도 배후에는 선한 의도가 존재한다: 이 분과 학문들은 각각 자신의 고유한 형태와 논리를 지니고 있고, 단순하게 다른 쪽 분과 학문으로 전환될 수 없다. 그렇지만 본서에서는 곳곳에서 — 일반적으로는 기독교의 기원과 관련하여, 그리고 구체적으로는 부활과 관련하여 — 역사와 신학은 필연적으로 서로 얽혀 있다. 사실, 이것을 인정하지 않는 것은 흔히 특정한 유형의 신학, 아마도 신은 부재 지주로서 역사적 발전 과정에 관여하지 않는다는 이신론(理神論)의 한 형태를 암묵적으로 지지하기로 결정하고 있는 것이다. 하나님의 "초월성"에 근거해서 이러한 입장을 고수하는 것은 이 문제를 해결하는 것이 아니라 이 문제를 고스란히 안고 가는 것이다.[4] 이것의 정반대의 입장은 이적을 일으키는 신을 전제하고 통상적으로 역사적인 인과 관계를 무시하는 고약한 초자연주의(supernaturalism)이다. 그 밖에 이 지도상의 다른 곳에는 "신"을 시공으로 이루어진 세계와 역사적 과정의 일부로 보거나, 그러한 것들과 밀접하게 연관되어 있다고 보는 범신론, 만유재신론, 과정 신학의 다양한 형태들이 존재한다. 그러므로 역사와 신학의 연관 관계를 인정한다는 것은 역사 또는 신학에 관한 여러 가지 문제들을 미리 결정하는 것이 아니라, 이 주제가 지닌 필연적인 다면성을 주목한다는 것이다.

이것이 나와 지난 20년 동안에 이 주제에 관하여 글을 써 온 주요한 저술가들 중의 한 사람인 대주교 피터 칸리(Peter Carnley) 간에 발견되는 많은 불일치점들의 핵심이다.[5] 그의 저서(그리고 그 밖의 몇몇 다른 학자들의 저서)

없이 내게 자극이 되었다. 또한 나는 C. F. D. Moule에게도 감사하는데, 그가 1967년에 쓴 연구서의 서론에서 언급한 말들은 여전히 적절해 보인다. 나는 그의 논증의 내용들이나 결론들은 모든 점에서 타당한 것은 아닐지라도 그의 논증의 논리적인 형태에 대해서는 최고의 찬사를 보낸다(또한 cf. Moule and Cupitt 1972).

4) Via 2002, 83, 87, 91을 보라.

5) Carnley 1987, esp. ch. 2. Coakley 2002 ch. 8은 Carnley를 자신의 출발점으로 삼고 있지만, 그의 입장이 지닌 심각한 결함들을 보지는 못한 것 같다.

속에는 다음과 같은 암묵적인 논거가 존재하고 있는 것으로 보인다: (a) 역사비평학자들은 첫 부활절의 사건들을 철저하게 해체하였지만, (b) 독자적인 견지에서 이 비평학에 참여하고자 시도하는 사람은 누구나 그렇게 하는 것은 부활을 축소시키고 단순히 세속적인 차원으로 환원시키는 것이라는 말을 듣는다. 역사적 작업은 비록 그것이 회의적인 결과들을 가져온다고 할지라도 훌륭하고 꼭 필요한 일인 것으로 보이지만, 그것이 다른 그 무엇을 하고자 시도한다면, 위험스럽고 손상을 주는 것이 될 수 있다 — 진정한 신앙에 말이다![6] 즉, 나는 머리를 잃고, 너는 꼬리를 얻는다. 과거의 역사비평적 방법론들을 무비판적으로 수용하고자 하는 것은 아니지만, 우리는 역사를 근거로 하는 것이 여전히 중요하고, 이 단계에서의 신학적인 문제들을 왜곡함이 없이 역사에 대한 연구가 여전히 이루어질 수 있다고 역설하지 않으면 안 된다. 우리는 "변증적인 목적으로 역사적 연구를 식민지화하는 것" 또는 "신학적인 명분 하에 역사에 무관심한 것"으로 만족할 수 없다.[7] 나는 우리가 예수에 관한 사실적인 명제들을 정립하고자 하는 시도에 일방적으로 몰두하도록 유혹을 받아서는 안 된다는 칸리(145, 165)의 말에 동의한다; 그러나 그는 이러한 경고를 명백히 잘못된 역사적 재구성들을 교정하지 않은 채로 방치해 두는 방편으로 사용하고 있는 마울(Moule)이 역설했듯이, 역사를 진지하게 다루는 것은 결코 자유주의적인 개신교 사상을 편드는 것이 아니다.[8] 또한 "실제로 무슨 일이 일어났는가"

---

6) 이와 다르지만 연관된 입장은 Barth에서 감지되어 왔다: "부활의 역사적 실체를 주장하면서도 역사가들이 그 문제를 다룰 수 있는 권리를 부정하는 것" (O'Collins 1973, 90, 99; 또한 Coakley 2002, 134f.를 보라). 애석하게도, 본서에서는 이 주제에 대한 Barth의 기여를 다룰 지면이 없다: 또 한 권의 극히 가치있는 저작인 Torrance 1976도 좋은 입문서인데, 여기에서는 가끔 언급하는 것 이상으로 다룰 수는 없다.

7) Williams 2000, 194.

8) Moule 1967, 78. 또한 79를 보라: "대안들은 예수에 대한 합리주의적인 평가를 수반한 단순한 역사도 아니고 … 설교되어지지만 그 옳음이 입증되지 않은 주에 대한 헌신도 아니다." 기독교의 신조는 "진공 속에서 만들어진 일련의 단언들이 아니고," 그 자체가 "구체적이지만 초월적인" 사건과 불가피하게 관련되어 있다고 그는 말한다. 내가 이 말과 관련하여 유일하게 시비를 거는 것은 "그렇지만"인데, 이 표현은 내게 계몽주의의 난평면적(亂平面的, split-level)인 세계관에 너무 많은 것을 양

라는 문제는 존 로크(John Locke)를 필두로 해서 중요시된 것이 아니었다.[9]

현재의 연구와 관련해서 "신의 문제"(question of god)는 다음과 같은 형태를 띠게 된다: 초기 그리스도인들은 그들이 말한 신에 관하여 무엇을 믿었는가? 초기 그리스도인들은 그 초창기에 이 신의 존재와 행위를 어떤 식으로 설명하였고, 이것은 그들의 지도자가 죽은 후에 하나의 집단으로 계속해서 존재하여야 할 이유들을 어떻게 표현하고 밑받침하고 있었는가? 달리 말하면, 제2부, 제3부, 제4부에서 우리는 초기 그리스도인들이 그들 자신, 예수, 그들의 신에 관하여 무엇을 믿었는가에 대한 역사적 재구성에 관심을 갖게 될 것이다. 그들이 이스라엘의 족장들과 선지자들의 신, 과거에 여러 가지 약속들을 행하였고 지금은 예수 안에서 및 예수를 통해서 그 약속들을 놀라운 방식으로 권능 있게 성취한 바로 그 신을 믿었다는 것이 분명해질 것이다. 우리는 제5부에 가서야 훨씬 더 어려운 문제를 다루게 될 것이다: 최초의 부활절에 무슨 일이 일어났는가에 관한 결론들에 도달함에 있어서, 우리는 역사가 자신의 세계관과 신학이라는 문제를 피할 수 없다. 여기서 다시 한 번 말해두지만, 그렇게 하지 않는 것은 통상적으로 특정한 세계관, 흔히 계몽주의 이후의 회의론적인 세계관을 지지하겠다고 암묵적으로 결정하는 것이다.

따라서 본서의 형태는 일차적인 질문을 더 세분한 두 가지 주된 하위 질문들에 의해서 결정된다: 초기 그리스도인들은 예수에게 무슨 일이 일어났다고 생각했고, 우리는 그러한 신앙들이 옳을 가능성에 관하여 무엇이라고 말할 수 있는가? 이 질문들 중 첫 번째는 제2부, 제3부, 제4부의 주제이고, 두 번째 질문은 제5부에서 다루어진다. 이 두 가지 질문은 명백히 서로 중복된다. 왜냐하면, 제5부의 결론을 위한 근거들 중의 일부는 제2—4부에서 찾아내진 두드러진

보하고 있는 것으로 보인다(*NTPG* Part II를 보라).

9) Coakley 2002, ch. 8이 함축하고 있는 것으로 보이는 것 같이. 나는 부활은 갱신된 존재론만이 아니라 갱신된 인식론이라는 문제도 불러일으킨다는 Coakley의 견해에 전적으로 동의하지만, 그녀는 "부활한 예수를 보는 것"은 기독교적인 세계관에 관하여 말하는 암호적인 방식이라고 말함으로써 후자를 붕괴시켜서 전자 속으로 흡수해 버림으로써, 모든 초기 저술가들이 부활 후의 짧은 기간 동안에 일어난 부활한 예수와의 만남들과 그 이후의 기독교적인 체험을 날카롭게 구분하고 있다는 것을 무시하고 있는 것으로 보인다.

신앙들이고, 그러한 신앙들은 그것들이 참이라는 가설이 없다면 설명하기 어렵기 때문이다. 그러나 이론상으로는 이 두 가지 질문은 서로 분리될 수 있다. 어떤 학자가 (a) 초기 그리스도인들은 예수가 몸으로 살아났었다고 생각했지만(b) 그들의 생각은 틀린 것이었다고 결론을 내리는 것이 얼마든지 가능하다.[10] 많은 학자들이 이러한 견해를 취해 왔다. 하지만 어떻게 해서 (a)가 그렇게 되었는지를 다른 식으로 설명해야 할 책임이 우리 모두에게 있다; 그리고 연구사가 보여주는 흥미로운 특징들 중 하나는 이러한 질문에 대하여 판이하게 다른 다양한 대답들이 제시되어 왔다는 것이다.

지난 수 년 동안에 걸친 본서의 집필과 연구 과정 속에서, 나는 어느 순간에 예수의 부활을 이해하기 위한 지배적인 패러다임, 여러 반대의 목소리들에도 불구하고 학계 및 많은 주류 교회들의 세계 속에서 널리 받아들여진 패러다임이 존재한다는 것을 알게 되었다. 본서 전체에 걸쳐서 나는 건설적인 접근 방식을 사용하고 있지만, 서두에 내가 이 지배적인 패러다임과 그 주된 구성 부분들에 도전하고자 한다는 것을 명확하게 언급해 둘 필요가 있다.

전체적으로 볼 때, 이 지배적인 견해는 다음과 같은 것들을 견지한다: (1) 유대교적 배경은 오직 "부활"이 서로 다른 여러 다양한 것들을 의미할 수 있는 희미한 배경만을 제공해 줄 뿐이다; (2) 가장 초기의 기독교 저술가인 바울은 몸의 부활을 믿지 않았고, "더 영적인" 견해를 지니고 있었다; (3) 가장 초기의 그리스도인들은 예수의 몸의 부활을 믿은 것이 아니라 그의 승귀/승천/영화(榮化), 예수가 모종의 특별한 능력을 통해서 "승천하였다는 것"을 믿었고, 그들은 처음에는 그러한 신앙을 나타내기 위하여 "부활"이라는 표현을 사용했고, 오직 나중에 가서야 빈 무덤 또는 부활한 예수를 "본 것"에 관하여 말할 때에 "부활"이라는 표현을 사용하게 되었다; (4) 복음서들에 나오는 부활 이야

10)(a) 초기 그리스도인들이 예수가 몸으로 부활하였다는 것과 (b) 사실 그가 존재하였다고 생각하지 않았다고 결론을 내리는 것은 논리적으로 얼마든지 가능할 것이다. 나는 학자이든 그 누구든 그러한 견해를 제시한 사람을 보지 못했다. 이보다 더 중요한 것은, 일어났음에 "틀림없다"거나 일어났을 수 있는 일에 관한 자신의 견해를 초기 그리스도인들이 무슨 일이 일어났었다고 주장했느냐에 관한 유사역사적인 진술들 속으로 와해시키지 않는다는 것이 매우 중요한 것이다. 이것에 대해서는 O'Collins 1995, 89f.를 보라.

기들은 이러한 두 번째 단계에서의 신앙을 밑받침하기 위하여 의도된 후대의 창작물들이다; (5) 부활한 예수를 "본 것들"은 어떤 외적인 실체를 본 것이 아니라 내면적인 "종교적" 체험으로 설명될 수 있는 바울의 회심 체험이라는 견지에서 가장 잘 설명될 수 있고, 초기 그리스도인들은 모종의 환상 또는 환각을 경험하였다; (6) 예수의 몸에 어떤 일이 일어났든지간에(그 몸이 매장되었던 것인가에 관해서조차도 견해들이 서로 다르다), 그 몸은 "소생되지" 않았고, 복음서의 이야기들이 말하고자 한 것 같이 보이는 "죽은 자로부터의 부활"은 일어나지 않았다.[11] 물론, 이러한 각각의 요소들은 학자들에 의해서 서로 다르게 강조되고 있지만, 이러한 그림은 이 주제를 취미 삼아서 살펴보았거나 몇몇 주류에 속한 부활절 설교들 또는 장례 설교들을 최근 수십 년 사이에 들어본 사람들에게 친숙할 것이다. 이러한 것들에 대한 본서의 반론은 이러한 각각의 입장들과 반대되는 근거가 뚜렷하며 확실하고 탁월한 역사적 논거들이 존재한다는 것이다.

물론, 적극적인 목적은 (1) 유대교적 배경 및 자료들에 대한 다른 견해, (2) 바울에 대한 새로운 이해, (3) 그 밖의 다른 모든 초기 그리스도인들에 대한 새로운 이해, (4) 복음서 이야기들에 대한 새로운 읽기를 정립하고, (5) 초기 기독교가 시작되었고 그러한 형태를 띠게 된 유일한 이유는 무덤이 실제로 비어 있었고 사람들이 다시 살아난 예수를 실제로 만났다는 것임을 논증하며, (6) 그것을 인정하는 것이 세계관의 차원에서의 도전을 받아들이는 것을 내포하는 것이긴 하지만, 이 모든 현상들에 대한 최선의 역사적 설명은 예수가 실제로 죽은 자로부터 몸으로 살아났다는 것임을 논증하는 것이다. (각각의 논증들에 붙여진 숫자는, (5)와 (6)이 제5부의 두 개의 장(제18장과 제19장)에 해당하는 것을 제외하면, 본서의 여러 부(部)들과 일치한다.)

지금까지의 논쟁은 이러한 주제들 속해 있는 열두어 가지 사항들에 초점이

---

11) Davis 1997, 132-4가 지적하고 있듯이, 예수가 소생하였다고 말하는 단 한 사람의 저술가를 발견하는 것보다 예수가 "소생하지" 않았다고 분명하게 말하는 학자들을 발견하는 것이 더 쉽다. "소생"에 대한 부정은 흔히 "부활" 자체에 대한 부정을 향한 얇은 쐐기로 사용되는데, 앞으로 우리가 보게 되겠지만, 이것은 그릇된 결론이다.

맞춰져 왔다. 주요한 도시들(Windermere, Ambleside, Keswick)에서 영국의 호수 지구로 하루 여행을 갈 때에 사람들이 그 도시들로부터 수 마일 이내에 머물게 되는 것과 마찬가지로, 부활에 관한 논문들과 연구서들을 쓰는 사람들은 거듭거듭 동일한 핵심적인 사항들(죽음 이후의 삶에 관한 유대 사상들, 바울의 "영적 몸," 빈 무덤, 예수를 "본 것들" 등등)로 되돌아온다. 하지만 하루 여행자들은 호수의 모든 면모를 다 보지 못하고, 실제로는 그 호수 지구를 제대로 알지 못한다. 본서에서 나는 사람들로 붐비는 지역들과 아울러 작은 언덕들과 좁은 시골길들도 다녀볼 것을 제안한다. 하나의 분명한 예로서(그러나 많은 학자들이 이것을 무시하는 듯이 보이는 것은 이상한 일이다), 고린도후서 5장 또는 로마서 8장을 언급함이 없이 부활에 관한 바울의 견해에 대하여 글을 쓰는 것 — 이런 일이 비일비재하였다 — 은 당신이 스카펠(Scafell)봉 또는 헬벨린(Helvellyn)산(영국에서 가장 높은 산들)에 오른 적이 없으면서도 호수 지구를 "안다"고 말하는 것과 같다. 본서가 내가 예상했던 것보다 더 분량이 많아진 이유들 중의 하나는 내가 모든 증거들을 포함시키기로 결심했기 때문이다.

문제의 핵심을 다루기 전에, 우리는 먼저 두 가지 예비적인 주제들 — 둘 다 논란이 되고 있는 — 을 검토하지 않으면 안 된다. 첫째, 우리는 부활에 관하여 말함에 있어서 어떤 종류의 역사적 과제를 수행하고 있는 것인가? 서론을 다루는 이 장에서는 이 점에 관한 정지작업이 시도될 것이다. 이러한 정지작업이 없다면, 일부 독자들은 내가 부활에 관하여 역사적으로 글을 쓰는 것이 가능한가라는 문제를 회피하고 있다고 반론을 펼지도 모른다.

둘째, 예수 당시의 사람들 — 이방인이든 유대인이든 — 은 죽은 자들 및 그들의 장래의 운명에 관하여 어떻게 생각하고 말하였는가? 특히, "부활"이라는 단어(헬라어에서는 '아나스타시스'와 그 동일 어원의 단어들, 동사 '에게이로'와 그 동일 어원의 단어들, 히브리어에서는 '쿰'과 그 동일 어원의 단어들)는 그러한 신앙의 범위 내에서 무엇을 의미하였는가?[12] 제2장과 제3장에서는 이 문제를 다루면서, 특히 초기 그리스도인들이 예수의 부활에 관하여 말하고 글

---

12) 라틴어 *resurrectio*는 그리스도인들이 만들어 낸 것으로 보인다; LS 1585에 나오는 가장 초기의 전거들은 Tert. *Res.* 1과 Aug. *City of God* 22.28이고, 그 후에는

을 쓸 때에 그들은 무엇을 의도했고 사람들은 무엇을 의미한다고 들었는지를 밝힐 것이다 — 앞으로 보게 되겠지만, 이것은 아주 중요한 수순이다.

조지 케어드(George Caird)가 전에 지적했듯이, 한 화자(話者)가 "I am mad about my flat"이라고 말할 때, 그것은 그가 미국인인지(이 경우에 그는 타이어가 펑크난 것에 대하여 화가 나 있는 것이다) 영국인인지(이 경우에 그는 자기가 사는 곳에 대하여 열성적이라는 것이다)를 아는 데에 도움을 준다.[13] 초기 그리스도인들이 "메시야가 제삼일에 죽은 자로부터 부활하였다"고 말했을 때, 사람들은 그들이 무엇을 말하고 있다고 들었을까? 이것은 일부 독자들에게 분명하고 뻔한 질문으로 보일 수 있겠지만, 복음서 기자들에 의하면, 예수가 자기를 좇는 제자들에게 이와 비슷한 것을 말하였을 때, 그것은 결코 분명한 것이 아니었고, 오늘날의 문헌들을 한 번 훑어보기만 해도, 이 문제는 오늘날의 많은 학자들에게도 여전히 분명한 것과는 거리가 멀다는 것이 드러난다.[14] 의미라는 문제(이런 종류의 말은 당시에 무엇을 의미했는가?)와 아울러, 우리는 유래(由來)라는 문제도 고찰하지 않으면 안 된다: 기독교가 부활 사건에 관한 개념들과 언어를 형성할 때에 주변의 배경 — 유대적인 또는 비유대적인 — 에 무엇을 빚졌는가? 제2장에서는 이 두 가지 질문을 염두에 두는 가운데 주후 1세기의 비유대적 세계를 살펴보고, 제3장과 제4장에서는 이 총서의 제1권에서 짧게 논의된 유대 세계를 살펴볼 것이다.[15]

그러면, 논증이 어떻게 전개될지에 관하여 앞에서 짤막하게, 그리고 거의 상투적으로 얘기한 것을 이제 좀 더 자세하게 설명할 차례이다. 나는 다음과 같이 물음으로써 제2부에서 제4부까지 주로 다루어질 문제에 접근할 것이다: 일반적으로는 죽음 이후의 삶, 구체적으로는 부활에 관한 폭넓은 범위의 견해들이 당시에 존재했었다고 할 때, 초기 그리스도인들은 이러한 주제들과 관련하여 무엇을 믿었고, 우리는 그들의 신앙들을 어떻게 설명할 수 있는가? 초기

불가타역의 복음서들이다. *TDNT* 등에 실려있는 표준적인 논문들은 이하의 서술에서 전제되고 있다. 또한 O'Donnell 1999의 최근의 연구도 보라.

13) Caird 1997 [1980], 50.

14) cf. 막 9:9f.; 눅 18:34.

15) cf. *NTPG* 320-34.

그리스도인들은 어떤 의미에서 유대교적인 견해들의 범위 안에 머물러 있었지만, 이 주제에 관한 그들의 견해들은 유대교에서는 유례를 찾아볼 수 없을 정도로 명료화되었고 실제로 결정화(結晶化)되었다는 것을 우리는 알게 될 것이다. 그들이 이 주제를 비롯한 많은 것들에 대하여 제시한 설명은 나사렛 예수가 죽은 자로부터 몸으로 부활하였다는 유례 없는 주장이었다. 제2부, 제3부, 제4부에서는 일반적으로는 부활, 구체적으로는 예수의 부활에 관한 이러한 신앙은 역사가들로 하여금 유대교의 세계관 내부로부터의 이러한 돌연하고도 극적인 변이(變異)를 설명하도록 압박한다는 것을 보여줄 것이다.

이러한 문제들을 탐구함에 있어서, 나는 비전통적인 노선을 따르고자 한다. 대부분의 논의들은 정경에 속한 사복음서의 마지막 장들에 실려 있는 부활 이야기들로 시작해서, 거기로부터 밖으로 움직여 나간다. 그러한 장들은 우리 앞에 놓인 자료들 중에서 가장 난해한 부분들에 속하고, 그것들은 우리의 주요한 문헌 증거인 바울 서신보다 더 늦게 기록되었다는 데에 견해가 일치하기 때문에, 나는 먼저 바울(제2부)과 그 밖의 다른 초기 기독교 저술가들 — 정경적이든 비정경적이든 — 을 살펴봄으로써(제3부) 정지작업을 마친 후에, 마지막에 가서 그것들을 살펴볼 것을 제안한다. 종종 주장되는 것과는 달리, 우리는 기본적인 사항에 있어서 실질적인 일치를 발견하게 될 것이다: 확고한 증거들을 통해서 확인된 초기 그리스도인들은 거의 모두 나사렛 예수가 죽은 자로부터 몸으로 부활하였다고 단언하였다. 그들이 "예수가 제삼일에 부활하였다"고 말했을 때, 그들이 한 말은 문자 그대로의 내용을 의미하였다. 이 점을 확고하게 확인하고 난 후에야, 비로소 우리는 제4부에서 다루어질 복음서들에 나오는 부활 이야기들을 제대로 볼 수 있게 된다.

그런 후에 우리는 제5부에서는 다음과 같은 문제를 집중적으로 조명할 것이다: 21세기의 역사가들은 역사적 증거의 토대 위에서 부활 사건에 관하여 무엇이라고 말할 수 있는가? 나는 유대교의 부활 신앙 내에서의 초기 기독교의 돌연변이에 대한 최선의 설명은 두 가지 일이 일어났다는 것이라고 본다. 첫째, 예수의 무덤은 비어 있는 채로 발견되었다. 둘째, 전에는 예수를 좇지 않았던 몇몇 사람들 — 적어도 한 사람을 포함해서 — 은 유령들, 영들 등등과 같은 말로 표현하기에는 부적절한 방식으로, 그리고 죽음 이후의 삶, 특히 부활에 관하여 그들이 과거에 지니고 있던 신앙들로부터 설명할 수 없는 방식으로 예수가 살아 있는 것을 보았다고 주장하였다. 우리가 이러한 역사적 결론들 중 어느 쪽이라도 배제해 버린다면, 초대 교회의 신앙은 설명할 수 없는 것이 되어 버리고 만다.

그러므로 추가적인 질문은 왜 무덤이 비어 있었으며, 부활한 예수를 본 사건들은 어떻게 설명될 수 있는가 하는 것이다. 나는 최선의 역사적 설명은 온갖 신학적 문제들을 불러일으킬 수밖에 없는 다음과 같은 설명이라고 논증하고자 한다: 무덤은 정말 비어 있었고, 예수는 진정으로 죽은 자로부터 부활하여, 정말 사람들에게 나타나 보였다.

나사렛 예수가 죽은 자로부터 부활하였다는 주장은 오늘날과 마찬가지로 1900년 전에도 논란거리였다. 죽은 자들이 죽은 채로 있는다는 것은 계몽주의의 철학자들이 처음으로 발견해낸 것이 아니었다. 그러므로 그러한 주장을 하고자 하는 역사가는 한 가지 기본적이고 근본적인 전제 — 종종 주장되듯이, 단지 18세기 회의주의의 입장이나 "전(前)과학적인 세계관"과 반대되는 "과학적 세계관"의 입장일 뿐만 아니라, 유대교 및 기독교 전통 밖에 있는 거의 모든 고대와 현대의 사람들의 입장이기도 한 — 에 도전하지 않을 수 없다.[16] 나는 예수의 부활에 대한 믿음으로부터 나온 초기 기독교의 신학적 성찰들 — 아주 초기부터 부활은 예수가 하나님의 아들이라는 것을 보여주었고, 한 분 참 하나님이 예수의 아버지라는 것이 이제 진실로 알려지게 되었다는 결론에 도달하게 된 성찰들 — 을 서술하면서, 이와 같은 철저한 돌연변이를 지지해주는 역사적·신학적 논거들을 제시하고자 한다. 이렇게 해서 본서의 일순(一巡)은 완성될 것이다.

하지만 과녁들을 겨누기 전에, 우리는 다음과 같이 묻지 않으면 안 된다: 그러한 과제를 수행하는 것이 과연 가능한 일인가?

2. 화살들

(i) 태양을 향해 쏘기

16) 이것은 주로 오늘날의 문제라는 의미를 함축하고 있는 Avis 1993b 등과는 반대로.

옛적에 궁수들에게 태양을 향하여 활을 쏘라고 명령했던 한 왕이 있었다. 왕이 보유한 최정예의 궁수들은 가장 훌륭한 장비들을 사용해서 온종일 태양을 향해 활을 쏘는 것을 시도하였다; 그러나 그들이 쏜 화살들은 태양에 미치지 못하였고, 태양은 계속해서 아무런 영향도 받지 않고 자신의 궤도를 운행하였다. 궁수들은 밤을 세워서 화살들을 광내고 깃털을 다시 닦고서는, 이튿날 새로워진 열심을 가지고 다시 한 번 시도하였다; 그러나 여전히 그들의 노력은 수포로 돌아가고 말았다. 왕은 진노하여, 성공하지 못하면 살려두지 않겠노라고 위협하였다. 삼일째 되는 날에 가장 나이 어린 궁수가 가장 작은 활을 들고 정오에 동산 연못 앞에 앉아 있던 왕에게 나아왔다. 거기에는 잔잔한 물 속에 황금 공 같은 태양이 반사되어 있었다. 그 젊은이는 단 한 방으로 태양의 중심을 꿰뚫었다. 태양은 수많은 빛나는 파편들로 쪼개어졌다.

역사의 모든 화살들은 하나님에게 도달할 수 없다. 물론, 활터에 세워진 과녁처럼 역사가들이 겨냥해서 맞출 수 있는 그런 의미의 "신"도 있을 수 있다. 어떤 사람이 범신론자이면 일수록, 그는 자연 세계 내의 사건들의 경과를 연구하는 것이 그들의 신을 연구하는 것이라고 전제할 가능성이 더 높아진다. 그러나 유대교 전승의 신, 기독교 신앙의 신, 그리고 이슬람교도들의 신(이 신들이 동일한 신인지 각각 다른 신인지는 여기에서 우리의 관심이 아니다)은 그러한 종류의 신이 아니다. 유대교, 기독교, 이슬람교의 신(들)의 초월성은 신학적으로 만유인력에 해당하는 것이다. 역사의 화살들은 거기에 도달할 수가 없다.

그렇지만 유대교 및 기독교 전승 속에는 이 한 분 참 신의 형상(image) 또는 반영(reflection)이 역사라는 만유인력의 장(場) 속에 출현하였다는 소문이 존재한다. 창세기로부터 지혜 전승을 거쳐서 한편으로는 토라(율법서)에 관한 유대인들의 신앙들과, 다른 한편으로는 예수에 관한 기독교적 신앙들을 관통하고 있는 이 소문은 원의 면적을 구하고, 케익을 먹음과 동시에 소유하며, 이 신의 초월성을 활로 쏘아서 도달할 수 있는 길을 제공해 줄 수 있을지도 모른다.

> 이 명령은 … 하늘에 있는 것이 아니니 네가 이르기를 누가 우리를 위하여 하늘에 올라가 그의 명령을 우리에게로 가지고 와서 우리에게 들려 행하게 하랴 할 것이 아니요 이것이 바다 밖에 있는 것이 아니니 네가 이

> 르기를 누가 우리를 위하여 바다를 건너가서 그의 명령을 우리에게로 가지고 와서 우리에게 들려 행하게 하랴 할 것도 아니라 오직 그 말씀이 네게 매우 가까워서 네 입에 있으며 네 마음에 있은즉 네가 이를 행할 수 있느니라.[17]

그리고 모세가 토라에 관하여 말한 것, 바울이 예수, 특히 그의 부활에 관하여 말한 것.[18]

이러한 성찰들은 우리에게 부활절에 무슨 일이 일어났는가에 관하여 역사가 무엇을 말할 수 있고 또한 말할 수 없는 지를 고찰할 수 있는 배경을 설정해준다. 일부 학자들은 부활 사건에 관한 역사적인 "증거들"을 제시함으로써 그들이 기독교의 신의 존재만이 아니라 기독교 메시지의 유효성을 현대적이고 준과학적인 의미로 입증하였다고 생각해 왔다.[19] 그들은 화살들을 인공위성들로 바꾸어서, 이카루스(Icarus)의 이야기가 우리에게 주는 교훈을 잊어버리고, 무모하게 태양을 향하여 출발한 것이다. 또 다른 학자들은 만유인력을 기억하고, 그러한 시도 전체가 무의미할 뿐만 아니라 실제로는 해로운 것이라고까지 선언하였다. 우리가 과녁을 맞추었다고 주장한다면, 우리는 하나님을 우상으로 변질시켜 버린 것은 아닌가? 이렇게 해서, 제2권에서 본 것처럼, 우리는 역사와 신학의 교차점에 우리 자신이 서있다는 것을 발견하게 된다. 이것은 21세기 초에 있어서 우리가 여전히 과거의 계몽주의의 유령들과 씨름하고 있다는 것을 의미한다. 우리가 예수 자신에 관하여 이야기할 때에 이미 강력하고 복잡하였던 이러한 문제들은 부활에 관하여 말하고자 시도할 때에 한층 더 절박한 것이 된다. 그렇다면, 우리는 본서에서 무엇을 하고자 하는 것인가?

(ii) 부활과 역사

17) 신 30:12-14.

18) 롬 10.6-10; cf. Wright, *Romans*, 658-66(또한 오늘날의 유대인들의 글들 속에서의 이 본문의 사용과 관련해서도).

19) 대중적인 기독교적 저작으로부터 거의 무작위적으로 선택해서 가져온 한 예: McDowell 1981.

(a) "역사"의 의미들

예수의 부활이라는 말을 통해서 우리가 무엇을 의미하든지 간에, 그것은 역사적 연구로는 접근할 수 없다고 자주 주장되어 왔고, 실제로 역설되기까지 하였다. 일부 학자들은 심지어 예수의 부활은 "역사 내의 사건"으로 생각할 수 없다고까지 주장하였다. 궁수들은 과녁을 제대로 볼 수 없다; 그들 중 일부는 과녁이 존재하는지조차도 의심한다. 이것에 맞서서, 나는 예수의 부활 — 그것이 무엇이든지 간에 — 은 적어도 역사적 문제로 볼 수 있고, 또한 보아져야 한다고 주장하고자 한다.

하지만, 우리는 "역사적"이라는 말을 통해서 무엇을 의미하고 있는 것인가?[20] "역사" 및 그 동일 어원에서 나온 단어들은 예수와 부활에 관한 논의들 속에서 적어도 다섯 가지 서로 상당히 다른 방식들로 사용되어 왔다.

첫째, 사건으로서의 역사가 존재한다. 우리가 어떤 것이 이러한 의미에서 "역사적"이라고 말한다면, 그것이 일어났는지를 알거나 입증할 수 있는지의 여부와는 상관없이, 그것은 실제로 일어난 것이다. 그 어떤 사람도 그 일을 목격하거나 당시에 그것에 관하여 글을 쓴 것이 없다고 할지라도, 최후의 공룡의 죽음은 그러한 의미에서 역사적 사건이고, 우리는 그 일이 언제 그리고 어디에서 일어났는지를 알아낼 가능성은 거의 없다. 마찬가지로, 우리는 단순히 그리고 오로지 그들 또는 그것들이 존재했다는 것을 나타내기 위하여 어떤 사람들 또는 사물들에 대하여 "역사적"이라는 단어를 사용한다.[21]

둘째, 중요한 사건으로서의 역사가 존재한다. 모든 사건들이 중요한 것은 아니다; 흔히 역사는 중요한 사건들로 이루어진다고 전제된다. 이럴 때에 함께 사용되는 형용사는 "역사적"이다; "역사적 사건"은 단순히 과거에 일어난 사건이 아니라, 그러한 사건의 발생이 중요한 결과들을 지니는 그런 사건이다. 마

20) 더 자세한 것은 *NTPG* ch. 4; Wright, "Dialogue," 245-52를 참조하라.

21) 오늘날의 영어의 용법은 이 대목에서 혼동되고 있는데, "역사상으로 유명한"이라는 단어가 적절한 곳에서 흔히 "역사적인"이라는 단어가 사용된다; 아래를 보라. 한 예로, 리치필드의 남부 A446에는 한 표지판이 세워져 있고 거기에 "역사적인 코크 선장의 여인숙"이라는 글귀가 씌어져 있는데, 내가 아는 한 지금까지 아무도 그것의 존재를 부정한 적이 없었고 그것이 오직 믿음의 눈에만 보인다고 생각하지도 않았다.

찬가지로, "역사적" 인물, 건물 또는 물건은 단순히 존재했을 뿐만 아니라 특별한 중요성을 지니고 있다고 인식되는 그런 것이다. 신약학 분야에서 역사적 인물이라고 할 수 있는 루돌프 불트만은 과거에 일어난 단순한 사건을 가리키는 '히스토리쉬'(historisch, 첫 번째 의미에서)와 대비되는 형용사 '게쉬흐틀리히'(geschichtlich)를 이러한 의미를 전달하기 위하여 사용한 것으로도 유명하다.

셋째, 입증할 수 있는 사건으로서의 역사가 존재한다. 이런 의미에서 어떤 것이 "역사적"이라고 말하는 것은 그 사건이 일어났을 뿐만 아니라 우리가 수학 또는 이른바 엄격한 의미에서의 과학들의 유비를 따라서 그 사건이 일어났다는 것을 입증할 수 있다고 말하는 것이다. 역사를 이런 의미로 사용하는 것은 좀 논란이 있다. "X가 일어났었을 수는 있지만, 우리는 그것을 입증할 수 없기 때문에, 그것은 실제로 역사적이지 않다"라고 말하는 것은 스스로 모순되는 말은 아닐 수 있지만, 그 밖의 다른 경우들보다 "역사"의 의미를 더 제한적으로 사용하고 있는 것임이 분명하다.

넷째, 앞에서 말한 세 가지 의미와는 판이하게 다른 것으로서, 과거에 일어난 사건들에 관하여 쓴 글로서의 역사가 존재한다. 어떤 것이 이런 의미에서 "역사적"이라고 말하는 것은 그것이 글로 씌어졌다거나 원칙적으로 글로 씌어질 수 있었다고 말하는 것이다. ("역사" 소설이라고 말할 때에도 그것은 이 용법에 해당할 것이다.) 이것에 대한 한 변형은 구전 역사이다 — 물론, 이것은 중요한 것이다; 많은 사람들이 구두로 한 말이 글로 씌어진 기록보다 더 권위를 지니고 있는 것으로 생각했던 때에는 과거에 일어난 사건들에 관하여 말한 것으로서의 역사는 무시되어서는 안 된다.[22]

다섯째이자 마지막으로, 예수에 관한 논의들 속에서 (3)와(4)의 결합이 흔히 발견된다: 현대의 역사가들이 하나의 주제에 관하여 말할 수 있는 것으로서의 역사. "현대적"이라는 말은 "계몽주의 이후의 시대," 곧 사람들이 역사와 자연

22) Plato *Phaedr*. 274c-275a는 소크라테스가 구전 전승들을 글로 씌어진 문서들로 대체하는 것에 대하여 경고하였다고 말한다: 사람들은 그들의 기억력을 사용하기를 멈추게 될 것이라고 그는 말한다. 또한 Xen. *Symp*. 3.5; Diog. Laert. 7.54-6도 보라. 초대 교회에서 Papias는 자기는 살아있는 증인들을 선호한다고 분명하게 말한 것으로 유명하다(Eus. *HE* 3.39.2-4)

과학 사이에는 모종의 유비, 심지어 상관관계가 존재한다고 생각했던 시대를 의미한다. 이런 의미에서의 "역사적"이라는 말은 입증되고 글로 씌어질 수 있을 뿐만이 아니라 계몽주의 이후의 세계관 내에서 입증되고 씌어질 수 있는 것을 의미한다. 이것이 바로 사람들이 흔히 "신앙의 그리스도"를 지지하고 "역사적 예수"(물론, 이 말은 "환원주의적인 세계관이라는 틀에 억지로 맞춘 예수"를 의미하게 된다)를 거부할 때에 흔히 염두에 두고 있는 것이다.[23]

물론, 이러한 의미들 간의 혼동은 이른바 "역사적 예수"에 관한 논의를 괴롭혀 왔는데, 어떤 학자들은 이 어구를 실제로 존재했던 예수를 의미하는 것으로 사용하였고(첫 번째 의미), 어떤 학자들은 예수와 관련하여 중요하다고 생각된 것들을 의미하는 것으로 사용하였으며(두 번째 의미), 어떤 학자들은 우리가 예수에 관하여 의심하거나 믿는 것과 대비되는 입증할 수 있는 것을 의미하는 것으로 사용하였고(세 번째 의미), 어떤 학자들은 사람이 예수에 관하여 글로 쓴 것을 의미하는 것으로 사용하였다(네 번째 의미). 앞에서 언급하였듯이, 이 어구를 다섯 번째 의미로 받아들였던 학자들은 흔히 그러한 의미의 예수만이 아니라 앞의 네 가지 의미의 예수를 모두 거부하였다.[24] 『예수와 하나님의 승리』는 부분적으로 이러한 입장에 대한 답변이다. 그러나 우리는 이제 이 문제의 한 가지 매우 구체적이고 특별하며 어떤 의미에서 특이한 경우를 다루지 않으면 안 된다. 어떤 의미에서 예수의 부활은 "역사적"이라고 말할 수 있는가?

바울 시대 이래로 사람들은 예수의 부활(그들이 이 말을 어떤 의미로 이해하였든지간에)에 관하여 글을 쓰고자 시도해 왔다. 물론, 다음과 같은 질문이 제기된다: 그들은 그렇게 함으로써 과거의 한 사건에 관하여 글을 쓰고 있었던 것인가? 그들은 "역사서"를 쓰고 있었던 것인가? 아니면, 그 모든 것은 실제로 그들 자신의 신앙 체험의 투영이었는가? 그들이 "예수가 제삼일에 죽은 자로부터 부활하였다"고 말하였을 때, 그들은 예수에 관하여 모종의 역사적인 주

---

23) 하나의 좋은 예는 Wedderburn 1999, 9이 논의하고 있는 Nineham 1965, 16에서 발견된다: "역사적" 사건들은 "이 세상의 한계들 내에 전적으로 국한되어 있고 오로지 인간적인" 사건들이다.

24) 예를 들면, cf. Johnson 1995; 1999.

장을 하고자 한 것인가, 또는 이것이 그들 자신의 주목할 만한 새로운 종교적 경험, 그들의 신앙의 생성 등등에 대한 은유라는 것을 스스로 알고 있었던 것인가? 이것은 우리를 본서의 대부분에 걸쳐서 다루어질 문제인 첫 번째 의미로 되돌아가게 해 준다: 부활은 실제로 일어난 사건이었는가, 만약 그렇다면, 정확히 무슨 일이 일어난 것인가? 학자들은 지금까지 "역사적 예수"에 대해서는 격렬하게 반대해 왔음에도 불구하고, "역사적 부활"을 반박하는 글은 그리 많이 쓰지 않은 것으로 보인다.[25)]

예수의 부활은 두 번째 의미로 역사적이라고 서술하는 것은 하등의 문제가 없다. 실제로 거의 모든 사람이 예수의 부활과 관련해서 무슨 일이 일어났는지와는 상관 없이 그 일은 극히 중요하였다는 데에 동의할 것이다. 실제로 최근의 몇몇 저술가들은 계속해서 우리가 "그것"이 무엇인지를 알 수 없다고 논증하면서도 그것은 매우 중요하였다는 데에 동의한다. 세 번째 의미와 관련해서는 엄청난 문제점들이 존재한다: 모든 것은 "증거"를 당신이 어떤 식으로 이해하느냐에 달려 있는데, 우리는 적절한 때에 이 문제를 다시 다루게 될 것이다. 네 번째 의미는 아무런 문제가 없다: 이 "사건"은 글로 씌어져 왔다 — 아무리 그것이 모두 허구적인 것이라고 해도. 그러나 정말 골치아픈 것은 다섯 번째 의미와 관련해서이다: 오늘날의 세계 속에 사는 역사가들은 이 주제에 관하여 무엇을 말할 수 있는가? 논의를 진행해 나가면서 이러한 구별들을 계속해서 명심하지 않는다면, 우리는 단지 무수한 문제점들만을 발견하게 될 뿐만 아니라, 다람쥐 쳇바퀴 돌 듯이 계속해서 그 자리를 빙빙 돌게 될 것이다.

그렇다면, 역사 내의 사건으로서의 예수의 부활에 관하여 말하는 것이 과연 가능한 것인가? 크로산(J. D. Crossan)은 자신의 유명한 저서인 『역사적 예수』(*The Historical Jesus*)라는 책에서 예수 전체에 대한 추구(the Quest for Jesus)와 관련해서 그러한 것은 행해질 수 없다고 말한 일부 학자들이 있었고, 그런 것이 행해져서는 안 된다고 말한 일부 학자들이 있었는데, 전자를 말했으면서도 실제로는 후자를 의미했던 학자들도 있었다고 말한다.[26)] 부활에 대해서도 이 말은 그대로 적용된다. 나는 우리가 부활을 역사적 문제로서 논의할

25) cf. *JVG* 109-12: 예를 들면, 앞의 각주에서의 Johnson.

26) Crossan 1991, xxvii. 부활에 관한 Crossan의 설명에 대해서는 아래를 보라.

수 있고 또한 논의하여야 한다고 믿고 있기 때문에, 우리가 이러한 의문들에 대하여 정면으로 답변하는 것은 중요하다.

여섯 가지 반론들이 존재한다; 나는 그것들을 두 가지 큰 부류로 나누어서, 부활에 관한 역사적 연구가 수행될 수 없다고 말하는 학자들과 한 걸음 더 나아가서 그러한 연구가 수행되어서는 안 된다고 주장하는 학자들로 분류하고자 한다. 궁수들과 태양에 관한 비유는 전자의 부류보다는 후자의 부류에 더 잘 적용된다. 이 비유를 약간 수정하면, 두 가지 그림이 나올 것이다. 우리가 부활을 역사적으로 연구할 수 없다고 생각하는 사람들은 과녁이 아예 존재하지 않는다고 생각하거나 과녁이 존재하더라도 궁수들이 과녁을 볼 수 없다고 생각하는 것이다. 우리가 부활을 역사적으로 연구해서는 안 된다고 생각하는 사람들은 과녁이 화살이 닿을 수 있는 인력 범위 바깥에 놓여 있다고 생각하는 것이다. 반대자들 중에서 첫 번째 부류는 과녁이 통상적으로 지상에 있다는 것을 전제하면서도 궁수들은 자기들이 볼 수 없는 그 과녁을 겨냥할 수 없다고 항변한다; 두 번째 부류는 그 어떤 화살도 태양에 도달할 수 없기 때문에, 그러한 추구는 실패할 수 밖에 없는 것이고, 애초부터 일종의 오만이라는 범죄를 저지르고 있는 것이라고 선언한다.

(b) 과연 접근할 수 있는 길은 없는가?

부활을 역사적으로 다루는 것에 대한 첫 번째 반론은 아주 자주 제기되는 것으로서, 지난 세대의 학계에서 특히 빌리 마르크센(Willi Marxen)과 연관되어 있다.[27] 마르크센은 우리가 역사가로서 부활 자체에 접근할 수 있는 길은 없다고 잘라 말한다. 과녁이 어딘가에 있을 수는 있지만, 우리는 그 과녁을 볼 수 없고, 따라서 그 과녁을 겨냥하여 쏠 수 없다. 우리가 할 수 있는 모든 것은 초기 제자들의 신앙들에 접근하는 것뿐이다. 후대에 나온 믿을 수 없는 자료인 이른바 베드로 복음서(Gospel of Peter)를 제외하고는 그 어떤 자료들도 예수가 무덤으로부터 나온 것을 서술하고자 하는 의도가 없다; 심지어 이 이상한 본문조차도 예수가 처음으로 깨어나서 수의를 떨쳐버리는 순간을 서술하지는 않는다.[28] 그러므로 우리는 부활 자체에 대하여 "역사적"이란 말을 사용해서는

27) Marxsen 1970 [1968] ch. 1; Marxsen 1968.

안 된다고 마르크센은 말한다. 그 이후에 상당수의 학자들이 그의 단언을 추종하였다.[29)]

이러한 주장은 매우 주의 깊고 과학적인 것처럼 보인다. 하지만 사실은 전혀 그렇지 않다. 이 주장은 한 가지 중요한 문제에 대한 성급한 거부, 과학적인 역사 서술을 포함한 역사가 실제로 어떻게 작동하는지에 대한 오해를 내포하고 있다. 사실, 이 주장은 지나친 과소평가와 지나친 과대평가, 이 두 가지 모두를 말하고 있다.

지나친 과소평가: 이 주장은 표준적인 실증주의적 방식을 따라서 우리는 오직 우리가 직접적으로 접근할 수 있는 것("직접적인 증인의 설명" 또는 거기에 가까운 것이라는 의미에서)만을 "역사적"인 것으로 여길 수 있다고 주장하는 것으로 보인다. 그러나 모든 현실의 역사가들이 알고 있듯이, 그것은 실제로 역사가 작동하는 방식이 아니다. 실증주의는 다른 분야들에서보다 특히 역사 서술이라는 분야에서 한층 더 부적절하다. 어떤 일들에 대하여 완전히 침묵할 것이 아니라면, 역사가들은 우리가 직접 접근할 수는 없지만 우리가 접근할 수 있는 것에 대한 필수적인 전제들인 어떤 사건들이 일어났다고 결론을 내리지 않을 수 없게 되는 경우가 비일비재하다. 과학자들, 특히 물리학자들은 항상 이런 종류의 조치를 취한다; 실제로, 이것이 바로 과학적인 진보들이 일어나는 방식인 것이다.[30)] 우리가 직접 접근할 수 없는 것을 역사적인 것으로부터 배제

---

28) Crossan은 베드로 복음서, 또는 적어도 그 중의 일부는 초기의 것이라고 생각하지만, 여전히 그것이 역사적으로 믿을 만하다고는 말하지 않는다; 아래의 제13장 제2절을 보라.

29) 예를 들면, Moule 1968; Evans 1970, 170-83에 나오는 여러 다양한 논의들을 보라.

30) Polkinghorne 1994, ch. 2, esp. 31f. 그 문제에 대하여 본문비평 학자들이 그렇게 한다: Baylor 대학의 Alden Smith 교수는 18세기의 유명한 고전학자인 Richard Bentley가 디감마(고대 헬라어 알파벳 중의 하나)를 복원함에 있어서 호메로스에 나오는 몇몇 본문들(그렇게 하지 않았다면, 그 운율은 여전히 결함이 있었을)에 대하여 이런 유의 조치를 행하였다는 것을 내게 지적하여 주었다. Via 2002, 82가 역사는 단편적인 증거들로부터 온전한 재구성으로 나아간다고 말한 것은 옳지만, 이러한 일이 모든 신학적 또는 종교적 전제들로부터 자유로운 일종의 중립지대에서 일어난다고 말한 것은 옳지 않다.

하는 것은 실제로 전혀 역사적 연구를 행하는 방식이 아니다.

그 결과로서 이 견해는 지나친 과대평가를 담고 있다. 독자적인 인식론의 토대 위에서 이 견해는 제자들의 신앙에 대하여 접근할 수 있다는 주장도 하지 말아야 한다. 본문들 자체조차도 우리에게 마르크센을 비롯한 많은 학자들이 필수적이라고 여기는 그런 방식으로 이 신앙에 대하여 직접적으로 접근하는 것을 허용하지 않는다. 이 경우에 우리가 가지고 있는 모든 것은 본문들뿐이다; 그리고 마르크센은 이 문제에 대하여 말하지 않았지만, 이와 동일한 의구심이 포스트모더니즘적인 방식으로 끊임없이 제기되어서, 일부 학자들은 우리가 과연 그러한 본문들을 가지고 있는지에 대해서조차 의문을 품게 되었다. 달리 말하면, (이런 의미에서) 당신이 직접적으로 접근할 수 있는 것만을 역사적인 것으로 받아들임으로써 거칠 것 없는 실증주의적인 역사가가 되고자 한다면, 당신은 먼 자갈길을 헤치고 나아가야 할 것이다. 하지만 실제로 이런 길을 통해서 가는 역사가들은 거의 없다.

이것은 "역사"의 서로 다른 의미들을 구별하지 못한 고전전인 사례이다. 마르크센은 적어도 우리가 알고 있는 한 그 누구도 예수가 실제로 죽음에서 생명으로 옮겨간 것에 관하여 글을 쓰지 않았다는 것을 인식하고(위의 네 번째 의미에서), 이것으로부터 이 사건에 관하여 그 어떤 것도 입증될 수 없다고(세 번째 의미에서) 추론해내면서, 마치 이것이 "현대적인 역사가들"로서의 우리가 그것에 관하여, 또는 이러한 의미에서의 "그것"이 무엇일 수 있는지에 관하여 — 우리가 그것에 관하여 의미 있는 그 무엇을 말할 수 있느냐와는 상관 없이(첫 번째 의미에서) — 아무것도 말할 수 없다(다섯 번째 의미에서)는 것을 의미하는 듯이 끊임없이 글을 쓴다. 이와 동시에, 그는 무슨 일이 일어났든 안 일어났든, 그것은 분명히 중요한 것이었음에 틀림없는데(두 번째 의미에서), 이는 만약 그것이 중요하지 않았다면 초대 교회가 결코 생겨나지 않았을 것이기 때문이라고 주장한다. 이러한 주장은 대단히 잘못된 것이다. 나는 논의를 진행하면서, 마르크센의 입장 전체를 서서히 바람을 빼서 납작하게 만들고자 한다.

(c) 유비는 없는가?

두 번째 반론은 마찬가지로 유명한 에른스트 트뢸치(Ernst Troeltsch)와 연관되어 있다. 그는 우리는 오직 역사가들로서 우리 자신의 경험 속에 모종의 유비가 있는 것들에 관해서만 말하거나 쓸 수 있다고 주장하였다; 부활은 우리의 경험 속에서 일어나지 않는다; 그러므로 우리는 역사가로서 부활에 관하여 말할 수 없다.[31] 우리는 지금까지 이와 같은 과녁을 맞춰 본 적이 없기 때문에, 지금 이 과녁을 겨냥해서 쏘는 것은 아무런 의미가 없다. 이것은 반드시 부활이 어떤 의미에서 일어나지 않았다거나(첫 번째 의미에서의 "역사") 사람들이 부활에 관하여 말하기 위하여 글을 쓰지 않았다는 것(네 번째 의미에서)을 의미하는 것이 아니라, 오직 오늘날 역사로서의 부활에 관하여 글을 쓰고자 하거나(다섯 번째 의미에서) 부활을 입증하고자 하는 것(세 번째 의미에서)은 잘못된 것이라는 것을 의미한다. 이것은 종종 이적들 전반에 대한 흄(Hume)의 저 유명한 반론을 미묘하게 재진술한 것으로 이해된다.[32] 그러나 나는 이 견해는 적어도 원칙적으로는 흄의 반론보다 더 교묘하다고 생각한다: 예수의 부활은 일어났을 수도 있지만, 우리는 그것에 관하여 그 어떤 것도 말할 수 없다.

판넨베르크(Pannenberg)는 이 점에 관하여 트뢸치에게 답변을 제시하였다. 그는 예수 그리스도의 부활에 대한 궁극적인 입증(세 번째 의미에서)은 결국 거기에서 요구되는 유비가 될 그리스도 안에 있는 자들의 최후의 부활을 통해서 제공될 것이라고 말한다. 달리 말하면, 우리 모두가 과녁을 향하여 쏘아서 그 과녁을 정확하게 맞추는 때가 오게 될 것이라는 것이다. 이 견해는 실제로 트뢸치의 견해를 용인하면서도, 그 판단을 종말론적인 검증의 때까지 보류해 두자고 하는 것이다.[33] 그러나 나는 판넨베르크가 여기서 너무 많은 것을 양보

31) Troeltsch 1912-25, 2.732. Coakley 1993, 112 n. 14는 Pannenberg가 유비(analogy)에 관한 Troeltsch의 좀 더 성숙한 저작을 사용하였었다면(3.190f.), 그는 Troeltsch가 그가 제기한 비판에 별로 상처받지 않을 것임을 알았을 것이라고 주장한다(아래를 보라).

32) 저 유명한 행을 포함하고 있는 Hume 1975 [1777] section x를 참조하라: "증언이 그것을 입증하고자 하는 사실보다 증언 자체가 거짓되다는 것이 더 기적이라고 생각되는 그러한 종류의 것이 아니라면, 그 어떠한 증언도 기적을 입증하기에 충분하지 않다."

33) Pannenberg 1970 [1963] ch. 2; 1991-8 [1988-93], 2.343-63; 1996. Coakley 1993에 나오는 예리한 논의와 112 n. 6에 나오는 다른 참고문헌들을 보라; Coakley 2002, 132-5.

하지 않았나 의아하게 생각한다.

비교적 사소한 수준에서 우리는 뭔가 아주 새로운 것을 내포하고 있는 사건을 쉽게 인식할 수 있다. 우리는 역사가로서 첫 번째 우주 비행에 관하여 말할 수 있기 위해서 두 번째 우주 비행을 기다릴 필요가 없다. 사실, 우주 비행은 새들(또는 심지어 화살들)의 비행은 말할 것도 없고 비행기의 경우 속에서 부분적인 유비들을 가지고 있다고 생각될 수도 있다. 그러나 부활과 관련된 핵심적인 내용 중의 일부는 유대교 세계관 내에서 과거의 하나님이 이스라엘을 위하여 행하신 위대한 해방 행위들과 맥을 같이 하는 — 물론, 그것을 상당한 정도로 뛰어넘는 것이긴 하지만 — 것이었다(구약에 나오는 사람들이 다시 살아난 일들, 그리고 실제로 주목할 만한 치유 사건들과의 부분적인 유비들을 말할 수 있는 것은 물론이고).[34] 부활 사건 자체는 상당한 정도로 새로운 것이었다고 할지라도, 부분적인 예상들과 유비들은 존재하였다.

우리가 트뢸치의 요지를 진지하게 받아들이면, 어떤 결론들이 도출될 것인지를 지적하는 것은 중요하다: 우리는 초대 교회의 등장 전체에 관하여 아무런 말도 할 수 없게 될 것이다.[35] 유대교 내에서 준메시야적인 집단으로 시작하여 기독교라는 운동으로 신속하게 전환된 그러한 움직임이 이전에는 전혀 없었던 것이 되고 만다. 또한 그와 비슷한 현상이 다시는 일어나지도 않은 것이 된다. (기독교를 단지 "하나의 종교"로 인식하는 계몽주의 이후의 통상적인 인식은 기원과 관련해서 기독교라는 운동과 이슬람교 또는 불교의 출현 간의 엄청난 차이들을 은폐한다.) 이 새로운 운동을 지켜보았던 이방인들과 유대인들은 이 운동이 대단히 파격적이라는 것을 발견하였다: 이 운동은 어떤 동호회와 같지도 않았고, 심지어 어떤 종교와 같지도 않았으며(희생제사도 없고, 성상도 없으며, 신탁도 없고, 관을 쓴 제관도 없었다), 분명히 인종에 토대를 둔 제의와 같지도 않았다. 트뢸치의 도식에 따르면, 우리는 사람들이 과거에 본 적이 없고 그 이후에도 결코 본 적이 없었던 이러한 일에 대하여 어떻게 말할 수 있는가? 오직 기껏해야 우리는 그 일에 대하여 부분적인 유비를 통해서, 그것이 무엇과 같았고 무엇과 같지 않았는가를 말할 수 있을 뿐이다. 이 운동을

34) Wedderburn 1999, 19를 보라.

35) cf. *NTPG* Part IV; 그리고 아래 제3부, 특히 제11장.

이미 존재하는 기존의 범주들에 억지로 끼워맞추거나 그것이 전례가 없다는 것을 근거로 해서 그 존재를 부정하는 것은 역사가의 일이 아니라 틀에 박힌 철학자의 일이 될 것이다.

이렇게 초대 교회의 출현은 그 자체가 트뢸치의 주장 전반에 대한 반증이 된다. 초대 교회에 관하여 진정으로 말하고자 한다면, 우리는 그 이전에도 예가 없었고 그 이후에도 예가 없는 그 무엇을 말하지 않으면 안 된다. 앞으로 보게 되겠지만, 초대 교회는 바로 그 존재 자체를 통해서 역사가로서의 우리에게 다음과 같은 질문을 던지지 않을 수 없도록 만든다: 예수의 십자가 처형 이후에 초기 기독교를 탄생시킨 그 무엇이 일어난 것인가? 그러므로 아이러니컬하게도 우리로 하여금 다음과 같이 말하도록 강제하는 것은 초대 교회의 출현이 지닌 독특성 바로 그것이다: 유비들과는 상관 없이, 과연 무슨 일이 일어난 것인가?[36]

(d) 진정한 증거는 없는 것인가?

예수의 부활을 역사적 사건으로 취급하는 것에 대한 세 번째 반론은 좀 더 다양하다. 여기서 나는 이 주제에 관한 최근의 연구 및 글들 속에 산재해 있는 여러 측면들을 종합하였다. 그 기본적인 요지는 부활과 관련하여 증거인 것으로 보이는 것들(즉, 복음서 기사들과 바울의 증언)은 설명해낼 수 없는 것들이라는 것이다. 나는 나중에 이러한 논의들 중 몇몇에 대하여 다시 살펴보고자 한다; 여기서 나는 단지 또 하나의 "도로 폐쇄" 표지판이 될 수 있는 것을 길에서 치우는 일만을 하고자 한다.

증거와 관련해서 두 가지 서로 다른 — 물론, 서로 연관이 있지만 — "도로 폐쇄" 표지판들이 존재해 왔다. 불트만 이후의 신약학계를 지배해 왔던 첫 번째 표지판은 자료들을 가설적인 전승사에 따라서 분석하고자 하는 시도였다. 소박한 독자들이 역사라는 화살을 겨냥할 과녁이라고 생각하는 것은 실제로는 관찰자와 겉보기에 과녁인 것처럼 보이는 것 사이의 어느 지점에 있는 빛과 그림자의 속임수로서, 이것이 과녁 형태를 지닌 환영(幻影)을 만들어 내었

36) 유비의 문제에 대해서는 특히 Carnley 1997와 논쟁을 벌이고 있는 O'Collins 1999를 보라.

다.

부활 이야기들을 양식비평적인 분석을 통해서 해명하는 것은 어렵다는 것이 입증되어 왔다 — 물론, 이것이 용감무쌍한 영혼들에게 이 시도를 멈추게 할 수는 없었지만[37] 게르트 뤼데만(Gerd Lüdemann)이 제시한 현기증 날 정도로 광범위한 개관으로부터 알 수 있듯이,[38] 초대 교회의 어떤 분파가 전승 속의 높아져가는 돌더미에 어떤 돌덩이를 첨가하고자 했으며 서로 다른 복음서 기자들 또는 그들의 자료들이 독자들에게 무엇을 전달하고자 의도했는지에 관한 무수한 주장들은 엄청나게 증가해 왔다. 그런데 이러한 이론들이 지닌 문제점은 그것들이 단순히 정교한 추측에 근거하고 있다는 것이다. 우리는 이 분야에서 어떤 추측들을 내놓을 만큼 충분히 초대 교회에 관하여 알고 있지 못하다. 전승사적 연구(기록된 복음서들이 존재하게 된 가설적인 여러 단계들에 관한 검토)가 공중에 누각들을 쌓을 때, 통상적인 역사가는 그 누각들을 쌓을 공간을 빌려주기를 거부하는 것에 대하여 이류 시민이라는 느낌을 가질 필요가 없다.[39]

특히 크로산의 저작 속에서 두드러지게 나타나는, 증거들을 처리하는 두 번째 방식은 의심의 해석학(hermeneutic of suspicion)을 가차없이 본문들에 적용하는 것이다.[40] 결과적으로 이것도 전승사의 한 형태가 된다. 하지만 이번에는 이 방식은 전승이 어떤 신학적 또는 목회적 의도를 제시하고 있는지에 관하여 말하는 것이 아니라, 정치적인 의도들에 대하여 말한다: 서로 다른 사도들 또는 사도 후보들이 (허구적인) 부활 이야기들이라는 전쟁터에서 권력 쟁취를 위하여 싸우고 있는 모습. 크로산은 부활 이야기들은 경구적인 대안적 생활방식이었던 원래의 운동이었던 기독교를 권력을 추구하는 분파들의 집합소로 변질시킴으로써 기독교를 평범하게 만들어 버리고 있다고 분명하게 말한다. 과녁처럼 보이는 것은 권력을 추구하는 자들이 사람들로 하여금 잘못된 방향으로 화살들을 쏘게 하기 위한 교활한 시도라는 것이다.

---

37) 제13장 제2절을 보라.

38) 특히, cf. Lüdemann 1994.

39) 서로 다른 유형들의 전승비평을 구별하는 것이 중요하다: cf. Wright, "Doing Justice to Jesus," 360-65.

40) 예를 들면, cf. Crossan 1991, 395-416; 1998, 550-73.

한술 더 떠서, 크로산은 부활 이야기들 자체의 기원을 예수 자신과 초기의 "Q"에 반영되어 있던 사람들의 순수한 초기의 소농적(小農的)인 뿌리로부터 더 부르주아적이고 기득권층의 정신을 지니고 있던 조직으로 발전한 교육받은 중산층의 서기관적 운동에서 찾는다. 따라서 부활 이야기들은 역사로서 아무런 가치도 없다고 선언된다: 그것들은 권력을 추구하는 자들의 의도가 투영된 정치, 잘못된 부류의 사람들, 고상하고 덕스러웠던 소농들이 아니라 악하고 교육받은 서기관들의 정치일 뿐이다.

뤼데만과 크로산, 그리고 이와 비슷한 설명들을 제시하고 있는 여러 학자들의 경우에, 일종의 인신공격적인(ad hominem) 반박을 제시하는 것은 쉬운 일일 것이다. 뤼데만은 처음에 추측으로 만들어진 돌더미에 불트만 학파가 가설적인 돌덩이들을 계속해서 첨가해서 생성시킨 고도로 발전된 전승사 속에 서 있다. 크로산은 자신의 역사적 가설들을 종종 노골적인 방식으로 오늘날의 교회와 사회 내의 집단들 — 흔히 비서기관 집단들! — 에 대한 서기관 집단의 정치적 음모 — 그가 위험하다고 여기는 — 로 사용한다.[41] 앞에서 말했듯이, 마치 크로산은 그런 일이 있어서는 안 된다고 말하고자 할 때에 그런 일은 행해질 수 없다고 말하고 있는 것처럼 보인다.

물론, 그러한 답변들은 논거를 제시하고 있지 않다. 그러나 그것들은 우리에게 충분히 주목되지 않고 있는 한 현상에 대하여 경각심을 갖게 해 준다. 한 분야에서의 의심의 해석학은 통상적으로 또 다른 분야에서의 너무 쉽게 믿는 해석학이 되어 버린다.[42] 베드로와 바울이 각각 슬픔과 죄책감으로 인해서 생

41) 특히 Raymond Brown의 저작에 대하여 분노하는 변증을 펼치는 Crossan 1995를 보라.

42) "예수의 재판, 죽음, 부활에 관한 성경의 기사를 믿을 수 없다고 생각해서 우리에게 그 대신에 '실제로 일어난 일'을 말해주고자 하는 회의주의자들"에 관하여 말하고 있는 Caird 1997 [1980], 60f.를 참조하라: "[그러한 속임수들]을 진지하게 수행하는 사람들은 그 누구나 성경 본문을 아주 소박하게 믿는 사람보다 더 우둔한 자들이다." 그는 이렇게 결론을 내린다: "우리는 신앙을 갖기에는 증거들이 불충분하다고 생각해서 의심 중에 살아가는 것으로 만족하는 진정한 불가지론자들을 존중할 수 있지만, 증거들보다 환타지를 선호하는 거짓된 불가지론자들을 존중할 수는 없다." 또한 Williams 2002, 2를 보라: "일부 해체주의적인 역사들이 그들이 전개하는 역사의 지위에 관하여 얼마나 자기만족적인가 하는 것은 주목할 만하다."

겨난 허구적인 환상들을 체험한 것이라는 부활 사건에 관한 뤼데만의 시나리오, 또는 한 무리의 서기관적인 그리스도인들이 예수의 십자가 처형 이후에 수년 동안 성경을 연구하고 예수의 운명에 관하여 깊이 성찰했다고 말하는 크로산의 시나리오는 둘 다 그 어떤 증거에도 토대를 두고 있지 않다. 예수의 부활에 관한 증거들에 대한 마르크센의 의심들에서 힘을 느끼는 사람들은 이러한 재구성들에 대해서는 한층 더 염려를 하지 않으면 안 된다. 특히, 전승사에 기반을 둔 통상적인 시나리오들은 주후 1세기의 실제의 공동체들이 지닌 세계관들과 사고 방식들을 재구성하고자 하는 그 어떤 끈질긴 시도가 아니라 초기 그리스도인들이 어떻게 설교했고 살았느냐에 관한 19세기와 20세기의 추정적인 이론들을 거의 전적으로 근거하고 있다.[43]

복음서 기자들, 그들이 사용한 자료들, 이전의 편집자들, 또는 전승의 전수자들이 그들의 공동체들에 무엇을 전달하고자 하였는가에 관한 지금까지 제시된 주장들은 통상적으로 너무 진부하고, 초기 유대교 또는 기독교가 아니라 종교 개혁 이후의 (그리고 흔히 계몽주의 이후의) 유럽의 경건과 더 많은 공통점들을 지니고 있다. 이 모든 것을 충분히 다 들은 후에도, 역사가는 여전히 다음과 같은 질문을 던지지 않을 수 없다: 기독교는 실제로 어떻게 시작되었고, 어떤 이유로 그런 모습을 띠게 되었는가? 앞으로 보게 되겠지만, 그들의 독창성에도 불구하고, 뤼데만과 크로산의 서로 판이하게 다른 해법들은 실제의 주후 1세기의 역사 내에서 의미를 지닐 수 있는 방식으로 이 질문에 대하여 대답할 수 없다. 처음의 두 반론과 마찬가지로, 부활 사건을 역사적 현상으로 연구하는 것에 대한 이러한 반론은 결국 무너지고 말 것이다. 과녁을 볼 수 없다고 말하는 사람들은 올바른 방향을 보고 있지 않은 것으로 보인다.

(iii) 역사와 신학 속에서의 부활

(a) 다른 출발점은 없는가?

우리는 이제 역사적 연구를 배제하고자 하는 두 번째 부류의 논거들을 살펴볼 차례이다: 역사적 연구는 행해질 수 없다고 말하는 것이 아니라 역사적

43) 그러한 진지한 시도들이 행해지고 있지 않은 것이 아니다: 예를 들면, cf. Nodet and Taylor 1998; Theissen 1999.

연구는 행해져서는 안 된다고 말하는 사람들. 이러한 반론들은 성격상 더 공개적으로 신학적이다. 반대자들은 과녁을 보거나 과녁을 향하여 쏘는 것이 어려울 뿐만 아니라, 원칙적으로 화살이 과녁에 도달할 수 없다고 말한다.

나는 여러 저술가들에게서 발견되고, 특히 한스 프라이(Hans Frei)에게로 소급될 수 있는 논증으로부터 시작하고자 한다.[44] 내가 프라이를 제대로 이해한 것이라면, 부활은 그 자체가 기독교 인식론의 토대이기 때문에, 우리가 부활을 역사적으로 연구하려고 시도해서는 안 된다는 것이 그의 주장이다. 그리스도인들이 알고 있는 모든 것은 다른 이유가 아니라 바로 부활로 인해서 알고 있는 것이다. 그러므로 우리가 부활 자체를 관찰하기 위하여 서 있을 수 있는 어떤 중립적인 토대도 없고, 그 밖의 다른 출발점도 존재할 수 없다. 그러한 것을 발견하고자 시도하는 것조차도 일종의 인식론적인 신성모독이 된다. 이 과녁을 향하여 화살을 쏘려고 해서는 안 된다. 왜냐하면, 과녁이 있는 바로 그곳이 우리가 다른 것들을 겨냥해서 쏘기 위해서 서 있어야 하는 유일하게 적절한 장소이기 때문이다.

내가 보기에, 이것은 단지 문제를 회피하는 것이 될 뿐이다. 부활절에 정확히 무슨 일이 일어났는가라는 질문을 그 어떤 교파에 속한 역사가라도 제기할 수 없는 이유라는 것은 원칙적으로 존재하지 않는다. 일부 그리스도인들이 이러한 문제 제기를 원천적으로 배제하고자 한다고 할지라도, 그들은 이슬람교도들, 유대인들, 힌두교도들, 불교도들, 뉴에이지 운동에 속한 자들, 불가지론자들 등등에 속한 그 밖의 다른 역사가들에게 이러한 연구를 하라거나 하지 말라고 말할 선천적인 권리를 가지고 있지 않다. 물론, 결국에는 그리스도인들이 말하는 예수의 부활이 모든 것을 포괄하는 거대한 사실 또는 개념임이 드러나서 사상과 실천의 그 밖의 다른 모든 분야들을 조명해준다는 것이 사실일 수도 있다.[45] 그러나 우리는 이 문제를 미리 결정해서는 안 된다. 분명히 20세기의 대부분의 신약학자들이 "부활절에 일어났다고" 생각해 왔던 것이 역사적으로

---

44) 예를 들면, cf. Frei 1993 chs. 2, 8, 9; 좀 더 큰 맥락 속에서는, Frei 1975.

45) 동일한 방식으로, 결정론적인 유아론(오감은 우리에게 외부 세계에 관해서 아무것도 말해주지 않고 오직 우리 자신에 관하여서만 말해줄 뿐이라고 믿는 것)은 그 밖의 다른 인식론들, 그리고 그것들에 의거해 있는 상징적 우주들을 철저하게 훼손시킬 것이다.

연구될 수 없다는 것은 사실이 아니다. 불트만은 부활절에 일어난 것은 기독교 신앙의 출현이었다고 생각했고, 그것에 관한 아주 많은 역사(네 번째 의미에서)를 썼다. 뤼데만은 베드로와 바울이 심리학적으로 설명될 수 있는 아주 중요한 내적인 경험들을 했다고 생각하고, 그 경험들에 관한 아주 많은 역사(네 번째 의미에서)를 썼다.

결국 프라이의 주장은 언제나 폐쇄된 인식론적인 원, 즉 거기 안에서는 모든 것을 분명하게 볼 수 있지만 밖에 있는 자들에게는 모호하게 보일 수 밖에 없는 신앙지상주의(fideism)일 위험성에 놓여 있다. 이것이 본문 외적인 실체의 발견이 처음부터 배제되는 오늘날의 문학 이론의 한 분파와 아무리 많이 일치한다고 해도, 그리고 이것이 우연에 의해서 또는 어느 특정한 시기에 있어서 예일 대학의 서로 다른 여러 사상들의 융합에 의해서 성경적 정경을 기독교적 성찰을 위한 인식론적 출발점으로 역설하는 것(그리고 역사적 성경 연구의 현재의 상태에 대한 절망 의식)과 아무리 많이 일치한다고 해도, 이 입장은 내게 초기 그리스도인들의 세계관에 너무도 불충실한 것으로 보인다. 기독교적인 인식론이 전적으로 그 모든 삶을 십자가에 못박혔다가 부활하신 메시야로 고백된 예수로부터 시작하고자 한다는 것이 사실이라고 할지라도, 그것은 공적인 세계 속에서 예수 및 그의 죽음과 부활에 대하여 접근할 수 없다는 것을 의미하지는 않는다. 베드로는 무리들에게 그들이 이미 예수에 관하여 알고 있었던 것을 상기시킬 때에 기독교적인 저술들을 근거로 들 필요가 없었다.[46]

그 밖의 다른 잘 알려진 논거들의 유비를 들어서, 또 하나의 분명한 논거가 제시될 수 있다. (예를 들면, 우리는 원칙적으로 거짓임이 입증될 수 있는 것만을 "지식"이라고 할 수 있다는 실증주의자들의 원칙에 대한 표준적인 답변을 생각해 보라: 그렇다면, 그 원칙 자체는 어떻게 거짓임이 입증될 수 있는가?) 만약 프라이의 주장이 옳다면, 우리는 부활이 유일하게 유효한 인식론적 출발점이라는 것을 어떻게 알 수 있는가? 그 대답이 오직 그것만이 모든 것을 제대로 설명해 주기 때문이라는 것이라면, 우리는 그 밖의 다른 출발점들도 마찬가지로 모든 것을 잘 설명해 줄 수 있다고 말하는 사람들에게 어떻게 응수할 수 있는가?

---

46) 행 2:22; cf. 눅 24:18-20; 행 10:36-9.

또 하나의 유비가 여기에서 도움이 될 수 있을 것이다. 에드 샌더스(Ed Sanders)는 그의 잘 알려진 바울에 대한 읽기 속에서 바울은 하나의 문제점으로부터 출발한 것이 아니었기 때문에, 예수가 해답이라는 것을 발견하지도 않았다고 주장한다; 바울은 예수를 발견하였고, 예수가 하나님의 해답이라는 것을 안 후에, 모종의 문제점이 있었을 것임에 틀림없다고 추정해 내었다.[47] 이것은 완전히 잘못된 것은 아니라고 할지라도 잘못된 길로 가고 있다는 것은 입증될 수 있다. 이러한 주장 속에는 이전 단계가 내포되어 있다: 바울의 사고는 "곤경"에 대한 자신의 유대교적인 인식으로부터 그리스도 안에서 제시된 해답으로 옮겨간 다음에, 문제점에 대한 새로운 분석에 도달하게 되었다는 것.[48] 결국 그가 서술한 "문제점"은 그가 시작하기 전에 가지고 있었던 "문제점"의 재고된 판본이었다. 바울은 최초의 인식론적 출발점에서 새로운 지식(그가 그런 것으로 알게 된 것)으로 옮겨갔다; 그런 후에, 무슨 일이 일어났었는가를 성찰한 끝에, 그가 사물들을 분명하게 볼 수 있는 더 나은 출발점이 실제로 존재한다고 결론을 내렸다.

동일한 방식으로, 나중에 부활이 또 다른 근거를 지닌 인식론을 제공해 준다는 것이 밝혀지든 안 밝혀지든, 나는 기독교 신앙을 전제함이 없이 논의될 수 있는 그런 유의 부활에 관한 역사적 지식이 선험적으로 배제될 수 없다고 주장한다. 이와 비슷한 움직임은 이미 요한복음 20장에서 도마에 관한 이야기 속에 등장한다. 도마는 누구라도 부정할 수 없는 너무도 확실한 인식론으로서의 촉각을 역설하는 것으로 시작한다. 그는 부활한 예수와 대면한다. 그런 후에, 그는 보는 것만으로 충분하다는 것을 발견하고(그는 만지고자 하는 자신의 의도를 포기한다), "보지 않고 믿는 자는 복되도다"라는 말을 듣는다. 비록 부활한 예수와 대면했을 때, 그는 더 나은 인식론을 위해서 그것을 포기하기는 했지만, 그의 원래의 인식론은 그를 올바른 방향으로 이끌었고, 지금도 여전히 더 나은 방향을 우리에게 보여준다.[49]

47) Sanders 1977; 1983; 1991.

48) Wright, *Climax*; Thielman 1989.

49) 아래 제17장과 제18장을 보라. 나는 이것이 Frei가 그토록 많은 쟁점들을 그토록 무방비적으로 열어놓음이 없이 1993 ch. 9에서 추구하고 있는 것에 도달하는

나는 우리가 여기서 자연 신학에 대한 바르트(Barth)의 반론과 그의 주장에 대하여 행해져 왔던 여러 다양한 반대 주장들의 광범위한 결과물들 중의 하나와 직면하고 있는 것이라고 생각한다.[50](마찬가지로, 우리는 여전히 믿음을 공로로 변질시킬 것을 우려하여 예수에 대한 역사적 연구에 참여하지 말라는 주장을 만나게 된다.[51]) 신약학자들은 오랫동안 이 분야에서 어려운 난관들을 풀고자 하는 시도를 회피하여 왔고, 나는 이 단계에서는 이 점에 대해서 더 이상 말하지 않고자 한다. 나는 단지 프라이의 반론은 어떤 차원에서는 중요한 것들을 상기시키는 것이긴 하지만 우리로 하여금 계속해서 부활을 역사적 관점에서 연구하는 것을 방해하지 않아야 한다고 주장한다. 마울(Moule)은 그의 중요한 작은 연구서의 결론부에서 다음과 같이 표현한다:

> 오직 사도적인 선포에만 관심을 가지고 그것이 역사적 전례(前例)들과 관련해서 검증될 수 있고 또한 검증되어야 한다는 것을 부정하는 복음은 실제로 베일로 얇게 가려진 영지주의 또는 가현설일 뿐이고, 그것이 차용된 운동력을 통해서 계속해서 움직여 간다고 할지라도, 궁극적으로는 복음이 아니라는 것이 입증될 것이다.[52]

또는 다음과 같이 말해 보는 것도 좋을 것이다: 이 땅에서의 모든 활동은 태양의 만유인력의 장(場) 내에서 일어난다; 그러나 이것은 우리가 지구 자신

길일 수 있다고 생각한다.

50) Barth와 부활에 관한 최근의 연구는 Davie 1998의 연구이다. Barth와 Frei의 관계에 대해서는 Frei 1993 ch. 6(이 대목과 관련해서) 173("성육신된 화해"라는 사실적 사건, 그러니까 그 구원의 능력 속에서의 신앙의 가능성과 필요성은 "오직 사건 자체로부터 설명될 수 있다"고 단언한 것에 대해서 Barth를 칭찬하고 있는 대목)을 보라; 그리고 좀 더 일반적으로는 Demson 1997을 보라. 이 점과 Frei가 "자연신학"의 차원이 계속적으로 필요하다는 것을 인정했던 의미들(예를 들면, 1993, 210)의 관계는 여기에서 다루기에는 너무 복잡한 쟁점들을 불러일으킨다.

51) Barclay 1996a, 28은 이 견해를 보도한다 — 그가 그 견해에 동의하는지의 여부를 밝히지 않은 채.

52) Moule 1967, 80f.

의 인력 내에서 활동할 수 없다거나 역사의 화살이 태양의 참된 형상에 결코 도달할 수 없다는 것을 의미하지는 않는다.

(b) 부활과 기독론

이제 우리는 더 신학적인 두 번째의 반론을 살펴볼 차례이다. 프라이를 비롯한 여러 학자들이 자신이 갔던 노선을 취하게 된 이유들 중의 하나는 기독교 신학의 많은 부분에서 부활이 예수의 신성을 나타내 보여주는 것으로 여겨져 왔기 때문이다. 사실, 어떤 사람들은 본서의 제목을 그런 의미로 이해할지도 모른다. 이 대목은 왕의 궁수들에 관한 비유가 진가를 발휘할 수 있는 곳이다.

부활과 성육신은 흔히 뒤죽박죽으로 뒤섞여진다. 신학자들은 흔히 마치 부활이 직접적으로 및 필연적으로 예수의 신성을 보여준다는 듯이, 그리고 실제로는 부활이 그 밖의 다른 것들에 대해서는 거의 보여주지 않는다는 듯이 부활에 관하여 말한다. 그러므로 부활에 대한 역사적 연구를 반대하는 이유는 분명하다: 화살들은 태양에 도달할 수 없다는 것이다. 역사적 논증을 아무리 많이 쌓아 놓아도, "신"을 증명하거나 예수가 한 분 참 하나님의 성육신이라는 것을 증명하는 데에는 결국 실패할 것이다.[53] 역사가는 이 신이 그리스도 안에 있었는가라는 문제를 직접적으로 다룰 수 밖에 없게 되는 그런 주제에 대해서는 명확한 설명을 하고자 하는 시도를 하지조차 말아야 한다. 부활에 대하여 역사적으로 말할 수 있다고 생각하는 판넨베르크조차도 부활과 성육신 기독론을 직접적으로 연결시키는 방향으로 지나치게 나아가고 있다고 나는 생각한다.[54]

여기서 문제의 일부 — 이것에 대해서는 나중에 다시 살펴보게 될 것이다 — 는 메시야직의 의미에 관하여 여전히 존재하는 혼동에 있다.[55] 주후 1세기의 관점에서, 예수가 "그리스도"라고 말하는 것은 예수가 성육신한 로고스, 삼

53) 예를 들면, Schlosser 2001, 159: 우리는 부활의 실체에 대하여 분명하게 단언할 수 없다. 왜냐하면, 그것은 역사적 탐구를 뛰어넘는 초월적인 것의 실체에 대하여 단언하는 것이 될 것이기 때문이다.

54) Pannenberg 1991-8 [1988-93], 2.343-63. 이것은 "The Deity of Jesus Christ"를 다루는 긴 장의 일부이다. 동일한 문제점은 Koperski 2002 등에서 반복된다.

55) cf. *NTPG* 307-20; *JVG* ch. 11; 아래의 제11, 18장.

위일체의 두 번째 위격, 성부 하나님의 독생자라는 것을 말하는 것이 아니고, 무엇보다도 예수가 이스라엘의 메시야라는 것을 말하고 있는 것이다. 예수의 사역 기간 및 매우 초기의 기독교에서 "신의 아들"이라는 어구조차도 후대의 신학에서 그것이 의미하게 되었던 것을 의미하고 있지 않았다 — 물론, 이미 바울 시대에 이 어구의 의미가 확장된 것을 볼 수 있긴 하지만.[56] 그러나 우리가 이 모든 것을 다 고려한다고 할지라도, 부활은 반드시 메시야직을 내포한다는 주장은 여전히 사실이 아니다. 예수와 나란히 십자가에 못박혔던 두 명의 강도 중에서 한 명이 삼일 후에 다시 살아났다는 것이 발견되었거나, 마카베오 가문의 순교자들 중의 한 사람(그들은 자기들이 반드시 부활할 것이라고 그 입으로 말하면서 죽었다고 한다)이 며칠 후에 죽은 자로부터 부활하였다면, 그것은 그들의 가족들을 기쁘게 했을 것이고 그들의 친구들을 깜짝 놀라게 했을 것이다; 그런 사건은 비유대적인 세계관들은 말할 것도 없고 제2성전 시대 유대인들의 기대 속에 커다란 구멍을 만들어 내었을 것이다; 그러나 그 누구도 그렇게 부활한 사람이 메시야라거나 그 사람(또는 그 여자, 유명한 마카베오 가문의 순교자들 중의 적어도 한 사람은 여자였기 때문에)이 어떤 의미에서 성육신한 신적인 존재라고 결론을 내리지는 않았을 것이다.[57]

우리는 바울이 고린도전서 15장에서 한 말, 즉 모든 그리스도인들은 예수가 부활하였듯이 부활할 것이라고 한 말과 관련해서도 이와 비슷한 점을 지적할 수 있다. 모든 그리스도인들이 장래에 부활한다고 해서, 그 모든 그리스도인들이 메시야들이 되는 것은 아니다; 또한 그것은 바울이 동일한 서신 속에서 (15:28; cf. 8:6) 예수에게 돌리고 있는 유일무이한 하나님의 아들이라는 지위를 모든 그리스도인들이 공유할 것이라는 것을 의미하지도 않는다(모든 그리스도인들이 이미 그 지위를 공유하고 있다는 말은 당연히 잘못된 말이다!). 사

---

56) 예를 들면, cf. 갈 2:20; 롬 1:31; 8:3, 32; 그리고 Wright, *Climax*, ch. 2. 아래 제19장을 보라.

57) 이 점은 Lapide 1983 [1977]의 주목할 만한 명제 속에서 상당한 이점을 지니고 있는 것으로 볼 수 있다: 예수는 실제로 죽은 자로부터 몸으로 부활하였지만, 이것은 그가 메시야였다는 것을 증명하는 것이 아니라, 그가 메시야를 위한 준비과정의 매우 중요한 일부였다는 것을 증명해 줄 따름이다.

실 우리는 이미 바울에게서 부활(죽음 이후에 새롭게 몸을 입은 삶)과 승귀(昇貴) 간의 명확한 구별, 일부 학자들이 오직 누가가 사용한 전승 속에만 들어있다고 주장해왔던 바로 그 구별을 보게 된다.[58] 부활은 그 자체로 만유의 주(主)라는 지위 또는 신성을 내포하고 있지 않다. 이것은 우리를 중요한 점으로 데려다준다: 초기 그리스도인들이 예수의 부활로부터 이끌어낸 신학적인 결론들은 부활이라는 사실 자체보다도 그들이 예수가 십자가에 처형되기 이전에 예수에 관하여 알고 있었던 것, 그들이 십자가 처형 자체에 관하여 알고 있었던 것, 그들이 이스라엘 및 세상을 위한 이스라엘의 신과 그의 목적들에 관하여 믿고 있었던 것과 훨씬 더 많이 관련되어 있었다. 여기서 우리는 단지 우리가 예수의 신성에 관하여 무엇을 생각하든지간에, 그것은 주후 1세기에 예수의 부활의 일차적인 의미일 수 없었다는 것만을 지적해 두고자 한다 — 앞으로 보게 되겠지만, 예수의 부활에 대한 신앙으로부터 시작된 일련의 사고가 초기 그리스도인들을 예수의 신성에 관한 신앙으로 인도하였을지라도.

역(逆)도 중요하다. 제자들이 다른 근거들 위에서 나사렛 예수가 진정으로 메시야라는 확신을 갖게 되었다고 한 번 생각해 보자. (오늘날에도 유사한 예가 있었다: 루바비처(Lubavitcher) 운동의 하시딤파의 유대인들은 그들의 렙베(Rebbe)가 실제로 메시야라고 믿었고, 1994년에 그가 죽은 것을 그 반대의 증거, 즉 그가 메시야가 아니라고 여기지 않았다.[59]) 하지만 초기 제자들은 예수가 메시야라는 확신을 토대로 해서 예수가 죽은 자로부터 부활하였다고 말하지는 않았을 것이다. "메시야"의 의미에 있어서는 변화가 일어났을 것이지만 (주후 1세기에 살았던 그 누구도 메시야가 이방인의 손에 의해서 죽임을 당할 것이라고 생각하지 않았기 때문에), 예수의 부활에 대한 단언은 일어나지 않았을 것이다. 제2성전 시대의 유대교 문헌들 중에서 메시야가 죽은 자로부터 부활할 것이라고 말하고 있었던 것은 하나도 없었다. "나는 아무개가 진정으로 메시야였다고 믿기 때문에, 그는 죽은 자로부터 부활했음에 틀림없다"고 말할 사람은 아무도 없었다.

위에서 한 말이 예수의 메시야직에 관하여 참이라면, 그것은 예수의 "신성"

---

58) 아래 제2부를 보라.

59) Marcus 2001의 최근의 논의를 참조하라.

에 관한 그 어떤 주장에 대해서도 더욱더 참이 된다. 제자들이 다른 근거들 위에서 예수가 신적인 존재라고 확신하게 되었다고 해서, 그것이 자동적으로 그들로 하여금 예수가 죽은 자로부터 부활하였다고 말하도록 이끌지는 않았을 것이다. 유대인들의 신에 관한 유대인들의 신앙들, 그리고 분명히 비유대적인 신들에 관한 비유대인들의 신앙들 속에는 그 신봉자들에게 그들이 그들의 예배 대상의 부활에 관하여 말해야 한다는 것을 시사해 주는 것이 아무것도 없었다. 무덤 너머의 모종의 새로운 삶은 얼마든지 가능한 일이었지만, 부활은 분명히 그렇지 않았다.[60]

그러므로 우리는 신학적인 수줍음 때문에 역사적 연구를 미루어서는 안 된다.[61] 우리는 정신을 바짝 차리지 않으면 안 된다. 제2성전 시대의 또 다른 유대인의 깜짝 놀랄 만한 환생 사건에 관한 보도들을 역사가들이 지금까지 한 번도 가본 적이 없는 곳을 무모하게 가보려고 시도한다고 생각함이 없이 연구할 수 있는 것과 마찬가지로, 역사가들이 예수의 부활에 관한 보도들과 신앙들을 연구하는 일은 얼마든지 가능하다.[62] 우리가 우리의 발견물들을 어떻게 평

---

60) 동방제의들 속에서 죽었다가 다시 살아나는 신들 및 이와 비슷한 현상들에 대해서는 아래의 제2장을 보라.

61) 우리는 Carnley 1987, 26-8, 85-7에서 그러한 종류의 거부적인 논평들을 발견하게 된다. 거기에서 그는 부활절 사건들에 대하여 엄격한 역사적인 연구의 잣대를 들이대려는 것(그는 부활절 신앙에 대한 "근본주의적인 저술가들과 극보수적인 대중운동가들"을 염두에 두고 있다)은 그 사람이 "부활하신 그리스도를 현재적으로 알고 있지 못함으로써," "부활 이야기들 속에서의 불일치점들을 지적하는 악한 역사적 비판자들에 대항하는 신자 자신의 억눌린 의심의 그늘의 투사된 적개심"을 불러온다고 말한다. 자신의 대적들에 대한 심리분석을 시도하고 그들의 개인적인 명성에 대하여 비방하는 것은 학자답지도 않고 도움이 되지도 않을 것이다. 이보다 한 단계 더 악한 것은 "모종의 남자다움의 상징 또는 자기 단언의 한 형태로서의 강한" 신앙을 자랑하는 자들에 대한 Wedderburn의 경멸적인 공격(1999, 128)이다. 과연 그는 로마서 4:19-22에 나오는 아브라함의 신앙 — 그 구체적인 내용을 인정한다고 할지라도! — 에 대해서도 그렇게 말할 것인가?

62) Pinnock 1993, 9은 "우리는 부활을 역사적인 구성물로 여겨서 사람들이 그것에 의해서 변화되는 것을 기대할 수 없다"고 역설한다. 중요한 것은 설교, 증언, 성령이다. 그러한 주장과 궁극적으로 다르기는 하겠지만 많은 사람들이 다른 사람들을 역사의 문제로서 부활이 일어나지 않았다는 것을 설득시키는 데에 성공하였고,

가하느냐 하는 것은 전혀 별개의 문제이다. 우리는 신학적인 문제를 피해 지나감으로써 역사의 도전을 회피해서는 안 된다. 궁수들에게 만유인력에 관하여 상기시켜 준다고 해서, 궁수들이 그들의 과제를 미루어서는 안 된다.

(c) 부활과 종말론

마지막 문제는 부활과 기독론이라는 문제의 더 폭넓은 판본이다. 부활은 종말론적인 사건일 수밖에 없고, 역사가는 종말론을 연구할 채비가 되어 있지 않기 때문에 일정한 거리를 유지하지 않으면 안 된다고 흔히 말해져 왔다.[63] 태양의 열기와 빛이 갑자기 두터운 구름들을 꿰뚫을 수 있다고 해서, 그것이 당신이 태양 자체를 향하여 활을 쏠 수 있다는 것을 의미하지는 않는다. 실제로 종종 이것이 앞서의 반론 속으로 침투해 들어와서, 후기 불트만 학파의 혼종(混種)의 형태 속에서 "종말론"에 관한 서술은 역사 속으로 돌입해 온 하나님에 관한 서술을 의미하고, 역사 속으로 돌입해 온 하나님에 관한 서술은 기독론에 관한 서술을 의미한다고 전제된다. 그러나 역사에 뿌리박고 있는 의미를 지닌 단어들을 사용할 때에는 우리는 훨씬 더 정확하게 사용하지 않으면 안 된다.

오늘날 신약학 분야에서 사용되고 있는 "종말론"이라는 단어는 적어도 열 가지 의미를 지닌다.[64] 우리가 제2성전 시대 유대교의 세계 내에서의 특별한 현상들과 관련된 의미들에 가능한 한 가까이 접근하고자 한다면, 역사가로서 우리가 종말론적인 사건으로서의 부활이라고 말할 때에 그 의미는 제2성전 시대의 유대인들이 그들 자신의 역사의 묵시론적인 절정이라는 관점에서 본 그런 유의 사건이었다는 의미여야 한다. 그러나 한 사건이 그러한 사람들에 의

그렇게 함으로써 사람들을 여러 가지 방식으로 변화시켜 왔다는 것은 아주 분명하다. 사람들이 실제로 무슨 일이 일어났는가에 관하여 무엇을 믿느냐 하는 것은 흔히 인간의 변화에 있어서 극히 강력한 요소이다. Elizabeth Bennet이 Darcy와 Wickham 사이에 실제로 무슨 일이 일어났는지를 알게 된 그 순간은 『오만과 편견』 전환점이 된다(이 점에 대해서는 Marcus 1989를 보라).

63) 예를 들면, cf. Barclay 1996a, 14. Schillebeeckx가 "종말론적"이라는 말을 이런 의미로 사용하고 있는 것에 대해서는 아래 제18장을 보라(701-6).

64) cf. Caird 1997 [1980], ch. 13: *JVG* chs. 2, 3, 6, esp. 207-9.

해서 그러한 관점에서 읽혀졌다고 해서, 반드시 오늘날의 역사가들이 그 동일한 사건에 대하여 연구하는 것이 배제되는 것은 아니다. 어쨌든 마카베오 가문의 성공적인 혁명은 (적어도) 마카베오1서의 저자에 의해서는 종말론적으로 이해되었지만, 우리가 그 사건을 역사가로서 살펴보아서는 안 된다고 주장한 사람은 아무도 없다.[65] 주전 6세기의 예루살렘의 멸망, 주후 1세기에 일어난 이와 비슷한 재난스러운 사건들은 당시 및 그 이후에 상당히 많은 사람들에 의해서 "종말론적으로" 이해되었지만(이것은 결국 "여호와의 날"이었다), 그렇기 때문에 우리는 그러한 사건들을 역사적으로 연구하거나 이해하려고 해서는 안 된다고 주장하는 사람은 아무도 없다. 예레미야의 비극적인 시가(詩歌)는 우리가 주전 597년과 587년에 일어난 사건들을 연구하는 것을 방해하지 않는다. 에스라4서에 나오는 환상들의 묵시론적 성격과 거기에 나타나 있는 종말론적인 사건이 일어났다는 확신 때문에, 우리가 주후 70년에 관하여 역사를 쓰는 것이 방해 받는 것은 아니다.

물론, 우리가 예수의 부활이 실제로 일어났다고 결론을 내린다면, 우리는 그것을 종말론적으로 이해되어야 한다고, 즉 이스라엘의 신이 특별히 이 사건을 포함해서 몇 가지 점에서 역사의 절정이라는 방식으로 행하였다는 세계관을 받아들여야 한다는 반론이 제기될 수 있다. 그러나 그러한 반론은 잘못된 것이다. 그러한 반론은 특정한 관점의 영향하에서 생겨난 것이다. 지난 두 세기 동안에 예수 및 부활에 관하여 글을 쓴 사람들은 대체로 기독교적, 또는 준기독교적 또는 기독교에 버금가는 세계관 내에서 글을 써왔는데, 그러한 세계관 내에서는 앞의 반론에서 나타나는 것과 같은 연결관계가 아주 자연스러워 보인다. (물론, "종말론적"이라는 단어를 탈유대화시키는 방향으로 아주 극단적으로 몰고가서, 단지 그 단어가 "이적적인"를 의미하는 것으로 보는 것도 가능하다; 그렇게 되면, 이 반론은 트뢸치 또는 흄의 견해에 대한 재판이 되고 만다.) 그러나 고대의 이교적인 세계관 또는 당시의 비기독교적인 세계관 내에서는 그러한 결론은 생겨나지 않는다. "부활한 네로"(Nero redivivus)가 살아 있어서 발길질을 하고 있다고 생각했던 로마인들은 분명히 이 현상을 제2성전 시대 유대교의 종말론이라는 세계관 내에서 해석할 생각을 하지는 않았을 것이다.[66]

65) 특히 1 Macc. 14:4-15의 언어를 참조하라.

우리가 살고 있는 세계 속에서 모든 인간들은 조만간 "환생할" 것이라고 생각하는 사람들(예를 들면, 뉴에이지 운동에 속한 사람들)은 흔히 유대교적 또는 기독교적 현실관, 특히 예수가 유일무이하게 부활절에 부활하였다는 기독교적인 주장에 대하여 격렬하게 반대한다. 다시 한 번 말하지만, 우리가 예수의 몸의 부활을 받아들인다고 할지라도, 그 사건을 대단히 당혹스럽고 예기치 않은 사건 이외의 그 무엇을 내포하고 있는 것으로 해석하고자 하는 결정은 적어도 우리로 하여금 그러한 결정에 이르게 만든 세계관에 의존한다. "적어도"라고 말한 이유는 무엇인가? 몇몇 사건들은 세계관들에 도전해서 그 세계관들 내에서의 새로운 변이들 또는 완전한 변혁들을 생성해 내는 힘을 가지고 있는 것으로 보이고, 그러한 사건들 가운데에서 초기 그리스도인들에 의하면 예수의 부활은 분명히 그런 사건이었기 때문이다. 초기 그리스도인들이 부활을 종말론적으로 해석한 이유는 그들이 제2성전 시대 유대인들로 살면서 예수 자신에게 초점이 맞추어진 종말론적인 운동의 일부였거나 그 운동의 목격자들이었기 때문이다. 그러므로 그들은 부활을 새로운 구심점으로 삼아서 그들의 세계관을 재형성하게 되었다. 이것은 우리가 나중에 논의하게 될 주제이기 때문에 여기서는 이 정도로 해두기로 하자.

몇 가지 복잡한 논거들에 관한 이러한 요약은 내가 반대한 입장들 또는 반대 논거들을 충분히 제대로 다루지 못한 것이 아닌가라는 염려가 앞선다. 어떤 독자들은 내가 핵심적인 문제들을 피상적으로 다루고 지나갔다고 생각할 것이고, 어떤 독자들은 내가 아무도 묻지 않았던 질문들에 대하여 불충분한 대답들을 제시하는 신학자들의 전통적인 덫에 걸려들었다고 생각할지도 모른다. 그러나 나는 부활을 역사적인 문제로 고찰하지 않아야 한다고 주장하면서 흔히 제시되는 몇 가지 이유들이 그 자체로 설득력이 없다는 것을 충분히 보여주었기를 희망한다. 우리에게는 적극적인 결론이 남겨져 있다: 마지막에 가서, 역사가는 기독교가 왜 시작되었고, 왜 그런 모습을 띠게 되었느냐고 물을 수 있고, 또한 물어야 한다. 이 질문에 대한 초기 그리스도인들의 보편적인 대답이 예수 및 부활과 관련되어 있었기 때문에, 역사가는 다음과 같은 추가적인 질문들을 제기하지 않을수 없다: (a) 초기 그리스도인들은 그 말을 통해서 무엇을

66) 네로 신화에 대해서는 아래 제2장 제3절을 보라.

의미했는가, (b) 우리는 그들이 옳았다고 과연 말할 수 있는가, 만약 그렇다면, 우리는 어떤 의미에서 그렇게 말할 수 있는가, (c) 우리는 엄격한 심사에도 견뎌낼 수 있는 다른 어떤 제안들을 가지고 있는 것인가. 그러므로 역사가는 예수가 죽은 자로부터 부활하였다는 것이 참인지 아닌지를 묻는 것으로부터 방해를 받아서는 안 된다.

3. 역사적 출발점

그렇다면 우리의 과녁은 무엇이고, 우리는 그 과녁을 향하여 쏘는 데에 어떤 화살들을 사용할 수 있는가?

우리의 과녁은 가장 초기의 그리스도인들이 제시한 주장, 즉 나사렛 예수가 죽은 자로부터 부활하였다는 주장을 검토하는 것이다. 우리가 그 과녁을 정확하게 겨냥하고 있다는 것을 확인하기 위하여, 그들의 주장이 제2성전 시대 유대교의 세계관 및 언어 내에서 어디쯤에 속해 있는지를 밝혀내는 것은 중요하다. 아울러, 이 주장(여전히, 유대적인 특징을 지니고 있는)이 주후 1세기의 비유대적인 넓은 세계 내에서 급속하게 확산되었기 때문에, 이러한 더 큰 담론의 세계 내에서 이 주장이 어디쯤에 속해 있는지를 규명해 내는 일도 마찬가지로 중요하다.

이러한 삼중적인 위치 추적 작업은 이교적 세계관에서 시작해서 유대적 세계관으로 옮겨간 후에 초기 기독교에서 끝내는 식으로 역순으로 진행될 것이다. 각각의 경우에 있어서 세계관 전체를 서술하고자 하는 시도는 없을 것이다. 그렇게 하자면, 각각의 분야에 관하여 여러 권의 책을 써야 될 것이기 때문이다. 우리는 일반적으로는 죽음 이후의 삶, 구체적으로는 부활과 관련된 측면들에 초점을 맞출 것이다. 적어도 이 점에 있어서 초기 기독교의 세계관은 제2성전 시대 유대교 내에서의 깜짝 놀랄 만한 새로운 돌연변이로 이해될 수 있다는 것이 분명해질 것이다 — 그리고 이것은 우리의 역사적 연구의 첫 번째 주요한 결론들에 속한다. 그런 후에, 이것은 다음과 같은 질문을 불러일으킨다: 무엇이 이러한 돌연변이를 초래하였는가?

이 돌연변이가 지닌 눈에 확 띄는 두드러진 측면들에 속하는 것은 이교 사상은 말할 것도 없고 유대교 내에서도 부활이 실제로 어느 특정한 개인에게 일어났다고 말하는 주장을 끈질기게 제시하고 있는 것이 그 어디에도 없다는 사실이다.[67] 이러한 주장은 초기 기독교 세계관의 다른 분야들에도 거대한 효과들을 지니기 때문에, 이것들도 마찬가지로 검토되어야 한다. 특히, 우리는 십자가에 못박힌 예수가 진실로 이스라엘의 메시야였다는 초기 그리스도인들의 주장을 어떻게 설명해야 하는가? 우리는 "신의 나라"가 새로운 방식으로 현재적 실체가 되었다는 — 물론, 어떤 의미에서는 여전히 미래적이지만 — 신앙을 어떻게 설명해야 하는가? "부활"의 의미 내에서의 돌연변이와 마찬가지로, 이러한 특징들은 다음과 같은 중심적인 질문을 지향하고 있다: 부활절에 과연 무슨 일이 일어났는가? 이것이 제5부의 주제이다.

나는 내가 채택한 역사적 방법론을 『신약성서와 하나님의 백성』의 제2부에서 설명하고 논증한 후에, 그 책의 제3부와 제4부 및 『예수와 하나님의 승리』의 제2부와 제3부에서 그 방법론을 실제로 적용한 바 있다. 이 방법론은 모든 다른 것에 관한 지식과 마찬가지로 과거에 관한 모든 지식도 자료들만이 아니라 인식 주체들의 인식들, 따라서 개성들을 통해서 매개된다는 것을 인정한다. 아무것으로부터도 영향을 받지 않는 초연한 객관성이라는 것은 존재하지 않는다. (그러므로 우리가 그 밖의 다른 역사적인 주장들을 중립적이거나 객관적인 방식으로 연구할 수 있지만, 부활과 관련해서는 주관성의 요소가 필연적으로 끼어들 수밖에 없다고 말하는 것은 모든 역사적 작업은 다른 역사가들과의 공동체 속에서 역사가와 자료들 간의 대화로 이루어지고, 모든 곳에서 역사가들 자신의 세계관적 관점들이 필연적으로 개입된다는 사실을 무시하는 것이다.) 그러나 이것은 모든 지식이 단순한 주관성으로 와해되고 만다는 것을 의미하지는 않는다. 과거에 관하여 공정하고 참된 진술들을 제시할 수 있는 방향으로 나아가는 길들이 실제로 존재하는 것이다.

---

67) 한두 가지 가능한 예외들은 적절한 곳에서 언급될 것이다: 예를 들면, Alcestis에 관한 Euripides의 이야기와 예수를 부활한 세례 요한이라고 말했다는 헤롯 안디바(아래의 제2장 제3절과 제9장 제2절을 보라). "하나님들은 고대 세계에서 무수하게 죽은 자로부터 부활하였다"는 것을 근거로 해서 초기 기독교의 주장은 "전혀 독특한" 것이 아니라고 하면서, "동일하게 입증되지 않은 이적을 위한 수많은 후보자들"을 제시할 수 있다고 말하고 있는 Frei 1993, 47의 주장은 역사적 상황에 대한 상당한 오해를 드러낸다: 자세한 것은 아래의 제2장 제3절을 보라.

이러한 것들 중에는 관념들(흔히 지적 엘리트의 글들을 통해서만 접근 가능한)만이 아니라 세계관의 기층요소들을 이루는 실천, 이야기들, 상징들을 연구함으로써 특정한 공통체의 세계관의 규명하고자 하는 시도가 있다.[68] 각각의 요소를 차례로 연구함으로써 그러한 노선을 따라 연구를 구조화하는 것이 원칙적으로는 가능할 수 있지만(내가 『예수와 하나님의 승리』 제2부에서 했던 것처럼), 그것은 상당한 정도의 중복과 반복을 가져온다. 내가 취해온 노선은 필요할 때마다 서로 다른 구조 속에서 이 모든 것들을 활용하는 것이다. 본서의 중심적인 부분들은 대체로 하나의 구체적인 문제, 일반적으로는 죽음 이후의 삶에 관한 신앙들, 구체적으로는 예수의 죽음 후에 그에게 무슨 일이 일어났는가에 관한 신앙들이라는 문제에 관심을 갖는다.

그러나 이러한 신앙들은 적어도 암묵적으로는 우리가 종종 활용하게 될 실천, 이야기들, 상징들로 둘러싸여 있다: 매장 관습들, 죽음 이후의 삶에 관한 특징적인 이야기들, 죽음 및 그 너머에 있는 것과 관련된 상징들. 따라서 단순히 관념들과 신앙들만을 토대로 해서 초대 교회의 출현을 설명하고자 시도하는 것보다도("X를 믿거나 생각하는 사람들은 특정한 환경들 아래에서 그러한 신앙-관념을 이런저런 방식으로 수정할 것이다" 등등), 우리는 더 폭넓은 설명들을 찾아야 한다("다음과 같은 지배적인 이야기 세계 내에서 살고 있는 사람들은 특정한 사건들에 직면한 경우에 그들의 이야기를 다음과 같은 방식들로 다시 말하게 될 것이다"; "그 삶이 다음과 같은 상징들로 둘러싸여 있고 질서지워져 있는 사람들이 특정한 사건들에 직면할 때, 그들은 그들의 삶, 그들의 상징들을 다음과 같은 방식들로 다시 질서지울 것이다"; "습관적으로 다음과 같은 방식으로 처신하는 사람들이 특정한 사건들에 직면한다면, 그들은 그들의 행동거지를 다음과 같은 방식들로 변경하게 될 것이다"). 우리는 초기 그리스도인들의 실천, 이야기들, 상징들에 관하여 더 많이 알았으면 하는 바람이 있다; 그러나 우리는 어디에서 도움을 받을 수 있는지를 알 정도로 충분히 알고 있다. 우리는 현대의 학계 속에 투영되어 있는 우리 시대의 교의와 경건(또는 불경건)만을 반영하고 있는 그러한 공동체들이 아니라 주후 1세기의 세계 내에서 실제로 존재했던 공동체들을 연구하여야 한다. 이러한 공동체들 — 여러

68) cf. *NTPG* 122-6.

형태의 주후 1세기의 이교 사상, 유대교, 기독교 — 은 기독교의 주장이 무엇을 의미하였고 오늘날 우리가 그것을 어떻게 평가할 수 있는가라는 문제들에 대하여 우리로 하여금 가장 잘 접근할 수 있게 해 준다.

물론, 이러한 거대한 실체들을 개략적으로 묘사하는 것은 복잡한 일이다. 지금 널리 인정되고 있듯이, 주후 1세기에는 여러 유대교들과 기독교들, 또한 이교 사상들이 존재하였다; 다원성은 다양한 형태들을 의미하고, 그 각각에는 특이한 그 무엇이 존재하고 있음에 틀림없다는 것이 그렇게 자주 지적되지는 않는다.[69] 마찬가지로, 이러한 실체들을 따로따로 보고자 한 사람들이 있음에도 불구하고, 매우 초기의 기독교는 주후 1세기 유대교의 한 가지로 보는 것이 옳다.[70] 서로 밀접하게 연결된 이 두 운동을 연구하는 것이 우리의 출발점이다. 이것들은 우리가 역사라는 화살들을 겨냥해야 할 최초의 과녁들인 것이다.

이러한 명백한 제안은 다음과 같은 소극적인 결론을 내포한다. 부활에 관한 많은 연구들은 바울 서신과 복음서들에 나오는 부활 사건의 체험들에 관한 기사들을 살펴보는 것으로 시작하였고, 그러한 기사들을 자세한 전승사적 분석에 종속시켜 왔다. 이것은 마차를 말 앞에다 다는 격이다. 그러한 분석은 언제나 사변적이다; 우리가 부활이 그 세계 속에서 무엇을 의미했는지를 알 때까지는, 우리는 부활을 제대로 파악할 수 없다. 이것은 단지 작은 세부적인 것들을 살펴보기 전에 큰 그림을 먼저 보아야 한다는 그런 문제가 아니다 — 물론, 이것도 마찬가지로 중요하지만; 이것은 우리가 그것에 관하여 말하기 시작하기 전에 우리가 무엇에 관하여 말하고 있는지를 알아야 한다는 것이다.[71]

여기서 우리는 앞으로의 작업을 위한 몇 가지 정의들을 필요로 한다. "죽음"과 그 동일 어원의 단어들은 통상적으로 다음과 같은 것들을 의미한다: (a) 죽음이라는 특정한 사건 — 한 사람, 동물, 식물 등등의 죽음; (b) 그 최초의 사건의 결과인 죽어 있는 상태; (c) 추상적인 의미에서 일반적으로 죽음이라는 현

69) cf. *NTPG* 147n. 1.

70) *NTPG* 471-3에서 논의된 Neusner 1991을 참조하라.

71) 나는 영국 수상 John Major가 그의 대적인 Neil Kinnock에 관하여 말한 것을 기억한다. Kinnock씨가 말하기 시작했을 때, 그는 결코 자기가 무엇을 말하고 있는지를 몰랐고, 따라서 당연히 그가 언제 그 말을 끝냈는지도 몰랐다고 Major는 말한다.

상 또는 이 현상에 대한 의인화("죽음은 더 이상 없을 것이다").[72] 따라서 "죽음 이후의 삶"이라는 두루뭉술한 어구는 다음과 같은 것들을 의미할 수 있다: (a) 육체적 죽음의 사건 직후의 상태(그것이 무엇이든); (b) 육체적으로 죽어 있는 일정 기간 이후의 상태; (c) 추상적인 의미에서의 죽음이 폐해진 후의 상황 — 이러한 의미는 흔히 발견되지는 않는다.[73] 사람들이 "죽음 이후의 삶"이라고 말할 때, 그들은 통상적으로 (a) 육체적인 죽음 직후에 이어지는 삶을 의미한다. 사람들은 흔히 사실 이것이 그리스도인들이 믿고 있고 무신론자들이 부정하는 것이라고 전제한다.

(a)의 의미는 주후 1세기에 "부활"이 의미했던 것이 아니다. 여기에는 이교도들, 유대인들, 그리스도인들 사이에 아무런 차이가 없다. 그들은 모두 헬라어 '아나스타시스'와 그 동일 어원의 단어들, 그리고 우리가 만나게 될 그 밖의 다른 관련된 용어들을 (b)의 의미로 이해하였다: 죽어 있는 일정 기간 이후의 새로운 삶. 이교도들은 이러한 가능성을 부정하였다; 일부 유대인들은 그것을 장기적인 미래적 소망으로 단언하였다; 실질적으로 거의 모든 그리스도인들은 그것이 예수에게 일어났고 장래에 그들에게도 일어날 것이라고 주장하였다. 그들 모두는 통속적인 의미에서의 "죽음 이후의 삶" 이후의 새로운 삶, 상태로서의 죽음의 일정 기간 후에 이어지는 새롭게 몸을 입고 사는 삶에 관하여 말하였다(이 기간 동안에 사람은 몸을 입지 않은 모종의 방식으로 "살아" 있을 수도 있고 그렇지 않을 수도 있다). 아무도(예수와 관련하여 그리스도인들이 말한 것을 제외하면) 아주 특별한 개별적인 사례들에 있어서조차도 이러한 부활이 이미 일어났다고 생각하지 않았다.

따라서 고대인들이 부활에 관하여 말하였을 때 — 부활을 부정하는 것이든 긍정하는 것이든 간에 — 그들은 두 단계로 이루어진 이야기를 말하고 있는 것이었다. 부활에 앞서서 상태로서의 죽음이라는 중간 기간이 선행한다(심지어 예수의 경우에도 그러하였다). 우리가 한 단계로 된 이야기 — 사건으로서

---

72) *OED*는 두 가지 중요한 의미를 열거한다: "죽는 행위 또는 사실"("개인의"와 "추상적으로"로 세분되는), "죽어 있는 상태." 여기서의 인용문은 John Donne의 "Holy Sonnets" no. 6에서 가져온 것이다. 또한 Barr 1992, 33-5를 참조하라.

73) 예를 들면, 고전 15:26; 계 20:14; 21:4에서처럼.

의 죽음 후에 즉시 최종적인 상태, 예를 들면 몸을 입지 않은 지복(至福)의 상태가 뒤따르는 이야기 — 를 발견하는 곳에서는 본문들은 부활에 관하여 말하지 않는다. 부활은 명확한 내용(어떤 종류의 몸을 다시 입는 것)과 명확한 이야기 형태(한 단계 이야기가 아니라 두 단계로 이루어진 이야기)를 포함한다. 우리가 주후 2세기에 출현한 부활 언어의 새로운 용법에 이를 때까지는 이러한 의미는 고대 세계 전체에 걸쳐서 변함이 없었다.[74)]

"사후의 삶 이후의 삶"으로서의 "부활"이라는 의미는 아무리 강조해도 지나치지 않는다. 왜냐하면, 오늘날에 씌어진 많은 글들은 계속해서 "부활"을 통속적인 의미에서의 "죽음 이후의 삶"과 실질적인 동의어로 사용하고 있기 때문이다.[75)] 이러한 용법이 주후 1세기에도 통용되고 있었다는 주장이 종종 제기되어 왔지만, 그런 증거는 전혀 존재하지 않는다.[76)] 우리가 오늘날의 우연적인 용법들을 먼 과거에 투영하는 것이 아니라 실제 역사에 참여하고자 한다면, 이러한 구별들을 염두에 두는 것은 대단히 중요하다.

그러므로 우리가 시작해야 할 곳은 주후 1세기 이교 사상이라는 소용돌이치는 세계이다. 사도행전 17장에 의해서 제공된 대답을 미리 보기 전에, 우리는 다음과 같이 물어야 한다: 에베소, 아테네, 로마에 살고 있던 사람들은 바울이 그들에게 메시야가 죽은 자로부터 부활하였다고 선포했을 때에 과연 바울이 무엇에 관하여 말하고 있다고 이해했을까? 그들이 지닌 기존의 신념 체계는 그들에게 어떠한 반응을 시사해주는 것이었을까?

---

74) 후자에 대해서는 제11장 제7절을 보라.

75) 이러한 혼동은 Marcus 2001, 397에서 나타난다. Lubavitcher 메시야 운동에 속해 있던 몇몇 사람들은 분명히 그들의 Rebbe(1994년에 죽음)와 관련하여 "죽은 사람이 다시 살아난다고 말하는" 방식으로써 "부활" 언어를 사용하였다. (Marcus는 Dale Allison을 인용해서 이렇게 주장한다). 거기에서 일어나고 있는 것으로 보이는 것은 몇몇 사람들이 하나의 기독교적 용어를 잘못 오해해서 그들의 옛 문헌들과 어긋나는 의미로 그것을 사용했다는 것이다. 무작위적으로 선택했을 때, 또 하나의 예는 Wiles 1974, 125-46의 논문이다.

76) 예를 들면, Goulder 2000, 95의 주목할 만한 정도로 부정확하고 제멋대로인 언급들을 보라.

제2장

유령들, 영혼들, 그리고 그들이 가는 곳: 고대 이교 세계에서의 죽음 너머의 삶

1. 서론

고대의 비유대적인 세계에서 일종의 바이블이라고 할 수 있는 것이 있었다고 한다면, 그 중에서 구약성서에 해당하는 것은 호메로스(Homer)의 글이었다. 그리고 호메로스의 글 속에서 부활에 관하여 말한 것이 있다고 한다면, 그것은 대단히 퉁명스러운 것이었다: 그런 일은 일어나지 않는다는 것.

부활에 관한 고전적인 진술은 아킬레우스(Achilles)에게 죽임을 당한 자신의 아들 헥토르(Hector)를 애도하면서 슬픔에 잠겨 있는 프리암(Priam)에게 아킬레우스가 한 말이다:

> 애통해하지 말고 참고 기다리시오. 당신의 아들을 위하여 한탄하는 것은 결코 좋지 못하오. 그를 다시 살리기 전에, 당신이 먼저 죽겠소.[1]

헥토르의 어머니는 아들을 아킬레우스 옆으로 끌어다 놓으면서도 아킬레우스가 그의 죽은 친구인 파트로클로스(Patroclus)를 다시 일으켜 세울 수 없었다고 분명하게 말한다.[2]

---

1) *Il.* 24.549-51(tr. Rieu). 마지막 문장을 직역해보면, 한층 더 강조되어 있는 것이 드러난다: "네가 추가적인 재앙을 겪기 전에는 너는 그를 부활시키지 못할 것이다['우데 민 아나스테세이스']."

2) *Il.* 24.756. 그가 죽인 트로이 사람들이 "암울한 어둠으로부터 다시 살아날 것"

이러한 전승은 존경받는 아테네의 극작가들에 의해서 끊어지지 않고 보존된다. 여기에서 아이스킬로스(Aeschylus)의 『유메니데스』(*Eumenides*)에 나오는 아폴로는 아테네 최고 법정의 터전인 아레오바고(Areopagus)에 서서 이렇게 말한다:

> 일단 사람이 죽어서 먼지가 그의 피를 빨아들인 후에는 부활이란 없다.[3)]

마찬가지로, 아버지 아가멤논의 죽음을 애도하는 엘렉트라에게 코루스는 우는 것이나 한탄을 통해서 아무도 그를 하데스(Hades)로부터 다시 불러올 수 없다(여기서 사용된 단어는 '안스타세이스,' 즉 "부활시키다"이다)는 것을 상기시킨다.[4)] 또한 헤로도토스는, 꿈에 경고를 받아서 자기를 해칠 음모를 꾸미고 있다는 혐의로 그의 형제인 스메르디스를 죽였던 고레스의 아들 캄비세스에 관한 이야기를 자세하게 들려준다. 그렇지만, 또 다른 스메르디스를 우두머리로 한 음모가 발각된다. 캄비세스는 살해를 담당했던 종인 프렉사스페스가 자신의 책무를 다하지 못한 것에 대하여 꾸짖는데, 이에 대하여 다음과 같은 답변을 받게 된다:

> 주인님, 사실은 그렇지 않습니다! 당신의 형제 스메르디스는 당신을 대항하여 일어서지 않았습니다. 저는 당신께서 제게 명하신 것을 하였고, 그를 내 손으로 직접 묻었습니다. 따라서 지금 죽은 사람이 다시 살아난다

(21.56)이라는 Achilles의 조롱 섞인 예언은 단지 Lycaon이 Lemnos에서 노예생활을 하다가 도망친 것에 대하여 놀라움을 표현하는 방식이다; 그는 그가 지하세계로부터 다시 돌아올 것인지 아닌지를 보기 위하여 — 물론, 그는 다시 돌아오지 못한다 — 그를 죽이라고 명령한다(21.61f.)

3) Aesch. *Eumen.* 647f. 핵심인 마지막 어구는 '우티스 에스트 아나스타시스.'

4) Soph. *El.* 137-9. 또한 마찬가지로 cf. Aesch. *Ag.* 565-9, 1019-24, 1360f.; Eurip. *Helen* 1285-7; cp. Aristot. *De Anima* 1.406b.3-5. Aristoph. *Ecclesiaz.* 1073은 마녀가 "대다수"(즉, 죽은 자들) 가운데서 "다시 살아났다"('아네스테쿠이아')고 몽상했지만, 이것은 "비웃음"받고 거부된다(1074).

면['에이 멘 눈 호이 테드네오테스 아네스테아시'], 당신은 메대 왕 아스티아게스가 당신에게 대항하여 다시 살아날 수 있다고 믿으실 수 있을 것입니다; 그러나 일들이 지금까지의 방식대로 계속된다면, 당신은 스메르디스를 두려워할 것이 전혀 없다는 것을 확신할 수 있으실 겁니다.[5)]

"죽은 사람이 다시 살아난다면": 그러나 프렉사스페스와 캄비세스는 다른 사람들과 마찬가지로 죽은 사람이 다시 살아나지 않는다는 것을 잘 알고 있다.[6)] 인간의 실존과 경험에 관한 이러한 기본적인 신조는 고대 세계 전체에 걸쳐서 공리적인 것으로 받아들여졌다; 사람은 일단 죽음의 길을 따라서 가버린 후에는 돌아오지 못한다. 고대의 고전의 세계에서 부활에 관하여 말하거나 부정했을 때, 그 단어와 그 동일 어원의 단어들이 무엇을 가리키는가에 관하여서는 아무런 논쟁도 없었다: 부활은 사람들이 현재 경험하고 있는 것과 동일한 종류의 삶으로 다시 돌아오는 것이었다. "부활"은 죽음이 무엇으로 이루어졌는가를 설명하는 한 가지 방식이 아니었다. 부활은 누구나 다 일어나지 않는 것으로 알고 있었던 일을 서술하는 방식이었다: 죽음은 되돌이키거나 무효로 하거나 거꾸로 돌릴 수 없다는 관념.

심지어 신화 속에서조차도 부활은 허용되지 않았다. 아폴로가 한 어린아이를 죽은 자로부터 다시 불러오고자 시도할 때, 제우스는 그 두 사람 모두를 벼락으로 징벌한다.[7)] 베르길리우스(Virgil)는 특별히 유피테르로부터 사랑을 받았던 몇몇 "신들의 아들들"이 하늘들로(ad aethera) 들리워 올리워져 갔다고 쓴다; 그러나 나머지 사람들에게 있어서는 지하 세계로 통하는 문은 누구나 들어갈 수 있도록 항상 열려 있지만, 자신의 발걸음을 되짚어서 윗 세상으로 가는 것은 불가능하다.[8)] 삶이 죽음에 의해서 다시 새로워진다는 이 정신나간

---

5) Hdt. 3.62.3f. 이 구절은 부활을 가리키는 "rise up"을 반란을 의미하는 "rise up"과 싸움을 붙여 덕을 보고 있다. Cyrus의 조부인 Astyages는 주전 594-559에 메대를 통치하였고, 현재의 사건이 일어나기 30년 전에 죽었다.

6) cf. Eurip. *Madn. Hercl.* 719; Herod. *Mim.* 1.41-4(이 출처는 Michael C. Sloan의 덕분이다).

7) Pindar *Pyth.* 3.1-60; 핵심적인 구절은 통상적인 죽음을 죽은 어떤 사람이 죽음으로부터 되돌아온 것에 관하여 말하는 3.55-7이다.

관념은 도대체 무엇이란 말인가라고 플리니우스(Pliny)는 반문한다. 누구나 다 그러한 말이 말도 되지 않는 소리라는 것을 잘 알고 있다.[9]

죽은 자로부터 다시 살아 돌아온다는 것에 대한 이러한 단호한 부정은 결코 단순히 시인들의 공상이나 학자들의 회의론이 아니었다. 길거리 수준의 지혜도 바로 이와 동일한 견해를 보여 준다. "거기 아래는 어떻게 생겼는가?"라고 어떤 사람이 그의 죽은 친구에게 묻는다. "아주 어두워"라고 그 죽은 친구가 대답한다. "어디 돌아올 길은 없는가?" "그건 거짓말이야!"[10] 모든 사람이 죽은 사람은 다시 돌아오지 않는다는 것을 알고 있었다.[11] "육체의 부활은 배운 자들 사이에서 지혜로 통했던 모든 것과 맞지 않는 소스라치게 놀랄 만하고 소름끼치는 관념으로 여겨졌다."[12]

많은 사람들은 한 걸음 더 나아가서(모든 수준의 문화 속에서), 죽은 자들이 그 어떤 실제적인 실존을 지니고 있다는 것을 사실상 부정하였다. "나는 존재하지 않았다, 나는 존재하였다, 나는 존재하지 않는다, 나는 염려하지 않는다"; 이 비문은 너무도 유명해서, 사람들은 흔히 헬라어 또는 라틴어로 된 이 내용을 줄여서 그 처음 문자들만을 묘비명들에 사용하곤 하였다.[13] 유일하게 불멸하는 것은 명성뿐이라고 많은 사람들은 단호하게 말하였다.[14] "하나의 이름과

---

8) *Aen.* 6.127-31.

9) 죽음 이후의 삶에 관한 다양한 표준적인 신앙들을 열거하고 조롱하는 절의 끝부분에 나오는 Pliny(the Elder) *NH* 7.55.190. 여기에서 그는 특히 우리가 아래에서 보게 될 Democritus를 언급한다.

10) Callimachos *Epigrams* 15.3f. 하지만 보완한 것들이 존재하였다: 하데스에서 당신은 동전 한 잎으로 큰 황소를 살 수 있다(15.6).

11) 특히, *RAC*에 실린 "부활" 항목(Oepke)을 인용하고 있는 Bowersock 1994, 102f.를 참조하라.

12) MacMullen 1984, 12.

13) Beard, North and Price 1998, 2.236와 거기에 나오는 추가적인 참고문헌들; Klauck 2000, 80. 몇몇 예들은 두 번째 단계가 빠져 있다.

14) *Il.* 9.413(Achilles); *Volybius Hist.* 6.53.9-54.3.

15) Burkert 1985 [1977], 197(특히 이러한 태도의 전형적인 예로써 Attica의 Merenda에서 발견된 금석문과 함께 나온 조상을 언급하고 있는: 자세한 내용은 Burkert 427 n. 29에 있다).

하나의 아름다운 초상"은 사람들이 가장 소망할 수 있는 최고의 것이었다.[15] 고전 시대 및 그 시대의 세계 전체에 걸쳐서 몇몇 철학자들과 저술가들은 죽은 자들은 기본적으로 존재하지 않는 것들이라고 분명하게 말하였다.[16] 이것은 특히 에피쿠로스 학파의 입장이었다: 그들에게 있어서 영혼은 물질의 극히 정교한 입자들로 구성되어 있었기 때문에, 육체가 죽을 때에 인간의 그 밖의 다른 물질과 아울러서 분해되는 것이었다.[17] 다른 점들에 있어서 에피쿠로스와 루크레티우스는 데모크리토스에게 의존하였지만, 그들은 이 점에 관한 그의 견해들(영혼과 몸의 원자들은 우연히 결합된 것이기 때문에, 죽음에 의해서 흩어진 후에도 그 원자들이 다시 결합될 수 있는 가능성은 항상 존재한다는 관념)로부터는 거리를 두었다.[18] 플라톤이 쓴 여러 글들 속에 나타나 있는 죽음

---

16) Sail. *Cat.* 51.20에서 율리우스 카이사르는 최고사제(*pontifex maximus*)로서 말하면서, "죽음은 모든 유한한 고통들에 대한 끝으로써, 슬픔 또는 기쁨을 위한 그 어떤 것도 남겨두지 않는다"고 분명하게 말한다. Dido가 Aeneas에 대한 사랑이 자신의 가슴 속에서 요동치고 있는 것을 발견했을 때, 그녀는 그녀의 죽은 남편에 대한 자신의 의무와 씨름하면서, 자기가 그를 잊는다면 자기에게 저주를 내려달라고 말한다("전능한 아버지여 나를 번개로써 음부로 데려가 주소서 — Erebus에서의 창백한 유령들과 칠흑같이 어두운 밤"). 그러자 그녀의 자매인 Anna는 그녀에게 "먼지와 매장된 유령들"은 그녀의 애곡에 아무런 관심도 보이지 않을 것이라고 말한다 (*Aen.* 4125-7, 34).

17) 예를 들면, cf. Lucretius *De Rer. Nat.* 3.31-42, 526-47, 1045-52, 1071-5. 3.978-97에서 그는 신화 속에서 Tantalus, Tityus, Sisyphus가 고통받는 것들은 장래의 삶이 아니라 현재적 삶에 관한 묘사들이라고 주장한다. Epicurus에 대해서는 Diog. Laert. 10.124-7, 139("죽음은 우리에게 아무것도 아니다"라는 그의 말은 Lucret. *De Re Nat.* 3.830에 반영되어 있다), 143 등을 보라. 또한 Eurip. *Helen* 1421을 보라. 그 밖의 서지들은 Riley 1995, 37f.에 나와 있다.

18) Epicurus의 비판에 대해서는 Cic. *Tusc. Disp.* 1.34.82를 참조하라; 예를 들면, Bailey 1964, 226(Epicurus는 Democritus를 "Lerocritus," 즉 "nonsense"라고 불렀다), 353, 363, 403f.; Guthrie 1962-81, 2.386-9, 434-8에 나오는 논의들을 보라. 그리고 Epicurus, Pliny 같은 다른 저술가들(위를 보라)이 이렇게 Democritus의 주된 요지를 오해하였던 것인지(예를 들면, 머리카락과 손톱이 명백한 죽음 이후에도 계속해서 자랄 수 있기 때문에 정확한 죽음의 순간을 말하기가 어려웠다는 것) 아니면 Democritus가 실제로 원자들이 다시 결합할 가능성을 믿었던 것인지는 여전히 풀리지 않는 문제이다(오늘날의 저술가들과 마찬가지로 Cicero에게도). 이것은

이후의 영혼의 상태에 관한 아주 풍부한 견해를 통해서, 소크라테스는 이 때에 일어날 수 있는 한 가지 가능한 이론은 "꿈 없는 잠"이라고 말한다.[19] 따라서 앞으로 보게 되겠지만, 대부분의 사람들이 덜 엄격한 입장을 취하고 있긴 하지만, 고대 세계의 많은 사람들에게 무덤 너머의 삶은 아예 존재하지 않았다.

그 직접적인 결론은 분명하다. 기독교는 그 중심적인 주장이 거짓인 것으로 알려져 있었던 세계에서 탄생한 것이다. 많은 사람들은 죽은 자들이 전혀 존재하지 않는 것들이라고 믿었다; 유대교 밖에서는 그 누구도 부활을 믿지 않았다.

이러한 것은 최근에 스탠리 포터(Stanley Porter)에 의해서 의문이 제기되었다.[20] 그는 유대교 문헌 속에는 육체 또는 몸의 부활에 관한 증거들이 거의 없는 반면에, "헬라와 로마 종교에서 발견되는 것에 대해서는 동일하게 말할 수 없는데," 거기에는 "내세에서의 영혼의 운명을 상고(上考)하는 충격적일 정도로 강력한 전통이 몸의 부활과 관련된 사례들과 아울러 존재한다"고 주장한다.[21] 하지만 그가 보여주는 데에 성공한 것은 다음과 같은 것이 전부이다; (a) 고대 헬라 세계에서 많은 사람들은 죽음 이후의 모종의 생존을 믿었다; (b) 이것은 영혼의 불멸에 관한 다양한 이론들로 발전되었다; (c) 신비 종교들은 이것에 관한 특화된 변형들을 제공하였다("몸의 부활은 그것의 일부가 아니었지만"이라고 포터는 치명적인 언급을 한다);[22] (d) 유리피데스의 『알케스티스』(*Alcestis*)에는 헤라클레스가 여주인공을 구출해서 소생시키는 것에 관한 주

Lucretius가 3.847-53에서 거부하고 있는 주장이다: 시간('아에타스')이 죽음 후에 우리의 물질('마테리아')을 함께 모은다고 할지라도, 이전의 사람과 새로운 사람 간에는 연속성이 존재하지 않을 것이기 때문에 그런 것은 아무런 상관이 없다. Democritus가 쓴 멸실된 저작인 *Concerning Those in Hades*가 발견되지 않는다면, 이 문제는 풀리지 않은 채로 계속해서 남게 될 것이다. 나는 이 주제와 관련된 이러한 매혹적인 자료와 관련해서 충고해 준 데 대하여 Christopher Kirwan와 Jane Day에게 감사한다.

19) Plato *Apol.* 40c-41c. 또한 선한 사람들의 경우에 "죽음"이라는 말보다 "잠잔다"라고 말하기를 선호하는 Callim. *Epigr.* 11을 보라.

20) Porter 1999a.

21) Porter 1999a, 69.

22) Porter 1999a, 77.

목할 만한 이야기, 즉 플라톤과 아이스킬로스에 의해서 각각 한 번씩 언급된 이야기가 나온다. (a), (b), (c)의 내용들은 모두 이미 잘 알려져 있는 것들로서 결코 "충격적"이지 않으며, 부활과는 아무런 관계가 없다 — 실제로, 그러한 내용들은 부활을 설명하는 방식들이 아니다. 우리는 알케스티스에 관해서 곧 논의하게 될 것이다. 거기에 나오는 이야기도 "부활에 관한 전승"이라고 말하기 힘들다; 실제로 그 이야기는 시적인 상상력의 한 꿈 같은 순간을 제외하고는 부활은 일어나지 않는 것으로 보는 일관되고 보편적인 전승을 보여준다. 이와는 대조적으로, 우리가 다음의 두 장에 걸쳐서 살펴보겠지만, 유대교적 증거들은 결코 한결 같은 것은 아니지만 확고하고 인상적이다.

우리는 이것이 우리가 우리의 목적을 위해서 알아야 할 필요가 있는 모든 것이라고 생각할지도 모르지만, 일은 그렇게 간단하지가 않다. 우리는 죽음에 대한 고대인들의 태도들과 내세에 관한 신념들을 모조리 개관할 필요도 없거니와 그럴 만한 지면도 없다. 이러한 복잡하고 매력적인 주제들의 각각의 측면을 한 권 전체를 할애해서 써놓은 저작들이 있고, 아래에 나오는 내용들 중 많은 부분에서 나는 주류의 견해들과 일치한다.[23] 하지만 두 가지 이유에서 기본적인 사항들을 간략하게 정리해 둘 필요가 있다.

첫째, 예수의 부활에 대한 기독교의 신앙, 모든 하나님의 백성의 부활에 관한 기독교적인 견해들에 대한 우리의 가장 초기의 증인은 바울이다; 그리고 바울은 이 점에서 및 다른 것들에 있어서 그의 사고는 여전히 매우 유대적이었지만 스스로를 일차적으로 이방 세계에 대한 사도로 보았다.[24] 그러므로 그의 선포의 가장 중심적인 특징들 중의 하나가 말해진 배경을 이해하는 것이 아주 중요하다. 실제로 이 점은 더 넓혀질 수 있다: 기독교를 탄생시킨 모태였던 주후 1세기의 유대교는 그 자체가 더 폭넓은 세계인 고대 이교 세계 내에 자리

23) 이 주제 전체에 대한 명료하고 간략한 최근의 글들로는 Klauck 2000 [1995/6], 68-80; Baslez 2001; (한 특정한 시각에서) Zeller 2002 등이 있다. 이 주제에 관한 과거의 고전적인 저작들로는 Rohde 1925 [1897]; Cumont 1923, 1949 등이 있다.

24) 여기서 "이교도"라는 말을 비호교론적이고 단지 서술적인 용법으로 사용하는 것에 대해서는 서문을 보라. 이방들('에드네'), 즉 이교도 또는 비유대 민족들에 대한 사도로서의 바울의 자기 이해에 대해서는 로마서 1:5; 11:13 등을 참조하라.

잡고 있었고, 해석학적으로 이교 세계에 대하여 봉쇄되어 있지 않았다.

둘째, 예수의 부활에 대한 기독교적 신앙의 기원에 관하여 쓴 최근의 몇몇 글들 속에서는 우리가 이교적인 신앙의 몇몇 측면들과의 병행들, 심지어 그러한 측면들로부터 파생된 것들을 찾아보아야 한다는 주장이 제기되어 왔다. 예수의 제자들은 그의 죽음 이후에 그와 함께 먹고 마셨다고 복음서들은 말한다; 고대인들은 그들의 죽은 친구들과 함께 그렇게 하였다고 일부 학자들은 말한다.[25] 제자들은 예수가 분명히 다시 살아난 것을 보았다; 많은 고대인들은 최근에 죽은 사람이 다시 살아난 것을 보았다고 일부 학자들은 주장한다.[26] 예수의 제자들은 그가 죽은 후에 그가 지금 있는 곳에 관한 그들의 신앙을 표현하기 위하여 부활과 관련된 언어를 사용하였다; 고대인들도 그들의 존경하는 고인과 관련하여 그렇게 하였다고 일부 학자들은 말한다.[27]

부활절에 일어난 일에 관하여 복음서의 이야기들은 당혹감에 빠져 있던 친구들이 빈 무덤을 발견하였다고 서술한다; 마찬가지로, 우리는 많은 고대의 글들 속에서, 특히 당시에 헬레니즘적인 문학 속에서 출현한 소설들 속에서 정확히 그와 같은 것들을 발견한다고 일부 학자들은 말한다.[28] 그리스도인들은 죽음 이후의 어느 단계에서 사람에게 새로운 몸이 주어질 것이라고 믿었다; 이것은 영혼의 윤회에 대한 고대인들의 신앙 속에서 자주 등장하는 내용에 해당한다고 일부 학자들은 주장한다. 예수의 제자들은 예수가 하늘의 최고의 자리로 승귀되었다고 믿었다; 많은 고대인들은 그들의 영혼들이 그렇게 된 것으로 믿었다고 일부 학자들은 말한다.[29] 초대 교회는 죽었다가 다시 살아난 예수를 숭배하였다; 많은 이교도들은 그들의 죽었다가 다시 살아나는 신들을 숭배하였다고 일부 학자들은 말한다.[30] 본서의 논증의 이 단계에서 이러한 것들에 대하여 논평하는 것은 섣부른 감이 없지 않아 있기 때문에, 우리는 나중에 논증

---

25) Riley 1995, 67과 그의 저서 제1장 *passim*. Crossan 1998, xiv에 이를 따르고 있다; 아래를 보라.

26)예를 들면, Crossan 2000, 103; 특히, Lüdemann 1994, 1995.

27) Davies 1999; 아래를 보라.

28) Corley 2002, 129-32. 논의에 대해서는 아래 제3절(v)를 보라.

29) A. Y. Collins 1993. Patterson 1998 등이 이를 따르고 있다; 아래를 보라.

30) 흥미롭게도, Frei 1993,47; 자세한 것은 아래 제3절(viii)을 보라.

의 여러 단계들 속에서 이 장에서 말한 이러한 내용들로 다시 돌아와서 논평하고자 한다; 그러나 우리는 이렇게 제시된 병행들과 거기에서 파생된 결론들은 (오늘날의) 상상력에 의한 허구들이라는 것을 타당한 역사적 근거들 위에서 입증해낼 수 있기 때문에, 우리의 더 핵심적인 주제를 위하여 정지작업을 하는 차원에서 좀 이르기는 하지만 이 장에서 그러한 것들을 다루는 것도 좋을 것이다. 어쨌든 일차적인 문제는 그러한 신앙들의 존재가 예수 또는 기독교의 부활 소망에 관한 초기 기독교의 신앙들에 대한 병행들인지의 여부가 아니다; 핵심적인 질문은 그러한 것들이 호메로스, 아이스킬로스, 소포클레스에 의해서 규정된 원칙에 대한 예외들을 이루고 있느냐 하는 것이다.[31]

물론, 역사가는 특히 이것과 같은 주제를 다루면서 문헌 자료들 또는 심지어 통속적인 수준의 금석문들 속에 나오는 신앙에 관한 명시적인 진술들 외에도 광범위한 현상들에 주목하여야 한다. 내가 제1장에서 말하였고 다른 곳에서도 주장하였듯이, 우리는 명시적인 질문들에 대한 명시적인 대답들만이 아니라 실천(사람들이 습관적으로, 특징적으로, 그리고 통상적으로는 비반성적으로 행하는 것), 상징(특히 실천 및 이야기과 연결되어 있기 때문에 세계관을 가시적이고 유형적으로 표현해 주고 있는 대상들과 제도들을 포함한 문화적 현상들), 이야기(세계관을 내재하고 있는 사실적인 것이든 허구적인 것이든 크고 작은 이야기들)을 다루지 않으면 안 된다.[32] 우리는 이 점과 관련된 세계관, 특히 죽음이라는 현상과 관련해서 초기 그리스도인들과 동시대에 살았던 비유대인들의 목표들, 의도들, 신념(신앙)들을 분석함에 있어서 이 네 가지 요소 — 실천, 상징, 이야기, 질문들 — 를 모두 활용하게 될 것이다.

이 요소들 각각에 관한 다음과 같은 추가적인 설명은 이후에는 더 짤막하게 언급하고 참조할 수 있는 길을 열어줄 것이다. 여기서의 주제와 관련된 특

---

31) 극히 선한 역사가들 같이 나는 "분노도 열정도 없는"(*sine ira et studio*) 태도로 쓰고 있지만(Tac. *Ann.* 1.1; 나는 동일한 반어법을 의도하고 있다), 현재의 논증들은 본서를 하나의 부분으로 하는 좀 더 폭넓은 해석학적 연쇄 안에 위치해 있다는 것을 말할 필요는 거의 없을 것이다. 나는 내가 동의하지 않는 사람들과는 달리 공중에 떠서 중립적으로 관찰하는 자가 아니다; 그러나 이것은 원칙적으로 역사적 논증들의 지위 또는 가치에 영향을 미치지 않는다(cf. *NTPG* Part II와 위의 제1장).

32) cf. *NTPG* 122-6.

징적인 실천은 명백한 것으로는 장례 관습들과 관행들로 이루어지고, 덜 명백하지만 마찬가지로 중요한 것으로는 흔히 죽음 이후의 수 년 동안 계속되었던 장례 이후의 예식들과 관행들로 이루어진다. 애석하게도, 학자들은 매장 관습이라는 실천의 아주 근본적인 변화들 — 예를 들면, 매장에서 화장으로, 또는 그 반대 — 을 신념 또는 세계관에 있어서의 어떤 명백한 변화와 서로 연결시키는 것이 불가능하다는 것을 발견하였다.[33] 마찬가지로 애석하게도, 당시에 계속해서 지속되었을 것임이 분명한 상당수의 실천들이 당연한 것으로 여겨졌기 때문에 문헌이나 금석문들, 또는 도자기 그림들 같은 예술 작품(고대의 실천을 알아내는 데 있어서 핵심적인 자료) 속에 묘사되어 있지 않다. 죽은 자들의 매장은 신들과 직접적으로 연루되어 있지 않았다는 의미에서 특별히 "종교적"인 사건이 아니었다;[34] 하지만, 예전적인 의식(儀式)들이 흔히 수반되었다 — 물론, 우리는 그 의식들이 무엇이었는지에 대하여 많이 알고 있지 않지만[35] 우리가 그러한 의식들에 관한 묘사들을 가지고 있는 경우에도, 그것들은 흔히 왕이나 귀족의 장례와 관련된 것들이기 때문에 전형적인 것으로 받아들여져서는 안 된다 — 물론, 몇몇 유사점들이 전제될 수 있기는 하겠지만[36] 우리는 오늘날 왕가의 장례식들을 관찰하는 것을 통해서 영국인들의 일상적인 장례 관습에 관하여 그리 많은 것을 배울 수 없을 것이다.

관련된 상징들은 흔히 죽은 자들이 살았다고 믿어진 실존의 종류를 나타내 주는 금석문들과 조각들이 포함된 장례와 관련된 기념물들이다. 물건들은 흔

---

33) 예를 들면, cf. Burkert 1985, 190-94; Toynbee 1971 ch. 2; Ferguson 1987, 191-7과 참고문헌.

34) Price 1999, 100.

35) 특히, Toynbee 1971 ch. 3; Garland 1985, xi, 30f., 36; 일차 자료들 중에서는 *Il.* 23.43-54, 114-53, 161-225(무덤을 만들고, 머리를 밀고, 화장용 장작에 불붙이고, 잡다한 전제들과 짐승 희생제사들을 드린다); 23.236-61(화장용 장작불을 포도주로 끄고, 뼈들을 제거하고, 그 뼈들을 납골단지에 넣고, 무덤에 매장한다); 24.777-804에 나오는 위의 모든 것들에 대한 밀접한 병행들; Soph. *Antig.* 429-31(죽은 자에게 삼중으로 제사를 지냄), 876-82(조곡), 900-02(무덤에서의 전제); Virgil *Aen.* 3.62-8; 6.212-35를 보라.

36) 예를 들면, Polybius *Hist.* 6.53f.; Dio Cassius 75.4.2-5.5(본문들은 Beard, North and Price 1998, 226-8에 나온다).

히 죽은 자와 함께 매장되었는데, 지하 세계의 강인 삼도천(三途川)을 건너기 위해서 그 곳의 나루지기인 카론(Charon)에게 고인이 돈을 지불할 수 있도록 하기 위하여 죽은 사람의 입에 놓아둔 동전 같은 것이 그런 것이다.[37]

죽은 자들에 관한 이야기들은 호메로스에 나오는 웅장한 장면들로부터 내세에 관한 플라톤의 신화들, 헬레니즘적인 소설들의 재미있는 판타지들에 이르기까지 여러 범위에 걸쳐 있다. 물론, 각각의 경우에 있어서 장르상의 특성상 역사가는 모든 독자들이 그것들을 문자적인 진리에 관한 진술들이나 누구나 믿어야 할 서술적인 진술들로 받아들였다거나 저자의 실제적인 신념(신앙)에 관한 진술들로 받아들였다고 생각하지 않도록 주의를 기울여야 한다. 앞으로 살펴보게 될 본문들 중에서 다수는 그들 자신의 허구적인 성격을 명시적으로 표명한다. 그러나 그러한 본문들은 우리가 살펴보아야 할 광범위한 증거들 중의 아주 중요한 일부이다.[38]

이러한 세 가지 요소들에 의해서 만들어진 맥락 속에서, 우리는 죽은 자들과 관련한 세계관적 질문들에 주어진 암묵적인 대답들을 이해할 수 있고, 또한 그 대답들을 서로 연결시키고자 시도할 수 있다: 죽은 자들은 누구이고, 그들은 어디에 있으며, 무엇이 잘못되었고, 무엇이 해법이며, 관련된 사건들의 연속 속에서 그것은 어느 시기에 해당하는가? 앞으로 보게 되겠지만, 고대 후기의 세계 내에서 이러한 질문들에 대하여 주어진 아주 광범위한 대답들이 존재하지만, 그 대답들은 이해 가능한 스펙트럼을 따라서 배열되어 있고, 우리가 이미 보았듯이, 몇몇 대답들을 철저하게 배제한다.

고대 이교도들의 신념들 속에서 죽은 자들에게는 많은 일들이 일어날 수 있었지만, 부활은 그러한 일들 중에 속하지 않았다. 이것을 검증하고, 예수에 관한 기독교적인 신앙들과 조금이라도 관련이 있을 수 있는 죽은 자들에 관한

---

37) 예를 들면, Burkert 1985, 190^; Toynbee 1971, 43-61; Garland 1985, ch. 3. Charon의 운임에 대해서는(여러 예들 중에서) Juv. *Sat.* 3.265-7; 8.97을 보라.

38) Homer의 글에 나오는 두 개의 유명한 장면은 Patroclus가 Achilles에게 나타나는 장면(*Il.* 23.62-107)과 Odysseus가 지하세계를 방문하는 장면(*Od.* 10.487 — 11.332)이다. 플라톤의 Er 신화에 대해서는 *Rep.* 10.614b-621d(이 저작의 끝부분; 아래 제3절(viii)을 보라)를 참조하라. 헬레니즘 소설들에 대해서는 아래 제3절(v)를 보라.

또 다른 신념(신앙)들을 보여주는 표지(標識)들이 존재하는지의 여부를 묻기 위하여, 우리는 그 스펙트럼을 살펴보지 않으면 안 된다.

2. 유령들, 영혼들, 신 같은 존재들?

(i) 서론

이 절에서 나는 고대 후기의 고전 시대 세계 — 예수 시대로부터 앞뒤로 대략 2-3백년에 걸친 시기 — 에 존재하였던 죽은 자들에 관한 여러 다양한 신념들을 이미 앞에서 언급한 방식으로 서술하고자 한다.[39] 다시 한 번 말해 두지만, 고대 이집트, 가나안, 메소포타미아, 페르시아에 존재하였던 병행되는 현상들은 자세하게 다룰 필요도 없고 또한 그럴 지면도 없다; 그러한 것들은 종종 다루어지겠지만, 각각의 현상들의 독특한 측면들 — 예를 들면, 애굽에서 행해진 미라 관습 — 은 우리가 연구하고 있는 사상 세계와 별 관계가 없는 경우에는 제외될 것이다.[40] 이 절에서 우리의 개관은 호메로스에 의해서 묘사된 암울한 세계를 시작으로 해서 죽은 자들이 비록 몸은 없지만 그 밖의 점에 있어서는 꽤 정상적인 실존을 영위하는 듯이 보이도록 묘사된 여러 다양한 그림들을 거쳐서 더 흥미진진한 가능성들로 옮겨갈 것이다.

(ii) 암울한 세계 속에 있는 몽롱한 유령들?

우리는 이 시기 전체에 걸쳐서 헬라-로마의 상상력에 깊은 흔적들을 남긴 호메로스의 두 개의 이야기를 면밀하게 살펴 볼 필요가 있다. 그 이야기들은 후대의 저술가들에 의해서 활용되었을 뿐만 아니라 대중적인 차원에서 비문들과 장례 관습들 속에 많은 족적들을 남긴 풍부한 세부적인 내용들을 제공해 줄 뿐만 아니라, 그 밖의 다른 견해들을 파생시킨 기본적인 전제라고 말할 수

---

39) 이 절 전체에 대해서는 Bolt 1998의 최근의 유익한 요약을 보라.

40) 고대 동방의 신앙들과 관습들에 대한 간략하고도 유익한 개관에 대해서는 Yamauchi 1998을 보라. 약간 편향성을 지니고 있기는 하지만 꽤 자세한 설명은 Davies 1999, Part I에 나와 있다. Davies는 주후 1세기의 유대교 및 기독교의 세계와 이러한 세계들의 관련성이라는 문제에 답하고 있는데, 이에 대해서는 우리가 아래에서 논의하게 될 것이다.

있는 분위기를 전달해 준다.[41)]

첫 번째 이야기는 아킬레우스가 최근에 죽은 그의 절친한 친구인 파트로클로스의 망령과 대면하는 장면을 다루고 있는 일리아드(*Illiad*)에 나오는 이야기이다. 이 장면은 아킬레우스의 분노에 관하여 말하고 있는 이 서사시의 전체 구성에 있어서 대단히 중요하다: 이것은 아킬레우스가 오랫동안 토라져서 전장을 떠나 있다가 다시 전장으로 돌아오는 계기가 된다. 일단 아킬레우스가 전투에 합류하면서, 비록 그 자신은 전투 과정 속에서 죽긴 하지만, 트로이의 함락은 기정사실화된다.

아킬레우스가 전장으로 보냈던 파트로클로스는 유포르부스와 헥토르에 의해서 죽임을 당한다. 파트로클로스의 시신을 놓고 승강이가 벌어지지만, 결국 그 시신은 헬라 진영으로 돌아오게 된다.[42)] 아킬레우스와 그의 동료들은 파트로클로스의 시신을 깨끗이 씻기지만, 아직 매장하지는 않는다. 대신에, 이 서사시의 여러 권에 걸쳐서, 아킬레우스는 미칠 듯한 슬픔에 내몰려서 마침내 싸우러 나가게 되고(18.22-125), 결국 헥토르를 죽인다(22.247-366). 이렇게 복수를 한 후에야 비로소 아킬레우스는 다시 돌아와 파트로클로스를 애도한다.

아킬레우스는 이제 하데스에 거주하고 있는 이 죽은 사람에게 자기가 그의 복수를 하였다고 말하면서(23.19), 다음 날 있을 장례식을 준비한다. 하지만 그 밤에 아킬레우스가 잠을 자고 있을 때,

> 불운한 파트로클로스의 영이 그에게 찾아왔는데, 그의 모습은 키와 아름다운 눈과 목소리 등 모든 것이 예전의 그와 같았고, 마찬가지로 똑같은 옷을 입고 있었다: 그는 아킬레우스의 머리 위에 서서 그에게 이렇게 말하였다: "아킬레우스, 너는 나를 잊어버리고 잠을 자고 있구나. 내가 살아 있을 때에는 너는 나를 생각해 주었는데, 이제 내가 죽으니 그렇지 않구나! 내가 하데스(음부)의 문들을 통과할 수 있도록 나를 하루 속히 묻어다오. 영들이 나를 못들어오게 멀리서 지키고 있고, 땀 흘려 수고한 자들의 유령들은 나로 하여금 강을 건너서 그들과 합류하도록 애를 써주지

41) 이 주제 전체 및 더 자세한 내용에 대해서는 Garland 1985, ch. 3 등을 보라.

42) *Il.* 16.805-63; 17 *passim*; cf. 18.231-8.

> 않아서, 나는 넓게 열린 하데스의 집을 헛되이 떠돌고 있다. 내가 너에게 간청하노니, 내게 너의 손을 달라. 일단 네가 나를 화장한 후에는 나는 결코 하데스로부터 다시 돌아오지 못할 것이다.[43)]

그러자 아킬레우스는 그의 옛 친구를 끌어안고자 한다:

> 아킬레우스는 그 영을 포옹하기 위하여 팔을 내밀었지만 아무 소용이 없었다. 그 영은 한 줄기 연기처럼 사라져서 뭔가를 중얼거리며 지하 세계로 내려갔다. 아킬레우스는 깜짝 놀라서 벌떡 일어났다. 그는 손바닥을 마주치며 절규하였다: "아, 그러니까 우리에게 속한 그 무엇이 하데스의 집에서조차도 살아남아 있다는 말이 사실이구나. 지성은 없고 오직 사람을 닮은 유령뿐이긴 하지만; 가엾은 파트로클로스의 유령(그것은 정확히 그를 닮았다)은 밤새도록 내 옆에 서서 울며 소리치며 내게 내가 마땅히 해야 할 모든 일들을 말해주고 있었구나."[44)]

그런 후에, 아킬레우스는 잠에서 깨어 일어나서, 성대하게 장례식을 치른다 (23.108-261).

이 대목은 호메로스의 위대한 작품의 절정 부분에서 차지하는 그 극적인 의미와 아우구스투스 시대의 가장 위대한 시인인 베르길리우스에게 미친 영향은 그만두고라도 우리의 목적을 위해서 대단히 흥미롭다.[45)] 아킬레우스는 죽은 자가 과연 그 어떤 존재를 가지고 있는지에 대하여 의구심을 키워왔던 것으로 보인다; 그러나 이제 친구의 유령을 보게 된 이 체험은 비록 유쾌한 쪽으로는 아니지만 이 문제를 해결짓게 된다. 지금 파트로클로스는 누구인가? 유

---

43) *Il.* 23.65-76(tr. Murray).

44) *Il.* 23.99-107(tr.Rieu).

45) 아이네아스가 지하세계에 있는 그의 아버지 안키세스를 방문해서 포옹하고자 시도하는 비슷한 장면이 포함되어 있는 Virgil *Aen.* 6.756-885. Achilles가 밤에 겪은 시련은 이 시기에 잠언이 되어 있었다: Juvenal(*Sat.* 3.278-80)은 그것을 술주정뱅이가 잠을 자지 않고 밤을 세우는 것에 대한 직유로 사용하였다 — 물론, 원래는 Achilles는 실제로 잠을 자고 있었지만.

령 또는 영(psyche), 허깨비(eidolon). 그는 어디에 있는가? 그는 하데스로 가는 길에 있지만("하데스의 넓게 열린 집"에서 불안정하게 떠돌고 있다), 합당한 장례가 치러질 때까지는 삼도내를 건너서 자신의 안식처를 찾을 수 없다.[46](이 드라마의 대위 선율은 아킬레우스가 매장되지 않은 헥토르의 시신을 끈질기게 그대로 방치해 놓고 있는 것이다 — 마침내 헥토르의 장례가 이루어지면서 이 서사시는 끝이 난다.[47])

무엇이 잘못된 것인가? 파트로클로스는 더 이상 사람이 아니고, 단지 뭔가를 중얼거리며 몽롱하게 떠도는 유령일 뿐이다. 해법은 무엇인가? 해법은 존재하지 않는다. 파트로클로스는 음부로 가는 길에서 도움을 받을 수는 있지만, 거기에서 온전하거나 풍요로운 실존을 누리지는 못할 것이고, 물론 다시 돌아오지도 못할 것이다. 이 드라마는 계속해서 진행되지만, 파트로클로스는 이제는 영원히 돌아올 수 없고, 아킬레우스 자신도 곧 그들이 공유한 무덤(23.82-92)과 음울한 음부에서 파트로클로스를 다시 만나게 될 것이다.

지하 세계에 관한 호메로스의 두 번째 이야기는 오디세우스의 입 속에 두어져 있는데, 그는 자기와 자신의 동료들이 어떻게 키르케(Circe)의 섬으로부터 탈출해 나왔는지를 설명한다. 키르케는 오디세우스에게 집으로 돌아가는 것을 허락하지만, 먼저 오디세우스는 또 다른 여행, 즉 하데스와 페르세포네의 집에 다녀오지 않으면 안 된다(하데스는 장소의 이름일 뿐만 아니라 거기에 있는 왕의 이름이다; 페르세포네는 그의 아내이다).[48] 거기서 그는 테베의 눈먼 선견자 테이레시아스의 유령을 불러내어야 한다; 다른 유령들은 "그림자들처럼 휙휙 날아다니지만," 오직 그만이 여전히 명료하게 사고할 수 있다고 그녀는 말한다.[49] 당당한 오디세우스조차도 이 여행을 할 생각에 수심으로 가득 차 있게 되지만, 키르케는 그에게 어디로 가야하며 거기에 도착해서 무엇을 해야 하는지를 말해준다: 그는 구덩이를 파고 술을 따라 부은 후에 유령들에게 희

46) "하데스"는 그 자체가 하나의 장소가 아니라, "넓은 문을 가진 하데스의 집"은 하데스라는 신이 소유한 영역이었다(Patroclus는 아직 거기에 있지 않다). 하데스에 대해서는 Bremmer 2002, 136 n. 33에 나오는 자료들을 보라.

47) *Il.* 24.777-804.

48) 배경에 대해서는 Burkert 1985, 195f.를 보라.

49) *Od.* 10.487-95.

생제사를 드릴 것을 약속해야 한다. 이렇게 해서, 일행은 출발한다.[50] 밤이 지속되는 땅에 도착해서 — 바람만 좋다면, 거기에 도착하는 일은 놀라울 정도로 쉽다 — 오디세우스는 키르케가 하라고 한 것들을 수행한다. 희생제사의 피에 이끌려서 — 물론, 테이레시아스가 나타나기 전까지는 거기에 가까이 접근하는 것이 허용되지 않지만 — 유령(psyche)들이 차례차례로 나타나서, 이 주인공과 대화를 나누게 되는데, 가장 먼저 나타난 유령은 최근에 죽은 그의 친구인 엘페노르였고, 그는 파트로클로스가 아킬레우스에게 부탁한 것처럼 잘 매장해 줄 것을 요청한다.[51] 그런 후에, 오디세우스의 어머니인 안티클레이아가 나타나고, 그 다음에 테이레시아스가 나타난다. 그 선견자는 주인공에게 이곳에 왜 왔느냐고 묻는다.

> 당신은 왜 태양의 빛을 떠나서, 죽은 자들과 아무런 기쁨이 없는 이 곳을 보려고 여기에 왔는가?[52]

오디세우스는 테이레시아스에게 희생제사의 피를 마시게 하였다. 그러자 이 선견자는 오디세우스와 그의 동료들에게 무슨 일이 일어날 것인지를 예언한다. 그런 후에, 테이레시아스는 오디세우스에게 어떻게 해야 다른 유령들이 그에게 와서 그를 알아보고 그와 얘기를 나눌 수 있는지를 말해 준 후에 그곳을 떠난다: 그 방법은 다른 유령들에게도 희생제사의 피를 마시게 하라는 것이다(11.146-8). 그래서 오디세우스는 그의 어머니를 시작으로 해서 여러 유령들과 대화를 나누게 된다.[53]

안티클레이아는 어떻게 그녀의 아들이 "이 암울한 어둠 아래로" 오게 되었는지를 묻고, 그에게 그가 없는 동안에 이타카(Ithaca)에서 무슨 일이 일어났

---

50) *Od.* 10.496-574.

51) *Od.* 11.51-83; Elpenor의 장례식은 12.8-15에 나온다.

52) *Od.* 11.93f.

53) 죽은 자에게 술을 부어주는 것과 더불어서 이러한 장면을 토대로 하여(아래를 보라) 일반적으로 고대 세계에서는 유령들이 "먹을 수 있다"고 믿었다고 주장하는 것(Riley 1995, 47f.; cf. 67)은 견강부회이다. Riley는 "몇몇 신약학자들이 이 점을 놓치고 있다"고 말한다; 나는 핵심을 놓친 사람은 바로 Riley라고 생각한다.

는지를 말해 준다. 아킬레우스가 파트로클로스에게 했던 것처럼, 오디세우스는 자신의 어머니를 끌어안고자 한다:

> 나는 세 번 그녀를 향하여 돌진해 갔고, 나의 의지는 "그녀를 끌어안으라"고 말했지만, 그녀는 세 번이나 마치 그림자나 꿈처럼 내 팔로부터 휙 하며 빠져나갔다.[54)]

오디세우스는 그녀에게 불평한다: 그가 하데스의 집에 왔는데도, 왜 그들이 포옹할 수 없는 것이냐고. 이 자리에 있는 것이 진정으로 그녀인가, 아니면 단지 "허깨비"('티 에이돌론')일 뿐인가?[55)] 그러자 그녀는 이것이 바로 죽은 후의 인간의 모습이라고 대답한다:

> 힘줄들이 살과 뼈들을 함께 붙잡아두지 못하고, 영('뒤모스')이 흰 뼈들을 떠나자마자, 이글거리는 불의 강력한 힘이 뼈들을 파괴해서, 유령('프쉬케')은 꿈과 같이 펄펄 날며 사라져버린다.[56)]

이렇게 해서, 긴장은 해소되고, 오디세우스는 그 밖의 다른 여자들, 곧 두령들의 아내들과 딸들의 유령들이 어떻게 그에게 와서 피를 마시고 여러 다양한 사연들을 얘기했는지에 대하여 말한다.[57)] 그의 청중들은 그에게 계속해서 그가 어떻게 그의 옛 친구들인 아가멤논, 아킬레우스 등등을 만나게 되었는지를 말해달라고 설득한다; 그들 중에서 오직 아이아스(Ajax)만이 아킬레우스의 무기를 차지하는 시합에서 진 것에 대하여 여전히 화가 나서 그에게 말하기를

---

54) *Od.* 11.206-08.

55) *Od.* 11.210-14.

56) *Od.* 11.219-22; cf. Virgil *Aen.* 6.697-702(Aeneas가 아버지 Anchises의 "형상"(*imago*)을 끌어안으려다 실패한 것). 그것은 그가 이러한 본문들이 부활한 예수가 스스로 제자들에게 만져보라고 제안했다는 누가와 요한에 나오는 부활절 이후의 장면들 배후에 있다고 말하는 Riley 1995의 이례적인 주장들에 전형적이다(53).

57) *Od.* 11.225-332.

58) *Od.* 11.385-567.

거부한다.[58] 아킬레우스가 오디세우스에게 대답한 말은 내세에 관한 견해를 분명하게 보여준다(부주의한 죽은 사람들, 때에 뒤떨어진 사람들의 유령들('에이돌라')이 거하는 하데스).[59] 이 살아 있는 영웅은 죽은 영웅에게 그가 살아 생전에 신과 같이 존경을 받았던 것과 마찬가지로 이제 그는 그의 새로운 거처에서 강력하게 다스리고 있다고 말함으로써 죽은 영웅을 위로하고자 한다. 아킬레우스는 울면서 그런 말을 듣고자 하지 않는다:

> 영광스러운 오디세우스여, 나로 하여금 죽음과 화해하도록 애쓰지 말라. 내가 선택할 수 있다면, 소멸되어 버린 모든 죽은 자들에 대하여 왕노릇하기보다는 다른 사람의 종이 되어 살거나 정착할 땅이 없이 살아가는 한이 있더라도 이 땅에서 살고 싶다.[60]

분명한 것은 하데스는 사람이 거처하기에 적합하지 않다는 것이다.[61] 하지만 오디세우스는 아킬레우스에게 뭔가 위로가 되는 말을 하고자 한다: 그의 용맹스러운 아들인 네옵톨레무스가 이 땅에서 크게 이름을 떨치고 있다(아킬레우스는 이때까지 이것에 대하여 들은 적이 없었다는 점을 우리는 주목해야 한다). 위로는 작은 것이었다; 오디세우스에게 와서 말한 유령들은 슬퍼하거나 화가 나 있거나 이 둘 모두를 지니고 있다. 바로 이것이 음부(Hades)의 모습인 것이다.[62]

그런 후에 또 다른 종류의 인물들이 등장한다. 이 시인은 기이함과 신비감을 강화시키기는 하지만 전체적인 줄거리의 긴장감을 느슨하게 해줄 수 있는 짤

---

59) *Od.* 11.475f.

60) *Od.* 11.488-91.

61) 또한 cf. Hesiod *Works* 152-5.

62) Riley는 본문들 속에서 계속해서 이와 같은 장면들을 보면서, 다음과 같이 말하는 것이 가능하다고 생각한다: "죽은 자들은 대체로 마치 산 자들인 것처럼 인식되었다: 쉬고 또 걸으며, 산 자들은 다른 죽은 자들과 대화하고 먹고 마시며, 그들이 살아서 했던 것들을 죽은 후에도 계속해서 행한다." 위의 활동들의 각각의 예들이 호메로스로부터 제시될 수 있다는 사실은 별 상관이 없다; Riley가 만들어낸 전체는 그가 수집한 부분들의 합보다 훨씬 더 크다.

막한 장면들을 포함시킬 기회를 거부할 수 없었다. 음부에서 미노스(Minos)는 죽은 자들을 심판하고 있고(따라서 거기에는 재판이 존재하는 것으로 보인다), 오리온(Orion)도 한 무리의 야생짐승들을 거느리고 재판을 행한다; 그들은 대단히 좋은 모습으로 있는 것으로 보인다.[63] 그러나 그 후에 세 명의 매우 다른 등장인물들이 출현한다: 제우스의 첩인 레토를 강간했다가 지금은 부리로 쪼아먹는 독수리들에 의해서 고문을 받고 있는 티티우스; 아래에 있는 물을 뜰 수도 없고 위에 있는 열매에 닿을 수도 없는 탄탈루스; 돌을 언덕 위로 영원히 밀어올리고 있는 시시포스.[64] 이러한 인물들은 죽음 이후의 보통 사람의 운명 또는 처소에 관한 우리의 지식에 별 도움을 주지 못하는 인물들인 것으로 보인다. 그러나 마지막으로 오디세우스는 헤라클레스의 유령('에이돌론')을 만난다 — 이것은 겉보기에 모순이 있는 것처럼 보인다. 진짜 헤라클레스는 제우스와 헤라의 딸인 헤베와 결혼해서 불멸의 신들과 함께 연회를 즐기고 있다고 그는 설명한다; 그러나 이것은 그의 유령이 하데스의 집에 살고 있는 것을 방해하지 않는다.[65]

오디세우스는 더 머물면서 더 많은 옛적의 영웅들을 만나보기를 원한다; 그러나 그가 그렇게 하기 전에,

> 죽은 자들의 수많은 무리들이 소름끼치는 울부짖는 소리와 함께 떼로 몰려왔고, 위엄있는 페르세포네가 하데스의 집으로부터 저 무시무시한 괴물인 고르곤의 머리를 내게 보낼지도 모른다는 등골이 오싹한 공포가 나

63) *Od.* 11.568-75. 지하세계에서 Minos의 역할에 대해서는 아래를 보라.

64) *Od.* 11.576-600. 일부 학자들이 생각하여 왔듯이, 이 본문이 후대의 개입의 산물인지의 여부는 우리의 관심사가 아니다. 이것 및 지하세계에서는 오직 일부 사람들만이 징벌을 받는다는 것에 대해서는 Burkert 1985, 197과 그 밖의 다른 참고문헌들을 보라; Garland 1985, 60-66은 악인들의 심판이라는 주제를 호메로스의 송가들, 신비종교들(아래를 보라), Aristophanes의 조롱(Hercules가 Dionysus에게 어떻게 하데스로 가며 거기에서 무엇을 발견하게 될 것인지에 대해서 조언하는 장면인 *Frogs* 139-64)을 거쳐서 플라톤의 *Gorgias*(523a-527a)의 끝부분에 나오는 대심판 장면까지 추적해 나간다. 자세한 것은 아래를 보라.

65) *Od.* 11.601-27. Hercules가 지상 세계로 옮겨진 것에 대해서는 아래를 보라.

를 사로잡았다.[66]

오디세우스와 그의 동료들은 도망칠 도리밖에 다른 길이 없었다.

그렇다면, 호메로스와 그의 작품을 탐독했던 그 이후의 여러 세기 동안에 죽은 자들은 과연 누구라고 생각되었는가? 그들은 망령들('스키아이'), 유령들('프쉬카이'), 허깨비들('에이돌론')이다. 그들은 모습은 사람처럼 생기긴 했지만 결코 완전한 사람은 아니다; 외관이 존재하는 것처럼 보이는 것은 기만적인 것이다. 왜냐하면, 우리는 그들의 육신을 붙잡을 수가 없기 때문이다.[67] 마네스(Manes)라는 라틴어는 이와 같은 종류의 세계와 그 여러 비슷한 변형들을 연상시킨다.[68] 그들은 어디에 있는가? 그들은 지하 세계의 신인 하데스와 그의 무시무시한 아내의 통치 아래에서 음부(陰府)에 있다. 무엇이 잘못된 것인가? 그들은 지금 있는 곳에 대하여, 또 전에 인간으로 생존하였을 때에 일어났던 많은 일들에 대하여 유감스러워 한다. 그들은 지금 처한 인간 이하의 상태에 대하여 슬퍼한다. 몇몇 경우에 있어서 그들은 그들이 저지른 특히 극악무도한 범죄들에 대한 형벌을 받으며 고통스러워 한다(우리는 흥미롭게도 탄탈루스와 시시포스의 범죄들에 관해서는 얘기를 듣지 못하지만). 더 나은 곳에서 그

---

66) *Od.* 11.632-5. Odysseus는 자기가 함정에 걸려서 빠져나오지 못할까봐 두려워하는 것으로 보인다.

67) *Aen.* 6.290-94에서 Aeneas는 지하세계로 가는 길에서 괴물 모양을 한 생물들에 의해서 방해를 받는데, Achates는 그에게 "이것들은 형체는 있지만 속은 텅 빈 채로 훠훠 날아다니는 몸이 없는 생물들"이라는 것을 상기시켜 주었었다. 그가 헬라의 영웅들을 만났을 때, 그들은 "무기와 사람"(물론, 1:1의 반영)을 보고서는, 두려움 속에서 소리를 지르고자 한다 — 그러나 그들이 할 수 있는 것은 그들의 열린 입을 통해서 내는 희미한 소리가 전부였다(6.489-93). 이것은 Virgil이 지하세계에서 그림자처럼 거하는 존재들에 대하여 '코르포라'(*corpora*), 통상적으로 "몸들"이라고 번역되는 용어를 종종 사용하고 있는 것과 유령들은 여전히 그들이 받았던 상처들에 대한 흔적들을 지니고 있을 수 있다고 그가 말한 것에 비추어서 생각해 보는 것이 중요하다(예를 들면, Riley 1995, 55f.에 반대하여; 예를 들면, Dido: 6.450f; 또한 cf. Aesch. *Eumen.* 103; Ovid *Met.* 10.48-9, 그리고 (다시 Virgil에서) Hector, Sychaeus, Eriphyle, Deiphobus(*Aen.* 1.355; 2.270-86; 6.445f., 494-7). Riley 1995, 50f.를 보라.

68) 예를 들면, *Aen.* 4.427; Juv. *Sat.* 2.154.

림자 같은 또 다른 자기를 가지고 있는 몇몇 인물들도 있는 것으로 보인다; 우리는 곧 헤라클레스의 경우를 살펴보게 될 것이다. 그러나 생전에 위대했고 선했던 사람들을 비롯한 대부분의 사람들의 경우에, 음부는 위로도, 전망도 주지 못하고, 오직 깊은 상실감만을 줄뿐이다.[69] 단 하나의 예외인 테이레시아스의 경우(극적인 목적을 위하여 만들어내진?)를 제외하고는, 그들은 재기발랄함을 잃어버렸고, 게다가 그 밖의 다른 많은 것들을 상실해 버렸다. 그들은 근본적으로 인간 이하의 상태에 머물면서 소망이 없는 상태로 존재한다.

암울함, 좋게 보아서 황량하고 단조로운 곳, 나쁘게 보아서 공포의 장소라는 이러한 인식은[70] 고대의 문헌들과 금석문들, 공예품들, 보고된 관습들로부터 알게 된 문자를 모르는 보통 사람들의 태도들 및 신념(신앙)들 전체에 걸쳐서 부각되어 있다. 죽은 자들에 대하여 "지극히 복된," "운 좋은"(더 이상 현세의 고통들을 겪지 않기 때문에), "고명한"이라는 수식어들을 붙일 수 있었지만, 이러한 수식어들은 그들이 현재 처한 실제의 상태가 아니라 죽은 자들이 현재 살아있는 자들로부터 받는 존경과 관련이 있는 것으로 보인다.[71]

이러한 묘사들이 지닌 한 가지 특징이 특히 흥미롭다. 플라톤에게서 만개한 좀 더 발전된 철학적 성찰 이전에, "영혼"(psyche)은 몸을 떠나서 삶을 누릴 수 있는 영화로운 불멸의 존재로 여겨지지 않았다. 실제로 "영혼"은 사람의 참된 "자아"와는 다른 그 무엇이다. 일리아드는 아킬레우스가 그의 진노를 통해서 다음과 같은 일을 한 자로서 환영을 받는 장면 속에 나오는 바로 이와 같은 구별로 시작된다:

> [그는] 많은 용맹스러운 전사들의 영혼들을 하데스로 내려보냈고, 사람

---

69) Price 1999, 101을 보라.

70) 후자에 대해서는 사람들에게 하데스의 공포를 상기시킴으로써 현재의 삶 속에서의 선한 행실을 권장한 로마인들을 칭찬하고 있는 Polyb. *Hist.* 6.56.6-15를 보라. 이것은 플라톤의 도덕적인 입장과 갈등을 일으킨다: 아래를 보라.

71) 장례식에서 존경과 소망의 말들을 하는 전통에 대해서는 MacMullen 1984, 11과 거기에 나오는 주들을 보라; 일반적인 것에 대해서는 Garland 1985, 8-10을 보라. 위에 있는 세계에 대해서는 알 수 없다는 것이 Eurip. *Hippol.* 186-92에 나온다.

들 자신('아우투스 데')을 온갖 종류의 개들과 새들의 먹잇감이 되게 하였다.[72]

우리는 플라톤적인 혁명(이것에 대해서는 아래를 보라)이 대안적인 견해를 제시하는 것 이상의 일을 하였다고 생각해서는 안 된다. 호메로스의 전통, 그리고 그것으로부터 흘러 나왔거나 그것을 반영한 다른 많은 저술들과 민간 신앙들은 초기 그리스도인들의 시대에도 여전히 강력하게 작용하고 있었다.[73] 아가멤논, 아킬레우스, 아이아스 등과 같은 인물들이 비참한 하데스에 있을 수밖에 없었다면, 그 밖의 다른 사람들에게는 그 어떤 소망이 있었겠는가?

(iii) 몸을 입고 있지 않지만 다른 점들에서는 정상적이다?

적어도 일부 사람들은 호메로스의 암울한 묘사에도 불구하고 죽은 자들과 관련하여 아무튼 뭔가 정상적인 삶의 요소들이 존재할 것이라는 소망을 품고 있었다. 우리는 이미 미노스가 음부에서 재판을 주재하고 있는 모습을 본 바 있는데, 이것은 아주 유쾌한 전망은 아닐지라도(법률가들을 제외한다면; 하지만 그들도 재판에 참여하는 것으로 언급되고 있지는 않다) 적어도 태양빛이 비취는 세계에서의 활동들과 지하 세계에서의 활동들 사이에는 뭔가 최소한의 연속성이 있음을 보여준다. 그러나 여기에서 매장 관습들이라는 상징적인 실천이 한 몫을 한다.

많은 고대 문화들에서, 그리고 훨씬 후대의 시기에 이르기까지, 죽은 자와 함께 그 죽은 자에게 필요할 것이라고 생각되었던 물품들을 같이 매장하는 것은 흔한 일이었다. 장신구들, 부적들, 일상용품들 등등이 바로 그런 것들이다. 부자들을 매장할 때는 짐승들과 하인들을 죽여서 같이 매장하였고, 때로는 함께 동

---

72) *Il.* 1.3-5.

73) Juvenal이 여자들이 Homer와 Virgil을 저녁 파티에서 비교하는 것에 대하여 불평할 수 있었다는 사실은 서사시 전승이 지속적으로 상당한 영향력을 미칠 수 있었다는 것을 보여준다(*Sat.* 6.437; cf. 7.36-9). 플루타르크가 *De Ser. Num. Vindic.* 563f — 567f.에서 제시하고 있는 무덤 너머의 영혼들에 관한 묘사는 후대의 철학적인 신념들에 의해서 영향을 받은 것이기는 하지만 호메로스적인 배경에 상당한 정도로 의거하고 있음이 분명하다.

행하여 다음 세상에서 부자들이 필요로 하는 것들을 수종들도록 하기 위하여 심지어 아내들까지 매장하는 경우도 있었다.[74] 고대 세계 전체에 걸쳐서 온갖 종류의 물품들이 시신과 함께 매장되었다; 요크셔의 맬튼에서는 흑옥으로 만든 장난감 모형곰이 들어있는 유아의 무덤이 발견되었다.[75] 고대 애굽에서는 무덤을 집을 대신하는 것으로 여겨서 시신을 미라로 만들어서 더 정교하게 보존했을 뿐만 아니라 생활에 필요한 모든 것들을 함께 매장하였다.[76]

죽은 자들에 관하여 말하고 있는 이야기들은 현재의 삶과 비슷한 삶을 죽은 자들이 사는 것으로 자주 말한다 — 물론, 사냥시합이나 이와 비슷한 일들 같은 것들을 할 수 없기 때문에 할일이 그리 많지 않고, 따라서 잡담을 하고 울적하게 지내는 시간이 더 많긴 하지만. 많은 사람들은 죽은 자가 옛 친구들을 다시 만날 것이라고 믿었다.[77] 호메로스의 암울함은 이미 핀다로스[역주: 주전 5세기경의 헬라 시인]에게서 틈새로 들어오는 꽤 많은 빛들을 지니게 되었다: 그 이후의 고전 시대에서는 죽은 자들의 삶을 묘사하는 글, 그림, 장식들에는 말타기, 시합, 체육, 특히 술잔치들이 등장한다. 우리는 꽤 정상적인 삶에 관한 이러한 묘사를 호메로스의 묘사와 화해시키려고 시도해서는 안 된다; 이러한 문제들에 있어서 일관성을 찾고자 하는 사람은 없었고, 관련된 묘사들이 실제로 죽은 사람의 행복했던 시간들에 대한 기억들을 상기시키기 위하여 의도된 것일 가능성은 있지만, 우리 자신의 세계에서와 마찬가지로, 온갖 종류의 서로 모순되는 신념(신앙)들이 대중문화 속에서 서로서로 나란히 유쾌하게 들끓고 있었다고 보는 것이 좋을 것이다.[78] 물론, 분명히 소크라테스는 내세에서 이

74) 예를 들면, Burkert 1985, 192; Garland 1985, 25-8을 보라.

75) *Antiquaries Journal* 28(1948), 173-4, pl. 25a. 흥미롭게도, 내가 이 절에 대한 초안을 작성하던 날(2000년 6월 7일), 런던 타임스는 브릿지 게임을 항상 같이 했던 부부 두 쌍이 네 명을 한 조로 하는 무덤 공간을 예약해 줄 것을 요청하였다는 것에 관하여 말하는 교구 목사 Malton의 편지를 실었다. 고대의 어린아이들이 요크셔의 지하세계에서 계속해서 장난감을 가지고 놀 수 있다면, 오늘날의 성인들이 왜 계속해서 브릿지 게임을 하지 못하겠는가?

76) Davies 1999, 30-33. Cf. Riley 1995, 53f. 그러나 고대인들은 장난감들, 주사위들, 그리고 그 밖의 다른 놀이기구들이 사실 손으로 만질 수 없다는 것을 발견하고서 놀라지 않았겠는가?

77) 예를 들면, Antiphanes(C4 BC) *Aphrodisias*(frag, in Kock(ed.), *Stobaeus*, 124-7).

미 죽은 유명한 사람들을 만나서 대화할 수 있을 것이라는 기대를 갖고 있었다. 사람들이 결혼과 성적인 행위도 거기에서 가능할 것이라고 생각했음을 보여주는 증거들도 있다.[79] 하지만 우리는 기록된 증거들의 대부분이 문자적인 그대로의 내용을 의도하지 않은 것이 분명한 시가들 및 그 밖의 다른 글들 속에 나온다는 것을 상기하지 않으면 안 된다. 매우 완고한 철학자들을 제외하고는 그 누구도 이러한 묘사들을 아주 진지하게 받아들여서 자기 자신 또는 다른 사람의 죽음을 아주 평온하게 맞이했음을 보여주는 증거들은 거의 없다. 그렇게 한 것처럼 보이는 사람들, 이 마지막 기회를 즐기면서 무대 중앙에 나아가 감동적이고 재치있는 정치적인 소견을 말하고 있는 것처럼 보였던 사람들조차도, 카토(Cato), 스키피오(Scipio) 등의 자살에서 볼 수 있듯이, 결국에는 이 복잡한 명예의 시합에서 마지막 카드를 활용한 것에 불과하다는 것이 입증되었다.[80]

한 가지 예외가 될 수 있는 것은 이집트의 세계이다. 엄밀하게 말해서, 이것은 우리의 주제와 별 상관이 없지만 — 고대 이집트의 매장 관습들은 팔레스타인이나 초기 그리스도인들의 증거가 발견되는 지역들에서 행해지지 않았고, 주후 1세기 전반에는 오시리스 제의가 어느 정도 사양길에 있었다 — 이집트의 관습들에 관한 최근의 한 연구는 죽은 자들이 계속해서 여전히 매우 완전한 삶을 누리고 있는 것으로 생각되었다고 강력하게 주장하였다.[81] 미라 관습은 부활에 대한 신앙을 보여주는 것이라는 아우구스티누스의 견해에도 불구하고 — 존 데이비스(John Davies)에 의하면 — 고대 이집트에서의 죽음은

---

78) Garland 1985, 69-72를 보라.

79) 소크라테스: Plato *Apol.* 40c-41c; *Rep.* 2.363c-e; 6.498d(아래를 보라). 혼인과 성: Garland 1985, 159와 몇몇 참고문헌들; Riley 1995, 54.

80) Cato: Dio 43.12.1; Scipio(*"Imperator se bene habet"* — "장군은 아주 훌륭하게 하시고 계십니다, 고맙습니다"): Sen. *Ep.* 24.9f.; cf. Val. Max. 3.2.13. Plass 1995, 89-91에 나오는 영악한 논의를 보라. 이 책 전체는 우리의 주제에 관한 사고에 많은 자료를 제공해준다.

81) Davies 1999, ch. 1. 이후의 쪽 표시들은 이 작품에 대한 것이다. 오시리스 제의가 부활에 관한 바울의 견해의 진정한 배경이라는 주장(이것은 수 년마다 다시 제기된다)에 대해서는 Bostock 2001을 참조하라. 주후 1세기 초에 오시리스 제의가 사양길에 접어든 것에 대해서는 Fraser 1972, 1.272f.를 보라.

"재탄생, 부활을 위한 부정(negation)으로 경험되었다기보다는 성취를 위한 기회"를 제공해 주는 것이었다.[82] 고대 이집트는 미래의 어떤 파국 또는 종말의 때를 기대하지 않았다; 죽음 후에 사람들은 계속해서 다양한 형태의 삶을 살았고, 유일한 위험성은 두 번째 죽음의 가능성이었다. 이집트의 『사자의 서』(*Books of the Dead*)는 "그 날로 나아가는 것," 즉 죽은 자들이 이시스(Isis)의 남편이자 형제이며 죽은 자들의 신인 오시리스(Osiris)와 하나가 될 것이라고 기대하였던 새로운 날에 관심을 갖고 있었다.[83] 그런 후에, 데이비스는 이상하게도 이집트인들에 대하여 다음과 같이 말한다:

> [그들은] 본질적으로 개인화되고 몸을 지닌 자아로서의 죽은 자들의 "부활"을 열렬하게 믿었던 제의적 낙관주의자들로서, 장례식의 모든 목적은 '바'(영혼)를 몸과 재결합시키는 것이었다. 화장은 완전한 비존재로 만들어버려야 할 것이라고 생각되었던 악행자들에게나 합당한 혐오스러운 것이었다. 장례의 핵심은 "그 날로 나아가는 것," 오시리스가 되어서 오시리스와 함께 영원의 기쁨에 참여하는 새로운 삶을 성취하는 것이었다.[84]

이러한 서술 속에는 한 가지 문제점이 있고, 그것은 우리의 연구에 아주 중요하다. 데이비스가 앞의 대목에서 "부활"은 이집트의 신앙과 관련해서 부적절한 단어라고 말한 것은 옳다. 그가 잘 보았듯이, 이 단어는 죽은 사람이 죽어 있는 상태로 일정 기간을 지난 후에 몸을 다시 입고 현세의 삶으로 되돌아오는 것을 가리킨다. 하지만 미라 및 거기에 수반된 다른 관습들은 죽은 사람이 여전히 그 겉보기의 모습들에도 불구하고 모종의 몸을 입은 형태로 "살아 있

82) Davies 28. 애굽에 대한 아우구스티누스의 견해(비록 부활 신앙에 관한 특별한 언급은 없지만)는 *City of God* 8.26f.를 보라.

83) Davies 31은 이 신을 혼란스럽게도 "부활, 다산(多産), 달의 여신"으로 설명하고 있다. 이시스, 오시리스 등에 대해서는 Koester 1982a, 183-91을 참조하라. 그는 오시리스가 죽은 자로부터 부활하였다는 주장을 올바르게 부인한다(190); 그리고 앞으로 나올 오시리스와 고린도전서 15장에 관한 Nicholas Perrin 박사의 논문을 보라.

84) Davies 34f.

다"는 것을 함축한다.[85] 그런데 위에서 인용한 대목에서는 바로 이 점을 혼동하여, 육체적인 삶으로 되돌아오는 것이 아니라, 미라의 형태로 죽음 후의 "몸을 입은" 상태 속에서 계속해서 살아가는 것을 가리키는 데에 "부활"이라는 단어를 사용하고 있다. "이 세계들[산 자들의 세계와 죽은 자들의 세계] 사이에는 그 어떠한 경계들"도 존재하지 않았다고 데이비스는 나중에 분명하게 말한다:

> 그 어떠한 위기도 존재하지 않았기 때문에, 그 어떠한 종말론, 묵시론, 집단적인 파국도 존재하지 않았다. 죽음은 곧 삶이었다.[86]

이러한 묘사는 애굽의 세계관에 관한 설명으로서는 의미가 있다. 하지만 "부활"이라는 단어는 여기에 속하지 않는다. 이러한 맥락 속에서 이 단어를 사용하게 되면, 그것은 단지 혼동만을 불러올 뿐이다. 이 장의 처음 부분에서 보았듯이, 헬라어를 사용하는 고대 세계에서 '아나스타시스' 및 그 상당어구들에 관하여 말하였을 때, 그들은 죽은 자들이 죽음 이후에 곧장 옮겨간 실존이 계속적으로 몸을 지닌 실존이었다고 말한 것이 아니라, 육체적인 죽음 이후의 어느 시점에서 새롭게 몸을 입게 되는 것, 현세와 같은 종류의 삶으로 되돌아오는 것이 존재한다는 것을 말하는 것이었다.

이 점을 분명히 해명했기 때문에, 우리는 이집트와 그 미라들을 이 절에서 살펴본 현상의 한 가지 극단적인 예로서 남겨둘 수 있다. 암울한 하데스에 대한 널리 퍼져 있는 공포에도 불구하고, 일부 관습들, 묘사들, 이야기들은 현재의 삶과 그리 다르지 않은 계속적인 삶에 대한 소망을 보여준다.

(iv) 감옥으로부터 놓여난 영혼들?

호메로스가 헬레니즘 세계 — 주후 1세기에는 중동 전체를 포괄하였다 — 에서 구약성서로서의 역할을 하였다면, 신약성서는 말할 것도 없이 플라톤이

85) Yamauchi 1998, 25-8을 보라. 이집트의 부활 신앙들이 죽은 자들이 모종의 분명한 육신을 입는 것을 포함하고 있다는 사실은 미라들이 죽음 이후에 새로운 방식으로 다시 살아나게 될 것을 기대하였다는 것을 의미하지는 않는다.

86) Davies 39.

었다.[87] 이 옛적의 시인과 이 새로운 철학자 간의 관계는 매력적이고 복잡한 것으로서, 그 자체로 둘 모두를 고찰해 볼 가치도 있거니와, 고대의 유대 성경과 초기 기독교의 저작들 간의 관계와 관련된 많은 부분적인 유비들로 인해서도 고찰해볼 가치가 있다. 플라톤의 참신함은 그 어떤 점에 있어서보다도 죽음과 그 이후에 관하여 그가 말하고자 했던 것에서 가장 두드러진다.

사실 그의 관점은 매우 급진적이어서, 그는 호메로스로부터 죽음 이후의 삶에 관한 이 시인의 견해를 표현하고 있는 바로 그 장면들을 잘라내 버릴 것을 제안한다 — 마치 아테네 사람 마르키온처럼! 그는 일리아드 23장과 오딧세이 11장에 검열의 가위를 댄다; 아킬레우스와 파트로클로스에 관한 이야기, 그리고 오디세우스가 지하 세계로 여행하는 것에 관한 이야기는 젊은이들에게 전혀 좋지 않다고 그는 생각한다.[88] 장래의 삶에 관한 젊은이들의 견해가 암울한 지하 세계 속에서 웅웅거리며 다니는 유령들에 관한 서사시적인 묘사들에 의해서 형성된다면, 우리가 어떻게 사람들이 선한 신민들이 되어서 군대에 복무하며 친구들에 대한 의무를 다할 수 있을 것이라고 기대할 수 있겠는가라고 그는 반문한다. 그 대신에 젊은이들에게 참된 철학적인 견해를 가르쳐야 한다고 그는 주장한다: 죽음은 후회스러운 것이 아니라 환영할 만한 것이다. 죽음은 불멸의 영혼이 육체라는 감옥으로부터 해방되는 순간이자 그 수단이다.[89]

플라톤(그리고 그에 앞서 소크라테스; 우리는 여기서 역사의 소크라테스와 플라톤적 신앙의 철학자라는 문제를 다룰 수는 없다)은 더 넓은 문화 속에서 동일한 방향으로의 발전이 이미 상당 부분 이루어진 때에 활동하고 있었다. 대략 주전 500년경에 나온 도자기 그림들은 죽은 전사의 시신 위에서 맴돌고 있는 작은 인간의 형체(이것은 흔히 '호문쿨루스'[homunculus]로 불린다)로

87) Homer는 일반적으로 주전 8세기에 살았던 것으로 추정된다; 플라톤은 분명히 주전 5세기 말과 4세기 초에 살았다.

88) *Rep.* 3.386-7.

89) 고전적인 진술들: 예를 들면, *Phaedo* 80-85; *Phaedrus* 250c(영혼은 껍질 속에 있는 굴과 같이 갇혀 있다); *Cratylus* 400c(유명한 '소마'/'세마'('몸'/'무덤') 단어유희; 또한 cf. *Gorgias* 493a); 403e-f. 실질적으로 동일한 견해가 M. Aurelius *To Himself* 3.7 등과 같은 후기 로마의 사상 속에서 발견된다.

90) cf. M. Halm-Tisserant, *Ktema,* 1992(1988), 233-44.

서의 영혼을 보여준다.[90] 핀다로스는 주전 6세기 초에 글을 쓰면서 이미 영혼 불멸을 주장한 바 있다.[91] 피타고라스는 이 개념의 발전에 결정적인 역할을 하였다고 사람들은 종종 말한다.[92] 그러나 플라톤은 이러한 신념(신앙)들에 고전적인 표현을 부여한 인물이었다.

호메로스와 플라톤의 핵심적인 차이는 다음과 같은 것이다. 호메로스는 죽어서 땅에 누워 있는 육체적인 몸이 "자아"이고, "영혼"은 멀리 날아가서 기껏해야 반쯤 살아 있는 존재가 된다고 말한 반면에, 플라톤은 영혼이야말로 참된 개인인 "자아"이고, 시신은 유령이 된다고 말한다.[93] 복잡할 수밖에 없는 문제를 지나치게 단순화시키는 위험성을 무릅쓴다면, 우리는 플라톤이 세 가지 중심적이고 서로 얽혀있는 개념들을 근본적으로 수정하였다고 말할 수 있다: 영혼, 하데스(음부) 자체, 죽은 자들의 운명. 각각에 관한 말과 혁명을 위한 설명은 질서정연하였다.

플라톤에게 영혼은 인간 존재의 비물질적인 측면으로서, 진정으로 중요한 측면을 이룬다. 육신의 삶은 기만과 위험으로 가득 차 있다; 영혼은 자신을 위하여 및 장래의 행복이 그러한 계발에 의존해 있기 때문에 현재에 있어서 계발되어야 한다. 불멸의 영혼은 몸 이전에 존재하였고, 몸이 사라진 후에도 계속해서 존재할 것이다.[94] 많은 헬라인들에게 있어서 "불멸의 존재들"은 신들이었기 때문에, 인간의 영혼은 어떤 점에서 신적이라는 주장이 적어도 암묵적으로는 항상 존재한다.

영혼은 이런 유의 것이기 때문에, 영혼은 몸의 죽음 이후에도 살아 남아 있을 뿐만 아니라, 몸의 죽음을 오히려 기뻐한다. 만약 영혼이 자신의 진정한 관

---

91) Pindar *Ol* 2.56-80; *Frag. Dirg.* 131(96). Burkert 1985, 298f.와 주들을 보라.

92) cf. Bremmer 2002, ch. 2.

93) *Laws* 12.959b-c: 몸을 입지 않은 영혼이 아니라 시신을 가리키는 여기에서의 "유령"에 대한 단어는 '에이돌론'으로서, 이 용어는 호메로스와 그 밖의 다른 곳에서 통상적으로 오늘날의 영어에 있어서 "유령"이 의미하는 것을 가리킨다. 가장 유명한 말은 *Phaedo* 115c-d에 나온다: "내가 너희의 손가락들 사이로 빠져나오지 않는다면, 너희는 나를 묻을 수 있을 것이다!"라고 소크라테스는 그의 친구들에게 말한다. 분명히 소크라테스가 말한 "나"는 몸이 아니라 영혼을 의미하는 것이었다.

94) 이 모든 것에 대해서는 *Phaedo* 80-82; *Phaedrus* 245c — 247c; *Meno* 81a-e 등을 보라.

심들이 어디에 있는지를 더 일찍 알았더라면, 영혼은 바로 이 죽음의 순간을 열망했을 것이다. 이제 영혼은 이제까지 자기를 사로잡아서 노예로 부리고 있던 감옥으로부터 놓여나서 새로운 방식으로 활짝 꽃피우게 될 것이다. 영혼의 새로운 환경은 바로 영혼이 진정으로 원했던 그런 것이 될 것이다.[95] 사람들은 가능하기만 하다면 죽은 자들을 다시 살려내려는 시도를 하고자 할 것이지만, 그것은 실수하는 것이다.[96] 죽음은 흔히 영혼과 육신의 분리라는 관점에서 정의되고, 뭔가 바람직한 것으로 여겨진다.[97]

달리 말하면, 하데스(음부)는 암울한 것이 아니라(적어도 원칙적으로는) 기쁨의 장소이다. 아주 많은 통상적인 사람들이 믿고 있는 것과는 달리, 하데스는 무시무시한 곳이 아니라, 여러가지 즐거운 활동들을 제공해 주는 곳이다 — 그 가운데에서 철학적인 담화는 으뜸가는 것에 속하는데, 이것은 그러한 문제들에 관심을 갖는 것이 현재를 살아가는 동안에 영혼이 장래를 준비하는 최선의 길이기 때문이다. 사람들이 하데스로부터 다시 돌아오지 않는 이유는 거기에서의 삶이 아주 좋기 때문이다; 그들은 공간과 시간과 물질의 세계로 되돌아오는 것보다 거기에 머물기를 원한다.[98] 플라톤은 어원론과 그 기본적인 의미의 관점에서 "하데스"라는 단어 자체도 눈에 "보이지 않는"을 뜻하는 단어 또는 "지식"을 가리키는 단어로부터 유래하였다고 주장한다.[99]

하데스에 있는 영혼들 — 적어도, 거기에 가는 영혼들 — 에게 일어나는 일은 호메로스가 묘사한 것보다는 훨씬 더 재미있다. 심판은 죽은 사람의 이전의

95) 예를 들면, cf. *Apol.* 41c; *Cratyl.* 403f. *Phaedo* 68a-b에서 소크라테스는 지혜를 사랑하는 사람들은 그들의 사랑하는 것을 따라서 기꺼이 지혜가 온전하고 진실되게 소유될 수 있는 다음 세상으로 갈 것이라고 말한다.

96) 예를 들면, *Crito* 48c. 68d에서 플라톤의 소크라테스는 철학자들 이외의 모든 사람이 죽음을 큰 재앙으로 본다는 것을 인정한다.

97) 예를 들면, *Phaedo* 64c; 67d; 106e; 107d-e; *Gorg.* 524b. Cf. Ferguson 1987, 195. Celsus(Or., *C. Cels.,* 5.14에서)는 Heraclitus가 육신의 몸을 "분뇨보다 못한 것으로서 내버려야 하는" 것이라고 경멸하였다고 인용한다.

98) *Cratyl.* 403d.

99) "보이지 않는": *Phaedo* 80d, *Gorg.* 493b; "보이지 않는"보다도 "지식": *Cratyl.* 404b. 하지만 하데스에 대한 두려움 때문에 사람들이 Pluto를 지하세계의 신으로 언급한다고 말하는 403a를 참조하라.

행실에 따라서 내려진다: 우리는 여기에서 중세의 플라톤화된 기독교(또는 기독교화된 플라톤 사상?)에서 아주 친숙하게 된 그러한 심판 장면들의 철학적인 뿌리를 본다. 세 명의 재판관이 임명되는데, 유럽과 아시아 출신의 재판관이 각각 한 명씩이고, 한 명은 항소 재판관이다(두 대륙 사이에 위치해 있는 크레테 출신의 미노스). 공의와 관련된 지상에서의 모든 행실들이 수집된 후에 마침내 진상이 밝혀지고 판결이 내려질 것이다; 미덕을 행한 자들은 지복(至福)의 섬으로 보내지고, 악인들은 타르타로스(Tartarus, 지옥)에 두어질 것이다.[100] 이러한 사상으로부터 미덕을 행한 영혼들은 별들과 합류하여 별이 된다는 키

100) 고전적인 진술들: *Phaedo* 63b; 69d-e; 113d — 114c; *Gorg.* 522d-526d. (지복의 섬은 Hesiod *Works* 166-73에 최초로 언급된다.) 또한 cf. *Laws* 10.904d-905d; *Rep.* 2.363c-e. *Symp.* 179d-e에 의하면, Achilles는 죽을 준비가 되어 있었기 때문에 곧바로 지복의 섬으로 보내지는 반면에, Orpheus는 죽음을 속이고 지속적인 몸의 삶을 더 사랑했기 때문에 Eurydice를 거부하였다. 물론, 호메로스는 지복의 섬에 관하여 알고 있지만, 거의 모든 사람이 거기에 가는 것은 아니다(*Od.* 4.561-9에서 오직 Menelaus만이 거기에 가는 것으로 보인다; Hesiod *Works* 168-73에서는 더 많은 사람이 거기에 간다). 사후의 실제적인 징벌에 관한 가장 초기의 진술은 *Hymn to Demeter* 480f.인 것으로 보이는데, 그것에 대해서는 Garland 1985, 61, 156에 나오는 논의를 보라. Pindar와 Euripides의 글들 속에서의 사후의 심판에 대해서는 Garland 157과 거기에 나오는 참고문헌들을 보라. 미노스는 Virgil *Aen.* 6.432에서 자신의 역할을 계속한다; 지하에서 Aeneas는 한 쪽 길은 Elysium으로, 다른 쪽 길은 Tartarus로 길들이 갈리는 곳으로 온다(6.540-43에서는 후자에 관한 무시무시한 묘사와 전자에 관한 지극히 좋은 설명을 제시한다). 지복의 섬은 Lucian의 공상소설인 *A True Story*(Lucian 자신이 1:4의 시작 부분에서 지적하고 있듯이, 이 제목은 대단히 반어법적인 것이다)에서 등장한다. 정반대의 주장들에도 불구하고 심지어 Lucian의 묘사 속에서조차도 죽은 자들은 만질 수 없고 육체가 없다; 그들이 가진 유일한 속성들은 형체와 모양뿐이다 — 물론, 그런 후에 그는 계속해서 그들의 "인간적인" 생활양식을 어느 정도 자세하게 묘사하고 있지만. 그들은 똑바로 서 있지만 어둡지 않은 그림자들과 같이 떠돌아다니는 벌거벗은 영혼들이다(2.12). Riley 1995, 56-8은 이러한 영혼들이 형체가 없고 만질 수 없다는 것은 이전의 이론으로부터의 잔존물이고, Lucian은 실제로 그들이 좀 더 실질적인 몸의 삶을 가지고 있다고 믿는다고 주장하지만, 이것은 옳지 않다; 그것은 내게 그가 핵심을 놓치고 있는 것으로 보이고, Lucian은 "True Story"가 철저하게 믿을 수 없고 일관되지 못하다고 놀리고 있는 것이다.

케로를 비롯한 여러 사람들의 견해로 넘어가는 것은 시간 문제였다.[101] 플라톤은 지하 세계 전체에 관한 통상적으로 암울한 견해를 부정함과 동시에(이런 이유로 앞서 언급했던 검열 작업이 이루어졌다) 악인들에 대한 죽음 이후의 징벌에 관한 강력한 신학을 발전시키고자 했기 때문에, 여기서 세심한 접근이 필요했다. 이러한 딜레마를 해결할 수 있는 그의 방식은 분명히 미덕을 행하는 자들 — 단순히 철학자들만이 아니라 전투 및 그 밖의 다른 온갖 시민적 덕목들 속에서 용기를 보인 사람들 — 을 기다리고 있는 축복들을 강조하는 것이었다.[102] 그리고 핵심적인 요지가 중요하였다: 심판은 심지어 부정적으로 내려진 경우라 할지라도 좋은 것이었는데, 이는 심판이 인간 세상에 마침내 진리와 정의를 가져다 주기 때문이었다.[103]

플라톤은 종종 죽음 직후의 영혼들의 실존 이후에 영혼들이 맞게 될 미래에 대하여 얼핏 얘기하였다; 일부 영혼들은 다른 몸을 입고 다시 환생하게 될 것이다. 나는 이러한 윤회설에 대하여 곧 논의하고자 한다. 하지만 여기서는 우리는 단지 플라톤이 이러한 견해들을 발전시킨 이유들이라고 생각되는 것들, 그의 관념들이 주후 1세기와 그 이후에 이르기까지 여러 세기에 걸쳐서 발전되었던 방식들만을 간단하게 언급할 것이다.

플라톤으로 하여금 영혼과 죽음 이후의 삶에 관한 그의 견해로 나아가게 했던 적어도 세 가지 영향들이 당시에 존재하였다. 무엇보다도 먼저 플라톤의 그러한 견해는 그가 전반적으로 지니고 있었던 존재론에서 나온 자연스러운 결과물이다: 형상(Forms) 이론에 의하면, 공간, 시간, 물질의 세계는 존재론적으로 이차적인 의미를 지니고, 눈에 보이지 않는 형상들 또는 이데아들의 세계가 일차적이다. 인간 존재에 적용하게 되면, 이것은 분명히 몸에 대한 영혼의 우위로 나타나게 되고, 사람들로 하여금 육신적인 실존의 즐거움들과 고통들보다 영혼의 양육을 더 중요한 것으로 여기도록 장려한다. 아울러 현재의 세계

101) 예를 들면, *De Rep.* 6.13-16. Perkins 1984, 56-63에 나오는 라틴적인 견해들에 대한 개관을 보라; 그리고 "별과 관련된 불멸성"에 관한 논의에 대해서는 아래를 보라.

102) 소크라테스가 다음 세상의 재판관들 앞에서 기꺼이 변호를 할 준비가 되어 있다는 것에 대해서는 *Crito* 54b를 참조하라.

103) 멸절을 통해서 악인들은 갑자기 죽게 될 것이다: *Phaedo* 107c-d.

속에서의 더 나은 사회를 위한 플라톤의 소망들은 그의 여러 가지 정치적인 제안들 속에 표현되어 있다. 그러한 제안들 중 일부는 아마도 별로 중요치 않은 것들일 수 있다; 그러나 그러한 제안들 모두의 핵심에는 사람들이 영혼에 관심을 기울이지 않은 채 육신적인 차원에서만 살아간다면, 인간 사회의 형편은 악화될 수밖에 없기 때문에, 이것을 개선하는 길은 현재에서의 더 나은 세계를 위하여 및 적어도 여기에서 지금 올바른 삶을 산 사람들에게 있어서 영광스러운 불멸의 삶에 대한 전망을 주기 위하여 사람들에게 그들의 영혼이 소중하다는 것을 가르쳐야 한다는 확신이었다. 셋째로, 플라톤의 대화편들(『변명』, 『크리톤』, 『파이돈』)에 수록되어 있는, 죽음으로까지 몰고간 소크라테스의 가르침과 모범의 확고불변한 결합은 개인의 충성이라는 관점에서 이러한 견해들에 대한 가장 강력한 밑받침을 제공해 주었다. 소크라테스가 생애 마지막 날에 독약을 마시면서 행했던 영혼과 내세에 관한 강론에 의해서 영향을 받지 않으려면, 사람들은 매우 확고하고 냉혹한 유물론자가 되어 있어야 했을 것이다. 따라서 역사상 가장 유명한 철학자의 죽음과 가르침은 영혼 및 죽음 이후의 삶에 관한 새로운 견해를 강화시키고 그 배경을 설정해 주는 데에 있어서 많은 역할을 했음이 분명하다.

고대 세계에 살던 모든 사람이 플라톤을 읽은 것은 결코 아니었다. 물론, 플라톤은 계속해서 그 이후로 철학적인 담론에 영향을 미쳐왔다. 그러나 대중 문화는 비록 그를 직접적으로 알고 있지 않은 경우에조차도 몇 가지 방향에서 그의 저작에 의해서 끊임없이 영향을 받아왔는데, 우리는 그 방향들 중에서 두 가지를 여기서 잠시 살펴볼 필요가 있다.

이미 소크라테스 시대에 신비 종교들은 융성하기 시작하였고, 진지한 지적 작업은 없었지만 철학적 지혜에 상당한 정도의 유익을 제공해 주었다(그렇게 보였다). 오르페우스 제의를 시작으로 훨씬 더 널리 퍼져나간 이 신비 종교들(이것이 그것들을 가리키는 올바른 용어라면)은 죽음 이후의 세계로까지 이어지는 현재 속에서의 사적인 영적 체험의 세계로 접근할 수 있는 비법을 제공하였다.[104] 소크라테스는 이 신비 종교들에 관하여 알고 있었고, 아리스토파네

104) 기본적인 저작은 여전히 Burkert 1987이다; 또한 cf. Burkert 1985, ch. 6; Koester 1982a,

스(Aristophanes)는 그러한 종교들을 조롱하였다; 신비 종교들은 로마에서 유행하고 있었다.[105] 후기 계몽주의의 관점에서 볼 때, 신비 종교들은 이 세상 속에서의 인간의 가능성과 다음 세상에서의 행복에 대한 더 명백한 종교적인 접근방식을 제시하였다: 신비 종교들은 철학적 담론의 메마르고 정교한 세계 대신에, 거듭난 영혼이 현세와 내세에서 지복을 경험하는 것과 같은 감정들을 위한 만족을 제공해 주었다. 그러므로 플라톤 자신은 이러한 노선을 주창하지는 않았지만, 영혼에 관한 그의 긍정적인 견해는 의심할 여지 없이 그러한 견해들과 관습들이 융성할 수 있는 풍토를 조성하는 데에 도움을 주었다.

그 기원이 모호하고 논란이 되고 있는 추가적인 발전은 영지주의였다.[106] 플라톤적인 사상의 많은 노선들은 곧장 이러한 방향으로 귀결되었다. 불멸하는 (그리고 신적이기조차 한) 영혼은 자신에게 적합하지 않은 육신 속에 갇히게 되면서, 그 과정에서 자신의 기원을 잊어버린다.[107] 현세의 삶을 사는 동안에 이러한 불꽃을 지닌 사람들은 그러한 사실이 그들에게 드러나게 할 수 있다; 그 결과로서, 그들은 다른 사람들과는 구별되는 "지식"(gnosis)을 소유하게 되고, 죽음과는 별 상관 없이 내세에 있을 지속적인 지복의 상태를 보장받게 된다. 플라톤 자신은 이러한 방향으로 나아가지 않았지만 — 예를 들면, 그는 신적인 불꽃을 몇몇 특정한 사람들에게만 국한시키지는 않았다 — 우리는 여기서도 어떻게 그의 관념들이 그 길을 예비하였는지를 볼 수 있다.

플라톤에게 있어서 죽은 자들은 과연 누구였는가? 그들은 일시적으로 육신에 갇혀 있다가 놓여난 영혼들이었다. 그들은 어디에 있는가? 그들은 하데스, 그러나 호메로스가 묘사했던 것과는 아주 판이하게 다른 하데스, 훨씬 더 즐거

176-83; Meyer 1999 [1987]; Bolt 1998, 75-7.

105) 소크라테스: *Phaedo* 69b-c; Aristoph.: *Frogs* 353-71; 로마: 예를 들면, Juv. *Sat.* 6.524-41.

106) *NTPG* 155f.에 나오는 짤막한 설명과 아래의 제11장 제7절을 보라. 이 운동의 기원과 관련된 연대를 설정하는 것은 논란이 되는 부분이다; 이 운동은 분명히 주후 2세기 중엽에는 존재하고 있었던 것으로 보이지만, 일부 학자들은 이것보다 꽤 이른 시기로 연대 설정을 하여야 한다고 주장한다.

107) 영혼이 자신의 기원을 망각하는 것에 대해서는 *Meno* 81a-d; *Phaedo* 76c-d 등을 보라.

운 하데스에 있다. 무엇이 잘못되었는가? 잘못된 것은 아무것도 없다: 하데스는 죽은 자들에게 더할 나위 없이 좋은 장소이자 조건이다. 물론, 악한 영혼들은 형벌을 받고 있지만, 비록 그것이 그들에게 즐겁지 않은 일이라고 할지라도 결코 나쁜 것은 아니다. 왜냐하면, 그것은 결국 정의의 승리를 나타내 보여주는 것이기 때문이다. 추가적인 "해법"은 더 이상 필요하지 않다 — 물론, 윤회는 여전히 하나의 가능성으로 남아있지만(아래를 보라).

플라톤은 대중적인 차원 또는 지성적인 차원에서 그 어느 쪽에서도 이후의 견해를 휩쓸지 않았다. 소크라테스의 추종자들은 분명히 스승이 기쁜 마음으로 다음 세상으로 떠난 것을 그대로 본받아 유지할 수는 없었다; 소크라테스 자신의 모범, 가르침, 특별한 권면을 지닌 그들조차도 위로받을 수 없는 슬픔을 느꼈을 수밖에 없었다고 한다면, 다른 사람들이 소크라테스처럼 행동하고자 했을 것이라고 생각하는 것은 아마도 현명치 못할 것이다.[108] 어쨌든 그 밖의 다른 상충하는 관념들도 마찬가지로 유포되고 있었다. 우리는 앞서 데모크리토스와 에피쿠로스 학파의 사상을 잠깐 살펴본 바 있다; 스토아 학파의 철학자들도 그러한 문제들을 놓고 계속해서 논쟁을 하였다.[109] 아울러, 영혼(그리고 그 밖의 많은 것들)에 관한 플라톤의 관념들은 그와 마찬가지로 영향력 있었던 제자 아리스토텔레스에 의해서 심각하게 수정되었다. 아리스토텔레스는 영혼이 살아 있는 것의 본질(substance) 또는 종(種)의 형상이라는 견해를 가지고 있었다; 이것은 영혼을 육신과는 다소 독립되어 있는 우월적인 실체로 보는 플라톤적인 견해로부터 등을 돌린 것이다. 하지만 아리스토텔레스는 "이성의 가장 고상한 측면이 불멸하고 신적일 가능성이 있다"고 말하였다.[110] 그러나

---

108) *Phaedo* 116d; 117c-e.

109) 에피쿠로스의 입장에 대해서는 Epicur. *Ep. ad Men.* 124b-127a; Plut. *Non Posse Suav.* 1103d; 1105a(플루타르크 속에 나오는 논의 전체는 서로 다른 견해들에 대한 흥미로운 개관이다); Diog. Laert. 10.139; 그리고 위의 제2장 제1절. 스토아 학파의 논쟁들에 대해서는 Diog. Laert. 7.156f.를 보라: 스토아 학파는 영혼을 생명의 숨으로 보고, 따라서 영혼이 육신적인 것(하나의 '소마')이라고 여긴다고 그는 말한다; Cleanthes는 모든 영혼들은 최후의 불의 심판이 있기까지는 계속해서 존재한다고 주장하는 반면에, Chrysippus는 오직 현자들의 영혼들만이 계속해서 존재한다고 말한다.

110) C. J. Rowe in *OCD* 1428 s.v. "soul."

이러한 예외들은 이후의 세기들에 걸쳐서 무수한 변형들을 낳은 일반적인 원칙을 손상시키지는 않았다: 헬라 철학에서 영혼에 대한 돌봄과 치유는 중심적인 관심 대상이 되었다.[111] 그리고 플라톤에게서나 방금 언급한 주요한 대안들 속에서나 우리는 부활, 즉 죽은 사람이 육신적인 삶으로 되돌아오는 것이 바람직하다거나 가능하다는 그 어떠한 주장도 발견하지 못한다.

누구도 예상치 못하게 기독교로 알려지게 된 현상이 터져나왔던 후대의 좀 더 넓은 세상에서 호메로스와 플라톤이 차지하고 있었던 중요성은 아무리 강조해도 지나침이 없을 것이다. 주후 1세기 말경 상당히 대중적인 차원에서 숙고되고 믿어졌던 것에 대한 가장 좋은 증인들 중의 한 사람인 에픽테토스(Epictetus)는 이 두 사람을 자유롭게 인용하면서, 파트로클로스를 위한 아킬레우스의 애도와 관련하여 플라톤과는 다른 결론들에 도달하지만, 호메로스가 가장 위대한 영웅들조차도 잘못된 판단을 할 수 있는 위험성에 관하여 후대의 사람들에게 가르칠 목적으로 글을 썼다는 것을 강조한다.[112] 소크라테스의 모범과 가르침, 특히 그의 죽음과 그 죽음에 대한 그의 태도는 죽음은 아무 상관이 없다는 것에 대한 에픽테토스의 끊임없는 역설 배후에 늘 자리잡고 있다: "그리고 소크라테스가 죽은 지금에 있어서 그에 관한 기억은 그가 생전에 행하고 말했던 것들보다 우리에게 덜 유익할 것이 아니라 한층 더 유익하다."[113] 실제로 죽음은 피할 수 없기 때문에 우리에게 아무 상관이 없다는 것은 에픽테토스가 중요하게 다룬 주제들 중의 하나였다: 우리는 우리 자신의 죽음 또는 우리와 가깝거나 우리가 사랑하는 사람의 죽음에 의해서 괴로워하지 않는 법을 배워야 한다. 우리는 우리가 불멸할 것이라고 생각하였는가?[114]

---

111) Arist. *De An.*; 예를 들면, *c*f. Nussbaum and Rorty 1992; Brunschwig and Nussbaum 1993.

영혼의 치유의 중요성에 대해서는 Epictetus *Disc.* 2.12.20-25; *Frag.* 32 등을 보라.

112)Epict. *Disc.* 1.11.31; 4.10.31, 36. 이하에 나오는 전거(典據)들은 이 저작을 가리킨다.

113) 4.1.169; cf. 4.1.123, 159-69. 또한 cf. 2.1.26. 소크라테스가 자신의 마지막 날들에 아폴로와 아르테미스에게 바치는 찬가를 쓴 것에 대해서는 Diog. Laert. 2.42를 참조하라.

114) 예를 들면, 1.1.21-32; 1.27.7-10; 그리고 자주. 또한 cf. Marcus Aurelius *To Himself* 12.35f.

물론, 에픽테토스는 한 철학자의 교설 그 자체를 해설하고 있는 것이 아니다. 그의 가르침은 날카로운 칼들과 그 밖의 다른 위협들을 지닌 독재자들에 대한 공포로부터 사람들을 해방시키기 위한 것이었다. 죽음에 대한 공포는 아이들이 험상궂은 모습을 한 가면에 놀라듯이 우리를 놀래키는 속임수에 불과하다.[115] 죽음은 단지 영혼이 육신으로부터 분리되는 것으로서, 육신을 이루는 물질은 그것이 왔던 곳으로 되돌아간다.[116] 죽음은 지금 현재의 우리의 모습으로부터 그 밖의 다른 것, 지금 이 세계가 필요로 하는 것과는 다른 것으로의 변화이다.[117] 소크라테스가 죽으면서 역설했듯이, 진정한 "나"는 매장되고 말 시신(또는 경우에 따라서 매장되지 않을 수도 있다:특히, 에픽테토스는 매장되든 안 되든 그런 것에 신경쓰지 않는다고 공언하였다)이 아니라, 사지들과 기관들을 현재적으로 취해서 사용하고 있는 바로 그 실체이다.[118] 인간 존재는 "시신을 지니고 다니는 작은 영혼"이다. 자연은 당신에게 우선적으로 몸을 사랑하라고 가르친다. 하지만 자연이 당신에게 이제 떠나야 할 때라고 말한다면, 당신은 불평해서는 안 된다.[119]

에픽테토스의 목적은 사람들은 이 세상에서 행복하거나 또는 적어도 불행하지 않는 법을 배워야 한다는 것이다. 에픽테토스가 헬라 전통 전체를 대중적 차원의 스토아 학파 사상 내에서 각색한 것은 단호하고 끈질긴 것이어서 거기에는 소크라테스에 대한 플라톤의 묘사가 지닌 여유로운 풍치가 없다; 그러나 몇몇 특별히 스토아 학파적인 세부적인 내용들을 제외한다면, 우리는 플라톤, 그리고 아마도 소크라테스 자신도 그들의 관점을 이런 식으로 훨씬 후대에 유포시킨 것에 대하여 기뻐했을 것이라고 생각할 수 있다.

다른 사회적·문화적 배경 속에서 나온 세네카의 이와 유사한 증언은 그 자체가 그러한 견해들이 하나의 문화적 흐름에 국한된 것이 아니라 헬라-로마 세계에 널리 유포되어 있었다는 것을 보여주는 증거이다. 세네카는 인간의 불

115) 2.1.13-20.

116) 3.10.13-16; 4.7.15.

117) 3.24.92-4; 이 본문은 불행히도 모호하다.

118) 4.7.31f.

119) *Frag.* 26(in Marcus Aurelius 4.41); *Frag.* 23.

멸의 영혼은 위로부터 — 실제로는 별들로부터 — 이 세상에 왔고, 다시 그곳으로 돌아가게 될 것이라고 생각하였다. 사람들은 영혼이 단순히 사라져버리는 것으로 생각할지도 모르지만, 영혼은 거기로 가서 신들과 함께 있게 될 가능성이 더 많다.[120] 죽음은 모든 것의 끝이거나(이 경우에는 죽음에 대하여 놀랄 것이 아무것도 없다) 변화의 과정이다(이 경우에는 그 변화는 더 나은 것을 위한 것이기 때문에, 우리는 기뻐해야 한다).[121] 사실, 영혼은 현재에 있어서 무거운 짐이자 속죄의 형벌이기도 한 몸 안에 죄수로 갇혀 있다.[122] 그러므로 우리는 죽음을 두려워하지 않아야 한다; 죽음은 사람이 영원으로 재탄생하는 생일이다.[123] 사람이 소망하기를 그친다면 두려워하는 것도 그칠 수 있다.[124]

여기서 다시 한 번 우리는 사상이 약간 발전했긴 했지만 여전히 키케로 및 그와 함께 했던 그 밖의 인물들과 아울러 플라톤 사상이라는 폭넓은 흐름 안에 있다는 것을 분명하게 보게 된다.[125] 그리고 죽음이 환영할 만한 것이라면, 대중들의 견해에도 불구하고, 때 이른 죽음은 좋은 것이라는 결론이 나온다. "신들이 사랑하는 사람들은 일찍 죽는다"; 다이애너 왕비의 죽음 앞에서 이 문구를 인용했던 사람들 중에서 그 문구가 주전 4세기의 시인인 메난드로스(Menander)에게로 소급되고 고대의 희곡들 속에 반영되어 있다는 것을 알았던 사람은 극히 드물 것이다.[126]

---

120) Seneca, *Ep. Mor.* 71.16; 79.12; 102.21-3; 120.17-19. 이하의 전거들은 다른 표시가 없으면 이 저작을 가리킨다.

121) 65.24.

122) *Pondus ac poena*: 65.16-22.

123) 102.25-8. Seneca는 시체를 매장하지 않는 것은 전혀 걱정할 일이 아니라는 Epictetus의 견해에 동의한다.

124) *Ep. ad Lucilium* 5.7-9.

125) cf. *Tusc. Disp.* etc. (Riley 1995, 39f).

126) Menander *Dis Exapaton* frag. 4; cf. Soph. *Oed. Col.* 1225-8; Eurip. *Hippol.* frag 449; Cic. *Tusc. Disp.* 1.48; Diog. Laert. 10.126; Plut. *Letter to Apollonius* 108e — 109d, 115b-e는 결국 죽음이 그렇게 나쁜 것은 아니라는 것에 관한 길고 흥미로운 논의의 일부 후에 플루타르크는 몇몇 다른 저술가들을 인용한 후에, 자기가 몇 명을 더 인용할 수 있지만 "계속해서 장황하게 그렇게 할 필요가 없다"라고 말한다(115e). 정말 그렇다.

물론, 세네카 또는 에픽테토스 같은 철학자들이 계속해서 죽음을 두려워하지 말 것에 관하여 이와 같이 말할 필요가 있었다고 한다면, 그것은 그들의 독자들의 대부분은 아직 그러한 확고한 철학적인 견해에 끌리지 않았었다는 것을 보여주는 증거이다. 실제로 그들은 두 가지 모두에 대하여 증언한다: 죽음을 재앙으로 보는 분명한 대중적인 견해와 지금 표준적인 철학자들(여기저기에서 뉘앙스는 조금씩 다르다고 할지라도)이 죽음을 영혼이 육신의 감옥으로부터 놓여나는 것으로 보는 견해. 아킬레우스의 슬픔과 소크라테스의 평온은 헬라-로마 세계가 그 사이에서 움직였던 두 가지 입장으로서, 오백여 년의 간격을 두고 서로를 향하여 마주 보고 있다. 이미 분명해진 것처럼, 이 둘 중 어느 것도 초대 교회의 신앙 및 메시지와 닮은 구석이라고는 전혀 없었다.

(v) 신(또는 별)이 된다?

베스파시아누스 황제는 임종시에 침상 위에서 "오, 이런, 난 내가 신이 되어가고 있다고 생각해"라고 말했다고 전해진다.[127] 비록 그는 후세 사람들이 기억할 수 있도록 표현한 유일한 인물일지는 몰라도, 그러한 사상을 생각해낸 첫 번째 인물도 마지막 인물도 아니었다. 헬라의 초기 저작들 이래로, 우리는 적어도 일부 사람들은 영혼이 지복의 섬으로 갈뿐만 아니라 실제로 불멸의 존재들, 곧 헬라-로마의 만신전(萬神殿)에 합류한다고 보았음을 보여주는 암시들을 발견하게 된다. 로마의 황제들이 선황(先皇)들을 신적인 존재로 보는 것 — 그리고 더 무모한 신민들이 살아 있는 황제에게 동일한 영예를 부여하는 것 — 이 처음으로 가능해지고 그 이후로 유행이 되었을 때, 이 관념은 거의 새로운 것이 아니었고, 단지 오랜 사색의 전통 내에서의 새로운 돌연변이였을 뿐이었다.[128]

초기 헬라 세계에서는 신들과 영웅들, 신들과 조상들을 세심하게 구별하였었다.[129] 실제로, 죽은 영웅들은 신들보다 몇 가지 점에서 더 가까이 접할 수 있는 것으로 생각되었고, 이것이 그들의 무덤 앞에서 연회를 벌인 한 이유였

---

127) Suet. *Vesp.* 23.

128) 황제들의 신격화에 대해서는 Bowersock 1982; Price 1984; Zanker 1988; Klauck 2000, ch. 4를 보라.

129) Burkert 1985, 203-05를 보라.

다.[130] 하지만 신화의 세계 속에서는 이 원칙에 대한 몇몇 예외들이 존재하였다. 그 주된 예외 중의 하나가 헤라클레스였다. 그는 격언에 나올 정도로 고생을 한 후에 의로운 영혼이 지복의 상태로 들어가는 것(플라톤이 말한 것과 같은)을 허락받았을 뿐만 아니라, 실제로 신들의 무리에 합류하였다.[131] 그 밖에도 우리에게 덜 알려진 영웅들이 종종 이와 비슷한 지위를 수여받았는데, 그러한 영웅들로는 디오니소스(이 신은 고대 회화 속에 아주 자주 등장한다), 천상의 쌍둥이들인 카스토르(Castor)와 폴룩스(Pollux), 의술의 신 아스클레피오스(Asclepius) 등이 있었다.[132] 로마 세계 내에서도 이와 비슷하게, 신화적인 건국 시조들(아이네아스, 로물루스, 그리고 라틴족의 신화적인 왕인 라티누스)은 인간이 신적 존재가 될 수 없다는 통상적인 금기를 깨뜨릴 수 있었다 — 물론, 이러한 경우들에 있어서조차도 직설적으로 표현되고 있지는 않지만. 그들은 단지 이미 존재하고 있던 기존의 신들과 동일시되었을 뿐이다.[133]

사람이 신이 될 수 있는 가능성은 이렇게 신화 속에서 시작되어서(예를 들면, 디오니소스를 숭배하는 후대의 많은 사람들은 그가 인간으로 출발하였다는 사실을 결코 깨닫지 못했을 것이다) 특히 알렉산더 대왕(주전 356-323년)의 경우에서 두드러진 헬레니즘적인 통치자들의 신격화로 발전하였다. 적어도 주전 331년에(달리 말하면, 그가 20대 중반일 때) 알렉산더 대왕은 스스로를 제우스의 아들로 자처하고, 사후에 신의 반열에 오를 것을 목표로 스스로를 헤라클레스와 동일한 반열에 두기 시작했다.[134] 페르시아와 이집트의 신민들이 왕을 거의 신처럼 숭배하고 떠받드는 것에 고무되어(그런데 그들에게 있어서

130) Burkert 207.

131) Juv. *Sat.* 11.60-64 등에 Aeneas와 아울러 간접인용되어 있다. Burkert 1985, 198f., 208-11을 보라. Hercules가 하데스에 있음과 동시에 불멸의 존재들과 함께 있는 것에 대해서는 위를 보라.

132) Burkert 1985, 212-15. 죽을 존재들의 신격화 또는 신격화에 가까운 것이 호메로스에서도 나온다: 예를 들면, Tros의 준수한 아들인 Ganymede(*Il.* 20.230-35); 그의 친척인 Tithonius는 마찬가지로 여신이 Dawn의 배우자로 승격된 것으로 여겨졌던 것으로 보인다(*Il.* 11.1; cf. 19.If.). 또한 *Od.* 15.248-52에 나오는 Cleitos를 참조하라.

133) Beard, North and Price 1998, 1.31을 보라.

134) 예를 들면, cf. Arrian *Anabasis 33.2*; 4.10.6f.; 7.29.3; Aelian, *Hist. Misc.* 2.19;

그러한 태도는 단순히 예의범절에 불과한 것이었다), 알렉산더 대왕은 헬라와 마케도니아에서 실제로 그를 숭배할 것을 요구하였다. 그곳의 신민들은 그의 요구에 그렇게 열렬하게 호응하지는 않았지만, 그가 젊은 나이에 죽은 후 그를 숭배하는 제의는 신속하게 자리잡게 되었고, 좀 덜 알려진 그의 후계자들에 의해서 모방된 제의보다도 더 오랫동안 지속되었으며, 4세기 후의 로마 황제 숭배를 위한 모델이자 영감을 제공해 주었다.[135]

초기 기독교 시대에서도 이와 비슷한 신앙들은 로마 세계 전역에 걸쳐서 널리 퍼져 있었다.[136] 아우구스투스가 죽자, 주후 14년에 황제가 된 티베리우스는 아우구스투스가 율리우스 카이사르에게 그랬던 것처럼 지체 없이 자신의 양부를 신으로 선언하였다. 제국의 첫 세기 동안에(대략 주전 31년부터 70년까지) 살아 있는 황제들은 로마에서는 신으로서의 영예를 부여받지 못했지만, 아우구스투스의 초기 주화들 위에 새겨진 초상은 바람이 어디를 향하여 불고 있었는지를 잘 보여준다: 이미 주전 31년 이전에, 즉 여전히 안토니우스와의 내전을 치르고 있는 동안에, 옥타비아누스는 스스로를 "신 카이사르의 아들"로 자처하였고, 우주적 권능을 나타내는 상징들을 손에 쥐고 한 발을 지구에 대고 서있는 넵투누스(Neptune)의 모습을 가장하기도 하였다.[137] 신약성서 시대에 이르서는 황제들은 통상적으로 적어도 제국의 동부 지역에서는 그들이 살아 있는 동안에도 신으로 숭배되었다.[138]

신격화에 대한 기대, 그리고 신격화를 위한 통상적인 과정은 로마 제국의 초기에 이미 잘 정립되어 있었다. 증인들은 죽은 황제의 영혼이 하늘로 올라가는

---

cf. 5.12 Alexander의 아버지, 마케도냐의 Philip은 이미 이러한 방향으로 움직이기 시작하였다(Diod Sic. 16.92.5; 19.95.1; cf. the Loeb edn의 vol. 8, 101에 나오는 Welles의 주).

135) 이 제의의 정립과정에 대해서는 Diod. Sic. 18.60f. 등을 보라; 아테네 사람들이 Demetrius Poliorcetes(주전 4세기 말/5세기 초)를 숭배한 것에 대해서는 Plut. *Demetr.* 10.3f.; 12.2f; 13.1을 참조하라. 알렉산더 신화가 로마에 미친 영향에 대해서는 특히 Gruen 1998을 보라.

136) Bolt 1998, 71f.와 참고문헌들. 지금은 특히 Collins 1999, 249-51을 보라.

137) Beard, North and Price 1998, 2.224f.

138) 특히, Price 1984를 보라. Veil. Pat. 2.107.2에서는 Tiberius는 Augustus가 그를 자신의 후계자로 삼은 후에 황제가 되기 이전에도 이미 신으로 여겨졌다고 말한

것을 보았다고 맹세하도록 되어 있었는데, 이 제도는 아우구스투스가 율리우스 카이사르의 임종 때에 나타난 해성에 대하여 행한 해석으로 인해서 유명해졌다.[139] 이 제도는 주후 54년에 세네카가 클라우디오스 황제가 죽고 세네카 자신의 제자였던 네로가 즉위한 것에 대하여 풍자하는 시를 지을 정도로 이미 확고하게 정립되어 있었다.[140] 황제의 신격화는 로마 제국의 안정에 아주 유익한 것이었기 때문에, 이 관행은 수 세기에 걸쳐서 지속되었다. 주후 193년에 있었던 페르티낙스 황제의 장례식을 직접 지켜보았던 카시우스 디오(Cassius Dio)는 이러한 신격화를 아주 상세하게 묘사하고 있다.[141] 눈에 경건한 눈물을 머금은 채 유세비우스가 자신이 사랑하던 콘스탄티누스 황제가 죽은 후에 만들어진 주화에는 황제가 네 마리가 끄는 병거를 타고 하늘로 올라가는 모습이 그려져 있다고 설명할 때, 우리는 쓴 웃음을 짓지 않을 수 없다.[142]

적어도 신화 속에서 사람이 들려올려져서 불멸의 존재들과 함께 있게 되는 것을 묘사하고 있는 한두 가지 예외적인 사례들에 있어서, 사람의 몸은 영혼과 아울러서 함께 들려올려가는 것으로 생각되었다.[143] 그러나 통상적으로는 신격화(apothesis) 또는 영혼이 불멸의 신들의 땅으로 들려올리우는 것은 육신의 몸의 해체, 흔히 육신의 몸이 불타 없어지는 것과 완전히 동시적으로 일어나는 것으로 생각되었던 것으로 보인다. 따라서 헤라클레스의 승천에 관한 아폴로도루스(Apollodorus)의 묘사를 보면, 헤라클레스는 자기의 시신을 태울 화장용 장작 위에 오르고, 그 시신이 불타고 있을 동안에, 천둥 소리와 함께 하늘로

다.

139) Julius Caesar의 신성에 대해서는 Val. Max., *Memorable Doings and Sayings* 1.6.13; 1.8.8을 참조하라. 거기에서 "*divus Julius*"는 빌립보 전투에 앞서서 Cassius가 살인 음모자들이 실제로 그를 죽이지 못한 것은 그의 신성이 소멸될 수 없었기 때문이라고 말할 때에 등장한다. 혜성에 대해서는 지금 바티칸 박물관에 있는 Lares의 제단(주전 7세기 경)을 보라(Zanker 1988 222).

140) Seneca, *Apoc.*

141) Dio Cassius 75.4.2 — 5.5. 이 경우에 독수리 한 마리가 화장용 장작더미로부터 날아올라서, 이것이 Pertinax가 불멸의 존재가 되었다는 것에 대한 증거가 되었다; Titus의 홍예문(여전히 로마 광장에 있는)과 비교해 보라.

142) Euseb. *Life of Const.* 4.73.

143) Rohde 1925, 57; 또한 Collins 1993, 125f.를 보라. Romulus에 대해서는 아래

둥둥 떠올려진다.[144] 영웅들의 무덤은 그들의 사후의 제의에서 중요한 역할을 하였다; 아무도 그러한 무덤들이 비어 있다고 생각하지 않았다.[145]

몇몇 기사들 속에서 볼 수 있는 것과 같이, 영웅들과 황제들은 하늘로 올리워서 신들과 함께 살 수가 있었다. 하지만 덕 있는 사람들, 철학자들(결국, 그들은 이러한 원칙들을 만들어 내고 있었던 사람들이었다) 또 마찬가지로 별이 될 수 있었다.

이 후자의 주제(흔히 "별의 불멸성"이라는 제하에서 다루어지는)는 고대의 이교 신앙들과 마찬가지로 고대 유대인들의 신앙들에 관한 연구에서도 중요하였기 때문에, 우리는 그 주된 특징들을 간략하게 살펴보지 않으면 안 된다. 인간들(또는 그들 중의 일부 — 그것은 특별한 미덕에 대한 상급으로 생각될 수 있다)이 죽음 후에 실제로 별이 된다는 관념은 소크라테스 시대 배후에 있는 피타고라스 학파의 철학과 오르페우스 종교로 소급되고, 또한 바빌로니아와 애굽의 자료들 속에서도 발견된다.[146] 이러한 관념은 이미 주전 5세기의 희곡 작가인 아리스토파네스에게서 발견되고, 플라톤의 『티마이오스』(*Timaeus*)에서 일찍이 고전적으로 표현되었다.[147]

티마이오스는 소크라테스에게 세계의 창조주가 만물을 네 가지 원소(흙, 불, 물, 공기)로부터 어떻게 만들어내었는지를 설명한 후에, 이 창조주가 신들 —

제3절 vi를 보라.

144) Apollodorus *The Library* 2.7.7; cf. Diod. Sic. 4.38.5. 이것은 Theophilus, *Autocl* 1.13에 의해서 보도되고 있는 전설의 원천일 것이다. 그 후에 Hercules가 Hera의 딸인 Hebe와 결혼해서 자녀들을 낳았기 때문에 그가 내세에서 몸을 입게 되었다는 주장(Collins 1993, 126; cf. Riley 1995, 54)은 범주의 오류에 속한다: 그는 신화의 영역에 속한 인물로서, 신화 속에서는 Zeus와 Cronus 이하의 모든 신들이 결혼해서 자녀를 갖지만, 특히 플라톤 이후로 그 누구도 그 신들이 통상적인 의미에서 몸을 입고 있다고 주장하지 않았다. Seneca, *Herc. Oet.* 1940-43, 1963, 1976, 1977-8에서 Hercules는 신으로서 별들 가운데 있다.

145) Burkert 1985, 205f.를 보라. 영웅들이 그들의 무덤으로부터 빼내어져서 하늘로 데려가졌다는 주장에 대해서는 Collins를 보라(위에서 논의된).

146) 예를 들면, West 1971, 188을 보라; 초기 이집트 기원설에 대해서는 Kakosy 1969를 참조하라.

147) Aristoph *Peace* 832-7. 이 자료에 대한 이전의 연구에 대해서는 Cumont

이들도 피조된 존재들이다 — 에게 무엇이라고 말하였는지를 설명하고, 신들에게 인간을 어떻게 만들어야 하고 인간에게 무슨 일이 일어날지에 대하여 가르침을 준다.[148] 이 인간들은 썩어 없어질 육신과 함께 불멸의 부분인 영혼을 갖게 될 것이다. 따라서 다음과 같은 일이 일어나게 된다:

> 그는 이전에 우주의 영혼을 혼합하였던 그 잔에 나머지 원소들을 쏟고, 그것들을 동일한 방식으로 뒤섞었다. 그렇게 한 후에 그는 섞여진 전체를 별들의 수와 똑같은 영혼들로 나누어서, 각각의 영혼을 하나의 별에 배정한 후에, 하나의 병거 속에 두는 것처럼 영혼들을 거기에 두고서, 영혼들에게 우주의 성격을 보여주고 운명의 법칙을 밝히 설명하였는데, 그것에 의하면, 영혼들의 첫 번째 탄생은 누구에게나 동일하다는 것이었다.[149]

이렇게 해서, 영혼들은 인간의 몸들 속에 심겨지게 되었는데, 몸들은 두 가지 종류가 있었다 — 우월한 몸인 남자와 열등한 몸인 여자.[150] 영혼의 주된 과업은 몸이 낳을 감정들과 욕구들을 습득하는 것이다 — 즐거움, 고통, 두려움, 분노 등등. 그 성공 또는 실패에 따라서 영혼들의 운명이 좌우될 것이다:

> 정해진 기간 동안에 잘 산 자는 원래의 별로 되돌아가서 거하게 될 것이고, 거기서 그는 복되고 유쾌한 실존을 갖게될 것이다. 그러나 그가 이것을 달성하는 데에 실패한다면, 두 번째 탄생에서 그는 여자로 태어나게 될 것인데, 그러한 존재 상태 속에서도 악을 저지르는 것을 단념하지 않게 되면, 그는 자신이 획득한 악한 본성을 닮은 잔혹한 자로 계속해서 변화되어 갈 것이다.[151]

우리가 주목할 것은 여기에서조차도 플라톤은 덕 있는 영혼들이 별이 된다

1923, ch. 3을 참조하라.

148) *Tim* 29d — 38b; 41a-d. 이하에서의 인용은 모두 동일한 저작을 가리킨다.

149) 41d-e. Tr. Jowett in Hamilton and Cairns 1961, 1170f.

150) 41e-42a.

고 말하는 것이 아니라, 단지 각각의 별들은 각 영혼이 돌아가야 할 본향이라고 말하고 있다는 것이다 — 영혼들이 도덕적인 시험에 실패하지 않는다면, 윤회설에 따라서 영혼들은 이런저런 몸으로 되돌아갈 것이다.[152] 그러나 영혼들이 별들이 있는 곳으로 간다는 사상, 그리고 어떤 식으로든 별들과 거의 동일시된다는 사상이 헬레니즘 세계 전체에 걸쳐서 폭넓게 유포되어 있었다.[153]

이러한 신앙은 바울보다 대략 100여년 앞서서 씌어진 한 저작 속에 다시 고전적으로 표현되었다. 키케로가 쓴 『국가론』(*De Republica*)의 결론부에는 하나의 꿈을 소개하는 내용이 나온다: 여기서 꿈을 꾼 자는 주전 2세기의 스키피오 아이밀리아누스(Scipio Aemilianus)였고, 그는 꿈 속에서 그의 유명한 아버지와 할아버지를 만난다.[154] 먼저 그의 할아버지가 그에게 말을 건네면서, 살아서 선한 정치인이었던 사람들은 모두 그들이 원래 있었던 곳인 하늘로 가게 될 것이라고 말한다:

> 조국을 보호했거나 도왔거나 그 위대성을 증진시킨 자들은 모두 하늘에서 그들을 위한 특별한 자리가 마련되어 있고, 그들은 거기에서 영원한 행복을 누리게 될 것이다 … 도시들의 통치자들과 보호자들은 하늘로부터 왔고, 따라서 결국 그들은 하늘로 돌아가게 될 것이다.[155]

젊은 스키피오는 꿈 속에서 깜짝 놀라서 할아버지에게 그를 비롯한 나머지 사람들이 정말 여전히 살아 계시는 것이냐고 묻는다:

> "물론, 그들은 살아 있고, 그들의 족쇄들, 저 감옥 — 육신 — 으로부터

151) 42b-c.

152) 아래 제3절 vii을 보라.

153) Cumont 1949, 142-288에 나오는 자세한 내용과 논의; 그 밖에 Hengel 1974, 1.197f., 2.131에 나오는 세부적인 내용들. 전형적인 비문으로 이렇게 되어 있다: "나는 신들 가운데서 저녁별이 되었다"(tr. in Lattimore 1942, 35).

154) Cic. *De Rep.* 6.13-16; Beard, North and Price 1998, 2.220f.에서 재인용한 번역문(여기에 추가적인 이차 자료들이 인용되어 있다). 이하에서의 인용은 모두 이 저작을 가리킨다.

> 해방되어 있다; 왜냐하면, 네가 삶이라고 부르는 것은 실제로는 죽음이기 때문이다"라고 그는 대답하였다.[156]

그런 후에, 이 꿈꾸는 자의 아버지가 나타나는데, 젊은 스키피오는 아버지에게 현재의 삶이 진정으로 죽음이고 그 이후의 삶이 참된 삶이라면 왜 자기가 즉시 거기로 가서 아버지와 합류할 수 없는 것이냐고 묻는다. 아버지는 사람은 만유의 신의 "신전"인 현재의 우주 속에 어떤 목적을 위하여 두어져 있기 때문에(여기서 키케로는 스토아 학파의 범신론으로부터 그리 멀지 않다), 허락이 있을 때까지는 이 우주를 벗어날 수 없다고 대답한다:

> 인간들은 네가 이 "신전"의 한가운데에서 볼 수 있는 지구라 불리는 이 구면체에 거하도록 하기 위하여 의도적으로 창조되었고, 인간들에게는 별들과 성좌들이라고 불리는 영원한 불들로부터 영혼들이 제공되었다. 따라서 너와 모든 의인들은 너희의 영혼이 육신이라는 감옥 속에 머물도록 하지 않으면 안 된다. 그렇지 않으면, 너는 신에 의해서 인간에게 부여된 의무를 회피하는 것이 된다. 정의와 경건, 우리가 부모들과 친척들, 그리고 한층 더 조국에 빚지고 있는 특질들을 계발시켜라. 이것이 이 땅에서의 삶을 잘 살아낸 후에 육신으로부터 벗어나서 지금 너희 로마인들(헬라인들을 따라서)이 은하수라고 부르는 그 지역에 거하는 자들과 합류하기 위하여 하늘과 잇대어 있는 삶이다; 거기에는 다른 모든 불들보다 더 휘황찬란한 빛의 원이 빛나고 있다.[157]

우리가 주목할 것은 플라톤에서와 마찬가지로 결코 모든 사람이 별이 되는 것은 아니라는 것이다. 그리고 키케로는 플라톤의 교설(教說)을 선한 정치인이 되도록 격려하는 쪽으로 스스럼 없이 비틀어 놓고 있기 때문에, 우리는 그의 독자들 중에서 과연 얼마나 많은 사람이 별이 될 수 있는 자격이라는 문제와 관련해서 그의 말을 진지하게 받아들였을 것인가에 대하여 의아심을 갖지 않

155) 6.13.
156) 6.14.

을 수 없게 된다. 그러나 분명히 그는 훨씬 더 널리 퍼져 있던 사상을 끌어와서 사용하고 있는 것이고, 거기에 매력적인 표현을 부여하고 있는 것이다.

플라톤으로부터 키케로에 이르기까지 이 사상의 기초는 분명히 별과 영혼은 동일한 종류의 물질로부터 만들어졌다는 것이다. 정확히 이 물질이 무엇이었는지에 대하여(그것은 어떤 원소들을 어떤 비율로 함유하고 있었는가 등등) 그후 오랫동안 철학적으로 상당한 논란이 있었지만, 영혼과 별이 판이하게 다른 종류의 것들이라는 인식은 존재하지 않았다.[158] 말하자면, 별과 영혼은 서로를 위해서 만들어졌다. 예를 들면, 스토아학파는 영혼이 불과 같은 물질로 만들어진, "몸"의 특별한 종류 — 정확히 별과 같은 종류의 것 — 라고 믿었다.[159]

이러한 관념들이 유대교 및 기독교의 저술가들과 사상가들에게 영향을 미쳤는지에 관한 복잡한 문제는 적절한 대목에서 논의되어야 할 것이다. 지금으로서는 우리는 단지 다음과 같이 물음으로써 이 문제를 요약할 수 있다: 이러한 특별한 경우들에 있어서, 죽은 자들은 과연 누구였는가? 그들은 대단히 이례적인 삶을 통하여 그들 자신이 신적인 지위로 옮겨갈 가치가 있는 자들임을 보여주었거나 내내 신적인 존재인 것처럼 가장하였던 인간들이었다. 그들은 어디에 있는가? 불멸의 신들의 본향인 하늘에, 아마도 별들 가운데 있을 것이다.

하지만 그들은 죽은 자로부터 다시 살아난 것은 아니었다. 키케로는 헬라-로마 사상의 주류속에 있다는 것은 아주 분명하다: 육신은 감옥이다. 육신은 잠시 동안 꼭 필요한 것이긴 하지만, 올바른 삶을 산 사람이라면, 육신을 벗어버린 후에는 그 육신 또는 그것과 같은 그 무엇을 다시 원하는 사람은 아무도 없을 것이다. 고대의 이교 세계에서는 사후의 삶에 관한 관념들의 스펙트럼 위의 그 어느 지점에서도 호메로스, 아이스킬로스 등등의 부정(否定)들이 전복되었다고 생각하지 않았다. 그들의 관념 속에는 부활이라는 것이 존재하지 않았다. 플라톤 또는 키케로를 추종하였던 자들은 또 다시 육신을 입기를 원하지 않았다; 호메로스를 추종하였던 자들은 그들이 또 다시 육신을 입을 수 없다는 것을 알고 있었다. 여전히 도로 봉쇄는 지속되고 있었다.

157) 6.15f.

158) cf. Martin 1995, 118.

3. 죽은 자들의 세계 내부에서의 추가적인 삶?

(i) 서론

방금 위에서 말한 주장은 이제 죽음과 부활, 특히 나사렛 예수의 죽음과 부활에 관한 최근의 논의들 속에서 제기되어 온 일곱 가지의 반론들에 비추어서 검증되지 않으면 안 된다. 고대의 비유대적인 세계의 실천, 상징들, 이야기들, 이론들에 있어서 몇 가지 점에서 여러 학자들은 죽은 자들이 어떤 의미에서 "살아 있는" 것으로 여겨졌다는 증거들을 발견하였고, 이러한 것은 초기 그리스도인들이 예수에 관하여 한 주장들에 대한 원천이자 병행들이라고 주장하였다. 물론, 이러한 주장들에 대한 최종적인 평가는 우리가 초기 기독교 저작들 자체를 살펴볼 때까지는 불가능하다; 그러나 이러한 주장들에 대한 예비적인 검토는 이 단계에서 중요하다.[160] 내가 전에 말했듯이, 이러한 주장들은 여기서는 당분간 초기 그리스도인들의 신앙이 아니라 이 장의 서두에서 제시한 강조적인 진술들에 비추어서 평가되어야 할 것이다. 그 질문은 다음과 같은 것이 되어야 한다: 호메로스, 아이스킬로스, 소포클레스, 그리고 그 이후의 여러 세기들에 걸쳐서 그들의 글을 읽고 동일한 언어를 사용하였던 사람들은 과연 그러한 주장들 중의 어느 것이 "부활"에 대한 그들의 두드러지고 구체적인 부정(否定)에 대한 예외들을 이룬다고 생각했을까?

(ii) 죽은 자들과 함께 먹는 것

부활은 존재하지 않는다는 원칙에 대한 예외가 될 수 있는 것들의 목록은 당시에 널리 퍼져 있었고 잘 확인이 되고 있는 관습인 죽은 자들과 함께 먹고 마시는 것으로 시작된다. 죽은 자를 기리고 만족시킬 목적으로 행해진 그러한 관습들은 매우 이른 시기로 소급되는 것으로서 널리 행하여져 왔다.[161] 장례식을 시작으로, 그리고 그 이후에는 주기적으로, 죽은 자의 친척들과 친구들은 특

159) Hengel 1974, 2.133 n. 595에 나오는 자세한 내용들.

160) 애석하게도 Johnston 1999는 내게 너무 늦게 발견되어서 이 연구에 사용되지 못했다.

161) Burkert 1985, 191-4; Garland 1985, ch. 7(summary, 120); Ferguson 1987, 191-2; Klauck 2000, 75-9(거기에 나와 있는 최근의 서지들)에 나오는 자세한 내용

별한 연회들을 비롯하여 죽은 자의 무덤 앞에서 식사를 하기 위하여 모이곤 하였다.[162] 종종 죽은 자들을 위한 장소가 따로 마련되기도 하였다. 술은 관(管)을 통하여 무덤 속으로 부어졌을 것이다. 종종 현장에 마련된 화덕에서 실제로 음식이 조리되기도 했다.[163]

이러한 관습의 목적 중의 일부는 부족 또는 가족의 연속성과 유대를 확인하기 위한 것이었던 것으로 보인다.[164] 무덤의 부장품들과 이집트에서의 미라 및 그것에 수반된 관습들이 보여주듯이, 특정한 관습들은 죽은 자들이 여전히 산 자들이 제공해주는 물품들을 필요로 하고 있다는 것을 함축하고 있는 것으로 보인다:

> 죽은 자들에 대한 제의는 죽은 자가 매장된 곳에, 즉 땅 밑의 무덤 속에 현존해 있고 활동하고 있다고 전제하는 것으로 보인다. 죽은 자들은 부어진 술을 마시고, 또한 피를 마신다 — 죽은 자들은 이 연회에 와서 피를 마시도록 초대된다; 부어진 술이 땅 속으로 깊이 스며드는 것과 마찬가지로, 죽은 자들은 좋은 것들을 땅 위로 올려 보낼 것이다.[165]

이러한 것을 토대로 해서, 최근에 이러한 배경을 예수가 죽은 후에 얼마 있다가 그의 제자들과 함께 먹고 마셨다는 것에 관한 초기 기독교의 이야기들을 이해하는 맥락으로 삼아야 한다는 주목할 만한 주장이 제기되어 왔다.[166]

들.

162) 연회들에 대해서는 Beard, North and Price 1998, 1.31, 50; 2.104f, 122를 참조하라.

163) Beard, North and Price 1998, 2.105.

164) Burkert 1985, 191.

165) Burkert 194f.는 Aristophanes *Frags*. 488.13f.를 인용하고 Rohde 1.243-5와 비교한다; Wiesner 1938, 209f. Artemidorus(*Dreams* 5.82)에 의하면, 이 파티는 "그의 동료들에 의해서 그에게 주어진 존경심으로 인해서 죽은 자들에 의해서 베풀어진" 것이었다고 한다; Garland 1985, 39는 이것을 과장되게 해석해서 죽은 자가 "잔치의 주인 자격으로 존재하는 것으로 믿어졌다"고 말한다.

166) 특히 Riley 1995, 44-7, 67을 보라; Crossan 1998, xiv도 그러한 견해를 따른

우리가 이것에 관하여 무엇이라고 말하든지간에 — 우리는 이것에 대하여 훨씬 나중에 살펴보게 될 것이다 — 즉시 분명한 것은 무덤들 앞에서 행해진 것이나 그러한 관습들에 관하여 말해진 것들 중에서 호메로스 및 비극 작가들에게 희미하게나마 도전하고 있는 내용은 전혀 없다는 것이다. 이러한 관습들은 '아나스타시스'라는 단어와 그 동일 어원의 단어들이 가리키는 것, 즉 죽은 사람이 이제 죽어 있는 일정 기간이 지난 후에 현재의 세계 속으로 다시 살아서 돌아왔다는 것을 함축하고 있지 않다. 실제로 이 관습들에 대한 또 다른 해석은 이 관습들은 정확히 죽은 자들의 새로운 지위를 분명히 하기 위한 것이었다는 것이다. 그러한 예식들을 행한 이유는 죽은 자들이 이 세상에 되살아오도록 하기 위한 것이 아니라, 다음 세상으로 가는 길을 잘 떠나도록 하기 위한 것이었다.[167] 게다가, 무덤 앞에서의 적어도 몇몇 식사들은 산 자들이 거기에 참여하는 것이 금지되는 가운데 죽은 사람의 새로운 지위를 확인하기 위하여 오직 죽은 자를 위해서 거기에 두어졌던 것으로 보인다; 이것이 그러한 관습들에 참여하는 자들에게 합당한 감정은 슬픔이었던 이유이다.[168] 만약 사람들이 부활에 가까운 그 어떤 것을 일시적이라도 생각했거나 전제했었다면, 그들의 감정은 처음에는 놀라움, 그 다음에는 기쁨이었을 것이다 — 물론, 고집센 플라톤 학파 철학자들은 제외하고. 이런 유의 감정은 그 어디에서도 발견되지 않는다. 장례 이후의 관습들은 부활이 일어날 수 있다는 것을 부정했던 고대 세계 전역에 걸쳐서 널리 퍼져 있었고 잘 알려져 있었다.

(iii) 영들, 영혼들, 유령들

마찬가지로, 접신술 — 죽은 자들과의 교통 — 도 길고 다채로운 역사를 가지고 있다. 대부분의 문화들, 그리고 대부분의 역사적 시대들은 산 자가 죽은 자와 접촉했다는 것에 관한 이야기, 또는 죽은 자가 초청하지도 않았는데 먼저 산 자에게 찾아와서 나타난 것에 관한 이야기들을 제공해준다. 파트로클로스

다. Riley, 53는 호메로스에 나오는 영혼들은 누가와 요한 속에 나오는 예수의 부활한 몸과는 판이하게 다른 것으로 보지만, 그것을 그가 제시하고자 하는 이례적인 이론 속에 포함시키지는 않는다.

167) Garland 1985, 39f.

가 아킬레우스에게 나타난 것을 시작으로, 고대 문헌들은 그러한 사건들로 가득 차 있다. 산 자와 죽은 자 간의 고전적인 만남들 중의 일부는 꿈 속에서 이루어진다: 아킬레우스가 파트로클로스를 만난 일만이 아니라, 이미 언급했던 유명한 장면인 스키피오가 그의 할아버지를 만나는 장면도 꿈 속에서 일어난다.[169] 종종 죽은 사람은 애도하는 친척들, 특히 부인들에 의해서 그러한 방문을 위하여 호출되고 있는 것으로 보인다.[170] 반대로, 애도하는 자들이 일종의 옮겨짐(translation)을 통해서 들리워져서 죽은 자와 함께 있게 되기도 한다 — 물론, 지하 세계가 아니라 하늘에서이긴 하지만.[171]

그러한 장면들 속에서, 죽은 자는 때때로 자기가 지금 알고 있는 현실들에 관하여 산 자에게 지혜로운 조언을 해 준다; 죽은 자들은 종종 구체적인 위기에 대하여 지침을 주거나 경고하기도 한다. 헤로도토스에서 기억할 만한 장면은 혈통을 의심받아 왔던 스파르타의 왕 데마라투스(Demaratus, 주전 515-491년경)에 관한 것이다(그는 선왕인 아리스톤의 아들로 생각되었다). 그의 어머니는 "[아리스톤을] 닮은 유령"이 결혼 생활 초기에 그녀를 방문해서 그녀가 임신하게 되었다고 설명한다; 점술가들은 그녀를 방문했던 유령이 영웅 아스트라바쿠스(Astrabacus)였다고 확인해준다.[172] 그러한 접촉을 저주받을 일로 여겼던 구약성서에서조차도 하나의 고전적인 예를 제공해준다.[173]

이러한 접촉은 종종 산 자, 즉 우리가 영매(靈媒)라고 부르는 사람을 통해서 행하여졌다. 이러한 상황 속에서 영매가 정말 무엇과 접촉하고 있는 것인지를 알기는 어려웠다. 그것은 신, 천사, 귀신, 영혼, 또는 그 무엇이었는가? 통상적으로 이런 유의 고대의 이야기들 속에서 유령은 자기가 신이라고 주장한다; 유

168) Garland 38-41; 110-15; 104-10.

169) Cicero *De Rep.* 6.9-26; cf. Riley 1995, 39-40. 위의 제2장 제2절(v)를 보라.

170) 예를 들면, 그의 어머니 Alcmena에 의해서 불러내진 헤라클레스: Seneca *Herc. Oet.* 1863-1976; 물론, 우리는 헤라클레스가 이 본문 속에서 자기는 하데스에 있는 것이 아니라 별들 가운데 있다고 분명하게 말하고 있다는 점을 주목해야 하지만.

171) 예를 들면, Ovid *Met.* 14.829-51; *Fasti* 3.507-16.

172) Hdt. 6.69.1-4. 여기서 "유령"을 가리키는 단어는 '파스마' (*phasma*)이다.

173) 사울에게 나타난 사무엘: 사무엘상 28장. 자세한 내용과 또한 구약에 나오는

령이 스스로를 인간의 영혼이라고 말하는 경우는 극히 드물다.[174)]

산 자들에게 특히 유익한 것은 죽은 영웅들이라고 생각되었다. 그들은 예전에 그들이 지니고 있었던 권능을 그대로 지니고 있는 것으로 여겨졌고, 따라서 전쟁 중에 조언과 도움을 받기 위하여 호출될 수 있었다.[175)] 아이스킬로스가 이끄는 페르시아군은 다리우스의 방문을 받는다; 아르스토파네스의 글 속에서는 한 무리의 영웅들이 산 자들에게 그들, 즉 영웅들이 여전히 무엇을 할 수 있는지에 대하여 경고하기 위하여 나타난다.[176)] 이러한 것들은 모두 문학적인 허구들로서 헬라-로마 세계 속에 살았던 통상적인 사람들이 통상적으로 생각했던 것들을 진정으로 보여주는 것이 아니라 민간 신앙 또는 미신을 반영하고 있는 것이라는 반론이 제기될 수 있다. 우리는 셰익스피어의 희곡들이 스트랫퍼드 온 에이번(Stratford-on-Avon)에 거주했던 통상적인 주민들이 그들의 일상 생활 속에서 일어날 것으로 기대하였던 그런 것들에 대한 직설적인 증거들을 제공해 준다고는 생각하지 않을 것이다. 하지만 헬레니즘적인 소설들은 사람들이 유령들의 출몰과 출현 등등을 잘 알고 있었고, 그들이 어떤 존재들인지에 관한 꽤 잘 발달된 견해와 그러한 존재들을 서술할 수 있는 아주 세부적인 어휘들을 갖추고 있었다는 것을 보여주는 많은 증거들을 제공해준다. 카리스톤(Chariston)의 소설에서 동명의 여주인공인 칼리르호에(Callirhoe)는 산 채로 묻히게 되었는데, 한 강도가 무덤을 뚫고 침입하는 소리를 듣고서, "어떤 신"('티스 다이몬')이 자기에게 오고 있는 게 아닌가 생각한다; 강도는 그녀가 살아 있는 것을 발견하고 안부 인사를 한다.[177)] 그런 후에, 칼리르호에는 그녀의 애인인 카에레아스(Chaereas)의 꿈을 꾼다: 아킬레우스와 파트로클로스가 등장하는 장면을 반영한 대목에서(이것은 호메로스의 거대한 영향력을 보여주는 추가적인 증거이다) 그녀는 애인을 포옹하려고 시도하지만 성공하지 못한다. 하지만 칼리르호에가 자신의 애인에 관한 두 번째 꿈을 꾸고, 그가 죽었

금령들에 대해서는 아래의 제3장 제2절을 보라.

174) 이것에 대해서는 Dodds 1990(1965), 53-5와 옛 서지들을 참조하라.

175) Burkert 1985, 207.

176) Aesch. *Pers.* 759-86과 그 다음에 이어지는 내용; Aristoph. *Frags.* 58; Burkert 1985, 207f., 431 n. 55. 또한 Hdt. 8.36-9(두 거대한 병사들, 옛 영웅들이 델포이 신전을 페르시아군으로부터 방어한다).

다고 생각함에도 불구하고, 애인은 여전히 살아 있다.[178] 이 이야기 전체에 걸쳐서 등장하는 여러 다양한 인물들은 그들이 유령('에이돌론')을 본 것인지, 아니면 그들이 본 사람이 실제로 살아 있는지에 대하여 의아하게 여긴다.[179]

헬라-로마 세계에 살던 통상적인 사람들은 분명히 종종 사람들은 죽은 자들의 유령들, 영들, 또는 환상들을 본다고 생각하였다. 그러한 만남들을 의도적으로 유발시키는 것조차도 가능한 일이었다.[180] 그러나 우리는 이것이 부활과 어떤 관련이 있다고 생각하는 잘못을 저질러서는 안 된다.[181] 그러한 경험들은 그 세계 속에 살고 있던 어떤 사람에게도 호메로스 및 비극 작가들 속에서의 부활에 대한 단호한 부정이 깨뜨려졌다는 것을 설득하지 못했을 것이다. 죽은 자들에 대한 이러한 환상들(visions)과 방문들(visitations)은 죽은 자들이 죽은 상태를 멈추고 다시 정상적인 삶과 같은 것으로 되돌아 온 경우들이 아니었고, 죽은 자들은 여전히 죽은 상태로 있고, 그들이 예전에 살았던 것과 같은 종류의 삶을 다시는 재개하지 못할 자로서 죽은 자들의 세계로부터 온 방문자들로 사람들과 만났던 것이다. 우리가 유대교 또는 기독교와 상관 없이 고대의 이교도들을 그 자체로 이해하고자 한다면, 우리는 이 아주 중요한 구별을 유지하지 않으면 안 된다.

(ⅳ) 지하 세계로부터 돌아오는 것

물론, 신화의 세계, 그리고 고대인들에 의해서 신화로 인정된 것들 속에는 지하 세계를 떠나고자 시도한 자들에 관한 이야기들이 종종 등장한다.[182] 시시포스(Sisyphus)는 그의 아내에게 자기를 적절하게 매장하지 말라고 말하고, 그

177) Chariton *Call.* 1.9.3f. 이후의 두 각주에서의 인용은 이 저작을 가리킨다.

178) 2.9.6; 3.6.4; 사실 그는 잡혀서 노예로 팔린다.

179) 예를 들면, 5.9.4. 이 소설에 의해서 야기된 쟁점들에 대해서는 아래 제2장 제3절을 보라.

180) 고전 세계에서의 유명한 이야기는 Heliodorus *Aethiopica* 6.14f.이다.

181) Bowersock 1994, 101f. Astrabacus의 이야기(위의 제2장 제3절을 보라)는 Riley(1995, 54, 58)에 의해서 죽은 자들을 만질 수 있다는 증거로 인용된다; 그러나 Herodotus에서조차도 아주 문자적으로 나이든 아내의 이야기로 등장하는 이 이야기는 그러한 결론을 보증해 주지 못한다.

결과로서 하데스로 들어가는 것이 허용되지 않고, 그 대신에 다시 되돌아온다. 하지만 그의 승리는 짧았고, 마침내 지하 세계 속에서의 그의 실존은 한층 더 악화되었다.[183] 오르페우스는 그가 사랑하던 유리디케(Eurydice)를 구출하고자 시도하지만, 하데스에 의해서 부과된 요구조건을 충족시키는 데에 실패한다; 그는 그녀를 끌고 나오면서 뒤를 돌아다 보았기 때문에, 영원히 그녀를 잃게 되었다.[184] 트로이에서 죽임을 당한 최초의 헬라인인 프로테실라우스(Protesilaus)는 이 점에서 전설적인 인물이 되었다: 그의 죽음으로 아내는 거의 미칠 지경이 되었기 때문에, 신들은 그를 하데스로부터 하룻 동안만(일부 판본들에서는 세 시간 동안) 되돌려 보내기로 결정하였고, 그런 후에 그가 다시 하데스로 돌아가자 그녀는 자살하였다(일부 판본들에서는, 이 일 후에 그녀는 죽은 남편의 초상에 과도하게 집착하게 되었고, 그러자 아버지가 그 초상을 태워버린다).[185]

이 이야기는 필로스트라투스(Philostratus)의 『헤로이코스』(*Heroikos*)에서 발전되었는데, 거기에서 프로테실라우스는 아주 나중에 사람들에게 나타나서 호메로스에 나오는 이야기들을 그들에게 올바르게 설명해준다.[186] 카리톤의 유명한 소설 속에서, 디오니시우스(Dionysius)는 죽은 자로부터 돌아온 카에레아스가 프로테실라우스라고 생각한다.[187] 주후 2세기에 아일리우스 아리스티데스(Aelius Aristides)는 프로테실라우스가 이제 "산 자들과 연합해 있다"고 주장한다.[188] 심지어 그가 새롭게 찾은 삶은 성적인 회춘에 대한 은유가 되기도 한다.[189] 그 밖의 다른 이야기들도 존재한다: 우리가 곧 다른 것과 관련하여 다

182) 이것에 대해서는 Vermeule 1979, 211 n. 1을 보라.

183)이 아야기에 대해서는 Alcaeus Fr. 38; Pherecydes of Athens Fr. 119를 참조하라.

184) Virgil *Georg.* 4.453-525; Ovid *Met.* 10.1 — 11.84; cf. Eurip. *Alcest.* 357-62.

185) *Il.* 2.698-702; Hdt. 9.116-20; Catull. 68.73-130; Ovid *Her.* 13; cf. Hyg. *Fab.* 103.

186) Bowersock 1994, 111-13을 보라: 본문은 Philostr. *Her.* 135f.에 나와 있다. Cf. Anderson 1986, ch. 13.

187) *Call.* 5.10.1.

188) *Orat.* 3.365.

시 만나게 될 헤라클레스는 하데스의 깊음으로부터 되돌아 왔다고 말해진 다.[190] 히기누스(Hyginus)는 그의 『파벨라이』(*Fabellae*)에서 지하 세계로부터 돌아오는 것이 특별히 허용되었던 열여섯 사람을 열거한다.[191]

그러한 종류의 모든 이야기들 중에서 가장 유명한 것은 플라톤의 에르(Er) 신화일 것이다 — 플라톤은 자신의 가장 위대한 대화를 이 신화로 끝낸다.[192] 이 이야기의 주된 요지는 우리가 곧 논의하게 될(아래의 (7)항에서) 영혼의 윤회설을 가르치는 것이다. 그러나 이 단계에서 흥미로운 것은 에르 자신에 관하여 말해지고 있는 내용이다. 이 이야기 속에서 에르는 전투 중에 죽임을 당하였지만 그 시신이 열흘이 지난 후에도 여전히 썩지 않고 있는 병사이다. 열이틀째 되는 날에 화장용 장작더미 위에서 그는 되살아나서, 자기가 지하 세계에 머무는 동안에 보았던 것을 이야기한다. 에르 자신은 다른 영혼들과 합류하거나 망각의 강물을 마시는 것이 허락되지 않았고, 그 대신에 이 세상으로 다시 돌아와서 그의 이야기를 말하도록 되어 있었다.

플라톤은 이 이야기를 단순히 그가 설명하고자 했던 교설(教說)을 위한 편의상의 수단으로 여겼음이 분명하다; 에르의 체험을 하나의 범주로 분류하고자 한다면, 우리는 그가 "임사(臨死) 체험"을 했다고 말할 수 있다. 그는 단지 죽은 것처럼 보였지만, 사실은 죽지 않았었다는 말이다.[193] 그러나 이것은 이솝

---

189) Perronius &rt. 129.1.

190) Eurip. *Madn. Herd.* 606-21. 자세한 것은 아래를 보라.

191) Hyg. *Fab.* 251. 이것이 어떤 Hyginus인지에 대해서는 약간의 의심이 있다: 이 이름을 가진 가장 잘 알려진 저술가(*ODCC*는 이 이름을 가진 네 명을 열거한다)는 주전 1세기 말에 살았지만, *Fabellae* 또는 *Fabulae*는 아마도 주후 2세기 경에 나온 것으로 보인다. 사람들은 구약성서의 엘리야와 엘리사, 신약성서의 예수, 베드로, 바울에 의해서 행해진 것과 같이 죽음 직후의 소생한 주목할 만한 치유 사건들은 다른 범주에 속한다: 그것들은 대체로 영웅적인 Asclepius, *Iliad*(4.405; 11.518)의 "흠 없는 의사", Apollo의 아들, 그 이후에 치유의 신으로서 많은 사랑을 받았던 인물에 관한 것이다.

192) *Rep.* 10.614d-621d.

193) 이것은 그러한 보도된 체험들(7일 동안 죽어 있었다고 하는 여자의 체험을 포함한, 7.52.175)에 대하여 Pliny the Elder(7.51f.)가 제시하고 있는 설명이다. 그러한 이야기들은 주후 2세기에 기독교를 비판했던 이도교인 Celsus에게도 알려져 있었

의 우화들의 경우에서와 마찬가지로 이 이야기의 취지가 아니다; 이 이야기는 마치 그것이 문자 그대로 참인 것처럼 말하고 있는 것이 아니라, 그것이 전달하고자 하는 지혜를 위하여 말해지고 있는 것이다.

이것과 관련해서 우리가 논의해야 할 또 하나의 이야기는 알케스티스(Alcestis)의 신화이다. 이 전설 속에서 알케스티스는 페라에(테살리)의 왕 아드메투스의 아내로서, 아폴로는 징벌로서 그의 노예가 되어 있었다. 아폴로는 속임수를 써서 운명의 신들로 하여금 다른 사람이 대신 죽는다는 조건으로 아드메투스에게 죽음을 모면할 수 있는 특권을 허용하게 만든다. 여기서 대신 죽어줄 유일한 자원자는 그의 사랑하는 아내인 알케스티스 자신이다. 그녀가 죽고 묻힌 후에, 그녀는 페르세포네(Persephone)에 의해서 아드메투스에게 다시 돌아오게 된다. 하지만 좀 더 잘 알려진 판본 속에서는 헤라클레스가 죽음의 신(이 희곡 속에 등장하는 타나토스)과 힘겨루기를 해서 그를 물리친 후에 알케스티스를 구출하여 아드메투스에게 되돌려준다는 내용으로 되어 있다. 흥미로운 것은 유리피데스(Euripides)의 희곡 속에서는 다시 살아난 알케스티스가 말을 하지 않는다는 것이다. 이것에 대하여 질문을 받은 헤라클레스는 그녀가 여전히 지하 세계의 신들에게 봉헌되어 있기 때문에, 그녀를 깨끗케 하기 위해서는 삼일이 걸릴 것이라고 말해준다.[194]

유리피데스를 통해서 아주 잘 알려지게 된 이 이야기는 셰익스피어의 『겨울 이야기』와 몇몇 특징들을 공유하고 있고, 최근에는 "부활에 관한 전승"이 헬라 세계에 존재했다는 것을 보여주는 주된 증거로 인용되어 왔다.[195] 이 신화는 여러 가지 판본으로 알려져 있었다. 아이스킬로스는 『유메니데스』(*Eumenides*)의 한 대목에서 이 신화를 간접인용하고 있고,[196] 플라톤의 『향

다; 그리고 Theophilus(*Autocl.* 1.13)도 조금 더 열정적으로 Hercules와 Asclepius에 관한 이런 종류의 이야기들을 인용하고 있다. 아래의 제11장 제4절을 보라.

194) *Alcest.* 1144-6. 또 다른 판본에서 Persephone는 Alcestis를 돌려보낸다: 예를 들면, Apollodorus *Library* 1.9.15; Hyg. *Fab.* 51을 보라.

195) Porter 1999a, 80. Porter의 논문의 대부분은 단순히 아무도 부정하지 않을 내용, 즉 "죽음 이후의 삶"에 관한 다양한 사변과 관련된 방대한 전승이 존재하였다는 것을 보여줄 뿐이다. Alcestis 전설(이미 Hercules 전설의 일부가 되어 있었음이 분명한)은 그 밖의 다른 모든 고전적인 문헌들과는 반대되게 실제로 몸을 입고 다시 살

연』에서는 오르페우스와 유리디케에 관한 이야기와 한 쌍으로 이 신화에 대하여 간략하게 논의하고 있다.[197] 이 신화는 로마 시대에 이르기까지 회화 속에서 헤라클레스가 두건을 쓴 알케스티스를 무덤으로부터 이끌어내는 모습으로 묘사되어 나온다.[198]

알케스티스의 이야기는 매력적이지만, 부활에 대한 실제적인 신앙을 보여주는 증거를 제공해주지는 못한다. 실제로 알케스티스는 죽은 자로부터 육신의 삶으로 되돌아온다. 요한복음에 나오는 나사로처럼 그녀는 다시 죽을 것이지만, 그럴지라도 그녀가 죽은 자로부터 되돌아온 것은 충분히 주목할 만한 것

아나는 것에 대한 그의 유일한 이야기이다.

196) Aesch. *Eumen.* 723f.(이 장의 첫 부분에서 인용한 부활에 대한 중요한 부정을 따라서): 이 합창은 Apollo에게 Pheres(Admetus의 father)의 집에서 그가 운명의 신을 움직여서 죽을 자들을 죽음으로부터 해방시키게 한 때를 기억나게 해준다. 하지만, 이러한 언급은 Alcestis가 죽음으로부터 해방된 것을 가리키는 것이 아니라 (이것은 Apollo가 운명의 신을 설득한 결과가 아니라, 헤라클레스가 죽음의 신과 싸운 결과였다) 아폴로가 Admetus를 죽음으로부터 구할 길을 발견한 것을 가리키는 것으로 보인다(Porter 79f.와는 반대로).

197) Pl. *Symp.* 179b-d. 화자인 Phaedrus는 Alcestis의 자기희생적인 사랑이 그녀의 운명과 Orpheus와 Eurydice의 운명이 서로 차이가 나게 하였다고 결론을 내린다(Eurydice를 다시 데려오지 못한 것이 그녀 편에서의 사랑의 부족이 아니라 Orpheus 편에서의 사랑의 부족이라고 하고 있기 때문에, 병행은 정확하지 않다). Alcestis는 극소수에게 주어지는 특권, 즉 영원히 하데스로부터 돌아오는 특권을 허락받았다고 Phaedrus는 말한다('엑스 하이두 아네이나이 팔린 텐 프쉬켄'): 그는 그 밖의 다른 경우들을 언급하지 않는다(179c). Phaedrus는 계속해서(179e-180b) Achilles가 자신의 목숨이 희생될 것을 알면서도 그의 연인인 Patroclus의 복수를 하기로 결심했기 때문에 지복의 섬으로 보내지는 것을 또 하나의 병행으로 인용한다. 물론, 이것도 Alcestis 이야기에 대한 병행이 아니다. 아마도 연회의 이 단계에 이르러서 포도주로 인해서 명료한 사고는 끝나가고 있었던 것으로 보인다.

198) 많은 예들 중에서 한 예는 Boardman 1993, 318(plate 316)에 나온다. 이것은 "구원에 관한 기독교적인 메시지를 나누어 주는" 성경의 장면들과 병행을 이루면서 로마의 Via Latina Catacomb에서 발견된다는 점에서 더욱 흥미롭다(Boardman 319). 이 헤라클레스 장면은 아마도 예수가 아담과 하와를 지하세계로부터 이끌어오는 것을 묘사하고 있는 그 이후의 통상적인 성화 전통을 위해 모델이었던 것인가? 이것에 대해서는 자세한 Grabar 1968, 15, fig. 35; Weitzmann 1979, 242f. no.

으로서, 우리가 고대 세계 전체로부터 볼 수 있는 유일한 부활에 관한 이야기이다. 하지만 앞에서 보았듯이, 초기 기독교와 동시대를 살았던 지성적인 이교도들은 그러한 이야기들에 관하여 알고 있었었고, 그러한 이야기들을 신화적인 허구들로 치부하여 거부하였다. 켈수스(Celsus)는 "지하 세계로부터 되돌아온 것에 관한 옛 신화들을 알고 있었지만, 그러한 신화들을 몸의 실제적인 부활과 완벽하게 구별할 수 있었다."[199] 주전 5세기에 살았던 아테네의 청중들은 이 이야기를 어떤 식으로든 현실적인 것으로 생각하지 않았을 것이다. 아폴로와 죽음의 신이 무대에서 등장 인물들로 출현하여 말하고, 거기에서 헤라클레스는 손님으로 가서 자신의 엄청난 힘을 과시한다는 이야기는 통상적인 사람들이 일상 생활의 삶 속에서 일어났다고 믿은 것에 대한 타당한 증거가 될 수 없다. 마찬가지로, 우리는 일련의 『링』(*Ring*) 이야기들을 19세기 독일 부르주아들 가운데에서의 결혼과 가족의 관습들을 보여주는 증거로 듣지는 않을 것이다. 그 어떤 매장 관습도 알케스티스를 수호신으로 내세우지 않는다. 헤라클레스가 알케스티스에게 했던 것을 다른 사람들에게도 해달라고 하는 그 어떤 기도도 드려지지 않는다. 이 주제를 발전시키거나 이어가는 그 어떤 추가적인 이야기들도 존재하지 않는다; 이것과 가장 가까운 병행은 테세우스(Theseus)가 페르세포네를 구출하려다가 실패한 후에 지하 세계에 갇히게 되자 헤라클레스가 테세우스를 구출했다는 전설인 것으로 보인다.[200] 알케스티스는 (고대

219; other details and refs. in *LIMC* s.v.를 보라.

199) Origen *C. Cels.* 2.55를 인용하는 Bowersock 1994, 117f.(아래 제11장 제5절 iv를 보라). 이 본문 속에서 Celsus는 우리가 이미 만난 적이 있는 Zamolxis, 또한 Pythagoras(cf. Diog. Laert. 8.41, citing Hermippus), 하데스에서 Demeter와 주사위 놀이를 했고 그녀가 그에게 준 황금 냅킨을 가지고 되돌아온 이집트인 Rhampsinitus(Hdt. 2.122)를 인용한다. Rhampsinitus는 Theseus(아래를 보라)와 같이 죽었다고 말했지 않는다는 것을 주목하는 것이 중요하다. Celsus가 Alcestis를 언급하지 않고 있고, 만약 Alcestis에 관한 "전승"이 존재했더라면 그가 분명히 언급했을 것이라는 것을 아는 것은 마찬가지로 중요하다. Pliny에 대해서는 위의 제2장 제1절과 제3절을 보라.

200) 예를 들면, cf. Apollodorus *Library* 2.5.12. 또한 Diod. Sic. 4.26.1; Eurip. *Madn. Herd.* 619-21을 보라. 몇몇 그 밖의 다른 참고문헌들이 Loeb edn. of Apollodorus, vol. 1, 235에 나와 있다. Theseus(아테네의 왕; 이미 호메로스의 시대에 전설적인 인

의 전설 속에서) 다시 살아 돌아온 인물이었겠지만, 그녀는 기존의 원칙을 더 뚜렷하게 부각시켜주는 예외에 불과하였다.

따라서 이 이야기, 그리고 영웅들과 전설적인 인물들에 관한 아주 오래된 이와 비슷한 이야기들은 계속해서 고전 시대 전체에 걸쳐서 알려져 왔지만, 그 이야기들은 아킬레우스와 오디세우스에 관한 호메로스의 위대한 장면들과는 달리 결코 대중적인 준거점들이 되지는 못했다.[201] 그 어떤 비문도 이 시신이 운좋은 시신들 중의 하나가 될지도 모른다는 암시를 보여주지 않는다(과연 그들은 다시 살아 돌아온 것을 그러한 운좋은 일이라고 생각했을까?). 알케스티스 한 사람, 그리고 그 이후에 그녀의 이야기에 대한 산발적인 간접인용들은 "전통"을 만들어내지는 못하였다.[202] 이 이야기는 호메로스로부터 하드리아누

물이 되어 있었다)는 실제로 그러한 과정에서 죽지 않았던 것으로 보이기 때문에, 이 이야기는 Rhampsinitus에 관한 이야기와 마찬가지로 진정한 병행이 아니다; *ODCC* s.v.에 자세한 참고문헌이 나와 있다. 헤라클레스를 모방한 Theseus에 대해서는 Plut. *Thes*. 6.6; 8.1; 9.1; "또 다른 헤라클레스"로 인식한 29.3을 참조하라. Theseus에 관한 플루타르크의 기사는 헤라클레스가 원수들에게 그들의 죽은 자들을 데리고 가는 것을 허용하는 관습을 최초로 만들었고 "죽은 자들을 되돌려 주는 최초의 인물이 되었다"는 흥미로운 내용을 포함하고 있다(29.5). 아마도 이것은 전설들이 시작된 지점이었던 것으로 보인다; 또는 이것은 플루타르크가 후대에 그들을 비신화한 것일 수도 있다 — 구원 이야기에 관한 그의 판본에서 그랬던 것으로 보이듯이(35.1f.)

201) Virgil의 저작들 속에서 Alcestis에 대한 유일한 언급은(아마도 위조된 것으로 보이는) *Culex* 262-4인데, 거기에서 이제 죽어서 지하세계에 있는 Alcestis는 그녀의 위대한 행위에 대한 상급으로써 모든 걱정으로부터 해방된다. Juvenal의 유일한 언급(6.652)은 그 시대의 부인들은 자신의 애완견을 구할 수만 있다면 기꺼이 남편들을 희생시킬 것이라는 빈정대는 말뿐이다.

202) Porter 80는 이러한 "전승"은 "후대의 사상가들에게서 정도의 차이는 있지만 계속되었다"고 주장하면서, 플라톤(Euripides보다 별로 늦지 않은)과 Aeschylus(그보다 더 이른)만을 예로 든다. 앞에서 보았듯이, 플라톤과 Aeschylus는 몸의 부활이 사실 일어나지 않는다는 것을 매우 분명하게 말하고 있다; 그리고 Aeschylus 본문(*Eumen*. 723f.)은 Porter(79f.)의 주장대로 Alcestis의 구원을 가리키는 것이 아니라, (그가 인용하고 있는 자료가 분명하게 보여주듯이) Apollo가 운명의 신을 설득해서 그녀의 남편인 Admetus를 자연사할 때까지 살려두고 그 대신에 다른 사람을 죽게

스(Hadrian) 및 그 이후에 이르기까지 지배적인 전제였던 것에 하등의 영향도 미치지 못했음이 분명하다. 죽음 이후의 삶은 있다; 하데스와 그 이후에 영혼들에게 여러 가지 가능성들이 열려 있다; 하지만 실제적인 부활은 없다.

이 항에서의 서술에 대한 흥미로운 주석 하나. 네로가 죽은 후에, 동방(東方)에서 및 그의 옛 군사들 가운데에서의 그의 인기는 "돌아온 네로"와 "부활한 네로"라는 이중적인 신화를 낳았다. 한쪽 신화에 의하면, 네로는 실제로 죽지 않았고(그의 시신이나 그가 매장된 것을 본 사람은 거의 없었다), 아마도 파르티아에 숨어 있다가, 군대를 이끌고 돌아와서 보위를 다시 차지하게 될 것이다; 또 하나의 신화에 의하면, 네로는 실제로 죽었지만, 다시 되살아나게 될 것이다.[203] 적어도 세 명의 수금을 타는 참칭자들이 자기가 죽은 네로 황제라고 자처하며 나타나서 추종자들을 끌어 모았다; 최근에 죽은 지도자들(알렉산더 대왕 같은)을 가장하는 것은 결코 고대 세계에서는 알려져 있지 않았다.[204] 당시에 두 가지 소문이 뒤얽혀 있었기 때문에, 우리가 오랜 세월이 지난 지금에 와서 부활한 네로에 관한 신화를 주목할 만한 변칙 — 이것이 실제로 변칙이기 때문에, 그것은 통상적인 원칙을 입증해 주는 역할을 한다 — 이상의 것으로 여기는 것은 불가능하다.[205]

이 일화 전체와 관련하여 아마도 가장 흥미로운 것은 이 일화가 죽음을 위장한다는 모티프가 소설적인 허구로 이루어진 작품들 속에서 등장하기 시작한 때와 정확히 동일한 시기에 등장했다는 것이다.

(v) 죽음을 위장하기: 소설들 속에서의 위장 죽음이라는 모티프

하도록 설득한 행위를 가리킨다.

203) 일차 자료들로는 다음과 같은 것들이 있다: Tac. *Hist.* 2.8f; Suet. *Nero* 57; Dio Chrys. *Orat. 21.91;* Dio Cass. 64.9; Lucian *Adv. Ind.* 20. Juvenal은 Domitian을 "Nero"라고 지칭한다(*Sat.* 4.38); 이것은 아부가 아니다. 이 민간 신앙은 유대교 및 기독교 저작들 속에 반영되어 있다: 예를 들면, cf. *Sib. Or.* 3.63-74; 4.138f; *Asc. Isa.* 4.1-14; 계 13.3; 17.8, 11; Commod. *Instr.* 41.7. 증거들에 대한 가장 좋은 최근의 요약과 자세한 서지는 Aune 1997-8, 737-40에 나와 있다. 또한 cf. Bauckham 1998a, 382f.

204) cf. Aune 1997-8, 740.

우리는 카리톤의 소설 칼리르호에의 동명의 여주인공을 만나보았다. 우리는 우리로 하여금 그녀에게 주목하게 만든 줄거리의 변형을 이제 살펴보지 않으면 안 된다.[206]

헬라와 라틴의 소설들은 정확히 신약 시대에 새로운 장르였던 것으로 보인다. 어떤 학자들은 카리톤의 글의 연대를 주전 1세기로 보고, 어떤 학자들은 주후 2세기 초로 보지만, 대다수의 학자들은 그의 글이 주후 1세기 중반 또는 후반에 씌어진 것으로 본다. 그 밖의 대부분의 소설가들은 분명히 이보다 더 후대이다.[207] 그 줄거리들은 소설의 통상적인 특징들을 포함하고 있다: 소녀(또는 때로는 소년)를 만나는 소년, 색다른 장소들로의 위험한 여행들, 깨졌다가 다시 회복되는 젊은 사랑, 비열한 현실주의와 성적인 음모, 특히 겉보기엔 죽음처럼 보이지만 죽임이 아닌 것 — 우리의 현재의 관심사. 이러한 "겉보기의 죽음"(전문적인 용어로는 위장 죽음[Scheintod])은 위에서 또 다른 것과 관련하여 언급한 바 있는 『칼리르호에』라는 소설 속에서 거듭거듭 등장하고, 그 이후의 다른 소설들 속에서도 다양하게 등장한다. 우리는 거기에 무엇이 내포되어 있었는지를 간략하게 살펴볼 것이다.

시라쿠사(Syracuse)를 배경으로 한 『칼리르호에』는 하나의 결혼식과 하나의 장례식으로 시작된다. 카에레아스(Chaereas)라는 청년은 아름다운 여주인공과 결혼한다; 그러나 앞서 청혼을 거절당했던 구혼자들은 그를 속여서 그녀가 부정(不貞)하다고 생각하게 만들었고, 그는 분노하여 그녀를 발로 차서 죽인 것 같이 보였다. 그녀는 값비싼 부장품들과 함께 호화로운 무덤에 묻혔고, 그 부장품들은 도굴꾼들의 관심을 끈다. 하지만 칼리르호에는 죽지 않았고, 단지 오랫동안 기절해 있었을 뿐이기 때문에, 도굴꾼들이 무덤을 뚫고 들어오는 바로 그때에 무덤 속에서 깨어난다. 처음에 도굴꾼들은 그녀가 유령(daimon tis)이라고 생각했고, 그녀도 그들이 유령이라고 생각한다; 그러나 도굴꾼들 중

205) Nero에 대해서 자세한 것은 Warmington 1969를 보라.

206) Tr. Goold, LCL. 또한 Reardon 1989, 17-124 와 거기에 나오는 각주들 및 서지들을 참조하라.

207) 헬라의 소설에 대해서는 Reardon 1991 ; Bowersock 1994. Nb. Bowersock 22를 보라: "소설이 대량으로 유포되기 시작한 때는 대략 네로 황제 시대라고 볼 수

의 왕초는 진상을 알아차리고나서 금붙이와 함께 이 여자도 훔치기로 결심한다. 그들은 그리스(Greece)를 거쳐서 밀레투스(Miletus)로 도망친다.

그러는 사이에 시라쿠사에서는 카에레아스가 칼리르호에의 무덤에 갔다가 무덤이 비어 있는 것을 발견한다. 이 장면이 대단히 흥미롭기 때문에, 우리는 그 장면을 그대로 옮겨보고자 한다:

> 밤중에 급하게 처리하느라 도굴꾼들은 무덤을 제대로 닫지를 못했었다. 카에레아스는 겉으로는 화환과 제주(祭酒)를 갖다놓기 위해서였지만 실제로는 스스로 자결하기 위하여 무덤에 가려고 동이 트기를 기다렸다 … 무덤에 도착했을 때, 그는 돌들이 옮겨졌고 입구가 활짝 열려 있는 것을 발견하였다. 그는 그 광경에 깜짝 놀랐고, 무슨 일이 일어났는가 해서 두려움과 당혹감에 사로잡혔다. 이 충격적인 소식에 관한 입소문은 시라쿠사에 신속하게 퍼졌고, 모든 사람이 무덤으로 급히 달려왔지만, 헤르모크라테스(Hermocrates)가 지시를 내리기까지는 아무도 선뜻 나서서 안으로 들어가려 하지 않았다. 안으로 들여보내진 사람은 자기가 본 것을 소상히 사실대로 설명하였다. 시신조차도 거기에 놓여 있지 않다는 것이 도저히 믿을 수 없는 일처럼 보였다. 이때 카에레아스는 비록 죽은 채라고 할지라도 칼리르호에를 한 번만 더 만나보고자 마음이 끓어올라 무덤 속으로 직접 들어가보기로 결심하고, 무덤을 뒤져보았지만, 아무것도 발견할 수 없었다. 다른 많은 사람들도 미심쩍어 하면서 그를 따라 무덤으로 들어갔다. 모두가 당황해하는데, 무덤 속에 들어가 있던 사람들 중의 한 사람이 "부장품들을 도난당했다! 이건 도굴꾼들의 소행이야. 그런데 시신은 어디에 있는 거야?"라고 말했다.
>
> 사람들은 갖가지 추측을 내놓았다. 그러나 카에레아스는 하늘을 쳐다보고 손을 위로 뻗치며 이렇게 말하였다. "어떤 신이 나의 경쟁자가 되어, 그녀의 의지에 반하여 더 강력한 운명에 이끌리어 칼리르호에를 데려가서 자기 곁에 두고 있는 것인가? 그러니까 그녀는 질병에 굴복한 것이 아니라, 그런 이유 때문에 갑자기 죽은 것인가? 디오니소스는 테세우스(Theseus)에게서 아리아드네(Ariadne)를 훔쳤고, 제우스는 악타이온(Actaeon)에게서 세멜레(Semele)를 훔쳤던 것처럼 말이지.[208] 아니면, 내

가 나도 모르는 사이에 우리 인간의 운명을 뛰어넘는 여신을 나의 아내로 맞이한 것이란 말인가? 그러나 그럴지라도 그녀는 이토록 신속하게 또는 그런 이유로 세상에서 사라질 리가 없어. 테티스(Thetis)도 여신이었지만, 펠레우스(Peleus) 곁에 살면서 아들을 낳아주었는데, 나는 내 사랑의 절정기에 버림을 당하다니 …[209]

이야기가 점점 복잡해지고 흥미로워질 무렵, 도굴꾼들에게 잡혀간 칼리르호에는 절망 속에서 자기가 겪은 끔찍한 일들을 열거하면서 아프로디테(Aphrodite)에게 기도한다:

나는 충분히 고통을 당했나이다: 나는 죽었고, 나는 부활되었으며['테드네카, 아네제카'], 나는 납치를 당해 먼 곳으로 끌려왔으며, 나는 팔려서 노예가 되었나이다.[210]

나중에, 이번에는 카에레아스가 죽은 체한다. 칼리르호에와 그녀의 새로운 동료들은 그가 죽었다고 굳게 믿고서는 고대 헬라의 관습을 따라서 그를 기리는 무덤을 세운다.[211] 그러는 동안에, 카에레아스는 이번에는 십자가에 처형되는 것을 간발의 차이로 모면하고 두 번째로 도피한다.[212] 그런데 한 미트라교도(Mithradates)가 카에레아스가 살아 있다고 주장했고, 그러자 이제 칼리르

있다"(즉, AD 54-68).

208) Ariadne와 Semele는 이런 식으로 신격화된 존재들이었다; Reardon 1989, 53 n. 1에 의하면, 이것은 Theseus가 Ariadne를 버리는 이야기와 Semele가 제우스의 번개에 의해서 죽임을 당하는 것에 관한 이야기를 수정하고 있는 이중적인 간접인용의 요지이다.

209) *Call.* 3.3.1-6(tr. Goold). 이하에서의 인용들은 이 저작을 가리킨다.

210) 3.8.9.

211) 4.1.3.

212) 4.3.5f. 이것은 고대에서의 십자가 처형에 관한 그 밖의 다른 언급들과 아울러서(예를 들면, Juv. *Sat.* 6.219-23) 이러한 무시무시한 죽음이 얼마나 자주 시행되었고, 그렇게 할 수 있는 권세를 지닌 자들이 얼마나 상습적으로 그런 짓을 자행했는

호에와 결혼한 이오니아 출신의 귀인인 디오니시우스(Dionysius)는 이 사람이 그녀를 넘보고 있다고 비난한다. "그는 간음하고자 할 때, 죽은 자를 소생시킨다!"고 디오니시우스가 말한다.[213] 미트라교도는 카에레아스를 만들어내는 데에 성공하고, 원래의 한 쌍은 서로 기쁨으로 인사한다. 그들이 다시 헤어질 때, 칼리르호에는 의구심을 갖기 시작한다:

> 당신은 정말 카에레아스를 본 것인가? 그것은 카에레아스였는가, 아니면 단순히 환영(幻影)인가['에 카이 투토 페플라네마이': 직역하면, "아니면, 나는 이번에도 속은 것인가"]? 아마도 미트라교도가 시험 삼아 유령['에이돌론']을 불러올린 것이리라. 페르시아 사람들 가운데는 마법사들['마고이']이 많다고 하지 않는가 …[214]

디오니시우스는 카에레아스를 죽은 자로부터 살아 돌아온 일종의 프로테실라우스 같은 존재라고 부르면서 그에게 화를 내며, 칼리르호에를 붙잡아두기로 결심하고, 원래의 한 쌍이 재결합하는 것을 방해한다.[215] 카에레아스는 목매어 죽고자 결심하고(하지만 이번에도 그는 방해를 받는다), 마지막이 될지도 모를 자신의 말을 통해서 칼리르호에에게 자기 무덤을 찾아와 줄 것을 부탁한다:

> 내가 죽고나면, 나의 시신을 찾아와서 울어주시오. 내게는 그것이 불멸하는 것보다 더 나을 것이오. 당신의 남편과 아이가 지켜보고 있다고 할지라도, 묘비를 굽어보며, "카에레아스, 당신은 진정 가셨구려. 이제 당신은 죽은 겁니다. 왕의 재판정에서 나는 당신을 선택했을 겁니다"라고 말해주시오. 나는 내 아내인 당신의 말을 들을 것이고, 당신을 믿을 것이오. 당신은 지하 세계의 신들 앞에서 내 위신을 세워 줄 것이오.
>
> 하데스의 문 앞에서 사람들이 죽은 자를 잊어버린다고 할지라도, 나는

지를 잘 보여준다.

213) 5.6.10('아니스테시 투스 네크루스').

214) 5.9.4.

거기에서조차 내 사랑하는 당신을 기억할 것이오.[216)]

결국, 이 장르가 요구하는 대로, 원래의 사랑하는 사람들은 재결합하여서, 배를 타고 고향인 시라쿠사로 되돌아간다. 칼리르호에의 아버지는 그녀를 부둥켜안고 그녀가 예전에 했던 질문을 반영하여 이렇게 묻는다:

애야, 네가 과연 살아있는 것이냐, 아니면 내가 이번에도 속고 있는 것이냐?

그러자 여주인공은 이렇게 대답한다:

그래요, 아버지, 바로 나예요. 이렇게 내가 아버지를 보고 있잖아요.[217)]

이 이야기의 전모는 이와 같다; 물론, 이 부부는 그 후에도 행복하게 잘 살아간다.

이 이야기, 그리고 줄거리의 복잡한 전개 과정 배후에 있는 핵심적인 전제들은 기독교가 태어난 배경이 된 세계에 대한 우리의 연구에 있어서 대단히 흥미롭다. 무엇보다도 먼저 우리가 분명히 해 둘 것은 이 유쾌한 허구적인 이야기 속에서조차 실제의 부활은 결코 일어난 것이 아니며, 아무도 부활이 실제로 일어날 수 있다고 생각하지 않는다는 것이다. 물론, 누구나 다 부활이 실제로 일어났다면, 그것이 무엇을 의미하는지를 잘 알고 있다: 그것은 진정으로 죽었던 사람이 진정으로 산 자의 세계 속으로 다시 돌아온 것을 의미한다는 것을. 부활이라는 말은 죽은 자들이 지하 세계의 하데스에서 영들('다이모네스')과 같은 지위를 누리며 살아가고 있는 지복(至福)의 삶을 은유적인 방식으로 말

---

215) 5.10.1. Protesilaus에 대해서는 위를 보라.

216) *Il.* 22.389(Achilles on Patroclus)를 인용해서 각색한 5.10.8f.

217) 8.6.8. 아버지의 질문에 대한 헬라어 본문은 '제스, 테크논, 에 카이 투토 페를라네마이'이다; 그리고 그 대답은 '조, 파테르, 눈 알레도스, 호티 세 테데아마이'이다. 진정으로('알레도스') 살아난다는 것은 여기에서 분명히 확고하게 이 세상에서

하는 것이 아니었다. 결코 그런 것이 아니었다: "부활"이라는 언어는 산 자들 가운데에서 다시 육신의 삶을 사는 것을 가리킨다. 부활은 특히 영혼이 옮겨져서 불멸의 존재들과 함께 거하게 되는 것과는 양립하지 않는다. 이미 우리가 보았듯이, 이것은 카에레아스가 초기의 장면에서 추측하는 여러 대안들 중의 하나이다: 칼리르호에가 사라진 것은 그녀가 이미 여신이 되었거나, 어떤 신이 그녀를 데려다가 자기와 함께 있게 한 것을 의미할 수 있다고 그는 생각한다. 어느 경우이든 그녀는 살아 있는 사람들의 세계로 되돌아온 것이 아니다; 만약 그녀가 산 자들의 세계 속으로 다시 되돌아왔다면, 그것은 그녀가 위에서 말한 것과 같은 방식으로 "옮겨졌거나" 여신이 된 것이 아니라는 것을 의미한다.[218] 여기서도 또 다시 그러한 줄거리의 배후에는 호메로스가 자리잡고 있다: 아킬레우스와 파트로클로스와 관련된 장면을 새로운 배경에 맞추어서 각색한 이 장면은 이 이야기 전체에 걸쳐서 수없이 나오는 호메로스에 대한 참조들 중의 하나일 뿐이다.

물론 이 이야기 속에서 특별히 눈에 띄는 대목은 애도하는 사람이 새벽녘에 무덤에 갔다가, 돌들이 옮겨진 것을 발견했고, 그 소문이 신속하게 퍼져서, 사람들이 마침내 무덤 속으로 들어가서 무덤이 비어 있는 것을 발견했다는 빈 무덤에 관한 이야기이다. 이교의 문헌과 신약성서 간에 그 밖의 어떠한 병행들이 존재하든 안하든, 우리는 이 점을 간과할 수 없다. 우리는 이것에 대하여 어떻게 생각해야 하는가?

우리가 부활 이야기들을 자세하게 살펴볼 때에 다시 보게 되겠지만, 복음서 기자들 또는 예수의 빈 무덤에 관한 이야기를 최초로 말했던 사람들이 이 모티프를 에베소와 골로새 중간에 위치한 카리아의 한 도시인 아프로디시아스에서 글을 썼다고 주장되는 카리톤(Chariton)에게서 빌려오지 않았다는 것은 거의 확실하다. 이 소설이 주후 1세기 중반 이전에 씌어졌다고 가정하더라도, 그러한 차용이 이루어졌을 가능성은 대단히 희박하다고 보아야 한다.[219] 마가

몸을 입은 실존을 소유하는 것을 의미한다.

218) "승천설"에 대해서는 아래를 보라. Bowersock 1994, 106이 자신의 추론을 통해서 Chaereas가 "신적인 부활"을 추론하고 있다고 말한 것은 잘못된 것이다.

219) Corley 2002, 130는 가장된 죽음(*Scheintod*) 모티프를 영웅들이 "승천한" 것에 관한 이야기들과 혼동해서, 이러한 결합된 맥락은 "허구적인 반(反)승천 또는 신

(또는 그 밖의 다른 사람)가 한 낭만적인 소설에 나오는 줄거리를 토대로 해서 예수에 관한 이야기를 만들어내었다고 말하는 것은 참으로 터무니없다. 하지만 바우어삭(Bowersock)이 최근에 주장했듯이, 반대의 방향으로 차용이 일어났을 가능성을 우리는 결코 배제할 수 없다. 진짜 빈 무덤에 관한 기이하고 괴상한 소문들이 주후 1세기 중반에 고대 세계를 떠돌고 있었다고 생각한다면, 허구를 쓰는 — 복음서와는 매우 다른 장르 속에서 — 작가들이 그 소문을 모티프로 가져다가 그들 자신의 서사 세계들 내에서 발전시켰을 가능성은 얼마든지 있다.[220]

이 모티프는 고대로부터의 뿌리가 없는 것이 아니다. 애석하게도 작은 단편들과 19세기 기독교 저술가인 포티우스(Photius)를 비롯한 여러 사람들에 의한 요약문들 속에서만 보존되어 있는 안토니우스 디오게네스가 쓴 『세상의 끝 너머의 믿을 수 없는 일들』(*The Incredible Things Beyond Thule*) 속에는 수백년 전에 죽었다가 죽음으로부터 부활하여 신으로 여겨진 살모식스(Salmoxis, 종종 살몰식스[Salmolxis]로 표기되기도 하고, 때로는 첫 글자를 Z로 표기하기도 하는)라는 사람에 관한 헤로도토스의 이야기에 대한 간접인용이 나온다.[221] 헤로도토스는, 자신들은 결코 죽지 않는다고 믿은 것으로 전해지는 헬라 북부의 부족인 게타에 족(Getae)을 묘사하는 가운데 살모식스 이야기에 관한 두 가지 변형된 판본들을 제시한다. 첫 번째 판본에서는 살모식스는 한 지방의 신이고, 사람들은 죽으면 그에게로 가게 되어 있다고 한다; 산 자들은 한 사람을 사자로 세워서 그에게 그들이 하고 싶은 말들을 부탁한 후에 제의를 통해서 그 사자를 죽이는 방식으로 살모식스에게 청원을 할 수 있다. 두 번째 판본에서는 살모식스는 사모스의 원주민으로서, 손님들을 많이 모아 놓고 후하게 대접한 후에 자기 또는 그들이 결코 죽지 않을 것이라고 말하고서는, 지하에 한 방을 마련해 놓고, 4년 동안 거기에 은신해 있다가, 마치 죽은 자로부터 살아 돌아온 것처럼 다시 사람들에게 나타났다고 한다.

격화 이야기"로 여겨지는 빈 무덤에 관한 마가의 기사를 이해하는 데에 가장 좋은 맥락이라고 주장한다.

220) 특히, Bowersock 1994, 119, 121-43을 보라.

221) Hdt. 4.93-6. 본문과 자세한 내용은 Stephens and Winkler 1995, 101-57을 보라. Photius의 전거는 *Bibliotheca* cod. 166이고, 쪽수는 Bekker의 판본, 109a6-

흔히 그렇듯이, 헤로도토스는 이 이야기에 대한 판단을 유보한다.[222] 안토니우스 디오게네스의 이야기 속에는 이것과 다르긴 하지만 관련된 모티프가 아주 복잡하게 뒤얽힌 줄거리 속에서 등장한다: 두 여행자가 각각 사형선고를 받고 죽은 후에 다음 날 밤에 되살아난다. 여기서도 다시 한 번 분명히 그 사람들은 죽었고 매장되었지만, 무덤에서 나와서 다시 출현한다.[223] 죽음과 비슷한 혼수 상태가 가해졌고 그 후에 다시 제거된 것이다. 한 단편에서는 어느 가족의 죽은 하인인 미르토(Myrto)가 자신의 여주인에게 그녀도 비슷한 운명을 맞을 것이라고 경고하는 메시지를 전한다.[224]

이 주제를 다양하게 변형한 내용들이 동일한 기간 동안에, 즉 대략 주후 50-250년 사이에 소설들 속에서 계속해서 등장한다. 에베소의 크세노폰은 칼리르호에의 때이른 부적절한 매장에 관한 이야기와 비슷한 이야기를 들려주는데, 거기에서 여주인공인 안티아(Anthia)는 독약을 마시고 자결하고자 시도했고, 사람들은 그녀가 죽은 것으로 생각해서 매장한다 — 하지만, 그녀는 약물에 의한 실신 상태로부터 깨어나서, 도굴꾼들에 의해서 납치당해, 노예로 팔려간다.[225] 위장 죽음 모티프 내에서 독창성을 얻기 위하여 한층 더 공상적인 속임수들이 고안되어야 했다: 아킬레우스 타티우스(주후 2세기 말)는 여주인공 류키페(Leucippe)를 등장시킨 이야기를 썼다. 이 여주인공은 희생 제물로 바쳐졌고, 그녀의 내장들은 추출되어서 식인 사육제에서 먹혀졌으며, 그녀의 시신은 관 속에 안치되었다 — 하지만 그녀는 다시 살아나서, 그녀의 죽음이 속임수였다는 것을 보여주는데, 그녀의 배를 가를 때에 사용되었던 칼은 찌를 때

112a12를 따랐다(여기서는 110a16).

222) Salmoxis를 사기꾼으로 여기고 그를 Pythagoras와 연관시키는 그 밖의 다른 고대의 문헌들에 대해서는 Hellanicus *Fr.* 73; Strabo 7.3.5를 참조하라. 이것으로부터 볼 때 Herodotus가 Salmoxis가 죽었다가 부활해서 그 이후에 신으로 모셔졌다고 기록하고 있다고 말하는 것은 잘못된 것으로 보인다(Bowersock 1994, 100). 한 이야기 속에서 그는 죽어서 신이 된다; 또 어떤 이야기 속에서는 그는 죽었다가 부활한 것처럼 가장한다.

223) Photius 110a41-110b11(Stephens and Winkler 1995, 125).

224) 이 단편은 *PSI* 1177, ll. 6-9이다: Stephens and Winkler 1995 148-53에 나오는 본문과 논의.

에 칼날이 쑥 들어가는 그런 칼이었고, 그녀의 내장들로 보였던 것은 한 짐승의 가죽에 그 짐승의 내장들을 가득 담은 것이었다.[226] 그런 후에, 류키페는 바다에서 목이 잘려지지만, 나중에 다시 나타난다.[227] 이번에 그녀의 약혼자인 클리토폰은 멜리테라고 하는 다른 처자와 약혼하도록 설득받지만, 그들의 결혼을 연기한다; 이어지는 약혼 연회에서 멜리테는 이렇게 말한다. "정말 이상하군요! 이것은 마치 몸을 지니지 않은 사람들을 위한 예식같아요. 나는 무덤에 동산지기가 없다는 말은 들어봤어도 신방에 신부가 없다는 말은 들어보지 못했어요."[228] 마침내 클리토폰은 류키페가 살해당했다는 소식을 접하지만 — 이것은 나중에 틀린 것으로 판명이난다 — 류키페는 그 후에 다시 나타난다.[229] 분명히 이러한 저술가들은 그들의 청중이 죽음을 가장한다는 주제를 잘 알 수 없을 것이라고 전제하고 있다. 이러한 주제는 연극 공연들 속에서도 등장한다(『겨울 이야기』가 그 한 예이다); 무대에서 한 마리 개를 가사 상태에 들어가게 해 놓고 나중에 되살리는 경우도 있었다.[230]

라틴 소설들 중에서는 특히 한 소설이 두드러진다: 주후 2세기에 아프리카 출신의 저술가인 아풀레이우스(Apuleius)가 쓴 『황금 나귀』(*The Golden Ass*)로 알려지기도 한 『변신』(*Metamorphoses*).[231] 너무 길고 줄거리가 복잡해서 요약이 쉽지 않은 이 작품은 죽은 자들과 교감하는 접신술, 지하 세계로의 방문이라는 주제들, 주인공 루키우스가 나귀로 둔갑했다가(그의 가족과 친구들은 그가 죽었다고 생각한다), 나중에 일종의 죽었다가 살아난 것처럼 상징적인

225) Xen. Eph. *An Ephesian Tale* 3.5-9(Reardon 1989, 150-53).

226) Achill. Tat. 3.15-21(Reardon 1989,216-19). 이후의 세 차례의 각주에서의 인용은 이 저작을 가리킨다.

227) 5.7; 5.19.

228) 5.14. 독자들은 아마도 이전에는 채워져 있었지만 지금은 비어 있는 무덤들에 관한 이야기들에 대한 간접인용을 듣게 될 것이라고 예상할 수는 있지만, 이것은 Chariton, *Call.* 4.1.3에서 상정되고 있는 죽은 자들과 관련된 일종의 "장례식"에 대한 언급이다(위를 보라).

229) 7.1-15.

230) Plutarch *De Soll Anim.* 973e-974a(나이든 황제 Vespasian 앞에서 완벽하게 역할을 소화한 개를 극찬하는 내용으로 가득찬); cf. Winkler 1980 173-5; Bowersock 1994, 113f.

재탄생으로서 다시 인간이 되는 것 등과 같은 내용들을 거듭거듭 다룬다. 몇몇 사람들이 헬레니즘 소설들 속에서의 위장 죽음 모티프 배후에 있다고 의심하여 왔던 종교적인 배경이 이 작품 속에서는 아주 명시적으로 드러난다: 아풀레이우스는 분명히 신비 종교들, 특히 이시스(Isis) 숭배를 가져다가 활용하고 있다. 또한 이 작품은 지하 세계를 왕래하는 것에 관한 내용을 담고 있는 큐피드와 프쉬케에 관한 옛 신화를 각색하여 줄거리 속에 포함시킨다.[232] 이러한 이야기들의 더 작은 규모의 판본들은 종종 나타난다.[233]

이제 마지막 부류의 이야기들을 살펴볼 차례이다 — 물론, 이 이야기들은 우리가 다음에 말할 두 범주를 침식하기 시작하고 있지만. 필로스트라투스(Philostatus)가 쓴 장편의 『티아나의 아폴로니우스의 생애』(아폴로니우스는 주후 1세기의 현자였다)는 몇 가지 점에서 헬레니즘 소설들과 비슷하다: 거기에는 여행과 위험, 이국적인 장소들과 기이한 사람들이 나온다. 하지만 아폴로니우스는 사랑에 집착하는 십대가 아니라, 자기 자신을 포함한 사람들의 환생을 믿고 기적을 일으킬 수 있는 철학자이자 신비가이다. 한때 로마에서 그는, 결혼식을 하다가 죽은 소녀에게 손을 대고 속삭임으로써 그녀를 소생시킨다; 이 장면은 예수가 나인성에서 과부의 아들을 살리는 내용을 전하고 있는 누가복음 7:11-17을 연상시킨다. 필로스트라투스는 이렇게 설명한다:

> [아폴로니우스가] 그녀 안에서 그녀를 돌보고 있던 사람들이 미처 알아차리지 못했던 뭔가 생명의 불꽃을 탐지해 낸 것인지 — 왜냐하면, 당시에 비가 내리고 있었지만, 수증기가 그녀의 얼굴로부터 올라갔다고 하기 때문에 — 또는 생명이 완전히 끊어졌지만 그가 그것을 그의 따뜻한 만짐을 통해서 회복시킨 것인지는 나 자신이나 거기에 있었던 사람들이 딱 잘라서 말할 수 없는 베일에 싸인 문제이다.[234]

---

231) Kenney 1998의 최근의 번역문과 서론을 보라.

232) *Golden Ass* 4.28-6.24.

233) 예를 들면, *Golden Ass* 2.28-30. 거기에서 한 시체는 그 아내를 살인자로 고소하기 위하여 잠깐 지하세계로부터 되돌아오는 것이 허용된다; 10.11-12에서는 죽은 것처럼 보이지만 사실은 단지 약물에 중독되었을 뿐인 한 소년이 그의 관으로부

이것은 아마도 고대인들의 통상적인 태도였던 것같다: 이런 일이 일어난다면, 사람들은 사망 진단이 잘못되었거나(칼리르호에의 경우에서처럼) 모종의 원시적인 생명의 입맞춤 기법이 효력을 발휘했다고 생각할 것이다.

이 이야기는 아폴로니우스가 죽은 후에(이것에 관하여 필로스트라투스는 정확한 정보를 가지고 있지 않다; 그는 이 사건을 여러 다른 각도에서 분석하고 있는 다양한 자료들을 보도한다) 하늘로 승천했다고 말한다 — 곧 보게 되겠지만, 이것은 황제들과 관련해서만이 아니라 이교적인 세계관 내에서 불멸을 주장하는 사람들과 관련해서도 지극히 독창적인 특징이다.[235] 살아 있는 동안에 영혼의 불멸을 가르쳤던 아폴로니우스는 죽은 후에도 계속해서 그렇게 가르친다; 그는 자기에게 기도한 한 젊은이(이전에 아폴로니우스가 "완전히 죽어서 나에게 나타나지도 않고 내게 그가 불멸한다고 생각할 만한 그 어떤 근거도 주지 않는다"고 불평했던 그 젊은이)에게 꿈 속의 환상 속에서 나타나서, 소크라테스를 기쁘게 했을 그런 정서 — 물론, 그 표현은 아니지만 — 를 따라서 말을 한다:

> 영혼은 불멸하는 것이고, 그것은 내 자신의 소유가 아니라 섭리의 신의 소유이다;
>
> 육신이 다 닳아서 없어진 후에는, 빠른 말이 그 족적들로부터 자유로운 것과 마찬가지로, 영혼은 가볍게 뛰어올라서 가벼운 공기와 뒤섞이며, 영혼이 이제까지 견디어 왔던 가혹하고 고통스러운 노예살이의 마법 주문을 혐오한다.

터 일어난다. 이것에 대해서는 Bowersock 1994, 108f.를 보라.

234) *Apoll.* 4.45(tr. Conybeare in Loeb edn.). 이 이야기는 이 소년은 실제로 죽은 것이 아니라(번역문이 함축하고 있듯이) "죽은 것으로 보였던"('테드나나이 에도케이') 것이라는 말로 시작된다. Bowersock 1994, 101이 주후 1세기 중엽 이전에는 그러한 이야기들에 대한 병행이 없었다고 말한 것은 잘못된 것이다: 그는 엘리야(왕상 17:17-24)와 엘리사(왕하 4:8-37)가 어린아이들을 다시 살린 사건들을 간과하였다. 아폴로니우스와 그와 비슷한 이야기들에 대해서는 Habermas 1989, 172f.를 보라; 이 논문은 그 밖의 다른 고대 이야기들에 관한 짤막하지만 유익한 논의를 담고 있다.

> 그러나 이 세상에 살고 있는 너에게 그것이 무슨 소용이 있는가? 언젠가 네가 더 이상 여기에 있지 않을 때, 너는 그것을 믿게 될 것이다.
>
> 네가 살아 있는 존재들에 속하는 한, 네가 이러한 신비들을 탐구할 이유가 어디에 있겠는가?[236]

그러니까 아폴로니우스는 계속해서 살아있긴 하지만, 육신을 지니고 있지는 않다 — 이것은 그와 그의 전기 작가 모두에게 똑같다. 여기에서도 호메로스와 플라톤의 결합된 세계관에 도전하는 내용은 전혀 없다.

그 밖에도 이와 비슷한 이야기들이 있다; 한 좋은 예(우리가 여기에서 서술할 수 있는 것보다 더 많은 지면을 할애할 만한 가치가 있는)은 페레그리누스(Peregrinus)에 관한 루키아노스(Lucian)의 풍자적인 이야기이다. 이러한 이야기들은 이 더 큰 그림에 추가적인 장식물들을 더해주기는 하지만, 그 주된 노선을 흐트러뜨려 놓지는 않는다.[237]

위장 죽음들과 그 기이한 역전들 또는 극복들에 관한 온갖 이야기들과 관련해서 정말 놀라운 것은 어떻게 그러한 이야기들이 갑자기 주후 1세기 중반 또는 후반의 문학들 속에서 갑자기 증가하였는가 하는 것이다. 이것은 초기 기독교의 예수에 관한 이야기가 더 넓은 헬라-로마 세계 속으로 침투해 들어간 결과라고 말한다면, 그것은 무모한 것인가; 우리는 우리의 연구의 이 단계에서 그러한 제안을 자세하게 설명할 수는 없을 것이다. 또한 동일한 시기에 나사렛 근처에서 발견된 저 유명한 헬라의 금석문에 대한 명확한 설명을 제시하는 것도 어려운 일이다: 황제(이름이 거론되어 있지는 않지만, 클라우디우스 황제임이 거의 확실하다)는 무덤을 파헤치거나 침범하는 자들은 형벌을 받을 것이라고 경고하는 칙령을 내린다.[238] 그러나 예수에 관한 초기 기독교의 이야기들이

---

235) *Apoll*. 8.30.

236) 8.31.

237) Lucian *Pereg*.에 대해서는 Bowersock 1994, 115f., 특히 Konig 2003을 보라. Plutarch *De Ser. Num. Vindic*. 563b-e는 Aridaeus라 불리는 한 인물의 "거의 죽을 뻔한 체험"을 묘사하고 있다. 그는 자신의 경험들을 자세하게 얘기하는데(563e-567f.), 자기가 죽임을 당해서 죽은 자로서 매장될 즈음에 자기가 살아있다는 것을 알게 되었다고 말한다(568a).

이러한 헬라-로마의 자료들을 베끼거나 각색한 것이라고 주장하는 것은 훨씬 더 어렵다. 나중에 복음서들 자체를 살펴볼 때에 보게 되겠지만, 복음서들은 단순히 그런 종류의 것들이 아니다. 예수가 죽고 나서 두 세기 후에 교육을 받은 이교도였던 켈수스(Celsus)가 부활에 관한 복음서들의 이야기들에 대하여 이의를 제기했을 때, 그는 최근의 몇몇 회의론자들과 마찬가지로 그 이야기들을 이러한 더 넓은 배경 속에 둘 수도 있었다; 그러나 그는 그 이야기들이 기존의 것들을 뛰어넘는 그 무엇인가를 주장하고 있다는 것을 알았다.[239] 예수 당시 및 그 이후의 이교 세계에서는 실제로 진정으로 죽었다가 그 후에 진정으로 육신을 입고 다시 살아났다고 주장한 사람은 아무도 없었다.

(vi) 들리워 올라가서 신들과 함께 있음

필로스트라투스에 의하면, 아폴로니우스는 불멸의 존재였다; 그리고 사실 기나긴 플라톤적인 전통에 의하면, 우리 모두도 불멸의 존재들이다. 그러나 앞에서 보았듯이, 호메로스로부터 고전 시대 말에 이르기까지 죽은 자들의 일부는 특별한 지복과 존귀의 장소로 이동되거나 들리워 올라갔다고 생각되었다. 이러한 이야기들은 어쨌든 죽은 자들은 다시 살아나지 않는다는 고전 세계에서의 일반적인 원칙에 대한 예외들인 것인가?

이에 대한 대답은 분명한 부정이다. 그 어떤 경우에도 신격화(deification) 또는 들리워 옮겨감(translation)에 관한 이야기들은 결코 호메로스와 그 밖의 다른 사람들이 부정했던 것을 긍정하는 것이 아니다.

물론, 이러한 이야기들 중에서 일부는 흥미로운 특징들을 보여주기도 한다. 리비우스(Livy)는 로마의 공동 창건자라고 하는 로물루스가 캄푸스 마르티우스에 있는 자신의 보좌 위에 앉아 있을 때에 갑자기 광풍이 불고 구름이 그를 덮었는데 구름이 사라진 후에 그 보좌가 비어 있었다는 이야기를 우리에게 전해준다. 거기에 있던 사람들은 로물루스를 신 또는 신의 아들이라고 외치며 환호하기 시작하였다; 어떤 사람들은 로물루스가 그를 시기하는 원로원 의원들

---

238) 이차적인 논의들에 대해서는 Barrett 1987 [1956], 14f.와 거기에 나오는 참고문헌들을 보라; 그리고 본서의 제18장 제4절을 보라. 헬라어 본문은 라틴어 원문으로부터 번역된 것으로 보인다.

에 의해서 갈가리 찢겨진 것이었다고 주장하였다; 율리우스 프로쿨루스라는 한 영악한 사람은 민회(民會)에서 로물루스가 자기에게 나타나서 로마가 세계의 수도가 될 것이라고 말한 후에 다시 하늘로 들러워 올라갔다고 재빠르게 말하였다.[240] 이 이야기는 그 이전에 존재하였던 전설에 토대를 두고 있는 것이겠지만, 리비우스가 이 이야기를 말할 때에는, 그는 이미 율리우스 카이사르의 신격화, 그리고 그 이후에 그의 친구였던 아우구스투스의 신격화에 대하여 잘 알고 있었던 때였다. 좋은 이야기라면 결코 놓치는 법이 없는 헤로도토스는 아리스테아스(Aristeas)라는 사람에 관한 이야기를 우리에게 들려준다. 아리스테아스는 피륙 상점에서 엎드러져 죽었는데, 멀쩡하게 살아서 성읍 밖을 거니는 모습이 사람들에게 목격되었고, 피륙상이 가게로 되돌아 왔을 때에 그의 시신은 가게에서 사라지고 없었다. 그는 7년 후에 다른 곳에 다시 나타났다가, 시 한 편을 쓰고는 다시 사라졌다. 더 진전된 이야기를 보면, 그의 유령이 마르모라 사람들에게 나타나서 아폴로를 위한 제단을 세우고 그 곁에 자기 자신의 동상을 세우라고 말하였다; 사람들은 델포이 신전에서 신탁을 받은 후에 아리스테아스가 시킨 대로 하였다. 달리 말하면, 아리스테아스는 불멸의 신들, 적어도 하위의 신들에 합류했다는 말이 된다.[241] 클레오메데스가 장롱으로부터 사라졌다거나 헤라클레스가 화장용 장작더미 위에서 사라졌다는 등과 같은 이와 비슷한 이야기들도 전해진다.[242]

흥미로운 것은 요세푸스가 엘리야, 에녹, 모세에 관한 이야기들을 서술할 때, 그는 이러한 헬레니즘 전통에 속한 언어를 통해서 묘사하면서, 그들이 죽은 것이 아니라 살아서 들리워 올라가 불멸의 존재가 되었다고 분명하게 말하고 있다는 것이다.[243] 앞으로 보게 되겠지만, 이것은 요세푸스가 유대 전승을 헬라의

239) Celsus에 대해서는 아래 제11장 제5절(iv)를 보라.

240) Livy 1.16.2f.

241) Hdt. 4.14f.

242) Pausanias 2.9.7; Diod. Sicul. 4.38.5. Hercules는 자신의 죽을 본성이 다 태워져 버려서 그의 불멸의 부분이 신들과 합류할 수 있었기 때문에 승천하였다는 점을 우리는 주목하여야 한다: Lucian *Hermotimus* 7.

243) Tabor 1989와 C. Begg의 미간행된 글을 인용하고 있는 Collins 1993, 127을 보라.

옷을 입혀서 묘사하는 전형적인 방식이다.[244] 흥미로운 것은 플루타르크는 로물루스의 승천 같은 사건들에 대하여 코웃음을 치고 있다는 것인데, 이것은 그러한 사건들이 일어나지 않기 때문이 아니라 올바른 정신을 지닌 사람이라면 그런 일들이 일어나기를 원하지 않을 것이라는 이유 때문에서였다. 누가 장래의 삶 속에서 이 땅에 속한 육신을 입기를 원하겠는가?[245]

여기서 우리가 강조해 두어야 할 중요한 것은 고대 세계에서는 그 누구도 이러한 이야기들을 부활에 관한 증거들로 여기지 않았다는 것이다.[246] 어쨌든 캐슬린 콜리(Kathleen Corley)처럼, 신격화에 관한 이야기들을 소설 속에서의 위장 죽음 모티프와 한 묶음으로 취급하는 것은 범주의 오류에 속한다; 또한, 아델라 야브로 콜린스(Adela Yarbro Collins)처럼 들리워 옮겨감 또는 신격화를 부활과 동일시하는 것도 잘못된 것이다.[247] 히야킨토스(Hyacinthos) 또는 아스클레피오스 같은 영웅이 죽어서 매장된 후에 하늘로 들리워 올라갔다고 믿어졌을 때, 이것은 호메로스, 아이스킬로스 등이 부정했던 부활도 아니고, 위장 죽음 이후에 일어난 것으로 보인 "부활"도 아니다.[248] 이러한 소설들은 죽음과 그 이후의 효과에 관한 새로운 경향의 성찰을 보여주는 증거로서 흥미로울 수 있지만, 그것들은 예수의 부활에 관한 초기 기독교의 신앙과 이야기들에는 조금도 빛을 비춰주지 않는다.

(vii) 영혼들의 윤회

적어도 철학자들에 의해서 아주 널리 받아들여졌던 하나의 신앙, 즉 죽은 자

---

244) *Pseudo-Phocylides* 97-104(Collins 1993, 127f.)에 나오는 이것과의 병행일 가능성이 있는 내용에 대해서는 아래 제4장 제3절을 보라.

245) 사라졌다가 신이 되었다고 생각된 그 밖의 다른 몸들에 관한 이야기들은 언급하는 Plut. *Romulus* 28.4-8.

246) 예를 들면, L. H. Martin 1987, 121은 J. Z. Smith를 따라서 이에 반대한다.

247) Corley 2002, 129-31; Collins 1993, 123-8, 137-8. 몇몇 중요한 점들에서 Collins는 분명히 잘못된 것으로 보이는 Rohde 1923의 노선을 따르고 있다.

248) 예수의 제자들이 그를 영웅으로 보았고, 따라서 그의 무덤에서 예식을 행함으로써 그의 부활에 관한 이야기들을 만들어 내었다는 주장에 대해서는 아래의 제18장 제3절을 보라. Cf. Perkins 1984, 93f., 109f.(with literature), 119. Asclepius에 대

들은 실제로 모종의 현세적이고 육신적인 실존으로 되돌아 온다는 신앙이 존재하였다. 이것이 바로 '메템프쉬코시스'(metempsycosis)에 관한 이론, 즉 영혼들의 윤회 또는 환생에 관한 이론이다. 켈수스는 바로 이러한 이론이 기독교의 부활론의 토대를 이루고 있다고 생각하였다.[249)]

이것에 관한 고전적인 진술은 이러한 관념을 주전 6세기의 피타고라스의 저작으로부터 발전시킨 플라톤에게서 발견된다; 그러나 윤회에 대한 신앙은 오르페우스 제의 속에서도 육성되었고, 그 이후에 철학자들과 제의 종사자들 사이에서 지속되었다 — 물론, 광범위한 대중적인 추종을 얻지는 못했지만.[250)] 더 분명하게 말한다면, 이 이론은 적어도 두 가지 서로 구별되는 형태로 존재하였는데, 한 형태는 영혼이 죽음 직후에 또 다른 몸 속으로 들어간다고 주장하였고, 또 하나의 형태는 영혼이 또 다른 몸으로 들어가기 전에 길든 짧든 일정 정도의 기간을 기다린다고 주장하였다. 이러한 두 가지 형태의 구별은 우리의 현재의 논의에 영향을 주지 않는다.

이것에 관한 플라톤의 아주 자세한 진술들은 그의 저서 『국가론』(*Republic*)의 끝 부분에 나오는 에르(Er)에 관한 신화와 『파이드로스』(*Phaedrus*)라는 글 속에 등장하지만, 그 밖의 다른 언급들은 그의 현존하는 저작들 전체에 걸

해서는. Luc. *Salt.* 45; Paus. 2.26.5 등을 참조하라.

249) Or. *C. Cels* 7.32. '메템프쉬코시스'에 대해서는 Diod. Sic. 10.6.1-3(Pythagoras가 자기가 전생에서 사용하였던 방패를 알아보았다는 것에 관한 이야기를 포함해서). 생생하지만 소름끼치는 한 예로 보이는 것은 *Aen.* 3.19-68에 나온다: Priam의 막내 아들인 Polydorus는 죽어서 매장되어 산림으로 변화되었고 Aeneas가 그 나무들을 뿌리뽑으려고 할 때마다 검은 피를 흘려보내었다. 좀 더 기분 좋은 예는 어떤 사람이 강아지를 때리고 있는 것을 본 Pythagoras가 그에게 그만두라고 말하였을 때이다; 그는 강아지의 목소리를 통해서 그 영혼이 자신의 친구의 영혼이라는 것을 알아차렸던 것이다(Xenophanes frag. 7a를 인용하는 Price 1999, 122). 물론, '메템프쉬코시스'("윤회")는 단순히 "변모"를 의미하는 '메타모르포시스'와는 구별되어야 한다. Bremmer 2002, 11-15를 보라.

250) 예를 들면, Burkert 1985, 199, 298-301; Price 1999, 122f.를 보라. Pythagoras에 대해서는 Diog. Laert. 8.31을 보라; cf. Plut. *De Ser. Num. Vindic.* 564a-c. 이것이 통상적인 슬픔에 미친 효과에 대해서는 Plut. *Consolatio ad Uxorem* 611e-f를 보라. 부활 신앙이 철학 학파들에 국한되었다는 것에 대해서는 Garland 1985, 62f.를 참조

쳐서 도처에 산재해 있다.[251] 그의 기본적인 도식은 상당히 직설적이다: 죽음 후에 모든 인간의 영혼들은 일정 기간을 기다리는데 — 『메노』(*Meno*)에서 인용된 핀다로스 단편에 의하면 9년 동안, 또는 에르의 신화에서처럼 1000년 동안 — 그 동안에 영혼들은 그들이 다음 생애에서 어떤 종류의 피조물이 될 것인지를 선택할 수 있는 권리가 주어진다. 에르 이야기에서 오르페우스는 백조가 되고, 아이아스는 사자가 되며, 아가멤논은 독수리가 된다.[252] 전생에서 다른 대다수의 사람들보다 더 많이 배웠던 것으로 보이는 오디세우스는 "오직 자신의 장래에만 신경을 쓰는 평범한 시민"이 되는 것을 선택한다.[253] 그런 후에, 영혼들은 망각의 평원을 지나서 망각의 강물을 마시고서, 그들이 이전에 누구였는지 또는 그들이 이전에 무엇을 했는지를 전혀 알지 못한 채 다음 생애의 실존으로 옮겨간다. 동일한 유형의 힌두교 및 불교의 도식들에서와 마찬가지로 플라톤에게 있어서도 몸을 입고 다시 실존으로 되돌아가는 것은 영혼이 다시 한 번 일종의 감옥에 들어가는 것을 의미했기 때문에, 그 궁극적인 목적은 다음 생애를 위해서 올바른 유형의 실존을 선택하는 것이 아니라 이러한 윤회를 완전히 벗어나는 것이었다.[254] 우리는 여기서 '카르마'(업)에 관한 힌두교 및 그 밖의 다른 교설들과 관련된 한 판본을 발견하게 된다.[255]

그렇다면, 우리는 어떻게 해서 이 모든 것에 관하여 알고 있는 것인가? 부분적으로는 신화들을 통해서 알게 되는데, 왜냐하면 한두 사람이 다시 살아 돌아와서 우리에게 그러한 이야기들을 해 주기 때문이다; 그러나 또한 더 철학적으로 만족스러운 이유를 들기 위해서 이러한 이야기들이 생겨난 것이기도 하다. 우리는 현세에서의 일들을 배울 때에 종종 우리가 이전에 희미하게 알고

하라.

251) *Rep.* 10.614b-621d; *Phaedr.* 245b-249d; cf. *Phaedo* 80c-82c, 84a-b; *Gorg.* 523a-526d; *Meno* 81b-d(Pindar(133)를 인용해서 좋은 효과를 거둔다).

252) *Rep.* 10.620a-b.

253) *Rep.* 10.620c-d.

254) 예를 들면, *Phaedr.* 249a-d: 영혼이 철학적인 삶을 세 번 선택한다면, 영혼은 날개들을 다시 얻어서 빠르게 속력을 낼 수 있다. 그러한 사람은 "그가 신의 소유가 되었다는 것을 알지 못하는 무지한 대중들로부터 제정신이 아니라고 책망을 듣게 될 것이다"('프로스 토 데이오 기그노메노스')(tr. Hackforth in Hamilton and Cairns

있었던 것들을 다시 떠올리고 있는 것이라는 느낌을 받게 된다. 플라톤에 의하면, 이것을 가장 잘 해결해 줄 수 있는 설명은 우리가 전생에서 그러한 것들을 알고 있었다는 것이다.[256]

윤회에 대한 이러한 신앙은 피타고라스나 플라톤에 의해서 영향을 받았을 것 같지 않은 진영들 속에서도 받아들여졌던 것으로 보인다: 따라서 카이사르는 그것이 골 지방의 드루이드 교도들(The Gallic Druids)의 신앙이었다고 말한다.[257] 이러한 신앙이 신약 시대에까지 지속되었다는 것을 보여주는 그 밖의 다른 증거들 속에는 남부 이탈리아에 있는 투리(Thurii) 지방에서 나온 글자가 새겨진 황금 잎사귀들이 있는데, 거기에는 그 잎사귀를 지닌 자들에게 적어도 윤회와 비슷한 방식으로 다음 세상에 태어나게 될 것을 약속하는 문구가 적혀 있다.[258] 그러나 피타고라스의 사상은 로마 세계 내에서 일부 사람들에 의해서 기존 질서와 종교에 대한 위협으로 간주되었기 때문에, 널리 대중화되지는 못했던 것으로 보인다.[259]

윤회는 그 밖의 다른 두 가지 신앙과는 주의 깊게 구별되어야 한다. 스토아 학파는 현세의 종말에 모든 것이 불 속에서 녹아질 것이고, 만유의 질서 전체는 다시 처음과 똑같은 모습으로 되돌아가게 될 것이라고 믿었다. 이러한 역사 순환설(palingenesia)은 영혼들이 올바른 길을 발견해서 환생하기를 그치고 불멸의 상태로 영원히 살 수 있게 될 때까지 개인의 영혼이 몸을 바꾸어 출생한다는 내용을 지닌 윤회설(metempsychosis)과는 분명히 다르다.[260] 마찬가지

1961, 496).

255) '카르마'에 대해서는 O'Flaherty 1980; Neufeldt 1986을 참조하라.

256) 예를 들면, *Meno* 81c-d.

257) Caes. *Gall. War* 6.14.5; 하지만 그러한 연결관계를 전제하는 Diod. Sic. 5.28.6을 참조하라.

258) Burkert 1985, 299; Price 1999, 123.

259) 주전 2세기에서 로마가 피타고라스 학파의 문헌들을 소각한 것에 대해서는 Pliny *NH* 13.84-6을 참조하라.

260) 하지만 Servius에 대하여 논평하고 있는(흥미로운 좀더 폭넓은 논의의 일부로써) Virg. *Aen.* 3.68을 참조하라: Pythagoras에게 중요했던 것은 '메템프쉬코시스'가 아니라 '팔린게네시아'였다. 이러한 오해의 뿌리는 너무도 깊어서 우리가 여기에

로, 우리는 윤회와 부활을 주의 깊게 구별하지 않으면 안 된다. 피타고라스 학파(그리고 플라톤 학파)의 이론에 의하면, 영혼은 그가 과거에 지녔던 모습의 피조물 또는 사람으로 되돌아오는 것이 아니다; 앞으로 보게 되겠지만, 초기 기독교 신앙의 핵심이었던 이전의 육신적 몸과 새로운 육신적 몸 간의 연속성은 여기에서는 분명하게 부정된다.

어쨌든 윤회설에서 이 땅에 다시 돌아오는 것은 영혼이 궁극적인 목적지에 도달하지 못하고 실패했다는 것을 의미한다는 것은 분명하다. 그것은 감옥살이를 위하여 되돌아오는 것이다. 이와는 대조적으로, 부활을 믿는 사람들 — 즉, 많은 유대인들과 실질적으로 모든 초기 그리스도인들 — 은 새로운 몸을 입고 살아갈 삶을 고대하고 송축하였다.[261] 그것은 결코 삶과 죽음을 수없이 왕래하는 윤회의 일부가 아니다. 일부 유대인들이 얼핏 엿보았고, 초기 그리스도인들이 강조했듯이, 부활은 죽음을 통과하여 그 너머에 있는 새롭게 몸을 입은 삶으로 들어가는 것이었다. 윤회설은 호메로스의 하데스라는 암울한 세계보다는 미래의 삶을 위한 훨씬 더 흥미로운 관점을 제공해 주었다. 그러나 호메로스의 기본적인 원칙은 여전히 강력한 힘을 발휘한다. 아무에게도 하데스로부터 돌아와서 그들이 이전에 지녔던 삶을 재개하는 것이 허용되지 않는다

(viii) 죽었다가 다시 살아나는 신들

부활에 관한 비유대적인 암시들이 될 수 있는 것과 관련하여 우리가 여기서 마지막으로 살펴볼 범주는 여러 신들의 죽음과 재탄생을 송축하였던 동방종교의 세계이다. 이것은 그 자체로 아주 방대한 분야이지만, 다행히도 우리는 이 범주에 대하여 길고 장황하게 말할 필요가 없다.

매우 이른 시기부터 애굽과 그 밖의 지역들에서는 몇몇 주요한 종교들이 자연의 주기들, 그리고 그러한 주기들을 자신 속에서 재현하는 것으로 믿어졌던 신들과 여신들을 중심으로 그들의 상징들, 이야기들, 실천을 구성하였다. 이렇게 해서 점진적으로 여기에서 열거하기조차 어려울 정도로 무수하게 다양

서 더 자세하게 파고 들어가기가 어렵다.

261) Josephus의 모호한 언어에 대해서는 아래 제4장 제4절(vi)(vii)을 보라. 주후 2세기 그리스도인들 가운데서 예외가 될 만한 사람들에 대해서는 아래 제11장 제7

한 형태로 고대 근동의 죽었다가 부활하는 신들과 여신들에 관한 잘 알려진 이야기들이 출현하게 되었다.[262] 점호를 해 보면, 그것은 아주 방대하여, 여러 세기에 걸쳐서 발전되고 서로 얽히고 결합되며 분리되었다가 재결합된 관습들, 광범위한 지역에 걸쳐서 무수한 사람들의 삶에 형태와 의미를 부여하였던 관습들을 상기시켜 준다: 아도니스, 아티스, 이시스와 오시리스, 디오니소스, 데메테르와 페르세포네, 풍부한 곡물의 왕들과 곡물의 어머니들; 그리고 저 머나먼 거친 북방에는 위대한 신 오딘의 아들인 아름다운 발데르. 이주와 정복, 문명들의 혼합과 사상들의 전파는 초기 그리스도인들의 시대에 이르러서 그 당시 알려져 있던 세계 전역에 걸쳐서 이러한 것들(마지막의 것을 제외하면)이 사람들에게 친숙하게 되는 것을 보장해 주었다.

이러한 제의들의 핵심에는 갖가지 다산 제의들과 아울러 신의 죽음과 재탄생을 제의를 통해서 재현하는 것이 자리잡고 있었다. 토양의 생산성, 그리고 부족 또는 국가의 생산성이 사람들의 당면 문제였다; 자연 세계의 근저에 있는 신비로운 세력들과 접촉함을 통해서, 그리고 그 세력들을 상징적으로 재현하고 공감함으로써, 사람들은 곡물과 자손의 다산을 보장받을 수 있을 것으로 기대하였다. 이러한 제의들에 수반되었던 신화는 실제로 부활, 죽음의 다른 면인 새 생명에 관한 이야기였다.

그렇다면, 어쨌든 이것은 고대 세계를 규정하였던 원칙에 대한 예외를 이루고 있었던 것인가? 고대라는 시기 전체에 걸쳐서 이집트로부터 노르웨이에 이르기까지 이러한 제의들을 숭배했던 사람들은 실제로 사람들이 죽었다가 살아날 것이라고 생각했던 것인가? 물론, 그렇지 않다.[263] 이러한 복잡다단한 제의들은 하나의 은유로서 신의 죽음과 부활을 재현한 것이었고, 이 제의들이 실제

절을 보라.

262) 고전적인 설명은 Frazer 1911-15(abridged version, 1956 [1922])이다.

263) Porter 1999a, 74-7는 신비종교들은 부활 개념을 포함하고 있었다고 주장하는 것으로 시작해서, "몸의 부활은 그러한 제의들과 그들의 신앙들의 일부가 아니다"라는 올바른 결론을 맺고 있다(77). 초기 기독교를 "죽었다가 다시 살아나는 신들"의 세계 내에 위치시키고자 한 가장 잘 알려진 최근의 시도는 Smith 1990의 것이다.; Attis와 Mithras 제의들은 기독교 자체로부터의 영향에 대한 증거들을 보여준다고 주장한다는 Bremmer 2002, 52-5의 영악한 비평을 보라(Bremmer 1996, 104-

로 구체적으로 가리키고 있었던 것은 파종과 추수, 인간의 재생산과 다산이라는 주기였다. 이집트의 경우에서처럼, 종종 이러한 신화들과 제의들은 장례식을 포함하고 있기도 했다: 죽은 자들의 소망은 오시리스와 연합되는 것이었다. 그러나 그들이 그러한 것을 통해서 경험하게 될 새로운 삶은 현재의 세상의 삶으로 되돌아오는 것이 아니었다. 실제로 미라들이 벌떡 일어나서 걸어다니며 정상적인 삶을 재개할 것이라고 기대한 사람은 아무도 없었다; 또한 그 세계 속에서 그러한 것을 원했을 사람도 아무도 없었다. 호메로스와 그 밖의 사람들이 부활이라는 말을 통해서 의미했던 것을 오시리스 숭배자들 또는 도처에 있던 그들의 사촌들은 결코 수긍하지 않았다.

우리는 우리의 나중의 논거들을 예상해서 한 걸음 더 나아가 볼 수 있다. 기독교가 태어난 배경이 되는 유대 세계는 많은 점들에 있어서 더 넓은 헬라-로마 세계에 의해서 영향을 받았다. 적어도 알렉산더 대왕의 때 이래로 헬레니즘적인 관념들과 관습들은 유대 세계로 침투해 들어왔다. 그러나 충분히 주목할 만한 것은 유대 세계 내에 죽었다가 부활하는 신들과 여신들에 대한 신앙을 보여주는 표지는 존재하지 않는다는 것이다. 에스겔은 예루살렘에 거하는 여자들에게 탐무즈(Tammuz) 제의에 참여한다고 비난하였지만, 우리는 그러한 관습들이 제2성전 시대에 있었다는 것을 발견하지 못한다.[264] 앞으로 보게 되겠지만, 유대인들이 부활에 관하여 말하였을 때, 그것은 그들이 그들의 신인 야훼에게 일어날 것이라고 기대하였던 그런 것이 아니었다. 또한 그것은 그들에게 거듭거듭 일어나게 될 그 무엇도 아니었다; 그것은 이례적이고 반복될 수 없는 사건이었다.

마찬가지로, 그리스도인들이 예수의 부활에 관하여 말하였을 때, 그들은 마치 씨를 뿌리고 곡물을 추수하는 것과 같이 해마다 일어나는 그 무엇이라고 생각하지 않았다. 그들은 부활에 관하여 말할 때에 씨를 뿌리고 추수하는 것에 관한 이미지를 사용할 수 있었다; 그들은 떡을 뗌으로써 예수의 죽음을 송축할 수 있었다; 그러나 이것을 죽었다가 부활하는 신들의 세계와 혼동하는 것은 중대한 잘못이다.[265] 초기 그리스도인들은 그러한 것과 관련된 실천에 참여

07의 새로운 판본).

264) 겔 8:14. Tammuz(많은 자료들과 전승들 속에서 알려져 있는 메소포타미아

하지 않았다; 그들은 단지 우연하게 동일한 상징들을 사용하였을 뿐이다(우리가 지적해 둘 것은 떡은 곡물과 동일한 것이 아니라는 것이다); 그리고 그들은 아도니스, 아티스 등등에 관한 이야기들과는 판이하게 다른 이야기를 말하였다. 세계관과 관련된 질문들에 관한 그들의 대답들은 근본적으로 달랐다. 그리고 그들의 세계관 내에서부터 발생된 일련의 신앙(신념)들과 목표들은 결코 그러한 이야기들과 동일한 지도 위에 있지 않았다. 물론, 더 넓은 세계 속에 살고 있던 사람들이 초기 그리스도인들이 말하고 있는 것을 들었을 때, 그 이상한 메시지를 그들이 이미 알고 있던 제의들의 세계관에 끼어 맞추고자 했다는 것은 얼마든지 가능한 일이다. 그러나 증거들은 사람들은 당혹하거나 조롱하였을 가능성이 더 많았다는 것을 보여 준다. 바울이 아테네에서 복음을 전하였을 때, "아, 그렇구나. 오시리스 등등의 새로운 판본이구나"라고 말한 사람은 아무도 없었다. 호메로스의 전제는 여전히 강력하게 작용하고 있었다. 신들 — 또는 곡물들 — 이 무엇을 할 수 있든지간에, 사람들은 죽은 자로부터 다시 살아나지 못한다.

4. 결론: 일방통행로

지하 세계로 가는 길은 오직 한 쪽 방향으로만 가게 되어 있는 일방통행의 길이었다. 고대 세계 전체에 걸쳐서 "바이블"이었던 호메로스와 플라톤으로부터 실천들(장례식들, 추모 연회들), 이야기들(희곡들, 소설들, 전설들), 상징들(무덤들, 부적들, 부장품들)에 이르기까지 우리는 하데스로 가는 길 및 거기에 도착해서 발견할 수 있는 것에 관한 상당히 많은 다양한 것들을 추적해 낼 수 있다. 모든 일방통행의 길들의 경우에서와 마찬가지로, 거기에는 반드시 정반대의 방향으로 가고자 하는 사람이 있기 마련이다. 우리는 천 년의 기간 동안에 프로테실라우스, 알케스티스, 또는 부활한 네로 같은 인물에 대하여 한두 번

의 한 신)에 대해서는 Handy 1992를 보라.

265) Frazer의 저작의 영향으로 인해서, 예수의 부활에 대한 기독교적인 신앙과 초기 기독교의 관습의 몇몇 측면들은 동방 제의들로부터의 산물이거나 적어도 강력한 영향을 받은 것이었다고 주장되곤 하였다; 그러나 그러한 견해는 통상적으로 오늘날의 학계에서는 제기되지 않는다. 기본적인 수준의 반박에 대해서는

듣게 된다. 그러나 그 길에 대한 치안은 잘 이루어졌다. 통행을 방해하는 자들(시시포스, 유리디케 등등)은 퇴짜를 맞거나 처벌되었다. 그리고 그런 자들은 누구나 다 신화라고 알고 있었던 것 속에 등장할 뿐이다.

그러므로 우리는 죽은 자들과 관련된 세계관적 질문들에 대하여 대답할 수 있다. 고대의 이교 세계에서는 죽은 자들을 누구라고 생각하였는가? 그들은 한때는 몸을 입은 인간 존재들이었지만, 지금은 영혼들, 유령들 또는 허깨비들인 존재들이다. 그들은 어디에 있는가? 그들은 대체로 하데스(음부)에 있다; 하지만 일부는 지복의 섬 또는 '타르타루스'(지옥)에 가서 있을 수도 있다; 또한 전연 다른 몸으로 환생할 여지도 있었다. 죽은 자들은 때로 살아있는 사람들에게 나타나기도 하고, 여전히 자신의 무덤 주위를 배회하기도 하지만, 기본적으로 그들은 다른 세계에 속해 있다. 무엇이 잘못된 것인가? 플라톤주의자나 에픽테토스 같은 스토아 학파의 철학자에게는 아무것도 잘못된 것은 없었다; 영혼이 자신의 육신을 벗어버린 것은 잘된 일이다 — 이것은 현대적인 의술이 없었고 흔히 정의도 별로 없었던 세계 속에서 철학자가 아닌 많은 사람들에 의해서 반영된 정서였다. 하지만 대부분의 사람들에게는 거의 모든 것이 잘못되었다고 생각되어졌다: 모종의 삶이 사후에도 계속될 것이지만, 적어도 이론상으로는 현재의 삶만큼 풍요롭거나 만족스러운 것 같지는 않다. 죽음은 죽어가는 사람들이나 사별하는 사람들, 양쪽 모두에게 서글픈 상실로 여겨졌고, 그러한 감정을 극복할 수 있었던 사람들은 정말 드물었다(소크라테스, 세네카등). 해법은 무엇인가? 몸을 입는 것 또는 다시 입는 것이 문제로 여겨진다면, 궁극적인 해법은 그것을 완전히 피하는 것이 될 것이다. 그러나 영혼과 육신의 분리로서의 죽음을 문제라고 본다면 — 고대 세계 전체에 걸쳐서 묘비명들과 장례 예식들이 증거하고 있듯이, 대다수의 사람들은 그렇게 보았다 — 해법은 없었다. 죽음은 막강한 것이었다. 사람들은 죽음을 피할 수도 없었고, 일단 죽음이 찾아오면, 그 힘을 깨뜨릴 수도 없었다. 이렇게 고대 세계는 부활은 일어날 수 없다고 말하는 — 비록 부활을 원한다고 할지라도 — 사람들과 부활이 불가능하다는 것을 알고 있지만 어쨌든 부활이 일어나기를 원치 않는다고 말하는 사람들로 나뉘어 있었다.

이 점을 강조하는 것이 중요한 것은 특히 오늘날 서양에서의 논의들 속에서 "부활"이라는 단어를 두루뭉술하게 사용함으로써 초래된 이 점에 관한 빈번한 오해들 때문이다.[266] 이것은 우리가 제1장의 끝부분에서 강조했던 내용으로 우리를 다시 데려다준다. 호메로스 이래로 "부활"이라는 표현은 일반적인 "죽음 이후의 삶" 또는 그러한 삶 속에서 일어난다고 생각된 그 어떤 현상들을 가리키는 데에 사용되지 않았다는 것은 아무리 강조해도 지나치지 않는다. 고대인들의 압도적인 다수는 죽음 이후의 삶을 믿었고, 앞에서 보았듯이, 그들 중 다수는 죽음 이후의 삶에 관한 복잡하고 매력적인 신앙들 및 관습들을 발전시켰다; 그러나 유대교 및 기독교에서와는 달리 그들은 부활을 믿지 않았다. "부활"은 "죽음 이후의 삶"이 무엇이 되었든지간에 그 뒤에 새롭게 몸을 입고 사는 삶을 의미하였다. 정의상 "부활"은 사람이 죽음 직후에 들어갈 수 있는 (또는 들어갈 수 없는) 그런 실존이 아니었다; 부활은 육신을 입지 않은 "천상에서의" 삶이 아니었다; 부활은 그 모든 것 너머의 또 하나의 추가적인 단계였다. 부활은 죽음에 대한 재진술 또는 재정의가 아니라 죽음의 역전이었다.

이 모든 것이 지닌 다양한 의의를 우리는 놓쳐서는 안 된다. 우리가 나중에 제시할 논거들을 위해서, 우리는 특히 세 가지 점을 부각시키고자 한다.

1. 초기 그리스도인들이 예수가 죽은 자로부터 다시 살아났다고 말했을 때, 고대 세계 전체에 걸쳐서 이 진술이 지닌 자연스러운 의미는 지금까지 아무에게도 일어난 적이 없었던 그 무엇이 예수에게 일어났다는 주장이었다. 사람들은 죽은 자들에게 무슨 일이 일어났는지에 대하여 수많은 것들을 얘기하였지만, 거기에 부활은 포함되어 있지 않았다.[267] 이교 세계에서는 부활이 불가능하다고 생각하였다; 유대 세계에서는 부활이 나중에 결국에는 일어날 것이라고 믿었지만, 그 부활이 아직은 일어나지 않았다는 것을 아주 잘 알고 있었다. 유대인들과 비유대인들은 둘 다 초기 그리스도인들이 부활이 예수에게 일어났

McKenzie 1997을 참조하라.

266) 예를 들면, 위에서 논의한 Porter 1999a, 68을 보라.

267) 그러므로 예수의 부활의 유일무이성에 대한 신앙은 Crossan 1998, xviii의 주장과는 달리 오늘날의 근본주의자들의 발명품이 아니다. Crossan의 책의 서론 부분 전체(xiii-xx)와 Crossan이 의지하고 있는 Riley 1995의 제1장은 현재의 장에 의해서 뿌리로부터 도전을 받는다. Evans 1970, 27는 부활 교리는 유대교적 관념들 중에서 헬라-로마 세계에 "가장 수출이 쉬웠던" 품목이라고 말함으로써 180도 과녁을 빗나가고 있는 것으로 보인다. 예를 들면, Zeller 2002, 19를 보라.

다고 말하는 것을 들었다. 그들은 그리스도인들이 단지 예수의 영혼이 모종의 천상의 지복 또는 특별한 지위에 도달하였다고 단언하고 있는 것이라고 생각하지 않았다. 그들은 예수의 제자들이 단순히 예수의 무덤 앞에서 이루어진 그들의 통상적인 연회들을 이런 식으로 터무니없이 과장하여 묘사하고 있는 것이라고 생각하지 않았다.[268]

2. 예수가 어떤 의미에서 신적인 존재라는 초기 그리스도인들의 신앙은 그의 부활에 대한 신앙의 원인이 될 수 없었다. 로물루스에 관한 리비우스의 이야기 같은 옛 이야기들은 그만두고라도, 신적인 존재가 된 사람들은 대체로 사람들에게 알려지거나 소중히 여겨진 무덤들을 가지고 있었다 — 물론, 그들이 화장용 장작더미 위에서 태워지지 않았다면. 신격화는 부활을 요구하지 않았다; 신격화는 통상적으로 부활 없이 일어났다. 그것은 몸이 아니라 영혼과 관련된 것이었다.

3. 앞으로 제11장에서 보게 되겠지만, 주후 2세기의 기독교 내에서 몇몇 저술가들은 이교 세계이든 유대 세계이든 고대 세계 전체에 걸쳐서 그 시점까지 부활이라는 용어를 통해서 의미하였던 것, 즉 몸을 입고 현세의 삶으로 되돌아오는 것이 아니라, 하나의 개념으로서 잘 알려져 있었지만 결코 이전에는 이 용어를 사용해서 표현되지 않았던 것, 즉 몸을 입지 않은 지복의 불멸의 상태를 가리키는 데에 "부활"이라는 용어를 사용하였다.[269] 이런 식으로 그들은 거의 아무도 믿지 않았던 그 무엇을 가리켰던 유대교와 기독교의 한 핵심적인 용어를 가져다가, 그것을 대다수의 사람들이 믿었던 그 무엇을 가리키는 데에 사용하였던 것이다. "부활"('아나시타시스'와 그 동일 어원의 단어들)은 고대 세계에서는 그 어디에서도 죽음 이후의 몸을 입지 않은 삶을 묘사하는 데에 사용되지 않았다. 부활은 영혼이 천상의 삶 또는 지하 세계의 삶으로 옮겨가는 것, 또는 심지어 영혼이 또 다른 몸으로 환생하는 것을 가리키는 것이 아니었다. 그러므로 주후 2세기의 기독교 세계 내에서 이런 식으로 "부활"이라는 용어를 사용한 사람들은 플라톤을 비롯한 사람들이 믿지 않았던 그 무엇을 가리

268) 나사로를 다시 살리신 사건 등과 같은 그러한 사건들의 의미에 대해서는 아래의 제9장 제6절을 보라.

269) 예를 들면, Riley 1995, 58-68; 아래 제11장을 보라.

키는 데에 사용하였던 표현을 사용해서 플라톤과 사람들이 믿었던 그 무엇을 묘사하는 파격적인 행동을 하고 있었던 것이다. 지금 단계에서 우리가 말해 두고자 하는 요지는 이것이다: 부활이라는 용어와 관련된 그러한 용법은 통상적인 의미에서의 부활(몸을 입은 삶으로 되돌아오는 것)을 단언하였던 초기 기독교로부터 변질된 후대의 모습으로서만 설명될 수 있다. 그것은 예수의 운명 및 그리스도인들의 장래의 운명에 관한 기독교적인 언어를 유지하면서도 그것을 비기독교적이고, 비유대적인 내용으로 채우고자 시도한 하나의 돌연변이었다. 이러한 돌연변이가 규범적인 것이었고, 몸의 부활에 대한 신앙이 이상한 변형이었다면, 사람들이 왜 후자와 같은 변형을 만들어내었겠는가? 그리고 켈수스가 이 모든 것을 왜 지적하지 않았겠는가?

이 장의 과제는 대체로 소극적인 것이었다. 그러나 한편으로는 꼭 필요한 것이기도 하였다: 초기 그리스도인들의 주장들을 이해하고자 한다면, 우리는 그 주장들을 그것들이 선포되었던 세계 내에서 3차원적으로 드러나도록 하지 않으면 안 된다. 이것을 위해서는 우선 그 세계 내로 들어가서 그 세계관들, 신앙들, 소망들, 목표들과 아울러 그 향취들과 분위기들을 느끼는 것은 중요한 일이다. 그렇게 함으로써, 한동안 이 주제를 모호하게 만들었던 몇 가지 오해들을 제거한 후에, 우리는 이제 비록 더 넓은 헬라-로마 사회 내에 위치해 있었고 수많은 점들에서 그 사회에 의해서 침투되어 있었긴 하지만, 본질적으로 다르다고 볼 만한 상당한 이유를 지닌 세계, 즉 주후 1세기의 유대교의 세계 속으로 진입하지 않으면 안 된다. 그리고 그 세계를 이해하기 위해서, 우리는 먼저 유대인들의 성경 속에 나오는 죽음, 그리고 죽음 너머의 삶에 관한 묘사들에 친숙해지지 않으면 안 될 것이다.

제3장

깨어나야 할 때 (1): 구약성서에서의 죽음과 그 이후

1. 서론

바울은 "그리스도께서 … 성경대로 사흘 만에 다시 살아나사"라고 선포하였다.[1] 초기 그리스도인들은 예수의 부활에 관하여 말하면서 의도적으로 그 뿌리를 처음부터 특히 유대 성경에 의해서 형성된 제2성전 시대 유대교의 세계관 내에 두었다. 우리가 이교도들의 관념들에 관하여 방금 살펴본 것을 감안한다면, 이러한 유대교의 세계관은 예수에 관한 이 이야기가 안전하게 자리를 잡을 수 있었던 유일한 곳이었다. "부활"은 이교도들의 소망의 일부가 아니었다. 이 관념이 어느 곳에 속한다고 한다면, 그것은 바로 유대교의 세계 내이다.[2]

그렇기 때문에, 성경 자체 내에서 부활에 관한 소망이 드물게 등장한다는 것, 일부 학자들이 그러한 언급들은 주변적이라고 생각했을 정도로 아주 드물게 등장한다는 것은 참으로 놀라운 일이다.[3] 나중에 유대인들과 그리스도인들은 석의(exegesis)를 통해서 이전의 독자들이 보지 못했던 은폐된 간접인용들을 발견해내는 데에 능숙해지긴 했지만 — 복음서들에 의하면, 예수 자신에 의

1) 고전 15:4; 아래 제7장 제1절(ii)를 보라.

2) 그 밖의 다른 가능한 소재들(예를 들면, 조로아스터교)에 대해서는 아래를 보라. 최초의 제자들이 부활에 관한 말 속에는 유대교 신앙들 이외의 다른 것에 의해서 영향을 받았다는 것을 보여주는 암시는 없다.

3) 예를 들면, von Rad 1962-5, 1.407f., 2.350; Brueggemann 1997, 483f.("오직 구약의 변두리에서")에 나오는 서술을 보라.

해서 공유되고 있던 기법 — 일반적으로 학자들은 구약성서의 많은 부분에서 부활이라는 관념은 깊이 잠들어 있었는데 — 가장 강하게 표현한다고 할지라도 — 후대의 사람들과 본문들로부터의 반영들에 의해서 깨어났을 뿐이라는 데에 동의한다.[4]

이것은 적어도 오늘날 구약성서 및 그들 각자의 특유한 신앙의 원천들(한쪽에서는 신약성서, 다른 쪽에서는 랍비들의 문헌들) 둘 모두에 여전히 충실하고자 하는 그리스도인들과 유대인들에게는 흔히 의외의 일일 뿐만 아니라 문제점으로 제시된다. 나중에 주류의 관점이 된 것에 관한 가장 분명한 진술들 중의 대부분이 성경 자체에서가 아니라 결코 정경적인 지위를 얻지 못했던 성경 이후의(즉, 제2성전 시대 및 랍비들의) 문헌들 속에서 찾아져야 한다는 것은 아이러니인 것으로 보인다. 많은 그리스도인들은 모종의 점진적인 계시론을 채택하여 왔는데, 이것에 의하면, 구약성서의 초기의 글들은 죽음 이후의 삶에 대한 신앙을 거의 또는 전혀 지니고 있지 않았고, 좀 더 성숙한 부분들 중 일부에서는 비록 그리 구체적이지는 않았지만 무덤 너머에서의 삶을 긍정하기 시작하였으며, 그런 후에 구약성서 시대의 끝부분에 가서야 몇몇 저술가들이 지금까지와는 판이하게 다르고 근본적으로 새로운 몸의 부활에 대한 신앙을 선포하기 시작하였다는 것이다. 이것은 통상적으로 무덤 자체에 관한 거의 침묵에 가까운 태도로부터 시작해서 나중에 신약성서를 지배하게 될 주제에 관한 완벽하고 풍부한 진술을 향하여 움직여가는 일종의 점층법으로 보여진다. 초기 이스라엘의 신앙과 삶을 적어 놓은 방대한 책들이 초기 기독교에서 중심적이 된 신앙에 대하여 거의 기여하지 못하는 것으로 보이는 것에 대하여 우리는 불신감이 아니라 오히려 서글픔을 지닌 채 머리를 흔들게 된다.

따라서 죽음 이후의 삶에 관한 고대 이스라엘의 신앙들에 관한 연구들은 세 가지 서로 구별되는 유형들 또는 단계들을 규정하여 왔다. 초기 시대에는

---

4) 문헌은 무수하게 많다. 예를 들면, Tromp 1969; Greenspoon 1981; Spronk 1986; Krieg 1988; Barr 1992; Ollenburger 1993; J. J. Collins 1993, 394-8; Segal 1997; Grappe 2001; Mettinger 2001; Johnston 2002를 보라. 여전히 상당한 가치가 있는 이전의 연구서로는 Martin-Achard 1960이 있다. Puech 1993의 방대한 저작은 그 제목이 말해주듯이 에세네파만을 다루고 있는 것이 아니다; 상당한 부피의 제1권은 구약, 제2성전 시대의 유대교, 신약, 초기 교부들을 다룬다.

죽음 이후의 기쁨 또는 지복(至福)의 삶에 대한 소망이 거의 또는 전혀 없었다: 스올(Sheol)은 죽은 자들을 삼켜서 암울한 어두움 속에 가두어 놓은 후에는 결코 그들을 다시 내어놓지 않는다. 어느 시점에 가서(아무도 그 시점이 언제인지는 모른다; 그러한 문제들에 있어서 발전과정들의 연대를 설정하는 일은 극히 어렵다) 몇몇 경건한 이스라엘 사람들은 야훼의 사랑과 권능이 지극히 강하기 때문에 그들이 현재의 세상에서 야훼와 함께 누렸던 관계는 죽음에 의해서조차도 깨뜨려질 수 없다고 생각하게 되었다. 그런 후에, 다시 어느 시점에서 판이하게 새로운 관념이 생겨났다: 죽은 자들은 부활하게 된다.

이렇게 해서 세 가지 입장이 출현한다: 죽음 이후에 대한 소망이 전혀 없는 것; 죽음 이후의 지복의 삶에 대한 소망; "죽음 이후의 삶" 이후의 새로운 몸을 입은 삶에 대한 소망. 이 세 가지는 서로 매우 다른 것으로 보인다.

이러한 분석은 대체적으로 정확한 것이긴 하지만, 나는 이 분석에 대한 통상적인 해석에 도전하고자 한다. 겉보기에 서로 다른 것 같은 이 세 가지 입장 간에는 중요한 연결고리들이 존재한다. 물론, 부활에 대한 신앙을 명시적으로 밝히고 있는 세 번째 입장은 죽음 및 그 이후에 일어나는 일에 관한 성경적 신앙들의 스펙트럼 속에서 여러 흐름들 중의 단지 하나일 뿐이고, 이러한 신앙은 성경 이후의 시대에 두드러지게 발전하였다는 사실이다. 특히 세 번째 입장은 분명히 몇 가지 점에서 첫 번째 입장을 뛰어넘고 있긴 하지만 야훼에 의해서 버려지는 것이 아니라 갱신되기로 되어있는 현재의 피조 질서의 선함과 결정적인 중요성을 긍정한다는 점에서 첫 번째 입장과 만난다. 이 두 가지 입장에 있어서 소망의 실질은 피조 세계 너머가 아니라 피조 세계 내에 놓여 있다. 여러 세대의 기독교 주석자들은 "죽음 이후의 삶"(몸을 입은 것이든 몸을 입지 않은 것이든)이 참된 신앙과 소망이 무엇인지를 말해준다고 확신하였기 때문에 구약성서가 이 주제에 관하여 별로 말을 하고 있지 않다는 것을 이상스럽게 여겨왔다. 하지만 사실, "죽음 이후의 삶"에 대한 관심 그 자체는 고대 이스라엘이 아니라 여러 이교적인 세계관들(예를 들면, 애굽의 세계관)의 특징이었다; 그리고 마침내 부활에 대한 신앙이 출현하였을 때, 그것은 이교 세계에서 들여온 낯선 것이 아니라 고대 이스라엘의 세계관을 새롭고 다른 환경 아래에서 재표현한 것으로 볼 때에 가장 잘 이해된다 — 나는 이것을 곧 논증할 것이다. 이 신앙은 족장들의 신앙과 동일한 토양에 뿌려진다; 사실, 씨앗과 토양은 불연속성과 마찬가지로 연속성에 대한 중요한 단서들이다 — 예를 들면, 창세기와 다니엘서.

이 장과 다음 장에서 우리는 앞 장에서 고대 말기의 이교 세계에 대하여 우리가 살펴보았던 바로 그것을 유대 세계와 관련하여 살펴보고자 한다: 예수 및 초대 교회의 시대에 유대인들이 죽음(이라는 사건) 이후의 삶, 특히 부활(즉, 일정 기간 동안 죽어 있는 상태 이후의 추가적인 삶)에 관한 신앙들의 스펙트럼을 규명하는 것. 이미 지적했듯이, 구약성서의 많은 부분은 부활은 말할 것도 없고 죽음 이후의 삶에 대해서도 특별한 관심을 갖고 있지 않기 때문에, 우리는 구약성서의 더 넓은 세계, 즉 고대 이스라엘 사람들의 더 폭넓은 소망과 기대의 세계 속에서 이러한 논의를 이끌어 가도록 세심한 주의를 기울이지 않으면 안 된다. 이러한 것들은 우리가 이제 관련 자료들(대부분은 문헌들, 그리고 일부의 고고학적 자료들)에 던져야 할 질문들이다.[5]

궁극적으로 우리의 초점(제4장에서)은 주후 1세기의 유대인들이 지녔던 신앙들, 제2성전 시대 유대교 내에서 나온 새로운 본문들만이 아니라 구약성서 자체가 이 시기에 읽혀진 방식(예를 들면, 쿰란 문헌 또는 칠십인역에 의해서 읽혀진 방식) 속에 나타나 있는 신앙들에 두어져야 한다. 이 장에서는 이후의 유대교의 모든 변형들의 토대를 이루는 성경의 핵심적인 구절들을 검토함으로써 이러한 작업에 대한 준비를 하게 될 것이다.

2. 조상들과 함께 잠들다

(i) 무로 돌아감

구약성서의 많은 부분들을 대충 읽은 독자들은 죽음 이후의 삶에 관한 고대 이스라엘의 신앙이 호메로스의 신앙과 별반 다르지 않다고 생각할 수 있다:

> 사망 중에서는 주를 기억하는 일이 없사오니
> 스올에서 주께 감사할 자 누구리이까?[6]

---

5) 초기에 있어서의 매장 관습에 대해서는 Wiesner 1938의 저작이 여전히 가치가 있다: 아래 제3장 제2절을 보라.

죽은 자들은 여호와를 찬양하지 못하나니
적막한 데로 내려가는 자들은 아무도 찬양하지 못하리로다.[7]

너는 흙이니 흙으로 돌아갈 것이니라.[8]

내가 무덤에 내려갈 때에 나의 피가 무슨 유익이 있으리요
진토가 어떻게 주를 찬송하며 주의 진리를 선포하리이까?[9]

무릇 나의 영혼에는 재난이 가득하며
나의 생명은 스올에 가까웠사오니
나는 무덤에 내려가는 자 같이 인정되고 힘없는
용사와 같으며
죽은 자 중에 던져진 바 되었으며
죽임을 당하여 무덤에 누운 자 같으니이다
주께서 그들을 다시 기억하지 아니하시니
그들은 주의 손에서 끊어진 자니이다
주께서 나를 깊은 웅덩이와 어둡고 음침한 곳에 두셨사오며
주의 노가 나를 심히 누르시고
주의 모든 파도가 나를 괴롭게 하셨나이다 …
주께서 죽은 자에게 기이한 일을 보이시겠나이까
유령들이 일어나 주를 찬송하리이까
주의 인자하심을 무덤에서, 주의 성실하심을 멸망 중에서
선포할 수 있으리이까
흑암 중에서 주의 기적과 잊음의 땅에서
주의 공의를 알 수 있으리이까?[10]

---

6) 시 6:5.
7) 시 115:17.
8) 창 3:19.
9) 시 30:9; 또한 시 16:10에 나오는 동일한 용어들을 참조하라.
10) 시 88:3-7, 10-12.

나의 중년에 스올의 문에 들어가고 나의 여생을 빼앗기게 되리라
내가 또 말하기를 내가 다시는 여호와를 뵈옵지 못하리니
산 자의 땅에서 다시는 여호와를 뵈옵지 못하겠고
내가 세상의 거민 중에서 한 사람도 다시는 보지 못하리라 하였도다 …
스올이 주께 감사하지 못하며 사망이 주를 찬양하지 못하며
구덩이에 들어간 자가 주의 신실을 바라지 못하되
오직 산 자 곧 산 자는 오늘 내가 하는 것과 같이 주께 감사하며
주의 신실을 아버지가 그의 자녀에게 알게 하리이다.[11]

우리는 필경 죽으리니 땅에 쏟아진 물을
다시 담지 못함 같을 것이오나.[12]

산 자들은 죽을 줄을 알되 죽은 자들은 아무것도 모르며 그들이 다시는 상을 받지 못하는 것은 그들의 이름이 잊어버린 바 됨이니라 그들의 사랑과 미움과 시기도 없어진 지 오래이니 해 아래에서 행하는 모든 일 중에서 그들에게 돌아갈 몫은 영원히 없느니라 …
네 손이 일을 얻는 대로 힘을 다하여 할지어다 네가 장차 들어갈 스올에는 일도 없고 계획도 없고 지식도 없고 지혜도 없음이니라.[13]

그렇지 아니하였던들[즉, 내가 태어나지 않았더라면] 이제는 내가 평안히 누워서 자고 쉬었을 것이니 자기를 위하여 폐허를 일으킨 세상 임금들과 모사들과 함께 있었을 것이요 …
거기서는 악한 자가 소요를 그치며 거기서는 피곤한 자가 쉼을 얻으며
거기서는 갇힌 자가 다 함께 평안히 있어 감독자의 호통 소리를 듣지 아니하며
거기서는 작은 자와 큰 자가 함께 있고 종이 상전에게서 놓이느니라.[14]

11) 사 38:10f., 18f.
12) 삼하 14:14.
13) 전 9:5f., 10.

스올, 압바돈, 구덩이, 무덤, 어둡고 음침한 곳, 망각의 땅. 이러한 서로 바꿔 쓸 수 있는 용어들은 암울함과 절망의 장소, 사람이 더 이상 삶을 즐길 수 없고 야훼의 임재가 없는 장소를 가리킨다.[15] 그곳은 광야이다: 흙으로 지음받은 피조물들이 되돌아가는 흙의 장소.[16] 거기에 가 있는 자들은 "죽은 자들"이다; 그들은 "유령들"('레파임')이고,[17] 그들은 "잠들어" 있다.[18] 호메로스에서와 마찬가지로, 그들이 즐겁게 지낸다는 암시는 전혀 없다; 그곳은 어둡고 암울한 세계이다. 거기에서는 많은 일들이 일어나지 않는다. 그곳은 진정한 삶의 또 다른 형태도 아니고, 여러 가지 일들이 정상적으로 계속되는 또 하나의 세계도 아니다.

죽은 사람들이 스올에서 계속해서 행하는 활동을 아주 생생하게 묘사하고 있는 성경의 장면은 단지 이 점을 확증해 줄 뿐이다. 이사야 14장은 바벨론 왕이 지하 세계에 도착해서 이미 거기에 와있는 이전의 귀인들의 유령들과 합류하는 장면을 화려하게 묘사한다. 호메로스의 글에 비견될 수 있는 한 대목에서 바벨론 왕은 여기 지하 세계에서는 사정이 매우 다르다는 험악한 말을 듣는다:

> 아래의 스올이 너로 말미암아 소동하여 네가 오는 것을 영접하되
> 그것이 세상의 모든 영웅을 너로 말미암아 움직이게 하며
> 열방의 모든 왕을 그들의 왕좌에서 일어서게 하므로

---

14) 욥 3:13f., 17-19.

15) 이 단어들의 의미에 대해서는 Martin-Achard 1960, 36-46; Tromp 1969; Sawyer 1973; Barr 1992,28-36; Day 1996,23If.; Jarick 1999; Johnston 2002, ch. 3을 보라.

16) cf. 단 12:2.

17) 예를 들면, 잠 2:18; 5:5; 7:27; 9:18("오직 그 어리석은 자는 죽은 자들['레파임' — 그림자들]이 거기 있는 것과 그의 객들이 스올 깊은 곳에 있는 것을 알지 못하느니라")에 나오는 간음에 대한 반복적인 경고들을 참조하라. 또한 시 88:10; 사 14:9; 26:14, 19 등도 마찬가지이다. 핵심적인 용어들에 대해서는 특히 Johnston 2002, ch. 6을 보라.

18) 단 12:2. 그들은 "지하세계의 영원한 서류철 속에 있는 살아 있는 존재들에 대한 단순한 복사물들, 얇은 피조물들"이다(Caird 1966, 253).

그들은 다 네게 말하여 이르기를
너도 우리 같이 연약하게 되었느냐 너도 우리 같이 되었느냐 하리로다
네 영화가 스올에 떨어졌음이여 네 비파 소리까지로다
구더기가 네 아래에 깔림이여 지렁이가 너를 덮었도다.[19]

시라는 점을 감안하더라도, 이 대목은 지하 세계에서 인간의 인식 활동이 최소한으로 제한되어 있다는 것을 보여준다; 그러나 새로 음부에 도착한 왕을 향한 인사는 그가 세상에서 가지고 있었던 권력은 이 비참한 세계 속에서는 전혀 쓸모가 없다는 것을 알려주기 위한 것이다. 실제로 그는 자신의 땅에 매장되지조차 못했기 때문에, 그의 형편은 다른 사람들보다도 한층 더 나쁘다.

열방의 모든 왕들은 모두 각각 자기 집에서 영광 중에 자건마는
오직 너는 자기 무덤에서 내쫓겼으니 가증한 나무 가지 같고
칼에 찔려 돌구덩이에 떨어진 주검들에 둘러싸였으니
밟힌 시체와 같도다.[20]

스올 안에 서로 다른 등급들이 존재한다면, 그것들은 비참함과 타락의 등급들이다. 이 대목은 그 밖의 다른 것들도 보여준다: 즉, 여기서의 사고는 한편으로는 유령들의 신화적인 처소로서의 스올, 다른 한편으로는 무덤의 물리적인 실체 — 돌들, 벌레들, 구더기들 등등 — 로서의 스올이라는 두 가지 사상을 왔다 갔다 한다.

초기 이스라엘 사람들이 이 모든 것을 특별히 암울하게 생각했다고 보는 것은 잘못된 것이다. 오직 죽음 이후에 더 흥미롭고 뭔가를 더 누릴 수 있는 그 무엇이 있을 것이라는 소망을 이미 시작한 세계에서만이 이러한 비전이 이례적이거나 침울하다고 생각할 것이다. 그들의 마음과 그들의 소망은 다른 것들에 있었다. 야곱이 아들들에게 만약 또 다른 아들을 잃게 된다면 그것은 "나의 흰 머리로 슬피 음부로 내려가게 하는 것이 될 것"이라고 말했을 때, 그의

19) 사 14:9-11.
20) 사 14:18f.

말은 그러한 비극이 일어나는 경우에는 그가 다른 곳이 아니라 음부로 내려가게 될 것임을 의미하는 것이 아니라, 그가 음부로 내려갈 때에 기나긴 가치있는 삶에 대한 만족감이 아니라 슬픔을 수반한 채 가게 될 것임을 의미하는 것이다.[21] 야곱의 죽음에 관한 묘사에서는 음부에 대한 언급이 나오지 않고, 그가 "열조에게로 돌아갔다"고 말한다; 물론, 그의 후손들이 야곱이 음부가 아닌 다른 곳에 있다고 생각했을 것이라고 보아야 할 이유는 전혀 없다. 자신의 시신을 가족의 매장지에 묻어달라는 유언 속에 담겨진, 전혀 서로 다른 차원에 속한 저 신앙과 암묵적인 소망 사이에 긴장관계는 여전히 존재한다.[22] 자신의 뼈를 약속의 땅으로 가져가 달라는 요셉의 명령의 근저에도 동일한 소망이 존재한다.[23]

이러한 주제들의 결합은 왕들의 죽음과 관련된 상투적인 문구 속에서 반복해서 사용된다. 다윗은 "열조와 함께 잠들었고 다윗 성에 매장되었다." 이 말이 흥미로운 것은, 다윗의 열조들은 거기에 매장되지 않았기 때문이다. 달리 말하면, "열조와 함께 잠잔다"라는 표현은 단순히 한 사람이 자신의 무덤 또는 굴에 매장되었다는 것만을 말하는 방식이 아니었고, 그 사람이 죽은 자들의 세계로 가서 거기에서 그의 열조들과 다시 재회하게 되었다는 것을 말하는 방식이기도 했다는 것이다.[24] 유령들이 스올 또는 무덤에서 영위하는 최소한의 "삶"은 살아 있는 사람들이 알고 있는 현상들 중에서 그 어떤 다른 것들보다도 잠자는 것과 가장 가까운 것이었다. 죽은 자들은 이사야서 14장에서처럼 특별히 저명한 신참(newcomer)에 의해서 또는(앞으로 보게 되겠지만) 접신술사에 의해서 그들의 혼수상태로부터 일시적으로 깨어날 수도 있었지만, 그들의 통상적인 상태는 잠자는 것이었다. 그들은 완전히 존재하지 않는 것은 아니었지

---

21) 창 42:38(cf. 37:35; 44:29, 31).

22) 창 49:29-33. 이 두 관념을 결합시키는(논란이 되는) 방식에 대해서는 아래에서 매장 관습들에 관한 서술을 보라.

23) 창 50:24-6; cf. 출 13:19; 수 24:32.

24) 왕상 2:10; cf. 1:21; 삼하 7:12. 반복적인 정형어구에 대해서는 왕상 11:43; 14:20, 31; 15:8; 16:28; 22:40, 50; 왕하 8:24; 10:35; 12:21; 13:13; 14:16, 20, 29; 15:7, 22, 38; 16:20; 20:21; 21:18; 24:6을 참조하라. 소수의 예외들(예를 들면, 왕하 23:30에 나오는 요시야)은 중요치 않은 것 같다.

만, 어느 모로 보나 그들은 말하자면 없는 것과 거의 다름이 없는 존재들이었다.[25)]

본문들 속에서 아주 분명해 보이는 이러한 결론은 종종 고대 히브리인들의 매장 의식들 및 거기에 수반된 관습들에 관한 고고학적인 증거들을 토대로 도전을 받아 왔다. 특히, 에릭 메이어스(Eric Meyers)는 고대에 널리 퍼져 있던 이장(移葬)이라는 관습(시체가 다 썩어 분해된 후에 뼈들을 수습하여 모아놓는 것)은 죽은 자의 유골은 "죽은 그 사람의 본질"을 이루는 것으로서, 뼈들에게 "그것들이 살아 있을 때의 힘에 대한 적어도 그림자"를 제공하도록 해줄 수 있는 지속적인 '네페쉬'에 대한 신앙을 반영하는 것이라고 주장하였다.[26)] 고대 이스라엘 사람들의 많은 무덤들은 죽은 자의 필요들을 제공해 줄 목적으로 부장품을 같이 매장했다는 것을 나타내주는 증거들을 보여준다.[27)] 따라서 "열조에게로 돌아갔다" 또는 쿰란 공동체의 경우에는 형제들에게로 돌아갔다는 말(메이어스가 이렇게 주장한다)은 그 죽은 사람의 뼈들을 수습하여 조상들의 뼈와 나란히 납골하였다는 것을 의미한다는 것이다.[28)] 이것은 고대의 비유대적인 세계에서와 마찬가지로 고대 이스라엘에서도 죽은 자들과 관련된 제의가 꽤 널리 퍼져 있었다는 그 밖의 다른 몇몇 학자들의 주장과 더불어서 일부 학자들로 하여금 죽음 이후의 삶에 관한 묘사가 성경 본문들이 보여주고 있는 것처럼 과연 그림자 같은 것이었는지에 대하여 의문을 제기하게 만들었다. 성경의 그러한 본문들을 죽은 자들에 대한 관심과 죽은 자들과의 교류를 막기 위하여 죽은 자들은 거의 없는 것과 마찬가지라는 "정통적인" 진술을 통해서 좀 더 대중적인 신앙을 의도적으로 은폐한 것은 아닌가?[29)]

더 면밀하게 고찰해 보면, 후자의 견해는 배제되는 것으로 보인다. 증거들은 그러한 견해를 밑받침해 주지 않기 때문이다. 그리고 동일한 현상을 연구해온

---

25) 스올의 거주자들이 사물들을 인식하는지의 여부, 야훼가 스올에 대한 권세를 지니고 있는지의 여부에 대해서는 Day 1996, 233f.와 거기에 나오는 다른 참고문헌들을 보라.

26) Meyers 1970, 15, 26. 또한 Meyers의 꽤 방대한 연구서(1971)를 보라.

27) 예를 들면, Bloch-Smith 1992에 나오는 편리하게 이용할 수 있는 세부적인 내용들과 추가적인 서지들.

28) Meyers 1970, 22.

29) 예를 들면, Lewis 1989. Johnston 2002, ch. 8에 나오는 자세한 논의를 보라.

한 저명한 고고학자의 경고에 귀를 기울일 필요가 있다: "어느 의식 또는 관습을 분석하더라도, 한 가지 이상의 해석이 나오기 마련이다."[30] 이장 관습 자체도 여러 가지로 해석될 수 있다; 우리가 다음 장에서 보게 되겠지만, 이 관습이 제2성전 시대의 중반기에 갑자기 재도입된 것은 흔히 부활 신앙의 출현과 연관이 있는 것으로 여겨진다(물론, 이것도 아직 논란이 되고 있지만).[31] 고대 이스라엘 사람들이 죽은 자들을 위험스럽고 적대적인 존재들로 생각하였다고 주장하는 과거의 진술들은 근거가 없다.[32] 그리고 여러 다양한 학자들은 무덤의 부장품들, 먹을 것과 마실 것의 공급은 이제 막 죽은 사람이 지하 세계로 건너가는 것을 돕기 위한 것으로 해석될 수 있지만, 일단 그 과정이 끝난 후에는, 추가적인 공급은 필요가 없었다는 점을 지적하여 왔다. 죽은 자들은 가버렸고, 이제 그들은 이전에 많은 다른 문화들 속에 속하여 같이 살았던 사람들의 지속적인 삶의 일부가 아니었다.[33]

죽음 자체는 슬픈 일이었고, 또한 나쁜 일로 여겨졌다. 정경의 구약성서에서는 죽음을 행복한 놓여남, 즉 영혼이 육체의 감옥으로부터 벗어난 것으로 보지 않았다. 물론, 이것은 이 세상에서의 삶을 신이 준 선한 것이라고 믿은 이스라엘의 신앙의 결과였다. 그런 까닭에, 다음과 같은 전도서의 확고하고 단호한 지혜가 등장하게 된 것이다: 이것이 만사가 운행되는 길이기 때문에, 내가 가야 할 가장 좋은 길은 인생을 충분히 누리는 것이다.[34]

이 지점에서 우리는 잘 알려져 있고 신학적인 의미로 가득 차 있는 긴장관계, 모든 유한한 삶의 자연스러운 종결로서의 죽음과 죄에 대한 징벌로서의 죽음 간의 긴장관계를 만나게 된다. 이러한 긴장관계는 창세기 2:17, 3:3, 3:22로 거슬러 올라간다(주후 1세기 독자들의 관점을 취한다면): 선악과를 먹는

30) Rahmani 1981/2, 172. 네 부분으로 된 이 논문 전체는 매우 중요하다.

31) 예를 들면, Hachlili 1992, 793; Rahmani 1981/2, 175f.를 보라. 몇몇 후대의 랍비들의 사고 속에서 육신의 해체는 죄를 속(贖)하는 것과 관련되어 있었고, 뼈들은 새로운 삶으로의 부활을 위하여 남겨진다고 생각되었다(예를 들면, Rahmani 175를 보라).

32) 자세한 내용과 반박에 대해서는 Rahmani 1981/2, 234 등을 보라.

33) 예를 들면, Cooley 1983, 52; Johnston 2002, 61f.를 보라.

34) 전 2:24; 3:12f., 22; 5:18-20; 6:3-6; 8:15; 9:7-10; 11:9f; 12:1-8.

것은 죽음이라는 결과를 가져올 것이지만, 최초의 부부가 선악과를 먹은 후에도, 그들에게는 생명과를 먹고 영원히 살 수 있는 가능성이 여전히 남아 있었다. 금지된 과실을 먹는 것에 대하여 약속된 징벌이 죽음이었지만, 실제적인 또는 적어도 즉각적인 징벌은 동산으로부터의 추방이었다는 특별히 많은 의미를 함축하고 있는 내용을 우리는 주목해 볼 수 있다. 하지만 동산에서 추방됨으로써 생명과를 먹고 영원히 살 수 있는 가능성이 없어져 버렸기 때문에(3:22-4), 이 최초의 부부는 그들이 처음부터 지니고 있었던 것과 거의 동일한 모습으로 남아 있게 된다.

이 복잡한 문제는 쿨만(Cullmann)을 비롯한 여러 학자들의 도에 지나친 항의적인 진술들에도 불구하고 성경은 실제로 인간의 불멸성에 관심을 지니고 있다는 논증의 일부로서 제임스 바(James Barr)에 의해서 아주 의미심장하게 논의되어 왔다.[35] 현존 형태의 창세기 이야기는 인간이 불멸의 존재로 지음받은 것이 아니라 끝이 없는 무궁한 삶을 얻을 수 있는 기회를 가졌다가 상실한 것이라고 바가 강조한 것은 분명히 옳다.

하지만 그의 논의를 앞으로 진행시키기 위해서는 적어도 불멸의 네 가지 의미를 구별하는 것이 아주 중요하다: (a) 어떤 형태의 죽음도 일어나지 않는 가운데 육신의 몸을 입고 지속적으로 살아가는 삶; (b) 인간 존재 중에서 불멸의 부분, 예를 들면 육신의 죽음 이후에도 살아남아 있게 될 영혼(이 영혼 자체가 여러 가지로 정의되긴 하지만)을 선천적으로 소유하고 있는 것; (c) 인간이 선천적으로 타고나는 것이 아니라 외부로부터, 예를 들면 이스라엘의 신으로부터 몇몇 일부 인간들에게 선물로 주어지는 것으로서, 현재의 육신적인 삶과 장래의 부활 사이의 중간 기간을 거치면서도 인간의 연속성을 유지해 줄 수 있는 지속적인 삶; (d) 부활 자체를 묘사하는 한 가지 방식. 첫 번째 의미의 불멸은 아담과 하와가 창세기 3장에서 얻을 수도 있었던 바로 그것인 것으로 보인다; 두 번째는 플라톤의 입장이다; 나중에 보게 되겠지만, 세 번째 의미의 불멸은 『솔로몬의 지혜서』 같은 제2성전 시대의 저작들 속에 등장한다; 네 번째 의미의 불멸은 바울에 의해서 강조된다.[36] 하지만, 바는 그러한 구별들을 분

35) Barr 1992, ch. 1.
36) 고전 15:53.

명하게 행하지 않는다. 따라서 성경이 실제로 "불멸"에 관심을 갖고 있다는 것을 증명하기 위한 그의 증거들은 제대로 된 것들이 아니다.

동산으로부터의 추방이 바벨론 포로 기간 동안 및 그 이후에 특히 위대한 신명기적인 계약의 약속들 및 경고들에 비추어 볼 때에 무엇을 의미했을 것인가(독자들에게만이 아니라, 오경의 편집자들에게)를 알기는 어렵지 않다. 모세는 이스라엘 백성에게 생명과 죽음, 축복들과 저주들을 제시하였고, 백성들에게 생명을 선택하라고 강권하였다 — 구체적으로 말하면, 이것은 이방 땅으로 보내져서 수치스러운 포로 생활을 하는 것과 반대되는 약속의 땅에 사는 것을 의미하였다.[37] 그러나 이미 신명기에는 이스라엘 백성이 비록 포로 생활을 한다고 할지라도 그것이 최종적인 것이 되지는 않을 것이라는 약속이 존재하였다: 회개는 회복, 그리고 계약과 인간의 마음의 갱신을 가져다줄 것이다.[38] 생명과 약속의 땅, 죽음과 포로 생활이라는 이러한 명시적인 등식은 포로 생활의 반대인 회복의 약속과 더불어 고대 이스라엘의 완전하게 발전된 소망의 잊혀진 뿌리들 중의 하나이다. 죽은 자들은 잠들어 있을 수 있고, 거의 아무것도 아닌 존재일 수 있다; 그러나 야훼의 계약과 약속 안에는 여전히 소망이 살아 있었다.

(ii) 죽은 자들을 훼방하기

통상적으로 율법에서 죽은 자들과의 접촉을 금지하고 있는 것은 고대 이스라엘에서 많은 사람들이 그렇게 하고자 했다는 것을 보여주는 좋은 증거로 받아들여진다.[39] 만약 그들이 그렇게 하지 않았다면, 그것이 오히려 더욱 이상한 일이 될 것이다. 조상 숭배는 오늘날 많은 지역들에서 여전히 행해지고 있는 것과 마찬가지로 고대 세계에서도 널리 퍼져 있었다.[40] 대부분의 인간 사회에

---

37) 신 30:19f.과 28:1-14, 15-68; 29:14-28. 예를 들면, Lohfink 1990을 보라.

38) 신 30:1-10.

39) 예를 들면, 출 22:18; 레 19:31; 20:6, 27; 신 18:11; 삼상 28장 *passim*; 사 8:19. Cf. Lewis 1989, 171-81; Eichrodt 1961-7, 1.216-23; Cavallin 1974, 24 n. 5; Martin-Achard 1960, 24-31; Riley 1995, 13-15, 이것에 대해서는 아래를 보라. 하지만 Schmidt 1994는 접신술은 이스라엘에 후기에 도입되었고, 왕정시대 말까지 해변 지역에 국한되었다고 강력하게 주장한다.

서는 이전에 죽은 사람들과 접촉할 수 있고, 그렇게 함을 통해서 그것이 어떤 나쁜 영향력을 막아 준다든가 인간의 통상적인 인식 능력 밖에 있는 것을 알 수 있는 통찰력을 얻는다든가 단순히 죽은 사랑하는 사람들과 다시 한 번 접촉할 수 있다는 것 등과 같은 어떤 유익을 얻을 수 있다는 것을 알고 있었다. 그러한 관습들은 이스라엘 사람들이 쫓아내어야 했던 가나안 사람들 가운데에서 흔하게 행해졌고, 계약 백성이 거부하여야 할 일들의 목록 속에서 높은 순위를 차지하고 있었다.

이 점을 잘 보여주는 주요한 장면은 사울과 죽은 사무엘의 만남이다.[41] 사울은 왕이 주도하는 개혁의 일환으로 직접 접신술을 금지하였고, 죽은 사람들과의 접촉을 매개해 줄 수 있는 영매들과 주술사들을 멸절시켰다. 그러나 자기가 군사적인 위기에 처했는데도 야훼가 자신의 기도에 응답하지 않고 계속해서 침묵하자, 사울은 변장을 하고서 영매를 찾아갔고(왕의 금령에도 불구하고, 그의 신하들은 분명히 영매를 찾는 데에 별 어려움이 없었을 것이다), 신접한 여인은 사무엘을 불러올린다. 이 이야기가 지닌 다중적인 신학적 및 감정적 층위들은 주목할 만하다 — 결국, 사무엘은 이전의 불순종에 대하여 사울에게 하나님의 심판을 선언한다.[42]

그러나 여기에서의 우리의 논의를 위해서 중요한 것은 그 다음에 일어난 일이다. 사무엘을 불러올렸을 때에, 신접한 여인은 초인간적인 지식이 주어져서, 자기 앞에 변장하고 있는 사람이 사울이라는 것을 알아차린다(12절). 사울은 그 여인을 안심시키고, 신접한 여인은 접신술을 계속 진행하여, '엘로힘' 이 땅으로부터 올라오는 것을 본다(14절). '엘로힘' 은 통상적으로 "신" 또는 "신들"을 의미한다; 이 단어의 이러한 용법은 죽은 자들은 신이 된다는 가나안 사람들의 신앙을 반영하고 있는 것으로 보이고, 그 신앙은 여기에서 일종의 언어학적인 화석으로 남아있다.[43] 여기에서 '엘로힘' 은 "한 영," "신들의 세계로부터 온 한 존재"를 의미하는 것으로 보인다. 실제로 '엘로힘' 은 자기를 분요

40) cf. Barley 1997, ch. 4. 고대 이스라엘에 대해서는 특히 Schmidt 1994를 참조하라.

41) 삼상 28:3-25.

42) 삼상 15:13-31.

43) 내가 이 점을 지적하는 것은 John Day 박사의 덕택이다.

케 한 것에 대하여 화가 나있는 사무엘이었다(15절); 사무엘은 정말 미래를 알고 있다(그는 이미 사울에게 하나님의 심판에 대하여 경고한 적이 있었지만, 이제는 정확히 그 심판이 언제 임할 것인지를 알고 있다); 그러나 그것은 좋은 소식이 아니다. 야훼는 패역한 왕으로부터 그의 나라, 승리, 생명 자체를 빼앗아 가고 있다:

> 여호와께서 이스라엘을 너와 함께 블레셋 사람들의 손에 넘기시리니 내일 너와 네 아들들이 나와 함께 있으리라 여호와께서 또 이스라엘 군대를 블레셋 사람들의 손에 넘기시리라.[44]

이 장면은 사울의 죽음과 다윗의 임박한 등극이라는 절정을 향한 극적인 전개 속에서 나름대로의 역할을 하고 있는 것이지만, 독자들에 대한 무시무시한 경고로서의 역할도 하고 있다. 접신술은 가능할 수 있지만, 그것은 금지되어 있는 동시에 위험스러운 것이다. 이사야가 조롱하며 말하였듯이, 의심할 여지없이 사람들은 계속해서 접신술을 옹호하였을 것이다:

> 어떤 사람이 너희에게 말하기를 주절거리며 속살거리는 신접한 자와 마술사에게 물으라 하거든 백성이 자기 하나님('엘로힘')께 구할 것이 아니냐 산 자를 위하여 죽은 자에게 구하겠느냐 하라 마땅히 율법과 증거의 말씀을 따를지니 그들이 말하는 바가 이 말씀에 맞지 아니하면 그들이 정녕 아침 빛을 보지 못하고 이 땅으로 헤매며 곤고하며 굶주릴 것이라 … 환난과 흑암과 고통의 흑암뿐이리니 그들이 심한 흑암 가운데로 쫓겨 들어가리라.[45]

그러나 그것은 오직 파멸만을 불러올 뿐이다. 살아계신 하나님만이 참된 생

---

44) 삼상 28:19.

45) 사 8:19-22(또한 cf. 19:3). 이 단락은 본문상으로나 언어학상으로 복잡하지만, 전체적인 의미는 분명해 보인다: 예를 들면, cf. Motyer 1993, 96-8; Childs 2001, 69-77.

명, 지혜, 교훈의 유일한 원천이고, 하나님은 그를 진실로 구하는 자들에게 그러한 것들을 줄 것이다. 죽은 자들은 아무런 훼방도 받지 않은 채 그 긴 잠 속에 그대로 두어져야 한다.

(iii) 설명되지 않는 예외들

두 명의 인물, 그리고 아마도 세 번째의 인물도 이 이야기로부터 돌출해 있다. 그들은 인간들의 공통의 운명을 피해서, 다른 길을 통해서 다른 행선지로 간 것으로 보인다.[46]

창세기 5장은 창세기 3장의 심판을 반영하고 있는 "그리고 그는 죽었다"라는 공통의 후렴구가 붙은 대홍수 이전의 족장들의 족보를 제공해 준다.[47] 이 명단 속에 므두셀라의 아버지, 야렛의 아들 에녹이 갑자기 등장한다. 창세기 기자는 에녹이 "하나님과 동행하더니 하나님이 그를 데려가심으로 세상에 있지 아니하였더라"(24절)고 말한다. 얼핏 보기에는 단순히 한 경건한 사람이 죽었다는 것을 완곡하고 부드럽게 표현한 것으로 보이는 이 단순하고 수식이 없는 진술은 후대에 엄청난 성찰을 생겨나게 만들었다. 에녹에게 과연 무슨 일이 일어난 것인가? 지금 그는 어디에 있는가? 과연 그는 죽음을 피한 것인가? 그 한 결과로서 비밀스러운 계시와 지혜에 관한 후대의 책들이 에녹에게 돌려졌다.[48]

에녹과 아울러 천상의 기병들과 병거들에 의해서 낚아채 올려져서 회오리바람 속에서 하늘로 올라간 엘리야가 있다.[49] 엘리야의 영의 곱절의 분량을 물려받은 엘리사조차도 그러한 은혜를 받지 못했다. 후대의 전승이 야훼의 마지막 날이 도래하기 전에 엘리야가 다시 돌아올 것이라고 본 것은 그의 이례적인 떠남 때문이었을 것이다 — 본문은 그의 몸을 찾을 수 없었다는 점을 강조

46) 이것에 대해서는 cf. Day 1996,237-40; Johnston 2002, 199f.

47) 창 5:5, 8, 11, 14, 17, 20, 27, 31.

48) 이 생생한 전승에 대한 유익한 개관들로는 VanderKam 1984, 1995를 참조하라.

49) 왕하 2:1-18. Cf. Martin-Achard 1960, 65-72.

50) 왕하 2:16-18; cf. 말 4:5; Sir. 48:9f.

한다.[50] 또한 엘리야는 묵시론적인 저작들의 저자로 여겨지게 되었고, 그가 다시 올것이라는 사상은 분명히 주후 1세기의 관념 속에서 한 중요한 특징이었다.[51]

셋째로, 모세의 운명도 불확실성 속에 싸여 있다. 신명기에서는 모세가 느보산에서 약속의 땅을 바라본 후에 모압 땅에서 죽었고, 벧브올 맞은편 골짜기에 매장되었으나, 아무도 그의 무덤의 정확한 위치를 알지 못한다고 아주 분명하게 말하고 있다.[52] 이것은 아마도 그의 무덤이 순례 장소가 되는 것을 방지하려는 목적이었던 것으로 보인다. 그러나 그의 죽음과 그의 매장지의 불확실한 위치는 서로 다른 여러 일련의 가능성들에 문을 열어주었다. 결국에는 일부 사람들은 모세도 엘리야와 마찬가지로 실제로 정상적인 방식으로 죽지 않았고 하늘로 올리워 갔다고 믿게 되었다.[53]

이 세 인물들 중의 그 누구도 경건한 이스라엘 사람이 또 다시 일어나기를 기대할 수 있는 것에 대한 하나의 모델로 여겨지지 않았다. 아무도 어떤 사람이 극히 예외적인 거룩한 삶을 살거나 뭔가 위대한 일을 성취했다면, 그도 마찬가지로 그렇게 될 것이라고 생각하지 않았다. 아브라함, 요셉, 사무엘 같은 위대한 인물들에게는 그러한 은혜가 주어지지 않았고 — 그것을 은혜라고 한다면 — 왜 에녹과 엘리야에게만 그러한 은혜가 주어졌는지에 대하여 아무런 설

51) 예를 들면, 막 9:11-13; cf. *JVG* 167f.와 거기에 나오는 다른 참고문헌들. Greenspoon 1981, 36f.은 이러한 논의에 엘리야가 열왕기상 28:27에서 바알을 조롱하는 것을 추가한다: 아마도 바알은 잠들어 있어서 깨울 필요가 있을 것이라고 그는 말한다. 이것이 죽었다가 다시 살아나는 신으로서의 바알에 대한 암시라면, 엘리야는 야훼는 그와 같지 않다고 말하는 것으로 들려졌을 것이다(그의 청중에 의해서든 또는 열왕기상의 청중에 의해서이든, 그러한 것은 우리의 현재의 목적을 위해서 별로 중요하지 않다): 야훼는 자연계를 지배하는 그런 신이다.

52) 신명기 34:5f.

53) 예를 들면, Goldin 1987; Barr 1992, 15f.; Ginzberg 1998, 3.471-81을 보라. 요세푸스에 의한 이 모든 것에 대한 매우 흥미로운 해석에 대해서는 Tabor 1989를 보라. 물론, 유대 광야의 Nabi Musa에 있는 "모세의 무덤"은 후대에 만들어진 것이다(Murphy-O'Connor 1998 [1980], 369f.를 보라): 이 무덤은 하나의 성소로 1269년에 만들어졌는데, 거기에서는 사해를 거쳐서 느보산까지 바라볼 수 있었다. 전승은 이것을 그의 실제적인 무덤으로 변화시켰다.

명도 제시되지 않는다. 그들이 어떤 종류의 실존 속으로 들어갔는지(부활에 관한 후대의 발전들과 특별히 관련이 있는 문제) 또는 엘리야가 여전히 자신의 몸을 입고 있을 수 있는 그런 종류의 천상의 세계에 관한 그 어떤 설명도 찾아볼 수 없다. 그들은 보편적인 원칙에 대한 설명되지 않는 예외들로 여전히 남아 있다.

마찬가지로, 엘리야와 엘리사가 한두 사람을 죽음으로부터 기적적으로 소생시킨 사건들은 죽음과 그 이후의 삶에 관한 이스라엘의 신앙들에 대한 연구와 특별한 관계가 없다.[54] 그렇게 해서 다시 살아난 사람들은 언젠가는 또다시 죽었을 것이다. 이러한 이야기들에 대한 우리의 주된 관심 — 이것들이 예수에 관한 이야기들을 예견케 하였다는 것을 제외하고 — 은 그것들이 지닌 죽음에 관한 암묵적인 전제들이다. 생기('네페쉬'는 언제나 번역하기가 어렵다)는 그 아이에게서 떠나갔다가, 엘리야가 그 아이를 다시 소생시킬 때에 되돌아왔다. 엘리사의 종은 엘리사에게 그 아이가 "깨어나지" 않았다고 말한다.[55] 이 표현은 부활 자체와 관련하여 사용되는 핵심적인 관념들 중의 일부를 예상하게 한다.

(iv) 불귀(不歸)의 땅

"아무도 찾을 수 없는 땅, 그 시내를 건너서 그 어떤 여행자도 되돌아올 수 없다." 셰익스피어의 햄릿은 이렇게 죽음에 대하여 읊조린다 — 이 어구는 기독교 세계에서 씌어진 한 희곡 속에서 등장하는 내용이어서 한층 더 주목할 만하다.[56] 그러나 이 어구에 표현된 정서는 죽은 자들의 운명에 관한 구약의 통상적인 신앙을 정확하게 묘사해 놓은 것이다: 죽음은 일방통행의 길이어서, 그 길 위에서는 뒤에 있는 사람들은 앞 사람을 좇아갈 수 있지만, 앞서 가는 자들은 되돌아올 수 없다.[57] 사람들은 오늘 여기에 있지만, 내일은 가버려서 더 이상 보이지 않는다.[58]

---

54) 왕상 17:17-24; 왕하 4:18-37; 13:21. Cf. Cavallin 1974, 25 n. 17.

55) 왕상 17:21f.; 왕하 4:31.

56) *Hamlet* 3.1.79f.

57) 예를 들면, 자신으로 인하여 밧세바의 첫 아들이 죽었을 때의 다윗: 삼하 12:23: "내가 다시 돌아오게 할 수 있느냐 나는 그에게로 가려니와 그는 내게로 돌아오지 아니하리라."

욥기는 이 주제에 관한 가장 강력한 진술들을 담고 있다:

> 내 생명이 한낱 바람 같음을 생각하옵소서
> 나의 눈이 다시는 행복을 보지 못하리이다
> 나를 본 자의 눈이 다시는 나를 보지 못할 것이고
> 주의 눈이 나를 향하실지라도 내가 있지 아니하리이다
> 구름이 사라져 없어짐 같이 스올로 내려가는 자는
> 다시 올라오지 못할 것이오니
> 그는 다시 자기 집으로 돌아가지 못하겠고
> 자기 처소도 다시 그를 알지 못하리이다.[59]
>
> 여인에게서 태어난 사람은 생애가 짧고 걱정이 가득하며
> 그는 꽃과 같이 자라나서 시들며
> 그림자 같이 지나가며 머물지 아니하거늘 …
> 나무는 희망이 있나니 찍힐지라도
> 다시 움이 나서 연한 가지가 끊이지 아니하며
> 그 뿌리가 땅에서 늙고 줄기가 흙에서 죽을지라도
> 물 기운에 움이 돋고 가지가 뻗어서 새로 심은 것과 같거니와
> 장정이라도 죽으면 소멸되나니
> 인생이 숨을 거두면 그가 어디 있느냐
> 물이 바다에서 줄어들고 강물이 잦아서 마름 같이
> 사람이 누우면 다시 일어나지 못하고
> 하늘이 없어지기까지 눈을 뜨지 못하며 잠을 깨지 못하느니라
> 주는 나를 스올에 감추시며
> 주의 진노를 돌이키실 때까지 나를 숨기시고
> 나를 위하여 규례를 정하시고 나를 기억하옵소서

---

58) 예를 들면, 시 39:4, 12f.

59) 욥 7:7-10:1. 나는 여기서 Eichrodt가 9절에서 볼 수 있다고 말한 "묵묵한 체념"의 분위를 보지 못하고, 그가 말한 또 다른 예들인 사무엘하 12:23과 시편 89:49에서도 마찬가지이다(Eichrodt 1961-7, 2.500 n.5).

장정이라도 죽으면 어찌 다시 살리이까.[60]

마지막 질문은 분명히 "아니다"라는 대답을 기대한다. 이것은 욥기의 다른 곳에서 강화되어 있고, (다른 곳들보다 특히) 예레미야서에 반영되어 있다.[61] 욥기 속에서 그 취지의 일부는 야훼께서 이생의 삶을 사는 동안에 자신에게 유리한 판결을 내려 주어야 한다고 욥이 역설하는 것이다. 죽은 자들에게는 미래가 없다; 따라서 하나님의 판결은 지금 여기에서 내려져야 한다. 여기에서 논의할 수는 없지만, 이것이 욥기의 논란이 되는 결말 부분(42:10-17)의 요지인 것으로 보인다. 흔히 이 원칙에 대한 예외라고 생각되었던 욥기의 대목은 거의 분명히 그렇지 않다. 과거의 번역들은 그 대목이 예외라고 생각된 이유를 보여준다; 더 최근의 번역들은 그 대목이 지금에 와서는 그렇지 않다고 생각되는 이유를 보여준다:

내가 알기에는 나의 대속자가 살아 계시니
마침내 그가 땅 위에 서실 것이라
내 가죽이 벗김을 당한 뒤에도
내가 육체 밖에서 하나님을 보리라
내가 그를 보리니
내 눈으로 그를 보기를 낯선 사람처럼 하지 않을 것이라.
(한글개역개정판)

내가 알기에는 나의 대속자가 살아 계시니
후일에 그가 땅 위에 서실 것이라

60) 욥기 14:1f., 7-14.

61) 욥 16:22; 렘 51:39, 57("저희는 그들이 영원히 잠들어 깨어나지 못하리라"; 물론, 바빌로니아와 그 관리들에 대한 구체적인 심판으로서의 이것은 이러한 심판이 없다면 결국 깨어나는 때가 있었을 것이라는 뜻을 함축하고 있는 것일 수도 있지만?). 매우 많은 논란이 되고 있는 욥기 19:25-27이 바로 그 직후에 논의된다. 욥기 29:18은 거의 틀림없이 스스로 부활하는 불사조에 대한 언급이 아니다; cf. Day 1996, 252.

내 가죽이 벗겨지고 벌레들이 이 몸을 멸한 뒤에도
내가 육체 안에서 하나님을 보리라
내가 직접 그를 보리니
다른 사람이 아니라 내 눈으로 그를 보리라. (AV)

내 마음에 내가 알기로 나를 신원하실 이가 살아 계시니
마침내 그가 일어나 법정에서 말씀하실 것이라
나는 내 증인이 내 옆에 서있는 것을 알고
나를 변호하시는 분 하나님을 보리라
내가 내 눈으로 그를 보리니
다른 사람이 아니라 내가 직접 보리라. (NEB)

내가 알기에는 나를 변호하실 이가 계시니
마침내 그가 땅 위에서 일어나실 것이라
내가 깨어난 후에 나를 가까이 이끄셔서
내가 육체로부터 하나님을 보리라
내가 볼 그가 내 편을 들리니
내 눈으로 그를 보기를 낯선 사람처럼 하지 않을 것이라. (NJB)

내가 알기에는 나의 대속자가 살아 계시니
마침내 그가 땅 위에 서실 것이라
내 가죽이 멸해진 뒤에도
내가 육체 안에서 하나님을 보리라
내가 그를 보리니
다른 사람이 아니라 내 눈으로 그를 보리라. (NRSV)[62]

NRSV(신개정표준역)는 어느 정도 흠정역(킹제임스 역본)의 전통으로 되돌아가고 있지만, 그 밖의 다른 역본들은 그 번역이 얼마나 문제가 있는지를

62) 욥기 19:25-7.

잘 보여준다: 대부분의 현대어 역본들은 난외주를 통해서 결정적으로 중요한 구절들이 정확히 무엇을 의미하는지를 아무도 모른다는 것을 인정한다(예를 들면, NRSV는 "내 육체 안에서" 대신에 "내 육체 없이"라고 읽을 수 있다고 지적하는데, 물론 그렇게 읽으면 의미가 완전히 바뀐다). 대부분의 학자들은 이 대목이 번역하기가 어렵긴 하지만 위에서 살펴본 그 밖의 다른 대목들을 정면으로 거슬러서 이 대목이 무덤 너머의 몸을 입은 삶에 대한 소망을 갑자기 제시하고 있다고 보기는 한층 더 어렵다는 데에 동의한다.[63] 19장에 나오는 욥의 말에 대한 응답이 20장에 나오는 소발의 말이라는 것은 사실인데, 거기에서는 전통적인 견해가 책망의 분위기를 띠고 강력하게 재천명된다("자기의 똥처럼 영원히 망할 것이라 … 그는 꿈 같이 지나가니 다시 찾을 수 없을 것이요 밤에 보이는 환상처럼 사라지리라"[64]). 이것은 역으로 19장의 의미에 어느 정도 영향을 미칠 수 있을 것이다. 그러나 이것은 추를 전통적인 견해 쪽으로 약간 옮겨 놓는다고 할지라도, 번역의 모든 문제점들과 욥기의 나머지 부분의 취지에 역행하여 이 작은 대목이 욥기에서 제시된 죽음에 관한 통일적인 견해에 대한 예외를 이룬다고 하기에는 충분하지 못하다.

전도서에서도 죽음은 끝이고 돌아오는 것은 없다고 역설한다. 아무도 죽음에서 정확히 무슨 일이 일어나는지를 확실하게 알 수 없지만, 우리가 말할 수 있는 것은 인간은 이 점에 있어서 짐승들과 하나도 다르지 않다는 것이다:

> 인생이 당하는 일을 짐승도 당하나니 그들이 당하는 일이 일반이라 다 동일한 호흡이 있어서 짐승이 죽음 같이 사람도 죽으니 사람이 짐승보다

63) 예를 들면, Martin-Achard 1960, 166-75; Day 1996, 251f.; Johnston 2002, 209-14. Hartley 198, 296f.는 이 본문이 결국 초기 기독교의 관점으로 귀결된 "동일한 논리 위에 세워져" 있었다고 주장한다 — 물론, 이 본문은 그 자체로는 명시적으로 부활을 언급하고 있지 않지만, 이 본문이 사후의 신원을 묘사하고 있는 것이라고 여전히 주장하고 있는 학자들로는 Osborne 2000, 932 등이 있다; Fyall 2002, 51, 64는 주의 깊고 예민한 논증을 통해서 욥이 "육신적인 죽음 너머의 삶"으로의 "신앙의 도약"을 하고 있다고 주장한다. 이전의 참고문헌들에 대해서는 Horst 1960, 277을 보라.

64) 욥기 20:7f.

> 뛰어남이 없음은 모든 것이 헛됨이로다 다 흙으로 말미암았으므로 다 흙으로 돌아가나니 다 한 곳으로 가거니와 인생들의 혼[또는: "숨"('루아흐')]은 위로 올라가고 짐승의 혼은 아래 곧 땅으로 내려가는 줄을 누가 알랴.[65]

죽는다는 것은 영원히 잊혀지는 것이다.[66] 죽음은 육신이 흙으로 돌아가고 숨은 그것을 주신 하나님에게로 돌아가는 것을 의미한다. 죽음은 사람의 불멸의 부분이 하나님에게로 가서 함께 살게 되는 것이 아니라 애초에 사람의 코에 생기를 불어넣었던 하나님이 그 생기를 다시 거두어들이는 것을 의미한다.[67]

(v) 소망의 성격과 토대

발터 침멀리(Walther Zimmerli)가 그의 짤막하고 명료한 연구서인 『구약성서에서의 인간과 그의 소망』이라는 책을 썼을 때, 무덤 너머의 삶이라는 문제는 주된 주제가 아니었을 뿐만 아니라 그 문제에 관한 논의를 거의 평가조차 하지 않는다.[68] 이것은 우리가 다루고 있는 현재의 문제가 구약성서의 대다수의 기자들에 의해서 정면으로 다루어지지 않았다는 것을 상기시켜 준다. 구약성서 기자들은 우리가 위에서 개략적으로 묘사한 내용을 당연한 것으로 여겼고, 그 밖의 것들에 대해서도 그랬다. 강력하고 변함이 없었던 성경 기자들의 소망은 죽음 이후의 인간의 운명이 아니라 이스라엘 및 약속의 땅의 운명에 그 초점이 맞춰져 있었다. 현세에서의 민족과 땅이 무덤 너머에서 한 개인에게

---

65) 전도서 3:19-21. 마지막에 나오는 수사 의문문의 의미는 동일한 생기, 즉 하나님의 숨이 사람들과 짐승들 모두의 코 속에 있다는 것이지, 인간의 영들이 지복의 장소로 간다는 것에 관한 특별한 이론이 존재한다는 것은 아닌 것으로 보인다 — 그러한 이론이 존재하였다고 할지라도 이 절은 직설적인 불가지론을 통해서 그것에 도전하고 있는 것으로 보인다.

66) 전도서 2:16. 이것에 대해서는 Bream 1974 등을 보라.

67) 전 12:7; cf. 시 104.29 — 이 시편의 다음 절은 새로운 가능성을 열어주지만, 이것에 대해서는 아래를 보라.

68) Zimmerli 1971 [1968].

일어나는 일보다 훨씬 더 중요했던 것이다.

따라서 민족의 소망은 무엇보다도 최우선적으로 이스라엘 백성들, 아브라함, 이삭, 야곱의 자손들이 번성하는 것이었다. 심지어 타락 이야기 속에도 자녀에 대한 소망이 존재한다.[69] 자녀들과 손주들은 하나님의 큰 축복이었고, 장수하여 자손들을 보는 것은 사람으로서 소망할 수 있는 최고의 것들 중의 하나였다.[70] 요셉이 자신의 증손주들을 보고 안을 수 있었던 것은 그가 큰 축복을 받았음을 보여주는 표지였다.[71] 역으로, 자식이 없는 것은 그 삶이 극히 비참했음을 보여주는 표지였다(오늘날 온갖 종류의 바라는 것들을 지니고 있는 유럽과 미국의 사람들은 자식이 없다는 것을 고대인들이 치욕거리로 여긴 것을 흔히 이상하고 소심한 태도로 여기지만, 자녀들이 사람의 미래의 소망의 중심이었던 세계 속에서 그것은 큰 의미를 지닌다). 자녀가 죽거나 죽임을 당하는 것을 보는 것은 사람이 겪을 수 있는 가장 큰 재앙이었을 것이다.[72]

이렇게 민족만이 아니라 한 개인의 가족의 계보를 영속적으로 이어나가는 것은 신성한 책무였고, 그것을 보호하기 위한 특별한 관습들과 율법들을 필요로 하였다.[73] 그러한 신앙들과 관습들은 고대 이스라엘에게만 특유한 것은 아니었지만, 그러한 것들은 아브라함과 그 후예들에게 주어진 약속들과의 연계성, 이스라엘을 세계 속에서의 소명과 사명에 대한 특별한 인식을 지닌 백성으로 만들었던 사건들로 말미암아 한층 더 중요하게 되었다. 경건한 이스라엘 사람들에게 가문의 대를 잇는 일은 단순히 이름을 대대로 남기는 문제가 아니라, 이스라엘과 온 세계를 위한 하나님의 약속들이 성취되는 방식의 일부였다. 그런 까닭에 민족이 다시 모이게 된 포로기 이후의 시기에 당혹스러울 정도로 혼잡해진 것으로 보인 족보들, 그리고 "거룩한 씨"에 대한 강조가 선지자들에게 중요시되었다.[74]

---

69) 창 3:16, 20; Zimmerli 1971 [1968], 47f.를 보라.

70) 시 128편; 129편.

71) 창 50:23.

72) 예를 들면, 룻 1:20f.; 왕하 25:7. 또한 삼상 4:17f.; 눅 1:25과 비교해 보라.

73) cf. 창 38:6-11, 26; 신 25:5-10; 룻 1:11-13; 3:9-13; 4:1-17. 수혼법(형이 죽었을 때 동생이 형수와 결혼하는 것)에 대해서는 Cavallin 1974, 25; Martin-Achard 1960, 22f.; 그리고 아래의 제9장 제2절을 보라.

땅도 가족의 경우와 마찬가지였다. 하나님은 가나안 사람들의 땅을 아브라함의 가족에게 주기로 약속하였었고, 이 약속은 마침내 그 땅을 정복할 때까지 족장들의 소망이 되었다.[75] 물론, 이것은 화자가 아브라함이 매장지로 사용할 굴이 있는 밭을 산 일에 큰 의미를 부여하는 이유를 설명해준다(창세기 23장: 이 장 전체가 이 밭을 산 사건을 다룬다). 아브라함은 거기에 사라를 매장하고, 그런 후에 스스로 묻힌다; 그리고 나중에 이삭과 리브가, 레아, 마지막으로는 야곱 자신이 거기에 매장된다.[76] 이 모든 것이 보여주는 것은 어떤 종류의 사후의 재회 또는 무덤 너머의 개인의 삶이 아니라, 약속의 땅을 이 가족이 소유하는 것과 관련된 하나님의 약속을 확인하는 것이었다.

물론 이것은 이 시기 전체에 걸쳐서 이스라엘의 주된 소망이었던 대선지자들의 약속들이 땅 및 그 안에서의 민족의 평화와 번영에 초점을 맞추고 있는 이유이다. 신명기는 약속의 땅을 염두에 두고 출애굽에 관한 최초의 비전(젖과 꿀이 흐르는 땅)을 확장하여 온갖 종류의 농업에 적용한다.[77] 민족과 땅이 번영한다면, 사람들은 평안히 무덤으로 갈 수 있었다.

성경의 몇몇 기자들이 민족에 대한 소망의 초점을 왕가에 맞추었다고 한다면, 땅에 대한 소망은 그 초점이 예루살렘에 맞추어졌다. 물론 다윗 시대 이래로 예루살렘이 왕도가 되고 솔로몬 시대에 야훼의 성전의 터가 되면서, 이 둘은 함께 결합되었다. 따라서 왕, 도성, 성전의 번영은 민족과 땅에 대한 개별적인 소망이 아니라, 그 소망의 핵심이자 정수였다. 이러한 뿌리로부터 이전의 신학을 활용하여 그것을 이스라엘, 그리고 나아가 온 세계를 위한 번영의 약속과

---

74) 예를 들면, 대상 1-9장; 스 2:1-63(족보의 부재가 제사장 가문임을 의심케 하는 62f.를 주목하라); 8:1-14; 느 7:5-65. "거룩한 씨"에 대해서는 스 9:1f.; 말 2:15을 참조하라(cp. 사 6:13).

75) 예를 들면, 창 12:7과 그 이후; 출 3:8, 17 그리고 흔히 이 이야기 전체. Cf. Zimmerli 1971 [1968], 49-53.

76) 창 23:19; 25:9; 35:29; 47:30; 49:29-32; 50:13. Cf. Zimmerli 1971 [1968], 63f.

77) 출 3:8; 13:5; 33:3; 예를 들면, cp. 레 20:24; 민 13:27; 신 26:9, 15; cf. 렘 11:5; 32:22; 겔 20:6. 이 환상의 확장에 대해서는 신 6:10f.; 8:7-10; 11:10-15; 26:1-11; 특히, 28:1-14을 보라.

소망으로 재표현한 시온 예언들, 왕의 축복과 승리에 관한 시편들을 통하여 풍부한 소망들이 자라갔다:

말일에
여호와의 전의 산이
모든 산 꼭대기에 굳게 설 것이요
모든 작은 산 위에 뛰어나리니
만방이 그리로 모여들 것이라
많은 백성이 가며 이르기를
오라 우리가 여호와의 산에 오르며
야곱의 하나님의 전에 이르자
그가 그의 길을 우리에게 가르치실 것이라
우리가 그 길로 행하리라 하리니
이는 율법이 시온에서부터 나올 것이요
여호와의 말씀이 예루살렘에서부터 나올 것임이니라
그가 열방 사이에 판단하시며
많은 백성을 판결하시리니
무리가 그들의 칼을 쳐서 보습을 만들고
그들의 창을 쳐서 낫을 만들 것이며
이 나라와 저 나라가 다시는 칼을 들고 서로 치지 아니하며
다시는 전쟁을 연습하지 아니하리라.[78]

이새의 줄기에서 한 싹이 나며
그 뿌리에서 한 가지가 나서 결실할 것이요
그의 위에 여호와의 영
곧 지혜와 총명의 영이요
모략과 재능의 영이요

78) 사 2:2-4; cp. 미 4:1-3(4절은 모두가 포도나무와 무화과나무 아래에서 평안히 앉아 있게 될 것이라는 약속을 덧붙인다).

지식과 여호와를 경외하는 영이 강림하시리니
그가 여호와를 경외함으로 즐거움을 삼을 것이며 …
이리가 어린 양과 함께 살며
표범이 어린 염소와 함께 누우며
송아지와 어린 사자와 살진 짐승이 함께 있어
어린 아이에게 끌리며 …
내 거룩한 산 모든 곳에서 해 됨도 없고 상함도 없을 것이니
이는 물이 바다를 덮음 같이
여호와를 아는 지식이 세상에 충만할 것임이니라.[79)]

내가 붙드는 나의 종,
내 마음에 기뻐하는 자 곧 내가 택한 사람을 보라
내가 나의 영을 그에게 주었은즉
그가 이방에 정의를 베풀리라 …
그는 쇠하지 아니하며 낙담하지 아니하고
세상에 정의를 세우기에 이르리니
섬들이 그 교훈을 앙망하리라.[80)]

주 여호와의 영이 내게 내리셨으니
이는 여호와께서 내게 기름을 부으사
가난한 자에게 아름다운 소식을 전하게 하려 하심이라
나를 보내사 마음이 상한 자를 고치며
포로된 자에게 자유를, 갇힌 자에게 놓임을 선포하며 …
그들이 의의 나무
곧 여호와께서 심으신 그 영광을 나타낼 자라
일컬음을 받게 하려 하심이라

79) 사 11:1-9. 폭력이 없는 새로운 피조세계에 관한 약속은 65:11-25에서 확장된다.

80) 사 42:1, 4.

그들은 오래 황폐하였던 곳을 다시 쌓을 것이며
옛부터 무너진 곳을 다시 일으킬 것이며
황폐한 성읍 곧 대대로 무너져 있던 것들을 중수할 것이며 …
땅이 싹을 내며
동산이 거기 뿌린 것을 움돋게 함 같이
주 여호와께서 공의와 찬송을
모든 나라 앞에 솟아나게 하시리라.[81]

하나님이여 주의 판단력을 왕에게 주시고
주의 공의를 왕의 아들에게 주소서
그가 주의 백성을 공의로 재판하며
주의 가난한 자를 정의로 재판하리니
공의로 말미암아 산들이 백성에게 평강을 주며
작은 산들도 그리하리로다
그가 가난한 백성의 억울함을 풀어 주며
궁핍한 자의 자손을 구원하며 압박하는 자를 꺾으리로다 …
그가 바다에서부터 바다까지와
강에서부터 땅 끝까지 다스리리니 …
그는 궁핍한 자가 부르짖을 때에 건지며
도움이 없는 가난한 자도 건지며.[82]

내가 나의 거룩함으로 한 번 맹세하였은즉
다윗에게 거짓말을 하지 아니할 것이라
그의 후손이 장구하고 그의 왕위는 해 같이 내 앞에 항상 있으며
또 궁창의 확실한 증인인 달 같이 영원히 견고하게 되리라.[83]

---

81) 사 61:1, 3 f., 11. 농사 이미지와 약속이 함께 혼합되어 있는 방식에 주목하라.
82) 시 72:1-4, 8, 12.
83) 시 89:35-7.

물론 이러한 약속들은 잘 알려져 있고 많은 연구가 이루어진 것들로서, 우리의 현재의 연구범위를 벗어난다. 그러나 우리가 여기서 이러한 것들을 상기하는 것은 대부분의 고대 이스라엘 사람들에게 무덤 너머의 삶에 관한 그 어떤 진술이 없었다고 해서 그것이 곧 그들에게 생생하고 가슴 떨리는 소망이 없었다는 것을 의미하지 않는다는 것을 확인하기 위한 것이다. 이 소망의 중심에는 이스라엘의 하나님 야훼가 세계의 창조주이고, 그는 이스라엘과의 계약, 나아가 온 세계와의 계약에 신실하며, 따라서 이스라엘과 온 피조세계에 대한 자신의 말씀에 충실할 것이라는 지식이 있었다. 이 소망이 어떤 식으로 이루어질 것인지, 미래의 이상적인 왕이 거기에서 무슨 역할을 할 것인지, 그 안에서 예루살렘은 어떤 위치를 차지하게 될 것인지, 어느 때에 이 약속들이 마침내 성취될 것인지 — 이 모든 것들은 나중에 다루어질 것인데, 나는 다른 곳에서 이것에 대하여 글을 쓴 바 있다.[84] 몇몇 선지자들은 약속들과 위협들이 실행에 옮겨질 "야훼의 날"에 관하여 설교하였다.[85]

앞으로 보게 되겠지만, 이러한 전승 내에서의 몇몇 대목들에서 무덤 너머의 삶을 약속하는 새로운 말씀이 나왔다는 것은 사실이다. 그러나 고대 이스라엘의 압도적인 다수에게 있어서 창조주이자 계약의 신의 성품에 토대를 둔 크고 확고한 소망은 민족과 땅, 그리고 결국에는 온 땅에 야훼가 내려줄 공의, 번영, 평화라는 축복에 대한 것이었다. 족장들, 선지자들, 왕들, 평범한 이스라엘 사람들은 사실 열조들에게로 돌아가서 함께 잠들어 있을 것이다. 하지만 야훼의 뜻은 계속해서 진행하여, 정해진 때에 결국 이루어지게 될 것이다.

이상에서 말한 것이 고대 이스라엘의 근본적인 소망이었다. 성경의 여러 다양한 전승들 내에서의 발전들을 살펴보려고 하는 지금에 있어서 중요한 것은 이러한 발전들은 우리에게 중요한 세부적인 내용들에 있어서 아무리 많이 불일치한다고 할지라도 결국 앞에서 말한 토대 위에 세워져 있다는 것을 인식하는 것이다.

---

84) 예를 들면, *NTPG* ch. 10; *JVG* 481-6.

85) 사 13:6, 9; 렘 46:10; 겔 30:2, 3; 욜 1:15; 2:1, 11, 31; 3:14; 옵 15; 습 1:14, 15; 슥 14:1.

3. 그리고 그 이후에는?

(i) 서론

야훼의 변함 없는 사랑은 고대 이스라엘 사람들에게 결코 신학적인 교리에 불과한 것이 아니었다. 그들의 문헌의 많은 부분들, 특히 시편에서 우리는 그들이 생생한 인격적인 체험 속에서 이 사랑을 알았다는 것은 보여주는 증거들을 발견한다. 무덤 너머의 삶에 대한 널리 퍼져 있던 부정들에도 불구하고, 야훼의 신실하심은 현세에서만이 아니라 무덤 너머의 삶 속에서도 계속될 것이라는 주장을 생겨나게 한 것은 선천적인 불멸에 관한 이론이 아니라 이러한 인격적인 체험이었다.

이러한 관념이 언제 최초로 출현하였는지를 말하는 것은 지금으로서는 불가능하다. 우리는 위에서 묘사한 내용을 시작으로 해서 죽음 이후의 그 무엇에 대한 소망이 싹트는 것으로 이어졌고 결국 부활로 귀결되었다는 식의 점진적이고 연대기적인 발전을 가정하고 싶은 유혹을 떨쳐버리지 않으면 안 된다. 부활 신앙은 실제로 가장 늦게 명시적인 형태를 띠고 등장한 것으로 보이지만, 그것이 우리가 이제 서술하게 될 "그 이후"에 대한 탐사과정의 결과 또는 구체화로부터 생겨났다고 생각하는 것은 잘못일 것이다. 관념들이 규칙적이거나 단선적인 방식으로 발전한다는 것은 결코 항상 사실인 것은 아니다. 어쨌든 오늘날의 서구인들에게 자연스러운 또는 논리적인 발전과정으로 보이는 일들은 다른 시대들과 문화들 속에서 실제로 일어난 일과는 아무런 관계가 없다고 보는 것이 좋다. 아무튼 부활에 대한 신앙이 우리가 지금 살펴보게 될 신앙들 너머의 추가적인 발전이었다고 생각하는 것은 잘못이다. 이와는 반대로, 모든 점에서 부활 신앙은 이전의 입장에 대한 일종의 재확인 또는 그 이전의 입장으로부터 새롭게 성장한 것이다. 그러나 이것을 분명히 하기 위해서 우리는 본문들 자체를 살펴보지 않으면 안 된다

(ii) 스올에서 건져진다?

야훼가 사람들을 스올에서 건질 것이라는 소망을 제시하는 듯이 보이는 몇몇 본문들이 있다. 이러한 본문들이 지닌 문제점은 그것이 스올 너머에 있는 구원 — 즉, 야훼가 죽은 자들을 죽음 이후에 더 매력적인 다른 사후의 실존으

로 옮기거나 스올에 잠시 머물러 있게 한 후에 구원하기 위하여, 죽은 자들을 스올에서 건진다는 것 — 을 가리키는 것인지, 아니면 그것이 단지 죽음으로부터의 구원, 즉 인생의 절정기에 갑자기 삶을 중단시키는 것이 아니라 수명을 길게 연장시키는 것을 가리키는지를 알아내야 한다는 것이다.

이러한 본문들 중에서 가장 잘 알려진 것은 시편 16편이다:

> 내가 여호와를 항상 내 앞에 모심이여
> 그가 나의 오른쪽에 계시므로 내가 흔들리지 아니하리로다
> 이러므로 나의 마음이 기쁘고 나의 영도 즐거워하며
> 내 육체도 안전히 살리니
> 이는 주께서 내 영혼을 스올에 버리지 아니하시며
> 주의 성도를 멸망시키지 않으실 것임이니이다
> 주께서 생명의 길을 내게 보이시리니
> 주의 앞에는 충만한 기쁨이 있고
> 주의 오른쪽에는 영원한 즐거움이 있나이다.[86]

이것이 죽음을 모면하는 것을 가리키는지, 아니면 죽음을 통과하여 그 너머의 삶으로 나아가는 것을 가리키는지에 대해서는 의문이 있지만,[87] 무엇을 소망의 토대로 삼고 있는지는 의문의 여지가 없다. 그것은 바로 이 시편 기자가 자신의 주권자(2절), 자신의 분깃이자 잔(5절), 자신의 마음 은밀한 곳에서 그에게 모략을 주시는 분(7절)으로 여기는 야훼 자신이다.

이와 동일한 질문은 시편 22편과 관련해서도 제기될 수 있다. 이 시편 기자는 분명히 깊은 근심, 신체적인 위험, 고뇌 속에 있다: 그는 "주께서 또 나를 죽

---

86) 시 16:8-11.

87) Eichrodt 1961-7, 2.524; von Rad 1962-5, 1.405; Martin-Achard 1960, 149-53; Johnston 2002, 201f.를 보라. 시편 86:13과 비교해 보라. 이 시편에서 "주는 내 영혼을 깊은 스올에서 건지셨나이다"는 분명히 기자가 이미 문자적으로 죽은 자로부터 다시 일으키심을 받았다는 진술이 아니다. 몇몇 시편들에서 사후의 소망을 말하고 있다고 본 Dahood 1965/6의 주장에 대해서는 Day 1996, 234f.; Lacocque 1979, 236-8 등을 보라.

음의 진토 속에 두셨나이다"(15절)라고 말한다. 그럼에도 불구하고, 그는 하나님이 자신의 생명을 구원해주실 것을 기도하고 나서, 운명이 역전된 후에 이 시편의 끝부분에서 하나님이 그렇게 해주신 것을 감사한다(21-31절). 이러한 감사의 일부로서 이 시편은 모든 사람, 심지어 죽은 자들조차도 결국에는 하나님에게 굴복하게 될 것이라는 사실을 송축한다:

> 세상의 모든 풍성한 자가 먹고 경배할 것이요
> 진토 속으로 내려가는 자
> 곧 자기 영혼을 살리지 못할 자도 다 그 앞에 절하리로다.[88]

그렇지만 주된 소망은 무덤의 반대인 구원이라기보다는 폭력적인 죽음으로부터의 구원에 대한 소망인 것으로 보인다. 이 시편은 이스라엘의 전통적인 소망, 즉 하나님에게 감사를 드릴 장차 오실 "씨"에 대한 소망을 재확인하는 것으로 끝난다(30-31절).[89]

부활 자체가 아니라 지속적인 삶에 대한 이러한 단언은 시편 104편에 의해서 의도되고 있는 것이기도 하다:

> 주께서 낯을 숨기신즉 그들[짐승들과 바다 생물들]이 떨고
> 주께서 그들의 호흡을 거두신즉 그들은 죽어 먼지로 돌아가나이다
> 주의 영[또는 "숨"]을 보내어 그들을 창조하사
> 지면을 새롭게 하시나이다.[90]

제2성전 시대 말기에 이것이 어떻게 읽혀졌을까 하는 문제는 별개의 문제

---

88) 시편 22:29.

89) Eichrodt 1961-7, 2.511가 이 시편은 "죽은 자들이 하나님과의 살아있는 교제로 되돌아오리라는 것에 관한 개념"을 표현하고 있다고 말한 것은 너무 지나친 감이 있다. 엄밀하게 말해서, 이 시편은 거의 죽을 뻔한 사람에 관한 것이다. 물론, 이것은 이 시편이 이후의 유대교에서 무덤 너머의 삶에 대한 소망과 관련하여 읽혀졌다는 것을 배제하는 것은 아니다.

90) 시 104:29f.

이다 — 우리는 다음 장에서 이에 대해 다시 살펴볼 것이다.

이와 동일한 질문들은 마찬가지로 유명한 욥기의 한 대목에 의해서 제기된다. 엘리후는 하나님이 사람들의 귀를 열어서 그의 경고를 듣게 하실 것이라고 말한다:

> 이는 사람에게 그의 행실을 버리게 하려 하심이며
> 사람의 교만을 막으려 하심이라
> 그는 사람의 혼을 구덩이에 빠지지 않게 하시며
> 그 생명을 칼에 맞아 멸망하지 않게 하시느니라.

그런 후에 그들이 그러한 운명에 가까이 갈 때,

> 그의 마음은 구덩이에, 그의 생명은 멸하는 자에게 가까워지느니라
> 만일 일천 천사 가운데 하나가
> 그 사람의 중보자로 함께 있어서 그의 정당함을 보일진대
> 하나님이 그 사람을 불쌍히 여기사
> 그를 건져서 구덩이에 내려가지 않게 하라
> 내가 대속물을 얻었다 하시리라
> 그런즉 그의 살이 청년보다 부드러워지며
> 젊음을 회복하리라
> 그는 하나님께 기도하므로 하나님이 은혜를 베푸사
> 그로 말미암아 기뻐 외치며 하나님의 얼굴을 보게 하시고 …
> 그가 사람 앞에서 노래하여 이르기를
> … 하나님이 내 영혼을 건지사 구덩이에 내려가지 않게 하셨으니
> 내 생명이 빛을 보겠구나 하리라
> 실로 하나님이 사람에게 이 모든 일을 재삼 행하심은
> 그들의 영혼을 구덩이에서 이끌어
> 생명의 빛을 그들에게 비추려 하심이니라.[91]

91) 욥 33:15-30.

이것은 시편 16편보다 덜 모호한 것으로 보이는데, 욥기의 나머지 부분과 맥을 같이 하여, 죽음 이후에 일어나는 구원이 아니라 때이른 죽음으로부터의 구원을 가리킨다고 보는 것이 가장 좋다. 하지만 이 두 본문은 성서 시대 이후의 유대교 내에서는 죽음 이후의 구원이라는 의미로 읽혀졌을 것이다. 곧 보게 되겠지만, 이와 같은 본문들의 원래의 의미가 불확실하다는 것은 사실이지만, 이러한 불확실성은 후대의 번역과 해설 속에서 쉽게 제거될 수 있었다는 것도 사실이다.

(iii) 고난 후의 영광?

우리는 적어도 시편 73편에 대해서는 더 분명한 것을 발견할 수 있다.[92] 겉보기에 불의해 보이는 삶 속의 여러 일들(악인들과 교만한 자들이 항상 못된 짓을 하면서도 벌을 받지 않고 살아가는 듯이 보이는 것)에 관하여 탄식하는 성경의 고전적인 본문들 중의 하나인 이 시편은 욥기와 같은 위치에 속한다. 하지만 이 시편은 다른 종류의 대답을 제시한다. 이 시편 기자는 하나님의 성소로 들어가는 때부터 이미 악인들은 결국 단죄를 받게 될 것임을 알고 있다 — 물론, 언제 그리고 어떻게 그런 일이 일어날지는 여전히 불분명하지만:

> 주께서 참으로 그들을 미끄러운 곳에 두시며 파멸에 던지시니
> 그들이 어찌하여 그리 갑자기 황폐되었는가
> 놀랄 정도로 그들은 전멸하였나이다
> 주여 사람이 깬 후에는 꿈을 무시함 같이
> 주께서 깨신 후에는 그들의 형상을 멸시하시리이다.[93]

그러나 이것이 전부는 아니다. 시편 기자는 자기를 보내주지 않는 사람, 육신이 썩어 없어짐도, 죽음도 막을 수 없는 힘에 의해서 자기가 붙잡혀 있음을 스스로 발견한다:

---

92) Day 1996,255f.; Johnston 2002, 204-06을 비롯한 문헌들을 보라.
93) 시 73:18-20.

> 내가 항상 주와 함께 하니 주께서 내 오른손을 붙드셨나이다
> 주의 교훈으로 나를 인도하시고 후에는 영광으로 나를 영접하시리니
> 하늘에서는 주 외에 누가 내게 있으리요
> 땅에서는 주 밖에 내가 사모할 이 없나이다
> 내 육체와 마음은 쇠약하나
> 하나님은 내 마음의 반석이시요 영원한 분깃이시라 …
> 하나님께 가까이 함이 내게 복이라
> 내가 주 여호와를 나의 피난처로 삼아
> 주의 모든 행적을 전파하리이다.[94)]

24절에서 "그리고 후에는"('웨아하르')이 나중에 현세에서 일어날 사건이 아니라, 하나님의 교훈에 의해서 인도하심을 받은 현세의 삶 이후에 얻게 될 상태를 가리킨다는 것은 분명해 보인다. 이것은 26절이 이사야 40:6-8을 반영하여 사람의 연약성 및 죽음조차도 하나님의 요동치 않는 힘에 의해서 해결된다고 말하고 있는 것에 의해서 확증된다. 불행히도 여기서 "영광으로"라고 번역된 결정적으로 중요한 단어인 '카보드' — 이 시편 기자가 정확히 무엇이 앞에 놓여있다고 생각했는지를 아는 것이 좋을 것이기 때문에 결정적으로 중요한 — 는 NRSV에서처럼 "존귀로"라고 번역될 수도 있다. 우리는 무덤 너머의 삶, (이 시편의 논리가 요구하듯이) 잘못된 것들이 바로잡히고 하나님의 공의가 인식될 그러한 삶, 현세에서 하나님의 사랑을 알았던 자들이 그 사랑이 죽음보다 더 강하다는 것을 발견하게 되고, 그들을 존귀 또는 영광의 자리로 "영접할" 그런 삶을 황홀하게 얼핏 엿보게 된다.[95)]

---

94) 시 73:23-7. 24절의 "받다"를 나타내는 단어는 "취하다"로 번역될 수 있다; 창세기 5:24에서 하나님이 에녹을 "취하여" 하늘로 데려가신 것과 관련해서도 이 단어가 사용된다(Barr 1992, 33을 보라).

95) 시편 73편에 대해서는 Eichrodt 1961-7, 2.5201; Martin-Achard 1960, 158-65; Brueggemann 1997, 481을 보라. Osborne 2000, 932 등은 "부활"이라는 단어를 "죽음 이후의 삶"의 동의어로 사용하고 있지만, 여기에는 "부활"에 관한 내용은 전혀 없다. 시편 17:15은 몇 가지 점에서 73:26과 비슷하다. 이러한 점들에 대해서는 아래 4항을 참조하라.

"영접하다"라는 이 동일한 동사는 시편 49:15에도 등장한다.[96] 이 시편 전체는 모든 인간의 삶의 유한성에 대한 진지한 묵상이다:

그들의 집은 영원히 있고 그들의 거처는 대대에 이르리라 …
그들은 그들의 역대 조상들에게로 돌아가리니
영원히 빛을 보지 못하리로다.[97]

인간은 짐승과 다름없이 모두 무덤으로 가게 될 것이고, 그들이 이 땅에서 누린 부귀영화는 아무 소용이 없게 될 것이다: 그 다음에 이어지는 내용은 세상에서의 명성과 재물을 뒤로 하고 스올로 가서 거기에 머물게 될 어리석은 자들과 또 다른 종류의 미래를 기대하는 시편 기자 자신 간의 대비에 의거하고 있다. 이 시편이 지닌 이러한 내적인 논리는 우리가 그것을 앞서 말한 범주, 즉 때이른 죽음으로부터의 구원이라는 범주에 두는 것이 잘못된 것임을 의미한다; 그 대신에, 우리는 시편 73편에서처럼, 하나님의 구속의 능력이 죽음 자체보다 더 강하다는 것에 대한 확신을 적어도 얼핏 엿볼 수 있는 것으로 보인다. 만약 그렇지 않다면, 이 시편이 단언하고 있는 것은 지혜로운 자들과 의인들도 짧막한 처형의 기간이 지난 후에 때가 되면 어리석은 자들과 마찬가지로 스올로 가게 되리라는 것이 될 것인데, 이건 말도 되지 않는다:

그들은 양 같이 스올에 두기로 작정되었으니
사망이 그들의 목자일 것이라
정직한 자들이 아침에 그들을 다스리리니
그들의 아름다움은 소멸하고
스올이 그들의 거처가 되리라
그러나 하나님은 나를 영접하시리니 이러므로
내 영혼을 스올의 권세에서 건져내시리로다.[98]

---

96) Day 1996, 253-5와 다른 문헌들을 보라.
97) 시편 49:11, 15, 19.

이것이 올바른 이해라면, 후대의 많은 예배자들은 비록 시편 16편에서처럼 역사적인 주해가 그것에 의문을 제기한다고 할지라도 바로 그러한 내용을 보았을 것이다.[99]

이러한 세 개의 시편은 돌출되어 있다.[100] 이와는 대조적으로, 시편 34편과 37편에서는 의인들이 받는 상급은 확고하게 현세적인 것으로 묘사된다. 모든 시편들 중에서 가장 처절한 것들 중의 하나인 시편 88편에 나오는 고뇌어린 간구들은 긍정적인 대답에 대한 그 어떤 소망도 없이 그들의 끔찍한 질문들을 제기한다.[101] 또한 시편 16편, 그리고 시편 73편과 49편은 나름대로 고대 이스라엘의 나머지 글들이 여전히 알지 못하고 있는 미래에 대하여 암시하고 있는 성경의 본문들에 속하는 유일한 것들이다.

(iv) 미래의 소망의 토대

우리가 이와 같은 소망을 엿볼 수 있는 대목 속에서, 그 토대가 되고 있는 것은 인간을 구성하고 있는 그 무엇(예를 들면, "불멸의 영혼")이 아니라 야훼, 오직 그분뿐이다. 사실 야훼는 단순히 소망의 토대일 뿐만 아니라 소망의 실질이기도 하다: 야훼 자신은 의롭고 경건한 이스라엘 사람들의 유업, 즉 "분깃"이다.[102] 이와 동시에, 몇몇 오래된 기도들이 보여주듯이, 오직 야훼의 권능만이 사람들을 살아나게 할 수 있다.[103] 한 시편 기자는 이렇게 노래하였다: "진실로

---

98) 시편 49:14f.

99) 시편 49편에 대해서는 von Rad 1962-5, 1.406; Martin-Achard 1960, 153-8; Day 1996, 253f.를 참조하라. 하나님이 어떤 사람을 스올 또는 무덤으로 가는 것을 막기 위하여 개입한다는 관념이 물론 그러한 현상과 양립될 수 있기는 하지만, 이 시편 기자는 에녹과 엘리야에 의해서 보여진 것과 같이 죽음을 이례적으로 피해가는 경우를 염두에 두고 있는 것 같지는 않다(위의 제3장 제2절을 보라).

100) 우리는 바울이 고린도후서 4장에서 사용하고 있는 시편 116편을 여기에 추가해야 할 것이다(아래의 제7장 제2절을 보라). Johnston 2002, 207-09은 잠언에 나오는 네 본문을 추가한다: 12:28; 14:32; 15:24; 23:14. 이 본문들은 원래의 의미가 무엇이었든지간에 나중에는 사후의 미래를 가리키는 것으로 읽혀졌을 것이다.

101) 위의 제3장 제2절을 보라.

102) 예를 들면, Brueggemann 1997, 419.

103) 신 32:39; 삼상 2:6: "여호와는 죽이기도 하시고 살리기도 하시며." 또한 위

생명의 원천이 주께 있사오니 주의 빛 안에서 우리가 빛을 보리이다."[104] 창조주, 생명을 주시는 분, 궁극적인 공의의 하나님으로서의 야훼에 대한 이러한 강력한 신앙이 겉으로 보기에 모순되는 삶의 불의들과 고난들을 상쇄했을 때, 앞에서 우리가 보았듯이, 이 지점에서 새로운 신앙이 생겨날 기회가 존재하게 되었다. 이스라엘의 고난들이 항상 이러한 반응을 불러일으켰던 것은 아니었다. 시편 88편과 욥기는 그 정반대를 보여주는 증거들이다. 종종 구약성서 속에서 가시 같은 존재로 여겨지는 전도서는 단지 어깨를 움츠리며 당신에게 당신이 가진 것을 최대한도로 활용하라고 말해줄 것이다. 그러나 야훼가 그의 백성의 유업이고, 그의 사랑하심과 신실하심이 이스라엘의 전승들이 말해주는 것만큼 강력하다면, 죽음 자체를 패배당한 원수로 보는 것을 가로막을 궁극적인 장애물은 존재하지 않는다. 물론 이것은 몇몇 핵심적인 본문들이 계속해서 행한 것이었고, 우리는 이제 그것들을 본격적으로 살펴보지 않으면 안 된다.

4. 잠자는 자들을 깨우는 것

(i) 서론

구약성서가 죽은 자들의 부활에 관하여 말하고 있다는 것을 의심하는 사람은 아무도 없지만, 그러한 관념이 무엇을 의미하며, 어디로부터 왔고, 성경이 죽은 자들에 관하여 말하고 있는 그 밖의 다른 것들과 어떤 관계에 있는지에 대하여 아무도 일치된 견해를 말하지 않는다. 그러나 예수와 바울 당시의 유대 세계는 이러한 본문들을 그들이 폭넓게 지니고 있었던 부활 신앙에 대한 주요한 근거들로 여겼기 때문에, 우리는 관련된 본문들을 살펴보고 그 본문들이 어떻게 해석될 수 있는지를 알지 않으면 안 된다. 여기서 부활은 준비되어 있지 않았던 이스라엘 세계 속으로 갑자기 돌입해 온 혁명적인 관념이었던 것인가? 만약 그렇다면, 그 관념은 어디로부터 온 것인가? 아니면, 그것은 고대 유대인들의 소망의 절정이었던 것인가?

우리가 이 문제를 더 본격적으로 논의하기 전에, 다시 한 번 여기에서도 핵심적인 주제와 관련하여 정지 작업을 하는 것이 중요할 것이다.[105] 우리가 지

의 제3장 제3절에 인용된 시편 104:29f.도 보라.

104) 시편 36:9.

금부터 살펴보고자 하는 본문들은 죽음 이후의 삶에 관한 새로운 해석에 관하여 말하고 있는 것이 아니라, "죽음 이후의 삶"이 무엇이 되었든지 간에 그 후에 일어나게 될 일에 관하여 말하고 있다 — 우리가 그 본문들의 세부적인 뉘앙스를 어떤 식으로 이해하든지 간에 부활은 단지 스올에 관하여, 또는 시편 73편에서처럼 "그 후에," 즉 육신의 죽음이라는 사건 이후에 일어나는 것에 관하여 말하는 또 다른 방식이 아니다. 부활은 다시 그 후에 일어나게 될 일에 관하여 말한다 — 만약 그런 일이 있다고 한다면. 부활은 "죽음 이후의 삶" 이후의 몸을 지닌 삶, 또는 "죽음"이라는 상태 이후의 몸을 입은 삶을 의미한다. 이것이 최근의 한 저술가가 그랬듯이 "하늘로의 부활"이라고 말하는 것이 대단히 잘못된 — 그리고 모든 관련된 본문들에 대하여 이질적인 — 말인 이유이다.[106] 부활은 에녹이나 엘리야에게 일어나지 않았던 것이다. 본문들에 의하면, 현재적으로 죽은 사람들에게 이미 일어난 일이 아니라 앞으로 일어나게 될 일이다. 우리가 이 점을 분명하게 파악한다면, 상당히 많은 것들이 분명해진다; 하지만 이 점을 잊어버린다면, 혼란은 계속될 수밖에 없다.

이 주제와 관련하여 훨씬 후대의 유대 사상에서 중심이 되었던 본문은 다니엘 12:2-3이다. 이 본문은 관련 본문들 중에서 가장 늦게 나온 것임이 거의 확실하지만, 우리가 이 본문으로부터 출발해야 하는 세 가지 이유가 있다. 첫째, 이 본문은 그 의미가 가장 뚜렷한 본문이다: 실질적으로 모든 학자들은 이 본문이 구체적인 의미에서의 몸의 부활에 관하여 말하고 있다는 데에 동의한다. 둘째, 이 본문은 더 오래된 그 밖의 몇몇 관련된 본문들을 가져다가 사용하고 있기 때문에, 우리에게 그 관련 본문들이 주전 2세기에 읽혀졌던 한 가지 방식을 보여준다. 셋째, 역으로, 이 본문은 후대의 저술가들이 이전의 자료를 볼 때에 렌즈로서의 역할을 했던 것으로 보인다. 따라서 다니엘서 12장을 읽는다는 것은 성경과 예수 당시의 유대교를 이어주는 다리 위에 서서 앞 쪽과 뒷쪽을 모두 바라보면서 그것들 사이로 오고 갔던 관념들이 지나가는 모습을 지켜볼 수 있다는 것을 의미한다.

---

105) 위의 제2장 제1절을 보라.

106) Davies 1999, 93.

(ii) 다니엘 12장: 잠자는 자들이 깨어나고, 지혜로운 자들은 빛나리라

우리는 핵심적인 본문인 다니엘 12:2-3에서 시작할 것이다:

> [2]땅의 티끌 가운데에서 자는 자 중에서 많은 사람이 깨어나 영생을 받는 자도 있겠고 수치를 당하여서 영원히 부끄러움을 당할 자도 있을 것이며 [3]지혜 있는 자는 궁창의 빛과 같이 빛날 것이요 많은 사람을 옳은 데로 돌아오게 한 자는 별과 같이 영원토록 빛나리라.

이것이 구체적인 몸의 부활을 가리킨다는 데에는 거의 의심이 없다.[107] 앞에서 보았듯이, 죽음을 가리키는 "잠"이라는 은유는 이미 널리 퍼져 있었다; 땅의 티끌(문자적으로는, "티끌의 땅" 또는 "티끌의 흙") 속에서 잠자는 것은 죽은 자들을 가리키는 성경적인 방식이었다.[108] 따라서 동일한 은유를 계속해서 사용해서 몸의 부활을 가리키는 데에 "깨어나다"라는 표현을 사용한 것은 자연스러운 일이었다 — 또 다른 종류의 잠이 아니라, 그 잠의 폐지. 이것은 그 자체로 "내세적인" 관념이 아니라 지극히 "현세적인" 관념이다.[109]

---

107) 예를 들면, Day 1996, 240f.를 보라; Cavallin 1974, 26f.은 다니엘 12장, 이사야 26:19의 배후에 숨어 있는 의미는 하나의 시체('네벨라티')를 가리킨다고 말한다. Collins 1993, 391f.는 "다니엘 본문이 죽은 자로부터의 개개인들의 실제적인 부활에 대하여 언급하고 있다는 것이 오늘날의 학자들 가운데에서의 일치된 견해이다"라고 말한다. 문자적/은유적의 구별과 반대되는 것으로서의 구체적/추상적이라는 구별에 대해서는 위의 서문과 아래의 제5장 제7절을 보라: 이 경우에서 본문은 부활이라는 구체적인 사건을 가리키기 위하여 잠자는 것과 깨는 것이라는 은유를 사용한다.

108) "잠자는 것" = "죽음": 왕하 4:31; 13:21; 욥 3:13; 14:12; 시 13:3; 렘 51:39, 57; 나 3:18; 죽은 자의 운명으로서의 "티끌": 창 3:19; 욥 10:9; 34:15; 시 104:29; 전 3:20; 12:7; 사 26:19. NRSV는 시편 22:29의 모호한 첫 번째 구절을 "먼지로 내려가는 모든 자들이 그 앞에서 무릎을 꿇으리라"라는 다음 구절과 병행되게 "진실로 땅 속에서 잠자는 모든 자들이 그에게 경배하리라"고 번역한다. 죽음에 대하여 잠자는 것이라는 은유를 사용하는 것은 메소포타미아와 이집트의 자료들 속에서도 발견되는 매우 오래된 것임을 보여주고 있는 McAlpine 1987, 117-53을 보라.

109) Eichrodt 1961-7, 2.514. Eichrodt는 이 진술은 아주 짧은 것은 다니엘 12장

깨어나는 자들은 "다수"일 것이지만, 모두는 아닌 것으로 보인다.[110] 이 본문은 인류 전체의 궁극적인 운명에 관한 포괄적인 이론을 제시하고자 하는 것이 아니라, 단순히 새롭게 몸을 입은 삶 속에서 하나님이 어떤 사람들에게는 영원한 생명을 주고 어떤 사람들에게는 영원한 멸시를 주실 것이라고 선언하고자 하는 것이다. 문맥상으로 볼 때(아래를 보라), 이 사람들이 누구인지는 거의 의심의 여지가 없다: 그들은 한편으로는 순교를 당한 의인들이고, 다른 한편으로는 그들을 고문하고 죽인 자들이다. 나머지 사람들 — 인류, 실제로는 이스라엘 사람들 중 거의 대다수 — 은 언급되지 않는다.

3절은 두 개의 병행되는 직유를 통해서 부활한 의인들(더 정확하게 말하면, 의인들에 속하는 특정한 하위 부류)의 궁극적인 상태를 서술한다. 그들은 "지혜로운 자들"('함마스킬림'), "많은 사람들을 의로 돌아오게 한 자들," 또는 이사야 53:1에 대한 간접인용을 사용해서 "많은 사람을 의롭게 한 자들"로 지칭된다(아래를 보라). 그들은 "궁창의 빛과 같이, 그리고 별들과 같이 영원히 빛나게 될 것"이라고 이 절은 말한다. 이것은 몇몇 학자들로 하여금 그 의인들의 최후의 상태가 실제로는 모종의 "별의 불멸"을 따라서 별들이 되는 것이라고 주장하게 만들었다. 그러한 읽기는 매우 널리 받아들여졌고, 유대교 및 초기 기독교의 본문들에 대한 그 밖의 다른 읽기들에 영향을 미쳐 왔다.[111] 하지만 이러한 해석에는 중대한 문제점들이 존재하고, 이 문제는 짤막한 보론을 필요로 할 정도로 대단히 중요하다.

이 씌어질 당시에 이 관념이 잘 알려져 있었기 때문이라고 주장한다(513); 이것은 (이전의) 아람어 에녹서의 용례에 의해서 밑받침된다. 또한 Kellermann 1989, 69를 보라.

110) Day 1996, 240f.; Collins 1993, 392.

111) 예를 들면, Hengel 1974, 196f.; Lacoque 1979, 244f.; Cohen 1987, 91; Perkins 1994, 38; Martin 1995, 118. 이 주제에 대해서는 제2장 제3절을 보라. Hengel 1974, 196은 심지어 이사야 26:19("빛의 이슬"이라는 특이한 어구)이 "점성술과 관련된 요소"를 가리킨다고 주장하지만, 이 어구는 빛이 부활한 자들 위에 비치게 될 것이라거나(Seitz 1993, 195) 빛으로 이루어진 기적적인 이슬이 스올에 있는 유령들을 몸의 생명으로 회복시키는 수단이 될 것임(Kaiser 1973, 218)을 의미하는 것으로 보는 것이 더 낫다.

현재의 본문으로부터 시작해 보도록 하자. 이 본문이 어느 정도만큼이나 은유로 의도되고 있는지는 분명하지 않다: 이전의 한 성경 본문을 반영하고 있고 절정을 이루는 미래에 관한 환상 속에 위치해 있는 이 짧은 시적인 진술은 정확한 서술문으로는 취급될 수 없을 것이다.[112] 두 구절은 직유로 되어 있다: 이 구절은 의인들이 별들로 변할 것이라든지 별들 중에 자리를 잡게 될 것이라고 말하는 것이 아니라, 별들과 같이 될 것이라고 말한다.[113] 게다가, 두 번째 구절이 지혜로운 자들이 실제로 별들이 될 것임을 의미한다고 하면, 그것과 병행되고 있는 첫 번째 구절("궁창의 빛과 같이 빛날 것이다")은 "지혜로운 자들"이 궁창 자체가 될 것이라는 의미를 지닌다고 보아야 하는데, 이것은 말도 되지 않는 것이다. 또한 우리는 두 가지 다른 강력한 고려들도 염두에 두지 않으면 안 된다: 첫째, 플라톤, 키케로, 또는 고전적인 "별의 불멸"에 대한 그 밖의 다른 표현들 속에서 발견되는 우주론을 밑받침하는 내용에 대한 암시가 전혀 없다는 것; 둘째, 2절과 3절에서의 사고의 연속성은 『티마이오스』, 스키피오의 꿈, 또는 "별의 불멸"이 표현되어 있는 여러 묘비명들 속에서 발견되는 것과는 판이하게 다르게 두 단계의 미래를 묘사하고 있다는 것. 이 모든 것들 속에서 말하고자 한 요지는 영혼은 죽음 직후에 별들 속에 있는 자신의 고유한 위치로 합류한다는 것이다. 이와는 대조적으로, 여기에서는 "지혜로운 자들"은 현재적으로는 죽어서 "잠들어 있고," 여전히 미래인 어느 시점에서 "깨어나게" 될 것이다. 이렇게 죽은 자들이 깨어날 때, 그들은 "궁창과 같이, 그리고 별들과 같이 빛나게" 될 것이다. 신앙의 구조, 그 토대를 이루고 있는 우주론, 실제적인 석의, 이 모든 것을 고찰할 때, 다니엘 12:3은 플라톤(그리고 그 밖의 다른 곳)으로부터 키케로와 그 이후에 이르기까지의 사상 노선과 연결되지 않는다.

또한 통상적으로 인용되는 유대 병행문들도 그러한 주장을 강화시키는 데에 기여하지 못한다. 물론, 헬레니즘적인 환경 속에 있었던 드넓은 유대교의 세계 같은 아주 다양한 현상 속에서 예상할 수 있듯이, 몇몇 비슷한 구절들은 존

112) Goldingay 1989, 308; 이전의 본문은 물론 사 52:13과 53:11이다.

113) Collins 1993, 394를 보라. Collins는 이 대목에서 헬레니즘의 영향을 추적하고 있지만 차이점을 강조한다: "다니엘서에서 지혜로운 자들은 별들이 된다는 것이 아니라 별과 같이 빛나게 될 것이라고 말한다."

재한다. 그 중에서 아마 가장 두드러지는 것은 마카베오4서 17:5인데, 거기에서 순교를 당한 어머니는 빛을 발하는 가운데 분명히 "별의 불멸"이라는 견지에서 다음과 같은 말을 듣는다:

> 궁창의 달과 별들도 당신의 별 같은 일곱 아들들에게 경건의 길을 비춘 후에 존귀한 가운데 하나님 앞에 서서 아들들과 함께 궁창에 확고하게 자리잡은 당신만큼 위엄있게 서있지 못합니다.

헬레니즘 세계에 살고 있는 독자라면 누구나 다 분명히 그것이 무엇을 의미하는지를 알고 있었을 것이다.[114] 하지만 우리는 이 점과 관련하여 종종 제기되는 그 밖의 다른 몇몇 구절들에 대하여 그렇게 자신만만해서는 안 된다.[115] 이 관념을 빌려다 사용하고 있는 듯이 보이는 본문들이 세 개 내지 네 개가 있다(여전히 그 관념을 유대적인 우주론에 이식시키고 있는 중이었지만): 모세의 유언서는 바룩2서와 더불어 그 좋은 사례를 보여준다.[116] 심지어

114) 마카베오4서 9:22은 맏아들이 고문을 당하는 중에 "불에 의해서 불멸의 존재로 변화될 것처럼" 말한다; 여기에서 마카베오2서의 신학은 플라톤에 의해서 헬레니즘 사상으로 변질된 것으로 보인다: 다음 장에 나오는 논의를 보라.

115) 예를 들면, 지혜서 3:7을 보라. 이것에 대해서는 아래 제4장; *Ps.-Phil.* 19:4; 51:5; *Ps. Sol.* 3:12(장래의 세계와 관련하여 "빛"에 관한 모든 언급이 의인들이 빛이 된다는 것을 의미하는 것으로 해석될 수는 없다!). *Sib. Or.* 4:189에서 부활한 자들은 태양의 빛을 보게 될 것이다. 4 Ezr. 7:97, 125a은 다니엘 12:3에 대한 의도적인 반영들로서, 거기서 의도하고 있는 것이 동일시가 아니라 직유라는 것은 분명하다. ("그들의 얼굴이 태양의 빛과 같이 빛날 것이고, 그들은 별들의 빛과 같이 될 것이다" — 다시 한 번 여기에서도, 구절들의 병행은 부활한 자들과 천체들의 동일시를 배제한다); *2 En.* 66:7에서 의인들은 태양보다 일곱 배나 더 밝게 빛나게 될 것이라고 말하고 있는데, 여기서도 명시적으로 동일시를 배제한다.

116) *T. Mos.* 10:9: "하나님은 너를 높은 곳으로 일으켜 세우실 것이다; 그렇다, 그는 너를 별들의 하늘 속에, 별들이 거하는 곳에 확고하게 심으실 것이다"; Priest(Charlesworth 1983, 933에서)는 이것을 문자적으로 이해해야 하는지 아니면 은유적으로 이해해야 하는지가 여전히 문제라고 경고한다. *2 Bar.* 51:10은 우리가 곧 살펴보게 될 한 본문 속에서 "그들은 저 세상의 높은 곳에서 살게 될 것이고, 그들은 천사들과 같을 것이며, 별들과 동등할 것이다"라고 분명하게 말한다. 하지만

쿰란 문헌 속에도 두 가지 정도의 사례가 나오는 것으로 보인다.[117] "별의 불멸"과 관련된 해석을 보여주는 병행문들 중에서 가장 잘 알려져 있는 본문은 에녹1서이다; 그러나 거기에서조차도 흔히 인용되는 대부분의 구절들은 조심스럽게 다루어지지 않으면 안 된다.[118] 부활론 자체는 단번에 빛나는 불멸 속으로 들어가는 단일한 단계가 아니라 두 단계의 미래(처음에는 죽어 있다가, 그런 후에 나중에야 다시 살아나는 것)를 상정하기 때문에 "별과 관련된 불멸" 이론과는 서로 배치된다. 의인들이 별이 된다거나 『티마이오스』의 세계 같은 다른 세계로 옮겨간다고 말하고 있는 듯이 보이는 유일한 구절은 에녹1서 58:3("의인은 해의 빛 안에 있게 되고, 택함받은 자는 끝이 없는 영원한 생명의 빛 안에 있게 되리니, 거룩한 자들의 생명의 날들은 헤아릴 수 없다" — 빛으로 충만한 다가올 미래의 세계에 관하여 말하고 있는 장 속에 위치한)과 108:11-14(이 책의 종결 부분 직전에 나오는)이다:

> 이제 나는 빛으로 태어난 저희의 영들을 부르고, 어둠 속에 태어난 자들을 변화시키리라 … 나는 내 거룩한 이름을 사랑해 온 자들을 밝은 빛으로 이끌어내어, 한 사람씩 존귀의 보좌에 앉게 하리니, 저희가 헤아릴

우리는 그들이 천사들과 같이 되고, 별들과 동등하게 될 것이라고 말한 점에 주목해야 한다; 결코 동일시가 아니다. "별과 관련된" 신앙을 보여주는 것으로 보이는 디아스포라 유대인(Cilicia의 Corycus에 사는)의 비문이 존재한다(*CIJ* 2.788). 그러한 언급들이 드물다는 것은 그러한 사상에 반대하는 유대적인 확고한 사고를 보여주는 것이다.

117) 1QS 4.8("영광의 관과 끝없는 빛으로 된 엄위의 의복"); 1QM 17.7("그는 영원한 빛으로써 기쁨으로 이스라엘의 자녀들을 비추실 것이다"); 그러나 이러한 본문들은 분명히 온전히 발전된 "별과 관련된" 신앙에 기여하는 방식으로는 사용될 수 없다.

118) cf. *1 En.* 39:7; 50:1; 62:15(이것은 분명히 별이 되는 것이 아니라 영광의 몸으로의 부활을 가리킨다); 80:1, 6f.; 86:3f.(환상들 속에서 별들은 이미지들로 사용된다); 92:4(영원한 빛 속에서 행함); 100:10(해, 달, 별들이 죄인들을 쳐서 증언한다). 자주 인용되는 104:2은 단지 다니엘 12:3("지혜 있는 자는 궁창의 빛과 같이 빛날 것이요")을 인용한 것이고, 다니엘서 본문과 마찬가지로 의인들이 별이 된다는 말은 전혀 하지 않는다.

수 없는 세대 동안 눈부시게 빛나리라 … 의인들은 눈부시게 빛나리라.

여기에서는 플라톤 또는 키케로에서와 마찬가지로 영들은 빛으로부터 와서 빛으로 되돌아간다. 그러나 에녹1서가 편집되었다는 점을 감안하면, 에녹1서 전체가 "별의 불멸" 이론을 나타내고 있다고 보는 것은 불가능하다; 실제로, 이런 것을 말할 수 있는 몇몇 기회가 앞에서도 있었음에도 불구하고, 에녹1서의 편집자가 그러한 기회들을 활용하지 않았다는 점을 감안하면, 우리는 적어도 에녹1서의 여러 저자들과 최후 편집자는 그러한 내용을 강조하는 데에 그렇게 열심을 내지 않았다고 말할 수 있을 것이다. 따라서 몇몇 본문들이 "빛" 이라는 관념을 제시하고 있고, 많은 본문들이 직접 다니엘서를 참조하고 있다고 할지라도, "별의 불멸" 이론이 고대 이교 사상에서와 마찬가지로 고대 유대교 내에서도 뿌리를 내리고 있었다고 말하기는 힘들다.

지금까지 우리는 이 중요한 문제를 살펴보기 위하여 본론에서 조금 벗어나 있었기 때문에, 이제 다니엘 12장 자체의 의미로 되돌아가보자. 3절에 나오는 직유들은 의인들과 지혜로운 자들이 별과 같이 빛나고 반짝일 것이라는 의미가 아니라, 부활 때에 그들이 하나님의 새로운 피조 세계 속에서 지도자들과 통치자들이 될 것임을 가리킨다. 다니엘서 저자의 의도를 이해함에 있어서 토대가 되는 일차적인 세계인 성경의 맥락 속에 놓여진 이 이미지는 왕과 관련된 의미를 내포하고 있다: 성경에서는 왕들을 별 또는 천상의 존재라고 말한다.[119] 창세기 1장에서 궁창의 별들이 이 땅에 빛을 주도록 창조된 것과 마찬가지로, 하나님이 내린 왕들과 통치자들은 이 세상에 빛을 제공해 주도록 되어 있다.[120] 이것은 다니엘서에 나오는 그 밖의 다른 관념들과 맥을 같이 하여 과거의 제왕 전승들에 대한 일종의 민주화인 것으로 보인다: 그것은 "지극히 높으신 이의 성도들"이 나라를 받을 것이라는 관념과 일치한다(7:18, 22, 27). 주석자들은 별들을 바라보다가 본문의 진정한 취지를 놓쳐 버리고만 것이다: 의인들과 지혜로운 자들은 빛의 존재들로 변화되는 것이 아니라, 세상에 대하여

---

119) 예를 들면, 민 24:17; 삼상 29:9; 삼하 14:17, 20; 사 9:6 [MT 5]. Goldingay 1989, 308.

120) 창 1:14-18. 또한 cf. Wis. 3.7f.(이것에 대해서는 제4장 제4절을 보라).

권세를 지니게 될 것이라는 말이다. 다니엘 12:3은 12:2에 부활은 단순히 죽은 자들이 과거에 그들이 알고 있었던 것과 같은 삶으로 되돌아오는 소생(蘇生)이 아니라는 의미를 추가한다. 그 세계에서 죽은 자들은 피조 질서 내에서의 별, 달, 해의 지위와 가장 잘 비견될 수 있는 영광의 상태로 부활하게 될 것이다.

이 주목할 만한 본문은 역사적으로 어디에 속하는가? 그것은 우리가 성경 전승의 성장에 있어서 이 후기의 단계에서 이 주목할 만한 관념이 생겨나게 된 이유를 설명하는 데에 도움을 주는가? 이 본문이 놓여 있는 직접적인 맥락은 순교이다: 주전 160년대의 위기 동안에 일어난 순교(마카베오1서와 2서를 보라), 특히 안티오쿠스 에피파네스의 박해 아래에서 신실한 이스라엘 사람들의 순교.[121] 다니엘 11:31은 안티오쿠스가 예루살렘 성전을 더럽힌 것과 이미 9:27에서 언급된 "멸망의 가증한 것"을 세운 것에 관하여 말한다. 11:32-35은 그 다음에 일어날 일, 즉 일부 유대인들이 이 이교도 침략자와 타협하고, 그 밖의 다른 유대인들은 견고하게 서서 그로 인하여 고통을 당하며, 일부 사람들은 죽임을 당한다는 내용을 서술한다. 그런 후에, 36-45절은 안티오쿠스가 뽐내다가 결국 갑자기 죽게 된다는 내용을 서술하는데, 전반부의 절들(36-39절)은 우리가 실제의 사건들이라고 알고 있는 것에 충실한 반면에, 후반부의 절들(40-45절)은 다니엘서 기자 자신의 시대가 위치해 있는 시점으로부터 벗어나 있다. 또 하나 중요한 것은 안티오쿠스가 죽은 때, 이스라엘이 전례없이 고통을 당하던 때(12:1)에 천사장 미가엘이 일어나서 이스라엘을 대신하여 싸워서 그들을 구원하리라는 것이다. 바로 이것이 부활에 대한 예언이 등장하는 맥락이다. 이 대목, 실제로는 다니엘서의 나머지 부분(12:4-13)은 장차 일어날 사건들의 시기, 다니엘이 "안식" 후에 지혜로운 자들과 합류하여 말일에 그에 대한 상급으로 부활하게(여기서 '타아모드'라는 단어는 "일어나다"를 의미한다) 될 것이라는 다니엘 자신에게 주어진 마지막 약속(13절)에 관한 마지막 계시들(이 계시들은 나타내 보여주는 것과 아울러 학자들을 많이 괴롭혀 왔던 것

---

121) 다니엘서 10-12장이 가리키는 특정한 역사적 사건에 대해서는 Goldingay 1989, 289, 292-306 등을 참조하라. 자세한 것은 *NTPG* 157-9와 거기에 나오는 다른 문헌들을 보라.

으로 보인다)을 담고 있다. 여기서 묘사되고 있는 "부활"은 의인들이 죽음 직후에 들어가는 상태가 아니라, 중간기를 거쳐서 나중에 일어나는 추가적인 사건이다.

부활 예언은 인간들 또는 유대인들 전체의 궁극적인 운명에 관한 개별적인 성찰이 아니라, 특별한 상황과 관련된 특별한 약속이다. 이스라엘의 신은 악한 이교도들의 행위들을 뒤집어 엎고, 순교자들과 이스라엘을 바른 길로 이끈 선생들을 영광의 삶으로 부활시킬 것이다. 이와 동시에, 이스라엘의 신은 그들을 핍박했던 자들을 새로운 실존으로 부활시킬 것이다: 그들은 남들의 눈에 잘 띄지 않는 희미한 스올 또는 "티끌" 속에 머물러 있는 것이 아니라, 영속적으로 공공연하게 창피를 당하게 될 것이다. 사실 이 장면 전체는 법정적 요소들을 지니고 있는데, 거기에서 의로운 재판장인 야훼는 잘못된 것들을 바로잡고, 악인들을 처벌하며, 의인들을 신원한다.[122] 이스라엘의 특별한 보호자인 천사 또는 "왕"인 미가엘은 야훼를 대신하여 이러한 심판을 수행하게 될 것이다.[123]

우리가 일단 이러한 더 큰 그림을 파악하게 되면, 우리는 이번에는 그것이 다니엘서 전체의 더 큰 비전과 아주 잘 어울린다는 것을 볼 수 있다. 다니엘서는 이교의 통치자들이 야훼의 백성을 침략하여 그들로 하여금 새로운 이교의 방식들에 맞추어서 살아가게 만들려고 하고 있고, 참 신과 그의 백성에 대하여 거슬러서 오만하게 뽐내고 있으며, 신실하고 지혜로운 이스라엘 사람들은 충성과 고결함을 그대로 유지하고 있다가, 종말에 그들의 신이 극적으로 그들을 구원하고 그들을 압제하던 자들을 단죄하거나 전복시킴으로써 그들을 신원하게 될 것이라고 거듭거듭 말한다.[124] 특히 여기에서 핵심 본문들인 11:31-35과 12:1-3은 다니엘서의 앞 부분에서 자주 예감된 것들로서, 10-12장 전체와 함께, 이전까지 말하였던 내용으로부터 더 온전한 의미를 이끌어내기 위하여 의도된 것임이 분명하다. 이것은 우리로 하여금 부활 예언을 모든 이교의 나라

---

122) 예를 들면, Nickelsburg 1972, 23, 27; Goldingay 1989, 302.

123) 미가엘에 대해서는 단 10:13, 21; *T. Dan.* 6:2; 유 9; 계 12:7을 참조하라.

124) 제1장(왕의 풍성한 음식); 제2장(왕의 꿈); 제3장(왕의 동상과 맹렬한 용광로); 제4장(왕의 꿈과 미침); 제5장(왕의 연회와 벽에 글자를 씀); 제6장(왕의 칙령과 사자굴); 제7장(짐승들과 "인자"); 제8장(숫양, 염소와 그 뿔들); 제9장(다니엘의 기도, 다가올 가증한 것에 대한 경고).

들에 맞서서 하나님의 나라를 세우는 것으로 시작해서(2:35, 44-45), 죽음으로부터의 구원에 관한 빈번한 이야기들을 포함해서(1:10에서 암시되어 있고, 2:13에서 명시적으로 나오며, 3장과 6장 전체에 걸쳐서 이야기화되어 있는) 인자의 승귀와 신원으로 이어지는(지극히 높으신 이의 성도들을 대표하는, 7:13-14, 18, 27) 훨씬 더 긴 흐름 속에서 최종적이고 가장 명시적인 약속으로 볼 것을 권장한다.[125] 칠십 년의 포로생활에 관한 예레미야의 예언이 무슨 의미를 지니는지에 대하여 질문하는 9장에 나오는 다니엘의 기도는 포로생활은 실제로 70년의 7배, 즉 490년 동안 지속될 것이고, 멸망의 가증한 것이 세워지고 기름부음 받은 왕이 끊어지며 압제자에게 마침내 심판이 임하는 것으로 그 절정에 도달하게 될 것이라는 대답을 받게 된다(9:2, 24-27).[126] 그런 후에, 10-12장은 이 모든 것을 더 자세하게 풀어서 설명한다. 그것은 이스라엘의 오랜 포로생활이 어떻게 그 절정에 도달하게 되고, 교만한 이교도들이 어떻게 심판을 받게 되며, 의인들이 어떻게 구원을 얻게 될 것인지에 관한 것이다.

그런 후에, 10-12장, 특히 11장의 끝 부분과 12장의 첫 부분에 나오는 대목은 2:31-45과 7:2-27에서 말한 것들과 동일한 사건들을 바라보는 또 다른 렌즈를 제공해 준다. 여러 금속들의 합금으로 된 신상을 산산이 부수고 난 후에 이루어진 산에서 뜬 돌; 짐승들 위에 높이 들린 "인자 같은 이"; 압제자들은 영원한 경멸을 받지만, 고난받은 지혜로운 자들은 부활하여 별과 같이 빛날 것이라는 것; 이러한 것들은 본질적으로 동일한 것들이다. 제2성전 시대에 살고 있던 유대인이라면 누구나 다니엘서를 읽고 나서 12:2-3 속에서 전에는 예상하지도 못했고 예견하지도 못했던 새롭고 기이한 관념이 아니라 이전에 생겨났던 모든 관념들의 정수를 발견했을 것이다.

이것은 이 본문이 지닌 성경적인 뉘앙스들에 귀가 열려 있었던 독자들에게는 훨씬 더 그러했을 것이다. 다니엘서 전체의 포로생활이라는 주제를 고려하

---

125) Goldingay 1989, 283f.는 다니엘서 10-12장과 그 책의 이전 부분들, 특히 7-9장의 연결고리들을 상세하게 제시한다.

126) 이 예언은 관련된 본문들과 더불어서 장래의 구속의 날짜, 그리고 장차 오실 메시야에 관한 강력한 연대기적인 사변의 토대로 사용되었다. *NTPG* 208, 312-14, 그리고 특히 Beckwith 1996에 재수록된 Beckwith 1980, 1981의 글들을 보라.

면(이야기 속의 배경은 물론 바벨론이고, 역사적인 배경은 시리아의 안티오쿠스에서 절정에 달한 여러 이교의 통치자들 아래에 있었던 9:24의 "지속적인 포로생활"이라는 배경이다), 가장 분명한 후보가 될 수 있는 성경 본문들은 포로생활과 회복에 관하여 본문들이다.[127] 예를 들면, 우리는 12:2에 예레미야 30:7이 반영되어 있다는 것을 지적할 수 있다: 전례없는 고뇌의 때는 예레미야가 70년의 포로 생활에 관한 자신의 예언을 반복한 후에 얼마되지 않아서 말한 그때이다 — 다니엘은 이것을 이제 재해석하였다.[128] 다가올 고난에 대한 경고는 귀환, 재건, 평화, 안전에 관한 더 큰 예언의 일부이다. 이교도들이 메워준 멍에는 깨뜨려질 것이고, 이스라엘의 왕정은 회복될 것이다.[129]

(iii) 야훼의 종과 티끌에 거하는 자들: 이사야서

다니엘 12:2-3에 나오는 관념들과 이미지들의 주된 원천은 의심할 여지 없이 이사야서였다. 가장 명백한 본문을 살펴보기 전에 우리는 먼저 이사야 52-53장과의 밀접한 연결고리들을 지적해 보고자 한다.[130] '마스킬림'은 52:13에서 "지혜롭게 처리하는"('야스킬') "종"의 복수 형태인 것으로 보인다. 53:11에서 종이 하는 것과 마찬가지로, '마스킬림'은 "많은 사람을 의롭게 하는" 자들이다. 다니엘 12:3에서 의인들이 "빛난다"는 것은 아마도 이사야 53:11에서 약간 초기의 판본들에 등장하는 "빛"을 반영한 것일 가능성이 있다.[131] 물론, 전체 주제 — 고문과 죽음에도 불구하고 계속해서 야훼에게 신실한 자들은 나중에 신원을 받게 될 것이다 — 는 이사야 40-55장이 절정에 달하는 대목에 나

---

127) 일부 진영들 속에서 계속해서 오해되고 있는 연속된 포로생활에 대해서는 *JVG* xviif.; 그리고 Wright "Dialogue," 252-61에 나오는 자세한 설명을 참조하라.

128) 렘 25:12; 29:10.

129) 렘 30:3, 8-11.

130) 이러한 결합에 대해서 자세한 것은 *JVG* 584-91과 거기에 나오는 다른 참고문헌들을 보라. 이사야서에 대한 또 다른 간접인용은 다니엘서 12:2(사 66:24을 반영하고 있는)에서 부활한 악인들이 혐오 또는 경멸을 받는다고 언급하고 있는 것이다.

131) Cavallin 1972/3, 51. 해당 판본들로는 쿰란의 세 사본들과 칠십인역 등이 있다. 자세한 내용은 Goldingay 284; Day 1996, 242f.에 나와 있다.

오는 시나리오와 정확하게 일치한다. 이사야서에서 종이라는 인물이 우선적으로 민족 또는 의로운 소수의 의인화라고 한다면, 우리가 여기에서 보는 것은 정확히 종 개념의 민주화(democratization) — 종종 말해지고 있듯이 — 가 아니라 다수화(repluralization)이다.[132] 이제 고난받는 '마스킬림'은 포로생활과 회복에 관한 약속을 감지하고 있는 자들이다; 이사야의 비전은 그들 속에서 실현되어 가고 있다.[133] 물론, 이것은 다니엘서 전체의 주제와 부합한다.

그러나 이사야 53장은 죽었다가 다시 살아나는 종에 관하여 말하고 있는 것인가? 거기에는 부활 자체에 대한 명시적인 언급은 없고, 단지 죽음 이후에 그 종에게 일어날 일에 관한 모호한 진술만이 있을 뿐이다(53:11). 그러나 종이 (a) 죽고 매장되며(53:7-9), (b) 아무리 압축적으로 표현되어 있다고 할지라도, 승리 중에 다시 나타난다는 것(53:10-12)은 분명하다.[134] 하지만 우리의 논의를 위해서 가장 중요한 것은 다니엘서가 일부 사람들이 이미 이사야서를 이런 식으로 읽고 있었다는 증거를 제공해 주고 있다는 것이다; 따라서 다니엘서보다 일정 정도 앞선 쿰란 문헌 속의 이사야서 본문의 형태는 그렇게 되어 있다.[135] 우리는 이 모든 것들이 이 중심적인 본문의 의미에 대하여 미치는 영향과 그 결과를 놓쳐서는 안 된다.

다니엘 12:2-3은 분명히 개개인들의 몸의 부활에 관하여 말하고 있지만, 그것은 오래 전부터 약속되어 있었던 포로된 민족에 대한 하나님의 신원 행위와 다른 그 무엇이 아니다. 핵심적인 본문들에 대한 서로 다른 해석들에 쐐기를 박는 경향을 보여주었던 양자택일식의 해법("개인의 부활" 아니면 "민족의 회복")은 오류가 있는 것으로 드러난다. 다니엘 12장에서 하나님의 백성의 부활(적어도 민족을 대표하는 것으로 보여진 순교자들 속에서)은 민족의 회복이

132) 예를 들면, cf. Nickelsburg 1972, 24f.; Day 1996, 242f.

133) Childs는 이사야 49-55장의 메시지를 다음과 같이 요약한다: "하나님이 개입하셔서 포로생활을 종식시키고 그의 종말론적인 통치를 개시시킨다"(2001, 410).

134) Childs 2001, 419에 나오는 사려깊은 평가를 보라. 스가랴 12-13장에 이와 비슷한 암호적인 일련의 사고가 존재할 가능성에 대해서는 Eichrodt 1961-7, 2.508 n. 1을 참조하라. 우리는 시편 기자가 "죽음의 진토 속에 두어졌다가"(15절) 구원받았다고(22-31절) 말하는 시편 22편에서도 이와 비슷한 사고의 흐름을 볼 수 있다.

135) Sawyer 1973, 233f.를 보라.

취하는 형태이다. 이것이 바로 모든 해묵은 포로생활의 진정한 끝이다.

하지만 다니엘 12장 배후에는 이사야서에서 가장 분명하게 나타나는 "부활" 본문이 자리잡고 있다. 이사야 24-27장은 민족의 위기에 관한 장면만이 아니라 하나님의 백성이 구원받고 죽은 자들이 살아나게 될 우주적 심판에 관한 장면을 제공한다.[136] 다니엘 12:2-3의 기자가 이 본문에 의해서 강력한 영향을 받았다는 것을 의심하는 사람은 거의 없다:

> 주의 죽은 자들은 살아나고 그들의 시체들은 일어나리이다
> 티끌에 누운 자들아 너희는 깨어 노래하라
> 주의 이슬은 빛난 이슬이니
> 땅이 죽은 자들을 내놓으리로다.[137]

이 본문의 맥락은 이교도들에 의한 격렬하고 지속적인 박해의 와중에서 야훼에게 충성을 맹세하는 생생한 기도이다. 다른 주들(lords)이 이스라엘을 통치하였지만, "우리는 오직 당신의 이름만을 인정한다."[138] 이교도들, 그리고 그들의 길을 따르는 자들은 죽음 이후의 미래를 기대할 수 없다:

> 그들은 죽었은즉 다시 살지 못하겠고
> 사망하였은즉 일어나지 못할 것이니
> 이는 주께서 벌하여 그들을 멸하사
> 그들의 모든 기억을 없이하셨음이니이다.[139]

그러나 환난 중에서 야훼를 구하는 자들은 여인이 아이를 낳을 때와 같은 산고 속에 있지만, 마침내 출산이 이루어졌을 때, 그것은 죽은 자들이 새로 태

136) 본문의 연대 설정은 여전히 논란이 되고 있다. 우리가 확실하게 말할 수 있는 유일한 것은 발전 도식을 전제해서 몸의 부활에 관한 언급을 하고 있는 본문은 후대의 것이라고 말하는 것은 단지 의문만을 증폭시킬 것이라는 것이다.

137) 이사야 26:19.

138) 이사야 26:13.

139) 이사야 26:14.

어난 것과 같다는 것이 밝혀질 것이다(26:16-19). 히브리어 본문은 문자 그대로 몸의 부활을 가리키고 있고, 이것은 분명히 칠십인역과 쿰란 문헌에서 이 절을 해석한 방식이다.[140] 물론, 앞으로 에스겔서에서 보게 되겠지만, 여기서의 부활이 민족의 회복에 대한 은유일 가능성도 여전히 있다; 그러나 이 본문이 하나님이 우주 전체를 새롭게 하실 것이라는 내용을 말하고 있는 더 넓은 맥락 속에 놓여져 있기 때문에, 우리는 여기서 부활에 대한 언급이 실제적이고 구체적인 사건들을 가리키기 위한 것이었다고 말할 수 있다[141].

이 모든 것은 이 땅에서 행해진 악행들을 백일하에 드러내실 야훼 자신의 주권적인 공의에 토대를 두고 있다(26:20-21).[142] 오직 야훼의 권능만이 이것을 하실 수 있다: 26장에서의 절정을 향한 길을 준비하는 25장에서 우리는 민족과 개인의 회복, 둘 다에 관하여 말하고 있는 그러한 내용을 발견한다:

> 만군의 여호와께서 이 산에서 만민을 위하여
> 기름진 것과 오래 저장하였던 포도주로 연회를 베푸시리니
> 곧 골수가 가득한 기름진 것과
> 오래 저장하였던 맑은 포도주로 하실 것이며
> 또 이 산에서 모든 민족의 얼굴을 가린 가리개와
> 열방 위에 덮인 덮개를 제하시며 사망을 영원히 멸하실 것이라

---

140) Cavallin 1974, 106; Motyer 1993, 218f.를 보라. 이사야 52:1f.("깰지어다 깰지어다 … 너는 티끌을 털어 버릴지어다")에 대한 복선으로서의 26:19에 대해서는 Nickelsburg 1971, 18을 참조하라(cp. Puech 1993, 42-4). 땅으로부터 열매를 내는 하나님의 비가 부활과 병행되고 있는 큰 주제의 일부로서의 "이슬"에 대해서는 호세아 6:1-3 및 아래에서 랍비들에 관한 설명을 참조하라(또한 위의 단 12:3에 대한 설명도 보라).

141) Day 1996는 포로생활에 대하여 말하는 27:8이 이 절을 슬쩍 밀쳐서 에스겔 37장의 노선을 따라서 "포로생활로부터의 귀환"의 방향으로 나아가게 하고 있다고 지적한다.

142) 이 본문 전체의 밑바탕에 있는 야훼의 공의라는 주제에 대해서는 Nickelsburg 1971, 18을 보고, 야훼의 영광에 대해서는 Eichrodt 1961-7, 2.510을 참조하라.

주 여호와께서 모든 얼굴에서 눈물을 씻기시며
자기 백성의 수치를 온 천하에서 제하시리라
여호와께서 이같이 말씀하셨느니라 …
여호와의 손이 이 산에 나타나시리니.[143)]

종말론적인 연회에 관한 이 이미지는 개인, 이스라엘, 피조 세계에 대한 하나님의 약속을 통합하고 있다. 우리는 이사야서에 대한 우리 자신의 읽기 또는 이사야서가 제2성전 시대에서 어떻게 읽혀졌을 것인지에 대한 우리의 평가에 있어서 이러한 차원들을 서로 분리해서는 안 된다.[144)]

(ⅳ) 제삼일에: 호세아서

구약성서에서 죽음의 반대인 몸을 입은 삶에 대한 가장 초기의 언급들을 제공해 주는 이사야서의 이 주목할 만한 본문들 배후에서 우리는 연대기적으로 주전 8세기의 것이라고 확실하게 말할 수 있는 호세아서의 두 본문을 발견하게 된다. 존 데이(John Day)는 이사야 26:19이 호세아 13:14에 의존하고 있다는 것을 인상적으로 논증하였다:

내가 그들을 스올의 권세에서 속량하며
사망에서 구속하리니
사망아 네 재앙이 어디 있느냐
스올아 네 멸망이 어디 있느냐
뉘우침이 내 눈 앞에서 숨으리라.[145)]

히브리어 본문은 야훼가 이스라엘을 스올과 죽음으로부터 구원할 것임을

---

143) 사 25:6-8, 10.

144) cf. Childs 2001, 191f. Day가 여기서 포로생활과 귀환에 관한 강력한 분위기를 본 것은 옳지만(1996, 243f.), 그렇다고 해서 몸의 부활에 대하여 언급하고 있다는 것이 배제되는 것은 아니다.

145) Day 1980; 1996, 244f.

부정하고 있다는 것이 거의 확실하다. 하지만 칠십인역과 그 밖의 다른 고대의 역본들, 또한 신약성서는 이 본문을 긍정적인 의미로 받아들였고, 따라서 이사야 26:19의 저자도 마찬가지로 그와 같이 읽지 않았을 이유가 전혀 없다.[146] 그가 그렇게 하였다는 증거는 누적적인 증거들이긴 하지만 압도적이다: 본문 및 맥락상으로 최소한 여덟 가지 특징이 서로 병행된다.[147] 그리고 이번에는 호세아 13장 배후에는 (마찬가지로 모호한) 호세아 6장이 자리잡고 있다:

> 오라 우리가 여호와께로 돌아가자
> 여호와께서 우리를 찢으셨으나 도로 낫게 하실 것이요
> 우리를 치셨으나 싸매어 주실 것임이라
> 여호와께서 이틀 후에 우리를 살리시며
> 셋째 날에 우리를 일으키시리니 우리가 그의 앞에서 살리라.[148]

후대의 관점에서 보면, 이것은 생명을 주시고 회복시키는 야훼의 권능에 대한 믿음의 기도로 보인다. 하지만 원래의 맥락 속에서는 이 선지자가 부적절하다고 여겼던 그러한 기도에 대한 묘사로 의도되었을 것이 거의 확실하다. 그것은 깊은 차원에서 회개하는 데에 실패하고, 막연히 야훼의 환심을 살 수 있을 것이라는 단순한 소망을 보여준다.[149] 하지만 여기에서도 성경에 나오는 후대의 기자들을 포함해서 후대의 독자들이 이 본문을 더 긍정적인 의미로 받아들였을 가능성은 얼마든지 있다. 이런 의미로 읽게 되면, 이 본문은 야훼가 그의 백성에게 죽음의 반대인 새로운 몸을 입는 삶을 줄 것이라는 가장 초기의 명

---

146) 신약에서는 특히 고전 15:54f.를 보라.

147) Day 1980; 1996; 1997.

148) 호세아 6:1f. Day 1996, 246f.(그리고 1997, 126f.)는 일부 학자들의 주장과는 달리 이 본문이 단지 질병만이 아니라 죽음을 가리킨다는 것을 분명하게 보여준다.

149) 예를 들면, cf. Eichrodt 1961-7, 2.504f.; Martin-Achard 1960, 86-93; Zimmerli 1971 [1968], 91f. Martin-Achard 86는 호세아 6이 개인의 부활을 가리킨다고 보는데, Anderson and Freedman 1980, 420f.는 이에 동의하고, Wolff 1974 등은 이에 반대한다.

시적인 진술이 된다. 이 본문은 아마도 이사야서를 거쳐서 다니엘 12장에 영향을 주었던 것으로 보인다. 우리는 잠시 후에 호세아 또는 그가 보도하고 있는 기도를 드린 사람들의 관념들의 기원에 대하여 더 자세하게 말하고자 한다.

(v) 마른 뼈들과 하나님의 숨: 에스겔서

방금 논의한 본문들과의 관계에 있어서는 문제가 있지만 이후의 사고와 관련해서는 그 중요성을 부정할 수 없는 또 하나의 주요한 본문이 아직 남아 있다. 에스겔 37장은 구약성서에 나오는 모든 "부활" 본문들 중에서 가장 유명한 본문일 것이다; 이 장은 아주 명백하게 알레고리적이거나 은유적이다; 이 장은 이사야서나 다니엘서에 의해서 영향을 받았거나 또는 그러한 책들에 영향을 준 것으로 보이지 않는다; 그렇지만 전체적인 사상의 병행들은 주목할 만하다.

여기서도 물론 배경은 포로생활이다. 성전 중심의 에스겔에게 있어서 이스라엘의 주된 문제점들 중의 하나는 부정(impurity)이었다; 그러한 부정으로부터 깨끗케 되는 것은 회복에 관한 그의 약속의 핵심적인 부분을 이루고 있다(36:16-32). 이것은 땅 자체, 백성, 건물, 농업, 양떼와 소떼의 회복에 관한 긴 예언들 속에 자리잡고 있다(36:1-15, 33-38). 에스겔서의 이 단계에서 이 예언의 전체적인 목적은 다윗 왕조가 회복되고 민족이 재구성되며 (궁극적으로는) 새로운 성전이 지어지게 될 이스라엘의 민족적 삶의 갱신을 보여주는 것이었다.[150] 그러나 부정함(uncleanness)은 문제점의 핵심에 그대로 남아 있었다.

율법을 준수하는 유대인이 접할 수 있는 모든 부정한 대상들 중에서 매장되지 않은 시신들 또는 뼈들은 목록의 최우선순위에 놓여질 수 있었다. 은유적으로, 이것은 이스라엘이 현재 처한 상태이다. 에스겔은 하나님이 새로운 창조의 행위를 통해서 이것을 처리하실 것이라고 선언한다:

> 여호와께서 권능으로 내게 임재하시고 그의 영으로 나를 데리고 가서 골짜기 가운데 두셨는데 거기 뼈가 가득하더라 나를 그 뼈 사방으로 지

---

150) 겔 34:1-31; 37:15-28.

나가게 하시기로 본즉 그 골짜기 지면에 뼈가 심히 많고 아주 말랐더라 그가 내게 이르시되 인자야 이 뼈들이 능히 살 수 있겠느냐 하시기로 내가 대답하되 주 여호와여 주께서 아시나이다 또 내게 이르시되 너는 이 모든 뼈에게 대언하여 이르기를 너희 마른 뼈들아 여호와의 말씀을 들을지어다 주 여호와께서 이 뼈들에게 이같이 말씀하시기를 내가 생기를 너희에게 들어가게 하리니 너희가 살아나리라 너희 위에 힘줄을 두고 살을 입히고 가죽으로 덮고 너희 속에 생기를 넣으리니 너희가 살아나리라 또 내가 여호와인 줄 너희가 알리라 하셨다 하라.

이에 내가 명령을 따라 대언하니 대언할 때에 소리가 나고 움직이며 이 뼈, 저 뼈가 들어 맞아 뼈들이 서로 연결되더라 내가 또 보니 그 뼈에 힘줄이 생기고 살이 오르며 그 위에 가죽이 덮이나 그 속에 생기는 없더라 또 내게 이르시되 인자야 너는 생기를 향하여 대언하라 생기에게 대언하여 이르기를 주 여호와께서 이같이 말씀하시기를 생기야 사방에서부터 와서 이 죽음을 당한 자에게 불어서 살아나게 하라 하셨다 하라 이에 내가 그 명령대로 대언하였더니 생기가 그들에게 들어가매 그들이 곧 살아나서 일어나 서는데 극히 큰 군대더라.

또 내게 이르시되 인자야 이 뼈들은 이스라엘 온 족속이라 그들이 이르기를 우리의 뼈들이 말랐고 우리의 소망이 없어졌으니 우리는 다 멸절되었다 하느니라 그러므로 너는 대언하여 그들에게 이르기를 주 여호와께서 이같이 말씀하시기를 내 백성들아 내가 너희 무덤을 열고 너희로 거기에서 나오게 하고 이스라엘 땅으로 들어가게 하리라 내 백성들아 내가 너희 무덤을 열고 너희로 거기에서 나오게 한즉 너희는 내가 여호와인 줄을 알리라 내가 또 내 영을 너희 속에 두어 너희가 살아나게 하고 내가 또 너희를 너희 고국 땅에 두리니 나 여호와가 이 일을 말하고 이룬 줄을 너희가 알리라 여호와의 말씀이니라.[151]

이 환상의 내용과 선지자가 이 환상으로부터 이끌어내고 있는 직접적인 결론은 이 본문이 의도적인 긴 은유라는 것을 보여준다.[152] 에스겔은 34장을 쓸

---

151) 겔 37:1-14. "숨," "바람," "영"을 가리키는 히브리어는 모두 '루아흐'이다.

때에 이스라엘이 사람들이 아니라 양들로 구성되어 있다고 생각하지 않은 것처럼 여기에서도 실제의 몸의 부활을 상정하고 있는 것이 아니다. 이것은 환상 자체와 그 적용 간의 표면적인 모순에 의해서도 추가적으로 확증된다. 환상 부분(1-10절)에서 뼈들은 묘지가 아니라 전쟁터에 땅의 표면 위에 매장되지 않은 채로 널부러져 있다;[153] 그러나 적용 부분(11-14절)에서 하나님은 이스라엘의 무덤들을 열어서 죽은 자들을 나오게 할 것이라고 약속한다. 그러므로 이 본문의 원래의 목적은 새로운 창조라는 강력한 계약 갱신의 행위를 통해서 부정한 이스라엘이 깨끗케 되고 포로된 이스라엘이 자신의 땅으로 회복되며 흩어졌던 이스라엘이 다시 모이게 될 방식에 대한 대단히 강력하고 생생한 은유를 제공하는 것이었다는 데에서는 그 어떠한 의문도 있을 수 없다. 계약의 갱신이 하나님이 죽음 대신에 주시는 새로운 생명의 문제라고 말하는 신명기에서의 포로생활로부터의 귀환에 관한 약속들 속에서 이 이미지의 뿌리를 발견할 수 있다는 것은 가능한 일이긴 하지만, 이것은 단지 먼 반영에 불과한 것이다.[154] 마른 뼈들을 살아 있는 사람으로 만들어 줄 숨/영 — 야훼 자신의 숨/영 — 에 관한 약속 속에서 특히 창세기 1-2장의 반영들이 존재한다는 것도 피상적인 것이다.[155] 이것은 엘리야와 엘리사가 행한 이적들과는 달리 단순한 소생이 아니다. 육신이 없는 뼈들은 창조주 신의 새롭고 전례없는 행위에 의해서만 생명을 얻게 된다.[156]

이 본문이 명백하게 알레고리적인 성격을 지닌다고 해도, 그것은 적어도 초기 랍비 시대에서 이 본문을 문자 그대로의 부활에 관한 예언으로 보는 것을 막지 못하였다. 이것에 대한 증거는 초기 사본들의 본문주들과 두라-유로포스

---

152) 이 본문에 대한 논의는 Martin-Achard 1960, 93-102; Eichrodt 1970, 505-11; Stemberger 1972, 283; Koenig 1983을 참조하라.

153) Martin-Achard 1960, 95.

154) 신 30:1-10을 참조하라. 이 본문은 에스겔 34:6에 분명히 반영되어 있다; 또한 신명기 30:15-20; 32:39-43과 비교해 보라.

155) 겔 37:8-10, 14; cf. 창 2.7("숨"을 가리키기 위하여 '루아흐' 대신에 '니쉬마트'라는 다른 단어가 사용되고 있지만, 칠십인역에서는 에스겔서에서처럼 '프뉴마'가 아니라 '프노에'로 번역하고 있다).

156) Martin-Achard 1960, 95.

(Dura-Europos)에서 발견된 주목할 만한 회화들에서 찾아볼 수 있다.[157] 그러나 우리가 에스겔 37장과 호세아서에서 시작하여 이사야서를 거쳐서 다니엘서에 이르기까지의 (대체로 물밑에서 진행된) 사고의 흐름 간의 융합을 감지할 수 있는 것은 오직 그러한 후대의 용법 속에서이다.[158] 이러한 본문들 중 그 어느 것도 에스겔의 환상의 주된 초점, 즉 뼈들을 강조하기는커녕 언급조차 하지 않는다; 에스겔서에는 잠자는 자들이 깨어난다든가, 티끌 속에 거하는 자들이라든가, 부활한 자들이 새로운 영광으로 빛날 것이라는 등등의 표현이 나오지 않는다. 하지만 이 모든 본문들이 이런저런 방식으로 가리키고 있는 것은 이스라엘의 공통의 소망, 즉 야훼가 새 창조의 위대한 행위를 통하여 이스라엘의 운명을 마침내 회복시키고, 이교도들의 지배에서 해방시키며, 공의와 평화 속에서 이스라엘을 재정착시키리라는 것이다. 이것은 이전 시대의 확고한 소망(민족, 가족, 땅에 대한 소망)이 죽음 이후까지라도 창조주가 신실하실 것에 대한 새롭게 출현한 신앙과 만나는 지점이다. 서로 다른 사상 조류의 이러한 합류(우리에게는 그렇게 보인다)는 더 면밀한 검토를 요구한다.

(vi) 부활과 이스라엘의 소망

우리는 이스라엘의 신앙과 삶이라는 넓은 맥락 속에서 "죽음 이후의 삶" 너머의 새로운 삶에 대한 소망과 관련된 이 다양한 표현들에 어떤 위치를 부여할 수 있는가? 이 관념은 어디에서 왔고, 구약성서에 나오는 다른 유형의 소망들(그리고 사후의 삶에 대한 소망이 없다는 명시적인 진술들)과는 어떤 관계에 있는가? 여기에서 이와 관련하여 말해두어야 할 것이 두 가지가 있는데, 첫 번째는 이러한 소망과 구약의 주류를 이루는 기대의 관계에 관한 것이고, 두 번째는 그 기원과 유래에 관한 것이다.

부활에 대한 소망을 새롭고 외래적인 요소, 즉 고대 이스라엘의 사상 속에 뒷문을 통해서 들어온 요소로 보는 것은 쉬운 일이지만, 또한 잘못된 것이다.

---

157)Riesenfeld 1948 ; Cavallin 1974, 110 n. 28 ; Martin-Achard 1960, 93 n. 1과 거기에 나오는 참고문헌들.

158) Martin-Achard 1960, 100f.에 의하면, 창조 이야기들은 에스겔서의 이 본문의 토대를 이룬다.

우리가 지금까지 살펴본 부활에 관한 본문들은 모두 회복에 대한 유대인들의 소망, 포로생활, 박해, 고난으로부터의 해방에 대한 소망을 지속적으로 단언하는 맥락 속에 두어져 있다. 에스겔서의 경우에서처럼 종종 이러한 은유적 성격은 본문 전체에 걸쳐서 뚜렷하게 드러나는 경우도 있다. 다니엘서의 경우에서처럼 종종 실제의 몸의 부활이 마찬가지로 분명하게 의도된 경우도 있다. 이사야서의 본문들에서처럼 추가 어느 쪽에 두어져 있는지가 정말 불확실한 경우들도 있다. 그러나 그 어떤 본문에서의 언급이 아무리 구체적인 것이라 할지라도, 그러한 경우들에서조차도 전체적인 맥락은 민족의 회복과 약속의 땅에의 재정착에 대한 민족적 소망이라는 것은 의심의 여지가 없다. 달리 말하면, 이것은 고대 이스라엘의 모든 것을 규정하였던 그 소망으로부터의 일탈이 아니라, 그 소망에 대한 재확인이라는 것이다. 그것은 실제로 사후에 개인이 몸을 입지 않은 채 복되게 살아가는 것에 대한 소망(아마도 시편 73편과 그 밖의 한두 본문이 증거하고 있는)이 아니라는 식의 재확인이다. 이러한 부활 소망은 죽음 이후의 삶을 다른 수단에 의한 정상적인 삶의 지속이라고 생각한 고대 이집트의 소망과 다르다.[159] 그러한 관념을 고대 이스라엘 사람들은 민족, 가족, 땅의 번성과 융성이라는 소망에 대한 부정으로 보았을 것이다.

사실, 이러한 본문들은 다음과 같은 관점에서 보는 것이 가장 좋을 것이다: 몸의 부활에 대한 소망은 고대 이스라엘의 소망이 새로운 도전 — 호세아서와 이사야 24-27장에서처럼 심판의 위협이라든가, 더 구체적으로는 에스겔서 37장과 이사야서 53장에서처럼(서로 다른 방식들이긴 하지만) 포로생활이라는 엄연한 사실 등과 같은 것들 — 을 만날 때에 종종 일어나는 현상이다. 다니엘서 12장은 9장과 맥을 같이 하여 이제는 고난과 순교에 초점이 맞추어진 연장되고 계속되는 포로생활에 대한 인식을 반영하고 있는 것으로 보는 것이 가장 좋다. 물론, 포로생활과 순교가 반드시 이러한 효과를 가져오는 것은 아니고, 그 밖의 다른 맥락 속에서도 우리는 (예를 들면) 예레미야서, 마카베오1서, 에스겔서, 다니엘서, 마카베오2서에서 부활에 관한 관념들을 발견할 수 있다.[160] 그러나 포로생활을 민족의 반역, 불충, 우상 숭배에 대한 하나님의 징벌로 보는 강력한

159) 위의 제2장 제2절; Davies 1999, ch. 1을 보라.

160)후자에 대해서는 다음 장의 항목 4(iii)을 보라.

인식이 존재하였던 곳에서(창세기 3장에서 아담과 하와가 동산에서 쫓겨난 이야기가 이 시기에서 이스라엘이 약속의 땅에서 쫓겨난 것에 대한 패러다임으로 읽혀졌을 가능성이 있지만, 이러한 연관성에 대한 직접적인 증거는 없다), 그러한 추방을 "죽음"으로 보고,[161] 포로생활 속에서의 삶을 그러한 죽음 이후의 반쯤 생명이 붙어 있는 이상한 삶으로 보며, 포로생활로부터 돌아오는 것을 다시 그 너머의 삶, 새롭게 몸을 입은 삶, 즉 부활로 보는 것은 아주 쉬운 일이었을 것이다. 바로 이것이 에스겔과 다니엘이 취했던 바로 그 노선이었던 것으로 보이고, 다니엘은 이사야서와 호세아서를 활용한다. 따라서 부활에 관한 약속은 우리가 앞서 살펴보았던 본문들 속에서 아주 빈번하게 진술되었던 견해, 즉 무덤 너머의 모든 소망을 배제하였던 견해와 정면으로 배치됨에도 불구하고, 그 약속은 고대 이스라엘이 진정으로 붙잡고 있었던 소망에 대한 강력한 재확인이었던 것이다: 약속의 땅에서의 민족의 삶, 야훼 창조주 신의 선물로서의 삶에 대한 소망.

이 후자의 내용은 더 강조될 필요가 있다. 창세기의 창조 이야기들에 대한 반영들은 이러한 본문들의 이면에 어른거린다: 야훼는 사람을 흙으로 창조하여, 자신의 생기를 그들에게 불어넣었는데, 야훼가 그 생기를 다시 거두어가게 되면, 사람은 또다시 티끌로 되돌아간다.[162] 그러므로 야훼가 자신의 생기를 새롭게 주게 되면, 티끌은 생명으로 다시 변하게 될 것이다.[163] 이렇게 부활에 대한 약속은 야훼의 선한 땅에서 몸을 입고 살아가는 현재적인 삶에 대한 고대 이스라엘 사람들의 통상적인 송축의 토대가 되었던 창조 자체와 확고하게 연결된다. 야훼의 세계와 땅에서의 삶의 선함에 대한 이러한 확고한 긍정은 이스라엘이 범죄하여 민족적 재난이라는 형태로 징벌을 받게 될 때에 의문이 제기된다. 그러므로 우리는 그러한 시점에서 선지자들이 창조 자체의 언어를 사용하여 도움을 구하고 있는 것을 볼 때에 이상하게 여겨서는 안 된다. 창세기 3장에서 죽음이 동산으로부터의 추방과 연결되어 있는 것과 마찬가지로, 성경

161) 해당 장의 전체적인 맥락 속에서 신명기 30:15-20을 참조하라.

162) 창 2:7; 3:19; 시 104:29; 또한 Johnston 2002, 238f.를 보라. 진토는 죽음과 관련된 통상적인 이미지가 된다: 예를 들면, 시 7:5; 22:15, 29; 30:9; 119:25.

163) 시 104:29; cf. 사 26:19; 단 12:2; 또한 삼상 2:8; 시 113:7.

에서 소망에 관한 가장 상세한 진술들 속에서 우리는 이스라엘이 땅을 회복하는 것과 사람이 죽음의 상태 이후에 새롭게 몸을 입고 창조되는 것 간의 창조적인 유동성을 발견한다.

이러한 사고의 흐름은 우리가 호세아서 같은 초기 저작들 속에서 볼 수 있는 바로 그런 것이다. 압제와 환난 속에서 이스라엘 민족은 "죽음 이후의 삶" 이후의 새로운 삶에 관한 언어를 사용하기 시작하고, 이것은 이사야 26장의 송축의 탄성으로 변한다. 우리는 이러한 연속적인 사고의 흐름 속에서 전환점이 되었을 만한 것 — 사람들이 실제로 인간이 죽었다가 어느 기간이 경과한 후에 새롭게 몸을 입고 살게 된다는 관점에서 생각하기 시작한 때 — 이 이사야서의 종 본문들 속에서 발견될 수 있다고 생각해 볼 수 있다. 이 본문들은 민족과 땅에 대한 소망이 개인, 또는 적어도 개인처럼 보이는 것에 초점이 맞춰지게 된 본문들이다; 이것이 민족 전체 또는 열방들 내에서의 한 집단을 가리키는 문학적인 암호라고 할지라도, 그 본문 자체와 이후의 해석 속에는 이사야서의 "종" 본문들 중 적어도 일부에서는 민족을 대표하는 한 개인을 염두에 두고 있었다는 것을 보여주는 표지들이 존재한다.[164] 또한 이 본문들은 이스라엘의 신이 민족을 포로생활로부터 회복시킬 것이라는 신앙이 이스라엘의 신이 민족의 대표자를 죽음 이후에 회복시킬 것이라는 신앙 — 비록 아직까지는 아주 분명하게 표현되어 있지는 않지만 — 으로 돌연히 진전된 본문들이라고 할 수 있다. 이렇게 해서, 이전의 민족적 소망은 이스라엘의 신이 이스라엘이

164) 물론, "종"의 정체성은 논란이 되고 있다. 여기서의 묘사는 이사야 11:1-10을 반영하고 있는 왕적인 존재들로 시작되는데(42:1-9), 종은 야훼의 기이한 사자이다; 이 대목에서 종은 비록 반역하는 자이기는 하지만 민족 자체인 것으로 보인다(42:22-5; 44:1f., 21f., 26; 45:4). 그러나 또한 종은 민족과 반대편에 서서 민족에 대하여 사역을 행하는 자로 묘사되고(49:1-6; 50:10), 적어도 한 대목(48:20)에서는 온 백성을 대신하여 고난의 짐을 진 바벨론 포로들로 이루어져 있는 것으로 보인다. 49:5과 50:4-10은 선지자 자신을 가리키는 것일 수 있다. 그러나 40-55장 전체의 맥락 속에서 읽어보면, 핵심적인 본문(52:13-53:12)은 신학적인 관점에서만이 아니라 문학적인 관점에서도 이 모든 것들보다 훨씬 우뚝 솟아있는데, 여기에서는 종을 신실한 이스라엘이 두려움과 경외와 궁극적으로는 감사의 마음으로 바라보는 자로 묘사된다. 최근의 논의들 가운데서는 특히 Williamson 1998, ch. 4; Balzer 2001, 124-8을 보라.

항상 야훼가 민족 전체를 위하여 할 것이라고 소망하였던 바로 그 일을 한 사람에게 행할 것이라는 소망으로 바뀌게 된다 — 그리고 우리는 이러한 변화를 아주 잘 이해할 수 있다. 이 지점으로부터 민족의 대표자가 복수로 나오는 다니엘서 12장으로의 발전을 우리는 더 분명하게 인식할 수 있다. 고난, 박해, 순교의 경험은 포로생활을 새로운 소름끼치는 절정으로 올려다 놓았다고 기자는 믿었다. 고난받는 의인들은 그들 자신이 이사야서에 나오는 종의 역할을 집단적으로 수행하고 있다고 생각하였다.

이것으로부터 두 가지 예비적인 결론이 도출되는데, 우리는 그 결론을 이 장에서 제시한 세 가지 입장 간의 관계라는 관점에서 서술해 볼 수 있다: (a) 죽은 자들은 "열조들과 함께 잠자고" 있다; (b) 죽은 자들은 야훼에 의해서 "영접되어서" 모종의 지속적인 삶 속으로 들어갈 수 있다; (c) 죽은 자들 중에서 적어도 일부는 그러한 "죽음 이후의 삶" 이후의 부활을 소망할 수 있다.

첫째, (c)는 종종 주장되는 것과는 달리 (b)으로부터 발전된 것이 아니다; 도리어, 그것은 (a) 자체로부터 급진적으로 발전한 것이다. 사람은 죽고 나서 스올, 티끌, 무덤으로 간다는 것을 (b)는 적어도 부정하고 있는 것으로 보이지만, 부활 소망은 그것을 부정하지 않는다. 또한 야훼의 현존과 사랑 속에서 몸을 입지 않은 채 살게 되는 죽음 이후의 실존은 사람이 소망할 수 있는 궁극적인 선이라는 것을 (b)는 적어도 긍정하고 있는 것으로 보이지만, 부활 소망은 그것을 긍정하지 않는다. 부활 소망은 죽은 자들이 지금 "잠자고" 있다는 것을 부정하지 않는다. 부활 소망은 단지 야훼가 일정 기간의 죽음의 상태 이후에 죽은 자들에게 새로운 그 무엇을 행하실 것임을 긍정한다 — 잘 알다시피, (a)에 관한 몇몇 진술들 속에서 분명히 부정하고 있음에도 불구하고. (b)를 생성시킨 것으로 보이는 것과 동일한 신학적 · 종교적 신앙은 (c) 아래에서도 볼 수 있다 — 즉, 인간은 선천적으로 불멸의 존재인 것이 아니라, 야훼의 사랑과 창조 능력이 아주 강하기 때문에 죽음조차도 그것을 깨뜨릴 수 없다는 신앙. 하지만, 장래에 있어서의 부활을 말하는 (c)는 죽음 이후의 행복한 몸을 입지 않은 삶을 말하는 (b)와는 판이하게 다른 종류의 것으로서, 신학과 실제의 모든 점에서 (a)(여기에서 유일하게 미래적인 소망은 개인이 아니라 민족의 소

165) Barr 1992, 22는 이것과 매우 근접한 것으로 보인다.

망이다) 자체와 더 비슷하다.[165]

둘째, "죽은 사람들의 몸의 부활"과 "포로가 된/고난받는 이스라엘의 민족적 회복"이라는 두 가지 의미는 아주 밀접하게 얽혀 있기 때문에, 우리가 특정한 본문들과 관련해서 그 본문이 어느 쪽을 의미하는지, 또는 심지어 그러한 구별이 가능한 것인지를 항상 알아낼 수 없다는 것은 결코 문제가 되지 않는다. 이러한 융합은 출현 중인 신앙에 확고함을 더해 준다. 부활이라는 관념은 결코 이상한 "묵시론적" 발명품이 아니었다. 따라서 만약 그러한 관념이 도중에 끼어들지 않았다면, 이스라엘의 소망은 영적인("몸을 입지 않은"이라는 의미에서) 죽음으로 쉽게 발전되었을 것이라고 보는 것은 잘못된 것이다.[166]

고대 이스라엘에서 부활 신앙의 기원에 관한 이러한 설명이 과녁 근처를 맞추고 있는 것이라면, 흔히 제기되어 온 그 밖의 다른 두 가지 설명은 폐기되어야 한다. 어쨌든 그 두 가지 설명은 각각 그 자체로도 치명적인 비판에 봉착해 있다.

통상적으로 반박되고 있음에도 불구하고 일부 진영들에서 여전히 인기를 누리고 있는 첫 번째 설명은 부활 신앙은 조로아스터교가 페르시아 제국의 국교였던 시절에 이스라엘이 그 제국의 지역들 — 바빌로니아, 그 다음에는 페르시아 — 로 포로로 끌려가서 생활한 바로 그 즈음에 또는 그 직후에 이스라엘 속에서 출현한 것으로 보인다는 점을 지적하면서 이스라엘의 부활 신앙의 출현을 고대 조로아스터교에서 그 근원을 찾고자 시도한다.[167] 이러한 주장은 한

166) 예를 들면, von Rad(1962-5, 1.390)가 함축하고 있는 것으로 보이는 것과 같이. 이것은 아마도 "우리 자신의 신학적인 전망"은 선천적으로 야훼 신앙의 "비영적이고 외적인" 측면에 대하여 의구심을 갖고 있다는 von Rad의 인식과 관련되어 있을 것이다(1.279).

167) 조로아스터교에 대해서는 Boyce 1975-91; 1992; McDannell and Lang 2001 [1988], 12-14; Nigosian 1993 및 이에 대한 Hengel 1974, 1.196; 2.130f의 논평들; Griffiths 1999, 1047f; Davies 1999, ch. 2의 짤막한 설명을 참조하라. 현존하는 주된 본문들은 주후 9세기의 것이다(주로, *Bundahishn* 30); 초기 시대에 관한 지식은 대체로 Plutarch *De hid.* 47; Diog. Laert. 1.9(prologue); Aeneas of Gaza *De Animali Immortalite* 77에 의해서 보도된 Theopompus(주전 4세기) 같은 저술가들로부터 온다. Hengel(이 각주에서 앞서 인용된)은 몇몇 학자들과 더불어서, 유대교 및 기독교의 개념들이 좀 더 발전된 이란(Iran) 쪽 개념들에 영향을 미쳤을 가능성이 있다고

세기가 넘도록 논란되어 왔고, 적어도 고대 조로아스터교가 실제로 무엇으로 이루어져 있었는지에 대한 근본적인 불확실성(일차 자료들이 시기적으로 늦은 것들이기 때문에)에 의해서 제약을 받는다.[168] 존 데이(John Day)는 성경 속에서 그 교설의 주된 주창자인 다니엘이 분명히 이사야서만이 아니라 호세아서도 반영하고 있기 때문에, 이것은 페르시아로부터의 영향을 그 배후로 갖고 있는 사상의 흐름을 띠고 있고, 에스겔이 죽은 자들이 무덤으로부터 다시 살아날 것이라고 말할 때에 이것은 조로아스터교와 관련이 있을 수 없는데, 이는 페르시아인들은 죽은 자들을 매장한 것이 아니라 땅에 그대로 노출시켜 놓았기 때문이라는 점을 지적하였다.[169] 우리는 여기에 포로기 즈음에 등장해서 주전 2세기에 다시 강조된 부활 신앙의 취지는 한 분 창조주 신의 유일하게 선택받은 백성으로서의 이스라엘의 지위와 관련된 것이었다는 점을 추가할 수 있을 것이다. 문제를 일으키고 있었던 바로 그 나라 사람들로부터 핵심적인 관념을 빌려와서 이것을 표현한다는 것 — 마치 전쟁 포로가 혐오스러운 적군의 군복을 입고 도망하고자 시도하는 것과 같은! — 은 부활 신앙과 관련하여 일어났던 것으로 보이는 훨씬 더 미묘한 성찰, 경건, 비전의 과정을 제대로 다

주장한다.

168) 앞의 주를 보라. 과거의 논쟁들에 관한 논의는 Martin-Achard 1960, 186-9; Greenspoon 1981, 259-61; Bremmer 1996, 96-8을 참조하라. Day 1996, 241n는 주후 20세기 초의 W. Bousset로부터 Cohn 1993에 이르기까지 조로아스터교 가설의 지지자들을 열거한다. 반대자들로는 Eichrodt 1961-7,1.516f.; Lacocque 1979 [1976], 243; Barr 1985; Goldingay 1989, 286, 318; J. J. Collins 1993, 396("유대교 신앙이 페르시아의 영향을 받았다는 주장이 이전 세대의 학자들에 의해서 분명한 것으로 받아들여졌지만, 이 견해의 인기는 이제 시들해졌다. 다니엘 12장과 에녹1서 22장 같은 유대교의 중요한 본문들 속에 페르시아적인 모티프들이 존재한다는 증거는 없다. 기껏해야, 유대 민족이 포로생활로부터 회복되는 것에 대하여 부활을 은유로 사용한 것(겔 37장; 사 26장)이 페르시아의 신앙에 의해서 간접적으로 영향을 받았을 가능성이 있을 뿐이다." 하지만 이 두 본문 속에 창세기 2-3장이 반영되어 있기 때문에, 일부 학자들은 그러한 영향조차도 의심한다); Day(1996, 240-42); Bremmer 1996, 99-101; Johnston 2002, 234-6.

169) Day 1996, 241f. 하지만 후자의 요지는 뼈들이 골짜기에 흩어져 있다는 에스겔의 환상 자체가 페르시아의 관행과 일치한다는 것을 인정하는 것이다.

루지 못한다. 실제로 이사야서 53장이 이 관념에 대하여 말을 아끼고 있다는 것 자체가 이와는 다른 것을 강력하게 함축하고 있는 것이다. 이러한 조로아스터교 가설이 의미를 지닐 수 있는 유일한 길은 부활을 외부로부터 가져와서 이스라엘 신앙에 이상하게 첨가한 것으로 볼 때 뿐이다 — 예를 들면, 대부분의 분석가들이 조로아스터교와 동일한 의미에서 이원론적이라고 보았던, 지금은 폐기된 "묵시론"이라는 관념이 우세했을 때.[170] 그러나 당시에 출현하고 있었던 이스라엘의 부활 신앙은 결코 이원론적인 것이 아니었다. 부활 신앙은 비록 깜짝 놀랄 만한 것이긴 했지만 고대 이스라엘 자체 속에 깊이 뿌리를 내린 발전물이었다. 부활 신앙은 창조의 선함, 죽이기도 하시고 살리기도 하시는 신으로서의 야훼, 민족과 땅의 미래에 대한 강조로부터 직접적으로 자라났다.[171]

그렇다면, 데이(John Day)를 비롯한 여러 학자들이 제시한 대안적인 가설, 즉 부활에 관한 최초의 단서들(특히, 호세아서에 나오는)은 가나안 신화의 죽었다가 다시 부활하는 신(바알)을 모방하는 과정에서 생겨났다는 주장에 대해서는 우리는 어떻게 생각해야 하는가?[172] 예수의 부활에 대한 기독교 신앙의 기원에 관한 성찰이라는 미명하에 종종 다시 등장하는 이 주장은 호세아서와 관련해서는 일견 상당한 개연성을 지니고 있다. 왜냐하면, 호세아가 반대한 제의들 중에는 분명히 이런 유형의 종교들이 포함되어 있었기 때문이다. 호세아 6:1-2("여호와께서 우리를 찢으셨으나 도로 낫게 하실 것이요 … 여호와께서 이틀 후에 우리를 살리시며 셋째 날에 우리를 일으키시리니 우리가 그의 앞에서 살리라")은 실제로 이 선지자가 지금 야훼의 이름을 부르면서(별로 진지하지 않게) 주변 문화로부터 죽음 이후의 새로운 삶에 관한 언어를 빌려서 사용

---

170) "묵시사상"과 "이원론"에 대해서는 *NTPG* ch. 10을 보라.

171) 자세한 것은 Eichrodt 1961-7, 2.516f.를 보라. 이러한 말들은 부활이 유대교 속에서 헬레니즘적인 환생에 관한 언어로부터 빌려온 결과로서 발전하였다는 주장에 대해서도 적용된다(예를 들면, Glasson 1961 1f., 5f, 30; Mason 1991, 170). 이것은 환생에 관한 언어가 부활 신앙에 관하여 서술하기 위해서 헬라어를 사용하는 유대인 저술가들에 의해서 사용될 수 없었다고 말하는 것이 아니다; 이것은 우리가 적어도 요세푸스의 한 본문 속에서 발견하는 것이다(아래의 제4장 제4절을 보라).

172) Day 1996, 245-8; 1997. 과거의 논쟁들에 대해서는 Martin-Achard 1960, 195-205; 또한 Xella 1995; Mettinger 2001을 보라.

하는 바알 숭배자들에게 돌리고 있는 그런 유의 기도로 읽혀질 수 있다. 이것은 호세아가 그러한 기도를 무익한 것이라고 거부하고 있는 것으로 보이는 이유를 설명해 준다. 데이에 의하면, 호세아는 아이러니컬하게도 이스라엘이 바알을 숭배하기 때문에 죽어 마땅하다고 주장한다 — 바알 숭배에 있어서는 회개가 곧 부활을 의미할 것이기 때문에(13:1에서처럼).[173] 그러나 그의 주장이 옳다고 할지라도, 이것을 이후의 전승들이 서로 다른 환경 아래에서 호세아서에 나오는 곁가지의 언급들을 거쳐서 이사야서의 여러 다양한 본문들을 경유하여 마침내 다니엘서에 이르게 된 일련의 과정의 하나의 출발점 이상의 것으로 보기는 어렵다.[174]

특히, 가나안 기원설은 다니엘서 12장이나 그것이 채택하고 있는 이사야서의 두 본문, 또는 에스겔서 37장을 거의 설명해 주지 못한다. 아울러, 가나안의 신들의 죽었다가 다시 부활하는 것이 가나안 사람들 자신에게 민족적으로나 개인적으로 적용되었던 개념이었다고 생각할 만한 근거도 존재하지 않는다. 나아가, 야훼는 특히 죽었다가 살아나지 않는다는 점에서 그러한 신들과 같지 않다는 것이 야훼 사상의 공리였다. 야훼는 다산 제의의 일부였던 식물의 신이 아니었다; 야훼는 피조 세계의 일부가 아니라 피조 세계를 다스리는 주권자였다.[175] 실제로 이것은 전통적인 신앙에 대한 주된 대적자가 지역의 식물 제의가

173) Day 1996, 245-7.

174) "신화적인 이미지들은 먼저 비신화화되었고"(즉, 바알 제의에 관한 언어를 이스라엘 민족에게 적용시킴으로써) "그런 후에 다시 신화화되었다"(즉, 민족의 회복에 관한 언어를 개인의 부활에 적용함으로써)는 Day의 주장(1996, 247)은 별 도움이 되지 않는다. 다니엘 12:2은 죽었다가 다시 살아나는 신들과 그들의 제의의 세계로 거슬러 올라가지만, 당시의 절박한 문제, 즉 순교자들의 죽음에 대한 구체적인 해법을 제시하고 있는 것으로서 결코 재신화화가 아니다. 또한 나는 고린도전서 15:36f.와 요한복음 12:24(Day 248)이 부활과 자연 제의들을 결부시켰던 과거의 관행에 대한 흔적들이라고 생각하지 않는다. 창조의 세계로부터 가져온 이미지들은 멀리 제의들로부터 빌려온 것과 동일하지 않다. 하지만 고난과 신정론이라는 문제에 주목하게 만들었던 포로기 이후의 상황이 과거의 암시들이 온전히 만개한 주장으로 발전하는 데에 많은 기여를 했다는 Day의 주장(2000년 7월의 개인서신)은 충분히 일리가 있는 것으로 보인다.

175) Martin-Achard 1960, 202; Johnston 2002, 237. Yamauchi 1965, 290는 신화

아니라 바빌로니아, 그리고 나중에는 시리아의 권력이었던 후대에 이르러서야 유대 사상가들이 부활 신앙에 이르게 된 이유를 설명하는 데에 도움을 줄 수 있을 것이다.[176] 우리는 조로아스터교로부터 차용해 왔을 가능성이 없다는 것에 관한 앞서의 주장에 대해서도 이와 비슷한 점을 지적할 수 있을 것이다: 이스라엘의 포로생활이 이교의 신들 및 그들의 자연 종교들과의 타협으로 말미암아 초래되었다고 한다면, 포로생활이 취소되고 계약이 갱신될 것을 예언한 선지자들이 그들의 주제를 발전시키기 위하여 그러한 종교들로부터 빌려온 중심적인 이미지를 사용하였을 가능성은 거의 없어 보인다.

우리가 도출해 낼 수 있는 가장 안전한 결론은 다니엘서 12:2-3에서 발견되는 부활에 대한 신앙은 두 가지 서로 다른 신앙의 결합을 통해서 생겨난 놀랍지만 충분히 이해할 수 있는 결과라는 것이다: (a) 이스라엘의 신 야훼가 창조주 신이고, 야훼의 형상을 닮은 인간의 삶은 사후의 몸을 입지 않은 실존이 아니라 이 세상 속에서의 몸을 입은 삶을 의미한다는 이스라엘의 오래된 신앙; (b) 이스라엘의 포로생활을 죄에 대한 징벌로 볼 수 있었던 새로운 신앙, 포로생활이 순교자들의 운명 속에서 일종의 절정에 도달했다는 신앙. 은유적으로, 자기 백성의 포로생활에 대한 야훼의 대답은 죽은 자로부터의 삶이 될 것이었다(이사야 26장, 에스겔 37장); 문자 그대로, 자기 백성의 순교에 대한 야훼의 대답은 죽은 자로부터의 삶이 될 것이다(다니엘 12장). 이것은 참으로 대담한 진전이긴 했지만, 이스라엘 신앙의 가장 초기의 뿌리들로 소급될 수 있는 사상의 흐름 속에서 최후의 단계를 이루는 것이었다.

5. 결론

우리가 지금까지 검토해 온 신앙의 유형들 전체에 걸쳐서 변함없이 등장하는 요소는 이스라엘의 신 자신이다. 야훼의 창조와 계약에 관한 비전; 야훼의

에서 이러한 신들이 몸을 입고 있는 것과 관련해서(Tammuz, Adonis 등) 이러한 신들의 부활에 대한 기독교 이전의 분명한 증거는 결여되어 있다는 것을 발견한다. 또한 몸의 부활 같은 것도 존재하지 않는다. 좀 더 최근의 것으로는 Mettinger 2001, 70을 보라.

176) Martin-Achard 1960, 203(Baumgartner를 따라서).

약속들과 그 약속들에 대한 야훼의 신실하심; 이스라엘을 향한 야훼의 목적들, 특히 땅의 선물; 궁극적으로는 죽음 자체를 포함한 모든 대적하는 세력들에 대한 야훼의 권능; 세계, 인간이라는 피조물, 특히 이스라엘, 그의 길을 따라서 야훼를 섬기며 좇은 자들에 대한 사랑; 결국 악을 단죄하고 의를 높이 치켜세울 야훼의 공의 — 창조주와 계약의 신에 대한 이러한 비전은 민족 및 땅과 관련된 소망에 대한 고대의 신앙, 야훼와의 관계는 죽음에 의해서조차 깨뜨려질 수 없을 것이라는 새로 등장한 신앙, 야훼가 죽은 자들을 일으키실 것이라는 마지막으로 등장한 신앙의 근저에 놓여 있다. 부활에 관한 성경의 언어("일어서다," "깨어나다" 등)는 단순하고 직접적이다; 그 신앙은 자주 등장하지는 않지만 분명하다. 그것은 죽음 이후의 삶에 대한 재해석이 아니라 죽음 자체의 역전이다. 그것은 스올이 그리 나쁜 곳이 아니라는 것에 관한 것이 아니다. 그것은 티끌이 티끌로서 행복하게 되는 법을 배울 것이라고 말하는 방식이 아니다. 깨어난다는 것에 관한 언어는 잠자는 것에 관하여 말하는 새롭고 흥미로운 방식이 아니다. 그것은 잠자는 자들이 더 이상 잠자지 않게 될 때가 올 것이라고 말하는 방식이다. 히브리 성경 전체에 걸쳐서 송축되고 있는 창조 그 자체는 재긍정되고 다시 만들어지게 될 것이다.

이러한 소망 속에서 민족의 요소는 결코 포기되지 않는다. 약속들은 여전히 존재한다. 그러한 그 약속으로부터 결코 시들지 않을 새로운 그 무엇이 생겨났다(앞으로 보게 되겠지만): 민족과 땅의 회복에 대한 이미지일 뿐만 아니라 그 회복에 있어서의 한 요소에 대한 문자적인 예언으로서의 부활에 대한 신앙; 단순한 은유가 아니라 환유법이기도 한 부활 신앙. 우리가 이제 죽음 이후의 삶에 관한 지속적인 사상이라는 더 폭넓은 맥락 속에서 제2성전 시대 유대교라는 격동의 세계에서 "부활"의 의미를 추적할 때 살펴보고자 하는 것은 바로 이러한 이중적인 기능이다.

제4장

깨어나야 할 때 (2):
성서 이후 시대의 유대교에서 죽음 너머의 소망

1. 서론: 스펙트럼

사람들은 흔히 유대인들은 부활을 믿었고 헬라인들은 불멸을 믿었다고 말하곤 한다. 반쯤만 맞는 대부분의 말들과 마찬가지로, 이 말은 우리에게 사실을 보여주는 것만큼이나 우리를 오도하는 말이다 — 사실은 오도하는 측면이 더 많다. 성경이 죽음 이후의 삶에 관한 신앙의 스펙트럼을 제공해 주고 있다면, 제2성전 시대는 화가의 팔레트 같은 것을 우리에게 제공해 준다: 비슷한 입장들을 서로 다른 방식으로 묘사하고, 서로 다른 입장들을 비슷한 방식으로 묘사하고 있는 수십 가지의 대안들. 우리가 더 많은 본문들과 비명(碑銘)들을 연구하면 할수록, 그 모습은 더욱더 그렇게 보인다. 우리가 이 주제에 관하여 생각해 낼 수 있는 거의 모든 입장이 마케베오 혁명과 미쉬나의 편찬 사이의 기간, 대략 주전 200년에서 주후 200년에 이르는 기간에 어느 곳에선가 어느 유대인들에 의해서 주장되었던 것으로 보인다.[1)]

1) 이 자료에 대한 몇몇 이전의 검토들은 제2성전 시대 유대교의 모든 형태들이 성경적인 표준들로부터의 이탈이거나 초기 기독교를 예상하지 못했다는 것을 보여주는 것이 중요하다는 과제를 지니고 있었다(예를 들면, cf. Eichrodt 1961-7, 2.526-9). 이것은 방법론적으로 잘못된 것이다. 성경 이후의 새로운 상황들은 새로운 표현들을 요구하였다: 그리고 초기 그리스도인들은 모두 제2성전 시대 유대인들로서 분명히 성경을 그들 자신의 문화에 의해서 매개되지 않는 읽기라는 의미에서 "직접적으로" 성경을 읽은 것이 아니었다. Barr 1992, 1-4에 나오는 몇몇 최근의 학문적 연

그렇지만 이것이 다가 아니다. 과거의 반쯤 진리인 말은 그 자체로 매우 주목할 만한 어떤 내용을 담고 있었다. 앞에서 본 것처럼, 성경은 장래의 삶의 가능성을 대체로 부인하거나 적어도 무시하고 있고, 오직 소수의 본문들이 이와는 다른 견해로 인해서 돌출되어 보인다; 그러나 제2성전 시대에 있어서 이러한 상황은 어느 정도 역전되어 있었다. 증거들은 예수 당시에는, 그러니까 대략 우리가 지금 살펴보고 있는 시기의 중반 쯤에 대부분의 유대인들은 모종의 형태의 부활을 믿고 있었거나 적어도 부활이 표준적인 가르침이라는 것을 알고 있었다는 것을 보여준다. 부활에 대하여 회의적인 태도를 보인 사람들은 비교적 소수였다. 일부 사람들은 몸을 입고 있지는 않지만 복된 불멸이 죽음 후의 의인들을 기다리고 있다는 일종의 중도적인 입장을 취하였다 — 정확히 시편 73편의 입장은 아니지만, 거기로부터 그리 멀리 떨어져 있지 않은 입장. 그러나 다니엘 12장에서 갑자기 활짝 꽃피우게 되었던 신앙이 표준적이 되었다는 것을 보여주는 폭넓은 증거들이 존재한다. 실제로 그 본문은 후대에 발전된 많은 수의 본문들 배후에 자리잡고 있는 것으로 보인다.

이러한 다양한 색깔을 지닌 신앙들을 담고 있는 팔레트에 접근함에 있어서, 우리는 "부활"과 "불멸"이라는 단어들이 너무도 느슨하게 사용되었고, 흔히 마치 이 단어들이 동일한 의미를 지니는 것으로 생각하여 한 문장 또는 한 단락 내에서 서로 번갈아 사용될 수도 있었다는 것을 다시 한 번 상기하지 않으면 안 된다. 상황은 실제로는 더욱 복잡하였다. 부활을 믿은 사람들은 장차 부활하게 될 것이지만 아직은 부활하지 않은 죽은 자들이 중간 상태로 어느 곳에선가 살아 있다고 믿었다. 우리가 이러한 상태를 "불멸"이라고 부르든, 아니면 몸을 입지 않은 채로 계속해서 살아가는 실존을 가리키기 위하여 또 다른 단어를 사용하든, 그것 자체는 별 중요한 문제가 아니다. 흔히 "불멸"이라는 단어는 죽은 사람들이 어떤 의미에서 죽음 이후에도 여전히 살아 있다는 것만이 아니라, 플라톤의 경우에서와 마찬가지로 사람 속에는 죽지 않는 불멸의 요소, 아마도 영혼이 항상 존재한다는 것을 함축하는 것으로 받아들여졌다. 그러나 앞에서 보았듯이, 이것은 야훼와 그들의 관계가 죽음 이후에도 계속 될 것이라고

구에 대한 짤막한 개관은 물론 그 자체가 Barr 자신의 관념들에 의해서 매개된 것이기는 하지만 이러한 논의들이 귀결되는 지뢰밭을 보여준다.

믿게 되었던 것으로 보이는 저 성경의 기자들의 견해가 아니다. 그러한 연속성은 인간 속에 내재하는 그 어떤 선천적인 요소가 아니라 오직 야훼의 성품(권능있는 사랑의 창조주로서의)을 토대로 하는 것이었다. 따라서 "부활"을 믿은 모든 사람들은 단순히 영혼의 불멸을 믿은 사람들과 마찬가지로 장차 부활하게 될 사람들이 죽음 이후에도 어떤 의미에서이든 지속적인 실존을 살게 될 것을 믿었다; 그러나 그들이 그 지속적인 실존을 어떻게 설명하였고, 어떤 토대 위에서 설명하였는지는 서로 상당히 다를 수 있었다. 나아가, 우리가 앞에서 성경의 본문들과 관련하여 살펴보았듯이, "부활"을 믿은 사람들은 그들의 궁극적인 목표를 몸을 입지 않은 채로 영속적으로 살아갈 미래의 상태를 믿었던 사람들에 대한 단순한 병행되는 대안으로 인식한 것이 아니었다. 어떤 사람들은 몸을 입지 않은 지속적인 삶을 믿었고, 어떤 사람들은 몸을 입은 지속적인 삶을 믿은 것이 아니었다. 우리가 다시 한 번 역설해 두지 않으면 안 될 것은 부활은 "죽음 이후의 삶" 이후의 삶을 의미했다는 것이다: 몸을 입지 않은 장래의 삶을 믿었던 사람들이 지녔던 한 단계의 기대와 반대되는 두 단계의 미래적 소망.

제2성전 시대 유대인들의 기대들은 초기 그리스도인들이 사용한 부활 언어의 용법이 차지하는 위치를 규명함에 있어서 의미의 좌표를 형성하는 것이기 때문에(그 용법이 기존의 테두리를 아무리 많이 벗어났다고 할지라도, 그것이 터트리고 나온 것은 그 밖의 다른 어떤 테두리가 아니라 바로 그러한 테두리였다), 우리는 "부활"이라는 말 자체를 통해서 그들이 정확히 무엇을 의미했는지에 특별히 주의를 기울이지 않으면 안 된다.[2] 우리는 이 개념이 몇 가지 점에서는 매우 구체적이었고 몇 가지 점에서는 매우 모호했다는 것을 발견하게 될 것이다. 이 개념은 분명히 새롭게 몸을 입은 실존을 가리킨다; 그것은 결코 유령들, 허깨비들 또는 영들에 관하여 말하는 방식이 아니었다. 그렇지만 부활이 정확히 무엇과 같은 것인지 — 말하자면, 다니엘 12:2-3이 실제로 어떻게 실현될 것인지 — 는 여전히 모호한 채로 남아있다. 예를 들면, 그것은 좀 더 즐거운 것이라는 점을 제외하면 현재의 삶과 별반 다르지 않는 삶으로의 소생

---

2) 현재의 장에 대해서는 제3장 첫부분에서 이미 언급했던 저작들과 아울러 Stemberger 1972; Bauckham 1998a, 1998b를 보라.

이 될 것인가? 아니면, 그것은 일종의 변모(transformation)를 포함하게 될 것인가? 이 점에 대해서 정확한 대답은 존재하지 않는다; 그리고 이러한 부정확성은 그 자체가 우리가 초기 기독교에 대한 연구를 접근해 나갈 때에 상당히 흥미로운 문제이다.

더 큰 그림 안에서 "부활"의 의미들을 규명하기 위해서는 죽음 이후의 삶이라는 주제 전체에 관한 모든 범위의 견해들을 검토하는 것이 중요하다. 적어도 한 가지 점에 있어서는 우리는 정확하고 확실할 수 있다. 유대인들 중에서 지배계급인 엘리트층에 속하였던, 대제사장 가문을 비롯한 사두개인들은 장래의 삶이 있을 것이라는 것을 부정하였다. 이러한 부정은 초기 기독교와 랍비 유대교 양쪽의 문헌들 속에서 여전히 중요하게 남아 있고, 우리의 검토는 여기에서부터 시작하지 않으면 안 된다.

2. 장래의 삶은 없다: 사두개인들

사두개인들이 지닌 적극적이거나 소극적인 신앙들을 보여주는 세 가지 가장 중요한 자료들은 신약성서, 요세푸스, 랍비 문헌이다.[3] 이것들 중 그 어느 것도 사두개인들을 보도함에 있어서 중립적이지 않았다. 이상할 것도 없지만, 신약성서는 그들이 부활을 부정한 것을 그들의 주된 특징으로 보았다. 요세푸스(그는 귀족 계급에 속한 사람으로서 그들에게 더 가까웠을 것이기 때문에 진상을 폭로하고자 하지 않는다)는 마치 그들이 실제로 헬레니즘적인 철학 학파였다는 듯이 그들을 묘사한다. 랍비들은 대체로 정결에 대한 사두개인들의 태도에 관하여 말한다. 이것들은 모두 우리가 계속해서 살펴보아야 할 것들이다. 주후 70년 이후에는 대답을 해주거나 기록을 올바르게 바로잡아줄 사두개인

3) 사두개파에 대해서는 cf. *NTPG* 209-13; Meyer in *TDNT* 7.35-54; Le Moyne 1972; Schwankl 1987, 332-8; Saldarini 1988, ch. 13; Sanders 1992, ch. 15; Porton 1992, 2000; Puech 1993, 202-12; Stemberger 1999(자세한 서지목록과 함께); Juhasz 2002, 112-4를 참조하라. 사두개인들이 썼다고 확실하게 말할 수 있는 문헌이 우리에게 현존하지 않는다. Porton 1992, 892는 요세푸스가 사두개파의 신앙을 세 번 서술할 때에(*War* 2.162; *Ant.* 13.293; 18.16f.)에 거기에서 단일한 신앙을 찾아볼 수 없다는 점을 지적한다.

들이 남아 있지 않았다. 그러나 자료들이 이 점에 관하여 꽤 확고하게 일치하고 있기 때문에, 우리가 올바른 궤도 위에 있다는 것은 분명하다. 기본적으로 사두개인들은 부활을 부정하였다; 그들은 구약성서에 대한 매우 엄격한 해석을 따랐고, 장래에 어떤 의미 있는 삶이 존재한다는 것을 부정했을 가능성이 상당히 높아 보인다. 그러나 앞으로 분명해지겠지만, 사두개인들이 부활을 부정하였다고 해서 그들을 급진론자들로 보는 것은 과녁을 완전히 빗나간 것이다. 그들은 보수주의자들이었기 때문에 부활을 부정하였다.

마태, 마가, 누가는 모두 사두개인들이 부활이라는 관념을 조롱하고 귀류법(reductio ad absurdum)을 통해서 그 관념이 잘못되었음을 입증하기 위하여 예수에게 던진 질문을 보도한다(랍비들에 의해서 보도된 이와 비슷한 질문들도 동일한 의도를 지니고 있었다). 세 공관복음서 기자들은 도입문을 통해서 사두개인들은 "부활이 없다고 말한다"고 간단하게 언급한다; 그리고 그들이 던진 질문은 그들이 제시하는 논증의 방식을 아주 잘 보여준다. 특정한 한 사례를 생각해 보라. 그러면 너희는 부활이 얼마나 부조리한 것인지를 알게 될 것이다. 그들은 그렇게 말한다.[4)]

잘 알려져 있지 않지만 마찬가지로 중요한 것은 바울이 유대의 공회 앞에서 심문을 받는 장면을 묘사하고 있는 사도행전 속에서 누가가 한 설명이다. 누가는 바울이 공회원들 중 일부는 사두개인들이었고 몇몇 바리새인들은 바울의 송사에서 문제가 되고 있는 것이 부활 자체라고 분명하게 말하고 있는 상황을 알아차리고 자기는 바리새파의 입장에 확고하게 서있다고 말한 것으로 보도한다. 이것은 두 파당 간의 논쟁을 촉발시켰고, 법정은 순식간에 난장판이 되고 만다. 누가의 묘사는 비록 교묘하긴 하지만 흥미롭다. 누가의 설명은 사두개인들만이 아니라 바리새인들과 관련해서도 중요한 증거를 제공해 주기 때문에, 우리는 그것을 주의 깊게 살펴보지 않으면 안 된다:

> [7]그 말을 한즉 바리새인과 사두개인 사이에 다툼이 생겨 무리가 나누어지니 [8](이는 사두개인은 부활도 없고 천사도 없고 영도 없다 하고 바리새인은 다 있다 함이라) [9]크게 떠들새 바리새인 편에서 몇 서기관이 일어나

---

4) 마 21:23/막 12:18/눅 20:27. 이 본문들은 제9장 제3절에서 논의될 것이다.

다투어 이르되 우리가 이 사람을 보니 악한 것이 없도다 혹 영이나 혹 천사가 그에게 말하였으면 어찌 하겠느냐 하여.[5]

이 장면은 철저하게 믿을 만하다; 물론, 우리는 이 글을 쓰면서 해설을 덧붙여 놓고 있는 누가가 그의 복음서의 마지막 장에서 예수 자신의 부활을 상당한 정도로 자세하게 묘사하고 있는 바로 그 누가라는 것을 기억해야 한다. 결정적으로 중요한 어구는 8절에서 괄호가 쳐있는 이상한 문장 속에 나온다. 많은 번역문들은 이 문장을 진부하게 번역해 놓고 있다: 예를 들면, NRSV는 "사두개인들은 부활도 천사도 영도 없다고 말하지만, 바리새인들은 이 세 가지 모두를 인정한다"라고 번역해 놓았다. 이러한 번역에는 세 가지 문제점이 있다. 첫째, 만약 이러한 번역이 누가가 말하고자 의도한 것이었다면, 누가는 "천사"와 "영"에 대하여 "-도 아니고 -도 아니다"(neither … nor)를 사용한 후에 "이 세 가지 모두"(all three)가 아니라 두 가지를 의미하는 "둘 다"(both)라는 단어를 사용하는 매우 이상한 방식의 표현을 사용한 것이 된다.[6] 흥미롭게도, 바리새인들의 반응은 부활 자체가 아니라 천사와 영 가운데서의 택일을 강조함으로써 이 점을 확증해 주고 여기서의 문제를 분명히 하는 데에 도움을 준다. 둘째, 사두개인들이 천사들과 영들의 존재를 부정했다는 것을 보여주는 그

5) 행 23:.7-9. 이 본문에 대해서는 Kilgallen 1986; Schwankl 1987, 332-8; Daube 1990; Viviano and Taylor 1992를 보라.

6) BDAG 55는 관련된 단어인 '암포테라'(*amphotera*)의 가능한 의미로서 "모든"을 제시한다; 그러나 제시되고 있는 신약성서의 증거들은 현재의 본문과 19:16에 나오는 이상한 본문뿐이고, 고전에서는 거의 병행들이 나오지 않고 있기 때문에, 이 단어가 "둘 다"를 의미하는 것으로 보는 것이 더 좋다. LSJ는 오직 사도행전 19:16과 또 하나의 파피루스 본문을 "모든"이라는 의미의 증거로 인용하고 있지만, "둘 다"라는 의미가 통상적이고 빈번하며 널리 사용되고 있는 의미일 뿐만 아니라, 이 단어로부터 나온 복합어들은 항상 둘이라는 의미를 지니고 있다(예를 들면, '암포테라키스'[*amphoterakis*], "두 길로 된," 또는 '암포테레케스'[*amphoterekes*], "양날을 지닌"). 천사들/영들은 이사일어로 해석해서 "둘 다" 한편으로는 부활, 다른 한편으로는 천사들/영들을 의미한다고 주장하는 Stemberger의 견해(Wissman, Stemberger, Hoffman et al. 1979, 441에서)는 본문의 " …도 아니고 … 도 아니다" 및 9절의 "영 또는 천사"와 부합하기가 매우 어렵다.

밖의 다른 증거가 존재하지 않는다; 그들은 오경을 토대로 그들의 견해들을 주장하였고, 오경 속에는 천사들이 자주 출현하며 영들도 잘 알려져 있었기 때문에(여기서는 별 관계가 없을지 몰라도, 특히 야훼의 영), 실제로 그들이 천사들과 영들의 존재를 부정했을 가능성은 거의 희박하다.[7] 셋째, 누가는 자신의 복음서와 사도행전 속에서 예수 자신의 부활이 예수가 천사나 영이 되었다거나 그런 것들과 같은 존재가 되었다는 것을 포함하지 않는다는 것을 매우 분명하게 밝힌다.[8] 따라서 "천사나 영"이 부활에 대한 서로 다른 해석들을 가리킨다고 말하고자 하는 시도들이 있어 왔지만 ─ 부활의 삶을 천사적이거나 영적인 것으로 보는 것 ─ 누가는 뭔가 다른 것을 의미했을 가능성이 훨씬 높다.[9]

이에 대한 가장 개연성 있는 해석 ─ 그리고 많은 것을 밝혀줄 수 있는 해석 ─ 은 이 시기에 부활에 대한 신앙을 지니고 있었던 자들, 즉 바리새인들은 중간 상태를 설명하는 통상적인 방식들을 발전시켰었다는 것이다.[10] 그 시대에 살던 사람들은 아무도 죽은 자들이 이미 부활했다고 생각하지 않았다; 앞에서 본 것처럼, 부활은 "죽음 이후의 삶"이라는 현재적인 상태 이후의 새롭게 몸을 입은 삶을 의미한다.[11] 따라서 다음과 같은 질문이 제기된다: 그렇다면, 죽은 자들은 지금 어떤 존재로 어디에 있는 것인가? 이것에 대하여 우리는 바리새인들이 대답을 주었을 것이라고 추측해 볼 수 있다(그리고 9절은 이것을 추가적으로 입증해 줄 것이다): 죽은 자들은 현재적으로 천사들 또는 영들과 같다.

---

7) 이것은 주후 4세기의 Epiphanius, *Panarion* 14의 견해이다 ─ 아마도 현재의 본문에 의존한 것인 듯하다.

8) 예를 들면, 눅 24:37-9을 참조하라; 누가복음과 사도행전에 대해서는 아래 제8장과 제9장을 보라.

9) 누가복음 24:37-9. 내가 반대하는 이 견해는 Viviano and Taylor 1992 등이 취하고 있다.

10) 이 점에서 나는 Daube 1990을 따르고 있는데, Fletcher-Louis 1997, 57-61도 그를 지지한다. 하지만, Fletcher-Louis의 입장은 Stroumsa 1981에 의해서 이미 어렴풋이 제시되고 있다고 말한 Daube의 주장은 잘못된 것이다: Stroumsa는 천사와 영은 부활과는 다른 그 무엇이라는 데에 동의하고, 그들을 메시야적 기대와 연결된 한 특정한 천사이자 영에 대한 바리새파의 신앙들로 해석한다.

11) Daube 1990, 493: "널리 퍼져 있던 신앙에 의하면, 선한 사람이 천사 또는 영의 영역 또는 상태로 보내는 죽음과 부활 사이의 기간."

그들은 현재적으로 몸을 입고 있지 않다; 장래에 그들은 새로운 몸을 입게 될 것이다. 그러므로 사두개인들이 부정했던 것은 한편으로는 부활이었고, 다른 한편으로는 중간 상태에 관한 당시의 두 가지 설명이었다. 그들은 천사들 또는 영들의 존재를 부정하지 않았지만, 죽은 자들이 그렇게 묘사될 수 있는 상태에 있다는 것을 부정하였다.[12]

그런 후에 바리새인들의 응수하는 말이 나온다. 그들은 바울이 실제로 부활 자체에 대한 증인이었다고 생각하지 않는다; 그런 것은 그들에 관한 한 문제가 되지 않았다. 그들의 관점에서 볼 때, "부활"은 모든 죽은 의인들이 부활하여 하나님의 새 세상을 공유하게 될 미래의 때에 일어나게 될 것이다. 그러나 그들은 바울이 아직은 몸으로 부활하지는 않았지만 현재에 있어서 죽음과 부활 사이의 중간 상태에 있는 어떤 사람의 방문을 받았고, 그러한 상태의 존재와 그러한 상태에 있는 자와 산 자와의 교통이 죽은 자들이 미래에 부활하게 될 것임을 보여주는 증거가 되는 것이라고 생각한 것이다 — 바울의 발전된 견해들에 대하여 그리 잘 알지 못한 상태에서 열띤 논쟁을 하다가.[13](앞으로 보게 되겠지만, 이것은 예수 자신이 사두개인들과 논쟁할 때에 사용하던 논증과 비슷하다.) 그러므로 바리새인들은 예수가 이미 죽은 자로부터 부활하였다는 바울의 실제적인 주장(그들은 그것이 바울의 메시지의 중심이었다는 것을 알지조차 못했을 것이다)을 믿지 않았지만, 바울이 어떤 죽은 사람이 죽음 이후에 그리고 부활 이전에 지닌 상태로 규정될 수 있는 "천사적인" 또는 "영적인" 존재를 만났을지도 모른다는 것을 인정할 준비가 충분히 되어 있었다. 따라서 그들의 관점에서 볼 때, 바울은 잠재적으로 적어도 천사들의 편에 있었던 것이다.

---

12) 물론, 당시의 다양한 사변들 속에서 그들이 예를 들면 *2 Bar.* 51:10에서 단언하고 있는 것, 즉 의인들은 "천사들과 같이" 될 것이라는 내용을 부정했을 가능성도 있다. 하지만 마가복음 12:25과 그 병행문들에서처럼 여기에서도 의인들이 단순히 천사들과 같이 되는 것이 아니라 천사들이 된다고 말하지는 않는다; 아래의 제9장 제2절을 참조하라.

13) Daube 1990, 495는 바리새인들이 바울이 "부활한 예수에 의해서가 아니라 떠나고 없는 예수를 대신한 천사 또는 영에 의해서" 회심된 것이 아닌지에 대하여 의심을 가졌다고 말한다.

이 본문에 대한 흥미로운 병행이 사도행전 12장의 이전 대목에서 발견되는데, 거기에서 누가는 우리가 예기치 못한 희극적인 글쓰기의 재능을 발휘한다. 베드로는 헤롯 아그립바가 그를 처형하게 되어 있던 전날 밤에 천사에 의해서 감옥으로부터 기적적으로 놓여났다. 한 무리의 그리스도인들은 마가의 어머니인 마리아의 집에서 만나서 베드로를 위하여 기도하고 있었다. 베드로는 그 집으로 가서 문을 두드렸고, 로다라고 하는 하녀가 문을 열어주기 위하여 나온다:

> [14]베드로의 음성인 줄 알고 기뻐하여 문을 미처 열지 못하고 달려 들어가 말하되 베드로가 대문 밖에 섰더라 하니 [15]그들이 말하되 네가 미쳤다 하나 여자 아이는 힘써 말하되 참말이라 하니 그들이 말하되 그러면 그의 천사라 하더라 [16]베드로가 문 두드리기를 그치지 아니하니 그들이 문을 열어 베드로를 보고 놀라는지라.[14]

핵심적인 어구는 15절에 나온다: "그의 천사라." 기도하던 그리스도인들 — 기도의 응답을 받을 만큼 좋은 믿음을 지니고 있었던 — 은 베드로가 감옥에서 처형당했을 것임에 틀림없다고 믿었다. 고대 또는 현대의 대부분의 사회들에서 그랬듯이, 그들은 친구나 친척을 위하여 슬퍼하고 애도하면 종종 개인적인 방문 또는 환상 또는 환영을 통해서 최근에 죽은 고인이 잠시 나타나서 무슨 말을 하다가 다시 사라지는 일이 있다는 것을 아주 잘 알고 있었다. 이것은 그들이(이 경우에는) 감옥으로 가서 시신을 요구하여 정상적인 방식으로 매장해주는 것과 완전히 양립될 수 있다. 달리 말하면, "그의 천사라"는 말은 "그가 죽은 자로부터 부활하였다"는 것을 의미하지 않는다. 그것은 어떤 사람이 죽은 후에 그의 시신이 매장된 가운데 부활의 때까지 지금 머물러 있는 중간적인 "천사와 같은" 상태를 가리키는 것이다. 그리고 사두개인들이 부활교리 자체와 더불어서 부정했던 것으로 보이는 것은 바로 이러한 중간상태였다 — 그것이 어떤 형태로 묘사되든지간에.

이 점에 있어서 사두개인들에 관한 신약성서의 설명은 요세푸스에 의해서

---

14) 사도행전 12:14-16.

밑받침된다. 사두개인들은 "죽음 이후에 영혼이 계속 살아 있다는 것, 지하 세계에서의 형벌들, 그리고 상급들"과는 아무런 상관이 없을 것이라고 요세푸스는 말한다.[15] 더 구체적으로 말하면, "사두개인들은 영혼이 육신과 더불어 소멸된다고 주장한다."[16] 이것은 누가의 설명과 아주 밀접하게 부합한다: 사두개인들은 부활을 부정했을 뿐만 아니라 부활 이전의 그 어떤 사후의 실존도 배제하였다.

미쉬나와 탈무드도 이 점에 대하여 마찬가지로 분명하게 말한다:

> 사두개인들이 가말리엘에게 거룩한 분, 복되신 분이 죽은 자를 다시 살리신다는 것을 어디로부터 입증할 수 있느냐고 물었다. 그가 그들에게 말하였다: 율법으로부터, 선지자들로부터, 성문서들로부터. 그러나 그들은 이것을 받아들이려 하지 않았다.[17]

> 모든 이스라엘 사람들은 장차 올 세상에서 자신의 분깃을 갖고 있다. 하지만 장차 올 세상에서 분깃을 갖고 있지 않은 사람들은 이런 자들이다: 율법에 규정되어 있는 죽은 자들의 부활이 존재하지 않는다고 말하는 자; 율법이 하늘로부터 오지 않았다고 말하는 자; 에피쿠로스 학파에 속

15) *War* 2.165. 여기서 사두개인들에 관한 요세푸스의 묘사는 *Ant.* 10.278에 나오는 에피쿠로스 학파의 철학자들에 관한 그의 묘사와 별로 다르지 않다(아래에서 mSanh 10.에 대한 서술을 보라); 마찬가지로, 그는 유대교 분파들을 그의 청중들에게 헬레니즘적인 철학 학파들처럼 보이도록 하기 위하여 바리새파를 스토아 학파와 동일한 반열에 놓고, 에세네파를 피타고라스학파와 동일한 반열에 놓는다.

16) *Ant.* 18.16. 요세푸스의 글들 속에 나오는 본문들에 대해서는 *NTPG* 211f., 325를 참조하라.

17) bSanh. 90b. 여기에서 가말리엘은 아마도 사도행전 5:34에 나오는 가말리엘일 것이다; 그러므로 여기에서의 논쟁은 대략 예수 및 바울과 동시대일 것이다. (자료가 그것을 정형화했을 것이라는 사실은 그것이 정확히 그 시기에 철저하게 믿을 수 없는 것이 되었다는 것을 의미하지는 않는다.)

18) mSanh. 10.1. "에피쿠로스 학파"는 사두개인들을 방탕한 자들로 지칭하는 모욕적인 말로서, 아마도 사두개인들의 부유한 생활 양식과 응보가 있게 될 장래의 삶에 대한 그들의 부정적 인식에 대한 기억들을 결합하고 있는 비난인 것으로 보인

한 자.[18)]

미쉬나의 일부 본문들은 "율법에 규정되어 있는"이라는 어구를 생략한다; 이것은 이 금령을 한층 더 일반적인 것이 되게 하지만 — 부활이 토라에서 가르쳐지고 있다는 것을 부정할 뿐만 아니라, 부활 자체에 대하여 부정하는 것 — 사두개인들이 부활은 모세 오경 속에서 가르쳐지지 않은 최근의 혁신이라고 주장했던 원래의 논쟁의 요지를 놓쳐버리고 있다. 이와 같은 논쟁은 예전(禮典)의 변화 속에 반영되었다:

> 성전에서 사람들은 모든 축도의 끝부분에서 "영원히"(문자적으로는: "세대로부터")라고 말하곤 하였다; 그러나 이단들이 잘못되게 가르치고 오직 한 세대밖에 없다고 말한 후에는, "영원부터 영원까지"(문자적으로는: "세대로부터 세대까지")라고 말하도록 규정되었다.[19)]

여기서 말하고자 하는 요지는 사두개인들이 "다가올 세대" 또는 "다가올 세상"이 존재하지 않는다고 가르친 것에 대하여 비난을 받고 있다는 것이다; '올람' 이라는 히브리어는 "세상"과 "세대" 둘 모두를 의미한다. 바리새인들은 현세의 잘못들이 바로잡힐 "다가올 세대/세상을 강력하게 믿었다. 이것이 없다면, 사람들은 단지 현재의 삶 속에서의 상급들과 보상들을 위하여 일하고자 할 것이라고 바리새인들은 주장하였다 — 사두개인들에게 매우 잘 어울렸고, 반사두개적 변증에 훨씬 더 잘 어울렸을 교설.

다(cf. mAb. 1.7). 이 본문에 대해서는 Urbach 1987 [1975, 1979], 652, 그리고 mBer. 5.2; mSot. 9.15에 대한 주들(991f.)을 보라. 사두개인들은 이 본문에서 직접적으로 그 이름이 거론되고 있지는 않지만, 이 본문이 염두에 두고 있는 것이 그들이라는 것은 의문의 여지가 없다; 이렇게 구체적으로 명칭을 밝히지 않음으로써 이 본문은 앞으로도 그러한 관점을 제시하는 그 누구라도 여기에 해당된다는 것을 말할 수 있었다.

19) mBer. 9.5 일부 사본들은 "이단자들" 대신에 "사두개인들"이라고 읽는다(*JQR* 6, 1915, 314를 인용하는 Danby note in loc, citing); 이것은 분명히 의도된 의미이다. Cf. Le Moyne 1972, 97-9. 이렇게 사두개인들은 부지불식간에 유대교 및 기독교에서 오늘날까지 많은 기도문들의 특징으로 남아 있는 예전적인 변화를 촉진하였다.

사두개인들 자신으로부터 나온 진술들과 가장 가까운 것 또는 사두개인들이 그들의 영적인 조상으로 여겼을 자로부터 나온 것은 예수 벤 시락의 지혜서(집회서)이다. 우리가 사두개인들에 관하여 알고 있는 것을 토대로 볼 때, 사두개인들은 분명히 죽음 및 그 너머에 놓여 있는 것에 대한 시락의 태도에 찬성하였을 것이다:

> 남에게 주기도 하고 받기도 하며 기쁘게 살아라
> 무덤에 가서 기쁨을 찾을 생각은 하지 말아라.
> 육신은 의복처럼 낡아지게 마련이며
> 너는 죽는다는 선고를 이미 받고 있다.[20]
>
> 살아서 주님께 영광을 드리지 않는다면
> 죽어서 어떻게 지극히 높으신 분을 찬양할 수 있겠느냐?
> 죽은 자는 하나님을 찬양할 수 없다.
> 건강하게 살아 있는 사람이라야 주님을 찬양할 수 있다.[21]
>
> 한번 죽은 사람은 돌아오지 못한다는 것을 잊지 말아라.
> 네가 슬퍼한다고 죽은 사람에게 덕될 것도 없고
> 네 자신을 해칠 뿐이다.
> 너도 나의 운명을 맞게 된다는 것을 기억하여라.
> 어제는 내 차례였지만 오늘은 네 차례다.
> 죽은 사람은 편히 쉬고 있으니 추억만 남겨 두어라.
> 그가 숨을 거두었으니 차라리 위로나 받아라.[22]
>
> 죽음은 모든 사람에게 내리신 주님의 선고다.
> 지극히 높으신 분의 뜻을 어찌 거역하려느냐.

---

20) Sir. 14:16f.
21) Sir. 17:27f. Cf. Riley 1995, 11.
22) Sir. 38:21-3.

십년을 살든지 백년을 살든지 천년을 살든지,
음부에서는 네 수명의 장단이 문제가 되지 않는다.[23]

벤 시락서에는 마치 사후의 심판에 관한 전망이 도덕적인 행동에 영향을 미치고 있는 듯이 보이는 한 본문이 있다:

마지막 날에, 각자의 행실대로 보상하는 것은
주님에게 어려운 일이 아니다.
단 한 시간의 악운이 행복한 일생을 뒤엎는 것이니
사람의 일생은 마지막 날에야 드러난다.[24]

그러나 다음 절은 여기서의 상급이 단순히 선한 또는 나쁜 평판이라는 상급임을 보여준다:

누구를 막론하고 죽기 전에는 행복하다고 말하지 말아라.
그의 행불행은 최후 순간에야 알 수 있다.[25]

현재의 삶 속에서 발견될 수 있는 그러한 소망을 제공하는 것은 이러한 평판, 그리고 새 세대 속에 담겨져 있는 소망이다:

무성한 나무의 잎새들이
하나가 떨어지고 또 다른 것이 돋아나듯이
인간의 세대도
한 세대가 지나가고 새 세대가 온다.

---

23) Sir 41:4. 시락서에 대한 필사자의 첨가들과 해석, 그리고 그것들이 우리의 현재의 문제와 연관이 있을 가능성에 대해서는 Puech 1990(on 48:11); 1993, 74-6; Gilbert 1999, 275-81을 보라.

24) Sir. 11:26f.

25) Sir. 11:28 — 물론, Solon의 잘 알려진 격언을 반영한 것이다. (cf. Hdt. 1.32.7).

모든 인간의 행적은 쇠퇴하고 사라지게 마련이며
그와 더불어 그 행적의 주인공들 또한 잊혀진다.[26)]

여기에도 일종의 소망이 존재하지만, 그것은 바리새인들이 제시하고 있었던 그런 유의 소망은 아니다.

우리는 사두개인들이 왜 부활 교리에 반대하는 입장을 취하였는가라는 질문을 제기할 수 있다. 여러 시기와 많은 문화들에 걸쳐서 귀족층들은 그들이 현재의 삶 속에서 누리는 안락함과 사치를 장래의 삶으로까지 지속시킬 수 있는 조치들을 취해 왔다는 것은 두드러진 사실이다. 분명히 고대 이집트와 그 밖의 다른 많은 사회들에서 이것은 사실이었다. 죽은 자에게 무덤 너머의 삶 속에서 필요한 가사(家事)를 위한 인원들을 제공해 주기 위하여 노비들을 죽이거나 심지어 부인들을 죽여서 같이 매장하는 일도 종종 있었다. 또한 권력을 쥔 집단들은 종종 가난하고 힘없는 자들이 현재의 삶 속에서의 그들의 처지를 불평하는 것을 막기 위한 한 방편으로 강력한 사후의 소망을 주창하기도 했다. 그리고 "부활"이 권력 체계 내에서 공식적인 교의가 되어 있는 곳에서는, 부활 교리는 평범한 사람들을 질서정연하게 행동하도록 만드는 또 하나의 도구가 될 수 있는 역량을 갖고 있었다.

그러한 사회학적인 전제들과는 반대로, 주후 1세기의 유대인 귀족층들은 그 어떠한 미래적인 삶에 대해서도 강력하게 부정하였다. 그들이 내세운 설명 — 부활 교리는 성경의 기본적인 본문들, 즉 오경 속에서 발견될 수 없다는 것 — 은 얼핏 보면 올바른 것으로 보인다; 오경 또는 "전기 예언서"(여호수아서에서 열왕기에 이르기까지의 역사서들) 전체 속에는 다니엘 12:2-3, 이사야 26:19, 에스겔 37:1-14과 조금이라도 닮은 것이 발견되지 않는다. 그러나 앞으로 보게 되겠지만, 주후 1세기에 이르러서는 "부활" 본문들을 심지어 토라 자체 속에서도 찾아내는 일이 바리새인들의 통상적인 업무가 되어 있었다 — 그리고 그것은 어느 정도 그리스도인들의 일이기도 했다.

그렇다면 사두개인들은 왜 부활 교리에 대하여 이토록 저항했던 것일까?

하나의 가능성은 그들이 죽은 자들에 대한 잘못된 종류의 관심을 두려워하

26) Sir. 14:18f.

였다는 것이다. 우리가 이 항목의 앞부분에서 살펴보았던 이교의 관습들이 널리 행해지고 있었다는 점을 감안하면, 유대 지도자들이 죽은 자들과 관련된 제의를 위험스럽고 못마땅한 것으로 보았을 것이라는 것은 충분히 예상할 수 있는 일이다. 그들은 부활에 대한 신앙과 천사적이거나 영적인 중간상태에 대한 부수적인 신앙들을 강신술 또는 접신술로 가는 중간 단계쯤으로 생각했을 가능성이 얼마든지 있었다. 그러나 내가 생각하기에는, 이것은 이 문제의 핵심을 바로 꿰뚫어보고 있지 못한 것이다.

진정한 문제점은 부활이 애초부터 혁명적인 교설이었다는 것이다.[27] 다니엘서 12장을 보면, 부활 신앙은 끈질긴 저항 및 순교와 맥이 닿아 있었다. 이사야서와 에스겔서에서 부활 신앙은 야훼가 자기 백성의 운명을 회복시키는 것과 관련되어 있었다. 부활 신앙은 생명을 주시는 신이 다시 한 번 모든 것을 역전시킬 — 또는 바로잡을 — 다가올 새 시대와 관련이 있었다. 그것은 과격한 젊은이들로 하여금 성전에 놓인 로마의 상징물들을 공격하도록 격려하고, 실제로 주후 1세기의 유대인들을 그들이 경험했던 것들 중에서 가장 재난스러운 전쟁 속으로 이끌었던 그런 종류의 신앙이었다.[28] 사두개인들은 단순히 그러한 신앙들이 민족을 로마와의 충돌로 내몰 것이라고 생각했을 뿐만 아니라 — 물론, 이것은 분명히 사실이 되었다[29] — 그러한 신앙들이 그들 자신의 지위를 위협한다는 것을 깨달았다. 그들의 신이 곧 새 세상을 가져올 것이고, 그러는 와중에서 신에게 충성하여 죽는 자들은 다시 부활하여 영광 가운데 그 세상에 참여하게 될 것이라고 믿는 사람들은 오직 현세의 삶, 이 세상, 이 세대만이 영원히 존재하게 될 것이라고 생각하는 사람들보다도 부유한 귀족층에 대한 존경심을 상실할 가능성이 훨씬 더 많았다.[30]

우리는 이 시점에서는 부유하고 권력을 쥔 자들이 가난하고 힘없는 자들에게 제시하는 사후의 안락함으로서의 "천국"에 관한 약속과 부활의 차이점을

---

27) Segal 1997은 사두개파와 관련해서는 이 점을 놓쳤지만(106f.) 랍비들과 관련해서는 결국 이 점을 본다(113).

28) cf. *NTPG* 172, 176-81, 190-97.

29) Martin-Achard 1960, 226(19세기의 학자인 F. Schwally를 따라서).

30) 예를 들면, Stemberger in Wissman, Stemberger, Hoffman et al. 1979, 442은 사두개파와 제사장들의 보수주의는 종교적 성격을 띠고 있었다는 점을 강조한다.

주의 깊게 지적하지 않으면 안 된다. 부활은 현세를 도피하여 다른 어느 곳으로 가는 것이 아니라 현세와 그 갱신에 관심을 갖는다; 사실 초기 유대교의 형태들에서부터 좀더 발전된 기독교적인 형태들에 이르기까지, 부활 신앙은 언제나 창조주 신이 역사 내에서 활동하여 잘못된 것들을 바로잡는 하나님의 심판에 관심을 갖고 있었다. 우리가 부활이 실제로 무엇을 포함하고 있었는지를 오해할 때에만, 우리는 부활 신앙을 많은 20세기 사회개혁가들의 경멸을 샀던 "하늘에서의 빵"에 관한 약속들과 나란히 놓을 수 있다.[31]

사두개인들은 영적으로나 혈통적으로 하스모네 시대의 제사장/왕의 가문의 후손들이었기 때문에, 이전 시대에 그들을 전복시키고자 했던 자들에게 유리하게 작용하였던 다니엘서와 부활 교리에 대한 기억을 보존하고 있었을 가능성이 있다. 의미심장하게도 공관복음서 기자들은 예수와 사두개인들 간의 논의를 예수가 방금 성전에서 행한 일이 지닌 혁명적인 성격을 이런저런 방식으로 부각시키고 있는 그 밖의 다른 일련의 논의들과 비유들 속에 두고 있다.[32]

사두개인들이 상당한 정도의 성경적 근거를 주장하면서 그 어떤 의미있는 미래적인 삶을 부정하는 견해를 지지하는 주된 분파였긴 하지만, 그들은 그러한 노선을 취한 유일한 사람들은 아니었던 것으로 보인다.[33] 주전 마지막 세기들에 나온 세 개의 저작들은 이와 비슷한 입장을 보여주고 있는데, 우리는 그것들이 특별히 사두개인들의 저작이었다고 생각할 만한 근거를 가지고 있지 않다. 이 세 가지 저작보다 뒤에 나온 벤 시락서와는 아주 대조적으로, 마카베오1서는 미래적인 삶에 대한 그 어떤 소망도 제시하지 않고, 단지 후세 사람

31) "하늘의 파이"라는 자조섞인 말은 미국 노동자의 지도자이자 작사가였던 Joe Hill(Joel Hagglund, 1879-1915)이 지은 "설교자와 노예"라는 대단히 풍자적인 노래에서 유래하였다: "너희는 먹을 거야, 안녕 그리고 안녕 / 저 하늘 위의 영광스러운 땅에서 / 일하고 기도하며 짚더미 위에서 살아라 / 너희는 죽어서 하늘에서 파이를 얻게 될 것야"(그의 "노동자의 노래들"(1911)에서).

32) *JVG* 493-510; 그리고 아래의 제9장 제2절을 보라.

33) 나는 사마리아인들의 입장이 지닌 흥미롭지만 우리의 목적을 위해서는 별 관계가 없는 측면을 한 켠으로 제쳐둔다. 사마리아인들의 일부 또는 전부는 부활을 부정했던 것으로 보인다: cf. Isser 1999, 580-88. 부활을 부정하고 있는 것으로 보이는 스코푸스산(Mount Scopus)에서 발견된 장례와 관련된 금석문에 대해서는 Cross 1983; Williams 1999, 75-93을 참조하라.

들 가운데에서 영광스럽게 기억될 것에 대한 소망만을 제시한다.[34] 죽음에 관하여 더 많은 말을 하고 있는 책인 토빗서는 마지막 기도 속에서 이스라엘의 신이 백성을 하데스로 끌고 갔다가 심연으로부터 그들을 끌어올리실 것에 관한 신명기의 진술 — 이것은 문맥상으로 백성들이 열렬하게 기다렸던 포로생활로부터의 귀환에 대한 예언인 것으로 보인다 — 을 반영하고 있는 것을 제외하면 죽음 이후에 일어날 일에 관해서는 아무 말도 하지 않는다.[35] 그것을 제외하면, 이 책이 주고 있는 유일한 조언은 온갖 희생을 다 치르고서라도, 특히 자선을 행함으로써 죽음을 피하라는 것인 것 같다.[36] 그리고 바룩1서는 벤 시락서와 마찬가지로 구약성서에 통상적으로 나오는 경고를 되풀이한다: 음부에 있는 자들, 그 영이 육신으로부터 취해진 자들은 야훼에게 영광이나 공의를 돌리지 못할 것이다.[37] 이것은 침묵으로부터의 논증일 수 있다; 그러나 어떤 문맥이 뭔가를 말하고자 소리칠 때, 어떤 문화가 뭔가를 말할 가능성을 제공해 줄 때, 어떤 본문이 그러한 가능성을 거부할 때, 그 논증은 종종 사람들이 생각하는 것만큼 약하지 않다.

우리는 이러한 견해가 주후 70년에 이르기까지의 시기 전체에 걸쳐서 매우 강력하게 지속되었다는 것에 그리 놀라지 않아야 한다.(그 이후에도 사두개인들은 사라졌고 바리새파 이후의 랍비들이 지배하긴 했지만 많은 유대인들이 그러한 견해를 견지했을 것이라고 생각해 볼 수 있다 — 물론, 그러한 사람들은 우리에게 드문 비명들 외에는 아무런 흔적을 남기지 않았지만.) 아무튼 이러한 견해는 성경 본문의 다수의 자연적인 의미와 일치하였다. 앞에서 보았듯

34) 1 Macc. 2:49-70.

35) Tob. 13:2, 5; cf. 신 32:39; 30:3.

36) Tob. 4:10; 12:9; 14:10f.

37) Bar. 2:17. 문맥상으로 이것은 개인을 죽음으로부터 모면케 해달라는 것뿐만 아니라 이미 포로생활 중에 있는 이스라엘을 영원히 포로생활에 머물게 되는 완전한 "죽음"으로부터 구해달라는 기도문의 일부이다. 이렇게 바룩은 에스겔 37장과 동일한 목적을 위해서 기도하지만, 이스라엘이 이미 "죽어서" 부활을 필요로 하는 것으로 보는 것이 아니라, 민족이 거의 죽게 되었다고 보고, 시편 16편(위의 제3장 제3절을 보라)에서의 시편 기자처럼 비록 제십일시일지라도 이러한 운명에서 구해달라고 기도한다.

이, 또한 그것은 당시의 정치적인 역학관계라는 관점에서도 설명될 수 있다. 부활은 선한 창조주 신의 공의와 주권에 대한 강력한 신앙에 의거한 것이었기 때문에 항상 혁명적인 교설이 될 수밖에 없었다. 그러나 이 점을 더 자세하게 살펴보기 전에, 우리는 이 시기의 유대인들에게 두 번째 주요한 대안이 되었던 것을 살펴보지 않으면 안 된다. 현세적인 새로운 실존을 포함하고 있지 않은 죽음 너머의 삶이 어쨌든 가능할 수 있다. 몸을 입지 않았지만 복된 사후의 삶은 유대인과 헬라인이라는 두 세계의 장점을 모두 지니고 있는 것으로 일부 사람들은 보았다.

3. 복된(그리고 몸을 입지 않은) 불멸

예수와 바울 시대에 유대교는 두 세기가 넘게 문화적 및 정치적 소용돌이의 중심에 있었다. 주전 4세기의 알렉산더 대왕의 정복과 주전 2세기의 안티오쿠스의 정복은 그것들이 몰고 온 온갖 사회적 · 문화적 변화들과 더불어 정치적 구조는 물론이고 유대교의 경건, 신앙, 이해에 도전하였다.[38] 여기서 역사가들은 우리가 살펴본 핵심적인 본문들 중 일부가 그렇게 하였듯이 이 문제를 지나치게 단순화시켜서 정치 및 사상에서 유대교가 참 신앙을 지킨 자들과 헬레니즘에 굴복한 자들로 나뉘었다고 보고자 하는 유혹을 받을 수 있다. 그렇지만 동화되는 것에 저항했던 사람들조차도 우리가 살펴보고 있는 시기에 있어서는 어쩔 수 없이 헬레니즘적 유대교 내에서 저항을 하였다; 주후 1세기에 이르러서 유대교의 온갖 다양한 지류들은 팔레스타인의 토양과 제의에 굳게 닻을 내리고 있던 것들을 포함해서 정도 차이는 있었겠지만 헬레니즘적이 되어 있었다.

하지만 어쩔 수 없이 강제로 더럽혀진 물을 마시는 것과 팔기 위해서 더럽혀진 물을 병에 담는 것 — 또는 다른 관점에서 표현해 본다면, 신이 준 더 넓은 세계의 지혜를 감사하게 받아서 거기로부터 이득을 취하는 것과 낡아빠진 개념들에 완고하게 매달리는 것 — 간에는 여전히 구별이 존재한다. 많은 유대인들은 이러한 커다란 문화적인 문제들과 그것들을 드러내주는 일상의 징후

38) 이 시기에 대한 간략한 설명으로는 cf. *NTPG* ch. 6.

들을 오직 희미하게만 알고 있었을 것이다 — 역사가들은 통찰력이라는 이점만이 아니라 "역사의 변덕들"이라고 알려져 있는 무작위적인 자연도태의 과정을 무기로 그 징후들을 포착해 낼 수 있다. 이렇게 우리의 매우 제한된 증거들과 우리가 서있는 너무 먼 시야에서 볼 때, 이 시기에 부활에 대한 사두개파의 부정을 거부하고 마찬가지로 부할에 대한 점증하는 신앙도 거부하며 실제로 죽음 너머의 미래적인 삶이 존재한다고 믿었던 일부 유대인들이 있었던 것으로 보인다. 오히려 그들은 의인들을 위한 미래의 지복의 삶을 전제하고 송축하였는데, 거기에서 영혼들은 육신의 몸으로부터 놓여나서 영원히 완전한 삶을 누릴 것이라고 생각하였다.

그러한 사고들이 가능할 수 있기 위해서는 구약성서에 나오는 것보다 더 명시적으로 죽을 때에 영혼 또는 영이 어떻게 육신의 몸을 떠나서 스올에 갈 수 있을 뿐만 아니라 한층 더 역동적인 체험들을 할 수 있는지를 설명하는 조치가 취해져야 했다.[39] 제2성전 시대에 그러한 움직임이 있었음을 보여주는 몇 가지 징후들이 있다. 위(僞)포실리데스(Pseudo-Phocylides)는 "영혼은 죽음 후에 계속해서 살아있다"고 분명하게 말한다:

> 영혼들은 죽은 자들 가운데서 아무런 해 받음 없이 그대로 머문다.
> 영은 하나님이 사람들에게 빌려준 것이고 그의 형상이다.
> 우리에게는 흙에서 만들어진 몸이 있고,
> 나중에 우리가 다시 흙으로 돌아가 풀어질 때,
> 우리는 단지 티끌에 지나지 않는다;
> 그런 후에 공기는 우리의 영을 받아서 …
> 모든 사람은 동일하게 시신들이지만, 하나님은 영혼들을 다스린다.
> 하데스는 우리의 공통의 영원한 고향이자 고국이고,

39) 우리는 여기서 칠십인역이 통상적으로 '네페쉬'를 '프쉬케'로 번역하고 있는 것의 여러 가지 문제점들을 자세하게 다룰 수 없다. 예를 들면, 시편 16 [LXX 15]:10("주께서 내 '네페쉬'/'프쉬케'를 스올에 버리지 아니하시며")에서 이 히브리어 단어는 생명 전체를 가리키는 것으로 보이지만, 헬라어 본문은 플라톤 이후의 헬레니즘적 문화 속에서 독자들로 하여금 몸/영혼 이원론의 관점에서 읽도록 압력을 가할 것이다.

가난한 자들이나 왕들이나 모두가 가야 할 공통의 장소이다.
우리 인간들은 긴 시간이 아니라 한 계절만 살 뿐이다.
그러나 우리의 영혼은 불멸하고 늙지 않은 채 영원히 산다.[40)]

하지만 두 행 앞서서 동일한 본문은 다음과 같이 분명하게 선언하고 있어서, 우리의 귀를 혼란스럽게 만든다:

사람의 형체를 풀어헤치는 것이 좋은 일이 아니다;
왜냐하면, 우리는 죽은 자들의 유해가
곧 땅에서 나와 다시 빛을 보게 될 것을 소망하기 때문이다;
그리고 그 후에 그들은 신들이 될 것이다.[41)]

또한 아브라함의 유언서(이 책은 더 후대의 것으로, 기독교의 영향을 반영하고 있는 것으로 보인다)에서는 아브라함이 죽은 후에 낙원으로 데려가질 것이라고 분명하게 말한다.

> 거기에는 나의 의로운 자들의 장막이 있고, [거기에는] 나의 거룩한 자들인 이삭과 야곱의 큰집이 그의 품안에 있으며, 거기에는 수고도, 슬픔도, 애곡하는 일도 없고, 평안과 큰 기쁨과 끝없는 생명만이 있다.[42)]

인간 존재의 구성과 운명에 관한 이 새로운 관점을 보여주는 또 하나의 예는 에디오피아 에녹서에서 발견된다. 동일한 대목에서 나중에 다니엘 12:2-3에 대한 반영들이 나오기는 하지만, 적어도 여기에서 우리는 결정적으로 헬레니즘적인 방향으로 움직여가서, 불멸의 영혼이 몸에서 나와서 지복의 상태 또

---

40) *Ps.-Phoc.* 105-15(tr. van der Horst in Charlesworth 1985, 578). 이 저작의 연대를 설정하기는 어렵지만, 아마도 주전 또는 주후 1세기경에 나온 것으로 보인다.

41) *Ps.-Phoc.* 102-04. 아래의 다음 항을 보라.

42) *T. Abr.* [rec. A] 20.14(tr. Sanders in Charlesworth 1983, 895). Cf. *NTPG* 331 n. 168. 누가복음 16:22f.에서의 "아브라함의 품"의 사용에 대해서는 본서의 제9장 제5절을 보라.

는 고통의 상태로 간다는 내용을 본다:

> 모든 선한 것들과 기쁨과 존귀가 의롭게 죽은 자들의 영혼을 위하여 예비되어 있고 기록되어 있다 … 의롭게 죽은 자들의 영들은 살아서 기뻐할 것이다; 그들의 영은 망하지 않을 것이고, 크신 이의 얼굴로부터 세상의 모든 세대들에 이르기까지 그들에 관한 기억도 사라지지 않을 것이다 … 죽은 너희 죄인들에게 화 있을진저! … 너희는 그들이 너희의[일부 사본들에서는 "그들의"] 영혼을 스올로 데려갈 것을 알고 있다; 그리고 그들은 해악과 큰 환난을 겪게 될 것이다 … 너희의 영혼은 큰 심판을 받게 되리라; 그것은 세상의 모든 세대들 속에서 큰 심판이 될 것이다.[43]

마찬가지로 힐렐(주전 1세기)은 영혼이 생명의 집에서 손님이 될 것이라고 말했던 것으로 전해진다;[44] 그리고 요하난 벤 자카이(주후 1세기말)는 사람들을 에덴 동산이나 게헨나로 보낼 권한을 쥔 재판장을 두려워하여 임종시에 울었다고 한다.[45] 바리새파 전승에 대하여 우리가 알고 있는 그 밖의 모든 것을 감안할 때(아래를 보라), 우리는 이 위대한 지혜자들이 궁극적인 부활을 믿었다고 보아야 한다; 여기서 그들은 육신의 죽음과 최종적인 지복의 상태 사이에 일어나는 일을 설명하기 위하여 몸/영혼 이원론이라는 새로운 개념들을 채택하였던 것으로 보인다. 또한 궁극적인 부활을 분명하게 가르치고 있는 것으로 보이는 에스라4서도 영 또는 영혼이 "썩어 없어질 그릇," 즉 죽을 육신을 떠나서 악한 영혼들은 단죄를 받아 고통 속에서 떠돌고, 의로운 영혼들은 최종적인 영광을 기다리며 기쁜 안식으로 들어간다고 명시적으로 말한다.[46] 영혼이 육신으로부터 분리된다는 관념은 그 이후에 무슨 일이 일어나는지에 대한 서로 다른 이론들과 더불어서 시대의 전환기에 유대교의 여러 분파 속에 널리

---

43) *1 En.* 103.3-8; 이 본문에서의 좀더 온전한 그림에 대해서는 본서의 제4장 제4절을 보라.

44) Lev. R. 34.3(on 25.25).

45) bBer. 28b.

46) 4 Ez. 7.75, 78-80, 88, 95; 아래의 제4장 제4절.

퍼져 있었다.[47] 장례와 관련된 몇몇 금석문들은 이런 유의 신앙을 증언해 준다.[48]

이것은 박해와 고난을 순순히 받아들일 수 있는 한 가지 방식 — 결코 유일한 방식은 아니었지만 — 을 제공해 주었다. 앞으로 보겠지만, 마카베오2서는 안티오쿠스 치하의 박해에 관한 이야기를 사용해서 분명한 몸의 부활을 가르쳤지만, 더 나중에 나온 마카베오4서는 다른 방향으로 나아가서 몸은 해를 입고 죽임을 당할 수 있어도 영혼은 그렇지 않다는 것을 역설하였다.[49] 이것은 사람이 기쁜 마음으로 자신의 몸을 포기할 수 있다는 것을 의미한다; 하나님이 주신 진정한 선물은 결코 빼앗아갈 수 없는 영혼이다. 따라서 신약성서를 아는 사람들에게는 흥미로운 공명을 불러일으킬 본문을 통해서 마카베오4서는 이렇게 역설한다:

> 우리에게 생명을 주신 하나님께 전심을 다하여 우리 자신을 성별하여 드리고, 우리의 몸을 율법의 보루로 사용하자. 우리를 죽이고자 하는 자를 두려워 말자. 하나님의 계명을 어기는 자들 앞에 놓여 있는 영원한 고통의 위험과 영혼의 싸움이 크기 때문이다. 그러므로 신이 주신 이성인 자제력으로 완전무장을 하자. 우리가 그렇게 죽는다면, 아브라함과 이삭과 야곱이 우리를 환영하고, 모든 열조들이 우리를 칭찬하실 것이라.[50]

육신은 이런 식으로 폄하된다; 육신은 영혼이라는 이성적 기관에 의해서 극복되어야 마땅하다.[51] 하나님을 위하여 목숨을 바치는 자들은 족장들과 함께 불멸의 삶을 누리게 된다:

---

47) 요약으로는 Dihle in *TDNT* 9.633-5 등을 보라.

48) Williams 1999, 90f.를 보라.

49) 4 Macc. 10:4(모든 사본들이 이 절을 포함하고 있지는 않다). 마 10:28/눅 12:4f.의 병행에 대해서는 아래의 제9장 제3절을 보라.

50) 4 Macc. 13:13-17.

51) 4 Macc. 3:18; 6:7; 10:19f.

그들은 그들이 우리의 족장들 아브라함, 이삭, 야곱과 마찬가지로 하나님에 대하여 죽지 않고 하나님에 대하여 살 것을 믿는다 …

또한 그들은 하나님을 위하여 죽는 자들은 아브라함, 이삭, 야곱, 모든 족장들이 그러하듯이 하나님에 대하여 살 것을 알았다.[52]

마카베오4서는 동일한 주제에 관한 확신에 찬 진술로 끝난다:

그러나 아브라함의 아들들은 그들의 승리한 어머니와 함께 열조들의 합창대에 합류하여, 영원히 영광받으실 하나님으로부터 순전한 불멸의 영혼을 받았다. 아멘.[53]

이 기자가 마카베오2서를 알았고 또한 사용하였다고 할 때 ― 우리는 이렇게 전제해야 한다 ― 우리는 적어도 마카베오4서와 관련해서 몸의 부활에 관한 모든 언급을 탈락시키고 불멸의 영혼 또는 지혜의 추구를 통해서 불멸하는 존재가 될 수 있는 영혼에 관한 교설로 대체하는 의도적인 편집상의 결단이 있었다고 자신있게 말할 수 있을 것이다. 우리의 연구를 위해 중요한 것은 마카베오2서에는 두 단계의 기대(순교자의 죽음에 이은 기다림의 시기, 그 후에 미래의 어느 때에 있게 될 몸의 부활)가 존재하는 반면에 마카베오4서에는 아주 분명하게 오직 한 단계만이 존재한다는 것이다: 순교자들은 죽음 직후에 이미 아브라함, 이삭, 야곱이 누리고 있는 지복의 불멸의 삶 속으로 들어간다. 그러므로 이것은 단순히 우리가 요세푸스의 몇몇 본문들속에서 발견하게 되는 것, 즉 부활 신앙을 이교 철학의 언어로 "번역한 것"이 아니라, 이 기자가 낯선 관념을 알아듣지 못할 청중들에게 의미를 전달하기 위해서 실제로 관념 자체를 수정할 의도였던 것으로 보인다.[54]

---

52) 4 Macc. 7:19; 16:25; cf. 9:22; 14:5; 16:13; 17:12. 여기의 "하나님에 대하여 살다"와 누가복음 20:38에 나오는 예수의 말씀 간의 병행 가능성에 대해서는 아래의 제5장 제7절과 제9장 제2절을 보라. 또한 롬 6:10; 14:8f.; 갈 2:19과 비교해 보라. Grappe 2001, 60-71는 "하나님에 대하여 살다"를 자신의 논의의 한 부분의 주된 측면으로 삼는다.

53) 4 Macc. 18:23f.

우리는 이와 비슷한 움직임을 희년서(주전 2세기 중엽에 씌어진)에 나오는 (논란이 되는) 본문에서 찾아볼 수 있는 것 같다. 이 기자는 어떻게 사람들이 결국 계명들의 연구와 실천으로 되돌아오게 될 것인지, 어떻게 삶이 번영하고 악이 폐해질 것인지에 대하여 서술한다. 세상 또는 적어도 이스라엘은 대파국 없이 사탄도 없고 멸해야 할 악한 자도 없는 가운데 평화와 기쁨 속에서 살아가게 될 것이다(23:27-29). 그런 후에, 이 본문은 다음과 같이 계속된다:

> 주께서 그의 종들을 치유하시리니,
> 저희가 일어나 큰 평화를 보리라.
> 저희가 원수들을 내쫓고,
> 의로운 자들은 이를 보고 찬양을 돌리며
> 영원히 기뻐하리라.
> 저희는 원수들 가운데서 그들에 대한 모든 심판들과
> 모든 저주들을 보리라.
> 저희의 뼈는 땅 속에서 안식하며,
> 저희의 영은 기쁨을 더하리니,
> 저희가 주님이 심판의 집행자이심을 알게 되리라.
> 그러나 주님은 그를 사랑하는 모든 자들,
> 무수한 자들에게 긍휼하심을 보이리라.[55)]

번역자에 따라서, 이 인용문의 마지막 절의 다섯 행은 두 가지 판이하게 다른 방식으로 해석될 수 있다. 그것은 몸을 입지 않은 사후의 상태 속에서 여전히 의식을 지닌 채 지복의 삶을 살아가는 영들을 가리킬 수도 있고, 시적인 과

54) Barr 1992, 54가 마카베오4서를 박해받는 자들에게 위로를 제공해 준 것으로 본 것은 옳지만, (특히 마카베오2서에 비추어 볼 때) 영혼의 불멸에 관한 가르침이 좀 더 폭넓은 토대 위에서 이런 식으로 작용하였다고 은연중에 내비치고 있는 것은 분명히 잘못된 것이다. 유대교 신앙에 대한 이교적인 서술에 있어서 부활을 몸을 입지 않은 불멸로 "번역"한 것에 대해서는 Tac. *Hist.* 5.5를 참조하라. Hengel 1989 [1961], 270은 타키투스가 이러한 신앙을 순교와 연결시키고 있다는 것을 보여준다.

55) *Jub.* 23:30f.(tr. Wintermute in Charlesworth 1985, 102).

장법을 통해서 의인들은 하나님이 후일에 신원해주실 것을 알기 때문에 행복하게 죽을 수 있다는 것을 가리킬 수도 있다. 앞에 나온 행들, 특히 "저희가 일어나서 큰 평화를 보리라"는 것은 후자의 해석이 더 합당할 수 있다는 것을 보여준다: 달리 말하면, "저희가 일어나서"는 장래의 부활에 관한 명확한 예언이고, "저희의 뼈가 안식하며 저희의 영들이 기쁨을 더하리라"는 그들의 죽음과 부활 사이의 때를 가리킨다. 이것은 내게 개연성 있는 해석으로 보인다. 그럼에도 불구하고, 희년서는 흔히 "몸을 입지 않은 불멸의 삶"이라는 입장을 대변하는 것으로 자주 인용된다; 이러한 판단이 옳아서 "뼈가 땅에서 안식하며 영들이 기쁨을 더한다"는 표현이 죽은 자들의 최종적인 상태를 가리킨다면, 우리는 앞 절에 나오는 "저희가 일어나서"는 관련 문헌 속에서 새롭게 몸을 입은 실존과는 다른 그 무엇을 가리키는 데에 부활이라는 용어를 사용하고 있는 것 같이 보이는 유일한 예라고 말해야 할 것이다.[56]

주후 1세기에 철저하게 헬레니즘적인 관점을 보여준 대표적인 인물은 물론 알렉산드리아의 철학자였던 필로(Philo)였다. 그의 섬세하고 매력적인 글들은 이 점 및 그 밖의 많은 점들에 관하여 생각할 거리를 많이 담고 있다. 그러나 그가 죽은 자들의 부활이 아니라 영혼의 불멸을 가르쳤다는 것은 논쟁의 여지가 없기 때문에, 우리의 현재의 개관 속에서는 그의 입장을 자세하게 검토하는 것은 불필요하고 단지 짤막한 설명만으로 충분할 것이다.[57]

필로는 알렉산드리아의 유대인들의 사회적 · 정치적 세계 속에서 교양있고 존경받는 원로였을 뿐만 아니라 고도로 훈련을 받은 철학자였다. 그는 플라톤과 아리스토텔레스, 그리고 이후의 헬레니즘적인 철학 속에서의 그들의 후계자들만이 아니라 스토아 학파와 신피타고라스 학파의 저술가들을 정교한 방식으로 활용하였다. 그러나 그는 여전히 유대적인 색채를 강하게 띠고 있었기 때문에, 유대인들의 관습들과 기대들의 독특성(specificity) 및 유형성

---

56) Sparks 1984, 77(that of Charles, rev. Rabin)에 나오는 번역문은 "그들은 높이 들리워서 크게 번성할 것이라"로 되어 있는데, 이것은 이사야 52:13에 대한 간접인용을 보여준다.

57) 필로에 대해서는 Borgen 1984; Morris 1987; Dillon 1996 [1977], 139-83; Barclay 1996b, 158-80; Mondesert 1999에 의한 최근의 연구들과 거기에 나오는 자세한 서지들을 보라.

(physicality)으로부터 벗어나고자 하는 그 어떤 시도에 대해서도 반대하였다.[58] 알렉산드리아라는 국제적인 세계와 거기에 있던 유대인 공동체 속에서 이 주목할 만한 영향력들이 서로 섞여져서 많은 주제들, 특히 인간 존재의 성격과 운명에 관한 필로의 사상이라는 강력한 혼합주(混合酒)가 탄생한 것이다.

여기서 그의 사상은 아주 명확하게 이원론적이다. 영혼은 불멸한다 — 아니, 엄밀하게 말해서, 영혼은 여러 부분으로 나뉘어지고, 그 중의 한 부분이 불멸한다.[59] 몸은 영이 갇혀 있는 감옥이고, 영은 하나님이 인간에게 불어넣은 것이다. 실제로 몸은 영혼을 위한 무덤 또는 관(棺)이다; 표준적인 플라톤적 설명에 나오는 '소마' / '세마' (몸/무덤)라는 단어 유희가 필로 속에서도 등장한다.[60] 심지어 필로의 글 속에는 당시의 플라톤 사상에서 유행하였던 하나의 관념, 즉 헬라 시인들이 언급한 하데스는 바로 현재의 세상이라는 관념을 보여주는 암시들도 존재한다.[61] 그러므로 현재의 삶 속에서 사람들의 주된 소명은 하나님의 도움을 받아서 영혼 또는 영을 활성화시켜서 하나님을 보는 쪽으로 나아가게 만드는 것이다. 이것으로부터 시작해서 완전을 위하여 남아 있는 모든 것은 궁극적으로 몸으로부터 구원을 받아서, 영혼이 그 원래의 몸을 입지 않은 상태로 되돌아가는 것이다. 이것은 사람이 몸을 입은 단계 동안에 관능의 더럽힘으로부터 스스로를 깨끗하게 지킨 자들에게 하나님이 주는 상급이다.[62] 족장들을 따라서 이 길을 간 사람들은 죽은 후에 천사들과 동등하게 될 것이다; 불멸의

---

58) 관습들: *Migr.* 89-93. 기대들(종말의 시대에 예루살렘과 거룩한 땅으로 돌아오는 것): *Praem.* 165; cf. *Mos.* 2.44. 순수한 철학적 사변과 자신에게 필수적인 정치적 사역 간의 아슬아슬한 노선을 밟는 것에 관한 필로의 인식에 대해서는 특히 Goodenough 1967 [1938]을 보라.

59) *Quaes. Gen.* 3.11(Dillon 1996 [1977], 177을 보라). 필로가 지혜서 및 마카베오4서처럼 영혼이 지혜의 추구를 통해서만 얻어질 수 있는 잠재적인 불멸성을 지니고 있다고 보았을 가능성에 대해서는 *Quaes. Gen.* 1.16; *Op.* 154; *Conf.* 149를 보라.

60) 감옥: *Ebr.* 26(101); *Leg.* 3.14(42); *Migr.* 2(9). 하나님으로부터의 영 또는 영혼: *Deter.* 22(80); *Opif.* 46(134f.); *Spec.* 1.295; 4.24(123). Tomb: *Migr.* 3(16). *sema*로서의 몸: *Leg.* 1.33(108).

61) *Heres* 45, 78; *Somn.* 1.151, 2.133. Dillon 1996 [1977], 178을 보라.

62) cf. *Abr.* *AA*(258); *Leg.* 1.33(108)(Morris 1987, 888 n. 83에서 재인용).

영혼은 죽는 것이 아니라 단지 떠나는 것이다. 본토를 떠나서 다른 곳으로 가라고 부르심을 받은 아브라함과 마찬가지로, 영혼은 자신의 현재 거처를 떠나서, "어머니 도시"인 천계를 향하여 출발한다.[63]

필로는 거의 두세기 전에 이미 클레멘스와 오리게네스 같은 알렉산드리아의 기독교 사상가들의 시도를 예감하고 있었던 것이다. 그들은 자신의 신앙의 통찰들을 그들 주변의 지적인 문화와 결합시키는 데에 관심을 가지고 있었다. 그들은 필로를 꽤 많이 참조하였고, 따라서 이러한 문제들과 씨름했던 이후의 그리스도인들은 좋든 싫든 이 주목할 만하고 독특한 유대 사상가에게 빚을 지고 있는 것이다.[64] 그러나 우리의 목적과 관련해서 중요한 것은 필로는 당시에 지배적이지 않았던 견해를 제시한 주후 1세기의 가장 분명한 유대인이라는 것이다. 플라톤의 사상 속에서와 마찬가지로 필로의 사상 속에도 몸의 부활이라는 관념이 들어설 여지가 전혀 없었다.

제2성전 시대 유대교 속에서의 영혼의 불멸에 관한 논의들에 친숙한 사람들은 이 시점에서 한 명의 빠진 친구를 생각하고 아쉬움을 느낄지도 모른다. 솔로몬의 지혜서는 어디에 있느냐고 그들은 말할 것이다. 분명히 솔로몬의 지혜서는 이 범주에 속하는가? 솔로몬의 지혜서도 몸의 부활이 아니라 영혼의 불멸을 믿었던 알렉산드리아의 한 유대인의 작품이 아닌가? 이러한 질문에 대한 대답은 사람들이 통상적으로 생각하는 것만큼 그렇게 분명하지 않다. 그러나 이 질문에 적절하게 대답하기 위해서 우리는 우리의 주된 범주로 되돌아가지 않으면 안 된다. 우리는 단번에 몇 가지 시각으로부터 다니엘 12:2-3의 작은 씨앗, 그리고 우리가 앞서 보았던 구약성서의 다른 본문들이 큰 관목으로 자라났다는 엄청난 증거에 직면하게 된다. 은유를 바꿔서 말한다면, 부활이 공중에 떠다니고 있었다. 이것이 초기 그리스도인들이 예수에게 일어났다고 믿었던 것을 말하였을 때에 그들이 숨쉬고 있던 공기였기 때문에, 그것을 주의 깊게 분석하는 것은 대단히 중요하다.

---

63) 천사들과 동등함: *Sac.* 5; 영혼의 떠남: *Heres* 276; 영혼이 몸을 떠남: *Heres* 68-70; 어머니 도시(*metropolis*): *Quaes. Gen.* 3.11.

64) 특히, cf. Chadwick 1966.

4. 제2성전 시대 유대교 속에서의 부활

(i) 서론

유대교는 결코 사변(思辨) 또는 사적인 경건의 종교가 아니었다. 유대교는 날마다, 일주일마다, 해마다 지켜야 할 것들과 예배 속에 깊이 뿌리를 내리고 있었다. 성전에 주기적으로 갈 수 있든 없든, 모든 유대인들에게 그 예배의 핵심에는 기도생활이 있었다. 주후 21세기에서와 마찬가지로 주후 1세기에서 중심적인 기도문들은 '쉐마 이스라엘'("들으라 이스라엘아")과 '테필라,' 그리고 '쉐모네 에스레' 또는 "18축도문"으로도 알려져 있는 모든 기도문들 중의 "기도문"이었다.

이 18축도문 중에서 두 번째 기도는 대단히 명시적이다: 이스라엘의 신은 죽은 자들에게 생명을 주는 주님이다:

> 당신은 권능이 있으셔서 교만한 자들을 낮추시며, 강하셔서 무자비한 자들을 심판하나이다; 당신은 영원히 사시고, 죽은 자들을 일으키시나이다; 당신은 바람으로 되돌아오게 하시고 이슬로 땅에 떨어지게 하시나이다; 당신은 산 자들에게 자양분을 공급하시며, 죽은 자들에게 생명을 주시나이다; 당신은 눈깜짝할 사이에 우리를 위하여 구원을 베푸시나이다. 오 주님, 죽은 자들을 살리시는 당신을 찬송하나이다.[65]

이 기도문 및 이것이 지닌 온갖 뉘앙스들과 반영들은 이후의 모든 랍비 유대교 속에서 전제된다.[66] 앞으로 보게 되겠지만, 이 기도문은 적어도 공통 시대

---

65) Singer 1962, 46f.(나의 요약과 번역). 이 본문은 탈무드의 팔레스타인 판본을 따르고 있다; 바빌로니아 판본은 조금 더 길다. mBer. 4.1-5.5는 이 기도문의 봉독에 관한 지시사항들을 주고 있다; 5.2은 부활에 관한 기도문을 구체적으로 서술한다. 탈무드(bBer. 33a)는 비가 오는 것은 부활과 마찬가지로 세상에 대하여 생명을 의미하는 것이기 때문에, 부활은 비가 오는 것과 관련하여 언급된다고 설명한다. 또한 4Q521 fr. 7과 5, 2.6(아래의 제4장 제4절)도 보라.

66) cf. bBer. 60b. S-B 4.1.208-49에 나오는 자세한 내용. 우리는 주후 1세기에 이 기도문이 논란이 되었을 것이고, 아마도 바리새파의 가르침에 의해서 영향을 받았던 분파들(주지하다시피 매우 폭넓은)에 국한되었을 것이라고 전제할 수 있다. 달리

(the common era)의 두 번째 세기(2세기)로부터 주류 유대인들의 일상적이고 주관적인 삶과 사고 속에 짜여져 있다. 이 시기에 나온 몇몇 장례와 관련된 금석문들은 이것을 증언해 준다.[67]

그러나 부활은 단지 바리새인들 및 그들의 후계자들이라고 할 수 있는 랍비들의 교설(教說)만은 아니었다. 앞에서 이미 지적한 소수의 예외를 제외하면, 모든 증거들은 부활 신앙이 보통시대로 접어드는 시기에 대다수의 유대인들에 의해서 널리 믿어졌다는 것을 보여준다. 부활 교리의 대중성, 그리고 부활 교리가 정확하게 무엇을 의미했는지는 이후의 우리의 연구에 대단히 중요하기 때문에, 이제 우리는 이 자료를 매우 주의 깊게 검토하지 않으면 안 될 것이다.

(ii) 성경 속에서의 부활: 더 헬라적일수록 더 좋다

물론, 기도와 아울러 정기적인 성경 봉독이 있었다. 지나치게 자세하게 살펴보지 않더라도, 우리는 적어도 "부활"은 히브리적이거나 유대적인 개념이었고 "불멸"은 헬라적인 개념이었다고 생각했던 사람들에게는 얼핏 보기에 주목할 만한 역설로 보였을 현상에 대하여 분명하게 말할 수 있다: 성경이 헬라어로 번역되면서(주전 3세기에 애굽에서), 부활 개념은 훨씬 더 분명해졌기 때문에, 기껏해야 모호하게 부활을 가리키는 것으로 생각될 수 있었던 많은 본문들이 분명하게 되었고, 부활과 전혀 관련이 없다고 여겨졌던 본문들조차도 갑자기 그러한 방향으로의 암시 또는 그 이상의 것을 부여받게 되었다.[68]

이러한 변화를 통해서 헬라어 구약성서를 읽었던 서로 다른 유대인 독자들이 서로 다른 단어들 속에서 어떠한 뉘앙스들을 들을 수 있었는지를 알아내는 것은 불가능하다. 나아가, 초기 본문 형태들에 관한 우리의 현재의 지식 수준에서는 특정한 경우에 히브리 성경과 헬라어 성경의 가장 좋은 현대적인 판본들

말하면, 우리가 성전 예전이 진행되는 동안에 사두개인들이 이를 악물고 이 기도문을 말하지 않았을 것이라고 생각해야 한다.

67) Williams 1999, 91을 보라.

68) 이 분야에서의 문제점들의 복잡성을 보여주고 있는 칠십인역 연구에 대한 짤막한 개론들은 Schürer 3.474-93(Goodman); Peters 1992에서 찾아볼 수 있다. 칠십인역에 나타난 부활이라는 문제는 앞으로 연구되어야 할 중요한 주제이다.

을 서로 비교한다고 할지라도, 원래의 칠십인역 번역자들이 사용했던 히브리어를 접하고 있는 것인지, 아니면 그들이 처음으로 썼던 헬라어를 접하고 있는 것인지를 확인하기는 불가능하다. 많은 경우들에 있어서 칠십인역은 원래의 본문으로부터 상당한 이탈을 보여주는 것으로 여겨질 수 있지만, 그럼에도 불구하고 또 많은 경우들에 있어서는 칠십인역은 초기의 히브리어 형태에 접근할 수 있게 해준다. 하지만, 이러한 주의사항에도 불구하고, 몇 가지 것들이 뚜렷하게 부각된다.

첫째, 이미 몸의 부활에 관하여 분명하게 말하고 있었던 본문들은 더욱 증폭되고 명료해졌다; 그러한 본문들을 완화시키고자 하는 시도는 전혀 없었다. 다니엘 12:2-3, 13과 마카베오2서에 나오는 관련 본문들(예를 들면, 7:9, 14; 12:44)은 모두 헬라어에서 표준적인 "부활" 언어가 된 것들, 즉 헬라어 동사들인 '아니스테미'와 '에게이로,' 그리고 그 동일 어원의 단어들을 사용한다. 우리는 이사야서 26장에서도 동일한 것을 발견하게 되는데, 부활을 부정하는 절(14절)에서나 부활을 긍정하는 절(19절)에서나 이것은 마찬가지이다. 이 두 본문은 헬라어 본문에서 그 의미가 뚜렷하게 표현되어 있다: 26:14은 죽은 자들이 생명을 보지 못할 것이고('호이 네크로이 조엔 우 메 이도신'), "박사들"이 일어나지 못할 것이라고('우데 이아트로이 우 메 아나스테소신') 분명하게 말한다.[69] 이번에 26:29은 죽은 자들이 일으키심을 받게 될 것이고('아나스테손타이 호이 네크로이'), 무덤 속에 있는 자들이 일으켜질 것이라고('에게르데손타이 호이 엔 토이스 므네메이오이스') 역설한다. 마찬가지로, 일부 학자들이 이사야서 및 다니엘서에 중대한 영향을 끼쳤다고 생각하는(그 원래의 의미가 무엇이든지 간에) 호세아서의 한 본문(6:2)도 헬라어로는 아주 분명하게 표현된다: 제삼일에 우리는 일으키심을 받고 그의 존전에서 살게 될것이다('아나스테소메다 카이 제소메다 에노피온 아우투'). 제2성전 시대의 독자들은 아무도 이것이 몸의 부활을 가리킨다는 것을 의심하지 않았을 것이다.

캐벌린(Cavallin)은 히브리어 원문에서는 실제로 언급이 없는데도 불구하

69) 여기서 '야트로이'("의사들")은 시편 88:10 [LXX 87:11]에서처럼 칠십인역의 번역자들이 '레파임'("유령들")을 '라파'("치유하다")에서 유래한 것으로 생각한 결과인 것으로 보인다. 이 점에 대해서는 Johnston 2002, 129f.를 보라.

고 번역자들이 부활을 가리키는 것으로 의도적으로 만들었을 가능성이 있는 그 밖의 다른 본문들을 열거한다. 그러한 본문들에는 신명기 32:39, 시편 1:5과 21:30(22:29) 등이 포함되어 있다.[70] 아울러, 그는 칠십인역 본문이 욥기 14:14의 의미를 역전시켜 놓은 놀라운 사례를 지적한다; 장래의 삶에 대한 단호한 부정("사람이 죽으면, 어찌 그가 다시 살겠느냐?") 대신에, 칠십인역은 "사람이 죽으면, 그는 살리라"('에안 아포다네 안드로포스, 제세타이')고 대담하게 선언한다. 마찬가지로, 대단히 모호한 본문이었던 욥기 19:26a("나의 가죽이 이렇게 멸해진 후에")은 그 의미가 역전된다: 하나님은 "나의 가죽을 부활시키실 것이다"('아나스테사이 토 데르마 무'). 마지막으로, 칠십인역은 욥기에 후기(後記)를 첨가한다. 욥이 나이가 들어서 수명을 다한 후에 죽은 내용이 서술되어 있는 42:17 뒤에 칠십인역은 다음과 같은 어구를 첨가한다(42:17a LXX): "그에 관하여 기록된 바, 그는 주께서 일으키실 자들과 함께 다시 일어나게 되리라"('게그랍타이 데 아우톤 팔린 아나스테세스다이 메드 혼 호 퀴리오스 아니스테신'). 칠십인역의 욥기 본문을 번역한 사람이 누구였든지간에, 그는 분명히 몸의 부활, 그리고 성경 본문이 그것을 확증하고 있다는 것을 분명히 해두는 것이 합당하다는 것, 이 두 가지를 의심하지 않았다.[71]

이와 비슷한 것은 호세아 13:14의 칠십인역 본문에도 나타난다. 히브리어 본문은 "내가 그들을 스올의 권능으로부터 구속하겠는가? 내가 그들을 죽음으로부터 구원하겠는가?"라고 반문함으로써 "아니다"는 대답을 기대한다. 하지만, 칠십인역 본문은 이것을 긍정적인 서술문으로 바꾸어 놓았다: 나는 그들을 하데스의 손으로부터 구원하겠고, 나는 그들을 죽음으로부터 구원할 것이다('에크 케이로스 하두 루소마이 아우투스 카이 에크 다나투 루트로소마이 아우투스'). 이 본문을 이런 식으로 읽은 독자들은 그 다음에 나오는 장에서도 마찬가지로 부활의 뉘앙스를 듣게 될 것이 당연하다: "나는 이스라엘에게 이슬과 같을 것이고 … 그들은 포도나무로서 활짝 꽃피게 될 것이다."[72]

이것에 비추어 볼 때, 우리는 그 밖의 다른 몇몇 본문들 속에도 이와 비슷한

---

70) Cavallin 1974,103f. 또한 신 18:15(아래의 제10장 제2절) 등을 보라.

71) 이것에 대해서는 Grappe 2001, 51 등을 참조하라.

72) 호 14:5-7(LXX 6-8).

영향이 존재할 것이라고 조심스럽게 생각해 볼 수 있다. 물론, '아니스테미'와 '에게이로'의 대다수의 용례들은 단순히 어느 누가 앉아 있거나 누워 있는 상태로부터 일어났다거나, 또는 "이스라엘에 힘있는 왕이 일어났다"라는 의미에서 "일어났다"를 말하는 통상적인 방식들이다.[73] 그러나 마카베오2서 7:14과 12:43에서 '아나스타시스'는 "부활"을 가리키는 단어이고, 그 밖의 다른 세 번의 용례들 중에서 두 번도 나름대로 흥미롭다.[74] '아나스타세오스'("부활의") 라는 단어가 시편 65편(MT 66편)의 표제에 첨가되어 있는데, 일부 학자들 (Rahlfs 판본의 편집자를 포함한)은 이것을 매우 초기의 기독교적인 첨가로 보고 이 시편이 부활절 예전들에서 사용되었음을 보여주는 것이라고 생각하지만, 9절("주는 나의 영혼을 생명 안에서 붙잡고 있나이다")에 비추어 볼 때, 이 표제는 기독교 이전의 유대적인 통찰을 반영하고 있다는 주장이 가능하다.[75] 스바냐 3:8에서 야훼는 그의 백성에게 그를 기다리라고, 즉 그가 증인으로서 일어나서 열방들을 심판을 위하여 모을 그날을 기다리라고 가르친다. 칠십인역에서 이 본문은 "증언을 위한 나의 부활의 날을"('에이스 헤메란 아나스타세오스 무') 기다리라는 지시로 표현된다. 이것은 단지 히브리어 본문과 동일한 의미에서 "내가 일어날 그날"을 의미할 수도 있다. 그러나 유대교 및 기독교 사상 속에서 부활과 심판이 밀접하게 연관되어 있다는 것은 번역자가 신이 준 부활의 선물이 마침내 세상을 심판에 부치게 될 그날을 생각하고 있었다는 것을 보여주는 것일 수 있다. 헬라어로 된 성경을 읽은 그리스도인들은 분명히 이러한 연관성을 인식했을 것이고, 더 나아가 숨겨진 기독론적인 메시지를 추정하기까지 했을 것이다 — 이것은 다른 문제이긴 하지만, 그와 같은 논의의 주변에서 어른거리는 문제이다.

이러한 가능성(초기 그리스도인들이 기독론적인 신앙을 밑받침하는 방향으로 본문을 읽는 것)은 장차 오실 왕에 관한 몇몇 예언들과 관련하여 조심스럽

---

73) 명사 '아나스타시스'의 드문 예들 중의 하나가 이 범주에 든다(애 3:63); 또한 '에게르시스'가 단지 "내가 누운 것"과 반대되는 것으로써 "내가 일어나는 것"을 의미하는 시편 138(139):2을 참조하라.

74) 세 번째는 종말론적인 맥락에도 불구하고 "통상적인" 의미가 의도되고 있는 것으로 보이는 다니엘 11:20이다.

75) Volz를 인용하고 있는 Cavallin 1974, 104를 보라.

게 탐구될 수 있을 것이다. 하나님은 다윗에게 자기가 다윗 이후에 자신의 씨를 "일으키실" 것이라고 약속하고, 그 씨와 관련해서 "나는 그의 아비가 되고 그는 나의 아들이 되리라"고 말씀한다: 사무엘하 7:12('카이 아나스테소 토 스페르마 수')을 읽은 초기 그리스도인들이라면 누구나 거기에 나오는 '스페르마'가 누구인지를 알아차리는 데에 아무런 어려움도 겪지 않았을 것이다.[76] 마찬가지로, 예레미야서와 에스겔서에 나오는 여러 메시야적인 약속들은 쉽게 장차 하나님의 지도자가 올 바로 그 시대에 "일어나게" 될 부활을 가리키는 것으로 여겨졌을 것이고, 아마도 칠십인역 번역자(들)도 독자들이 그런 식으로 받아들일 것을 의도했을 것이다. 하나님은 목자들, 특히 의로운 가지를 "일으키셔서" 이스라엘과 세상을 다스리게 하실 것이다.[77] "내가 그들 위에 한 목자 내 종 다윗을 일으키리라"('카이 아나스테소 에프 아우투스 포이메나 헤나, 톤 둘론 무 다윗')고 야훼는 분명하게 선언한다.[78] 우리는 이와 같은 본문들 속에 지나치게 많은 것을 집어넣어서 읽지 않도록 주의해야 한다; 마찬가지로, 우리는 지나치게 적게 집어넣어서 읽는 것도 주의하지 않으면 안 된다. 이러한 변화 속에서 제2성전 시대의 유대인들과 제1세대 그리스도인들이 어떠한 뉘앙스들을 감지해내지 못했을 것이라고 누가 감히 말할 수 있겠는가?

마찬가지로, 몇몇 시편들의 언어도 더 명시적인 방식으로 부활에 대한 기도로 받아들여질 수 있다. 시편 40:11(MT 41:10)에서는 이렇게 기도한다: "주여, 내게 긍휼을 베푸시고 나를 일으키소서('아나스테손 메')." 시편 138(MT 139):18b은 시편 기자가 하나님의 생각의 광대함을 헤아리고자 했을 때, 그는 "끝까지 가서," 또는 아마도 "깨어나서" 여전히 하나님과 자기가 함께 있는 것을 발견하게 될 것이라고 분명하게 말한다. 칠십인역에서 이 본문은 미래적인 삶을 한층 더 명시적으로 가리키는 본문이 되었다: "나는 일으키심을 받으리라"('엑세게르덴'; 단 12:2의 테오도티온 판본에서 사용된 것과 동일한 동사). 동일한 방향을 보여주는 더 많은 암시들이 존재할 것임이 분명하다; 내가 생각하기에는, 이러한 것들은 대세가 무엇이었는지를 보여주는 것들이다.

---

76) LXX 2 Kgds. 7:12; 또한 cf. 대하 7:18.

77) 렘 23:4, 5; cf. 37(30 LXX):9.

78) 겔 34:23; cf. v. 29.

그러므로 우리는 칠십인역의 증거들을 깊이 고찰해 볼 가치가 있다 — 특히, 학자들의 몇몇 통상적인 전제들을 감안해서, 우리가 거기에서 무엇을 발견하게 될 것이라고 미리 예단하고 있었다면. 아무튼 칠십인역은 헬라어로 번역된 히브리어 본문이다 — 아마도 이집트에서 번역되었을 가능성이 크다. 우리는 부활에 대한 모든 언급이 더 플라톤적인 것으로 바뀌었을 것이라고 예상했었을 수 있다(예를 들면, 마카베오2서와 마카베오4서 사이에 일어난 것 같은). 우리는 번역자들이 벤 시락의 관점(사후의 삶에 관한 생각을 잊어버리고, 현세의 삶을 올바르게 살아가는 것에 집중하라) 또는 필로의 관점(내세의 몸을 입지 않은 지복의 삶을 얻도록 힘쓰라)을 보여주는 내용들을 도입하였을 것이라고 예상했었을 수 있다. 그러나 그들은 그렇게 하지 않았다. 모든 지표들은 칠십인역을 번역했던 사람들, 그리고 그 이후에 그것을 읽은 사람들(즉, 팔레스타인과 디아스포라에 살고 있었던 대다수의 유대인들)은 구약의 핵심적인 본문들을 히브리어 본문이 보장해주고 있는 것보다 더 분명하게 "부활"이라는 관점에서 이해했고, 히브리어 본문에서는 부활에 관하여 시사하지 않았던 많은 대목들에서 "부활"의 뉘앙스들을 들었을 가능성이 대단히 높다는 것이다. 이러한 배경 속에서 우리가 하나님과 율법에 대한 충성 속에서 고난받고 죽어간 사람들에 관한 이야기들을 발견할 때, 우리는 그들이 장래에 그들을 기다리고 있을 새로운 몸을 입은 삶에 대한 소망에 관하여 담대하게 말하는 것을 들을 때에 이상하게 생각하지 않아야 한다.

그러한 이야기들 중의 하나가 바로 마카베오2서에 나오는 마카베오 가문의 순교자들에 관한 이야기이다.

(iii) 순교자들을 위한 새로운 삶: 마카베오2서

마카베오의 두 번째 책은 다니엘서가 끝나는 지점, 즉 이스라엘의 신과 율법에 대한 충성으로 인하여 끔찍한 죽음을 죽은 자들에게는 미래의 어느 때에 새로운 몸을 입은 삶이 주어질 것이라는 약속으로 시작된다. 이 책은 이 시기의 그 어느 문헌들에서보다도 부활에 관한 약속을 가장 분명한 그림으로 그려낸다[79]

79) Cf. *NTPG* 323f.: 거기에서 제시된 내용 중 일정 부분을 여기에서 반복하는

배경은 이교도들에 의한 박해라는 상황이다. 시리아의 독재자 안티오쿠스 에피파네스는 자신의 제국적인 야망들에 맞춰서 유대교를 길들이기 위한 방편의 하나로서 독실한 유대인들을 잡아다가 고문하고 죽이면서 그들의 신이 준 율법들(특히, 돼지고기를 먹지 말라는 금령)을 지키지 못하게 하려고 시도한다. 이 이야기는 부정한 음식을 먹기를 거부하고 한 사람씩 고문을 당하는 한 어머니와 일곱 아들에게 그 초점이 맞춰져 있다. 차례로 잔혹한 죽음을 맞이하면서, 그들 중의 몇몇은 자신을 고문하는 자들에게 그들의 신이 어떤 식으로 그들을 신원해 주실 것인지에 관하여 구체적인 약속들을 말한다:

> [둘째 형제가 말하였다] 이 못된 악마, 너는 우리를 죽여서 이 세상에 살지 못하게 하지만 이 우주의 왕께서는 당신의 율법을 위해 죽은 우리를 다시 살리셔서 영원한 생명을 누리게 할 것이다.[80]

> [셋째 형제는] 혀를 내밀 뿐 아니라 용감하게 손까지 내밀면서 엄숙하게 말하였다. 하나님께 받은 이 손발을 하나님의 율법을 위해서 내던진다. 그러므로 나는 이 손발을 하나님께로부터 다시 받으리라는 희망을 갖는다.[81]

> [넷째 형제는] 죽는 마지막 순간에 다음과 같이 말하였다. 나는 지금 사람의 손에 죽어서 하나님께 가서 다시 살아날 희망을 품고 있으니 기꺼이 죽는다. 그러나 너는 부활하여 다시 살 희망은 전혀 없다.[82]

것은 어쩔 수 없는 일이다. Kellermann 1979, 81은 "천국의 삶으로 가는 것"이 마카베오2서에 나오는 "부활"관이라고 논증하고자 시도하였는데, 이것은 내게 본문들에 대한 완전한 오독으로 보인다(Schwankl 1987, 250-57은 이를 따르지만); "하늘"은 결코 부활이 일어날 장소로 언급되지 않는다. Perkins 1984, 44이 마카베오2서에서 부활에 대한 유일하게 명시적인 언급은 7:11뿐이라고 주장한 것은 주목할 만하다: 아래의 서술을 보라. 구레네의 야손(마카베오2서에 나오는(지금 편집된) 내용의 원래의 저자라고 생각되는)과 그의 신앙적 배경에 대해서는 Hengel 1974, 1.95-7을 참조하라.

80) 2 Macc. 7:9.

81) 2 Macc. 7:11.

그 어머니는 거룩한 생각을 마음속에 가득 품고서 … 자기 나라 말로 아들 하나하나를 격려하면서 이렇게 말했다. 너희들이 어떻게 내 뱃속에 생기게 되었는지 나도 모른다. 너희들에게 목숨을 주어 살게 한 것은 내가 아니며, 또 너희들의 신체의 각 부분을 제 자리에 붙여 준 것도 내가 아니다. 너희들은 지금 너희들 자신보다도 하나님의 율법을 귀중하게 생각하고 있으니 사람이 출생할 때에 그 모양을 만들어 주시고 만물을 형성하신 창조주께서 자비로운 마음으로 너희에게 목숨과 생명을 다시 주실 것이다.[83]

[어머니가 막내 아들에게 은밀하게 말하였다:] 얘야, 내 부탁을 들어 다오. 하늘과 땅을 바라보아라. 그리고 그 안에 있는 모든 것을 살펴라. 하나님께서 무엇인가를 가지고 이 모든 것을 만들었다고 생각하지 말아라. 인류가 생겨 난 것도 마찬가지다. 이 도살자를 무서워하지 말고 네 형들에게 부끄럽지 않은 태도로 죽음을 달게 받아라. 그러면 하나님의 자비로 내가 너를 너의 형들과 함께 다시 맞이하게 될 것이다.[84]

[막내 아들이 말하였다] … 당신은 하느님의 손길을 절대로 벗어나지 못할 것이오. 우리는 우리의 죄 때문에 고통을 당하고 있소. 살아 계시는 우리 주님께서 우리를 채찍으로 고쳐 주시려고 잠시 우리에게 화를 내셨지만, 하나님께서는 끝내 당신의 종들인 우리와 화해하실 것이오 … 우리 형제들은 잠깐 동안 고통을 받은 후에 하나님께서 약속해 주신 영원한 생명을 실컷 누리겠지만 당신은 그 교만한 죄에 대한 하나님의 심판을 받아서 응분의 벌을 받게 될 것이오. 나는 형들과 마찬가지로 우리 선조들이 전해 준 율법을 지키기 위해 내 몸과 내 생명을 기꺼이 바치겠소. 나는 하나님께서 우리 민족에게 속히 자비를 보여주시고, 당신에게는 시련

82) 2 Macc. 7:14; 악인들도 심판을 받기 위하여 부활한다고 말하는 다니엘 12:2과의 차이에 주목하라.

83) 2 Macc. 7:21-3.

84) 2 Macc. 7:28f.

과 채찍을 내리시어 그분만이 하나님이시라는 것을 인정하게 해 주시기를 하나님께 빌겠소. 우리 민족 전체에게 내리셨던 전능하신 분의 정당한 노여움을 나와 내 형들을 마지막으로 거두어 주시기를 하나님께 빌 따름이오."[85]

이 주목할 만한 장에서는 우리가 다니엘서 12장에서 보았던 여러 흐름들을 결합하여 놓는다. 순교자들의 고난은 민족의 구속을 위한 것이다; 가장 어린 형제의 마지막 수식어구 속에는 이사야서 53장의 요소가 들어있는 것으로 보인다. 공의의 신은 그들의 충성심에 대하여 상급을 내리실 것이고, 그들을 고문한 자들의 잔혹성에 대해서는 징벌이 내려질 것이다. 그들이 받게 될 새로운 삶, "몸과 관련된" 견지에서 바라보아진 새로운 삶은 그들과 온 세상을 애초에 만드셨던 바로 그 창조주 신의 선물이다. 그리고 그들이 기다리는 부활은 그들이 이미 마신 "항상 흐르는 생명"과 동일한 것이 아니다.[86] 부활은 여전히 미래에 있다. 마카베오2서의 저자는 형제들과 그 어머니가 이미 그들의 손들, 혀들, 온 몸을 다시 돌려받았다고 생각하지 않았다. 그들의 부활은 분명히 일어날 것이지만, 그것은 분명히 아직 일어나지 않았다. 이러한 신앙을 최근의 한 저술가가 말한 것처럼 "죽음을 부활로 본 결연한 견해"라고 설명하는 것은 말도 되지 않는 것이다.[87] 부활은 결코 죽음을 다른 식으로 말한 것이 아니라, 언제나 죽음의 전복과 역전이다.

이와 비슷한 사건 — 더 소름끼치는 것이긴 하지만 — 은 마카베오2서 14장에 나온다. 예루살렘에서 장로들 중의 한 사람이었던 라지스라 불리는 한 유대인이 지도적인 충성파로 지목되어 니카노르에 의해서 체포되기 직전의 일이었다. 그는 자기가 포위된 것을 발견하고 군병들에 의해서 처참한 고문을 당하느니 차라리 스스로 죽겠다고 결심하고 자신의 칼 위에 엎드러졌다:

85) 2 Macc. 7:31-3, 36-8.

86) "마셨다"는 번역은 대부분의 편집자들과 마찬가지로 칠십인역의 '펩토카신'의 원문이 '페포카신'이라고 보았음을 전제한다.

87) Davies 1999, 122.

> 라지스는 너무 서두르다가 급소를 찌르지 못하였다. 바로 그때에 사방의 문으로 쏟아져 들어오는 적군을 보고 라지스는 용감하게 성벽으로 올라가서 밑에 있는 군중 머리 위로 사나이답게 몸을 던졌다. 군중이 재빨리 비켜 섰기 때문에 빈 공간이 생겨서 라지스는 그 복판에 떨어지고 말았다. 라지스는 그래도 죽지 않고 분노가 불처럼 일어 벌떡 일어섰다. 그리고 피가 콸콸 솟고 상처가 중한데도 군중을 헤치고 달려 가서 우뚝 솟은 바위 위에 올라 섰다. 그의 피가 다 쏟아져 나왔을 때에 라지스는 자기 창자를 뽑아내어 양 손에 움켜 쥐고 군중에게 내던지며 생명과 영혼의 주인이신 하나님께 자기 창자를 다시 돌려 주십사고 호소하였다.[88]

이 이야기 속에는 앞에서 말한 것과 동일한 요지가 그 근저에 깔려 있다: 창조주 신, "생명과 영" 또는 "생명과 죽음"(이것은 분명히 에스겔서 37장에서와 마찬가지로 창세기 2장을 언급하고 있는 것이다)을 주시는 분이 새 창조의 엄청난 역사를 일으키셔서, 거기에서 순교자들은 새로운 몸들을 수여받게 될 것이다.

마카베오2서에서의 부활에 관한 마지막 언급은 덜 극적이기는 하지만 여전히 흥미롭다. 유다 마카베오와 그의 동료들은 고르기아스의 군대에 맞서서 전투를 벌이다가 죽은 자들이 겉옷 아래에 우상숭배의 표지를 달고 있는 것을 발견한다. 유다와 그의 동료들은 이것이 바로 그들이 죽임을 당한 이유였다고 결론을 내린다. 유다의 반응은 이것을 깨우쳐 준 것에 대하여 의로운 재판장을 찬양하고, 죄를 없이 하여 줄 것을 기도하며 예루살렘에서 속죄제를 드리기 위하여 시신들을 수습하는 것이었다. 이 책의 저자는 유다가 이렇게 한 것이 "부활을 고려하여 영예롭게 매우 잘 한 것"이라고 평한다:

> 만일 그가 전사자들이 부활할 수 있다는 희망을 가지고 있지 않았다면 죽은 자들을 위해서 기도하는 것이 허사이고 무의미한 일이었을 것이다. 그가 경건하게 죽은 사람들을 위한 훌륭한 상이 마련되어 있다는 생각을 하고 있었으니 그것이야말로 갸륵하고 경건한 생각이었다. 그가 죽은 자

88) 2 Macc. 14:43-6.

들을 위해서 속죄의 제물을 바친 것은 그 죽은 자들이 죄에서 벗어날 수 있게 하려는 것이었다.[89]

물론, 이 본문은 죽은 자들을 위한 기도가 타당한 것인가 아닌가에 관하여 의아해하는 후대의 신학자들에게 기가 막히게 적절한 본문이 되어 왔고, 또한 사람들이 죽은 자들을 대신하여 세례를 받는 것에 관한 바울의 말에 대한 배경으로 거론되어 오기도 하였다.[90] 그러나 우리의 현재의 목적과 관련해서 이 본문의 요지는 부활은 아직 일어나지 않았지만, 유다와 그의 동료들은 부활이 장차 일어날 것이라고 믿었다는 것이다. 은밀하게 우상숭배를 했던 자들은 지금 그들의 죽음 이후에 모종의 중간 상태 속에 있다; 장차 부활이 일어나서 그들이 순교자들 및 모든 의인들과 합류할 수 있기 위해서는, 그들은 죄를 사함받을 필요가 있다. 마카베오2서 전체에 걸쳐서, 부활 신앙은 새로운 몸을 입은 삶, 죽은 사람들이 현재적으로 경험하고 있는 "죽음 이후의 삶" 이후에 오는 삶을 의미한다.[91] 그리고 느헤미야 시대에 생긴 것으로 알려진 기도문, 즉 하나님이 이스라엘의 흩어진 백성을 모으시고 이방인들을 그 오만함과 압제로 인하여 징벌하시며 자기 백성을 거룩한 곳에 심으실 것이라는 기도가 마카베오2서 전체의 서론 역할을 한다.[92] 달리 말하면, 부활은 의로운 개인의 개인적인 소망이자 신실한 이스라엘의 민족적 소망이다.

(iv) 하나님의 새 세상 속에서의 심판과 삶: 부활과 묵시 사상

오늘날 묵시 사상에 대한 열광은 과거에 묵시 사상을 혐오했던 때만큼이나 많은 혼란을 야기시켜 왔다. 묵시 사상과 관련된 자료를 모든 가능한 시각으로부터 연구하는 것이 풍부하게 이루어졌고, 기독교의 세 번째 천년의 개시는 그렇지 않아도 이미 활활 타고 있었던 관심 또는 심지어 탐닉의 불에 기름을 더 부은 격이 되었다.[93] 그리고 본문들과 그 소재의 한 복판에서 우리는 죽음 이

89) 2 Macc. 12:44f.

90) 고전 15:29; 아래의 제7장 제1절을 보라.

91) Porter 1999a, 59f.는 마카베오2서의 취지를 축소하고자 시도하지만, 내가 보기에는 성공하지 못했다.

92) 2 Macc. 1:24-9.

후의 자기 백성에 대한 이스라엘의 신의 목적들에 대한 빈번한 언급을 발견하게 된다. 묵시 문학이라는 장르 및 문체에 걸맞게, 이런 언급들은 흔히 암호적이다; 그러나 우리가 다니엘과 에스겔의 영적인 후예들로부터 기대할 수 있는 것처럼, 그것들이 표현하고 있는 소망은 거듭거듭 몸을 입지 않은 영속적인 불멸에 대한 소망이 아니라 여전히 장래의 그 어느 때에 있을 부활에 대한 소망이다.

우리는 이러한 작품들 중에서 가장 길고 가장 복잡하게 뒤얽혀 있는 작품으로부터 시작하고자 한다: 에디오피아 에녹서(에녹1서로 알려진).[94] 편집된 작품인 이 책은 주전 마지막 두 세기 동안의 어느 시점에 씌어진 것으로서(몇몇 부분들은 더 후대의 것일 가능성도 있다), 장엄한 심판 장면으로 시작된다. 하나님은 자신의 거처로부터 나올 것이고, 땅은 산산조각이 나며, 의인들을 포함한 모든 자들은 심판을 받게 될 것이다:

> 그러나 의인들을 위하여 그는 화평케 하고, 택하신 자들을 안전하게 지키며, 긍휼하심이 저희에게 있으리라. 저희는 모두 하나님께 속하여, 번영하며 복될 것이며, 하나님의 빛이 저희 위에서 빛나리라.[95]

이 본문은 부활 자체를 언급하고 있지는 않지만, 죽은 의인들이 현재적으로는 여전히 이 최후의 심판을 기다리고 있고, 그 심판이 일어날 때, 죽은 의인들의 상태가 변화되어 새로운 축복의 차원으로 바뀌게 될 것임을 분명하게 상정하고 있다(이후의 몇몇 본문들에서처럼).[96] 그것은 "택함받은 자들에게는 빛,

---

93) 묵시사상에 대해서는 *NTPG* ch. 10; 최근의 것으로는 Rowland 1999를 참조하라.

94) 번역문들은 Knibb(in Sparks 1984) 또는 Isaac(in Charlesworth 1983)에서 가져온 것이다.

95) *1 En.* 1:8(Knibb).

96) 예를 들면, cf. *1 En.* 22:1-14. 불행히도 이 본문 속에 나오는 이미지, 즉 죽은 자들의 영혼이 심판의 날까지 보관되어 있는 저장소라는 이미지는 거의 전적으로 의인들이 아니라 악인들에 그 초점이 맞춰져 있기 때문에, 우리는 이 저자가 의인들과 관련해서는 어떤 운명을 상정하고 있는지를 말할 수 없다. 하지만 장래의 삶이 두 단계로 이루어져 있는 것으로 보아지고 있다는 것은 분명하다: 기다림의 때와

기쁨, 평안이 있을 것이고, 저희는 땅을 유업으로 받게 되리라"는 예언이 나오는 5:7에서 더 상세하게 규정된다. 의인들이 받게 될 장래의 축복과 온 세상에 관한 이러한 비전은 10:17-11:2에서 더 자세하게 서술된다; 그것은 지극히 현세적인 번영의 때이자 모든 불의와 악함이 사라져버린 때이다. 이 책이 예언하고 있는 하나님의 새로운 권능있는 역사가 없다면, 그러한 상태를 상상하기는 어렵다. 25장에 이르면, 생명 나무에 관한 비전이 현세적인 낙원이라는 관념을 도입한다. 천사가 에녹에게 다음과 같이 분명하게 말한다:

> 이 향기로운 나무에 대해서는 그가 모두에게 보수하시고 모든 것을 영원히 마무리하시게 될 큰 심판의 때까지 단 한 사람도 그것을 만질 권세를 갖고 있지 않다. 이것은 의인들과 경건한 자들을 위한 것이다. 택함 받은 자들에게는 생명을 위하여 그 열매가 주어지리라. 그는 북동쪽 거룩한 곳에 영원하신 왕 여호와의 집쪽에 그것을 심으리라. 그때에 저희는 즐거워하고 기뻐하리니, 그 거룩한 곳으로 들어가리라; 그 향기는 그들의 뼈에 스밀 것이요, 저희는 너희 열조들이 그들의 날들에 그랬던 것처럼 땅에서 장수할 것이라.
>
> [에녹이 이제 논평한다] 그때에 나는 영광의 하나님 영원하신 왕을 찬송하였으니, 이는 그가 저희를 창조하시고 그것을 저희에게 주셨던 것처럼 의로운 자들을 위하여 그러한 것들을 예비하셨음이라.[97]

새 예루살렘에 관한 환상(26-27장)도 장차 도래할 현세적인 복된 상태에 대한 동일한 강조점을 지니고 있다. 이것은 이 책의 다음 단원(그리고 독립적인 단원일 가능성이 대단히 높은)인 "비유서"(37-71장)에 나오는 의인들의 거처에 관한 묘사 속에서는 그리 명시적이지 않다; 39장에서 거룩한 자들은 "영들의 주의 날개들 아래에" 있는 특별한 거처에서 천사들과 함께 거한다.[98] 하지만 51장에는 모든 피조물들이 새롭게 될 것이라는 약속 내에 설정된 장래

최후의 심판의 때. Schürer 2.541(Cave)는 이 본문이 "1-36장의 대부분과 부합하지 않는다"고 주장하면서도 부활을 언급하고 있다고 본다.

97) *1 En.* 25:4-7(Isaac).

98) *1 En.* 39:5, 7(Isaac).

의 부활에 관한 명시적인 묘사가 나온다:

> 그때에 땅은 자기에게 맡겨진 것을 내놓을 것이고, 스올도 자기에게 맡겨진 것, 자기가 받았던 것을 내놓을 것이며, 멸망도 자신의 것들을 내놓으리라. 그는 저희 중에서 의롭고 거룩한 자들을 고르리니, 이는 저희가 구원받을 날이 가까웠음이라 … 그때에 산들이 숫양들처럼 뛸 것이요 언덕들이 젖에 만족한 어린 양들처럼 뛰리니, 모두가 하늘에서 천사들이 될 것이라. 저희 얼굴은 기쁨으로 빛나리니[또는: 젖에 만족한 아기들 같이. 그리고 하늘의 모든 천사들의 얼굴은 기쁨으로 빛나리니], 그때에 택함 받은 이가 일어날 것임이라; 땅이 기뻐하겠고, 의인들이 거기에 거하리니, 택함 받은 자들이 가서 거기에서 행하리라.[99]

여기서 이것이 신비스러운 "택함 받은 이"의 부활과 어느 정도 관련된 부활이라는 것은 의심의 여지가 없다. "인자"라고도 불리는 이 논란이 심한 인물은 다니엘서 12장과 이사야 52-53장을 연상시키는 심판 장면 속에서 영광의 보좌 위에 앉게 될 것이다:[100]

> 의롭고 택함 받은 자들은 그날에 구원받게 되리라; 그때로부터 저희는 결코 죄인들과 압제자들의 얼굴을 보지 않으리라. 영들의 주가 저희 위에 거하리니, 저희는 그 인자와 함께 영원히 먹고 안식하며 일어나리라. 의롭고 택함 받은 자들은 땅에서 일어나리니, 슬픈 표정을 다시는 짓지 않으리라. 저희는 영광의 의복을 입을 것이라 … [101]

---

99) *1 En.* 51:1f., 4f.(Knibb; 다른 번역은 Isaac). 이것은 Schwankl 1987이 에녹1서에서 분명히 부활을 언급하고 있는 유일한 본문이라고 인정하는 본문이다(188f.); 그는 이 본문이 최후의 편집자에 의한 첨가라고 본다. 아이러니컬하게도 이 본문은 우리가 살펴보고 있는 문헌들 중에서 사람들이 실제로 천사들이 되는 것에 관하여 말하고 있는 아주 드문 본문들 중의 하나이다.

100) Nickelsburg 1972, 77.

101) *1 En.* 62:13-15(Isaac). 또한 cf. 62:3. 우리는 여기서 이 본문 등에 나오는 "인자"의 의미라는 문제를 다룰 수는 없다.

이 책의 다음 단원(72-82장)은 하늘의 광명들의 비밀들에 관한 것이다. 그 다음에 나오는 단원(83-90장)인 "꿈의 환상들"에서는 에녹이 그의 아들 므두셀라에게 이스라엘의 역사를 자신의 시대로부터 마카베오 위기의 시대에 이르기까지 신속하게 상징적으로 개관하면서 장래에 관한 자신의 환상들을 말해 주는 내용이다. 선지자들의 전례를 따라서(예를 들면, 에스겔서 34장), 그는 이스라엘 백성을 독수리들을 비롯한 그 밖의 다른 육식조들에 의해서 괴롭힘을 당하지만 "양떼의 주"에 의해서 보호받고 구원받는 양들과 어린 양들로 본다. 당시에(달리 말하면, 주전 167-164년의 사건들 이후에) 죽은 자들을 포함한 양떼는 양들의 주의 집으로 다시 모아진다(90:33). 이것이 메시야적 왕국에 대한 전주곡이다.

이 책의 마지막 단원(91-107장)에서는 의인과 죄인의 "두 길"을 서술한다(쿰란 공동체 규약과 『디다케』 같은 작품들 속에서 친숙한 주제). 에녹1서 전체의 도입부에서와 마찬가지로, 이 단원은 웅장한 심판 장면으로 시작되는데, 거기에서 무엇보다도 "의인들이 잠에서 일어나고, 지혜가 일어나서, 그들에게 주어지리라"는 내용이 나온다.[102] 그 밖의 다른 이와 비슷한 서술들이 신학적으로는 덜 정확하지만 더 화려한 문체로 뒤따르고,[103] 앞에서처럼, 심판을 기다리는 죄인들에 대한 생생한 장면에 더 많은 관심이 주어진다. 그러나 메시지는 여전히 동일하다: 현재의 때는 기다림의 시기로서, 산 자들과 이미 죽은 자들은 모두 여전히 장래에 있을 심판을 기다리고 있다. 그러한 맥락 속에서 죽은 의인들 — 그 영혼들이 스올에 있는 — 에게 염려하지 말라는 말이 주어진다.[104] 죄인들은 자기들이 의인들을 이겼다고 생각할 것이지만(102:6-11), 하나님은 의인들을 위하여 놀라운 일들을 예비하여 놓으셨다:

> 의롭게 죽은 자들의 영들은 살며 기뻐하리라; 저희의 영들은 망하지 않으리라; 크신 이의 얼굴 앞에서부터 세상의 모든 세대들에 이르기까지 저

---

102) *1 En.* 91:10(Knibb).

103) 예를 들면, *1 En.* 96:1-3.

104) *1 En.* 102:4f.

105) *1 En.* 103.4(Isaac). Schürer 2.541(Cave)는 부활이 아니라 궁극적으로 몸을 입지 않은 불멸에 대한 신앙의 증거로 이 본문을 인용한다(또한 Ban 1992, 52 등을

희에 대한 기억은 사라지지 않으리라.[105]

다음의 본문은 다니엘서 12장을 분명하게 반영하고 있는 가운데 더 구체적으로 이렇게 말한다:

> 하늘에서 천사들은 크신 이의 영광 앞에서 너희의 선을 기억하리라; 너희의 이름은 크신 이의 영광 앞에서 씌어지리라. 소망을 가져라. 너희가 이전에 악과 수고로 인해 수척해졌음이라. 그러나 이제 너희는 하늘의 광명들과 같이 빛나며 나타날 것이라; 하늘의 창들이 너희를 위해 열릴 것이라. 너희의 부르짖는 소리가 들으심을 얻으리라. 심판을 부르짖으라. 그러면 심판이 너희를 위해 나타나리라 … 소망을 가져라. 너희의 소망을 버리지 말라. 이는 너희를 위하여 불이 있겠고, 하늘의 천사들 같이 큰 기쁨이 있을 것임이라.[106]

이 책은 의인들이 다시 살아날 뿐만 아니라 새롭게 변모되는 최후의 심판 장면으로 끝이 난다:

> 이제 나는 빛의 세대에 속한 선한 자들의 영들을 불러서, 어둠 속에 태어난 자들, 육체로는 저희에게 합당한 존귀로 보상받지 못한 자들을 변화시키리라. 나는 나의 거룩한 이름을 사랑하는 자들을 빛나는 광명으로 나오게 하여 각 사람을 존귀의 보좌에 앉게 하리라. 저희는 무궁토록 빛나리라. 이는 의가 하나님의 심판이고, 그는 신실한 자들로 하여금 바른 길에 거하게 할 것이기 때문이다. 저희는 어둠 속에 태어난 자들이 어둠 속으로 던져지고 의인들이 빛나는 것을 보리라. 죄인들은 의인들이 빛나는 것을 보고 울며 소리치겠지만, 날들과 때들이 저희를 위하여 기록되어 왔

보라); 그러나 이 책은 상당 부분이 일관되지 않은 내용들로 되어 있다는 것이 인정될 수 있지만, 주변의 장들이 몸의 부활을 가리키고 있는 것으로 보이고, 따라서 이 본문도 거의 틀림없이 그런 식으로 읽혀져야 할 것이다.

106) *1 En.* 104:1-4(Isaac).

던 곳으로 가게 되리라.[107]

이렇게 여기에 나오는 이미지는 항상 정확하게 파악될 수 있는 것은 아니지만, 의로운 자든 악한 자든 이미 죽은 자들은 현재적으로 그들의 운명이 영속적인 것이 될 뿐만 아니라 또한 공공연하게 눈에 보이도록 드러나게 될 장래의 한 날을 기다리고 있다는 것은 아주 분명하다. 달리 말하면, 그들은 죽음 직후에 복 또는 화의 영속적인 상태로 들어간 것이 아니라는 말이다; 91장 이후, 특히 102장의 더 폭넓은 맥락은 죽은 자들이 일정 기간의 기다림이 있은 후에 다시 부활하여 새롭게 몸을 입은 삶을 살게 될 것임을 보여준다. 결국, 이것은 우리가 앞에서 살펴본 위(僞)포실리데스에 나오는 본문의 의도인 것으로 보인다.[108] 에녹1서와 거기에 딸린 모든 다양한 부분들이 이 주제에 관한 단일한 교설을 담고 있다고 생각할 만한 근거는 없지만, 전체적으로 에녹1서는 우리가 다니엘서와 마카베오2서에서 발견하는 것과 같은 부활에 관한 견해를 지지하고 있고, 또한 그러한 것이 말해질 수 있는 다양한 방식들, 특히 죽은 의인들이 다시 살아날 뿐만 아니라 변화되는 것을 포함할 수도 있다는 것을 보여준다(따라서, 부활하여 변화되는 의인들과 부활하여 심판을 받는 악인들의 구별이 이루어진다).

그 밖의 다른 짤막한 묵시록들도 나름대로 독특한 기여를 하고 있다.[109] 모세의 유언서는 이스라엘이 높은 곳으로 들리워서 별들이 있는 하늘 속에 굳건하게 자리를 잡고 거기로부터 그들을 압제하였던 자들에 대한 하나님의 심판을 지켜보게 될 것이라고 말한다.[110] 이것은 분명히 다니엘 12:3(의인들이 별

107) *1 En.* 108:11-15(Knibb).

108) *Ps.-Phoc.* 102-15; 위의 제4장 제4절을 보라. 이것은 Puech 1993, 158-62에 의해서 강력히 주장된다; 지혜롭게도 "le poete peut se contenter d'allusions!"("시인은 간접인용들에 대하여 이의를 제기할 수 없다," 290)이라고 우리에게 상기시키는 Gilbert 1999, 287-90을 참조하라.

109) 아마도 여기에 속할 것으로 보이는 희년서에 대해서는 위의 제4장 제3절을 보라.

110) *T. Mos.* 10:8-10. (이 저작은 지금은 거의 멸실된 모세 승천기로 알려져 왔었다.)

같이 빛날 것이라는 것)과 이사야 52:13(종이 높이 들림을 받을 것이라는 것)에 의존하고 있는 것으로 보인다.[111] 이것이 다른 세상에서의 구원을 가리키는 것인지, 아니면 성경의 과장된 은유들을 활용해서 현세적인 구속, 즉 부활을 설명하고 있는 것인지에 대해서는 학자들 간에 견해가 서로 나뉜다. 내 판단으로는, 이 본문이 명백하게 몸의 부활이라는 주제를 다루고 있는 다니엘서 12장을 간접인용하고 있기 때문에, 이 문제는 후자를 지지하는 쪽으로 해결되어야 한다고 본다.[112]

모세 묵시록은 더욱 분명하다.[113] 아담이 죽자, 하나님은 천사장 미가엘을 보내어 셋에게 그를 다시 다시 살리려고 시도하지 말라고 말하게 한다. 종말에 긍휼의 나무로부터 채취한 기름이 주어질 것이다:

> 아담으로부터 저 큰 날에 이르기까지 모든 육체가 일어나게 될 것이고, 거룩한 백성도 그러하리라; 그때에 그들에게 낙원의 모든 즐거움이 주어질 것이고, 하나님은 그들 가운데 계시게 될 것이다.[114]

셋은 아담의 영혼이 "위를 향한 두려운 여행"(13:6)을 하는 것을 목격하게 될 것이지만, 그것이 문제의 끝은 아닐 것이다. 하나님은 아담의 죽은 몸을 불러서, 이렇게 말씀한다:

> 나는 네게 너는 흙이니 흙으로 돌아가라고 말하였다. 이제 나는 너에게

111) Nickelsburg 1972, 28f.

112) 타계적인: 예를 들면, Laperrousaz 1970; Rowley 1963. 성경의 은유: Priest 1977, 1983. 물론, 우리는 이 본문들에 전체적으로 "일관된" 패턴을 강요해서는 안 된다; 예를 들면, 불멸에 관하여 말하는 아브라함의 유언서는 다니엘 12장을 인용하고 있다.

113) 이 책에 대한 이 전통적인 명칭은 잘못된 것이다; 그것은 아담과 하와의 일대기(*Life of Adam and Eve*)에 대한 다른 이름이다. Schürer 3.757(Vermes, Goodman); Johnson in Charlesworth 1985, 259n을 보라. 이 책의 저작 연대는 알려져 있지 않지만, 대략 주전 100년과 주후 100년 사이일 것이다.

114) *Ap. Ad. Ev.* 13:3f. Tr. Johnson in Charlesworth 1985.

> 부활을 약속한다; 나는 부활의 때에 너의 씨의 모든 사람과 더불어서 마지막 날에 너를 일으키리라.[115]

이번에 하와가 죽자, 미가엘이 셋에게 매장을 어떻게 할 것인지를 말해주는 것을 끝으로, 이 책은 끝이 난다 — 그리고 이 과정에서 이 시기에 죽을 때에 영혼이 몸을 떠난다는 신앙과 장래의 부활에 대한 신앙이 결합된 표준적인 방식이 드러난다:

> 따라서 너는 부활의 날까지 죽은 각 사람을 매장을 통해서 예비하여야 한다. 그리고 육일 이상은 애곡하지 말라; 제칠일에 안식하고, 그 안에서 기뻐하라. 왜냐하면, 그날에 하나님과 우리 천사들이 의로운 영혼이 땅에서 이주해 온 것을 즐거워하기 때문이다.[116]

대략 동일한 시기에 나온 이와 비슷한 입장을 보여주는 또 하나의 진술은 시빌레 신탁서 4:179-192에서 발견된다:

> 그러나 모든 것이 이미 먼지 같은 재가 되고,
> 하나님이 이루 말할 수 없는 불을 그것을 켤 때처럼 잠재울 때,
> 하나님은 사람들의 뼈와 재에 형체를 부여하여
> 사람들을 다시 예전처럼 일으키시리라.
> 그런 후에 심판이 있을 것인데,
> 하나님이 스스로 이 심판을 주재하여
> 세상을 다시 심판하시리라.
> 불경건한 죄를 범한 많은 자들은 땅의 표면의 둔덕이 되고,

---

115) *Ap. Ad. Ev.* 41.2f.

116) *Ap. Ad. Ev.* 43.2f; 또한 cf. 13:1-6. *Life of Adam and Eve*의 병행적인 결론은 "제칠일은 부활, 장차 도래할 시대의 안식에 대한 표지이고, 제칠일에 여호와께서 그의 모든 일로부터 안식하셨기 때문에"(51) 미가엘이 셋에게 육일보다 더 길게는 애곡하지 말도록 명하였다고 한다.

넓은 타르타루스[즉, 지옥]가 되며,
게헨나의 혐오스러운 후미진 곳들이 되리라.
그러나 경건한 많은 자들은
하나님이 이 경건한 자들에게 영과 생명과 은혜를 주실 때에
땅에서 다시 살게 되리라.
그런 후에 그들은 모두 자기 자신이 해의 즐겁고 유쾌한 빛을
바라보고 있는 것을 보게 될 것이다.
그때까지 살아 있는 자들은 가장 복된 자들이다.[117]

이 모든 아주 다양한 진술들이 공통적으로 지니고 있는 것은 부활을 심판 장면 속에 두고 있다는 것이다. 달리 말하면, 부활에 관한 이러한 신앙은 인간 존재의 궁극적인 운명에 관한 일반적인 진술이 아니라, 다니엘서와 마카베오2서에서처럼, 악한 자들에 대한 하나님의 심판과 의인들의 신원이라는 맥락 속에서 생겨난 것이라는 말이다.

열두 족장의 유언서(이 책은 기독교적인 첨가들을 포함하고 있을 가능성이 높지만, 기독교 이전 및 비기독교적인 유대교에 대한 증거로서 배제되어서는 안 된다)에 대해서도 동일한 말이 적용된다. 레위의 유언서는 심판을 당한 악인들을 대신할 새로운 제사장이 올 것에 관하여 예언하고, "그의 별이 왕처럼 하늘에서 일어날 것이고," 그가 "땅에서 해처럼 빛을 발하여," 땅과 하늘에 평화와 기쁨을 가져다줄 것이라고 분명하게 선언한다.[118] 유다의 유언서도 한 메시야가 오실 것을 내다보고 있는데, 그의 구원 사역 후에 아브라함, 이삭, 야곱은 생명으로 부활하고, 열두 족장들은 이스라엘에서 다시 각 지파의 두령으로 활동하게 될 것이라고 말한다. 그때에,

슬픔 중에 죽은 자들은 기쁨 중에 일으키심을 받게 될 것이다;
주를 위하여 가난 중에 죽은 자들은 부해질 것이다;

117) 번역문은 Collins의 것, Charlesworth 1983, 389에 실려 있다. Collins 1974는 네 번째 책의 저작 연대를 대략 주전 300년으로 잡는다.

118) *T. Lev.* 18:3f. 번역문은 Kee의 것, Charlesworth 1983, 794에 수록되어 있다.

> 주를 인하여 죽은 자들은 생명으로 깨어날 것이다.[119]

마찬가지로, 스불론은 자신의 자녀들에게 자기가 죽는다고 해서 슬퍼하지 말라고 말한다. 그는 그들의 자손들 가운데서 지도자로 그들 가운데 다시 일어나게 될 것이고, 그의 지파 가운데에서 기뻐하게 될 것이지만, 악인들에게는 불이 비처럼 내리게 될 것이다.[120] 마지막으로, 가장 나이 어린 형제인 베냐민은 자신의 자녀들에게 앞에서 말한 것과 비슷한 유언을 남긴다:

> 그때에 너희는 에녹과 셋과 아브라함과 이삭과 야곱이 큰 기쁨 중에 우편에 일으키심을 받는 것을 보게 될 것이다. 그때에 우리도 일으키심을 받아서, 우리 각자가 우리 지파 위에 일어나게 될 것이고, 우리는 하늘의 왕 앞에 무릎을 꿇게 될 것이다. 그때는 모든 것이 변화될 것인데, 어떤 이들은 영광으로, 어떤 이들은 수치를 받게 될 것이다. 왜냐하면, 주는 먼저 이스라엘이 범한 잘못에 대하여 심판하고, 그런 후에 모든 열방들에게 동일한 심판을 행하실 것이기 때문이다.[121]

이 본문에서는 영광으로의 부활과 수치로의 부활이라는 이중적 부활을 언급하고 있는 것으로 보아서 다니엘서를 간접적으로 인용하고 있을 가능성이 있다. 열두 족장의 유언서들 전체에 걸쳐서, 부활은 이 땅에서의 불의의 오랜 세월, 그리고 의인들이 죽음 이후에 최종적인 신원을 위하여 기다려 왔던 오랜 세월 이후에 하나님이 세상과 이스라엘을 확고하게 바로잡는 방식이다.

위에서 언급한 대부분의 본문들이 형성되고 있었던 마카베오 위기와 주후 70년 사이의 기간 동안에 풍부하게 입증되고 있는 심판과 신원에 대한 이러한 갈망은 하나님 나라를 하늘에서와 마찬가지로 땅에서도 이루어지게 하고자 한 밝은 혁명의 소망이 로마의 무자비한 힘에 의해서 꺼져버린 주후 70년

---

119) *T. Jud.* 25:4. "깨어남"의 모티프는 아마도 다니엘 12:2에 대한 간접인용인 것 같다.

120) *T. Zeb.* 10:1-3.

121) *T. Benj.* 10:6-9.

의 재난 직후의 시기에 새롭게 갱신되었다. 이 시기에 나온 두 개의 묵시록이 계약의 신이 마침내 역사하실 것이라는 열망 속에서 부활에 대한 약속을 바라본 것은 아마 놀라운 일이 아닐 것이다.

에스라4서는 예루살렘의 멸망과 재건에 관한 일련의 생생한 환상들과 해석들로 이루어져 있다.[122] 첫 번째 환상은 "에스라"와 천사 우리엘 간에 벌어진 논쟁 속에서 보여지는데, 거기에서 에스라는 참을성이 없다고 책망을 받는다; 천사는 "그들 각자의 방에 있는 의인들의 영혼들"은 그들이 상급을 받기 위하여 얼마나 오랫동안 기다려야 하는지에 대하여 조급해하지 않는다고 지적한다. 하데스에 있는 영혼들의 방은 임신한 여인의 모태와 같다고 우리엘은 설명한다. 산고가 오면 여인이 출산하고자 힘을 쓰는 것과 마찬가지로, 이 영혼의 방들은 그들에게 맡겨진 영혼을 다시 내놓기 위하여 힘을 쓴다.[123] 현재적으로 죽은 자들의 미래에 관한 동일한 신앙은 두 번째 환상에 나오는 여러 본문들 속에서도 그 밑바탕에 깔려 있다.[124]

세 번째 환상에는 메시야적인 신의 아들이 나타나서 자신의 나라를 400년 동안 다스리게 될 장래의 메시야 시대에 관한 예언이 나온다. 그 후에 신의 아들은 죽게 되고, 세상은 시온의 침묵으로 되돌아가게 될 것이다. 그런 다음에, 칠일 후에,

> 아직 깨어나지 않은 세상이 일으켜질 것이고, 썩을 것들은 망하게 될 것이다. 땅은 그 안에서 잠자는 자들을 내어놓겠고, 방들은 저희에게 맡겨진 영혼들을 내어놓으리라.[125]

---

122) 이 책과 그 다양한 명칭에 대해서는 Metzger in Charlesworth 1983, 516-2(에스라의 이름을 따라서 붙여진 책들의 유익한 도표(516)를 포함해서)를 참조하라. 이 책의 몇몇 부분들, 특히 1-2장과 15-16장은 후대의 기독교적인 첨가들이기 때문에, 예를 들면 2:16에 나오는 부활에 대한 언급은 현재의 검토로부터 배제될 수 있다. Cf. Harrington 2002.

123) 4 Ezra 4:35, 42.

124) cf. 4 Ezra 5:41f.

125) 4 Ezra 7:28-32. 다니엘 12:2의 반영들에 우리는 주목하여야 한다.

그런 후에, 웅장한 심판 장면이 이어지는데, 거기에서 "죽은 자들로부터 일으키심을 받은 열방들"에게 지극히 높으신 이가 한편으로는 낙원의 기쁨들과 다른 한편으로는 지옥의 고통들을 밝히 말씀해 주실 것이다.[126] 최후의 심판 이전의 죽은 자들의 상태에 관한 묘사가 그 뒤에 나오는데, 그것을 보면, 신실한 자들의 기쁨들 중의 하나는 "그들의 얼굴이 해처럼 빛나고, 별들의 빛과 같이 되어서, 그때로부터 썩어지지 않을 것" — 다니엘 12장에 대한 또 하나의 간접 인용 — 이라는 것이다.[127] 당분간 그들은 천사들이 지켜보는 가운데 마지막 날들의 영광을 기다리며 안식하고 있다.[128] 그날들에는 "죽음 자체가 사라지고, 지옥이 물러가며, 썩어짐이 잊혀지고, 슬픔이 멀리 떠나며, 불멸의 보화가 분명하게 드러나게 될 것이다."[129] 맥락상으로, 이 모든 일은 이스라엘의 잘못들이 귀정되고 악이 징벌되며 예루살렘이 재건되고 이스라엘의 신 창조주가 의롭다는 것이 드러나게 될 완전히 새로운 세계 질서에 관한 환상 내에서 일어난다.

여기서 마지막으로 살펴보아야 할 묵시록은 외경에서 발견되는 동명의 책과 구별하기 위하여 바룩2서로 알려진 바룩의 시리아 묵시록이다. 여기서도 우리는 주후 70년의 대파국 이후에 열방들에 대한 심판과 예루살렘의 재건에 관한 환상들을 발견하게 된다. 이 환상 가운데에서 천사는 "바룩"에게 다음과 같은 것을 약속한다:

> 이 일들 후에 기름 부음 받은 이의 나타날 때가 차서 그가 영광 중에 다시 오실 때에 그를 소망하며 잠자던 모든 자들이 일어나게 되리라. 그 때에 의인들의 영이 보관된 창고들이 열려서 밖으로 나와, 무수한 영혼들이 한 마음을 지닌 한 회중으로 함께 나타나리라.[130]

---

126) 4 Ezra 7:36f.

127) 4 Ezra 7:97.

128) 4 Ezra 7:95.

129) 4 Ezra 7:53f.

130) *2 Bar.* 30:1f.(tr. Klijn in Charlesworth 1983, 631). 또한 Harrington 2002를 보라.

그때에 "티끌은 너에게 속하지 않은 것을 내어놓고, 이때까지 네가 보관해 왔던 모든 것을 일으켜 세우라는 말을 듣게 될 것이다"(42:8). 여기서도 배경은 심판이라는 상황이다:

> 그때에 땅은 죽은 자들을 분명히 돌려주리라; 땅은 죽은 자들의 형체를 변화시키지 않고 지키기 위하여 지금 저희를 받는다. 그러나 땅은 죽은 자들을 받았던 것처럼 또한 저희를 돌려주리라. 내가 저희를 땅에 넘겨주었듯이, 땅은 저희를 일으키리라. 그때에 산 자들은 죽은 자들이 다시 사는 것을 보고, 멀리 갔던 자들이 돌아온 것을 반드시 보리라. 저희가 서로를 알아보았을 때, 나의 심판은 강력할 것이고, 이전에 말해진 것들이 실현되리라.[131]

그때에 단죄받은 자들은 그들이 압제하였던 사람들이 더 영광스러운 형태로, (사실) 천사들의 영광으로 변화받게 되는 것을 보게 될 것이다; 한편 저주받은 자들은 "소름끼치는 모습들과 무시무시한 형상들"(51:5)로 변하게 될 것이다. 그 후에, 의인들이 입게 될 새로운 형체들에 관한 주목할 만한 본문이 나온다:

> 저희는 저 세상의 높은 곳에 살겠고, 천사들과 같을 것이며, 별들과 동등할 것이라. 저희는 아름다움에서 사랑스러움에 이르기까지, 빛으로부터 영광의 광휘에 이르기까지 각자가 원하는 형체로 변화되리라. 저희 앞에는 낙원이 펼쳐지겠고, 천군천사들과 보좌 아래의 생물들의 엄위한 아름다움이 저희에게 보여지리라 … 그때에 의인들의 뛰어남은 천사들보다 더하리라.[132]

이 본문은 종종 "비물질적인" 부활(그러니까, 고린도전서 15장에 나오는 바울이 말한 "영적 몸"의 선구가 될 수 있는)이라는 관념을 밑받침해 주는 증거

131) *2 Bar.* 50:2-4.
132) *2 Bar.* 51:8-12.

로 제시되어 왔지만, 그것은 옳지 않다.[133] 바룩2서에서 이 본문 바로 앞에 나오는 장들은 이것이 실제로 "부활"이라는 것을 분명하게 보여준다. 모종의 근본적인 변화가 상정되고 있다는 것은 분명하지만, 이 본문은 그 변화가 물질적인 실존으로부터 비물질적인 실존으로의 변화라는 것을 보여주지 않는다. 또한 우리는 51:12에서 의인들과 천사들을 주의 깊게 구별하고 있다는 것을 주목해야 한다. 하지만 이 본문은 우리가 신약성서에서 발견하는 것에 대한 유일하게 분명한 전조(前兆)를 제공해 주고 있기 때문에 주목할 만하다: 부활은 생명을 고양시키는 모종의 변화를 포함하게 될 것이라는 것.[134]

끝으로, 이것은 묵시록은 아니지만, 우리는 이 항에서 주전 1세기에 나온 작품일 가능성이 큰 것으로서 혁명적인 바리새주의의 강력한 흔적들을 보여주는 솔로몬의 시편을 함께 다루어 볼 수 있을 것이다. 이 시편 기자는 "죄인의 멸망은 영원하다"고 선언한다:

> 하나님이 의인들을 방문하실 때, 죄인은 기억되지 않을 것이다. 이것은 죄인들의 영원한 몫이지만, 주를 두려워하는 자들은 영생으로 부활할 것이고, 그들의 삶은 주의 빛 안에 있을 것이며, 결코 끝이 없을 것이다.[135]

그 밖의 다른 본문들도 그렇게 명시적인 것은 아니지만 동일한 주제를 암시하고 있다 — 여기서도 다시 한 번 이러한 본문들은 이스라엘의 원수들에 대한 하나님의 심판과 의인들의 신원에 대한 열렬한 열망 속에 두어져 있다[136].

이렇게 부활은 이스라엘의 신이 준비해 놓은 미래에 대한 하나의 통상적인 묵시론적 해석 안에 자리잡고 있다는 것이 분명하다. 악인들은 너무도 오랫동

---

133) 예를 들면, Kirsopp Lake를 인용하는 Caraley 1987, 231을 보라.

134) 빌 3:20f.; 고전 15:35-58에 대한 아래의 설명; 제10장의 끝부분에 나오는 요약을 보라.

135) *Ps. Sol.* 3:11f.; tr. R. B. Wright in Charlesworth 1985, 655. 이것은 "단지 영혼을 언급하는 것일 수 있다"(Perkins 1984, 52) 고 말하는 것은 근거가 없다. 이 본문은 지혜서 3:1-8을 논의함에 있어서 중요하다(아래의 제4장 제4절을 보라).

136) 예를 들면, *Ps. Sol.* 13:11; 14:10; cf. Cavallin 1974, 57-60. 또한 cf. Day 1996, 240.

안 폭력과 압제를 행하고도 무사히 지내왔기 때문에, 심판은 반드시 있어야 한다; 그 심판이 있을 때, 온 우주 질서가 커다란 변화를 일으키면서, 현재적으로 죽어서 그 영혼들이 참을성 있게 안식하고 있는 자들은 새로운 생명으로 부활하게 될 것이다. 앞에서 본 것처럼, 이러한 묵시록들 중 다수는 자신의 요지를 말하기 위하여 다니엘서 12장을 간접적으로 인용한다. 그리고 이러한 묵시록들 모두는 그렇게 함에 있어서 우리가 성경의 핵심적인 본문들 속에서 아주 밀접하게 서로 얽혀 있다고 보았던 것을 함께 결합시켜 놓는다: 이교도들의 압제로부터의 해방에 대한 이스라엘의 소망, 새로운 몸을 입는 상당히 변화된 실존에 대한 의로운 개인의 소망.

(v) 고난받는 지혜자들의 신원으로서의 부활: 솔로몬의 지혜서

헬라인들은 불멸을 믿었고 유대인들은 부활을 믿었다는 옛 전제는 역사적으로 부정확할 뿐만 아니라, 개념상으로도 뒤죽박죽이다. 그리고 개념들이 뒤죽박죽으로 되어 있을 때에는 본문들이 잘못 읽혀지게 된다. 이러한 현상은 매우 초기의 기독교와 거의 동일한 시기에 나온 것으로 보이는 한 중요하고도 핵심적인 책을 다룰 때에 가장 극명하게 드러난다: 솔로몬의 지혜서.[137] 바울이 솔로몬의 지혜서를 알았고, 로마서의 몇몇 대목에서 이 지혜서를 간접인용하고 이 지혜서와 간접적으로 대화하였음을 보여주는 표지들이 존재한다.[138] 그렇다고 해서, 이것은 초기 그리스도인들이 관념들의 주요한 자료로서 솔로몬의 지혜서에 의존하였다고 말하는 것은 아니다. 그러나 이 책이 실제로 어떻게 되어 있는지를 연구하는 것은 주후 1세기의 본문들을 이해함에 있어서 좋은 사례가 되고, 이후의 서술에도 우리에게 도움이 될 것이다.

---

137) 지혜서의 저작 연대에 대해서는 Gaius(즉, 주후 37-41년) 시대로 연대 설정을 강력히 주장하는 Winston 1979, 20-25를 보라. 그 밖의 다른 학자들은 좀 더 조심스럽게 연대 설정을 하고 있지만(예를 들면, Collins 1998, 179), 여전히 이 책을 주전 1세기 중반과 주후 1세기 중반 사이의 어느 시기로 설정한다. 지혜서에 대한 오늘날의 대부분의 이해의 배후에는 Larcher(1969, 1983)의 선구적인 저작이 있다.

138) 예를 들면, 롬 1:18-32과 Wis. 13:1-19; 14:8-31; 롬 2:4과 Wis. 12:10; 롬 9:14-23과 Wis. 12:12-22; 롬 9:20f.와 Wis. 15:7; 롬 13:1-7과 Wis. 6:3. 이 모든 것에 대해서는 Wright, *Romans*, ad loc.를 보라.

지혜서는 영혼의 불멸을 분명하게 가르친다; 그러므로 지혜서가 몸의 부활을 동시에 가르칠 수 없다는 것이 통상적으로 전제되어 왔다. 이러한 전제는 오늘날의 학계에서도 여전히 널리 퍼져 있다.[139] 하지만 그러한 전제는 사람들이 몇몇 학자들의 글을 읽으면서 생각하는 것보다 더 자주 도전을 받아 왔다. 좀 더 멀리 거슬러 올라가면, 토마스 아퀴나스는 지혜서가 부활을 믿었다고 역설하였다; 좀 더 최근에는 Emile Puech가 방대한 연구를 통해서 이와 동일한 주장을 하였다.[140] 그렇지만 그러한 전제는 지금도 지속되고 있기 때문에, 관련된 몇몇 특정한 본문들에 관한 상세한 설명들만으로는 뿌리뽑혀질 수 없는 것

---

139) 예를 들면, Reese 1970, 109f.; Schurer 3.572(Vermes); Collins 1998, 183-6; Gillman 1997, 10-12; Grabbe 1997, 52; VanderKam 2001, 125. Grabbe 53는 "불멸"과 "부활"이 사실 반대되는 것이 아니라고 보지만, 이것을 더 발전시키고 있지도 않고, 그러한 통찰이 특히 3장에 대한 읽기에 있어서 무엇을 의미하는지도 보지 못한다. Boismard 1999 [1995], 77는 그의 선험적인 전제들에 대하여 적어도 부끄러워하지 않는다: "우리는 이러한 가설(지혜서에서의 부활에 관한)이 다음과 같은 이유로 배제된다고 생각한다: 플라톤의 이론에 의하면, 몸의 부활은 생각할 수 없는 일이었다." 그런 후에, 그는 은연중에 5:16b-23과 3:7-9은 "후대의 삽입들, 즉, 후대에 지혜서 본문 속으로 삽입된 잘못된 단편(들)"이고 다른 사람에 의한 것이라고 주장한다(78f.). 이런 유의 수술은 그 자신의 이야기를 말해주는 것이다. Horbury 2001는 이 책이 하나님의 의에 대한 확증으로써 "불멸에 관한 교리"를 제시하고 있고, 3:7에서 의인들의 "육신적인 부활이 아니라 영적인 부활"을 가르치고 있다고 주장한다 — 하지만 그는 다른 점들에 있어서 이 책의 사상은 마카베오2서의 사상과 비슷하고, "불멸"과 "부활"은 고린도전서 15:53f.와 *Ps.-Phoc.* 102-15에서처럼 쉽게 공존할 수 있다고 본다(651, 656).

140) Aquinas, *Summa Contra Gentiles* 4.86; Puech 1993, 92-8, 306. 이 입장을 지지하는 그 밖의 다른 학자들은 Pfeiffer 1949, 339; Beauchamp 1964; Larcher 1969, 321-7; Cavallin 1974, 133 n. 4에 나와 있다; 여기에 이제 Gilbert 1999, 282-7가 추가되어야 한다. Collins 1978, 188 n. 39가 단언하고 있듯이, Larcher(또는 여기에 나오는 그 밖의 다른 학자)가 지혜서가 "그러한 것이 표준적인 유대적 신앙이었다는 입증되지 않은 전제로 인해서" 지혜서가 부활을 가르치고 있다고 주장하였다는 것은 사실이 아니다; 실제적인 논거들이 반복해서 제시되었다. 이와는 반대로, 불멸의 영혼에 대한 그 어떤 언급도 플라톤 사상을 의미한다는 입증되지 않은 전제로 인해서 학자들은 너무도 자주 이 본문 속에서 부활을 언급하고 있을 가능성을 부정해 왔다.

으로 보인다. 여기에는 추가적인 전제가 내포되어 있는 것으로 보인다: "지혜"와 "묵시 사상"은 정확히 서로 구별되는 별개의 범주들이기 때문에, 이 시기의 어떤 사상가 또는 저술가도 동시에 이 둘 모두에 속할 수는 없다는 대단히 잘못된 개념.[141]

우리는 지혜서에 대한 서로 다른 이해를 세 가지 차원에서 살펴보아야 한다. 첫째, 우리는 관련된 개념들을 간략하게 살펴보지 않으면 안 된다. 그런 후에, 우리는 지혜서의 근저에 있는 줄거리를 살펴보아야 한다(이것이 논증의 대부분을 차지한다). 끝으로, 다시 한 번 간략하게 우리는 지혜서가 놓여 있는 것으로 보이는 더 넓은 맥락을 검토하여야 한다.

이러한 차원들 가운데서 첫 번째는 지금 당장에 해결될 수 있다. "부활"과 "불멸"이라는 개념들은 그 자체로 서로 대립되는 것이 아니다.[142] 물론, "불멸"이라는 단어가 플라톤 사상을 도매금으로 가리키는 축약된 용어로 사용된다면, 그런 경우에는 부활이라는 개념은 들어설 여지가 없다. 학자들은 흔히 플라톤적인 "불멸"(여기에서는 선재하는 불멸의 영혼이 잠시 동안 죽을 몸 속에서 살기 위하여 왔다가 죽을 때에는 행복하게 놓여난다)이 "불멸"이라는 단어 자체의 유일한 의미가 아니라는 사실을 자주 망각하여 왔다. 이 단어는 그 자체로는 단순히 "죽음이 가능할 수 없는 상태"를 의미한다; 우리가 미리 앞서서 플라톤적인 입장을 채택하고 있지 않다면, 불멸이라는 단어는 그 자체로 몸을 입지 않은 상태에 국한될 수 없다. 사실, 부활은 "불멸"의 한 형태 또는 한 유형이다; 그리고 바로 이것이 바울이 고린도전서 15:53-54에서 말하고 있는 그것이다. 바울은 두 개의 별개의 신앙들을 "결합시키고" 있는 것이 아니다; 그는 단지 더 이상 죽음이 있을 수 없는 새로운 몸을 입은 삶, 즉 부활 자체를 묘사하고 있는 것이다.[143] 마찬가지로, 다니엘로부터 바리새인들을 거쳐서 그 이후에 이르기까지 부활을 믿었던 모든 유대인들은 당연히 육신의 죽음과 부

141) 예를 들면, cf. Gaventa 1987, 139. 이 점에 대해서는 특히 *JVG* 210-14; Wright, "Jesus"를 보라.

142) "부활" 언어의 논리와 그 안에서 "불멸"의 위치에 대해서는 위의 제3장 제2절을 보라.

143) 고전 15장에 대해서는 아래 제7장을 보라.

활의 몸을 다시 입게 되는 때 사이에 모종의 개인적인 정체성이 보장되는 중간 상태를 믿었다. 이것도 "불멸"의 한 형태이다. 우리가 "부활"이 사람이 죽음 직후에 들어가는 모종의 새롭게 몸을 입은 실존을 가리킨다고 생각하지 않는다면 — 그리고 이 시기의 유대인들이 그러한 것을 믿었다는 것을 보여주는 증거가 없다 — 모종의 지속적인 실존이 전제되고 있다는 것은 분명하다. "불멸"이라는 단어가 어떻게 사용되어 왔든지간에, 이 단어를 이러한 중간 상태를 가리키는 데에 사용하는 것은 우리를 오도할 수 있다; 그러나 그 중간 상태가 몸의 죽음에 의해서 제거되지 않은 모종의 개인적인 정체성을 포함하고 있다는 점에서, 그 용어는 부적절하다고 할 수도 없다.[144)]

이러한 종류의 지속적인 상태는 바로 지혜서 3:1-4이 염두에 두고 있는 것인데, 이 대목은 이 책의 나머지 부분이 방치되어서 학자들의 좀과 동록에 의해서 서서히 잠식된 오랜 후에 기독교 교회 속에서 지속적인 삶을 누리게 된다(장례식이나 추모식에서 찬송가들과 봉독들이라는 형태로). 이 대목은 사람들에게 위안을 주는 본문으로서, 그 자체로는 우리가 필로를 비롯한 여러 곳에서 만나게 되는 몸을 입지 않은 최종적인 운명을 가르치고 있는 것으로 보인다:

> 1의인들의 영혼은 하느님의 손에 있어서
> 아무런 고통도 받지 않을 것이다.
> 2미련한 자들의 눈에는 그들이 죽은 것처럼 보이고
> 그들이 이 세상을 떠나는 것이 재앙으로 생각될 것이며
> 3우리 곁을 떠나는 것이 아주 없어져 버리는 것으로 생각되겠지만,
> 의인들은 평화를 누리고 있다.
> 4사람들 눈에 의인들이 벌을 받은 것처럼 보일지라도
> 그들은 불멸의 희망으로 가득 차 있다.

---

144) Cohen 1987, 92은 불멸을 몸의 부활과 "아주 가까운 동맹자"라고 옳게 말한다. Barr 1992, 105가 불멸은 부활을 밑받침하기 위해 언급된다고 말한 것은 옳다; 하지만 이것은 분명히 마카베오4서에는 적용되지 않는다.

이것은 죽음 후의 의인들의 현재적 상태에 관한 따뜻하고 감동적인 설명이다. 영혼들이 신의 손 안에 있는 것에 대한 묘사는 성경에 포함되어 있거나 이 저자 자신의 시대로부터 나온 그 밖의 다른 많은 유대 본문들과 연결고리들을 지니고 있다.[145)]

그러나 이 본문을 그 맥락으로부터 분리하는 것은 그렇게 쉽지 않다. 이 본문의 맥락은 하나의 이야기, 여기에 인용된 절들을 일련의 계기들 중의 하나의 계기로 포함하고 있는 이야기이다. 불행히도, 이 책을 읽는 많은 독자들은 이 책을 "지혜"에 관한 철학적 담론으로 취급하여, 여러 별개의 "주제들"로 나누어서, 이 책이 지닌 이야기로서의 성격을 무시하고, 저자가 주의 깊게 결합시켜 놓은 내용을 세심하게 갈가리 찢어버리는 "분석들"을 행하거나 단순히 이 책의 본문들을 서로 상관이 없는 주제들에 관한 별개의 격언들을 모아 놓은 잡동사니로 취급하여 왔다.[146)] 이렇게 해서, 학자들은 여기저기에서 "불멸"이라는 단어를 끄집어내서 위에서 말한 불연속성을 전제하는 가운데 이 책의 본문들이 그 밖의 다른 어떤 것을 가르칠 수는 없다고 결론을 내렸다.

1-5장에서 제시되고 있는 이야기 — 그 안에서 우리는 1:16-3:10의 좀 더 작고 중심적인 이야기를 부각시켜야 한다 — 는 "의인들"과 "악인들"의 행사(行事)들과 각각의 운명에 관한 것이다. 이 이야기는 겉보기에 이 땅의 통치자들에 대한 경고라고 말해지지만(1:1; 6:1-11, 21, 24), 이러한 배경은 더 일반적인 가르침을 위한 허구적인 틀 이상의 것이다. 이 이야기는 옛적의 지혜로운 왕인 솔로몬의 입 속에 두어진다. 솔로몬은 지혜를 이해하고 있었고, 그의 나라는 굳건하게 세워져 있었다; 이 책은 세 사람의 통치자들에게 솔로몬과 동일

---

145) 예를 들면, 신 33:3; Philo *Abr.* 258; *Quaes. Gen.* 1.85f.; 3.11; 1.16; *Her.* 280; *Fug.* 97; 삼상 25:29을 인용하는 Sifre Num. 139 등과 이 시기의 많은 유대인 비석들을 참조하라. 또한 지혜서 5:16에 대한 아래의 서술을 보라.

146) 예를 들면, Winston 1979, 78; Kolarcik 1991를 따르는 Collins 1998, 182(아래를 보라). Nickelsburg 1972, 48-92(특히, 48 n. 1을 보라)는 이 내용을 여러 구분되는 단락들로 나누고 있는데, 이것으로 인해서 전체적인 이야기의 흐름은 고려되지 못하고 있다. 그가 2:21-3:9의 단락을 박해받고 신원된 의인의 이야기 속에 나오는 "행위를 제시하지 않는 편집주들" 중의 하나로 보고 있는 것은 특히 주목할 만하다.

하게 행하도록 강권하고 있다. 이렇게 해서, 6장은 1-5장의 교훈을 결합시켜서, 이 책의 중심적인 단원인 지혜 자체를 찬양하고 권고하는 7-9장으로 이끄는 역할을 한다. 그런 후에 10-19장에서는 아담에서 출애굽에 이르기까지 이스라엘에 관한 이야기를 다시 들려주는데, 이것에 대해서는 우리가 나중에 다시 살펴보게 될 것이다.

1-5장에서 들려주는 이야기는 악인들이 현재에 있어서 승리하고 있지만 장차 미래에는 하나님의 심판이 그들에게 임할 것이라는 전형적인 유대적 이야기이다. 이 이야기는 악인들이 세상이 돌아가는 이치를 머리를 짜내어 궁리하다가, 죽음은 모든 것의 끝이기 때문에, 지금 이 순간을 위하여 살아가는 것이 최선이라는 결론에 도달하게 되는 모습을 서술한다(1:16 — 2:9). 나아가, 그들은 한 의로운 사람을 눈여겨 보고, 그가 존재하는 것 자체와 그가 영위하는 다른 방식의 생활을 적대시한다; 그래서 그들은 그를 죽이기로 음모를 꾸민다(여기에서는 단수의 "의로운 사람"과 복수의 "의로운 사람들" 간에 본문상의 유동성이 존재한다). 그 의로운 사람은 창조주의 자녀라고 주장한다; 그러자 그들은 '좋다, 그러면 어디 한 번 시험해 보자'라고 생각한다. 그를 고문하고 죽여서, 그런 후에 그에게 무슨 일이 일어나는지를 보자. 그는 하나님의 "권고하심," 즉 그가 옳다는 것을 입증해 줄 모종의 미래적인 사건이 있을 것이라고 주장한다.[147] 그들은 이것을 당분간 믿지 않는다; 저자가 역설하고 있듯이, 죽음은 창조주의 아름답고 온전한 피조 세계 속으로 들어온 단순한 침입자라는 사실에도 불구하고(1:12-15), 그들은 죽음 자체와 계약을 맺었다(1:16). "하나님은 죽음을 만들지 않았다"고 저자는 선언한다(1:13).[148]

역사가들은 벌써 가설들을 세워가고 있을 것이다. 이 악한 사람들은 누구인

---

147) Wis. 2:20. 이 "권고하심"('에피스코페')과 3:7에 나오는 권고하심의 연결관계는 대부분의 번역문들에서 전혀 드러나지 않는다.

148) 이것은 죽음이 실제적인 것이 아닌 것으로 보아졌다는 것을 의미하지 않는다(예를 들면, Collins 1978, 186, 191 ; Barr 1992, 129f.에 의해서 주장된 것과 같이). 지혜서에서 몸의 죽음은 몸의 삶이 실재하고 중요한 것과 마찬가지로 실재하고 중요하다. 여기서 말하고자 하는 요지는 몸의 죽음에도 불구하고 이스라엘의 신이 놀라운 선물을 예비하였다는 것이다: 최후의 — 그리고 내가 아래에서 논증할 것이지만, 몸의 — 불멸, 즉 부활에 관한 소망을 지닌 일시적인 지복의 안식.

가? 바리새적인 관점에서 볼 때, 그들은 사두개인들 — 가난한 자들을 핍박하는 부유하고 권력있는 귀족층들 — 인가? 그들은 에피쿠로스 학파의 철학자들 또는 어떤 부류의 무신론자들인가?[149] 아니면, 유대적인 관점에서 볼 때, 그리고 더 구체적으로는 위협 또는 공격 아래에 있다고 느끼는 유대 공동체의 관점에서 볼 때, 그들은 단순히 이방인들인가(내게는 그렇게 보인다)? 1:16-2:20에 나오는 "악인들"에 관한 수식문구는 우리가 제2장에서 개략적으로 살펴보았던 많은 관점들에 대한 하나의 유대적인 요약이라고 쉽게 이해할 수 있다; 그리고 2:12-20에서 "악인들"의 입에 두어진 "의인들"에 관한 경멸적인 묘사는 특히 주후 1세기에 알렉산드리아 같은 곳에서 이교도들이 그들에게 행한 비판으로 유대인들이 이해하였을 바로 그런 종류의 것이다.[150] 특히, 악인들이 "의로운 사람"에게 제시하는 도전은 그들이 신의 자녀라는 그의 주장을 시험하고자 하는 것이다. 이것은 이 책 전체의 중요한 하위 주제로서, 창조주 신이 이교도들인 애굽인들 앞에 이스라엘이 진실로 자신의 장자라는 것을 밝히는 출애굽의 핵심으로 등장한다.[151]

저자는 "악인들"의 말이 끝나는 지점에서 잠시 멈추고 세상이 실제로 돌아가는 방식과 창조주의 목적을 그들이 무시하고 있음을 성찰한다. 죽음은 결코 창조주의 의도가 아니었다; 그러므로 죽음은 최종적인 것도 될 수 없다고 그는 은연중에 내비친다. 창조주는 우리를 썩지 않음('아프다르시아'; 바울에게 있어서도 중요한 단어)을 위해서 만들었고, 우리를 그 자신의 영원의 형상을 따라서 만들었다.[152] 그런 후에, 저자는 실제의 진상을 드러내는 내용을 서술한다. 의인들은 악인들에 의해서 죽임을 당할 수는 있지만, 악인들이 생각하듯이, 영원히 사라지는 것이 아니다. 죽은 의인들은 현재적으로 고통과는 아무런 상

149) 예를 들면, Larcher를 따르는 Gilbert 1999, 309; Grabbe 1997, 50을 보라. 위에서 보았듯이, Josephus는 사두개파를 에피쿠로스 학과에 비유한다.

150) 알렉산드리아에서의 정치적 긴장관계에 대해서는 Goodenough 1967 [1938]를 보라.

151) Wis. 2:13, 16, 18; 5:5; 18:13; 또한 cf. 14:3. 이것은 대부분의 학자들이 무시하는 또 하나의 이야기 연결고리이다.

152) Wis. 2:23. 일부 사본들은 글자 하나를 생략해서 "영원"이 아니라 "자연"으로 읽는다.

관이 없는 신의 손 안에서 평화롭게 살아간다. 그런 후에, 우리가 위에서 인용한 저 유명한 대목(3:1-4)이 나오고, 그 본문 뒤에는 이스라엘의 신이 어떻게 의인들을 용광로 속의 금과 같이 연단하여, 그들의 고난과 죽음을 희생제사의 번제로 받는지에 관한 성찰로 이어진다(3:5-6). 그러나 저자는 "의인들"의 현재적 상태에 주목하는 것으로 만족하지 않는다. 그는 자신의 독자들이 그 다음에 무슨 일이 벌어질 것인지에 대하여 집중하기를 원한다.

내 판단에는, 이 대목이 본문에 대한 가장 심각한 잘못된 읽기들이 일어났던 바로 그 지점이다.[153] 지혜서 3:1-10은 "의인들"의 죽음 이후에 무슨 일이 일어나는지에 관하여 두 단계의 설명을 제시하고 있다: "신의 손 안에서의" 현재적 실존은 단지 앞으로 일어날 일에 대한 전주곡에 불과하다는 하나의 이야기:

> 7하나님께서 그들을 찾아 오실 때 그들은 빛을 내고
> 짚단이 탈 때 튀기는 불꽃처럼 퍼질 것이다.
> 8그들은 민족들을 다스리고 백성들을 통치할 것이며
> 주께서 무궁토록 그들의 왕으로 군림하실 것이다.
> 9주를 의지하는 사람은 진리를 깨닫고
> 주를 믿는 사람들은 그 분과 함께 사랑 안에서 살 것이다.
> 은혜와 긍휼하심이 주의 택하신 자들을 기다리고 있다.[154]
> 10그러나 악인들은 그들의 그릇된 생각 때문에 벌을 받을 것이다.
> 의인을 무시하고 주를 배반하였기 때문이다.[155]

---

153) 예를 들면, Kellermann 1979, 102-04. 그는 그의 저서 전체의 주제에도 불구하고, 오직 실제로는 지혜서 3:1-6만을 논의한다.

154) 일부 사본들은 4:15에서처럼 추가적인 행을 첨가한다: "그리고 그는 그의 택하신 자들을 감찰하신다."

155) 많은 본문들과 번역문들은 9절과 10절 사이에 단락 구분 표시를 삽입한다. 이것은 현재의 논증에 영향을 미치지 않을 것이다: 10절은 앞에 나오는 내용과 자연스럽게 어울려서 심판 장면을 마무리하고 있는 것으로 보이지만, 3:11-4:15은 그 후에 4:16이 이 이야기를 다시 한 번 거론하기 전에 악인들의 삶에 대한 긴 묵상을 제시한다.

7-10절이 1-4절에서 묘사된 상태 이후에 일어나는 추가적인 사건을 서술하고 있다는 것은 분명해 보인다.[156] 이 본문은 단순히 두 번째의 병행되는 묘사, 또는 재해석이 아니다.[157] 어쨌든 4절의 "영혼들"은 여전히 "불멸로 가득 찬 소망"을 지니고 있다; 이 말은 그들이 아직 불멸에 온전히 도달하지 못했다는 것을 함축한다. 이 본문에 대한 주류적인 읽기는 사실 피조 세계의 선함에 대한 전형적인 유대적 신앙(1:14)에 굳건하게 토대를 둔 죽음 자체에 대한 저자 자신의 변증(1:12-16; 2:23-24)을 충분히 진지하게 고려하지 않아 왔다 — 이 점은 피조 세계 자체가 이스라엘 사람들이 이집트에서 도망할 때에 그들을 도왔다고 말하고 있는 이 책의 끝 부분에서 다시 반복된다.[158]

주석자들은 악인들이 죽음과 제휴하고 있다는 데에 동의할 위험성이 항상 존재한다 — 앨런 시걸(Alan Segal)이 3:1-4을 요약하고자 시도하면서, 여기에는 "심판이 행해질 분명한 종말의 때라는 것이 존재하지 않는다"(만약 그가 몇 절만 더 연구를 계속했다면, 그런 것이 거기에 있는 것을 알았을 것이다)고 말하면서, "아무도 죽음으로부터 되돌아올 수 없다는 점에서, 죽음을 위한 치료약은 존재하지 않는다"고 감동적으로 말함으로써 은연중에 채택하고 있는 입

---

156) 예를 들면, Nickelsburg 1972, 89; Cavallin 1974, 127f. 하지만, 이 두 사람은 어느 쪽도 이 두 번째 단계가 무엇으로 이루어지는지를 식별해내지 않는다. 올바른 결론은 F. Focke를 인용하는 Larcher 1969, 322f.에 의해서 도출된다: 현재의 수동적 평화의 상태(1-4절)는 "n' est pas encore la beatitude definitive"("분명한 지복 상태를 반복하지 않는다"). Boismard 1999 [1995], viii는 두 단계의 과정을 인정하지만, "의인의 영혼들은 일정 기간 하데스에 머문 후에 하나님께로 인도된다"고 말한다. "하나님의 손 안에" 있는 것이 어떻게 (a) 하데스와 동일시고 (b) 의인이 "하나님께로 인도되는" 출발 지점을 지칭할 수 있는지를 나는 이해할 수 없다.

157) 예를 들면, Kolarcik 1991, 82-5는 반대한다. Kolarcik은 8절의 의미를 논의하는 것을 피하고(42), 7a절과 9b절을 한데 뭉뚱그려서 저자가 마치 이러한 복된 불멸의 상태 속에서 의인들이 "덤불 속을 타들어가는 불꽃들과 같이 빛을 발할 것이고, 그들은 사랑 안에서 하나님과 함께 머물게 될 것이다"라고 말하고 있는 것처럼 보이게 만든다. 저자는 단순히 "겉모양"(2-3a절)과 "실재"(7-9절)를 대비하고 있는 것이 아니라, 현재와 장래를 대비시키고 있는 것이다.

158) cf. Wis. 16:17-29; 19:6-12, 18-21. 이 점은 Beauchamp 1964에 의해서 올바르게 강조되고 있다.

장.[159] 물론, 이것은 저자에 의하면 악인들이 말하고 있었던 바로 그것이다(2:1-5); 하지만 현재의 본문이 씌어진 것은 그러한 관점을 밑받침하기 위한 것이 아니라 반박하기 위한 것이다. 분명한 것은 주석을 통해서 본문의 의미가 이와 같이 역전되어 버린다면 일은 크게 잘못되어 버린다는 것이다. 시걸은 이 작품이 "불멸이라는 헬라적인 개념을 사용해서, 순교자들의 부활이라는 좀 더 전통적인 유대적 개념을 설명하고 있다"고 분명하게 말한다.[160] 나는 이제 이 작품은 부활을 묘사하고 있으며, 헬라적인 개념의 그 어떤 차용(이것은 어쨌든 이 시기 전체에 걸쳐서 모든 유대교에서 나타난다)은 이러한 본질적으로 유대적인 개념 내에서 이루어지고 있다는 것을 논증하고자 한다. 사실, "불멸"은 부활에 관한 묘사가 명료성을 얻게 하는 데에 기여하고 있다.

이제 그 영혼들이 창조주 신의 손 안에서 안전하게 있는 의인들에 관한 묘사(3:1-4)로 되돌아 가보자. 그들은 불의한 자들에게는 죽은 것으로 보였다고 저자는 말한다; 아무튼 죄인들은 죽음이 모든 것의 끝이라는 그들의 신념을 분명히 밝혔었다(2:1-5). 겉보기와 실제 간의 이러한 대비는 이교적 및 유대적 저작들 속에서 다른 곳에서도 지적된다.[161] 하지만, 실상은 의인들은 그들의 신이 희생제사로 여긴 불 같은 시험의 때를 통과해 온 것이다.[162] 지금 그들은 평안 중에 거한다. 그들의 소망은 불멸, 즉 그들이 바라보고 있는 죽음이 없는 삶이다.[163] 여기에는 몇몇 혼란스러운 점들이 존재하기는 하지만, 저자는 전체적으로 영혼은 자연적으로 불멸하지 않고, 지혜를 얻음으로써 불멸에 도달할 수 있다고 분명하게 믿고 있다.[164]

하지만, 이 이야기의 끝은 이제야 비로소 시야에 들어온다. 7-10절은 추가적

159) Segal 1997, 103.

160) Segal, ibid.

161) 예를 들면, Plato *Phaedo* 106e, 114c, 115d; *1 En.* 102:6f.

162) 동일한 단어 *holokautoma*는 4 Macc. 18:11에서 이삭에 대하여 사용된다.

163) "평안히 거하는 영혼"은 이 시기의 유대인들의 비석에 자주 씌어진 문구였다; 자세한 것은 Winston 1979, 126f.를 보라.

164) Wis. 4:1; 8:13, 17; 15:3을 보라; cf. Philo *Quaes. Gen.* 1.16; *Op.* 154; *Conf.* 149. 여기에는 현재의 책 속에서의 지혜의 역할과 신약성서, 특히 바울 속에서의 믿음 또는 그리스도의 역할 간의 몇몇 잠재적인 병행들이 존재하는 것으로 보인다(나는 이러한 점을 지적해 준 Andrew Goddard 박사에게 감사한다).

인 사건을 서술한다: 의인들의 장래의 상태.[165] 우리는 이것을 차례차례 살펴보지 않으면 안 된다; 이 본문 전체의 논리가 이러한 읽기를 중심으로 진행되기 때문에, 논증은 누적적이지는 않지만, 세부적인 내용들은 이야기의 구조에 상당한 무게를 더해 준다.

"그들을 찾아오시는 때"(7절)는 분명히 여전히 미래에 있을 하나의 사건을 가리킨다.[166] 이 책 속에서 "찾아오심"('에피스코페')은 창조주가 악인들을 단죄하고 의인들을 신원할 심판의 날을 가리키는 데에 통상적으로 사용되는 단어이다. 이것은 의인들이 말했던 바로 그때로서, 이 말로 인해서 악인들은 의인들을 조롱하면서 그들을 시험해 보기로 결심한다(2:20). 이 단어는 현재의 본문에서 몇 절 뒤에 다시 나오고(3:13), 직접적인 배경 속에서 다시 한 번(4:15),[167] 이 책의 나중에 두 번(14:11; 19:15) 나온다. 각각의 경우에 이 단어는 적극적으로든 소극적으로든 공의가 행해질 하나님의 "찾아오심"을 가리킨다. 이 단어는 칠십인역에서 동일한 범위의 의미를 지니고 자주 나온다;[168] 신약성서는 이런 의미로 사용된 이 단어의 두 번의 용례를 제공해 주는데, 이 두 용례는 모두 주목할 만하다.[169] 행악자들, 특히 우상숭배자들이 거드름을 피우며 악한 행동을 할 때, 거기에는 반드시 하나님이 모든 일들을 바로잡을 "찾아오심"이 있을 것이다. 현재의 맥락 속에서 우리가 말해두어야 할 것은 7절은 1-4절의 사건들을 또 다른 관점에서 재해석하고 있는 것일 수 없다는 것이다. 7절은 새로운 내용, 즉 안식의 때 이후에 새로운 일이 의인들에게 일어날 것이라는 것을 추가하고 있다는 것은 분명하다.

그러나 이 "새로운 일"이란 과연 무엇인가? 그들은 "빛을 내고 짚단이 탈 때 튀기는 불꽃처럼 퍼질 것"이라고 저자는 말한다. 이것은 3:1-4과 동일한

---

165) Puech 1993, 97 등은 이에 동의하고, Kolarcik 1991, 42, 84f. 등은 반대한다.

166) Cavallin 1974, 127f.; Grappe 2001, 65.

167) 이 동일한 어구는 지혜서 3:9의 긴 읽기에도 나온다(아래를 보라).

168) 예를 들면, 창 50:24f.; 출 3:16; 4:31; 민 16:29; 사 10:3; 23:17; 29:6; Sir. 16:18; 23:24. 특히 흥미로운 것은 현재 본문에 나오는 것과 동일한 어구를 사용하는 예레미야 6:15, 특히 10:15f.이다.

169) 눅 19:44; 벧전 2:12. 또한 누가복음 1:68, 78; 7:16; 사도행전 15:14.에 나오는 동일 어원의 동사를 참조하라.

것이라고 할 수 없다. 이것은 단지 의인들의 영혼이 사후의 상태 속에서 별들과 같이 되었다는 것을 보여주고 있는 것이 아니다. 이것은 "별이 되어 사는 불멸의 삶"에 대한 언급이 아니다.[170] 여기에 묘사되고 있는 것은 다니엘 12:3에서와 마찬가지로 의인들이 죽음 직후에 들어가게 되는 상태가 아니다. 오히려, 이것은 의인들이 이 땅에 다시 나타나서 열방들을 다스리고 심판하는 영광스럽고 특권적인 새로운 상태이다. "그들이 빛을 낼 것이다"를 나타내는 단어('아나람프수신')는 다니엘서 12:3의 테오도티온 역본에서 사용된 단어('에크람프수신'')와 매우 가깝고, 그 이미지는 에녹1서에서 분명하게 부활을 염두에 둔 본문들과 비슷하다.[171] 헬라어에서 드물게 사용되는 동사인 '아나람포'는 실제로 "빛을 발하다"를 의미하고, 해가 빛을 내는 것에 대하여 사용될 수 있다; 그러나 이 동사는 은유적으로 질투가 "불타오르다" 또는 열정이 "활활 타오르다"를 의미하는 데에 사용되기도 한다. 플루타르크는 한 흥미로운 본문 속에서 브루투스가 "소생하여" "정신을 차리게 된 것"을 묘사하는 데에 이 동사를 사용한다.[172] 이것이 여기에서 요구되는 의미와 비슷한 것이 아닌가 나는 생각한다. 그 영혼들이 그들을 만드신 자의 손 안에 현재적으로 있는 의인들은 아직 궁극적인 목적지에 도달하지 않았다. 하나님이 그들을 "찾아오실" 때에 그들은 "다시 살아나서" 다니엘서 12:2-3(대다수의 학자들이 동의하듯이, 이 본문은 지혜서 2-3장의 배후에 있다)에서 "지혜자들"과 동일한 종류의 영광에 도달하게 될 것이다; 달리 말하면, 그들은 피조 질서를 다스리는 권세를 얻게 될 것이다. 이것은 그 다음에 나오는 절들 속에서 곧바로 확증된다. 실제로 이런 식으로 읽을 때에 전체적인 사고의 흐름이 통일성을 갖게 된다는 것은 이러한 주장을 강력하게 밑받침하는 논거가 된다.

"짚단이 탈 때 튀기는 불꽃처럼 퍼질 것이다"라는 표현은 모종의 별과 관련되거나 천상적인 지복 또는 영광을 연상시키는 것이 아니라, 이사야서 5:24과

---

170) 많은 저술가들, 예를 들면, Reese 1970, 79; Martin 1995, 274 n. 57; Grabbe 1997, 56(Dupont-Sommer 1949를 따르는)에도 불구하고. "별과 관련된 불멸"에 대해서는 위의 제2장 제2절; 제3장 제4절을 보라.

171) 예를 들면, *1 En.* 38:4; 39:7; 62:13-16; 104:2; 108:12-14. 또한 4 Ezra 7:97; *2 Bar.* 51:10을 보라.

172) Plut. *Brut.* 15; cf. 2.694f. LSJ s.v.에 나오는 다른 전거들.

오바댜서 18절에서처럼 심판에 관하여 말하고 있는 것이다.[173] 이렇게 이 이미지는 우리를 다음 절을 위하여 준비시키는데, 거기에서는 의인들이 열방들을 심판하고 백성들을 다스리는 등, 다니엘서 7:22, 시락서 4:15, 1QpHab 5.4 등에서 종말론적인 야훼의 백성에게 돌려지고 있는 역할을 맡게 된다. 이것들이 말하고자 하는 전체적인 요지는 이런 일이 현재적으로, 즉 3:1-4에서 묘사되고 있는 때에 일어나고 있는 일이 아니라는 것이다; 현재적으로 의인들은 죽임을 당하여 없어져 버린 듯이 보이고, 악인들은 그들이 사라진 것을 축하하고 있다; 그러나 그들은 세상의 주인들로 다시 돌아올 것이다. 이것은 우리가 시편 72편과 89:19-37 같은 제왕 시편들, 이사야서 11:1-10 같은 예언 본문들 속에서 발견하는 것과 동일한 이미지이다. 따라서 우리는 더 큰 이야기 속에서 이 본문에 해당하는 지점에서 의인들에게 왕의 면류관이 주어지는 장면이 나올 때(지혜서 5:15)에 그것을 이상하게 여기지 말아야 한다. 이러한 장면은 고난받은 "지극히 높으신 이의 성도들"이 나라를 수여받고 열방들을 심판하는 것에 관한 다니엘서의 묘사로부터 이미 우리에게 친숙한 대목이다.

사실, 우리는 고전적인 묵시 사상의 방식대로 "하나님(신)의 나라" 신학이라고 부를 수 있는 것의 한복판에 있다.[174] 지혜서 3:8b이 명시적으로 이스라엘의 신이 왕이 될 것이라는 것을 언급하지 않았다면, 우리는 이 어구를 이 본문 전체의 흐름에 대한 요약으로 사용하고 싶었을 것이다. "주가 영원히 그들의 왕이 될 것이다." 또는 "주가 영원히 왕으로서 그들을 다스릴 것이다." 이것을 통해서 우리는 다시 한 번 야훼의 다가올 나라가 매우 명시적으로 악한 자들, 특히 이방 나라들의 전복과 의인들, 특히 이스라엘의 신원을 가리키는 성경의 기나긴 전승으로 되돌아오게 된다.[175] 야훼의 통치는 우주적인 것이 될 것이고, 악행자들에 대한 공의와 의인들의 신원에 대하여 보편적으로 효력을 미치게

---

173) Reese 1970, 79와 다른 참고문헌들을 보라. 또한 cf. 욜 2:5; 나 1:10. 오바댜 본문에서 유대인들은 불이고, 에돔인들은 그루터기이다.

174) "묵시사상"(파악하기 어려운 미묘한 단어이지만, 여기에서 여전히 유익하다)에 대해서는 *NTPG* 280-99(다니엘서에 관한 논의를 포함해서)를 보라. 또한 *JVG*의 여러 곳, 특히 95-7, 207-14, 311-16("지혜"와 "묵시사상"의 관계에 관한)을 보라.

175) 예를 들면, 지혜서 3:8b와 사용하는 단어들이 매우 비슷한 출 15:18; 시 10:16; 29:10; 146:10; 렘 10:10; 애 5:19; 특히 단 4:34; 6.26. 이 본문들을 하나씩

될 것이다. 10절이 아주 극명하게 보여주고 있듯이, 이것이 바로 현재의 본문이 의미하고 있는 것이다.

이것은 3:9이 이미 3:1과 3:3에서 언급된 바 있는 하나님의 사랑하시는 현존 속에 거하는 지복의 상태를 가리킬 수 없다는 것을 의미한다. 그것은 이 이야기 속에서 새로운 계기이다 — 특히, 9절에 대한 긴 읽기를 받아들이는 경우에.[176] 전체적인 사고의 흐름은 사실 우리가 다니엘서에서 거듭거듭 발견하고 7장과 12:1-3에 나오는 진술들 속에서 절정에 달하고 있는 내용을 더 정확하게 자세하게 풀어서 설명하고 있다. 지혜서 2-3장과 다니엘서 간의 연결고리들은 흔히 지적되어 왔지만, 그러한 연관관계가 지혜서의 본문의 해석에 미치는 결과는 거의 고려되어 오지 않았다; 마찬가지로, 이사야서 53장과의 연결고리들도, 많은 학자들이 지적해 왔듯이, 아주 분명하지만, 아직까지도 그 결과가 해석에 충분히 반영되어 오지 않았다.[177] 현재의 본문은 "부활"이라는 단어를 언급하지 않는다 — 이것은 저자가 실제로 이교도들을 포함한 청중들에게 말하고자 하는 의도를 지니고 있었고, 그는 "부활"이 모든 이교도들이 단호하게 부정하는 것이었음을 아주 잘 알고 있었기 때문이다.[178] 그러나 이 본문이 다니엘서에서와 마찬가지로 하나님의 백성의 궁극적인 운명에 관하여 동일한 것을 가르치고 있다는 것은 지금에 있어서 전혀 의문의 여지가 없다.

악인들과 의인들의 행실에 관한 곁가지 설명(3:11 — 4:15) 다음에 심판장면이 4:16 — 5:23에서 다시 등장할 때, 우리는 다니엘서와 후대의 묵시론적 저술가들에 의해서 제시된 지점에 서 있다는 분명한 인식을 다시 한 번 갖게 된다. 현재에 있어서 의인들 — 죽은 자들이나 산 자들이나 — 을 조롱하고 있는 악인들은 그들이 한 일들과 말들이 가져올 결과들에 직면하게 될 것이다. 악인들이 죽어서 없어져 버렸다고 생각한 의인들은 다시 한 번 그들 눈 앞에 나타나게 될 것이다. 왜냐하면, 의인들은 그들의 압제자들 앞에 "당당하게

자세하게 연구해보면, 이 점이 훨씬 더 분명하게 드러날 것이다.

176) Kolarcik 1991, 42 등은 이에 반대한다.

177) 특히, Nickelsburg 1972,61-6(on Isa.); 62-86(on Dan.); Cavallin 1974, 127과 133 n. 8에 나오는 다른 참고문헌들; 또한 이사야 본문으로부터의 영향과 병행들에 대하여 쓴 Winston 1979, 146을 보라.

178) Puech 1993, 96f.를 보라.

서 있게" 될 것이기 때문이다; "서다"('스테세타이')라는 단어는 그 자체로 부활을 가리키지는 않지만, 부활을 의미하는 '아나스타시스'와 동일한 어원에서 나온 단어라는 관계에 있고, 여기서 말하는 요지가 이전에 죽은 사람들이 지금은 놀랍게도 악인들의 목전에 나타나서 그들을 심판한다는 것이기 때문에, 여기에서 부활이 염두에 두어지고 있다고 말하는 것은 옳다.[179] 이 장면은 특히 의인들이 실제로 창조주 신의 자녀들이라는 것을 발견하고서는 악인들이 당혹스러워 한다는 내용을 통해서 앞서의 장면과 연결된다.[180] 그런 후에, 악인들은 바람이나 연기 같이 아무런 알맹이도 없는 공허한 존재임이 드러난다; 그들은 이교도의 길을 받아들였고, 따라서 이교도의 운명이 그들에게 임한다.[181] 반면에, 의인들은 면류관들과 왕관들로 상급을 받게 된다. 왜냐하면, 야훼가 이사야서 59:17-18에서 약속한 일, 즉 무장을 하고 결정적인 승리를 거두실 것이기 때문이다. 흥미롭게도, 피조 세계 전체가 이 책의 후반에 나오는 출애굽 이야기에 대한 재해석에서와 마찬가지로 의인들의 편에 서서 전투에 참가하게 될 것이다(5:20). 이 모든 일이 의인들의 영혼이 하나님의 손에 있는 동안에 "실제로" 일어나고 있는 일이라는 것을 보여주는 그 어떤 암시도 없다; 오히려 반대로, 의인들이 남김없이 사라졌다고 생각했던 악인들이 다시 나중에 의인들을 대면하게 된다는 이 이야기 전체의 논리는 그것이 추가적인 국면, 결정적인 심판의 새로운 계기, 하나님의 "찾아오심"의 때라는 것을 분명하게 보여준다.

그렇다면, 이 책에서 계속해서 나오는, 영혼의 불멸을 단언하고 몸에 관한 좀 더 플라톤적인 견해를 보여주는 그 밖의 다른 본문들은 어떻게 된 것인가? 저

179) Cavallin 1974, 129은 의인이 "서 있고" 눈으로 볼 수 있다는 것은 그가 몸을 지니고 있다는 것을 보여주는 것으로 생각된다는 것에 동의하지만, 이러한 언어가 저자가 몸의 부활을 믿었다는 "강제적인 증거로 사용될 수" 있다는 것은 부정한다. 이 본문 자체로 보아서는 아마도 그럴 것이다; 그러나 1-5장 전체의 맥락 속에서 보면, 저자는 몸의 부활을 믿은 것으로 해석될 수 있다.

180) Wis. 5:5; cf. 2:13, 16, 18. 18:13에 출애굽기 4:22f, 12:31을 반영하여 이 주제가 마지막으로 등장한다는 것은 여기서 "신의 자녀들"이 종종 주장되는 것과는 달리(예를 들면, Cavallin 1974, 129, 134 n. 17; Winston 1979, 147) "천사들"이 아니라 "이스라엘"을 의미한다는 것을 보여준다.

181) Wis. 5:9-14.

자는 8장과 9장에서 지혜에 관하여 묵상하고 그의 독자들에게 지혜를 구하라고 강권하면서 성경적 전승이 아니라 필로와 더 많은 공통점을 지니는 표현들을 사용하고 있는 것으로 보인다. 지혜서 8:13은 지혜가 불멸을 수여한다고 말한다. 8:19-20에서 저자(솔로몬의 입을 통해서 말하고 있는)는 선한 영혼은 자신의 운명 속으로 곧장 들어간다고 말한 후에, 즉시 자신의 말을 수정한다: "아니 오히려, 선하기 때문에 나는 더럽혀지지 않은 몸에 들어갔다." 일부 학자들은 이것이 윤회설에 대한 암시라고 생각하여 왔다.[182] 또 어떤 학자들은 이것은 저자가 과도하게 수정한 것으로서 20절을 있는 그대로 받아들이기를 의도하지 않았다고 주장한다.[183] 분명히 "더럽혀지지 않은" 몸이라는 언급은 "썩어 없어질 몸이 영혼을 짓누르고 있고, 이 땅의 장막이 사려 깊은 영혼에게 짐이 된다" — 바울 서신을 읽은 독자들은 흥미롭게도 고린도후서 4:16 — 5:5을 통해서 이미 친숙해진 문장 — 고 말하는 9:15과 불편하게 동거하고 있다.[184]

그러나 주된 대비는 불멸의 영혼과 썩어 없어질 몸이라는 플라톤적인 대비가 아닌 것으로 보인다; 오히려, 여기서의 문제 — 바울에서와 마찬가지로 — 는 현재의 몸이 "썩어 없어질 것"으로서 죽을 운명에 있다는 것이다. 그러한 몸에 관하여 탄식하는 것은 몸을 입지 않은 실존을 갈망하는 것이 아니라, 이미 존재하는 내적인 생명에 걸맞는 몸을 갈망하는 것이다.

우리가 처음 세 장에서 죽음에 관하여 말해진 것을 진지하게 받아들인다면, 플라톤적인 철학자가 성가시고 악한 물질적인 몸으로부터 벗어날 수 있는 좋은 기회라고 해서 열렬하게 환영하였을 죽음은 하나님의 선한 세계 속으로 침입해 들어온 원수로 여겨지고 있는 것이 분명하다 — 저자가 아주 갑작스럽게 마음을 철저하게 바꾼 것이 아니라면. 하지만 지혜서 8장과 9장은 의심할 여지 없이 필로와 동일한 사상 세계와의 암묵적인 대화 속에서 그 자체로는 여러 가지 다른 방식으로 해석될 수 있는 표현들을 사용하였음이 분명하다. 하지

182) Grabbe 1997, 55를 보라.

183) Winston 1979, 25f.(Larcher를 따르는). 이 책의 인간론이 어쨌든 일관되게 설명되고 있지 않다고 지적하는 de Boer 1988, 59를 보라.

184) 플라톤과의 병행의 가능성에 대해서는 *Phaedo* 66b, 81c; 다른 비교 자료들에 대해서는 Winston 1979, 207(여기에 Hor. *Sat.* 2.2.77-9를 추가한다)을 참조하라. 고린도후서 4:5에 대해서는 아래 제7장을 보라.

만 16:13에는 그러한 말이 적용되지 않는데, 이 절은 야훼는 진정으로 생명과 죽음에 관한 권능을 쥐고 있는 분으로서, 유한한 사람들을 하데스의 문까지 데려다 놓을 수도 있고 다시 데려올 수도 있는 분이라는 성경적인 강조점을 사용하고 있다.[185] 이것은 약간 다른 관점을 취하고 있기는 하지만, 창조의 주로서의 야훼에 대한 유대적인 강력한 신앙을 강조한다.

솔로몬의 지혜서는 16-19장에서 출애굽 사건을 장엄하게 다시 이야기하는 것으로 대단원의 막을 내린다. 여기에 이르러서야 마침내 우리는 이 책의 모든 것이 어디를 향하여 가고 있었는지, 악인들과 의인들 간의 장면들이 무엇을 지향하고 있었는지를 똑바로 보게 된다. 이집트인들은 이스라엘 사람들을 그들의 권력 아래에 잡아 두었지만(17:2), 재앙들이 그들에게 임한 반면에, 이스라엘 사람들에게는 빛과 보호가 있었다(18:1-4). 이것은 1-5장 내에서의 3:1-4와 어느 정도 상응한다.

그리고 이것도 이스라엘의 신이 이집트인들에게 죽음을 가져오고 이스라엘 사람들에게는 그렇게 하지 않음을 통해서 이집트인들을 심판하고 이스라엘 사람들을 구원하는 마지막 장면(18:5-13)에 대한 전주곡일 뿐이다. 이 일을 통해서 이집트인들은 이스라엘이 진정으로 하나님의 자녀라는 것을 선언한다(18:13).[186] 이 과정에서 플라톤 사상에서처럼 암울하고 악한 곳이 아니라 1:14에서처럼 선한 창조주의 선한 피조물인 피조 세계는 이스라엘의 편에서 싸움을 한다. 온갖 세력들이 야훼의 백성을 치려고 전열을 가다듬었지만, 피조 세계는 스스로를 새롭게 하여 예기치 않은 방식들로 행동하여서 야훼의 백성의 해방이 일어날 수 있게 만든다.[187]

끝으로, 우리는 이 주목할 만한 책의 암묵적인 배경에 관하여 묻지 않을 수 없다. 확실하게 말하는 것은 불가능하지만, 나는 위험과 환난의 때에 이스라엘과 그 잠재적이거나 실제적인 핍박자들 모두를 향한 암호화된 메시지로 이 책을 읽어야 한다고 역설한 윈스턴(Winston)을 비롯한 여러 학자들의 견해에 동의한다. 출애굽 때에 이교도들인 애굽인들로부터 이스라엘을 구원하기 위하

185) Cf. 신 32:39; 삼상 2:6.

186) Wis. 2:13, 16, 18; 5:5에 나오는 이 주제에 대해서는 위의 서술을 보라.

187) cf. Wis. 16:17-29; 19:6-12, 18-21.

여 역사하였던 그 신이 또 다시 그렇게 하실 수 있고 또한 그렇게 하실 것이다. 독재자의 가장 큰 무기인 죽음은 창조주의 세계 속으로 침입해 들어온 침략자이고, 야훼는 죽음을 이기고 의인들을 생명으로 회복시킬 뿐만 아니라 그들을 통치자들, 판관들, 왕들로 세울 권세를 가지고 있다.

오늘에 와서 새로운 증거 없이는, 초기의 장들에 나오는 "악인들"로부터 마지막 장면들에 나오는 이집트인들에 이르기까지 암묵적인 대적들이 저자 당시의 이방 이집트인들인지(그가 이집트, 아마도 알렉산드리아에 살았다고 한다면), 또는 로마인들, 또는 단순히 이교 세계 전반을 가리키는 것인지를 결정하는 것은 가능하지 않을 것이다.[188] 그러나 우리는 이 책이 처음부터 세계의 통치자들을 향하여 말하고자 하는 의도를 분명히 드러내고 있고(1:1), 중심적인 단락(6:1-11)을 도입할 때에 이 주제로 다시 돌아가고 있는 것을 고려하면, 우리는 이 책으로부터 정치적인 차원을 배제해서는 안 된다. 학자들이 최근에 바울 서신들이 지닌 정치적인 함의들을 재발견해 온 것과 마찬가지로, 이제는 솔로몬의 지혜서를 단순히 철학적인 글이 아니라 유대인들을 압제하는 이교도들에 대한 암호화된 경고, 유대 지도자들에 대한 암호화된 격려문으로서 그들에게 굳건하게 서서 최후의 신원을 위하여 그들의 신을 의지하라고 강권하는 책으로 읽어야 할 때인 것으로 보인다.[189] 마카베오 위기, 주전 63년의 로마의 점령, 주후 1세기 전반에 팔레스타인, 이집트 등지에서 일어난 격동의 사건들, 주후 70년의 끔찍한 대재난이 이후의 저작들 속에서 판이하게 서로 다른 방식들로 사용되었다는 것을 우리가 생각한다면, 솔로몬의 지혜서가 지혜

188) 로마 제국, 좀 더 구체적으로는 저 유명한 '팍스 로마나'(*pax romana*)에 대한 암호화된 공격일 가능성은 "무지로 인해서 커다란 싸움 속에서 살아가는" 이교도들이 "그러한 큰 악들을 평화라고 부른다"고 말하고 있는 지혜서 14:22에 의해서 한층 강화된다. 이것은 우리에게 타키투스가 Briton Calgacus의 입속에 둔 으시으시한 말을 생각나게 한다: "그들은 광야를 만들고는, 그것을 '평화'라 부른다" (*Agr.* 30.6). *NTPG* 154를 보라.

189) 바울에 대해서는 Horsley 1997; 2000 등을 보라. 지혜서에 대해서는 Winston 1979, 24 n. 35의 논평을 보라. Collins 1998, 179가 이 책은 "베일에 가려진 역사적 주석서"로 읽혀질 수 없다, 달리 말하면 우리는 이 책으로부터 정확한 상황을 있는 그대로 읽어낼 수 없다고 말한 것은 옳다. 강력한 정치적 의도의 가능성은 여전히 열려 있다. 다시 한번 Goodenough 1967 [1938]가 도출해 낸 Philo와의 병행을 보라.

의 추구를 통해서 불멸을 얻는 방법에 관한 냉정하고 초연한 글이 아니라 용기를 내어서 저항하라고 촉구하는 흥분되고 극적인 부름으로 열렬히 읽혀졌을 상황들을 생각해내는 것은 어렵지 않을 것이다. 그리고 일단 훈련된 역사적 상상력이 그 지점까지 간 후에는, 이것이 바로 저자가 의도했던 것이었다고 생각하는 것은 아주 쉬운 일이었을 것이다.

그러므로 우리는 Puech, 길버트 등과 같은 학자들의 주장을 확증하고 강화시킬 수 있다. 솔로몬의 지혜서는 분명히 "불멸"을 가르치지만, 그것은 (a) 선재하는 영혼 속에 내재하는 불멸이 아니라 지혜를 통해서 얻어지는 불멸이고 (8:19-20은 여전히 문제의 소지가 있는 본문이지만, 이 본문을 근거로 이 책의 나머지 부분에서 내용, 양식, 형태를 통해서 실제적으로 말하고 있는 그러한 내용을 부정할 수는 없다), (b) 그리고 더 중요한 것은 그것이 궁극적으로 마침내 영혼에게 그것에 걸맞는 몸이 주어질 때에 새롭게 몸을 입은 삶으로서의 불멸이지 몸을 입지 않은 영혼을 뜻하는 불멸이 아니라는 점이다(9:15). "의인들의 영혼이 신의 손에 있는"(3:1) 때는 단순히 다니엘이 그의 "안식"에 들어가거나 영혼들이 요한계시록에서 제단 아래에 있는 것같이 영혼들이 부활하여 상급을 받고 세상을 통치하게 될 그날까지 돌보심을 받으며 안식을 누리는 잠정적인 기간일 뿐이다.[190] 여기에는 두 가지 서로 다른 교설 간의 "긴장관계"는 존재하지 않는다.[191] 둘 사이에 긴장관계가 있다고 말하는 것은 솔로몬의 지혜서에서 이야기가 어떻게 진행되어 온 것인지를 알지 못하고, 또한 최후의 부활을 믿는 사람들은 반드시 장차 미래에 부활하게 될 자들이 선천적인 불멸에 의해서가 아니라 이스라엘의 신의 권능과 사랑에 의해서 계속해서 살아 있는 중간 시기를 믿는다는 것을 알고 있지 못한 것이다.[192] 지혜서 3장과 비슷한 언어를 사용해서 바로 이와 같은 사고의 흐름을 표현하고 있는 것을 우리는

---

190) 단 12:13; 계 6:9-11.

191) Cavallin 1974, 128은 "종말론의 두 가지 유형은 그것들 간의 긴장관계에 관한 그리 많은 성찰 없이 그저 병렬적으로 놓여져 있다"고 주장하면서, Larcher 1969, 316ff.를 인용한다. 우리는 성찰의 결여는 그러한 주장이 나올 수 있는 학문 전통(많은 세월 동안 성서학계의 주류를 형성하고 있던 전통)에 돌리는 것이 더 적절하다고 생각한다. 좀 더 정확하게 말하면, 8:19f.와 9:15의 여전히 풀리지 않는 수수께끼들은 3:1-10을 읽는 자들의 눈에 흙을 뿌려왔다: 그러나 1-5장에는 그 어떠

거의 동시대에 나온 위(僞)필로서(아래를 보라)에서 발견하게 된다.

이제는 우리가 위에서 말한 것의 온전한 그림이 유대교 내에서 어떻게 출현하였는지를 살펴볼 차례이다. 바(Barr)의 주장처럼, 죽음 이후의 몸을 입지 않은 계속적인 실존에 대한 유사 플라톤적인 신앙이 부활에 대한 신앙으로 이어질 수 있었다는 것은 설득력이 없다; 그러한 말은 이제까지 잘 쌓아온 건물을 무너뜨리는 짓과 다름없을 것이다.[193] 오히려, 당시에 출현하고 있던 부활에 대한 신앙(앞에서 본 것처럼, 고대 이스라엘의 특징을 이루고 있었던 창조주로서의 야훼에 대한 신앙에 토대를 둔)이 몸의 죽음과 부활 사이의 기간에 야훼의 백성의 연속적인 정체성이라는 문제에 대한 좀 더 깊은 성찰을 촉진하였을 가능성이 훨씬 더 높다. 그러한 과제를 위해서 영혼에 관한 헬레니즘적인 언어가 이미 준비되어 있는 상태였다. 그 언어는 그것이 지니고 있는 모든 잠재적인 플라톤적인 뉘앙스를 반드시 함께 가져오지 않고도 도입될 수 있었다.

마카베오2서에 나오는 순교자들과 마찬가지로, 지혜서 2-5장에 나오는 "의인들"은 고문과 죽음에 직면하여 그들의 신을 굳게 붙잡고 있었던 신실한 유대인들로서, 출애굽을 원형으로 하는 위대한 사건인 부활을 통해서 궁극적으로 야훼의 자녀로 선포될 자들이다. 이 주제가 울리고 있는 공명들은 제2성전시대 유대교 전반을 이해하는 것과 관련해서만이 아니라 그 돌연변이의 핵심인 초기 기독교를 파악함에 있어서도 대단히 중요하다.

한 비일관성도 존재하지 않는다. Nickelsburg 1972, 87-90는 이 문제 전체를 부당하게 비관적으로 보는 것 같다.

192) Cavallin의 요약(1974, 132f.)은 부활이 언급되어 있지 않다고 말하는 것은 옳지만, 편향적이고, 관련된 이야기의 전체적인 취지를 피하고 있는 것으로 보인다. 지혜서 3:7-9의 본문은 "죽음 이후에 의인들이 영화(榮化)되어서 천사들의 영광으로 변화되고 하나님과의 친밀한 교제 속에서의 삶을 누리며 그의 통치를 공유하게 될 것이다"(133)라는 그의 진술에 의해서 적절하게 대변되지 못하고 있다; 그것은 마치 의인들이 단순히 "천국에 간다"라는 말처럼 들리는데(그는 이것을 나중에 무심코 표현한다), 이것은 그들이 하나님 나라에서 나라들과 민족들을 다스리는 것과 부합하지 않는다. 저자가 "최후의 보편적인 심판에 관한 전통적인 유대교의 묵시론적 관념들"을 가지고 작업하고 있다는 Cavallin 자신의 진술(133)은 올바른 방향을 보여주는 것이기는 하지만, 그 함의들은 이후에 철저하게 적용되지 않는다.

193) Barr 1992, 54-6을 보라.

(vi) 달리 표현된 부활: 요세푸스

부활에 관한 요세푸스(주후 37-100년경)의 진술들은 흔히 논란이 되어 오긴 했지만, 솔로몬의 지혜서와 같은 방식으로 논란이 되지는 않았다. 여기서는 핵심적인 본문들을 설명하고 그것들과 관련된 결론들을 도출해 내는 것으로 충분할 것이다.[194] 우리는 이제까지 우리가 알고 있는 한에서 요세푸스가 자신의 신념들을 표현하고자 의도했다고 보이는 본문들로부터 시작하고자 한다.

로마에 대항해서 일어난 유대 혁명의 초창기에 요세푸스는 젊은 군대 지휘관으로서 요타파타(Jotapata)가 함락되던 때에 거기에 있었다.[195] 그와 함께 있던 사람들은 그에게 로마군에게 항복하느니 차라리 자결하라고 강권한다.[196] 하지만 그는 자살은 범죄라고 격렬하게 주장한다. 우리는 창조주 신으로부터 생명을 받았고, 그가 준 선물들을 멸시해서는 안 된다.[197] 분명히 너희는 다음과 같은 것을 알고 있다고 그는 말한다:

> 자연의 법칙에 따라서 이승을 떠남으로써 주신 자가 다시 돌려받고자 하실 때에 신이 자기에게 빌려준 것을 되돌려주는 사람들은 영원한 명성을 얻는다. 그들의 집과 가족은 안전하다. 그들의 영혼은 흠이 없고 순종적이며 하늘에서 가장 거룩한 곳을 받는다. 세대들이 다시 돌아올 때['에크 페리트로페스 아이오논'], 그들은 거기로부터 다시 돌아와서 거룩한 몸으로 살게 된다. 그러나 사람들이 광기의 발작으로 스스로에게 손을 대면, 하데스의 어두운 지역들이 그들의 영혼을 받고, 그들의 아버지인 신은 그들 부모의 오만한 행위들을 그 자손들에게 되갚는다.[198]

---

194) 우리는 여기서 *NTPG* 324-7의 노선을 따르고, 그 책이 씌어진 이후로 내게 입수된 여러 책들을 언급하고자 한다: 예를 들면, Mason 1991, 156-70, 297-308; Puech 1993, 213-15. 엘리야, 엘리사, 모세의 "승천"에 관한 요세푸스의 흥미로운 이해에 대해서는 Tabor 1989를 보라.

195) *War* 3.316-39. 요세푸스는 정확한 때를 제시한다: 네로 제13년 Panemus월의 신월, 즉 주후 67년 7월 20일(3.339).

196) *War* 3.355-60.

197) *War* 3.371. 요세푸스의 글에 대한 번역문들은 특별한 표기가 없는 한 저자의 것이다.

또한 요세푸스가 자신의 신앙이라고 말하면서 설명하고 있는 이와 아주 비슷한 묘사는 『아피온을 반박함』이라는 글 속에서도 발견된다. 유대 율법을 따라서 살아가는 사람들은 금이나 은, 대중의 갈채 때문에 자결하지는 않는다고 그는 자랑스럽게 말한다:

> 율법 수여자의 예언들과 신의 강력한 신실하심을 토대로 그들 자신의 양심의 증거들을 신뢰하는 사람들은 그들이 율법을 지키고 필요할 때에 율법을 위하여 기꺼이 죽는다면 신이 그들에게 갱신된 실존['게네스다이 테 팔린']을 줄 것이고 그 갱신으로부터['에크 페리트로페스'] 새로운 생명을 받게 될 것임을 믿는다.[199]

위에서 인용한 첫 번째 본문 속에서 우리는 내가 지혜서 3장과 관련하여 논증하였던 것과 같은 분명한 두 단계의 개인적인 종말론을 본다. 먼저, 영혼들은 하늘로 간다. 그런 후에, 영혼들은 되돌아와서 거룩한 자로서 새로운 몸을 입고 살아간다. "세대들이 다시 돌아올 때," 문자적으로는 "세대들의 회전으로부터"라는 어구를 통해서 요세푸스는 엄격하게 플라톤적인 의미에서의 윤회를 가리키거나 세계가 불로 태워지고 모든 것이 다시 시작된다는 스토아 학파의 교설을 가리키는 것이 아니라, 통상적인 랍비적 의미에서 "다가올 세대"를 가리키고자 한 것이다.[200]

이 어구는 두 번째 본문에서는 "그 갱신으로부터" 또는 "회전으로부터"라는 표현으로 축약되었지만, 우리는 앞에서와 동일한 두 세대의 교설이 그가 염두에 두고 있었던 것이라는 것을 의심해서는 안 된다. 두 번째 본문에서도 요세

---

198) *War* 3.374f.

199) *Ap.* 2.217f.

200) Harvey 1982, 150f.(Carnley 1987, 53의 지지를 받은)는 이에 반대한다; 또한 cf. Barr 1992, 13 n. 32. Harvey는 학자들이 여기에서 전통적인 랍비적 가르침을 발견하고자 하는 열심으로 인해서 요세푸스의 언어는 헬라 독자들이 알아들을 수 있도록 재해석되기는 했지만 피타고라스학파적인 함의들을 내포하고 있다는 것을 "목청을 높여서 제시해 왔다"고 불평한다. 이러한 주장이 지닌 문제점은 (a) 요세푸스와 그 밖의 다른 문헌들 속에는 그와 다른 사람들이 유대교적 관념들을 헬라적인 관념들로 "번역했다"는 것을 보여주는(예를 들면, 유대교의 분파들을 철학 학파들로

푸스는 부활에 대한 신앙은 양심과 하나님의 신실하심에 의해서만이 아니라 "율법 수여자의 예언들"에 의해서도 밑받침되고 있다고 강력하게 주장한다. 이미 랍비들의 글 속에서 보았고 나중에 신약성서를 살펴 볼 때에 다시 보게 되겠지만, 부활이 모세 자신에 의해서 예언되었느냐에 관한 문제는 적어도 이 주제에 관한 주후 1세기의 논쟁의 핵심에 있었다.

요세푸스는 여기서 부활 신앙의 내용 및 그 성경적 토대와 관련해서 분명한 바리새파적 입장을 채택하고 있다. 그리고 솔로몬의 지혜서에서와 마찬가지로, 부활에 대한 신앙은 죽은 사람과 하나님의 새 시대에서 새로운 몸을 받게 될 사람간의 모종의 연속성에 대한 신앙을 수반한다; 그리고 이러한 연속성은 영혼의 불멸에 대한 신앙에 의해서 아주 쉽게 제공된다. 요세푸스는 분명히 이것을 믿었고, 그것은 위에서 이미 말한 이유들로 인해서 부활과 전혀 긴장관계에 있지 않았다.[201]

하지만 요세푸스는 "학파들" 또는 "철학들"의 공식적인 입장들을 서술할 때는 그 입장들이 스토아 학파, 에피쿠로스 학파 피타고라스 학파라는 헬라-로마의 세 가지 주된 학파들과 일치시키기 위하여 최선을 다한다.[202] 그는 에피쿠로스 학파를 사두개파와 같은 반열에 놓고, 피타고라스 학파를 에세네파와 대응시키는데, 이것은 그가 자신의 호교론적인 이유들로 인해서 바리새파의 신앙을 스토아 학파와 비슷한 견지에서 서술하기를 원했다는 것을 의미한다. 따라서 그는 사람들은 운명과 함께 협력할 과제를 지니고 있지만 바리새파는 모든 것을 운명과 신에 돌린다고 분명하게 말한다.[203] 그는 영혼과 장래의 삶에 대해서는 이렇게 말한다:

묘사한 것) 풍부한 존재들이 존재한다는 것, (b) 다른 곳에서 요세푸스가 부활 자체에 대하여 좀 더 명시적으로 말하고 있다는 것이다. 요세푸스의 언어에 지나치게 집착하는 것에 대하여 경고하고 있는 Sanders 1992, 301을 보라.

201) 영혼 불멸에 대한 그의 신앙을 부수적으로 언급하고 있는 것에 대해서는 *Ant.* 17.354를 참조하라.

202) 왜 그가 Cicero의 구별들(*De Nat. Deor.*)을 따르고 있지 않고, 피타고라스 학파 대신에 플라톤 학파를 포함시키고 있는지는 분명하지 않다.

203) *War* 2.162. 흔히 지적되듯이, 여기에서 "운명"은 이교도 독자들에게 친숙했던 용어이다 — 물론, 유대교 사상가들이라면 "섭리"라고 말하는 것이 훨씬 더 자연스러웠을 것이지만.

> [바리새파는] 모든 영혼이 불멸하지만 덕스러운 자들의 영혼만이 또 다른 몸으로 나아가고 악한 자들의 영혼은 영원한 벌을 받게 된다고 주장한다.[204]

반면에, 사두개파는 이러한 관념들 중 그 어느 것과도 관련이 없다고 그는 말한다.[205] 실제로 일부 학자들이 주장했듯이, 이것은 윤회 또는 환생을 의미하는 것으로 볼 수도 있다.[206] 그러나 앞에 나오는 여러 본문들의 맥락 속에서 볼 때, 우리는 요세푸스가 그 자체로는 그 밖의 다른 견해들을 가리킬 수도 있는 언어를 사용하고 있음에도 불구하고 — 비유대인들이 부활에 대한 오랜 불신을 지니고 있음을 요세푸스가 아주 잘 알고 있는 상황 속에서 그들과 의사소통을 하고자 시도하고 있는 것이기 때문에 충분히 이해할 수 있는 일이다 — 몸의 부활에 관한 교설을 가리키고 있다고 결론을 내리는 것이 안전할 것이다. 적어도 이 대목에서는 유대교의 지도적인 분파를 그의 독자들에게 우스꽝스럽게 보이도록 만들고자 하는 것이 그의 목적의 일부가 아니었다.[207] 바리새파를 헬레니즘적인 철학 학파와 같이 보이도록 시도한 이러한 경향성을 우리는 『유대 고대사』에 나오는 비슷한 본문 속에서도 다시 한 번 볼 수 있다:

> 그들은 영혼이 불멸의 권능을 지니고 있고, 삶 속에서 선행이나 악행을 한 자들에 대해서는 땅 아래에서 상급과 징벌이 있다는 것을 믿는다. 악한 영혼들은 영원히 갇혀 있게 되는 반면에, 의로운 영혼들은 새로운 생

---

204) *War* 2.163. Segal 1997, 108은 이것은 환생을 의미하는 것이 아니라, 다른 종류의 몸을 받는 것을 의미한다고 올바르게 설명한다: "바울과 마찬가지로, 요세푸스는 새로운 썩지 않을 육신을 본다." 이것이 에녹1서에서 발견되는 신앙들과 유사하다고 Segal은 주장한다.

205) War 2.165.

206) 예를 들면, Thackeray in Loeb edn. 386 n.; Schurer 2.543 n. 103(Cave).

207) 이것은 요세푸스는 바리새파들 중에서조차도 "내세에 관한 전통적인 헬라 사상이 지배적인 모티프였다"는 것을 보여준다는 Porter 1999a, 54-7의 주장을 훼손시킨다.

208) *Ant.* 18.14.

명으로의 쉬운 길을 얻는다.[208]

펠드먼(Feldman)이 Loeb 판본에 실린 그의 주(註)에서 요세푸스가 여기서 서술하고 있는 교리는(일부 학자들이 주장했던 것과 같이) 환생이나 윤회가 아니라 부활에 대한 바리새파의 신앙이라는 것은 명백하다고 지적한 것은 옳다.[209] 이러한 신앙을 설명하면서 요세푸스가 이교도들인 독자들에게 그러한 견해들을 연상시키는 언어를 사용하고 있는 것은 전연 별개의 문제이다.[210] "새로운 생명으로," 문자적으로는 "다시 사는 것으로"로 번역된 단어는 마카베오2서 7:9에서 분명히 부활을 가리키고 있는 '아나비오시스'와 동일 어원에서 나온 '아나비운'이다.[211] 하지만 "땅 아래에서"('휘포 크도노스')의 상급과 징벌이라는 관념은 분명히 이교적인 사고 형태들에 맞춘 것임이 분명한데, 이것은 요세푸스가 앞서서 의인들은 먼저 하늘로 가고, 그런 후에 새로운 생명으로 나아가게 된다고 말했기 때문이다. 하지만, 주된 취지는 마카베오2서와 지혜서 3장에서처럼 여전히 적어도 의인들을 위한 두 단계로 이루어지는 개인적 여행이다 — 그 근저에 있는 줄거리를 보면: 먼저, 그들은 죽은 자들이 거하는 장소로 간다; 그런 후에(이 경우에는 "손쉬운 길"을 통해서), 그들은 새로운 양식의 삶으로 들어가게 된다.

이것이 바로 이스라엘의 신과 토라를 위하여 기꺼이 죽음을 무릅쓰라는 지혜자들의 가르침 배후에 있는 견해라고 우리는 보아야 한다. 요세푸스는 박식한 박사들, 분명히 바리새인들이 젊은 사람들을 부추겨서 헤롯이 성전 문에 설치해 놓았던 독수리상을 허물어뜨리도록 하였다고 서술한다.[212] 이것은 죽음을

209) Loeb 13 n.. Thackeray는 이에 반대한다. Mason 1991, 156-70은 부활은 "환생"의 특이하고 유대적이며 비이원론적인 형태라고 주장하는데, 어떤 의미에서 이것은 물론 옳다. 그러나 "부활"과 "환생"의 차이점들은 유사점들만큼이나 중요하고, 고대 세계와 현대 세계에서 환생의 통상적이고 대중적인 의미는 그러한 차이점들에 초점을 맞추는 경향이 있기 때문에(개인과 우주의 역사에 관한 순환론적인 견해, 영혼이 몸을 입고 있는 것에 대한 부정적 견해 등등), 내 생각에는 이 두 신앙을 대충 동일한 것으로 보는 것은 도움이 되지 않는다.

210) 이것은 Mason의 논증의 강점이다(앞의 각주를 보라).

211) Feldman, loc. cit.

각오해야 하는 위험스러운 일이지만, 그들은 이렇게 말한다:

> 너희 나라의 율법을 위하여 죽는 일은 고귀한 행위이다. 왜냐하면, 그러한 목적을 위하여 행하는 자들의 영혼은 불멸과 영원한 지복 의식을 얻는다.[213]

솔로몬의 지혜서에서처럼, 그러한 사람들은 불멸을 얻는다는 점을 우리는 주목해야 한다; 플라톤 사상에서와는 달리, 그들은 불멸을 자동적으로 소유하는 것이 아니다. 『유대 고대사』에 나오는 동일한 사건에 관한 더 긴 판본에서는 몇 가지 요소들을 더 추가하고 있다:

> 그들의 조상들의 생활방식을 보존하고 지키기 위하여 죽고자 하는 사람들은 그들이 죽음을 통해서 얻게 될 덕목이 계속해서 살아가는 것의 기쁨보다 훨씬 더 유익하다고 여긴다. 왜냐하면, 그들은 영원한 명성과 영광을 얻어서, 현재적으로는 살아 있는 자들로부터 칭찬을 받게 되고, 이후의 세대들에게는 계속적으로 그들의 삶이 기억될 것이기 때문이다. 게다가, 위험으로부터 자유로운 삶을 사는 사람들조차도 죽음을 피할 수 없는 법이다(선생들이 말하였다). 그러므로 미덕을 추구하는 자들은 이승을 떠날 때에 찬양과 존귀로 자신의 운명을 받아들이는 것이 마땅하다. 죽음은 올바른 대의를 위하여 위험을 무릅쓰는 자들에게 훨씬 더 쉽게 찾아온다; 이와 동시에, 그들은 그들의 자녀들, 그들의 살아남은 남녀 친척들에게 그들이 얻은 명성의 유익을 남겨주게 된다.[214]

우리가 이 본문만을 토대로 판단해야 한다면, 우리는 결코 요세푸스가 부활에 관하여 생각하고 있었다고 볼 수는 없을 것이다; 그러나 우리가 해당 사건

212) 이 사건에 대해서는 *NTPG* 172를 참조하라.

213) *War* 1.650. 헤롯이 왜 그런 일을 했느냐고 물었을 때, 젊은이들은 이 교훈을 되풀이한다(1.653).

214) *Ant.* 17.152-4. 여기서도 범인들은 심문을 받을 때에 그들의 교훈들을 반복한다(17.158f.).

에 관하여 알고 있는 모든 것, 그리고 여기에 나오는 "박사들"이 바리새인들이었다는 거의 확실한 사실을 고려하면, 우리는 실제의 연설들은 여기에서처럼 헬라 또는 로마의 교사들이 고상한 대의를 위하여 죽을지도 모르는 행동을 감행하고자 하는 사람들에게 말했을 그런 종류의 연설들이 아니라 마카베오2서에서 어머니가 일곱 아들에게 했던 말을 훨씬 더 많이 연상시키는 것이었음을 의심할 수 없다.

사실, 바로 그것이 실제로 일어난 일이었다. 자신의 작품 전체에 걸쳐서 요세푸스는 유대교의 주류를 이루는 교사들, "학파들"은 실제로 철학자들이었고, 그의 동족들에게 임했던 재앙들에 대하여 책임이 있고 비난받아야 할 자들은 또 다른 집단, "제4의 철학"이었다는 것을 자신의 청중들에게 설명하고자 애쓴다. 그들은 혁명가들, 강도들, 거칠고 무법한 자들로서, 민족의 삶을 그들 자신의 미치광이 같은 꿈들의 소용돌이 속으로 끌어들여서 무너뜨려버린 자들이었다.[215] 자신의 처지에서 볼 수 있듯이 상당히 많은 수의 동료 유대인들이 이 운동을 하다가 사로잡혔기 때문에, 그는 이 사건을 축소시켜서 이런 식으로 일이 진행된 것이 작은 집단 때문이라고 그 집단의 이름을 거명하며 책임을 돌리고 있긴 하지만, 그 일에 자신의 최선을 다하지는 않는다.

그러므로 우리는 혁명가들의 대두령격인 마사다 전투에서의 시카리 당(the Sicarii)의 지도자였던 엘르아살이 마지막으로 긴 연설을 행할 때에 요세푸스는 그의 입 속에 위에서 설명한 것과는 판이하게 다른 견해들을 두는 것을 보고 이상하게 여겨서는 안 된다. 요세푸스 자신은 유대교의 테두리 안에 머물러 있었다; 엘르아살은 이교의 철학자로 등장하게 될 것이다. 요세푸스는 자살을 반대하는 강력한 견해를 피력하였었다; 엘르아살은 자살을 부추기고 주창할 것이다:

> 죽음이 아니라 삶이 인간의 재난이다. 왜냐하면, 영혼에게 자유를 주어서 영혼으로 하여금 모든 재앙으로부터 자유로운 자신의 순전한 거처로 떠나게 해주는 것이 바로 죽음이기 때문이다; 그러나 영혼이 죽을 몸에 갇혀 있고 온갖 비참한 것들로 물들어 있는 한에서, 사실 영혼은 죽어 있

215) 이러한 운동들에 대해서는 *NTPG* 170-81, 185-203을 보라.

> 는 것이다. 왜냐하면, 죽을 것과 연루되어 있는 것은 신적인 것에 악영향을 주기 때문이다. 사실, 영혼은 몸 속에 감금되어 있을지라도 커다란 능력을 소유하고 있다 … 그러나 영혼이 원래의 장소로 되돌아가서 하나님과 같이 사람의 눈에 보이지 않은 채로 모든 면에서 복된 동력과 구속받지 않은 능력을 누리는 것은 영혼을 땅으로 끌어와서 붙어 있게 만드는 무게로부터 자유하게 될 때이다. 몸 안에 있을 때조차도 영혼은 시야로부터 물러나 있다: 영혼은 알아차리지 못하게 와서 눈에 보이지 않게 떠나는 썩지 않는 본성을 지녔고, 몸을 변화시키는 원인자이다. 영혼이 만지는 것은 무엇이나 살고 번성하며, 영혼이 버리는 것은 무엇이나 시들고 죽는다; 영혼이 지닌 부요한 불멸은 이토록 풍성하다.[216]

그리고 엘르아살은 계속해서 잠잔다는 관점에서 죽음에 관하여 말한다 — 다니엘서와 신약성서에서처럼, 잠자는 자들이 새 날에 다시 깨어날 것이라고 말하는 것이 아니라,[217] 이교 사상에서 널리 인정되고 있는 것처럼, 잠자는 동안에 그들은 새로운 이동력을 지니고서 독자적으로 미래를 알고 신적인 존재들과 교통하게 된다는 사실을 송축한다.[218] 우리가 이 연설을 자신의 죽은 대적자들에 대한 "요세푸스의" 마지막 모욕이라고 한 모턴 스미스(Morton Smith)의 신랄한 묘사에 전적으로 동의하지는 않는다고 해도, 이 연설이 강경파 혁명가인 유대 지도자의 것이라기보다는 이교의 철학자의 것으로 들린다는 데에는 분명히 동의할 수 있다.[219]

어쨌든 요세푸스는 혁명가들과 스스로 거리를 둠과 동시에, 최후를 맞이하던 때의 그들을 로마인 청중들에게 어느 정도 호소력이 있는 방식으로 묘사하고 있다 — 그들이 일으켰던 모든 말썽에도 불구하고. 그들은 선한 유대인들이 아니었다; 요세푸스는 이 점을 분명히 해두고자 한다. 그러나 그들에게는 어느

---

216) *War* 7.343-8(tr. Thackeray). 여기에 인용된 첫 부분의 행들은 Euripides로부터의 한 단편(*Frag*. 634, ed. Dindorf)을 연상시킨다: Loeb 3.605에 나오는 Thackeray의 주를 보라. 마지막 행은 Soph. *Track*. 235의 반영이다(Thackeray 603).

217) 단 12:2; 고전 15:20, 51; 살전 4:13-15.

218) *War* 7.349f., 그리고 *NTPG* 327 n. 145에 나오는 주.

219) Smith 1999, 560.

정도 존경받을 만한 점도 있다 — 그들의 동포 이방인들로부터.[220]

그러므로 요세푸스는 우리의 목적을 위해서 세 가지 점에서 중요하다. 첫째, 위에서 인용한 처음 두 본문에서 보도된 것처럼, 요세푸스 자신의 견해들은 중요한 의미가 있다: 그는 고등 교육을 받은 주후 1세기의 유대인이었고, 우리는 그가 다수를 대표하는 전형적인 인물이었다고 보아야 한다. 그리고 그가 지니고 있던 견해는 분명하다. 그것은 "현세"와 "내세"로 이루어진 두 세대의 우주적 종말론, 의인의 영혼은 죽음 후에 내세에서 새로운 몸을 받을 때까지 이스라엘의 신과 함께 하늘에서 산다는 두 단계의 개인적 종말론이다. "부활"은 이 최후의 사건을 가리키지만, 단지 몸을 입지 않은 삶과 반대되는 사후의 몸을 입은 삶을 의미할 뿐만 아니라 그러한 목적이 성취되는 과정, 즉 몸을 입지 않은 채 이스라엘의 신과 함께 안식을 누리는 첫 번째 단계와 그 이후에 몸을 입게 되는 두 번째 단계를 포함하는 과정을 의미하기도 한다. 이렇게 다시 입게 될 몸은 거룩하고 새로워진 몸이 될 것이라고 요세푸스는 말한다 — 아마도 이것은 비기독교적인 유대교 속에서 기독교가 말하는 변화된 몸과 가장 가까운 묘사인 것 같다. 그리고 더 중요한 것은 이 새로운 삶이 성경, 즉 모세 자신에 의해서 약속되어 있었다는 것이다; 그 약속은 창조주의 권능에 의해 보증되어 있다.

둘째, 우리가 요세푸스의 진술들을 "해독해내어서," 다른 문헌들, 특히 그 이후의 랍비 저작들로부터 바리새파에 관하여 알고 있는 것과 비교해서 검토하게 되면, 바리새파에 관한 요세푸스의 서술은 중요하다. 사도행전 23장 같은 본문들로부터 추론해 낼 수 있듯이, 바리새파는 마카베오2서, 에녹1서, 에스라4서 같은 책들의 견해를 공유하였다.

셋째, 요세푸스는 내가 솔로몬의 지혜서와 관련하여 논증하였던 현상, 즉 부활이라는 단어가 사용되고 있지 않으면서도 그러한 관념이 존재할 수 있다는 것을 보여주는 좋은 예이다. 그는 자신의 견해를 제시할 때나 바리새파의 견해를 설명할 때나 "부활"이라는 단어를 사용하지 않는다; 나는 이것이 부활이라는 단어가 고대 세계에서 모든 지각 있는 이교도들(요세푸스가 염두에 두고 있던 독자들)이 일어날 수도 없고 일어나지도 않았고 결코 일어나지 않을 일

220) Segal 1997, 109.

이라고 믿었던 것을 가리키는 데에 통상적으로 사용되었기 때문일 것이라고 말한 바 있다. 그는 이교도들이 자기나 그가 그토록 좋게 묘사하고자 애썼던 유대교의 사상 "학파들"을 조롱하도록 하고 싶지 않았다. 이것이 바리새파의 관점에 관한 그의 묘사가 종종 충격적인 유대교적 혁신 사상이 아니라 모종의 윤회설, 잘 알려진 이교 철학의 한 변형같이 들리는 이유이다.

우리가 제1장의 끝부분에서 예비적인 방식으로 말해 두었고 이제 꽤 많은 본문들을 통해서 예증한 두 가지 점을 파악하는 것은 초기 기독교의 언어를 이해하는 데에 중요하다. (a) 부활 신앙은 반드시 이 단어가 나와야 하는 것이 아니라 새로운 몸을 입는 것으로 끝나는 두 단계의 우주론적 및 개인적 종말론을 특징으로 한다. 그러한 이야기가 들려지고 있다면, 우리는 거기에서 부활 신앙을 보고 있는 것이다. (b) 히브리어 또는 헬라어로 된 "부활"이라는 단어와 그 동일 어원의 단어들은 이러한 입장 이외의 다른 것을 가리키는 데에 결코 사용되지 않는다. 부활이라는 단어가 나오지 않아도 부활 신앙이 서술될 수는 있어도, 부활이라는 단어가 나온다고 해서 부활 신앙이 서술되고 있는 것은 아니다. "부활"은 결코 죽음 자체를 다른 식으로 표현한 것도 아니고, 마치 죽음이 결국 별것 아니라는 식으로 죽음과 "타협하는" 방식도 아니다. (또한 엄밀하게 말해서, 부활은 이 과정의 첫 번째 단계를 지칭하지 않고, 언제나 첫 번째 단계를 예비적인 것으로 반드시 거치고 나서 오는 두 번째 단계를 지칭한다.) 지혜서 1-3장에서처럼, 부활은 언제나 세상의 선함, 죽음은 세상 속으로 침입해 들어온 악한 것이라는 것, 새로운 몸을 입은 삶이라는 선물을 통해서 죽음을 극복하게 할 것이라는 창조주의 약속을 재확인하는 방식이다.

(vii) 쿰란 문헌에서의 부활?

우리는 에세네파가 부활을 믿었는지에 관한 문제를 살펴보고자 할 때에 요세푸스를 "해독해내면서" 배운 것을 즉시 써먹을 수가 있다.[221] 요세푸스는 에세네파가 부활을 믿지 않았다고 말한다; 그러나 주후 3세기 초에 저술가로 활동했던 히폴리투스(Hippolytus)는 에세네파가 부활을 믿고 있다(또는 적어도

---

221) 에세네파에 대해서는 *NTPG* 203-09에 나오는 개관을 보라; 지난 10년 동안에 나온 관련된 문헌은 물론 엄청나게 많다. 나는 대부분의 학자들과 마찬가지로 쿰

믿었다)고 말한다. 이러한 진술들에 대한 자연스러운 반응 — 히폴리투스는 훨씬 후대에 글을 썼고, 요세푸스는 에세네파와 동일한 시기에 활동했다고 스스로 주장하는 것 — 은 제약이 있을 수밖에 없다. 왜냐하면, 요세푸스는 유대교의 분파들을 철학적인 "학파들"로 묘사하는 전략을 쓰면서 에세네파를 여러 가지 점에서 피타고라스 학파와 비슷한 것으로 서술하였기 때문이다.[222] 그러므로 역사가의 과제는 이 두 가지의 비에세네파 자료들을 서로 비교해 보고, 또한 그것들을 쿰란 문헌들과 비교해 보는 것이다. 첫 번째 과제는 두 번째 과제보다 더 쉽고, 다음과 같이 간략하게 수행될 수 있을 것이다.[223]

요세푸스로부터 시작해 보자. 그는 로마에 대항한 유대 혁명 기간 동안에 에세네파가 고난을 받고 순교를 당한 것을 묘사한 후에, 그들이 기쁜 마음으로 죽음을 무릅쓰고 용맹성을 발휘했다는 것을 다음과 같이 설명한다:

> 몸은 썩어 없어지고 그 구성물질은 영속적이지 않지만, 영혼은 불멸이며 없어지지 않는다는 것이 그들의 확고한 신앙이다. 이 영혼들은 가장 정교한 에테르로부터 방사되어, 일종의 자연의 주문에 의해서 이끌려서 몸의 감옥에 얽혀들게 된다; 그러나 일단 영혼들이 육신의 속박으로부터 놓여나면, 영혼들은 마치 기나긴 복역에서 해방된 듯이 기뻐하며 높이 날아오른다. 헬라의 아들들의 신앙을 공유해서, 그들은 덕 있는 영혼들에게는 대양 너머의 거처, 비나 눈이나 열기에 의해서 억눌리는 곳이 아니라

란에서 발견된 두루마리들은 적어도 대체적으로는 에세네파의 가르침을 대변하고 있다고 본다. 나의 전체적인 논증에 있어서는 그 어느 것도 이 분파의 관념들의 발전, 연대 설정 등등에 관한 여전히 논란이 되는 문제들에 좌우되지 않는다. 현재의 절은 Lichtenberger 2001의 중요한 논문이 입수되기 전에 완성되었다.

222) 우리는 "Therapeutae"(*De Vita Contempl.* 13)에 관한 필로의 설명을 논외로 할 수 있는데, 거기에서 그는 이 분파는 불멸의 복된 삶에 대한 갈망 속에서 스스로를 이미 그들의 유한한 삶을 마친 것으로 보았고, 따라서 그들의 재산을 친척들에게 주어버렸다고 말한다. 에세네파에 대한 필로의 설명(*Quod Omn.* 75-91)은 장래의 삶에 관한 그들의 신앙들에 대해서는 아무런 언급도 하지 않는다.

223) 이제 Puech 1993, 703-69의 주요한 서술을 보라. Bremmer 2002, 43-7는 Puech를 꼼꼼하게 비판한다.

> 대양으로부터 유입되는 서풍의 잔잔한 숨에 의해서 항상 신선한 곳이 마련되어 있다고 주장한다; 악한 영혼들은 음울하고 폭풍우 치는 커다란 지하감옥으로 보내어져서 끝없이 징벌을 받게 된다.
>
> 헬라인들은 영웅들과 반신(半神)들이라 불리는 용사들은 지복의 섬으로 가고, 악인들의 영혼은 신화를 이야기하는 자들이 말하듯이 시시포스, 탄탈루스, 익시온, 티틸루스 등과 같은 인물들이 징벌을 받고 있는 하데스로 간다고 말함으로써 동일한 개념을 지니고 있다고 나는 생각한다. 그들의 목적은 먼저 영혼의 불멸에 관한 교리를 정립하는 것이었고, 둘째로는 미덕을 권장하고 악덕을 막는 것이었다; 죽음 이후의 상급에 대한 소망은 이생에서의 선한 일들을 조장하고, 악인들의 열정은 살아 있는 동안에는 발각되지 않는다고 하여도 죽음 후에 끝없이 징벌을 받게 될 것이라는 두려움에 의해서 억제된다.
>
> 이러한 것들은 일단 그들의 철학을 맛본 모든 사람들을 저항할 수 없을 정도로 끌어들이는 영혼에 관한 에세네파의 신학적인 견해들이다.[224]

과연 에세네파는 "모든 사람을 끌어들였던 것인가"? 아마도 요세푸스 자신을 제외하고는 모든 사람을 끌어들였던 것으로 보인다. 왜냐하면, 요세푸스는 자기가 다른 분파로 옮겨가기 전에 한동안 에세네파에서 훈련을 받았다고 말하고 있기 때문이다 — 그는 19살이 되기 이전에 바리새파와 사두개파에서 훈련을 받은 후에 금욕적인 분파인 반누스파(Bannus)에서 삼년 동안 지냈다고 주장하지만, 그가 말하고 있는 것처럼 과연 이 모든 분파에 관하여 그가 아주 잘 알고 있었는지는 의심스럽다.[225] 위에서 인용한 본문의 끝부분에 나오는 수식어구, "헬라인들"에 대한 두 번의 언급, 우리가 제2장에서 살펴보았던 고전적인 작품들과 신앙들에 대한 빈번한 간접인용들은 그가 무엇을 하고 있는지를 아주 잘 보여준다: 그는 에세네파라는 거의 공백에 가까운(그의 독자들은 에세네파에 관하여 거의 모른다는 점에서 공백에 가까운) 스크린에 플라톤 이후의 헬레니즘, 특히 피타고라스 학파에 의해서 전승된 신앙들을 투사하고 있

224)War 2.154-8(tr. Thackeray).
225) *Life* 9-11.

는 것이다. 그러나 사해 두루마리들을 연구한 사람들 중에서 요세푸스의 기사를 읽은 사람들은 누구나 에세네파가 두루마리들을 전혀 쓰지 않았거나, 아니면 요세푸스가 언급하고 있는 주제들을 다루고 있는 문서들이 아직 빛을 보지 못하였거나(아마도 그것들은 여전히 예루살렘 또는 하버드의 서고에서 잠을 자고 있을지도 모른다?), 아니면 요세푸스가 판이하게 다른 목적을 위하여 이 모든 것들을 이용하고 있는 것이라는 결론에 도달하지 않을 수 없게 될 것이다. 마지막 주장이 가장 일반적으로 채택되고 있는 것이기 때문에, 그것은 히폴리투스의 증거에 대한 재고찰만이 아니라 두루마리들 자체에 대한 더 면밀한 검토를 할 수 있는 길을 열어준다.

사실, 요세푸스 자신의 기사들 속에는 그가 에세네파의 다른 관점에 관하여 알고 있었음을 보여주는 두 가지 단서가 존재한다. 위에서 길게 인용한 본문 직전에 나오는 대목에서 요세푸스는 마카베오2서의 것과 비슷한 관점을 반영하고 있는 내용에 관하여 말한다:

> 고통 속에서 웃음지으며, 그들을 고문하는 자들을 은근히 조롱하면서, 그들은 자신의 영혼을 다시 돌려받게 될 것을 확신하는 가운데 기꺼이 영혼을 버렸다.[226]

마지막 어구는 "그것들[영혼들]을 다시 받게 될 자들로서"('호스 팔린 코미우메노이')로 되어 있다. 이것은 이와 비슷한 어구가 나오는 마카베오2서 7장의 저 유명한 본문 속에서 두 번 사용되고 있는 바로 그 동사이다. 세 번째 형제는 자기가 혀와 손들을 하나님으로부터 받았다고 분명하게 말한 후에, 그것들을 하나님으로부터 다시 돌려받기를('타우타 팔린 엘피조 코미사스다이') 소망한다. 어머니는 막내 아들에게 기꺼이 죽음을 받아들여서 하나님의 긍휼하심을 따라 그녀가 그를 그의 형제들과 아울러 다시 돌려받게('코미소마이세') 해달라고 강권한다.[227] 요세푸스가 표현하고 있는 것을 보면, 그것은 마치

226) *War* 2.153(tr. Thackeray). 이 본문은 종종 부차적인 논의들 속에서 주목을 받지 못하고 있는데, 이 본문이 그러한 논의들 속에서 중요하다고 생각한 학자들도 있다(예를 들면, Nickelsburg 1972, 167-9.

에세네파의 순교자들이 위에서와 동일한 내용을 다른 식으로 말하고 있는 것처럼 보인다: 그들은 자신의 영혼들을 다시 돌려받을 것을 믿기 때문에 목숨을 버리는 것을 기뻐한다. 이것은 다음 단락에 나오는 밀알과는 철저하게 반대되게 개인은 일차적으로 몸으로 이루어져 있다는 것을 함축하는 것인데, 몸은 거기에 생기를 불어넣는 영혼을 한동안 빼앗겼다가 나중에 다시 돌려받게 될 것이다. 내가 추측하기로는, 요세푸스는 여기서 의식적이든 아니든 마카베오2서 또는 지금은 멸실된 이와 비슷한 순교 사상을 담고 있는 본문들의 언어를 반영해서, 에세네파가 사실 칠형제가 안티오쿠스 에피파네스의 손에 의해서 죽임을 당했을 때에 지니고 있었던 것과 매우 비슷한 신앙을 가지고 로마인들의 손에 죽임을 당했다는 증거를 제시하고 있는 것이다 — 비록 희미한 증거이긴 하지만.[228] 이것은 아마도 두 번째 암시에 의해서 강화될 수 있을 것이다 — 물론, 여기서도 확실하게 말하는 것은 불가능하지만. 『유대 고대사』에 나오는 에세네파의 신앙에 관한 짤막한 기사는 『유대 전쟁기』에서 더 자세하게 말해진 내용을 단순히 반복하고 있는 것으로 보는 것이 보통이지만, 사실 거기에는 그 밖의 다른 것에 관한 암시도 나온다. 펠드먼의 번역에 의하면, 그 대목은 이렇게 되어 있다:

> [에세네파는] 영혼이 불멸하는 것으로 여기고, 그들이 특별히 의에 가까워지려고 애를 써야 한다고 믿는다.[229]

그러나 마지막 어구는 언제나 문제가 있는 것으로 인식되어 왔다.[230] 이 어구는 '페리마케톤 헤구메노이 투 디카이우 텐 프로소돈'으로 되어 있는데, 직역

---

227) 2 Macc. 7:11, 29.

228) 또한 *War* 2.151을 보라(방금 인용한 본문보다 약간 앞에 있는 몇몇 문장들). 거기에서 요세푸스는 약간 당황스럽게도 에세네파가 불멸보다 죽음을 더 선호하였다고 말한다. 여기서 "불멸"은 "지속적인 삶"을 의미하는 것으로 보인다. 이 두 본문에 대해서는 Puech 1993, 709를 보라. 그는 이 두 본문이 반드시 부활에 관한 좀 더 주류적인 견해를 보여주고 있다고 확정적으로 결론짓고 있지는 않지만, 그럴 가능성에 대하여 문제를 제기한다.

229) *Ant.* 18.18.

하면 "의의 '프로소도스'를 위하여 싸울 가치가 있는 것으로 생각하여"가 된다. '프로소도스'라는 단어는 분명히 "접근"을 의미할 수 있지만, "보상," "대가 또는 투자"를 의미할 수도 있고, 몇몇 고전적인 철학적 본문들 속에서 그렇게 사용되고 있다.[231] 몇몇 해석자들은 이 어구를 이런 식으로 해석해서, 이 문장이 "그들은 의의 미래의 상급들이 싸울 만한 가치가 있다고 믿는다"는 것을 의미한다고 보았다 — 이것은 단순히 몸을 입지 않은 지복의 불멸의 삶을 가리키는 것이 아니라(물론, 이것도 여전히 가능하긴 하지만), 부활이라는 의미에서의 더 확고한 "상급"을 가리키는 것으로 보인다. 특히, 헬라어로 "의에 가까워지다"라는 내용을 말하고자 할 때에 '프로소돈 프로스 토 디카이온'이라고 하는 것이 더 자연스럽다는 점을 감안하면, 펠드먼은 왜 그가 이 어구를 다른 의미로 번역하였는지에 대하여 자세한 각주를 통해서 설명하려고 고역을 치르지 않으면 안 될 것이다. 사실, 펠드먼은 사해 두루마리를 연구했던 초창기 학자들이 재구성해 놓은 에세네파의 신앙에 관한 잠정적인 결론들에 주로 의지하고 있다.[232]

어쨌든 이 문제는 지금으로서는 적어도 열려 있는 것으로 보아야 하기 때문에(아래를 보라), 내 판단으로는 개연성의 추는 이 어구를 사후의 미래적인 상급에 대한 에세네파의 신앙을 보여 주는 것으로 여겨야 한다는 주장쪽으로 기울고 있다. 여기서 다시 한 번 우리는 "불멸" 대 "부활"이라는 과거의 대립적인 시각에 기만당해서는 안 된다; 장래의 부활이 일어나기 위해서는 현재적인 삶과 미래적인 삶 사이에 연속성이 존재할 필요가 있고, 솔로몬의 지혜서에서처럼, 이러한 연속성을 서술하는 한 가지 분명한 방식은 "영혼"이라는 언어를 사용하는 것이다. 그러므로 나는 『유대 전쟁기』 제2권에 나오는 몸을 입지 않은 장래의 지복에 대한 철저하게 헬레니즘화된 에세네파의 신앙에 관한 요

---

230) Loeb edn. ad loc.에 나오는 Feldman의 자세한 주를 보라. Nickelsburg 1972, 169는 이 구절에 대한 논의를 하고 있지 않고, 영혼의 불멸에 대한 긍정이 그 밖의 다른 문제들을 해결해 줄 것이라는 인상을 남긴다.

231) 예를 들면, Plato *Laws* 8.847a.

232) Feldman in Loeb 9, 15n(Strugnell 1958을 인용하는). Puech 1993, 707는 의에 가까이 간다는 관념과 그것에 대한 상급이라는 관념은 분리될 수 없다고 말하지만, 그러한 주장은 의심스럽다.

세푸스의 "공식적인" 기사에도 불구하고, 그의 기사 속에는 다른 견해가 은연중에 드러나 있다고 주장한다.

그런데 그 다른 견해라는 것이 다시 바로 히폴리투스가 설명하고 있는 그 견해일 가능성이 대단히 높다:

> 이제 부활에 관한 교설도 그들 가운데에서 지지를 이끌어내었다; 왜냐하면, 그들은 육체가 다시 부활할 것, 그리고 육체가 이미 불멸의 존재인 영혼과 마찬가지로 불멸하게 될 것을 인정하기 때문이다. 그리고 그들은 영혼이 현재의 삶 속에서 분리될 때 빛과 신선한 공기가 있는 한 장소로 가서 심판 때까지 거기에서 안식을 취한다고 주장한다. 이 장소를 헬라인들은 소문을 통해서 잘 알고 있었고, 그 곳을 "지복의 섬"이라고 불렀다. 그리고 그들의 신조들 중에는 다수의 헬라인들이 자신의 것으로 만들어서 종종 자신의 견해를 형성하였던 그 밖의 다른 신조들도 있다. 이제 그들은 심판과 우주의 녹아내림이 있을 것이고, 악인들이 영원히 징벌을 받게 될 것이라는 것을 단언한다.[233]

물론, 히폴리투스는 요세푸스와 마찬가지로 결코 "중립적이지" 않다. 이 본문과 그 밖의 다른 본문들에서 그의 목표는 헬라인들이 믿고 있는 모든 가치 있는 것들은 원래 유대인들에게서 배운 것이었다고 주장하는 것이다. 따라서 요세푸스는 에세네파를 헬라의 철학 학파로 취급하고 있는 반면에, 히폴리투스는 에세네파를 헬라의 지혜의 원천으로 취급한다. 그는 요세푸스의 기사를 잘 알고 있었고(요세푸스의 글은 히폴리투스의 시대에 유대인들에 의해서가 아니라 그리스도인들에 의해서 더 많이 읽혀졌다), 그 기사를 확고하게 수정하고 있는 것으로 보인다: "지복의 섬"은 일시적인 안식 장소로서, 불멸의 영혼이 새로운 불멸의 몸을 받을 때까지 기다리는 장소이다.[234] "불멸의 몸"이라는 개념은 불멸과 부활을 엄격하게 구분해야 한다고 역설한 경고의 목소리에 익숙

233) Hippol. *Ref.* 9.27.1-3. *War* Book 2에서의 요세푸스의 서술에서처럼, 이것 앞에는 죽음에 대한 에세네파의 두려움 없는 태도에 관한 진술이 나온다(9.26.3b-4) — 물론, 이 지점에서 그들의 장래의 소망에 대한 암시는 없지만.

해진 귀에는 이상하게 들릴 것이다;[235] 바울은 죽은 자들이 "썩지 않은 몸으로 부활하게 될 것"이라고 말하고 있고, 물론 히폴리투스는 대략 테르툴리아누스와 동시대의 사람으로서, 테르툴리아누스는 "육신의 부활"을 강력하게 역설하였다.[236] 모든 것을 고려할 때, 우리는 Puech와 마찬가지로 히폴리투스가 여러 가지 오류들을 도입했든 안 했든 요세푸스보다는 더 정확하게 진상을 반영하고 있다고 결론을 내리는 것이 더 좋을 것으로 보인다.[237]

나는 두 가지 주된 자료들의 행간을 읽어낸 결과로서 나온 에세네파에 관한 외적인 증거들은 그들이 적어도 의인들은 몸이 죽은 후에도 영혼이 살아남는다는 것을 믿었다는 것을 확고하게 보여준다고 결론을 내린다(바리새파 및 솔로몬의 지혜서의 저자와 마찬가지로). 이와 동시에, 증거들은 몸을 입지 않은 일시적인 상태를 어느 기간 동안 유지하다가 새롭게 몸을 입은 삶으로 나아간다는 신앙, 즉 달리 말하면 두 단계의 개인적 종말론을 보여주고 있다 — 확고하지는 않지만 상당한 정도의 개연성을 가지고. 우리는 이제 사해 두루마리들의 증거들에 비추어서 이 점을 검증해 보아야 한다.

사해 두루마리 및 제2성전 시대 유대교에서의 사후의 삶에 관한 문제를 연구하는 모든 사람들은 Emile Puech에게 엄청난 빚을 지고 있다. 미래에 관한 에세네파의 신앙을 다룬 그의 두권으로 된 저작은 앞으로도 오랜 기간 동안 표준적인 교과서로 남아 있게 될 것이다.[238] 견해들의 불일치가 여전히 존재하긴 하지만, 우리는 기존의 쿰란 문헌들 중에서 부활에 관한 그 어떤 암시라도

234) 또는 일부 학자들이 주장해 왔듯이(Smith 1958), Josephus와 Hippolytus는 공통의 자료 또는 자료들을 활용하고 있는 것일 수 있다. 이 두 명의 서로 판이하게 다른 저술가들이 무엇을 했을 것인가에 대한 추측들은 우리에게 별로 도움이 되지 않을 것이다. Hippolytus는 이단적인 자료가 좀 더 정통적인 것으로 보이도록 만들기 위하여 수정하고자 하지 않았을 것이지만, 이것은 단지 그가 현재 형태로의 내용을 자료로부터 가져왔다는 것을 의미할 수도 있다. Black 1964 [1954]; Nickelsburg 1972, 167f.를 보라.

235) Nickelsburg 1972, 168.

236) 고전 15:52. Tertullian에 대해서는 아래의 제11장 제5절을 보라. 또한 Puech 1993, 716-18에 나오는 Nickelsburg에 대한 비판들도 보라.

237) 길고 세심한 논의 후에 Puech 1993, 760-62; 하지만 Bremmer 2002, 45f.는 이에 반대한다.

있는 경우에는 Puech가 그 낌새를 알아차려서 드러내었을 것이라고 결론을 내리는 것이 안전하다. 그러므로 우리는 모든 가능한 증거들에 대한 그의 방대한 검토를 되풀이할 필요가 없고, 그의 주장이 주로 근거하고 있는 세 가지 핵심 본문들에 초점을 맞추면 된다.[239]

이러한 본문들 중에서 가장 잘 알려진 본문은 4Q521에 나오는 두드러진 예언이다:

> 하늘들과 땅이 그의 메시야에게 귀를 기울일 것이고, 거기에 있는 그 누구도 거룩한 자들의 계명들로부터 이탈하지 않을 것이다. 주를 찾는 자들아, 너희는 섬김을 굳건히 하라! 마음속에 소망이 있는 너희 모두가 이것 속에서 주를 발견하지 못하겠는가? 주가 경건한 자들을 권고하시며 의로운 자들의 이름을 부르시리라. 그의 영이 가난한 자들 위에 운행할 것이고, 그의 권능으로 신실한 자들을 새롭게 하리라. 그리고 주는 경건한 자들을 영원한 나라의 보좌 위에서 영화롭게 하리라. 포로된 자들을 자유케 하고, 눈먼 자들을 보게 하며, 굽은 자들을 올바르게 해주는 주님. 영원히 나는 소망과 그의 긍휼하심에 붙어 있으리니 … 그 열매가 누구에게나 지연되지 않으리라. 주는 말씀하신 대로 이전에 본 적이 없었던 기이한 일들을 행하시리라: 주는 상처 입은 자들을 치유하시고 죽은 자들을 살리시며 가난한 자들에게 복음을 전하시고 … 굶주린 자들을 이끌어서 부유하게 하시며 …
>
> … 주께서 행하신 모든 것을 보라: 땅과 거기에 있는 모든 것, 바다들과 그것들이 담고 있는 모든 것, 물들과 격류들을 담고 있는 모든 저수지들 … 이들과 같이 주 앞에서 선한 일을 행하는 자들 … 저주받은 자들. 그리고 그들은 죽음을 위하여 있을 것이다 … 자기 백성의 죽은 자들에게 생명을 주시는 분. 우리는 주께 감사하고 주께 고하나이다.[240]

---

238) Puech 1993.

239) Khirbet Qumran과 Ain el-Ghuweir의 매장지들로부터 나온 증거들과 아울러; 또한 Puech 1993, 693-702; Lichtenberger 2001, 88-90을 보라.

아주 작은 단편들만이 남아 있는 이 본문은 오실 메시야의 사역에 관하여 말하고 있는데, 성경의 예언들을 분명히 반영하여서 마태복음 11:2-6/누가복음 7:18-23과 비슷한 언어를 통해서 말하고 있다.[241] 메시야가 죽은 자들을 살릴 것이라는 예언(첫 번째 인용문 속에서 고딕체로 된 단편2의 제12행)은 다니엘 12장에서 의도된 것과 같은 의미에서의 궁극적인 부활에 관한 예언이라기보다, 엘리야와 엘리사에 의해서 — 그리고 복음서들에 의하면, 예수에 의해서 — 행해졌던 것과 동일한 종류의 역사들, 즉 방금 죽은 사람을 현세의 삶 속으로 다시 소생시키는 것에 관한 예언인 것으로 보인다: 사실상 "치유 사건"의 극적인 확장. 하지만 두 번째 인용문에 나오는 고딕체로 된 어구는 위에서 살펴본 '쉐모네 에스레' 속에 나오는 표준적인 기도문구와 흡사하게 들린다: 하나님은 생명을 주시는 자, 죽은 자들을 일으키실 자로 찬양된다.[242]

두 번째 증거는 찬송집에서 발견된다:

그때에 심판의 때에
하나님의 칼이 서두를 것이고,
그의 진리의 모든 아들들이 악을 무찌르기 위하여 일어나리라;
모든 악의 아들들은 더 이상 존재하지 않으리라 …[243]
티끌 속에 누워 있는 너희여,
… 기를 올려라!

---

240) 4Q521 frag. 2 col. 2.1-13; frags. 7 and 5 col. 2.1-7. Tr. Vermes 391f.; GM 1045-7(합성되었고 약간 각색되었다). 고딕체는 이후의 참고를 위한 것이다(아래를 보라).

241) 공관복음서의 본문들에 대해서는 *JVG* 494-7; 530-33을 참조하라. 그 밖의 다른 참고문헌들에 대해서는 GM 1044f.를 보라. Collins 1995, 117-22는 여기서의 메시야가 제사장적이거나 왕적인 것이 아니라 예언자적이며, 죽은 자들을 다시 살리는 그의 행위는 엘리야 및 그 밖의 다른 사람들에 관한 이야기들 및 사변들과 맥을 같이 한다고 주장한다.

242) Frags. 7 and 5, 2.6. 기도 문구에 대해서는 위의 제4장 제4절을 보라.

243) 1QH 14.29f.(earlier edns., 6.29f.). Sanders 1992, 302는 이것을 부활 소망에 대한 분명한 증거로 본다(흥미롭게도 아래에 나오는 그 다음의 본문들을 언급하고 있

오, 수고로 지친 육신들이여,
[악의 멸망]을 위하여 군기를 올려라!
[죄인들이] 불경건한 자들에 대항한 싸움들 속에서
멸망받으리라.[244]

당신의 영광을 위하여
당신을 위하여 거룩하게 되고,
가증스러운 부정이 없으며
죄악이 없도록 하기 위하여
당신은 사람을 죄로부터 깨끗케 하였나이다;
사람으로 하여금 당신의 진리의 자녀들과 하나가 되고
당신의 거룩한 자들의 운명에 동참하며
벌레들이 갉아먹은 육신들이
당신의 진리의 모략으로 티끌로부터 일어나며,
타락한 영이 들어올려져서
당신으로부터 나오는 명철을 얻으며,
사람이 영원한 천군과 당신의 거룩의 영들과 함께 당신 앞에 서서,
모든 산 자들과 함께 새로워져서
아는 자들과 함께 기뻐하기 위함이니이다.[245]

이 본문들을 은유적으로 보아서 악에 대한 다가올 승리에 관하여 말하고 있는 생생한 방식으로 보아야 할 것인지, 아니면 문자적으로 보아서 몸의 부활이라는 구체적인 사건을 가리키고 있는 것인지는 문맥 속에는 분명하게 드러나 있지 않다. 그러나 앞의 시에 나오는 여러 본문들 속에서 공동체를 깊이 뿌리를 내린 영속적인 나무로서 그 가지들이 크게 자라서 그 그늘로서 세상을 덮으며 에덴의 물줄기에 의해서 물을 공급받고 있다는 내용을 말하고 있는 것

지 않지만).

244) 1QH 14.34f.(earlier edns., 6.34f.); tr. Vermes 274; cf. GM 176f.

245) 1QH 19.10-14(earlier edns. 11.10-14); tr. Vermes 288; cf. GM 188f.

으로 보아서, 위의 본문들은 다가올 세대에 관한 고양된 비전으로서, 거기에는 다니엘 12:2과 욥기 19:26을 반영하여 티끌에 거하는 자들이 부활하여 새롭게 몸을 입은 삶을 살게 될 것이라는 예언이 포함되어 있다는 것을 우리는 알게 된다.[246] 진리의 아들들이 깨어나서 악인들을 심판한다는 관념은 우리가 지혜서 3:7-8에서 살펴본 묘사 및 하나님의 백성 또는 하나님의 메시야가 "눈의 불꽃처럼" 한 나라를 훈련시킬 것이라는 아람어 묵시록의 내용과 아주 비슷하다.[247] 그리고 우리가 위에서 인용한 두 번째 시는(통상적인 서두의 결문 이후에) 하나님이 "티끌"로 하신 일에 대하여 하나님을 찬양하는 것으로 시작된다.[248] 이러한 것들은 이 문제가 제기되었다면(이 문제가 그리 자주 제기되었던 것으로 보이지는 않는다), 적어도 쿰란 공동체의 몇몇 사람들은 부활의 문제에 대하여 사두개파가 아니라 바리새파와 견해를 같이 했을 것임을 보여주는 일말의 단서들인 것으로 보인다.[249] 하지만 비록 이것이 사실이라고 할지라도, 상당한 분량의 문헌들이 발견되었음에도 불구하고, 부활 신앙을 언급하고 있는 비율이 너무도 적다는 것은 유의해야 할 점이다.

동일한 방향을 보여주는 것으로 여겨질 수 있는 마지막 본문들은 이른바 에스겔위서(Pseudo-Ezekiel) 속에 나온다(4Q385, 385c, 386, 391). 이러한 단편들에 여러 가지로 등장하고 있는 핵심적인 본문은 에스겔서 37장에 나오는 부활에 관한 묘사를 참 이스라엘 사람들이 야훼에 대한 그들의 충성심에 대한 상급을 장래에 받게 될 것인지에 관한 예언으로 발전시키고 있다:

---

246) 1QH 14[4].14-18. Vermes 1997, 88는 이 문제에 대하여 중립적인 태도를 취하고 있는 것으로 보인다; 우리의 이전의 논의들에 비추어 볼 때, 우리가 사후의 불멸에 관한 언급을 발견하는 곳에서 이것이 궁극적인 부활을 배제한다고 주장하는 것은 옳지 않을 것이다.

247) 4Q246 2.1f.(Vermes 577; GM 494f.). 이 본문은 분명히 다니엘서에 뿌리를 두고 있다.

248) 1QH 19[11].3.

249) 예를 들면, Collins 1995, 133는 이에 반대한다(유일하게 분명한 전거들은 4Q521과 4Q385라고 주장한다).이 본문들의 해석에 관한 이전의 논쟁들에 대해서는 Nickelsburg 1972, 150f. 등을 보라.

> 오, 주님, 나는 이스라엘 속에서 당신의 이름을 사랑하고 공의의 길들로 행하는 많은 자들을 보았나이다. 이런 일들이 언제 일어나리이까? 저희가 그 충성심에 대하여 어떻게 상급을 받게 되리이까? 야훼께서 내게 말씀하셨다: 내가 이스라엘의 자손들로 하여금 내가 야훼임을 보게 할 것이고, 저희가 내가 야훼임을 알리라. 그리고 말씀하시기를, 인자야, 뼈들에 대하여 예언하여 가로되, 뼈와 뼈끼리 연결될지어다 … [본문은 겔 3:37을 따라서 계속된다] 그러면 저희가 살아나겠고, 큰 무리의 사람들이 일어나서 저희를 살리신 만군의 야훼를 찬송하리라.[250)]

여기에서는 그 어떠한 의문도 끼어들 여지가 없는 것으로 보인다: 에스겔 37장은 단순히 포로 생활로부터의 귀환에 대한 은유로서만이 아니라 실제의 부활에 관한 예언으로 보아지고 있다. 내가 알고 있는 한, 이것은 에스겔서를 이런 식으로 해석한 가장 초기의 성경 이후의 본문으로서, 후대의 몇몇 랍비들의 용법을 예감케 하는 본문이다.

물론, 쿰란 문헌들 중 압도적인 다수는 죽은 자들의 장래의 운명에 관하여 그 어떠한 말도 하고 있지 않다는 것은 여전히 사실이고, 이것은 바리새파와 사두개파의 논쟁에서와는 달리, 이 문제가 이 분파에 있어서는 쟁점이 아니었다는 것을 보여주는 것임에 틀림없다. 에세네파는 유대교의 다른 분파들의 온갖 종류의 견해들과 율법에 관한 판단들을 배제하고자 심혈을 기울였지만, 부활 신앙을 주장하는 사람들이나 그것을 부정하는 사람들에 맞서서 결코 논쟁을 벌이지 않았다. 쿰란 문헌 속에서 부활 신앙이 등장할 때, 그것은 저자가 대적자들에 맞서서 자신의 견해를 피력하는 논쟁의 주제로서 등장하는 것이 아니라, 죽음을 포함한 모든 악에 대한 야훼의 주권에 대한 신앙의 자연스러운 결과물로서 등장한다. 따라서 나는 Puech의 다음과 같은 견해에 동의한다: 에세네파의 미래적 소망은 그들의 현재적인 종교적 경험을 죽음 너머의 미래의 세계 속으로 연장하는 것이었다.[251)]

이와 동시에, 쿰란 공동체에서 내세 및 거기에서의 복된 자들의 삶에 관한

---

250) 4Q385 frag. 2.2-9(GM 768f.); 또한 4Q386 frag. 1.1-10(GM 774f.); 4Q388 frag8.4-7(GM 778f.)을 보라.

비전은 단순히 현재의 세상과 같은 그런 것으로 되돌아가는 것이 아니라 훨씬 더 휘황찬란한 것이었다는 것을 강조해두는 것도 중요하다. "아담의 모든 영광"은 구속받은 자들의 것이 될 것이다.[252] 정확히 그것이 무엇을 포함하고 있고 어떻게 이루어질 것인지에 대해서는 특별한 이론이 발전되지 않았다. 이 분파의 주된 관심은 장래의 운명이 아니라 현재적인 정결에 있었다.

(viii) 위필로의 『성경적 고대사』

이른바 위(僞)필로의 『성경적 고대사』는 라틴어로 보존되어 있지만, 라틴어 번역자가 사용했던 헬라어 본문을 거쳐서 히브리어 원문으로 소급될 것임이 거의 확실하다.[253] 이 작품은 죽음 이후에 일어나는 일에 상당한 정도의 강조점을 두고 있고, 우리가 이러한 자료들 속에서 발견할 수 있는 두 단계의 사후의 실존에 관한 교설을 아주 상세하게 전개하고 있다.

죽음 이후에 의인들의 영혼은 평안 가운데 있다:

> 종국에 너와 너의 자손들, 너희 각자의 운명은 영원한 삶이 될 것이고, 나는 너희의 영혼을 가져다가 세상에 할당된 시간이 다 할 때까지 평안 속에 머물게 할 것이다. 그런 후에 나는 너희를 너희 열조들에게 돌리고, 너희 열조들을 너희에게 돌려서, 저희가 너희로 말미암아 내가 너희를 헛되게 선택하지 않았다는 것을 알게 될 것이다.[254]

이것이 우리가 가지고 있는 모든 것이라면, 우리는 아마도 독자들이 의인들

---

251) Puech 1993, 792.

252) 1QS 4.23; CD 3.20; 1QH 4.15(earlier edns., 17.15); 4Q171 3.1f.(여기에서 본문은 아담의 모든 "유업"에 관하여 말한다).

253) Harrington in Charlesworth 1985, 297-303(cp. Harrington 2002); Nickelsburg 1984, 107-10을 보라. 저자가 이 명칭을 얻은 것은 이 작품이 알렉산드리아의 철학자의 진정한 작품들과 함께 전승되었기 때문이다. 이 작품은 종종 그 라틴어 명칭인 *Liber Antiquitatum Biblicarum*에 대하여 *LAB*로 축약해서 불린다.

254) *LAB* 23.13; 28.10은 의인들이 "휴식" 중에 있다거나 "그들의 조상들과 함께 잠잔다"고 말한다; 51.5은 의인들이 "잠자러 가서" 그렇게 해방을 받는다고 말한다.

은 몸을 입지 않은 복된 삶을 영속적으로 누리고 있다는 결론을 내리게 될 것이라고 예상할지도 모른다 — 마치 사람들이 지혜서 3:1-5을 읽고 나서 맥락과는 상관 없이 그러한 결론을 내리듯이 말이다. 그러나 "세상에 할당된 시간"에 관한 언급은 우리로 하여금 이것이 두 단계로 이루어진 과정 중의 첫 번째 단계에 불과하다는 사실을 주목하도록 일깨워준다. 저자는 이때와 그 결과들에 관하여 할 말이 무척 많았던 것이다:

> 그러나 세상을 위하여 정해진 연수가 다했을 때, 그때에 빛이 그치고 어둠이 사라질 것이다. 그리고 나는 죽은 자들을 생명으로 돌아오게 하고 잠자고 있는 자들을 땅으로부터 일으킬 것이다. 지옥이 그 채무를 되돌려줄 것이고, 고통의 장소가 그 저장했던 것들을 되돌려주어서, 나는 영혼과 육체 사이를 판단할 때까지 각자의 공로들과 스스로 행한 일들의 열매들을 따라서 각 사람을 배정할 것이다. 세상이 그치고, 죽음이 폐해지며, 지옥이 그 입을 닫게 될 것이다. 땅은 거기에 거하는 자들에게 생산이 없거나 불모지가 되지 않을 것이다; 나에 의해서 죄사함 받은 자는 그 누구나 더럽혀지지 않을 것이다. 그리고 또 다른 땅과 또 다른 하늘, 영원한 처소가 있게 될 것이다.[255]

이러한 두 단계의 과정은 나중에 나오는 본문 속에서 한층 더 명시적으로 드러난다:

> 나는 너희를 여기로부터 데려다가 너희 열조들과 함께 너희를 영화롭게 할 것이고, 나는 너희에게 안식을 주어 잠자게 하고 평안 중에 너희를 매장하리라 … 그리고 나는 너희와 너희 열조들을 너희가 잠자고 있는 애굽 땅으로부터 일으키리니, 너희가 시간에 매이지 않는 불멸의 처소에서 함께 모여 거하게 될 것이다. 그러나 이 하늘은 내 앞에서 떠가는 구름 같을 것이며, 어제 같이 지나가리라. 내가 세상을 방문할 때가 가까워지면,

---

255) *LAB* 3.10. 야훼께서 장래에 "이 세상을 기억하실 것"에 대해서는 48.1을 참조하라.

> 나는 세월들에게 명하고 시간들에게 지시를 내려서, 그것들은 짧아질 것이며, 별들은 서둘러 가고, 태양의 빛은 황급히 떨어지며, 달빛은 머무르지 않을 것이다; 왜냐하면, 나는 살 수 있는 모든 자들이 내가 너희에게 보여 준 거룩한 장소에서 거할 수 있도록 하기 위하여 잠자고 있는 너희를 서둘러 일으킬 것이기 때문이다.[256]

첫 번째 단계는 오직 일시적인 것인 "하늘"에서 "열조들"과 함께 영광 중에 잠들어 있는 지복의 안식이다; 그런 후에, 두 번째 단계는 새로운 실존, 새 하늘과 새 땅, 최종적인 거룩의 장소이다. 유대교 및 초기 기독교의 본문들 속에서 아주 흔하게 나타나듯이, 여기서 말하고자 하는 요지 중의 일부는 합당한 심판이다. 부활은 하나님이 모든 잘못된 것들을 바로잡는 방식이다.[257] 이 저자가 우리의 중심적인 주제 위에서 어느 지점에 서 있는지 — 또는 그가 초기 기독교의 몇몇 중심적인 본문들, 특히 요한계시록과 얼마나 가까운지 — 는 의문의 여지가 없다.

(ix) 바리새파, 랍비들, 탈굼들

바리새파가 기원전과 기원후가 갈리는 시기에 유대교 분파들 중에서 가장 대중적인 분파이자 압력집단이었다면, 주후 70년의 사건들은 그들의 후예들이자 후계자들이었던 랍비들이라는 독특한 집단을 생겨나게 하였다.[258] 미쉬나(대략 주후 200년경)와 두 개의 탈무드(대략 주후 400년경)의 편찬 이전에 랍비들이 한 세기 남짓 발전시켰던 신앙들과 관습들은 비록 새로운 상황들과 논쟁들에 맞추기 위하여 발전된 것이었긴 하지만 이전의 사상과 삶 속에 그 뿌리를 두고 있었다. 주후 70년과 135년의 두 차례에 걸친 위기들은 커다란 변화들을 가져왔고, 랍비들은 이교도들의 지배에 맞선 사회적 및 정치적 혁명을 생각할 수도 없게 되었던 세상 속에서 살아가는 데에 적응하여야 했다 —

256) *LAB* 19.12f.

257) 예를 들면, cf. LAB 25.1.

258) 바리새파와 랍비들에 대해서는 *NTPG* 181-203; Cavallin 1974, 171-92; Puech 1993, 213-42; Segal 1997, 113-25를 보라. 오늘날의 대부분의 저술가들과 더불어, 나는 주후 70년의 분수령을 전후해서 대단히 높은 수준의 연속성을 전제한다.

두 차례의 대규모의 민중 봉기가 철저하게 분쇄된 상황 속에서 그 초점은 나라에서 토라로, (어느 정도) 정치에서 경건으로 수정될 수 밖에 없었다.[259] 이것이 이미 널리 퍼져서 견고하게 유지되고 있었던 부활 신앙에 영향을 미쳤다는 것을 보여주는 여러 표지들이 존재한다.[260]

우리는 마카베오 혁명의 때로부터 그 이후까지에 이르는 초기 시대에서 시작하고자 한다. 초기 기독교의 저작들 속에 보도된 논쟁들과 요세푸스의 글 속에 나오는 "철학적인" 서술들을 위한 배경이 되었던 바리새파와 사두개파 간의 논쟁들은 분명히 그 분파들이 기원전에 취하고 있었던 입장들을 반영하고 있다.[261] 죽은 자들을 살리시는 분으로서의 하나님을 찬양하는 예전(禮典) 전승들은 분명히 이 초기의 시기에 나왔을 것이다. 시걸(Segal)은 유대교의 기도서의 여기 저기에서 발견되는 부활에 대한 "무수한" 언급들에 대하여 말한다.[262] 아미다(Amidah)의 두 번째 축도문, '쉐모네 에스레'는 그 많은 언급들 중의 오직 한 가지일 뿐이다; 무작위적으로 대속죄일의 예전 속에 나오는 마지막 기도문을 들어보고자 한다: "또한 당신은 죽은 자들을 다시 살리는 데에 신실하나이다. 오 주여, 죽은 자들을 다시 살리시는 당신을 찬송하나이다."[263] 또한 우리는 바빌로니아 탈무드 베라코트(Berakoth) 60b에서 발견되는 아침 기도문을 들 수 있을 것인데, 이 기도문은 "영혼들을 죽은 시신들에게 회복시키시는" 하나님을 찬양하는 것으로 끝이 난다. 그런데 거기에서 "영혼"을 가리키는 단어인 '네샤마'는 인간 존재의 불멸의 부분을 가리키는 것이 아니라, 죽을 때에 하나님께로 다시 돌아갔다가 나중에 다시 주어져서 부활을 가져오는 숨을

---

259) mAb. 3.5에 인용된 랍비 Nehunya ben ha-Kanah의 말(*NTPG* 199에서 논의된)을 보라.

260) 관련된 많은 본문들은 SB 3.473-83에 편리하게 언급되어 있다.

261) 신약의 증거들에 대해서는 특히 위의 제4장 제4절과 아래의 제10장 제2절에서 논의된 사도행전 23:6-9; 아래의 제2부에서 논의된 바울의 저작들을 참조하라. 요세푸스에 대해서는 위의 제4장 제4절을 보라.

262) Segal 1997, 123.

263) de Sola 1963, 184. "죽은 자를 되살리다"를 나타내는 히브리어는 *lehahyoth methim*이다; "죽은 자를 되살리는"이라는 어구는 *mehayyeh hammethim*이다. *Amidah*의 두 번째 축복문의 저작 연대에 대해서는 Cavallin 1973, 177f.를 보라.

가리킨다.[264] 다시 아미다로 되돌아가보면, 두 번째 축도문은 미쉬나에 언급되어 있고, 그것은 부활을 "비의 권능"이라는 관점에서 해석한다; 나중에 탈무드는 이것이 비가 세상에 생명을 가져다주는 방식과 부활이 죽은 자들에게 생명을 가져다주는 방식 간의 병행을 끌어다가 사용하고 있는 것이라고 설명한다.[265] 이러한 기도문들 또는 이러한 것들과 비슷한 것들이 우리를 제2성전 시대 말의 예전적 삶으로 데려다 주는 것이고, 따라서 그보다 이른 시기의 사상과 믿음과 논쟁을 보여주는 것이라는 것을 의심할 사람은 아무도 없다고 나는 생각한다.

이것을 보여주는 추가적인 증거는 아보트(Aboth)에 나오는 긴 명단 속에서 제일 먼저 거명된 랍비인 소코의 안티고누스(Antigonus of Soko)의 격언 다음에 나오는 주전 2세기의 것으로 보도되고 있는 논쟁들 속에서 발견된다.[266] "너희는 선물을 받으려고 주인을 섬기는 하인들과 같이 되지 말고, 선물을 받을 생각을 전혀 하지 않은 채 주인을 섬기는 하인들과 같이 되어야 한다"라고 이 랍비는 분명하게 말하였다. 두 가지 형태로 보존된 후대의 전승에 의하면, 안티고누스의 제자들이었던 사독(Sadok)과 보에토스(Boethos)는 이 말이 무엇을 의미하는지를 놓고 서로 토론을 벌이다가, 이 말은 장래의 삶에 관한 모든 교설들, 특히 상급이 주어질 부활이라는 관념을 배제하는 것이라고 결론을 내렸다. 이 전승에 의하면, 그들은 미래적인 세계와 부활을 둘다 부정하는 사두개파와 보에토스파의 창시자들이 되었다고 한다. 물론, 랍비 전승 속에 보존된 이 사건은 바리새파가 자기들이 무엇에 대항하여 싸우고 있다고 생각했는지를 잘 보여준다. 또한 이 사건은 부활 신앙이 비교적 새로운 것이었음을 보여주는 설득력 있는 예화이다; 사독과 보에토스는 만약 부활이 초창기 시절부터 주류적인 가르침이었다면 안티고누스가 그렇게 말했을 리가 없다고 추론하였다.[267]

---

264) 창세기 2:7, 그리고 시편 104:29f.(여기에 나오는 단어는 *ruach*이지만)에서의 사고의 흐름을 참조하라. Cp. Cavallin 1973, 178.

265) mBer. 5.2; bBer. 33a. 오직 한 해의 적절한 때에만 비를 내려달라고 기도하는 mTaan. 1.1f.를 참조하라.

266) mAb. 1.3. Antigonus, 그리고 Soko의 위치에 대해서는 Schürer 2.360(Doubles)을 보라.

이것은 우리를 미쉬나 시대(주후 70-200년)에 나온 부활 신앙에 관한 랍비들의 주된 진술들로 데려다준다. 그 중에서 가장 잘 알려진 것은 내세, 특히 부활을 믿지 않는 자들은 부활을 얻지 못하게 될 것이라는 경고이다:

> 모든 이스라엘 사람들은 내세에 분깃을 가지고 있다. 기록된 바, 이스라엘 백성은 모두 의롭게 될 것이고, 땅을 영원히 물려받게 될 것이다: 내가 심은 가지, 내 손으로 만든 작품을 내가 영화롭게 하리라. 내세에서 분깃을 갖지 못할 자들은 다음과 같은 자들이다: [율법에 규정된] 죽은 자들의 부활이 없다고 말하는 자, 율법이 하늘로부터 오지 않았다고 말하는 자, 에피쿠로스 학파에 속한 자. 랍비 아키바는 이렇게 말한다: 이단적인 책들을 읽는 자, 또는 상처 위에 주문을 외우는 자 … 랍비 사울은 말한다: 야훼의 이름을 원래의 문자대로 발음하는 자.[268]

"율법에 규정된"이라는 어구는 몇몇 중요한 사본들에 빠져 있는데, 이것은 아마도 논쟁의 한 흐름을 반영하고 있는 것 같다: 부활을 완전히 부정하는 것과 부활이 모세 오경 속에서 가르쳐지고 있다는 것을 부정하는 것은 분명히 엄청난 차이가 있다(물론, 실제로는 동일한 사람들이 이 두 가지 모두를 부정했겠지만).[269] 하지만 이 항목에서는 계속해서 아키바(주후 2세기 초)와 사울(주후 2세기 중엽)의 첨가한 말들을 기록하고 있기 때문에, 우리는 여기에 나오는 기본적인 목록 — 부활, 토라를 신이 주었다는 것, 도덕적 및 영적인 가치들에 대한 부정 — 이 적어도 주후 1세기 중엽, 아마도 그 이전에 형성되었을 것이라고 확신할 수 있다. 우르바흐(Urbach)가 말한 것처럼, 이 본문 속에 부활에 대한 언급이 있는 것은 이 신앙의 시작이 아니라 "대적자들에 맞서서 부활 신앙을 받아들이게 하기 위한 투쟁"을 나타낸다.[270] 동일한 미쉬나의 글 속

---

267) Aboth de R. Nathan 5, in recensions A and B를 보라.

268) mSanh. 10.1 굵은 글자로 강조된 증거 본문은 이사야 60:21에서 가져온 것이다. "에피쿠로스 사람"은 동명의 이교 철학을 가리키는 것이 아니라, 방종한 생활을 하며 회의적인 사고를 하는 자를 가리킨다. 탈무드는 하나님은 언제나 행한 대로 갚으신다고 무시무시하게 논평한다(bSanh. 90a).

269)자세한 것은 Urbach 1987, 991 n. 11을 보라.

에 나오는 이후의 본문들은 내세의 삶이 부활을 포함하고 있다는 것을 전제한다. 따라서 예를 들면, 우리는 소돔 사람들과 광야 세대가 심판 때에 "일어날" 것인지에 관한 논쟁, 엘리에셀이 산 채로 스올로 들어갔던 고라의 자손들이 다시 살아나게 된다는 것을 증명하기 위하여 사무엘상 2:6을 설득력 있게 입증하고 있는 것 등을 발견하게 된다: "주는 죽이기도 하시고 살리기도 하시며, 스올로 내리기도 하시고 올리기도 하신다."[271]

그 밖에 잘 알려진 미쉬나의 한 본문은 초기에 인쇄된 판본들 중 일부에서조차도 발견되지 않는 것으로 보아서 후대의 첨가인 것으로 보인다:

> 랍비 비느아스 벤 야이르가 말한다: 경성함은 깨끗케 됨을 낳고, 깨끗케 됨은 정함을 낳으며, 정함은 절제를 낳고, 절제는 거룩함을 낳으며, 거룩함은 겸손을 낳고, 겸손은 죄를 꺼려하는 것을 낳으며, 죄를 꺼려하는 것은 성도됨을 낳고, 성도됨은 성령으로 나아가고, 성령은 죽은 자들의 부활로 이끈다. 그리고 죽은 자들의 부활은 복된 엘리야를 통해서 임하게 될 것이다.[272]

이 본문은 극단적으로 정형화되어 있긴 하지만,[273] 부활에 관한 유대교 및 기독교의 사상을 연구하는 사람들에게 두 가지 흥미로운 점을 제공해준다: 부활에 있어서의 성령의 활동, 말라기 4:5에서 약속된 것과 같이, 내세의 도래와 죽은 자들의 부활에 있어서의 엘리야의 활동.[274] 하지만 우리의 목적을 위해서는 부활이 궁극적인 상급, 거룩함과 토라를 준수한 삶에 대한 상급으로 여겨지고 있다는 것을 지적하는 것으로 충분할 것이다. 주전 1세기 또는 주후의 초

---

270) Urbach 1987,653.

271) mSanh. 10.3. Eliezer(ben Hyrcanus)은 주후 1세기 말에 가르쳤다. 장래의 심판에 대한 역설은 훨씬 이전의 교사였던 Nittai the Arbelite(주전 2세기)의 특징이었다(mAb. 1.7).

272) mSot. 9.15. 본문상의 문제에 대해서는 Urbach 1987, 992 n. 11을 참조하라.

273) 비슷한 순서에 대해서는 베드로후서 1:5-7을 참조하라.

274) 엘리야가 부활을 가져오리라는 것에 대해서는 Cant. R. on Song 1.1을 참조하라. Moore 1927-30, 2.272에 다른 전거들이 나온다.

기 세기들 동안에 바리새파 및 랍비들의 사상 속에서 이러한 판단에 대하여 심각하게 이의를 제기하고 있다는 것을 보여주는 표지는 전혀 없다.[275]

이와 동일한 결론은 죽음과 관련된 당시의 관습들의 증거들로부터도 확인될 수 있다 — 물론, 조심스럽기는 하지만. 데이비드 도브(David Daube)은 기원 전후가 바뀌는 두 세기 동안에 바리새파가 중범죄를 범한 자들을 처형하는 데에 사용되는 방법론들에 있어서 광범위한 개혁들을 행하였던 방식들을 열거하였다. 돌로 쳐서 죽이는 방식은 완화되었다; 화형은 불붙은 액체를 목구멍에 강제로 넣는 것을 통해서 행해졌다; 목매어 죽이는 것은 특별한 방법에 의해서 행해졌다; 이 모든 것은 뼈대를 손상시키지 않기 위한 것이었다. 몸은 중요하였고, 그 중에서 가장 내구성이 강한 부분인 뼈는 손상을 입히지 않아야 했다. 동일한 이유에서 화장은 피해졌다.[276]

이와 동시에, 두개골 전체를 주의 깊게 보존하고 보관하는 것을 포함한 이장(移葬)이 이 시기에 널리 행하여졌다.[277] 이것은 부분적으로는 시신을 매장할 공간의 실제적인 부족 또는 그러한 인식의 결과였기도 했겠지만, 미래의 부활을 위해서 뼈의 보존이 중요하다는 믿음이 중요한 역할을 하였다고 생각할 만한 온갖 근거가 존재한다.[278] 마찬가지로, 디아스포라 유대인들이 팔레스타인에 매장되기를 간절히 소망했다는 것은 죽은 자들의 부활이 거기에서 일어날 것

---

275) 따라서 Barr(1992, 45)가 랍비들의 견해는 "몸의 부활과 영혼의 불멸의 다소 모호하고 유동적인 결합"이라고 설명한 것은 우리를 당혹스럽게 하는 것이다. 사실 Maimonides와 Spinoza의 시대에 온갖 종류의 것들은 모호하고 유동적인 모습을 띠고 있었다; 그러나 랍비들은 (a) 궁극적인 몸의 부활, 따라서 (b) 현재와 궁극적인 미래 간의 연속성을 보장해 주는 중간상태라는 확고한 토대 위에 서 있었다.

276) Daube 1956, 303-08.

277) bSem. 49a. mMo. Kat. 1.5를 보면, 부모의 뼈들을 수습하는 일은 절기 중간에 속하는 날들에 행하는 것이 허용되었는데, 이 일이 애곡의 때가 아니라 기쁨의 때이기 때문이었다고 미쉬나는 설명한다 — 이것은 오직 뼈들이 수습되고 보관된 것은 부활을 기대한 것임을 의미한다는 것을 보여준다. 자세한 내용은 Meyers 1970, 1971; Figueras 1974; 1983; Rahmani 1981-2를 보라. Figueras의 저작은 납골단지들을 장식하는 것에 관한 세부적인 내용들을 매력적으로 자세하게 서술하고 있는데, 이것도 중요하긴 하지만 우리가 여기에서 다루기에는 별 관련이 없는 영역이다.

278) Park 2000, 170-72; Meyers 1970; Puech 1993, 190f., 220을 보라.

이라는 신앙을 보여주는 것이다[279] 또한 이것은 당시에 발전된 주목할 만한 이론, 즉 거룩한 땅 밖에 매장된 유대인들의 뼈는 부활을 위하여 지하통로들을 통해서 굴러서 거룩한 땅에 오게 될 것이라는 이론 속에서도 등장한다.[280] 이것은 다른 무엇보다도 특히 에스겔서 37장의 은유적 의미(포로생활로부터의 귀환)을 문자적 읽기(몸의 부활)와 결합시킨 새로운 방식인 것으로 보인다.

많은 것들을 시사해 주는 후대의 랍비들의 논의들로 옮겨가기 전에, 우리는 잠시 이 개관 전체에 걸쳐서 함축되어 있는 신앙의 형태를 주목해 볼 가치가 있다. 죽은 자들의 부활은 확신 가운데 기대되어졌지만 아직 일어난 것은 아니었다. 의인들이든 악인들이든 죽은 자들은 여전히 죽은 상태로 있다. 이 모든 자들이 결국에는 부활하게 될 것인지에 대해서는 의심의 여지가 없다; 랍비들과 그리스도인들, 양 진영 모두에 있어서 불일치가 가장 심한 분야들 중의 하나는 모든 죽은 자들이 부활하게 될 것인지(악인들은 심판을 받기 위해서 부활하게 된다), 아니면 오직 의인들만이 부활하게 될 것인지에 관한 것이었다. 그러나 장래의 부활을 믿은 자들은 죽은 자들이 어떤 중간 상태에서 어느 장소 또는 어느 방식으로 살아 있다고 믿었다는 것은 의심의 여지가 없다. 영혼들이 잠정적인 장소인 낙원에서 벽장 또는 거처에 보관된다는 표현이 이 시기의 한두 저작들에서 발전되었다는 것을 우리는 이미 살펴보았다; 이 중간 상태를 표현하기 위한 정확한 용어는 특별히 정해진 것은 없었던 것으로 보이지만, 모종의 중간상태가 부활 자체만큼이나 대중적인 신앙이었음은 분명하다. 그렇다고 해서 이것이 "부활"과 "불멸"을 결합하여 소위 "유대적인" 관념과 "헬라적인" 관념을 통합시켜 놓은 특이한 내용물인 것은 아니다. 이것은 여전히 앞 장의 시작 부분에서 말한 반쯤 진리인 옛 것의 잔존물이다. 미래의 몸의 부활에 대한 바리새파 신앙 속에는 마지막 날에 부활할 사람이 죽은 그 사람과 동일하려면 모종의 개인적 정체성의 연속성이 꼭 필요하다는 — 그것이 아

279) cf. bKetub. llia; bBer. 18b; jKetub. 12.3; Gen. Rab. 96.5; Pesiq. Rab. 1.6. 이 전거들은 Park 2000, 172의 지적에 의한 것이다(자세한 것은 그의 배후에 있는 Meyers 1970; Fischer 1978; van der Horst 1992; and Puech 1993을 보라).

280) 예를 들면, cf. jKil. 32c; jKet. 35b; Targ. Cant. 8.5; cf. Moore 2.380 n.; Cavallin 1974, 192 n. 15.

무리 묘사하기가 어렵다고 할지라도 — 신앙이 포함되어 있었다. 만약 그 연속성이 보장되지 않는다면, 부활, 곧 미래적 삶에 있어서 공의의 상급의 신학적 근거 전체는 산산이 무너지고 만다. 바래새파의 두 주요한 학파들이 중간 상태에 관한 견해를 주장했다는 사실은 극단적으로 의롭거나 극단적으로 악한 자들의 경우에 이 상태가 유쾌할지 또는 불쾌할지에 대한 그들의 논쟁을 통해서 아주 극명하게 드러난다.[281]

사실, 창조주 신의 공의는 부활에 관한 후대의 랍비들의 논의들의 근저에 있는 중심적인 신조들 중의 하나였다는 이러한 논의들은 세 가지 질문에 그 초점을 맞추고 있었다: 야훼는 어떻게 공의를 이루게 될 것인가? 몸은 무엇과 같게 될 것인가(옷을 입은 상태가 되는가, 아니면 벗은 상태가 되는가; 동일한 몸인가, 아니면 변화된 몸인가)? 특히, 성경의 어느 본문들이 그것을 예언하고 있는가?[282]

야훼가 부활을 어떻게 이루게 될 것인가에 관한 문제는 창세기 랍바(Rabbah) 14:5과 레위기 랍바 14:9에 보도되어 있는 바래새파/랍비들의 학파들인 힐렐 학파와 샴마이 학파 간의 열띤 논쟁의 주제이다.[283] 거기에서 두 학파는 야훼가 새로운 몸을 만들 때에 가죽과 살로부터 시작해서 그것들을 견고하게 해서 마침내 힘줄과 뼈를 형성하는 것인지(힐렐 학파의 견해), 아니면 야훼가 뼈로부터 시작해서 가죽과 살을 만들어 나가는 것인지(샴마이 학파의 견해)를 놓고 논쟁을 벌인다. 물론, 샴마이 학파는 에스겔서 37장을 칠십인역

281) Tos. Sanh. 13.3; bRosh ha-Sh. 16b — 17a; 또한 Moore 1927-30, 2.318, 390f.를 보라. 별로 놀랄 일은 아니지만, 샴마이 학파는 그런 사람들을 위한 일종의 연옥을 상정하였다; 힐렐 학파는 야훼가 그 점에 있어서 긍휼을 베푸는 쪽으로 행하실 것이라고 생각하였다. 이 논의에서 흥미로운 일화는 Yohanan ben Zakkai가 임종을 맞았을 때에 자기가 낙원에 갈 것인지 게헨나에 갈 것인지를 확신하지 못했다는 것에 관한 이야기이다(bBer. 28b; Aboth de R. Nathan 25).

282) 이 문제와 관련된 많은 랍비 본문들이 SB 1.885-97에 수집되어 있다.

283) 이 두 저작은 적어도 주후 400년경에는 최종적인 형태를 갖추었다 — 아마도 더 오래된 자료들을 통합하였겠지만. 레위기 랍바는 창세기 랍바에 의존하고 있다는 몇몇 표지들을 보여준다. Strack and Stemberger 1991 [1982], 300-08; 313-17을 보라. 힐렐 학파와 샴마이 학파, 그들의 논쟁에 대해서는 *NTPG* 164, 183f., 194-201을 참조하라.

이 이미 했던 것과 같은 방식으로 해석해서 자신들의 입장을 지지해 주는 것으로 제시한다.[284] 힐렐 학파는 욥기 10:10을 확고하게 미래적인 의미로 읽어서 자신들의 논거로 삼고 있지만, 그 논거가 좀 더 희박하다("주는 나를 우유처럼 부어서 연유처럼 굳힐 것이다; 주는 내게 가죽과 살을 입히고, 뼈와 힘줄로 엮을 것이다").

이 논쟁이 어느 시기에 벌어졌는지를 말하기는 불가능하고, 정치 또는 정결의 통상적인 분야들 속에서 어떤 문제와 관련하여 이러한 논쟁이 벌어지게 되었는지도 분명치가 않다. 표면상으로 주된 차이점은 샴마이 학파는 이전의 몸과 장래의 몸 간의 물리적인 연속성을 주장하였던 반면에, 힐렐 학파는 하나님이 완전히 새로운 창조를 행하실 것이라고 주장했다는 — 가죽과 살은 완전히 썩어 없어질 것이기 때문에 — 것으로 보인다. 이러한 논쟁을 통해서 그들은 대다수의 사람들이 몸의 부활이 정확히 무엇을 수반하는지에 대하여 다른 사람에게 설명하기는커녕 스스로도 잘 알지 못해서 여러 가지 궁리를 하였던 고전적인 문제점을 보완하고자 했던 것이다. 태워져서 재로 변한 후에 이리저리 흩뿌려진 사람들은 어떻게 되는 것인가? 사지가 갈가리 찢겨져서 그 뼈들이 서로 멀리 떨어져 있는 그런 사람들은 어떻게 되는 것인가? 힐렐 학파는 마지막에 만들어질 몸이 물리적인 몸으로서의 속성을 지니고 있다는 바리새파의 기본적인 강조점을 약화시키고 있지는 않지만, 샴마이 학파의 입장이 노출되어 있는 난점들을 그대로 지니고 있다고 보는 것은 무리가 없는 것 같다. 그러나 우리의 목적을 위하여 중요한 것은 부활의 몸이 최종적으로 물리적인 몸의 성격을 지니고 있다는 것에 대한 강조점이 약화되지 않았다는 것이다. 한 주석자의 주장처럼, 힐렐 학파의 관점은 "샴마이 학파의 입장보다 덜 문자적이고 더 영적이라고 해석될 수 있다"고 말하는 것은 전혀 근거가 없다.[285]

"어떻게"와 관련된 문제의 그 밖의 측면들은 바빌로니아 탈무드에 수록된

---

284) 칠십인역에 대해서는 위의 제4장 제4절과 Cavallin 1974, 107을 보라. 또 하나의 전승은 아몬드 형태로 된 미저골의 끝은 부수거나 으깨거나 불태우거나 그 밖의 다른 방식으로 처리하려는 모든 시도들에도 불구하고 살아남을 수 있기 때문에 장차 이루어질 몸을 위한 출발점으로 활용될 수 있다고 말한다: Gen. R. 28.3; Lev. R. 18(전도서 12:5, "아몬드 나무가 꽃 핀다"는 구절에 대한 독창적인 석의를 제시한다).

산헤드린(Sanhedrin) 90a-92b에 나오는 저 유명한 본문 속에서 논의된다. 이 본문에서는 놀랍게도 부활의 몸의 창조가 생각할 수 없는 것으로 여겨지고 있지는 않지만, 로마 황제와 가말리엘 2세의 딸(주후 1세기 말) 간의 짤막한(틀림없이 허구적인) 대화를 통해서 그러한 점을 보여주기 위하여 자연세계로부터의 몇몇 병행 또는 유비들을 인용한다. 황제는 티끌이 어떻게 생명으로 될 수 있느냐고 묻고, 가말리엘의 딸은 반문으로 대답한다: 성내에 두 토기장이가 있는데, 한 사람은 물로부터 토기를 만들고 한 사람은 진흙으로부터 토기를 만든다; 어느 쪽이 더 대단한 사람인가? 물로부터 토기를 만드는 사람이라고 황제는 대답한다. 하나님은 물로부터 인간을 창조할 수 있을진대, 하물며 진흙으로부터 인간을 만드는 것은 하나님에게 식은죽 먹기가 아니겠느냐고 소녀는 대답한다.[286] 이 이야기 뒤에는 또 하나의 유비가 따라나온다: 살과 피로 된 인간이 한 장의 유리를 깨뜨렸다가 다시 복구해 놓을 수 있을진대, 하물며 거룩한 이가 처음에 자신의 영으로 창조한 살과 피를 어찌 복구할 수 없겠는가.[287] 그런 후에, 땅에서 두더지가 나오는 것과 비온 후에 갑자기 달팽이들이 출현하는 것 등과 같은 좀 약한 사례들이 나온다.[288]

신약성서의 독자들에게 더 의미있는 것은 다음과 같은 아주 자주 등장하는 예화이다: 몸의 부활은 밀알이 그 씨앗으로부터 생겨나는 것과 같다. 바울이 이 예화를 고린도전서 15장에서 사용하고 있는 것과 마찬가지로, 이 예화는 다음과 같은 질문에 대답하기 위하여 통상적으로 사용된다: 부활의 때에 어떤 종류의 몸이 될 것인가? 그 몸은 이전의 몸과 동일할 것인가, 다를 것인가? 부활의 몸은 벌거벗은 상태인가, 아니면 옷을 입게 되는 것인가? 또 한 번의 대화는 이번에는 랍비 메이르(아키바의 제자, 즉 주후 2세기 중엽)와 클레오파트라 여왕(여기에서는 경건한 질문자의 역할을 하는) 사이에 벌어진다. 메이르의 대답은 씨앗이 벌거벗은 채로 뿌려지지만 옷을 입은 상태로 나타나는 것과 마찬가지로, 부활의 몸도 이미 매장할 때에 옷을 입고 있었기 때문에 더욱더 옷

285) Cavallin 1974, 173.

286) bSanh. 90b-91a.

287) ibid.

288) ibid. 91a.

289) bSanh. 90b ; 또한 cf. Pirqe de R. Eliezer 33.245 ; Gen. R. 95.1.

을 입고 나타나게 될 것이라는 것이다.[289] 하지만, 몸들은 상처나 기형을 지니고 있던 사람들이 어쨌든 처음에는 그 정체성을 보존하기 위하여 그러한 것들을 지닌 채로 부활할 정도로 충분히 그 정체성이 인식될 수 있을 것이다. 하지만 일단 부활의 몸을 입은 후에는 그러한 상처들과 기형들은 치유될 것이다.[290]

초기 기독교를 연구하는 사람들에게 여러 가지 의미를 던져주는 이 마지막 질문은 바리새인들, 그 이후에는 랍비들이 성경적 근거가 있다고 주장할 수 있는 문제였다. 다니엘서 12장이 몸의 부활에 관하여 말하고 있다는 것을 의심하는 사람은 아무도 없었다; 주전 1세기에 이르러서 적어도 일부 사람들은 에스겔서를 이런 식으로 읽고 있었고, 물론 포로생활부터의 귀환이라는 은유적인 뉘앙스도 여전히 나돌고 있었다. 그러나 사두개파가 바리새파에게(또한 예수에게) 압박했던 핵심적인 질문은 다음과 같은 것이었다: 너희는 토라 자체, 즉 좁은 의미에서의 모세 오경 속에서 부활을 발견할 수 있는가?[291]

그 대답은 말할 것도 없이 "그렇다 — 너희가 찾고 있는 것이 무엇인지를 알고 있기만 하다면"이라는 말이었다. 탈무드에 나오는 주된 논의(산헤드린 90-92)는 풍부한 예들을 제시하고 있다. 가말리엘 2세(주후 1세기 말)는 야훼가 모세에게 그가 열조들과 함께 잠들어 있다가 부활하게 될 것임을 약속하고 있는 신명기 31:16을 사용한 것으로 전해진다.[292] 사두개파는 이 본문 속에서 "일어날" 자는 모세가 아니라 악을 행하기 위하여 "일어날" 사람들이라고 주장하면서 — 우리에게는 이 말이 더 일리가 있는 것으로 보인다 — 바리새파에 반대하였다; 그러나 이와 동일한 본문은 가말리엘의 동시대인이었던 여호수아 벤 하나냐, 한 세기 이후의 인물이었던 시므온 벤 요하이에 의해서 사용된다.[293] 동일한 대목 속에서 가말리엘은 예언서들과 성문서들 속에 나오는 본문들을 아울러서 인용한다(이사야서 26장은 우리에게도 분명히 그러한 본문

290) Eccles. R. 1.4.

291) 이 문제에 대해서는 Moore 1927-30, 2.381-4; Cavallin 1974, 179f.; Segal 1997, 121-3을 참조하라.

292) 두 명의 가말리엘 간의 혼동 가능성과 이 이야기가 사도행전(22:3)에서 바울의 스승으로 주장되는 인물에 관한 것일 가능성에 대해서는 Cavallin 1974, 185; Neusner 1971, 1.341f.를 보라.

이지만, 아가서 7:10은 별로 그렇지가 않다; 하지만 잠자는 동안에 그 입술을 움직이는 사람들에 관하여 말하고 있는 내용을 일부 랍비들은 누군가가 죽은 교사의 한 말들을 인용할 때에 무덤에서 그 죽은 교사가 조용히 입술을 움직이는 것을 가리킨다고 해석하였다).[294]

그러나 가말리엘은 이번에는 신명기 11:9로 다시 돌아온다: 야훼는 족장들에게 단순히 그들의 후손들에게만이 아니라 그들에게 땅을 줄 것이라고 맹세하였기 때문에, 이 맹세는 족장들이 죽은 자들로부터 일으키심을 받을 때에만 성취될 수 있다.[295] 이것과 약간 다른 종류의 논거는 민수기 18:28("너희는 … 여호와께 드린 그 거제물은 제사장 아론에게로 돌리되")을 근거로 아론이 장래에 다시 살아나서 이스라엘 사람들이 드리는 제물을 받게 될 것이라고 주장하는 것이다.[296] 그 밖에 부활에 대한 증거들로 사용된 오경 속의 본문들로는 민수기 15:31(범죄자들의 나머지 범죄들은 내세에서 계산될 것이다), 신명기 32:39("나는 죽이기도 하며 살리기도 하며 상하게도 하며 낫게도 하나니"), 신명기 33:6("르우벤은 죽지 아니하고 살기를 원하며") 등이 있다.

성경의 다른 부분들과 관련된 석의들 중에서 더 독창적인 것으로는 하나님이 "자기의 백성을 판결하시려고 위 하늘과 아래 땅에 선포한다"고 말하는 시편 50:4이 있다. 죽은 자들의 영혼은 현재 하늘에 있고 그 몸은 땅에 있는데, 하나님은 심판을 위하여 이 둘에게 돌아와서 합쳐지라고 호출하게 될 것이라고 주석자는 말한다.[297] 이러한 석의는 후대의 것이긴 하지만, 바리새파 시대 이래로 채택되어 왔던 종류의 읽기가 무엇이었는지를 잘 예시해 준다. 심판을 위하여 영혼과 몸이 다시 재결합하는 것에 관한 이와 동일한 관심은 산헤드린

293) bSanh. 90b.

294) cf. bYeb. 97a; bBer. 31b.

295) bSanh. 90b. 동일한 본문에 나오는 다른 교사들은 가말리엘이 신명기 4:4("오직 너희의 하나님 여호와께 붙어 떠나지 않은 너희는 오늘까지 다 생존하였느니라")을 인용했다고 말한다. 출애굽기 6:4도 동일한 취지로 인용된다.

296) bSanh. 90b; 이 말은 Johanan(주후 2세기 중엽)의 것으로 돌려진다. 이 논증은 레위가 자기(심지어 그의 조부인 이삭)보다 앞서 난 멜기세덱에게 십일조를 드렸다고 말하는 히브리서 7:9을 상기시킨다.

297) Midr. Tann. on Deut 32.2; 또한 Moore 1927-30, 2.383f.에 나오는 다른 전거들.

91a-b에 나오는 랍비 유다의 비유에서도 발견되는데, 거기에서는 인간 존재를 두 사람이 함께 일하는 것에 비유한다(무화과 열매들을 훔치기 위하여 발을 저는 사람은 눈 먼 사람의 어깨 위에 앉아 있다). 이 두 사람 중 한 사람이 없다면 그 일을 해 내는 것이 불가능한 것과 마찬가지로, 영혼과 몸은 한 쪽만으로는 책임있게 행동할 수가 없다; 그러나 하나님은 이 둘을 다시 불러서 결합시킨 후에, 하나의 통일체로 심판하게 될 것이다.

탈굼들은 그 저작 연대를 설정하기가 대단히 어렵긴 하지만 제2성전 시대 말기로부터 아모라임 시대(the Amoraic period, 미쉬나와 탈무드 사이의 기간)에 이르기까지 랍비들의 주류적인 가르침 속에서 강조점이 어디에 두어져 있었는지를 아주 확고하게 보여주는 단서들을 제공해 준다.[298] 탈굼 저자들은 야훼가 "죽이기도 하시고 살리기도 하신다"는 성경의 진술들을 굳게 붙잡고, 그것들을 일관되게 "부활"의 의미를 분명하게 지닌 것으로 해석하였다.[299] 사무엘상 25:29에 나오는 저 유명한 행("내 주의 생명은 내 주의 하나님 여호와와 함께 생명 싸개 속에 싸였을 것이요 내 주의 원수들의 생명은 물매로 던지듯 여호와께서 그것을 던지시리이다")은 탈굼에서 죽은 자들의 영혼이 내세의 생명의 "보관소"에 보관되어 있다는 관점에서 해석된다 — 이 행의 첫 부분은 이 시기에 나온 여러 장례와 관련된 금석문들에서 발견된다. 달리 말하면, 의인들의 영혼은 부활의 때까지 중간 상태 또는 중간적인 장소에서 돌보심을 받는 반면에, 악인들의 영혼은 게헨나 또는 그곳과 마찬가지로 불유쾌한 곳에 보내진다는 것이다.[300] 한 경우에 탈굼은 죽은 자들을 깨우기 위하여 울려퍼지게 될 나팔 소리에 관하여 말한다 — 바울 서신의 두 본문에서처럼.[301] 마지막으로 언급된 본문은 죽은 자들의 부활을 포로생활로부터의 귀환과 명시적으로 연결시키고 있는 여러 본문들 중의 하나이다.

---

298) Cavallin 1974, 186-92; Puech 1993, 223-42에 나오는 더 자세한 연구들.

299) TgJ. II on Deut. 32.39; TgJon. on 1 Sam. 2.6; TgJon. on Isa. 26.19(특히 Gamaliel II가 bSanh. 90b에서 사용한 본문).

300) TgJon. on 1 Sam. 25.29; 또한 Cavallin 1974, 191 n. 2를 보라. 이 본문을 인용하는 장례와 관련된 금석문들에 대해서는 Park 2000, 150-54를 참조하라.

301) Tg. Jon. on Isa. 27.12f.; cf. 고전 15:52; 살전 4:16. 또한 cf. *Ps. Sol.* 11.1f.; *Apoc. Abr.* 31.1; 4 Ezra 6.23.

"부활" 본문에 대한 더 두드러진 탈무드적인 해석들 중의 하나는 호세아 6:2에 대한 해석이다. 마소라 본문은 "여호와께서 이틀 후에 우리를 살리시며 셋째 날에 우리를 일으키시리니 우리가 그의 앞에서 살리라"로 되어 있는데, 탈굼에는 "그가 장차 오게 될 위로의 날들을 위하여 우리를 다시 살리리라; 죽은 자들의 부활의 날에 그는 우리를 일으키시겠고, 우리는 그의 존전에서 살게 되리라"로 되어 있다. 성경으로부터 제2성전 시대에 이르기까지 이것은 "제삼일"을 이스라엘의 신이 자신의 구원 또는 부활의 역사를 이룰 때라고 말하고 있는 몇몇 유대교 본문들 중의 하나이다.[302]

이러한 변형적 해석의 한 예는 칠십인역과 탈굼이 성경 본문에 대하여 독자적이면서도 서로 병행되는 수정들을 행하고 있는 곳에서 볼 수 있다. 마소라 본문은 불경건한 자들이 심판대에 "서지" 못할 것이라고 분명하게 말하고 있는 시편 1:5에서 칠십인역은 그들이 "다시 일어나지"('우크 아나스테손타이') 못할 것이라고 말하고 있고, 탈굼은 이것을 "의롭다하심을 받지 못하게 되리라는 것"이라고 해석한다. 부활과 칭의(justification)의 병행은 바울 서신의 독자들이 쉽게 이해할 수 있었을 사상 세계를 가르킨다.

끝으로, 구약성서에서 부활을 가장 노골적으로 부정하고 있는 본문들 중의 하나인 욥기 14:12-14은 칠십인역과 탈굼에서는 오직 악인들의 장래의 삶만을 부정하는 것으로 수정되어서 의인들의 부활을 위한 길을 남겨둔다 — 의인들의 부활은 실제로 욥기 19:25-26에 대한 탈굼 속에서 언급되고 있는 것으로 보인다(물론, 이 대목은 마소라 본문과 마찬가지로 모호하긴 하지만).[303] 랍비들의 주된 저작들과 마찬가지로, 탈굼에서도 그러하다: 그것들이 거듭거듭 성경을 몸의 부활이라는 방향으로 해석하기를 힘쓰고 있다는 것은 의문의 여지가 없다.

부활 및 그 성경적 증거들에 대한 랍비들의 해설은 이 시기 전체에 걸쳐서 부활이 무엇을 의미했고 무엇을 의미하지 않았는지를 너무도 극명하게 보여준다. 부활, 즉 "죽은 자들이 다시 살아나는 것"은 단순히 "죽음 이후의 삶"에

---

302) cf. 창 22:4; 42:18; 출 15:22; 19:16; 수 2:16; 왕하 20:5; 욘 2:1, 11; 더 4:16; 5:1; Gen. R. 56.1; 91.7; Est. R. 9.2; Midr. Pss. 22.5. Cf. McArthur 1971.

303) 여기서 칠십인역의 읽기에 대해서는 위의 제4장 제4절을 보라.

관한 것이 아니었다; 그것은 "사후의 삶" 이후의 새로운 몸을 입은 삶에 관한 것이었다. 족장들, 모세, 르우벤, 또는 그 어느 누가 이러한 부활의 삶을 이미 받았다고 생각한 사람은 아무도 없었다. 족장들에게 분명한 약속들이 주어졌다는 것을 예시하는 목적은 하나님이 그 약속들을 장차 도래할 세상에서 이루실 것임에 틀림없다는 것이었다.

또한 "다시 살리는 것"은 이스라엘의 현재적인 종교적 경험과 아무런 관련이 없었다. 유대인들의 묵상, 기도, 신비 사상에 관한 모든 훌륭한 문헌들, 이스라엘의 신의 현존과 도우심에 관한 모든 강력한 인식 — 이것들 중 그 어느 것도 부활이 이미 일어났었다는 것을 의미하는 것으로 해석되지 않았고, 단지 이 신이 창조주이자 재판장이기 때문에 장차 그런 일이 일어날 것임을 의미하는 것으로 받아들여졌다. 헤롯 시대 및 그 이후의 지혜자들이 백성들에게 죽은 자들의 부활에 관하여 가르치는 것을 그들의 주된 과업들 중의 하나로 보았을 때, 그들이 염두에 두고 있었던 것은 이러한 미래적인 몸의 갱신이었다.[304)]

그리고 그러한 가르침을 베푸는 과정에서 교사들은 궁극적인 부활을 단언하는 그 밖의 다른 저작들과 맥을 같이 하여 중간 상태에 관한 내용을 여러 가지 방식으로 발전시켰던 것으로 보이는데, 거기에서 그들은 종종 "영혼"이라는 표현을 사용하긴 했지만, 그 영혼은 모든 인간 존재들의 불멸의 요소로서의 영혼이라는 플라톤적인 관념과는 어느 정도 무관했던 것으로 보인다. 부활의 때까지 벽장 속에서 기다리는 영혼들 — 또는 그 기간 동안에 "하나님의 손

---

304) Urbach 1987, 660을 보라; 또한 cf. 628.1. 나는 바리새인들이 더욱 정교하게 되어가면서, 불멸의 영혼에 관한 헬라 철학의 가르침을 받아들였고, 이것으로 인해서 몸의 부활에 대한 신앙은 불필요하게 되었다는 Finkelstein의 주장(1962 [1938], 158f.)에 대하여 황당함을 감추기 어렵다는 것을 고백한다. Finkelstein은 이러한 주장에 대한 그 어떠한 증거도 제시하지 않기 때문에, 우리는 그것을 기껏해야 바리새인들을 오늘날의 청중들 중의 모종의 부류에 더 구미가 맞게 만들고자 하는 시도로 간주하지 않을 수 없다(주후 1세기에 요세푸스가 그랬던 것처럼!). 우리가 이제까지 내내 보아온 것처럼, 장래의 부활에 대한 신앙은 모종의 사후의 연속성을 수반하고, 이것에 대해서 "영혼"이라는 단어가 종종 사용될 수 있지만, 이것은 그 자체로 현재적 또는 미래적 인간 실존의 존재론적 토대가 근본적으로 변화되었다는 것을 의미하지는 않는다.

안에서" 머물러 있는 영혼들 — 은 플라톤의 『파이드로스』(*Phaedrus*)와 그 밖의 저작들 속에서 나오는 선재하는 존재로서의 영혼과 동일한 것이 아니다. 초기 기독교가 기존의 세계, 즉 유대인과 헬라인의 세계 속으로 갑자기 출현하였을 당시에 몸의 부활에 대한 유대인들의 신앙은 팔레스타인과 디아스포라 유대인들의 의식, 특히 헬라어를 사용한 성경을 읽었던 유대인들의 의식 속에 어느 정도 자리를 잡고 있었다. 신약성서의 기자들이 부활, 즉 그들 자신과 예수의 부활에 대하여 말하였을 때, 이것은 그들이 그들의 말이 그 속에서 의미를 지닌다고 전제하였음에 틀림없는 언어 사용의 격자망이었다.

5. 고대 유대교에서의 부활: 결론

죽음 이후와 관련된 고대 유대교의 신앙들에 대해서는 참으로 할 말이 많다(독자들은 그것들을 들으면 아마도 깜짝 놀랄 것이다). 실제로 신약성서는 여기에서 적절하게 분류되어야 할 훨씬 더 많은 내용들을 제공해 주는데, 우리는 그것을 적절한 때에 검토하게 될 것이다. 우리가 지금 도출해 낼 수 있는 결론은 특히 논란이 되는 것들이어서는 안 된다 — 물론, 유대적인 배경 전체(그것이 초기 제자들의 관련 언어의 사용을 이해하여야 하는 맥락을 제공해 준다는 사실에도 불구하고)에 거의 주목하지 않은 채 예수의 부활에 관하여 글을 써 왔던 많은 사람들에게는 이것이 논란거리로 보일 수도 있겠지만.[305]

제2성전 시대 유대교 내에는 단기적이든 장기적이든 죽은 자들의 운명에 관한 폭넓은 스펙트럼의 신앙이 존재하고 있었다. 모든 유대인들이 장차 부활

305) 이것은 특히 Carnley 1987의 경우에 그렇다. Wedderburn(1999)조차도 이 특정한 주제와 관련해서는 그의 방대한 종교사적 지식을 활용하지 않는 것으로 만족하는 것으로 보인다. 실제로 바리새파적 배경이 그를 위하여 기여한 것으로 보이는 주된 목적(예를 들면, 117, 119, 144, 147)은 그로 하여금 사실상 "그러니까 당신은 이전에 바리새인이었던 바울 같은 사람이 그와 같은 식으로 생각할 것이라고 예상할 수 있다. 그렇지 않은가?"라고 말할 수 있게 해 주었고, 부활이 마카베오2서에서 그것이 의미하는 것 같은 것을 의미하였다면, 우리는 그것이 없다면 한결 더 좋아질 것이라는 말을 덧붙일 수 있게 해 주었다는 것이다(120f.). 그가 책의 2/3지점에서(147) "주후 1세기에 부활은 통상적으로 어떤 것이 다시 일으키심을 받아서 살아나게 되었다는 것과 그 어떤 것이 바로 몸이었다는 것을 의미하였다"고 말할 때, 우

이 있을 것이라고 믿었던 것은 결코 아니었다. 그 밖의 다른 견해들도 알려져 있었고 가르쳐졌다(사두개파의 소멸과 주후 70년 이후에 랍비들이 등장할 때까지). 그러나 포로기 이후의 유대교의 새로운 상황에 의해서 요구된 부활 신앙의 강력한 흐름이 성경의 여러 본문들을 토대로 자라나서 제2성전 시대 및 랍비들의 시대에 나온 폭넓은 범위의 본문들 속에 표현되었다.[306)]

우리는 우리가 처음에 시작했을 때에 제시하였던 예비적인 정의를 재확인하는 것으로서 시작하고자 한다. "부활"은 그것을 가리키는 데에 사용된 여러 다양한 단어들과 그것에 관하여 말하는 여러 다양한 이야기들과 더불어 결코 단순히 "죽음 이후의 삶"에 관하여 말하는 한 가지 방식이 아니었다.[307)] 부활은 죽은 자들에 관하여 말한 하나의 특별한 이야기였다: 이미 죽은 사람들의 현재적인 상태가 다시 한 번 살게 될 장래의 상태에 의해서 대체될 것이라는 이야기. 우리가 제1장의 끝 부분에서 지적했듯이, "부활"은 "사후의 삶" 이후의 삶, 사후의 과정 속에 포함되어 있는 두 단계 중에서 두 번째 단계였다. 더 구체적으로 말하면, 부활은 죽음에 관한 재정의 또는 재설명, 인간의 몸의 숨과 피가 기능을 멈추고 신속하게 부패하게 된다는 사실에 대하여 긍정적인 해석을 부여하는 한 방식이 아니었고, 죽음의 역전 또는 무효화 또는 격퇴, 이미 첫 번째 단계를 통과한 사람들을 모종의 몸의 삶으로 회복시키는 것이었다. 부활 신앙은 물리적인 세계의 선한 창조주로서의 이스라엘의 신이라는 강력한 가르침에 속하였다. 부활 신앙은 우리가 제2장 전체에 걸쳐서 살펴보았듯이, 이교 세계가 부정했던 것에 대한 긍정이었다.

리는 "통상적으로"이라는 단어가 무엇을 의미하는가만이 아니라 왜 그 점이 분명하게 제시되고 있지 못함으로써 이후의 논의에 영향을 미치게 하고 있는지를 의아해하게 된다.

306) 이전의 50여 쪽에 걸친 서술에 비추어 볼 때, Porter 1999a, 67f.가 이 시기에는 "몸의 부활이라는 개념에 관한 오직 희미한 암시만이 발견될 수 있다"고 분명하게 단언하고 있는 것은 극히 이례적이다.

307) 이것은 "부활한 그리스도의 천상의 실존"에 관한 Carnley 1997, 38의 언어에 있어서의 문제점의 핵심이다. 이와 같은 구절들은 "예수는 죽은 자로부터 부활하였다"라고 말하는 것은 "예수가 죽어서 천국에 갔다"라고 말하는 것의 특별한 방식이라는 것을 함축하는 것으로 들려졌을 것이다. 이것은 Carnley 1987, 74f., 246에 토대를 두고 있다.

"부활"이 구약성서 및 그 이후의 몇몇 읽기들 속에서 소유하였던 주된 은유적 의미를 잠시 생각해 본다면, 우리는 이것을 아주 분명하게 알 수 있다. 마른 뼈들이 한데 결합되고 거기에 가죽과 살이 입혀져서 마침내 숨에 의해서 생기를 부여받아 활동하게 되는 것에 관한 에스겔의 극적인 묘사는 포로생활로부터의 이스라엘의 귀환에 대한 풍부한 알레고리였다. 만약 그 어떤 종류의 "귀환"이 일어나지 않았다면, 우리는 누군가가 재해석을 제시했을 것이라고 생각해 볼 수 있다: 에스겔이 염두에 두었던 것은 너희가 포로생활에 대하여 좋은 감정을 가지고 바빌로니아 내에서도 생명을 주시는 야훼의 현존을 발견하는 법을 배워야 한다는 것이었다고 그들은 말할지도 모른다. 그러나 우리는 에스겔서의 수많은 독자들 중에서 과연 그런 유의 재해석을 받아들일 사람이 과연 있었겠는지를 의심할 수밖에 없다. 이 이야기 전체의 요지는 그들이 그들의 땅으로 돌아오게 되리라는 것이라고 그들은 말할 것이다. 만약 그런 일이 일어나지 않았다면, 이 예언은 여전히 성취되지 않은 채로 남아 있는 것이다.

그러므로 "부활"의 이러한 은유적인 의미는 구체적인 대상을 지니고 있었다. 우리는 오늘날의 용법에 속아 넘어가서 "은유적"이라는 것이 "추상적"인 것을 의미한다고 생각해서는 안 된다.[308] 에스겔, 그리고 아마도 이사야 26장의 원래의 저자는 시체들이 새로운 몸의 삶으로 돌아온다는 은유를 사용해서 포로생활로부터의 귀환이라는 문자적이고 구체적인 의미를 말하고자 의도했을 것이다. 그들은 실제의 백성과 실제의 땅에 관한 이야기를 말하고 있었다 — 그리고 실제의 신 창조주 야훼, 이스라엘과 그의 계약은 깨뜨려질 수 없고 강력한 것이었기 때문에, 그 신은 포로생활 속에서 잃어져 버렸던 것들, 즉 땅, 성전, 민족의 삶을 회복시키기 위하여 새로운 방식으로 역사하실 것이다. 야훼는 공의의 신이기 때문에, 이스라엘이 이교도들의 손에 의해서 압제를 당하도록 영원히 내버려 두지는 않을 것이다. 우리는 어떻게 이러한 신앙이 지리적인 "귀환" 이후에 이스라엘이 제2성전 시대 전체에 걸쳐서 이방의 지배 아래 여전히 있을 때에조차도 민족적 소망을 지탱시켜 주었는지를 볼 수 있다. 이러한 은유적인 차원에서 "부활"은 언제나 혁명적인 가르침이었다. 왜냐하면, 부활 신

308) Wright "In Grateful Dialogue" 261f.에서 문자적/은유적, 구체적/추상적에 관하여 내가 한 말을 보라.

않은 시체들이 부활한다는 은유를 통해서 민족의 해방에 관한 구체적인 소망을 말하고 있었기 때문이다. 창조와 공의라는 쌍둥이 가르침은 민족적 소망을 지탱해 주었고, 부활에 관한 은유를 계속해서 생생하게 살아있게 해 주었다.

그러나 적어도 주전 3세기부터(칠십인역이 증거해 주듯이) 점점 이 은유 자체가 민족의 구속이라는 소망을 품고 이교도들에 대항하여 싸웠던 자들의 고난에 대한 성찰을 통해서 새로운 방식으로 조명되기 시작하였다. 다니엘서는 이 은유의 의미 전환이 전혀 새로운 관념의 출현이 아니라 피조 세계와 그 안에서의 몸을 입은 인간의 삶이 선하고 신이 주었다는 것에 대한 고대 이스라엘의 신앙을 새로운 형태로 재확인하는 것이었음을 증언해 준다. 마카베오2서가 씌어졌을 무렵에 이 은유는 민족의 회복이라는 더 큰 구체적인 지시 대상을 상실하지 않은 채 문자적인 의미로 해석되어 이제는 몸을 다시 입는 것 — 손들, 혀들, 몸 전체를 돌려 받는 것 — 이라는 구체적인 지시 대상을 갖게 되었다. 요세푸스는 바리새파를 하나의 철학 학파로 묘사하였기 때문에, 부활에 대한 바리새파의 신앙은 단순히 "사람들이 죽은 후에 일어나는 일"에 관한 것인 것처럼 보이게 되었지만, 실제로 이 주제에 관한 그의 언어는 대단히 부정확해서, 몇몇 대목들에서는 마치 그가 단순히 환생, 즉 영혼이 끝없이 윤회하면서 이 몸 또는 저 몸으로 계속해서 되돌아온다는 학설에 관하여 말하고 있는 듯이 들린다. 그러나 이것조차도 요세푸스가 적어도 단순히 몸을 입지 않은 영혼들 또는 영들이 아니라 몸들에 관하여 말하고 있다는 것을 분명하게 보여준다. 마찬가지로, 동일한 기본적인 신앙에 관하여 비록 희미하게나마 말하고 있는 그 밖의 다른 저자들(솔로몬의 지혜서, 쿰란 두루마리들)은 이스라엘의 신이 새로운 세상을 만들 것이고 거기에 새롭게 몸을 입은 인간 존재들 — 즉, 의인들 — 이 거하게 될 것에 관하여 말하고 있다. 이것은 복음서들 속에서 헤롯 안디바에게 돌려진 것과 같은 그러한 말을 나올 수 있게 했던 민간 차원의 신앙 속에 반영되어 있다.[309] 헤롯 안디바가 죽음 이후의 삶에 관하여 다른 그 무엇을 믿었든지간에, 예수가 죽은 자로부터 부활한 세례 요한이 아닐까라고 그가 말했을 때, 그는 예수가 유령이라고 생각한 것이 아니었다.

이러한 널리 퍼져 있던 장래의 부활에 대한 신앙은 자연스럽게 중간 상태

309) 마가복음 6:14-16과 그 병행문들; 아래의 제9장 제2절을 참조하라.

에 대한 신앙도 생겨나게 하였다. 이것은 여러 가지 서로 다른 방식으로 표현되었다: 얼핏 보아서, 그것은 영혼의 불멸에 관한 헬레니즘적이고 플라톤적인 관념과 비슷해 보일 때도 있었지만, 부활 신앙과 긴장관계나 모순은 없었다(학자들은 흔히 그러한 긴장관계가 있었다고 주장하지만). "부활"은 죽음 이후의 지속적인 실존에 대한 모종의 신앙을 수반한다; 그렇다고 해서, 그것이 꼭 모든 인간들은 플라톤적인 의미에서 불멸의 영혼을 가지고 있다는 신앙일 필요는 없다. 왜냐하면, 부활에 대한 신앙에서 필수적인 창조주로서의 야훼에 대한 신앙은 죽은 자들은 그들의 존재 자체 속에 선천적으로 지니고 있는 불멸의 요소 덕분이 아니라 하나님의 권능에 의해서 모종의 지속적인 실존을 지니게 된다는 충분한 설명을 제공해 주기 때문이다.

그러므로 우리는 이교적인 견해들에 대한 검토에서와 마찬가지로 이러한 폭넓은 범위의 내용에 대하여 세계관적 질문들을 부활에 대한 주류적인 신앙 내에서의 죽은 자들의 운명과 관련하여 약간 변형시킨 후에 적용해 볼 수 있을 것이다. 그들은 누구 또는 무엇인가? 그들은 자연적인 불멸의 상태가 아니라 야훼의 창조의 권능에 의해서 여전히 존재의 상태 속에 있는 현재적으로 영혼들, 영들, 또는 천사 같은 존재들이다. 그들은 어디에 있는가? 그들은 창조주 신의 손 안에, 또는 낙원에, 또는 모종의 스올에 있는데, 이것들은 지금 최종적인 안식처가 아니라 잠정적인 안식처로 이해된다. 무엇이 잘못된 것인가? 그들은 아직 몸을 다시 입지 못했다. 왜냐하면, 그들의 신이 세상과 이스라엘을 위한 자신의 목적을 아직 다 이루지 못했기 때문이다. 무엇이 해법인가? 야훼의 권능과 영에 의해서 이루어질 궁극적으로 몸을 다시 입는 것. 지금은 어느 때인가? 지금은 여전히 "현세"이고, "내세"는 아직 시작되지 않았다(은밀하게 개시된 종말론이라는 견해를 지니고 있었던 에세네파의 경우를 제외하고). 물론, 이것은 앞 장에서 검토한 바 있는 이교적인 견해들만이 아니라 유대교의 그 밖의 다른 두 개의 주요한 견해들, 즉 사두개파와 필로의 견해들, 그리고 그 범주 내에 있는 그 밖의 다른 견해들과 대비를 이룬다.

이러한 세계관과 관련된 질문들은 성경에 나오는 에스겔서, 다니엘서 등의 이야기들로부터 랍비들에 의해서 말해진 이야기들에 이르기까지 우리가 지금까지 살펴본 이야기들 속에 그 유비를 가지고 있고, 마카베오2서 7장 같은 그 밖의 다른 온갖 핵심적인 이야기들은 그 중간 지점에 있다. 그리고 그 이야기들은 관련된 실천 및 상징과 맥을 같이 한다: 매장 관습으로부터 혁명의 조장에 이르기까지 부활에 대한 신앙은 주후 1세기 유대인들의 삶의 수많은 구체적인 측면들에 영향을 주었고 에너지를 공급하였다. 부활은 주후 1세기의 유대교의 바깥쪽에 덧붙여진 이질적인 신앙이 아니었다. 사두개파와 최종적인 몸을 입지 않은 상태를 주장하였던 자들을 제외하고, 부활은 주후 1세기의 유대인들의 기도, 삶, 소망, 행위의 모든 면면에 스며들어 있었다.

그러므로 부활은 제2성전 시대에서 두 가지 기본적인 의미를 지니고 있었던 것으로 보이고, 이 두 가지 의미는 상당한 정도로 서로 바꿔서 사용될 수 있었다. 각각의 경우에 있어서 그 가리키는 대상은 구체적인 것이었다: 이스라엘의 회복(새로운 창조, 계약의 회복의 행위라는 의미를 지니는 사회정치적 사건들을 가리키는 은유적인 의미에서의 "부활"); 인간의 몸들의 회복(실제적으로 몸을 다시 입는 것을 가리키는 문자적인 의미에서의 "부활"). 전체적인 유대적 배경 속에서 고린도전서 15장에 나오는 논의가 "하늘에서의 부활"에 관한 것이라든가,[310] 이 시기의 유대교 문헌들은 "몸의 부활과 몸이 없는 영의 부활, 이 두 가지 모두를 말하고 있다"[311]는 주장은 아무런 근거가 없다.

일부 유대인들은 영원한 몸을 입지 않은 지복의 상태에 관하여 말하였지만, 이것은 "부활"에 해당되지 않는다; "부활"이라고 말할 때, 이것은 죽음 직후의 운명이 아니라, 사후의 삶에 있어서 두 번째 단계를 가리킨다. 여기서의 그 어떤 것도 "십자가에 달려 죽은 후에 예수는 하나님의 권능있는 삶으로 들어갔다"든가 "인간 예수가 하나님의 권능으로 옮겨 갔다"는 것을 의미하는 데에 "부활"을 사용하는 것을 정당화시켜주지 못할 것이다.[312] 일부 학자들의 항변에도 불구하고, "부활"은 에녹 또는 엘리야의 승귀를 묘사하는 데에 사용되지 않았다.[313] 문자적인 의미에서의 "부활"은 사후의 삶에 관한 유대교의 신앙들의 훨씬 더 큰 스펙트럼 위에서 한 지점에 속한다; 정치적으로 은유적인 의미

310) Harvey 1994, 74(강조는 원저자의 것).

311) Avis 1993b, 6. 또한 Brown 1973, 70을 보라: 예수의 부활에 대한 신약성서의 언급들은 "다른 종류의 부활은 존재하지 않았기 때문에" 그것들이 몸의 부활을 의미하는지 안 하는지에 대해서는 모호한 것이 있을 수 없다.

312) Johnson 1995, 134, 136.

313) Lohfink 1980 등은 이에 반대한다.

에서의 부활은 야훼가 이스라엘에게 약속하였던 미래에 관한 견해들의 스펙트럼 위에 속한다. 이 두 가지 의미는 민족주의적인 혁명을 발생시키고 지탱하여 주었다. 야훼가 이스라엘을 해방시킬 것이라는 소망은 목표를 제공해 주었다: 야훼가 인간의 몸들을 회복시킬 것이라는 소망(특히, 대의를 위하여 죽은 자들의 몸들)은 열심을 손상시켰을 수도 있는 두려움을 제거하여 주었다. 귀족 계급에 속했던 사두개파가 부활을 거부한 것은 전혀 이상한 일이 아니다. 제2성전 시대 유대교 내에서 "부활"을 가리키는 통상적인 단어들을 사용한 사람이라면 누구나 부활이라는 말을 이러한 엄격하게 제한된 의미 내에서 말하고 있는 것으로 들었을 것이다.

하지만 부활에 관한 담론은 그 세부적인 내용에 있어서는 여전히 구체적이지 않았다. 갱신된 피조 세계 속에서 갱신된 이스라엘에 관한 선지자들의 큰 규모의 그림들은 정확한 통치의 형태들에 관한 세부적인 내용들을 자세하게 말하지 않았고, 재건된 성전에 관한 에스겔의 놀라울 정도로 세밀한 그림이 사회정치적으로 어떠한 것들에 해당하는지에 관해서는 결코 구체적으로 설명되지 않았다. 부활에 관한 수많은 언급들은 부활한 몸이 정확히 무엇과 같게 될 것인지를 결코 설명하지 않는다: 다니엘은 의인들이 별들과 같이 빛날 것이라고 말하고, 솔로몬의 지혜서는 의인들이 빛을 발하며 관목을 사르는 불꽃처럼 달릴 것이라고 말하지만, 이러한 관념들 및 이와 비슷한 관념들을 끌어다가 사용한 본문들은 이것이 문자적인 의미를 가리키는 것인지(인간 존재들이 횃불처럼 빛날 것이라는 것), 아니면 이것이 다윗의 나라가 해와 달처럼 될 것이라는 약속들과 마찬가지로 세계의 통치에 대한 이미지인지에 대하여 분명히 말하지 않는다.[314] 주후 70년 이전의 본문들은 그 어디에서도 부활의 몸이 현재의 몸과 같을 것인지 아니면 다를 것인지에 대하여 논의하지 않는다.

예수 시대에 이르러서는 대부분의 유대인들이 부활을 믿은 것으로 보이지만, 그것이 정확히 무엇과 같을지, 또는 현재적 실존과는 어떤 종류의 연속성 및 불연속성이 존재할 것인지에 대해서는 분명한 관념이 없었다. 앞으로 보게 되겠지만, 이것은 유대교의 주류적인 신앙과 초기 기독교의 실질적으로 단일한 소망 간의 두드러진 대비들 중의 하나이다.

---

314) 시편 72:5; 89:36f.

앞에서 보았듯이, 랍비들이 '무엇'과 '어떻게'라는 질문들을 논의했다는 것은 사실이다: 새로운 몸들은 옷을 입고 있게 될 것인가, 아니면 벗고 있게 될 것인가? 내세에는 성적인 관계들이 존재할 것인가? 하나님은 에스겔서에서처럼 뼈로 시작할 것인가, 아니면 욥기에서처럼 가죽으로 시작할 것인가? 이러한 질문들은 주후 70년과 135년의 두 차례의 큰 재난들 이후에야 더 많은 의미를 지니게 된다고 말하고 싶을지도 모른다 — 달리 말하면, 정치적 및 사회적 독립의 꿈이 사라져버린 후에. 그러나 이것은 엄밀하게 말해서 사실이 아닐 것이다. 예를 들면, 우리가 가말리엘 2세에 관한 전승들에 대하여 독단적으로 회의적인 접근 방식을 채택하지만 않는다면, 우리는 이러한 질문들이 이미 주후 1세기에 생생하게 제기되고 있었다고 말하지 않으면 안 된다 — 물론, 이러한 질문들은 후대의 시기에 더 많이 강조되긴 했지만. 앞으로 보게 되겠지만, 이러한 질문들은 초기 기독교의 운동에도 중요하였다.[315)]

그러나 제2성전 시대 유대교의 세계 속에서 부활은 한편으로는 이스라엘의 회복에 관한 것이었고, 다른 한편으로는 야훼의 모든 백성의 새롭게 몸을 입은 삶에 관한 것이었다는 것은 여전히 사실이다 — 이 둘 사이에는 밀접한 연결 관계들이 존재한다; 그리고 부활은 야훼가 "현세"의 마지막에 가서 이룰 큰 사건, "내세"('하 올람 하바')를 가져오게 될 사건으로 생각되었다. 많은 유대인들에게 있어서 이 모든 것은 의로운 순교자들, 야훼와 토라를 위하여 고난을 당하고 죽은 자들에 관한 이야기들 속에 집약되어 있었다. 야훼는 창조주이고 공의의 신이기 때문에, 순교자들은 일으키심을 받게 될 것이고, 이스라엘 전체는 신원을 받게 될 것이다.

그러나 어떤 개인이 이미 부활했다거나 더 큰 마지막 날에 앞서서 부활하게 될 것이라고 생각했던 사람은 아무도 없었다. 선지자들이 새로운 몸의 삶으로 부활했다는 전승은 전혀 존재하지 않는다: 이것과 가장 근접한 것은 몸을 입은 채로 하늘로 올라갔다가 새 시대를 알리기 위하여 다시 돌아오게 될 것이라는 엘리야에 관한 이야기이다. 어떤 메시야가 생명으로 부활하게 될 것이라는 전승도 존재하지 않았다: 이 시기의 대부분의 유대인들은 부활을 소망하였고, 이 시기의 많은 유대인들은 메시야를 소망하였지만, 초기 그리스도인들

315) 특히 사두개인들과 예수의 논쟁을 보라(아래의 제9장 제2절을 보라).

이 그렇게 하기까지는 이 두 가지 소망을 결합시킨 사람은 아무도 없었다.[316] 다음과 같은 말은 뻔한 말처럼 보일 수 있지만, 꼭 해 두어야 할 말이다: 아브라함, 이삭, 야곱이 유대 사상 속에서 아무리 높임을 받아왔다고 할지라도, 그들이 죽은 자로부터 부활하였다고 생각한 사람은 아무도 없었다. 모세, 다윗, 엘리야, 그리고 여러 선지자들이 아무리 중요한 인물들이었다고 할지라도, 그들이 "부활"이라는 의미에서 다시 살아났다고 주장한 사람은 아무도 없었다. 순교자들은 존경을 받았을 뿐만 아니라 숭배의 대상이기까지 했다; 그러나 그들이 죽은 자로부터 부활하였다고 말한 사람은 아무도 없었다. 유대교의 세계는 그 풍부한 성경적 기원들에 의거해서 죽은 자들에게 일어난 일들과 죽은 자들에게 일어날 일에 관한 아주 풍부하고 다양한 신앙들을 생성해 내었다. 그러나 이미 상당히 잘 갖추어진 동산 안에서 전혀 예기치 않은 식물 같이 솟아난 새로운 돌연변이를 위해서 준비된 것은 전혀 없었다.

316) 메시야 시대 또는 그의 사역을 통해서 부활이 일어나게 될 것이라는 의미를 제외하고; 예를 들면, *Test. 12 Patr.*(위의 제4장 제4절). 이것은 백성들이 종교 지도자가 죽음 후에 다시 살아날 것을 기대했다는 Barr의 주장(1992, 109)에 의문을 제기한다.

제 2 부

바울 서신에 나타난 부활

한 짧은 잠이 지나면, 우리는 영원히 깨어나리.

그리고 죽음은 다시 없으리니, 사망이여, 너는 죽으리라.

John Donne, *Holy Sonnets*

제5장

바울 서신(고린도 서신을 제외한)에서의 부활

1. 서론: 초기 기독교의 소망

초기 기독교 운동의 가장 두드러진 특징들 중의 하나는 장래의 소망에 관하여 거의 일치된 목소리를 냈다는 것이다. 우리는 제1세대 그리스도인들이 기독교의 모태가 되었던 유대교와 기독교가 선교 활동을 위하여 나아갔던 이교 세계 속에서 우리가 이제까지 살펴보았던 스펙트럼에 상응하는 죽음 이후의 삶에 관한 신앙들의 스펙트럼을 신속하게 발전시켰을 것이라고 예상할 수 있다; 그러나 그들은 그렇게 하지 않았다.

이것에 대한 고찰은 본서에서 중심적인 논증들 중의 하나의 중심축을 이룬다. 우리는 이것을 하나의 질문 형태로 표현해 볼 수 있다. 초기 그리스도인들이 유대 전승들을 자유롭게 활용하였고 이교의 관념 세계와 활발하게 접촉했다는 것을 감안할 때, 어떻게 초기 그리스도인들이 죽음 이후의 삶에 관한 신앙의 스펙트럼을 거의 발전시키지 않고, 오히려 이교도들이 일어날 수 없다고 말했던 것이자 유대교의 한 흐름(비록 지배적인 것이긴 하지만)이 장래에 일어날 것이라고 역설하였던 것, 즉 부활을 거의 한 목소리로 단언하는 일이 일어날 수 있었던 것인가? 이 시점에서 우리가 분명히 해 둘 것이 있다: 우리는 초기 그리스도인들이 "부활"이라고 말했을 때에 그 단어의 의미는 이교 세계(그들은 부활을 부정하였다)와 유대교(그 영향력있는 분파는 부활을 긍정하였다) 속에서 그 단어가 의미했던 바로 그것이었다는 것을 우리는 알게 될 것이다. "부활"은 사람이 "하늘의 승귀된 신분"을 소유한다는 것을 의미하는 것이 아니었다: 이 단어가 예수에게 적용되었을 때, 그것은 예수가 이 땅의 교회 속에 계속해서 "현존하는 것으로 인식되었다"는 것을 의미하지 않았다. 우리가 역사적으로 생각하고 있다면, 또한 그것은 "인간 예수가 하나님의 권능으로 옮겨갔다"는 것을 의미할 수도 없었다.[1] 약속된 장래에 관한 초기 기독교의 견해 속에는 우리가 지금까지 살펴본 이교적인 견해들에 상응하는 것이 전혀 존재하지 않는다; 또한 사두개파의 부정(否定)들에 상응하는 것도 전혀 존재하지 않는다; 유대교의 일부 자료들 속에 나오는 "몸을 입지 않은 지복 상태"라는 견해에 대한 그 어떤 암시도 실질적으로 존재하지 않는다; 스올도 없고, "지복의 섬"도 없으며, "별들과 같이 빛나는 것"도 없고, 새롭게 몸을 입은 삶에 대한 변함없는 긍정만이 존재한다. 한 세대 전에 크리스토퍼 에반스(Christopher Evans)가 표현했듯이, "기독교를 통해서 부활이 주변부로부터 중심부로 이동한 정확하고 정교하며 확신에 찬 신앙이 출현하였다."[2]

이것만으로도 역사적인 설명을 요구한다. 그러나 그 이상의 것이 존재한다. 유대교의 "부활"신앙의 흐름으로부터의 실질적인 돌연변이들이 존재한다. 특히, 역사가들은 유대교적인 의미에서 너무도 분명하게 "부활" 운동이라고 할 수 있는 초기 기독교를 계기로 그때까지 잘 정립되어 있었던 "부활"의 은유적인 의미 — 구체적인 사회적 · 정치적 의미에서의 이스라엘의 회복 — 는 거의 완전히 사라졌고, 그 대신에 일련의 다른 은유적인 의미들이 출현하였다는 사실을 설명해내지 않으면 안 된다. 달리 말하면, 초기 기독교가 죽음 이후의 삶에 관한 신앙을 유대교의 스펙트럼 중에서 "부활"이라는 지점에 그토록 확고하게 위치시킴과 동시에, 이 단어에 그것이 유대교 내에서 지니고 있었던 의미와는 상당히 다른 — 물론, 상당 부분의 연속성과 함께 — 은유적인 의미를 부여한 것은 어떻게 일어난 것인가? 우리는 기독교와 유대교 간의 강력한 유사성(초기 기독교의 부활 신앙 속에는 희미하게나마 이교적인 방향으로 움직

---

1) 자신의 책의 서문에서 이미 핵심적인 용어들에 대한 역사적 이해를 포기하고 있는 것으로 보이는 Carnley 1987, 7f.와는 반대로; 또한 Johnson 1995, 136. Johnson은 Carnley와 마찬가지로 진정한 역사적 문제를 반복해서 폄하한다("부활 체험을 단순히 또 하나의 역사적 사건으로 축소하고자 하는 시도"(189); "단순히 예수의 몸이 소생한 것이 아니라 그가 하나님 자신의 생명 속으로 들어간 것"(142) 등등).

2) Evans 1970, 40.

여 가는 것 같은 낌새를 보여주는 징후가 전혀 존재하지 않는다) 및 분명한 상이성, 이 둘을 모두 어떻게 설명해야 하는가?

본서의 나머지 부분의 서술 형태는 이러한 질문들에 의해서 결정되고 있는데, 우리는 두 개의 층위(層位)로 된 대답을 통해서 그 질문들에 답변하게 될 것이다. 제2부와 제3부에서 우리는 두 가지 부수적인 질문을 염두에 두는 가운데 초기 기독교 운동을 살펴볼 것이다: 초기 그리스도인들은 죽음 이후의 삶에 관하여 무엇을 믿었는가? "부활"은 어떠한 은유적인 의미들을 지니고 있었고, 그것들은 유대교에서 통용되었던 은유적인 의미들과 어떤 관계에 있었는가?

우리는 초기 기독교가 철두철미하게 "부활" 운동이었다는 것, 그리고 실제로 초기 기독교는 "부활"이 정확히 무엇을 내포하고 있는지를 훨씬 더 정밀하게 단언하였다는 것(부활은 죽음을 통과하여 새로운 종류의 몸의 실존 속으로 나아가는 것을 의미하였고, 먼저는 예수, 다음은 그 밖의 모든 사람들이라는 두 단계로 일어나게 되어 있었다)을 발견하게 될 것이다; 둘째, 초기 그리스도인들이 말했던 문자적인 의미에서의 "부활"은 확고하게 여전히 미래에 일어날 일이었지만, 그것은 현재적인 그리스도인들의 삶에 색깔과 형태를 부여하였다. 제3부의 마지막 장에서 우리는 중심적인 질문을 강화시키는 두 가지 다른 질문들을 제기함으로써 그 범위를 넓히게 될 것이다: 초기 기독교는 왜 그러한 형태를 띠었고, 특히 초기 그리스도인들은 왜 십자가에 못박힌 나사렛 예수가 메시야라고 믿었는가?

제2부와 제3부 전체, 그리고 제4부의 일부에 걸쳐서, 우리는 초기 그리스도인들이 죽음 이후의 삶에 관한 그들의 신앙들, "부활"의 새로운 은유적 용법, 그들 자신의 운동의 형태와 예수에 관한 그들의 견해와 관련해서 제시한 이유들을 살펴볼 것이다. 그들의 대답 — 이것은 뻔한 것인 것처럼 보이지만, 상세하게 서술되지 않으면 안 된다 — 은 궁극적인 몸의 부활에 대한 그들의 미래적 소망, 그 소망을 더 정확하게 표현한 여러 다양한 방식들, "부활"의 은유적 의미들에 대한 그들의 재정의(再定義), 그들 자신이 누구이고 예수가 누구인지에 대한 그들의 인식은 나사렛 예수가 죽은 자로부터 일으키심을 받았다는 그들의 확고한 신앙에 토대를 두고 있었다는 것이다. 이것은 우리로 하여금 초기 그리스도인들이 이 언어를 사용하였을 때에 정확히 무엇을 의미하였는지를

더 정밀하게 해명할 수 있게 해 줄 것이다. 역사가들로서 우리는 그들이 부활절에 무슨 일이 일어났었다고 생각했는지에 관하여 무엇을 말할 수 있는가?

이 문제는 제4부에서 다루어지게 되는데, 거기에서 우리는 정경 복음서들에 나오는 첫 번째 부활절에 관한 기사들을 살펴보게 될 것이다. 이 기사들은 거의 상투적으로 후기 계몽주의적인 학문 속에서 후대의 기독교 신앙을 단순히 과거로 투영시킨 것들로서 역사적 진정성은 거의 없는 기사들로 취급되어 왔다. 우리는 그러한 입장은 지금까지 유행이 되어 오긴 했지만 복음서의 기사들이 적어도 원칙적으로는 제1세대 그리스도인들이 첫 번째 부활절의 그날에 실제로 일어났었다고 믿었던 것에 관한 서술들로 취급될 때에 사라지게 될 엄청난 역사적인 문제점들을 만들어낸다는 것을 발견하게 될 것이다. 사실, 이 기사들은 초대 교회 내에서의 신학적 및 석의적 성찰의 발전과정의 최종적인 산물로서가 아니라, 그러한 발전을 촉발시킨 원천으로 볼 때에 의미를 지니게 된다. 복음서의 기사들은 초기 기독교라는 가지들에 붙어 있던 잎사귀들이 아니었다. 비록 그 기사들을 담고 있는 저작들이 제1세대의 마지막 또는 그보다 후대에 기록된 것이라 할지라도, 그 기사들은 가지들 자체를 생성시킨 줄기라고 보아야 한다.

그런 후에, 우리는 제5부에서 약간 뒤로 물러서서, 오늘날의 독자들 — 역사가들, 세계관들을 연구하는 사람들, 신학자들 — 이 초기 기독교의 이 신앙에 대하여 무엇이라고 논평할 수 있는지를 물어볼 것이다. 제1세대 그리스도인들이 실제로 예수가 죽은 자로부터 몸으로 부활하였다고 믿었다면, 우리는 그들의 신앙에 대하여 무엇이라고 말할 수 있는가? 우리는 초대 교회의 등장, 특히 유대교의 부활 신앙에 대한 초대 교회의 재천명, 발전, 수정과 관련된 대안적인 설명을 가지고 있는가? 만약 가지고 있지 않다면, 우리는 역사가들로서 부활절 자체에 관하여 무엇이라고 말해야 하는가?

물론, 자료들은 이 문제를 그렇게 질서정연한 방식으로 서술해 놓고 있지는 않다. 자료들은 한편으로는 그들 자신의 미래적 소망, 다른 한편으로는 예수 자신의 부활이라는 문제를 아주 풍부한 패턴들을 통해서 서로 엮어 놓았다. 이것은 우리의 가장 초기의 자료이자 가장 상세한 자료인 사도 바울의 경우에 특히 그러하다. (우리는 제4부에 이르기까지는 복음서의 기사들이 바울만큼이나 시기적으로 이른 구전 전승들로 소급될 수 있느냐는 문제를 일단 거론하지 않기로 한다; 분명히 바울은 우리의 가장 초기의 기록된 자료이다.) 보통 그러하듯이, 바울은 모든 것을 말끔하게 여러 묶음들로 묶어서 정리하고자 하는 우리의 시도들을 비웃는다. 그는 동일한 대목 속에서, 종종 한 호흡 속에서 그리스도인들의 부활, 예수의 죽음과 부활, 후자로부터 자라나서 전자를 예감케 하는 현재적인 삶, 그 밖의 다른 여러 가지 중요한 주제들(말하자면, 칭의 또는 유대의 율법)에 관하여 말하는 경우가 허다하다.

만약 우리가 그의 사상을 별개의 여러 항목들로 잘게 나누고자 한다면, 그것은 인위적인 것임과 동시에 참을 수 없을 정도로 반복적인 것이 되고 말 것이다; 우리는 각각의 범주들 속에서 거듭거듭 동일한 대목들, 그리고 자주 동일한 절들을 만나게 될 것이다. 이런 이유로, 또한 이 전체 논의에 대한 바울의 기여가 그 자체로 흔히 논란이 되어 왔기 때문에, 본서의 제2부를 할애하여 바울의 저작들을 살펴보면서, 제3부와 제4부의 중심적인 질문들을 직시한 채 그 저작들을 검토해 보는 것이 가장 좋은 것으로 보인다: 초기 그리스도인들의 소망은 무엇이었는가? "부활"은 무슨 의미들을 지니고 있었는가? 초기 그리스도인들은 죽은 자들과 관련된 세계관적 질문들 — 우리는 이 질문들을 고대 이교 사상과 유대교에 적용한 바 있다 — 에 대하여 어떠한 대답들을 주었는가? 특히, 초기 그리스도인들은 죽음 후에 예수에게 무슨 일이 일어났다고 생각하였는가? 따라서 제2부에서는 우리의 가장 초기의 증거들에 초점을 맞추는 가운데 제2부와 제3부에서 다루어지게 될 일련의 질문들을 한 번 빙 둘러보게 될 것이다.

바울에 대한 이러한 검토는 그 자체로 상당한 정도로 축소되어야 한다. 바울 사상의 대부분의 측면들은 관념들, 성경의 반영들, 암묵적인 이야기들, 실천적인 교훈들의 놀라울 정도로 복잡한 그물망 속에서 그 밖의 다른 많은 측면들과 서로 연결되어 있다. 부활(그리스도인들과 예수)은 이러한 그물망의 많은 부분에서 중심적이지만, 바울이 말하고 있는 것의 모든 가지들을 다 살펴보려면, 많은 서신들의 많은 부분들에 대하여 상세한 주석들을 쓰고, 엄청난 양의 연구서들 및 논문들과 토론을 벌이지 않으면 안 될 것이다. 본서에서는 각 부의 분량을 적절하게 안배하기 위하여, 나는 상세한 논의들을 다른 곳으로 미룰 수 밖에 없었다; 현재의 장과 다음 장에 나오는 내용의 많은 부분은 논란이 없는 것들로서, 일차적으로 고린도전서 15장, 고린도후서 4장과 5장에서 제기된 더 어려운 문제들을 위한 배경을 설정하기 위하여 본서에 포함되었다 — 이러한 배경 설정은 부활에 관한 서술들 속에서 통상적으로 행해지지 않은 방식으로 이루어질 것이다.[3] 본서에서는 다룰 여유가 없는 많은 쟁점들 가운데에는, "바울" 서신들 중 어떤 것들이 실제로 바울 자신에 의해서 씌어졌느냐라는 아주 곤혹스러운 문제가 있다. 나의 주된 논증들은 통상적으로 바울의 진정한 서신으로 간주되는 것들, 즉 로마서, 고린도전후서, 갈라디아서, 빌립보서, 빌레몬서, 데살로니가전서에 의거하고 있다. 에베소서와 골로새서는 중요한 서신들이지만, 나는 그것들을 논증의 토대로 삼지는 않았다(이 서신들은 후대의 어떤 사람이 "바울" 전승 내에서 쓴 것들이라고 할지라도 여전히 중요한 의의를 지닌다); 데살로니가후서는 우리의 주제와 관련해서 거의 도움을 주지 못하기 때문에, 그 진정성의 문제는 우리의 논의와 별 상관이 없다. 목회 서신들은 우리의 논의에 몇 가지 중요한 점들을 첨가해 줄 내용들을 지니고 있기 때문에, 우리는 현재의 장의 끝 부분에서 별개의 항목을 통해서 그 서신들을 다루게 될 것이다.

우리는 편의상 이러한 자료들을 특정한 방식을 통해서 살펴보고자 한다. 고린서전후서는 우리의 주제와 관련해서 대단히 흥미로운 서신들이다. 왜냐하면, 우리의 주제에 관한 바울의 주된 진술인 고린도전서 15장은 복잡하고 논란이 되고 있는 동시에, 많은 학자들이 이 두 서신, 특히 고린도전서 15장과 고린도후서 4장 및 5장 사이의 기간에 상당한 정도의 발전이 바울의 사상 속에서 일어났다고 주장해 왔기 때문이다.[4] 그러므로 먼저 그 밖의 다른 서신들을 통해서 이 문제를 검토한 후에, 이 분야에서 바울의 사상의 범위와 취지에 관한 어느 정도의 인식을 가지고, 고린도전후서를 살펴보는 것이 좋을 것이다. 우리가 그 밖의 다른 서신들을 살펴보는 순서에 있어서는 특별히 고려해야 할 중심축이 없기 때문에, 나는 이 서신들의 역사적 순서라고 내가 믿고 있는 것(물론, 논란이 있지만)을 따라서 이 서신들을 살펴볼 것이다: 데살로니가 서신들과 갈라디아서를 가장 먼저 살펴보고, 다음으로는 옥중 서신들, 마지막으로는

3) 특히 Wright, *Climax*; *Romans*를 보라; 그리고 앞으로 나올 이 총서의 제4권을 보라. 나는 개별적인 서신들에 관한 많은 표준적인 주석서들을 전제하고 있다.

4) 발전 가설에 대해서는 최근에 나온 Longenecker 1998을 보라.

로마서를 살펴볼 것이다. 그런 후에, 우리는 목회 서신들에 대한 검토를 짤막하게 덧붙이게 될 것이다.

이미 위에서 개략적으로 살펴본 구도 내에서 이러한 풍부하고 조밀한 본문들, 또 실제로 그 밖의 다른 모든 초기 기독교 문서들(이것들에 대해서는 우리는 제3부에서 검토하게 될 것이다)에 적용할 세 가지 구체적인 질문들이 있다.

(1) 궁극적인 기독교적 소망에 관한 바울의 신앙은 고대 세계 속에서의 수많은 가능성들의 스펙트럼 위에서 어느 지점에 속하는가? 이 질문은 네 가지로 세분된다: (1a) 그가 이 소망을 부활이라는 견지에서 자주 얘기했다고 할 때, 그는 그것을 통해서 무엇을 의미했는가? (1b) 그는 유대교의 여러 사상가들과 마찬가지로 죽음과 궁극적인 부활 사이의 중간 상태에 관하여 말하는 방식들을 발전시켰는가? (1c) 그는 현재적 삶과 궁극적인 미래의 삶 간의 연속성과 불연속성이라는 문제를 어떻게 다루었는가? (1d) 참 신이 약속한 미래에 관한 그의 더 큰 그림 내에서 부활은 어떤 기능을 하는가?

(2) 바울은 "부활" 및 이와 비슷한 언어와 관념들을 은유적으로 어떤 방식들로 사용하였는가? 그의 저작들 속에서 이스라엘의 회복을 가리키는 유대적인 은유적 용법은 어떻게 되었는가?

(3) 그는 예수 자신의 부활에 관하여 무엇이라고 말하고 있고, 그는 그것을 통해서 정확히 무엇을 의미하고 있는가? 앞으로 보게 되겠지만, 결정적으로 중요한 점에 있어서 바울에 대한 심각한 잘못된 읽기가 거의 당연한 것으로 받아들여지고 있는 것과 동시에 이차적이고 대중적인 논의들 속에서 아주 널리 퍼져 있기 때문에, 이러한 연구는 한층 더 절실하다.

바울은 현대적인 의미에 있어서 부활에 대한 "영적인" 견해라고 불리는 것, 즉 몸, 그리고 빈 무덤을 별 상관 없는 일이라고 보는 견해를 취하고 있었다는 주장이 흔하게 주장될 뿐만 아니라, 실제로는 자주 전제되고 있다. 본서의 제2부 전체는 이러한 관념, 특히 지금까지 널리 통용되어 왔던 고린도전서 15장에 대한 재앙에 가까운 오역에 맞서서 그러한 것들이 잘못되었음을 논증하기 위하여 의도된 것이다.[5]

---

5) 최근에 나오는 한두 권의 논문집으로부터 가져온 예들: Avis 1993b, 6;

2. 데살로니가전후서

통설에 의하면, 데살로니가전서의 저작 연대는 바울이 헬라에서의 제1차 전도 여행 때에 데살로니가를 잠시 방문한 직후인 주후 49-50년경이다.[6] 변증적인 성격이라기보다는 목회적인 성격을 더 많이 지니고 있는 서신인 데살로니가전서가 우리의 현재의 연구와 관련해서 지니고 있는 가치의 많은 부분은 바울이 당연시해서 간단한 요약문들을 통해서 언급하고 있는 바로 그 내용 속에 있다. 하지만 우리가 주의 깊고 자세하게 살펴볼 필요가 있는 핵심적인 한 본문이 있다.

데살로니가 교인들의 최초의 신앙에 관한 바울의 서두의 요약문은 어떻게 그들이 이교 사상의 우상들과 반대되는 참되고 살아계신 하나님을 믿게 되었는지에 그 초점을 맞추고 있다(1:9). 그런 후에, 이 서신의 끝 부분에서 나오게 될 내용에 대한 암시로서 그는 그의 복음이 예수에 관하여 무엇을 말하고 있는지를 다음과 같이 요약한다:

> … 또 죽은 자들 가운데서 다시 살리신 그의 아들이 하늘로부터 강림하실 것을 너희가 어떻게 기다리는지를 말하니 이는 장래의 노하심에서 우리를 건지시는 예수시니라.[7]

예수의 부활; 그가 현재 하늘에 있다는 것; 그가 장차 돌아와서 자기 백성을 진노로부터 구원하리라는 것 — 이러한 것들은 바울의 발전된 사상 속에서 상식에 속한 것들인데, 여기서 우리는 그것들이 아주 초기부터 그의 글 속에서 중심적인 것들이었고 간략한 요약문으로 요약될 수 있었다는 것을 보게 된다.

Badham 1993, 30-33. 또한 Robinson 1982; Borg 1999, 123과 비슷한 방향으로 논증하는 Wedderburn 1999, 111, 118f.를 참조하라. 고린도전서 15:42-9에 대해서는 아래의 347-56을 보라. 바울에 있어서 부활의 의미에 관한 좀 오래되었지만 여전히 유익한 저작은 Stanley 1961이다.

6) 사도행전 17:1-8을 보라.

7) 데살로니가전서 1:10. 바울 사상으로부터의 인용문들이나 요약에서는 그의 관점을 반영해서 신(god)이 아니라 하나님(God)이라고 표기한다는 점에 유의하라.

또한 다음 장에서 그는 그리스도인들의 미래적 소망을 우리가 이미 갈라디아서에서 만난 적이 있는 한 단어와 다른 곳에서 주된 주제가 되어서 더 자세하게 서술될 또 다른 단어를 통해서 보여준다: 너희는 너희를 "그의 나라와 영광으로" 부르신 하나님에게 합당하게 행하여야 한다고 그는 말한다.[8] 갈라디아서 5:21에서처럼 여기에서도 "하나님의 나라"는 미래의 상태이다.

그러나 그러한 미래는 어떻게 도래하게 되는가? 이것은 바울이 우리의 논의에 있어서 중요한 대목인 4:13 — 5:11에서 관심을 갖는 내용이다:

> [13]형제들아 자는 자들에 관하여는 너희가 알지 못함을 우리가 원하지
> 아니하노니 이는 소망 없는 다른 이와 같이 슬퍼하지 않게 하려 함이라 [14]
> 우리가 예수께서 죽으셨다가 다시 살아나심을 믿을진대 이와 같이 예수
> 안에서 자는 자들도 하나님이 그와 함께 데리고 오시리라 [15]우리가 주의
> 말씀으로 너희에게 이것을 말하노니 주께서 강림하실 때까지 우리 살아
> 남아 있는 자도 자는 자보다 결코 앞서지 못하리라 [16]주께서 호령과 천사
> 장의 소리와 하나님의 나팔 소리로 친히 하늘로부터 강림하시리니 그리
> 스도 안에서 죽은 자들이 먼저 일어나고 [17]그 후에 우리 살아 남은 자들
> 도 그들과 함께 구름 속으로 끌어 올려 공중에서 주를 영접하게 하시리
> 니 그리하여 우리가 항상 주와 함께 있으리라 [18]그러므로 이러한 말로 서
> 로 위로하라.
>
> [5:1]형제들아 때와 시기에 관하여는 너희에게 쓸 것이 없음은 [2]주의 날이
> 밤에 도둑 같이 이를 줄을 너희 자신이 자세히 알기 때문이라 [3]그들이 평
> 안하다, 안전하다 할 그 때에 임신한 여자에게 해산의 고통이 이름과 같
> 이 멸망이 갑자기 그들에게 이르리니 결코 피하지 못하리라 [4]형제들아 너
> 희는 어둠에 있지 아니하매 그 날이 도둑 같이 너희에게 임하지 못하리
> 니 [5]너희는 다 빛의 아들이요 낮의 아들이라 우리가 밤이나 어둠에 속하
> 지 아니하나니 [6]그러므로 우리는 다른 이들과 같이 자지 말고 오직 깨어
> 정신을 차릴지라.
>
> [7]자는 자들은 밤에 자고 취하는 자들은 밤에 취하되 [8]우리는 낮에 속하

8) 데살로니가전서 2:12.

> 였으니 정신을 차리고 믿음과 사랑의 호심경을 붙이고 구원의 소망의 투구를 쓰자 [9]하나님이 우리를 세우심은 노하심에 이르게 하심이 아니요 오직 우리 주 예수 그리스도로 말미암아 구원을 받게 하심이라 [10]예수께서 우리를 위하여 죽으사 우리로 하여금 깨어 있든지 자든지 자기와 함께 살게 하려 하셨느니라 [11]그러므로 피차 권면하고 서로 덕을 세우기를 너희가 하는 것 같이 하라.

이것은 특정한 목회적인 문제(주님이 돌아오기 전에 죽은 자들에게는 무슨 일이 일어나는가?)에 대하여 답변하면서 부활에 관한 바울의 핵심적인 신앙들 중 몇 가지를 잘 드러내 보여주는 장엄한 본문이다. 또한 불행히도 이 본문은 대단히 논란이 심한 대목으로서, 대중적인 근본주의와 비평학계에서 둘 다 놀라울 정도로 문자 그대로의 의미로 받아들여서, 바울이 그리스도인들은 구름을 타고 공중으로 날아가는 것을 상정하고 있었다고 주장하는 데에 이 본문을 사용하여 왔다. 한편으로는 이 본문이 지닌 다중적인 묵시론적 공명들, 다른 한편으로는 화려하게 혼합된 은유들은 그러한 해석이 거의 신빙성이 없다는 것을 보여준다. 다행히도 이 본문의 나머지 부분은 꽤 분명한 의미를 지니고 있기 때문에, 모든 면에서 우리의 연구에 실질적인 기여를 한다.[9] 우리는 전체적인 주제로부터 시작해서 우리의 질문들을 차례차례 던져볼 수 있다: (1) 바울은 무덤 너머의 삶에 관한 고대의 견해들의 스펙트럼 위에서 어느 지점에 있는가?

(1a) 바울은 "부활"을 통해서 무엇을 의미하고 있는가? 이 본문 속에서 그는 이미 죽은 자들은 미래의 어느 시점에 "마찬가지로"('후토스,' 4:14) 죽은 자로부터 부활하게 될 것이라고 분명하게 말한다. 예수의 부활은 그의 백성의 부활을 위한 모델이 될 것이다. 현재적으로 죽어 있는 사람들은 부활할 것이고('아나스테손타이,' 4:16), "진노"의 대상들이 되는 것이 아니라 "구원"을 소유하게 될 것이다(5:9). 바울이 사용하고 있는 단어들, 그의 논증의 성격, 그 근저에 있는 줄거리는 모든 것이 그가 이 시점에 있어서 부활에 관한 제2성전 시대 유대교의 신앙들의 바로 한복판에 속해 있다는 것을 아주 극명하게 보여

9) 이 중심적인 문제에 대해서는 주석서들과 아울러 Plevnik 1984를 보라.

준다. 이 그림으로부터 예수를 빼보라. 그러면, 바울이 여기에서 단언하고 있는 것 — 한 신의 백성에 속해 있는 자들로서 현재적으로 죽어 있는 자들을 진노로부터 구원으로 이끌 미래적인 부활 — 은 유대교에 대한 우리의 연구로부터 이미 친숙해진 내용이다: 그것은 바로 바리새파의 입장이었다. 바울이 회심 후에 자신이 지니고 있던 그 밖의 다른 신앙들을 수정한 것과는 상관 없이, 부활 신앙은 여전히 변하지 않았다. 이것은 우리가 부활을 몸의 부활로 보아야 한다는 것을 의미한다. 이것은 용어 때문만도 아니고('아나스타시스'라는 어근이 부활을 부정했던 이교 사상 속에서나 부활을 긍정했던 바리새파 유대교 속에서 몸의 부활 이외의 다른 것을 의미했다는 것을 보여주는 증거는 없다), 분명하게 드러나는 유대교적 배경 때문만도 아니고, 동시에 이 이야기의 논리 때문이기도 하다. 부활은 죽은 자들이 현재적으로 누리고 있지 않은 그 무엇, 새로운 그 무엇이다; 그것은 "죽음 이후의 삶" 이후의 삶이다.

우리가 나중에 살펴보게 될 4:16-17과 고린도전서 15:51-52 간의 밀접한 병행은 "구름 속으로 끌어 올려져서 공중에서 주를 만난다"라는 말은 바울의 생각 속에서 기능상으로 "변화되어서" 사람의 몸이 더 이상 썩지 않고 이제는 주님 자신의 부활한 몸과 동일한 유형의 몸이 된다는 것과 동등한 것이었음을 보여준다.[10] 또한 우리는 구름 속으로 올리워간다는 은유 때문에 오도되어서는 안 된다. 이러한 묘사는 계약 백성이 고난 후에 신원받게 되는 것(vindication)을 말하기 위하여 이러한 이미지를 사용하고 있는 다니엘서 7:13을 연상시킨다. 달리 말하면, 그것은 바울이 갈라디아서 5:5에서 말했던 것을 다른 식으로 표현한 것이다: 한 분 하나님에게 속해 있는 사람들은 신원을 받게 될 것이다. 이미 죽은 자들에게 있어서는 이러한 신원은 그들의 부활이 될 것이다; 여전히 살아 있는 사람들에게는 그들의 몸이 더 이상 썩어지지 않게 될 그들의 변모(transformation)에 있다. 이것은 죽음 자체로부터의 구출이라는 의미에서 "구원"(데살로니가전서 5:9에서처럼 "진노"와 반대되는 것으로서)을 의미할 것이다.

(1b) 바울은 중간 상태에 관하여 무엇을 말하였는가? 부활을 믿었던 제2성전 시대 유대인들과 마찬가지로, 바울은 몸의 죽음과 몸의 부활 사이의 기간이

---

10) 또한 빌립보서 3:20f.를 보라. 이것에 대해서는 아래의 제5장 제3, 4절을 보라.

라는 문제에 봉착했고, 이 본문은 그것에 대한 그의 가장 상세한 묘사를 제공해 준다. 먼저 그는 죽음을 가리키는 잠잔다는 통상적인 이미지를 사용하고 있고, 이 이미지 덕분에 현재적으로 잠자고 있는 자들이 언젠가는 다시 깨어나게 될 것임을 말할 수 있게 되었는데, 그렇게 함에 있어서, 이 주제에 관한 성경의 주된 본문들 중의 하나였던 다니엘서 12:2에 대한 반영들을 사용한다.[11] 4:13, 14, 15, 이렇게 세 번에 걸쳐서 바울은 이 용어를 사용하는데, 이 용어는 5:6-10에서는 다른 의미로 사용되고 있다(아래를 보라). 이것은 일부 해석자들로 하여금 "영혼의 잠"은 부활을 통하여 다시 깨어나기 이전에 사후의 무의식적인 실존의 때를 가리키는 것이라고 주장하게 만들었다.[12] 그러나 이러한 주장은 오도하는 것임이 거의 분명하다 — 이것이 사람들이 바울의 생생한 은유를 집어다가 길거리를 달리면서 그것을 뿌려버리는 또 하나의 경우이다. 처음부터 바울은 인간학적 용어들 가운데에서 "영혼"('프쉬케')이라고 말할 수도 있었지만, 그는 중간 상태를 지칭할 때에 이 용어를 사용하지 않는다는 것은 주목할 만하다 — 솔로몬의 지혜서, 요한계시록과는 달리.[13]

사실, 엄밀하게 말한다면, 우리는 죽음과 부활 사이에 "잠자고" 있는 것은 몸이라고 말해야 한다; 그러나 바울은 잠잔다와 깨어난다라는 언어를 단순히 반드시 무의식의 상태는 아니지만 일시적으로 활동을 멈추는 단계를 그 이후에 새롭게 활동을 재개하는 단계와 대비시키는 방식으로 사용하고 있을 가능성이 대단히 높다.[14] 이 본문 속에서 현재적으로 죽은 자들에 대한 그 밖의 다른 언급들은 그들을 "그리스도 안에서 죽은 자들"(4:16), 잠들어 있기는 하지만 계속해서 "그와 함께 살고"(5:10), "예수와 함께" 있거나(4:14) "주와 함께"

11) 또한 요 11:11-13; 행 7:60을 보라.

12) 이것은 16세기 종교개혁자들 사이에서 주된 쟁점이었다. 예를 들면, 칼빈 속에서의 이 문제에 대해서는 Tavard 2000을 보고, Tyndale과 Joye의 논쟁에 대해서는 Juhasz 2002를 보라.

13) '프쉬케'에 대해서는 데살로니가전서 5:23을 참조하라. 바울의 다른 용례들은 아래에서(제7장 제1절) 논의될 것이다.

14) 만약 바울이 이 상태가 무의식적인 것이라고 생각했다면, 나는 그가 고린도후서 5:8 또는 빌립보서 1:23을 썼을 것이라고 생각하지 않는다. 이것에 대해서는 아래의 제5장 제4절과 제7장 제2절을 보라.

있게 될(4:17) 자들이라고 말한다. 이것은 한편으로는 부활한 메시아에게 속해 있으면서 다른 한편으로는 몸으로 죽어 있는 가운데 아직 일으키심을 받지 못한 것 속에 내재하는 역설이자 긴장이다.

(1c) 현재적 삶과 저 최종적인 부활의 상태 사이에 연속성과 불연속성을 보여주는 어떤 표지들이 존재하는가? 5:4-8에서 바울은 그리스도인들은 이미 "빛의 자녀들, 낮의 자녀들"이라고 담대하게 선언한다. 그가 잠자지 말고 깨어 있으라고 말할 때, 그가 염두에 두고 있는 것은 밤이 깊을 때까지 오래도록 잠자지 않고 있는 것이 아니라 동트기 전이라 여전히 어두울 때에 아주 일찍 일어나는 것이다. 이것이 기독교 신자들의 현재적인 상태라고 그는 역설한다. 날이 동터올 때 — 이제는 "주 예수의 날"로 재해석된 성경의 "여호와의 날" — 이미 일어나서 깨어 있는 자들은 그것에 의해서 깜짝 놀라게 되지 않을 것이다. 갈라디아서에서와 마찬가지로, 이것은 강력한 윤리적인 함의를 지니고 있다: 마치 지금이 이미 낮인 것처럼 처신하는 것은 중요하다. 이런 식으로 이 본문은 바울이 그리스도인들은 이미 "부활한 백성"이라고 말하기 위하여(창세기에 토대를 둔) 밤과 낮이라는 이미지를 활용하고 있는 개시된 종말론(inaugurated eschatology)을 제시하고 있다. 그들의 몸은 아직 변화되지는 않았지만, 잠자고 깨어 있는 것에 관한 부활과 관련된 이미지의 관점에서 볼 때, 그들은 이미 "깨어 있고" 그런 상태로 머물러 있어야 한다.

(1d) 이 본문 속에서 부활은 바울의 더 큰 그림 안에서 어떤 기능을 하는가? 부활은 처음에는 올바른 종류의 슬픔으로 유인하는 유인책으로서의 기능을 한다(4:13): 그것은 소망 없는 사람들, 데살로니가 교인들이 아주 잘 알고 있었던 이방 세계에 속하는 사람들을 사로잡고 있는 그런 종류의 슬픔이 아니다. 슬픔이라는 것은 비기독교적인 것이 결코 아니고, 바울은 자기 자신을 포함해서 그리스도인들의 슬픔을 기독교적인 현상으로 생각하여 말할 수 있었다.[15] 사실, 이것은 초기 기독교의 문헌들 속에서 장례식에서 설교자가 많이 애용하였던 주제, 즉 무덤 너머에서 이미 죽은 그리스도인들과 다시 만나게 될 것이라는 약속과 아주 가깝다. 그러한 다시 만남이 부활 이전에 일어날 것이라고 이런저런 식으로 말하고 있는 내용은 전혀 없다; 그러나 이 본문의 목회적인

15) 고전 7:5-13; 빌 2:27 — 고린도후서에서의 개인적인 고뇌는 말할 것도 없고.

논리는 결국에 다시 만나는 것은 창조주 하나님이 염두에 두고 있는 것으로서, 예수가 다시 돌아올 때에 성취될 것이라고 역설한다.

마찬가지로 중요한 것은 하늘과 땅, 그것들이 결국에는 합해질 것에 관한 묘사인데, 이러한 묘사를 바울은 주가 강림하고 신자들이 구름 위로 올라가서 주를 "공중에서" 만나게 되는 것에 관한 많은 오해를 불러일으켰던 언어 속에서 사용한다. 이 본문의 언어는 특히 두 가지를 풍부하게 혼합시켜 놓은 것이다.[16] 첫 번째는 이미 우리가 언급한 바 있는 다니엘서 7장인데, 거기를 보면, 구름 위로 끌어올려지는 것에 관한 관념이 나온다; 거기에서 이것은 분명히 예수가 아니라 신자들을 가리킨다. 두 번째는 이교 세계에서 잘 알려져 있었던 언어로서, 황제나 그 밖의 다른 고관이 한 도시 또는 지방을 국빈으로 방문하거나 황제가 다른 곳에 갔다가 로마로 다시 돌아오는 것을 표현하는 언어이다. 사실, 예수가 "두 번째 오심"을 통해서 "강림하고" 신자들이 위로 날아올라서 그를 맞이한다는 시공간의 세계의 종말을 포함하는 초기 기독교의 소망에 대한 문자 그대로의 구성물을 가리키는 전문 용어가 되었던 헬라어 '파루시아'는 성경으로부터 가져온 것이 아니라, 이런 유의 황제의 "방문"(visitation)을 가리키는 전문용어로 사용되었던 이교적인 용법으로부터 가져온 것이었다. 원래 '파루시아'는 "부재"(absence)와 반대되는 "현존"(presence)을 의미한다; 바울은 이 단어를 그가 구름을 타고 내려올 것이라는 의미를 함축함이 없이 자기 자신에 관하여 그런 식으로 사용하고 있다;[17] 그러나 여기서의 요지는 "만남" — 헬라어에서 또 하나의 거의 전문적인 용어 — 은 모든 참여자들이 만남의 장소에 그대로 머무르는 식의 만남을 가리키는 것이 아니라, 도성 밖에서 만난 후에 백성의 지도자들이 고관을 호위하여 도성 안으로 모셔 들이는 그러한 만남을 가리킨다는 것이다. 따라서 이 본문은 3:13, 그리고 빌립보서 3:20-21과 매우 비슷한 것으로서, 고린도전서 15:20-28과 로마서 8:12-30의 큰 그림을 가리키는 가운데, 신자들이 땅으로부터 올리워져서 그 운명에 맡겨진다는 것을 나타내는 것이 아니라, 주가 하늘로부터 올 때에(1:10) 그들이 주를

16) 예를 들면, 야곱의 사닥다리(창 28:10-17; cf. 요 1:51) 같은 다른 간접인용들이 존재한다는 것은 틀림없다.

17) 예를 들면, 빌립보서 2:12.

"만나서" 주가 하늘에서와 마찬가지로 땅에서 하나님의 최종적인 심판과 구원의 통치, 모든 것을 변화시키는 통치를 개시할 때에 그를 둘러싸고 있게 될 것임을 나타내는 것이다.[18]

(2) 하나님이 이스라엘을 압제와 포로생활로부터 구원하실 것과 그 사건은 새로운 창조라는 의미를 띠게 될 것임을 가리켰던 제2성전 시대 유대교 속에서의 "부활"의 은유적 용법에는 대체 무슨 일이 일어난 것인가? 그러한 의미는 사라졌고, 또 다른 은유적인 구성물에 의해서 대체되었다. 즉, 이제 부활과 관련된 언어(다니엘 12:2에서처럼 잠자는 것과 깨는 것)는 복음의 전파, 즉 공동체 속에서 역사하여(2:13) 이제 거룩하고 관용적인 삶을 낳는 온전한 효과를 지니게 된 "말씀"을 통해서 일어나는 삶의 변화를 가리키는 데에 다시 사용되게 되었다.[19] 이러한 은유를 통해서 바울은 자신의 도덕적인 가르침을 강화하고(너희는 이미 이런 유의 백성이기 때문에, 너희의 진정한 정체성에 따라서 삶을 살아야 한다), 그러한 신학적 및 도덕적 가르침에 이스라엘이 열망해 왔던 것, 즉 부활과 회복이 그리스도 안에서 성령의 능력을 따라 너희의 삶 속에서 이미 실현되고 있다는 의미를 부여하기 위하여, 개시된 종말론을 묘사할 수 있었다.

(3) 끝으로, 이 본문은 예수 자신의 부활에 관하여 무엇을 말하고 있는가? 4:14에 나오는 짤막한 신조적인 문구가 보여주듯이, 예수의 부활은 이 모든 논증의 전제이다; 사실, 4:14은 고린도전서 15장 전체에 대한 간략한 요약이다. 바울이 예수 자신의 부활을 현재적으로 죽은 그리스도인들의 부활에 대한 모델로 주의 깊게 묘사하고 있다는 사실("마찬가지로," 4:14)은 그리스도인들의 부활의 몇몇 측면들에 관하여 꽤 명시적으로 밝히고 있는 것과 아울러 그가 메시야에 관하여 참이라고 믿었던 내용을 잘 보여준다. 바울에게 있어서 예수의 부활은 그의 죽음 직후에 일어난 일, 실질적으로 죽음 자체와 동의어인 승귀(부활 또는 그것과 유사한 그 무엇"으로 보아진" 죽음)가 아니었다. 달리 말하면, 바울이 4:14에서 "다시 사셨다"('아네스테')고 말했을 때, 그것이 이 단어가 고대 이교도들이나 칠십인역의 독자들에게 의미했던 것 이외의 다른

18) 이 본문 전체의 반제국주의적 분위기에대해서는 Wright, "Caesar"를 보라.
19) 데살로니가전서 4:1-12; 또한 5:23에서 성화에 대한 강조점에 주목하라.

것을 의미했음을 보여주는 징후는 전혀 존재하지 않는다. 바울에게 있어서 예수 또는 그리스도인들의 부활은 육신적인 죽음 직후에 몸은 땅 속에 매장된 채 영혼이 옮겨져 가는 새로운 상태가 아니라 일정 기간의 "죽음 이후의 삶" 이후의 새로운 삶이었다. 그는 예수가 죽음과 부활 사이에 "잠들어" 있었다고 말하지 않지만, 두 사건 사이에 일정 기간이 경과하였음에 틀림없다는 의미를 함축하고 있다. 그리고 신자들의 죽음과 부활에 관하여 그가 사용하는 언어가 성경의 여러 본문들, 특히 밤과 낮의 창조에 관한 창세기의 기사 및 잠자는 자들이 깨어날 것에 관한 다니엘의 예언과 관련된 언어 속에 깊이 뿌리를 내리고 있기 때문에, 바울에게 있어서 예수의 부활은 이스라엘의 소망의 날카롭고 충격적인 성취로서, 복음에 의해서 부르심을 받은 자들이 낮의 자녀들로서 마침내 동이 트기를 기다리며 살아가야 하는 역사의 새롭고 예기치 않은 때를 개시시킨 것이었다.

데살로니가후서는 "주의 날"에 관한 묘사를 2:1-12에서 상당한 정도로 확장하여 서술하고 있긴 하지만 앞에서 제시한 묘사에 추가하는 내용이 거의 없다. 그러나 기능상으로 로마서 8:29-30에 나오는 자신의 논증에 대한 바울의 위대한 요약에 해당하는 저 본문 뒤에 나오는 두 절은 다시 한 번 우리가 데살로니가전서 2:12에서 보았던 것을 나타내 준다: 바울은 그리스도인들의 최종적인 목표를 메시야인 주 예수의 영광에 참여하는 것이라고 서술한다(살후 2:14). 이 "영광"은 13절에 언급되고 있는 "구원" — 이것은 아마도 데살로니가전서 5:9에 나오는 "구원"과 동일한 것이다 — 과 병행으로 두어진다. 우리는 바울이 그리스도인들의 궁극적인 목표를 서술할 때에 사용한 다중적인 방식들에 관한 그림을 완성시키기 시작하고 있다. 이 모든 것에 대한 단서는 예수의 죽음과 부활을 통해서 창조주 하나님은 죽음의 권세를 패배시켰기 때문에, 그의 새로운 세상의 삶, 새 창조, 새 날이 동터오는 것은 이미 복음의 말씀에 의해서 붙잡힌 자들의 삶 속에서 선취(先取)되고 있고 메시야가 다시 오실 때에 완성될 것이라는 것이다. 그날에 죽은 자들은 일으키심을 받고 산 자들은 변화되어서, 그의 모든 백성은 궁극적인 썩어짐으로부터 구출되어("구원을 받아") 메시야가 이미 누리고 있는 영광에 함께 참여하게 될 것이다.

3. 갈라디아서

부활은 갈라디아서에서 주된 주제가 아니지만, 부활을 얘기하지 않고는 그 전반적인 논증이나 세부적인 내용을 이해하는 것은 불가능하다. 바울이 서두에서 말하고 있는 화려한 수사적인 어구는 계약의 하나님이 이미 구원 사역을 행하여서 "우리를 이 악한 세대에서 건지셨다"고 말한다; 바울은 분명히 바리새파와 랍비들의 종말론적인 범주들 안에서 생각하고 있었던 것이다. 무슨 일이 일어났고, 이 일로 인해서 "내세"가 "현세"로 뚫고 들어왔다고 그는 믿었다.[20] 갈라디아서의 바로 첫 번째 절이 이 "무슨 일"이 무엇이었는지를 보여준다: "하나님 아버지께서 … [예수 메시야를] 죽은 자로부터 일으키셨다."[21] 이렇게 바울은 내세의 돌입(突入)을 예수의 죽음과 부활이라는 쌍둥이 사건들과 결부시키면서, 전자를 예수가 하나님의 전반적인 목적을 성취하기 위하여 "우리 죄를 인하여" 스스로를 내어준 것이라고 본다.

사실, 메시야로 자처하는 자의 죽음 그 자체가 "내세"가 이미 돌입하였고 사람들은 지금이라도 "이 악한 세대"로부터 구원받을 수 있다는 개념을 생겨나게 하였다는 것은 생각할 수 없는 일이다(우리가 제12장에서 보게 되겠지만). 흔히 그렇듯이, 우리는 십자가에 대한 그러한 언급을 의미있게 하기 위해서는 바울이 더 온전한 그림을 분명하게 제시하고 있는 다른 본문들을 활용해서 부활에 대한 언급(서두의 절에서 암시되고 있는)을 보충하지 않으면 안 된다.[22] 이렇게 해서, 갈라디아서 1:4-5은 질문 1(d), 2, 3에 대하여 이미 답변을 한 것이다. 예수의 죽음과 부활은 약속된 새 시대를 개시시킨 것이다; 그리고 이 "내세"는 오랫동안 기다려 왔던 구원의 때이다. 유대적인 은유적 의미(포로생활과 압제 이후에 이스라엘의 구원과 회복으로서의 부활)는 보존되고 있기는 하지만 변형되어 있다: 예수를 통한 하나님의 구원 사역은 모든 사람을 위한

---

20) 갈라디아서 1:4f.

21) 이 서신에서 부활에 관하여 유일하게 명시적으로 언급하는 갈라디아서 1:1.

22) 특히, 예를 들면 고린도전서 15:17을 보라: "그리스도께서 다시 살아나신 일이 없으면 … 너희가 여전히 죄 가운데 있을 것이요." 달리 말하면, 부활이 없다면 큰 구원은 아직 일어난 것이 아니다; 그러나 바울의 전체적인 세계관은 그 큰 구원이 이미 일어났다는 믿음을 토대로 하고 있다.

것이고, 유대인이나 이방인이나 모두를 이 악한 세대로부터 건지는 것이다.

이것은 갈라디아서 2장의 끝에 나오는 극적인 본문을 가리키는데, 거기에서 바울은 자기가 안디옥에서 베드로와 어떤 식으로 대면하였는지를 서술한다. 그의 논증의 핵심은 자기, 곧 바울이 "죽었고" 이제는 새로운 방식으로 "살아가고" 있다는 것이다:

> [19]내가 율법으로 말미암아 율법에 대하여 죽었나니 이는 하나님에 대하여 살려 함이라 [20]내가 그리스도와 함께 십자가에 못 박혔나니 그런즉 이제는 내가 사는 것이 아니요 오직 내 안에 그리스도께서 사시는 것이라 이제 내가 육체 가운데 사는 것은 나를 사랑하사 나를 위하여 자기 자신을 버리신 하나님의 아들을 믿는 믿음 안에서 사는 것이라.

학자들은 바울이 자기 자신의 "죽음"과 "다시 산 것"에 관하여 말하였을 때에 그것이 그의 회심(세례를 포함한)을 가리키는 것인지, 아니면 그가 그 배후에 있는 예수 자신의 죽음과 부활을 바라보고 있었던 것인지에 대하여 오랫동안 논쟁을 해 왔다.[23] 이에 대한 대답은 아마도 바울은 이 두 가지를 모두 염두에 두고 있었고, 여기에서 우리는 유대적인 은유적 용법의 예를 보게 된다는 것이다: 예수 자신의 죽음과 부활의 사건에 뿌리를 내리고 있고 더 이상 바울의 "육체적" 실존에 의해서 정의되지 않는 바울의 새로운 정체성을 가져온 변화를 통해서 바울 자신의 인격 속에서 새로운 방식으로 실현된 포로생활과 압제로부터의 이스라엘의 구원으로서의 "부활."

이 새로운 정체성은 바울이 특히 민족적 정체성을 의미하는 "육신"의 옛 유대(紐帶)들은 계약의 신의 백성을 정의함에 있어서 이제 아무런 상관도 없게 되었다고 바울이 힘주어 논증하고 있는(갈라디아 교인들에게 자기가 안디옥에서 베드로와 대면하였을 때에 그에게 사용하였던 논증을 보도하는 것을 통해서) 대목의 요지이다.[24] 유대인이나 헬라인이나 모두가 이제는 동일한 식탁

---

23) 예를 들면, Martyn 1997a, 255-60을 보라. 바울의 회심과 갈라디아서 1:13-17의 의미에 대해서는 아래 제8장을 보라.

24) "육신"의 바울적 의미에 대해서는 Wright, *Romans*, 417f. 등을 보라.

에 속해 있다; 유대인과 이방인 간의 상징적인 차별화는 이제 폐지되었고, 그들의 정체성을 보여주는 유일한 표지는 이제 '피스티스 예수 크리스투,' 즉 메시야이신 예수의 신실하심이었다.[25)]

여기서 바울은 죽고 다시 사는 것을 은유적인 의미로 말하고 있다. 그는 실제로 육체적으로 죽거나 육체적으로 부활한 것이 아니었다. 그러나 이 은유가 가리키는 것은 여전히 구체적인 실체, 즉 새로워진 인간 존재로서의 그의 정체성과 자기와 마찬가지로 "죽었다가 다시 살아난" 모든 자들과의 식탁 교제이다. 그가 이런 식으로 말할 수 있는 이유는 여기에서 명시적으로 언급되고 있지는 않지만 강력하게 현존하고 있는 예수의 죽음과 부활이라는 구체적인 사건들 때문이었다. 이 "죽음"의 반대편에서 주어진 새로운 삶은 (a) "하나님에 대하여 사는 것"과 (b) 그리스도의 생명을 소유하는 것으로 묘사될 수 있다. 이 두 가지 어구는 우리가 바울 서신을 계속해서 살펴볼 때에 다시 만나게 될 준전문용어들이다.

유대인들의 소망이 변형된 가운데 성취되었다는 것은 바울이 갈라디아서 3장에서 주로 다루고 있는 주제들 중의 하나이다. 그는 10-14절에서 아브라함에게 하나님이 준 약속, 즉 온 세상이 "그 안에서" 축복을 받을 것이라는 약속이 이스라엘이 율법의 저주의 희생물이 되면서 어떻게 고착 상태에 빠지게 되었는지를 설명한다. 그러나 이스라엘의 하나님은 이스라엘을 대신하여 율법의 저주를 짊어진 메시야를 통하여 역사하심으로써, "그리스도 예수 안에서 아브라함의 복이 이방인에게 미치게 하고 또 우리[달리 말하면, 유대 그리스도인들]로 하여금 믿음으로 말미암아 성령의 약속을 받게" 하셨다.[26)]

이 본문의 근저에 있는 암묵적인 이야기는 이스라엘의 복종과 하나님의 구원에 관한 이야기이다 — 달리 말하면, 유대교의 여러 본문들에서 "부활"에 관한 묘사를 사용하여 말하였던 바로 그 이야기; 그리고 바울이 약속들이 성취되었다고 선언할 수 있었던 이유는 예수의 죽음과 부활이었음이 분명하다.[27)]

---

25) 여기서 및 다른 곳에서 '피스티스 크리스투'에 대해서는 Hays 2002 [1983]; Hooker 1989; Dunn 1991(reprinted and updated in Hays 2002 [1983], 249-71)과 거기에 나오는 참고문헌들을 보라.

26) 갈라디아서 3:14. 이 본문에 대해서는 Wright, *Climax*, ch. 7을 보라.

27) 이와 동일한 사고의 흐름은 3:22에서 목격될 수 있는데, 그 본문은 의역된 영

하지만 약속들은 바울 자신을 비롯한 대다수의 유대인들이 기대했거나 원했던 방식으로 성취된 것이 아니었다. 이것이 바로 초기 그리스도인들이 거대한 문제점에 봉착하게 된 이유였고, 갈라디아서는 그러한 문제점에 대한 바울의 답변 중의 일부였다. 바울이 이 문제를 답변하고 있는 방식은 그가 기존의 은유적인 의미를 가져다가 예수와 관련하여 일어난 사건들을 통해서 재정의하였음을 잘 보여준다.

갈라디아서 전체에 있어서 가장 중요한 본문들 중의 하나는 4:1-7이다. 여기에서도 바울은 부활을 명시적으로 언급하지 않는다; 대신에 그는 "부활"이라는 뉘앙스가 강력하게 배어 있는 한 이야기를 말한다. 이스라엘의 하나님이 노예들을 속박으로부터 자유케 하여 자신의 자녀로 삼은 방식을 서술하면서, 바울은 로마서 8장에서와 마찬가지로 아주 잘 알려져 있었던 출애굽에 관한 유대인들의 이야기를 활용한다.[28] 아들의 사역을 통해서 한 분 하나님은 노예 주인의 권세를 파하였다; 성령의 사역을 통해서 그 동일한 하나님은 자기 백성에게 자신의 자녀와 상속자로서의 그들의 신분을 확신시켜 준다.[29] 로마서 8장에서는 이 동일한 이야기가 명시적으로 부활에 초점이 맞춰지는 가운데 전개된다. 이러한 병행이 없다고 하더라도, 우리는 갈라디아서 4장을 고린도전서 15:20-28과 나란히 놓고 검토해 보기만 하면, 실질적으로 동일한 관념들이 거기에 내포되어 있다는 것을 알게 된다.

그러므로 갈라디아서에서 이제까지 바울은 자신의 특정한 관심사를 말하고 지시하기 위하여 그 근저에 있는(그리고 통상적으로 명시적으로 언급되지 않는) 부활 관념을 활용해 온 것이다. 세상을 바꿀 사건들이 일어났다; 바울 자신이 그 사건들을 통해서 다른 사람이 되었다; 약속들은 이스라엘(그리고 바울)

어가 아니라 헬라어를 따르면 다음과 같이 되어 있다: 이스라엘의 신은 "성경"을 통해서 모든 것을 죄 아래에 가두었기 때문에, 약속은 메시야의 신실하심을 토대로 해서 예수를 믿는 자들에게 주어질 수 있다. 고린도후서에서 자주 그러하듯이(아래를 보라), 이런 식으로 부정문과 긍정문을 병치시키고 있는 것은 죽음과 부활이라는 패턴을 구현하고 있는 것이다.

28) Keesmaat 1999, chs. 2-4; Wright, *Romans*, 510-12를 보라.

29) 예수의 아들됨과 부활은 로마서 1:3f.에서 서로 연결되어 있다(아래의 제12장 제3절과 제19장 제2절을 보라).

의 이전의 기대와는 다른 방식으로 성취되었다. 다음 본문에서 바울은 이번에도 역시 부활을 명시적으로 언급하지 않고 그 대신에 최후의 "신원"이라는 표현을 사용해서 하나님의 최후의 심판정에서 "의롭다"는 지위를 얻게 될 개인적이고 여전히 미래에 있는 소망에 대하여 언급한다: "우리가 성령으로 믿음을 따라 의의 소망을 기다리노니".[30]

바울 서신의 다른 곳에, 특히 로마서 8장에 나오는 이와 비슷한 본문들은 바울이 "부활의 소망"('엘피다 아나스타세오스')이라는 표현을 "의의 소망"('엘피다 디카이오쉬네스')이라는 표현과 쉽게 서로 바꿔 쓸 수 있었음을 보여준다. 바울은 갈라디아 교인들에게 행한 논증의 특별한 성격으로 인해서 그리스도인들이 장차 있게 될 상태가 아니라 마지막 날에 그리스도인들이 소유하게 될 신분에 관하여 말하기로 선택한 것이다. 이 두 가지가 사상적으로 근접해 있었다는 것은 바울에게 있어서 중요한 그 무엇을 부각시켜 준다 — 이것에 대해서는 나중에 살펴볼 것이다: 그의 사상의 여러 단계들 속에서 나타나는 과거, 현재, 미래에 있어서 부활과 "칭의" 간의 개념적 연관성.

장래, 그리고 현재에 미치는 그 효과는 갈라디아서 5장의 끝 부분에서 다루어지고 있는데, 거기에서 바울은 몇몇 방식으로 행동하는 사람들은 "하나님 나라를 유업으로 받지 못하게 될 것"(5:14)이라고 경고한다. 바울은 이 나라를 현재적인 것으로 말하는 경우도 있지만,[31] 그 나라를 미래적인 것으로 보는 경우가 더 흔한데, 창조주의 말씀이 예외없이 다 이루어져서 피조 세계를 망치거나 더럽히는 것이 더 이상 허용되지 않고, 특히 하나님의 형상을 지닌 피조물들이 더 이상 어떤 여지를 갖는 것이 허용되지 않을 때인 궁극적인 미래를 가리키는 데에 이 어구를 사용한다.[32] 이 본문 속에서 바울의 주된 대비는 인간이 살아가는 삶, 성품, 행실의 두 영역으로 보아진 "육신"과 "영" 간의 대비이다. 흔히 그렇듯이, 그의 사고는 신속한 행보로 움직이기 때문에, 많은 것들을 함축적인 의미로 이해하도록 남겨 놓는다; 그러나 그의 용어를 빌려서 표현해 보자면 "성령을 따라 행하는" 자들은 "하나님의 나라를 유업으로 받게" 될 것

30) 5:5.

31) 예를 들면, 롬 14:17; 고전 4:20. 아래의 제12장 제3절을 보라.

32) 예를 들면, cf. 고전 6:9f.; cp. 15:50; 엡 5:5.

임이 분명하다. 그러므로 이것은 계약 백성을 위한 궁극적인 미래를 서술하는 또 다른 방식으로서, 주후 1세기의 바리새인이라면 누구나 부활의 소망과 즉시 동일시했을 그런 언어를 사용하고 있는 것이다. 이 미래적 소망이 직접적으로 담고 있는 함의는 성령의 능력 안에서의 현재의 삶은 장래의 유업에 대한 보장이라는 것이다 — 이것은 바울이 다른 곳에서도 풍부하게 강조하고 있는 요지이다.

바울은 6장에서 다른 이미지를 사용해서 이것을 발전시킨다. 거기에서 바울은 "행하는 것"에 관하여 말하기 전에 이제 "심고 거두는 것"이라는 견지에서 사고를 진행시킨다:

> [7]스스로 속이지 말라 하나님은 업신여김을 받지 아니하시나니 사람이 무엇으로 심든지 그대로 거두리라 [8]자기의 육체를 위하여 심는 자는 육체로부터 썩어질 것을 거두고 성령을 위하여 심는 자는 성령으로부터 영생을 거두리라 [9]우리가 선을 행하되 낙심하지 말지니 포기하지 아니하면 때가 이르매 거두리라.

여기에는 미래적 소망에 관한 바울의 발전된 표현들 중의 일부와 정확하게 부합하는 몇 가지 점들이 등장하는데, 이것은 바울이 비록 신속한 변증을 통해서 글을 쓰고 있다고 할지라도 그가 다른 곳에서 더 세심하게 설명하고 있는 장래에 관한 세부적인 신앙의 증거들을 여전히 남겨 두고 있다는 것을 보여준다. 그는 장래의 목표를 이전에 씨를 뿌린 식물들을 추수 때에 거둔다는 견지에서 설명한다. 이것은 우리가 고린도전서 15:35-38, 42-44에서 발견하는 "씨앗" 은유와 정확히 동일한 것은 아니지만, 별반 다르지도 않다(부수적인 말이지만, 이것은 바울이 동일한 은유를 미묘한 변형들을 통해서 얼마나 융통성있게 사용하고 있는지를 보여준다); 거기에서 그는 "씨 뿌리는 것"을 "죽는 것"에 관한 이미지로 사용하는 반면에(요한복음 12:24에서처럼), 여기에서는 단순히 행동과 그것의 오랜 후의 결과들이라는 견지에서 고찰한다. 또한 이것은 바울이 현재의 삶과 내세의 삶 간의 연속성을 어떻게 생각하고 있는지를 보여준다: 현재에서의 특정한 유형의 행위들을 하였다고 해서 계약의 하나님에 대하여 어떤 권리 주장을 할 수 있는 것이 아니라, 현재에서의 행위는 단지 사람이 두 영역, 즉 "육신" 또는 "성령" 중 어느 쪽에 속해 있는지를 보여주는 지표일 따름이다. 바울에게 있어서 "육신"은 언제나 썩어 없어지고 흔히 반역적인 것인 반면에, "성령"은 — 여기에서처럼 하나님의 영을 가리킬 때에 — 언제나 현재 속에서의 한 분 하나님의 선물로서 장래의 유업을 보장해 주는 역할을 한다.

또한 우리는 바울이 "영생"이라는 어구를 통해서 최종적인 목표 — 5:5의 "의"와 5:21의 "하나님의 나라"와 동일하게 — 를 가리킬 수 있다는 것을 본다. 우리는 로마서에서 이 어구를 만나게 될 것인데, 거기에서 나는 이 어구가 아주 흔히 주장되듯이 "몸을 입지 않은 지복의 상태 속에서의 계속적인 삶"을 의미하는 것이 아니라 "이스라엘이 열망했던 내세에서의 삶"을 가리킨다는 것을 논증하게 될 것이다.[33] 우리의 현재의 본문 속에서 이 어구는 1:4과 대응된다: 계약의 하나님은 우리를 "이 악한 세대"로부터 구원하였고, 이제 "성령으로 심는" 자들은 이 세대가 아니라 "내세"를 유업으로 받게 될 것이다. 끝으로, 피곤해하지 말고 선행을 계속해서 하라는 권면은 고린도전서 15:58과 아주 잘 부합한다. 이와 같은 매우 다른 서신들 속에서 장래의 유업에 관한 바울의 사상(그가 그것을 어떻게 묘사하든지)은 결코 어깨를 움츠리며 하나님의 최후의 구원 사역을 수동적으로 기다리게 만드는 유도책이 아니라, 언제나 현재 속에서 장래의 유업과 잇대어 있는 일들을 행하라는 유인책이다. 고린도전서에서처럼, 이 본문은 그리스도인들의 현재적 실존과 최종적인 실존 간의 연속성에 관하여 강력하게 말하고 있는 것이다.

이러한 그림은 갈라디아서 6:14-16에 의해서 확증되는데, 거기에서 바울은 중요한 한 가지는 할례를 받았느냐 또는 받지 않았느냐 하는 것이 아니라 새로운 창조라고 분명하게 말한다. 이것은 부활에 대한 주류 유대인들의 소망의 근저에 있는 창조주로서의 한 분 하나님을 근거로 제시하고 있는 것이다: 이 마지막의 압축된 본문 속에서 우리는 다시 한 번 예수의 죽음과 부활에 관한 바울의 사상이 새로워진 세계에 관한 그의 비전과 그 미래의 빛 아래에서 현

33) 로마서 2:7; 5:21; 6:22, 23. 바울 서신의 다른 곳에서 이 어구는 오직 디모데전서 1:16; 6:12; 디도서 1:2; 3:7에서 발견된다. 이 어구는 요한에게서 자주 나온다; 아래의 제9장 제6절을 보라.

재적으로 살아가는 것이 무엇을 의미하는지에 대한 그의 이해를 어떻게 재형성하였는지를 보게 된다:

> [14]그러나 내게는 우리 주 예수 그리스도의 십자가 외에 결코 자랑할 것이 없으니 그리스도로 말미암아 세상이 나를 대하여 십자가에 못 박히고 내가 또한 세상을 대하여 그러하니라 [15]할례나 무할례가 아무것도 아니로되 오직 새로 지으심을 받는 것만이 중요하니라 [16]무릇 이 규례를 행하는 자에게와 하나님의 이스라엘에게 평강과 긍휼이 있을지어다.

여기에서 바울이 변증적인 서신을 급하게 그리고 압축적으로 쓰면서 여러 실들을 함께 엮을 때조차도 그의 마음이 어떻게 작동하고 있는지를 보여주는 삼중적인 흐름을 주목해 보라. 첫째, "십자가-새 창조"의 흐름은 부활의 모든 표지들을 그 속에 지니고 있고, 게다가 부활은 정확히 새 창조로 보아지고 있다. 고린도후서 5:17과의 공명들이 중요하다; 이스라엘의 하나님이 위대한 새로운 창조 역사를 통해서 자신의 세계를 새롭게 하실 것에 관하여 말하고 있는 유대교의 여러 문헌 자료들에 대한 반영들도 중요하다. 나중에 보게 되겠지만, 바울은 창세기 1장과 2장을 언제나 그의 마음 깊숙한 곳에 계속해서 염두에 두고 있었고, 통상적으로 (그러나 특히 고린도전서 15장에서) 최후의 구속 행위를 피조 세계로부터의 구원(rescue from creation)이 아니라 피조 세계의 갱신(renewal of creation)으로 보았다. 이것은 바울을 종말론적인 소망에 관한 유대인들의 지도 위에 확고하게 위치시킨다; 그리고 2:19-20에서처럼 바울은 예수의 죽음과 부활의 사건들로 말미암아 이 세상은 다른 곳이 되었고 바울 자신도 이 세상과 관련하여 다른 사람이 되었다고 이해한다. 그 결과 유대인과 비유대인 간의 구별은 이제 더 이상 타당성을 지니지 않게 되었다. "이 준칙에 의해서 행하는"("인종적 장애물들이 아니라 새 창조"의 준칙) 자들은 이스라엘의 하나님이 그의 백성에게 약속한 "평안과 긍휼"을 갖게 될 것이다. 성경의 반영들은 단순히 현재에 있어서의 "평안과 긍휼"만이 아니라 궁극적인 구원, 계약 백성이 자유롭고 안전하게 거할 수 있는 새 세상에 대한 이스라엘의 오랜 소망에 관한 묘사를 잘 그려내고 있다.[34)]

이렇게 갈라디아서는 부활을 명시적으로 언급하고 있지는 않지만, 많은 대목들에서 부활 관념은 표면 바로 아래에 위치해 있으면서 "표면 위의" 논증을 위하여 더 분명하게 부각시킬 필요가 있었던 바울 사상의 그 밖의 다른 측면들을 물 밑에서 떠받치고 있다. "현세"를 대신하여 "내세"를 개시시키고자 하는 하나님의 계획의 일부인 예수의 부활은 창조주의 "새 창조"의 시작이고, 예수의 죽음에 의미를 부여하여, 율법의 저주를 처리하고, 노예들을 자유케 하며, 예수 자신의 사랑을 나타내 보이는 하나님의 구속 역사로 볼 수 있게 만들어 준다(2:20).

갈라디아서에서는 이교도들의 압제로부터 이스라엘이 놓여나는 것을 의미했던 제2성전 시대 유대교에서의 "부활"의 은유적 의미와 관련해서는 무슨 일이 일어난 것인가? 바울은 그것을 새로운 방식으로 발전시킨 것으로 보인다. 그는 다른 노예 상태, 그리고 다른 자유에 관하여 말한다: 한편으로는 "세상의 초등 학문들" 아래에서의 인류의 종됨과 율법 아래에서의 이스라엘의 종됨, 다른 한편으로는 성령에 의해서 이끌림을 받아 이미 새 창조의 일부로서 율법과 세상의 권세들로부터 자유한 그리스도인들의 현재적인 삶(4:1-11). 그것은 믿음의 삶(2:20), "하나님에 대하여" 사는 삶(2:19), 새 창조가 시작되었고, 복음을 믿는 모든 자들은 한 분 참 하나님이 아브라함에게 약속한 단일한 가족에 속하여(3:28-29), 이에 따라서 그들의 공통의 삶을 살아야 하기 때문에, 인종적인 경계 표지들, 특히 할례가 더 이상 필요없거나 상관이 없게 된 삶. 그리스도인들은 "의"가 최종적으로 수여될 장래의 그때, 하나님의 나라가 온전하게 최종적으로 임하기를 열렬하게 소망한다; 성령 안에서의 현재적인 삶은 이러한 "내세"의 삶의 진정한 선취(先取)이다.

이것은 우리가 초기 기독교 밖에서 제2성전 시대 유대교 속에서 발견하는 그 어떤 것과도 상당한 정도로 다르다(물론, 쿰란 문헌 속에 나오는 것과는 어느 정도의 유비들이 존재하는데, 이것은 그들도 개시된 종말론을 말하고 있기 때문이다); 따라서 그것은 오직 제2성전 시대 유대인들의 세계관으로부터의 돌연변이로서만 설명될 수 있다. 우리가 갈라디아서의 저작 연대를 언제로 설정하든지간에(그러나 특히 우리가 이 서신의 연대를 나의 제안을 따라 초기의 것으로 본다면), 그것은 바울의 사고 속에서 주목할 만할 정도로 잘 발전되어

---

34) cf. 시 125:5; 128:6.

있다. 부활과 새 창조는 이 서신의 주된 주제가 아니었다는 점을 감안하면, 바울이 이 주제에 접근할 때마다 그가 그것에 관하여 말하고 있는 내용은 그의 다른 서신들이 그토록 확고하게 설명하고 있는 패턴과 잘 맞아 떨어진다는 것은 한층 더 놀라운 일이다.

4. 빌립보서

빌립보서에서 우리는 부활에 대한 바울의 언급 속에서 절정에 해당하는 것에 도달하게 된다.(바울이 이 서신을 썼을 때에 어느 감옥에 있었는지에 대하여 여전히 의견의 일치가 없다; 나는 에베소가 아닐까 생각하는데, 만약 그렇다면, 이 서신은 고린도전서와 고린도후서 사이에 놓여지게 되지만, 이 견해의 논거들은 난점들이 없지 않다. 나는 본서에서 발전론적인 도식을 사용하고 있지 않기 때문에, 저작 장소와 관련된 논의는 우리의 현재의 목적과는 아무런 상관이 없다.) 이 서신은 고린도후서를 제외한 그 밖의 다른 어떤 대목들에서보다도 더 강력하게 바울이 임박한 죽음이라는 심각한 가능성에 직면해 있다는 암시를 제공해 준다; 따라서 우리는 여기에서 죽음 너머의 그리스도인들의 소망에 관한 그의 가장 분명한 진술들 중의 몇몇을 발견할 수 있다는 데에 놀라서는 안 된다. 이러한 진술들은 우리가 지금까지 보아 왔던 좀 더 명백하게 반제국적인 신학 내에 위치해 있다: 예수가 주이고 구원자라는 것은 로마의 식민지에 거주하는 사람들에게는 가이사는 주도 아니고 구원자도 아니라는 강력한 의미를 함축하고 있는 말로 들렸을 것이다.[35] 명시적인 부활에 근거한 신학을 정치적으로 전복 성향을 지닌 복음과 통합시키고 있는 것은 지금까지 충분히 주목되어 오지 않았지만, 우리는 그것을 앞으로 서술해 가면서 더 자세하게 지적하고자 한다.

예수의 이야기와 신자들의 이야기의 주제상의 밀접한 통합은 이 서신의 주된 주제들 중의 하나이고, 2:6-11과 3:20-21 간의 병행들 및 그 밖의 연결고리들은 우리가 지금 더 자세하게 살펴보지 않으면 안 된다. 그러나 바울의 서두의 진술들도 우리의 주제와 관련하여 대단히 흥미있는 것들이다. 처음에 나오는 감사의 말을 통해서 바울은 "너희 안에서 선한 일을 시작하신" 하나님이

35) Wright, "Paul's Gospel"을 보라.

"그리스도 예수의 날에 이르기까지 그것을 완성하실" 것임을 단언한다. 데살로니가전서에서처럼 바울은 복음 전파를 마음과 삶의 근본적인 변화를 가져오는 성령의 도구로 본다. 여기서의 요지는 연속성이다(질문 1c): 바울은 이 하나님이 복음과 성령을 통해서 현재적 삶 속에서 이미 행하신 일이 3:20-21에서 더 자세하게 서술될 최종적인 구원에 대한 보장이라고 믿는다.

이것은 바울을 자신의 상황에 관한 더 확장된 성찰들로 이끄는데, 거기에서 그는 자기가 직면하고 있는 스스로 통제할 수 없는 문제들을 통해서 생각한다: 그는 로마 당국자들에 의해서 사형 선고를 받고 죽게 될 것인가, 아니면 살아서 계속 사도적인 사역을 하게 될 것인가? 그는 이 문제를 다음과 같이 바라보면서, 가장 설득력 있는 사례, 즉 자신의 사례 속에서 그가 죽음을 어떻게 보고 있는지를 은연중에 내비친다:[36]

> 1:18b 이로써 나는 기뻐하고 또한 기뻐하리라 19 이것이 너희의 간구와 예
> 수 그리스도의 성령의 도우심으로 나를 구원에 이르게 할 줄 아는 고로 20
> 나의 간절한 기대와 소망을 따라 아무 일에든지 부끄러워하지 아니하고
> 지금도 전과 같이 온전히 담대하여 살든지 죽든지 내 몸에서 그리스도가
> 존귀하게 되게 하려 하나니.
> 21 이는 내게 사는 것이 그리스도니 죽는 것도 유익함이라 22 그러나 만일
> 육신으로 사는 이것이 내 일의 열매일진대 무엇을 택해야 할는지 나는
> 알지 못하노라 23 내가 그 둘 사이에 끼었으니 차라리 세상을 떠나서 그리
> 스도와 함께 있는 것이 훨씬 더 좋은 일이라 그렇게 하고 싶으나 24 내가
> 육신으로 있는 것이 너희를 위하여 더 유익하리라 25 내가 살 것과 너희
> 믿음의 진보와 기쁨을 위하여 너희 무리와 함께 거할 이것을 확실히 아
> 노니 26 내가 다시 너희와 같이 있음으로 그리스도 예수 안에서 너희 자랑
> 이 나로 말미암아 풍성하게 하려 함이라.

이것이 바울 서신 또는 빌립보서에서 그리스도인들이 죽은 후에 그들에게 무슨 일이 일어날 것인가 하는 문제에 대하여 말하고 있는 유일한 본문이라

36) 빌립보서 1:18b-26.

면, 우리는 바울이 죽음 이후의 삶에 관한 한 단계의 견해를 지니고 있었다고 생각해도 용서받을 수 있을 것이다: 그리스도인들은 떠나서 메시야와 함께 있게 된다(23절). 우리는 다른 서신들로부터 이것이 그의 입장이 아니었다는 것을 안다; 그러나 더 중요한 것은 우리가 빌립보서 자체로부터 바울이 두 단계의 견해를 믿었다는 것을 알고 있다는 것이다: "죽음 이후의 삶" 이후에 최종적인 부활이 있게 될 것이다(3:20-21). 그러므로 우리가 여기에서 보는 것은 우리가 데살로니가전서 4장에서 본 것에 대한 강조된 내용이다: 죽음과 부활 사이의 기간 동안에 그리스도인들은 "메시야와 함께" 있게 된다. 바울은 이것을 간절한 열망을 나타내는 용어들을 통해서 서술하고 있기 때문에("훨씬 더 좋다"), 그가 그것을 무의식적인 상태라고 보았을 가능성은 전무하다. 바울은 그를 사랑한 분, 그의 사랑이 바울로 하여금 떠나지 못하게 하는 그분과 개인적으로 함께 있게 될 것을 기대하고 있다.[37] 이것은 질문 1b, 즉 중간 상태에 관한 질문에 대하여 우리가 바울로부터 얻을 수 있는 가장 분명한 대답이다. 바울은 하늘을 메시야가 현재적으로 거하는 처소라고 생각했을지는 모르지만, 자기가 "하늘로 간다"고 말하지는 않는다. 그의 현재적 삶은 메시야라는 견지에서 정의되고 있고, 그의 장래의 삶도 마찬가지이다(1:20-21).

또한 우리가 주목할 것은 갈라디아서 2:20에서 바울이 현재적인 삶을 "육체 안에서" 사는 삶이라고 서술하고 있다는 것이다. 그는 여기에서는 이 어구가 다른 곳들에서 종종 띠고 있는 부정적인 도덕적 뉘앙스를 이 어구에 부여하지 않는다(예를 들면, 로마서 8:9). 오히려 이 어구는 부정적인 존재론적인 함의들을 지닌다: 육체는 연약하고 썩어 없어질 것이고, 언젠가는 죽을 것이다. 그는 이 본문에서 자기가 죽음 이후에 및 부활 이전에 존재하게 될 실체의 종류를 나타내기 위하여 인간학적인 의미를 부여하고 있는 것도 아니다("영혼" 또는 "영" 같은). 이 기간 동안에 그는 "메시야와 함께" 있게 될 것임을 아는 것으로 충분하였다.

바울이 1:27-30에서 최초로 빌립보 교인들에게 호소한 것은 그들이 공공의 삶, 심지어 시민으로서의 삶에서조차도 복음에 합당하게 살아야 한다는 것이었다(1:27). 그는 2:12-18에서 다시 이 주제로 되돌아온다. 물론, 그들은 이미

37) 갈 2:20; 롬 8:35-9.

겪고 있는 것과 마찬가지로 반대를 만나게 되고 핍박을 받게 될 것이다. 그러나 그들이 이교도들의 위협에 대하여 기쁜 마음으로 거부하는 것은 대적자들에게 그들(대적자들)이 멸망으로 가는 넓은 길에 있고, 메시야 예수에게 속한 자들은 반드시 핍박 또는 순교를 피한다는 의미에서의 "구원"이 아니라고 할지라도 제국 체계의 그 어떤 것으로도 경쟁하거나 해칠 수 없는 더 깊은 의미에서의 "구원"을 보장받고 있다는 표지가 될 것이다. 이것을 이 서신의 나머지 부분과 함께 놓고 보면, 우리는 바울이 이 "구원"을 죽음을 피하는 것을 통해서도 아니고, 죽으면 더 나은 삶으로 옮겨가기 때문에 죽음을 아무렇지도 않은 것으로 여김을 통해서도 아니라, 몸의 부활을 통해서 죽음을 극복하는 것을 통해서 죽음으로부터의 구원을 의미한다고 이해했던 것으로 확신할 수 있다(3:20-21).

저 유명한 구절인 2:6-11에서 우리는 특별한 문제점에 봉착하게 된다: 바울은 여기서 예수의 죽음과 부활이 아니라 그의 죽음과 승귀에 관하여 말하고 있다는 것.[38] 가장 초기의 그리스도인들에게는 부활과 승귀는 어느 정도 동의어였고, 오직 후대에 이르러서 누가가 쓴 두 책으로 된 저작을 통해서 부활과 "승천"의 구별이 이루어진 것이라는 주장이 자주 제기되어 왔다.[39] 이 말은 기껏해야 반쯤 진리인 말로서, 어쨌든 반쯤은 거짓이 들어 있다. 부활과 승천이 동일한 것을 의미한다는 견해의 대표자로 흔히 인용되는 요한은 부활한 예수가 자기가 "아직 승천하지 않았다"는 것을 분명하게 말하였다고 적고 있다;[40] 그리고 바울은 부활과 승귀가 서로 차별화된 연속적인 위치를 지니고 있다는 것을 보여주는 더 자세한 이야기를 들려 준다.[41] 나아가, 바울이 3장에서 현재의 본문을 발전시키고 있는 방식은, 부활이 그의 생각 속에 아주 많이 자리잡고 있었음을 보여준다. 그렇다면, 왜 바울은 여기에서 부활을 부각시키고 있지 않은 것인가?

---

38) cf. Wright, *Climax*, ch. 4; 정치적 차원에 대해서는 Wright, "Paul's Gospel." "부활이 아니라 승귀"에 대해서는 cf. Reumann 2002, 410-13, 418-22.

39) Robinson 1982은 지금은 통상적으로 따르고 있는 추세를 정립하였다: 예를 들면, Evans 1970, 138f.; 더 극단적으로는 Riley 1995, 106.

40) 요한복음 20:17. 아래의 제18장 제1, 2절을 보라.

41) 예를 들면, 로마서 8:34 등. 이 점에 대해서는 cf. Rowland 1993, 77.

이 난점을 해결하는 한 가지 방식은 이 시가 다른 사람에 의해서 씌어졌고 바울은 단지 그것을 인용한 것뿐이라고 주장하는 것이다. 또한 이것은 가장 초기의 그리스도인들은 예수의 부활이 아니라 그의 죽음과 승귀에 관한 이야기를 말했다고 보는 하나의 근거로 제시되어 오기도 했다. 나는 이러한 주장은 입증될 수 없을 뿐만 아니라 가능성이 없다고 본다. 이 시는 주의 깊게 구조화되어 있고 아주 많은 차원들에 있어서 3장과 매우 잘 부합하기 때문에, 나는 바울이 이 시를 이러한 목적을 위하여 직접 썼거나 최소한 이 시가 바울이 알고 있고 신뢰했던 어떤 사람에 의해서 씌어졌으며, 그가 2장에서 말하고자 했던 것과 3장을 위한 토대로서 이 시가 적합하다고 생각했기 때문에 그 시를 여기에 인용했다고 보는 것이 훨씬 더 자연스럽다고 생각한다. 내가 믿기로는, 이 서신 전체의 취지와 잘 부합하는 훨씬 더 나은 대답은 바울이 의식적으로 이 시를 모델로 삼아서 내가 이전의 저작에서 논증했듯이 아담과 이스라엘만이 아니라 더 특별하게 가이사(또는 로마 황제들은 알렉산더 대왕의 현재적 화신들로 여겨졌기 때문에 적어도 알렉산더 대왕에게로 소급되는 교만한 황제들에 관한 전승 전체)와 비교한 예수에 관한 묘사를 썼다는 것이다. 아담이 실패한 곳에서, 예수는 성공하였다; 예수는 이스라엘에게 맡겨진 과제를 완수하였다; 예수는 가이사가 희화화한 것의 실체이다. 최근에 주장되어 왔듯이, 이 시는 제국의 선전 문구의 서사적 순서를 아주 밀접하게 따르고 있고, 이를 통해서 사도행전의 바울이 고소되었던 바로 그 이유를 강조하고 있다: "또 다른 왕, 즉 예수"가 있다는 말.[42] 세상의 참된 주는 가이사가 아니라 예수이다.[43]

물론, 이 말의 취지 중 일부는 로마 황제들이 주장하지 않았던 한 가지 것은 그들 또는 다른 사람이 죽은 자로부터 부활하였다는 것이다. 그들은 하늘로 승귀된 것에 대해서는 말하였지만, 부활에 대해서는 말한 적이 없었다. 그러므로 바울이 그의 독자들에게 가이사가 제시했던 것과는 반대되는 종류의 것인 그들의 구원의 유형이 무엇을 의미하는지를 실제로 잘 살펴보라고 강권하고 있는 다음 절들(2:12-13)에서 반제국적인 주제가 강화된다.[44] 그리고 가이사의

---

42) 사도행전 17:7. Cf. Oakes 2001, ch. 5과 거기에서 논의된 다른 자료들.

43) 네로는 '호 투 판토스 코스무 퀴리오스'로 묘사되었다; cf. Oakes 2001, 149.

44) 그러한 이해는 바울이 여기에서 통상적인 믿음과 공로 논쟁들이라는 의미에서 "공로"에 관하여 말하고 있다고 생각하는 것보다 더 바람직한 것으로 보인다.

제국에서 예수의 백성이 되는 법을 알고 있는 자들은 "세상에서 빛과 같이 빛날" 것이다 — 이것은 은연 중에 내비춰진 암시이지만 매우 중요한 암시이다. 이것은 다니엘 12:3의 의도적인 반영으로서, 바울이 다른 곳에서와 마찬가지로 여기에서도 그리스도인들의 현재적 삶과 소명을 어떤 의미에서는 이미 시작되었지만 몸의 부활을 통해서 완성될 부활의 삶이라는 견지에서 철저하게 사고하였다는 것을 보여준다.[45]

디모데와 에바브로디도에 관한 소묘들은 2장의 끝 부분에서 예기치 않은 간주곡을 이루면서, 죽음에 대한 바울의 태도에 한 줄기 밝은 조명을 비춰준다. 에바브로디도는 빌립보 교회가 감옥에 갇힌 사도에게 돈을 전했을 때에 사자로 간 인물이었다. 그런 후에, 그는 병에 걸려서 사경을 헤매다가 가까스로 회복되었다; 바울은 이 일에 대하여 다음과 같이 논평한다(2:27): "하나님이 그를 긍휼히 여기셨고 그뿐 아니라 또 나를 긍휼히 여기사 내 근심 위에 근심을 면하게 하셨느니라." 이것은 후대의 교회가 흔히 묘사하였던 "죽음을 맞이하는 그리스도인"에 관한 스토아 학파적인 묘사와는 아주 다른 것으로서, 바울이 데살로니가 교인들에게 소망 없는 자들 같이 슬퍼하지 말라고 명하였을 때에 그가 의미했던 것이 무엇이었는지를 더 분명하게 보여준다: 슬퍼하지 말아야 된다는 것이 아니라, 그 슬픔은 아무리 깊다고 할지라도 소망을 지닌 것이 되어야 한다는 것.[46]

이것은 부활이 몇 가지 서로 다른 의미에서 결정적인 역할을 하는 3장으로 우리를 데려다 준다(더 구체적으로는, 3:2 — 4:1; 3:1은 문제점들을 지니고 있는 서론이지만, 그것들을 여기에서 다룰 여유는 없다). 앞에서 이미 말했듯이, 이 본문 전체는 2:6-11, 그리고 실제로 1:27-2:18을 모델로 해서 씌어졌다; 이것은 이 본문 전체에 걸쳐서 나오는 "부활"에 대한 언급들을 해석하는 데에 중요하다. 바울의 경우에 흔히 그러하듯이, 그가 목표로 하는 있는 절정을 이해하기 위해서는 끝 부분에서 시작하는 것이 도움이 될 것이다. 사실 끝 부

45) Cf. 빌 3:10f., 20f. 우리는 아울러 이 시의 중심적인 요지 — 예수가 "십자가에 죽기까지 순종하였다"는 것 — 는 승귀에 의해서 역전되는 비하에 강조점을 두고 있지만, 죽음 자체가 물리쳐지거나 전복될 수 있다는 것 — 물론, 이것은 부활을 의미한다 — 을 강력하게 함축하고 있다는 것이라고 말할 수 있을 것이다.

46) 데살로니가전서 4:13; 위의 제5장 제2절을 보라.

분은 우리가 현재 논의하고 있는 모든 주제들에 관하여 그가 믿고 있는 것에 대한 바울의 가장 분명한 진술들 중의 하나이다.

바울은 "메시야의 십자가의 원수들," 달리 말하면 2:6-8에 나오는 메시지에 반대하는 자들을 경고하는 것으로써 이 결정적으로 중요한 본문을 시작한다. 그들은 멸망을 향하여 돌진하고 있다고 바울은 말한다; 그들의 배가 그들의 하나님이 되었고, 그들은 땅의 일들에 마음을 쏟는다.[47] 그러나 그는 계속해서 3:20-21에서 다음과 같이 말한다:

> [20]그러나 우리의 시민권은 하늘에 있는지라 거기로부터 구원하는 자 곧 주 예수 그리스도를 기다리노니 [21]그는 만물을 자기에게 복종하게 하실 수 있는 자의 역사로 우리의 낮은 몸을 자기 영광의 몸의 형체와 같이 변하게 하시리라.

그런 후에, 바울은 강력하고 분명한 결론을 제시한다(4:1):

> 그러므로 나의 사랑하고 사모하는 형제들, 나의 기쁨이요 면류관인 사랑하는 자들아 이와 같이 주 안에 서라.[48]

제일 먼저 분명히 해 두어야 할 가장 중요한 점은 시민권의 성격이다. 무수한 독자들은 바울이 3:20에서 의미하고 있는 것은 "하늘의 시민들"이 되어서 그리스도인들이 거기로 되돌아가서 영원히 살게 될 그때를 고대하고 있다는 것이라고 생각하여 왔다.[49] 이렇게 21절은 이러한 요지에 대한 단언으로 읽혀져 왔다 — 이 절이 실제로 말하고 있는 내용에도 불구하고! 이것은 기본적으로 바울을 참 지혜는 현재의 세상을 일시적인 거처 이상의 것으로 여기지 않고, 우리가 왔고 다시 되돌아가야 할 하늘을 끊임없이 바라보는 데 있다고 분명하게 말한 필로와 동일시하고 있는 것이다.[50] 그러나 이것은 정확히 바울이

---

47) 빌립보서 3:18-19.
48) 결론으로서의 이것에 대해서는 고린도전서 15:58과 비교해 보라.
49) 좋은 예는 Richard 1995 on 1 Thess. 4.16f.이다.
50) Philo, *Conf.* 77f. 필로에 대해서는 위의 제4장 제4절을 보라.

말하고 있지 않은 바로 그것이다. 필로는 바벨에 정착해서 거기에서 탑을 쌓았던 자들의 악함을 설명하면서 일시적인 체류자들과 "식민주의자들"을 분명하게 구별한다. 아브라함을 모범으로 삼는 일시적인 체류자들은 그들이 오직 이 몸을 가지고 잠시 동안만 여기에 거한다는 것을 알고 있고, 따라서 거기에 맞춰서 행동을 한다. 그러나 식민주의자들(바벨탑을 건축한 자들 같은)은 그들의 새로운 거처 속에서 영속적으로 거주하려고 생각하는데, 이런 자들은 필로의 알레고리 속에서 현재의 몸을 입고서 너무나도 편안하게 정착해서 잘 살고 있는 자들을 나타낸다.[51)]

바울과 필로는 여기에서 완전한 반대는 아니지만, 거의 그런 것에 가깝다. 바울은 중요한 것은 하늘의 시민이 되는 것이라는 필로의 말에 동의하지만, 그것으로부터 정반대의 결론을 도출해낸다. 로마의 시민권(이 이미지의 배후에 있는 분명한 모델)은 사람들로부터 그 도성을 자신의 궁극적인 본향으로 삼고 싶다는 기대를 창출해 내지도 못했고 그렇게 할 만한 자격도 없었다는 것을 바울이나 빌립보 교인들이나 필로조차도 잘 알고 있었다. 시민권과 관련된 말의 취지는 거주의 장소와 관련된 것이 아니라 신분과 충성에 관한 것이었다. 실제로 바울의 시대보다 한 세기 전에 빌립보에 정착하였던 식민주의자들은 아무도 그들이 로마 또는 이탈리아로 돌아가는 것을 원하지 않았기 때문에 거기에 정착했던 것이다: 당시의 로마는 사람들이 지나치게 많이 거주하고 있었고 실업과 식량부족이 상존하였다. 필로의 고향인 알렉산드리아 같은 비식민지 도시들에서 로마 시민권을 얻은 사람들은 분명히 그 시민권을 적당한 때에 로마로 와서 살라고 하는 상시적인 초대장으로 해석하지 않았을 것이다. 사람들은 스스로를 식민주의자가 아니라 일시적으로 이 땅에 온 하늘에 속한 사람으로 보아야 한다고 강조하였을 때에 필로 자신이 보았던 것과 같이, 식민지들과 시민권의 논리는 반대 방향으로 작용한다: 원래 빌립보를 식민지화시켰던 조상들을 지니고 있던 로마 시민들은 거기에 머물러야 했다. 그들의 임무는 다시 고향으로 돌아가기를 열망하는 것이 아니라 어머니 도시의 규칙들에 따라서 식민지에 사는 것이었다.[52)] 그들이 종종 필요로 했던 것은 로마로 다시 여

51) *Conf.* 77-82.

52) Cf. Cic. *De Leg.* 2.2.5; Oakes 2001, 138.

행을 가는 것이 아니라, 황제가 로마로부터 와서 그들이 겪고 있는 지역적인 어려움들로부터 그들을 구원해 주는 것이었다.

이것이 바울이 사용하고 있는 모형이고, 그것은 여기에서 적어도 두 가지 차원에서 작용하고 있다. 첫째, 이 모형은 인간학적 차원에서 강력한 기능을 한다. 바울에게 있어서 그 어떤 인간 존재(예수를 제외한)도 수태 이전에 존재했다거나, 영혼이 일시적으로 몸이라는 덫에 걸려 있고 거기로부터 놓여나서 다시 자기가 왔던 본향으로 되돌아갈 수 있기를 소망한다는 것은 말도 되지 않는 소리였다. 그러한 사상은 히브리 성경으로부터 온 것이 아니라 피타고라스와 플라톤으로부터 온 것이다.[53] 바울의 진술의 급소 — 그리고 이 본문에 대한 우리의 현재적 관심의 핵심 — 는 몸이 폐기되는 것이 아니라 변화될 것이라는 것이다. 이것은 그가 부활에 의해서 무엇을 의미했는가라는 질문에 대한 그의 가장 분명한 대답들 중의 하나이다. 여기에서 그는 창조주 하나님이 만유를 포괄하는 메시야의 권세를 통하여 만들 새로운 세상 속에서 그의 백성에게 갱신된 몸이 주어질 것이라는 것을 의미한다. 현재적으로 살아있는 자들(그가 여기에서 가리키고 있는 자들)은 변화될 것이다; 데살로니가전서와 고린도전서에 나오는 병행 본문들을 통해서 여기에서의 공백을 채워서 말해본다면, 이미 죽은 자들은 마찬가지로 새로워지고 변화된 몸으로 부활하게 될 것이다. 더 구체적으로 말해서, "욕된 것"에서 "영광"으로의 변화가 있게 될 것이다; 고린도전서 15:43, 49, 52에 나오는 병행 본문 속에서 강조점은 "썩을 것"과 "썩지 않을 것"의 대비에 두어진다. 이 두 가지는 동일한 내용의 서로 다른 측면들이다: 현재의 몸과 관련해서 가장 "욕된" 것은 그 몸이 썩어질 것으로서 죽음에 종속되어 있다는 것이다. 로마서 8:29에서처럼 그리스도인들은 "하나님의 아들의 형상을 본받게" 될 것이라고 약속되어 있다. 현재의 몸은 벗어나야 할 감옥이 아니다; 몸이 필요로 하는 것은 변화이다.

이것의 근저에는 무엇이 놓여 있는가? 필로의 것과는 판이하게 다른 창조신학. 고린도전서 15:27-28에서와 마찬가지로, 21절의 마지막 어구는 시편 8:6을 반영하고 있다; 여기서의 메시야는 피조 세계 속에서의 하나님의 목적의 성취인 참된 인간 존재로서, 이제는 나머지 피조 질서에 대한 권세를 지니

53) cf. Wis. 8:19f.(위의 제4장 제4절); 예를 들면, cf. Hierocles 3.2.

고 있다. 피조 질서로부터 도피할 필요는 없다; 메시야는 피조 질서의 주(主)이다. 또한 땅에서 하늘로 도피할 필요도 없다; 오히려, 메시야는 자기 백성을 땅으로부터 낚아채서 끌어올리는 것이 아니라 그들의 몸을 변화시키는 것을 통해서 구원하기 위하여 하늘에서 땅으로 올 것이다.[54] 바울은 여기서 이것을 위한 더 폭넓은 맥락, 즉 피조 세계의 변화와 갱신이라는 맥락을 발전시키지는 않는다; 그러나 로마서 8장에서 바로 그와 같은 것을 할 때, 바울은 현재의 번개 같은 소묘의 형태와 내용을 변경하는 내용을 첨가하는 것이 아니라, 그 세부적인 내용만을 채워넣을 뿐이다. 고린도전서 15:58에서와 정확히 동일한 여기에서의 바울의 논증의 실제적인 결론이 완전히 다른 삶을 기다리는 것이 아니라 "주 안에서 견고하게 서 있는 것"(4:1)에 그 초점이 맞추어져 있는 것은 바로 이러한 현재와 미래 간의 연속성 때문이다.

둘째, 이것은 정치적 차원에서 아주 다르게 기능하고, 부활 자체와 밀접하게 얽혀 있다. 굿이너프(Goodenough)가 60년 전에 보여주었듯이, 필로도 『칼리굴라에게 보내는 사절에 관하여』(*Legatio*)와 『플라쿠스에게』(*Ad Flaccum*)에서 명시적으로, 그리고 다른 글들 속에서는 암호화된 형태로 로마에 대한 진지하고 끈질긴 정치적 비판을 행할 수 있었지만,[55] 그에게 있어서 이러한 과정의 목표는 언제나 현재의 세상 질서로부터 완전히 도피하는 것이었다 — 그것을 위하여 그가 어떠한 중간적인 과제들을 생각하고 있었다고 할지라도. 바울에게 있어서는 대결(confrontation)이라는 의식이 훨씬 더 많이 존재한다. 예수가 하늘로부터 땅으로 다시 오는 것, 즉 '파루시아'는 아마도 우리가 알고 있는 가장 초기의 기독교 사상가인 바울 자신이 가이사의 '파루시아'에 의도적으로 반대하여 형성한 표현이었을 것이다. 포위된 식민지를 구출하기 위하여 황제가 어머니 도시로부터 온다는 관념은 빌립보 교인들 자신의 체험 속에서

---

54) "하늘로부터의" 계시에 대해서는 롬 1:18; 살전 4:16; 살후 1:7 등을 보라. 구약적인 배경에 대한 반영들로는 시편 57:3 [56:4 LXX]을 지적할 수 있을 것이다; 이 시편 전체는 특히 하늘과 아울러 땅에 대한 하나님의 주권 및 영광에 대하여 역설하고 있기 때문에 중요하다(5, 11절). 전체적인 새 창조 주제는 빌립보서 3:21로부터 바울이 "부활한 그리스도를 빛을 내는 천체로 시각화하였다"는 결론으로 비약하고 있는 Robinson 1982, 7의 견해가 틀렸다는 것을 강력하게 보여준다.

55) Goodenough 1967 [1938] chs. 1-3.

뚜렷한 울림들을 지니고 있었다.[56] 바울이 예수에 대하여 여기에서 사용하고 있는 기독론적인 명칭들(구주, 주, 메시야)은 무모할 정도로 반제국적인 것으로서, 특히 "구주"라는 단어는 여기에서 통상적으로 진정한 바울 서신으로 받아들여지고 있는 저작들 속에서는 유일하게 사용되고 있고, 지중해 세계 전체에 걸친 가이사의 주장을 반영하고 있다.[57] 그리고 시편 8:6을 반영하고 있어서 우리에게 고린도전서 15:25-28을 상기시키는 21절의 모든 것을 포괄하는 주장은 만유를 다스리시며 그 권능을 현재의 "욕된 몸"을 변화시켜서 "그의 영광의 몸"과 같이 되게 하는 데에 사용할 분은 가이사가 아니라 예수라고 큰 소리로 외친다. 물론, 이것은 예수가 스스로 비하와 죽음을 받아 들였다가 이제는 승귀되어서 영화롭게 되었다는 2:6-11과 상응한다.

바울이 여기에서 활용하고 있는 그 근저에 있는 이야기는 세상에 대한 창조주의 계획의 성취에 관한 것이다. 창세기 1장에서 보여주듯이, 이러한 목표는 내내 하나님의 형상을 지닌 인류라는 대리자를 통해서 실현되어야 했다. 바울은 이 계획이 예수 안에서 성취되었고 이제는 그의 영광에 참여하며 하나님의 형상을 동일한 방식으로 반영하고 있는 예수의 백성을 통해서 완성되고 있음을 본다. 부분적으로는 2:6-8에서의 바울의 표현에 기인한 아담 기독론은 이제 완성된다.[58] 이렇게 바울의 사고 속에서 세상에 대한 하나님의 계획은 세상을 지배하고자 한 가이사의 꿈에 의해서 희화화된 바로 그 실체였다. 그리고 그가 말하고 있는 "권능"은 그가 데살로니가전서 1:5과 2:13에서 의미했던 것과 로마서 1:16에서 말하고자 하는 것을 더 자세하게 설명하고 있다: 복음은 하나님의 능력이다. 왜냐하면, 예수가 주로 선포될 때, 그의 통치는 확장되어서, 하나님이 죽은 자로부터 그를 일으킨 바로 그 능력을 통해서 피조 세계 전

---

56) 데살로니가전서 4장에 대해서는 위의 214-18을 보라. 트라키아인들로부터 구원하기 위하여 황제가 온 것에 대해서는 Collart 1937, 249-51을 보라.

57) 아우구스투스를 "현현한['에피파네스'] 신, Ares와 Aphrodite의 자손, 인간 생명의 구원자['소테르']라고 지칭하는 주전 4세기에 에베소에서 나온 금석문을 인용하는 Oakes 2001, 139f.를 보라. Claudius 황제를 '소테르 카이 유에르게테스'라고 지칭한 것에 대해서는 Oakes 140을 보라. '소테르'는 목회 서신에서 자주 발견된다: 딤후 1:10; 딛 1:4; 2:11, 13; 3:6.

58) Wright, *Climax*, 57-62를 보라.

체에 생명과 질서를 부여하고 독재자의 최종적인 병기인 죽음 자체를 폐기하는 과업을 완성할 그날을 가리킬 것이기 때문이다.

빌립보서 3장의 끝에 나오는 이 절들은 우리에게 부활에 관한 바울의 사상의 많은 부분을 살펴볼 때에 사용할 수 있는 거점을 제공해 준다. 우리의 질문들을 다시 한 번 되새기면서, 우리는 다음과 같은 것들을 지적해 볼 수 있을 것이다.

(1a) 바울은 한 분 하나님의 참 백성이 여전히 몸을 입고 살아가게 될 미래를 기대한다. 현재적으로 살아있는 자들은 변화를 받을 것이다; 따라서 이 말은 이미 죽은 자들은 새로운 종류의 몸의 삶으로 부활하게 될 것이라는 함의를 지니게 된다. 고린도전서 15장에 나오는 이와 비슷한 대비들과 유사한 의미를 지니고 있는 여기에서의 "욕됨"과 "영광" 간의 핵심적인 대비는 신자들이 별 같이 빛나게 될 미래(바울은 이미 이것을 교회의 현재적 삶에 대한 은유로 사용한 바 있다)가 아니라 신자들이 현재의 굴복의 상태와는 대조적으로 메시야와 함께 공유하게 될 세상에 대한 미래적 통치에 관하여 말하고 있는 것이다. 이미 죽은 자들의 부활은 그의 주된 초점이 아니라 단지 함축되어 있는 것이기 때문에, 바울은 여기서 어떤 종류의 중간 상태에 관해서도 언급하지 않는다(1b); 물론, 그는 1장에서 이미 그것에 관하여 말한 바 있다.

(1c) 바울은 현재의 세상과 미래의 세상 간의 연속성을 강조한다. 몸은 폐기되는 것이 아니라 변화를 받게 되는 것이고, 현재의 그리스도인들이 해야 할 과제는 견고하게 서 있는 것이다.

(1d) 신자들의 미래적 부활은 자신의 형상을 지닌 아들의 통치를 통하여 온 세상을 변화시키는 창조주 하나님의 능력에 관한 바울의 더 긴 이야기와 잘 들어맞는다.

여기에는 "부활"의 은유적 의미에 관한 내용이 전혀 없지만(질문 2), 이러한 결론을 향하여 나아가고 있는 빌립보서 3장의 초반부는 바로 그러한 것을 담고 있다. 그리고 가장 중요한 것은 모든 것이 바울이 예수에 관하여 과거에 참이었고 현재에도 참이라고 믿고 있는 것에 토대를 두고 있다는 것이다(질문 3). 그가 예수 자신에 관하여 믿고 있었던 것으로부터가 아니라면, 바울은 대체 어디에서 장차 신자들이 욕됨에서 영광으로 변화될 것에 관한 자신의 믿음을 가져왔겠는가? 그리고 이것은 예수의 몸도 폐기된 것이 아니라 변화된 것이라는 믿음을 함축하고 있는 것이 아니겠는가? 달리 말하면, 여기에서 우리는 2:6-11에서의 승귀와 부활에 관한 당혹스러운 문제에 대한 대답을 본다는 것이다. 그 시는 가이사의 수사적인 주장들과의 대비라는 특별한 목적을 위하여 만들어진 것이었기 때문에, 부활을 부각시키지 않았다; 그러나 현재의 본문은 그 의미를 한 단계 더 밀고 나아가서, 예수의 승귀는 자신의 몸을 썩어짐에 맡겨서 폐기하는 것이 아니라 죽음의 욕됨으로부터 부활의 영광으로 그의 몸이 변화되는 것을 포함한다는 것을 분명히 한다.

이 모든 것이 지니는 짙은 유대적인 성격은 특히 정치적인 함의들 속에서 볼 수 있고, 우리가 데살로니가전서 4장과 5장에서 얼핏 보았던 것을 더 명시적으로 드러내 준다. 예수의 부활과 승귀는 그를 세상의 참된 주이자 구주로 선포하고 또한 세운다; 달리 말하면, 바울의 복음에 의하면, 가이사가 아니라 예수가 주인 것은 바로 부활 때문이라는 것이다. 예수를 따르는 제자들의 미래적인 부활과 영화는 그들의 현재적인 고난과 욕됨에도 불구하고 한 분 참 하나님의 참 백성으로서의 그들을 신원하고, 새 창조의 최종적인 행위를 통하여 세상의 권세들에 대한 복음의 승리를 선포하게 될 것이다. 바리새파의 신앙에서처럼, 부활은 창조주이자 계약의 하나님의 나라에 관한 소식을 통해서 세상의 권세들에 도전한다 — 다른 신학 또는 영성이 할 수 없었던 것.

이제 우리는 빌립보서 3장의 초반부를 적절한 빛 아래에서 볼 수 있게 되었다. 2-14절에서 바울은 자신의 이야기를 하면서, 그것을 15-16절에서 모델로 제시한 후에, 17절에서 그의 독자들에게 자기를 닮으라고 강권한다. 이것은 우리가 방금 살펴 본 본문을 위한 맥락을 설정한다; 이 둘은 밀접한 상관관계 속에 놓여져 있다. 여기에서 그의 저작들의 다른 곳에서보다도 더 자세하게 나오는 바울 자신의 이야기는 전반부와 후반부로 구성되어 있다: 바리새인으로서의 그의 삶과 메시야 안에서의 그의 삶. 우리는 이것을 유대교의 세계 전체에 대하여 부정적인 판단을 내리고 있는 것으로 읽어서는 안 된다. 왜냐 하면, 바울이 자신의 새로운 삶 속에서 얻었다고 주장하는 것은 정확히 메시야와 부활, 즉 그가 바리새인으로서 소중히 여겨왔던 위대한 쌍둥이 소망들이기 때문이다.[59] 폐기와 아울러 성취의 강력한 뉘앙스가 존재한다: 그가 폐기한 것은

59) 바울의 관점에서 볼 때, 부활 소망이 유대교에서 중심적인 것이었다는 것에

"율법 아래에서"(6절) "육체를 따라"(4절) 이루어진 그의 신분이다. 2:6-11에서 말해지고 있는 메시야 자신의 비하와 신원에 관한 이야기는 이제 "그 안에" 있는 자들의 라이프 스토리 속에서 재연된다(7-14절).

그리스도인의 삶과 신분에 관한 이 묘사는 우리의 연구와는 별 상관이 없지만 많은 매력적인 측면들을 지니고 있다. 그러나 "내가 모든 것을 해로 여김은 내 주 그리스도 예수를 아는 지식이 가장 고상하기 때문이라"는 주장이 그 한복판에 자리잡고 있다는 것은 특기할 만하다. 새로워진 유대인 또는 성취된 유대인으로서의 삶에 관한 바울의 비전의 핵심에는 2:10-11을 반영하여 바울이 "가이사가 주이다"라고 말할 수 없는 이유를 제시함과 아울러서 19-21절에서의 논증의 절정을 내다본다는 견지에서 서술되고 있는 메시야가 놓여 있다. 그리고 이것은 부활에 관한 약속에 의해서 채워진다(3:8-11):

> … 내가 그를 위하여 모든 것을 잃어버리고 배설물로 여김은 그리스도를 얻고 [9]그 안에서 발견되려 함이니 내가 가진 의는 율법에서 난 것이 아니요 오직 그리스도를 믿음으로 말미암은 것이니 곧 믿음으로 하나님께로부터 난 의라 [10]내가 그리스도와 그 부활의 권능과 그 고난에 참여함을 알고자 하여 그의 죽으심을 본받아 [11]어떻게 해서든지 죽은 자 가운데서 부활에 이르려 하노니.

바울의 구원론적인 언어와 범주들의 거의 전부를 촘촘하게 병치시켜 놓고 있는 이 본문으로부터 — 칭의, 믿음, "메시야 안에" 있는 것, 메시야를 아는 것, 고난, 부활 — 우리는 여기서 우리의 현재의 목적과 관련해서 중요한 내용을 뽑아놓았다: 바울에게 있어서 예수의 부활과 상응하는 신자들의 부활은 일차적으로 미래적인 사건이지만, 그 권능은 이미 현재의 삶 속에, 심지어 고난과 죽음의 한복판에서조차 활동하고 있다. 10-11절에서의 작은 교차대구법적 구조(부활, 고난: 죽음, 부활)는 이 진술을 앞쪽으로는 2:6-11과 연결시키고, 뒤쪽으로는 3:19-21과 연결시킨다. 2:7을 보면, 메시야는 "종의 형체"('모르페 둘

대해서는 사도행전 23:6; 24:15, 21; 26:5-8을 비교해 보라. 이것에 대해서는 아래의 제10장 제2절을 보라.

루')를 취하였다; 따라서 바울은 그의 현재적인 고난과 잠재적인 순교를 통해서 메시야의 죽음과 "합하게"('숨모르피조메노스') 될 것이다. 하지만 메시야가 하늘로부터 다시 올 때, 현재의 욕된 몸은 그의 영광의 몸과 "합하게"('숨모르폰') 될 것이다. 10절의 의미는 분명하다: "메시야 안에" 있는 자들, 그들의 믿음과 그리스도의 신실하심을 통하여 현재적으로 "의인"의 신분을 갖고 있는 자들(9절)은 이미 현재적인 고난의 와중에서조차도 그의 부활의 능력을 알고 있고, 최종적인 부활을 열렬히 고대하고 있다(11절). 여기서 "능력"('뒤나미스') 이라는 언어는 계속해서 중요하고, 3:21과 부활의 정치적 의미에 대한 또 하나의 연결고리이다. 바울은 예수의 부활 속에서 드러났고 예수가 다시 올 때에 온전히 드러나게 될 하나님의 능력이 지금 믿어서 "메시야를 아는" 모든 자들에게 복음을 통하여 이미 역사하고 있다고 믿는다. 바울에게 "부활"은 그리스도인들의 현재적인 경험의 일부이다 — 이것이 고난의 와중에서 아무리 역설적으로 경험된다고 할지라도.

하지만 바울은 "부활"의 일차적인 의미는 미래적인 것임을 여전히 강조한다. 종말은 개시되긴 했지만, 완성된 것은 아니다(3:12-14):

> [12]내가 이미 얻었다 함도 아니요 온전히 이루었다 함도 아니라 오직 내가 그리스도 예수께 잡힌 바 된 그것을 잡으려고 달려가노라 [13]형제들아 나는 아직 내가 잡은 줄로 여기지 아니하고 오직 한 일 즉 뒤에 있는 것은 잊어버리고 앞에 있는 것을 잡으려고 [14]푯대를 향하여 그리스도 예수 안에서 하나님이 위에서 부르신 부름의 상을 위하여 달려가노라.

3:19-21에 비추어 볼 때, "위로부터의 부르심"은 사람들을 "땅"에서 영원히 떠나서 "하늘"에 살도록 부르는 부르심으로 해석되어서는 안 된다. 앞에 놓여 있는 것은 궁극적으로 몸을 떠난 후의 지복의 상태의 삶이 아니라 부활의 삶이다. 그리고 이 부활의 삶은 현재적으로 죽은 사람들이나 현재적으로 살아 있는 사람들에게 여전히 미래에 있다; 그리스도인들이 부활의 삶을 온전히 이미 소유하고 있는 상태인 최고의 영성이라는 것은 존재할 수 없다.[60)]

---

60) 디모데후서 2:18의 때에 일부 사람들이 이렇게 주장하고 있었던 것으로 보

나는 다른 곳에서 이 단락 전체는 빌립보 교인들로 하여금 본받게 하기 위한 모델로서 메시야 자신의 이야기에 토대를 둔 바울의 이야기를 말하는 것으로서, 제국의 통치 아래에서 살아가는 자들에게 메시야인 예수의 유일무이한 주권을 송축하고 바울이 바리새인으로서의 자신의 신분에 기꺼이 무관심했던 것과 마찬가지로 제국의 특권들에 기꺼이 무관심하도록 권유하는 암호화된 부르심이라는 것을 논증한 바 있다.[61] 나는 거기에서 내가 제시한 것 외에도 필로가 이집트에서의 로마의 통치에 대한 그의 암호화된 공격을 통해서 제시하고 있는 모형 속에서 이것에 대한 추가적인 확증을 발견한다.[62] 바울은 3:18-19에서 바리새파 사상 아래에서의 그의 이전의 신분에 대한 거부로부터 이교 사회 및 그 생활방식에 대한 일반적인 경고로 옮겨간다. 이것에 비추어 볼 때, 그가 행하고 있는 것과 동일한 표준을 적용하라는 것(3:15-16), 특히 그를 본받으라는 것(3:17)을 그의 독자들에게 권고하고 있는 내용들은 그의 전체적인 목표의 일부로 보아져야 한다: 그리스도인들은 현재에 있어서 장차 도래할 세상의 지체들로서 살아가야 한다. 이 새 시대의 실체는 부활절에 개시되었고, 예수의 권능 있는 재림과 그의 모든 백성의 최종적인 부활을 통해서 완성될 것이다. 이렇게 장래의 부활은 그리스도인들의 현재적인 신분, 현재적인 정치적 태도, 현재적인 윤리적 삶을 제시하면서, 또한 단단하게 떠받쳐주고 있다. 게다가 이 장래의 부활은 메시야인 예수 자신의 부활에 견고하게 토대를 두고 있다는 것은 당연한 일인데, 이것은 우리에게 바울이 그 사건을 어떻게 보았는지에 관하여 많은 것들을 말해 준다. 그리스도인들의 현재적인 삶("그의 부활의 능력으로" 살아가는)과 장래의 부활 자체의 연속성은 죽은 예수와 부활한 예수 사이에 불연속성과 아울러 연속성이 존재하였고, 이 연속성은 영 또는 영혼의 문제가 아니라 몸의 문제였다는 것을 보여준다.

5. 에베소서와 골로새서

대다수의 학자들은 여전히 두 개의 중심적인 "옥중서신"을 제2바울 서신,

인다; 아래의 제5장 제8절을 보라.

61) Wright, "Paul's Gospel."

62) 특히, *Som.* 2에서; Goodenough 1967 [1938] ch. 2을 보라.

즉 사도 자신이 아니라 제3자가 그를 모방해서 쓴 저작으로 여긴다. 나는 고집센 소수에 속한다. 왜냐하면, 내가 이제까지 여러 해에 걸쳐서 수행해 온 그 밖의 다른 서신들에 대한 읽기는 그러한 서신들과 이 두 옥중서신 간의 차이들이 흔히 주장되는 것보다 미미할 뿐만 아니라 몇몇 경우에 있어서는 실제로 그러한 차이들이 없다는 것을 보여주기 때문이다.

부활 자체가 이 점을 잘 보여준다. 에베소서와 골로새서는 부활 문제에 있어서 그 밖의 다른 바울 서신들과는 상당한 차이가 있고, 다른 서신들에서는 신자들의 부활이 여전히 미래에 있는 반면에 이 옥중서신들은 그것을 현재적 실체로 보고 있다고 흔히 말해지고, 자주 전제된다: 골로새서 3:1이 표현하고 있듯이, "너희가 메시야와 함께 다시 살리심을 받았으면 위에 있는 것을 구하라." 그러나 이 두 서신이 미래가 아니라 교회의 현재적 상태와 상황을 실제로 강조하고 있다는 것이 사실이긴 하지만, 이 두 서신 속에는 저자 — 나는 저자의 문제를 회피하지 않고 기꺼이 "바울"이라고 말할 것이다 — 가 미래적 차원을 잘 알고 있었고, 개시된 종말론의 긴장관계를 종말이 현재적으로 온전하고 완전하게 이미 도래하였다고 말하는 영성으로 만들어 버리지 않았다는 것을 보여주는 분명한 표지들이 존재한다.

이것은 이미 갈라디아서3장과 4장에서 아브라함에게 주어진 약속들이라는 견지에서 언급된 "유업"이라는 이미지가 "우리가 유업을 소유하게 될 때까지 우리의 유업의 보증"('아르라본 테스 클레로노미아스 헤모네이스 아폴뤼트로신 테스 페리포이에세오스')인 성령이라는 언어 속에서 다시 등장하고 있는 에베소서 1:14에서 이미 나타난다. 갈라디아서 4:7에서와 마찬가지로, 하나님의 성령의 수여는 우리들에게 보장되어 있지만 아직 소유되지는 않은 장래의 "유업"에 대한 확실한 지식을 우리에게 제공해 준다.[63] 분명히 바울은 그리스도인들의 현재적 경험과 그리스도인들의 최종적인 소망 간의 연속성과 불연속성, 이 둘 모두를 보고 있는 것이다: 지금 그리스도인들의 존재 상태(state of being)라는 견지에서가 아니라 소유와 책임(possession and responsibility)이라는 견지에서 이 장래의 소망에 관하여 말하는 "유업"이 여

---

63) 에베소서 1:18; 4:30도 보라; 그리고 로마서 8:12-17; 고린도후서 1:22; 5:5에 대해서는 아래의 제5장 제7절과 제6장 제3절을 보라.

전히 존재한다. 내세를 "유업으로 받을" 자들은 이스라엘 사람들이 약속의 땅을 "유업으로 받은" 방식을 따라 그렇게 받게 될 것이다. 에베소서 1:3-14은 무엇보다도 특히 출애굽 이야기에 대한 다시 말하기(retelling)이다.

이것은 바울을 기도 속에서 이 온전한 유업을 기다리는 교회의 현재적 위치를 송축하도록 이끈다(1:15-23). 이것의 핵심은 예수 안에서 역사하여 그를 죽은 자로부터 다시 일으켜서(별개의 사건으로) 그를 하늘에서 주권자인 하나님의 우편에 앉히고 만물을 그의 발 아래 둔 하나님의 능력을 강조하면서 예수의 이야기를 다시 하고 있는 것이다; 우리는 온 세상에 대한 메시야의 현재적 통치를 통해서 인류를 위한 하나님의 의도를 성취하고 있는 것을 보여주기 위하여 시편 8:6이 사용되고 있는 것을 다시 한 번 보게 된다. 이 모든 일을 한 능력이 지금 우리를 위하여 역사하고 있다고 바울은 말한다(1:19). 빌립보서 3:10에서처럼, 장래의 소망은 현재적 실체 속에서 성취된다.

출애굽 이야기(1:3-14)와 이 하나님이 메시야를 통하여 세상의 모든 권세들에 대하여 승리한 이야기(1:20-23)로서의 주권자 하나님과 예수의 이야기를 말한 후에, 바울은 이제 인류가 보편적인 죽음으로부터 메시야 안에서의 삶으로 어떻게 옮겨지게 되었는지에 관한 이야기를 말한다(2:1-10, 초점은 2:5-6에 두어져 있다). 메시야 안에 있는 자들의 현재적 상태는 그들이 이미 "메시야와 함께" 일으키심을 받고 "그와 함께 하늘에 앉아 있다"는 것이다; 달리 말하면, 1:20-23에서 메시야와 관련해서 참된 것은 "그 안에" 있는 자들에게도 참되다. 이것은 초기 기독교에서 "부활"의 은유적 사용들에 관한 우리의 두 번째 질문에 대한 바울의 중심적인 대답의 일부이다: 여기서 "부활"은 에스겔 37장에서 말하고 있는 이스라엘의 회복, 포로생활 또는 압제로부터 "귀환"을 가리키는 것이 아니라, 복음을 통해서 이루어진 인류의 회복, 죄와 사망의 포로생활로부터의 "귀환"을 가리킨다. 교회가 메시야의 부활과 자신의 궁극적인 새로운 삶 사이의 기간 동안에 살고 있다는 사실은 실제적인 부활의 미래적 소망 자체를 경시하지 않는 가운데, "부활" 언어의 은유적 사용이 2:10에서 서술되고 있는 그리스도인들의 구체적인 삶을 가리키도록 각색될 수 있었다는 것을 의미한다: "우리는 그가 만드신 바라 그리스도 예수 안에서 선한 일을 위하여 지으심을 받은 자니 이 일은 하나님이 전에 예비하사 우리로 그 가운데서 행하게 하려 하심이니라."

이것은 바울로 하여금 메시야 안에서 인류 전체가 통합되는 것에 관한 더 큰 그림을 그릴 수 있게 해 주는데(2:11-22), 여기에서도 예수의 부활은 강력한 암묵적인 토대로서의 역할을 한다. 계약의 하나님은 메시야의 육체를 통해서 유대인과 이방인 간의 적대관계를 폐기하였기 때문에(2:14, 16), 이제 하나님은 메시야 안에서 단일한 새 인류를 만들어 낼 수 있었다고 바울은 말한다. 이것은 모든 일 속에서 메시야의 분량까지 자라가는 "성숙한 인류"라는 개념이 인류를 위한 하나님의 계획의 재확인으로서 부활을 말하고 있는 바울의 그 밖의 다른 본문들과 공명하고 있는 4:13과 닮아 있다. 부활한 인류는 그 온전한 목표에 도달한 인류라고 바울은 말하고 있는 것으로 보인다.

이러한 은유적 용법 — 그리스도인들의 삶의 근거로서의 현재에 있어서의 부활 — 은 데살로니가전서 5:1-10의 반영들로 가득 차 있는 본문을 통해서 바울이 초기 기독교의 노래 또는 시로 보이는 것을 인용하고 있는 5:14에서 강력하게 강조된다:

> 잠자는 자여 깨어서
> 죽은 자들 가운데서 일어나라
> 그리스도께서 너에게 비추이시리라.

빌립보서 2:12-16의 경우와 마찬가지로, 현재의 세상의 어둠은 창조주의 새 날의 빛, 그리스도인들이 메시야와 더불어 이미 비추고 있어야 하는 빛과 대비된다. 그리고 빌립보서에서처럼, 이것은 다니엘 12:3의 약속을 반영하면서도, 그것을 미래를 위하여 유보해 두는 것이 아니라 현재 속으로 가져온다 — 이미 실현된 종말론이라는 의미를 전혀 함축함이 없이. 최종적인 부활은 여전히 미래에 있다(1:14과 5:5에서처럼 "유업"은 여전히 미래의 것이다); 그러나 그것을 향하여 가는 도중에 있는 자들은 현재에 있어서조차도 등불과 같이 빛을 발하여야 한다. 에베소서의 마지막 장이 분명히 하고 있듯이, 그리스인들에게는 여전히 싸울 싸움이 있다(6:10-20); 원수들은 아직 최종적으로 패배당한 것이 아니다; 그러나 예수의 부활 속에서 개시된 종말론은 승리가 확실하다는 것을 의미한다.

골로새서도 신자들의 현재적인 은유적 부활의 삶과 아울러 여전히 미래에 실현될 미래적 소망에 관하여 말한다. 서론의 감사의 글은 "하늘에서 너희를 위하여 예비해 둔 소망"(1:5)을 강조하는데, 앞으로 우리가 그 밖의 다른 비슷한 문구들 속에서 보게 되겠지만, 이것은 그리스도인들이 이 소망을 그들 자신의 것으로 만들기 위하여 "땅"을 떠나서 "하늘"로 가야 한다는 것을 의미하는 것이 아니라, "하늘"은 미래를 위한 하나님의 목적들이 새로운 현실, 즉 하늘과 땅이 새로운 방식으로 결합될 새 시대에서 펼쳐지기를 기다리면서 예비되어 있는 곳이라는 것을 의미한다. 이것은 중심적인 본문인 3:1-4에서 전면에 부각된다:

> [1]그러므로 너희가 그리스도와 함께 다시 살리심을 받았으면 위의 것을 찾으라 거기는 그리스도께서 하나님 우편에 앉아 계시느니라 [2]위의 것을 생각하고 땅의 것을 생각하지 말라 [3]이는 너희가 죽었고 너희 생명이 그리스도와 함께 하나님 안에 감추어졌음이라 [4]우리 생명이신 그리스도께서 나타나실 그 때에 너희도 그와 함께 영광 중에 나타나리라.

메시야의 "나타남"과 그와 함께 신자들의 "나타남"은 바울이 빌립보서 3:20-21에서 묘사한 것과 동일한 사건을 언급하는 새로운 방식이고, 실제로 이 본문은 빌립보서의 그 장에 대한 그 밖의 다른 몇몇 반영들을 지니고 있다. 사람들이 어떤 인상을 받든지 간에, 바울은 예수의 "도래" 또는 "재림"을 말할 때에 예수가 "나타날" 때라고 말하기를 즐겨한다. 그리고 "나타남"(appearing)의 언어는 특히 여기서 그 이중적인 용법으로 인해서 무슨 일이 진행되고 있는지를 아주 잘 보여준다: 하늘과 땅은 현재에 있어서는 서로에 대하여 불투명하지만, 현재에 있어서 하늘에 감추어진 실체 — 영광 중에 다스리는 메시야와 "그와 함께" 현재적으로 다스리는 그의 백성의 실체 — 가 계시될 것이다. 이것은 부활의 때 자체, 미래적 소망이 온전히 실현되는 때라고 우리는 확신있게 말할 수 있다. 세례를 토대로 한 그리스도인들의 현재적 신분은 그들이 이미 메시야와 함께 죽었고 그와 함께 일으키심을 받았다는 것인데, 2:12은 이 점을 분명하게 보여준다: "너희가 세례로 그리스도와 함께 장사되고 또 죽은 자들 가운데서 그를 일으키신 하나님의 역사를 믿음으로 말미암아 그 안에서 함께 일으키심을 받았느니라." 죄 가운데서 및 그들의 이방인이라는 신분 속에서 "죽어" 있었고 계약 백성으로부터 배제되었던 자들이 메시야와 함께 "살아났고," 그들의 범죄들은 사함받았다(2:13). "포로생활로부터의 귀환"을 가리키는 데에 "부활"을 은유적으로 사용했던 유대 사상 속에서, 그 소망의 한 중심적인 부분은 이스라엘의 죄악들이 마침내 사함을 받게 된다는 것이었다.[64] 이러한 일련의 사상 전체에 걸쳐서, 유대교의 몇몇 본문들 속에서의 은유적인 용법을 대신한 그리스도인들의 현재적인 은유적 "부활"은 구체적으로 죽은 자로부터 일으키심을 받은 "메시야 안에서의" 그들의 신분을 가리킨다; 그리고 그것은 그 의미를 그들의 미래적인 문자 그대로의 "부활," 메시야의 영광에 대한 그들의 궁극적인 공유를 성취하고 있다는 사실로부터 가져온다. 빌립보서 3:14, 18-19에서와 마찬가지로, 그 동안에 그들은 땅의 것들이 아니라 위에 있는 것들에 마음을 두어야 한다.[65]

이러한 일련의 사상의 토대는 메시야가 창조주 하나님의 형상이고, 창조와 새 창조의 "장자"(firstborn)라는 계시이다. 장엄한 초기 기독교의 시인 골로새서 1:15-20은 예수의 부활(1:18)을 세상의 창조와 병행으로 놓고(1:15), 예수의 부활을 창조주가 이제 이룬 일과 지금 이루어가는 일, 즉 만물을 자기와 화해케 하는 일의 토대이자 기원으로 본다.[66] 이 시의 형태 자체가 일회적인 사건으로서의 예수의 부활이 원래의 창조를 폐기하는 행위가 아니라 오히려 성취하는 행위라는 것을 강력하게 말해준다: 이와 동일한 메시야와 주가 태초에 그를 통하여 만물이 만들어진 바로 그분, 그 안에서 만물이 서로 결합되어 있는 바로 그분, 만물이 그 안에서 및 그를 통하여 지금 창조주 하나님 및 서로 서로와 새로운 관계 속으로 들어가게 된 바로 그분이다. 물론, 이 본문은 바울의 우주론(만유 전체는 선하고 하나님이 주신 것으로서, 그 안에서의 권세들의 반역에도 불구하고, 그 만드신 자와 화해되었다)과 정치(이 세상의 모든 권력 구조들은 메시야 안에서, 메시야로 말미암아, 메시야를 위하여 창조되었다, 16절)와 관련해서도 상당한 정도의 함의들을 지니고 있다.

개인과 관련된 결과는 이 시의 어느 쪽에서도 나타나고 있고, 두 경우 모두

64) *JVG* 268-71을 보라.

65) 이러한 사상 세계는 영지주의적 사상의 전초로서 Robinson 1982, 19이 만들어낸 "바울 학파의 좌파"와는 너무도 거리가 멀다.

66) 이 본문의 시(詩)라는 것과 그 신학에 대해서는 Wright, *Climax*, ch. 5을 보라.

에 있어서 예수의 부활에 관한 이야기는 여기서 말해지고 있는 이야기를 지탱하고 있다. 창조주 하나님은 자기 백성을 어둠의 나라로부터 건져내서 그의 아들의 나라로 옮겨 그의 아들 안에서 구속, 즉 죄사함을 받게 함으로써 빛 가운데서 성도들의 유업에 참여할 수 있게 하였다(1:12-14); 달리 말하면, 예수의 죽음과 부활은 새로운 출애굽, 죄와 사망의 오랜 포로생활로부터의 "귀환," 세상을 종으로 묶어 놓았던 모든 권세들의 전복의 계기로서의 역할을 하고, 이제 메시야에게 속한 자들은 이 모든 것의 은택들에 참여하게 된다. 마찬가지로, 에베소서 2장에서처럼, 한 분 참 하나님으로부터 떠나서 하나님에 대하여 적대적이었던 자들은 예수의 죽음으로 말미암아 화해되었고, 지금은 하늘 아래에 있는 모든 피조물에게 선포된 "복음의 소망" 위에 굳게 서 있어야 한다. 이 말은 부활로 말미암아 충격파가 온 우주를 관통하였다는 것만을 의미할 수 있다: 새 창조는 태동되었기 때문에, 지금은 수행되어야 한다.[67]

그리스도인들의 기본적인 삶에 있어서 이 모든 것의 결과는 인류를 위한 하나님의 의도가 마침내 성취된 새로운 생활양식이다. 3:5-11에서 이것은 음행이나 화내는 것이나 악한 말이나 파당이나 당짓는 일이 없어야 한다는 것을 의미한다. 그러나 우리의 목적을 위하여 중요한 것은 로마서와 고린도전후서에서의 바울의 중심적인 주제들 중 하나를 반영하고 있는 핵심적인 요소가 옛 인류와 새 인류 간의 대비라는 것이다(3:9-10). 전자는 메시야의 죽음을 본받아 세례를 통해서 폐기되었다; 후자는 메시야의 부활을 본받아 세례를 통하여 창조되었다:

> … 옛 사람('톤 팔라이온 안드로폰')과 그 행위를 벗어 버리고 새 사람을 입었으니 이는 자기를 창조하신 이의 형상을 따라 지식에까지 새롭게 하심을 입은 자니라.[68]

이것은 우리가 지금까지 발견해 왔던 관념들의 네트워크, 특히 빌립보서 3장에서 발견한 것들, 그리고 우리가 다른 서신들에서 바울의 주된 진술 속에서

---

67) Wright, *Colossians*, 161, 84f.를 보라.

68) 2:12f.가 세례와 관련된 분위기를 지니고 있다; 새 창조 주제는 이 본문을 1:18-20, 23과 연결시켜 준다.

전개되고 있는 것을 보게 될 관념들의 네트워크와 정확하게 일치한다. 바울에 관한 한, 부활의 요지는 창조의 부정이 아니라 창조에 대한 재확인이다. 메시야의 백성이 "영광 중에 그와 함께 나타날"(3:4) 최종적인 그날 이전에 이미 이 새로운 창조, 하나님의 형상을 따라 재창조된 인류는 교회의 평범한 삶 속에서 드러나야 한다.

그러므로 적어도 이러한 점들에 있어서 에베소서와 골로새서는 지금까지 우리가 살펴본 서신들이나 곧 살펴보게 될 서신들과 같은 바울의 다른 서신들 속에서의 부활에 대한 서술로부터 벗어나 있지 않다. 두 옥중서신에서 예수의 부활은 역사적 사건으로서, 이것을 통하여 죄와 사망으로부터 세상을 건지고자 한 창조주의 계획이 결정적으로 개시되었고, 죄와 사망은 처리되었다. 두 서신 속에서 메시야의 백성의 유업은 여전히 미래에 놓여 있다. 그렇지만 그리스도인들의 현재적인 삶은 이미 은유적으로 "부활"의 삶이다 — 제2성전 시대 유대교에서처럼 이스라엘 민족의 회복을 가리키는 것이 아니라, 죄사함과 새로운 행실을 가리키는 의미로서. 부활의 의미들과 관련해서, 이 두 서신은 바울 서신의 핵심에 자리잡고 있다.

6. 빌레몬서

로마서, 그리고 다음으로 고린도전후서를 살펴보기 전에, 우리는 거의 간주곡으로서 빌레몬서라는 짧은 서신 속에서 부활이 암묵적으로 어떤 기능을 하고 있는지를 잠시 살펴볼 것이다. 빌레몬에게 도망친 노예인 오네시모를 다시 데리고 오라고 강권하면서, 바울은 그가 갈라디아서 4:1-7에서 사용하였고 로마서 8:12-17에서 다시 사용하게 될 구속이라는 언어를 활용하고 있는데, 이 두 본문은 이스라엘을 애굽의 종살이로부터 건진 하나님의 "구속"에 대한 반영들을 지니고 있다:

> 아마 그가 잠시 떠나게 된 것은 너로 하여금 그를 영원히 두게 함이리니 이후로는 종과 같이 대하지 아니하고 종 이상으로 곧 사랑 받는 형제로 둘 자라 내게 특별히 그러하거든 하물며 육신과 주 안에서 상관된 네

69) Philem. 15f.

게라.[69]

이 본문을 둘러싸고 있는 절들의 논리는 바울의 암묵적인 서사(narrative)의 세부적인 내용들을 채워준다. 바울은 사랑의 끈으로 오네시모와 묶여 있다; 그를 다시 보내는 것은 "그의 심장 자체를 보내는 것이다"(12절). 그렇지만 바울은 빌레몬과도 친교와 상호적인 사랑과 의무의 끈으로 묶여져 있다(17-20절). 그러므로 바울은 빌레몬에게 마치 자기를 받아들이듯이 오네시모를 받아들이도록 호소할 수 있었다. 오네시모가 빌레몬에게 빚진 것들이 있다면, 그것을 자신의 계산으로 해달라고 바울은 빌레몬에게 말한다. 이러한 대표(representation)와 대체(substitution)의 결합은 십자가에 관한 바울의 여러 다양한 설명들에 익숙해 있는 사람들에게는 낯익은 말로 들릴 것이다; 우리가 여기서 보고 있는 것은 예수의 죽음에 관한 복음을 몸으로 실천하고 있는 모습이다.[70] 이것을 깨닫는다면, 우리는 부활의 복음을 몸으로 실천하고 있다는 것도 볼 수 있어야 한다. 오네시모는 더 이상 노예가 아니라 빌레몬의 형제로 대우받아야 한다. 왜냐하면, 두 사람은 모두 구속을 받아서 한 분 참 하나님의 자녀가 되었기 때문이다.

7. 로마서

(i) 서론

로마서는 부활로 뒤덮여 있다. 이 서신을 어느 지점이든 눌러 보아라. 그러면 부활이 스며나올 것이다; 이 서신을 들어 올려서 등불에 비추어 보아라. 그러면 너는 부활절이 내내 불꽃을 튀기고 있는 모습을 보게 될 것이다. 만약 로마서가 이신칭의에 관한 위대한 서신으로 환영받지 않았더라면, 로마서는 부활에 관한 최고의 서신으로 알려지게 되었을 것이다(물론, 이 둘은 서로 연관이 없는 것이 아니다); 고린도서신들은 그러한 직함을 다투는 강력한 후보자들이 될 수는 있겠지만, 로마서는 내기에서 그 서신들을 분명히 따돌리게 될 것이다. 로마서는 우리의 모든 주된 질문들에 대한 풍부한 대답들을 제공해 주고 있고, 그 질문들을 위치시킬 사고의 방대한 틀을 제공해 준다 — 로마서는 고

70) Wright, *God's Worth*, ch. 6을 보라.

대 세계의 지성적 명작들 중의 하나이다. 우리는 이하의 서술에서 많은 갈래의 사고를 지나치게 깊이 있게 추적해 가지 않을 것인데, 이것은 이 서술이 한 장의 하위 항목의 테두리 내에 머물도록 하기 위한 것이다.[71]

(ii) 로마서 1-4장

우리는 바울이 시작하고 있는 지점, 즉 많은 독자들이 석의 전통에서 로마서의 주된 주제라고 선언해 왔던 본문인 1:16-17에 빨리 가고 싶은 마음에서 건너뛰어 왔던 한 본문에서 시작하고자 한다. 이 본문에서 바울은 복음은 유대인이나 헬라인이나 모든 믿는 자에게 구원을 주시는 하나님의 능력인데, 이는 그 안에 하나님의 의가 믿음에서 믿음으로 계시되기 때문이라고 말한다. 석의자들은 지금까지 다음과 같이 말해 왔다: 이 서신은 복음, 즉 이신칭의와 그 결과로서의 구원에 관한 것이다. 나는 다른 곳에서 이것은 이 절들만을 보더라도 바울의 의미를 심각하게 거두절미해 버린 것이라고 주장한 바 있다; 그러나 이러한 석의적 움직임의 주된 결점은 그것이 바울이 자기 자신을 소개하는 것의 일부이기도 한 "복음"에 관한 요약문의 형식으로 이 서신의 바로 첫 머리에서 말하고 있는 것을 무시하고 있다는 것이다(1:3-5):

> [하나님의 복음은] … 그의 아들에 관하여 말하면 육신으로는 다윗의 혈통에서 나셨고 성결의 영으로는 죽은 자들 가운데서 부활하사 능력으로 하나님의 아들로 선포되셨으니 곧 우리 주 예수 그리스도시니라 그로 말미암아 우리가 은혜와 사도의 직분을 받아 그의 이름을 위하여 모든 이방인 중에서 믿어 순종하게 하나니 …

그러므로 바울이 "복음"이라고 말할 때, 그는 "이신칭의"를 의미하고 있는 것이 아니다 — 물론, 칭의는 복음의 직접적인 결과이기는 하지만. 바울이 염두에 두고 있었던 "복음"은 다윗 자손에 속한 이스라엘의 메시야인 예수가 세상의 부활하신 주라고 선포하는 것이다. 흔히 이 서신의 서두에 맞지 않는 것으로 치부해 왔던 이 짧은 본문은 사실 모든 점에서 1:16-17과 마찬가지로 주

71) 더 자세한 내용들은 Wright, *Climax*, chs. 2, 10 — 13; *Romans*를 보라.

제에 대한 도입부로 의도된 것이다. 우리가 몇몇 논증들의 결론부 및 9-11장이라는 아주 중요한 장들의 도입부에 나오는 바울의 기독론적인 요약문들 속에서 볼 수 있듯이, 예수의 메시야됨과 그것으로부터 도출되는 모든 것은 이 서신 전체에서 핵심적인 것이다.[72)]

우리의 목적과 관련하여 이 본문에서 말하고 있는 요지는 예수가 메시야라는 것과 바울이 이러한 예수의 신분에 덧붙이고 있는 모든 의미는 그의 부활 때문이라고 말하고 있는 것이다. 많은 사람들이 육체를 따라서 다윗의 씨로부터 태어났다; 주의 형제인 야고보는 초대 교회에서 알려져 있던 예수의 여러 혈족들과 마찬가지로 그러한 주장을 할 수 있었을 것이다.[73)] 그러나 오직 한 사람의 다윗 자손만이 죽은 자로부터 부활하였다. 바로 이것이 그가 이스라엘의 하나님의 "아들"이라는 표지라고 바울은 분명하게 말한다: 즉, 메시야.[74)]

이러한 주장을 제2성전 시대라는 맥락 속에 두어 보면, 바울이 나사렛 예수가 로마인들에 의해서 처형당한 후에 순교자들과 마찬가지로 존귀한 곳으로 승귀되어서 거기에서 부활을 기다리고 있다거나, 솔로몬의 지혜서 3:1이 최근에 죽은 의로운 자들에 관하여 표현하고 있듯이, 그의 영혼이 하나님의 손에 있다는 것을 의미할 수 없었다는 것은 너무도 명백하다. 또한 바울은 민간 신앙과 성상 숭배 속에서 그 영혼들이 혜성을 타고(율리우스 카이사르의 경우처럼) 또는 독수리에 의해서(티투스의 활에 새겨진 부조에서처럼) 하늘로 높이 올라갔다고 말해지는 로마 황제들의 경우처럼 신격화(apotheosis)에 관하여 말하고 있는 것이 아니다.[75)] 만약 그렇게 했더라면, 예수는 신적인 존재가 되고,

---

72) 예를 들면, cf. 롬 4:24f.; 5:11, 21; 6:11, 23; 7:24; 8:39; 9:5. 이 모든 구절들에 대해서는 Wright, *Romans*, ad loc.를 보라. 아래 제12장에서 나는 '크리스토스'가 바울에게 단지 고유명사가 되었다는 주장을 반박할 것이다.

73) 아래의 제12장 제2절을 보라.

74) 이 대목에서 "하나님의 아들"의 "메시야적" 의미에 대해서는 Wright, *Romans*, 416-19를 보라. 바울은 5:10과 8:3 등에서 이 어구에 다른 의미들을 부여한다; 그러나 그러한 것들은 비록 풍부하고 압축된 것이기는 하지만 "메시야"라는 기본적인 의미를 떠난 것은 아니고, 기본적인 의미는 여기에서 특히 다윗에 대한 언급과 1:5에 나오는 그의 전 세계적인 통치에 관한 "왕적인" 뉘앙스에 의해서 드러난다.

75) 위의 제2장 제2절을 보라.

그의 후계자는 그의 "아들"이 되어서, 새로운 황제가 선황을 신격화함으로써 "하나님의 아들"이 된 것과 마찬가지가 되었을 것이다. 그러나 그렇지 않았다. 바울의 요지는 이것이다: 부활은 다윗의 자손인 나사렛 예수를 진정한 메시야, 바로 그러한 의미에서의 "하나님의 아들"이라고 선포하였다는 것. 이것은 가이사가 신의 아들이자 세상의 주였던 세계 속에서 엄청난 정치적인 의미를 지니고 있었다; 부활은 예수를 세상의 참된 통치자로 만든 표지가 되었고, 가이사는 세상의 이 참된 통치자의 희화화에 불과한 존재였다. 우리는 여기에서 — 로마서의 처음 부분에서! — 빌립보서 2:6-11 및 3:19-21과 동일한 내용을 보게 되는 것이다. 이것은 이교의 제국이 입고 있는 위장들에 도전하기 위하여 의도된 유대인의 왕에 관한 유대적인 메시지이다(요세푸스는 그러한 메시지들이 의도적으로 제시되고 있다는 것을 알고 있었다).[76] 이것이 바울이 예수가 "권능으로 인정되었다"고 말한 이유들 중의 하나이다; 우리가 앞서 보았듯이, 부활절에 관하여 생각할 때에 바울은 통상적으로 하나님의 능력을 생각하고, 능력에 관하여 생각할 때에 바울은 현재의 세상 속에서 능력에 관한 독점권을 가지고 있다고 생각하는 자들에게 하나님의 능력이 제시하는 도전에 관하여 생각하고 있다. 이것은 예수를 중심으로 다시 초점이 맞추어진 바리새파 고유의 신학이다. 부활은 언제나 고도로 정치적인 가르침이었고, 예수의 부활이라는 전혀 예기치 못한 사건으로 인해서 세상의 권세들은 새로운 실체, 되살아난 유대적 소망, 짐승들의 손에 의해서 고난을 당한 후의 "인자"의 신원에 직면해 있었다. 이것은 고립적이고 변덕스러운 사건이 아니었다. 이것은 "죽은 자들의 부활," 모든 죽은 자들의 부활의 시작이었다.[77]

그렇다면, 왜 바울은 부활이 예수를 메시야, 바로 그러한 의미에서의 "하나님의 아들"로 만들었다고 생각했던 것인가? 우리가 부활에 관한 제2성전 시대의 방대한 문헌들을 검토하면서 보았듯이, 거기에서는 그 누구도 메시야가 수치스러운 죽음을 죽을 것이라든가 죽은 자로부터 부활할 것이라는 생각을 전혀

76) Jos. *War* 3.399-408; 6.312-15; *NTPG* 304, 312f.

77) 예수의 부활이 지닌 공동체적인 함의는 바울의 표현인 '엑스 아나스타세오스 네크론,' 문자적으로는 "죽은 자들의 부활로부터"(1:4)라는 어구에서 암시된다. 이것과 고린도전서 15:20에 나오는 "만물"이라는 이미지 사이에는 연결고리가 존재한다.

하지 않았다. 이 주제에 대한 침묵은 너무도 완벽한 것이었기 때문에, 어떤 다른 사람이 완전히 죽은 후에 다시 완전히 살아나는 일이 발생했다면, 사람들은 이 세상이 정말 희한한 곳이라고 결론을 내렸거나, 그 사람은 엘리야 같은 위대한 선지자일지 모른다는 결론을 내렸을 것이라고 우리는 생각해 볼 수 있다; 그러나 사람들이 즉시 그를 메시야라고 말했을 것이라고 생각할 근거는 전혀 없다. 초기 그리스도인들이 메시야직과 부활의 연결관계를 만들기 위하여 인용하였던 시편과 예언서의 본문들 — 예를 들면, 현재의 본문과 아울러 사도행전 2장에서 볼 수 있는 — 은 당시에 그런 식으로 읽혀지지 않았다 — 우리가 알고 있는 한에 있어서.[78)]

또한 그 누구도 나사렛 예수의 죽음 이후에 삼분, 삼일, 또는 삼주 후에 그가 사실 메시야였다고 생각하지도 않았을 것이라는 것을 우리는 덧붙여야 한다. 메시야들에 관하여 뭔가를 알고 있었던 사람이라면 누구든지 이교도들에 의해서 십자가에 못박힌 메시야는 실패한 메시야, 사기꾼이라는 것을 알고 있었다. 나는 다른 곳에서 나사렛 예수는 살아있는 동안에 적어도 최측근의 제자들에게, 그리고 마지막으로 모종의 유대 법정에게 자기가 진실로 메시야라고 믿는다는 것을 보여주는 말과 행동을 하였다는 것을 논증한 바 있다.[79)] 그러나 아무도, 심지어 그의 가장 가까운 친구들과 동료들조차도 그의 폭력적이고 수치스러운 죽음 후에 그들로 하여금 그런 일을 생각하게 만든 어떤 일이 일어나지 않았다면 그가 진실로 메시야였다고 말한다는 것은 꿈도 꾸지 못했을 것이다.

따라서 한편으로는 예수의 삶, 행위들, 가르침들, 다른 한편으로는 예수의 부활은 독자적으로는 사람들로 하여금 즉시 "그가 진실로 메시야였고 또한 메시야이다"라고 말할 수 있게 하지 못했을 것이다. 그러나 이것들이 합쳐졌을 때 — 이것은 회심 직후의 바울을 비롯한 초기 그리스도인들이 했던 그런 것이다 — 그 결과는 분명하였다. 메시야를 자처하는 삶만으로는 충분한 조건이 되지 못한다; 부활조차도 그 자체로는 불충분하다; 이 둘은 모두 여전히 그러한 주

---

78) 마가복음 6:14-16에서 헤롯, 그리고 일반적으로 갈릴리의 유대인들에게 돌려진 생각들(아래의 411-14에서 논의된)을 보라. 현재의 요지는 제12장에서 자세하게 발전된다.

79) *JVG* ch. 11을 보라.

장을 위한 필요조건들이다. 하지만 이 둘이 합쳐질 때, 그것들은 충분조건이 된다.[80] 이러한 것들을 행하고 말하다가 메시야를 자처하고 죽임을 당한 사람의 부활은 그 모든 것을 웅변으로 말한 것이다. 창조주 이스라엘의 하나님은 법정이 언도했던 사망선고를 뒤집음으로써 법정의 판결을 뒤집어 놓았다. 예수는 진정으로 유대인들의 왕이었다; 시편들이 오래 전에 역설해 왔듯이, 예수가 메시야라면, 그는 진정으로 세상의 주이다.[81] 이 사건은 다음과 같은 석의(釋義)를 촉진하였다: 일단 초기 그리스도인들이 메시야로 자처했던 다윗의 자손이 죽임을 당하였다가 죽은 자로부터 부활하였다는 관념을 얼핏 엿본 후에는, 칠십인역에서 이스라엘의 하나님이 다윗 이후에 다윗의 씨를 "일으켜서" 그의 보좌에 앉힐 것이라는 약속이 성취되었다고 보게 되는 것은 시간문제였다.

요지를 다시 한 번 반복해 보자면, 고대의 이교 사상과 제2성전 시대의 유대교에서 그 말이 지니고 있던 의미에서의 부활에 조금이라도 미치지 못하는 것은 그러한 효과를 가져올 수 없었을 것이다. 우리는 다시 한 번 더 정확하게 표현해 볼 수 있다. 이 한 경우에서 부활이 일어났다는 확고한 믿음 바로 그것만이 그러한 결과를 낳을 수 있었을 것이다. 우리는 역사가들로서의 우리가 이 신앙에 관하여 무엇을 말할 수 있는가라는 문제를 제5부를 다룰 때까지는 연기해야 한다; 그러나 우리는 바울(또는 일부 학자들의 주장처럼, 바울이 이전의 자료를 인용한 것이라면, 1:3-4을 쓴 사람)이 이 진술을 통해서 예수가 완전히 죽은 후에 그 몸이 새로운 삶을 얻는 것을 포함하는 하나의 사건을 가리키도록 의도하였다는 것을 의심할 수 없다. 바울의 세계 내에서 이 진술이 몸의 부활 이외의 다른 것을 가리킬 수 있다고 생각할 수 없는데, 몸의 부활은 (a) 그가 여기에서 사용하는 언어를 통해서 묘사될 수 있었고, (b) 그 또는 그 밖의 다른 사람이 한 죽은 사람에 관하여 그가 메시야, 이스라엘의 하나님의 기름부음 받은자였다고 말할 수 있게 해 주었을 것이다. 예수의 몸의 부활은 이 서신의 토대, 예수의 주(主)라는 복음의 핵심, 가이사에 대한 바울의 암묵적인 비판의 중심, 칭의와 구원에 관한 그의 교리들의 원천이다. 바울은 이 서신

80) 필요조건과 충분조건에 대해서는 아래 제18장을 보라.

81) 시편 2:7-9; 72편; 89:19-37; 또한 왕상 10:14-29에서의 솔로몬에 관한 묘사를 참조하라(이것은 시편 72편과 매우 흡사하다).

의 주된 신학적인 논증을 마무리하는 부분인 15:12에서 이와 동일한 요지로 되돌아간다. 아래에서 살펴보게 될 이러한 연결고리를 보게 될 때에만, 우리는 바울 사상 전반과 특히 로마서에서 부활한 메시야로서의 예수가 중심적인 위치를 차지하고 있다는 것을 파악하게 될 것이다.

다른 곳에서 흔히 그렇듯이, 바울은 부활이 성령에 의해서 이루어졌다는 것을 보여준다. 이것은 바울이 8장에서 그의 절정에 해당하는 설명 속에서 활용하게 될 이 농축된 서두의 진술 속에 나오는 많은 요소들 중의 하나이다.

이 서신의 첫 번째 대단원(1:18 — 3:20)은 인간의 모든 악에 대항한 하나님의 공의의 계시에 관한 것이다. 서두의 장면(1:18-32) 후에, 바울은 많은 유대 사상 속에서와 마찬가지로 메시야 자신이 재판장이 될 최후의 심판에 관한 짤막한 그림을 제시한다.[82] 전래적인 요소들로 가득 차 있는 이 장면은 구원받지 못한 자들과 아울러 구원받은 자들의 최후의 상태에 관한 풍부한 묘사를 담고 있다(2:6-11):

> [6]하나님께서 각 사람에게 그 행한 대로 보응하시되 [7]참고 선을 행하여 영광과 존귀와 썩지 아니함을 구하는 자에게는 영생으로 하시고 [8]오직 당을 지어 진리를 따르지 아니하고 불의를 따르는 자에게는 진노와 분노로 하시리라 [9]악을 행하는 각 사람의 영('프쉬케')에는 환난과 곤고가 있으리니 먼저는 유대인에게요 그리고 헬라인에게며 [10]선을 행하는 각 사람에게는 영광과 존귀와 평강이 있으리니 먼저는 유대인에게요 그리고 헬라인에게라 [11]이는 하나님께서 외모로 사람을 취하지 아니하심이라.

많은 주석자들은 마치 바울이 이 본문을 문자 그대로 의도하지 않았다거나 오직 가설적인 가능성으로만 받아들였다가 나중에 부정하고 있다는 듯이 여기고 이 본문을 주변적인 것으로 취급해 왔다; 그러나 그렇게 할 필요가 없다. 이것은 최후의 심판 장면이고, 바울이 사람들이 생전에 행한 "선행들"에 따라

82) 시 2:7-9; *Ps. Sol.* 17-18; 행 17:31. 바울이 1:32에서 "그러한 일들을 하는 자들은 죽는 것이 합당하다"고 말할 때, 그는 이 서신의 나중 부분에서 죽음의 패배와 함께 오는 대답을 위한 그의 논증을 세워 나가고 있는 것이다(아래를 보라).

서 이 최후의 심판이 내려질 것이라고 말한 것에 대하여 굳이 나서서 바울을 "보호하려고" 할 필요가 없다.[83] 비록 요약적인 형태를 통해서이긴 하지만, 바울은 이스라엘의 하나님의 참 백성의 장래에 관한 자신의 비전을 뚜렷하게 개진한다. 그들은 "내세의 생명," 또는 '조에 아이오니오스'에 대한 통상적인 번역을 따라서 "영생"을 유업으로 받게 될 것이다; 그리고 이것은 그들이 선행을 하면서 참고 인내하는 삶을 산 것을 통해서 "영광('독사')과 존귀('티메')와 썩지 않음('아프다르시아')를 구했기" 때문일 것이다. 이 마지막 용어는 흔히 "불멸"로 번역되고, 의미에 있어서 그 단어(통상적으로 '아다나시아' ["죽지 않음"])와 중복된다; 하지만 엄밀하게 말해서, '아프다르시아'는 "썩어지지 않는," "부패될 수 없는"을 의미한다. 분명히 바울은 이러한 속성이 인간들에 의해서 현재의 삶을 사는 동안에 이미 소유되었다고 생각하지 않았다; 그리고 이 두 용어는 통상적인 지시대상에 있어서 아주 밀접하였기 때문에, 바울은 불멸을 인간이 자동적으로 소유하고 있는 것으로 여기지도 않았다고 말하는 것이 안전할 것이다.[84]

바울은 10절에서 이 목록을 반복할 때에 "썩지않음"을 "평안"으로 대체하는데, 이것은 그가 하나님이 썩지 않음이라는 선물을 줄 것임을 부정하고자 한 것이 아니라, 평안도 내세의 축복들에 속하는 것으로서 현재적으로 선취되는 (5:1과 비교해 보라) 장래의 상급의 일부일 것이기 때문이었다. 그러므로 바울은 부활이라는 말을 구체적으로 언급하고 있지는 않지만, '아프다르시아'가 새 시대의 축복들에 관한 목록의 일부라는 사실은 그가 부활을 염두에 두고 있었다는 것을 분명하게 보여준다; 우리가 앞으로 적절한 때에 더 자세하게 살펴보겠지만, "존귀와 평강"을 "영광"과 나란히 둔 것은 여기에서 및 다른 곳에서 "영광"을 통해서 바울이 의미하고 있는 것은 빛을 내는 또는 빛을 주는 속성이 아니라 존엄과 책임과 권세를 지닌 지위라는 것을 보여준다.

다음에 나오는 로마서의 주된 단원(3:21 — 4:25)은 어떻게 "하나님의 의" — 즉, 아브라함과의 계약에 대한 하나님의 신실하심 — 가 예수에 관한 복음 사건들 속에서 나타나게 되었는지를 설명한다. 예수의 죽음과 부활은 하나님

83) Wright, "Law"; *Romans*, 440-43을 보라; 예를 들면, Gathercole 2002.
84) Cf. 딤전 6:16(아래의 제5장 제8절을 보라).

이 하시겠다고 항상 말씀하신 것(아브라함에게 유대인과 이방인을 통합한 가족을 주겠다고 한 것)을 행한 방식임과 동시에 하나님의 그러한 목적을 좌절시킬 수 있는 것처럼 보였던 보편적인 죄를 다루는 방식이었다. 로마서 4장은 창세기 15장, 즉 약속이 주어지고 계약이 맺어진 장을 해설하고 있는 것으로서, 이 장이 언제나 아브라함과 그의 가족이 믿음 — 공로나 할례나 토라의 소유가 아니라 인류 전체가 거부하였던 믿음 — 의 표지를 지니고 있었다는 것을 항상 염두에 두고 있었다는 것을 보여준다(1:18-32): "죽은 자를 살리시고 없는 것을 있는 것처럼 부르시는" 생명을 주시는 분 하나님에 대한 믿음.[85] 이러한 믿음은 아브라함이 그와 그의 아내 사라가 아이를 낳을 나이가 훨씬 지났기 때문에 "죽은 자와 방불하였을 때" 그에게 아들을 주실 수 있는 하나님의 능력을 믿었다는 사실에 의해서 입증된다:

> 4:19그가 백 세나 되어 자기 몸이 죽은 것 같고('네네크로메논,' "죽음에 처해진") 사라의 태가 죽은 것 같음('네크로신')을 알고도 믿음이 약하여지지 아니하고 20믿음이 없어 하나님의 약속을 의심하지 않고 믿음으로 견고하여져서 하나님께 영광을 돌리며 21[하나님이] 약속하신 그것을 또한 능히 이루실 줄을 확신하였으니 22그러므로 그것이 그에게 의로 여겨졌느니라.

이 믿음의 전체적인 요지는 믿음은 창조주 하나님의 능력과 약속에 대한 성찰로부터 자신의 힘을 얻는다는 것인 것으로 보인다; 이미 다른 곳에서 보았듯이, 이 "능력"은 바울이 특히 부활과 연관시키는 바로 그 능력이다. 애초에 우상숭배의 길을 열어놓고, 인류의 부패, 수치, 타락, 죽음을 가져왔던 것은 창조주에게 영광을 돌리는 것과 그의 능력을 인정하기를 거부한 것이었다.[86] 여기서 바울의 목적 중의 일부는 참 하나님과 그의 생명을 주시는 능력에 대한 믿음이 인류가 회복되어가고 있다는 것을 보여 주는 표지라는 것을 나타내는 것

85) 로마서 4:17. 이 마지막 어구는 문자적으로는 "없는 것들을 있는 것으로 부르신다"이다.

86) 로마서 1:18-32, 특히 1:20f; 더 자세한 것은 Wright, *Romans*, 432-6.

이다. 이 본문으로부터 바울이 예수의 몸의 부활을 염두에 두고 있다는 것은 의심의 여지가 없다. 그것보다 덜한 그 어떤 것도 아브라함 및 그의 "부활 신앙"과의 병행으로 적합하지 않을 것이다. 만약 부활이 예수의 영혼을 이 땅으로부터 하늘에서의 영광스러운 실존으로 옮기는 것이었다면, 거기에는 하나님의 특별하고도 유일무이한 권능의 행위가 구태여 필요없었을 것이다.

그러므로 이삭의 잉태와 출생은 예수의 부활에 대한 선취(先取)이고, 따라서 기독교 신앙은 창세기 15장에 나오는 아브라함에 대한 약속에 참여하는 것이다:

> [23]그에게 의로 여겨졌다 기록된 것은 아브라함만 위한 것이 아니요 [24]의로 여기심을 받을 우리도 위함이니 곧 예수 우리 주를 죽은 자 가운데서 살리신 이를 믿는 자니라 [25]예수는 우리가 범죄한 것 때문에 내줌이 되고 또한 우리를 의롭다 하시기 위하여 살아나셨느니라.

풍부한 의미를 지닌 마지막에 나오는 어구들은 얼핏 보면 그 의미가 분명해 보이지만, 찬찬이 뜯어보면 볼수록 그 의미가 농축되어 있고 더 난해하다는 것이 드러난다. 바울이 실제로 두 개의 "인하여" 절들(각각의 경우에 있어서 '디아' + 대격으로 이루어진 절)을 정확히 병행시키기를 의도했던 것인지, 만약 아니라면, 왜 바울은 그런 식으로 썼는지를 놓고 많은 논란이 있어 왔다. 창조주가 예수를 죽은 자로부터 일으키셨다는 것을 믿는 것은 예수를 주라고 고백하는 것과 아울러서 칭의와 구원을 위한 판별기준이 된다고 말하는 10:9에 비추어 볼 때, 이 본문의 전반부는 그 의미가 꽤 뚜렷하다. 아브라함은 오직 죽음만이 있는 곳에서 생명을 주시는 하나님을 믿었다; 우리 그리스도인들도 그렇게 하고 있고, 우리는 아브라함의 믿음에 참여하고 있기 때문에, 그의 칭의에도 참여한다. 그러나 마지막 절은 부정확한 수사적인 어구에 불과한 것인가?

사실, 그렇다. 몇몇 다른 본문들 속에서 바울은 예수의 죽음에 관한 진술들과 그의 부활에 관한 진술들을 결합시켜 놓는데, 각각의 진술들 속에는 여기서와 동일한 미묘한 불균형이 존재한다. 이것은 5:12-21의 복잡하고 농축되어 있는 "… 인 것처럼 … 그렇게"(as … so …) 절들 속에서 특히 그러하다[87] 그리고 '디아' + 대격을 "인하여"를 의미하는 것으로 보고, 한편으로는 원인을 나타내고(우리의 죄로 인하여 내줌이 되었고) 다른 한편으로는 의도된 결과를 나타내는(우리의 칭의를 위한 하나님의 계획으로 인하여 일으키심을 받았다) 것으로 보는 것은 실제로 아무런 문제가 없다. 여기서 진정한 문제는 예수의 부활이 어떤 식으로 해서 칭의를 확보함에 있어서 특별한 도구가 되고 있느냐 하는 것이다.

물론, 바울은 마찬가지로 예수의 죽음도 이러한 가능을 가지고 있다고 말할 수 있었다(예를 들면, 5:9에서처럼). 그러나 내가 앞에서 이 서신의 신학 중 많은 부분을 미리 다루고 있는 진술로서 의도되었다고 주장하였던 1:3-4을 고찰해 보면, 우리는 해결의 실마리를 발견할 수 있다. 예수의 부활은 메시야, 바로 그러한 의미에서의 "하나님의 아들," 이스라엘 및 세상의 대표자인 예수에 대한 하나님의 신원이었다.[88] 마찬가지로, 모든 믿는 자들에 대한 하나님의 "칭의"는 그들이 올바른 관계 가운데 있고, 그들의 죄가 이제 사해졌다는 하나님의 선포를 가리킨다. 우리는 이것을 메시야가 부활하지 않았다면 너희의 믿음이 헛되고 너희는 여전히 죄 가운데 있을 것이라고 말하고 있는 고린도전서 15:17에서의 사고의 흐름과 비교해 볼 수 있을 것이다. 부활은 십자가가 단순히 메시야를 참칭하는 잘못된 자를 제거하는 하나의 더러운 수단이었던 것이 아니라, 하나님의 구원 행위였다는 것을 보여준다.[89] 그러므로 예수를 죽은 자로부터 일으킨 하나님의 행위는 그 안에 칭의 — "그리스도 안에서" 하나님의 모든 백성의 신원 — 가 알맹이로 담겨진 행위였다(아래 5:18에 대한 설명을 보라). 따라서 4장은 바울에게 있어서 예수의 부활은 창조주 하나님의 순수한 능력에 의해서 죽음 자체를 이긴 생명을 주는 사건이었다는 것을 보여줄 뿐만 아니라, 계약의 하나님이 아브라함에게 약속했던 대로 그를 믿는 모든 자들을 신원함으로써 자신의 신실하심을 나타내는 더 큰 이야기의 일부였다는 것을 보여준다. 나아가, 이 본문은 1장에서 우상들을 숭배함으로써 자신의 인간성을 타락시키는 자들과는 달리 생명을 주시는 하나님을 믿는 자들은 진정한 인간

87) 이 점은 Morna Hooker 교수가 준 논문에 나와 있던 내용인데, 지금은 Hooker 2002로 간행되었다.

88) Wright, *Climax*, ch. 2을 보라.

89) 또한 부활이 죽음, 죄, 율법의 문제점에 대한 대답이라고 말하는 고린도전서 15:56f.와 비교해 보라.

존재로 다시 만들어져 가고 있는 것이기 때문에 이러한 신원은 적절하다는 것을 다시 한 번 매우 압축적으로 설명한다. 골로새서 3장의 표현처럼, 그들은 창조주의 형상을 따라서 지식에까지 새로워지고 있다.

(iii) 로마서 5-8장

로마서 5-8장은 바울이 쓴 모든 글들 중에서 최고의 압권이다. 각각 독자적인 서두의 진술, 전개, 기독론적인 절정을 지니고 있는 연속적인 논증들을 통해서 세심하게 구조화되어 있는 이 단원은, 믿음으로 의롭다 하심을 받은 자들은 참 하나님과 평화를 누리고 그의 영광의 소망속에서 즐거워한다는 서두의 단원(2:6-11을 상기시키는)으로부터, 그것을 다시 중심 주제로 삼아서 이제는 입증된 사실(QED)로서 말하고 있는 마지막 결론부(8:31-39)에 이르기까지, 아주 긴 호흡으로 논증한다. 큰 구조 속에서 및 좀 더 작은 논증들 속에서 예수의 죽음과 부활, 성령의 수여는 모든 대목에서 핵심적인 역할을 한다. 그리고 적어도 6장으로부터 8장에 이르기까지 바울은 우리가 이미 보았듯이 흔히 그의 글 속에서 수면 아래로 잠수해 있는 한 이야기를 의도적으로 반영하고 있다: 출애굽.[90] 우리의 현재의 과제 — 이것은 여러 주제들을 다룸으로써 주의가 분산되는 것을 막기 위한 의도도 있다 — 는 이 서신 및 바울 신학 전체의 주요한 주제들 중 대부분이 강력한 송축의 형태로 집약되어 있는 웅장한 8장에서 부활이 무엇을 의미하는지에 철저하게 초점을 맞추는 것이다.

전체를 포괄하는 주제 자체가 부활에 관한 바울의 묘사의 형태를 드러내준다. 그가 간략한 요약문을 통해서 선포하고 있듯이, 의롭다 하신 자들을 하나님은 또한 영화롭게 하셨다(8:30); 달리 말하면 (에베소서의 표현을 빌리면), "그리스도 안에" 있는 자들은 이미 하늘에서 메시야와 함께 앉아 있다. 이미 그들은 부활의 터 위에 서 있는 것이다(6:6-14). 그리고 5:1-2에 나오는 처음의 진술로부터 차례차례 전개해 나가고 있는 이 단원의 서두는 그 내용과 아울러 그 형태에 있어서 동일한 것을 말하고 있다: 고난은 소망을 낳고, 소망은 우리을 부끄럽게 하지 않는다(빌 1:20과 비교해 보라). 왜냐하면, 하나님을 향한 사랑이 우리에게 주어진 성령으로 말미암아 우리 마음속에 부어져 있기 때

90) 더 자세한 것은 Wright, "Exodus"; *Romans* 508-14.

문이다.[91] 예수의 권능 있는 부활은 이미 의롭다 하심을 받고 하나님과 화목된 가운데 이제 진노로부터의 최종적인 구원(이것은 기능상으로 2:7, 10에 나오는 "영광, 존귀, 썩지 않음, 평강"이 주어지는 것과 동등한 것이다), 달리 말하면 내세의 삶을 기다리면서(2:7을 반영한 5:21) 그리스도인들이 지금 살아가고 있는 영역을 구성한다:

> 9그러면 이제 우리가 그의 피로 말미암아 의롭다 하심을 받았으니 더욱 그로 말미암아 진노하심에서 구원을 받을 것이니 10곧 우리가 원수 되었을 때에 그의 아들의 죽으심으로 말미암아 하나님과 화목하게 되었은즉 화목하게 된 자로서는 더욱 그의 살아나심으로 말미암아 구원을 받을 것이니라.

"그의 생명 안에서(개역에서는 '그의 살아나심으로 말미암아')": 분명히 이것은 메시야의 부활생명, 그의 희생제사적 죽음에 뒤따른 새 생명이다. 이것은 바울이 로마서 6장과 8장에서 더 자세하게 설명하게 될 내용이다.

다음 단락인 5:12-21은 그 압축되어 있는 내용으로 인해서 학자들 사이에서 악명 높은 본문일 뿐만 아니라, 18절에서처럼 어떻게 바울이 헬라어 문장들을 주어, 동사, 목적어가 없이 쓸 수 있었는지를 밝혀내고자 하는 연구자들에게 악명 높은 본문이기도 하다. 그렇지만 여기에서, 특히 18절 자체에서 우리는 예수의 죽음과 부활의 효과들에 관한 바울의 이해의 핵심에 근접한 그 무엇을 발견하게 된다 — 대단히 압축되어 있음에도 불구하고. 죄는 모든 인류에게 퍼져서 보편적인 죽음을 가져왔다; 참 하나님은 유대인이나 이방인이나 모든 자의 유익을 위하여 한 사람 예수 메시야로 말미암아 계약의 약속들을 성취함을 통해서 이 문제를 처리하였다. 이 단락(이미 살펴본 몇몇 본문들과 마찬가지로)의 의미는 인간 존재가 하나님의 의도와 목적 속에서 무엇인가에 관한 바울의 그 근저에 있는 신학에 좌우된다; 아담의 비극은 단순히 그가 죄와 사망을 세상에 들여왔다는 것에만 있는 것이 아니다. 인간들은 피조 세계에 대한 창조주의 지혜로운 대리자들로 만들어졌는데, 인간들이 창조주가 아니라

91) 로마서 5:3-5. 자세한 것은 Wright, *Romans* 516f.를 보라.

피조물을 숭배하고 섬기는 경우에는 이러한 목적이 성취되지 못한다는 것이다. 8:29에서 동일한 사고의 흐름을 요약하면서, 바울은 그것을 다음과 같이 표현한다: "하나님이 미리 아신 자들을 또한 그 아들의 형상을 본받게 하기 위하여 미리 정하셨으니 이는 그로 많은 형제 중에서 맏아들이 되게 하려 하심이니라." 따라서 여기 17절에서 우리는 복음 안에서의 하나님의 은혜의 결과가 그 선물을 받는 자들이 "왕들로서 생명 안에서 다스리는 것('바실류수신')"이 될 것이라는 것을 읽고서는 놀라게 된다. 바로 이것이 인간 존재가 만들어진 목적이었다. 또한 바로 이것이 가이사가 한 분 참 하나님에 의지하지 않고도 자기가 할 수 있다고 생각했던 바로 그런 것이었다; 그러나 그는 자기가 잘못 생각했다는 것을 나중에 알게 될 것이다.

바울은 18절에서 그의 주요한 명제를 진술한다:[92] "그런즉 한 범죄로 많은 사람이 정죄에 이른 것 같이 한 의로운 행위로 말미암아 많은 사람이 의롭다 하심을 받아 생명에 이르렀느니라." 바울은 화판 위에 자신의 말의 페인트를 거대한 덩어리들로 흩뿌리고 나서, 그것을 계속해서 매만진다. 우리에게는 더 작은 부분의 세부적인 것들을 추가하는 일이 맡겨진다: "의로운 행위"는 아담의 범죄를 상쇄하고도 남음이 있는 예수의 순종의 죽음을 가리키는 말인 것으로 보이고, "생명의 칭의"(개역에서는 "의롭다 하심을 받아 생명에 이르렀느니라")는 예수만이 아니라 예변법적으로 "그 안에" 있는 모든 자들에 대한 하나님의 신원 행위로서의 부활을 가리키는 것으로 보인다. 그러므로 바울은 다음 절에서 많은 사람들을 "의인"의 신분으로 만든 것은 한 사람의 "순종"을 통해서였다고 설명할 수 있었다(19절; 여기서는 예수의 죽음과 부활을 단일한 행위로 보고 있다). 그런 후에, 바울은 율법과 그 효과들에 관한 다소 어두운 분위기의 주제를 도입해서, 7장 전체를 할애하여 다루게 된다; 그러나 하나님이 이 문제를 처리하였다는 그의 단언은 그를 이 장의 마지막 진술(5:21)로 이끌고, 이번에는 이 진술은 이후의 논증들이 활용하는 원천으로서의 역할을 하게 된다:

> 이는 죄가 사망 안에서 왕 노릇 한 것 같이 은혜도 또한 의로 말미암아

92) 이 단락의 형태에 대해서는 Wright, *Romans,* 523-5를 참조하라.

왕 노릇 하여 우리 주 예수 그리스도로 말미암아 영생에 이르게('에이스 조에 아이오니온') 하려 함이라(롬 5:21)

여기서 "은혜"는 분명히 "거저 주시고 후히 주시는 참 하나님"을 줄인 말이다; "의"는 종종 "칭의"로 잘못 번역되지만, 분명히 하나님은 언제나 죄와 사망을 다루기 위한 계약에 대한 자신의 신실하심 속에서 및 신실하심으로 말미암아 행하고 계시다는 것을 의미한다; 그리고 그 결과는 이러한 행위로부터 유익을 얻는 모든 자들(바울은 이것을 여기에서 자세하게 서술하고 있지는 않지만, 그것은 이 단락 전체에 걸쳐서 존재해 왔다)은 "영생"('조에 아이오니오스') 또는 플라톤적인 상상력에 흠뻑 빠져있는 독자들이 선호할 수 있는 역어로서 내가 제시한 바 있는 "내세의 생명," 바리새파와 랍비들이 그토록 열심으로 말했던 바로 그것, 그들에게 오직 한 가지만을 의미했던 바로 그것을 유업으로 받게 될 것이라는 것이다: 부활. 따라서 부활은 죄에 대해서만이 아니라 그 결과들에 대해서도 창조주의 대답이 된다.

우리의 목적과 관련하여 이 날카롭고 극적인 단락의 요지 중 일부는, 바울이 여기에서 인간이 물려받은 죄와 사망의 사슬을 끊는 하나님의 은혜와 능력의 단일한 행위를 구성한다는 관점에서 예수의 죽음과 부활에 관한 자신의 생각을 결합시키고 있다는 사실을 부각시키는 것이다. 이것이 바로 그가 이제 다음에 나올 장들에서 살펴볼 내용이다. 그리고 바울은 바로 6장에서 먼저는 세례받은 자들의 신분(status), 다음으로는 그들의 행실(behaviour)이라는 관점에서 5:21의 함의들을 이끌어내는 것으로 시작한다. 이 둘 모두에 있어서 메시야의 부활은 세례를 통한 신자와 메시야의 동일시를 통하여 문자 그대로의 미래적인 부활과 은유적인 의미에서의 현재적 부활이라는 개인적인 "부활"로 이어진다.[93]

이것은 이제 전통적으로 학자들이 한편으로는 로마서와 그 밖의 다른 "주요한 서신들," 다른 한편으로는 에베소서와 골로새서를 갈라놓는 지점인데, 나

93) 현재적 체험과 관련된 "부활" 언어의 매우 다른 은유적 용법들에 대해서는 아래의 제11장 제7절을 보라. 바울에 있어서의 부활과 윤리에 관한 최근의 연구는 Lohse 2002이다.

는 이러한 차별이 잘못된 것이라고 믿는다.[94] 물론, 바울은 우리가 거기에서 발견하는 것과 정확히 동일한 용어들을 여기에서 사용하고 있지는 않다; 그러나 위에서 말한 것은 바울이 쓴 여러 서신들 속에 나오는 모든 본문들 간의 병행들 및 병행에 가까운 문장들에 그대로 적용된다. 그러나 그가 묻는 질문들과 그가 제시하는 대답들은 그가 미래적인 부활의 삶과 아울러 그리스도인들에게 현재적인 "부활"의 삶을 단언하고 있다고 볼 때에만 의미를 지니게 된다.

6장에 나오는 첫 번째 질문은 사람들이 받는 정반대의 인상들에도 불구하고 행실이 아니라 신분에 관한 것이다. "우리가 계속해서 죄에 거하겠느냐"라는 표현은 "죄"를 사람이 계속해서 수행하는 어떤 행동이 아니라 거기에서 사람이 계속해서 살아가는 장소로 취급하고 있다. 이 질문의 의미는 "우리가 아직 죄인되었을 때에" 하나님의 은혜가 우리에게 미쳤다는 것에 대한 바울의 역설에 의존해 있다(5:8). 그렇다면, 하나님의 은혜가 우리에게 미쳤는데도 우리는 여전히 "죄인들"로 머물러 있어야 하느냐고 바울은 묻는다. 그것이 우리의 지속적인 신분이어야 하는가? 우리는 예전의 우리의 모습대로 머물러 있어야 하는가?

분명히 그렇지 않다고 바울은 대답한다. 우리를 그곳, 그 상태, 그 신분으로부터 이끌어내기 위하여 어떤 일이 일어났다. 세례는 메시야와의 동일시를 의미한다; 메시야에게 적용되는 것은 이제 세례받은 자들에게도 그대로 적용된다; 메시야는 완료된 행위로서 단번에 죄에 대하여 죽었고, 그런 후에 새 생명으로 부활하였다. 우리도 메시야와 함께 "죄에 대하여 죽었다"고 바울은 말한다. 그렇다면, 세례받은 자는 지금 어디에 있는 것인가? 죽음 이후에, 그렇지만 부활 이전에 일종의 림보 또는 중간 상태에 있는 것인가?

어떤 의미에서 그렇다고 말할 수 있고, 이것은 결코 하찮은 것이 아니다; 그러나 어떤 의미에서는 그렇지 않다. 이것은 우리의 전반적인 논증을 위해서 매우 중요한 것이기 때문에, 더 자세하게 살펴보지 않으면 안 된다.

어떤 의미에서 그렇다. 바울은 여전히 미래적인 부활이 있고, 그 부활은 아직 오지 않았다고 아주 분명하게 말한다. 6:5과 8절에 나오는 미래 시제들("만일 우리가 그의 죽으심과 같은 모양으로 연합한 자가 되었으면 또한 그의 부활과

94) 위의 제5장 제5절을 보라.

같은 모양으로 연합한 자도 되리라; 만일 우리가 그리스도와 함께 죽었으면 또한 그와 함께 살 줄을 믿노니")은 논란이 되고 있다; 그것들은 실제의 미래들, 즉 최후의 부활을 말하고 있는 것일 수도 있고, 논리적인 미래들일 수도 있다.[95] 우리가 어느 쪽을 택하든, 6:23은 바울이 2:7에서 최후의 심판 때에 참고 견디며 선행을 계속한 자들에게 하나님이 선물로 주실 것이라고 선언하였던 "내세의 생명"('조에 아이오니오스')이라는 궁극적인 선물을 상정하고 있다. 그리고 8:10-11(아래를 보라)과 그 뒤로 이어지는 긴 단락(8:12-30)에는 아무런 문제점이 없다: 개시된 종말론이 얼마나 많이 존재하든, "지금"의 요소가 얼마나 많이 있든, 여전히 수많은 "아직"이 존재한다. 구체적인 대상을 지니고 문자 그대로의 의미를 지니는 부활은 예수 외에는 아직 일어나지 않았다. 그런 관점에서 볼 때, 세례를 통하여 "그리스도와 함께 죽은" 그리스도인들은 실제로 일종의 중간 상태에 있는 셈이다; 그리고 바울이 그러한 사람에 대하여 몸의 부활을 믿은 몇몇 유대인들이 중간 상태와 관련하여 사용하였던 표현을 사용하고 있다는 것은 흥미로운 일이다. 그리스도와 함께 죽은 자들은 이제 "하나님에 대하여 살아 있다."[96]

하지만 이것은 즉시 제한되지 않으면 안 된다. 바울은 6:10에서 예수에 대하여 이와 동일한 언어를 사용하고 있지만, 예수가 모종의 중간 상태에 있다고 생각한 것은 결코 아니다. 아마도 이 본문에 대한 최선의 설명은 다음과 같은 것이 될 것이다: 바울은 정확히 그런 일이 일어났다고 그가 믿었던 새로운 상황을 설명하기 위하여 자기가 유대교(거기에 속한 사람은 아무도 메시야가 다른 사람에 앞서서 부활할 것이라고 기대하지 않았다)로부터 언어를 빌려와서 각색하고 있다는 것을 잘 알고 있었다. 세례를 통해서 그리스도와 함께 죽은 자들이 그들의 궁극적인 부활의 때까지 일종의 중간 상태에 있다는 인식이 존재한다면, 마찬가지로 그들은 그렇지 않다는 인식 — 더 중요한 인식 — 도 아울러 존재한다. 바울은 그리스도와 함께 죽은 자들이 죽음과 삶의 중간쯤 되는

95) 논리적 미래의 한 예: "네가 문을 잠궜다면, 우리는 안전할 것이다." 조건이 만족되면, 우리는 이미 안전하다; 유일하게 실제적인 미래성은 네가 문을 잠궜느냐 안 잠궜느냐를 우리가 발견하는 데에 있다.

96) 로마서 6:11; cf. 4 Macc. 7:19; 16:25; 그리고 아래의 제9장 제2절(눅 20:38에 대한).

지점, 일종의 중립 지대에 있다고 믿지 않는다. 2-11절에서의 신분에 관한 그의 논증과 12-14절과 15-23절에서의 행실에 관한 그의 논증들은 그 의미를 철저하게 세례를 통해서 그리스도인들은 메시야와 함께 죽을 뿐만 아니라 다시 살아난다는 그의 믿음에 의거해 있다. "이와 같이 너희도 너희 자신을 죄에 대하여는 죽은 자요 그리스도 예수 안에서 하나님께 대하여는 살아 있는 자로 여길지어다"(11절). 바울이 "여기라"고 말할 때, 그의 말은 뭔가 없는 것을 만들어서 새로운 실체로 되게 하는 것으로서의 "여기다"를 의미하지 않는다(바울이 그런 것을 의미했다고 할지라도, 그것은 여전히 이렇게 스스로를 "여긴" 그리스도인들은 이미 죽음과는 반대로 살아 있다는 것을 의미했을 것이다); "여기다"라는 언어는 여러 수치들을 더해서 합계를 내는 행위를 가리키는 언어이다. 내가 나의 은행 계좌에 있는 돈을 합계해서 셈을 할 때, 그것은 돈을 만들어내는 것이 아니다; 애석하게도 생명도 마찬가지이다. 생명은 단순히 나에게 이미 존재하는 양만을 알려 준다. 내가 "셈"을 완료했을 때, 나는 나의 마음 외부에 있는 실제 세계에서 새로운 상황을 만들어낸 것이 아니다; 유일하게 새로운 상황은 나의 마음이 이제는 실상이 무엇인지를 알게 되었다는 것이다.

여기서도 마찬가지이다. 바울이 4절에서 "이는 아버지의 영광으로 말미암아 그리스도를 죽은 자 가운데서 살리심과 같이 우리로 또한 새 생명 가운데서 행하게 하려 함이라"고 말할 때, 그는 그리스도인들에게 여전히 "죽어 있는" 그들이 수행할 수 없는 일을 하라고 요구하고 있는 것이 아니다. 이것이 5절과 8절의 미래 시제들을 시간적인 것이 아니라 논리적인 것으로 보아야 한다는 강력한 논거이다. 11절을 결론으로 하는 신분에 관한 논증(메시야가 죽었다가 다시 사셨다; 너희는 메시야 안에 있다; 그러므로 너희는 너희가 죽었다가 다시 살아난 것으로 여겨야 한다)이 12-14절에서 행실에 관한 논거에 길을 내어줄 때, 거기에는 아무런 의심도 있을 수가 없다. "오직 너희 자신을 죽은 자 가운데서 다시 살아난 자 같이('호세이 에크 네크론 존타스') 하나님께 드리며 너희 지체를 의의 무기로 하나님께 드리라"(13절). 여기서 '호세이'가 단순히 "사실이 아닌 것"을 함축하는 "마치 … 인 것처럼"을 의미한다면, 바울은 계속해서 해석자를 잔인하게 괴롭히고 있는 것이 될 것이다. 어떤 의미에서도 "죽은 자로부터 살아난" 것이 아닌 자들에게 하나님에게 순복하여 그들의 지체를 의의 병기로 드리라고 말하는 것은 실제로 날개를 달고 있지 않은 사람들에게 "마치 너희가 날개를 달고 있는 것처럼" 고층 빌딩에서 뛰어내리라고 말하는 것과 같다.

그러므로 바울의 강력한 윤리적 논증은 두 가지 살아가는 방식이 존재한다는 것과 사람은 이 두 방식 중에서 하나를 선택하여야 한다는 것만이 아니라, 세례받은 자들은 그들이 밟고 있는 땅을 변경한 것이기 때문에, 마치 새로운 나라로 이주한 사람이 그 나라에 맞는 언어를 배워야 하는 것과 마찬가지로 이제 그들이 밟고 있는 지역에 맞춰서 처신하는 법을 배워야 한다는 것이다. 이것이 죄에게 종살이 하였던 이전의 상태와 죄로부터 해방되어서 세례받은 자들이 합당한 방식으로 살아야 할 새로운 상태에 관하여 말함으로써 "출애굽" 주제 — 노예들이 홍해의 물을 통과함으로써 어떻게 자유를 얻게 되었는지에 관한 이야기 — 를 이어가는 6:15-23의 취지이다. 바울은 나중에 애굽으로 다시 돌아가고자 한 이스라엘 자손의 행동과 다를 바 없는 행동거지에 대하여 경고한다(8:12-17); 그러나 여기에서는 바울은 단지 그의 독자들이 더 이상 죄에 대하여 노예들이 아니기 때문에 마치 그들이 노예들인 것처럼 행동해서는 안 된다는 점만을 말하고 있다. 그러므로 논증이 행실에 좀 더 초점이 맞춰져 있는 여기에서조차도 우리는 중요한 것은 그 근저에 있는 신분과 궁극적인 목표라는 것을 발견하게 된다. 세례받은 자들의 신분은 그들이 죄로부터 해방되었다는 것이다. 하나님이 거저 주시는 선물인 그들의 궁극적인 목표(5:21에서처럼)는 내세의 생명('조에 아이오니오스')이다.

이제까지 바울의 논증은 예수의 죽음과 부활이라는 중심적이고 결정적인 사건들, 그리고 그것들이 죄로부터의 해방의 새로운 세계를 창출하여서 거기로 들어가는 자들을 행실의 근본적인 변화라는 은유적인 — 물론, 여전히 구체적인 — "부활"을 통해서 문자 그대로의 구체적인 장래의 부활 자체, 내세의 생명으로 이끈다는 내용을 중심으로 전개되어 왔다. 이것은 우리가 점점 더 많이 목격해 온 것의 가장 자세한 예이다: 제2성전 시대 유대교에 있어서 은유적 "부활"의 구체적인 지시대상은 포로생활로부터의 귀환이었고, 그것이 내포하고 있던 의미는 죄로부터의 해방이었는데(특히, 이사야서, 예레미야서, 에스겔서에서), 이것은 바울 서신 속에서 죄의 사슬이 끊어진 공동체적이고 개인적인 새로운 삶을 구체적인 지시대상으로 하는 세례받은 신자의 새로운 삶이라는 마찬가지로 은유적인 "부활"로 대체되었다. 그러므로 이것은 "부활"을 자의적으로 하나의 은유로 다시 사용하고 있는 것이 아니다. 유대 문헌들 속에서 부활의 은유적 의미가 의인들, 그리고 종종 악인들의 궁극적인 부활과 관련하여 문자적인 용법과 결합될 수 있었던 것과 마찬가지로, 그것은 예수 및 미래의 신자들의 부활과 관련된 문자적인 용법에 의존해 있다. 은유로 사용된 부활은 통상적으로 환유법이기도 하였다; 그리고 이것은 바울에게도 마찬가지였다. 그러므로 종종 주장되는 것과는 달리, 이것은 문자적인 의미의 부활로부터 "부활"이라고 불리지만 사실은 후대의 영지주의적인 글들 속에서 발견될 수 있는 것과 같은 전혀 다른 세계관에 속하는 것으로의 일탈의 시작이 아니다.[97] 바울의 은유적 용법은 제2성전 시대 유대교에 의해서 제공된 준거틀 내에서부터의 새로운 발전, 메시야에 관한 사건들과 "그 안에" 있는 자들에게 현재적 및 미래적으로 그러한 사건들이 무엇을 의미하는가에 관한 바울의 해석에 의해서 발생된 발전이다.

하지만 바울은 5-8장의 포괄적인 논증 속에서 이 지점으로부터 또 다른 국면으로 움직여간다. 그는 그 밖의 다른 논증들 속에 나오는 한 행으로 된 진술을 통해서 자주 하나님의 전체적인 계획 속에서의 유대 율법의 지위에 관하여 말해 왔다. 이제 그는 이 문제를 정면으로 다룬다; 그리고 그렇게 함에 있어서 바울은 "생명"에 관하여 그가 말하는 것에 다른 뉘앙스를 부여한다: 이 생명은 율법이 줄 수 없는 것으로서, 하나님이 성령에 의해서 주실 것이다. 이것은 단순히 하나의 문제점을 처리하기 위한 시도인 것이 아니다("내가 율법에 관하여 무엇을 말하리요?") — 물론, 그 문제에 대한 답변을 시도하고 있는 것임은 분명하지만. 그것은 그가 "영생"이라는 하나님의 선물(6:23), "은혜도 또한 의로 말미암아 왕 노릇 하여 영생에 이르게 하려 함이라"(5:21)에 관하여 말함으로써 무엇을 의미하고 있는지를 더 자세하게 설명하는 방식이다. 그것은 계속되는 새로운 출애굽 이야기 내에서 야훼의 백성이 시내산에 도달할 때에 무슨 일이 일어나는지에 관하여 말하는 방식이다; 지금에 이르러서는 야훼의 백성은 토라가 해결책이 아니라 문제점인 것을 자각하고, 메시야와 성령이 "율법이 할 수 없었던 것"을 행하였다는 것을 알아야 한다.[98] 7:1-8:11은 단일한

97) 예를 들면, Robinson 1982를 보라; 아래 제11장을 보라.

단원을 형성한다; 논증은 그 승리의 절정인 8:11까지 이어진다. 이와 동시에, 8:1-11은 바울의 가장 위대한 본문들 중의 하나를 통해서 이 장의 끝까지 계속되는 논증의 출발점이다. 그러나 부활에 관한 풍부한 해설을 담고 있는 이 결정적으로 중요한 열한 절을 이해하기 위해서, 우리는 7장의 어두운 터널을 통과하지 않으면 안 된다.

7:4에서 바울은 자신의 논증을 전형적으로 압축되고 풍부한 의미를 지니는 문장을 통해서 요약한다:

> 그러므로 내 형제들아 너희도 그리스도의 몸으로 말미암아 율법에 대하여 죽임을 당하였으니 이는 다른 이 곧 죽은 자 가운데서 살아나신 이에게 가서 우리가 하나님을 위하여 열매를 맺게 하려 함이라.

이것을 위한 토대는 1-3절에서 5:12-21의 아담/그리스도 대비를 상기시키면서 6:3-11에 나오는 그 발전의 빛 아래에서 보고 있는 것이다. 바울은 "율법 아래" 있는 자들, 즉 유대의 토라 체제 하에서 살아온 유대인 또는 개종자를 마치 결혼한 여자가 율법에 의해서 남편에게 매여 있는 것과 마찬가지로 율법에 의해서 아담과의 연대에 매여 있는 것으로 본다. 그러나 남편이 죽으면 — 바울의 발전된 묘사 속에서, 6:6의 "옛 사람"이 메시야와 함께 죽으면 — "너희," 곧 여기에 나오는 예화 속에서는 여자는 자유롭게 되어 다시 결혼할 수 있게 된다; 그리고 이제 메시야는 4:25, 5:9-10과 6:3-4, 10의 이중적인 진술들에서처럼 이번에는 새 신랑이라는 모습으로 이 묘사의 반대편에서 등장한다. 그에게 속하는 것은 "너"를, 아브라함과 사라가 나이 많아서도 아들을 본 것과 마찬가지로 "열매를 맺을" 수 있게 해 준다. 새 신랑으로서의 예수의 부활은 이전에는 생각할 수 없었던 새로운 가능성들을 열어 주었고, 이것을 바울은 7:5-6에서 다른 곳에서는 계약의 갱신과 관련된 언어로 서술한다: 우리는 이제 "의문의 묵은 것"으로가 아니라 "성령의 새로움"으로 섬긴다고 바울은 말한다(6:15-23을 반영하여).[99] 여기에서 다시 한 번 예수의 문자적인 부활

98) 로마서 7장에 대해서는 Wright, *Romans,* 549-72를 보라.

99) "새 계약" 주제가 더 명시적으로 전개되고 있는 고린도후서 3장을 참조하라; 로마서에서는 2:25-9을 참조하라.

은 바울이 곧 서술하게 될 신자들 자신의 문자 그대로의 부활에 대한 선취로서의 신자들의 은유적인 부활을 위한 맥락을 설정한다. 그리고 어떤 의심도 갖지 않도록 하기 위하여, 우리는 문자적 의미와 은유적 의미는 구체적인 지시대상을 가지고 있는데, 문자적인 의미는 몸의 부활을 가리키고, 은유적 의미는 실제적인 거룩함과 섬김을 가리킨다는 것을 지적해 두고자 한다.

이것은 토라가 시내산에서 주어진 이래로 이스라엘이 그것을 하나님의 거룩하고 의롭고 선한 율법으로 알고서 토라 아래에서 계속적으로 살아가고자 하였을 때에 무슨 일이 일어났는지에 관한 정교하고 복잡한 설명의 길을 준비해 준다. 율법은 실제로 생명, 즉 신명기가 아주 분명하게 말하였던 생명(그리고 제2성전 시대 유대교의 많은 본문들이 동의하였던)을 약속하였다.[100] 그러나 토라를 받아들인 자들은 토라가 주어진 바로 그 순간부터 토라는 이스라엘이 토라를 어기고 있고 아담의 죄를 반복하고 있다는 것을 부각시켜 준다는 것을 발견하였다(5:12, 20과 비교해 보라); 그리고 토라 아래에서 계속해서 산 자들 — 지금은 바울의 기독교적인 통찰을 통해서 보아진 — 은 그들이 애를 쓰면 쓸수록 율법은 그들을 더 많이 정죄한다는 것을 발견하였다. 그들은 결국 아담 안에 있었고, 율법은 공허하고 서글픈 메아리가 되어서 아담적인 이스라엘에게 자신의 죄와 사망을 일깨워주는 역할만을 할 수밖에 없었다. 율법이 약속했던 생명을 줄 수 없었던 것은 율법 자체에 어떤 잘못된 것이 존재하였기 때문이 아니라, 율법을 받아서 행해야 했던 인간 존재가 제대로 된 올바른 종류의 것이 아니었기 때문이었다. 갈라디아서 3:10-14에서처럼, 바울은 이러한 문제점을 이스라엘의 반역에 의해서 봉쇄되어 버린 하나님의 약속이라는 관점에서 분석한다. 거기에서처럼 여기에서도 바울은 이러한 문제점을 메시야의 죽음과 성령의 수여라는 관점에서 풀어간다.

"그러므로 이제 그리스도(메시야) 예수 안에 있는 자들에게는 결코 정죄함이 없나니": 로마서 8:1은 바울의 가장 유명한 문장들 중의 하나가 되었다 — 특히, 바흐(Bach)가 그의 모테트인 『내 친구 예수』(*Jesu, Meine Freunde*)에서 이 대목을 가사로 사용하여 작곡한 덕분에. 여기에 나오는 "정죄함"은 5:12-21에서 말한 아담적인 정죄이고, 더 나아가 1:18 — 3:20에 나오는 죄에 대

100) 신 30:15-20; Sir. 17:11; 45:5; Bar. 4:1; *Ps. Sol.* 14:2.

한 정죄에까지 거슬러 올라간다. "메시야 안에" 있는 자들에게 이러한 정죄함이 없는 이유는 부활을 불변의 준거(準據)로 사용하는 2-11절에서 주어진다: 하나님은 자신의 모든 백성의 대표자인 메시야의 육체에 죄를 정하고 생명을 주는 성령을 통해서 현재적으로는 새로운 지향성과 사고 방식이라는 견지에서(8:5-8), 궁극적인 미래에 있어서는 몸의 부활이라는 견지에서 토라가 할 수 없었던 것을 행하였다. 다음에 나오는 대목은 메시야의 백성의 장래의 부활에 관하여 그가 이해하고 있는 것에 대한 바울의 가장 분명한 진술이다:

> [9]만일 너희 속에 하나님의 영이 거하시면 너희가 육신에 있지 아니하고 영에 있나니 누구든지 그리스도의 영이 없으면 그리스도의 사람이 아니라 [10]또 그리스도께서 너희 안에 계시면 몸은 죄로 말미암아 죽은 것이나 영은 의로 말미암아 살아 있는 것이니라 [11]예수를 죽은 자 가운데서 살리신 이의 영이 너희 안에 거하시면 그리스도 예수를 죽은 자 가운데서 살리신 이가 너희 안에 거하시는 그의 영으로 말미암아 너희 죽을 몸도 살리시리라.

바울이 이 본문을 통해서 의미하고 있는 것은 다음과 같은 것들이라는 데에는 아무런 의심이 없다: (a) 현재의 몸, 그 선천적인 유한성과 부패성으로 인하여 결국 죽게 될 몸이 바로 장래에 일으키심을 받게 될 그 몸이다; (b) 이것은 예수 자신에게 일어났던 일과 정확한 병행 속에 있다; (c) 이 둘 사이에는 인과론적인 연결 관계가 존재한다. 이러한 것들은 우리의 현재의 목적을 위하여 도출될 수 있는 가장 중요한 결론들이다.[101] 그러나 우리가 마찬가지로 주목해 보아야 할 두 가지 다른 것들이 더 존재한다.

첫째, 예수와 신자들의 부활을 이루시는 분은, 바울이 늘 역설하고 있듯이, 살

---

101) 바울이 몸의 부활을 믿지 않았다는 현재의 표준적인 단언들은 통상적으로 로마서 8장을 무시한다(예를 들면, Avis 1993a에는 그것이 거의 언급되지 않고 있고, Rowland, 1993, 83은 예외이다). Perkins 1984, 270은 8:11에 나오는 "살리다"는 윤리의 토대가 되는 현재적인 살아있음과 관련되어 있다는 이상한 주장을 한다. 이 표현은 고린도전서 6장에서와 마찬가지로 분명히 그 정반대로 작용한다: 몸이 장래에 다시 일으키심을 받을 것이기 때문에, 몸이 현재에 있어서 어떻게 행동하느냐가 중요하다.

아계신 하나님 자신이다; 그러나 하나님이 부활을 이룰 때에 사용하는 수단은 성령이다. 바울의 사상 전체에 걸쳐서와 마찬가지로 여기에서 성령은 장래의 유업, 저 새로운 세상에 적합하게 될 몸에 대한 현재적인 보증이다; 이러한 흐름은 우리가 이제까지 살펴보았던 바울 서신 전체에 걸쳐서 관통하고 있었고, 고린도 서신 속에서도 여전히 중요하다.

둘째, 하지만 성령의 "내주"라는 언어는 제2성전 시대 유대교 사상 내에서 성전에 '쉐키나'의 "내주," 이스라엘 가운데에 야훼의 "장막 속에서의" 임재와 맥을 같이 한다. 그러므로 성령이 하나님이 몸을 부활시킬 때에 사용하는 수단이라는 주장은 에베소서 2:11-21, 더 구체적으로는 고린도전서 3:16-17과 6:19-20에 나오는 바울의 "새 성전" 신학과 맥을 같이 한다. 바울이 메시야와 그에 속한 모든 자들의 부활에 관하여 말할 때에 자신의 유대적 세계 내에서 설정하고 있는 주요한 공명들은 성전의 재건(물론, 이것은 이스라엘이 여전히 바벨론에서 포로생활을 하고 있는 동안에는 이루어질 수 없다)과 새로운 방식으로의 율법의 성취였다.

다시 한 번 말하지만, 이 과정에서 "메시야 안에" 있는 자들, 즉 그의 부활과 그들 자신의 부활 사이의 과도기에 사는 자들은 부활이라는 터 위에 서 있다. 바울이 빌립보 교인들과 골로새 교인들에게 비슷한 명령들을 주고 있는 것과 마찬가지로, 그들은 육체가 아니라 "성령에 착념하여야" 한다.[102)] 그 결과로서 그들은 미래에 있어서만이 아니라 현재에 있어서도 "생명과 평안"을 누리게 될 것이다. 이것은 바울이 그의 인간론적 구별들을 가장 첨예하게 행하여서 그의 핵심적인 전문용어들 중 일부를 다른 어느 대목에서보다도 더 강력하게 밀어부치고 있는 지점이다: "너희는 육신 안에 있지 않고 성령 안에 있다." 바울은 앞서 자기가 "육체 안에" 있지만 그것에 의해서 결정되지 않는다고 말한 적이 있었다;[103)] 이제 세례를 통해서 일어난 근본적인 단절을 역설하기 위하여(6:2-23), 바울은 그리스도인은 더 이상 "아담 안에," 즉 "육신 안에" 있지 않다는 것을 역설한다. 바울이 8:12-14에서 "육신을 따라" 사는 것에 대하여 경고하고 있는 것에서 알 수 있듯이, 그리스도인들은 여전히 "육신"을 분명히 소

102) 빌 4:8f.; 골 3:2.
103) 갈 2:20; cf. 고후 10:3.

유하고 있다. 그러나 바울은 점차 자신의 논증의 초점을 "몸," 현재에 있어서는 썩어서 없어질 몸 — 그 몸의 "행위들"은 8:13에서의 "육신"과 맥을 같이 한다 —, 그렇지만 살아계신 하나님의 성령에 의해서 새 생명, 부활의 삶이 주어지게 될 몸에 맞춘다.

8장의 나머지 부분에서 주된 논증은 12절에서 30절까지 이어지는데, 끝부분에서는 바울이 5:1-11에서 시작했던 지점으로 되돌아간다: 믿음으로 의롭다 하심을 받은 자들은 "영광"이 보장되고, 실제로 한 분 참 하나님의 영광에 참여하거나(5:2), 여기에서 바울의 표현처럼, 메시야와 함께 영광을 받게 된다(8:17). 이 마지막 절은 이 논증을 구성하는 19개의 절의 중심축을 이루고 있는데, 12-16절은 그것으로 귀결되고, 18-27절은 그것을 설명하며, 28-30절은 논증을 요약하면서 결론을 도출해 낸다.

빌립보서와 그 밖의 다른 곳에서와 마찬가지로 여기에서도 의롭다 하심을 받은 자들의 최종적인 부활의 상태는 "영광"으로 묘사된다. 영광이라는 말을 통해서 바울은 빛이 나는 것(별 같이 빛난다는 것 속에는 특별히 경건한 그 무엇이 존재하지 않는다)을 의미하는 것이 아니라, 메시야의 백성이 메시야 자신의 영광 — 그의 "영광"은 그가 세상의 참된 주라는 것이다 — 에 참여하여 누리게 될 위엄, 가치, 존귀, 신분을 의미하는 것으로 보인다. 바울이 5:17에서 말했듯이, 그의 소유인 자들은 그의 왕적인 통치에 참여하게 될 것이다. 이것은 마가복음 10:37에서 야고보와 요한이 예수에게 한 요청의 의미와 부합한다: 그들은 그의 "영광" 중에 예수의 우편과 좌편에 앉기를 요청한다. 그들은 그들 또는 그가 횃불처럼 빛을 발하는 모습을 생각하지 않았다: 그리고 실제로 이 말씀에 대한 마태복음의 판본(20:21)은 "당신의 나라에서"로 되어 있다. 그것이 바로 여기에서의 요지이다: 기독교에 있어서 구름 기둥과 불 기둥에 해당하는 것, 달리 말하면, 성령에 의해서 인도함을 받아서 현재의 광야를 인내로써 통과하는 자들은 마침내 "유업"을 받게 될 것이다. 다시 말하면, 로마서 8:12-17은 출애굽 이야기에 대한 바울의 다시 말하기의 일부, 홍해를 건너서 시내산에 도달한 다음 부분에 해당하는 대목이다. 바울이 빌립보서 3:10-11에서 역설하였듯이, 메시야의 백성은 영광을 받기 위하여 그와 함께 고난도 받아야 한다. 이러한 병행은 "영광"이 적어도 부분적으로는 "부활"의 동의어라는 것을 아주 잘 보여준다.

그러나 오직 부분적으로만 그렇다. 빌립보서 3:20-21에서처럼, 여기에서의 "영광"은 부활한 몸의 한 특징이라는 것은 사실이다; 그러나 그 본문에서처럼 여기에서도 영광은 부활한 몸의 기능이기도 하다. 부활한 몸은 더 이상 썩어짐과 죽음에 종속되지 않을 것이라는 점에서 "영광스러운" 몸이 될 것이다. 그러나 부활한 자들은 새 창조 내에서의 새로운 책임들이라는 의미에서 "영광"을 누리게 될 것이다. 이것은 우리로 하여금 우리가 갈라디아서 3장과 4장, 에베소서 1장, 그리고 지금은 18-25절의 주된 주제를 형성하고 있는 주제인 "유업"으로 눈을 돌리게 만든다. 내세, 약속된 새 시대에 관한 바울의 더 큰 그림에 속한 이 부분은 "그리스도 안에" 있는 자들이 부활의 때에 어떤 종류의 몸을 입게 될 것인지에 초점을 맞추고 있는 것이 아니라, 그들이 통치권을 행사하게 될 영역에 초점을 맞추고 있다.

18-24절은 여기서 말하는 영역이 새로워진 우주 전체라고 역설한다 — 실제로, 그 우주는 이렇게 죽은 자로부터 일으키심을 받아서 "영광," 즉 메시야의 왕적인 통치에 참여하게 될 자들의 행위를 통하여 새로워질 것이다.[104] 바울은 21절에서 그의 번역자들 중 일부보다 더 정밀하게 말한다: 피조물 자체가 그 썩어짐에 대한 속박으로부터 자유케 되어서 "하나님의 자녀의 영광의 자유에 이르게" 될 것이라고 바울은 말한다. 바울의 말은 피조물이 영광에 참여하게 될 것이라는 것을 의미하지 않는다고 나는 생각한다; 그것은 그가 말하고자 한 요지가 아니다. 피조물은 하나님의 자녀들이 영화롭게 될 때에 찾아오는 자유를 누리게 될 것이다 — 달리 말하면, 메시야 예수의 주권 아래에서 성령에 의해서 새로운 부활 생명이 주어진 모든 자들의 왕적인 통치로부터 결과적으로 주어지게 될 자유. 오랜 세월 동안 많은 석의(釋義)가 로마서 8장의 이 부분을 주변적으로 취급함으로써 기독교적인 상상력으로부터 장래에 관한 이 엄청난 묘사를 빼앗아 왔다; 이것을 올바른 자리로 회복시킴으로써 — 즉, 바울의 구성 속에서 그의 가장 중요한 서신의 핵심적인 단원의 절정으로! — 우리는 부활에 관한 그의 비전이 의미를 지닐 수 있도록 만들어 줄 수 있는 더

104) 이 본문은 우리가 후기의 서신들로 옮겨가면서 묵시론적 이미지들과 표현들로의 환원이 있는 것으로 보인다는 Longenecker 1998, 201의 주장에 의문을 제기한다.

큰 그림을 이해할 수 있게 된다. 그것은 선하게 창조되었지만 썩어질 수밖에 없는 피조물의 썩어짐과 허무함을 일종의 노예 상태로 보고, 따라서 피조물도 출애굽, 해방을 경험하여야 한다고 보는 그러한 그림이다. 그리고 성령이 내주하는 하나님의 백성은 이 동일한 피조물의 일부인 그들 자신의 죽을 몸들 속에 있는 그들 자신도 하나님의 새로운 세상의 탄생을 기다리면서 수고하며 신음하고 있다는 것을 발견한다. 여기에서 "첫 열매" 은유, 즉 장차 거두게 될 더 많은 곡물의 표지로서 제시된 추수의 첫 단이라는 관점에서 보아지고 있는 성령은 그 장래가 무엇을 담고 있는지를 보여주는 선물이다.[105] 따라서 성령은 현재에 있어서 종말론적인 성취의 개시를 제공해 준다; 바울은 여기서 이것을 기도라는 관점에서 보면서(8:26-27), 교회는 말할 수 없는 탄식 속에서 하나님의 백성이 세상을 통치하게 될 장래의 영광에 미리 앞서서 참여하고 있다고 말한다.

바울은 논증 전체를 8:28-30에서 요약한다. 여기에서도 다시 한 번 빌립보서 3:20-21과 골로새서 3:10에서처럼 하나님의 참 형상으로서의 예수의 신분과 그 형상으로 새롭게 된 예수의 백성의 신분(따라서 창조 질서를 제대로 세우는 창조주의 지혜로운 대리자들로서의 그들의 올바른 지위를 회복한)이 전면에 부각된다. 이것은 대단히 중요한 것이었기 때문에, 바울은 절정의 내용을 말하는 일련의 동사들을 중도에서 잠시 멈추고 적절한 순간에 그것을 말할 정도였다. 여기서 그가 "예정"이라고 말할 때에 그는 자의적인 칙령을 가리키는 것이 아니다; 그는 창조주가 자신의 형상을 지닌 인간을 자신의 창조 질서, 공의, 갱신, 특히 무엇보다도 썩어짐의 종 노릇으로부터의 해방을 가져오는 대리자들로 세운 것을 의미한다. 그리고 바울의 논증은 그 주된 주제인 인간 존재들에게로 다시 돌아와서, 5:1-2에서 그가 38개의 단어로 말하였던 내용을 6개의 단어로 반복한다: "의롭다 하신 그들을 또한 영화롭게 하셨느니라"('후스 데 에디카이오센 투투스 카이 에독사센'). 칭의는 예수의 죽음과 부활로부터 흘러 나온다; 이미 의롭다 하심을 받은 자들은 에베소서에서 말한 예변법적인 의미에서 그의 영광에 참여하고, 빌립보서 3:20-21에서처럼 그들의 현재

105) "첫 열매" 은유에 대해서는 로마서 11:16; 16:5(Wright, *Romans,* 683f., 762에 나오는 이 본문들에 대한 주석); 고전 15:20, 23; 16:15; 살후 2:13을 참조하라.

의 몸이 변화되어서 예수 자신의 몸과 같이 될 때에 온전히 그의 영광에 참여하게 될 것이다. 은유적 현재는 문자 그대로의 미래와 닿아 있다.

그런 후에, 예수의 죽음과 부활로부터 그의 백성의 죽음과 부활로 이어지는 사고의 흐름은 로마서 8장의 마지막 단락에서 송축된다(31-39절). 수사 의문문들은 그 어느 것이 지금 메시야의 백성과 최종적인 구원 사이에 끼어들어서 방해할 수 있느냐고 반문하고, 각각의 의문문마다 바울은 하나님이 메시야 안에서 이미 행하신 일이라는 관점에서 답변한다. 이 단락의 중심인 34절은 예수의 부활이 기독교적 소망의 모퉁잇돌이라는 것을 강조한다:

> 누가 정죄하리요 죽으실 뿐 아니라 다시 살아나신 이는 그리스도 예수시니 그는 하나님 우편에 계신 자요 우리를 위하여 간구하시는 자시니라![106]

하나님의 백성의 현재적 고난, 핍박, 순교는 하나님이 메시야를 통하여 부어주신 사랑에 비추어 보면 아무것도 아니다. 바울은 다음과 같이 확신한다(8:38-39):

> 사망이나 생명이나 천사들이나 권세자들이나 현재 일이나 장래 일이나 능력이나 높음이나 깊음이나 다른 어떤 피조물이라도 우리를 우리 주 그리스도 예수 안에 있는 하나님의 사랑에서 끊을 수 없으리라.

바울이 이것을 확신하는 가장 근본적인 이유는 잠재적인 원수들에 관한 이 목록의 첫 머리에 나오는 사망 자체가 이미 패배당하였다는 것이다. 죽음은 재정의되지도 않고, 다른 견지에서 이해되는 것도 아니고, 패배당한 것이다. 이것은 로마서 전체에서 가장 핵심적인 점들 중의 하나로서, 창조주이자 계약의 하나님의 사랑과 능력에 대한 바울의 믿음을 떠받치고 있다.[107]

---

106) 이 단락 전체에 걸친 난해한 문제인 문장 구분에 대해서는 Wright, *Romans,* 612f.를 보라.

107) 대부분의 번역문들은 마지막 행에 나오는 '뒤네세타이'를 단순히 "할 수 있을 것이다"로 번역하지만, 그 단어의 취지 중 일부는 예수의 부활 및 그것을 선포하

(iv) 로마서 9-11장

이 서신에서 지금까지 메시야 예수 및 그의 죽음과 부활에 반복적인 강조점이 두어진 후에, 9-11장은 상당히 대조적인 것으로 느껴지지만, 바울의 분명한 수사학적인 의도를 간과하고 이 점을 지나치게 강조하는 것은 옳지 않은데, 바울은 8장의 고양된 결론 바로 직후에 잇따라서 개인적인 슬픔의 충격파를 독자들에게 제시하고 있는 것이다. 사실 9-11장은 이 서신의 나머지 부분과 밀접하고 세심하게 통합되어 있다. 이 단원을 다른 주제를 다루고 있는 별개의 글로 치부해 버리고자 한 과거의 시도들, 예수와는 아무런 상관이 없이 이스라엘의 "구원"을 위한 길을 분명하게 남겨두고 있는 이 논증 속에서는 예수 그리스도가 아무런 역할도 하지 않는다고 주장한 더 최근의 시도들은 석의적 또는 신학적 토대가 없는 것들이다.[108]

사실 이 논증 전체 — 바울이 자기가 제시하고자 하는 요지와 관련된 여러 특징들을 부각시키면서 아브라함으로부터 바울 당시의 때까지 이스라엘의 이야기를 길게 다시 말하고 있는 것 — 는 메시야로서의 예수의 부활을 믿음의 초점이요 하나님과 이스라엘의 기나긴 계약 역사의 절정이자 중심이라고 말하는 10장의 중반부에서 본격화된다. 바울은 10:4에서 "그리스도는 모든 믿는 자에게 의를 이루기 위하여 율법의 마침이 되시니라"고 선언한다: 메시야는 율법의 목표, 이 이야기 전체가 그것을 향하여 달려온 바로 그 지점, 약속들에 대한 하나님의 신실하심이 최종적으로 드러나고 있는 지점이다. 이스라엘은 하나님이 그들을 구원해 줄 때를 고대하면서 모세와 선지자들이 경고하였던 "포로생활" 속에서 신음해 왔다. 후대의 성경 기자들과 성경 이후의 적어도 두 개의 중요한 자료들에 의해서 인용된 경고와 약속 둘 다를 담고 있는 중심적인 본문들 중의 하나는 신명기 27-30장이었다. 이 본문은 처음에 계약에 대한 순종으로부터 따라오게 될 축복들을 자세하게 열거하고, 그 다음으로 계약에 대한 불순종으로부터 결과하게 될 저주들 — 최종적이고 가장 끔찍한 저주는

는 복음 속에서 특히 드러나는 하나님의 '뒤나미스'(1:4, 16, 20; 4:16)와 세상의 온갖 '뒤나메이스' 간의 대비이다.

108) 이 문제들에 대해서는 Wright, *Romans,* 620-26을 보라. 전자의 잘못을 보여주는 가장 좋은 예는 C. H. Dodd(Dodd 1959 [1932], 161-3)이고, 후자의 예는 Krister Stendahl(Stendahl 1976 ch. 1; Stendahl 1995)이다.

포로생활이 될 것이다 — 을 열거한 후에, 30장에서는 이스라엘이 온 마음과 목숨을 다하여 야훼에게 돌아오면 야훼가 그들을 다시 모아서 마음으로부터 야훼를 사랑할 수 있게 해 줄 것이라는 약속을 서술한다. 이때에 지금까지는 이스라엘이 지키기 어렵거나 불가능한 것으로 입증되었던 율법 자체가 그들에게 가까이 다가서게 될 것이다; 율법은 "그들의 입술과 그들의 마음속에" 있어서 그들이 율법을 지킬 수 있을 것이기 때문에, 그들은 율법을 찾아서 하늘로 올라가거나 깊은 바다를 건너갈 필요가 없게 될 것이다.

이 본문에 대한 바울의 읽기를 제2성전 시대의 그 밖의 다른 읽기들과 나란히 놓고 비교해 보면, 로마서 10:4-13의 의미가 분명해진다; 예수의 부활은 이 모든 것의 한복판에 자리잡고 있다.[109] 바룩서는 신명기 30장을 하나님의 지혜라는 관점에서 해석하였다; 바로 지혜야말로 이스라엘이 포로생활로부터 모면하고자 한다면 그들에게 꼭 필요한 것이었다. 4QMMT로 알려져 있는 쿰란 문헌은 이 장을 이 분파가 성전(聖殿)에서 시행되는 것을 보고자 열망했던 율법의 특정한 준칙들이라는 관점에서 해석하였다. 두 경우 모두에 있어서 신명기 30장에서 약속된 계약의 갱신은 일어나기 직전에 있거나 이미 일어나기 시작한 것으로 전제되었다. 바울은 여기에 동의하지만, 판이하게 다른 이유에서 동의한다; 그는 이 계약이 메시야 안에서 및 메시야를 통해서 갱신되었다고 본다. 그 밖의 다른 많은 본문들에서와 마찬가지로, 바울은 제2성전 시대의 다른 유대인들이 지혜 또는 토라에 관하여 말하였던 것들을 메시야에게 귀속시키는데, 여기에서도 그는 신명기 30:11-14을 다음과 같은 것을 말하기 위하여 계약 갱신에 관한 이 장의 초점으로 다시 읽는다: 이 본문은 부활하신 메시야이자 주님인 예수의 복음을 사람들이 믿을 때마다 실현되고 있다! 이 본문은 잘 알려져 있다시피 많이 압축되어 있긴 하지만, 이러한 빛 아래에서 접근한다면, 제자리를 잡아서 제대로 해석될 수 있다:

> [4]그리스도는 모든 믿는 자에게 의를 이루기 위하여 율법의 마침이 되시니라 [5]모세가 기록하되 율법으로 말미암는 의를 행하는 사람은 그 의로

109) 자세한 것은 Wright, *Romans,* 655-66. Vos 2002, 303-10는 이것을 바울의 부활 복음의 "어두운 면"의 일부로 본다.

살리라[레 18:5] 하였거니와 [6]믿음으로 말미암는 의는 이같이 말하되[신
30:12-14] 네 마음에 누가 하늘에 올라가겠느냐 하지 말라 하니 올라가
겠느냐 함은 그리스도를 모셔 내리려는 것이요 [7]혹은 누가 무저갱에 내려
가겠느냐 하지 말라 하니 내려가겠느냐 함은 그리스도를 죽은 자 가운데
서 모셔 올리려는 것이라 [8]그러면 무엇을 말하느냐 말씀이 네게 가까워
네 입에 있으며 네 마음에 있다 하였으니 곧 우리가 전파하는 믿음의 말
씀이라 [9]네가 만일 네 입으로 예수를 주로 시인하며 또 하나님께서 그를
죽은 자 가운데서 살리신 것을 네 마음에 믿으면 구원을 받으리라 [10]사람
이 마음으로 믿어 의에 이르고 입으로 시인하여 구원에 이르느니라.

기독교 신앙의 기본적인 신앙 고백("예수는 주시다"), 그리고 그것이 토대로 하고 있는 근본적인 믿음(창조주 하나님이 예수를 죽은 자로부터 일으키셨다는 것)은 그러한 것들이 등장할 때에 계약 갱신이 일어났고, 이러한 신앙을 나타내 보이는 자들은 계약의 참된 지체들이자 수혜자들이라는 것을 보여주는 표지들이다 — 심지어 그들이 이방인으로 태어나서 결코 인종적으로 이스라엘의 가족의 일부가 된 적이 없다고 할지라도. 바울은 여기서 이 서신 및 그의 더 폭넓은 사상 속에 존재하는 몇 가지 실들을 함께 엮어서(로마서 내에서는 2:25-29로부터 3:27-30과 8:4-8을 거쳐서 현재의 본문에까지 이르는 흐름), 메시야 안에서 일어난 계약의 갱신을 자기 자신이 참여하고 있는 이방 선교를 위한 토대로 제시한다(10:12-18).

바울에게 있어서는 분명히 예수의 부활은 계약을 갱신하는 계기였다: 이스라엘의 하나님의 결정적인 행위로서의 그 사건에 대한 믿음은 4:18-22에서의 아브라함의 경우에서와 마찬가지로 이 갱신된 계약에 속하는 자들의 특징이다. 우리의 현재의 연구를 위하여 중요한 점은 이것이다: 계약 갱신의 사건으로서의 부활과 그 갱신된 계약에 속한다는 표지로서의 그 사건에 대한 믿음과 관련하여 바울이 주장한 것이 지닐 수 있는 유일한 의미는 그가 죽은 자로부터의 예수의 몸의 부활을 언급하고 있다는 것이다. 이것은 이교 사상 및 유대교에서의 "죽은 자로부터의 부활"을 의미했다. 그 밖의 다른 의미(예를 들면, 그의 신분이 얼마나 승귀되었는가와는 상관 없이, 예수가 지금 몸을 입지 않은 영으로서 "하늘에" 있다는 것)는 이 단락의 논리와 잘 부합하지 않는다. 유대

인들의 신앙에 의하면, 그 밖의 다른 많은 족장들, 영웅들, 의로운 남녀들이 이미 그들의 죽음 후에 존귀의 장소에서 안식하고 있다; 예수가 단순히 그들에게 합류한 것이라면, 바울이 여기에서 예수의 부활의 의미에 관하여 말하고 있는 것을 이해하기는 불가능하다.

로마서 9-11장에는 부활과 관련된 용어가 다른 곳에서도 한 번 나오는데, 그것은 유대교에서 통용되고 있던 은유적 용법들을 변형해서 반영하고 있다. 11:1-10에서 바울은 현재에 있어서 자신처럼 예수를 부활한 메시야이자 주로 믿은 "남은 자"가 인종적인 유대인 가운데 있고, 그 밖의 다른 믿지 않는 유대인들은 "완악해졌다"고 설명한다. 그렇다면, 이것이 이 문제의 끝이냐고 바울은 11:11에서 반문한다. 더 많은 유대인들이 구원받을 수는 없는 것인가? 그의 대답은 말할 것도 없이 그렇다는 것이다; 바울은 이것을 설명하기 위하여 5장에서 아담에 관하여서 및 메시야에 관하여 그가 말했던 것을 반영하는 언어로 인종적인 이스라엘의 "범죄"와 "감소"를 묘사한다: "그들의 넘어짐이 세상의 풍성함이 되며 그들의 실패가 이방인의 풍성함이 되거든 하물며 그들의 충만함이리요"(11:12).[110]

그런 후에, 바울은 그의 이방인 독자들을 정면으로 바라본다. 나는 너희 이방인들에게 사도라고 바울은 말한다(11:13); 그리고 나는 나에게 맡겨진 이 일을 해내려고 안달을 하고 있는데, 이것은 유대인이 아닌 백성이 유대인의 특권들에 참여하게 되는 것을 보고 이스라엘로 하여금 시기나게 하고자 한다는 신명기의 말씀을 따라서 내 동포 유대인들로 하여금 시기나게 하여 그들 중의 일부를 구원받게 하는 것이 나의 목적이기 때문이라고 바울은 말한다(11:13-14). 사실 "나의 동포 유대인들"을 가리키기 위하여 바울이 사용하는 단어는 직역하면 "나의 육체," 9:3에 나오는 표현을 빌리면 "육체를 따라 나의 친족들"이다; 그러나 "육체"를 시기나게 하여 그것을 구원한다는 관념은 바울의 마음에 그가 하나님이 "육체"에 대하여 행하신 것, 육체에 규정되어서 "육체 안에" 있지 않고 성령 안에 있어서 부활 생명을 수여받는 것이 중요하다는 것에 관하여 그가 이미 로마서 5-8장에서 말했던 것 전체를 생각나게 한다. 이것은 그로 하여금 적어도 에스겔 37장에까지 소급될 수 있는 은유적 언어를

110) 앞서의 본문들과의 병행들에 대해서는 Wright, *Romans,* 681을 보라.

사용하여 인종적인 유대인들이 갱신된 계약에 참여하여 회복되는 것에 관하여 말할 수 있게 하였다:

> 그들을 버리는 것이 세상의 화목이 되거든 그 받아들이는 것이 죽은 자 가운데서 살아나는 것이 아니면 무엇이리요.[111]

많은 학자들은 유대인들이 회복되어 지체가 되는 것은 생명으로 부활하게 될 마지막 날에 일거에 이루어질 것이라고 주장하면서, 여기서 '조에 에크 네크론'은 문자 그대로의 부활을 의미한다고 주장해 왔다. 하지만 나는 바울이 여기서 이 어구를 은유적인 것으로 의미하였으며, 그가 여기서 및 이 본문 전체에 걸쳐서 염두에 두고 있는 것은 인종적인 유대인들이 복음에 대한 그들의 불신앙들을 버리고(11:22) 재정의된 "온 이스라엘"에 지체로서 참여하게 되는 것이었다고 확신한다.[112] 그러나 우리가 이 문제에 대하여 현재에 있어서 관심을 갖는 유일한 이유는 이 문제에 대한 대답을 통해서 우리가 11:15이 정확히 무엇을 의미하는지를 결정할 수 있기 때문이다; 바울은 여기서 모든 초기 기독교의 글들 속에서 유일하게 부활이라는 언어를 에스겔이 했던 것과 흡사하게 이스라엘이 계약의 온전한 지체로 회복되는 것에 관하여 말할 때에 사용하고 있는 것일 가능성이 대단히 높은 것으로 보인다. 물론, 그 의미는 바울의 기본적인 기독교적 패러다임을 중심으로 수정된다; 에스겔서에서와는 달리, 지리적인 "귀환"에 관한 암시는 전혀 없다. 그러나 이 본문은 메시야의 부활이 "육체를 따른" 메시야의 백성에 대한 바울의 이해에 있어서 핵심에 있었고, 그가 부활의 빛 아래에서 옛적의 이미지를 새로운 목적으로 다시 사용할 수 있었다는 것을 보여준다.

(v) 로마서 12-16장

로마서의 마지막 단원은 많은 주석자들이 생각해 왔던 것보다 더 중요하고, 부활에 대한 몇몇 추가적인 중요한 언급들을 담고 있다. 여기서의 논증 전체를

111) 로마서 11:15.

112) 로마서 11:26; Wright, *Romans*, 688-93을 보라.

위한 틀은 현세와 장차 도래할 내세 간의 중복이라는 종말론적인 관점을 제시하고 있는 12:1-2에 의해서 설정된다. 다른 곳에서와 마찬가지로 여기서도 그리스도인들은 이미 돌입해 온 내세에 따라서 삶을 살도록 강권되고, 그들은 마음을 새롭게 하는 것을 통해서 그렇게 살 수 있다:

> 12:1그러므로 형제들아 내가 하나님의 모든 자비하심으로 너희를 권하노
> 니 너희 몸을 하나님이 기뻐하시는 거룩한 산 제물로 드리라 이는 너희
> 가 드릴 영적 예배니라 2너희는 이 세대를 본받지 말고 오직 마음을 새롭
> 게 함으로 변화를 받아 하나님의 선하시고 기뻐하시고 온전하신 뜻이 무
> 엇인지 분별하도록 하라.

이 본문을 갈라디아서 1:4, 빌립보서 3:20-21, 골로새서 3:1-11, 로마서의 이전 부분들의 빛 아래에서 읽으면, 우리의 현재의 연구와 관련된 네 가지 점이 드러난다. 첫째, 우리는 현세(이것을 갈라디아서는 "악하다"고 묘사한다)와 지금 돌입해 오고 있는 새로운 내세의 대비를 주목한다; 바울은 새로운 세상을 구체적으로 "내세"라고 지칭하지는 않지만, 여기에서 및 11:11-14에서 그의 언어는 그가 이러한 두 단계의 도식을 가지고 서술하고 있고, "내세"가 이미 예수의 부활로 시작되었다는 것을 믿고 있다는 것을 보여준다.

둘째, 그러므로 우리는 그가 그리스도인들의 순종에 대하여 말할 때에 "육체"(또는 "육신")가 아니라 "몸"이라는 말을 사용한다는 것에 대하여 놀라지 않아야 한다. 흔히 지적되어 왔듯이, "몸"('소마')은 바울의 인간론에서 분기점 역할을 한다. 몸은 여전히 썩어 없어질 것이기 때문에 결국 죽게 될 것이다(8:10); 또한 몸은 여전히 죄를 범할 수 있다 — 물론, 이제 범죄함이 어쩔 수 없는 일이거나 바람직한 일은 아니지만(6:12-14; 8:12-14); 그러나 몸은 일으키심을 받게 될 것이기 때문에, 바로 이 점이 몸을 현재의 그리스도인들의 예배와 섬김의 중심 지점으로서 합당하게 만든다. 물론, 바울의 인간론적 용어들의 대부분의 경우와 마찬가지로, "몸"은 내용상으로 총체적이라는 것을 여기에서 말해 두는 것이 좋을 것이다. "육체"는 썩어 없어지고 죽음을 향하여 가는 것으로서 "반역하는"과 "죄악된"이라는 추가적인 뉘앙스를 빈번하게 띠는 것으로서 보아진 인간 존재 전체를 가리키는 반면에, "몸"은 영어의 person과

흡사하게 창조의 선한 세계 내에서 시간과 공간 속에서 현존하면서 기쁜 마음으로 순종하며 살아가도록 부르심을 받은 존재로서 보아진 인간 존재 전체를 가리킨다.[113] 12:5도 이와 같은 빛 아래에서 볼 수 있을 가능성이 있다; 바울은 인종적인 유대인들을 9:5에서 "육체를 따라 메시야의 백성"으로 규정하였고, 여기에서는 앞으로 나올 내용을 위한 강령적인 진술로서 다수의 그리스도인들이 "메시야 안에서 한 몸"을 형성하고 있다고 말한다. 이것은 교회가 남김없이 "메시야의 부활의 몸"이라는 것을 의미하지 않는다 — 이러한 주장은 종종 예수의 몸의 부활에 대한 부정(否定)을 고교회론과 결합시키고자 하는 자들에 의해서 제기되곤 한다.[114] 도리어, 유대인과 이방인으로 구성된 교회는 이스라엘의 인종적 유대에 대한 부활 판본, 새 계약 판본이다. 그리고 그러한 것을 가리키기 위한 적절한 언어는 "육체"가 아니라 "몸"이다.

셋째, 바울이 2절에서 "본받아"('쉬스케마티제스데')와 "변화를 받아"('메타모르푸스데')에 관하여 말할 때, 그는 예수가 현재의 몸을 그의 영광의 몸과 같이 "변화시킬"('메타스케마티세이') 것이라고 약속하고 있는 빌립보서 3:21에서 발견되는 것과 비슷한 언어를 사용한다. 하지만 거기에서 바울은 장래의 부활 사건을 가리키고 있었고(또는 더 정확하게 말해서, 그때에 여전히 살아있는 자들의 변모), 여기에서는 현재에 있어서 일어나야 할 것에 관하여 말한다. 이것도 우리가 로마서 6장에서 보았던 것과 비슷한 개시된 종말론의 한 단편인 것으로 보인다; 그리고 그것은 구체적으로 마음에 적용되고 있다. 마음은 인류가 잘못되어 왔던 바로 그 지점이었다(1:18-25); 마음은 갱신이 시작되어야 할 지점이었다. 그러므로 몸과 마음은 둘이 합쳐져서 새 시대, 이제 예수로 인하여 시작된 시대에 맞춰서 살아야 한다.

넷째, 이러한 마음의 "변화"는 바울이 골로새서 3:10에서 말한 것과 아주 흡사하다: "새 사람"은 창조주의 형상을 따라서 지식에서 새로워지고 있다. 바울은 이미 하나님의 목적은 그의 아들의 형상을 본받게 될 새로워진 인류를 창조하는 것임을 말한 바 있다(8:29); 이제 우리는 그것이 실제로 의미하는 것을 보게 된다. 바울은 "부활"에 관한 일련의 언어들 중 일부를 이용하여 예

113) 예를 들면, cf. Gundry 1976.

114) 예를 들면, Robinson 1952.

수의 부활을 끌어오고 궁극적인 몸의 부활에 관한 약속을 끌어와서 새 시대 안에서 참된 인간으로 살아간다는 것이 무엇을 의미하는가에 관한 근본적인 진술로 만든다.

이 단원에 대한 이러한 종말론적인 서론은 13:11-14에 나오는 동일한 내용을 중심으로 전개되다가 거기로 되돌아가는 일련의 사고를 도입한다.[115] 이것은 우리가 이미 살펴본 것에 추가해 주는 것이 거의 없지만, 밤이 지나가고 있고 낮이 이미 동터오고 있다는 이미지를 사용하고 있는 데살로니가전서 5:1-11을 반영하고 있기 때문에 특히 흥미롭다. 바울은 그리스도인들이 낮에 속해 있기 때문에 밤 시간이 아니라 낮 시간에 하는 방식으로 행동해야 한다고 다시 한 번 말한다 — 여기에서도 우리는 적절한 "병기들"을 필요로 한다는 동일한 혼합된 은유를 발견한다(13:12). 로마서 6장과 마찬가지로, 이 본문이 근거로 삼고 있는 것은 그리스도인들은 이미 부활의 터 위에 서 있다는 믿음이다. 오직 이렇게 볼 때에만 "육체"를 따라서 행하지 말라는 명령(13:14)이 의미를 지니게 된다. 에베소서 4:24과 골로새서 3:10에서와 마찬가지로, 여기에서도 바울은 그의 독자들에게 새 사람, 즉 메시야 자신, 부활하신 주 예수를 "입으라"고 강권한다.

14:1 — 15:13의 긴 논증은 이 단원의 중심이자 로마서 전체의 신학적인 결론이다. 바울은 서로 다른 사회적 및 특별히 인종적인 배경을 지니고 있는 그리스도인들에게 함께 모이고, 특히 함께 예배드릴 수 있는 길들을 찾아보라고 강권하면서, 그들이 의견이 서로 맞지 않는 문제들에 대해서는 서로의 양심을 존중하라고 말한다. 이것은 단순히 실용적인 논증이 아니라, 14장이 설명하고 있듯이, 복음의 핵심적인 사건들에 토대를 둔 것이다:

> [7]우리 중에 누구든지 자기를 위하여 사는 자가 없고 자기를 위하여 죽는 자도 없도다 [8]우리가 살아도 주를 위하여 살고 죽어도 주를 위하여 죽나니 그러므로 사나 죽으나 우리가 주의 것이로다 [9]이를 위하여 그리스도께서 죽었다가 다시 살아나셨으니 곧 죽은 자와 산 자의 주가 되려 하심이라.

---

115) 로마서 12-13장의 구조에 대해서는 Wright, *Romans*, 700-03을 보라.

[10]네가 어찌하여 네 형제를 비판하느냐 어찌하여 네 형제를 업신여기느
냐 우리가 다 하나님의 [116]심판대 앞에 서리라 [11]기록되었으되 주께서 이
르시되 내가 살았노니 모든 무릎이 내게 꿇을 것이요 모든 혀가 하나님
께 자백하리라 하였느니라 [12]이러므로 우리 각 사람이 자기 일을 하나님
께 직고하리라.

대다수의 주석자들이 압축적인 신학으로부터 벗어나서 "실제" 또는 "윤리" 속으로 들어왔다고 생각하고 안도하자마자, 바울은 다른 서신들에 나오는 핵심적인 본문들, 특히 모든 무릎이 부복하고 모든 혀가 예수가 주시라고 고백하게 될 것이라고 선언하고 있는 빌립보서 2:10-11의 반영들로 가득 차 있는 이와 같은 기절초풍할 작은 단락을 쓴다. 예수의 주되심의 보편성이 여기에서 강조되고 있다; 사실, 이 단락에서 바울이 말하고자 하는 요지 중의 일부는 여기에서처럼 완전한 기독론적인 의미에서 및 하인 또는 노예와 관련하여 "주인"이라는 은유적인 의미에서 "주"('퀴리오스')라는 단어를 사용하는 것이었다(4절을 보라). 이 절은 "부활" 언어라는 견지에서 그 자체로 중요하다: "남의 하인을 비판하는 너는 누구냐 그가 서 있는 것이나 넘어지는 것이 자기 주인에게 있으매 그가 세움을 받으리니 이는 그를 세우시는 권능이 주께 있음이라." "세우다"('아나스타시스') 및 그 동일 어원의 단어인 "서다"라는 언어, 주인/주가 "그를 세우시는" 권세를 가지고 있다는 것에 대한 강조는 거의 틀림없이 적어도 곁가지로 부활에 대하여 언급하고 있는 것으로 보아져야 한다. 최후의 심판 때에 모든 사람은 자기 자신에 대하여 회계하여야 하고, 주님은 특정한 문화 코드를 고수해 온 사람들 — 아무리 존경받을 만하더라도 — 이 아니라 그의 신실한 종들로 살아온 사람들을 "세우실," 달리 말하면 죽은 자로부터 일으키실 것이다.

그러므로 이 본문은 예수 자신의 죽음과 부활에 관한 분명한 진술을 빌립보서 1:18-26, 특히 1:21에 나오는 것과 비슷한, 사나 죽으나 주께 속한 그리

---

116) 몇몇 사본들은 "메시야의"로 읽지만, 이것은 고린도후서 5:10, 즉 메시야가 세상을 심판할 것이라는 통상적인 유대인들의 기대에 동화된 것임이 거의 확실하다(cf. 롬 2:16; 행 17:31).

스도인의 지위에 관한 진술(8절)과 결합시키고 있다. 예수가 죽은 자와 산 자 모두의 주라는 사실(9절)은 최후의 심판을 위한 토대이다; 바울이 11절에서 이사야 49:18을 인용할 때, "주께서 가라사대 내가 살았노니"라는 서두의 말씀은 메시야의 부활이라는 주제를 거론하고 있는 것으로서, 그는 지금 죽은 자와 산 자의 주로서 모든 산 자와 죽은 자들을 심판으로 호출할 수 있는 지위에 있다는 것을 보여준다. 종말론적인 구도는 문화적으로 다양한 기독교 집단들 간의 에큐메니컬적인 프로젝트를 복음 자체의 토대 위에서 진척시키는 것을 가능하게 해 준다.

의미심장하게도, 이 서신 속에서 마지막 "부활" 본문은 바울이 그의 논증 전체의 실들을 함께 결합시키고 있는 대목에서 나온다. 바울은 다윗 가문의 메시야로서 예수가 부활로 말미암아 살아계신 하나님에 의해서 메시야로 인정되었다는 복음에 관한 진술로 시작하였다. 이제 바울은 유대인과 이방인이라는 전통적인 경계를 뛰어넘은 교회의 통일성에 관한 그의 긴 논증을 이사야 11:10로부터의 인용문으로 끝을 낸다. 요지를 분명하게 드러내기 위하여, 우리는 칠십인역 본문을 사용할 것이다:

> 이새의 한 뿌리가 있으리니,
> 일어나서 열방을 통치할 자; 그 안에서 열방이 소망을 가지리라.

이렇게 해서 이 절(15:12)은 1:3-5에서 시작된 거대한 원을 완성한다. 다윗 가문의 메시야는 부활을 통해서 참된 메시야, 만유의 주이자 재판장으로 인정되었다.[117] 바울의 선교는 그의 이름을 위하여 모든 민족 가운데에서 믿음의 순종을 불러일으키는 것이었다. 이제 바울은 통일을 위한 근거를 다시 한 번 복음 속에서 찾고, 단지 소망, 성령의 능력에 대한 소망 — 이것은 로마서의 독자들에게 오직 한 가지의 것, 즉 부활에 대한 소망만을 의미할 수 있다 — 을 가리키는 결론적인 축복(15:13)만을 첨가할 뿐이다. 바울에게 나사렛 예수의 부활은 복음의 핵심이다(물론, 십자가를 배제하는 것이 아니라, 특히 십자가에

117) 이 책을 끝마치고나서야, 나는 Torrance 1976, 30가 15:12에 대한 석의를 이런 식으로 했다는 것을 알게 되었다.

그 의미를 부여해 주는 사건으로서); 그것은 믿음의 대상, 칭의의 근거, 그리스도인들의 순종의 삶을 위한 토대, 통일성을 위한 동기, 특히 정사와 권세들에 대한 도전이다.[118] 부활은 "또 다른 왕"이 존재한다고 선언하고서, 유대 성경의 성취와 부활절에서 시작되어 밤이 마침내 가고 낮이 온전히 밝았을 때에 완성될 최종적인 새 세상의 기대 속에서 사람들에게 충성과 또 다른 방식의 삶을 촉구하는 사건이다.

다시 한 번 말해두지만, 바울이 이런 모든 방식으로 부활에 관하여 말할 때, 그가 염두에 두고 있는 것은 예수의 몸의 부활이라는 것은 의심의 여지가 없다. 바울이 이 관념을 여러 가지 은유적인 의미로 사용하고 있는 것은 그 문자적인 용법을 감소시키는 것이 아니라 오히려 부각시킨다. 그러한 용법들은 부활을 문자 그대로 하나님의 백성을 위하여 예비해 둔 새로운 몸의 삶을 가리킴과 동시에 민족의 회복과 죄사함에 대한 이미지로 사용하였던 유대적인 옛 묘사 내에서부터의 일관된 발전물들이다. 그러나 바울이 자신의 논증이 서 있는 근본적인 토대를 말하고자 할 때는 그는 언제나 문자 그대로의 몸의 부활로 되돌아온다.

8. 간주곡: 목회 서신들

목회 서신들 및 그 진정성에 관한 논쟁들은 앞으로도 계속될 것임에 틀림없고, 나는 여기에서 그러한 논쟁들에 뭔가를 첨가할 의향이 없다. 나는 단지 바울 서신 속에서의 부활이라는 이러한 논의 안에서 목회 서신들이 초기 기독교의 전반적인 그림에 기여하는 부분만을 지적하고자 할 뿐이다. (대부분의 학자들이 주장하는 것과 같이 목회 서신들이 바울 자신에 의해서 씌어진 것이 아니라고 할지라도, 그것들은 분명히 바울의 저작과 사상을 아주 잘 알고 있다고 생각한 사람 또는 사람들에 의해서 씌어진 것이기 때문에, 목회 서신들을 "바울"을 서술하는 항목으로부터 배제하는 것은 포함시키는 것만큼이나 자의적인 것이라고 말할 수 있을 것이다.) 우리가 하고자 하는 것은 바울의 신학, 그리고 그의 제자들이라고 추정되는 인물들의 신학의 윤곽을 독자적으로 규

118) 로마서 13:1-7과 이 주제의 통합에 대해서는 Wright, *Romans*, 715-23을 보라.

명해내는 것이 아니라 부활에 대한 초기 기독교의 전승들을 다루는 것이다. 사실, 부활에 대한 언급이 별로 되지 않았던 것 — 물론, 진정한 바울 서신들로 받아들여진 것들에 있어서도 그렇긴 했지만 — 은 저자 문제가 너무도 오랫동안 해결되지 않은 채로 남아 있었던 이유들 중의 하나이다.

목회 서신들은 그리스도인의 소망에 관하여 별로 많은 말을 하지 않는다. 소망과 관련된 가장 분명한 본문은 디모데후서 2장에서 나머지 사람들과는 다른 것을 가르치고 있는 것으로 보이는 두 사람에 관하여 경고하는 내용이다:

> [16]망령되고 헛된 말을 버리라 그들은 경건하지 아니함에 점점 나아가나니 [17]그들의 말은 악성 종양이 퍼져나감과 같은데 그 중에 후메내오와 빌레도가 있느니라 [18]진리에 관하여는 그들이 그릇되었도다 부활이 이미 지나갔다 함으로 어떤 사람들의 믿음을 무너뜨리느니라 [19]그러나 하나님의 견고한 터는 섰으니 인침이 있어 일렀으되 주께서 자기 백성을 아신다 하며 또 주의 이름을 부르는 자마다 불의에서 떠날지어다 하였느니라.

후메내오와 빌레도가 무엇을 가르치고 있었느냐에 관한 가장 최선의 설명은 그들이 나중에 가서 다른 분파들에서 유행하게 된 한 견해 — 이에 대해서는 우리가 나중에 살펴볼 것이다 — 즉 이제 "부활"은 죽음 이후의 장래의 몸과 관련된 소망이라는 관점에서가 아니라 순전히 및 단순히 현재적인 삶을 사는 동안에 누릴 수 있는 영적인 경험이라는 관점에서 해석되어야 한다는 견해를 주장하고 있었다는 것이다. 몇몇 사람들은 이러한 경험을 하였었다; 그들은 이미 이러한 새로운 은유적인 의미에서 "죽은 자로부터 부활하였다." 이 두 사람이 다른 사람들에게 이러한 경험을 갖도록 권장했는지, 또는 그들의 가르침의 요점이 사람이 이런 식으로 은혜를 받은 자들 중에 이미 있지 않다면 그들 중에는 이제 아무런 소망도 없다는 것이었는지는 분명치 않다. 어쨌든 이런 저런 식으로 그들은 사람들을 기독교의 주류적인 소망으로 여겨져 온 것으로부터 벗어나게 하고 있었던 것이다.

특별히 흥미로운 것은 기자가 두 개의 성경 인용문들이라는 형태로 19절에서 제시하고 있는 대답이다. 민수기 16:5("주께서 자기 백성을 아신다")은 고라, 특히 엘리압(르우벤의 손자)의 아들들인 다단과 아비람의 반역을 서술하는 장에서 온 것이다. 여기에 인용된 어구는 반역에 직면했을 때에 모세가 한 논평이다: 야훼는 모세와 아론이 스스로 지도자의 자리를 불법적으로 차지했는지, 아니면 그들이 하나님의 지명으로 인해서 그 자리들을 차지했는지를 보여줄 것이다. 다단과 아비람의 추가적인 구체적인 반역은 젖과 꿀이 흐르는 땅에 관한 약속이 실현될 것이라는 것을 부정한 것이다.[119] 이튿날에 대답이 온다: 고라, 다단, 아비람, 그리고 그들의 가족들이 이스라엘 백성의 나머지 사람들로부터 구별되고, 모세는 만약 그들이 계속해서 살다가 수명을 다한다면 야훼가 그를 보낸 것이 아니지만, 야훼가 새로운 일, 즉 땅이 입을 벌려서 그들을 삼키고 그들이 살아서 스올로 내려가는 즉각적인 죽음을 일으킨다면 그 반도(叛徒)들이 야훼를 멸시한 자들임이 분명할 것이라고 선언한다. 그리고 일은 정말 그렇게 되었다.[120]

이 이야기와 디모데후서 2장에서 말하고 있는 것으로 보이는 상황 간에는 많은 공명들이 존재한다. 후메내오와 빌레도는 교회의 임명된 지도자들의 권위에 도전한 반도들로 보아질 수 있다 — 물론, 이것은 명시적으로 언급되고 있지는 않지만 더 구체적으로 말하면, 다단과 아비람이 땅에 관한 약속에 도전했듯이, 이 두 사람은 미래의 소망에 대하여 도전하고 있다. 부활에 관한 약속은 하나님이 그 누구도 예상할 수 없는 새 일을 행할 것이라는 것인 반면에, 다단과 아비람에 대한 징벌은 이전에는 그 누구에게도 일어나지 않았던 새 일을 하나님이 심판이라는 관점에서 행한 것으로 이루어졌다. 기자가 이 모든 것들 중 얼마나 많은 것들을 염두에 두고 있었는지는 물론 말하기가 불가능하다; 하지만 어느 정도는 그랬을 가능성이 대단히 높다고 나는 생각한다. 그 결론은 사두개인들에 대한 랍비들의 비꼬는 말과 별반 다르지 않다: 너희가 부활을 믿지 않는다면, 너희는 부활에 참여하지 못할 것이다. 디모데후서의 기자는 하나님이 장래의 심판의 행위를 통해서 그에게 속한 자들과 속하지 않은 자들을 분명하게 구별할 것이라고 경고하고 있다; 달리 말하면, 어느 쪽이 참된 가르침이고 어느 쪽이 그렇지 않은 지를 분명히 할 것이다.

119) 민수기 16:12-14. 이 이야기는 다른 대목들에서 이스라엘 전승과 섞여 짜여 있다: cf. 시 106:16-18.

120) 민수기 16:26-33.

두 번째 성경 인용문은 그 의미가 덜 분명하다("주의 이름을 부르는 자마다 불의에서 떠날지어다"). 이것은 두 본문을 결합시켜 놓은 것으로 보인다: 시락서 17:26("지극히 높으신 이에게 돌아오고 죄로부터 떠나라"),[121] 이사야 26:13("여호와 우리 하나님이시여 주 외에 다른 주들이 우리를 관할하였사오나 우리는 주만 의지하고 주의 이름을 부르리이다").[122] 이 두 본문은 모두 죽음 이후에 일어나는 일에 관한 것이다. 물론, 시락은 아무 일도 일어나지 않을 것이라고 믿는다: 다음에 나오는 두 절은 하데스(음부)에서는 아무도 지극히 높으신 이에게 찬양을 부르지 않고, 일단 사람이 죽으면 감사는 그치게 된다고 분명하게 말한다. 디모데 후서의 기자가 이것을 잘 알고 있었고, 후메내오와 빌레도에게 그들이 부활이 이미 지나갔다고 말하고 있는 것이라면, 그는 그들에게 예비된 운명이 어떤 것인지에 대하여 경고하고 있는 것인가? 이 가능성은 이사야 26:13의 맥락에 의해서 더욱 증대된다: 거기에서 직후에 나오는 절은 야훼에 의해서 징벌을 받은 자들은 장래의 삶의 기회를 잃게 된다고 역설하는 반면에, 19절은 "너희의 죽은 자들이 살아나겠고 그들의 시신들이 일어나리라!"고 선포한다.[123] 디모데후서 2:19은 후메내오와 빌레도가 실제로 잘못되었고, 그들이 부정하는 장래의 심판과 부활이 그들을 치는 최종적인 증거가 될 것이라고 선언하는 거의 바울적인 압축된 본문들을 결합시키고 있는 것으로 보인다.

목회 서신에서 무덤 너머의 삶에 대한 또 하나의 중요한 언급은 "불멸"에 대한 반복된 언급이다. 디모데전서 6:16에서 기자는 메시야 예수가 참 왕이라고 선언한다(이 본문은 제국의 수사학에 대한 반영들로 가득 차 있고, 전복적인 것으로 볼 수밖에 없다; 그러나 이것은 또 다른 곳에서의 주제이다): 예수는 유일한 군주, 만왕의 왕, 만주의 주이고, "오직 그만이 불멸을 지니고서" 접근할 수 없는 빛 속에 거한다. 이것은 모든 인간이 자연적으로 불멸의 영혼을 소유하고 있다는 일반적인 헬레니즘적인 견해와는 반대로, 오직 예수만이 죽음을 통과하여 죽음이 더 이상 지배하지 못하는 세계 속으로 들어간 유일한

121) 또한 cf. 욥 36:10.

122) 또한 cf. 레 24:16; Sir. 23:10(주의 이름을 부르는 것에 관한).

123) 위의 제3장 제4절을 보라.

분이라는 것을 보여주는 것으로 보인다. 물론, 이것은 우리가 바울에게서 발견하는 그림과 대단히 흡사하다. 이와 동시에, 디모데후서 1:10에 의하면, 예수 자신은 "사망을 폐하시고 복음으로서 생명과 썩지 아니할 것을 드러내셨다." 이런 식으로 예수 외의 다른 사람이 불멸을 자신의 소유로 가지고 있다는 것에 대한 부정은 사망이 패배당했고 위에 있는 새 생명이 예수의 사역으로 말미암아 열려졌다는 긍정에 의해서 대칭이 되어 있다. 다른 그 어떤 사람도 아직 불멸에 이르지 못했지만, 그것은 사람들로 하여금 구하도록 거기에 존재한다. 이것도 바울의 사상과 아주 밀접하다.

여기에서도 "부활" 언어는 그리스도인들의 현재적인 삶을 가리키는 데에 사용될 수 있었다. 분명히 디모데후서 2장에 나오는 다음 본문의 출처인 공관복음서 전승에서와 마찬가지로, 복음의 도전은 죽음에서 생명으로 옮긴다는 관점에서 표현될 수 있었다:

> 11 미쁘다 이 말이여
> 우리가 주와 함께 죽었으면 또한 함께 살 것이요
> 12 참으면 또한 함께 왕 노릇 할 것이요
> 우리가 주를 부인하면 주도 우리를 부인하실 것이라
> 13 우리는 미쁨이 없을지라도 주는 항상 미쁘시니
> 자기를 부인하실 수 없으시리라.

로마서 6장에서와 마찬가지로, "우리가 살 것이요"는 엄밀하게 시간적인 미래인지, 아니면 논리적인 것으로서 이미 여기에서 지금 시작되고 있는 "삶"을 가리키고 있는지는 여전히 해결되어 있지 않다. 다음 구절("우리가 그와 함께 왕 노릇 할 것이요")[124]과의 병행관계는 그것이 여전히 미래에 놓여 있다는 것을 보여준다. 마가복음 8:34-38과 그 병행문들 같은 복음 전승이 여기에서는 복음 자체에 기여하기 위하여 암기하기 쉬운 형태로 주어져 있다. 이것은 마가복음 8장과 마찬가지로 디모데후서 2장에서도 그 직전에 나오는 메시야로서의 예수에 대한 신앙고백에 의존해 있다:

---

124) 로마서 5:17과 상응하여; 또한 cf. 고전 4:8(이 본문은 풍자로 가득하지만).

[8]내가 전한 복음대로 다윗의 씨로 죽은 자 가운데서 다시 살아나신 예수 그리스도를 기억하라 [9]복음으로 말미암아 내가 죄인과 같이 매이는 데까지 고난을 받았으나 하나님의 말씀은 매이지 아니하니라.

이것은 신약성서의 다른 본문들과 흡사하게 다윗 가문의 메시야와 하나님의 아들로서의 예수(이것은 여기에서 동일한 것을 가리킨다)를 그의 부활을 토대로 복음의 핵심으로 천명하고 있는 로마서 1:3-4의 직접적인 반영이다. 물론, 마가복음 8장과 그 병행문들 속에 나오는 전승은 그 자체가 메시야로서의 예수에 대한 베드로의 신앙고백과 밀접하게 결합되어 있다(8:29). 이 본문 전체(2:8-13)는 그러한 사고의 흐름 위에 구축되어 있는 것으로 보인다: 메시야로서의 예수, 그리고 그 뒤에 이어지는, 고난을 받으며 그를 부인하지 말고 그를 고백하라는 도전. 하지만 이제 예수의 메시야됨은 예수 자신의 부활에 의해서 확증되고, 이것은 그와 함께 살기 위하여 그와 함께 죽으라는 도전을 강화시킨다. 그리고 이번에는 그것은 16-19절에서 후메내오와 빌레도의 가르침에 대한 경고의 길을 예비한다.

이제 디모데전서 3:16에 나오는 이해하기 어려운 작은 시가 남아 있다. 현재의 맥락(교회에서 직분을 가진 자들에게 기대되는 행실에 관한 자세한 가르침들)과 느슨하게 연결되어 있는 이 시는 예수의 이야기에 관한 집약적인 진술로 되어 있다:

그는 육신으로 나타난 바 되시고
영으로 의롭다 하심을 받으시고
천사들에게 보이시고('오프데')
만국에서 전파되시고
세상에서 믿은 바 되시고
영광 가운데서 올려지셨느니라.

우리는 여기서와 같은 그러한 정형적인 진술 속에 부활에 관한 명시적인 언급이 없다는 것에 대하여 이상하게 생각할 수 있지만, 이 시는 신조(信條)가 아니라 일종의 시 또는 찬송임이 분명하고(십자가도 언급되어 있지 않다), 따라서 우리는 이 시가 말하지 않고 있는 것들의 세부적인 내용들을 건드리지 않는 것이 좋다. 하지만 우리의 목적을 위하여 두 가지 흥미로운 점이 있다. "의롭다 하심을 받으시고"('에디카이오데')라는 어구는 부활을 가리키는 간접적인 방식일 가능성이 있다: 예수는 정죄를 당해서 죽은 후에 살아계신 하나님에 의해서 "신원"되었다 — 특히, 메시야로서. 우리는 이미 부활과 칭의 간의 미묘하면서도 중요한 연결고리들을 살펴본 바 있다.[125] 그러므로 "영으로"라는 어구는 바울 서신에서 보통 그러하듯이 그의 부활에 있어서 성령의 역할을 가리키는 것이고, 이러한 "칭의"가 일어나는 소위 "몸과 상관 없는" 영역을 가리키는 것이 아니다.[126] 예수가 천사들에게 "나타났다" 또는 "보여졌다"라는 언급('오프데 앙겔로이스')은 독특하다; 그 어디에서도 천사들이 부활한 또는 승천한 예수를 보았다는 언급이 없다 — 물론, 우리는 주후 1세기 그리스도인들이 이것을 당연한 것으로 여겼다고 보아야 하지만. 그리고 이 시의 마지막 행(그것이 정말 마지막 행이라면)은 분명히 예수가 "영광 가운데서 올려지셨다"는 것이 처음 두 행에서 서술한 것들과는 별개의 사건이라는 것을 함축하고 있다 — 물론, 초기 기독교의 모든 도식들에서 열방에 대한 선포와 세상의 믿음이 승천에 선행하는 것이 아니라 뒤따르는 것이기 때문에, 연대기적으로 여기에 언급된 그 밖의 다른 모든 사건들 다음에 오는 것은 아니지만.

이렇게 목회 서신들은 그리스도인들의 장래의 부활과 예수 자신의 몸의 부활, 그리고 이것들간의 연결관계에 대한 초기 그리스도인들의 신앙의 몇몇 작은 흔적들을 보여준다. 여전히 모호한 채로 남아 있는 마지막 본문을 제외한다면, 그러한 것들은 우리가 이미 살펴본 사고의 모판(matrix)과 밀접하게 부합한다. 부활에 대한 언급의 상대적인 결여는 적어도 목회 서신들이 바울의 다른

125) 예를 들면, 로마서 4:24f.에 대해서는 위의 247f.를 보라.

126) 예를 들면, Harvey 1994, 74는 이에 반대한다: "우리가 의롭게 되는 장소는 하늘이다: 그리스도의 부활과 연합함으로써 우리는 영적인(몸이 아닌) 영역 속에 있었던 그의 의로우심을 공유하게 된다." 이것은 말 앞에 마차를 붙여놓는 격인 것으로 내게는 보인다. 부활은 칭의의 토대이지, 그 반대는 아니다; 그리고 우리가 앞에서 보았듯이, 부활은 언제나 몸의 부활이다(그리고 성령의 역사를 통해서 일어난다). 이 어구에 대해서는 고린도전서 6:11을 참조하라: "우리 하나님의 성령 안에서 … 의롭다 하심을 받았느니라."

진정한 서신들과 연결되어 있다는 것에 대한 의문을 불러일으킬 수 있지만, 목회 서신들이 말하고 있는 것은 우리가 다른 바울 서신들에서 발견하는 것과는 종종 다른 방식으로 표현되기는 하지만 분명히 그 주된 서신들과 신학적으로 다르지 않고 구별되지 않는다.[127]

9. 바울(고린도 서신을 제외한): 결론

바울 서신에 대한 이러한 개관으로부터 우리는 다섯 가지 결론을 제시할 수 있다.

첫째, 바울은 분명히 부활에 대한 다양하지만 무리없이 통합되는 이해를 지니고 있었고, 때를 따라서 서로 다른 목적들을 위하여 활용할 수 있었다. 그것은 기본적으로 우리가 살펴본 서신들 전체에 걸쳐서 동일한 상호적인 연관 속에서 항상 불변하는 세 가지 "계기들"을 포함하고 있었다: (1) 창조주 하나님의 권능 있는 행위로서의 메시야 예수의 몸의 부활; (2) 메시야에게 속한 자들의 장래의 몸의 부활(그때에 여전히 살아 있는 자들이 변화되어 동일한 속성을 지니게 된다는 것과 아울러); (3) 그리스도인들의 현재적인 삶이라는 관점에서 첫 번째에 토대를 둔 두 번째의 선취 — 이것 속에서는 "부활" 언어가 유대교 내에서 문자적인 용법과 아울러 나란히 사용되었던 은유적 용법과 맥을 같이 하는 강력한 은유로 작용한다. 유대교의 신앙의 스펙트럼이라는 견지에서 볼 때, 다음과 같은 것은 의심의 여지가 있을 수 없다: 바울은 몸의 부활을 확고하게 믿은 사람이었다. 바울은 이교도들의 무수한 분파들에 반대하여 자신의 동포인 유대인들 편에 서 있고, 다른 유대인들에 반대하여 자신의 동료인 바리새인들 편에 서 있다.

또한 바울은 중간 상태에 대하여 언급하는 방식들을 조심스럽게 그려 나갔고, 그것을 위하여 자신의 기독교 신앙으로부터 유래한 새로운 언어를 발전시켰다. 죽은 사람들은 "메시야와 함께" 있거나 "메시야 안에서 잠잔다." 그가 말한 "잠자는 것"은 은유적인 것으로서, 무의식 상태를 암시하는 것은 아닐 것이

---

127) 목회 서신과 바울의 주요 서신들 속에서의 부활에 대해서는 R. F. Collins 2002를 참조하라.

다. 그리고 이 모든 것은 로마서 8장에 가장 자세하게 설명되어 있는, 하나님이 만들게 될 전혀 새로운 세상, 그리고 그것이 어떻게 이루어질 것인지에 관한 더 큰 그림 안에 놓여져 있다. 이러한 것들은 우리가 이 장의 처음 부분에서 제기하였던 질문들에 대하여 바울이 제시하는 대답들이다.

바울은 이러한 완성된 그림을 한꺼번에 제시하는 법이 거의 없다. 우리가 지금까지 살펴본 것들 중에서 이러한 완성된 그림에 가장 가까운 것은 의심할 여지 없이 로마서에 나와 있다. 그러나 그의 서신들의 다른 곳에 나오는 "부활" 언어의 다양하고 다중적인 용례들은 모두 이러한 구도와 잘 들어맞는다.

둘째, 우리가 지금까지 살펴 본 바울 서신들에서 유일하게 눈으로 볼 수 있는 발전(상황에 따라 필요했던 강조점의 차이들과는 반대되는)은 메시야가 다시 오실 때에 여전히 살아 있는 자들 가운데에 자기도 끼어 있을 것이라는 바울의 초기의 확신으로부터 이 일이 일어나기 전에 자기가 죽을지도 모른다는 후기의 의구심으로의 변화이다. 앞으로 보게 되겠지만, 이것은 고린도후서에서 가장 분명하게 드러나지만, 빌립보서 1장에 나오는 의문문에 이미 존재하고, 로마서에는 바울이 죽음 자체를 피할 자들 가운데 속하기를 기대했음을 보여주는 것이 전혀 없다.[128] 특히, 에베소서와 골로새서의 강조점은 물론 다른 서신들의 강조점과 다르긴 하지만, 데살로니가전서, 빌립보서, 로마서의 강조점들이 모두 서로서로 판이하게 다른 것과 마찬가지로, 적어도 이 주제와 관련해서는 이 두 개의 옥중 서신과 나머지 바울 서신 간에 커다란 간격이 있다고 생각할 근거는 없다.

셋째, 부활에 관한 바울의 견해들은 여전히 유대교 속에 굳게 뿌리를 내리고 있다 — 우리가 알고 있는 그 어떤 이교도도 이 주제에 관한 발전된 사고의 틀을 제시한 적이 없는 것은 물론이고, 부활이 실제로 일어날 수 있다거나 일어날 것이라고 생각한 사람조차 없었기 때문에, 이것은 별로 이상한 일이 아니다. 그러나 자신의 유대적 배경 내에서 바울은 적어도 일곱 가지 두드러지게 새로운 방식으로 이 개념을 발전시켰다.

(1) 바울은 자기가 종말론적인 시간표 안에서 새로운 단계에 살고 있다고 믿었다: 바로 메시야의 부활을 통해서 "장차 도래할 시대"(내세)가 이미 시작

128) Longenecker 1998는 최근에 발전에 관한 다른 주장을 제시하였다.

되었다는 것. 유대교 내의 다른 집단들(특히 쿰란 공동체)은 개시된 종말론을 말할 수 있었지만, 이러한 특정한 출발점을 결코 제시하지는 못했다. 의의 교사가 죽은 자로부터 몸으로 부활하였다고 생각한 사람은 아무도 없었다.[129)]

(2) 부활이 실제로 예수에 대하여, 장래의 신자들에 대하여, 그리고 현재에 있어서 신자들과 관련된 은유적인 용법에 있어서 무엇을 의미하였는가에 대한 바울의 설명은 우리가 유대교 속에서 발견하는 그 어떤 것보다도 주목할 만한 정도로 더 날카롭고 더 뚜렷한 초점을 지니고 있다. 부활은 구체적인 지시대상을 가지고 있다(즉, 그것은 최종적인 부활에서이든 현재적인 그리스도인들의 순종에서이든 몸들을 의미한다); 그러나 그것은 엘리야와 엘리사에 의해서 다시 살아난 사람들에게 일어났던 일, 또는 마카베오2서의 저자가 상정했던 것으로 보이는 것과 같이 정확히 동일한 종류의 삶으로 단순히 되돌아오는 것이 아니라, 언제나 죽음의 과정을 통과하여 그 너머에 있는 새로운 종류의 삶으로의 변화를 의미한다.

(3) 이와 동시에, 우리는 유대교적 배경 내부로부터의 미묘한 사고의 전환을 본다. 몸의 부활을 예언하고 있는 가장 잘 알려진 성경 본문인 다니엘 12:2-3은 계속해서 몇몇 언어와 이미지를 제공해 주고 있긴 하지만 수정되고 있다; 부활한 예수나 장차 부활하게 될 신자들은 별같이 빛난다거나 빛날 것이라고 말해지는 것이 아니라, 바울은 이 어두운 세상, "악한 세대"에서 그리스도인들의 현재적인 증거를 서술하기 위하여 바로 이 이미지를 사용한다. 달리 말하면, 바울은 "부활"이 "포로생활로부터의 귀환-죄사함"을 가리켰던 유대교의 은유적 언어를 사용하여(그리고 변화시켜서) "창조주이자 계약의 하나님에 의한 은혜의 새로운 역사"를 가리키는 방식으로 이 이미지를 사용한다는 것이다.

(4) 바울은 부활을 믿은 유대인들(특히 그의 예전의 동료들이었던 바리새인들과 그 후계자들인 랍비들)과 마찬가지로 창조주 하나님의 권능을 자신의 사고의 확고한 토대로 삼고 있었다; 바울은 신자들의 부활(미래적 및 현재적)에 대하여 언급할 때만이 아니라 예수의 부활을 말할 때에도 이러한 토대 위에 변함없이 서 있다. 에스겔과 마찬가지로, 바울은 창조주 하나님의 "숨" 또는

129) 이것에 대한 도전(현재까지는 다른 학자들이 진지하게 받아들이고 있지는 않지만)으로는 Wise 1999를 참조하라.

"영"을 부활을 수행하는 대리자로 본다; 물론, 이것은 그 자체가 창세기 2:7, 그리고 실제로는 창세기 이야기의 반영이고, 시편 8:4-6에 나오는 그 요약문은 분명히 이 주제 전체에 대한 그의 사고의 하부구조의 일부이다. 여기서 다시 한 번 바울은 유대교 사상과 맥을 같이 하고 있으면서, 그것을 훨씬 더 정밀하게 만들고 있는 것이다. 이것을 설명할 수 있는 한 가지 분명한 길은 바울이 메시야가 죽은 자로부터 부활하였다는 것을 믿었기 때문에, 시편 8:4에 나오는 "인자" 본문 — 일부 학자들은 이 본문이 이미 메시야에게 적용되고 있었다고 주장한다 — 이 그에게 메시야가 참 인간이고, 부활로 인해서 온 피조물의 주가 되었다는 것을 보여주었다는 것이다.

(5) 유대교의 부활 사상의 세계 내부로부터, 바울은 그가 도달한 새로운 입장을 설명할 수 있는 새로운 언어적인 도구를 발전시켰다. 바울은 "육신"('사륵스')과 "몸"('소마')이라는 결정적인 구별을 통해서 몸을 입은 현재적인 실존과 몸을 입은 미래적인 실존 간의 연속성 및 불연속성을 확립할 수 있었다. 바울이 "영광"을 눈에 보이는 광채를 나타내는 것이 아니라 하나님의 새 세상 내에서의 존귀, 특권, 새로운 책임을 가리키는 전문 용어로 사용한 것은 유대교 문헌들을 활용한 것이지만, 앞서 살펴보았던 모든 것들을 훨씬 뛰어넘는 것이었다.

(6) 바울은 예수의 부활과 그 결과로서 일어나는 그에게 속한 자들의 부활에 대한 신앙을 통해서 당시에 널리 퍼져 있던 최후의 심판에 관한 유대교의 교설의 새로운 판본을 발전시킬 수 있었다. 이 심판은 그 자체가 연대기적으로 둘로 구분되었고, 어떤 의미에서 십자가에서 이미 "정죄함"이 일어났기 때문에(롬 8:3), 이제는 "메시야 예수에게 속한 자들에게는 정죄함이 없다"(8:1). 이렇게 특히 로마서에서 두 단계의 부활은 예수의 이루신 일에 토대를 두고 마지막 날의 판결을 선취하는 이신칭의에 관한 바울의 중심적인 교리의 틀이 되고 있다.

(7) 아마도 유대교 전승으로부터의 가장 두드러진 발전은 바울의 사상 속에서 부활이 차지하는 엄청난 분량과 빈번한 언급일 것이다 — 우리가 다음 장에서 살펴보게 될 고린도전후서는 이러한 결론을 극적으로 강화시켜 줄 것이다. 부활을 말하고 실제로 부활을 송축하는 유대교의 문헌들 속에서 우리는 그 사람의 사고의 틀 속에 이 신앙이 짜여넣어져서 바울 서신에서와 같이 나오는

주제들마다 떠받치고 있는 것을 그 어느 대목에서도 발견하지 못한다. 이러한 현상 자체가 역사적 설명을 요구한다.

이 모든 점들에서 바울은 자신의 유대교적 전승의 토양 위에 확고하게 두 발을 딛고 있었고, 개념들과 신앙들의 이교화의 방향이 아니라, 메시야의 빛 아래에서 그런 것들을 다시 사고하는 것을 통해서 중요한 발전들과 수정들을 행하였다.

넷째, 본서에서는 살펴보지 않았지만 다른 곳에서는 내가 거기에 관하여 쓴 바 있는 바울의 세계관 전체는 마찬가지 방식으로 유대교에 확고하게 근거하고 있으면서, 예수, 특히 그의 부활을 중심으로 극적으로 다시 사고한 것이었다.[130]

(1) 바울이 통상적으로 활용하였던 표본적인 이야기들은 그 어떤 유대교의 세계관 내에서도 토대가 되었던 이야기들인 창조와 출애굽을 포함하고 있었다. 하지만 바울은 예수의 죽음과 새로운 삶을 통하여 이루어진 새 창조와 새 출애굽에 관하여 말하기 위하여 그러한 것들을 사용하였다. 그는 아브라함으로부터 포로생활, 그리고 그 이후에 이르기까지의 이스라엘에 관한 긴 이야기가 십자가에 못박혔다가 부활한 메시야로서의 예수에게서 충격적이지만 만족스러운 완성에 도달한 것으로 이해하였다.

(2) 바울의 사도적 실천의 서로 다른 여러 측면들 — 이방 선교, 기도, 고난으로의 부르심, 이방 교회들로부터 연보를 거두어서 가난한 유대인 신자들을 도운 것 — 은 모두 유대적인, 실제로는 바리새적인 세계관으로부터 자라난 것이지만, 여기서도 복음의 사건들, 특히 부활에 의해서 재편성되었다 — 완전히 뒤집어졌다고 말해도 좋을 것이다. 바울이 이방인들이 복음을 들어야 할 때라고 믿게 된 것은 하나님의 새 시대가 도래하였다는 그의 믿음 때문이었다; 그리고 바울이 왜 종말론적인 시간표 속에서 그러한 극적인 변화가 일어났다고 생각했는지는 의심의 여지가 없다. 그것은 바로 바울이 예수가 죽은 자로부터 부활하였다는 것을 믿었기 때문이었다.

(3) 그의 사역과 그가 세운 공동체들의 상징들은 그 자신의 복음의 선포, 암

130) 세계관들의 분석에 대해서는 *NTPG* 특히, 122-6을 보라. 바울의 세계관에 대한 개관으로는 Wright, "Paul and Caesar" 등을 보라.

호화된 세례 이야기를 포함한다(갈 3장, 골 2장, 롬 6장). 이것들은 예수의 죽음 및 몸의 부활과 매우 밀접하게 결합되어 있다.

(4) 바울이 세계관적 질문들에 대하여 제시한 대답들은 다음과 같이 쉽게 도표화될 수 있다:

(i) 우리는 누구인가? 우리는 예수를 부활한 주로 믿는 우리의 신앙고백과 믿음에 의해서만 규정되는 가운데 "메시야 안에 있다": 우리는 새 계약의 백성, 율법을 성취하는 백성, 한 분 참 하나님이 아브라함에게 약속하였던 전세계에 걸친 가족이다.

(ii) 우리는 어디에 있는가? 선한 하나님의 선한 피조 세계 속에 있다; 피조물들은 여전히 썩어짐으로부터의 해방을 고대하면서 애쓰며 신음하는 가운데 있지만, 이미 부활하고 승천한 메시야의 주권 아래에 있다.

(iii) 무엇이 잘못된 것인가? 세계와 우리 자신은 아직 장차 우리가 될 모습으로 구속받지 못한 상태로 있다. 이교도들이든 유대인들이든 세상에 있는 대부분의 사람들은 여전히 이스라엘의 하나님이 메시야 예수 안에서 행하신 일을 모르고 있다. 특히, 현재의 세계 통치자들(가이사와 그 밖의 통치자들, 그리고 그들 배후에 있는 어두운 "영적인" 세력들)은 한 분 하나님이 그의 세계를 위하여 의도한 참된 공의와 평화에 대하여 기껏해야 희화화이고, 나쁘게 말하면 기괴하고 신성모독적인 왜곡이다. 죄는 여전히 우상숭배를 행하는 인류를 장악하고 있기 때문에, 죽음도 여전히 독재자로서 활동하고 있다.

(iv) 무엇이 해법인가? 장기적으로는 만유 자체를 해방시키고, 참된 공의와 평화가 모든 원수들에 대하여 승리하고, 모든 의인들이 죽은 자로부터 부활하며, 그때에 살아 있는 신자들이 변화받는 일을 가져오게 될 창조주의 새 창조의 위대한 행위. 단기적으로는 복음이 온 세계에 전파되어서, 도전하고 변화시키고 치유하며 구원하는 그 강력한 역사를 행함으로써 은유적인 의미에서의 "부활" 백성을 만들어내는 것.

(v) 지금은 어느 때인가? "장차 도래할 새 시대"(내세)가 개시되었지만, "현세"는 여전히 계속된다. 우리는 부활과 부활, 즉 예수의 부활과 우리 자신의 부활 사이의 기간에서, 최초의 부활절 때의 죽음에 대한 승리와 예수가 다시 "나타날" 때에 있을 최종적인 승리 사이의 기간에서 살고 있다. 이러한 지금/아직(now/yet)의 긴장관계는 그리스도인의 삶에 관한 바울의 비전 전체를 관통하

고 있고, (예를 들면) 고난과 기도에 관한 그의 견해를 떠받치고 있다.

이렇게 바울의 세계관은 모든 점에서 그가 유대교에 여전히 뿌리를 두고 그 풍부한 창고로부터 기본적인 영감과 범주들을 끌어오고 있는 동시에 그러한 것들을 예수의 부활과 그 사건으로부터 도출되는 결론들을 중심으로 일관되게 발전시켰다는 것을 보여준다. 이것은 우리를 다섯 번째이자 마지막 요점으로 데려다준다.

다섯 번째 요점은 절실한 역사적 질문을 제기한다. 바울이 실제로 부활에 관한 유대교적인 신앙들과 소망들을 이토록 철저하게 활용하고 있는 것이라면, 무엇이 그로 하여금 부활에 관하여 이런 식으로 말할 수 있게 하였던 것인가? 바울은 예언서들과 후대의 유대교 전승들 속에서 거론하였던 "부활"이 일어나지 않았다는 것을 알고 있었다. 아브라함, 이삭, 야곱 등과 같은 인물들은 새로운 몸을 입은 삶으로 부활하지 않았다; 또한 "부활"의 은유적인 의미에 있어서도 이스라엘은 압제, 종살이, "포로생활"이라는 현재의 위치로부터 해방되지 않았다. 그렇다면, 왜 바울은 부활이 일어났다고 말하였고, 단지 한 번 불쑥 꺼낸 말로서가 아니라 자신의 선포의 모퉁잇돌, 예수가 메시야라는 것을 믿는 근거, 자신의 세계관 전체를 다시 그리고 수정하는 근거로서 그렇게 말한 것인가?

바울 자신의 대답은 물론 분명하다: 그는 그것을 믿었기 때문에 그것을 말하였다. 그가 예수의 부활에 관하여 말하였을 때, 그것은 자기가 개인적으로 극적인 새로운 영적인 체험을 했다거나 영적 또는 심리적인 발전의 새로운 길을 알아냈다는 것을 말하는 암호화된 방식이 아니었다. 또한 그것은 "한 분 하나님이 우리를 우리가 생각했던 것보다 훨씬 더 사랑하신다"는 것과 같은 내용을 말하는 방식이 아니었다. 그것은 바울이 실제로 일어났다고 믿었던 어떤 일을 가리키는 방식이었다. 게다가, "부활"이 무엇을 의미하는가에 관한 그의 견해에 있어서의 발전들, 유대교적 견해로부터 나왔지만 그 어떤 유대인도 이전에 가본 적이 없었던 곳들로 간 발전들은 그가 부활이 무엇인가에 관하여 더 많은 그 무엇, 그가 물려받은 전승이 그에게 얘기해 주지 않았던 그 무엇을 알고 있다고 생각했다는 것을 보여준다.

부활은 이제 두 단계로 일어나고 있었다(먼저는 예수, 다음에는 그의 모든 백성); 은유로서의 부활은 이스라엘의 회복이 아니라(물론, 이것도 로마서 11

장에서 아울러 나오기는 하지만), 인간 존재의 도덕적인 회복을 의미하였다; 부활은 원수들에 대한 이스라엘의 승리가 아니라, 믿음을 토대로 해서 모두가 동등하게 될 이방 선교를 의미하였다; 부활은 소생이 아니라, 썩지 않는 몸으로 변화되는 것이었다. 그리고 이러한 수정들에 대한 유일한 설명은 그것들이 바울이 예수 자신에게 일어났었다고 믿었던 것에서 유래하였다는 것이다.

석의적으로 더 많은 논쟁과 전투의 장이 되어 왔던 두 서신을 일단 제외하고 바울의 나머지 서신들에 대한 이와 같은 개관은 바울에 대한 우리의 이해에 있어서만이 아니라 그가 우리의 가장 초기의 증인이기 때문에 초기 기독교 전체에 대한 우리의 이해에 있어서도 대단히 중요하다. 물론, 우리는 바울이 그 밖의 다른 모든 초기 그리스도인들을 대변하여 말하였다고 생각하는 잘못을 저질러서는 안 된다. 그는 이것이 그렇지 않았다는 것을 보여주는 많은 지표들을 제공해 준다. 그러나 그가 다른 교사들을 아무리 많이 비판하고, 자신의 사상을 나름대로 발전시키고 있다고 할지라도, 그는 메시야가 죽은 자로부터 부활하였다는 기본적인 요점에 있어서는 그 누구와도 다른 것이 없었다.

이 모든 것들은 우리를 마침내 바울의 들끓는 애증의 대상이었던 엉망진창의 — 그리고 우리의 목적을 위하여 아주 많은 것들을 시사해 주는 — 고린도 교회에게 보낸 서신으로 데려다준다.

제6장

고린도 서신에서의 부활 (1): 서론

1. 서론: 문제점

부활 — 예수의 부활과 그의 백성의 부활 — 은 고린도 서신을 지배하고 있다. 그러한 중심적인 주제에 관한 논의는 불가피하게 그 밖의 다른 온갖 종류의 쟁점들과 뒤얽혀 있게 되는데, 그러한 쟁점들 중 일부(예를 들면, 고린도 교회에 있었던 파당들과 대적자들의 정체, 고린도후서가 단일한 서신인지 아니면 둘 이상의 서신의 결합인지라는 문제)는 비평학계가 처음으로 그러한 것들을 연구하기 시작한 때만큼이나 오늘날에도 복잡하고 여전히 해결되고 있지 않다. 고린도전서 15장만을 한 권의 책으로 다루어서 쓴 것들이 나와 있고, 고린도 서신 및 그것과 관련된 문제들을 다룬 최근의 수많은 연구서들과 주석서들도 모두 주목할 만하다. 본서의 범위는 사람들이 이상적으로 소망할 수 있는 상세한 논의를 배제한다. 우리가 씨름해야 할 것은 두 개의 중심적인 본문들, 즉 고린도전서 15장과 고린도후서 4:7 — 5:10의 관계에 관한 문제이다. 첫 번째 본문이 씌어지고 난 후에 두 번째 본문이 씌어질 때까지 바울에게 근본적인 변화가 일어났다는 주장이 자주 제기되어 왔다; 바울은 첫 번째 본문에서 어느 정도 전형적으로 유대교적인 부활관을 가지고 있었지만, 그 후에 두 번째 본문에서 훨씬 더 헬레니즘적이고 심지어 플라톤적인 견해로 옮겨갔다는 것이다.[1)]

---

1) 예를 들면, 최근의 것으로 Boismard 1999 [1995]. Boismard는 이 두 부분을 그의 책의 전반부와 후반부에 두고서, 첫 번째는 "죽은 자들의 부활"이라는 제목 하에, 두 번째는 "영혼의 불멸"이라는 제목 하에 서술한다.

이 두 본문은 따로 떼어놓고 보더라도 그 의미가 즉각적으로 분명한 글들이 아니다. 고린도전서 15장은 긴 논증, 한 주제에 대한 바울의 가장 끈질긴 글들 중의 하나인데, 그 과정에서 바울은 다른 곳에서는 사용하지 않았던 몇 가지 이미지들을 발전시키고 몇몇 전문적인 용어들을 사용한다. 이러한 것들 중의 일부, 특히 15:44-46에 나오는 "신령한 몸"('소마 프뉴마티콘')이라는 어구는 그 자체로 폭풍의 눈이 되어 왔고, 종종 해석자의 세계관에 따라서 이 어구를 어떻게 이해하고 해석하느냐가 좌지우지되어 왔다. 마찬가지로, 고린도후서 4장과 5장은 바울이 다른 곳에서는 사용하지 않는 언어를 사용하고 있고, 이것들 중 일부는 통상적으로 논란이 되어 왔다; 그것이 흔히 오해되고 있다는 데에는 모든 사람들이 동의하지만, 어떤 해석이 더 나은 것인지에 대해서는 일치된 의견이 없다.

역사적으로 올바른 이해로 나아가는 확실한 길을 제시하기 위해서는, 우리는 다음과 같은 절차를 밟아야 할 것이다. 첫째, 현재의 장에서 나는 의도적으로 핵심적인 본문들을 제외한 채, 이 두 서신을 폭넓게 개관하고자 한다. 이 개관을 통해서, 고린도전서 15장은 단지 긴 논증의 과정 속에서 마지막으로 다루어진 주제였기 때문에, 또는(내가 보기에는 괴상한 견해이지만, 일부 학자들이 주장하듯이) 초기 그리스도인들이 "종말론적인" 주제들을 그들의 글들의 마지막에 두는 경향이 있었기 때문에, 이 서신의 끝부분에 덧붙여진 고립적인 글이 아니라는 것이 드러나게 될 것이다.[2] 이와는 반대로, 이 서신 전체에 걸쳐서 부활 및 그와 유사한 관념들이 주기적으로 언급되고 있다는 사실은 바울이 이 주제를 그가 말하고자 했던 그 밖의 다른 모든 것에 대한 열쇠들 중의 하나로 여겼고, 이 주제가 "종말"에 관한 것이었기 때문이 아니라 이 특정한 서신을 하나로 묶는 주제였기 때문에 의도적으로 마지막까지 유보해 두었다는 것을 강력하게 시사해 준다.

마찬가지로, 고린도후서 4:7 — 5:10은 분명히 그 밖의 여러 주제들 가운데 하나의 주제로서 죽음과 부활에 관한 고립적인 논의인 것이 결코 아니다. 이 본문은 현재 형태대로의 이 서신 전체의 주된 주제이기도 한 바울의 사도

2) 예를 들면, Lüdemann 1994, 33을 보라. 그는 막 13장; 살전 4장과 5장; *Did. 16*; *Barn.* 21을 인용한다.

직의 역설적인 성격에 관한 더 긴 단원의 핵심에 나온다. 바울이 여기에서 한편으로는 고난과 죽음에 관하여, 그리고 다른 한편으로는 미래적 및 현재적 부활에 관하여 말하고 있는 것은 이 서신 전체를 풍부하게 해 준다.

이 두 본문은 각각의 서신에서 중심적이기 때문에, 이 본문들을 먼저 다루는 것이 적절하다고 생각될 수 있다. 그러나 이 본문들은 아주 논란이 심하기 때문에, 다음과 같은 질문을 염두에 둔 채로 각 서신의 다른 부분들을 읽음으로써, 이 본문들에 대하여 차근차근 접근해 나가는 것이 더 바람직하다: 바울은 우리가 앞 장의 처음 부분에서 열거하였고 나머지 바울 서신들과 관련하여 대답하고자 시도하였던 질문들과 관련하여 여기에서 부활에 관하여 무엇을 말하고 있는가? 우리가 이런 식으로 정지작업을 할 수 있다면, 이 두 서신에 나오는 두 중심적인 본문과 그것들의 관계에 대한 공격은 더 분명해질 수 있을 것이다. 이것이 이 장의 나머지 부분에서 우리가 해야 할 일이다.

2. 고린도전서(15장을 제외한)에서의 부활

(i) 서론

고린도전서를 한 번 쭉 읽는 것은 분주한 거리를 이리저리 활보하는 것과 같다. 인간의 삶의 모든 것이 거기에 있다: 승강이들과 소송들, 성 문제와 물건 구매, 부자와 가난한 자, 예배와 일, 지혜와 어리석음, 정치와 종교. 우리가 만나는 사람들 중의 몇몇은 자기가 대단한 사람이라고 생각하여 어깨에 힘이 들어가 있다; 또 어떤 사람들은 사회의 주변부로 밀려나서 주눅이 들어 있다. 사실 이것은 고대 고린도의 중심가와 광장을 이리저리 거니는 것과 같다.

이 서신은 우리에게 아주 빠르고 연속적으로 기독교적인 담론의 몇몇 주제들을 소개해주는데, 그것들은 모두 박식하고 복잡한 논의로 이루어진 많은 책들을 쓸 수 있는 그런 주제들이다. 교회의 통일성; 하나님의 지혜; 지식의 성격; 특히 성 문제와 관련한 거룩의 실천; 유일신 사상과 우상숭배; 사도적 자유와 권세; 성례전적 신앙과 실천; 영적인 은사들과 그 사용. 이 서신은 바울의 가장 긴 서신들 중의 하나이다.

인간의 삶과 기독교적인 성찰에 관한 그러한 현란한 목록 안에서 15장과 부활이라는 주제는 어떠한 위치를 차지하고 있는가? 15장은 단지 고린도 교인들이 서신이나 인편을 통해서 바울에게 물어왔던 많은 당혹스러운 문제들의 목록 속에 들어 있었던 하나의 문제에 불과한 것이었는가? 만약 그렇다고 한다면, 이 문제는 교회 안에서의 실제적인 문제들에 대한 직접적인 언급이 없이 순전히 하나의 신앙으로서 추상적으로 다루어지고 있는 유일한 주제라는 점에서, 그것은 이상한 일이 될 것이다.[3] 부활에 대한 신앙이 아무리 중심적인 것이었다고 할지라도, 그런 것은 여전히 불가능해 보인다. 오히려, 우리는 부활이라는 주제 — 예수의 부활과 그의 백성의 부활 — 와 이 서신에서 다루고 있는 그 밖의 다른 주제들 간의 더 유기적인 연관관계를 발견할 수 있을 것이라고 기대해 보아야 한다.

수년 전에 이것에 답하기 위한 중요한 제안이 제시되었다: 고린도 교인들은 모종의 실현된 종말론(over-realized eschatology)을 주장하였고, 그들이 이미 모든 의미에서 "부활하였다"고 믿었다는 것이다.[4] 그런 후에, 이것은 4:8("너희가 이미 배 부르며 이미 풍성하며 우리 없이도 왕이 되었도다") 같은 본문들, 그리고 이 본문의 몇몇 다른 부분들을 설명하기 위하여 제시되었다. 이 이론에 의하면, 고린도전서 15장은 이러한 잘못을 바로잡고, 장래의 부활을 길게 논증함으로써, 지극히 신령한 고린도 교인들이 지금 취하고 있는 태도는 "자랑하며" 우쭐대고 있는 것에 지나지 않는다는 것을 보여주기 위하여 씌어졌다는 것이다. ("자랑하다"는 이 서신의 주된 주제이다; '퓌시오' 라는 단어는 여기에서 6번 나오고, 신약성서의 나머지 부분에서는 오직 한 번 나온다).[5]

고린도전서에 대한 오늘날의 가장 위대한 주석가인 씨슬턴(A. C. Thiselton)의 주장에도 불구하고, 이 이론은 지금 점차 폐기되고 있다. 많은 학자들은 고린도 교회에서의 문제점은 지나친 종말이 아니라 불충분한 종말론이었다는 리처드 헤이스(Richard Hays)에 의해서 주장된 견해를 점점 지지하고 있다.[6]

---

3) 우리는 고린도전서 15:29-34에서 실제적인 측면들을 다룬 내용들을 무시할 수 있다; 이러한 것들은 이 장을 서술하게 된 주된 이유라는 것을 보여주는 그 어떤 표지도 나타내지 않는다.

4) 특히, Thiselton 1978을 보라.

5) 고린도전서 4:6, 18, 19; 5:2; 8:1; 13:4. 골로새서 2:18에도 나온다. 또한 고린도후서 12:20에 나오는 '퓌시오시스' 도 참조하라.

6) Hays 1999.

고린도 교인들은 기독교와 이교 사상을 혼합하고자 시도하고 있었다; 그들의 "자랑하는" 태도는 유대교적 스타일의 종말론이 이미 그들을 하나님의 최종적인 미래로 데려다 주었다고 믿었던 것으로부터 나온 것이 아니라, 그리스도인으로서의 그들 자신에 관한 신앙들과 이교 철학, 특히 세상과 자기 자신을 진정으로 이해하는 모든 자들은 이미 왕들이라고 가르쳤던 통속적인 수준의 스토아 학파의 관념들과 결합시킨 것으로부터 왔다. 바울은 그들에게 하나님, 이스라엘, 세계에 관한 유대적인 위대한 이야기들이라는 관점에서 더 철저하게 유대적인 방식으로 그들 자신에 대하여 공동체적으로, 개인적으로, 우주론적으로 생각하도록 가르치기를 절실하게 원했다. 또한 바울은 이러한 가르침 내에서 고린도 같은 도시에서의 사회적 · 문화적 긴장관계로부터 생겨난 문제들에 답하여야 했다. 이러한 문제들을 한편으로는 부자와 가난한 자라는 격자망 속에서, 그리고 다른 한편으로는 여러 철학적인 입장들 속에서 그 위치를 규명함으로써 이러한 긴장관계들의 실체를 "그려내고자" 한 시도들은 두드러진 성공을 거두지 못했다.[7] 적어도 현재의 연구 단계에서는 너무도 많은 변수들이 존재하고, 오늘날의 사회적 관심들을 역사 속으로 끼워넣어서 해석하기가 너무도 쉬웠다. 하지만 그렇다고 해서 우리가 바울이 씨름하고 있는 모든 문제들이 지닌 사회문화적인 차원들에 대하여 신경을 쓰지 않는 것에 대한 변명으로 이것을 사용해서는 안 된다.

이러한 문제점들을 해결할 수 있는 가장 좋은 방법은 분주한 거리를 걸어보고, 이 서신의 북적거리는 장(章)들을 빠른 걸음으로 통과해 보며, 부활에 관한 위대한 장을 지향하는 여러 다양한 요소들을 직접 살펴보는 것이다.

(ii) 고린도전서 1-4장: 하나님의 지혜, 하나님의 능력, 하나님의 미래

바울이 무엇을 염두에 두고 있는지를 잘 보여주는 도입부의 감사의 기도(1:4-9)는 이미 고린도 교인들을 바울 특유의 종말론의 지금/아직이라는 격자망 속에 위치시킨다. 한편으로 고린도 교인들은 실제로 메시야 안에서 "모든 점에서 풍부하고" 특히 구변과 지식에 있어서 더욱 그러하였다(5절); 그러나 이와 동시에, 그들은 여전히 그들을 견고케 하여 "우리 주 예수 메시야의 날"

7) 그러한 시도들 중 최고의 것은 Winter 2001인 것으로 보인다.

에 흠 없는 자로 견고히 계속해서 붙들어 줄 분, "우리 주 예수 메시야의 나타남을 간절히 기다리고" 있다(7절). 그들이 이미 "도달하였다"는 것은 의문의 여지가 없다. 물론, "열렬한 기대"와 "주의 날"이라는 언어는 바울 서신에 대한 우리의 앞서의 개관을 통해서 우리에게 이미 친숙한 언어들이다.

그런 후에, 바울은 4장에 이르기까지 다루어질 주제를 소개한다(1:10-17): 교회 안에서의 개인 숭배의 문제("나는 바울에게 속하였다," "나는 아볼로에게 속하였다," "나는 게바에게 속하였다," 나는 그리스도에게 속하였다"). 이러한 분파들이 특정한 신학적 또는 인종적인 계보에 따라서 나누어진 것인지는 확실치 않지만, 그런 것은 바울이 이 문제를 다루는 방식이 아니다. 문제는 "지혜"와 관련되어 있는 것으로 보인다; 특정한 종류의 지혜를 가르치고 있던 몇몇 사람들이 교회 안에 있었고, 옳든 그르든 그들은 그렇게 함에 있어서 특정한 지도자의 후원을 받고 있다고 주장하고 있었다. 이러한 지혜는 그들 중 일부로 하여금 자기들이 통상적인 사람들, 아마도 다른 그리스도인들보다 더 높은 수준의 신앙에 도달한 것으로 느끼게 해 주었다.

많은 다른 문제들에서와 마찬가지로, 바울이 이 문제를 다루고 있는 방식은 복음의 토대로 되돌아가는 것이고, 이 경우에 그는 특히 메시야의 십자가에 관한 메시지를 부각시킨다. 하나님은 메시야의 십자가 속에서 구현된 자신의 "어리석음"과 "연약함"을 통해서 세상을 뒤집어 엎었고, 기대들을 혼란케 하였으며, 지혜로운 자를 어리석게 보이게 하고, 힘있는 자를 약하게 만들었다고 바울은 선언한다. 이것이 하나님의 능력이 진정으로 존재하는 곳이라고 바울은 말한다. 우리는 바울이 여기에서 부활에 관한 언급을 의도적으로 생략하고 있다고 생각해서는 안 된다. 15:3-4에서 보게 되겠지만, 십자가와 부활은 그의 메시지의 핵심에서 함께 등장하였다. 그러나 고린도 교인들이 이 순간에 들어야 할 필요가 있었던 것은 십자가, 참 신이 연약하게 되어서 세상의 권세들을 이긴 계기(moment)로서의 십자가였다.

이 모든 것의 한복판에 그리스도인으로서의 고린도 교인들 자신의 신분이 의존하고 있었던, 그들의 "부르심"이 어떻게 일어났는지에 관한 바울의 분석이 자리잡고 있다: 참 신은 그들이 지혜롭지도 강하지도 고상하지도 않은 때에 그들을 선택하여 부르셨다(1:26-27) 왜냐하면, 그것이 바로 하나님의 방식이기 때문이다; 하나님은 "없는 자들을" 선택하고 부르셔서 "있는 자들을 폐하고자 하시는" 신이다. 우리의 생각은 로마서 4:17에 나오는 이와 비슷한 언어로 옮겨가는데, 거기에서 참 신의 이러한 특성 — 거기에서도 인간적인 자랑을 막기 위하여 제시되고 있는 — 은 죽은 자에게 생명을 주시는 하나님의 능력과 밀접하게 결부되어 있다. 고린도 교인들이 필요로 하는 모든 것, 단지 지혜만이 아니라 그 밖의 다른 모든 것도 그들은 메시야 안에서 갖고 있다. 이것이 바로 바울이 그들을 처음 방문했을 때에(2:1-5) 그들이 복음이라는 것이 그들에게 지적으로 또는 문화적으로 그럴 듯한 것들을 제공해 주는 것이라고 생각하지 않도록 하기 위하여 복잡한 것들을 가르치려고 하지 않았던 이유였다. 사실, 복음은 하나님의 능력을 나타내기 위한 껍데기로 의도된 것이다; 그러므로 모든 인간적인 능력은 이 그림으로부터 제거될 필요가 있다. 이것이 그들이 배울 필요가 있는 첫 번째 교훈이다.

그들은 특히 예수의 죽음과 부활이라는 사건들을 통해서 이 우주 속에 새로운 세계 질서가 돌입하였고, 신비가 벗겨지는 것과 같이 이 세상의 권세들에게 그들의 때가 끝났다는 것을 말해 주는 소식이 전해졌다는 것을 이해할 필요가 있다. 바울은 다시 한 번 현세와 내세라는 유대교적인 두 단계 개념을 도입해서, "현세의 통치자들"은 망할 수밖에 없는 반면에, 내세에 속한 지혜, 지금 복음 안에서 얻을 수 있는 지혜는 성숙한 그리스도인이 원하는 모든 것을 제공해 줄 것임을 분명하게 말한다(2:6-8). 아직 계시되지 않은 것들, 하나님의 새 시대가 온전히 드러나게 될 장래에 속하는 것들이 존재한다; 현재에 있어서 그런 것들은 오직 성령을 통해서만 접근할 수 있다. 복음이 드러낸 "지혜," 바울이 성숙한 자들에게 가르치기를 절실히 원하는 "명철"은 이 세상 속으로 단지 돌입하기 시작했을 뿐인 그런 것들에 관한 것이다; 이것은 현재의 세상의 개념들과 지혜적 가르침을 새롭게 구성하는 그런 방식이 아니다. 다른 곳에서 우리가 성령은 하나님의 미래를 현재 속으로 가져오는 분, 여전히 미래에 속한 것들의 "보장" 또는 "첫 열매"라는 것을 보았던 것과 마찬가지로, 여기에서도 성령은 장래의 비밀들을 현재에 알려주는 분이다(2:9-13).

그렇다면, 누가 그러한 가르침, 그러한 지혜를 받을 수 있는가? 성숙한 자들('텔레이오이,' 2:6); "신령한 자들"('프뉴마티코이,' 2:13). 이것은 바울을 두 가지 서로 다른 유형의 사람들 간의 근본적인 대비, 15장에 나오는 두 가지 서로 다른 유형의 "몸" 간의 중심적인 대비를 지향하는 그러한 대비로 이끈

다: "영적인"('프뉴마티코스') 사람과 "혼적인"('프쉬키코스') 사람. (나는 '프쉬키코스'를 "혼적인"이라고 번역한다. 왜냐하면, 이 단어는 "혼"을 의미하는 '프쉬케'로부터 파생되었기 때문이다. 명사와 형용사는 둘 다 헬레니즘적인 인간학의 전문용어들이 되었지만, 이 둘은 밀접한 연관관계를 지니고 있었다.) 세 번째 범주도 존재하지만, 우리는 여기에서 더 나아가기 전에 2장의 끝부분에서 서술된 이 두 가지 범주를 잠시 살펴보는 것이 좋을 것이다:

> [14]육에 속한(soulish) 사람은 하나님의 성령의 일들을 받지 아니하나니 이는 그것들이 그에게는 어리석게 보임이요, 또 그는 그것들을 알 수도 없나니 그러한 일은 영적으로 분별되기 때문이라 [15]신령한(spiritual) 자는 모든 것을 판단하나 자기는 아무에게도 판단을 받지 아니하느니라 [16]누가 주의 마음을 알아서 주를 가르치겠느냐 그러나 우리가 그리스도의 마음을 가졌느니라.

구별을 위한 맥락은 이미 설정되어 있다: "두 세대"(2:6-8)의 중복. "혼적인" 사람은 그의 삶이 "현세"에 의해서 결정되고, 단지 모든 사람이 갖고 있는 통상적인 "혼"('프쉬케')에 의해서 활동하는 사람이다.[8] 성령은 완전한 새시대를 위한 하나님의 계획이 이미 확정되어 있는 미래로부터 오는 창조주 신의 선물이다(앞으로 보게 되겠지만, 메시야 예수의 부활로 말미암아 확보된); 그리고 성령은 미래가 결정적으로 침노하였다(invaded)는 사실을 알지도 못한 채 여전히 덜거덕거리며 굴러가고 있는 "현세" 속으로 돌입해(break into) 오고 있다. "영적인" 사람은 그의 마음과 생각 속에서 살아계신 신이 성령을 통해서 역사함으로 말미암아 기이한 새시대의 기이한 새 진리들을 이해하고 바울이 그토록 나누어 주고 싶어하는 신비, 지혜를 꿰뚫어 볼 수 있는 사람이다. 이와 같은 대비는 16절에서 첨예하게 된다: 이사야 40:13은 현세에 있는 사람들은 그 누구도 야훼가 무슨 생각을 하고 계시는지를 추측할 수 없다고 선

---

8) NRSV 등에서 '프쉬키코스'를 "영적이지 않은"이라고 변역한 것은 잘못된 것이다. 바울은 여기에 나오는 사람들을 그들이 무엇이 아닌가라는 관점에서가 아니라 그들이 무엇인가라는 관점에서 규정하고 있다. 이것은 이 단어를 놓고 RSV/NRSV가 나중에 벌인 싸움들과도 관련이 있다; 아래를 보라.

언하지만, 바울은 그 마음이 복음에 의해서 조명을 받는 사람들은 "메시야의 마음"을 안다고 응수한다. 암묵적으로 이것은 복음 안에서 이미 드러났지만 여전히 계속해서 수행되어야 할 메시야 안에 있는 하나님의 계획들을 가리킨다.

그러므로 우리는 '프쉬케'와 '프뉴마'의 차이를 단순히 고대 헬라어의 어휘사전에 나오는 그런 구별 정도로 치부해 버려서는 안 된다(오늘날의 서구 세계에 사는 평범한 독자들에게 "혼"과 "영"이라는 단어가 무엇을 의미하는지를 고려할 때, 이 점은 더욱 명심해야 할 부분이다). 바울은 서술을 진행해 나가면서 자신이 사용하는 용어들을 정의하고 있고, 결정적으로 중요한 정의(定義)의 격자망은 종말론적인 것이다. 우리는 '프쉬케'를 플라톤적인 불멸의 영혼, "물질적인" 인간 존재 중에서 "실재하는" 부분, 썩어질 몸이 죽기를 갈망하다가 죽은 후에는 영광스럽게 살아남아서 지복의 섬으로 자유롭게 날아가게 될 부분으로 생각해서는 안 된다.[9] 오히려, 여기에서 '프쉬케'를 통해서 바울이 기본적으로 의미하는 것은 히브리어 '네페쉬'가 통상적으로 의미했던 바로 그것이다: 인간의 내적 삶이라는 관점에서 본 인간 존재 전체, 실제로 몸과 마음으로 이루어진 삶과 결부되어 있지만 그 자체로는 분명히 육체적인 효과들도 아니고 정신 과정들의 결과 또는 원인도 아닌 감정, 이해, 상상, 사고, 정서의 혼합물. 바울에게 있어서 '소마'가 공적인 시공간상의 현존이라는 관점에서 본 총체적 인간이고, '사륵스'가 썩어짐과 반역(反逆)이라는 관점에서 본 총체적 인간인 것과 마찬가지로, '프쉬케'는 우리가 개략적으로 "내적" 삶이라고 부를 수 있는 것의 관점에서 본 총체적 인간이다.

그리고 바울의 요지는 이 사람, 즉 이러한 "혼적인"('프쉬키코스') 사람은 여전히 현세에 속하여서 내세의 음악을 듣지 못한다는 것이다. 여기에서(2:11) 및 다른 곳에서 바울은 인격의 중심이자 사람이 참 신과 만나는 현관이라고 할 수 있는 지점인 "마음"('카르디아')과 거의 동일한 것을 의미하는 것으로 보이는 인간의 "영"을 가리키기 위하여 '프뉴마'라는 단어를 사용한다. 그러나 그가 어떤 사람을 "영적인"('프뉴마티코스')이라고 말할 때, 그는 단순히 그들이 "혼적인" 사람보다 더 많이 그들 자신의 "영"에 접촉하고 있다는 것을 의미하는 것이 아니라, 살아계신 신의 성령이 그들의 마음과 생각을 열어서 내세

---

9) 위의 제2장, 예를 들면, 50을 보라.

로부터 오는 진리와 능력을 받아 변화되었다는 것을 의미한다.

이렇게 해서 이제 바울이 특히 말하고자 했던 주제, 1:10-13에서 간략하게 얘기했던 개인 숭배를 다루기 위한 용어들이 설정되었다. 고린도 교인들이 보여준 태도들은 그들이 영적인('프뉴마티코이') 자들과 반대되는 것으로서의 혼적인('프쉬키코이') 자들일 뿐만 아니라, "육적인"('사르키노이' 또는 '사르키코이') 자들이라는 것도 보여준다. 여기에서 바울의 언어 속에는 약간 당혹스러운 것이 있다; 엄밀하게 말해서, '-노스'로 끝나는 헬라어 형태들은 어떤 것을 구성하고 있는 재료를 가리키고, '-코스'로 끝나는 형태들은 윤리적 또는 기능적인 것으로서, 어떤 것이 속해 있는 영역 또는 어떤 것을 활동시키는 힘을 가리킨다.[10] 이 구별(어쨌든 미묘한 구별)이 바울 시대에 통상적으로 사용되지 않았다고 생각할 만한 상당한 근거들이 존재한다; 이러한 근거들 중의 하나는 바울 서신에서 이 둘 중의 어느 단어가 나올 때마다 거의 언제나 필사자들이 그것을 다른 단어로 수정했음을 보여주는 사본상의 증거들이 있다는 사실이다.[11] 바울이 적어도 몇몇 경우들에 있어서는 이러한 구별을 보존하고 있다는 주장이 제기될 수는 있지만, 3:1의 '사르키노스'에서 3:3의 '사르키코스'(2번)로 넘어가고 있는(가장 좋은 사본들에서) 현재의 본문은 이 용어들이 실제로 바울의 생각 속에서 동일한 것이었음을 보여주는 아주 분명한 단서를 제공해 준다.

이러한 약간 당혹스러운 문제를 일단 제쳐두고, 우리는 주된 문제로 나아갈 수 있다: 그렇다면, 영적인 자들, 혼적인 자들, 육적인 자들이라는 세 가지 서로 다른 유형의 사람들이 존재하는 것인가? 나는 그렇지 않다고 생각한다.[12] "혼적인 자"와 "육적인 자"는 둘 다 바울이 "통상적으로 인간적인" 사람들, 단순

---

10) 고린도전서 15:42-9에 대해서는 아래 제7장 제1절을 보라.

11) BDAG 914, 특히 Parsons 1988에 설명된 증거들을 보라. 고린도전서 15장에서 핵심적인 용어들의 사용은 다음 장에서 논의될 것이다.

12) 내 판단으로는 분명한 구별에 가장 가깝게 접근하고 있는 것은 *TDNT* 9.663에 나오는 Schweizer의 글이다: 불신자는 '프쉬키코스,' 즉 단순히 통상적인 인간의 삶을 사는 반면에, "아무런 진보도 없거나 오로지 땅에 속한 것에 마음을 두는" 그리스도인은 '사르키코스'이다. 이러한 것이 가능할 수 있지만, 바울이 이 용어들을 그토록 정밀하게 사용하고 있는지는 분명하지 않다.

히 현세 속에서 그 가치관들에 의해서 살아가는 자들, 내세의 돌입에 의해서 살아가는 자들과는 반대되는 사람들로 묘사하는 그런 사람들이다. 혼적인 자들('프쉬키코스')은 통상적으로 인간적인 삶에 의해서 활동하고 있다는 관점에서 그러한 사람들을 묘사하는 말이다; 육적인 자들('사르키코스')은 오늘날의 영어에서와는 달리 "육체적인 실체"를 의미하는 것이 아니라 바울 서신 속에서 언제나 그러하듯이 한편으로는 썩어 없어질 육체성, 다른 한편으로는 반역적인 피조물 — 흔히 이 둘은 서로 중복된다 — 을 의미하는 "육체"('사륵스')라는 관점에서 그러한 사람들을 묘사하는 말이다.

고린도 교인들을 향한 바울의 기본적인 책망은 그들이 인물들과 서로 다른 교사들을 놓고 말다툼을 벌이는 것은 그들이 영적인 자들이 아닐 뿐만 아니라 나아가 육적이고 썩어 없어질 반역적인 인간 존재들이며, 하나님의 미래의 냄새가 그들에게서 전혀 나지 않는 그런 자들이라는 것을 너무도 분명하게 보여주고 있다는 것이다. 현세와 내세의 근본적인 대비, 그리고 각각의 시대에 속하는 그런 인간의 실존과 행동은 15장을 이해하는 데에 극히 중요하다. 또한 바울이 이러한 상황 전체를 설명하는 데에 사용하고 있는 언어를 분명하게 이해하는 것도 극히 중요하다.

서두의 책망(3:1-4) 후에 바울은 계속해서 그의 사역과 아볼로의 사역이 참신의 계획과 부르심 속에서 얼마나 잘 서로 부합하는지를 설명한다(3:5-9). 고린도 교인들은 인물들이라는 관점에서가 아니라 하나님의 전반적인 계획이라는 관점에서 그 계획이 어떻게 진행되고 있는지, 서로 다른 은사들이 어떻게 그 계획에 기여하고 있는지를 생각할 필요가 있다. 건축자는 설계자가 한 일은 단지 설계도를 그린 것뿐이지만 자기는 실제로 집을 지었다고 말하면서 설계자보다 자기가 공이 더 많다고 주장할 수 없다. 바울은 자신의 가르침이 매우 기본적인 것이었던 반면에 아볼로의 가르침은 더 지적으로 고무적인 것이었다는 비난에 대하여 응수하고 있는 것으로 보인다. 그러한 태도는 한 사람이 터를 놓고(이것은 눈과 마음에 보이지 않는다), 또 한 사람이 그 터 위에 굉장한 건물을 지었을 때에 너희가 예상할 수 있는 것이라고 바울은 말한다. 그러나 여기에서도 결정적으로 중요한 점은 종말론과 관련되어 있다. 터를 놓은 자와 건축자는 둘 다 건축한 일이 판단받게 될 날(바울은 이미 1:8에서 이것을 언급한 바 있다)이 올 것임을 깨달아야 한다(3:10-15). 그날에 어떤 공로는 불타 없어지게 될 것이고, 어떤 공로는 그대로 남아 있게 될 것이다. 불이 큰 건축물을 태워서, 어떤 부분들은 연기 속에서 잿더미로 변하고, 어떤 부분들은 견고하게 남아 있다는 이미지를 통해서 바울은 현세와 내세의 연속성 및 불연속성에 관하여 생생하게 말할 수 있었다:

> [12]만일 누구든지 금이나 은이나 보석이나 나무나 풀이나 짚으로 이 터 위에 세우면 [13]각 사람의 공적이 나타날 터인데 그 날이 공적을 밝히리니 이는 불로 나타내고 그 불이 각 사람의 공적이 어떠한 것을 시험할 것임이라 [14]만일 누구든지 그 위에 세운 공적이 그대로 있으면 상을 받고 [15]누구든지 그 공적이 불타면 해를 받으리니 그러나 자신은 구원을 받되 불 가운데서 받은 것 같으리라.

분명히 이것은 데살로니가후서 2장, 로마서 2장에서 바울이 묘사한 다른 위대한 심판 장면들과 꽤 비슷한 그림이다. 물론, 전세계적인 심판의 날이 장차 도래할 것이라는 관념은 로마서 14:10과 고린도후서 5:10 같은 본문들을 통해서 낯익은 관념이다. 그러나 그 밖의 다른 어디에서도 우리는 불에 의한 심판의 순간을 지나서 현세에서 행한 일과 창조주 신이 만들고자 하는 새로운 세상 간의 연속성에 대한 이토록 강력한 인식을 보지 못한다. 잘 지어진 집들은 살아남게 될 것이라고 바울은 말한다; 달리 말하면, 그러한 집들은 창조주가 의도하고 있는 장차 도래할 세상의 일부가 될 것이라는 말이다. 터를 놓는 것이든 집을 짓는 것이든 선하고 신실한 사도적 사역은 살아남게 될 것이다; 중요한 것은 바로 이것이지, 관련된 가르침이 겉보기에 화려하냐 지루하냐가 중요한 것은 아니다. 다시 한 번 바울은 고린도 교인들이 종말론적인 이야기, 교회와 사도가 똑같이 처해 있고 두 시대 간의 팽팽하게 긴장된 중복 속에 놓여 있는 현세로부터 내세에까지 이어지는 이야기 안에서 그들 자신, 교회, 그들의 교사들의 사역을 이해하기를 갈망한다.

이러한 연속성은 고린도전서의 몇몇 측면들에 구체적인 초점을 부여해 주고, 결국에는 15장의 끝부분에서 이러한 연속성이 없다면 그릇된 결론이 되고 말 내용으로 이어지게 된다: 장래의 부활로 인하여, 너희가 현재적 부활 속에서 행한 일이 헛되지 않을 것이다(15:58)! 바울은 메시야의 부활로 말미암아 새로운 세상이 이미 시작되었고, 성령이 사람들과 교회들로 하여금 그 미래를 위하여 준비하고 모습을 갖추며 행할 수 있도록 하기 위하여 그 미래로부터 현재로 왔으며, 그러므로 현재 속에서 성령의 능력으로 행한 일은 장래에도 살아남게 될 것이라고 믿고 있다. 이것은 다름 아닌 우리가 다른 서신들 전체에 걸쳐서 서술되어 있는 것을 보았던 바로 그 부활의 패턴이다.

이 점은 바울이 성전 이미지를 통해서 말하고 있는 3:16-17에서 더 뚜렷해진다: 너희는 참 신의 성전이고, '셰키나'(Shekinah)가 예루살렘 성전에 거하였듯이, 그의 성령은 너희 속에 거한다. 그러므로 성전이 거룩하다는 것은 말할 것도 없다. 어떤 사람이 성전을 파괴한다면 — 암묵적으로, 파당을 나누어 분쟁하고 개인을 숭배하는 것은 공동체의 삶의 조직을 무너뜨림으로써 성전을 파괴하고 있는 것이다 — 그는 하나님의 심판을 통해서 멸망을 받게 될 것이다. 그러나 이러한 위협의 배후에서 우리는 로마서 8:1-11을 논의하면서 잠시 언급하였던 약속을 들을 줄 알아야 한다: 복음 사업은 (어떤 관점에서 보면) 새로운 성전, 사람들이 오랫동안 기다려 왔고 모든 열방 중에서 하나님의 이름이 거할 종말론적인 거처를 건설하는 것이고, 이 사업은 바로 부활을 통해서 완성될 것이다. 그런 후에, 이 장은 현세의 지혜와 내세의 영광들 — 이것들은 메시야에게 속한 것이기 때문에, 이미 그리스도인들에게 속해 있다 — 간의 또 하나의 대비로 끝이 난다(3:18-23).

4장은 지혜와 인물들에 관한 논의를 마무리하는데, 이번에도 이 문제를 종말론적인 심판이라는 맥락 속에 둔다(4:1-5). 너희는 나를 판단하고 있지만, 유일하게 중요한 판단은 마지막 날에 있을 판단이고, 나는 기꺼이 그 판단을 맞이할 준비가 되어 있다고 바울은 암묵적으로 말한다. 달리 말하면, 고린도 교인들이 필요로 하는 것은 바울이 15:20-28에서 상세하게 설명하게 될 강력한 해독제이다: 메시야의 나라가 완성되고, 그것에 반대하는 모든 것들을 참 신이 패배시키며, 이 신이 마침내 하나님이라는 것이 드러나며, 하나님이 "모든 것 중의 모든 것"이 될 장래의 그날. 바울과 아볼로(그리고 의심할 여지 없이 그 밖의 다른 사람들)를 이 빛 아래에서 보는 법을 배운다면, 그들은 그들의 태도, 그들이 스스로를 자랑한 것은 단지 현세에서의 그들의 지위를 강화시키는 방식인 반면에, 바울의 사도적인 노고들과 그가 견디어 내고 있는 역경들은 그가 현세와 내세라는 두 세대가 서로 중복되어 맷돌처럼 갈리고 있는 지점에서 살고 있다는 것을 보여주는 표지라는 것을 깨닫게 될 것이다. 4:8-13에서의 바울의 호소는 15장의 중간 부분에 나오는 간주곡(29-34절)과 어느 정도 동일한 요점을 말하고 있다.[13] 한편(4:14-21), 바울이 직접 고린도로 가보겠다고 한 위협의 말은 돌연한 실현된 종말론의 일부를 보여준다: 최후의 날을 선취하는 사도적 심판. 하나님의 나라는 말에 있는 것이 아니라 능력에 있다고 바울은 말하는데(4:20), 통상적으로 바울이 능력이라고 말할 때, 그가 염두에 두고 있는 것은 부활(또는 종종 1장에서처럼 십자가)이다.

이렇게 이 서신의 긴 서론 부분(전체 분량에 있어서 빌립보서 또는 골로새서만큼이나 긴)은 바울이 고린도 교인들에게 종말론적으로 사고하는 법을 가르치고자 하는 것으로 관통되어 있다; 더 구체적으로 말하면, 고린도 교인들로 하여금 현재의 때는 단순히 자기들이 얼마나 똑똑한지, 또는 자기들이 받은 새로운 가르침을 통해서 얼마나 사회적으로 또는 문화적으로 고명한 사람이 되었는지를 생각하며 스스로 의기양양해하고 자랑할 때가 아니라, 새 시대가 현재의 악한 시대 속으로 돌입해 오고 있는 까닭에 그들이 필요로 하는 것은 단순히 인간적인 지혜가 아니라 위로부터의 지혜라는 것을 깨달을 때라는 것을 이해하게 하는 것. 요컨대, 그들은 육적인 자들('사르키노이' 또는 '사르키코이')이 되지 말아야 할 것은 말할 필요도 없고, 혼적인 자들('프쉬키코이')이 아니라 영적인 자들('프뉴마티코이')이 될 필요가 있다는 것이다: 그들은 하나님의 성령에 의해서 능력을 받아서, 내세의 빛 아래에서 및 내세의 표준에 의거해서 현세를 살아갈 필요가 있다. 이러한 논증으로 시작되는 한 서신이 부활에 관한 전면적인 서술로 끝난다거나 부활의 몸에 관한 그 핵심적인 언어가 혼적인 몸('소마 프쉬키콘')과 영적인 몸('소마 프뉴마티콘') 간의 구별에 초점을 맞추고 있다는 것은 전혀 이상한 일이 아니다.

(iii) 고린도전서 5-6장: 성, 법률가들, 심판

바울은 이제 에베소에 있는 그를 만나러 왔던 고린도 교회의 사람들에 의해서 제기된 또 한 묶음의 일련의 구체적인 문제들로 눈을 돌린다. 교회 안에서의 근친상간의 예가 나오는데, 어떤 남자가 자신의 계모와 함께 산다는 것이

13) 아래의 제7장 제1절을 보라.

다; 그리고 그리스도인들이 이교도들의 법정 앞에서 서로에 대하여 고소하려고 한다. 이 두 가지 문제는 바울을 공포와 낙담으로 채워 버린다; 고린도 교인들은 정녕 정신이 나가 버린 것인가? 그들이 다시 한 번 알아 두어야 할 것은 하나님의 심판이라는 현실이다. 그들은 그 미래의 심판을 현재로 가져와서, 이교도 같은 삶을 사는, 아니 이 경우에는 이교도보다 더 악한 음행을 저지른 사람들에 대하여 치리권을 행사하여야 한다. (아마도 온 교회가 지켜보는 가운데 근친상간을 저지른 사람은 그들이 그리스도인들이 된 지금에 있어서는 모든 통상적인 사회규범은 그 효력이 중단된다고 생각하였을 것이다.) 바울의 대답은 분석하기가 그리 어렵지 않다. 그리스도인들은 현재의 세상과 타협해서는 안 된다; 그들은 장래의 세상의 빛 아래에서 살아가야 한다. 이렇게 바울은 유대교적인 종말론적 틀의 기독교적 판본을 그려낸다.

이것은 심판을 내포하고 있다: "주의 날"에 있을 장래의 심판(5:5, 13a), 공동체 자체가 범죄자들을 치리하면서 행사하여야 할 심판(5:3-5). 그들은 이러한 심판을 수행하기 위하여 바울 자신의 사도적 권세를 사용하여야 하고, 그 사람을 그리스도인들의 친교로부터 추방하여(이것이 5절에 나오는 "사탄에게 내어주어"가 의미하는 것이다), 그의 "육체"는 "멸해지더라도" 그의 "영"은 "구원받을 수" 있게 하여야 한다. 이것은 단순히 바울이 그 사람이 육체적으로 죽은 후에 몸이 없는 가운데 구원을 누리는 것 — 이것은 경솔하고 시대착오적인 읽기이다 — 을 염두에 둔 것임을 의미하지 않는다. 이것은 공동체에 의한 현재적인 심판을 주의 날에 있게 될 장래의 심판과의 관련 속에 놓는 것으로서, 썩어 없어지고 반역적인 인간 본성과 그 사람이 비록 자신의 행실에까지 침투되도록 허용하지는 못했지만 실제로 소유하고 있다고 바울이 본 하나님이 주신 생명 간의 차이를 신속하게 요약하기 위하여 "육체/영"이라는 대비를 사용하고 있는 것이다. 최후의 심판의 진면목이 어느 정도 현재 속으로 투영될 수 있다면, 범죄자는 회개에 이르러서 구원을 받게 될 기회를 얻을 수도 있을 것이다. 여기에는 3:12-15에 대한 반영들도 존재한다; 심판 때에 어떤 사람들의 공로는 불에 타 버릴 것이지만, 그래도 여전히 그들은 구원을 받게 될 것이다.

물론, 바울의 분석과 비판의 핵심은 우리가 "메시야적 유대교"라고 부를 수 있는 것, 달리 말하면 메시야 예수를 통해서 재정의된 유대교 스타일의 표본적인 이야기이다; 이것은 고린도 교인들이 마땅히 그들이 누구이고 그들의 삶이 어떤 형태를 띠어야 하는지에 관하여 말하는 이야기이다. 그리스도인이 된다는 것은 단순히 그들의 이전의 삶의 속박들로부터 그들을 자유롭게 해서, 그들을 도덕적 또는 서사적 공백 상태 속에 방임하는 것이 아니다. 그리스도인이 된다는 것은 그들을 바울이 명시적으로 '파스칼'(유월절)이라고 서술하고 있는 새로운 장엄한 서사 속으로 엮어 짜넣는다: 우리의 참 유월절 양이신 메시야가 희생 제물로 드려졌고, 우리는 이교적인 방식으로 행동하는 것에 의해서가 아니라 유월절 예식의 "무교병"이라는 좋은 은유(다른 식으로는 설명되지 않지만)로 제시된 도덕적 기준들로 살아감으로써 이 절기를 송축해야 한다. 5장은 복음에 합당하지 않은 방식들로 처신하고 있는 지체들을 교회는 심판해야 한다는 또 다른 경고로 끝이 난다. 이제까지 바울은 9-11절의 표준들을 위한 토대를 설명하지 않았지만, 다른 서신들을 보면, 그가 그리스도 안에서의 인간의 갱신, 이러한 관행들을 통해서 위태롭게 될 갱신을 생각하고 있다는 것이 분명해진다.

심판은 6장에서 다시 한 번 쟁점으로 부상하는데, 이번에는 교회가 신학적인 파격을 범하고 있기 때문이다: 불신자들 앞에서 소송하는 것. 여기에서 다시 한 번 바울의 대답은 그들이 기독교적인 종말론적 소망, 달리 말하면 메시야 예수를 중심으로 재편성된 유대교적인 묵시론적 소망이라는 관점에서 생각하고 있지 않았다는 것이다. 성도들이 세상을 판단하고, 우리가 천사들을 판단할 것임(6:2-3)을 너희는 모르느냐고 바울은 말한다(오늘날의 대부분의 독자들은 "모릅니다!"라고 대답할 것이다).

이 주목할 만한 진술은 "지극히 높으신 이의 성도들"에게 짐승들에 대한 심판을 수행하고 열방들을 다스릴 권세가 주어진다고 말하는 다니엘서 7장 같은 본문들에 대한 바울의 생생한 인식에 토대를 두고 있다. 바울은 예수 자신이 궁극적인 재판장이라고 재빨리 역설하고 싶었을 것이지만, 이러한 심판은 예수의 모든 백성이 함께 참여하는 가운데 수행된다는 초기 기독교의 기본적인 신학을 전제하고 있다. 여기서도 다시 한 번 바울은 장래에 실현될 것으로부터 현재에 관한 결론들을 도출해낸다: 이것은 일들이 장래에 어떻게 될 것인지를 보여주는 것이고, 따라서 이것은 그들이 지금 어떻게 해야 하는지를 보여준다. 장차 도래할 세상, 그리고 그 안에서의 너희의 모습이라는 관점에서 생각하는 법을 배우라고 바울은 말하고 있다. 그러면 너희는 현재에 있어서 너희가 어떤 사람이어야 하는지를 분명하게 볼 수 있을 것이다. 너희가 그렇게 한다면, 너희는 그리스도인들이 불신자들의 법정 앞에서 서로 다투며 송사하는 것이 전혀 합당치 않다는 것을 알게 될 것이다. 바울은 그리스도인 한 사람 한 사람이 현재에 있어서 사법적인 역할을 수행할 수 있을 것이라고 말하고 있는 것이 아니라, 심지어 작은 공동체 안에서도 — 여기서는 고린도 교회를 염두에 두고 있겠지만 — 그러한 기능을 행사하기에 충분할 정도로 "지혜로운" 자들이 몇몇 있을 것이라고 생각한다. 어쨌든 종말론적인 현실(하나님의 백성이 세상에 대하여 하나님의 심판을 수행하는 데에 참여할 것이라는 것)은 현재 속으로 가져와져야 한다. 어떤 이유에서든지 그것이 불가능하다면, 세속적인 법정으로 하여금 그리스도인들을 앉혀 놓고 판단하게 하는 것보다 차라리 옳지 않은 것을 견디며 당하는 쪽이 더 나을 것이다.

그런 후에, 바울은 그리스도인들의 도덕이라는 더 폭넓은 문제, 특히 성적인 문제 그리고 그 안에서 더 구체적으로는 매춘이라는 문제로 되돌아간다(6:9-20). 여기에서 중요한 것은 "하나님의 나라를 유업으로 받는 것"(9, 10절)이라고 바울은 말한다. 바울은 이 어구를 자주 사용하지 않지만, 그가 이 어구를 사용할 때, 이 어구는 대체로 메시야가 참 신과 그의 선한 피조물의 모든 원수들을 굴복시키는 자신의 사역을 끝마쳤을 때에 오게 될 최종적인 "나라"(15:24-28)를 가리킨다(의인들이 죽어서 가는 곳이 아니라). 여기서의 두 번의 언급은 그 본문, 그리고 또한 바울이 여기에서와 본질적으로 동일한 논증을 제시하고 있는 15:50("혈과 육은 하나님 나라를 이어 받을 수 없고")로 이어진다: "썩는 것은 썩지 아니하는 것을 유업으로 받지 못하느니라"; "음식은 배를 위하여 있고 배는 음식을 위하여 있으나 하나님은 이것 저것을 다 폐하시리라"(15:50b; 6:13b).[14]

특히, 6:12-20의 논증은 사람들이 현재의 몸으로 행한 일이 중요한 것은 바

---

14) 또한 cf. 갈 5:21; 엡 5:5. 바울은 롬 14:17; 고전 4:20; 골 1:13; 4:11에서처럼 하나님 나라를 현재적 실체로 지칭한다; 다른 "미래적" 언급들은 살전 2:12; 살후 1:5; 딤후 4:1; 4:18 등이 있다.

15) 이것은 O'Donovan의 요지이다(1986, 13-15): "기독교 윤리는 죽은 자로부터의 예수 그리스도의 부활에 의존해 있다." Thrall 2002에 나오는 연속성에 관한 논

로 그 몸이 부활할 것이기 때문이라는 바울의 신앙에 의존해 있다.[15] 현재의 몸과 미래의 부활의 몸 간의 연속성은 현재의 윤리적 명령에 무게를 더해 준다:

> [13b]몸은 음란을 위하여 있지 않고 오직 주를 위하여 있으며 주는 몸을 위하여 계시느니라 [14]하나님이 주를 다시 살리셨고 또한 그의 권능으로 우리를 다시 살리시리라 [15]너희 몸이 그리스도의 지체인 줄을 알지 못하느냐 내가 그리스도의 지체를 가지고 창녀의 지체를 만들겠느냐 결코 그럴 수 없느니라 [16]창녀와 합하는 자는 그와 한 몸인 줄을 알지 못하느냐 일렀으되 둘이 한 육체가 된다 하셨나니 [17]주와 합하는 자는 한 영이니라 (고전 6:17)

14절이 열쇠이다. 헬라어의 강조점은 영어로 표현하기 어렵지만, 15장에서처럼 여기에서도 결정적으로 중요하다: "… 하였고 또한 …"(both … and …)는 예수의 부활과 신자들의 부활을 결합시키고 있고, 이 둘은 하나님의 권능('뒤나미스')에 의해서 이루어진다(바울 서신에서 통상적으로 그러하듯이). 분명히 바울은 몸 — 음행으로 인하여 남용될 수 있는 바로 그 몸 — 이 "주를 위하여" 의도된 것이라고 생각하고 있다; 이것은 (a) 세례 속에서 선취되고 부활을 통해서 일어나게 될 메시야와의 궁극적인 연합, (b) 현재에서 있어야 할 것으로 기대되고 있는(로마서 6:12-14; 12:1-2에서처럼) 메시야에 대한 섬김을 가리키고 있는 것으로 보인다. 실제로 로마서 6:13과 19절은 "지체들"이라는 관념에 대한 밀접한 병행을 제공해 준다: 지체들은 잘못된 목적을 위하여 사용될 수도 있고 메시야를 섬기는 데에 사용될 수도 있는 몸의 부분들이다. 특히, 바울은 창세기 2:24을 토대로 창녀와 하나가 되는 것은 자신의 "지체들"을 이교 문화의 일부와 결합시키는 것이기 때문에 부적절하다고 말한다.

그의 인간론적 용어들에 관하여 위에서 말한 모든 것을 감안할 때에 이 점과 관련하여 당혹스럽게도, 바울은 먼저 "한 육체"가 된다는 것에 관하여 말하고 있는 한 성경 본문을 토대로 해서 창녀와의 성관계가 "한 몸"이 되는 결과를 가져온다고 분명하게 말한 후에, 그리스도인들은 메시야와 한 영이 된다고

의를 보라.

말함으로써 이런 식으로 행동하는 것이 지니는 의미를 회피해 버린다. 5:5에서처럼 여기에서도 바울의 생각 속에는 그 근저에 있는 육체/영이라는 대비가 존재하고 있는 것으로 보이고, 이것은 마지막 대비의 수사적인 의미를 설명해 준다. 그리고 그가 13절에서 몸과 주가 서로를 위하여 의도되어 있다고 말했다는 사실 — "몸"이 분명히 성적인 음행을 위하여 사용될 수 있는 바로 그 몸을 의미하는 맥락 속에서 — 그가 "한 영"(17절)이라고 말할 때에 플라톤적인 사고 방식을 지닌 독자들이 생각하는 "순전히 영적인" 관계를 생각하고 있지 않다는 것을 보여준다. 우리는 바울이 "몸과 영으로" 거룩하도록 부르심을 받았다고 말하고 있는 7:34과 비교해 볼 수 있을 것이다. 바울은 결코 "육체로"라고 말하지 않았을 것이다; "육체"(그의 용어 체계상에서)가 거룩해질 수 있는 유일한 길은 죽음에 처해지는 것에 의해서이다.

바울의 사고의 흐름은 다음과 같이 설명될 수 있다. 16a절(창녀와의 성관계는 "한 몸"이 된다는 것을 의미한다)을 쓸 때, 바울은 여전히 몸과 지체들이 주된 주제였던 13b-15절에서 그가 말하고 있었던 것을 생각하고 있었다. 그런 다음에, "육체"에 관하여 말하고 있는 창세기의 인용문을 통해서 자신의 요지를 입증한 후에, 바울은 자연스럽게 "육체"라는 단어가 연상시킨 주된 대비를 찾게 되었고, 그래서 "영"이라고 썼다. 이렇게 해서 표면적으로 인간론적인 언어의 불협화음이 약간 생겨나게 되었다. 왜냐하면, 바울은 성적인 음행에 빠지게 되면 남용될 수 있는 바로 그 현재의 육신적인 몸과 주를 위하기로 되어 있는 장래의 몸 간의 연속성에 관하여 말하고, "육체"와 "영"의 대비를 통해서 그러한 남용이 잘못되었다는 것을 보여주고자 했기 때문이다. 현재의 몸의 삶과 장래의 몸의 부활 간의 연속성은 그리스도인들이 현재적으로 그들의 몸을 가지고 행하는 것이 중요하다는 것, 종말론적으로 중요하다는 것을 의미한다. 몸과 관련하여 멸해질 것이 존재한다(13a절): 썩어짐이 없는 장래의 세계에서는 음식과 위는 아무런 상관이 없다. 따라서 부활의 몸은 그 문제와는 아무런 상관이 없게 될 것이다(음식과 배는 은유적으로 여기에서 성적인 행위와 성적인 기관들을 가리키고 있기 때문에[16]).[17] 바울은 여기에서 창조주가 고린도 교

16) 예를 들면, cf. Hays 1997, 103.

17) 예수와 사두개인들 간의 논쟁을 참조하라(아래 제9장).

인들 중 일부가 그들이 하고 싶은 대로 남용하고 있는 몸의 일부를 멸하실 것이라는 것과 이런저런 식으로 행동하는 현재의 사람과 장차 새로운 몸의 삶으로 부활하게 될 사람 간의 몸과 관련된 연속성이 존재한다는 것을 둘 다 동시에 말하기 위하여 정교한 논증을 펼치고 있다. "하나님이 멸하시리라"는 그러한 길을 감으로써 부활의 생명을 체험하지 못하게 될 자들을 위한 멸망의 심판에 관한 경고라고 말할 수 있을 것이다; 그러나 앞에서 말했듯이, "몸"은 시간, 공간, 물질이라는 관점에서 본 총체적인 인간을 가리키기 때문에, 굳이 그렇게 전제하지 않아도 바울의 논증은 무리없이 진행된다. 나중에 15장에서 한층 강력하게 강화될 중심적인 요지는 이전에 일어난 예수의 부활에 토대를 둠과 동시에 그것을 모델로 한 신자들의 장래의 부활은 현재에 있어서 몸으로 한 행위가 장래의 나라에서 중요하다는 것을 의미한다는 것이다.[18]

이 장의 끝 부분은 이번에는 개인적인 의미에서의 성전 이미지로 되돌아온다(6:18-20; 여기서 "너희"는 복수형이지만, 그 의미는 분명히 각각의 그리스도인에게 개별적으로 적용된다). 몸은 성령의 전이다; 너희는 값주고 사신 바 되었기 때문에, 너희의 몸으로 하나님께 영광을 돌려야 한다. 이것은 성령이 보증하고 있는 미래와 닿아 있다: 하나님은 메시야의 죽음을 통해서 일어난 "구속"에 의해서 총체적인 인간을 사셨다.[19] 하나님은 그러한 구입이 장래에 제대로 효과를 발휘하기를 원하고, 이것은 몸이 이미 현재에서 살아계신 하나님이 영광을 받는 장소가 됨으로써 최후의 부활의 약속된 영광이 이미 현재 속에서 실현되고 있는 것의 적절한 완성이 될 때에 이루어질 수 있게 된다.

(iv) 고린도전서 7장: 혼인

우리는 6:16에서의 바울의 논증이 너무도 명백한 것이라고 생각할지도 모른다. 남편과 아내가 "한 육체"가 될 때, 메시야와의 종말론적인 연합에는 무슨 일이 생기게 되는 것인가? 그러한 질문이 바울의 머리를 스치고 지나갔더라면, 바울은 매춘과 관련된 요지는 그것이 이교 문화의 일부라는 것이었다고 대답하였을 것이다. 많은 이교 신전들은 창녀들을 제의의 일부로서 직원으로 두고

18) Perkins 1984, 268f.
19) cf. 고전 7:23; 갈 4:5.

있었고, 역으로 많은 창녀들은 이교 신전들을 잠재적인 고객들이 술판을 곁들인 식사를 끝마치고 그들의 서비스를 받고자 하는 장소로 보고 거기에서 어슬렁거렸을 것이다.

어쨌든 다음 장, 고린도 교회가 바울에게 편지로 써 보냈던 문제들에 대하여 답하고 있는 첫 번째 장(7:1)은 혼인과 관련된 문제들을 직접적으로 다룬다. 이 논증의 대부분은 우리와는 별 상관이 없다 — 물론, 더 폭넓게 살펴볼 여유가 있다면, 어떤 조건들 아래에서 독신을 권장하지는 않더라도 허용하는 것이 적어도 예수의 부활에 토대를 둔(그리고 아마도 그의 가르침과 모범에 토대를 둔) 바울의 종말론적인 신앙들과 관련이 있는 유대교와의 철저한 단절을 나타내고 있다는 사실을 살펴보는 것은 흥미롭겠지만. 이 장에서는 오직 한 대목에서만 바울은 느닷없이 많은 사람들에게 종말론적인 시간표로 여겨져 왔던 내용을 불쑥 꺼내서, 현재의 때가 "단축되었다"('쉰에스탈메노스')고 말한다(7:29). 지금은 모든 것이 철저한 변화를 위하여 대기 중이기 때문에 사람들은 마치 그들이 이 세상과는 아무런 관련이 없는 사람들인 것처럼 살아야 할 때라고 바울은 말한다; 혼인한 사람들은 마치 그들이 혼인을 하지 않은 것처럼 살아야 하고, 슬퍼하거나 기뻐하는 사람들은 마치 그들이 그렇게 하고 있지 않은 것처럼 살아야 한다 — "이 세상의 외형은 지나감이라"('파라게이 가르 토 스케마 투 코스무 투투,' 7:29-31). 이것은 통상적으로 바울이 메시야의 재림이 매우 임박했다고, 통상적인 일상 생활의 관심사들에 관심을 둘 여유가 없을 정도로 아주 임박했다고 생각했다는 것을 보여주는 것이라고 여겨져 왔다.

하지만, 이러한 견해는 지난 세대에, 특히 50년대 중반에 고린도 서신을 연구했던 역사가들에 의해서 강력한 도전들을 받아 왔다. 바울은 현재의 때를 당시의 기록에 의하면 많은 사람들이 큰 고통을 겪었던 기근과 환난이 에게해 세계를 뒤덮고 있던 때라고 말하고 있을 가능성이 훨씬 높다는 것이다. 이것이 바울이 현재의 때를 "큰 환난의 때"라고 말하고 있는 이유이다.[20] 하지만 "이 세상의 외형은 지나감이라"고 말하고 있는 것은 2:6의 울림을 지니고 있다(이 세상의 통치자들은 멸망 받을 운명에 처해 있다는 것). 새로운 가사(家事)와 관련된 계획들을 세우지 않는 것이 나은 현재의 환난, 직접적으로 제약이 있는

20) Winter 2001, 216-25.

상황 배후에서, 바울은 더 큰 진리를 보고 있다: 현재의 세상과 그 자연스러운 모든 삶(혼인과 자손의 생산을 포함한)은 결국 예수와 그의 부활을 통하여 이미 시작된 새로운 세상에 의해서 대체될 것이다.

(v) 고린도전서 8-10장: 우상들, 음식, 유일신 사상, 사도적 자유

고린도 교인들이 제기했던 다음 주제는 우상들에게 바쳐진 고기, 달리 말하면, 우상의 신전들이 푸줏간과 식당을 겸하고 있었던 고린도 같은 도시에서 시중에서 팔고 있는 거의 모든 고기와 관련된 문제였다.[21] 이 주제에 할애된 세 개의 장은 중간 부분에 여기서의 주제와는 상관이 없어 보이지만 최종적인 논증에 있어서 결정적으로 중요하다는 것이 입증될 내용을 담고 있는 것으로 드러날 단락을 포함하고 있다: 8장은 무엇이 문제인지를 설정한 후에, 이것을 다룰 기본적인 경험칙을 제시한다; 9장은 이 주제와는 상관 없는 것, 즉 사도로서의 바울의 실천을 다루고 있는 것으로 보이지만, 결국에는 자신에게 주어진 "자유"를 복음을 위하여 사용하지 않는다는 것에 관한 내용임이 밝혀진다; 그런 후에, 10장은 9장의 모범을 8장의 문제에 적용해서 윤리를 도출해낸다. 우상들에게 바쳐진 음식과 관련된 문제에 대답하는 방식은 종말론적인 이야기, 창조주의 선한 세계와 그것이 메시야에 의해서 어떻게 구속되었는지에 관한 유대적 이야기 속에서 너희가 어디에 속해 있는지를 깨닫는 것이다. 이 이야기를 통해서 너희는 메시야 안에서 너희가 얻은 신분으로 말미암아 너희의 것들이 된 포괄적인 책임을 수반하는 권리들과 자유들을 어떻게 규율해야 할지를 배워야 한다.

각각의 논점에 있어서 바울은 우리의 현재의 주제와 관련이 있는 논거들을 사용한다. 바울이 8장에서 직면하고 있는 문제의 핵심에는 이교의 다신론 사상의 세계에 의한 유대적인 유일신 사상에 대한 도전이 자리잡고 있다. 물리적인 우주의 모든 부분이 신격화되어 있고 숭배되고 섬겨졌던(종종 그렇게 보였던 것이 틀림없다) 도처에 널려 있는 대규모의 우상 숭배에 직면하여 — 유대교적 관점에서 보면, 끔찍할 정도의 비인간적인 결과들을 수반한 — 유대인들

21) 특히, 고린도전서 8:1-6에 대해서는 Wright, *Climax,* ch. 6을 보라. 그 맥락과 사회적 상황에 대해서는 Horsley 1998; Winter 2001을 보라.

은 연약한 양심을 갖고 있는 사람이라면 세상으로부터 온전히 물러나서 더러움이 도달할 수 없는 "안전한" 영역으로 안주하기가 쉬웠을 것이다. 이것이 유대 율법에 따라 요리하는 정육점이 없는 상태에서 시장의 좌판대 위에 이런저런 신에게 희생 제물로 바쳐진 고기들이 놓여져 있는 도시 속에서 고기를 전혀 먹지 않는 것을 의미했다면, 그것은 많은 유대인들이 따랐을 길이었다. 그리고 기독교는 본질적으로 일종의 유대교로서(이교도들의 눈에는 항상 그렇게 보였을 것임에 틀림없다), 한 분 참 신을 예배하고 이교의 신전을 무시하였기 때문에, 기독교 공동체 내에서도 바로 그런 식으로 물러나는 것을 선호하였던 사람들이 있었을 것임은 당연한 일이었다 — 단지 유대적인 출신 배경을 가진 사람들만이 아니라, 그들 자신의 환경과 그들 자신의 과거에 환멸을 느끼고 거룩, 정결, 소망의 종교를 안식처로 삼아 귀의했던 이교도 출신의 신자들도. 또한 바울 자신과 마찬가지로 피조 질서에 대한 확고한 견해를 지니고 있어서 그 어떤 것을 먹더라도 양심에 전혀 거리낌이 없었던 그리스도인들도 많이 있었을 것이다. 그렇다면, 교회는 이 문제를 어떻게 해결해야 하는가?

내가 감지하기로는, 미묘한 뉘앙스를 지닌 바울의 대답의 근저에는 그의 기본적인 창조의 유일신 사상이 놓여 있다. 세상으로부터 물러나 있는 것이 훨씬 더 "안전할"지도 모른다; 그러나 그것은 한 분 참 신이 결국 현재의 세상의 창조주가 아니라거나 새 창조의 위대한 행위를 통해서 현재의 세상을 자기 자신의 것으로 주장할 의향이 없다는 것을 함축할 수 있다. 바울은 너무도 자주 통상적인 이교 사상의 이면이었던 그러한 이원론 속으로 빠져들기를 거부한다. 이것이 10:26에서 바울이 시편 24:1을 인용하는 이유이다: 땅과 거기에 충만한 모든 것이 주의 것이다. 그러나 로마서 14장에서와 마찬가지로, 바울은 자신의 오랜 목회 경험에 의하여 사람들의 양심이 모두 동일한 수준으로까지 재교육되지 않았기 때문에, 어떤 사람으로 하여금 자신의 양심을 거스르고 행동하도록 강제하는 것보다는 겉보기에 변칙적이라고 생각되는 방식으로 살아가는 편이 훨씬 더 낫다는 것을 알고 있다.[22] 그러므로 서로의 양심에 대한 존중, 이에 따라서 자신의 자유와 권리를 기꺼이 제한하고자 하는 태도는 "강한"

22) 그 맥락과 현재의 맥락 간의 유사점들 및 차이점들을 밝히고 있는 Wright, *Romans,* 730-43을 보라.

그리스도인들이 언제나 기꺼이 따를 준비가 되어 있어야 하는 준칙들이다; 이것이 8:7-13과 10:23-11:1의 결론이다. 이와 동시에, 바울은 그리스도인들이 우상의 신전에 결코 가서는 안 된다고 역설한다(10:14-22). 하지만 창조의 유일신 사상은 이 모든 것들을 지도하는 빛이고(10:25-6, 30), 15장의 부활 신학을 떠받치고 있는 것도 바로 그것이다. 현재의 피조 질서는 선하고, 창조주는 그것을 재긍정할 의향을 지니고 있다 — 사정이 그렇지 않다면, 도덕적인 판단들을 내리는 것은 훨씬 더 쉬울 것이다.

이러한 결론을 향하는 가는 도중에서 바울은 9장에서 사도(우리가 9:1에서 지적했듯이, 부활하신 주를 보지 못한 거의 대다수의 그리스도인들과 반대되는 부활하신 주를 본 사람; 15:5-11을 보라)로서 자기에게는 몇 가지 권리들이 주어져 있지만, 복음의 진보에 방해가 되지 않도록 하기 위하여 적어도 고린도 교회에서는 그 권리들을 사용하지 않았다고 역설한다. 앞에서 지적했듯이, 바울이 이렇게 한 기본적인 이유는 복음 및 동료 그리스도인들을 위하여 권리들을 포기하는 모범을 보여주기 위한 것이었다; 그러나 그 과정에서 바울은 우리의 현재의 목적과 관련이 있는 몇 가지 흥미로운 점들을 나타낸다. 바울은 9:11에서 자기가 영적인 것들('타 프뉴마티카')을 뿌렸기 때문에 원칙적으로 육적인 것들('타 사르키카')을 거두는 것은 너무도 합당한 일이라는 일종의 '하물며'(a fortiori) 논증을 제시한다. 바울이 여기에서 의미하는 것은 로마서 15:27에서처럼 복음을 전하는 자가 보상을 받는 것은 너무도 합당한 일이라는 것이다. 이보다 더 중요한 것은 이 장의 마지막 단락(9:24-27)에서 바울은 경주자가 훈련하면서 탐내는 없어져 버릴 면류관과 바울 자신이 추구하고 있는 없어지지 않을 면류관 간의 차이에 관하여 말하고 있는 것이다 — 이것은 정확히 15:42, 53과 54에서 그가 다시 사용하는 대비이다. 6:12-20에서와 마찬가지로, 이러한 목적을 달성하기 위해서는 몸이 훈련되어야 한다:

> [25]이기기를 다투는 자마다 모든 일에 절제하나니 그들은 썩을 승리자의 관을 얻고자 하되 우리는 썩지 아니할 것을 얻고자 하노라 [26]그러므로 나는 달음질하기를 향방 없는 것 같이 아니하고 싸우기를 허공을 치는 것 같이 아니하며 [27]내가 내 몸을 쳐 복종하게 함은 내가 남에게 [복음을] 전파한 후에 자신이 도리어 버림을 당할까 두려워함이로다.

바울이 염두에 두고 있는 목표는 분명히 부활이다. 다른 곳에서 바울이 "면류관"을 얻는다고 말할 때, 그것은 통상적으로 복음을 위하여 굳게 서 있는 자신의 교회들이다; 그러나 이 은유는 이와 같은 방식으로도 잘 작동한다.[23] 그의 목표는 부활 속에서 약속된 새롭게 몸을 입은 삶이다. 현재에 있어서의 몸의 훈련 — 자기가 권리를 가진 것들에 대해서조차도 "아니오"라고 말하는 — 은 그러한 목표를 향한 길에서 필수적인 부분이다.

10장의 첫 부분은 바울이 이교도 출신의 신자들에게 그들이 살아야 하는 서사 세계를 설명해 주기 위하여 이스라엘의 이야기를 다시 말하고 있는 고전적인 본문들 중의 하나이다. 이스라엘 백성은 유월절에 애굽으로부터 구원을 받았었다. 그들은 유업을 받기 위하여 가는 도중에서 광야에서 유랑하였다. 바울은 이 이야기를 교회가 그 속에서 살고 있다고 믿고 있는 이야기와 병행 관계 및 연속적인 관계 속에 둔다. 병행 관계라는 것은 원래의 유월절 체험이 예수의 죽음과 부활이라는 메시야적인 사건들 속에서 발생학적으로 반복되었다는 것이다(5:7); 기독교의 세례와 성찬은 홍해를 건넌 것과 광야에서의 이적에 의한 급식을 반복한 것이다(이것을 바울은 "영적인"('프뉴마티코스') 음식과 "영적인" 음료라고 묘사한다); 그리스도인들은 이스라엘 백성과 마찬가지로 시험을 받을 수밖에 없지만, 이스라엘 백성이 실패한 곳에서 성공하지 않으면 안 된다. 연속적인 관계라는 것은 원래의 출애굽이 메시야 예수를 절정으로 하고 교회를 현재의 결과물로 하는 이야기 속에서 과거의 계기(moment)가 되고 있다는 것이다; 이스라엘 백성은 "육체를 따른"(10:18; 많은 번역문들에서 모호하게 처리된) 하나님의 백성이었지만, 새 공동체는 이제 많은 다양한 배경들을 지닌 사람들로 구성된 전세계적인 가족이고, 유대인들과 헬라인들로 이루어진 세상이 지켜보는 가운데에 그들의 새로운 정체성을 살아내지 않으면 안 된다(10:32).

이러한 것들은 그 어느 것도 다음과 같은 폭넓고 중요한 의미에서의 영향을 제외한다면 15장에 직접적인 영향을 미치지 않는다: 바울은 여기에서 로마서 8장에서와 동일한 사상 세계 속에 있는데, 로마서 8장에서는 출애굽 이야기를 다시 말하면서 "유업"이 구속된 전체 피조물이라는 것을 보여주었다.

23) cf. 빌 4:1; 살전 2:19; 딤후 2:5; 4:8.

고린도 교인들에게 그들 자신에 대하여 창조와 계약, 약속과 성취, 출애굽, 광야, 유업에 관한 서사 내에서 생각하도록 가르치고자 한 바울의 시도는 우리가 15장에서 보는 것과 동일한 전략의 일부이다. 바울은 여기에서 고린도 교인들이 예수를 중심으로 하여 재편된 철저하게 유대적인 방식으로 창조주와 세계에 관한 이야기를 말하고 그들 자신의 위치를 정확히 그 지도 위에서 규정하기를 원하고 있는 것이다.

(vi) 고린도전서 11-14장: 예배와 사랑

다음의 문제는 성찬에 관한 것이다. 바울은 이 문제를 그가 다른 문제들에 대하여 대답했던 것과 동일한 방식으로 답변한다: 앞에서 말한 이야기를 다시 한 번 그들이 그 이야기 속에서 어디에 속해 있는지를 보여주는 방식으로 말함으로써(11:17-34). 주된 난점은 주의 식사를 거행할 때에 패를 가르는 것이 폐지된 것이 아니라 오히려 강화된 것이었다.[24] 바울은 성찬 제정에 관한 이야기를 다시 들려주면서, 잔은 메시야의 피로 세워진 "새 언약"을 나타낸다고 강조한다. 이것은 앞 장의 출애굽 이야기가 서사적 연속 속에서 더 명시적으로 개진되는 지점이다: 메시야 및 그의 죽음과 부활을 중심으로 형성된 유대인/이방인 교회는 사람들이 오랫동안 기다려 왔던 "새 언약"의 수혜자이다. 그리고 바울 서신에 나오는 아주 많은 것들과 마찬가지로 이 계약도 지금/아직이라는 종말론적인 긴장 관계를 지닌다: "너희가 이 떡을 먹으며 이 잔을 마실 때마다 주의 죽으심을 그가 오실 때까지 전하는 것이니라"(11:26). 이렇게 성찬은 과거, 현재, 미래를 연결시켜 주는 또 하나의 다리이다; 성찬의 중심적인 행위들은 15:23-24에서처럼 십자가 사건을 되돌아보고 예수의 다시 오실 날을 바라본다. 교회의 예배는 항상 자신이 놓여져 있는 시간틀을 염두에 두고 있어야 하는데, 만약 그렇지 않게 되면, 교회는 단순히 사교 모임으로 전락하고 말 것이라고 바울은 말한다.

이 서신에서 흔히 중요하게 취급되어 온 몸이라는 주제는 12장에서 바울의 가장 위대한 은유들 중의 하나를 통해서 독자적으로 부각된다. 메시야의 몸으로서의 교회라는 개념을 전개하면서, 바울은 이것이 무작위적으로 선택된 은

24) 예를 들면, cf. Thiselton 2000, 848-53.

유가 아니라는 것을 잘 알고 있는 것으로 보인다. 그가 다른 서신들에 나오는 몇몇 대목들에서 말하고 있고, 특히 15장에서 강조하고 있듯이, 창조주 신이 예수 안에서 및 예수로 말미암아 이룬 일은 인류의 갱신, 하나님이 인간을 처음에 만드셨을 때에 의도하셨던 바로 그 모습으로의 갱신이다. 그러므로 사지(四肢)들과 기관들이 원래 의도된 대로 움직이는 인간의 몸이라는 이미지보다 공동체의 삶을 묘사하는 데에 더 나은 이미지가 있을 수 있겠는가? 현재적인 교회의 통일성이 중요한 이유는 특히 그렇게 함으로써 교회는 메시야의 몸('소마 크리스투')의 지체들이 각각 자신의 영적인('프뉴마티카') 은사들을 활용해서, 마침내 부활하여 생명에 이르고 하나님의 성령에 의해서 능력과 생명이 주어지는 영적인 몸('소마 프뉴마티콘')을 부여받게 될 부활의 세계의 완벽한 조화를 선취할 수 있을 것이기 때문이다(15:44-46).

바울은 이 장의 도입부에서 이제는 "영적인 일들"이라는 의미의 명사로 사용되는 핵심적인 용어인 '프뉴마티코스'를 도입한다 — 이 장에서는 고린도 교인들이 제기하였던 또 하나의 주제를 다루는 것으로 보인다. 이 용어가 여기에서 지닌 의미는 분명히 "영적인 은사들"이다 — 물론, 바울은 "은사들"을 가리키는 별개의 단어를 사용하지 않고 단지 '프뉴마티카'라고 말하고 있지만,[25] 여기에 고린도전서의 반어법이 존재한다: 고린도 교회는 신자들이 원하는 온갖 "영적인 것들"을 가지고 있었지만, 2장과 3장에서 경고하였듯이, 진정으로 영적인('프뉴마티코이') 자들이 되는 데에 실패할 위험성에 놓여 있었다. 하지만 이러한 "영적인 은사들"은 그가 거기에서 권하고 있었던 속성 및 성품과 동일한 반열에 속한 것이 아니다; 방언과 예언 등등은 현재에 있어서는 창조주가 염두에 두고 있는 미래의 세계로부터의 사자들로서의 역할을 할 수 있지만 내세에서는 필요가 없게 될 것이다. 그럼에도 불구하고, 교회의 통일성의 토대 — 한 성령, 한 주, 한 신이 "모든 것을 모든 사람 가운데서 역사하시는"(12:6) 분이라는 사실 — 는 다시 한 번 이 신, 역사와 세계의 창조주이자 주

25) 신학적인 논의에서 통상적으로 사용하는 용어인 "영적인 은사들"은 '카리스마타'라는 단어에서 왔다(고전 12:4, 9, 28, 30, 31; 또한 고전 1:7; 롬 12:6). 바울은 고린도전서 7:7과 로마서 1:11; 5:15f.; 6:23; 11:29에서 이 단어를 다른 의미들로 사용한다.

이신 분이 결국에는 "만유의 주로서 만유 안에" 계실 것이라는 내용을 그 이야기 전체의 결론으로 삼고 있는(15:28) 15장과 닿아 있다.

협주곡에서의 느린 동기(movement)와 같이 길고 많은 것을 내포하고 있는 12장과 14장 사이에는 짧고 시적인 13장이 자리잡고 있다. 아주 자주 결혼식장에서 낭독되는 13장은 원래의 모습대로 해석되는 것을 우리는 별로 들어본 적이 없다. 원래 13장은 그리스도인들의 삶이 지닌 지금/아직의 긴장관계, 사랑('아가페')은 우리가 실천해야 할 덕목(물론, 분명히 그렇기도 하지만)이라기보다는 인간의 성품이라는 관점에서 그리스도인들의 현재적 삶을 장래의 하나님 나라와 이어주는 궁극적인 다리로 묘사하고 있는 시이다. 많은 것들이 폐지될 것이지만, 사랑은 그렇지 않다:

> [8]사랑은 언제까지나 떨어지지 아니하되 예언도 폐하고 방언도 그치고 지식도 폐하리라 [9]우리는 부분적으로 알고 부분적으로 예언하니 [10]온전한 것이 올 때에는 부분적으로 하던 것이 폐하리라.
>
> [11]내가 어렸을 때에는 말하는 것이 어린 아이와 같고 깨닫는 것이 어린 아이와 같고 생각하는 것이 어린 아이와 같다가 장성한 사람이 되어서는 어린 아이의 일을 버렸노라 [12]우리가 지금은 거울로 보는 것 같이 희미하나 그 때에는 얼굴과 얼굴을 대하여 볼 것이요 지금은 내가 부분적으로 아나 그 때에는 주께서 나를 아신 것 같이 내가 온전히 알리라 [13]그런즉 믿음, 소망, 사랑, 이 세 가지는 항상 있을 것인데 그 중의 제일은 사랑이라.

온갖 압력들이 메시야의 몸을 갈기갈기 찢어놓고자 위협할 때 — 서로 다른 은사들, 또는 특정한 교사에 대한 열심, 또는 자신의 권리들을 주장하면서 다른 사람들의 양심을 무시하는 의식, 또는 사회적으로 서로 다른 지위를 가진 사람들이라도 주의 식탁에서는 동등하다는 것을 깨닫지 못하는 인식을 지닌 사람들이 자기 방식을 밀어 붙이고자 할 때 — 교회를 하나로 묶어줄 것은 바로 사랑이다. 이 장은 15장과 더불어서 이 서신의 진정한 핵심으로 취급되어야 한다. 교회가 이 장을 파악할 수만 있다면, 바울이 지금까지 씨름해 왔던 문제들의 절반은 적어도 해결될 것이다. 그렇지만 이 기가 막히게 훌륭한 장조차도 — 특히 방금 인용한 단락 속에서 — 부활, 하나님이 이루실 새 세상, 부활의 삶과 여기 그리고 지금에 있어서의 삶 간의 연속성에 관한 최종적인 논의를 지향하고 있다. 13:8-13의 요지는 교회는 하나님의 미래에 이르기까지 폐하여지지 않을 것들 위에서 현재적으로 사역하여야 한다는 것이다. 믿음, 소망, 사랑은 폐하여지지 않을 것이다; 하지만 고린도 교회에서 높이 평가되었던 예언, 방언, 지식은 그렇지 않을 것이다. 그러한 것들은 단지 미래를 가리키는 표지판들에 불과하다; 목적지에 도달하게 되면, 표지판들은 더 이상 필요가 없다. 하지만 사랑은 단순한 표지판이 아니다. 사랑은 궁극적인 실체를 미리 맛보는 것이다. 사랑은 단순히 그리스도인의 의무가 아니라, 그리스도인의 운명이다. 고린도 교회를 하나로 묶기 위해서 바울은 그들에게 사랑을 가르칠 필요가 있었다; 그러나 그들에게 사랑을 가르치기 위해서는 바울은 종말론을 가르쳐야 했다.[26] 그러므로 이 서신의 모든 흐름들은 지금 15장을 향하여 나아가고 있는 것이다.

예배에 있어서의 질서와 치리를 위한 긴 논증(14장)도 마찬가지로 이러한 표제 아래에 있다. 이것도 궁극적으로는 새 창조 신학이다. 왜냐하면, "하나님은 어지러움의 하나님이 아니시요 오직 화평의 하나님이시기"(14:33) 때문이다.

이 서신의 마지막 장은 나름대로 독자적인 작은 암시들을 추가한다: 16:2은 고린도 교회에게 연보를 위한 돈을 모으는 때로 한 주간의 첫째 날을 사용하라고 가르친다. 이미 50년대 중반에 이르러서는 주일, 즉 주의 날[27]은 교회가 예배, 교회의 일과 관련된 여러 거래를 하는 날로 지켜졌고, 이것이 지닌 분명한 의미는 나중에 더 살펴보게 될 것이다. 16:13-14의 표준적인 권면("깨어 믿음에 굳게 서서 남자답게 강건하라 너희 모든 일을 사랑으로 행하라")은 데살로니가전서 5:1-11 또는 로마서 13:11-14에서처럼 밤이 지나가고 있는 때에 낮의 백성으로 살아가고 있다는 것을 아는 사람들에게 적절한 종말론적인 권면에 나오는 전형적인 주제들을 결합시키고 있다. 그리고 이 서신의 마지막 문안 인사들은 그 불분명한 언어학적 역사에도 불구하고 바울이 고린도 교회

---

26) cf. O'Donovan 1986, ch. 12; 예를 들면, 246: "도덕적인 삶의 형태인 사랑은 현재적으로 우리가 알 수 있는 영적인 은사들과 동일한 묶음으로 되어 있지 않고, 역사의 종말에 가서야 알 수 있게 되는 믿음 및 소망과 같은 묶음에 속한다."

27) 요한계시록 1:10; cf. 행 20:7. 아래의 제12장 제4절과 제13장 제2절을 보라.

가 너무도 현세에 이끌려 살아가면서 종말론을 이교의 철학으로 붕괴시켜버리고 장차 오실 주님을 위해서가 아니라 그들 자신을 위하여 살아가는 모습에 직면했을 때에 강조하지 않으면 안 되겠다고 생각하였던 기원을 담고 있다: "마라나다! 주여 오시옵소서!"(16:22). 바울은 이 서신 전체에 걸쳐서 고린도 교인들에게 과거에 일어난 복음의 사건들만이 아니라 그러한 과거의 사건들이 보증하고 있는 미래의 사건들을 토대로 해서 현재에 있어서 살아가는 것이 얼마나 중요한지를 역설할 기회를 결코 놓친 적이 없었다. 메시야 예수의 부활, 그리고 그가 다시 오실 그날에 있게 될 그의 모든 백성의 부활(15:23)은 그가 이제까지 말해왔던 다른 모든 것들을 의미있게 만드는 주제들이다. 따라서 우리는 고린도전서 15장이 왜 그런 모습을 띠고 있고, 왜 그 자리에 있는지에 대해서 이상하게 여겨서는 안 된다. 또한 우리는 고린도전서 15장을 그 자체로 읽게 될 때에 바울이 거기에서 어떤 종류의 것들을 말하고자 하고 있는지를 잘 알지 않으면 안 된다.

3. 고린도후서(4:7-5:11을 제외한)에서의 부활

(i) 서론

분위기는 변했다. 고린도전서를 읽은 직후에 고린도후서의 첫 머리에 나오는 절들을 읽으면, 우리는 우리 자신이 마치 어느 한 집에서 가족이 모여서 즐겁게 떠들고 놀다가 다음 날 아침에 다시 그 집을 방문했을 때에 분위기가 썰렁하고 무기력하며 암울하다는 것을 발견한 사람들과 같다는 것을 알게 된다. 뭔가가 단단히 잘못된 것이다.

물론, 바울은 우리의 눈을 쳐다보면서, 위로와 새 생명에 관하여 말하고 있다. 바울은 바로 그런 사람인 것이다:

> 3찬송하리로다 그는 우리 주 예수 그리스도의 하나님이시요 자비의 아
> 버지시요 모든 위로의 하나님이시며 4우리의 모든 환난 중에서 우리를 위
> 로하사 우리로 하여금 하나님께 받는 위로로써 모든 환난 중에 있는 자
> 들을 능히 위로하게 하시는 이시로다 5그리스도의 고난이 우리에게 넘친
> 것 같이 우리가 받는 위로도 그리스도로 말미암아 넘치는도다 6우리가 환

> 난당하는 것도 너희가 위로와 구원을 받게 하려는 것이요 우리가 위로를 받는 것도 너희가 위로를 받게 하려는 것이니 이 위로가 너희 속에 역사하여 우리가 받는 것 같은 고난을 너희도 견디게 하느니라 [7]너희를 위한 우리의 소망이 견고함은 너희가 고난에 참여하는 자가 된 것 같이 위로에도 그러할 줄을 앎이라.

그러나 무슨일이 일어났는지에 대하여 바울이 말하기도 전에, 그의 목소리의 어조, 심지어 그의 글쓰기의 문체는 두 서신 간의 비교적 짧은 시간 간격 속에서 — 기껏해야 일 년 또는 이 년 — 그를 바꾸어 놓은 무슨 일이 일어났고, 그와 고린도 교인들은 그들의 관계를 바꿔 놓은 어떤 일을 겪어 왔다는 것을 보여 준다. 두 경우 모두에 있어서 그 변화들은 『옛 선원』(*The Ancient Mariner*)에 나오는 결혼식 하객처럼 그들을 더 슬프고 지혜롭게 만들어 주었다. 두 경우 모두에서 바울이 지금까지 견지해 왔고 또한 지금 말하고자 하는 닻(anchor)은 부활이다.

고린도후서는 고린도전서와 마찬가지로 어떤 의미에서 온통 부활에 관한 것이다. 그러나 바울은 판이하게 달라진 상황에 맞추어서 판이하게 다른 논증을 제시하기 위하여 복음의 중심적인 사건들을 활용한다. 정확히 그 상황이 어떤 것이었는지는 학문적인 연구 범위를 여전히 벗어나 있기 때문에, 우리를 감질나게 만든다.[28] 가설들이 우리의 눈 앞에서 신기루들처럼 춤을 추지만, 우리가 본문들에 비추어서 그 가설들을 검증해 보려고 다가가면, 그것들은 사라져 버리고 만다. 이 서신은 여러 단편들로 구분되어 왔다(서로 다른 단편들은 바울이 고린도 교회로부터 여러 메시지들을 받을 때마다 그가 보인 서로 다른 분위기들을 반영하고 있는 것일 수 있다); 또는 이 서신은 그 분위기와 어조의 변화들이 결국 로마서 8장에서 로마서 9장으로 넘어가는 것과 별반 다르지 않다는 결론 하에서 다시 합쳐지기도 했다. 절절한 고통 속에 있으면서도 바울은 여전히 수사학의 대가로서의 면모를 보여준다.

하지만 두 가지 것은 일반적인 수준에서 말해둘 수 있다. 첫 번째는 바울은

---

28) 최근에 이것에 대하여 자세하게 다루고 있는 Thrall 1994-2000, 49-77을 보라.

에베소에서 사도행전만이 암시하고 있는 방식들로 엄청난 고난을 겪었다는 것이다(사도행전 19장에 나오는 소동은 단지 표면적인 잡음에 불과할 것이다; 이 이야기는 그 지방의 관원들이 소동의 이유가 없다고 결론을 내렸다는 것을 강조하기 위하여 씌어진 것으로 보이지만, 바울이 실제로 겪은 가장 깊은 것들을 숨기고 있다). 바울은 정확히 무슨 일이 일어나고 있었는지를 말하고 있지 않지만, 고린도 교인들에게 그 일이 자기에게 미친 영향을 말하고 있다(개인적인 공감을 구하는 의도적이고 극히 올바른 호소의 형식으로): 바울은 자기가 대처할 수 없을 정도로 너무도 철저하게 압도를 당해서, 살 소망까지 잃어버렸다(1:8).

그는 마치 자기가 자기 안에서 사형선고를 받은 것이라고 느꼈다(1:9). 이러한 표현 — 사형선고를 내면화시키고 있는 — 은 우리가 신경쇠약이라고 부를 수 있는 것과 흡사하게 들리는데, 분명히 심각한 우울증을 가리키고 있는 것이다. 이러한 우울증은 두 가지 사건의 결합에 의해서 생겨난 것으로 보인다. 첫째, 바울은 심각한 육체적인 고통을 겪었는데, 투옥되어서(에베소에서 바울이 투옥되었다는 구체적인 증거는 없지만, 적어도 이 가설은 접근하면 할수록 신기루처럼 보이지는 않는다) 음식도 주지 않고 잠도 재우지 않는 고문을 당했던 것으로 보인다. 둘째, 바울은 고린도 교회와의 관계에 있어서 심각한 갈등으로 인하여 절망 속에 빠졌다.

두 번째로 우리가 일반적으로 말할 수 있는 것은 다음과 같은 것이다: 교회로부터 적어도 한 사람을 출교하라는 명령을 포함하여 치리에 관한 엄격한 지시들을 5장에서 담고 있는 고린도전서를 쓴 후에, 바울은 고린도 교회를 불시에 방문했다가, (그의 관점에서 볼 때) 고린도 교회의 일들이 자기가 생각했던 대로 처리되지 않은 것을 발견하였다. (우리는 바울이 에게해를 건너가 해로로 갔다고 생각할 수 있다; 에베소에서 고린도로 가는 해로는 많은 사람들이 여행했던 짧은 노선, 빈번하게 이용되는 뉴욕에서 시카고로 도망치는 길 또는 런던과 버밍햄 간의 철도와 비슷한 그리스의 수로였다. 바울은 고린도후서를 쓸 때에 육로로 고린도 교회로 가고 있었는데, 육로는 해로보다 거의 네 배 가량 멀었고, 상당히 위험하였다.) 그러므로 바울은 책망이 담긴 "고통스러운 서신"을 썼고, 이로 인해서 고린도 교회는 슬픔에 잠겼던 것으로 보인다; 가설들이 난무하게 된 대목이 바로 이 지점인데, "고통스러운 서신"이 고린도전서인지,

그것의 일부인지, 아니면 지금은 멸실된 서신인지, 우리가 지금 고린도후서라고 부르고 있는 것의 일부(예를 들면, 10-12장의 전부 또는 일부)인지를 놓고 견해의 일치가 없다. 다행히도 우리는 우리의 현재의 관심인 주제를 다루기 위하여 이러한 문제들을 해결할 필요가 없다.

바울과 고린도 교회의 관계가 악화된 것은 단지 바울의 방문과 하나의 서신에 의해서 야기된 슬픔 또는 분노 때문만은 아니었다. 이렇게 관계가 잘못된 이유는 어떤 교사들이 고린도 교회에 와서 교회를 사회적으로, 문화적으로, 지적으로, 영적으로 다른 방향으로 이끌어 가고 있었기 때문이기도 하였다. 이 교사들의 정체와 관련해서도 많은 가설들이 제기되어 왔지만, 일치된 견해는 없다. 우리의 목적을 위하여 중요한 요지는 간단하다: 그들은 바울에 대하여 경멸을 퍼부었고, 바울은 하찮은 인물이기 때문에 고린도 교회를 다시 방문하고자 한다면 다른 교회들 중의 하나로부터 추천서를 받아서 그가 믿을 만하다는 것을 확인할 수 있어야 한다고까지 주장했던 것으로 보인다. 만약 바울이 육체적으로나 정신적으로 최고의 상태를 유지하고 있었다면, 그는 이런 소식에 접했을 때에 서신을 써서 간단하게 그 문제를 해결했을 것이다. 하지만 이 소식을 접했을 때에 바울은 에베소에서 한참 고난을 당하고 있던 와중이었기 때문에, 이러한 반역과 그것을 조장하고 있었던 교사들에 관한 소식은 바울이라는 배를 최종적으로 침몰시킨 마지막 어뢰가 되었다. 이것이 바로 바울에게 닥친 상황이었던 것이다. 이러한 상황 속에서 바울은 부활의 복음만이 다시 한 번 그의 유일하고도 궁극적인 위로라는 것을 발견하였다.

그러므로 위에서 인용한 서두의 축복문(berakah)으로 시작되는 고린도후서에서 부활의 역할은 고린도전서에서의 그 역할과는 미묘하게 다르다. 고린도전서에서 바울은 자신의 실제적인 가르침들을 떠받치기 위하여 부활을 자유롭게 활용하여서, 현재의 삶과 장차 올 세상의 삶 간에는 몸의 연속성이 존재하기 때문에 의식적으로 죽음을 통과하여 부활에까지 닿아 있는 이야기의 흐름 내에서 사는 것이 아주 중요하다는 내용으로 거듭거듭 되돌아 갔다. 부활은 6장에서처럼 성도덕을 다룰 때에나 13장에서처럼 사랑을 다룰 때에나 동일하게 결정적으로 중요한 것이었다. 창조주 신은 주님을 부활시켰고, 또한 우리를 부활시킬 것이기 때문에, 너희의 몸으로 이 신에게 영광을 돌려야 한다; "영적인 은사들"은 폐해질 것이지만, 사랑은 현세에서 내세로 계속해서 이어져 갈 것이다. 그러나 고린도후서의 많은 부분들에서 바울의 요지는 상당히 다르다 — 물론, 밀접한 연관은 있지만. 바울은 미래를 바라보는 일을 멈추지 않았다. 결코 그런 일은 없었다. 그러나 이제는 미래를 바라보면서 현재를 미래를 합당하게 준비하는 때로 보는 것이 아니라, 바울은 미래를 바라보면서, 미래가 자기가 이전에 겪어보지 않은 방식들로 현재 속으로 침투해 들어와 역사하여 그 어떤 수단으로도 불가능해 보였던 소망과 힘을 준다는 것을 발견한다. 두 서신 모두에 있어서 중요한 것은 그리스도인의 미래적 소망과 그리스도인의 현재적 체험 간의 연속성이다. 그러나 고린도전서에서는 이 움직임이 주로 미래를 지향하여 부활을 향하여 애쓰고 분투하며 부활을 선취하기 위하여 현재 속에서 무엇을 행하여야 할지를 발견해 내는 데에 초점이 맞추어져 있다면, 고린도후서에서는 이 움직임은 주로 현재를 지향하고 있고, 예수의 권능 있는 부활과 그의 모든 백성에게 약속된 부활 속에서 지금 여기에서의 고난과 고통을 정면으로 맞서나갈 비밀을 발견하고 있다.

(ii) 고린도후서 1-2장: 고난과 위로

예수의 부활로부터 현재의 상황으로의 이러한 사고의 흐름은 이미 앞에서 인용한 서두의 본문에서 등장한다. 거기에서 도가 지나칠 정도로 강조되고 있는 고난과 위로의 운율은 명시적으로 메시야의 죽음과 부활이라는 복음의 운율을 반영하고 있는 것이다. 이것은 바울이 계속해서 다음과 같이 말할 때에 한층 더 분명해진다:

> [8]형제들아 우리가 아시아에서[즉, 에베소에서] 당한 환난을 너희가 모르기를 원하지 아니하노니 힘에 겹도록 심한 고난을 당하여 살 소망까지 끊어지고 [9]우리는 우리 자신이 사형 선고를 받은 줄 알았으니 이는 우리로 자기를 의지하지 말고 오직 죽은 자를 다시 살리시는 하나님만 의지하게 하심이라 [10]그가 이같이 큰 사망에서 우리를 건지셨고 또 건지실 것이며 이후에도 건지시기를 그에게 바라노라 [11]너희도 우리를 위하여 간구함으로 도우라 이는 우리가 많은 사람의 기도로 얻은 은사로 말미암아 많은 사람이 우리를 위하여 감사하게 하려 함이라.

"죽은 자를 다시 살리시는 하나님"을 의지하는 것; 물론, 이것은 18축도문에 구현되어 있는 바리새파의 신학만이 아니라,[29] 다른 곳에서, 특히 로마서 4:17에서 가장 분명하게 나타나고 있는 바울의 용법을 반영하고 있는 것이다.[30] 하지만 여기에서 바울은 "하나님이 나를 장래에 일으키실 것을 알기 때문에 나는 기꺼이 죽기로 결심하였다"고 말하고 있는 것이 아니다. 오히려, 시편 16:10을 빌려서, 바울은 하나님이 그를 죽음으로부터 건져주실 것이라고 선언하고 있는 것이다. (우리는 이것이 빌립보서 1:18-26에서는 여전히 앞으로의 전망 속에 있었던 상황을 바울이 회고할 때에 일어나고 있는 것이라고 조심스럽게 생각해 볼 수 있을 것이다.[31])

고린도후서에서 이 모든 것이 논란이 되고 있기 때문에, 바울이 말하고 있는 것의 논리를 자세하게 살펴보는 것이 중요하다. (a) 바울은 정통적인 바리새파 유대인으로서 창조주 하나님이 통상적인 의미에서 죽은 자를 다시 살리신다는 것을 믿고 있다. (b) 그는 하나님이 이미 예수의 경우에 그런 일을 하였다고 믿기 때문에 한층 더 강력하게 그것을 믿는다. (c) 그는 자기가 예수의 부활과 자기 자신의 장래의 부활 사이에서 살고 있다고 믿는다. (d) 그러므로 그는 죽은 자를 살리시는 하나님의 능력이 현재에 있어서 역사하고 있고, 그 결과들 중의 하나가 하나님은 종종 자기 백성을 분명히 죽을 수밖에 없는 것으로 보이는 상황으로부터 건져내시는 것임을 주장하고, 또한 그러한 것을 실제적으로 발견한다. 이것은 목회적으로 절실하게 필요한 개시된 종말론이다.

앞에서 이미 인용한 두 본문 속에서 우리가 주목해야 할 또 하나의 특징이 있는데, 그것은 중심적인 본문인 4:7 — 5:10에서 중요하다. 이 서신 전체에 걸쳐서, 특히 처음 여섯 장에서 바울은 자신의 고난들과 위로, 자신의 "죽음"과 "삶"이 고린도 교회의 고난 및 위로와 결부되어 있다고 말한다. 골로새서 1:24에서처럼, 바울은 자신이 고린도 교회 전체, 특히 자기가 세웠던 교회들과 모종의 유기적인 관계 속에 있는 것으로 보는 것 같다; 바울은 단순히 그 교회들을 세운 사도이고 그들의 원래의 교사이며, 직접 방문해서 또는 서신으로 그들

29) 위의 제4장 제4절을 보라.

30) 또한 cf. 히 11:19.

31) 위의 제5장 제4절을 보라.

과 복잡한 관계, 하지만 지금은 소원해진 관계를 맺은 인물인 것만은 아니었다. 어쩌면 모나 후커(Morna Hooker)가 "맞교환"(interchange)의 과정이라고 지칭했던 것 속에서 메시야와 교회 간에 일어나는 고난과 영광의 주고 받음 같은 것이 사도와 교회 간에도 일어나고 있는 것이다.[32]

우리는 빌레몬서에서 바울이 빌레몬과 오네시모를 자신의 인격을 걸고 결합시키면서, 그들의 관계 속에서 여전히 어떤 고통이나 책망할 것이 있다면 그러한 것들을 자기에게 돌리라고 힘주어 말할 때에, 이러한 것의 축소판을 얼핏 보게 된다. 이제 고린도 교회를 상호적인 사랑과 감사의 끈으로 자신과 다시 묶고자 하는 전략의 일부로서, 바울은 자기가 무수한 고난을 겪어온 것만이 아니라, 이 고난이 이상하게도 그들을 위한 것이었다는 사실을 그들에게 말할 기회를 놓치지 않는다. 이 서신의 근저에 있는 호소는 이런 것이다: 이것이 내가 지금까지 겪어온 것이고, 그것은 모두 너희를 위한 것이었다!

바울의 확신의 토대는 언제나 그러하듯이 자신이 그 속에서 살고 있다고 믿고 있는 바로 그 이야기이다. 이 이야기는 구약의 약속들에 뿌리를 두고 있다; 그 이야기는 부활을 통한 하나님의 미래를 내다본다; 그리고 그 이야기는 현재적으로 주어진 성령이 그 미래에 대한 보증이라는 것을 강조한다:

> 1:20하나님의 약속은 얼마든지 그리스도 안에서 예가 되니 그런즉 그로 말미암아 우리가 아멘 하여 하나님께 영광을 돌리게 되느니라 21우리를 너희와 함께 그리스도 안에서 굳건하게 하시고 우리에게 기름을 부으신 이는 하나님이시니 22그가 또한 우리에게 인치시고 보증으로 우리 마음에 성령을 주셨느니라.

바울 서신의 다른 곳에서 분명하게 부활을 염두에 둔 맥락들 속에서 장차 올 것에 대한 "보증금" 또는 "보증"으로서의 성령이라는 이러한 관념과의 밀접한 병행들은 그런 것들이 여기에도 그대로 적용된다는 것을 분명하게 보여준다.[33] 그리고 신자들의 마음속에 내주하는 성령에 대한 이러한 언급은 3장의

32) Hooker 1990에 수록된 논문들을 보라.

33) cf. 롬 8:23; 엡 1:14; 그리고 아래에서 고후 5:5.

중심적인 논증을 위한 어느 정도의 토대를 마련해 준다.

바울은 자신의 극한 고난과 건지심을 현재에 있어서 죽은 자를 살리는 창조주의 능력의 역사라고 보게 되었기 때문에, 자기가 복음의 걸어다니는 상징이라는 것을 깨닫는 데에는 별로 오랜 시간이 걸리지 않았다:

> 2:14항상 우리를 그리스도 안에서 이기게 하시고 우리로 말미암아 각처에서 그리스도를 아는 냄새를 나타내시는 하나님께 감사하노라 15우리는 구원 받는 자들에게나 망하는 자들에게나 하나님 앞에서 그리스도의 향기니 16이 사람에게는 사망으로부터 사망에 이르는 냄새요 저 사람에게는 생명으로부터 생명에 이르는 냄새라 누가 이 일을 감당하리요.

바울이 어떤 인물이라는 것, 그가 어떤 고난을 겪었는지, 그가 여전히 살아서 죽은 자를 살리는 하나님에 관한 이야기를 하고 있다는 사실은 그 자체가 교회와 세상에 대하여 메시야의 복음을 보여주는 표지였다. 실제로 그것은 메시야의 화신(embodiment)였기 때문에, 바울은 하나님에게 드려진 메시야의 향기가 나는 향기로운 희생 제물(15절), 개선 행진에 있어서 희생 제사들의 경우와 마찬가지로 죄수들에게는 그들을 기다리고 있는 운명을 생각나게 하고, 승리자들에게는 축하 연회를 생각나게 하는 향기를 지닌 희생 제물이었다. 두 경우 모두에 있어서의 메시지는 죽음과 삶의 메시지이다: 죽은 자를 다시 살리시는 신은 사도의 (은유적인) 죽었다가 살아난 것 속에서 죽음과 삶에 관한 자신의 복음을 알리고 있는 것이다.

(iii) 고린도후서 3:1 — 6:13: 사도직 변론

이것은 바울을 사도로서의 자신의 삶, 사역, 스타일에 대한 그의 주된 설명 — 우리는 이것을 변론이라고 부를 수 있을 것이다 — 으로 이끈다. 이 주제에 관한 주된 해설은 3:1 — 6:13까지 이어진다. 물론, 바울은 이 서신의 마지막 장들에서 다시 이 주제로 되돌아가지만(현재로서는 이것들이 이러한 순서로 씌어졌다고 전제할 때). 이 단원의 중심적인 단락인 4:7 — 5:10은 우리가 다음 장에서 자세하게 다루기 위하여 유보해 두고 있는 부분이다(이것은 일관된 석의라는 관점에서 볼 때에는 이상하게 보일 수도 있지만, 부활에 관한 바울의 견해들이 논란이 되고 있기 때문에, 우리는 이런 식으로 접근할 필요가 있다). 그러나 우리는 이 단계에서 전체적인 논증이 어떻게 흘러가고 있는지를 파악해서, 바울이 적어도 무엇을 생각하면서 말하고 있는지에 대한 분명한 개념을 가지고 저 핵심적인 본문을 살펴보아야 한다.

고린도 교인들(또는 적어도 그들 중의 일부)이 바울의 사도직에 의문을 제기하였기 때문에, 바울의 사도직 변론은 변호로서의 날카로운 면모를 지니고 있다. 그들은 그가 천거서 또는 신임장을 갖고 오기를 바란다; 그들은 바울의 고난을 부끄러워한다(바울이 진정으로 참 신의 대사라면, 어떻게 그가 그러한 불명예스러운 일들을 당할 수 있겠는가?). 그들은 바울의 삶과 사역의 스타일, 그의 대담하고 무뚝뚝한 언변이 실제로 그들이 원하거나 기대했던 것인지에 대하여 의문을 제기하여 왔다. 그들의 말은 바울의 사도직의 방식이 기독교의 하나님과 복음에 관한 그들의 견해와 부합하지 않는다는 뜻을 함축하고 있다 — 물론, 바울은 진정한 문제점은 자신의 인격, 스타일, 메시지가 그들의 사회적 신분과 명예에 관한 그들의 견해와 부합하지 않는 것이라고 생각하고 있지만. 어쨌든 바울은 자기가 누구이고 무엇을 행하고 있는지에 대하여 설명할 과제를 떠안는다.

바울이 자신의 변론을 전달하기 위하여 선택한 이야기는 계약에 관한 이야기이다: 모세에게 주어졌고, 메시야로 말미암아 갱신되어서, "율법이 할 수 없었던 일"(롬 8:3)을 이룬 계약. 나는 바울이 그의 대적자들이 이미 모세를 치켜 세우며 야단법석을 떨었기 때문에 이 이야기를 선택하였다고 생각하지 않는다 — 물론, 그랬을 가능성도 있지만; 아주 많은 서로 다른 맥락과 서신들 속에서 바울의 생각은 아주 빈번하게 출애굽으로 되돌아가고 있기 때문에, 우리는 다른 사람이 그로 하여금 여기에서 이것에 관하여 말하도록 강제하였다고 생각할 필요가 없다.[34] 계약 갱신의 요지 중의 일부는 그것이 피조물 자체를 갱신하는 하나님의 의도된 방식이었다는 것이다; 이것은 바울이 그 안에서 활동하고 있는 더 큰 사고의 틀이다. 바울의 사도적 사역은 고린도 교인들의 문화적인 기대들, 그리고 아마도 바울의 대적자들의 신학적인 도식들에 비추어 볼 때에 괴상하고 심지어 걸림돌이 되는 것으로 보였을 것이다. 그러나 일

---

34) 특히, Hafemann 1995를 보라.

단 고린도 교인들이 새 계약과 새 창조, 모든 약속들이 메시야 안에서 "예"가 된다는 것(1:20)에 관한 이야기를 말하는 법을 배운다면, 그들은 바울의 삶과 사역의 스타일이 단지 참 하나님이 무엇을 행하고 계시는지를 보여주는 것일 뿐만 아니라 실제로 그것의 화신이라는 것을 알게 될 것이다. 이것이 이 단원 전체의 전체적인 요지이다.

이 웅장한 이야기를 개시시키는 서두의 본문(3:1 — 4:6)은 바울의 복음 사역은 실제로 "영광"의 사역임을 역설한다 — 물론, 바울이 잘 알고 있듯이, 그것이 사람들에게 그렇게 보이지 않겠지만.[35] 마치 전문적인 화가가 초보자를 이끌고 화랑을 둘러 보는 것과 같이, 바울은 냉소주의적인 사람이 자기에게는 그렇게 보이지 않는다고 언제든지 말할 수 있는 상황 속에서 어떤 것이 왜 굉장한 것인지를 설명하는 위험스러운 길을 택하고 있다. 바울은 먼저 고린도에 있는 그리스도인들이야말로 펜과 잉크로 쓴 것이 아니라 사람의 마음속에 성령으로 쓴 자신에 대한 천거서이기 때문에 자기가 천거서를 가져갈 필요가 없다고 항변한다(3:1-3). 이것은 바울로 하여금 주된 주제를 열어 놓을 수 있게 해 준다: 성령이 사람들의 마음속에 기록한다고 할 때, 이것은 오직 예레미야 31장과 에스겔 36장이 성취되고 있다는 것만을 의미할 수 있다. 원래의 계약을 맺으셨던 하나님은 그분이 언제나 약속하였던 대로 지금 그 계약을 갱신하고 있다(3:4-6).

이것은 옛 것과 새 것이라는 날카로운 대비들을 지닌 대전환을 가져왔다. 계약 백성의 표지는 더 이상 율법의 돌판들을 소유하고 있는 것이 될 수 없다. 새로운 사역 방식이 도입되었고, 그 방식의 효력이 바울을 통해서 발휘된 것이 바로 바울의 사역의 특유한 영광이었다. 이 점이 이해가 될 때, 바울의 사역이 진정으로 "영광"의 사역이라는 것이 분명해진다; 바울의 얼굴이 모세의 얼굴처럼 빛이 난 것은 아니었지만(고린도 교인들은 그런 것을 원했을지도 모르지만), 성령의 생명을 주시는 사역과 관련이 있는 더 중요한 종류의 "영광"이 존재하기 때문에, 바울의 사역은 "영광"의 사역인 것이다. 성령은 최종적인 부활을 선취하고 보증함으로써(1:22) 장래의 부활을 배제하거나 대체하지 않고, 정확히 그것의 선불금으로서 우리가 그 밖의 다른 몇몇 서신들에서 보아왔던 것

35) 이 본문에 대해서는 Wright, *Climax*, ch. 9; Matera 2002, 390-92를 보라.

과 동일한 의미에서 현재에 있어서 부활 생명을 수여한다. 비평가가 그림이 아름답다는 것을 깨닫지 못하는 사람에게 왜 그 그림이 아름다운지를 설명하는 것과 마찬가지로, 바울은 비록 겉보기에 그렇게 보이지 않는다고 할지라도 자신의 사역이 "영광"을 가지고 있다고 설명한다. 그의 논증은 분명하게 영광을 지니고 있었던 모세의 사역보다 자신의 사역이 더 우월하다는 것이다. 바울의 사역은 죽음이 아니라 생명을, 정죄가 아니라 칭의를, 일시적인 것이 아니라 영속적인 것을 내포하고 있기 때문이다(3:7-11).[36]

이것은 바울이 그러한 담대함('파르레시아')을 사용하는 이유를 설명해준다(3:12). 모세의 청중들은 마음이 완악하여져서, 모세가 무엇을 말하고 있는지를 이해할 수 없었다. 바울의 청중 — 사실, 고린도 교인들 자신 — 은 그들의 마음속에 성령이 역사하고 있기 때문에, 그들은 이해할 수 있어야 한다. 바울은 여기서 고린도전서 2장과 3장에서 말했던 것을 어느 정도 반영하고 있는데, 이것은 그의 독자들에 대한 도전이다: 그들이 진정으로 영적인 자들이라면, 그들은 그가 그러한 거룩하고 무뚝뚝할 정도로 솔직하게 전하고 있는 메시지를 이해하고 감사할 수 있어야 한다. 이미 살펴본 그 밖의 다른 몇몇 본문들에서와 마찬가지로, 그 결과는 현재에 있어서의 성령의 역사로 말미암아 이례적인 영광이 어느 정도 선취되어서, 그리스도인들이 서로의 얼굴을 볼 때, 그리고 특히 사도와 그의 회중이 서로 대면할 때, 그들이 서로의 얼굴에서 보는 것은 성령에 의해서 만들어진 메시야 예수의 영광, 주님의 영광이 반영된 모습이다(3:18). 그런데 어떻게 바울이 담대하고 솔직하고 직설적이지 않을 수 있겠는가? 왜 바울이 굳이 복잡다단하고 헷갈리게 하는 언사를 사용할 필요가 있겠는가?

사실, 바울의 사역은 실제로 새 창조의 사역이기 때문에 이러한 노선을 취하지 않으면 안 된다(4:1-6). "어둠에서 빛이 비치라"고 말씀하신 하나님 — 달리 말하면, 창세기의 신, 창조주 하나님 — 은 우리의 마음에 빛을 비추셔서, "예수 그리스도의 얼굴에 있는 하나님의 영광을 아는 빛"을 주셨다(4:6). 누구나가 다 이 영광을 볼 수 없는 것은 "이 세상의 신"이 그들의 마음을 가리워

36) 여기에서 바울의 마음 속에 무엇이 진행되고 있는지를 이해하기 위해서는, 우리는 물론 로마서와 갈라디아서에서의 율법에 관한 논의들을 추가할 필요가 있다.

서, 모세의 말을 알아듣지 못했던 이스라엘 백성과 동일한 범주에 그들을 두었기 때문이다(4:4). 그러나 이것은 바울의 복음이나 그 복음을 선포하는 바울의 방식에 뭔가 문제가 있다거나 잘못되었다는 것을 의미하지 않는다. 그것은 바울이 그런 이유로 인해서 부끄러워해야 할 것임을 의미하지도 않는다(4:1-3).

그러므로 이 중심적인 단원의 첫 부분은 새 계약과 새 창조의 토대를 놓는 역할을 한다 — 사실, 바울이 로마서 7장과 8장에서 더 자세하게 다시 살펴보게 될 것과 실질적으로 동일한 토대. 이러한 병행(갈라디아서 6:15 등과 같은 본문들에 나오는 다른 "새 창조" 언급들)은 우리가 이 단원의 세 번째 부분(5:11 — 6:13)에서 바울이 복음의 화해 사역을 통하여 일어나는 "새 창조"에 관하여 아주 많은 말들로 말하고 있는 것(5:17)에 대하여 이상하게 여기지 말아야 한다는 것을 의미한다. 이 모든 것은 복음 자체로 인하여 일어난다:

> [14]그리스도의 사랑이 우리를 강권하시는도다 우리가 생각하건대 한 사람이 모든 사람을 대신하여 죽었은즉 모든 사람이 죽은 것이라 [15]그가 모든 사람을 대신하여 죽으심은[바울은 여기서 갈 2:1-20을 반영하고 있다] 살아 있는 자들로 하여금 다시는 그들 자신을 위하여 살지 않고 오직 그들을 대신하여 죽었다가 다시 살아나신 이를 위하여 살게 하려 함이라.

여기서 다시 한 번 우리는 메시야의 죽음과 부활이 사랑과 능력을 계시하는 것으로서 이 논증의 토대가 되고 있다는 것을 발견한다: 현재에 있어서의 신자들의 새 생명은 메시야의 부활 생명에 참여하고, 장차 오게 될 것의 선취로 보아진다. 이러한 토대 위에서 볼 때, 서로를 판단하고, 특히 사람들의 사역을 평가하는 인간적인 기준들은 더 이상 그 어떤 타당성도 지니지 않게 된다.[37] 중요한 것은 새창조이고, 새 창조는 복음이 메시야 안에서 성취되었고 지금은 사도적 사역을 통해서 적용되고 있는 화해 사역으로 말미암아 메시야 안에서 제시하고 있는 바로 그것이다(물론, 이것은 여전히 여기에서 바울의 주된 주제이다). 바울은 거듭거듭 메시야의 죽음과 부활 사이, 자기가 죽을 뻔했다가

37) 바울은 여기에서 고린도전서 4:1-5을 반영하고 있다. 흔히 주장되곤 하듯이, 바울은 역사와 관련이 있다는 것을 거부한다는 의미에서 "사람들을 육체를 따라 알지 않는다" 또는 "그리스도를 육체를 따라 알지 않는다"고 말하고 있는 것이 아니다.

구원받은 것과 계약 백성의 새 생명 사이를 왔다 갔다 움직인다. 바울이 말하는 모든 것이 의미를 지니는 것은 주로 이 이야기 속에서이다.

절정은 5:21이다; "하나님이 죄를 알지도 못하신 이를 우리를 대신하여 죄로 삼으신 것은 우리로 하여금 그 안에서 하나님의 의가 되게 하려 하심이라(히나 헤메이스 게노메다 디카이오쉬네 데우 엔 아우토)." 이 본문은 흔히 계약의 신이 신자들에 대하여 간주하는 또는 "전가하는" 의로운 상태라는 관점에서 이해되어 왔지만, 그러한 해석은 이 절을 논증의 가장자리에서 맴돌게 만들어 왔다.[38] 다른 곳에서 바울이 하나님의 의('디카이오쉬네 데우')라는 어구를 사용할 때마다, 바울이 가리키는 것은 신자들이 이 하나님으로부터(빌 3:9에서처럼, '에크 데우') 갖게 되는 신분이 아니라, 하나님 자신의 의로움, 계약에 대한 하나님의 신실하심, 새 창조를 탄생시킨 바로 그 신실하심이다. 3:1 — 6:13에 이르는 바울의 논증 전체는 자신의 사도적 사역이 그러한 계약의 신실하심을 구현하고, 그러한 새 창조를 수행하는 방식에 관한 것이기 때문에, 이러한 읽기는 이 절을 통상적인 해석보다 이 본문의 나머지 부분에 훨씬 더 견고하고 만족스럽게 접착시킨다. 게다가 — 이것이 여기에서 자세하게 다루어질 내용이다 — 또한 그것은 바울의 진술의 형태 자체에 의해서 사도적 사역, 계약의 사역에 관한 바울의 체험 속에서 현재에 있어서의 "부활" 체험에 관하여 말하는 방식이기도 하다는 것을 보여준다. 메시야는 죽었고, 우리는 산다; 메시야는 죽었고, 화해는 일어난다; 메시야는 죽었고, 우리는 계약 하나님의 계약에의 신실하심을 구현하고 수행한다. 이러한 것들은 모두 15b절의 의미를 탐구하는 방식들이다: 메시야는 우리를 위하여 죽었다가 다시 살아나셨다.

이 단원의 마지막 단락(6:1-13)은 수사적인 내용을 풍부하게 증가시킨다; 바울은 여기에서 및 11장에서 "내가 수사학을 사용하고 있지 않다"고 말한 다음에 아주 가치있게 수사학을 사용하는 것이 지닌 반어법적인 효과를 잘 알고 있었다. 그는 구원의 날이 미래로부터 현재 속으로 다가왔다고 역설한다 — 이것이 계속해서 그의 요지였다(6:2): "지금은 은혜 받을 만한 때요 보라 지금은 구원의 날이로다." 역설적이게도 부활 생명을 고난과 슬픔의 한복판 속

38) 나는 Wright, "Becoming the Righteousness"에서 이러한 논증을 간략하게 제시한 바 있다.

에서 체험할 수 있는 이 현재에서, 사도의 생활양식과 사역은 지나가고 있는 옛 시대와 동터오고 있는 새 시대 간의 긴장관계를 반영하지 않을 수 없다. 메시야의 죽음과 부활의 패턴은 고린도 교인들을 그토록 혼란케 하여 왔던 사역, 즉 사도의 사역 속에서 수행되었고, 살아졌으며, 재현되었다:

> [8]우리는 속이는 자 같으나 참되고 [9]무명한 자 같으나 유명한 자요 죽은 자 같으나 보라 우리가 살아 있고 징계를 받는 자 같으나 죽임을 당하지 아니하고 [10]근심하는 자 같으나 항상 기뻐하고 가난한 자 같으나 많은 사람을 부요하게 하고 아무 것도 없는 자 같으나 모든 것을 가진 자로다.

고린도전서 3:21-23("만물이 너희의 것이요")을 반영하고 있는 마지막 수식어구는 다시 한 번 계약 백성이 세계를 유업으로 받게 될 새 창조와 닿아 있다(롬 4:13). 일련의 수식어구 중에서 한복판에 나오는 "죽은 자 같으나 살아 있고"는 바울이 1장과 2장에서 말했던 것을 되돌아보고 있는 것이라는 것은 물론이다. 이 본문 전체는 이 본문을 최종적이고 결정적인 부분으로 삼고 있는 더 큰 논증과 마찬가지로 메시야의 죽음과 부활, 그것이 사도 안에서 구현되고 살아지는 방식, 이 사도적 사역은 교회를 위하여 부끄러움의 원인이 되기는커녕 그들의 영광이 되어야 한다는 것에 대한 묵상이다. 이 본문은 바울 서신의 그 밖의 다른 본문들, 특히 빌립보서 2:17-18, 골로새서 1:24, 에베소서 3:13과 정확하게 부합한다.

에베소서 본문이 바울을 모방한 자에 의해서 씌어졌다고 가정할지라도, 그것은 바울이 지금 고린도 교인들에게 말하고 있는 것을 정확하게 요약하고 있다: "너희에게 구하노니 너희를 위한 나의 여러 환난에 대하여 낙심하지 말라 이는 너희의 영광이니라." 이것이 과거에 일어난 메시야의 부활과 미래에 일어날 그의 백성의 부활이 사도의 현재의 사역 속에서 서로 만날 때에 일어나는 모습이다. 이것이 에베소의 길거리들과 감옥들에서 개시된 종말론이 보여지고 느껴지는 모습이다. 과거와 미래 간의 긴장관계 속에 놓여져 있고 현세와 내세 사이에 끼어 있는 사도적 사역에 관한 이 긴 논증은 우리가 다음 장에서 살펴보게 될 극히 중요한 본문인 4:7 — 5:10의 배경이 된다.

(iv) 고린도후서 6:14 — 9:15: 단편들?

이 서신이 보여주는 다음과 같은 자연스러운 단락 부분들은 현존하는 형태의 이 문서가 여러 단편들로 구성되었다고 생각할 만한 가장 좋은 근거를 제시해 준다. 불신자들과의 혼인을 금하는 짧고 구체적인 경고로부터(6:14-7:1) 바울의 여행에 관한 소식과 함께 나오는 추가적인 호소(2:13과 연결되어 있는 7:2-16), 바울이 고린도 교회에 도착했을 때에 이미 모아져 있을 것으로 기대하는 연보에 관한 극히 세심하고 주의 깊은 가르침들에 관한 두 장(8장과 9장)으로 분위기는 급반전된다.[39] 이 모든 것들을 자세하게 살펴보는 것은 우리의 현재의 목적의 일부가 아니다. 우리가 여기에서 해야 할 필요가 있는 것은 바울의 부활 신학이 이 다양한 논증들 속에서 나타나고 있는 대목들을 집중적으로 살펴보는 것이다.

7:2-16의 호소가 2장과 동일한 주제로 되돌아가서, 이번에는 바울이 앞서 보낸 편지의 효과에 관하여 성찰하고 있는 것은 전혀 이상한 일이 아니다. 바울이 기뻐하는 것은 그 서신이 고린도 교인들을 슬프게 만들었기 때문이 아니라, 그 슬픔이 사망이 아니라 그것과 반대되게 구원과 생명을 가져다주는 그런 종류의 슬픔이었기 때문이다(7:9-10). 이것이 바로 사도의 고난과 교회의 위로라는 패턴이 어떻게 실현되는지를 보여주는 것이다(1:6); 그리고 이것은 어떤 사람들에게 죽음에 관하여 경고하는 메시지가 다른 사람들에게는 생명에 관하여 말하는 것이 된다는 것을 보여주는 것이다(2:15-16).

바울이 돈이라는 단어를 언급하지 않고서 돈에 관하여 39개의 절을 쓴 것으로 주목할 만한 연보에 관한 이 두 개의 장은 처음 부분에 "은혜" — 살아계신 하나님이 마케도니아 교회들(바울은 육로로 북부 그리스를 경유하여 가는 도중에 이 서신을 쓸 때에 이 지점에 있었을 것이다)에게 주어서 풍부한 너그러움을 나타내게 만든 바로 그 은혜 — 에 관한 말로 시작된다. 여기서도 다시 한 번 그가 이 서신 전체에 걸쳐서 되풀이하여 왔던 패턴은 지금 그가 말하고자 하는 것에 대한 틀을 제공해준다:

---

39) cp. 고전 16:1-4. 이 단편들과 그 분석에 대해서는 Thrall 1994-2000, 3-49 등을 보라.

> 환난의 많은 시련 가운데서 그들의 넘치는 기쁨과 극심한 가난이 그들의 풍성한 연보를 넘치도록 하게 하였느니라 …
>
> … 우리 주 예수 그리스도의 은혜를 너희가 알거니와 부요하신 이로서 너희를 위하여 가난하게 되심은 그의 가난함으로 말미암아 너희를 부요하게 하려 하심이라.[40]

이것은 우리가 앞서 살펴보았던 것과 동일한 "맞교환"(interchange)의 패턴이다: 메시야와 교회들, 교회들 상호간, 가난과 부, 죽음과 생명. 여기서도 다시 한 번 이러한 맞교환의 근저에 있는 원칙은 메시야 및 그의 백성의 죽음과 부활이다.

(v) 고린도후서 10-13장: 연약함과 능력

이 서신의 마지막 단원은 사도직 변론으로 되돌아가서, 모든 수사적인 어구들을 완전히 배제한 채 이 주제에 몰두한다. 그들은 바울이 자신의 업적들을 자랑하기를 원하는가? 그들은 바울이 가장 최근에 행한 모든 권장할 만한 일들, 그의 영적인 체험들, 복음을 위한 그의 영웅적인 업적들을 원하는가? 좋다, 바울은 자랑할 것이다; 그것이 정말 그들이 원하는 것이라면, 바울은 기꺼이 광대 노릇을 할 것이다; 그러나 그는 자신에게 닥쳤던 온갖 궂은 일들을 자랑할 것이다. 바울은 마치 그런 것들이 자신의 사도직의 운명들, 영예들과 승리들, 여러 다양한 "업적들"인 것처럼 열거하면서, 그러한 것들이 고린도 교인들로 하여금 바울에 대하여 부끄러워하도록 만들고 있는 바로 그런 일들이라는 것을 알고 있다고 말한다: 매 맞은 일들, 감옥에 갇힌 일들, 돌로 맞은 일, 배가 좌초한 일들, 끊임없는 위험, 박탈, 걱정(11:21-29). 바울이 자신의 최고의 업적으로 치는 것은 로마 군인의 영예 중에서 도시를 최초로 포위하여 성벽을 올라간 자에게 주어지는 최고의 영예인 '코로나 무랄리스'(corona muralis)에 대한 기가 막힌 희화화이다. 바울은 다메섹에서 위험에 처했을 때에 성벽을 넘어서 바구니로 끌어내려져 도망을 쳤던 최초의 사람이었다(11:30-33).[41]

---

40) 고린도후서 8:2, 9.

41) Judge 1968, 47을 보라. 최근의 주석자들(예를 들면, Furnish 1984, 542; Thrall

영적인 체험들도 마찬가지였다(12:1-10). 바울은 환상들과 계시들을 많이 받았지만, 한 가지 예외를 제외하고는 그 내용들을 밝히는 것이 허락되지 않았다: 바울이 너무도 고통스러워서 "육체의 가시"로부터 놓여나게 해달라고 기도하였을 때에 "아니다"라는 응답을 받았다는 것. 이 기가 막히게 잘 씌어지고 대단히 반어법적이며 강력한 설득력을 지닌 수사학의 절정 속에서, 우리는 메시야의 죽음과 부활의 동일한 패턴, 후자로 가는 길은 언제나 전자를 통과하지 않으면 안 된다는 인식을 발견하게 된다:

> [8]이것이 내게서 떠나가게 하기 위하여 내가 세 번 주께 간구하였더니 [9]나에게 이르시기를 내 은혜가 네게 족하도다 이는 내 능력이 약한 데서 온전하여짐이라 하신지라 그러므로 도리어 크게 기뻐함으로 나의 여러 약한 것들에 대하여 자랑하리니 이는 그리스도의 능력이 내게 머물게 하려 함이라 [10]그러므로 내가 그리스도를 위하여 약한 것들과 능욕과 궁핍과 박해와 곤고를 기뻐하노니 이는 내가 약한 그 때에 강함이라.

바울이 9절 끝부분에서 사용하는 어구는 내가 위에서 "-에 거처를 정하다"로 번역한 극히 드물게 사용되는 헬라어 '에피스케노오'이다. '스케네'라는 어근은 "장막"을 의미하는데, 신약성서에서 이 단어는 이 서신에만 나오고 우리가 나중에 살펴보기 위하여 유보해둔 본문 속에서만(5:1, 4) 나온다. 여기에는 바울이 로마서 8:5-11에서 부활의 결과로서 성령이 "내주하게" 되었다고 말하고 있는 것과 동일한 성전 신학에 관한 암시가 존재하는 것 같다.[42] 능력에 대한 삼중적인 강조 — 연약함 속에서 완성되는 주님의 능력, 바울에게 거처를 정한 메시야의 능력, 바울이 연약할 때에 그에게 속한 능력 — 는 모두 살아계신 하나님의 능력에 대한 바울의 통상적인 언급과 잘 부합한다: 그것은 부활

1994-2000, 765)이 Judge의 주장을 지적하면서도 그 수사학적인 요점을 간파하거나 Judge의 주장의 강점들 중의 하나를 포착해내지는 못했다는 것은 주목할 만하다: '코로나 무랄리스'(*corona muralis*)는 맹세로써 주장되어야 했고, 따라서 고린도후서 11:31에 나오는 바울의 엄숙한 선서를 설명해 준다.

42) 물론, cf. 요 1:14: "말씀이 육신이 되어 우리 가운데 거하시매('에스케노센')." 이 구절 속에 성전과 관련된 뉘앙스가 있다는 것은 논란이 되지 않는다.

이 어떻게 이루어지는지를 보여주는 것이다. 10절은 11:21 — 12:9의 전부만 이 아니라 어느 정도는 이 서신 전체를 요약하고 있다: 바울 자신이 겪어야 했던 온갖 엄청난 고난들로 인한 좋은 결과라는 측면에서 보아진 사도의 연약함은 바울이 메시야와 동일시되고 있는 바로 그 지점, 그러니까 메시야의 부활 능력이 사도의 현재적인 삶과 사역 속으로 들어와서 성령에 의해서 여전히 장래에 그를 기다리는 부활이 선취되고 있는 바로 그 지점이다.

이 서신에서 마지막 언급은 이 점을 한층 더 명시적으로 보여준다. 바울은 자신의 임박한 세 번째 방문에서는 자기가 관용하지 않을 것이라고 경고한다:

> [13:3]이는 그리스도께서 내 안에서 말씀하시는 증거를 너희가 구함이니 그는 너희에게 대하여 약하지 않고 도리어 너희 안에서 강하시니라 [4]그리스도께서 약하심으로 십자가에 못 박히셨으나 하나님의 능력으로 살아 계시니 우리도 그 안에서 약하나 너희에게 대하여 하나님의 능력으로 그와 함께 살리라.

여기서 우리는 앞서 이 서신에서 우리가 있었던 자리, 또한 바울이 치리에 관하여 말하고 있었던 고린도전서의 대목들(특히, 4:14-21; 5:4)로 되돌아간다. 메시야의 십자가 처형과 부활은 사도적 사역 전반, 특히 말 안 듣는 완고한 교회들에 대한 사도적 치리를 위한 패턴을 제공해준다. 그리고 이 모든 것들에 있어서의 핵심은 고린도전서 4:20에서처럼 참 하나님의 나라는 말이 아니라 능력에 있다는 것이다 — 예수를 일으키신 바로 그 하나님의 능력, 하나님의 모든 백성을 장차 일으키실 그 능력, 과거와 미래의 사건들을 연결시켜서 사도로 하여금 현재적으로 연약함과 동시에 능력 있게 해주는 바로 그 능력. 이것이 바울이 고린도에 있는 교회에게 가르치고자 한 가장 중요한 교훈이었고, 바울은 그것을 말로써 좀 더 자세하게 설명할 뿐만 아니라 그것을 몸소 구현하기 위하여 곧 그들을 방문하게 될 것이다. 우리가 일련의 서신들을 통해서 알고 있는 바에 의하면(로마서는 고린도후서가 씌어진지 얼마 되지 않아서 고린도 지역에서 씌어졌다), 바울의 호소와 방문은 원래 그가 소망했던 대로의 결과를 가져왔던 것으로 보인다.

4. 결론: 고린도 서신에서의 부활

특히 문체와 언어상에서 주목할 만한 모든 차이점들에도 불구하고, 고린도전서와 후서는 부활에 관하여 말하고 있는 내용에 있어서 서로 수렴된다. 바울의 다른 서신들에 대한 우리의 개관에서와 마찬가지로, 우리는 부활을 긍정하는 유대교 문헌들과는 대조적으로 부활에 관한 언급이 자주 나온다는 것만이 아니라, 예수의 공생애 25년 동안에 이미 부활은 바울의 사상의 모든 면면에 깊이 배여 있어서, 부활은 단순히 여러 주제들 중의 하나로서 다루어진 후에 또 다른 주제로 넘어가는 그러한 종류의 주제가 아니라, 그 밖의 다른 모든 주제의 뼈대와 구조를 이루는 주제로서 도처에서 등장한다고 말할 수 있다. 고린도전서와 후서에서 예수의 죽음과 부활, 살아계신 하나님의 능력의 결과로서의 부활은 근본적인 것이다. 이 두 서신에서 새 창조의 일부로서 사도 및 모든 계약 백성의 장래의 부활은 명시적으로 표현되어 있거나 전제되고 있다. 이 두 서신에서 과거에 일어난 예수의 부활과 미래에 일어나게 될 신자들의 부활 사이의 기간에서 살아가는 삶은 전자를 토대로 해서 후자를 선취하는 방식으로 이러한 두 가지 사건에 의해서 근본적으로 결정된다.

특히 고린도후서에서 우리는 부활, 고난 가운데에서 역사하는 하나님의 창조 능력에 관한 이야기가 바울의 이상하고(일부 교회들에게) 충격적인 스타일의 삶과 사역을 이해하는 열쇠가 된다는 것을 살펴보았다. 그 어떤 것을 다룰 때라도 바울은 메시야의 죽음과 부활에 관한 표본적인 이야기를 끌어다 쓰고 있다. 마치 그것이 바울의 의식 속에 불로 각인되어 있는 것처럼 보일 정도이다. 사실 이것은 그가 1:3-11에서 말하고 있는 것과 거의 대동소이하다.

비록 가장 중요한 단원들을 당분간 유보해 두었다고 할지라도, 이 두 서신은 세계관적 질문들에 대하여 바울의 나머지 서신들과 동일한 대답을 우리에게 제시해 준다:

(1) 죽음 이후의 삶에 관한 고대의 신앙 스펙트럼이라는 관점에서 볼 때, 바울은 이교도들과는 반대되고 유대인들과 같은 편에 서 있고, 사두개파 및 몸을 입지 않은 불멸을 주장했던 그 밖의 다른 분파들에 반대하여 바리새파(그리고 그 밖의 다른 유대인들의 대다수) 편에 서 있다.

(1a) 바울은 현재에 있어서의 성령을 신자들이 새로운 몸을 입게 될 장래의

부활에 대한 보증으로 보았다.

(1b) 이 서신들은 중간 상태에 관하여 많은 말들을 하고 있지는 않지만, 우리가 다른 서신들로부터 얻을 수 있었던 견해와 모순되는 내용을 제시하지 않는다.

(1c) 그리스도인들의 현재적 삶과 미래의 부활의 삶 간의 연속성과 불연속성은 고린도전서와 후서에서 미묘하게 다른 방식으로이긴 하지만 극히 중요하다. 그것은 고린도전서에서 그의 논증들의 다수가 의거하고 있는 지점이고, 고린도후서에서는 바울로 하여금 자신의 사도적 사역을 역설적인 영광의 사역으로 해석할 수 있게 해 주는 개념이다.

(1d) 몇 차례에 걸쳐서 바울은 그가 부활에 관하여 말하고 있는 것을 의미있게 해 주는 더 큰 그림(새 계약, 새 창조)을 암시한다.

(2) 바울은 이 두 서신 속에서 이 개념의 지속적이고 미묘한 은유적 용법을 사용하여 현재적인 (구체적인) 그리스도인의 삶과 사도적 사역의 여러 측면들을 가리키기 위하여 부활의 "현재적" 의미를 상당히 발전시키고 있는데, 이 용법은 예수의 (구체적인) 부활과 신자들의 미래적인 (구체적인) 부활이라는 목표에 뿌리를 두고 있으며, 신자들의 미래적 부활을 문자 그대로 가리키기 위하여 부활이라는 표현이 계속해서 사용된다.

(3) 바울은 우리가 여기에서 살펴본 본문들 속에서 부활절에 정확하게 무슨 일이 일어났고, 예수의 부활은 실제로 무엇으로 구성되었는지라는 문제에 대하여 거의 말하지 않는다. 하지만 바울은 예수의 부활을 거듭거듭 궁극적인 미래 및 그 미래의 현재적인 선취를 위한 모델로서 사용하고 있기 때문에, 우리는 바울에 관한 한 예수의 부활은 단순한 소생을 뛰어넘는 새로운 몸의 삶으로 구성되었다고 결론을 내릴 수 있다. 그것은 육체의 부패성이 폐지된 삶, 예수가 지금 "하늘"과 "땅"에서 선한 피조 세계의 두 차원들에서 똑같이 거처하는 삶이다.

우리는 이 두 장을 통해서 여러 해 동안 격렬한 논쟁을 불러왔던 두 개의 핵심적인 본문들을 제외하고 부활에 대한 바울의 모든 언급들을 살펴보았다. 이제 우리는 문제점들을 해결하고 새롭고 견고한 결론으로 나아갈 수 있는 길을 발견할 것이라는 소망을 가지고 이 두 핵심적인 본문을 살펴볼 수 있게 되었다.

제7장

고린도 서신에서의 부활 (2): 핵심 본문들

1. 고린도전서 15장

(i) 서론

우리는 이제 고린도 서신에 나오는 두 개의 핵심적인 "부활" 본문들을 이해할 수 있을 것이라는 소망을 가지고 접근할 수 있는 맥락을 설정하였다. 고린도전서 15장 및 고린도후서 4장과 5장은 둘 다 주의 깊게 살펴보지 않으면 안 될 나름대로의 중요한 문제점들을 안고 있다; 그리고 그러한 문제점들이 해결될 때에만, 이 두 본문의 관계(특히, 바울의 관념들이 발전되고 수정되었는지에 관한 문제)가 올바르게 평가될 수 있다. 그러므로 우리는 이 두 본문을 차례로 살펴보고자 한다.

고인도전서 15장은 주의 깊게 구성된 통일적인 구조로 되어 있는데, 서론과 결론(아래의 **A**와 **a**)이 서로 대칭되어 있고, 각각 두 부분으로 된(**B1**과 **B2**, **b1**과 **b2**) 두 개의 긴 주된 논증들(**B**와 **b**)이 있으며, 서로 다른 템포로 된 짧은 중간 단락(**C**)이 나온다. 그러한 대칭 구조는 다음과 같은 도표에서 볼 수 있는데, 서로 대응되는 단락들에 나오는 단어수도 거의 비슷하다:[1)]

A 15:1-11(161단어): 서론: 바울의 복음, 그리고 바울 자신의 역할

B 15:12-28(246단어): 질문과 기본적인 대답

[**B1** 15:12-19(111단어); **B2** 15:20-28(135단어)]

1) 물론, 정확한 단어들의 수는 본문상의 이독(異讀)들에 따라서 달라지겠지만, 여기서 중요한 것은 정확한 숫자가 아니라 대체로 규모가 비슷하다는 것이다.

C 15:29-34(81단어): 실천적인 간주곡
b 15:35-49(214단어): 어떤 종류의 몸?
[**b1** 15:35-41(110단어); **b2** 15:42-49(104단어)]
a 15:50-58(148단어): 결론: 계시된 신비

나는 이러한 구조가 내용이라는 관점에서 정확한 교차대구법적 구조를 나타내는 것이라고 주장하고 있는 것(예를 들면, B/b단락들은 정확히 동일한 주제들을 다루고 있다는 것)이 아니라, 바울이 여기서의 논증을 자기가 말하고자 한 것들을 무작위적으로 선별해서 즉흥적으로 작성한 것이 아니라 단계별로 차근차근히 순서를 밟아나간 전체적으로 통일적인 구조로 제시한 것으로 보인다고 주장하고 있는 것이다.[2] 우리는 이미 이 서신 전체가 독자들의 눈을 신자들의 현재적인 삶과 신자들이 장차 받도록 약속되어 있는 삶 간의 연속성에 관하여 뭔가를 말하도록 요구받고 있는 이 장으로 이끌어 오고 있다는 것을 살펴보았다. 이제 우리는 바울이 이 서신을 쓰는 동안에 내내 염두에 두고 있었던 것이 무엇인지를 발견하게 된다.

사실, 이 논증은 새 창조에 관한 논증으로 제시되어 있는, 메시야에게 속한 모든 자들의 장래의 부활에 대한 해설이다. 창세기 1-3장은 이 장 전체를 위한 대본이고, 바울이 단순히 자신의 주장에 대한 예시들을 제시하고 있는 듯이 보이는 대목에서조차도, 그러한 예시들은 창조 이야기들로부터 가져와진다(15:35-41에 관한 설명을 보라). B/b단락들을 지나치게 밀접한 병행으로 보지 않도록 해야 한다고 이미 경고하였지만, 그럼에도 불구하고 우리는 B2(15:20-28)와 b2(15:42-49) 둘 모두에서 아담의 위치, 그리고 아담의 타락 및 그 결과들의 역전과 무효가 중심적인 내용이라는 것을 주목한다. 바울은 관련된 본문들을 다른 곳에서 한 것과 마찬가지로, B2에서 창조 이야기를 끌어들이고 있는 시편 8:7을 인용하고, b2에서 창세기 1장에 나오는 창조 기사와 마찬가지로 사람이 하나님의 "형상"을 지니고 있다고 의기양양하게 말하는 것으로 끝을 맺는다 — 물론, 이제 사람들이 지니고 있는 형상은 로마서 8:29에서처럼 참된 인간 존재인 메시야의 형상이지만. b2단락은 사실 논증의 최종적

2) Mitchell 1991을 보라.

인 핵심, 바울이 현재적 몸과 미래적 몸간의 연속성(그리고 불연속성)에 관하여 아주 자세하게 설명하고 있고, 아담이라는 준거를 통해서 이 논증과 B2 간에 연결고리를 설정하는 대목이다. B2 자체는 하나님 나라가 임하여서 세상에 대한 하나님의 통치를 정립하고 하나님 나라의 모든 원수들을 패배시키는 것에 관한 작은 묵시론적 기사의 양식을 띠고 있는데, 이것은 다니엘서 7장이 인간에게 짐승들을 다스리는 권세를 주었다고 말하고 있는 창세기 2장의 창조 기사를 끌어와서 야훼의 나라를 새 창조로 보고 있는 것과 매우 흡사하다. 그리고 b2의 결론적인 대목에서 바울은 창세기 1:1에서처럼 창조의 가장 기본적인 측면인 하늘과 땅을 논의 속으로 끌어들여서, 새 창조가 빌립보서 3:20-21에서처럼 하늘로부터 오는 새 사람 속에서 구현된 유대적인 하나님 나라의 꿈이라는 것을 보여준다. 따라서 이 논증 속에서의 두 개의 핵심적인 계기들인 B2(15:20-28)와 b2(15:42-49)는 양식상의 병행법만이 아니라 어느 정도 주제상의 병행법도 이루고 있다.

이렇게 창세기 1-3장은 빈번하게 간접적으로 인용되는 대목일 뿐만 아니라, 이 논증 속에서 몇몇 중요한 구조 표지들을 제공해준다. 이 장을 독자적으로 살펴보더라도, 바울이 이 장 전체를 창조의 갱신, 그 초점으로서의 인간의 갱신에 관한 해설로 의도하였다는 것은 의심의 여지가 없다. 우리가 이 장을 한편으로는 이와 비슷한 신학에 관한 여러 다양한 유대교적인 해석들과 나란히 놓고, 다른 한편으로는 앞서 살펴보았던 바울의 좀 더 짧은 진술들과 나란히 놓고 살펴보면, 이 장이 그 둘 모두에 속해 있다는 것은 논쟁의 여지가 없다. 고대 세계 속에서의 신앙들의 스펙트럼이라는 관점에서 볼 때, 이 본문은 이교적인 것이 아니라 대단히 유대적이다: 유대교 내에서 이 본문은 창조주 신과 그의 공의에 대한 쌍둥이 신앙에 토대를 둔 부활 신학의 고전적인 예이다.[3] 이러한 사고틀 내에서 볼 때, 죽음은 침입자, 창조주의 선한 세계를 파괴하는 자이다. 죽음에 대한 창조주의 대답은 모종의 합의 또는 타협이 될 수 없다. 죽음은 메시야 안에서 패배당했고 또한 패배당할 것이다(15:26).[4] 그러므로 모종의

---

3) 예를 들면, Wis. 13:1-9(이교도들이 창조주를 무시한다는 것); 특히, cf. 고전 15:34.

4) de Boer 1988 ch. 4에 나오는 이 주제에 관한 훌륭한 해설을 보라.

몸의 부활 이외의 그 어떤 것은 개별적인 절들과 어구들의 의미의 차원에서만이 아니라 이 장의 논증 전체의 차원에서도 생각할 수 없는 것이다. "부활"은 인간 존재의 어떤 부분 또는 측면이 죽어서도 살아남아서 새로운 방식으로 계속적인 삶을 살아가는 것을 가리키는 것이 아니라, 죽은 후에 새로운 삶이 주어지는 것을 가리킨다.[5] 이 주제에 관한 대중적 또는 학문적 서술들 속에서 너무도 자주 무시되고 있는 이러한 구별은 대단히 중요하다. 바울이 유대교에서 이전에 말해졌던 내용을 뛰어넘는 것들에 대하여 말한 것을 살펴보기 전에, 우리는 먼저 개략적인 내용과 기본적인 신학(즉, 전제되어 있는 참 신에 관한 견해) 속에서 바울이 바리새파(즉, 당시에 주류를 이루고 있던) 유대교의 세계관 내에 확고하게 서 있다는 것을 분명히 해두지 않으면 안 된다.

따라서 이 장의 전체적인 구조와 논리는 우리가 그 밖의 다른 나머지 서신들이 보여주는 방향으로부터 우리가 추측할 수 있는 것, 즉 이 장이 바울에 의해서 장래의 몸의 부활을 말하는 긴 논증으로서 의도되고 있다는 것을 확증해준다.[6] 앞 장에서 이미 보았듯이, 바울은 이 서신의 앞 부분에서 현재의 삶 속에서의 그리스도인들의 행실은 현세의 삶과 미래의 삶 간의 연속성에 입각해 있다는 것을 반복해서 보여주었다. 만약 바울이 이제 이 문제를 마침내 전면으로 부각시켜서 자기가 이제까지 내내 이 서신에서 말해 왔던 것을 손상시키고 있다면, 그것은 이상한 일이 될 것이다. 어쨌든 유대교 내에서는 바울 당시의 전후로 "부활"이 "몸의 부활" 이외의 어떤 것을 의미할 수 있었음을 보여주는 그 어떠한 암시도 존재하지 않았다: 만약 바울이 "비육체적인 부활"이라는 모순어법적인 내용을 주장하려고 했다면, 그는 자신의 논증을 현재의 창조의 선함이 내세에서 재확인된다는 내용의 바리새파적인, 그리고 실제로 성경적인 세계관을 정교하게 다듬는 모습으로 이 장을 구조화하지 않는 편이 더 나았을

5) 흥미롭게도 바울은 "영혼"을 오직 한 번 언급하고, 그 후에는 첫 아담과 관련해서 언급하는데(고전 15:45), 거기에서 이 단어는 불멸에 대한 암시가 전혀 없고 "존재" 또는 "살아있는 피조물"을 의미한다.

6) "예수가 제삼일에 부활하였다"는 말의 가장 명백한 의미는 그가 하늘로 승귀되었다는 것이다"라고 주장하는 Harvey 1994, 74f.는 이에 반대한다. 이 언어 자체는 단순히 그것을 의미할 수 없다: 이 장, 이 서신, 바울 서신 전체의 전반적인 논증(위의 제5장과 제6장)은 그러한 주장이 틀렸다는 것을 결정적으로 말해준다.

것이다. 그런데 바로 그것이 바울이 한 서신의 결론부에서 자신의 논증을 구성한 방식이기 때문에, 이와 관련해서 그 어떠한 의문도 남아 있지 않게 된다. 바울이 "부활"이라고 말했을 때, 그는 "몸의 부활"을 의미하였다.

어쨌든 데일 마틴(Dale Martin)이 우리에게 상기시켜 주었듯이, 우리는 오늘날의 서구인들이 적어도 데카르트 이래로 생각해 온 "육체적인 것"과 "영적인 것," 또는 "물질적인 것"과 "비물질적인 것" 간의 존재론적인 이원론이 바울의 청중들에게도 매우 중요하였을 것이라고 전제해서는 안 된다. 영혼의 존재를 믿었던 이 시기의 대부분의 이교 철학자들은 영혼이 몸과 마찬가지로, 물질 — 더 정교한 입자들로 된 — 로 이루어져 있다고 생각했다.[7]

그러나 우리는 한 걸음 더 나아갈 수 있다. 만약 바울이 죽음 이후에도 몸을 입지 않은 채 살아 있는 것에 관하여 관심을 가졌다면, 그의 논증은 불필요했을 것이다. 왜냐하면, 고린도 같은 도시에 사는 많은 사람들은 바로 그와 같은 식으로 이미 믿고 있었기 때문이다. 하지만 실제로 바울의 논증은 그렇지 않았다: 개요에 있어서나 세부적인 내용에 있어서나 고린도전서 15장은 영혼의 불멸에 관한 논증과 닮지 않았다. 고린도전서 15장의 전체적인 요지는 죽음 이후에 미래의 어느 때에 창조주 신이 이미 예수에게서 이루어졌던 것과 대응되는 — 그리고 거기로부터 유래되는 — 새 창조의 행위를 수행하시리라는 것이다(20-28). 본서에서의 우리의 목적을 위하여 중요한 것은 바울의 논증의 토대이다. 왜냐하면, 바울과는 달리, 우리는 예수의 부활을 전제하여 그것 위에서 기독교적 소망의 신학을 구축하는 것이 아니라, 바울이 예수에게 일어났었다고 생각했던 것을 더 정확하게 이해하기 위하여 기독교적 소망에 관한 그의 신학을 검토하고 있는 것이기 때문이다. 그의 논증의 토대는 "죽은 자들의 부활"이 갑자기 이 세상 속으로 돌입해 옴으로써 세상을 깜짝 놀라게 하였고, "메시야 안에 있는" 자들의 장래의 부활을 보증하는 토대 역할을 하는 사건으로 제시되고 있는(15:20-28, 45-49) 예수 자신의 부활이다(15:3-11). 구속받

---

7) Martin 1995, 115-17; 127-9; 이 장 전체는 통상적인 전제들에 대한 교정책으로 중요하다 — 물론, Martin의 궁극적인 해법은 부활의 몸에 관한 바울의 설명을 위한 아주 주의 깊은 틀 역할을 하고 있는 좀 더 폭넓은 신학과 석의를 제대로 다루고 있지는 못하지만. 또한 Galen, *Natural Faculties,* 1.12.27f. 등을 보라.

은 자들의 최종적인 몸은 마지막 사람, 메시야의 몸과 같게 될 것이다(49절). 우리의 목적과 관련해서, 바울이 장래의 부활에 관하여 더 많은 것을 말하면 할수록, 우리는 바울이 부활절 자체에 관하여 말했을 수 있는 것의 공백들을 더 많이 채워넣을 수가 있다. 바울이 부활에 관한 유대교의 기본적인 설명을 얼마나 많이 발전시키고 또한 몇몇 측면들에서 수정하고 있다고 할지라도, 그가 말하고 있는 것은 여전히 부활이다.

발전들과 수정들은 기본적으로 세 가지이다: 그것들은 부활의 언제(when), 무엇(what), 누구(who)에 관한 것이다. 여전히 전반적인 논증의 차원에서 이것들은 두드러지게 부각된다. B단락(12-28절)은 부활의 때에 관하여 말한다: 유대교의 기대와는 반대로, 바울은 "죽은 자들의 부활"이 하나의 사건으로서 두 단계에 걸쳐서 일어나게 될 것이라고 주장한다 — 먼저는 메시야, 그리고 나중에는 그에게 속한 모든 자들. 또한 이것은 사람들의 범위를 뚜렷하게 부각시켜 준다: 그것은 모든 의인들, 어떤 의미에서 "온 이스라엘"의 부활이 아니라, 무엇보다도 먼저 이스라엘의 대표자의 부활, 그리고 그런 다음에 이스라엘 사람이든 아니든 그에게 속한 모든 자들의 부활이다. b단락(35-49절)은 무엇, 즉 어떤 유형의 몸이 상정되고 있는가에 대하여 대답한다: 이 주제에 관한 앞서의 그 어떤 유대교적인 설명들을 뛰어넘어서, 바울은 부활은 동일한 종류의 몸으로의 소생이 아니라, 죽음과 죽음 직후에 놓여 있는 것을 통과하여 계속해서 변화된 몸을 입는 것이라고 주장한다. 물론, 이 모든 점들은 더 자세한 논의를 거칠 필요가 있지만, 우리가 그러한 것들을 유대교적인, 더 구체적으로는 바리새파적인 세계관으로부터의 수정들이라는 것을 서론적으로 조감도의 형식으로 바라보는 것이 중요하다. 이것들은 창조주와 공의를 행하는 자로서의 하나님이라는 유대교적인 견해를 강조하고 강화시키는 새로운 방식이지, 결코 그러한 세계관과 신학을 교묘하게 폐기하고 있는 것들이 아니다. 또한 우리는 이러한 발전들과 수정들의 원인들을 멀리서 찾을 필요가 없다; 그러한 것들은 분명히 바울이 부활절에 예수에게 일어났다고 믿었던 것에 입각하고 있다. 예수의 부활은 장래의 부활을 위한 원형이자 모델이고, 철저하게 그렇게 생각되고 있다. 이것은 우리로 하여금 바울이 메시야가 죽은 자로부터 다시 살리심을 받았다고 말했을 때에 그가 의미한 것을 되돌아볼 수 있게 해 준다.

15장의 목적은 12절의 도전에 대답하는 것이다: 고린도에 있던 그리스도인들 중 일부는 죽은 자의 부활은 없다고 공공연하게 말하고 다녔다. 이것은 그들이 장래의 몸의 부활을 부정하고 있었다는 것을 의미할 것임에 틀림없는데, 그들은 2장에 나와 있는 것처럼 모든 사람이 죽은 사람들이 몸의 부활로 다시 돌아올 수 없고 이제까지 돌아온 적이 없다는 것을 아주 잘 알고 있다는 표준적인 이교적 근거들 위에서 그런 말을 하였을 가능성이 대단히 높다. 디모데후서 2:17-18에 언급된 두 명의 교사들처럼 그들이 전체로서의 "부활"이 이미 일어났다고, 달리 말하면 "부활"은 모종의 영적인 체험 또는 사건을 가리킨다고 믿었다고 할지라도, 그들은 여전히 장래의 몸의 부활이 있을 것임을 부정했을 것이다. (이렇게 원시적인 영지주의적 신앙은 이미 유대교가 아니라 이교 사상의 형태로 등장하고 있었다.)[8] 부활에 대한 부정이 긍정되고 유지된다면, 분명히 바울의 앞서의 논증의 많은 부분이 부활의 약속에 의거하고 있기 때문에 크게 손상을 입게 될 것이다. 바로 이것이 바울이 이 장을 기독교의 기본적인 복음에 관한 재진술로 시작하여, 특히 B1(12-19절)에서의 최초의 논증과 B2(20-28절)의 발전된 논증을 위한 토대가 될 예수 자신의 부활에 관한 사실을 부각시키고 있는 이유이다. 세상과 관련된 창조주의 역사(history)의 형태를 바꿔 놓은 한 사건이 일어났다.

그러므로 15장의 논증은 다음과 같이 진행된다: 창조주 신이 예수와 관련하여 행하신 일은 그가 예수의 모든 백성을 위하여 행하게 될 일의 모델이자 수단이다. 이하에서 서술되는 내용을 분명히 하는 데에 도움을 주기 위하여, 우리는 2장 전체에 대한 전반적인 개관을 제시할 것이다:

A. 복음은 예수의 부활에 닻을 내리고 있다(1-11절).

B1. 그러나 이것이 일어나지 않았다면, 복음 및 그 모든 유익들은 무효가 되

---

8) 부인하는 자들은 "부활"을 부인하고 있었다. 만약 그들이 *Letter to Rheginos*의 견해(아래 제11장을 보라) 같은 것을 지니고 있었다면, 그들은 현재적인 영적 체험을 가리키기 위하여 "부활"이라는 단어를 사용했을 것이다; 그러나 그들은 그러한 체험을 부정한 것이 아니라, 오히려 긍정하였다. 12절에서 부정되고 있는 것은 죽은 자들의 부활이다. 마찬가지로, 부인하는 자들이 긍정하고자 했던 것이 궁극적인 몸을 입지 않은 "영적인" 지복 상태였다면, 이것은 그들이 장래의 몸의 부활을 부인하고 있었다는 것을 분명하게 보여주는 것이다. 그러므로 그것은 바울이 이 장 전체에 걸쳐서 논증하고 있는 바로 그것임에 틀림없다.

고 헛된 것이 되고 말 것이다(12-19절).

B2. 예수의 부활은 "죽은 자들의 부활," 즉 지금은 둘로 나뉘어진 최후의 종말론적인 사건의 시작이다; 부활한 예수는 "첫 열매"로서, 장차 있게 될 그의 백성의 부활에 대한 최초이자 원형적인 모범이고 수단이다. 왜냐하면, 사망을 비롯한 창조주의 계획을 방해하는 그 밖의 다른 모든 원수들이 패배하게 되는 것은 참 인간인 메시야로서의 예수의 신분과 직임으로 말미암기 때문이다(20-28절).

C. 그런 후에, 바울은 만약 부활이 참이 아니라면 무슨 결과가 벌어질 것인지에 대하여 신속하게 언급한다(29-34절): 그리스도인들의 삶의 중추신경이 잘려나가는 것과 같다.

b. 그런 후에, 바울은 B2에서의 몇몇 대목들에서 토대를 이루고 있는 부활의 무엇(what)으로 옮겨간다(35-49절): 부활한 예수는 부활한 인간이 성령을 통해서 무엇으로 구성될 것인지를 보여주는 모델이다.

a. 바울은 새로운 몸의 썩지 않음을 강조하고, 죽음에 대한 승리로서의 이 사건의 성격을 강조하면서, 장래의 부활의 때에 관한 서술로서 논증을 힘있게 마무리한다(50-58절). 그는 찬송(57절)과 권면(58절)으로 논증을 끝낸다.

이 개관이 제공해주는 지평에 눈을 고정시킨다면, 우리는 우리가 이제부터 헤쳐 나가야 할 거친 석의의 물결 속에서 배멀미를 피할 수 있게 될 것이다.

(ii) 고린도전서 15:1-11

도입부는 공식적이고 엄숙하며 복합적이고 논쟁적이다. 이 도입부는 사복음서에 나오는 기사들과 나란히 원래의 부활절 사건들에 대한 다섯 번째 증거로서, 우리의 현재의 연구를 위해서 대단히 중요하다. 불트만이 바울이 여기서 예수의 죽음은 나쁜 일이 아니라 좋은 일이었다는 초기 그리스도인들의 확신을 단순히 생생하고 "신화적인" 방식으로 언급하지 않고 마치 그것이 실제의 사건인 양 생각하여 예수의 부활에 대한 증인들을 열거하고 있는 것에 대하여 비판한 일은 유명하다.[9] 이와 같이 20세기 신약학계의 전체적인 흐름이 잘못

9) Bultmann in Bartsch 1962-4,1.38-41, 83을 보라.

되었다는 것이 백일하에 적나라하게 드러난다; 만약 실제로 바울이 고린도전서 전체의 기저를 이루는 핵심적인 내용을 표현하기 위하여 주의 깊게 작성한 한 장에 대한 이토록 진지하고 냉정한 도입부 속에서 불트만이 생각한 것처럼 그토록 철저하게 오도하고 잘못된 내용을 말하고 있는 것이라면, 바울은 우리가 애초부터 씨름할 가치조차 없는 인물이라고 해야 할 것이다. 그러나 사실 잘못된 것은 바울이 아니라 불트만이었다: 바울에 관한 한, 예수의 부활은 실제로 일어난 사건이었고, 그것은 하나님의 모든 백성의 부활이라는 장래의 실제적인 사건의 근저에 놓여 있었다.[10]

이 모든 것은 1-11절의 모든 대목에서 나타난다. 바울은 예수의 부활을 증인들이 있는 사건으로 언급한다 — 예수를 직접 본 적어도 오백 명을 포괄하는 비록 제한된 수이긴 하지만 큰 무리의 증인들. 이 증인들 중 일부는 이미 죽었고, 증인들의 수에 더해질 사람은 더 이상 없을 것이다. 왜냐하면, 부활한 예수를 본 사건들은 시간적으로 끝이 있었기 때문이다; 바울이 예수를 보았을 때, 그것은 이러한 일련의 현현 사건들 중에서 마지막 사건이었다(8절).

그러므로 적어도 바울의 마음속에서는 부활한 예수를 본 것에 대한 이러한 언급은 지속적인 환상들과 계시들, 또는 예수의 임재에 관한 "영적인" 인식을 통한 통상적이거나 이례적인 "그리스도인으로서의 체험"과 관련이 있을 수 없다. 고린도전서 9:1에서 분명히 알 수 있듯이, 이러한 "본 사건"(seeing)은 증인 한 명이 예수를 본 것이 일회의 사건을 구성하고 그 증인들은 "사도들"이 된 그런 일이었다. 앞에 나오는 장들이 분명하게 보여주었듯이, 고린도 교인들은 우리가 상상할 수 있는 온갖 종류의 영적인 체험을 하였었다; 그러나 그들은 부활하신 예수를 본 적이 없었고, 또한 그들이나 바울은 그런 일이 일어날 것이라고 기대하지도 않았다.[11]

---

10) 많은 학자들이 불트만을 추종하여 왔다: 최근의 예는 Patterson 1998, 218인데, 그는 바울이 부활 신앙을 강화시키기 위하여 "현현" 이야기들을 사용한 것은 잘못된 것이었다고 단언한다. 왜냐하면, 그것은 어떤 일이 일어났었다는 것을 함축하는 반면에, 사실 그때에 일어났던 모든 일은 초대 교회가 믿음을 갖게 되었다는 것뿐이었기 때문이라고 그는 말한다.

11) 특히, Kendall and O'Collins 1992를 보라. Coakley 2002, ch. 8는 이러한 구별을 결코 허용하지 않는다.

이 도입부의 서론(15:1-3a)은 예수의 부활을 중심축으로 삼고 있는 바울의 복음이 자기 자신이 매우 초기의 교회의 전승 속에서 스스로 "받았던" 복음이었고, 오직 이 복음만이 기독교적인 삶에 형태를 부여하고 기독교적인 소망에 가치를 부여하는 것이라는 사실을 엄숙한 어조로 서술한다:

> [1]형제들아 내가 너희에게 전한 복음을 너희에게 알게 하노니 이는 너희
> 가 받은 것이요 또 그 가운데 선 것이라 [2]너희가 만일 내가 전한 그 말을
> 굳게 지키고 헛되이 믿지 아니하였으면 그로 말미암아 구원을 받으리라 [3]
> 내가 받은 것을 먼저 너희에게 전하였노니 …

이것은 도입부의 맺음말과 긴밀하게 연결되어 있다(15:11):

> [11]그러므로 나나 그들이나 이같이 전파하매 너희도 이같이 믿었느니라.

바울은 이 복음이 그에 의해서 선포되었기는 하지만 결코 그에게 특유한 것이 아니었다는 점을 강조하기 위하여 애를 쓴다. 어쨌든 수많은 사도들과 교사들이 고린도 교인들을 수없이 방문했었고, 게바와 아볼로는 그러한 많은 방문자들 중에서 단지 여기에 열거된 두 사람이었을 것이다. 만약 바울이 특히 이 점에 관하여 다른 사람들과 상당히 다른 내용을 말했다면, 그들은 금방 눈치를 챘을 것이다. 바울은 그 밖의 다른 그리스도인 교사들과 구별되는 내용을 자신의 권위로서 강조하는 것이 얼마든지 가능했을 것이다; 그러나 이 경우에 있어서 바울에게 (그리고 우리의 연구에 있어서) 중요한 것은 그가 이제 말하고자 하는 내용에 있어서 그는 정확히 다른 모든 사도들과 동일한 토대 위에서 있다는 것을 바울 자신도 알았고 고린도 교인들도 알고 있다는 것을 그가 알았다는 것이다.

바울은 여기서 그가 고린도전서에서 그의 복음의 독립성에 관하여 말하였던 것을 손상시키고 있지 않다.[12] 그 내용 — 예수가 죽은 자로부터 다시 살리심을 받았다는 것과 그것으로부터 도출된 기본적인 진리들 — 을 바울은 다른

12) 갈라디아서 1:11을 보라.

사람들과는 상관 없이 다메섹 도상에서 직접 받았다. 그러나 그 양식, 복음을 표현하는 이러한 방식, 이야기를 말하는 이 방식은 분명히 그에게 전해진 것이었고(3절), 그에 의해서 그의 교회들에게 전해진 것이었다.[13] 이것은 어떤 공동체가 함부로 변경할 자유를 갖고 있지 않은 토대가 되는 이야기(foundation-story)였다. 그 이야기는 바울이 그것을 "전해 받았을" 때에 이미 정형적인 형태로 되어 있었기 때문에, 아마도 부활절 이후의 첫 이삼 년 내에 정형화된 것으로 보인다.[14] 여기서 우리는 바울이 이 서신을 쓰기 20여년 전부터 말해져 왔던 내용을 지닌 가장 초기의 기독교 전승을 접하고 있는 것이다.

3b-8절의 어느 정도가 이 전승의 핵심을 이루고 있었느냐 하는 문제는 우리와는 별 상관이 없는 문제이다. 이 본문 전체가 공통의 전승이었고, 마지막 단어가 "네게"가 아니라 "바울에게"로 되어 있었고, 바울은 "그들 중 대부분은 여전히 살아있고 일부는 잠들어 있다" 같은 어구들을 첨가했을 가능성이 대단히 높다. 또한 전승에 의한 정형문구는 5절(열두 제자를 언급하는 내용)로 끝이 났고, 바울이 6-8절을 첨가했을 가능성도 있다;[15] 또는 바울이 두 개 이상의 서로 다른 전승들을 결합시켰을 가능성도 있다.[16] 이것은 바울이나 우리 자신이 말하고자 하는 기본적인 요지에 영향을 미치지 않는다.[17] 중요한 것은 이 정형문구의 핵심은 고린도 교인들이 바울에게서만이 아니라 그 밖의 다른 모든 사람들로부터 들었을 것임을 바울이 알고 있는 내용, 변경할 수 없는 기독교의 토대로서 바울이 제시할 수 있는 내용이었다는 것이다.

이 정형문구는 압축되어 있고 중요한 것으로서, 우리는 3b-4절에서 시작하여 차례차례로 살펴보고자 한다:

> 3… 성경대로 그리스도께서 우리 죄를 위하여 죽으시고 4장사 지낸 바

---

13) '파레도카' 와 '파렐라본' (3절, 후자는 1절의 '파렐라베테' 의 반영이다)은 전승을 받고 전해주는 것을 가리키는 전문용어들이다.

14) Hays 1997, 255.

15) Hays 1997, 257.

16) 예를 들면, Patterson 1998, 216f.

17) Lüdemann 1994, 33-109의 장황한 전승사적 분석은 거의 전적으로 쓸데없다.

되셨다가 성경대로 사흘 만에 다시 살아나사 …

먼저 중요한 것은 예수가 이 정형문구 속에서 "메시야"('크리스토스')로 지칭되고 있다는 것이다. 이것은 초기의 정형문구이기 때문에, 이 단어가 아무런 의미도 내포함이 없이 고유명사로 사용되었을 가능성은 전혀 없다. 따라서 초기 그리스도인들이 이 단어를 왕적인 호칭으로 의도하였다고 볼 만한 근거가 충분하다. 바울은 20-28절에서 명시적으로 "메시야적인" 논증을 제시하면서, 장차 오실 메시야에 관한 성경의 증거 본문들과 전 세계에 걸친 그의 왕적인 통치에 관한 진술로 끝을 맺는다.[18]

증거들은 이것이 여기에서 이 정형문구에 표현되어 있는 가장 초기의 기독교적 확신 속에 뿌리를 박고 있다는 것을 말해준다. 예수의 죽음이 현재의 악한 시대가 지나가고 있고 예수에게 속한 자들이 그 시대로부터 구원받는 전환점이 되는 것은 예수가 바로 메시야이기 때문이다; 바울이 갈라디아 1:4에서 말하고 있는 것, 즉 메시야가 "우리를 이 악한 세대로부터 건지시기 위하여 우리 죄를 인하여 자기 몸을 주셨다"는 것은 이것과 아주 잘 부합하는 말로서, 바울이 염두에 두고 있었던 죄의 처리는 하나님의 계획에 있어서 위대한 종말론적인 전환점의 일부이자 핵심이었음을 보여준다. 그 전환점은 지금 그것으로부터 유익을 얻고 있는 자들, 즉 "우리"에게 그 초점이 맞춰져 있다: 메시야는 우리의 죄를 위하여 죽으셨다. 바울은 17절을 제외하고는 이 장에서 다시는 "죄들"이라고 말하지 않지만(56절에서는 "죄"), 이 단어가 나온다는 것은 대단히 중요하다: 그것들은 전체적인 해석의 요지의 일부를 밝혀준다. 부활이 없다면, 예수의 십자가 처형이 죄들 또는 죄를 처리하였다고 생각할 만한 근거가 없다. 그러나 부활로 말미암아, 죄(들), 그러므로 죽음에 대한 하나님의 승리는 확인된다.

죄들을 단번에 하나님이 다루실 것이라는 관념은 "포로생활로부터의 귀환," "계약 갱신," 그리고 실제로 "부활"(에스겔 37장에서 발견되는 은유적인 의미에서)이 모두 적절한 환유들 또는 은유들로서 사용되었던 제2성전 시대 유대교 전승의 복합적인 사고 속에 뿌리를 두고 있다.[19] 죄들을 처리함을 통해서

18) 자세한 것은 아래의 제12장 제1, 2절과 제19장 제2절을 보라.

"현재의 악한 세대"로부터 "내세"의 발단으로의 이행은 정확히 이사야 40:1-11, 예레미야 31:31-34, 에스겔 36:22-32 같은 잘 알려지고 중심적이며 자주 인용되는 본문들 속에서 약속되고 있는 내용이다. 또한 그것은 죄사함과 포로생활로부터의 귀환, 이 둘 모두를 위한 기도인 다니엘 9장에 나오는 위대한 기도의 중심적인 주제이기도 하다. 이미 살펴보았듯이, 이 장 전체는 아주 확고하게 유대교의 회복 신학의 전승에 속해 있기 때문에, 이것이 그러한 언급을 해석하는 토대가 되는 올바른 맥락이라는 것은 의심의 여지가 없다.

이것은 우리가 더 앞으로 나아가기 전에 "성경대로의 일차적인 의미를 보여준다. 바울은 증거 본문들을 찾아서 제시하고 있는 것이 아니다; 바울은 죄인들의 죽음에 관한 한두 개 또는 대여섯 개의 고립적인 본문들을 상정하고 있는 것이 아니다. 그는 메시야에게서 그 절정에 도달하였고, 이제 동일한 이야기의 새로운 국면, 즉 (하나의 관점에서 볼 때) 죄로부터의 구원, (또 다른 관점에서 볼 때) 죽음으로부터의 구원, 즉 부활을 그 중심적인 특징으로 하는 내세가 돌입해 온 국면을 발생시킨 이야기로서의 성경의 전체적인 서사(narrative)를 가리키고 있는 것이다. 우리는 다시 한 번 56-57절과 비교해 볼 수 있다. 물론, 몇몇 시편들과 이사야 40 — 55장의 몇몇 대목들을 포함하여 이러한 방향을 보여주는 성경 본문들이 존재한다; 그러나 바울은 성경적 서사 전체에 일차적으로 관심을 갖는다.[20]

예수의 매장에 관한 언급(4a절)은 그것이 그 자체로 중요한 것으로 간주되었다고 할 때에만 전승에 의한 짤막하고 요약적인 서사 속에서 그러한 중요한 위치를 차지할 수 있었을 것이다. 이 점을 둘러싸고 많은 논란이 벌어져 왔지만, 이러한 언급이 포함되게 된 가장 가능성 있는 이유는 두 가지이다: 첫째, 예수가 정말 진짜 죽었다는 것을 확실히 하기 위하여(앞으로 보게 되겠지만, 복음서 기사들이 나름대로의 방식으로 세심하게 신경을 쓰고 있는 부분); 둘째, 이교세계 속에서나 유대 세계 속에서 어떤 사람이 죽은 자로부터 부활했다는 것에 관한 이야기를 하거나 들을 때에 그 사람은 이것이 빈 무덤을 남겨둔 채 그 몸이 새로운 생명으로 다시 살아났다는 것을 가리킨다는 것을 전제하는

---

19) *JVG passim* 특히, 202-09를 보라.

20) *NTPG* 241-3; 예를 들면, 로마서 9:6-10:21에 대한 Wright, *Romans,* 632-70.

것과 마찬가지로, 바울이 그 다음에 나오는 어구 속에서 부활에 관하여 말할 때에 바로 그러한 것이 전제되어 있다는 것을 보여주기 위하여. 복음서 기사들 속에서 아주 두드러지게 부각되고 있는 빈 무덤 자체가 이 본문에서는 구체적으로 언급되고 있지 않다는 사실은 별로 중요치 않다; 여기서 "장사되었다가 다시 살아나셨다"라는 언급은 마치 "내가 거리를 따라서 걸었다"라는 말을 "내가 내 발로"라는 수식어로 보충할 필요가 없는 것과 마찬가지로 더 이상 보충을 필요로 하지 않는다. 물론, 복음서 기사들 속에 나오는 빈 무덤의 발견은 예수의 제자들에게 뭔가 심상치 않은 일이 일어났다는 사실을 심각하게 일깨워 주는 첫 번째 사건(모든 이야기들 속에서)이었기 때문에 중요하다; 그러나 이 이야기가 압축된 형태의 정형문구로 전체적으로 개관되었을 때에는 그러한 것은 주요한 내용이 아니었다. "그가 장사되었다가"가 이 짧은 전승의 일부가 된 이유에 대한 가장 좋은 가설은 이 어구가 부활절 이야기들 속에서의 전체적인 계기를 매우 간결하게 요약하다고 있다는 것이다.[21]

"그가 성경대로 사흘만에 다시 살아났다." 이 동사는 실제로 (대부분의 번역문들이 함축하고 있듯이) 부정과거("죽었다," "장사되었다," "보여졌다"와 상응하는 "다시 살아났다")가 아니라 완료형이다; 헬라어에서 완료 시제는 일회적인 사건의 지속적인 결과, 이 경우에는 예수가 지금 부활한 메시야이자 주라는 영속적인 결과를 가리킨다(20-28절을 보라).[22] 이 동사는 여기에 나오는 다른 동사들과 마찬가지로 수동형으로서, 하나님의 행위를 나타낸다; 바울은 통상적으로 예수의 부활을 창조주 자신의 위대한 행위로 본다[23] "메시야가 우리의 죄를 위하여 죽었다"라는 말을 의미있게 해주는 의미의 세계로서 제시되는 성경의 서사와 마찬가지로, 여기서 수식어구는 단순히 소수의 증거 본문들만이 아니라 성경의 서사 전체를 되돌아보고 있다. 그리고 그 기나긴 성경의 서사

---

21) Hays 1997, 256: 바울이나 그 어떤 초기 그리스도인도 무덤 속에 시신을 남겨놓는 "죽은 자로부터의 부활"을 생각할 수 없었을 것이다. 또한 Fee 1987, 725와 참고문헌들(n. 61); Hengel 2001과 최근의 풍부한 독일 서지들을 보라. Hengel의 방대한 논문은 이 논증이 "자포자기식으로" 제시되고 있다는 주장(Wedderburn 1999, 87)을 침묵시킬 것임에 틀림없다.

22) Hays 1997, 257.

23) 예를 들면, cf. 롬 4:24f.; 6:4, 9; 고전 15:15. 특히, cf. Hofius 2002.

내에서 바울이 염두에 두고 있는 지점은 야훼가 이스라엘의 죄악들을 사하시고 새 시대를 오게 하며 계약을 갱신하고 창조를 회복시키는 — 그리고 그의 백성을 죽은 자들로부터 일으키는 — 시점이다. 에스겔 37장은 여기에서 중요하지만, 또한 대부분의 학자들이 동의하듯이, 호세아 6:2도 중요하다.[24] 그 원래의 의미가 무엇이든지 간에, 그 표적들은 바울 당시에 이 본문은 "삼일 후의" 부활 자체 및 죄악 후의 이스라엘의 회복, 이 두 가지의 관점에서 읽혀지고 있었다는 것이다. 바울은 이 두 가지 의미 모두를 이미 의도하고 있는 것으로 보이고, 실제로 이 둘은 서로 밀접하게 관련되어 있다.

주로 호세아 6:2을 되돌아보고 있는 "삼일 후에"라는 어구는 부활에 관한 랍비들의 언급들 속에서 자주 등장한다.[25] 이것은 바울 또는 초기 기독교에 속한 그 어떤 사람이 이 어구가 순전히 은유적인 진술, "성경의 소망이 성취되었다"고 말하는 생생한 방식으로 생각했다는 것을 의미하지는 않는다. 사실, 예수의 죽음과 그의 부활 사이의 그 어떤 시간차에 관한 언급은 후자에 의해서 무엇이 의도되고 있는지를 보여주는 추가적으로 강력한 지표이다: 예수의 부활은 초기 그리스도인들에게 있어서 원칙적으로 그 날짜를 댈 수 있는 사건이었을 뿐만 아니라, 언제나 그의 죽음 직후가 아니라 죽음과 짧은 시간 간격을 두고 일어난 사건이었다. 예수의 "부활"이라는 말을 통해서 초대 교회가 예수가 하나님과 함께 하는 새로운 상태의 영광, 특별한 종류의 사후의 몸을 지니지 않은 실존에 도달하였다고 믿었다는 것을 의미했다면, 이러한 시간 간격이 왜 존재했어야 하는지, 그리고 왜 예수가 기다려야 했는지를 알기가 어렵다. 하지만 초대 교회가 애초부터 예수가 죽었던 금요일 이후의 제삼일에(금요일을 포함해서) 뭔가 극적인 일이 일어났다는 것을 알고 있었다면, 호세아 6:2 및 그것에 의해서 대변된 더 폭넓은 전승을 근거로 삼은 것뿐만 아니라, 그리스도인들이 일요일을 "주의 날"로 사용한 것에 의해서 대변되는 변화가 충분히 설명

24) 위의 제3장 4절(iv)

25) 자세한 것은 McArthur 1971. 성경에 나오는 그 밖의 다른 "삼일 후에" 본문들(*Midrash Rabbah* on Gen. 22:4 등에 열거된)로는 창 42:18; 출 19:16; 수 2:16; 욘 2:1; 스 8:32 등이 있다. "성경대로"가 "일으키심을 받았다"에 걸리든지, 아니면 "삼일 후에"에 걸리는지와 관련된 문제에 대해서는 Thiselton 2000, 1196과 거기에 나오는 참고문헌들을 보라.

된다.[26]

그러므로 확고하고 보편적인 초기의 전승 속에서 우리는 가장 초기의 그리스도인들이 예수가 몸으로 부활하였고, 이 사건은 성경의 이야기들을 성취하는 것이라고 믿었다는 것을 보여주는 분명한 증거를 발견한다. 이러한 것들은 느닷없이 출현한 메시야에 관한 이야기들로서만이 아니라, 이스라엘에 관한 이야기, 곧 이스라엘의 황폐케 된 때가 지나간 것, 현재의 악한 시대의 효과들을 전복시킬 새 시대의 도래에 관한 이야기들로도 인식되었다. 바울은 50년대 중반에 이 모든 전승을 초기 그리스도인들이 모두 잘 알고 있었던 것이라고 말할 수 있었다.

그러나 바울 또는 초기의 전승은 단순히 메시야가 실제로 부활하였다는 것을 선포하는 것만으로는 충분하지 않다. 증인들이 등장하지 않으면 안 된다:

> 5게바에게 보이시고 후에 열두 제자에게와 6그 후에 오백여 형제에게 일시에 보이셨나니 그 중에 지금까지 대다수는 살아 있고 어떤 사람은 잠들었으며 7그 후에 야고보에게 보이셨으며 그 후에 모든 사도에게와.

위에서 일부러 모호하게 번역한 역문이 보여주듯이, 여기에서 세 번 나오고 8절에서 바울과 관련하여 다시 한 번 나오는 동사 '오프데'는 원칙적으로 어느 쪽으로나 번역될 수 있다. 일부 학자들은 현현 사건들이 지닌 "환상적인" (visionary) 성격을 강조함으로써, 부활절에 대한 "비객관적인" 이해를 강화시킬 얇은 쇄기를 삽입하고자 하여 "나타났다"라는 의미를 강조하였고, 통상적인 공간-시간의 우주 내에 있는 어떤 사람 또는 어떤 물건이 아니라 그 주체가 몸을 지니지 않은 "유령"으로 나오는 병행적인 용례들을 거론하였다. 각각의 경우에 이 동사 뒤에 여격 목적어가 나온다는 사실은 "— 에게 나타났다"가 바람직할 수도 있는 번역이라는 것을 보여준다. 하지만 이 동사는 수동형이고, 그 통상적인 의미는 "— 에 의해서 보여졌다"일 것이다.[27]

---

26) 일요일에 대해서는 아래의 제12장 제4절을 보라.

27) 현재의 본문에 비추어 볼 때, 어떻게 Perkins 1984, 137이 "부활에 관한 초기 전승들은 시각적인 것이 아니라 청각적인 것이었다"고 주장할 수 있는지 나는 도무지 이해할 수가 없다.

칠십인역의 관주사전을 한 번 쭉 훑어보면 금방 알 수 있듯이, '오프데'의 용법은 사실 대단히 다양하다. 이 단어는 85번 나오는데, 그 중에서 절반 약간 넘는 용례가 야훼 또는 야훼의 영광, 또는 야훼의 천사가 사람들에게 나타난 것을 가리킨다.[28] 나머지 39번의 용례들은 사람들이 성전에서 스스로를 보인다는 의미에서 야훼 앞에 보인다거나,[29] 물체들이 사람들에 의해서 환상적이지 않고 직설적인 의미에서 보인다거나,[30] 사람들이 환상적이지 않고 의외적이지 않은 방식으로 다른 사람 앞에 "나타나는 것"[31]을 가리킨다. 고전적인 배경은 그리 많은 도움을 주지 못한다; 이 동사의 수동형은 호메로스의 글에서는 발견되지 않고, 다른 곳에서의 용례들은 우리가 이미 칠십인역에서 보았던 것을 어느 정도 반영하고 있다. 사실 이 단어만을 토대로 해서 예수의 부활 현현들이 무엇으로 이루어졌다고 사람들이 생각했는지(즉, 그 현현들이 "객관적," "주관적," 또는 그 무엇이었는지 — 철학적인 뉘앙스들을 많이 지니고 있는 이러한 용어들 자체도 그리 도움이 되지 않는다)를 설명해 내는 것은 불가능하다. 이 단어는 사람들이 비객관적인 "환상들"을 본 것을 가리킬 수도 있고, 마찬가지로 사람들이 인간사의 통상적인 과정 속에서 다른 누구를 보았다고 할 때에

28) 예를 들면, 창 12:7; 17:1; 18:1; 출 3:2; 6:3; 16:10; 시 83 [MT 84]:7; 사 40:5; 60:2. 이 단어는 모두 46번 나온다. Newman 1992, 190-92를 보라. 하지만 이것은 충분하지 않다. 왜냐하면, Newman은 이 언어 자체는 바울이 그의 그리스도 현현을 "종말론적인 영광의 계시로" 규정하고 있음을 보여주는 것이라고 주장하기 때문이다.

29) 출 24:11; 신 16:16(2번); 31:11; 1 Kgds. [MT Sam.] 1:22; 시 41 [MT 42]:2; 62 [63]:2; Sir. 32[35]:4; 사 1:12.

30) 창 1:9; 레 13:14, 51; 신 16:4; 삿 5:8; 2 Kgds. [MT Sam.] 22:16; 3 Kgds. [1 Kgs.] 10:12; 4 Kgds. [2 Kgs.] 22:20; 대하 9:11(= 3 Kgds. [1 Kgs.] 10:12); 시 16 [MT 17]:15; 아 2:12; 렘 13:26.

31) 창 46:29(요셉이 야곱에게 나타난다); 출 10:28(파라오 앞에 나타난 모세); 2 Kgds. [Sam.] 17:17(요나단과 아히마스는 눈에 보일 위험을 무릅쓸 수 없었다); 3 Kgds. [1 Kgs.] 3:16(솔로몬 앞에 나타난 두 창녀); 18:1(엘리야가 아합에게 "나타났다"는 말이 전해진다); 18:2, 15; 4 Kgds. [2 Kgs.] 14:8, 11(서로를 쳐다보는 두 왕)(대하 25:17, 21에 병행문이 나옴); Sir. 39:4(지혜자가 통치자들 앞에 나타난다); Dan. [Th] 1:13; 1 Macc. 4:6, 19; 6:43; 9:27.

도 사용될 수 있다. 따라서 현재의 맥락 속에서 이 단어의 의미 — 바울에게 있어서의 의미와 그가 인용한 전승 속에서의 의미 — 는 언어적인 용법만을 토대로 해서가 아니라 더 폭넓은 판단기준들을 토대로 해서 결정되어야 한다.[32]

불트만과 그의 제자들의 근심어린 항변들에도 불구하고, 증인들의 명단은 바울이 예수의 부활을 제자들의 체험 또는 "역사 너머의 말로 표현할 수 없는 진리"를 은유화한 것이라고 생각하지 않았다는 것을 분명하게 보여주는 것이다.[33] 나아가, "현현들의 때와 장소에 있어서의 큰 다양성은 현현들에 관한 모든 보도들을 전설적인 것이라고 치부하기가 어렵게 만든다."[34]

"게바"라는 언급은 바울이 통상적으로 베드로를 지칭할 때에 사용하는 방식과 일치한다 — 물론, 그것은 거의 분명히 여기에서 바울이 인용하고 있는 바울 이전의 전승에 속하긴 하겠지만.[35] 베드로에게 개인적으로 일어난 초기의 현현은 누가복음에서 보도되고 있고, 거기에서 베드로는 "시몬"으로 지칭된다.[36]

"열두 제자"에게 나타난 현현은 복음서 전승들이 제자 중의 한 사람, 즉 가룟 유다가 빈 무덤이 발견되고 현현들이 시작되던 때에 이미 죽었다는 것을 분명히 하고 있다는 점에서 한층 더 중요하다. 마태복음 28:16, 누가복음 24:9, 33, 마가복음의 긴 결말(16:14)에서 그들은 "열한 제자"로 지칭되고 있고, 사도행전 1:12-26에서는 열한 명의 이름을 열거하고, 유다를 대신할 한 사

32) 부활한 예수를 "본 것"이라는 주제 전체에 대해서는 Davis 1997의 중요한 논문을 보라.

33) Hays 1997, 257.

34) Stuhlmacher 1993, 49. Stuhlmacher는 그런 후에 그 함의로부터 뒤로 물러나서(50), 이 진술들은 고백적인 것이고, "객관적인 사실에 관한 서술적인 것이 아니다"라고 말하면서, 역사적으로가 아니라 당시의 호교론적인 필요성이라는 관점에서 그것을 정당화한다. 거짓된 "객관화" 라는 것이 존재하였다고 인정한다고 할지라도, 그것은 정반대의 위험성이 존재하지 않는다는 것을 의미하지는 않는다 — 모든 것을 주관적인 것으로 와해시켜버리는 것. 이러한 대안들에 직면해서, 고린도전서 15장은 후자를 피하는 데에 더 관심을 보이는 것 같다.

35) cf. 고전 1:12; 3:22; 9:5; 갈 1:18; 2:9, 11, 14.

36) 누가복음 24:34.

람을 뽑는 과정이 보도되어 있다. 이 언급에 대하여 얼마나 많은 비중을 두어야 하고, 어떤 방향으로 두어야 하는지를 알기는 어렵다. 현재의 전승은 이 이야기에 대한 초기의 구연(口演)을 나타내고, 복음서 기사들은 그것을 더 정확하게 다듬은 것일 가능성이 있다; 또는, 복음서 기사들은 유다를 잃어버린 초기의 상실감을 보존하였고, 일단 유다를 대신할 사도가 뽑힌 후에는(행 1:15-16), 전승이 현재의 형태로 굳어지면서, 이 이야기는 초기 기독교 내에서의 열두 제자의 신학적인 의의에 대한 성찰의 일부로서 "열두 제자"라는 견지에서 말해지고 있었을 가능성도 있다. 우리의 현재의 목적을 위해서는 그러한 논의가 별로 영향이 없지만, 우리는 복음서 기사들을 살펴볼 때에 다시 이 점에 대해서 고찰해 보기로 하자.

오백 명의 제자들에게 현현한 사건을 오순절에 관한 누가의 기사와 동일시하고자 하는 시도들이 종종 있어 왔다.[37] 이것은 불필요할 뿐만 아니라, 실제적으로 불가능하다: 두 사건을 단일한 사건에 대한 변형들로 취급하는 비평학계의 고전적인 예. 단일한 이야기 속에 숨겨져 있는 "원래의 사건들"에 관한 두서너 개 이상의 별개의 자료들을 "발견하고자 하는" 학자들의 성향에 대한 대등하면서도 정반대인 증후군. 이러한 주장은 바울이 그리스도인들의 다른 유형들의 경험으로부터 분명하게 구별하고 있는 부활 현현에 관한 기사를 망치는 것일 뿐만 아니라 누가의 오순절 기사도 망쳐놓는 것이 될 것이다. 성령 체험과 부활하신 예수를 본 것은 초기 기독교의 글들 속에서 결코 서로에게 동

37) 이것은 Gilmour 1961, 1962 등에 의해서 제시되었다; Sleepe 1965 등은 조심스럽게 반대한다; Thiselton 2000, 1206은 일반적으로 받아들여지지 않는 것으로 치부한다. Gilmour 1961, 248f.는 이 주장이 1838년에 C. H. Weisse가 주창하였고, 1887년에 Pfleiderer, 1903년에 von Dobschutz가 이를 따랐고, 그 후로 많은 학자들이 따랐다고 말한다.

38) Fee 1987, 730 n. 84를 보라. Patterson 1998, 227-37은 이에 반대하여, 큰 무리들은 환상들을 보지 못하였기 때문에, 열두 제자나 500명의 무리가 환상을 보지 못했을 것이라고 주장한다; 거기에서 일어난 일은 방언 같은 집단적인 탈혼 체험이었다. 이에 대한 분명한 대답들은 이것이다: (a) 고린도 교인들은 풍부한 방언을 가지고 있었지만, 바울은 그들이 부활한 예수를 보지 못했다는 것을 알고 있다; (b) Patterson이 인정하듯이(237), 관련된 무리들이 그것을 예수의 "현현"으로 생각하였다면, 이것은 그의 원래의 전제를 훼손시키는 것으로써 의문을 다시 열어놓는다.

화되지 않는다.[38](만약 이 둘이 서로 동화되는 것이라면, 왜 우리는 오순절 체험이 "사실" 몸으로 부활하신 예수를 보고 만난 것이었다고 주장하지 않는 것인가? "성령 체험," "부활하신 예수를 본 것," "예수를 승귀되신 분으로 환호한 것," "기독교 공동체의 시작"은 모두 동일한 사건에 관하여 말하는 "실제적으로" 다른 방식들이라고 주장해 온 학자들이 그런 식으로 말할 것을 결코 꿈도 꾸지 못한다는 것은 뭔가를 말해 주는 것이다.) 오백 명의 제자에게 일시적으로 나타난 현현 사건은 마태복음 28:16-20에 보도된 것과 같은 사건이었을 가능성이 훨씬 더 높다(마태복음에서는 단지 열한 제자만을 언급하고 있지만). 6절 끝에 나오는 결정적으로 중요한 말은 왜 바울(또는 그가 인용하고 있는 전승)이 오백 명이라고 언급하고 있는지를 분명히 보여준다: 그들 중 일부는 지금 죽은 사람들이지만, 대부분은 여전히 살아 있기 때문에, 그들이 무엇을 보았고 알았는지를 설명하도록 불러내서 심문하는 것도 가능하다. 이 본문의 전체적인 취지는 증거들, 불러올 수 있는 증인들, 증인들을 댈 수 있는 실제로 일어난 사건에 관한 것이다. 바울은 초대 교회, 특히 고린도 교회에서 지속적으로 체험되고 있었던 것들을 말하기 위하여 목격자들을 열거하고 있는 것이 결코 아닐 것이다.

야고보(이것은 분명히 이 이름을 지닌 열두 제자 중 한 사람이 아니라 예수의 동생을 가리킨다)에게 나타난 현현 사건은 우리의 현재의 본문에 의거해서 훨씬 후대에 만들어진 한 본문을 제외하고는 복음서 기사들에서 언급되지 않는다는 점에서 특히 흥미롭다.[39] 물론, 예수의 동생인 야고보가 주후 1세기 중반에 예루살렘에서 중심적인 지도자가 되었고, 베드로와 바울 등은 세계를 돌아다니며 선교 활동을 하고 있었다는 것은 누구나 다 아는 사실이다. 야고보는 예수의 공생애 기간 동안에 예수의 제자가 아니었을 것이기 때문에, 그가 직접 부활하신 예수를 보았다는 것이 사람들에게 알려져 있지 않았다면, 그가 예루살렘 교회에서 중심적인 지위를 차지하고 독보적인 리더십을 행사하게 된 이

---

39) *Gosp. Hebr.*(Jerome *De Vir, Ill.* 2).

40) 야고보에 대해서는 *NTPG* 353f.; 그리고 Painter 1997; Chilton and Neusner 2001 등을 보라. 예수의 메시야직과 관련하여 야고보의 의미에 대해서는 아래의 제12장 제2절을 보라.

유를 설명하기가 어렵게 된다.[40]

더 구체적인 설명이 없이 "모든 사도들"이라고 언급한 부분은 바울(또는 전승)이 예수가 죽은 후에 다시 살아있는 것을 본 사람이 오백 명을 훨씬 넘는다고 생각한 것으로 보인다는 것을 제외하고는 자세한 설명이 불가능하다. 그렇지 않다면, 7b절은 쓸데없는 것이 되고 말 것이다. 바울에게 있어서 "사도"는 부활하신 예수를 본 사람이었기 때문에, 이것은 이미 언급된 사람들의 하위 집단에게 마지막으로 대규모로 현현한 사건이 있었다는 것이 아니라, 열두 제자 또는 오백 명의 제자보다 더 큰 무리에게 현현한 사건이 있었다는 것을 말하는 방식인 것으로 보인다.

5-7절에 나오는 증인들의 명단은 인상적이긴 하지만, 복음서의 독자들의 생각에는 흥미롭게도 불완전하다. 현재의 명단은 연대기적인 순서로 배치된 것으로 보이긴 하지만("그후에 … 그후에 … 그후에 … 맨나중에"), 엠마오 도상의 두 제자는 아마도 "모든 사도들" 아래에 포괄되어 있는 것 같은데, 누가는 그들의 이야기를 다른 사람들(시몬/게바를 제외한)의 이야기들보다 더 앞서서 제시한다. 더 중요한 것은 바울이 여기에서 인용하고 있는 전승에 의한 명단에서는 사복음서의 모든 기사들 속에서 아주 두드러지게 등장하는 여자들에 대한 언급이 없다는 것이다. 우리는 이것을 어떻게 설명할 수 있는가? 오랜 세월 동안 아주 많은 학자들이 그래 왔듯이, 우리는 단순히 바울이 반여성적이었음을 비난하고 이 문제를 그대로 방치해 두어야 하는가?[41]

최근의 학계에서는 역사적으로 가장 가능성 있는 해법, 즉 현재의 본문을 설명해 주고 복음서 기사들 속에서의 실제적인 충격을 부각시키는 해법을 찾아내었다. 고대 세계에서 여자들은 신뢰할 만한 증인들로 여겨지지 않았다는 것은 악명 높다.[42] 여자들은 복음서 기사들로부터는 축출될 수 없었다; 무덤을 발견한 여자들에 관한 이야기는 여전히 일차적인 자료에 속하였다 — 이에 대

41) 예를 들면, Schüssler Fiorenza 1993, 78.

42) Jos. *Ant*. 2.219를 인용하고 있는 Bauckham 2002, 268-77에 나오는 주의 깊은 개관을 보라 — 물론, 몇몇 유대교 문헌들 속에서의 핵심적인 요지는 여자들을 신뢰할 수 없다는 것이 아니라 남자들이 스스로를 신의 계시의 매개자들로 생각하기를 좋아하였다는 사실이라는 것을 논증하고 있는 것이긴 하지만.

43) 아래의 제13장 제3절.

해서 우리는 나중에 다시 논의하게 될 것이다.[43] 그러나 매우 이른 시기에 부활절 이야기가 교회의 지체들의 유익을 위하여 및 외부인들에 대한 증언 속에서 말해졌을 때, 특히 그 이야기가 더 넓은 세계에서 새로운 개종자들에게 "전해졌을" 때, 짤막한 공식적인 진술 속에서 여자들에 대한 언급을 빼야 한다는 압력이 엄청났을 것임에 틀림없다.[44] 이것은 바울이 여자들을 "사도들," 즉 부활에 대한 증인들로 여기지 않았다는 것을 의미하지 않는다는 것은 로마서 16:7로부터 분명하다.[45]

이것은 우리를 바울이 자기 자신에 대하여 언급한 내용으로 데려다준다:

> [8]맨 나중에 만삭되지 못하여 난 자 같은 내게도 보이셨느니라 [9]나는 사도 중에 가장 작은 자라 나는 하나님의 교회를 박해하였으므로 사도라 칭함 받기를 감당하지 못할 자니라 [10]그러나 내가 나 된 것은 하나님의 은혜로 된 것이니 내게 주신 그의 은혜가 헛되지 아니하여 내가 모든 사도보다 더 많이 수고하였으나 내가 한 것이 아니요 오직 나와 함께 하신 하나님의 은혜로라.

"맨나중에": 이미 앞에서 보았듯이, 바울은 이러한 "본 것들"(sightings) 또는 "현현들"을 그리스도인들이 지속적으로 및 통상적으로 경험하는 것의 일부로 여기지 않았다. 그가 예수를 보았을 때, 그는 때를 잘 맞춘 것이었다; 현현 사건들은 끝나가고 있었고, 바울 이후에는 현현 사건은 일어나지 않았다. (만약 이것이 초대 교회 전체에 걸쳐서 사실이라는 것이 알려져 있지 않았다면, 바울은 풍부하고 다양한 기독교적 체험을 했을 뿐만 아니라 바울과는 무관한 몇몇 교사들로부터 이야기들을 들었던 고린도 교인들에게 편지를 쓸 때에 그러한 주장을 할 수가 없었을 것이다.) 이렇게 바울이 예수를 본 사건을 그 이후의 모든 유형의 환상, 영적인 계시와 체험(자신의 체험을 포함해서; 예를 들면, 고

---

44) 예를 들면, Carnley 1987, 141; Bovon 1995, 147-50; and cf. Hengel 1963; Benoit 1960.

45) Wright, *Romans*, 762를 보라. Bauckham 2002, 165-86은 이 본문 속의 "유니아"는 누가복음 8:3; 24:10에 나오는 "요안나"와 동일 인물일 것이라고 주장한다.

46) 이 본문이 바울의 회심을 묘사하고 있다는 잘못된 주장에 대해서는 아래의

후 11:1-5을 보라)[46]과 구별하고, 그것을 나중에 일어난 다양한 사건들이 아니라 게바, 야고보 등이 부활하신 예수를 "본 사건들"과 동일한 것으로 놓고 있는 것은, 단지 바울이 자신의 사도적 권위만을 주장한 것이 아니라(그는 다른 사도들과 동등하다는 것), 그의 가르침의 다른 측면들에 저항하고자 했던 자들에 의해서조차도 도전받지 않을 것이라고 알고 있었을 것임에 틀림없는 그의 인식, 즉 자기가 다른 사도들이 보았던 것, 즉 예수 자신을 직접 보았다는 자신의 인식을 보여주는 것이다.

하지만 바울은 자기에게 허락되었던 예수의 "현현"은 비록 그 밖의 다른 초기의 반복될 수 없는 일련의 "현현 사건들"의 연속선상에 있는 것이긴 하지만, 그럼에도 불구하고 그 연속 내에서 특이한 것이었음을 잘 알고 있었다. 그는 이러한 특이성을 위에서 "만삭되지 못하여 난 자에게"로 번역된 짧은 어구인 '호스페레이 토 에크트로마티'를 통해서 보여준다.

원래 '에크트로마'는 유산으로 인해서든지, 더 통상적으로는 낙태에 의해서 만삭이 되지 못하여 출생한 것을 가리킨다.[47] 이 단어는 모욕적인 말로 사용될 수 있었고, 추악함의 뉘앙스를 지니고 있었다.[48] 바울이 여기에서 말하고 있는 것과 관련하여 두 가지 중요한 의문이 제기된다. 첫째, 왜 그는 그 밖의 다른 "현현 사건들이" 끝난 후에 자기에게 일어난 예수의 현현 사건을 무슨 일이 너무 일찍 일어났을 때에 그것을 묘사하는 단어를 사용하여 서술하고 있는 것인가? 둘째, 왜 그는 "만삭되지 못하여 난 자에게"라고 표현하면서 정관사를 삽입한 것인가?

바울은 분명히 이 단어가 지닌 모든 가능한 뉘앙스들을 의도하지는 않았을 것이다. 낙태된 또는 유산된 태아는 정상적으로 살 수 없었을 것이지만, 이 사건은 전혀 새로운 방식으로 그에게 생명을 가져다 주었다. 하지만 어떤 일이 너무도 빨리 너무도 일찍 일어났다는 의미는 일련의 "현현 사건들" 속에서의 자신의 위치와 관련해서가 아니라, 자신이 태어날 준비를 한 과정 — 아니 오

제8장을 보라.

47) LSJ ad loc.를 보라.

48) 추악함에 대해서는 민수기 12:12 등을 참조하라; cf. LXX 욥 3:16; 전 6:3; Philo *Leg. All.* 1.76. 자세한 것은 Schneider in *TDNT2A65-7*; Nickelsburg 1986; Thiselton 2000, 1208-10을 보라.

히려 자기가 태어날 준비가 되어 있지 않았다는 것 — 과 관련된 것일 수 있다. 바울을 잠시 다른 사도들과 병행으로 놓아보면, 이 점은 분명해진다. 다른 사도들은 공생애 기간 동안에 예수를 알고, 예수와 함께 하며, 지켜보고, 말씀을 들으며, 기도하고, 심지어 돕는 등 배태(胚胎)의 과정을 가졌었다. 하지만 바울은 이러한 과정을 전혀 거치지 않았다: 바울은 밖으로 이교도들과 싸우고 안으로는 배신자들과 싸워서 하나님의 나라와 이스라엘의 승리를 앞당길 수만 있다면 폭력을 비롯한 그 어떤 것도 기꺼이 할 준비가 되어 있던 열심 있는 우파적인 젊은 율법학도였다. 다른 사도들은 예수의 십자가와 부활이라는 관점에서 사고할 준비가 되어 있지만 않았을 뿐, 적어도 그들은 예수를 알고 있었다. 바울은 그 지도 위에조차 존재하지 않았다; 회임(懷妊)과 출생의 과정이라는 관점에서 보면, 바울은 야훼와 이스라엘이 십자가에 못 박힌 메시야를 중심으로 재정의되었던 새 날의 빛 속으로 들어올 준비가 되기까지는 많은 달수가 필요하였던 것이다.[49]

이것이 바울이 때이른 출생의 이미지를 사용한 이유 중의 일부였을 것이다. 바울은 모태를 찢고 나와서 외부 세계의 요구들에 제대로 대처할 정도로 그 기관들이 아직 발전하지 않은 유아처럼 돌연한 빛에 의해서 눈이 멀었다. 바울은 여기서 그가 예수를 "본 것"은 실제로 다른 사람들이 본 것과 약간 달랐다는 것을 그가 알고 있다는 암시를 준다. 사도행전에 의해서 보도되고 있는 눈을 멀게 한 빛, 그것에 관한 드라마는 정형화된 것일 수 있다.[50] 그러나 사도행전을 쓴 누가는 엠마오 도상에서 및 그 밖의 다른 현란한 빛을 동반하지 않은 "통상적인" 부활 이후의 "현현들"을 서술하고 있는 바로 그 누가이다. 그리고 바울은 자기 자신과 그 밖의 다른 사람들 간의 차이점을 자기가 예수를 본 것은 다른 종류의 "본 것"이었다는 관점에서가 아니라 자기가 개인적으로 그러한 경험을 할 준비가 되어 있지 않았다는 관점에서 설명한다. 바울은 아마도 자기가 응급수술을 받고서 예수의 부활에 대한 증인들의 명단 속에 끼게 된 것이라고 말하고 있는지도 모른다; 그가 예수를 "본 것"은 그들이 예수를 보았다는 점에서는 그들과 동일한 것이었지만, 자신의 개인적인 체험이라는 관

49) 이러한 설명에 대해서는 Rowland 1982, 376을 참조하라.

50) 아래의 제8장을 보라.

점에서 볼 때에 자기가 열심있는 유대교의 모태로부터 찢겨져 나와서 십자가에 못 박히셨다가 부활하신 주님의 광채나는 얼굴을 대면하게 되었다는 점에서는 근본적으로 달랐다.

정관사(만삭되지 못하여 난 자)는 여전히 당혹스러운 문제로 남아 있지만, 그것에 대하여 대답하는 것은 본문의 의미를 더 명료하게 하는 데에 도움이 될 것이다. 이것은 바울이 하나의 '에크트로마,' 즉 만삭되지 못하여 난 한 아이의 특정한 예를 염두에 두고 있다는 것을 함축한다. 바울은 아마도 '호스페르 에크트로마' 라는 어구가 나오는 욥기 3:16을 반영하고 있는 것일 수도 있다: 욥은 자기가 사산아와 같이 되어서 결코 빛을 보지 못하게 되었더라면 좋았을 것이라고 말한다. 이것은 바울이 자신의 "출생"의 과정 자체가 아니라 출생 직전에 있어서의 자신의 상태를 암시하고 있다는 것을 의미할 것이다: 바울은 거의 죽은 자나 다름없어서 아무것도 볼 수 없는 그런 자와 같았지만, 생명을 주시는 은혜의 새로운 역사로 말미암아 모든 것이 변화되었다.

여기서 간접 인용되고 있는 것일 가능성이 있는 또 하나의 본문은 민수기 12:12인데, 거기에서 모세는 자기에게 반기를 들어서 문둥병으로 징벌을 받은 미리암이 계속해서 문둥병자로 남지 않도록 하기 위하여 "살이 반이나 썩고 죽어서 모태에서 나온 자('호세이 에크트로마') 같이 되게 마옵소서"라고 기도한다. 이것은 더 많은 조명을 제공해 준다.[51] 이 본문의 맥락은 미리암과 아론이 모세의 리더십에 도전하는 것이다(민 12:1-9). 야훼는 세 사람을 모두 부른 후에, 자기가 모세와 대면해서 말하고 모세는 "야훼의 형상을 본다"(칠십인역에서는 사람이 실제로 야훼를 본다고 말하는 것을 피하기 위하여 "주의 영광을 본다"고 말한다)고 분명하게 말한다. 바울이 이 이야기를 간접인용하고 있다면, 그는 자기를 미리암과 동일시하고, 주를 얼굴로 본 자들이 초대 교회를 모세와 동일시하기 위하여 그렇게 하고 있는 것이다. 그러므로 '호스페레이 토 에크트로마티' 는 "출생했을" 때의 자신의 경험이 아니라 주님을 보았다고 주장하였던 자들을 핍박한 결과로서 자기가 처해 있었던 상태를 간접적으로 가리키고 있는 것이다. 이것은 그 뒤에 이어지는 내용과 아주 잘 연결이 이루어지게 만들고, 바울로 하여금 광야 유랑 생활을 하고 있는 새 계약 백성에 대한

---

51) 여기의 내용은 Nicholas Perrin 박사의 지적에 의한 것이다.

자신의 반대와 그러한 상태에서 자기를 치유한 하나님의 죄사함이라는 성경적 관점에서 말할 수 있게 해 준다.[52] 바울은 계약의 하나님에 의한 죄사함의 은혜가 그를 사로잡을 때까지는 "[이 이야기 속에서] 사산아와 같은" 자였다.[53] 물론, 이것은 증명할 수 없는 것이긴 하지만, 적어도 여러 가능성들을 열어준다.

이러한 설명은 그렇지 않은 경우에는 불필요한 것으로 보이는 9-10절과 아주 잘 들어맞는다. 9-10절은 '가르'를 도입어로 사용하여 8절에 있는 어떤 것을 설명하는데, 그 가장 좋은 후보는 "만삭되지 못하여 난 자 같은"이라는 어구이다. 바울이 과거에 행하였던 핍박들은 자기가 다른 사도들과는 달리 "사도"라는 칭호를 받을 자격이 없다는 것을 의미한다; 그러나 그는 그럼에도 불구하고 자신의 끊임없는 고된 사역을 언급함으로써 사도라는 칭호를 지니고 있다는 사실을 강조한다. 이것도 그에게 주어진 특별한 은혜(인간의 자격 없음에도 불구하고 주시는 하나님의 능력이라는 의미에서의 개인적인 위임)의 결과라고 바울은 말한다.[54] 바울은 예수의 부활로 말미암아 현세에 돌입해 온 내세의 변화시키는 능력을 자기 자신 속에 구현하고 있다. 이 두 절은 계속해서 바울을 그 밖의 다른 사도들과 나란히 두고 있는데, 그 사도들 중의 일부는 고린도 교인들에게도 알려져 있었다; 그러나 이 본문 전체의 강세가 두어져 있는 11절에서 바울의 요지는 자기 및 그들 모두가 전파한 복음은 동일한 것이었다는 것이다. 바울, 게바, 야고보, 그 밖의 모든 사람은 메시야가 죽었다가 부활하였다고 전파하였다.

현재의 본문이 제대로 의미를 전달하기 위해서는 그들이 이 말을 통해서 의미했던 것은 이러한 단어들이 당시의 이교 및 유대교의 세계 속에서 자연스럽게 지니고 있었던 의미라고 해야 한다: 몸의 죽음과 매장 후에 메시야가 몸으로 죽은 자로부터 부활하였다는 것. 바울과 그 밖의 다른 사람들이 이것과 다른 그 무엇을 지칭하고자 의도하였다면, "본 것들"이라는 말이 적절하게 사용되지 못한 것이 될 것이고, 그러한 본 것들이 한동안 일어났다가 그 후에는

---

52) 또한 cf. 딤전 1:15f.

53) 칠십인역에서 '에크트로마'가 나오는 또 다른 유일한 대목은 전도서 6:3인데, 여기서의 논의와는 관련이 없어 보인다.

54) cf. 롬 1:5; 12:3, 6; 15:15; 고전 3:10; 갈 2:9; 엡 3:2, 7f.; 골 1:25.

전혀 일어나지 않았다는 관점은 도저히 이해할 수 없는 것이 되고 말 것이며, 이 사건을 통해서 새 시대가 현세 속으로 돌입해 왔다는 관념도 상상할 수 없는 일이 될 것이다.

(iii) 고린도전서 15:12-28

(a) 서론

바울은 이제 이 주제 전체와 관련하여 그에게 전해진(아마도 서신을 통해서가 아니라 방문자들을 통해서) 주된 도전, 즉 그가 이제까지 이 서신에서 다루어 온 몇몇 주된 문제들과 같은 계열에 속하는 것이라고 이해되고 있는 도전에 직면한다: 교회 안에서 몇몇 사람들이 죽은 자의 부활 같은 것은 존재하지 않는다고 말하고 있었던 것(15:12). 앞에서 이미 말했듯이, 나는 이것이 "부활"이 이미 어떤 의미에서 모든 의인들에게 일어났다고 믿은 사람들이 아니라, 고대의 이교 사상과 계몽주의 이후의 현대 사상에 공통적인 통상적인 근거들 위에서 그런 일이 아예 일어날 수 없다고 부정하는 사람들을 가리킬 가능성이 대단히 높다고 본다.[55] 분명히 여기에서 염두에 두고 있는 것은 과거에 일어난 예수의 부활이 아니라 하나님의 백성의 장래의 부활이다. 바울은 13-15절에서 장래의 부활을 부인하는 것은 예수의 부활을 부정하는 결과를 가져오고, 이것은 복음 선포 자체를 거짓이라고 말하는 것과 같다는 것을 보여준다.

이러한 논증은 바울에게 전해진 부활에 대한 부정 속에 어떤 것이 포함되어 있었고 어떤 것이 포함되어 있지 않았는지를 보여준다. 바울이 12-49절의 논증과 50-58절에서의 최종적인 수사어구를 통해서 행하고 있는 것은 부활에 대한 이러한 부정을 반박함으로써 이 서신 전체의 취지를 더 확고한 토대 위에 올려 놓는 것이었다. 현재의 단락(우리의 도식에서 B)은 이러한 논증의 첫 번째 주된 단락으로서, 12-19절(B1)과 20-28절(B2)로 다시 세분된다. 먼저 바울은 부활에 대한 그러한 부정으로부터 어떠한 결과가 도출되는지를 보여주는 짤막하고 신속한 귀류법적 논증을 사용한다. 그런 후에 두 번째 하위단락

---

55) Hays 1997, 252f.; Martin 1995, 106; 좀 다르긴 하지만, cf. Vos 1999; Delobel 2002. 디모데후서 2:18은 병행이 아니다(위의 제5장 제8절을 보라). 이교적인 맥락에 대해서는 위의 제2장을 보라.

에서 바울은 메시야 자신의 부활(이것은 특별히 부정되지 않았다)로 시작해서 메시야의 모든 백성의 부활이 어떻게 그것으로부터 자연스럽게 도출되는지를 보여줌으로써 반론을 전개해 나간다.

바울이 사용하고 있는 단어들의 통상적인 의미를 전제한다면, 그가 염두에 두고 있는 것이 몸의 부활이라는 것은 여기에서도 전혀 의심의 여지가 없다. 우리가 이 본문을 문맥으로부터 떼어내서 본다면, 이 본문을 "죽음 이후의 몸을 입지 않은 생존"을 의미하는 "부활"이라는 관점에서 이해하는 것도 논리적으로는 가능하다; 그러나 그러한 이해는 역사적으로나 사전적으로 가능하지 않다. '에게이로'와 '아나스타시스'는 통상적으로 몸을 입지 않은 생존과는 특별히 구별되는 것, 즉 몸을 입은 삶으로 돌아오는 것을 가리키는 데에 사용되는 단어들이었다. 이러한 단어들이 죽음 이후의 몸을 입지 않은 생존을 가리킬 수 있었다는 것을 보여주는 증거는 전혀 없다.[56] 또한 고린도 교회의 많은 사람들이 사두개파 및 일부 이교 철학자들과 같은 강경 노선을 택하여 그 어떤 형태의 미래적인 삶도 부정하였을 것이라고 생각할 만한 근거도 전혀 없다. 하지만 최근에 개종한 이교도 출신의 신자들이 장래의 몸의 부활을 의심하고 심지어 부정하는 것이 아주 자연스러운 일이었을 것이라고 생각할 만한 많은 이유가 존재한다. 그들의 문화 전체가 그러한 가능성을 부정하는 것이었다; 아주 다양한 이교의 세계관과 신학은 그러한 신앙을 발생시킬 만한 그 어떤 내용도

56) Kellermann 1979, 65은 마카베오2서 7장의 저자가 몸을 입지 않은 채로 하나님에게로 승천하는 것을 의미하기 위하여 '아니스테미'를 사용하였다고 주장한다; 그러나 해당 절들(9, 14절)은 둘 다 장래의 몸을 입은 부활에 관하여 말한다. Schwankl 1987, 257 n. 47은 다음과 같이 이 주장을 지지한다: Philo, *Cher.* 115는 영혼이 죽어서 하나님께로 가는 것을 '메트아나스테세타이'라는 동사로 묘사한다. 하지만 '메트아나스타시스'와 그 동일 어원의 단어들은 결코 "부활"이라는 뉘앙스를 지니고 있지 않았다; 이 단어군은 단지 "이주(移住)"를 의미할 뿐이다(예를 들면, Xen. *Mem.* 3.5.12; Polyb. 3.5.5; other refs. in LSJ s.w. *metanastasis, metanistemi*). Schwankl도 죽은 후의 영혼의 승천을 '아나스타시스'로 부르고 있는 시돈의 Antipater의 비문(c. 170-100 BC)을 인용한다(*Anthologia Graeca* 7.748; text in Hengel 1974, 197); 그러나 원래의 비문은 '아스테신'으로 되어 있고, 비록 '안스타신'으로의 수정이 받아들여진다고 해도, 그것은 다른 보편적인 용법을 뒤집어엎을 정도로 확고한 토대를 지니는 것은 아니다.

제공해 주지 않았다; 우리가 현대에서와 마찬가지로 초대 교회 이후의 여러 세기들 동안에 씌어진 반기독교적인 저술들 속에서 발견할 수 있는 것과 같이, 죽은 몸들에 대하여 무슨 일이 일어났는가에 관한 상식적인 관찰은 그러한 부활 소망을 갖는 것을 불가능하게 만든다. 그러나 바울은 이 점에 있어서 그 어떠한 타협도 가능하지 않다는 것을 알고 있다. 우상들에게 바쳐진 고기를 먹는 것은 허용될 수는 있지만, 장래의 몸의 부활을 부정하거나 그러한 부정이 그리스도인들에게 허용될 수 있는 선택이라고 주장하는 것은 있을 수 없다.

12-19절에서 바울은 그들의 사고 속에서 모종의 교두보를 확보하기 위하여 신속하게 그러한 부정이 기독교의 정체성의 핵심에 있어서의 근본적인 모순들을 만들어낸다는 것을 논증한다. 이것은 바울로 하여금 여기저기를 활보해 다니면서 새 창조, 새 계약, 새 시대에 관한 세계관이 실제로 어떻게 기능하고, 그 안에서 장래의 부활이 어떤 위치를 지니는지를 광범위하게 설명할 수 있게 해 줄 것이다(20-28절).

(b) 고린도전서 15:12-19

신속하게 진행되는 이 단락은 나선형을 띠면서, 동일한 논증이 신속하게 연속적으로 두 번 반복된다. 서두에서 주제를 선언한 후에("그리스도께서 죽은 자 가운데서 다시 살아나셨다 전파되었거늘 너희 중에서 어떤 사람들은 어찌하여 죽은 자 가운데서 부활이 없다 하느냐"),[57] 바울은 앞에서와 매우 비슷한 관점에서 장래의 부활을 부정하는 것은 메시야의 부활에 대한 부정을 수반하게 되고, 이것은 기독교 신앙 전체를 무너뜨리게 된다는 것을 보여준다:

> [13]만일 죽은 자의 부활이 없으면 그리스도도 다시 살아나지 못하셨으리라 [14]그리스도께서 만일 다시 살아나지 못하셨으면 우리가 전파하는 것도 헛것이요 또 너희 믿음도 헛것이며 … [16]만일 죽은 자가 다시 살아나는 일이 없으면 그리스도도 다시 살아나신 일이 없었을 터이요 [17]그리스도께

57) 이 본문은 "죽은 자로부터 다시 살리심을 받았기 때문에 메시야로 선언된 것이라면(또는, [예수께서] 메시야로 선언된 것이라면)"으로 번역될 수 있다. 그렇다면, 이것은 로마서 1:4과 밀접한 병행을 이루게 된다.

> 서 다시 살아나신 일이 없으면 너희의 믿음도 헛되고 너희가 여전히 죄 가운데 있을 것이요.

이 두 가지는 사도들이 하나님께서 메시야를 다시 살리셨다고 말함으로써 참 하나님에 관하여 거짓말들을 해온 것이라는 추가적인 결론을 12b-14절로부터 도출해 내고 있는 15절을 통해서 연결되어 있다 — 만약 죽은 자들이 다시 살아나지 않는 것이 사실이라면, 하나님이 메시야를 다시 살리신 것이 아니기 때문에. 이것은 바울의 논증의 실질적인 기저(基底)를 보여준다: 유대적인, 더 구체적으로 말해서 바리새파적인 하나님론, 즉 창조주가 죽은 자들을 다시 살리시는 분이라는 바울의 신앙.[58]

그러므로 바울의 기본적인 논증은 귀류법으로서, 장래의 부활을 부정하는 자들은 그들이 지금 앉아 있는 가지를 잘라내고 있는 것임을 보여준다. 14절은 한 가지 차원에서 이러한 귀류법을 사용하고 있다: 부활이 일어나지 않는다면, 사도들은 지금까지 말도 되지 않는 헛소리를 해온 것이고, 그들의 말을 믿은 자들은 헛소리를 믿은 것이다.[59] 17절은 한 단계 더 나아가서 이러한 귀류법을 사용한다: 그들의 신앙은 "공허한" 것이 될 뿐만 아니라 "헛된"('마타이아') 것, 즉 시간낭비가 된다; 여기서 결정적으로 중요한 것은 단순히 그들이 부활 및 예수에 관한 쓸데없는 것들을 믿고 있다는 것만이 아니라, 죄들을 해결한 새 시대가 결국 개시되지 않았다는 말이 된다는 것이다. 또한, 바울이 갈라디아서의 서문(1:4)에서 언급하였던 복음의 토대가 놓아지지 않았다는 말이 된다. 바울에게 부활이라는 것은 창조주 하나님이 한 사람의 개인에게 놀랄 만한 일을 하셨다는 것(오늘날 사람들은 종종 부활절 메시지의 취지가 그런 것이라고 생각한다)이 아니라, 부활을 통해서 "이 악한 세대"가 "내세", 회복, 돌아옴, 계약 갱신, 죄사함의 때에 의해서 침노당했다는 것이다. 한 사건이 일어

58) 위의 제3장과 제4장을 보라. Fee 1987, 743 n. 24는 바울이 예수의 부활을 분명한 사건으로 생각하고 있다고 할 때에만 이 절은 의미를 지니게 된다고 지적한다.

59) Hays 1997, 260: 부활이 없다는 주장이 지닌 무용성에 대한 강조는 2절에서의 "헛되이" 믿는 것에 관한 경고 및 10, 32, 58절에 나오는 이와 비슷한 강조점과 맥을 같이 한다.

났고, 그 사건의 결과로서 세상은 다른 곳이 되었으며, 인간 존재는 다른 종류의 사람이 될 새로운 가능성을 갖게 되었다.

앞에서 보았듯이, 이러한 신앙은 3b-4절에 나오는 풍부한 의미를 함축하고 있는 복음의 정식(formula) 속에 스며들어 있다. 성경 전체에 걸쳐서 죄와 죽음의 밀접한 연관관계를 전제한다면, 이러한 신앙의 논리는 간단하다: 하나님이 예수의 부활을 통해서 죽음을 이겼다면 죄의 권능은 꺾여진 것이다; 그러나 하나님이 그렇게 하지 않았다면, 죄의 권능은 꺾여진 것이 아니다. 이것은 바울이 20-28절에서 곧 설명하게 될 두 단계의 종말론을 낳는다.

이 하위단락의 마지막 구절은 29-34절을 지향하고 있다. 신자들 및 메시야의 부활에 대한 부정은 두 가지 끔찍한 결과들을 가져오게 될 것인데, 그것은 바로 바울이 기독교의 통상적인 신앙으로 보고 있는 것을 망하게 할 것이다. 한편으로, 이미 죽은 그리스도인들은 "망하여 없어져 버린" 것이다; 달리 말하면, 그들은 그 어떤 형태의 장래의 삶도 가지지 못하게 될 것이라는 말이다(29절을 보라). 18절은 이미 "메시야 안에서 잠자고 있는" 사람들이 있다는 것[60]과 의심하는 자들이 그 사람들의 장래에 관하여 의문을 제기하였다는 것을 전제하고 있다. 다른 한편으로, 현재에 있어서 복음을 위하여 고난을 받고 싸우고 있는 사람들은 결코 있지도 않은 장래를 위하여 현재의 역경들을 겪고 있는 것이기 때문에 인간들 중에서 가장 비참한 사람들이 되고 만다(30-34절). 이러한 절들은 여기에서 현재 문제가 되고 있는 것이 실제로 몸의 부활이라는 것을 아주 분명하게 보여준다. 바울은 단순히 가치 있는 목표들 중의 하나에 속하는 몸을 입지 않은 장래의 지복 상태에 관한 전망을 평가하고 있는 것이 아니다; 그는 죽음 이후의 몸을 입지 않은 생존을 "구원"이라고 분류하고 있는 것이 아니다. 왜냐하면, 바울이 만약 그렇게 했다면, 그것은 사람이 신이 준 선한 인간의 몸의 돌이킬 수 없는 부패와 멸망인 죽음 자체로부터 구원받지 않았다는 것을 의미할 것이기 때문이다. 그러므로 부활에 대한 전망 없이 죽은 채로 있는 것, 심지어 "메시야 안에서 잠들어 있는 것"은 "망하여 없어졌다"는

60) 15:6; 살전 4:13-18에서처럼; 오직 후자의 본문에서 그는 그들에 관한 걱정을 완화시키고자 애쓰고 있지만, 여기에서는 그것을 격동시키고자 한다(Hays 1997, 261).

것을 의미하게 될 것이다. 부활이 없다는 것은 고난을 포함한 그리스도인들의 신앙과 삶이 "오직 이생을 위한" 것임을 의미하게 될 것이다.

(c) 고린도전서 15:20-28

물론, 고린도 교회 또는 그 밖의 다른 곳의 교회에 속한 어떤 사람이 12-19절을 살펴보고, 그 논리에 동의하여, 기독교 전체가 실제로 잘못된 것을 토대로 하고 있고 아무런 소망도 없는 헛되고 공허한 것이었다는 결론을 내릴 가능성은 여전히 열려져 있다. 그러나 바울은 거기에서 논증을 멈추지 않는다. 이 단락의 후반부(B2)에서는 부활에 관한 더 큰 그림, 즉 예수의 부활과 메시야로서의 그에게 속한 모든 자들의 부활에 관한 바울의 고전적인 진술을 제시한다. 이것은 무엇보다도 바울이 고린도 교인들에게 "묵시 사상"이라는 유대교적인 범주들 안에서 종말론적으로 사고하도록 가르치고자 하고 있는 대목이다 — 세상의 종말에 대한 "임박한 기대"라는 관점에서가 아니라, 미래가 이미 현재 속으로 돌입해 왔기 때문에, 현재는 "지금"과 "아직"이라는 성취와 기대의 혼합이라는 특징을 갖는 가운데, 첫 번째 부활에서 일어났던 일이 온전히 수행되고 참 하나님이 만유 안에서 만유의 주가 될 미래를 가리킨다는 관점에서.[61] 이 본문은 제2성전 시대 유대교 내에서의 하나님 나라에 관한 많은 묘사들의 방식을 따라서, 모든 원수들에 대한 하나님의 승리를 주제로 삼고, 메시야의 부활과 통치를 재정의의 핵심적인 요소들로 삼아서 하나님 나라 개념을 재정립한 시나리오를 제시하고 있다.[62]

바울은 자기가 답변하고 있는 주된 문제를 결코 시야에서 놓치지 않고 있는데, 우리도 또한 그렇게 해야 한다. 바울은 메시야의 모든 백성의 미래적인 몸의 부활이 확실하다는 것을 논증하고 있다. 현재의 본문은 이 신앙이 그 안에서 의미를 지닐 뿐만 아니라(특히 시기라는 관점에서: 먼저는 메시야, 그 후에는 메시야의 모든 백성) 필연적으로 도출될 수밖에 없는 틀을 묘사한다. 바울 서신에서 흔히 그러하듯이, 기본적인 요지는 연속되는 글의 첫 번째 절(이

61) 이 주제 전체에 대해서는 Lincoln 1981 등을 참조하라.

62) 이 시기에 하나님 나라 기대에 대해서는 *NTPG* 302-07; *JVG* 202-09를 참조하라.

경우에는 20절)에서 언급된다: 메시야는 "첫 열매"('아파르케'), 즉 더 많은 수확이 있을 것임을 보증해 주는 추수의 첫 단으로서 죽은 자로부터 부활하였다.[63] 이것은 다음과 같이 설명된다:

> [21]사망이 한 사람으로 말미암았으니 죽은 자의 부활도 한 사람으로 말미암는도다 [22]아담 안에서 모든 사람이 죽은 것 같이 그리스도 안에서 모든 사람이 삶을 얻으리라.

달리 말하면, 장래의 부활은 참 사람, 즉 하나님의 형상을 온전히 지니고 있는 분으로서의 예수의 신분에 의해서 보증된다. 바울은 이 주제를 자신의 주된 논증의 끝부분에 가서야, 즉 49절에 이르러서야 비로소 언급하지만, 우리는 그것을 전체에 걸쳐서 항상 염두에 두고 있어야만 바울이 어디로 가고 있는지를 알 수 있다(우리가 바울 서신을 다룰 때에 자주 그러해야 하듯이). 예수가 참 사람으로서 창조주의 구원의 새 질서를 세상에 가져오는 임무를 부여받은 것은 인류가 창조주의 질서를 세상에 정립하기 위한 목적을 위하여 창조되었기 때문이다. 이와 동시에, 이 주제는 예수가 메시야로 세움을 입은 것과 밀접하게 연관되어 있다: 예수의 부활은 이미 그가 세상의 참된 주라는 것을 계시한 것이고, 그는 성경에서 메시야에 관하여 말한 대로 창조주 신의 모든 원수들, 즉 선한 피조 세계와 그것을 위한 창조주의 목적의 성취에 대하여 반기를 드는 세상의 모든 권세들(물론 그 중의 으뜸은 죽음 자체이다)을 정복할 때까지 다스릴 것이다. 이렇게 21-22절에서 예수가 참 사람이요 메시야라는 것을 단언함으로써, 바울은 예수의 부활이 더 큰 추수의 시작이라는 것과 그 추수가 어떻게 이루어질 것인지를 둘 다 설명한다.

실제로 이 본문은 옛 창조의 성취와 구속으로서의 새 창조에 관한 것이다. 바울은 특히 원래의 창조와 피조 세계에 대한 청지기로서 창조주의 형상을 지닌 인간에 관하여 말하고 있는 성경의 고전적인 본문들 중 일부를 성찰함을 통해서 바로 그러한 것, 즉 이 장의 후반부에 나오는 병행적인 논증을 전개해 나간다. 창세기 1:26-28과 3:17-19에서 말해지고 있는 창조와 타락에 관한

63) cf. 롬 8:23; 11:16; 16:5; 살후 2:13.

이야기들은 이 장 전체의 배후에 있고, 이 장의 후반부에서도 동일한 본문들이 자주 간접인용된다. 창조주의 대리인으로서 피조물을 통치하도록 부르심 받은 인류의 소명에 관하여 말하고 있는 위대한 시편(시 8편)이 27절에서 명시적으로 인용되고 있는데, 거기에서 그 시편은 메시야 시편인 110편 및 다니엘서의 다양한 반영들과 밀접하게 연결되어 있다.[64] 이것은 바울이 뭔가 다른 것에 관하여 논증을 제시할 때에 몇몇 증거 본문들을 끌어다 놓을 필요가 있어서 "성경을 근거로 제시한 것"이 아니다;[65] 바울은 내내 창조와 인간에 관한 신학을 전개하고 있는 것이고, 성경에 대한 간접인용들은 예수의 부활이 그 이야기의 절정이고, 그 이야기의 의도된 목표 지점이라는 것을 보여주는 역할을 한다. 이스라엘이 세상을 위한 빛을 지닌 백성이 되는 것에 실패했을 때에 계약의 하나님은 그 소명을 취소해 버린 것이 아니라 오히려 메시야를 보내어 이스라엘 대신으로 행하게 한 것과 마찬가지로(이것이 로마서 2:17-4:25의 논증이고, 실제로 로마서 5-8장과 9-11장의 많은 부분의 배후에 놓여져 있다), 이제 피조 세계에 대한 창조주의 형상을 지닌 지혜로운 청지기가 될 사명을 사람("아담")이 실패하게 되자, 창조주는 그 소명을 취소시킨 것이 아니라, 오히려 참 사람인 메시야를 보내어 이루게 하셨다.

하나님의 목적은 예수로 하여금 그의 새롭게 되고 부활된 인간의 삶을 통해서 인류와 모든 피조물을 위하여 인류나 피조물이 스스로 할 수 없었던 것을 행할 수 있게 하기 위한 것이다. 바로 이것이 모든 점에서 구약성서에 뿌리를 박고서 메시야에게 속한 자들의 부활에 관한 이러한 서술을 통해서 재천명되고 있는 참 하나님, 인간, 피조물에 관한 신학이다. 그리고 이것은 메시야의 승리를 통해서 "만유 안에서 만유의 주"가 되고자 하는 하나님의 계획과 목적 속에서 결정적인 첫 걸음인 부활절에 관한 더 큰 그림 내에 위치하고 있다(28절). 이 본문이 명백하게 제시하고 있는 것과 같은 새 창조에 관한 신학(옛 창조에 대한 재긍정과 그것을 망치고 손상시키며 죽이는 모든 것으로부터의 해

---

64) 빌립보서 3:20f.과의 밀접한 병행들을 주목하라. 또한 cf. 벧전 3:19-22; 그리고 히 2:5-9에서의 시 8편의 사용.

65) 예를 들면, Perkins 1984, 221 등은 반대한다. 여기서 바울의 성경 사용에 대해서는 Lambrecht 1982를 보라.

방) 안에서 우리가 중심적인 주제로서의 "부활"을 발견할 때, 이것이 분명히 몸의 부활을 가리킨다는 것에 대하여 더 이상의 의심은 없게 된다.

이제 이 모든 일이 일어나게 될 적절한 질서에 관한 이 논증의 핵심으로 나아가는 길이 열려지게 된다 — 세계의 "질서 재편"과 관련된 연대기적인 순서와 존재론적 또는 형이상학적인 계층구조.[66] 바울은 핵심적인 동사("[하나님이] 만물을 그의 발 아래에 두셨다"[God has put all things in order under his feet])가 옛 창조를 위한 의도의 성취로서의 새 창조라는 신학을 구축하기 위하여 반복해서 사용되고 있는 시편 8:7에 대한 확대된 해설을 통해서 이러한 "질서 재편"을 설명한다. 바울은 이러한 구도 속에 시편 110편과 다니엘서로부터 왕권 및 메시야적 통치라는 주제를 가져와서 섞어 짜는데, 이것은 메시야의 모든 백성의 장래의 몸의 부활이 보증되어 있다는 것은 예수가 약속들에 따라서 세계를 창조주 하나님의 구원의 통치 아래에 복속시키는 역할을 수행하고 있기 때문이라는 것을 강조하려는 것이다. 이러한 구원의 나라의 초점은 죽음 자체의 패배와 폐지이다(26절). 그리고 물론 죽음의 패배와 폐지는 새로운 삶, 새로운 몸을 입은 삶, 부활의 삶을 의미할 것임에 틀림없다.

우리는 이러한 압축된 논증을 다음과 같이 제시할 수 있을 것이다(여기에 깊이와 힘을 부여하고 있는 주제들, 성경의 간접인용들과 반영들은 괄호 안에 설명되어 있다):

> [23]그러나 각각 자기 차례대로['엔 토 이디오 타그마티'] 되리니 먼저는 첫 열매인 그리스도요 다음에는 그가 강림하실['파루시아'] 때에 그리스도에게 속한 자요 [24]그 후에는 마지막이니 그가 모든 통치와 모든 권세와 능력을 멸하시고 나라를 아버지 하나님께 바칠 때라 [25]그가 모든 원수를 그 발 아래에 둘 때까지 반드시 왕 노릇 하시리니 [26]맨 나중에 멸망 받을 원수는 사망이니라 [27]만물을 그의 발 아래에 두셨다['휘페탁센'; 23절의 '타그마'와 동일 어원의 단어] 하셨으니 만물을 아래에 둔다 말씀하실 때

66) '타그마'는 주로 위계질서, 군대의 직위 등과 관련해서 "질서"를 의미하지만, 연속된 과정 속에서 어느 한 단계를 가리킬 수도 있다; BDAG 987f.와 그 밖의 다른 참고문헌들을 보라.

> 에 만물을 그의 아래에 두신['휘포탁산토스'] 이가 그 중에 들지 아니한 것이 분명하도다 [28]만물을 그에게 복종하게 하실['휘포타게'] 때에는 아들 자신도 그 때에 만물을 자기에게 복종하게 하신['휘포탁산티'] 이에게 복종하게 되리니['휘포타게세타이'] 이는 하나님이 만유의 주로서 만유 안에 계시려 하심이라.

우리는 먼저 성경에 대한 주요한 반영들을 주목하여야 한다. 다니엘 2:44의 테오도티온 역본에서는 이스라엘의 하나님이 "나라를 일으키시리라"('아나스테세이 호 데오스 바실레이안')로 되어 있다; 다니엘 7:14, 특히 7:27을 보면, 지극히 높으신 이의 성도들이 영원한 나라를 받는다. 이러한 반영들 중 첫 번째의 것은 24절과 공명하고, 두 번째의 것은 25절과 공명한다. 물론, 메시야의 모든 원수들을 그의 발 아래 둔다는 관념은 초기 기독교에서 메시야적인 것으로 자주 사용되었던 시편 110:1로부터 온 것이다.[67] 끝으로, 시편 8:7은 이 논증을 철저하게 지배하고 있는데, 바울은 그 시편으로부터 하나님의 의도된 질서 및 창조주와 피조물 간의 중재적 역할을 하는 인간에 관한 관념을 가져온다.

이렇게 해서 인간의 과제와 메시야의 과제는 서로 잘 들어맞는다: 참 사람인 메시야는 하나님에게 복종하는 가운데 세상을 다스리게 될 것이다.[68] 이 과제는 자신의 부활로 말미암아 메시야로 인정된 예수에 의해서 현세 동안에 수행된다. 이 과제는 성경 및 묵시 문학 속에서 보통 전투와 승리의 이미지를 통해서 표현되는 활동을 포함하고, 23절에 나오는 '타그마' 라는 단어가 지닌 군사적인 뉘앙스(전투를 위하여 "진"을 벌일 목적으로 군사들을 정렬시키는 것)는 아마도 의도적인 것일 가능성이 크다.[69] 시편 87편에 의거해서 27-28절에 이 단어 또는 이 단어와 동일 어원에서 나온 여러 다양한 단어들을 집중적으로 배치한 것은 이 단락의 시작 부분부터 바울이 바로 이 점을 지향하여 의도적으로 글을 써나가고 있었고, 시편 8:7의 성취를 선한 피조 세계를 위협하는 창조주의 모든 원수들, 인간적이든 초인간적이든 "정사들과 권세들과 능력들"

---

67) cf. *JVG* 507-09.

68) 시편 2; 72; 89편.

69) Hays 1997, 264.

에 대한 메시야의 은유적인 "군사적" 승리라는 관점에서 보았다는 것을 보여준다.[70] 이것이 시편 110편과 다니엘서에 대한 간접인용들이 힘을 발휘하는 지점, 즉 장차 이루어질 하나님 나라의 수립에 관한 제2성전 시대 유대교의 전반적인 관점과 아주 잘 들어맞는 지점이다. 그 결과는 창조주이자 계약의 하나님이 메시야를 다스리고, 메시야가 세상을 다스리는 최종적이고 안정적인 "질서"의 수립이다 — 달리 말하면, 메시야가 창세기 1장과 2장에서 인류에게 배정한 지위, 그리고 다니엘 7장에서 "지극히 높으신 이의 성도들"에게 배정된 지위를 차지하게 된다는 말이다: 창조주 아래에서 세상을 통치하는 지위, 죽음 및 죽음으로 이끄는 모든 권세들의 파괴적인 통치에 굴복해 있는 세계에 창조주의 지혜로운 구원과 승리의 질서를 가져오기 위하여 하나님의 형상을 세계 속에 반영하는 지위.[71] 이 신은 결국 하나님이라는 것이 밝혀지게 될 것이고, "만유 가운데서 만유의 주"가 될 것이다.[72]

그러므로 이 모든 것의 핵심이자 중심은 예수 자신의 부활을 통해서 이미 시작된 패배를 토대로 한 장래에 있어서의 죽음의 패배이다; 이것을 다른 식으로 표현해 본다면, 그것은 "현재의 악한 세대"의 한복판에서 메시야의 죽음과 부활을 통해서 개시된 "내세"의 최종적인 완성이다. 이것은 3-4절에서 말해진 사건들이 최종적으로 실현되는 때이다. 그리고 이것은 분명히 예수가 왕으로 나타나실('파루시아') 때에 그에게 속한 모든 자들이 죽은 자로부터 몸으로 부활하게 될 때이다.[73] 23절은 그리스도인으로서 지금 죽은 자들이 아직 다시 살리심을 받지 못했다는 것을 분명하게 보여준다(바울이나 그의 독자들

---

70) 동일한 어근이 다니엘 7:27(LXX)에 나오는데, 아마도 시편 8:7에 의거하고 있는 것 같다: 모든 권위 있는 사본들은 "그에게 복속되리라"('휘포타게손타이 아우토')로 되어 있다.

71) "권능"으로서의 죽음에 대해서는 로마서 8:36-8; 고전 3:22 등을 보라.

72) cf. 엡 1:22; 골 3:11(메시야에 관한). "만유 안에서 만유의 주"는 바울 특유의 표현법이다(Fee 1987, 759). 마지막 문장은 고린도전서 3:22f.와 비교해 보라.

73) 모든 죽은 자가 부활하게 될 추가적인 때가 존재하느냐의 문제(달리 말하면, 24절의 첫 부분에 나오는 '에이타'가 23b절에서의 메시야의 백성의 부활 이후의 추가적인 "그 때"를 가리키느냐의 문제, 만약 그렇다면, 이 추가적인 때에 메시야의 백성에 속하지 않은 모든 자들의 부활이 상정되고 있느냐의 문제)는 우리의 논증의 목적을 위해서 해결할 필요가 없는 문제이다. BDAG 988을 보라.

중 그 누구도 이것을 의심하지 않았을 것이다); 그리스도인으로서 죽은 자들이 현재에 있어서 어디에 있든지간에, 그들의 부활은 아직 일어나지 않았다.

23절에서 '파루시아'에 관하여 말하고 있는 진술은 데살로니가전서 4:14-18에서 말하고 있는 것(거기에서 미래에 관한 발전되고 고도로 은유적인 묘사, 특히 4:14에서 나오는 정형문구는 여기에서처럼 예수 자신의 죽음과 부활이라는 복음의 근본을 이루는 사건들에 토대를 두고 있다) 및 2:6-11에서 제시된 복음 사건들에 토대를 둔 빌립보서 3:20-21에서 말하고 있는 것과 밀접하게 대응된다. 바울이 50-58절에서 현재의 장을 요약할 때에는 '파루시아'가 구체적으로 언급되고 있지는 않지만, 52절에서 죽은 자들의 최종적인 부활에 대한 언급은 23절에서 말한 것을 가져와서 사용한 것이고, 57절에서 말하고 있는 "승리"는 현재의 본문 전체의 효과를 요약하고 있는 또 다른 방식이다. 따라서 우리의 현재의 본문은 바울의 좀 더 압축되고 파악하기 어려운 단편적인 글들 중의 하나이긴 하지만, 그 주된 흐름들은 뚜렷하게 드러나고, 우리는 성경에 대한 간접인용들의 네트워크와 우리가 이와 비슷한 주제들에 관한 그의 다른 글들로부터 알고 있는 것, 현재의 서신 속에서의 더 큰 맥락을 통해서 상당한 정도의 확실성을 가지고 그것들을 재구성해 낼 수 있다. 이 논증 전체는 확고한 신학과 상당한 수사학적 능력을 통해서 메시야인 예수의 부활이 창조주가 원래의 창조를 구원하고 새롭게 하는 사역을 완성시킴에 있어서 메시야의 모든 백성을 새로운 몸을 입은 삶으로 부활시키는 것의 출발점이자 수단이라는 요점을 확고하게 정립한다.[74)]

우리는 로마의 한 식민지에 있는 교회에 보낸 이 또 하나의 서신 속에 내포되어 있는 정치적인 뉘앙스들을 무시해서는 안 된다. 이 본문 전체는 메시야의 "나라"('바실레이아')를 통해서 한 분 참 하나님이 다른 모든 권세들과 정사들을 전복시킬 것에 관한 것이다. 바리새파 사상에 있어서처럼 "부활"은 확고하게 하나님의 나라 신학 속에 위치해 있다; 그리고 주후 1세기의 모든 유대인들은 하나님 나라 신학이 필연적으로 정치적인 의미를 지니고 있다는 것을

74) Fee 1987, 747; McCaughey 1974를 보라. 28절에서는 시편 2:7, 12과 로마서 1:3f.의 울림들을 보여주는 가운데, 예수를 하나님의 "아들"이라고 말하고 있다는 것에 주목하라.

알고 있었다. 현재의 사회 "질서"('타그마')는 가이사를 정점으로 하고 그의 대리인들을 중간계급으로 하며 평민들이 맨 밑바닥에 있는 구조였다; 창조주의 새로운 질서는 자기 자신을 정점에 놓고 메시야 — 그리고 6:2 및 그 밖의 다른 곳에서처럼 그의 백성! — 가 중간에 있고 세계 전체가 그 아래에 있는 구조가 될 것인데, 세상 사람들은 착취당하고 압제받는 것이 아니라, 창조주, 그의 메시야, 그의 형상을 지닌 신민들의 지혜로운 통치로 말미암아 구원되고 회복되며 자유를 부여받게 될 것이다. 따라서 이 본문은 로마서 8장, 빌립보서 2:6-11, 3:20-21과 더불어 피조 세계를 구원하고자 하는 창조주 하나님의 계획에 관한 고전적인 해설임과 동시에 가이사의 세계 속에서 살아가고 있는 어린 고린도 교회에게 예수가 주(主)이고 그의 이름 앞에 모든 무릎이 꿇게 될 것임을 암호화된 내용을 통해서 강력하게 상기시키고 있는 글에 속한다.

(iv) 고린도전서 15:29-34

다음 단락은 짧다: 일종의 간주곡, 많은 것들을 함축한 압축된 논증에서 벗어나 잠시 짧은 휴식을 취하는 것.[75] 요점만 간단하게 짧게 끊어 쓴 글; 짧은 문장들; 빠른 주제 변화; 이교의 시가(詩歌)로부터의 인용문. 이 단락이 주는 인상은 청중이 여전히 깨어 있는지를 확인하기 위하여 그때그때 상황에 따라서 감정적으로 신속하고 즉흥적으로 산탄총을 쏘는 접근방식을 취하고 있다는 것이다.[76] 다섯 개의 절에 서로 다른 네 개의 주제가 나오고, 이 모든 것들은 부활이라는 주제에 의해서 연결되어 있다; 네 개의 작은 창문들이 나오고, 각각의 창문은 현재의 삶과 장래의 삶 간의 연속성을 얼핏 들여다볼 수 있게 해 준다. 이 단락의 근저에는 12-19절을 떠받치고 있던 논리가 존재한다; 부활에 대한 부정이 주장된다면, 그것이 실제로 기독교의 상징적인 실천, 바울 자신의 사도적인 생활양식, 기독교 윤리에 대하여 무엇을 의미할지를 생각해 보라. 부활을 부정하는 것이 참 신에 대한 무시(無視)를 함축하고 있다는 것을 생각하고 부끄러워할 줄 알라고 바울은 말한다.[77]

---

75) 문체의 갑작스런 변화에 대해서는 갈라디아서 4:12-19 등과 비교해 보라.

76) Fee 1987, 62를 보라.

77) 이 본문에 대해서는 Winter 2001, 96-105를 보라.

첫 번째 주제는 여전히 논쟁적이다(29절). 바울은 사람들이 "죽은 자들을 위하여 세례를 받고" 있다고 전제하고, 그러한 관행은 죽은 자들이 부활한다고 해야만 의미를 지닐 수 있다고 분명하게 말한다. "이러한" 죽은 자를 위한 "세례"가 무엇이었는지에 대해서는 견해의 일치가 없고, 초기 기독교에서 이것에 대하여 언급하고 있는 다른 본문은 존재하지 않는다. 이 관행은 단지 사람들이 그리스도인이었던 친척이나 친구가 최근에 죽고 그들이 내세에서 그들과 분명하게 재회할 것을 확인받고 싶어서 세례를 받고자(그렇게 해서 교회에 합류하고자) 한 것이라고 해석해야 한다는 주장이 최근에 제기되어 왔다.[78] 그럴 가능성도 있지만, 마찬가지로 더 전통적인 읽기, 즉 고린도에서 기독교 신앙을 갖게 된 몇몇 사람들이 세례를 받기 전에 죽음으로써, 다른 그리스도인들이 그들을 대신하여 세례를 받아서, 죽은 자의 끝내지 못한 성례전적 입교 의식을 대신 끝마치는 것이었다는 해석도 가능하다고 나는 생각한다.[79]

다수설을 따른다면, 바울은 죽은 자들은 여전히 어떤 의미에서 살아 있지만 아직 부활한 것은 아니고, 세례를 통해서 묘사되는 메시야와 함께 하는 상징적인 죽음과 부활은 장차 있게 될 부활을 내다보는 가운데 그들을 대신하여 시행될 수 있다고 말하고 있는 것이다. 다른 쪽 주장을 채택한다면, 이 논증은 비록 죽은 친구들 또는 친척들과의 재회를 보장받기 위하여 세례를 구하는 관행이 마찬가지로 양립될 수 있었겠지만, 죽음 이후에 일어나는 일에 관한 서로 다른 다양한 이론들과 결부되어 있다.

그런 후에, 바울은 10절에 나오는 자신의 사도적인 수고들에 대한 언급을 간접적으로 암시하는 가운데, 19절에서 그가 짧게 언급하였던 생각을 30-32a절에서 발전시킨다: 장래에 부활이 없다면, 그토록 많은 고난, 핍박, 고된 수고, 학대를 겪은 것이 무슨 소용이 있다는 말인가?

> [30]또 어찌하여 우리가 언제나 위험을 무릅쓰리요 [31]형제들아 내가 그리

78) Thiselton 2000, 1240-49.

79) Fee 1987, 763-7에 나오는 긴 논의를 보라. 몇몇 학자들은 여기에서 2 Macc. 12:43-5(위의 제4장 제4절)에 나오는 죽은 자를 대신한 희생제사들의 반영을 찾아내었다.

스도 예수 우리 주 안에서 가진 바 너희에 대한 나의 자랑을 두고 단언하노니 나는 날마다 죽노라 [32]내가 사람의 방법으로 에베소에서 맹수와 더불어 싸웠다면 내게 무슨 유익이 있으리요 죽은 자가 다시 살아나지 못한다면 내일 죽을 터이니 먹고 마시자 하리라.

여기에서도 석의적인 문제들이 있지만, 그런 것들은 우리와는 별 상관이 없다.[80] 중요한 것은 바울이 보고 있는 현재적 삶과 부활의 삶 간의 연속성, 장래의 삶은 그것이 없다면 아무런 의미도 없게 될 현재의 삶에 의미를 부여한다는 사실이다.

바울이 5장과 6장에서 했던 것과 마찬가지로, 32절의 후반부는 동일한 연속성을 기독교 윤리의 문제에 적용한다. 바울은 이사야 22:13을 반영하고 지혜서 2:5-11에 나오는 "악인들"의 논증을 따라서 부활 소망을 부정하는 논리 속으로 들어가서 사고한다: 장래의 삶의 없다면, 현재의 삶을 철저하게 누리는 것이 좋을 것이다.

[32b]죽은 자가 다시 살아나지 못한다면 내일 죽을 터이니 먹고 마시자 하리라 [33]속지 말라 악한 동무들은 선한 행실을 더럽히나니.

이사야 22장의 맥락은 심판이라는 맥락이다: 이스라엘은 자신의 하나님을 잊어버렸고(22:11), 하나님의 회개로의 부르심을 들으려 하지 않고(22:12), 오히려 앞다투어 연회를 벌여서(22:13a) "내일 우리가 죽으리니 먹고 마시자"고 말한다(22:13b). 따라서 이스라엘의 범죄들은 사함받지 못했다(22:14). 이 본문 직후에 나오는 날카로운 경고와 권면에서 볼 수 있듯이, 바울은 부활이 사실이 아니라면 "너희는 여전히 죄 가운데 있다"(18절)고 경고하면서 이러한 일련의 사고 전체를 염두에 두고 있는 것으로 보인다.

지혜서에 나오는 병행문이 보여주듯이, 물론 이와 같이 생각할 수 있었던 사람들은 단지 경솔한 고대의 이스라엘 백성들만이 아니었다. 이러한 태도는 보통 에피쿠로스 학파에게 돌려져왔다.[81] 바울은 장래를 생각하지 않는 사람들

---

80) 자세한 것은 주석서들을 보라.

가운데 살게 되면 선한 도덕적인 습관들이 부패하게 될 것이라는 취지로 메난드로스(Menander)의 희곡 『타이스』(*Thais*)를 인용하면서, 이교의 시인들조차도 그것을 알고 있다고 말한다.[82] 바울은 성경 및 당시의 대중 사상 속에 나타난 많은 반영들을 일깨우고 있지만, 그의 주된 요지는 이 서신의 앞부분과 동일하다: 부활은 기독교적인 도덕의 궁극적인 토대이다.[83]

이것은 자연스럽게 34절의 마지막 호소로 이어진다: 정신을 차리고, 올바르게 생각하며, 범죄하기를 그치라! 몇몇 사람들 — 아마도 34절의 "몇몇 사람들"은 12절의 "어떤 사람들"과 동일한 것으로서, 다른 무리도 아니고 외인들도 아닐 것이다 — 은 참 신에 관한 지식이 없다고 바울은 다시 분명하게 말한다. 교회는 그러한 상황이 생기게 내버려 둔 것에 대하여 스스로 부끄러워하여야 한다. 유대인들은 흔히 이방인들이 참 하나님을 모른다고 말하였지만,[84] 이것은 더 구체적으로 말해서 죽은 자를 다시 살리시는 하나님의 능력을 모르고 있다는 비난인 것으로 보인다.[85] 참된 지식을 갖고 있다면, 하나님이 무엇을 하실 수 있다는 것을 알 것이고, 또한 하나님이 모든 자를 불러서 회개하게 하실 재판장이라는 것도 알 것이다. 이러한 비난은 이 서신 속에 나오는 창조주 하나님에 대한 앞서의 언급들,[86] 그리고 실제로 앞에 나오는 장들, 특히 5장과 6장의 논증 전체와 밀접하게 연결되어 있다. 신학적으로 술에 취해서 인사불성이 되어 헤매지 말고, 너희의 생각을 똑바로 바로잡으라고 바울은 말하고 있는 것으로 보인다.[87] 참 하나님이 진정으로 누구인지를 깨닫도록 하라. 그러면

81) Malherbe 1968; Thiselton 2000, 1251f.를 보라.

82) Menander, *Thais*, frag. 218. 이 어구는 민간의 경구였을 것이다; 다른 전거들에 대해서는 Thiselton 2000, 1254 n. 249를 보라.

83) cf. 벧후 2-3장(Fee 1987, 775).

84) cf. Martin 1995, 275 n. 79; 바울에 있어서는 로마서 1:18-23을 참조하라(위의 제5장 제7절을 보라).

85) cf. 막 12:24b과 그 병행문들; 롬 4:20f. 또한 주후 2세기의 여러 저술가들을 보라. 그들에게 이것은 통상적인 주제였다(아래 제11장).

86) 고린도전서 1:5; 8:1-6; 13:2, 8; 또한 Wedderburn 1999, 233 n. 17을 보라.

87) 신약성서에서 오직 한 번만 나오는 단어(*hapax legomenon*)인 '에크넵사테'는 '에크네포'(제정신이 들다)에서 왔다.

모든 것이 분명해질 것이다.

짤막한 간주곡이 끝나고, 바울은 자신의 거대한 과제를 재개한다. 바울은 29-34절만으로 의심하는 자들을 설복시킬 수 있을 것이라고 생각하지 않았을 것이다; 이 본문의 과제는 의심하는 자들의 견해가 널리 퍼지게 된다면 일어나게 될 여러 가지 일들에 대하여 그의 청중에게 상기시키기 위한 목적으로 몇 가지를 적어놓는 것이다. 앞에서 말했듯이, 이 본문의 몇몇 부분들은 그 자체로는 죽음 이후의 몸을 입지 않은 실존에 관한 견해와 양립될 수도 있지만, 29절의 의미, 특히 윤리적 호소와 부활을 강조한 이 서신의 앞 부분들 간의 병행은 그러한 가능성을 배제시킨다. 이제 바울의 길은 그가 직면해 있는 가장 어려운 문제에 분명하게 답하는 것이다. 죽은 자들이 실제로 부활하게 된다면, 이런 일이 어떻게 일어나게 될 것인가? 그들은 어떤 종류의 몸을 입게 될 것인가?

(v) 고린도전서 15:35-49

(a) 서론

다음에 나오는 열다섯 개의 절을 이해하는 열쇠는 이 절들이 20-28절과 마찬가지로 창세기 1장과 2장의 토대 위에 구축되어 있다는 것을 깨닫는 것이다. 이 본문들도 새 창조에 관한 바울의 신학의 일부이다. 그 절정은 마지막 절(49절)에 나오는데, 거기에서 바울은 서두에서의 그의 질문에 대한 최종적인 대답을 제시한다: 죽은 자들은 부활할 때에 어떤 종류의 몸을 받게 될 것인가? 그들은 "하늘에 속한" 자, 즉 "마지막 아담," 메시야의 형상을 입게 될 것이다 — 바울은 바로 "우리"가 그것을 입게 될 것이라고 말한다.[88] 이러한 질문과 대답은 이 본문 전체에 걸쳐서 염두에 두어야 할 결정적으로 중요한 것일 뿐만 아니라, 바울은 그리스도인들이 받게 될 장래의 몸에 관하여 무엇을 말하고 있는지, 예수 자신의 부활의 몸에 관하여 바울이 무엇을 믿고 있는지와

88) 바울의 표현은 흔히 "마지막 아담"으로 번역되는 '호 에스카토스 아담'(45절)이지만 바울의 요지는 메시야를 마지막 아담으로 하는 많은 "아담들"이 존재한다는 것이 아니라, 메시야가 목표 지점, 궁극적인 지점이라는 것이다. 이 점을 고려할 때, "최종적인"이라는 단어가 더 적합한 것으로 보인다.

관련해서, 이 본문에 대한 우리 자신의 읽기의 주된 취지를 제공해 준다.

창세기 1-2장을 한 번 쭉 읽어보기만 해도, 우리는 거기에 나오는 주된 주제들 중 많은 수가 바울의 현재의 논증 속에서 간접 인용되고 있다는 것을 알게 된다. 창조주 하나님은 하늘들과 땅을 만들었고, 천지를 그의 피조물들로 채웠다; 바울은 40절에서 이러한 두 가지 범주를 언급하고, 그것들에 관한 논의를 사용하여 첫 번째 아담과 마지막 아담을 구별한다. 권능있는 하나님의 바람 또는 영이 수면 위를 운행하였고, 하나님의 숨 또는 영이 아담과 하와에게 생명을 주었다; 바울은 창조주와 예수의 생명을 주는 활동을 '프뉴마,' 영, 바람, 또는 숨이라는 관점에서 바라본다(44-46절). 창조주는 하늘에 광명들을 만들었는데, 이것을 바울은 41절에서 언급한다. 창조주는 씨를 지니고 있는 열매를 맺는 식물들을 창조하였고, 따라서 더 많은 식물들이 생산될 수 있었다; 바울은 이것을 36-38절의 주된 주제로 삼고, 그런 후에 42-44절에서 "씨 뿌리는 것"에 관한 언어를 활용한다. 창조주는 온갖 종류의 새, 짐승, 물고기를 만들었다; 마찬가지로, 바울은 이러한 것들도 자신의 논증 속으로 가져온다(39-40절). 창세기 1장의 절정에서 창조주는 인간을 자신의 형상을 따라 만들어서 나머지 피조물들을 다스리게 하고, 창세기 2장에서는 특히 아담에게 짐승들의 이름을 짓는 책임을 맡겼다; 바울에게 있어서도 이 이야기의 절정은 마지막 아담 — 그에게 속한 모든 자는 그의 형상을 지니게 될 것이다 — 의 생명을 주는 활동을 통한 인류의 재창조이다. 이것은 실제로 새로운 창세기, 갱신된 창조에 관한 의도적이고 치밀한 신학이다.

이러한 틀 안에서 바울은 우리가 49절에 이르러서 그가 말하고 있는 것의 온전한 의미를 알게 될 때까지 단계적으로 논증을 제시한다. 바울은 단도직입적으로 "새로운 몸은 예수의 몸과 같게 될 것이다"라고 말하지 않는다 — 물론, 빌립보서 3:21에서처럼 바로 그것이 그가 도달하고자 하는 지점이기는 하지만. 그는 먼저 연속성 안에서의 불연속성을 논증한다: 식물은 그 씨앗과 동일한 것이 아니지만, 창조주의 능력에 의해서 그 씨앗으로부터 나온다(36-38절). 어쨌든 피조 세계 전체에 걸쳐서 서로 다른 유형의 육체들이 존재하고, 각각의 육체는 자신의 특별한 속성들과 위엄을 지니고 있다(39-41절). 이것은 그의 논증의 첫 번째 하위단락(우리의 도식에서는 b1)을 구성한다; 바울은 이제 앞으로 말하게 될 새 창조를 이해하기 위한 정지작업으로서 피조 질서로부터의 여러 범주들을 세워나가고 있다. 새로운 부활의 몸은 현재의 몸과 연속성 및 불연속성을 갖게 될 것이다. 왜냐하면, 현재의 몸은 "썩을" 것인 반면에, 새로운 몸은 "썩지 않을" 것이기 때문이다(그가 이 장의 마지막 단락에서 강조하고 있듯이). 이렇게 되는 것은 새로운 몸이 마지막 아담의 생명을 주는 사역의 결과로서 창조주 하나님의 성령에 의해서 창조되어져서 썩지 않는 상태로 유지될 것이기 때문이다.

우리의 목적을 위해서 실제적으로 이것의 모든 측면이 결정적으로 중요하다.

(1) 바울이 몸의 부활을 논증하고 있다는 것은 의심의 여지가 없다; 우리는 아래에서 이 주장에 도전하여서 몸은 어떤 유형적인 것이 아니라 영광스러운 빛으로 구성되어 있다고 주장하며 44-46절에 나오는 '소마 프뉴마티콘'을 "영적인, 즉 비육신적인 몸"을 의미하는 것으로 해석하기 위하여 자주 사용되어 온 이 단락에 대한 주된 오독(誤讀)을 다루게 될 것이다.

(2) 그러나 바울은 단순한 소생과는 판이하게 다른 몸의 부활을 논증한다. 하나의 씨앗은 땅에서 파내서 잘 닦은 다음에 그 원래의 씨앗의 모습으로 회복하였다고 하여 되살아나는 것이 아니다. 원래의 창조 속에서 서로 다른 많은 유형들을 열거함으로써 서로 다른 유형의 몸들에 관하여 말하는 해석학적인 공간을 창출한 후에, 바울은 이것을 활용해서 현재의 몸과 장래의 몸을 몇 가지 점에서 차별화한다. 이것은 부활 논의들에 관한 유대교의 전승들 내에서의 놀랄 만한 혁신이다 — 물론, 이것은 분명히 여전히 유대교의 사상 세계 속에 머물러 있고, 그 세계를 벗어나서 껍데기만 유대교적 전승의 옷을 빌려 입고 내용상으로는 이교적인 사변들과 연결되어 있는 것이 결코 아니다.

(3) 마지막 아담, 새로워진 인류의 시작으로의 메시아(골 1:18b와 비교해 보라)는 새로운 유형의 인류를 위한 모델인 것만은 아니다. 그는 그러한 인류를 창조할 권세를 소유하고 있다. 이제 우리가 충분히 예상할 수 있듯이, 그가 그러한 권세를 행사할 때에 그 능력은 바로 성령이다.

이 세 가지 요점은 바울이 예수에게 무슨 일이 일어났었다고 생각했는지에 관하여 우리에게 꽤 많은 것을 말해 준다. 또한 이것들은 유대교 전승 내에서의 많은 혁신들을 통해서 이 본문은 단순히 유대교의 기존의 신학적 및 석의적 탐구들을 신자들 또는 그 연장선상에서 예수 자신에게 적용한 것이 아니라는 것을 보여준다 — 이 본문에 관하여 우리가 그 밖의 다른 무엇을 말하든지 간에. 이 본문은 유대교의 세계에 확고하게 속해 있지만, 유대교의 문헌들 중에서 이전에 이와 같은 것을 말한 본문은 전혀 없었다. 바울은 분명히 그때까지 잘 알려져 있던 본문들과 주제들에 대한 새로운 해석들이 들어맞는 무슨 일이 일어났다는 것을 믿고 있다.

우리는 이제 두 개의 하위단락들에 관한 세부적인 내용을 깊이 있게 살펴볼 준비가 되었다.

(b) 고린도전서 15:35-41

최초의 질문에 대한 바울의 날카로운 반응(36절의 "어리석도다!")은 바울이 이 질문을 복음서에 나오는 사두개파의 질문과 마찬가지로 진지한 물음이 아니라 거절의 표시로 받아들였다고 전제할 때에야 가장 잘 의미가 통하게 된다. 달리 말하면, "죽은 자들이 어떻게 다시 살아나느냐!"라는 말은 "우리가 모두 그것이 불가능하다는 것을 알고 있다"라는 의미를 함축하고 있고, "저희가 어떤 종류의 몸으로 되살아나느냐?"는 "나는 그런 종류의 몸을 도저히 상상할 수 없다"라는 의미를 함축한다는 것이다. "어찌"라는 단어 자체가 다음과 같은 뉘앙스를 띠고 있을 수 있다: "너희가 어떻게 죽은 자들이 부활한다는 말을 할 수가 있느냐?"[89]

이 두 질문은 단순히 동일한 질문을 제기하는 두 가지 방식인 것이 아니라, 서로 다른 점들에 초점을 맞추고 있는 것으로 보인다.[90] 영어에서 "어떻게"(how)라는 단어는 "어떠한 수단에 의해서"라는 의미에서 "어떤 방식으로"라는 의미로 쉽게 전환될 수 있다. "내가 어떻게 보이니?"라는 말의 의미는 화자

---

89) 마태복음 12:26과 그 병행문들을 인용하는 BDAG 901. Fee가 말하고 있듯이 (1987, 779), 이러한 문제들은 12절에서의 부활에 대한 부정 배후에 놓여있음에 틀림없는 일종의 철학적인 반론들을 구체화시킨 것들이다. 바울이 고린도 교인들의 견해들을 얼마나 잘 이해하였는가 하는 문제에 대해서는 Perkins 1984, 300f, 324; Conzelmann 1975 [1969], 261-3; Martin 1995, 104-36를 보라. 나는 그들의 반론은 고대 이교의 다소 보편적인 견해를 표명하고 있는 것이었기 때문에 특별히 복잡한 것이 없었고, 이것이 바로 바울이 대답하고 있는 것이라는 견해를 취해 왔다.

90) Hays 1997, 269f.는 이에 반대한다.

가 망원경을 통해서 뭔가를 보고자 애쓰고 있는 상황인지, 아니면 탈의실에서 걱정스러운 얼굴로 나오는 상황인지에 따라서 달라질 것이다. 헬라어 '포스'는 몇 가지 약간씩 다른 의미들을 지닐 수 있고, 첫 번째 질문을 단순히 설명하는 두 번째 질문을 가리킬 수 있지만,[91] 첫 번째 질문을 읽는 가장 자연스러운 방식은 "어떻게, 즉 어떤 모양 또는 유형의 몸으로 죽은 자들이 부활하는가?"가 아니라 "어떤 수단 또는 능력에 의해서 이와 같은 극히 이례적인 일이 일어날 수 있는가?"이다. 분명히 그 다음에 나오는 본문은 몸의 유형에 관한 질문과 아울러서 이 질문에 대답한다. 현재의 하위단락 속에서 바울은 씨앗을 뿌리는 경우에 창조주가 "그것에 몸을 준다"라고 말함으로써 첫 번째 질문에 대한 자신의 대답을 준비한다(38절); 그 다음에 나오는 하위 단락에서 바울은 이것을 특히 메시야의 권세와 성령의 능력이라는 관점에서 적용한다(44-46절). 현재의 하위단락 속에서 바울은 수많은 서로 다른 유형의 몸들이 존재하고, 서로 다른 유형의 몸들 간에는 불연속성과 아울러 연속성도 존재할 수 있다는 것을 역설함으로써 두 번째 질문에 대한 자신의 대답을 위한 토대를 마련한다. 그것은 마치 바울이 두 가지 질문에 대한 두 단계의 대답을 제시하고 있는 것 같다: "그런 일이 어떻게 일어나는가?"와 "그것은 어떤 종류의 것이 될 것인가?" 만약 바울이 의미했던 것이 어떤 의미에서 "육신적인" 것이 아니라 몸을 입지 않은 영혼에 관하여 말하고 있는 것이라면, 이와 같은 온갖 수고를 할 필요가 전혀 없었을 것이다 — 이것은 명백한 것이지만, 그래도 강조를 해 둘 필요가 있다.[92]

이제 바울은 자기가 앞으로 말할 것을 위한 모델로서의 역할을 하도록 주의 깊게 선택한 언어를 통해서 씨앗들과 식물들로부터 시작해서 현재의 피조 질서의 서로 다른 측면들을 신속하게 일별하면서, 씨 뿌리고 발아가 되고 새로운 생명이 나타나는 과정을 서술한다. 물론, 바울은 떡갈나무가 숨겨진 도토리

91) LSJ s.v.를 보라: 예를 들면, Eurip. *Hel.* 1543("너는 무슨 배로 어떻게 왔느냐?); cp. Plato *Tim.* 22b.

92) 바울이 이 장에서 이 시점에 이르기까지 대체로 "죽은 자들"('호이 네크로이')에 관하여 말해오다가 여기에서 부활할 것에 관하여 생각할 때에 "몸들"에 관하여 말하는 것으로 용어들을 바꾸고 있다는 것은 주목할 만한 가치가 있다. 바울에서 있어서 "죽은 자들"은 단순히 "영혼들"이 아니었다(Fee 1987, 775).

로부터 자라나는 것과 동일한 방식으로 부활의 몸이 죽음 이후의 매장된 현재의 몸으로부터 자라날 것이라고 생각하고 있는 것은 아니다. 그가 말하고자 하는 요지는 창조주의 능력이 "죽은" 씨앗에 "생명을 부여한다"는 것이다(36절):

> [36]어리석은 자여 네가 뿌리는 씨가 죽지 않으면 살아나지 못하겠고 [37]또 네가 뿌리는 것은 장래의 형체를 뿌리는 것이 아니요 다만 밀이나 다른 것의 알맹이 뿐이로되 [38]하나님이 그 뜻대로 그에게 형체를 주시되 각 종자에게 그 형체를 주시느니라.

36절에 나오는 결정적으로 중요한 단어는 NRSV에서처럼 "살아나다"로 번역해서는 안 된다; 이 동사는 수동형으로서 하나님의 행위를 가리킨다.[93] 이것은 "어떻게"라는 질문에 대한 대답을 시작하는 38절의 핵심이다. 기본적인 이미지는 연속성에 관하여 말하고 있지만(밀이 씨앗으로부터 자라는 것), 바울은 여기서 불연속성을 강조한다: 씨앗과 식물은 동일하지 않다.[94] 너희는 양배추를 뿌리는 것도 아니고, 구운 소고기와 함께 양배추 씨앗을 내다주지도 않는다. 바울은 세심한 주의를 기울여서 현재의 몸, "씨앗"을 "벌거벗은" 것으로 묘사한다: 그것은 아직 "옷을 입지" 않았지만, 언젠가는 입게 될 것이다. 새로운 '소마'가 주어질 때, 그것은 더 이상 "벌거벗은" 것이 되지 않을 것이다. 이것은 고린도후서 5:3-4과 연결된다; 이 두 본문 배후에는 창세기 2장에 나오는 최초의 사람들의 벌거벗은 모습이 자리잡고 있다(45절에서 인용되어서 한동안 바울의 생각 속에 있었음을 보여주는 본문).[95] 그러므로 38절의 강조점은 주권자이신 하나님의 사역일 뿐만 아니라 선물이기도 한 새 몸에 두어져 있다; 바울은 부활이 은혜의 역사라는 것을 강조하고자 한다.

---

93) 이 이미지에 대해서는 요한복음 12:24을 참조하라(아래의 제9장 제7절을 보라).

94) 이것은 몸을 뜻하는 '소마'라는 단어가 이 장에서 처음으로 나온 대목이다. 물론, 6:13-20만이 아니라 12:12-27도 그 배경이 된다(위의 제6장을 보라).

95) 고린도후서 5장에 대해서는 아래의 제7장 제2절을 보라.

그러므로 35절의 질문에 대한 바울의 최초의 암묵적인 대답은 이것이다: 부활은 창조주의 역사를 통해서 일어나게 될 것이다; 그리고 부활을 통해서 입게 될 몸의 종류는 현재에 있어서 "벌거벗은" 것이 온전하게 옷을 입은 모습과 같을 것이다.

부활에 대한 부분적인 유비로서 씨앗과 식물의 원칙을 설정한 후에, 바울은 39절에서 또 다른 흐름의 사고를 시작한다. 각각 고유한 위엄과 가치를 지닌 서로 다른 유형의 "몸" 또는 "육체"가 존재한다:

> [39]육체는 다 같은 육체가 아니니 하나는 사람의 육체요 하나는 짐승의 육체요 하나는 새의 육체요 하나는 물고기의 육체라 [40]하늘에 속한 형체도 있고 땅에 속한 형체도 있으나 하늘에 속한 것의 영광이 따로 있고 땅에 속한 것의 영광이 따로 있으니 [41]해의 영광이 다르고 달의 영광이 다르며 별의 영광도 다른데 별과 별의 영광이 다르도다.

여기서 바울의 주된 목적은 서로 다른 종류의 육체들이 존재하고, 그 각각은 고유한 특성을 지니고 있다는 것을 확고히 하는 것이다. 바울이 다니엘 12:2-3을 염두에 두고 있었을 가능성이 있지만, 비록 그렇다고 하여도, 바울은 그 본문을 상당히 수정하고 있는 것으로 보인다. 왜냐하면, 새롭게 몸을 입은 부활한 자들이 별들과 같이 될 것이라는 것(그가 그들이 실제로 별들이 된다고 말하지 않은 것은 물론이고)은 바울이 계속해서 말하고 있는 내용이 아니기 때문이다.[96] 40절에 나오는 "하늘의" 몸과 "땅의" 몸이라는 구별은 47-49절의 내용에 대한 복선이다; 여기서 바울이 "땅의"를 나타내기 위하여 사용하고 있는 단어가 '에피게이오스'("땅 위에 있는"), 즉 성분이 아니라 위치를 주로 나타내는 단어인 반면에, 47-49절에 나오는 단어는 '코이코스'("땅에 속한"), 즉 물리적인 성분을 서술하는 단어라는 것이 중요하긴 하지만[97] 철학자나 신학자는

---

96) Hays 1997, 271는 다니엘 12장이 배경에 있다고 주장한다; 그럴 가능성이 있긴 하지만, 바울은 그것을 강조하고 있는 것으로 보이지는 않는다. Boismard 1999 [1995], 40는 "땅에 속한 존재가 땅 속에 묻히고, 하늘에서 빛나는 별들과 비견될 수 있는 완전히 다른 존재가 다시 살아나게 될 것이다"라고 말한다.

말할 것도 없고 정치가나 연설을 작성하는 자들에게도, 이와 같은 미묘한 변화들은 지금과 같이 주의 깊게 논증하고 있는 본문 속에서는 중요하다. 바울은 현재의 하위 단락에서 그가 제시하고 있는 유비들이 실제로 부활 자체가 어떤 것일지에 대한 분석으로 보이지 않도록 주의를 기울이고 있다. 그는 여기서 환유가 아니라 일련의 은유와 직유를 제시하고 있는 것이다.

서로 다른 피조물들이 지닌 "영광"이 일차적으로 광채나는 것을 가리키고 있지 않다는 것 — 물론, 몇몇 경우들에 있어서는 그러한 것을 포함하고 있긴 하지만 — 은 하늘들에(즉, 하늘에) 있는 물리적인 대상들이 어떤 종류의 영광을 지니고 있고 땅에 있는 대상들이 또 다른 종류의 영광을 지니고 있다고 말하고 있는 40b절로부터 분명하다. 땅에 있는 것들은 해와 달과 별들과는 달리 빛을 발하지 않는다; 그러나 그것들도 여전히 자신의 고유한 "영광"을 지니고 있다. 여기에서 "영광"은 "존귀," "명성," "고유한 위엄"을 의미하는 것으로 보인다.[98] 우리가 고린도후서 3장을 다룰 때에 보았듯이, 이 단어는 일부 용례들이 어느 정도 직접적으로 "빛을 내는 것"을 가리키는 것으로 보이는 본문 속에서조차도 여전히 다양한 의미를 지닌다; 현재의 서신 속에서 바울의 그 밖의 다른 용례들은 광채나는 것과는 전혀 상관이 없다.[99] 물론, 밝게 빛을 발하는 것은 해의 고유한 위엄, 명성, 존귀이고, 나름대로 고유한 방식으로 반짝이는 것은 별들의 고유한 위엄인데, 그것들은 나름대로 특별한 방식으로 서로 다르

97) Cf. LSJ s.v. 신약성서에서 '에피게이오스'가 장소를 가리키는 것에 대해서는 빌립보서 2:10 등을 참조하라; 물론, 이것은 부정적인 뉘앙스를 지닐 수 있고, 빌립보서 3:19(cf. 골 3:2)에서처럼 천상의 세계와 대비될 수 있다. Dahl 1962, 113-16는 바울의 구별을 지키기보다는 '에피게이오스'와 '코이코스'를 "썩어짐"을 의미하는 것으로 혼합하여 사용하고 있는 것으로 보인다. '코이코스'는 "흙" 또는 "먼지"를 의미하는 '쿠스'로부터 만들어진 극히 드문 단어이다; 바울은 하나님이 사람을 만들 때에 사용하였던 물질을 가리키는 이 단어가 나오는 창세기 2:7을 염두에 두었을 것이다(칠십인역은 '쿠스'가 예상되는 창세기 3:19에서 '게'를 사용하고 있지만; 그러나 "죽음의 먼지" '쿠스 다나투'가 무덤을 가리키는 생생한 방식으로 사용되고 있는 것으로 보이는 시 103 [MT 104]:29; 전 3:20; 12:7; 1 Macc. 2:63, 그리고 아마도 시 21:16 [MT 22:15]을 참조하라).

98) Fee 1987, 782: "각각은 자신의 특유한 실존에 맞춰진다."

99) 고린도전서 2:7f.; 10:31; 11:7, 15을 보라.

다(바울이 말하고 있듯이). 바울이 43절에서 분명하게 보여주듯이, 여기에서 함축되고 있는 대비는 "영광"(= "광채, 밝음")과 "어둠"(즉, 빛나지 않는 것) 간의 대비가 아니라, "영광"(= 어떤 대상의 원래의 모습에 고유한 광휘)과 "불명예" 또는 "수치" 간의 대비이다.[100] 빛을 발하는 것이 별의 "영광"의 일부라고 해서, 다른 모든 것이 그와 같은 종류의 "영광"을 가져야 한다는 것을 의미하지 않는다. 개가 빛을 내지 않는다고 해서 수치스러울 것이 없고, 별이 짖지 않는다고 해서 수치스러울 것이 없는 것이다.

그러므로 바울은 "빛으로 옷 입은 영적인 존재들"로서의 "천체들"을 생각하고 있는 것이 아니다.[101] 그는 플라톤의 『티마이오스』의 우주론에 동조하고 있는 것이 아니다; 실제로, 이 장 전체가 창세기 1장과 2장을 중심으로 구축되어 있다는 것은 그가 의도적으로 유대교 자료들 중에서 가장 중심적인 자료에 의거해서 우주론을 설명하고, 그 안에서 장래의 소망을 구축하고자 하고 있다는 것을 보여준다. 해, 달, 별들은 우주의 서로 다른 부분에 있는 물체들로서, 빛나는 것을 포함한 고유한 속성들을 소유하고 있다. 바울은 현재의 본문에서처럼 "해, 달, 별들의 위치"를 의미하는 것으로서의 "하늘"과 48-49절에서 그가 사용하고 있는 "하늘" 간의 의미상의 변화를 알고 있었지만, 그것을 나타내지 않고, 이제 이후의 글 속에서 은유와 직유로부터 명시적인 서술로 나아가고 있는 것을 통해서 독자들이 그러한 변화를 알아차리도록 만든다. 바울이 벚나무가 버찌 씨로부터 자라나는 것과 같이 부활의 몸이 시체로부터 자라날 것이라고 생각하고 있는 것은 아니지만 씨앗/식물 유비가 여전히 중요한 것과 마찬가지

100) 예를 들면, "영광"을 '아티미아'("수치") 및 '타메이노시스'("욕됨")와 대비시키고 있는 빌립보서 3:21을 보라. 매우 광범위한 고대 문헌들 속에서 '독사'의 통상적인 의미는 수치 및 굴욕과 반대되는 "명성, 명예"이다: LSJ s.v.를 보라. 실제로 LSJ는 출애굽기 16:10 등과 같은 몇몇 성경의 용례들과 관련해서 이 단어의 의미로 "외적인 모습"만을 수록하고 있을 뿐이다. 이 단어는 42절 뒤에서 "천체들의 밝음"에서 "존귀"로 의미를 바꾼다는 Perkins의 설명(1984, 305)은 핵심을 놓치고 있는 것이다. Boismard 1999 [1995], 45는 새로운 몸이 "마치 빛(영광)으로 변화되는 것처럼" 될 것이라고 말한다. 이것은 바울이 말하고 있는 바로 그것이 아니라고 나는 생각한다.

101) Wendland를 인용하는 BDAG 388의 제안에도 불구하고. 좀 더 최근의 것으로는 Martin 1995, 117-20을 참조하라.

로, 바울은 부활이 별이나 해나 달이 되는 것을 의미한다고 생각하고 있지 않지만 땅의 몸/하늘의 몸이라는 구별은 여전히 중요하다.

따라서 이 본문 속에는 바울이 부활의 몸을 "별과 관련된 불멸"의 틀 안에서 설명하고자 의도하고 있음을 보여주는 것은 아무것도 없다. 다니엘 12장과 지혜서 3장을 논의할 때에 보았듯이, 어쨌든 그러한 개념은 여기에서의 바울과 같이 죽음 너머의 미래를 두 단계에 걸쳐서 보고 있는 유대교의 본문들에는 적용되지 않는다. 또한 바울은 물질적인 구성에 있어서 별들과 일치하는 "영혼"이 존재한다고 생각하지도 않는다; 만약 그것이 그의 의도였다면, 그는 44-46절에서 현재의 몸을 "혼적인" 몸('소마 프쉬키콘')이라고 말하지 않았을 것이다.

또한 바울이 직면해 있는 문제는 플라톤이나 키케로 같은 사람들이 "별과 관련된 불멸"에 대한 그들의 해석에서 다룬 것과 동일한 문제가 아니다. 그들은 몸이라는 감옥을 벗어나기를 갈망하였다; 그러나 바울에게 있어서 문제는 몸 자체가 아니라 몸 안에 거처를 정하고서 부패, 욕됨, 연약함을 낳는 죄와 죽음이었다. 인간이 되는 것은 선한 것이다; 몸을 입은 인간이 되는 것도 선한 것이다; 나쁜 것은 반역하는 인간, 썩어져 가는 인간, 몸의 죄와 몸의 죽음을 통하여 욕된 인간이 되는 것이다. 바울이 사용한 용어들을 액면 그대로 받아들인다면, 바울이 원하는 것은 영혼으로 하여금 자유롭게 날아서 그 고향인 별로 가게 하는 것이 아니라, "혼"('프쉬케')이 몸의 활동을 지배하는 원리가 되는 것을 막는 것이다. 플라톤과는 달리 바울에게 있어서 혼은 불로 이루어진 불멸의 실체가 아니기 때문에, 인간의 곤경에 대한 참된 해법은 몸의 활동을 지배하는 원리로서의 "혼"을 "영" — 아니 오히려, 성령 — 으로 대체하는 것이라고 바울은 본다. 이것은 우리를 다음 단락으로 데려다 준다.

(c) 고린도전서 15:42-49

"죽은 자의 부활도 이러하리니." 이것은 지금까지의 논증을 하나로 묶어서 새로운 부활의 몸이 현재의 몸과 어떻게 다를 것인지, 그리고 이런 일이 어떻게 이루어질 것인지에 관한 압축된 진술로 만들어서 바울이 제시한 주된 결론이다.[102] 바울은 여기서 씨 뿌리고 추수하는 것에 관한 언어를 은유적인 의미로 계속해서 사용한다:[103]

> 42b죽은 자의 부활도 그와 같으니 썩을 것으로 심고 썩지 아니할 것으로 다시 살아나며 43욕된 것으로 심고 영광스러운 것으로 다시 살아나며 약한 것으로 심고 강한 것으로 다시 살아나며 44'소마 프쉬키콘'(개역에서는 "육의 몸")으로 심고 '소마 프튜마티콘'(개역에서는 "신령한 몸")으로 다시 살아나나니.

여기에 나오는 네 가지 대비는 서로서로를 설명해 주고 있다. 첫 번째 대비는 바울이 새로운 몸의 성격이라는 차원에서 강조하고자 하는 주된 것이다;[104] 후속적인 내용이 보여주듯이, 마지막 대비는 그런 일이 어떻게 이루어질 것인지를 설명하는 것이다. 44절의 문제점 중의 일부는 마지막 어구에 나오는 핵심적인 용어들을 어떻게 해석해야 하는가인데, 바로 이 때문에 나는 이 용어들을 잠정적으로 헬라어로 표시해 두었다.

이 장의 결론적인 단락에서 바울은 썩어 없어질 몸, 즉 죽고 부패하여서 궁극적으로는 분해되고 말 몸과 그러한 일들이 전혀 해당되지 않는 몸 간의 구별을 강조한다(50b, 52b, 53, 54절). 썩어짐/썩어지지 않음이라는 이러한 대비는 현재의 몸과 장래의 몸 간의 차이점들에 관한 목록 속에 있는 단순히 하나의 항목일 뿐만 아니라, 나머지 논증의 밑바닥에 여전히 함축되어 있는 것인데, 특히 흙으로 돌아갈 준비가 되어 있는 "땅에 속한"('코이코스') 상태의 현재의 인간과 새 창조 속에서 제공될 새로운 유형의 인간 간의 대비가 그러하다. 바울이 당혹해하는 고린도 교인들에게 해보라고 요구하고 있는 근본적인 상상력의 도약은 부패하거나 죽을 수 없는 몸에 대한 것이다: 잠정적이거나 일시적인 것이 아니라 영속적이며 확정적인 그 무엇.

이러한 틀 속에서 43절은 새로운 몸이 그 결과로서 지니게 될 두 가지 다

102) 도입문구인 '후토스 카이'에 대해서는 고전 2:11; 12:12; 14:9, 12; 갈 4:3; 롬 6:11을 보라. Perkins 1984, 304는 이 본문을 로마서 5:12-21과 비교해 보면 마치 바울은 여기서 낯선 땅에 와 있는 것 같이 보인다고 주장한다. 이 주장은 근거 없는 짐작인 것으로 보인다.

103) 이 은유에 대해서는 요 12:24; 롬 6:5을 참조하라.

104) Augustine(*Enchir.* 91)는 이미 이것을 핵심이라고 보았다: Torrance 1976, 75를 보라.

른 특징들을 주목한다: 수치 대신에 존귀, 연약함 대신에 능력. 이러한 것들은 서로 밀접하게 연관되어 있다. 이 서신의 앞 부분(6:2-3)에서 바울은 현재에 있어서 미미하고 무력한 메시야의 백성이 다스리거나 심판하는 자리에 있게 될 장래의 삶에 관하여 말한 바 있다. 빌립보서 3:20-21에서처럼, 새로운 몸은 현재의 몸이 전혀 모르고 있는 신분("영광"에 관한 위의 설명을 보라)과 능력을 지니게 될 것이다. 앞의 단락으로부터 생겨나는 의미는 인간들이 원래 창조되었던 그 모습이 되어서, 마침내 그들이 현재적으로 알고 있는 부끄럽고 욕된 신분과 성품 대신에 그들에게 원래 고유하였던 영광('독사')에 도달하게 되리라는 것이다. 여기에는 하나님의 "연약함"과 "능력"에 관한 바울의 앞서의 진술들(1:25-31)에 대한 반영들이 있다: 현재에 있어서는 역설적이고 오직 믿음의 눈에만 보이는 창조주의 능력이 새 세상에서는 그의 백성의 새로운 몸들 속에 분명하게 드러나게 될 것이다.

네 번째이자 마지막 대비는 석의와 해석에 있어서 가장 많은 문제점들을 야기시켜 왔던 것이다. 바울은 이 네 번째 대비에서는 앞의 세 가지 대비들과는 약간 다른 표현들을 사용한다. 몸이 썩어짐, 욕됨, 연약함 "안에서" 뿌려지고 썩지 않음, 영광, 능력 "안에서" 일으키심을 받는다는 표현 대신에,[105] 이제 몸은 혼적인 몸('소마 프쉬키콘')"으로" 뿌려지고 영적인 몸('소마 프뉴마티콘') "으로" 다시 살리심을 받는다는 표현이 사용된다. 사실, 바울의 헬라어에서와 마찬가지로 영어에서도 "으로"를 나타내는 단어는 필요가 없다: 몸은 혼적인 몸으로 뿌려지고, 영적인 몸으로 다시 살리심을 받는다(it is sown a soma psychikon, it is raised a soma pneumatikon).

그렇다면, 이 두 가지 어구는 무엇을 의미하는가?[106] 여기에서 플라톤의 유령 — 또는 아마도 '프쉬케' — 이 무수한 영어의 번역문들 속에서 얻어진 조용한 승리를 보면서 싱글벙글 웃고 있을 것임에 틀림없다. 흠정역에서는 이 두 개의 어구를 "자연적인 몸"과 "영적인 몸"이라고 번역하였고, 이러한 번역은

105) 여기서 "안에서"는 "-상태에서"를 의미하는 것으로 보인다.

106) Thiselton 2000, 1276-81은 이 주제에 관하여 길게 탁월한 설명을 하고 있다. Martin에 대한 그의 비판은 '프뉴마티콘'에 대한 이전의 "비육신적인" 오독(예를 들면, Scroggs 1966, 66)에 대한 그의 논평들만큼이나 중요하다. 이전의 저작들 가운데에서는 Clavier 1964 등을 참조하라.

그 원래의 의미에 상당히 접근해 있는 것으로 보이는 가운데, 개정표준역(RSV)으로의 길을 열어주었고, 오늘날에 널리 사용되고 있는 신개정표준역(NRSV)은 대담하게도 이 어구들을 "육신적인 몸"과 "영적인 몸"으로 번역하였다.[107] 흥미롭게도 신영역성경(NEB)은 첫 번째 어구를 "동물적인 몸"이라고 번역하였지만, 그 후계자로 나온 개정영역성경(REB)은 RSV를 따라서 플라톤의 더러운 시궁창으로 빠져 버리고 말았다. 현대영어역(CEV)도 마찬가지이다. RSV, NRSV, REB를 읽는 사람들만이 아니라 다른 역본들을 읽는 꽤 많은 사람들도 이 대목에서 바울이 새로운 부활의 몸을 개략적으로 말해서 비육신적인 그 무엇 — 사람들이 만질 수 없고, 육안으로 볼 수 없는 그 무엇, 부활했다고 하여도 빈 무덤을 남기지 않을 그 무엇 — 으로 묘사하고 있다고 전제하게 될 것은 뻔한 노릇이다. 바울은 여기서 물론 예수 자신의 부활의 몸이 아니라 그리스도인들의 부활의 몸에 관하여 말하고 있지만, 그리스도인들의 부활의 몸에 관한 그의 묘사는 그가 예수의 부활의 몸에 관하여 참이라고 생각하고 있는 것을 모델로 삼고 있다는 것은 널리 인정되고 있다.[108]

"육신적인"과 "영적인"이라는 명시적인 대비, 그리고 "자연적인" 또는 "동물적인" 같은 단어들과 대비가 되는 것으로서 오늘날의 대부분의 서구인들에 의해서 이해되는 "영적인"이라는 단어 자체가 지닌 문제점은 그것이 극히 오도하는 메시지들을 전달해 준다는 데 있다. 앞에서 보았듯이, 고대의 철학자들은 서로 다른 종류의 실체들을 구별하였지만, 오늘날의 서구 사상과는 달리 "육신적인"과 "비육신적인"을 구별하지 않았다. 그 결과 오늘날의 독자들은 완전히 잘못된 방향으로 생각하기가 쉽다: 과학이 관찰할 수 있는 세계와 그럴 수 없는 세계 간의 대비, 한편으로는 공간, 시간, 물질의 세계와 다른 한편으로는 판

107) Knox, Phillips, NIV는 KJV를 따르고 있고, KJV는 Tyndale을 따랐다. 현대 세계의 암묵적인 이원론들 이전인 주후 16세기 또는 17세기 이전에 살았던 사람들 중에는 여기서 "영적인"이라는 말이 "비육신적인"을 전제한다고 생각한 사람은 거의 없었을 것이다.

108) 지금은 흔하게 되어 버린 이 오독의 고전적인 예는 Carnley 1987, 233에 나온다: 바울은 "누가와 요한에 의해서 상정되었던 아직 영광을 받기 전의 이 세상적이고 가시적이며 유형적인 몸이 아니라 영광을 받은 상태의 영적인 몸이라는 관점에서" 부활한 그리스도를 생각하였을 가능성이 더 많다.

이하게 다른 "영적인" 세계 간의 구분, 계몽주의 이후의 주류적인 세계관에 의하면 서로 중복되는 것이 없는 두 세계. 즉, 그것은 머나먼 곳에 초연하게 있는 하나님, 공적이거나 정치적인 사건들로부터 물러나서 추구하는 사적인 "영성" 같은 이신론적(理神論的)인 특징을 연상시킨다; 또는 그러한 입장의 곁가지들 중의 하나로서, "자연적인"과 "초자연적인"의 구분 및 그것이 수반하는 온갖 철학적인 문제점들.[109](The Living Bible은 이 대목에서 의역을 하면서 다른 요소들도 첨가하고 있지만 "자연적인"과 "초자연적인"이라는 역어들로 이 두 어구를 번역한다.)[110] 이와 같은 다양한 구분은 일반적으로는 고대 사상, 특히 바울 사상에 충실하지 못한 것이다.

하지만 이와 동시에 고대인들은 대중적인 차원에서나 복잡한 사고의 차원에서나 우리의 물질적/비물질적이라는 것과 상응하는 구별을 하지 않았다고 생각하는 것도 잘못이다. 영혼이 어떤 것으로 만들어졌다면, 그것은 전적으로 다른 종류의 것이었다. 물론, 이것은 바울이 영혼이 결국에는 몸을 떠나서 별들과 합류한다고 생각했던 플라톤과 스토아 학파를 포괄하는 전승과 동일한 방식으로 영혼에 대하여 생각했다는 것을 의미하지 않는다.[111] 특히, 그러한 분석은 더 통상적인 분석과 마찬가지로 모든 점에서 바울이 사용하고 있는 정확한 단어들, 바울 자신이 그 단어들을 사용하는 방식에 관하여 이미 보여준 것을 제대로 파악하지 못하게 된다.

사실, 우리는 바울이 그러한 용어들을 통해서 무엇을 의미하고 무엇을 의미하고 있지 않은지를 아주 분명하게 보여주는 맥락들 속에서 그러한 핵심적인 용어들을 이미 접한 바 있다. 두 종류의 "몸," 즉 현재의 썩어질 몸과 장래의 썩지 않을 몸은 각각 혼적인('프쉬키콘') 것과 영적인('프뉴마티콘') 것이다; 첫 번째 단어는 흔히 "혼"으로 번역되는 '프쉬케'에서 유래한 것이고, 두 번째

109) 이것에 대해서는 *JVG* 186-8, 그리고 C. S. Evans 1999와 나의 응답("In Grateful Dialogue," 248-50)에서 잠깐 엿볼 수 있는 지속적인 대화를 보라. Hering이 "비물질적인"과 반대되는 것으로서 "초자연적인"을 주장한 것에 대해서는 Fee 1987, 786을 보라.

110) 1981년의 독일 교회연합의 번역문과 다르지 않다("ein irdischer Leib … ein erirdischer Leib").

111) cf. Martin 1995, 126-9. 또한 Dunn 1998, 60을 보라.

단어는 통상적으로 "영"으로 번역되는 '프뉴마'에서 유래한 것이다. 고린도전서 2:14-15에서 혼적인('프쉬키코스') 사람은 영의 일들을 받지 못하는데, 이것은 그러한 것들은 영적으로 분별되어야 하기 때문이다. 반면에, 영적인('프뉴마티코스') 사람들은 모든 것을 분별한다.[112] 물론, 거기에서 "육신적인"과 "영적인"이라는 번역이 적절하다는 것은 의심의 여지가 없다. 또한 이 단어들이 오늘날 통상적으로 지니고 있는 의미들은 바울이 고린도 교인들을 영적인 자들('프뉴마티코이')로 생각할 수 없고 단지 육적인 자들('사르키노이' 또는 '사르키코이')로밖에 생각할 수 없다고 분명하게 말하고 있는 3:1에서 적절하지 않을 것이다.[113] 이 단어들은 분명히 관련된 사람들이 "육신을 지니고 있느냐"와는 전혀 다른 문제들을 가리킨다; 분명히 그들은 육신을 지니고 있다. 따라서 여기서의 문제는 그들이 창조주의 성령에 의해서 내주함을 입어서 인도하심을 받으며 지혜롭게 되어 있는가, 아니면 그들이 모든 인류에게 공통적인('프쉬키코스') 삶의 차원에서 생활하고 있거나 실제로 모든 썩어질 피조물에 공통적인('사르키노스') 삶의 차원에서 생활하고 있느냐와 관련되어 있다. 또한 바울이 12장에서 영적인 것들('프뉴마티카')에 관하여 논의할 때에 이러한 "영적인 은사들"은 "비육신적인"이라는 의미에서의 "영적인" 것이 아니라, 대부분의 경우에 있어서 영감받은 말, 치유 등등의 은사들을 통해서 성령이 사람의 육신의 측면들에 작용하고 있는 것과 관련되어 있다.[114] 그러한 것들은 인간의 몸과 삶 속에서 작용하고 있기는 하지만 그 몸과 삶으로서는 불가능했을 일들을 할 수 있게 해 주는 것들이다. 이 서신 및 신약성서의 다른 곳에서 이

112) 이와 동일한 대비가 유다서 19절에도 나오는데, 여기서와 비슷한 논평들이 거기에도 적용된다. 야보고서 3:15에서 악한 생각들과 행실들은 "위로부터"('아노덴') 온 지혜와 대비되는 "땅에 속하고"('에피게이오스'), 혼적이며('프쉬키코스'), 마귀적인 지혜의 증거로 묘사된다; 이것은 바울이 여기에서 행하고 있는 것과 아주 비슷한 대비이다. 이러한 것들은 신약성서에서 고린도전서 2장과 15장을 제외하고 이 용어가 나오는 유일한 용례들이다.

113) 위의 제6장 제2절을 보라.

114) 어쨌든 Martin이 지적해온 대로, 플라톤 이후의 세계에 있어서조차도 계몽주의 이후의 많은 사상가들이 이 대목에서 바울 속으로 자신의 생각을 집어넣어서 읽은 것과는 달리 절대적인 비육신성이라는 개념은 존재하지 않았다; 스토아 학파는 영혼 자체가 물질로 이루어져 있다고 믿었다. 위의 제7장 제1절을 보라.

단어의 그 밖의 다른 많은 용례들에 대해서도 이와 같은 말은 그대로 적용된다.[115] 사실, 고대 히브리 사상과 대단히 영향력 있었던 헬라어 사이에 놓여 있는 의미와 용법의 희미한 세계들 내에서 '프쉬케' 라는 단어와 그 동일 어원의 단어들은 이 시대에 폭넓은 범위의 의미를 왔다갔다 할 수 있었다. 이것은 특히 칠십인역에 물들어 있던 사람들에게는 더욱 그러했을 것이다. 그 범위는 몸과 반대되는 것으로서의 "영혼"이라는 최소한의 의미 — 이것에 의하면, "비육신적인"이라고 말하고 싶은 경우에 영적인('프뉴마티코스')이 아니라 혼적인('프쉬키코스')을 사용할 수 있게 되는데, 이것은 통상적인 번역문들이 얼마나 오도하는 것인가를 잘 보여준다! — 와 대체적으로 영어에서 "생명," 또는 "생명력"(범신론적인 뉘앙스를 지니지 않은)에 해당하는 최대한의 의미, 즉 인류에게 공통적인 호흡과 피, 에너지와 목적을 통해서 활동하는 살아있음의 의식 사이에 놓여지게 될 것이다.[116] 바울이 이와 같은 최대한의 용법을 염두에 두고 있다는 것은 45절에서 창세기 2:7을 설명을 위하여 인용한 것으로부터 분명해 보인다 — 이에 대해서는 아래에서 살펴보게 될 것이다. 따라서 44-46절의 혼적인('프쉬키코스')/영적인('프뉴마티코스')의 대비는 "통상적인 인간의 삶"과 "하나님의 성령이 내주하는 삶"의 대비로 규정되어야 할 것이다. 만약 이것으로부터 벗어난 그 어떤 변형이 존재했다면, 그 효과는 거의 틀림없이 '프쉬케' 를 더 "육신적인" 것이 아니라 덜 "육신적인" 것으로 만들었을 것임에 틀림없다: 초기 기독교, 제2성전 시대 유대교, 또는 고대 말기의 이교에서의

115) 예를 들면, 고전 10:3f.(광야에서의 "신령한" 음식: 바울은 이것이 "무형의 것"이었다고 생각하지 않았다); 14:37(스스로를 "신령하다"고 생각하는 자들은 자기가 "무형의 존재"라고 생각하는 것이 아니다 — 이 서신에서 이것은 우리의 현재의 본문과 비슷하다); 갈 6:1; 엡 5:19/골 3:16; 벧전 2:5("신령한 집"과 "신령한 제사"라는 표현에서 요지는 "무형의 것"이 아니라 "성령에 의해서 내주된/힘을 얻는" 것이다).

116) *TDNT* 9.608-66(Schweizer)을 보라. Arist. *Eth.* 1117b28에서는 '프쉬키코스' 를 '소마티코스' 와 대비시키는데, 이것은 기쁨의 순수한 형태와 조악한 형태를 대비시키는 것이다; Plutarch *De Comm. Not.* 1084e는 '프뉴마 프쉬키콘'("생명의 숨")에 관하여 말한다. 마찬가지로, 동일 어원의 동사인 '프쉬쿠' 는 "육신적 감각에 심령적(육신적인 것과 반대되는) 특성을 부여해 주는 것"을 의미할 수 있다(LSJ 2028, citing Plot. 4.4.28).

용법 속에서 이 단어를 비육신적인 것과 반대되는 것으로서의 "육신적인 것"을 나타내는 데에 사용했다면, 그것은 분명히 극히 이상한 용법이 되었을 것이다. 아이러니컬하게도, 고린도전서 15장에 대한 오늘날의 읽기들 속에 슬며시 들어온 현대적인 형태의 플라톤 사상은 고대 세계에서 그토록 많은 사람들에게 "몸"이 아니라 "영혼"을 의미했던 '프쉬케'를 그들에게 정반대되는 것으로 보였을 것을 의미하도록 강제하는 것을 막아준다.[117] 만약 바울이 "육신적인" 과 "영적인"이라는 단어들에 의해서 현대의 독자들에게 연상되는 종류의 대비를 하고자 했다면, "영적인"('프뉴마티코스')은 후자의 관념을 가리키는 데에 사용할 단어로서는 별 도움이 되지 않는 것이었을 뿐만 아니라, "혼적인"('프쉬키코스')은 전자의 관념을 표현하는 데 사용된 잘못된 단어였을 것이다.[118] 사실, 바울이 "비육신적인"이라는 의미를 나타내는 단어를 발견하고자 했다면, '프쉬키코스'(이것은 문자적으로 "혼적인"으로 번역될 수 있다)가 선택되었을 것이다.[119] 주후 1세기에 헬라어를 사용한 독자가 다른 어떤 것과 대비된 "혼적인"이라는 단어를 포함하고 있는 어구를 만났다면, 그는 그러한 육신적인/비

117) 통상적인 이해에 대해서는 Plato, Cratylus 399e-400e를 보라.

118) 그러므로 BDAG 1100이 이 단어에 대한 추가적인 정의로써 오직 44절만을 인용해서 "육신적인 몸"을 포함시키고 명사로서의 그 용법과 관련해서 오직 46절을 인용해서 "'토 프뉴마티콘'과 대비되는 육신적인 것"을 포함시키고 있는 것은 대단히 잘못된 것이다. Iren. *Haer.* 1.5.1는 세 가지 서로 다른 존재 질서에 관한 발렌티누스주의자들의 신앙에 관한 서술이라는 맥락 속에서 "물질적인"을 가리키는 단어로 '토 휠리콘'을 사용하고, 그러한 질서 속에서 중간에 해당하는 존재 질서에 대해는 "생물적인"을 가리키는 '토 프쉬키콘'을 사용한다. 여기에서의 대비는 (우리의 의미에서의) "육신적인"과 "비육신적인" 간의 대비가 아니었고, 물질이 아니라 특질(quality)과 관련되어 있었다. (또한 Iren. 3.5.1을 보라.)

119) 예를 들면, 헤롯의 주목할 만한 "영혼과 몸"의 선물들을 묘사하면서 영혼에 대하여 '프쉬키코스'를 사용하고 있는 Ptol. *Apotel.* 3.14.1; Jos. *War* 1.430을 참조하라; 그리고 욕구들('에피튀미아이')을 NRSV가 "정신적인"과 "육신적인"으로 번역하고 있고 '프쉬키카이'와 '소마티카이'로 구분하고 있는 마카베오4서 1:32을 참조하라. BDAG는 이 모든 것들을 인용하고 있지만, 그런 후에 고린도전서 15장의 목적들을 위해서는 무시해 버린다. 전체적으로 '프쉬키코스'는 어쨌든 물질성 또는 비물질성을 강조함이 없이 특질을 가리키는 것으로 보인다 — 물론, 그것은 오늘날 비물질적인 실체들로 생각되는 것에 흔히 돌려졌던 특질이긴 하지만.

육신적인의 대비 속에서 "혼적인"('프쉬키코스')은 비육신적인 측면을 가리키고, 그것과 대비되는 것이 무엇이었든지간에, 그것은 더 확고하게 몸과 관련된, 즉 더 실체를 지니고 있는 것으로 보았을 것이다.

우리가 여기서 한 가지 더 고려해야 할 것은 동일한 방향을 강력하게 말해주고 있는 또 하나의 요소이다. 코이네 헬라어 같은 아주 널리 사용되고 다양한 형태로 사용된 언어를 일반화시키는 것이 위험스러운 일이긴 하지만, '-이코스'라는 어미를 지닌 형용사들은 어떤 것을 구성하고 있는 물질 또는 실질을 가리키는 것이 아니라 윤리적 또는 기능적인 의미들을 지니고 있다는 것이다(위에서 고린도전서 2장과 관련하여 살펴보았듯이).[120] 만약 바울이 "'프쉬케'로 구성된 몸"과 "'프뉴마'로 구성된 몸"를 대비시키고자 했다면(이런 것이 어떤 의미를 지니고 있다고 가정한다고 하더라도), 그는 다른 형용사들을 선택했을 것이다; '프쉬키노스' 또는 '프뉴마티노스'가 현존하는 문헌들 속에서 발견되지 않는다는 사실을 감안하더라도, 바울은 여기저기에서 몇몇 도움이 되는 단어들을 얼마든지 만들어낼 수 있었을 것이다. 어쨌든, '프뉴마티코스'의 고전적인 용법은 바울의 생각 속에 있었던 것으로 보이는 의미를 잘 드러내 준다. 아리스토텔레스는 모태가 "공기로 부풀어 있다"('휘스테라이 프뉴마티카이')고 말했고,[121] 비트루비우스(Vitruvius, 주전 1세기)는 어떤 기계가 "바람에 의해서 움직인다"('프뉴마티콘 오르가논')고 말했다.[122] 이 형용사는

120) "물질"과 관련된 형용사들은 *-inos*의 형태를 지니는 경향이 있다(Moulton 1980-76, 2.359); *-ikos*로 끝나는 단어들은 어떤 것이 무엇과 "같은지"를 나타내주는 것인데, 물질적인 것과 반대되는 윤리적 또는 역동적 관계를 제시한다(고전 3:1에 관한 Plummer의 설명을 인용하는 Moulton 2.378). Robertson and Plummer 1914 [1911], 372는 이것을 어느 정도 당연한 것으로 여긴다: "분명히, '프쉬키콘'은 몸이 '프쉬케'로 만들어졌고 전적으로 '프쉬케'로 이루어졌다는 것을 의미하지 않는다: 그리고 '프뉴마티콘'은 몸이 전적으로 '프뉴마'로 이루어졌다는 것을 의미하지 않는다. 이 형용사들은 '-에 적합한,' '-의 기관이 되도록 형성된'을 의미한다." 또한 Bachmann and Kümmel을 인용하고 있는 Conzelmann 1975 [1969] 283을 보라: "'소마 프뉴마티콘'은 '프뉴마'로 이루어진 몸이 아니라 **'프뉴마'에 의해서 결정된** 몸이다"(강조는 필자의 것); Witherington 1995, 308f. 고린도전서 2장에 대해서는 위의 제6장 제2절을 보라.

121) *Hist. Anim.* 584b22.

어떤 것이 무엇으로 구성되어 있는가를 묘사하는 것이 아니고, 어떤 것이 무엇에 의해서 움직여지는가를 묘사한다.[123] 그것은 배가 금속이나 나무로 만들어졌다고 말하는 것과 배가 증기 또는 바람에 의해서 움직인다고 말하는 것 간의 차이이다. 내가 알고 있는 주요한 번역문들 중에서 이러한 것을 고려하고 있는 유일한 것은 예루살렘 성경이다: "그것이 뿌려질 때 그것은 혼을 입고, 그것이 다시 살려질 때 그것은 영을 입는다. 혼이 자신의 화신을 갖고 있다면, 영도 자신의 화신을 갖고 있다."[124]

우리는 지금쯤은 정글 같은 잘못된 해석들로부터 나와서 정지작업이 된 개간지에 서 있을 것이다; 그러나 앞으로 더 나아가기 전에, 우리는 먼저 이 본문에서 더 살펴볼 필요가 있는 것으로 보이는 적어도 세 가지의 것을 지적해 둘 필요가 있는데, 그것들은 바울이 자신의 요지를 어떻게 표현해야 할지를 결정하는 데에 도움이 되었을 것임에 거의 틀림없다.

첫 번째는 고린도 교인들이 그들 스스로를 바라보았던 방식이다. 그들은 자신들이 이전의 범주들, 특히 "혼적인"('프쉬키코스')으로 묘사되는 범주를 뛰어넘어서 발전한 것으로 생각해서 스스로에 대하여 "영적인"('프뉴마티코스')이라는 단어를 사용했던 것으로 보인다. 그 밖의 다른 사람들은 통상적인 수준에서 살아가는 "단순히 인간적인" 사람들이었지만, 그들, 특히 "영적인"('프뉴마티카') 모든 은사들을 지닌 그들은 전혀 다른 차원에서 살아가고 있었다. 바울은 이미 이러한 지나치게 부풀은 풍선에 핀을 꽂아서(2:14—3:4), 거기에 "영"('프뉴마')이 아니라 "혼"('프쉬케')과 육('사륵스')의 혼합물(사실은 많은 뜨거운 공기)이 들어 있다는 것을 확인하였다. 이제 그는 동일한 문제를 다른 시각에서 접근한다: 그들의 "초영적인"(super-spiritual) 자부심은 그들을 몸의 부활 같은 것은 존재할 수 없다고 생각하도록 이끌었다 — 대단히 "비영적인" 관념! 그러나 그들이 실제의 하나님이 누구이고, 그의 영('프뉴마')의 사역을 통해서 정확히 무엇을 하고자 의도하고 계시는지를 알았다면, 그들은 진정한

122) Vitr. 10.1.1.

123) Fee 1987, 786의 주장처럼, 그것이 지금 움직이는 영역도 아니다 — 물론, 이것도 틀림없이 사실이겠지만.

124) Hays 1997, 272. 불행히도, NJB는 "자연적인"과 "영적인"으로 회귀하였다.

"영적인 자들"의 목표가 새로운 몸의 삶으로 부활하는 데에 있다는 것을 알았을 것이다. "혼적인"('프쉬키코스') 삶, 즉 통상적인 인간의 삶은 너희가 지금 여기에서 영위하고 있는 삶이다 — 비록 너희 안에 살아계신 하나님의 성령이 내주하고 계신다고 하여도; 그러나 그 동일한 성령은 너희의 죽을 몸들에 생명을 주실 것이다. 로마서 8:9-11에서와 마찬가지로, 이것은 이 본문 근저에 있는 인간적인 정서에 호소하는 논증이다.

이 본문 속에서 제대로 발전되지 못하고 어른거리고 있는 두 번째 주제는 당시에 통용되고 있었고 고린도 교회 내의 몇몇 신자들에 의해서 주장된 것으로 보이는 창세기 1장과 2장, 즉 바울의 핵심 본문에 대한 하나의 특정한 해석을 바울이 결연하게 배제하고자 했다는 것이다.[125] 필로의 알레고리적인 창세기 석의를 보면, 창세기 1장에 나오는 첫 사람은 "하늘에 속한"('우라니오스') 자였고, 창세기 2장에서 흙의 티끌로부터 만들어진 사람은 "땅에 속한"('게이노스') 자였다.[126] 필로에 의하면, "하늘에 속한" 사람은 육신적이지 않았기 때문에, 썩어 없어지지 않았다; 육신적인 속성들은 두 번째 사람에게 속한다. 창세기에 대한 이러한 읽기는 인류의 진정한 목표가 피조 질서, 공간, 시간, 물질의 세계를 완전히 떠나서 인간의 시원적인(primal) 상태, 즉 순수한 정신과 영으로 된 실존 속에서 물리적인 우주가 더 이상 아무런 상관이 없었던 "첫 사람"으로 되돌아가는 것이라는 것을 보여준다.

유대교 전승과 헬라 철학을 풍부하게 혼합시킨 이러한 견해에 대하여 바울은 오직 한 가지 대답만을 할 수 있었는데, 그것은 그의 요지와 매우 밀접하게 관련되어 있다: 창세기 2장에서 창조주가 아담을 살아있는 '프쉬케'로 만들었다고 말할 때, 그것은 두 번째 형태의 인간이 아니라, 인간의 최초의 형태였다.

---

125) 이것은 여전히 논란이 되고 있다: Hays 1997, 273는 지시대상을 생각하는 것 같지만, Fee 1987, 791는 그것을 반박한다.

126) 후자의 형용사는 *-nos*로 끝나는 단어가 물리적인 구성과 관련이 있다는 것에 관한 이전의 요지를 잘 예시해 준다. 이 본문은 *Alleg.* 1.31f.이다; 우리가 필로가 육신적이고 "땅에 속한" 인간 존재를 '프쉬키코스'로 지칭하고 있는 것이 아니고, 동일한 본문 속에서 그가 '프쉬케'라고 말할 때에 그는 너무도 당연하게도 우리의 현대적인 의미에 있어서 "비육신적인" 영혼을 가리키고 있다는 것을 주목해야 한다.

지금 인간이 필요로 하는 것은 현재의 상태를 벗어나서 그러한 실존으로 회귀하는 것이 아니라, 이 육신의 몸이 폐기되지 않고 창조주의 성령에 의해서 새로운 생명력을 부여받게 될 마지막 아담의 약속된 상태로 계속해서 나아가는 것이다. 바울은, 시원적인 상태로의 회귀가 아니라 창조주의 마음속에 언제나 있었지만 지금까지 결코 존재한 적이 없는 새 창조를 향하여 나아가는 길을 발견할 수 있도록 해 주기 위하여 시원적인 상태를 부패시킨 죄와 죽음으로부터의 구속을 믿는다. 그리고 "하늘에 속한 사람"은 창조의 세계에 의해서 더럽혀지지 않은 채 여전히 순수하게 비육신적인 상태에 머물러 있는 자가 아니라, 하늘로부터 임할 주님이다(빌립보서 3:20-21과 밀접하게 대응되어 있는 47-49절). 주님은 다른 사람들로 하여금 육신적인 세계로부터 도피하여 원래의 "하나님의 형상"으로 되돌아가게 해 주는 것이 아니라, 새롭게 부활한 몸을 입고서 계속해서 "하늘에 속한 사람의 형상"을 지니게 해 줄 것이다. 이것이 지닌 중요성은 앞으로 서술해 나가는 가운데 밝혀지게 될 것이다.

바울이 자신의 해석 속에 주의 깊게 엮어서 짜 넣고 있는 세 번째 요소는 필로와는 대조적으로 이 장 전체를 포괄하는 주제, 즉 새 창조라는 관점에서 창세기를 읽는 것이다. 그는 창세기의 처음 두 장을 계속해서 염두에 두고 있었고, 이제 이 두 장을 직접 활용하기 시작한다. 44b절은 "죽은 자들이 부활할 때에 어떤 종류의 몸을 입게 될 것인가?"라는 질문에 대한 그의 최초의 대답, 즉 그의 확고한 기본적인 진술을 제시한다. 바울이 다른 몇몇 본문들 속에서 더 광범위하게 말했듯이, 그들은 "영적인 몸"('소마 프뉴마티콘'), 즉 참 하나님의 성령에 의해서 생기가 불어넣어지고 활동하는 몸을 입게 될 것이다.[127] 이것은 바울이 이 장의 이 대목에서 이 독특한 어구를 향하여 차근차근 진행해 온 이유에 대한 만족할 만한 설명을 제시하는 데에 도움이 된다. 그것은 바울이 새로운 몸은 성령의 역사의 결과라는 것("그런 일이 어떻게 일어날 수 있는가?"에 답하여)과 새로운 몸이 성령의 생명을 위한 적절한 그릇이라는 것("그것은 어떤 종류의 것인가?"에 답하여), 이 두 가지를 말하기 위하여 선택할 수 있었던 가장 고상한 길이었다.

---

127) 예를 들면, 로마서 8:9-11. 배경에 대해서는 욥 33:4; 시 104:30; 겔 36:27; 37:9f, 14를 참조하라.

사실, 이것은 '프뉴마'가 이 장 전체에서 언급된 최초의 대목인데, 그것은 이 대목이 바로 바울이 "그것은 어떤 종류의 몸이 될 것인가?"와 "하나님이 어떻게 그 일을 행하실 것인가?"라는 두 가지 질문에 대하여 자신의 답변을 제시하고 있는 대목이기 때문이다. 혼적인 몸('소마 프쉬키콘')이 존재한다면 ― 물론, 이에 대한 대답은 존재한다는 것이다 ― 그것은 통상적인 종류의 인간의 몸('소마'), 통상적인 생명의 호흡에 의해서 활동하는 몸이다. 영적인 몸('소마 프뉴마티콘'), 살아계신 하나님의 성령에 의해서 활동하는 몸도 존재한다 ― 비록 그러한 몸의 오직 한 예만이 이제까지 나타났지만. 이것은 바울이 지금까지 진행해 온 논증의 핵심으로서, 독특하고 원형적인 형상을 지니고 있는 예수의 몸이 예수의 백성이 장차 입게 될 새로운 몸의 모델이 될 것이라고 설명한다. 그러나 바울은 단순히 창조주가 성령을 통해서 이 일을 이루실 것이라고 말하는 것에 의해서가 아니라 그가 이미 20-28절에서 제시하였던 방식을 통해서 거기에 도달하고자 한다: 예수 자신, 즉 이미 아버지 아래에서 세상을 통치하고 있고 마침내는 모든 원수들을 복속시킨 후에 아버지께 세상을 바칠 메시야가 바로 그의 백성들에게 새로운 몸의 삶을 가져다 줄 성령을 주어서 그들로 하여금 자신의 새로운 형상에 참여하게 하실 분이다.[128] 전체적으로는 함축적인 형태로 잠재해 있다가 22절에서 명시적으로 드러난 앞서의 아담 이야기는 20-28절에서 바울이 이제 되돌아가고 있는 그 확고한 요지를 설정한다. 아담 이야기 속에서 생명 나무로 가는 길은 봉쇄되었다(창 3:22-24); 그러나 이제 마침내 그 길은 활짝 열려졌다.

이렇게 창세기 2:7이 창조주가 아담의 코에 자신의 생기('프노에 조에스')를 불어넣어서 그를 생령('프쉬케 조사')으로 만든 것에 관하여 말하였다면, 바울은 이제 병행과 연속 속에서 메시야 및 그의 부활을 통한 창조주의 새로

128) Lincoln 1981, 43은 이러한 논증이 한층 유력한 것도 아니고 추론된 것도 아니며, 창세기 2:7로부터의 추론을 토대로 한 모형론적인 것이라고 말한다. 나의 읽기는 그것은 사실 부분적으로 20-28절에 토대를 두고, 바울이 제시하고자 하는 창세기 2장에 대한 읽기에 비추어서 표현된 것이라는 것이다. 이것은 모형론적인 것이 아니라(두 사건은 특별히 서사적인 연속에서가 아니라 패턴에 있어서 서로 연결되어 있다), 서사적이다: 창세기 2:7은 20-28절과 35-41절의 유비들에 비추어서 바울이 지금 완성하고자 하는 이야기의 시작 부분이다.

운 창조의 사역에 관하여 말한다. 45b절은 여러 가지 점에서 20-28절에 의거하고 있다; 바울은 단지 선행적인 보장 없이 창세기에 관한 논증 속에 예수를 끼워넣고 있는 것이 아니다. 메시야는 부활하여서, 잠자고 있는 자들의 첫 열매가 되었다; 그를 통해서 죽은 자들의 부활이 있게 될 것이다(20-21절); 이렇게 아담 안에서 모든 사람이 죽은 것과 같이, 메시야 안에서 모든 사람이 살아나게 될 것이다. 정말 그렇다: 그러므로 그는 새로운 유형의 인간이고, 여러 차이점들이 있지만 창세기 2장의 아담과 비견될 수 있다. 그는 단지 개별적인 "영적인 몸"('소마 프뉴마티콘'), 창조주가 부활을 통해서 만들고자 의도한 그러한 존재들의 다수 중에서 첫 번째 모범일 뿐만 아니라, 창조주가 그를 통하여 이 일을 이루게 될 바로 그러한 영적인 몸이기도 하다 — 그는 "생명을 주는 성령"으로서 죽은 자들을 일으키는 사역을 행할 자이기 때문에.[129]

이렇게 창세기 2:7은 단순한 증거 본문이 아니라, 그리스도인들이 예수의 부활을 보고 이제 말할 수 있게 된 더 큰 이야기의 일부이다; 그리고 이것으로부터 출현한 좋은 소식은 예수가 사람들이 오랫동안 기다려 왔던 미래, 창조주가 계획한 새 시대로 들어가는 길을 선구적으로 개척하였다는 것이다(46절). 영적인('프뉴마티코스') 상태는 단순히 창조주의 생각 속에 있었던 원래의 관념이었고, 인류는 거기로부터 애석하게도 떨어져나왔다고 말하는 것은 잘못된 것이다; 인간의 이 모델은 장래의 실체, 혼적인('프쉬키코스') 생명을 집어삼키고 대체하게 될 실체이다.

이렇게 바울은 앞의 열두 절에 나오는 논의들과 단언들을 더 큰 이야기, 땅과 하늘의 창조와 새 창조에 관한 이야기 속에 두는 가운데 아담-메시야라는 대비를 발전시킨다. 빌립보서 3:20-21 및 위에서 살펴본 다른 본문들에서처럼, "둘째 사람"(바울에게 있어서 기능상으로 "마지막 아담"과 동일한 것으로 보이는)은 하늘로부터 온다; 이 기원의 장소, 하늘로부터 땅으로의 움직임(성육신에서의 그의 첫 번째 나타남이 아니라 예수의 최종적인 "나타남" 또는 "오심"), 특히 창조주 자신의 영역으로서의 "하늘"이 지닌 모든 성격 — 거기에서

129) 논증의 동일한 단계에서 그리스도와 성령을 상호대체적으로 사용하고 있는 로마서 8:9-11; 고린도후서 3:17f.를 보라. 바울은 예수와 성령을 동일시하고 있는 것은 아니다(Fee 1987, 790 n. 15).

예수는 지금 다스리고 계신다 — 은 그 이후에 48-49절에서 “하늘에 속한”(‘에푸라니오스’)이라는 표현에 의해서 다시 한 번 확인된다.

달리 말하면, 요지는 새로운 인간이 “하늘”이라 불리는 장소에 거하게 된다는 것이 아니다. 오히려, 새 인간은 예수 자신이 현재적으로 생명을 주는 부활한 몸을 입은 채로 거하는 바로 거기로부터 기원하게 되리라는 것이다; 그리고 그것은 현재적으로 이 땅에 위치해 있고 성격상으로 땅에 속한(‘에크 게스 코이코스,’ 47절) 사람들의 삶을 변화시킬 것이다. 이 모든 논증은 필로만이 아니라 온갖 종류의 고대와 현대의 플라톤 사상과 정반대의 방향으로 나아간다. 요지는 땅으로부터 도망쳐서 마침내 하늘에 거하는 것이 아니라, 현재의 “하늘에 속한” 생명으로 하여금 현재의 땅에 속한 현실을 변화시키게 하는 것이다. 하늘과 땅은 바울이 이 장 전체에 걸쳐서 염두에 두고 있는 본문의 중심부에서 창조주가 “심히 좋았더라”고 선언하였던 피조 세계의 쌍둥이 파트너들이다.[130]

이것을 염두에 둔다면, 바울이 구속받은 자들을 “하늘에 속한 자들”이라고 지칭했을 때에(48절) 그가 그들을 수많은 세월에 걸쳐서 다양한 학자들에 의해서 전제되어 온 별과 같은 몸들, 별들, “영적인 몸들”을 생각하고 있었다고 주장하는 것은 전혀 말도 되지 않는 것이다.[131] 36-41절은 바울이 실질적인 내용을 말하고 있는 부분이 아니라 예시적인 것이다. 로마서 8:29(5:12-21에서 아담-그리스도라는 대비로 시작된 단락의 절정), 고린도후서 3:17—4:6(성령의 생명을 주는 사역을 말하고 있는 3:1-6을 토대로 한 새 계약으로부터 새 창조로의 바울의 논증의 일부), 골로새서 3:10(창조주 하나님의 형상이자 맏아들로서의 그리스도에 관한 초기의 시에 토대를 둔)을 생각나게 하는 절정

---

130) 창세기 1:31; cf. 1:1; 2:1-4. 이것은 실제로 무엇이 Carnley(1987, 313)로 하여금 다음과 같이 말하도록 추동하였는지에 관한 문제를 불러일으킨다: “결국, 인간적으로 발생된 팀 스피리트의 현존조차도 오감에 의해서 인식되고, 그것은 소생한 시신보다 덜 물질적인 그 무엇이 부활절의 예수의 경우에 있어서 감각 인지의 전달에 의해서 인식될 수 있었을 것이다.” 이것은 Carnley가 발견하고자 하는 것이 마치 최초의 제자들이 실제로 유령을 보았다는 것인 것처럼 보인다. 아니면, 그들이 새로운 팀 스피리트를 알고 있었다는 것인지도 모르겠다.

131) 더 최근의 것으로는 Martin 1995, 123-7.

속에서, 바울은 저 먼 과거로 거슬러 올라가서 인간이 하나님의 형상을 따라 창조된 것에 관하여 말하고 있는 창세기 1:26-28을 되돌아보고, 저 먼 궁극적인 미래를 바라보며 "메시야 안에" 있는 모든 자들이 "창조주의 형상을 따라서 지식에까지 새롭게 되고," "대가족의 맏아들인 하나님의 아들의 형상을 닮게 될" 그날을 내다본다. 이 단락의 마지막 절은 44b절의 대담한 진술("육의 몸이 있은즉 또 영의 몸도 있느니라")을 가져다가 "우리"에게 적용시킨다: "우리"가 땅에 속한 사람의 형상(창세기 5:3에서처럼, 자손들에게 전해진 아담의 형상)을 지니고 있는 것과 마찬가지로, "우리"는 하늘의 생명에 참여하고 있는 사람의 형상을 지니게 될 것이다.[132] "지니다"('포레오')를 가리키는 데에 사용된 동사는 흔히 옷을 입는 것에 대하여 사용된다; 에베소서와 골로새서에서 우리가 옛 사람에게 속한 옷을 벗어버리고 새 사람에게 속한 옷을 입는다는 언어를 발견한 것과 마찬가지로, 여기에서도 바울은 인간 실존의 한 모형 또는 다른 모형을 "입는다"는 관점에서 현재와 미래에 관하여 말한다 — 우리가 고린도후서 5장에서 볼 수 있듯이.

이 대목에 이르러서야 현재의 장에서 바울은 골로새서 3:1-4에서 하고 있는 것과 마찬가지로 예수의 현재의 위치에 관하여 말한다. 바울이 그렇게 함으로써, 이제 우리는 예수가 죽은 자로부터 몸으로 부활하였다는 그의 견해(12-28절)와 로마서 8:34에서 본 것 같은 예수가 하늘에서 현재 활동하고 있다는 그의 견해 간의 동일한 통합을 발견하게 된다. 바울은 12절의 의문을 제기하는 자들과 35절의 질문을 제기한 자들에 대한 그의 기본적인 대답을 완료하였다; 이제 남은 모든 것은 이 이야기를 다시 한 번 말하고, 선한 창조를 파괴하고 부패시키는 모든 것에 대한 창조주 하나님의 승리를 송축하는 것뿐이다.

(vi) 고린도전서 15:50-58

이 마지막 단락은 흥분된 모습의 긴 송축으로 되어 있다. 이 단락은 지금까지 제시되었던 것들에 새로운 논증들을 더하고 있지 않지만, 앞에서 말한 모든 것이 특히 바울이 지금까지 언급하지 않았던 사람들의 무리에 대하여, 즉 예수

---

132) "지니자"라는 이독(異讀)에 대해서는 Hays 1997, 273f.; Fee 1987, 787 n. 5를 보라.

가 다시 나타나고 죽은 자들이 부활할 때에 여전히 살아있게 될 자들에게 무엇을 의미하는지를 더 자세하게 천착한다. 앞에서 보았듯이, 바울은 이 본문 속에서 자기가 그러한 사람들 중의 한 사람이 될 것이라는 것을 당연한 것으로 전제한다. 그러한 관점은 고린도후서와 빌립보서에서는 변화되지만, 그 근저에 있는 신학과 종말론은 변하지 않는다.

이 단락의 중심적인 강조점은 예수가 다시 나타날 때에 여전히 살아있는 자들이 그 나라에 참여하기 위해서 요구되는 몸의 변화에 두어져 있다.[133] 빌립보서 3:22과 밀접한 병행을 보여주는 바로 이것만으로도 부활에 관한 바울의 견해가 무엇이었는지를 충분히 보여준다: 하나님의 나라가 최종적으로 도래할 때에 여전히 살아 있는 사람들은 그들의 몸을 잃는 것이 아니라, 현재의 상태로부터 하나님의 미래를 위하여 요구되는 상태로 변화받게 될 것이다. 하지만 앞에서와 마찬가지로, 일부 학자들은 이 본문 속에 나오는 몇몇 단어들을 근거로 해서 바울이 새로운 삶 속에서의 육체성의 상실을 포함한 다른 견해를 제시하고 있다고 주장하여 왔다. 문제가 되고 있는 절은 이 단락의 첫 머리에 나오는 절이기 때문에, 해당 본문을 살펴보기 전에 나머지 본문의 취지가 무엇인지를 살펴보는 것이 좋을 것이다.

바울이 26절에서 말했듯이, 하나님의 새로운 세상의 주된 특징은 죽음 자체가 멸하여질 것이라는 것이다. 승리는 보장되어 있다. 왜냐하면, 애초에 죽음을 야기시켰던 것, 죄는 이미 처리된 상태이기 때문이다(56-57절).[134] 그러므로 이 단락의 중심적인 취지는 죽은 자들이 "썩지 않는" 몸으로 부활하는 것과 마찬가지로(52절) "우리" — 즉, 예수께서 다시 오실 때에 여전히 살아 있는 우리 — 가 "변화될"('알라게소메다') 것이라는 내용이다:

---

133) cf. *2 Bar.* 51:10; 위의 제4장 제4절을 보라.

134) 결국 유대교 사상에서 창세기 3장까지 거슬러 올라가는 죄/죽음의 연결고리에 대해서는 로마서 5:12-21을 보라; 그리고 현재의 본문 속에서는 17절을 보라. 로마서 5:20에서처럼, 바울은 56절에 율법이 죄에게 그 권능을 수여한 방식에 관한 암호 같은 말을 슬쩍 집어넣는다 — 그가 로마서 7:7-25에서 설명하는 내용(그가 마지막에 감사의 말씀을 터뜨리는 것(7:25a)은 현재의 본문 속에서 57절과 밀접한 병행을 이룬다).

> [52b]나팔 소리가 나매 죽은 자들이 썩지 아니할 것으로 다시 살아나고 우리도 변화되리라 [53]이 썩을 것이 반드시 썩지 아니할 것을 입겠고 이 죽을 것이 죽지 아니함을 입으리로다 [54]이 썩을 것이 썩지 아니함을 입고 이 죽을 것이 죽지 아니함을 입을 때에는 사망을 삼키고 이기리라고 기록된 말씀이 이루어지리라 [55]사망아 너의 승리가 어디 있느냐 사망아 네가 쏘는 것이 어디 있느냐.

53절과 54절에서 실질적으로 동일한 문장을 엄숙하게 반복하고 있는 것은 바울에게 있어서는 극히 드문 일이다. 왜냐하면, 바울은 (우리 중의 일부와는 달리) 한 문장으로 처리할 수 있는 경우에 세 개의 문장을 사용하는 경우가 거의 없기 때문이다. 분명히 이 대목은 그가 강조하고자 하는 대목, 가능한 한 깊이 각인시키고, 의심하는 자들과 질문을 제기하는 자들에 대하여 강조하며, 고린도에 있는 모든 그리스도인들에게 몸은 주를 위한 것이고 주는 몸을 위한다는 것(6:13), 자신의 몸으로서 죽음을 멸한 주님이 언젠가는 그의 모든 백성을 대신하여 죽음을 완전히 멸할 것임을 분명히 해두고자 하는 바로 그 대목이다. 그들은 몸을 잃지 않을 것이다; 또한 그들은 "벌거벗은" 채로 발견되지도 않을 것이다(37절).[135] 그들은 "새로운 옷을 입게" 될 것이고, 새로운 유형의 육체를 수여받게 될 것인데, 그 육체의 주된 특징은 42-44절에 나오는 목록 중에 첫 번째로 나오는 것과 같이 닳아 없어지거나 썩거나 죽지 않는다는 것이다.

이것은 현재적으로 살아 있는 자들이 새 창조를 유업으로 받기 위해서 반드시 일어나야만 하는 그런 일이다. 최종적인 몸은 "썩지 않고," "불멸하는" 것이 되어야 한다. 이 두 단어는 서로 다른 뉘앙스를 지니고 있지만("썩지 않는"은 그 어떤 부분도 닳아 없어지거나 부패하지 않는다는 것을 함축하고 있고, "불멸하는"은 그 몸이 죽지 않는다는 것을 의미한다), 바울의 사상 세계 속에서는 거의 동의어들로 사용되었다.[136] 하지만 거의 반세기 전에 바울이 여기서

---

135) Perkins 1984, 307을 보라; *Gig.* 53-7; *Ebr.* 99-101; *Fug.* 58-64에서처럼, 이것은 필로의 세계관에 대한 암묵적인 거부이다. Horsley 1998, 224f.를 보라.

136) Fee 1987, 802 n. 31; 또한 Plutarch, *De soil anim* 960b- Philo *Op.* 119; Wis. 9.11-15 등에서의 이 용어들의 사용을 보라.

의 "썩지 않는"은 이미 죽은 자들을 가리키고, "죽을"은 여전히 살아있는 자들을 가리키는 것으로서, 52절에 이중적인 초점을 부여하고 있는 것이라는 주장이 제기되었다("죽은 자들"은 부활하게 될 것이고, "우리" — 즉, 여전히 살아있는 우리 — 는 변화될 것이다).[137] 이것은 50절을 이해하는 데 중요하다(아래를 보라).

이 두 가지를 합치면, 바울은 이사야서와 호세아서로부터 두 가지의 흐름을 가져다가 죽음을 조롱하는 시로 바꾸어 놓은 것이 된다. 이 장 전체는 죽음과 타협하는 것에 관한 것이 아니라 죽음의 패배에 관하여 말하여 왔다; 그리고 여기에서 바울은 쓰러진 원수 위에서 의기양양해 하는 전사 같이 이제는 무력하게 되어 버린 죽음의 권세를 조롱한다.[138]

이렇게 창조주 하나님은 마치 땅에 심긴 벌거벗은 씨앗에게 "몸을 주는" 것과 마찬가지로(38절) "우리에게 승리를 주신다"(57절)고 바울은 선언한다. 이것은 35절에 나오는 "어떻게"라는 질문에 대한 대답의 또 다른 일부이다. 창조주와 생명을 주시는 자로서의 하나님은 이 장 전체의 주된 주제였다; 바울은 많은 본문들 속에서 살아계신 하나님에 관한 이러한 견해를 당연한 것으로 전제하고 있고, 필요할 때는 명시적으로 그것을 언급한다(예를 들면, 로마서 4장에서처럼). 분명히 이것은 현재의 육신적인 몸이 폐기되는 것도 아니고 현재의 상태대로 긍정되는 것도 아니며, 현재의 욕된 것으로부터 새로운 영광으로(빌 3:21), 현재의 썩어지고 죽을 몸으로부터 썩지 않고 죽지 않는 새로운 몸으로 변화될 것임을 말하는 신학이다. 사실 이것은 죽음이 몸을 지배하는 것을 허용하고 인간 존재의 어떤 측면(혼? 영?)은 계속해서 살아남는다는 타협이

---

137) Jeremias 1955-6. 또한 Gillman 1982를 보라.

138) 이러한 본문들을 바울이 어떻게 사용하고 있는가에 대해서는 Hays 1997, 275f; Tomson 2002를 보라. 호세아 본문(13:14)의 마소라 본문은 이스라엘에 대한 심판에 관하여 말하고 있지만, 칠십인역 본문은 그것을 이미 구속에 대한 약속으로 바꾸어 놓았다; 바울은 이것을 다시 한 걸음 더 진척시킨다. 물론, 이사야 본문(25:8)은 무덤 너머의 새로운 삶에 관한 구약의 중심적인 약속들 중의 하나로부터 온 것이다; 그 본문이 원래 무슨 의도였든지간에, 그 본문에 대한 바울의 읽기는 제2성전 시대의 다른 석의들과 부합하는 것이었다. 이 본문에 대한 랍비적인 사용에 대해서는 mMoed Kat. 3.9 등을 보라(Fee, 1987, 803 n. 35).

아니라 죽음의 패배이다.

이것은 이 단락의 서두에 나오는 자주 논란되는 말이 무엇을 의미하고 무엇을 의미하지 않는지를 분명하게 해준다:

> 50형제들아 내가 이것을 말하노니 혈과 육은 하나님 나라를 이어 받을 수 없고 또한 썩는 것은 썩지 아니하는 것을 유업으로 받지 못하느니라 51
> 보라 내가 너희에게 비밀을 말하노니 우리가 다 잠 잘 것이 아니요 마지막 나팔에 순식간에 홀연히 다 변화되리니 52나팔 소리가 나매 죽은 자들이 썩지 아니할 것으로 다시 살아나고 우리도 변화되리라.

51-52a절은 우리가 지금까지 살펴보아 왔던 사고의 흐름과 쉽게 잘 부합한다. 바울은 데살로니가전서 4:16-17을 연상시키는 언어, 즉 표준적인 유대교적 묘사들로부터 가져온 이미지를 통해서 마지막 날에 관한 장면을 묘사한다.[139] 이것은 "미스테리," 하나님의 종말론적인 미래에 관한 환상, 창조주의 계획이 온전하게 수행되어서 죽음 자체가 멸해지게 될 세상을 창조주가 어떻게 도래시킬지에 대한 통찰이다. 그것은 이미 죽은 자들에게나 여전히 살아 있는 자들에게나 새 창조의 위대한 역사가 될 것이다. 바로 이것이 바울이 천명하고 있는 것이다.

그렇다면, 왜 바울은 "혈과 육은 하나님의 나라를 이어받을 수 없고"라고 말하고 있는 것인가? 주후 2세기 이래로(그리고 20세기의 학계에서는 더욱더) 의심하는 자들은 이 구절을 사용하여 바울이 정말 몸의 부활을 믿었는지에 대하여 의문을 제기하여 왔다. 사실, 50절의 후반부는 이미 전반부와의 히브리적인 병행법을 통해서 바울이 무엇을 의미하고 있는지를 설명해 준다 — "육체"에 대한 바울의 통상적인 용법이 보여주듯이 "혈과 육"은 통상적이고 썩고 부패할 수밖에 없는 인간적 실존을 가리키는 방식이다. 그것은 단순히 흔히 주장되듯이 오늘날의 통상적인 의미에서의 "육신적 인간"을 의미하는 것이 아니라, "썩어짐과 죽음에 종속되어 있는 현재의 육신적인 인간(장래의 인간과 반대되는)"을 의미한다.[140] 이 어구가 가리키는 것은 현재적으로 죽은 사람들이

139) 예를 들면, 종말론적인 나팔소리: 자세한 것은 Fee 1987, 801 n. 26.

아니라, 부활할 필요 없이 변화하기만 하면 되는 현재적으로 살아 있는 사람들이다; 이것은 우리를 다시 53절과 54절의 이중적인 초점으로 데려다준다. 이 두 범주의 인간은 모두 새롭고 변화된 유형의 몸을 획득할 필요가 있다.[141)]

이 장의 마지막 절은 절정에서 갑자기 뚝 떨어지는 것처럼 느껴질 수 있지만, 부활에 관한 이 광범위한 논의가 이 서신의 나머지 부분과 다양한 방식으로 연결되어 있다는 것을 우리가 잊어버린 경우에만 그렇게 느껴질 수 있다. 바울의 사상을 대중적인 경건과 거의 동일시해서 그의 글을 대충 읽게 되면, 우리는 바울이 그러한 장을 "그러므로 형제들과 자매들이여, 너희 앞에 놓여 있는 소망을 열렬하게 고대하라!"고 말함으로써 끝낼 것으로 예상할 수 있다. 하지만 바울은 우리의 눈을 현재의 때, 우리의 주목을 기다리는 과제들과 그것들 안에서 "견고하고 요동치" 말라는 부르심으로 다시 이끌어온다. 이 모든 것의 핵심은 썩어 없어질 육신을 지닌 현재의 삶과 썩어 없어지지 않을 육신으로 살게 될 미래의 세계 간에는 불연속성이 존재함에도 불구하고 그 근저에는 현재의 몸의 삶과 장래의 몸의 삶 간에 연속성이 존재하고, 이것은 그리스도인들의 현재적인 삶에 의미와 방향성을 부여한다는 것이었다.[142)] "주 안에서 너희의 수고" — 현재에 있어서 하나님의 나라를 위한 너희의 사역 — 는 "헛되지 않다." 만약 메시야가 부활한 것이 아니었다면, 바울의 선포와 고린도 교인들의 믿음은 "헛된" 것이 되어 버리고 말았을 것이다; 그러나 메시야, 주님은 실제로 부활하였다; 그러므로 복음 선포, 믿음, 지속적인 수고는 "헛된 것," 쓸

---

140) Perkins 1984, 306; Fee 1987, 799; Martin 1995, 127f.; Thiselton 2000, 1291f.

141) 여기에서 및 빌립보서 3:21에서 "변화받게" 될 자들은 그 어떤 중간 상태도 거치지 않고 곧바로 현재적인 몸의 삶으로부터 장래의 몸의 삶으로 나아가게 될 것이라는 점을 우리는 지적해 둘 수 있다. 최종적인 부활에 관한 신앙은 두 단계에 걸친 과정을 포함한다(먼저는 중간 상태, 그런 후에 새로운 몸을 입은 상태)는 보편적인 진리에 대하여, 이것은 유일무이한 종말론적인 계기로 말미암아 일어나게 되는 예외이다.

142) 이러한 점은 바울의 견해(그리고 그 이후의 기독교적인 견해들)를 "(단순히) 죽음과 무덤 너머의 또 하나의 삶을 위한 준비"로서의 삶을 살아간다는 관점에서 묘사하는 Wedderburn 1999, 146이 놓치고 있는 부분이다(169). 그것은 몇몇 자포자기한 그리스도인들이 그것을 표현하는 방식일 수 있다; 그러나 바울이 묘사하는 것은 현재의 세계 속으로 돌입해오는 새 창조이다.

데없는 것으로부터 벗어나게 된다. 현재에 있어서 "주 안에서" 행해진 일은 하나님의 미래에까지 계속해서 이어질 것이다. 바로 이것이 초기 기독교의 부활 논의들로부터 도출되는 대단히 실제적인 메시지이고, 또한 정수(精髓)이다.

(vii) 고린도전서 15장: 결론

우리는 앞 장에서 고린도전서 전체가 여러 가지 많은 방식들로 이 긴 논의를 중심으로 구축되어 있다는 것을 살펴본 바 있다. 장래의 몸의 부활이라는 사실, 그리고 현재의 상태와 미래의 상태 간의 연속성은 이 서신의 상당 부분을 떠받치고 있다.

이러한 강조점, 특히 이것이 정통 바리새파 유대인으로서의 특징을 바울이 지니고 있음을 보여주는 창조 신학에 뿌리를 두고 있다는 것은 메시야의 백성의 장래의 삶에 관한 바울의 견해가 비바리새파적인 유대교(예를 들면, 사두개파) 및 이교 사상 전체와는 반대되는 유대교적인 신앙의 스펙트럼 내에서 바리새파적인 것에 속해 있다는 것을 아주 극명하게 보여준다. 이 본문은 바울이 다른 곳에서 중간 상태에 관하여 말했던 내용에 별로 첨가하는 것이 없다; 그는 죽은 그리스도인들은 최종적인 부활의 때까지 기다리고 있다는 것을 전제한다. 또한 이 본문은 우리가 다른 곳에서 보았던 그리스도인의 현재적인 삶과 관련된 "부활"의 은유적인 용법들을 발전시키지도 않는다. 오히려, 이 본문은 그 밖의 다른 질문들에 대하여 의미와 형태를 부여해 주는 부활 자체에 관한 핵심적인 해설을 제시한다.

바울이 이제 자신의 다른 진술들에 아주 극적으로 첨가하는 것은 당시의 유대교에서는 전례가 없던 내용, 즉 죽은 자들이 두 단계에 걸쳐서 부활한다는 것(먼저는 메시야, 그 후에는 그가 다시 오실 때에 그의 백성)과 불연속성의 형태(썩음/썩지 않음이라는 구별과 새 사람을 만드는 자로서의 성령과 더불어 두 유형의 인간에 초점을 맞춘)에 관한 상세한 설명이다. 또한 바울은 우리로 하여금 이러한 변화들이 어디로부터 오는가에 관하여 그 어떤 의구심을 갖도록 내버려두지 않는다. 바울이 두 단계의 부활을 믿는 것은 사람들의 모든 예상과는 달리 메시야가 다른 어떤 사람들보다도 앞서서 다시 살아나셨기 때문이다. 그리고 바울은 현재의 몸과 장래의 몸 간의 연속성은 물론이고 불연속성을 믿는데, 이것은 그가 그런 일이 예수의 부활에서 일어났다고 믿고 있기 때문이다. "우리가 하늘에 속한 자의 형상을 입게 되리라"(49절); "그가 우리의 낮은 몸을 자기 영광의 몸의 형체와 같이 변하게 하시리라"(빌 3:21). 바울은 예수가 죽은 자로부터 몸으로 부활하였다는 것만을 믿었던 것이 아니라, 그 능력이 어디에서부터 왔고(창조주 하나님의 성령) 십자가 위에서 죽은 몸과 부활한 몸의 차이가 무엇이었는지(썩음과 썩지 않음)를 알았다는 의미에서 자기가 그 일이 어떻게 이루어진 것인지를 알고 있다고 믿었다.

사실, 이 장의 결론으로부터 바울이 예수에게 무슨 일이 일어났었다고 생각했는지에 관한 꽤 온전한 견해로 나아가는 것은 아주 쉬운 일이다. 그의 몸은 무덤 속에 내버려진 것이 아니었다. 또한 그의 몸은 단지 소생해서 어느 정도 과거와 동일한 삶으로 되돌아와서 미래의 언젠가는 다시 죽음을 맞이할 그런 것이 아니었다. 그의 몸은 새 창조의 행위를 통해서 더 이상 썩지 않을 것으로 변화되었다. "이는 그리스도께서 죽은 자 가운데서 살아나셨으매 다시 죽지 아니하시고 사망이 다시 그를 주장하지 못할 줄을 앎이로라"고 바울은 로마서에서 썼다(6:9); 그러나 우리는 현재의 장으로부터도 그러한 결론을 얼마든지 도출해 낼 수 있다.

부활에 관한 바울의 견해에 대한 이 개관 속에서 우리에게 한 가지 과제가 여전히 남아 있다. 바울은 고린도 교회에 보낸 자신의 첫 번째 편지를 썼을 때에 이 주제에 관하여 매우 분명한 견해를 지니고 있었던 것으로 보인다. 바울은 두 번째 편지를 썼을 때에 과연 자신의 생각을 바꾸었던 것인가?

2. 고린도후서 4:7-5:10

(i) 서론

우리는 이미 고린도전서 전체에 걸친 사고의 흐름을 살펴본 바 있고, 예수의 죽음과 부활은 바울이 거기에서 말하고 있는 것의 뼈대를 형성하는 주목할 만한 방식을 본 바 있다. 우리는 특히 3:1에서 6:13에 이르는 단원이 어떻게 예수의 죽음과 부활에 토대를 두고 살아계신 하나님의 성령에 의해서 능력을 공급받는 — 그리고 현재의 겉모양들에도 불구하고 영화롭게 되고 있는! — 바울의 사도적 사역에 대한 긴 변론을 형성하고 있는지를 살펴보았다. 우리는 이제 그 단원의 중심적인 단락으로 다시 돌아가서, 그것이 맥락에 어떤 기여를 하고 있는지, 그것이 고린도전서에서 바울이 말하고 있는 것과 어떤 방식으로 관련되어 있는지, 그것이 우리가 지금까지 구축해 온 바울의 사상에 관한 더 큰 그림을 어떤 방식으로 채우고 있는지를 살펴보고자 한다. 특히, 우리는 오랜 세월에 걸쳐서 제기되어온 주장, 즉 고린도후서는 고린도전서로부터의 중대한 변화, 즉 몸의 부활을 포함한 유대교적인 종말론으로부터 벗어나서 더 헬레니즘적인 모형으로 나아간 것으로 요약될 수 있는 변화를 보여준다는 주장에 비추어서 고린도후서의 중심적인 단락을 검토하지 않으면 안 된다.[143)]

이 본문의 주된 취지는 현재를 미래의 빛 아래에서 보아야 한다고 역설하는 것이다. 특히 사도에게 현재는 고난으로 가득 차 있다; 그러나 그는 현재가 부활(4:14), 영광(4:17), 새 몸(5:1), 심판(5:10)이 있는 미래와 유기적으로 연결되어 있다고 본다. 따라서 이러한 고난의 길은 계약을 갱신한 메시야의 죽음의 구체화로서, 그 자체가 어느 정도 그 죽음과 동일한 의미를 지닌다; 또한 그것은 계약 갱신으로부터 결과하는 창조의 갱신의 시작이고, 그 갱신으로 가는 길을 보여주는 지시등이다(5:17). 이러한 사고의 흐름은 분명히 고린도전서에서의 것과 다르지만, 바울은 정확히 동일한 관념들을 그 근저에서 사용하고 있다는 것을 나는 논증하고자 한다. 바울은 최후의 부활이 있기 전에 자신의 죽음이 일어날 가능성이 있다는 것을 공개적으로 말하고 있다는 점에서 그의 관점의 변화를 보여준다(5:1-10); 바울은 고린도후서에서는 다른 요지들을 말하고 있기 때문에 현재와 미래에 관한 그의 표본적인 이야기의 다른 측면들을 활용하고 있지만, 이야기 또는 신학 자체를 수정한 것은 아니었다.

이 본문은 단락 표지들로 볼 수 있는 몇 가지 결절(結節)들이 있기 때문에 여러 가지 방식으로 구분될 수 있다. 하지만 그 어떤 것도 이러한 단락 구분에 좌우되지는 않는다. 그러나 나는 이 본문을 세 개의 단락으로 구분할 때에 사고의 흐름을 가장 분명하게 파악할 수 있다고 생각한다: 4:7-15; 4:16—5:5; 5:6-10. 첫 번째 단락은 바울의 고난들을 묘사하고, 그 고난들이 예수의 죽음과 부활을 현재화시키는 것이라고 설명한다; 두 번째 단락은 이러한 경험 전체를 부활의 몸에 관한 미래의 약속과 결부시킨다; 세 번째 단락은 다시 현재를 성찰하면서, 이러한 미래의 빛 아래에서 확신을 가지고 주를 기쁘시게 하는

143) 가장 최근에 이 견해를 지지한 학자는 Boismard 1999 [1995]이다.

일을 하는 것이 왜 적절한지를 설명한다. 그런 후에, 이미 살펴본 대로 5:11—6:13에서 사도적 사역의 성격에 관한 추가적인 설명이 이어진다.

(ii) 고린도후서 4:7-15

앞에서 말한 단락들 중 첫 번째 단락은 바울이 너무도 잘 알게 되었던 고난들, 즉 고린도 교인들이 아마도 그토록 부끄러워 하였던 것으로 보이는 고난들에 관한 자세한 내용들을 전해 준다. 바울은 메시야 예수의 얼굴에서 빛나고 있는 살아계신 하나님의 능력과 영광에 관하여 말해 오고 있었다; 이제 그는 그러한 것이 사도에게 영광의 구름을 따라서 세상을 활보할 수 있는 권리를 부여해 준 것이 아니라 오히려 그 정반대의 것을 의미하였다는 것을 설명한다:

> [7]우리가 이 보배를 질그릇에 가졌으니 이는 심히 큰 능력은 하나님께 있고 우리에게 있지 아니함을 알게 하려 함이라 [8]우리가 사방으로 우겨쌈을 당하여도 싸이지 아니하며 답답한 일을 당하여도 낙심하지 아니하며 [9]박해를 받아도 버린 바 되지 아니하며 거꾸러뜨림을 당하여도 망하지 아니하고 [10]우리가 항상 예수의 죽음을 몸에 짊어짐은 예수의 생명이 또한 우리 몸에 나타나게 하려 함이라 [11]우리 살아 있는 자가 항상 예수를 위하여 죽음에 넘겨짐은 예수의 생명이 또한 우리 죽을 육체에 나타나게 하려 함이라 [12]그런즉 사망은 우리 안에서 역사하고 생명은 너희 안에서 역사하느니라.

이것은 바울이 자신의 고되고 강도높은 사도적 사역을 고린도 교인들이 누리고 있는 안이한 삶과 대비시키고 있는 고린도전서 4장과 자연스럽게 맥이 닿아 있다. 바울이 그 사이에 또 여러 가지 고난들을 겪었기 때문에, 여기서의 묘사는 한층 더 발전되어 있다; 그리고 이것은 바울로 하여금 자신의 사역의 이상한 스타일에 대한 설명만이 아니라, 사실 그것이 예수의 죽음과 새로운 생명, 즉 복음의 필수적인 구현이라는 것을 논증할 수 있게 해 준다. 이것은 현재에 있어서의 부활이 새로운 종류의 영적 삶을 의미한다는 것만이 아니라(몇몇 후대의 사상가들이 표현하고 있듯이) 예수의 생명이 "우리의 몸에"(10절)와 심지어 "우리의 죽을 몸에"(11절) 드러난다는 것을 분명하게 말하고 있는 바울의 "현재적 부활" 본문들 중에서 가장 생생한 본문 중의 하나이다! 여전히 죽기로 되어 있고 장차 쇠하여져서 죽어 없어질 현재의 인간의 그 부분조차도 현재에 있어서 부활의 표징들, 부활하신 예수가 이미 가지고 있고 그의 백성이 언젠가는 함께 누리게 될 생명으로 충만해질 수 있다. 이것은 8-9절에 나오는 "… 싸이지 아니하며 … 낙심하지 아니하며 … 버린 바 되지 아니하며 … 망하지 아니하고"라는 일련의 표현에 대한 바울의 생생한 설명이다. 바울은 그 자체가 예수의 복음을 전하는 걸어다니는 시청각 도구이다. 그 결과로서 예수의 생명은 그의 몸에 나타날 뿐만 아니라, 사도와 교회 간의 맞교환의 원칙에 따라서 그가 고난을 받게 될 때에 교회는 생명을 경험하게 된다(10절).[144]

바울은 이제 얼핏 보면 시편들에 대한 암호적인 언급인 것처럼 보이지만 더 깊이 살펴보면 그의 생각에 대하여 엄청난 빛을 비춰주는 것이라는 것이 밝혀지는 말을 통해서 이 그림을 더 확장시킨다. 우리가 같은 믿음의 마음을 가졌으니 "우리도 믿었으므로 또한 말하노라"고 바울은 말한다(4:13). 이 인용문은 시편 116:10로부터 온 것인데, 칠십인역에는 시편 115편의 첫 번째 절로 되어 있다; 그러나 바울이 칠십인역의 장절 구분을 사용했든지 안 했든지 (마소라 본문은 이 대목에서 영역본들과 일치한다), 그가 시편 116편(칠십인역에서는 114편과 115편) 전체를 염두에 두고 있었다고 생각할 만한 근거가 있다.

이 시편은 야훼에게 감사하는 사랑의 노래이다. 이스라엘의 하나님은 이 시인의 기도를 들으셨고, 그의 영원한 충성심을 얻었다; 더 구체적으로 말하면, 하나님은 "사망의 줄이 나를 두르고 스올의 고통이 내게 이르렀을" 때에 그에게 응답하였다. 바울은 이와 동일한 경험을 통과해 왔고, 이 시편 기자와 함께 다음과 같이 말하고자 한다:

> 내 영혼아 네 평안함으로 돌아갈지어다
> 여호와께서 너를 후대하심이로다
> 주께서 내 영혼을 사망에서,

144) cf. 엡 3:13; 골 1:24.

내 눈을 눈물에서, 내 발을 넘어짐에서 건지셨나이다.[145)]

마소라 본문에서 다음 절은 대부분의 영역본들에서와 마찬가지로 "내가 생명이 있는[산 자의] 땅에서 여호와 앞에 행하리로다"라고 선언한다; 그러나 칠십인역은 "행하다"를 통상적인 히브리어 용법과는 맞지 않게 행실이라는 견지에서 해석한다: "나는 주 앞에서 기쁘시게 하는 자가 되리라"('유아레스테소 에난티온 퀴리우'). 앞으로 보게 되겠지만, 바울은 나중에 이 본문에서 정확히 이것을 반영하고 있다(5:9). 이 시편은 고린도후서 4장의 이 부분에서만이 아니라 전체에 걸쳐서 그의 마음속에 있었던 것으로 보인다.

그런 후에 이 시편은 바울이 인용하는 절로 계속 이어진다(칠십인역에서는 새로운 시편이 시작된다). "나는 믿었으므로 말하였다"라는 말을 인용한 취지는 단순히 바울이 자기가 전할 때에 진정한 믿음으로 말하고 있다는 것을 밝히고 있는 것이 아니라, 시편 기자가 엄청난 환난을 겪으면서(116:10) 인간의 모든 도움에 대하여 절망했을 때에(116:11) "믿었고 말하였다"는 것을 밝히는 것이었다. 1장과 2장에서 알 수 있듯이, 이것이 바로 바울이 처해 있었던 지점이다; 이제 바울은 시편 기자와 더불어서 죽음으로부터 구원을 이룬 야훼를 찬양하고 다른 사람들에게 야훼에게 찬양을 드리도록 촉구한다:

> [14]주 예수를 다시 살리신 이가 예수와 함께 우리도 다시 살리사 너희와 함께 그 앞에 서게 하실 줄을 아노라 [15]이는 모든 것이 너희를 위함이니 많은 사람의 감사로 말미암아 은혜가 더하여 넘쳐서 하나님께 영광을 돌리게 하려 함이라.

14절이 고린도전서 15장 전체와 로마서 8:11 같은 그 밖의 다른 아주 분명한 진술들은 말할 것도 없고 고린도전서 6:14 같은 본문들과 밀접한 병행을 보인다는 사실은 바울이 여기에서 몸의 부활에 관한 유대교적인 가르침을 버리고 그 대신에 뭔가 다른 것으로 대체하였다고 단언하고자 시도하여 왔던 그러한 학자들에게 잠시 멈추고 다시 생각할 근거를 제공해 줄 것이다. 그리고

---

145) 시편 116:7f.(LXX 114:7f.).

이 모든 것의 요지 — 이 시편을 상세하게 설명하고 있는 것, 부활에 대한 분명한 긍정 — 는 죽음의 덫으로부터 구원의 기쁨으로의 이 시편 기자의 여정에 동참함으로써 바울이 예수가 이미 통과한 죽음과 부활의 과정을 미리 통과하고 있다는 것이다. 따라서 교회가 복음의 사건들과 관련하여 하나님을 기뻐하고 찬양하는 것과 마찬가지로, 교회는 그 동일한 패턴이 그의 백성, 특히 그의 사도의 삶 속에서 나타나고 있는 것을 볼 때에 더욱더 감사로써 송축하지 않으면 안 된다. 달리 말하면, 사도의 고난은 부끄러워하여야 할 그 무엇이 아님은 물론이고, 역설적으로 영광을 드러내는 것이며, 그 자체가 기뻐하고 감사해야 할 일이라는 것이다.

이 시편은 또 하나의 비밀을 계시하는데, 바울도 그러한 비밀을 가지고 있었다. 시편 116:15에서 시인은 구원에 대하여 야훼를 찬양하고 충성을 맹세할 것이라고 선언한 후에 "그의 경건한 자들의 죽음은 여호와께서 보시기에 귀중한 것이로다"라고 말한다.[146] 바울은 죽음이 좋은 일이라고 말하지 않는다; 바울에게 있어서 죽음은 여전히 최후의 원수이다(고전 15:26). 그러나 죽음이 일어날지라도, 하나님은 죽음보다 더 크시고, 예수의 부활이 그 모델이고 사도가 현재적 경험을 통해서 미리 맛본 바로 그 구원을 대규모로 이루실 것이다. 이것이 바로 바울이 지금 주목하고자 하는 것이다. 우리의 전반적인 질문들과 관련해서, 4:7-15은 바울이 여전히 예수의 부활을 모델로 한 몸의 부활을 기대하고 있다는 것, 이 장래의 부활은 현재에 있어서 단순히 일종의 영성을 위한 은유로서만이 아니라, 바울이 경험했던 고난과 죽음에서 생명과 기쁨으로 왔다갔다 한 것 속에서 선취되고 있다는 것에 대하여 우리에게 한 점의 의심도 남겨두지 않는다.

---

146) 대부분의 번역문들은 첫 번째 단어를 "소중한, 귀한"으로 번역한다; 그러나 JB에서는 "경건한 자의 죽음은 야훼에게 소중하다"라고 하고 있고, NJB에서는 "그의 신실한 자의 죽음은 야훼 보시기에 귀하다"로 수정한다. 히브리어 '야카르'는 "소중한, 귀한, 값진"을 의미하고, 이러한 의미는 비슷한 범위의 의미를 지니는 칠십인역의 '티미오스'에 반영되어 있다. 이것은 이론상으로 시편 기자가 야훼가 그의 신실한 자의 죽음을 환영하는 것인지 아니면 애석해하는 것인지에 대하여 아무런 결정도 내리지 못하게 열어놓는다; 그러나 이 시편의 논리는 후자를 암시하고 있다(Weiser 1962, 720; Mays 1994, 370을 보라).

(iii) 고린도후서 4:16-5:5

지금까지 거듭된 학자들의 단언들과는 반대되는 이러한 결론들은 이제 우리 앞에 놓여 있는 이 본문에 의해서 손상되는 것이 아니라 오히려 강화된다.[147] 바울은 왜 자기가 그러한 고난들의 와중에서 망하지 않았는지 — 그리고 함축적으로, 고린도 교인들이 왜 그러한 고난들로 인하여 자기를 부끄러워하지 않아야 하는지 — 를 계속해서 설명해 나간다.[148] 그가 제시하는 근거는 로마서 8:17에서처럼 현재의 고난은 장래의 부활로 가는 길이라는 것이다. 계약의 하나님은 사도를 그에게 약속된 새로운 실존을 준비시키고 궁극적으로는 이루기 위하여 성령을 통해서 역사하고 계신다. 따라서 바울은 마음의 눈과 생각과 믿음을 그 약속, 그리고 그것이 가리키는 눈에 보이지 않는 장래의 실체에 고정시키지 않으면 안 된다.

이러한 눈에 보이지 않는 실체, 그리고 그것과 현재적인 삶의 관계에 관한 바울의 묘사는 몇 가지 용어들을 도입하게 되는데, 이것이 주석자들에게 문제점들로 보이게 되어서, 바울이 여기에서 자신의 견해들을 바꾼 것이 아니냐는 주장을 하게 만들었다:

> [16]그러므로 우리가 낙심하지 아니하노니 우리의 겉사람은 낡아지나 우리의 속사람은 날로 새로워지도다 [17]우리가 잠시 받는 환난의 경한 것이 지극히 크고 영원한 영광의 중한 것을 우리에게 이루게 함이니 [18]우리가 주목하는 것은 보이는 것이 아니요 보이지 않는 것이니 보이는 것은 잠깐이요 보이지 않는 것은 영원함이라.

그렇다: 겉사람이 아니라 속사람, 눈에 보이는 실체가 아니라 눈에 보이지 않는 실체들! 그런 후에 다음 장에서는 현재의 몸이 멸해지고 손으로 만들지 않은 하늘에 있는 영원한 집(5:1)! 바로 이것이 일부 독자들을 바울이 그의 토대를 유대교적 종말론에서 플라톤적인 우주론으로 바꾸었다는 견해로 유혹

---

147) Thrall 1994-2000, 398-400은 여러 "발전" 가설들을 꼼꼼하게 평가한다.

148) 16절과 4:1의 연결고리를 주목하라('우크 엑카쿠멘,' "우리는 낙심하지 않는다").

해 온 것이다.[149] 그러나 그러한 견해는 그 자체로 가능성이 거의 없을 뿐만 아니라(이 견해가 옳다면, 우리는 바울이 그 후에 채 몇 달도 되지 않아서 로마서를 쓸 때에 다시 예전의 견해로 신속하게 되돌아갔다고 전제해야 할 것이고, 현재의 서신 속에서 내적인 논리가 뒤죽박죽으로 되어 있다는 것을 전제하지 않으면 안 될 것이다), 석의적으로도 보장되어 있지 않다. 논증 전체를 읽고서 그것에 비추어서 전문적인 표현을 이해하는 것은 언제나 대단히 중요한 것이고, 이 본문도 결코 예외는 아니다. 몇몇 설명을 위한 주(註)들이 붙어 있는 이 단락의 나머지 부분은 이 점을 분명하게 하는 데에 도움을 줄 것이다:

> 5:1만일 땅에 있는 우리의 장막 집이 무너지면 하나님께서 지으신 집 곧 손으로 지은 것이 아니요 하늘에 있는 영원한 집이 우리에게 있는 줄 아느니라 2참으로 우리가 여기[현재의 거처] 있어 탄식하며 하늘로부터 오는 우리 처소로 덧입기를 간절히 사모하노라 3이렇게 입음은 우리가 벗은 자들로 발견되지 않으려 함이라 4참으로 이 장막에 있는 우리가 짐진 것같이 탄식하는 것은 벗고자 함이 아니요 오히려 덧입고자[2절에 나오는 동일한 동사의 수동형] 함이니 죽을 것이 생명에 삼킨 바 되게 하려 함이라 5곧 이것을 우리에게 이루게 하시고 보증으로 성령을 우리에게 주신 이는 하나님이시니라.

이 본문은 잘 알다시피 압축되어 있고, 위에서 본문을 인용하면서 붙여 놓은 설명에서 알 수 있듯이 본문과 번역의 문제점들은 이 본문을 더욱더 그렇게 만들고 있다. 그러나 우리가 이 본문을 전체적으로 보고 바울 서신의 다른 곳

149) 아주 최근에 대담하게도 Boismard 1999 [1995], 특히, 82는 바울이 헬라식으로 교육받은 독자들이 "부활이라는 개념에 대하여 알레르기 반응을 일으킨다"는 것을 알고 있었기 때문에, "불멸이라는 주제를 채택하고 부활이라는 개념을 제쳐두었다"고 설명한다 — 하지만 이것은 단순히 전략적인 것만은 아니었고(이것은 몸의 부활이라는 관념을 폐기하고 그 대신에 몸을 입지 않은 불멸을 주장해야 한다는 Boismard 자신의 과제에 맞지 않았을 것이다) "심오한 신학적인 이유로 인해서" 그렇게 하였다.

에 나오는 서로 관련된 많은 본문들의 빛 아래에서 이 본문을 읽게 되면, 바울이 새로운 견해로 변경한 것이 아니라 동일한 내용을 살펴보고 설명하는 새로운 방식들을 발견하고 있다는 것이 분명해진다. 이 본문을 접근하기 위한 한 가지 좋은 방식은 비슷한 주제들을 다루고 있는 그 밖의 다른 바울 서신의 본문들 속에 나오는 분명한 병행들 중 일부를 살펴보는 것이다.

4:17에서 바울은 영광의 영원하고 비할 바 없는 무게에 관하여 말한다. 이것과 나란히 비교해 볼 수 있는 자연스러운 한 본문은 로마서 8:17("… 우리가 그와 함께 영광을 받기 위하여 고난도 함께 받아야 할 것이니라")인데, 그 본문은 로마서 5—8장이라는 훨씬 더 큰 단원의 사상을 한데 묶어서 요약하고 있다. 고난과 영광이라는 주제는 처음과 마지막의 요약문들(5:2; 8:30)에서 제시되고 있고, 8:18-25에서 광범위하게 설명된다. 또한 후자의 본문은 우리의 현재의 본문과 마찬가지로 우리가 아직 보지 못한 것에 대하여 소망할 것에 관하여 말하고 있고(8:24-25), 동일한 맥락 속에서 바울은 그러한 것을 위하여 우리를 준비시키는 성령의 역사에 대하여 자주 언급한다(롬 5:5; 8:9-11, 13, 16f., 23). 장래의 소망에 대한 보증('아르라본,' 고후 5:5), 살아 계신 하나님이 신자 안에서 앞서서 장래의 구원을 이미 은밀하게 이루어 가실 때에 사용하는 현재적인 도구이자 은사로서의 성령이라는 관념은 고린도후서 1:22과 에베소서 1:14; 4:30에 나오는 동일한 주제를 채택하고 있는 것이다.[150]

물론, 보이는 것과 보이지 않는 것 간의 대비(4:18a)는 그 자체로 플라톤으로부터 직접 온 것일 수 있고, 현재적 및 미래적인 육신성을 비육신적인 세계

150) 고린도후서 4:7의 '카테르가제타이'("이루다")와 5:5의 '카테르가사메노스'("이룬") 간의 연결관계를 주목하라. "준비하다"라는 흔한 번역어는 충분히 적절하다 — 그것이 "어떤 것에 관한 정보를 미리 주다"라는 의미에서의 "준비하다"가 아니라 "식사를 준비하다"에서와 같은 "준비하다"를 의미한다는 것을 기억하기만 한다면. '카테르가조마이'의 어근은 결국 '에르곤'("일")이다: 요지는 살아계신 하나님이 이미 어떤 일을 하고 계시다는 것이다 — 물론, 그것이 여전히 대체로 눈에 보이지 않는다고 할지라도. Moule 1966, 118은 그가 이 본문에 부여하고 있는 의미(바울은 먼저 옷을 벗고, 그 다음에 다시 옷을 입는다는 것을 상정하고 있다는 것)가 적절하려면 이 동사를 "설계되었다," "창조되었다"라는 의미로 해석해야 한다는 것을 인정한다.

151) 이원론과 이원성에 대해서는 *NTPG* 252-6, 257-9를 보라. 고린도후서 4장

및 인간의 실존에 비하여 비하시키는 이원론을 함축하고 있을 수 있다.[151] 그러나 이러한 존재론적인 이원론은 18절의 후반부에서 의문이 제기되고 있고, 5:1-5에서 그것이 틀렸다는 것이 온전히 입증되고 있다. 18b절은 이러한 대비가 실제로 종말론적인 대비라는 것을 보여준다: 또한 "영원한"이라는 표현도 플라톤적으로 읽혀질 수 있지만, 그 다음에 나오는 본문은 그 표현이 바울 서신 속에서 통상적으로 그러하듯이 모든 증거들이 도처에서 보이는, 사도가 살아가고 있는 현재의 악한 세대와 대비되는 "내세"와 관련이 있다는 것을 보여준다. 그러한 것들은 오직 잠시 동안을 위한 것이라고 바울은 말한다; 내세는 영원히 지속될 것이다. 그러므로 이러한 대비는 우리가 이미 고린도전서에서 친숙하게 보아 왔던 구별, 즉 현재의 썩어질 몸과 장래의 썩지 않을 몸 간의 통상적인 구별을 열어 놓는다. 4절은 바울이 고린도전서 15:54(이 본문 자체는 이사야 25:8을 인용한 것이다)의 분명한 반영 속에서 "죽을" 것이 생명에 의해서 "삼켜지게" 될 것이라고 선언할 때에 염두에 두고 있었던 것이 바로 이것임을 분명하게 보여준다.

우리가 방금 살펴본 이 장과의 이러한 병행은 5:1-4에서 현재의 몸과 장래의 몸 간의 대비를 진정으로 이해할 수 있는 길을 열어 준다. 그가 고린도전서 15:53-54에서 강조했던 이 썩어지고 죽을 몸은 썩지 않음, 죽지 않음을 "입어야"('엔뒤사스다이') 한다. 여기서 바울은 현재의 몸을 지니고 있는 우리는 새 몸, 새 "거처"를 "위로부터 입기"('에펜뒤사스다이')를 갈망하고 있다고 말한다(5:2, 4). 고린도전서 15:37에 나오는 유비 속에서 바울은 씨앗은 심겨질 때에 "벌거벗은" 채로 심겨지지만 하나님에 의해서 새로운 몸을 부여받는다고 말하였다; 마찬가지로, 여기에서도(5:3) 바울은 현재의 인간들이 갈망하는 것은 "벌거벗은" 채로 발견되는 것이 아니라 더 온전하게 옷을 입는 것이라고 말한다. 잘 알려져 있듯이, "벌거벗음"이라는 표현은 더 넓은 헬레니즘적인 세계 속에서 몸을 벗어버린 영혼을 가리킬 때에 사용될 수 있었다.[152] 4절은 바

및 고린도전서 15장과 관련된 문제에 있어서 Moule 1966의 논문은 여전히 중요하다 — 그의 주된 주장을 나는 여전히 납득할 수 없지만; 또한 cf. Thrall 2002, 292-300.

152) 예를 들면, Plato *Gorg.* 524d; *Crat.* 403b Philo *Virt.* 76; *Leg. All.* 2.57, 59. 이 잠재적인 의미는 부분적으로 필사자들이 각자의 기대를 따라서 읽는 결과로서 생

울이 그의 현재의 몸을 벗어버린 후에 궁극적인 부활을 기다리는 일정 기간을 통과하고 있다는 것이 아니라, 고린도전서 15:51-52과 빌립보서 3:21에 나오는 "변화하는"이라는 표현에서와 마찬가지로 변화된 몸으로 곧바로 들어가는 것을 선호한다는 것을 분명히 선언하고 있는 것으로 해석될 수 있다. 빌립보서 1:23에서 바울이 여기를 떠나서 메시야와 함께 있는 것에 관하여 말하고 있다는 것을 인정한다면, 우리의 현재의 본문 속에서 바울은 자기가 죽게 되는 경우에 "주와 함께 편안히 거하게" 될 것이라고 말하고 있는 것이다(5:8-9). 이것은 바울이 "중간 상태"라는 문제에 대하여 명시적으로 건드리고 있는 것이다: 분명히 그는 그러한 상태에 있는 사람들이 행복하고 만족해할 것이라고 믿는다. 그러나 바울은 여전히 매우 유대적인 방식으로 사고하고 있기 때문에, 그가 선호하는 것은 현재의 몸 위에 새로운 몸이 입혀지게 될 최후의 상태, 메시야의 백성이 썩지 않음을 주된 특징으로 하는 새로운 종류의 육신을 입게 되는 것이다. 따라서 바울은 여기서 고린도전서 15장에서와 마찬가지로 "덧입는 것"이 아니라 "바꿔 입는 것"(하나의 몸을 버리고 다른 하나의 몸을 얻는 것)을 상정하고 있을 수 있다는 마울(Moule)의 견해는 틀림없이 옳긴 하지만, 우리는 그러한 "바꿔 입음"이 일어난다고 할지라도 새로운 몸은 현재의 몸 이상의 것이 될 것이라는 사실을 간과해서는 안 된다: 이미 성령을 통해서 이루어지고 있는 예비적인 역사의 결과로서, 새로운 몸은 더 실질적이고, 더 확고하며, 원래 인간이 만들어졌던 모습에 더 가까운 것이 될 것이다.[153]

그렇다면, 왜 바울은 새로운 몸이 "하늘에" 있다고 말하고 있는 것인가? 이것은 바울이 그리스도인들이 죽음 후에 "하늘로 간다"고 생각했다는 것을 의미하지는 않는가? 그렇지 않다. 이것은 후대의 전승에 기독교적인 소망을 아무런 보장도 없이 플라톤화시키는 데에 재료들을 제공해 주었던 본문들 중의 하나이다. 빌립보서 3:20-21, 그리고 실제로 고린도전서 15:47-49의 경우에서와 마찬가지로, 후대의 전승은 이 본문에서 바울이 실제로 말하고 있는 것에 다리미질을 하여서 그가 주의 깊게 사용한 단어들을 평탄하게 만들어 버리고 그리스도인의 믿음의 목표는 "죽어서 하늘에 가는 것"라고 말하는 전혀 다른 세계

겨난 이 절의 본문상의 문제점들 때문이다.

153) Moule 1966, 123을 보라.

관을 만들어 내었다. 그 전승은 언제나 유대적인 의미에서이든 초기 기독교적인 의미에서이든 "부활"을 그러한 시나리오 속으로 통합시키는 것이 어렵다는 것을 발견하였고, 이것은 아마도 정통 기독교가 이 점에 있어서 세속적인 모더니즘 사상의 공격들에 제대로 대응하기가 어렵다고 생각한 이유일 것이다. 다른 곳에서와 마찬가지로 여기에서도 바울에게 있어서 "하늘"은 사람들이 죽어서 가는 곳이 아니라 — 그는 골로새서 3:3-4의 예외를 제외하고는 이것에 대해서는 두드러지게 여전히 침묵을 지킨다 — 다단식 로켓에서 새로운 버팀목들이 날개들로부터 나와서 계속해서 진행해 나가는 것과 마찬가지로 "하늘에서처럼 땅에서도" 이 갱신된 세계 속에서 부활이 있게 될 그날까지 세상을 위하여 하나님이 의도한 미래가 안전하게 예비되어 있는 장소이다. 내가 나의 손님들에게 냉장고에 그들을 위한 샴페인이 있다고 말한다고 해서, 나는 우리 모두가 파티를 가지기 위해서 냉장고로 가야 한다고 말하고 있는 것이 아니다. 장래의 몸, 썩지 않을 (그러므로 "영원한") "집"은 현재에 있어서 "땅에" ('에피게이오스')와 반대되는 곳으로서의 "하늘에" 있다(5:1); 그러나 그것은 거기에 계속해서 머물러 있지 않을 것이다.[154] 우리가 우리의 현재의 "집"(옷들, 몸들, 집들, 성전들, 장막들) 위에 그것을 덧입기 위해서는 그것이 하늘로부터 가져와질 필요가 있을 것이다(5:2).[155] 이것은 바울을 이해함에 있어서만이 아니라 신약성서의 다른 곳에 나오는 이와 비슷한 언어를 파악함에 있어서도 핵심적인 본문이다.

이 모든 것을 염두에 두고, 우리는 바울이 궁극적인 부활 소망에 관한 이러한 더 온전한 진술을 위하여 어떤 토대들을 놓고 있는지를 이해할 수 있을 것이라는 소망을 가지고 4:16-18로 다시 돌아갈 수 있다. "속 사람"과 "겉 사람," 즉 점점 낡아져서 썩어 없어질 것과 새로워질 것 간의 대비는 "내적인" 생명 또는 영혼이 결국 몸에서 벗어나서 몸을 입지 않은 지복의 상태에 도달하는 것에 대한 전주곡이 아니다. 또한 5:4에서 "짐지고 있는"이라고 언급한 것은 지혜서 9:15과의 분명한 병행에도 불구하고 그러한 세계관을 보여주는

154) cf. 골 1:5과 3:1-4; 또한 벧전 1:4을 보라(아래의 제10장 제4절).

155) 5:1f.에서 "장막"이라는 바울의 표현은 로마서 8:5-11에 나오는 부활 본문에서처럼 성전과 그 재건의 뉘앙스를 일깨워준다.

것이 아니다.[156] "속 사람"에 관한 바울의 다른 언급들은 그가 이 어구를 다양한 방식으로 사용할 수 있었다는 것을 보여준다; 특히 이 본문 전체와 이 서신 전체에 비추어 볼 때에 여기서 바울이 철학적인 관점을 근본적으로 수정하였다는 그 어떤 결론들도 이 본문을 토대로 주장될 수 없다.[157]

그러므로 이러한 부활을 중심으로 한 서신의 중심적인 단락 중의 중심적인 부분은 우리가 지금까지 바울 서신 전체에 걸쳐서 보아 왔던 그림으로부터 이탈해 있지 않다. 바울은 궁극적인 몸의 부활, 썩어지고 쇠하여질 현재의 몸을 버린 후에 마치 새롭고 더 큰 옷을 기존의 옷 위에 입는 것과 마찬가지로 현재의 삶과 관련하여 기능하게 될 새 몸을 바라보고 있다. 로마서 및 그 밖의 다른 곳에서와 마찬가지로, 이러한 미래로 향하여 가는 길은 고난과 성령을 통해서이다. 그리고 이러한 미래를 선취하고, 그 현재적 상태를 가리키는 데에 은유적으로 장래의 부활이라는 표현을 사용할 수 있는 현재적 삶은 "갱신"의 삶(4:16), 위에서 말한 온전한 의미에서의 "준비"의 삶, 육안으로는 볼 수 없는 곳을 볼 수 있는 믿음과 소망의 삶이다.

이것은 바울이 다른 곳에서 설명하여 왔던 것과 동일한 기독교적 소망에 관한 상세한 진술일 뿐만 아니라, 고린도 교인들이 바울의 고난들을 부끄러워해야 하는 것이 아니라 오히려 바울과 그들 자신을 위하여 내세의 삶이 이미 확보되고 보장되고 있으며 아무리 역설적인 방식이긴 하지만 분투와 슬픔의 현재의 때 속으로 이미 돌입해 오고 있다는 것을 즐거워해야 할 이유에 관한 상세한 진술이기도 하다. 물론, 또한 그것은 이러한 특정한 주제를 떠받치고 있는 중요한 신학적인 주제, 즉 새 계약에서 새 창조로의 논증을 제시하고 있는 것이기도 하다. 새 계약의 사역자로서 바울은 그 계약의 수단(예수의 죽음과 부활)이 현재적으로 자신의 삶 속에서 역사하고 있다는 것을 발견한다. 그는 이것이 몸의 부활을 중심적인 특징으로 하는 새 창조가 "준비되고" 있고 그가 그것의 일부이기 때문이라는 것을 안다. 이것은 이 결정적으로 중요한 본문의 마지막 단락을 위한 길을 열어 놓는다.

156) 위의 제4장 제4절을 참조하라.

157) 예를 들면, 그것이 비기독교인인 유대인들의 내면적인 삶을 가리키고 있는 로마서 7:22. 또한 우리의 현재의 본문과 매우 유사한 에베소서 3:16; 그리고 골로새서 3:10에서 새로운 삶의 갱신에 관한 이와 비슷한 언어를 참조하라.

(iv) 고린도후서 5:6-10

바울은 자신의 논증 속에서 하나의 모퉁이를 돌아왔고, 이제 자신의 머리를 번쩍 들고서 장래를 바라보고 있다. 4:1과 4:16에서 바울은 자기가 낙담하고 있다는 것을 부인하였다; 여기 5:6에서 바울은 자기가 용기백배하여 확신에 차 있다고 환호성을 지른다.[158] 바울이 이러한 모습을 지니게 된 이유는 이 본문과 밀접하게 관련되어 있는 빌립보서 1:18-26에서와 마찬가지로 그가 장래를 바라볼 때에 오직 두 가지 대안만이 존재하는데, 그는 그 두 가지 모두에 만족하고 있다는 것이다. 그는 죽게 되든가, 아니면 적어도 잠시동안 계속해서 살아 있게 될 것이다. 죽음(현재의 몸의 해체)은 그 자체로는 환영할 만한 것이 아니지만, 그 직접적인 결과로 인해서 환영할 만한 것이다: "몸을 떠나서 주와 함께 거하는 것"(5:8). 현재의 몸을 입고 있는 사람은 어쩔 수 없이 "몸 안에 거하여 주로부터 떨어져 살 수밖에" 없기 때문이다(5:6). 바로 이것이 그리스도인의 삶이 눈에 보이는 것으로 살아가는 것이 아니라 믿음으로 살아가는 삶인 이유이다(5:7) — 바울은 이 점을 계속해서 강조하고 있고, 고린도 교인들이 이해하기를 간절히 바라고 있다. 빌립보서의 본문과 아울러 이 본문은 바울이 죽음과 부활 사이의 중간 상태에 관한 설명을 어렴풋이 하고 있는 대목이다.

하지만 바울의 눈은 그러한 중간 상태 자체에 두어져 있지 않고, 시편 116편을 토대로 해서 자신의 삶을 살아온 자를 기다리고 있는 것 — 예수에 관한 복음 사건들의 렌즈를 통해서 이해된 —을 바라본다. "우리가 거하든지 떠나든지 우리는 주를 기쁘시게 하는 것을 우리의 목표로 삼는다"고 바울은 말한다; 시편 기자의 표현을 빌리면, "산 자의 땅에서 주 앞에서 기쁨으로 행하는 것."[159] 이것은 "몸을 떠난다"는 것에 관한 바울의 말에 의해서 야기될 수도 있는 의문에 대답해 준다: "몸 안에" 있는 것은 내재적으로 잘못된 것이 전혀 없고, 바울이 "주와 함께 거하고자" 하는 것은 결코 영지주의적이거나 이원론적인 것이 아니다. 현재의 몸은 현재적인 섬김과 거룩의 처소이다; 그리고 최

---

158) '다르레오'는 바울 서신에서는 오직 여기와 7:16; 10:1에만 나오고, 신약성서 전체에서는 히브리서 13:6에만 나온다.

159) 시편 116 [114]:9; 위의 서술을 보라.

종적인 여정의 끝은 새로운 몸, 현재적으로 하늘에 있는 처소이다. 이 모든 것은 10절에 나오는 소망에 관한 최후의 진술과 그 직후에 나오는 진술에 닿아 있다: 바울은 주변 문화 속에서 살아가는 사람들이 기대하는 것을 토대로 해서가 아니라 주님을 기쁘시게 해 드리는 일이 무엇일까를 토대로 해서 자신의 삶을 살아가고 사도적 사역을 감당한다. 그리고 이러한 "기뻐하심"은 회개의 날을 염두에 두고 있는 것이다:

> [10]이는 우리가 다 반드시 그리스도의 심판대 앞에 나타나게 되어 각각 선악간에 그 몸으로 행한 것을 따라 받으려 함이라.

바울은 우리가 이것이 그의 모든 사고 속에서 확고한 초점이었다고 생각하게 만들 정도로 충분히 자주 이러한 장래의 심판에 관하여 언급하고, 그날에 하나님의 심판은 단순히 어떤 사람의 마음과 생각의 상태만이 아니라 몸으로 행한 행위들도 고려하게 될 것이라는 것을 분명하게 말한다.[160] 실제로 우리가 제3장과 제4장에서 살펴보았던 유대교 문헌들 중의 많은 수와 우리가 제3부에서 살펴보게 될 초기 기독교의 문헌들 중 다수에서 장래의 심판과 장래의 부활 간에는 밀접한 연관 관계가 존재한다. 고린도전서에서와 마찬가지로 여기에서도 우리는 다시 한 번 몸이라는 관점에서 바라본 현재적 삶과 미래적 삶 간의 연속성을 발견하게 된다.[161] 이것은 바울로 하여금 합당하게 살고 사도의 표징들, 특히 고난과 소망을 나타내 보이도록 바울을 추동한 궁극적인 장래의 기대와 소망이다 — 세상은 말할 것도 없고 교회가 그것을 원하고 이해하든, 아니면 그렇지 않든간에.[162] 이 본문은 이제 5:11-6:13로 중단 없이 이어져 가서, 새 계약과 새 창조, 그 두 가지를 구현하고 있는 사도직의 성격에 관한 논의를 마무리한다.

(v) 결론

---

160) 고후 5:10; cf. 롬 2:1-16; 14:10; 엡 6:8; 예를 들면, 행 10:42; 17:31.
161) cf. 고전 6:12-20 등.
162) cf. 고후 12:12.

우리는 바울이 고린도전서와 후서 사이의 기간에 자신의 생각을 바꾸었다고 주장할 만한 그 어떤 근거도 찾지 못했다. 앞에서 이미 말한 대로, 바울은 자신의 관점을 바꾸어서, 이제 자기가 궁극적인 형태의 새 시대가 도래하기 전에 죽을 수도 있다는 것을 인정하고 있다. 그러므로 바울은 그것이 장래에 있어서 그에게 무엇을 의미할 것인지(이것이 우리가 여기에서 앞의 서신에서와는 달리 중간 상태에 관한 짤막한 암시들을 발견할 수 있는 이유이다)와 교회가 그 성격을 두고 도전해 왔던 자신의 현재적 사역과 관련하여 그것이 무엇을 의미하는지(이것이 우리가 여기에서 고린도전서에서보다도 현재적인 삶, 그것이 지닌 은유적인 죽음과 부활의 성격에 대한 더 많은 강조를 발견하는 이유이다), 이 두 가지를 새로운 방식으로 설명한다. 그러나 그 근저에 있는 이야기나 신학에는 아무런 변화도 없다.[163]

여기서는 그리스도인들의 장래의 소망이라는 주제에 꼭 필요한 접근방식 때문에 예수의 죽음과 부활에 대한 명시적인 언급이 적을 수밖에 없었다. 그러나 4:14은 부활절과 기독교적 소망의 연관관계를 아주 분명하게 말하고 있기 때문에, 우리가 고린도전서 15장에서 했던 것처럼, 특히 4:16—5:5에 대한 연구를 통해서 바울이 예수에게 일어났었다고 믿었던 것에 관한 몇몇 내용을 알아낼 수 있는지를 더 천착해 보는 것이 옳을 것이다. 바울은 예수의 새로운 몸, 그의 썩지 않는 부활의 몸이 그가 자신의 현재적 몸 "위에 덧입기" 위하여 내내 "하늘에서" 기다리고 있다고 믿었던 것인가? 분명히 우리는 사도행전 2:24-36에 나오는 베드로의 말에서 바울이 예수의 몸이 죽음 후에 썩지 않았다고 믿었다는 것을 전제할 수 있다. 성 토요일에조차도 예수는 "벌거벗은" 상태가 되지 않았고, 그의 육신적인 몸은 부패하고 그의 혼 또는 영은 몸이 없이 아버지에게로 되돌아간 것이 아니었다 — 만약 이것이 5:3을 해석하는 올바른 방식이라면. (바울은 베드로전서 3:19에서 볼 수 있는 예수의 죽음과 부활 사이의 기간에 예수가 무엇을 하고 있었는지에 관한 초기 단계의 성찰들에 대하여 알지 못했던 것으로 보인다.) 5:4-5과 로마서 8:9-11의 분명한 연관관계는 우리로 하여금 이 점을 좀 더 밀어 부치도록 격려한다: 바울은 부활절에 예수의 "죽을 몸"이 "생명에 의해서 삼켜져서" 이전의 몸과의 불연속성(죽을

163) Matera 2002(특히, 결론부인 405).

몸 대신에 죽지 않을 몸)과 연속성 안에서의 새로운 몸의 삶을 살게 되었다고 믿었던 것으로 보인다. 그리고 로마서 2:16과 사도행전 17:31에서처럼, 다른 모든 사람들에 앞서서 일어난 이러한 예수의 부활로 말미암아 예수는 만유에 대한 재판장이 되어서 심판 자리('베마')에 앉아서 하나님의 공의를 세상에 펼칠 자격을 얻게 된다. 고린도후서에 나오는 바울의 부활 표현이 지닌 모든 가능한 정치적인 뉘앙스들을 다 살펴보진 않았지만, 우리는 바울 및 대부분의 초기 그리스도인들에게 있어서 예수가 주이자 구원자이며 재판장이고 가이사는 그렇지 않다고 분명하게 말해 준 것은 바로 예수의 부활이었다는 사실을 무시해서는 안 된다.[164]

따라서 현세와 내세 사이에 붙잡혀 있고 과거에 일어난 예수의 부활과 그의 모든 백성에게 약속된 장래의 부활 간의 긴장관계 속에 두어져 있는 현재의 삶을 4:10-12에서처럼 부활이라는 은유를 통해서 말하는 것은 적절한 것이다. 우리가 제5장에서 살펴보았던 그 밖의 다른 본문들의 경우에서와 마찬가지로, 이것은 바울이 유대교 내에서의 은유적인 용법에 이질적인 방식으로 이 단어를 사용하고 있었다는 것을 의미하지는 않는다. 그것은 바로 당시에 있어서 바울이 하나님의 백성의 회복이 의미하고 있다고 생각했던 바로 그것이었다. 둘 다 구체적인 지시대상을 가지고 있는 은유적 용법과 문자적 용법은 서로를 강화시키는 가운데, 바울이 발전시켰고 또한 가르치고 구현하는 데에 최선을 다했던 풍부하고 일관된 세계관을 보여준다.

3. 결론: 바울에 있어서의 부활

이제 우리는 바울 서신의 핵심적인 본문들에 대한 우리의 연구를 마무리할 차례이다. 바울을 이해하는 것은 초기 기독교에 대한 이해의 핵심으로 가까이 가는 것임에 틀림없다; 분명히 바울이 죽음과 부활의 문제, 더 구체적으로 말해서 예수의 죽음과 부활의 문제에 있어서 어느 지점에 서 있는가를 알게 되는 것은 초기 그리스도인들이 이 주제들과 관련하여 무엇을 믿고 있었는지를 발견하는 것의 핵심에 자리잡고 있다. 우리는 우리가 지금까지 발견한 것들을

164) 또한 cf. 빌 3:20f.

간략하게 다음과 같이 요약할 수 있다.[165)]

우리가 바울을 위의 제2-4장에서 간략하게 살펴본 신앙들의 스펙트럼 위에 놓는다면, 바울은 분명히 이교적인 지도가 아니라 유대교적인 지도에 속한다 — 학자들이 종종 바울이 자신의 생각을 도중에 바꾸었다고 주장하기 위하여 애쓰고 있음에도 불구하고. 유대교적 스펙트럼 내에서 바울은 당시의 대부분의 유대인들과 마찬가지로 바리새파, 많은 묵시록들의 저자들, 그리고 위의 제4장에서 살펴보았던 그 밖의 다른 저자들과 동일한 위치에 속한다. 즉, 바울은 참 하나님의 모든 참된 백성이 장래에 몸으로 부활할 것을 믿었고, 여기저기에서 그러한 신앙의 필연적인 결론이었던 중간 상태를 언급하는 여러 가지 방식들을 조심스럽게 추구하였다. 그는 이스라엘의 하나님이 세상의 창조주와 공의의 하나님으로서 메시야의 백성 안에서 이미 역사하고 있는 자신의 성령을 통해서 이러한 부활을 이루실 것을 믿었다.

이와 동시에, 바울은 유대교적 종말론과 그 밖의 다른 어떤 것과의 결합이 아니라 유대교적 세계관 내에서의 돌연변이로 이해될 수 있는 두 가지 것을 믿었다. 첫째, 그는 "부활"이 역사적인 계기로서 둘로 구분되어 있다고 믿었다: 먼저는 메시야의 부활, 그 후에는 그의 "파루시아" 때에 있게 될 그의 모든 백성의 부활. 둘째, 그는 부활은 몸의 부활일 뿐만 아니라(비육신적인 부활이라는 관념은 당시의 유대인들과 이교도들에게와 마찬가지로 그에게도 모순어법이었을 것이다; 너희가 부활을 믿든지 안 믿든지, 그 단어는 몸의 부활을 의미한다), 부활은 변화를 포함하게 될 것임을 믿었고, 이것에 대하여 상당히 자세하게 설명하였다. 현재의 몸은 썩어지고 쇠하여지며 죽음에 굴복하게 되어 있다; 그러나 선한 창조주 하나님의 얼굴에 침을 뱉는 죽음은 영원한 최종적인 말이

165) 나는 Boismard(1999 [1995], ix, 48)가 그의 가설적인 발전 도식에 관하여 요약한 내용을 참으로 이상한 것이라고 여긴다: 먼저 바울은 이 땅에서의 종말론적인 통치에 관하여 생각하였고(데살로니가전서), 그런 후에 그는 이것을 포기하고 재림 때에 하늘에서 부활이 일어날 것이라고 생각하였으며(고린도전서), 그런 후에 그는 부활이 이미 일어났고 우리가 죽자마자 하늘에서 그것이 분명하게 될 것이라는 플라톤적인 도식을 믿게 되었고(고린도후서), 마지막으로 "그의 삶의 마지막에서" 그는 "하나님 안에서의 우리의 복된 비전"을 생각하였다(골로새서). 그렇다면, 로마서 8장은 이러한 도식 안에서 어디에 해당하는 것인가?

될 수 없다.[166] 그러므로 창조주는 새 시대에 합당한 새 세상과 새 몸들을 만드실 것이다. 어떤 관점에서 보면, 새 세상과 새 몸은 옛 것들에 대한 구속되고 다시 만들어진 판본들이다; 이것이 로마서 8장의 강조점이다. 또 다른 관점에서 보면, 새 세상과 새 몸들은 "하늘에 예비되어" 있다. 우리는 이 두 가지 중 어느 것을 일방적으로 강조해서는 안 된다; 후자의 표현은 무엇보다도 특히 그것들이 창조주 하나님의 마음, 계획, 의도 속에 안전하게 있다는 것을 의미한다. 바울은 창세기 3장에 나오는 생명 나무에 대하여 언급하고 있지 않지만, 그의 표본적인 이야기는 끊임없이 창조주가 마침내 자신의 형상을 닮은 피조물들, 그리고 실제로는' 만유 전체를 타락, 가시와 엉겅퀴, 번쩍이며 돌아다니는 화염검이라는 궁지를 뚫고 이끌어서 마침내 생명의 선물을 온전히 맛보게 하고 하늘의 통치가 마침내 땅에 이루어지게 될 새 세상 속에서의 새로운 몸을 입은 삶을 누리게 하는 것을 지향하고 있다.

게다가 바울은 그리스도인들의 삶의 구체적이고 육신적인 사건들, 특히 세례와 거룩함을 나타내기 위하여, 그리고 또한 적어도 한 경우에 있어서는 "속사람"의 갱신을 나타내기 위하여 부활에 관한 언어를 은유적인 방식으로 사용하였다. 이것은 유대교 내에서 이스라엘의 장래의 회복, "포로생활로부터의 귀환," 에스겔 37장과 그 밖의 다른 본문들 속에서 말하고 있는 때를 가리키기 위하여 부활이라는 언어를 은유적으로(또한 환유법적으로) 사용한 것을 발전시킨 것이었다고 나는 주장한 바 있다.[167] 이것은 결코 부활 관념을 "영적인 것으로 전환시킨 것"이 아니었다. 또한 흔히 주장되어 왔듯이, 그것은 바울이 지금/아직이라는 긴장 관계로부터 벗어나서 더 온전하게 실현된 종말론으로 나아간 것도 아니었다. 또한 그것은 존재론적으로 이원론적인 세계관 내에서 이해된 영적인 경험을 가리키기 위하여 "부활" 언어를 후대의 영지주의적인 방

---

166) de Boer 1988, 183f.를 보라: 바울에게 있어서 육신의 썩어짐은 "무시무시한 범죄, 이질적이고 적대적인 세력에 의한 인간의 멸절"로 보아졌다. Lüdemann 1994, 177에 나오는 바울의 견해에 대한 요약은 우리의 분석이 철저하게 배제하고 있는 극히 진부한 견해의 한 예를 제시하고 있다: 바울에 의하면, "예수는 죽음의 순간에 바로 하나님의 현존으로 들어가서," "십자가에서 하나님에게로 직접 승귀되었다"는 것.

167) 위의 제3장 제4절을 보라.

식으로 사용하는 경향성으로 나아간 것은 더더욱 아니었다.[168] 오히려, 그것은 예수의 가장 초기의 제자들의 경험과 신앙을 설명하는 방식이었다: 그리스도인의 삶은 예수의 부활로 시작해서 모든 신자들의 부활로 끝이 나는 역사적 이야기에 속한다는 것과 첫 번째의 것을 이룬 하나님의 성령이 두 번째의 것도 이룰 것이고, 지금 현재에 있어서도 그 첫 번째 사건을 선취하고 보증하기 위한 사역을 행하고 있다는 것.

한편으로는 유대적임과 동시에 그 어떤 유대인이 이전에 말한 것과도 다른 일련의 미묘한 관념들을 발견하고서 역사가들이 어떤 질문을 던질 것인지는 아주 분명하다: 무엇이 이러한 내부로부터의 발전들, 이렇게 새롭게 설명된 부활 신앙들을 출현시켰는가? 이에 대하여 바울은 이렇게 대답하였을 것이다: 그것은 바로 예수의 부활이었다.[169] 당시의 유대인들이 예상했던 것과 같은 그러한 "부활"은 일어나지 않았다: 또한 "부활"을 은유법과 환유법으로 사용했을 때의 의미인 민족의 회복도 일어나지 않았다. 바울 또는 그 밖의 다른 초기 그리스도인들의 영적인 경험이 아무리 생생했다고 할지라도, 예수가 고대 세계에 살던 모든 사람이 이해하였던 의미에서, 즉 몸으로 "죽은 자로부터 부활하였다"는 것을 믿지 않았다면, 그들이 이와 같은 방식으로 그들의 신앙들과 소망들을 설명하였을 것이라고 생각할 만한 근거는 존재하지 않는다. 또한 바울이 그에게 아주 분명하였던 것, 즉 메시야의 부활의 몸은 분명히 이전의 몸과 동일하면서도 새로운 종류의 생명으로 살아난 흥미롭게도 다른 몸이었다는 것을 알지 못했다면 그가 했던 방식으로 장래의 부활의 몸에 관한 자신의 견해를 발전시킨 이유를 설명할 길이 없다. 그리고 한편으로는 거룩한 삶, 다른 한편으로는 고난과 핍박의 삶으로의 부르심은 유대교 문헌들 속에서 주요한 주제들이었지만, "부활" 언어가 그러한 것들을 이해하거나 설명하는 방식으로 은유적으로 사용되지 않았기 때문에, 우리는 그리스도인의 삶과 경험에 대한

168) 아래 제11장을 보라.

169) Carnley 1987, 249f.는 분명하게 말한다: "믿음과 소망의 성격에 관한 바울 자신의 설명은 모종의 육신을 지닌 예수에 대한 체험 또는 본 것이 아니라, 그리스도의 영의 지속적인 현존으로 거슬러 올라간다." 그는 이것에 대하여 아무런 근거도 제시하지 않는다: 또한 마지막 세 장에 비추어보면, 그는 그렇게 할 수도 없었을 것이다.

바울의 새로운 뉘앙스를 지닌 은유적 언어에 관해서도 동일한 결론을 내리지 않을 수 없다.

이와 동시에, 우리는 다니엘서와 그 밖의 다른 곳에서 부활 소망에 관한 최초의 분명한 설명들이 생겨난 것은 거룩함, 고난, 핍박으로의 그러한 부르심으로부터였다는 것을 지적해 볼 수 있을 것이다. 예수는 바로 이러한 비전을 품고서 그의 죽음과 부활로 이끌었던 길을 갔다. 그리고 이것은 거룩함, 고난, 핍박에 관한 바울 자신의 이해를 형성하게 되었다. 바로 이것이 고린도 서신이 말하고 있는 것이라고 우리는 말할 수 있다.

따라서 미래적 및 현재적 부활에 관한 바울의 다양한 많은 진술들은 하나의 역사적 질문을 제기하고, 바울 및 역사가들에게 있어서 이 질문에 대한 유일하게 만족스러운 대답은 바울은 하나의 과거의 사건, 나사렛 예수의 부활이라는 사건을 확고하고 뚜렷하게 믿었다는 것이다. 어떻게 그가 이러한 신앙에 도달하게 되었는지는 다음 장에서 다룰 주제이다.

제 8 장

바울이 예수를 보았을 때

1. 서론

바울에 관하여 다른 것들에 대해서는 거의 모르는 사람들도 그가 극적인 회심을 하였다는 것만은 알고 있다. "다메섹 도상"이라는 어구는 자기가 잘못된 길로 가고 있다는 것을 발견하고서 돌이켜서 다른 길을 향하도록 만든 돌연한 조명과 변화의 장소 또는 계기를 가리키는 은유로 널리 사용되어 왔다.

게다가 성경에 대해서 별로 알지 못하는 상당수의 사람들은 다메섹 도상에서 무슨 일이 일어났다고 그들이 생각하는지에 대하여 마음속에 분명한 그림을 가지고 있다. 바울은 말을 타고 달려가고 있었고, 이때에 갑자기 빛이 비춰서, 바울은 눈이 멀고 말에서 떨어져 땅으로 곤두박질쳤다. 사실, 수많은 탄생 장면들 속에 나오는 소, 나귀, 낙타와 마찬가지로, 바울의 이야기 속에 나오는 말은 원래의 본문들 속에는 없었던 후대의 예술적인 상상력의 산물이다. 앞으로 보게 되겠지만, 이 사건은 바울 자신의 글들 속에 세 번(적어도), 사도행전에 세 번 나오는데, 그 어디에서도 우리는 말발굽 자국을 볼 수 없고, 희미하게나마 말 울음 소리를 들을 수 없다. 사람들이 현재 지니고 있는 이러한 인식은 많은 부분 바티칸에 있는 바울 성당에 그려진 미켈란젤로의 벽화, 로마에 있는 산타마리아 델 포폴로 교회에 있는 카라바조(Caravaggio)의 뛰어난 그림, 그리고 이와 비슷한 그 밖의 다른 작품들 때문이다.[1] 그리고 이러한 그림들은 이전의 모델들을 반영한 것이다. 여행 가이드들이 우리에게 그림들로부터 성경의 이야기들을 배우는 것은 더 이상 관습이 아니라고 우리에게 말할 때, 바울

1) 예를 들면, Bruegel(1567, in Vienna)과 Solimena(1689, in Naples)의 작품들.

의 회심에 관한 통속적인 인식은 우리에게 거기에 동의하지 않을 타당한 이유를 제공해 준다.

말들이 아니라 사람들이 "환상들"에 관하여 말하는 방식을 포함하고 있는 이와 비슷한 현상은 바울의 회심에 관한 학자들의 설명들을 괴롭혀 왔다. 우리는 바울에게 일어난 일이 그가 강렬한 영적 체험을 한 것이고, 그는 육안으로가 아니라 마음의 눈으로 "보았으며," 그때에 "예수"는 육신적으로 거기에 있었던 것이 아니라 빛으로 된 존재(이것이 무엇이든지간에)였다는 말을 반복해서 듣게 된다. 바울의 회심을 촉진시키고 그의 이후의 신학에 영향을 미친 것은 바로 이러한 "빛"의 체험이었다.[2] "바울에게 있어서 그의 기본적인 환상은 하나님과의 계시적인 만남에 대한 확신을 수반한 영적인 체험이었다고 보아야 한다"고 펌 퍼킨스(Pheme Perkins)는 쓰고 있다.[3] 그리고 이것으로부터 통상적으로 다음과 같은 결론이 도출된다: 이것이 바울의 체험이었다면(그의 본문들은 우리의 가장 초기의 증거들이다), 이것은 아마도 그 밖의 다른 초기의 제자들이 체험했던 바로 그것이었을 것이다. 그러므로 예를 들면 누가와 요한속에 나오는 것과 같은 여러 가지 서로 다른 종류의 "본 것"에 관한 보도들은 최초의 "영적인" 환상을 더 확고한 "목격자의 증언" 형식으로 바꾸어 보고자 한 후대의 시도들이 되고 만다.[4]

이러한 해석은 흔하게 제시되고 있으며, 그것은 카라바조의 그림에 나오는

2) 오늘날의 학계에서 이것에 관한 고전적인 진술은 Robinson 1982, 7-17이다. Robinson은 고린도전서 15장과 빌립보서 3장으로부터의 근거 없는 추론으로부터 사도행전과 요한계시록 1:13-16을 거쳐서 바울은 "아무런 방해도 받지 않고 부활의 빛나는 모습을 시각적으로 보았기" 때문에, 이전의 모든 체험들은 "눈부신 빛의 체험"이었다는 결론으로 비약한다. 그런 후에, Robinson은 이것에 대한 가설적인 반응이 시작되었을 때에 — 달리 말하면, 마태, 누가, 요한이 부활 기사들을 썼을 때에 — 그들은 "종교적 체험들로의 부활 현현들의 이러한 환원"의 "겉포장"을 배경으로 그 기사들을 썼다는 것을 인정한다(11).

3) Perkins 1984, 94.

4) 많은 예들 중에서 두 예만 들어보자: Carnley 1987, 238f.; de Jonge 2002. 이러한 사고 노선에 대한 짤막하면서도 분명한 대답은 Davis 1997, 138f.에 의해서 주어진다. 이와 관련되어 있는 "환상"의 성격에 대한 자세한 논의는 Schlosser 2001에 나와 있다.

눈부신 말(horse)과 마찬가지로 상상의 산물일 뿐이다. 여기서 일어나고 있는 것은 주류적인 비평학계가 바울 자신의 서신들을 일차적인 증거들로 보고 사도행전에 나오는 기사들을 이차적인 것으로 읽어야 한다는 귀에 따갑도록 들은 원칙을 잊어버렸다는 것이다.[5] 사도행전에서 세 번 이상 나오는 다메섹 도상의 사건에 관한 장엄한 묘사는 바울 자신이 마지못해서 짤막하게 언급한 것들을 읽어 왔던 사람들의 상상력에 현란한 색채를 부여하여 왔다; 그것은 특히 다른 것에 관하여 말하고 있는 한 본문(고후 4:6)과 결부되어졌는데, 이것은 잘못된 것이다; 그리고 이러한 상상력에 의한 읽기는 누가가 이 이야기를 그런 식으로(또는 "그러한 방식들로," 왜냐하면 세 기사가 서로 다르기 때문에) 말하는 것을 통해서 하고자 시도했던 것으로부터 사람들의 주의를 돌려놓았다. 이 모든 것은 우리가 그것을 몸을 입지 않은 예수를 "본 것"과 관련된 결정적인 증거로 보지 못하게 만든다. 이러한 주장을 입증하기 위해서 우리는 증거들을 하나하나씩 살펴보지 않으면 안 된다.

우리가 그렇게 해 왔듯이, 우리는 이 사건이 최근에 두 가지 서로 다른 관점에서 논의되어 왔다는 것을 지적해 두어야 한다. 하지만 그러한 견해들 중 어느 것도 여기에서 우리에게 별로 중요하지 않다 첫째, "회심"이 바울의 체험을 가리키는 최선의 용어인가에 대하여 상당한 논란이 있어 왔다. 왜냐하면, 바울은 오늘날의 의미에서 "종교를 바꾼" 것이 아니라, 그가 항상 예배해 왔던 신으로부터 더 온전한 계시를 받은 것이었기 때문이다. 하지만 바울에게 일어난 일 속에 분명한 "회심"의 요소들이 존재한다는 것이 또한 강조되어 왔다(내가 보기에는 이러한 견해가 옳다).[6] 나는 이 용어가 문제가 있을 수 있다고 생각하지만, 바울의 체험을 언급할 때마다 매번 반복해서 길게 표현하는 것은 지루하기도 하고 성가신 일이 되기 때문에, 아래의 서술에서 이 용어를 그대로 사

5) 사도행전/바울 관계에 대한 고대의 병행들에 대해서는 Hillard, Nobbs and Winter 1993을 보라; 이 관계 자체에 대해서는 Hemer 1989 ch. 6을 참조하라.

6) Stendahl 1976, 7-23은 "회심"이 아니라 "소명"으로 불러야 한다고 주장한다; Segal 1990, 14-17은 "회심"의 요소들이 있다는 이유로 이에 반대한다. 또한 Barrett 1994, 442를 보라: "그러한 근본적인 변화들[율법에 대한 바울의 새로운 태도와 그의 새로운 활동방식 같은]이 회심에 해당하지 않는다면, 무엇이 과연 회심인지를 알기는 어렵다"; 또한 Dunn 1996, 119f.; Ashton 2000, 75-8을 보라.

용하고자 한다.(또는 나는 엄밀하게 말해서 바울은 이 장소를 언급하고 있지 않지만, 그가 이 이야기를 처음 말하면서 자기가 즉시 아라비아로 갔다가 "다시 다메섹으로 돌아왔다"고 말함으로써, 다메섹이 바로 그 일이 일어난 곳이었고 그의 독자들도 그것에 관하여 알고 있었다는 것을 함축하고 있기 때문에, 이 사건을 "다메섹 도상"의 사건이라고 지칭할 것이다.)[7)]

둘째, 바울의 회심에 관한 대부분의 연구들은 다메섹 도상에서 그에게 일어난 일과 그의 이후의 신학의 형태 및 내용 간의 관계를 부각시켜 왔다. 이것은 한 가지 구체적인 점, 즉 그가 예수의 부활에 관하여 믿었던 것과 관련해서 우리에게 관심있는 것이긴 하지만, 우리의 목적을 위해서는 더 폭넓은 질문들이 제기되어야 한다.[8)]

먼저 서두에 인식론과 관련하여 한 마디 해 두기로 하자.[9)] 지난 두 세기에 걸친 바울의 회심에 관한 논의들은 반복적으로 당시에 일어난 일이 "객관적인" 체험이었느냐, 아니면 "주관적인" 체험이었느냐라는 문제로 되돌아오곤 했다: 즉, 바울이 공적인 영역에서 "실제로 거기에" 있었던 어떤 것 또는 그 누구를 보았고 들었던 것인지, 아니면 바울에게 일어난 일은 외부적인 현실에 있어서 그 대응물을 가지지 않은 "내적인" 체험이었는지 하는 것이다.[10)] 이것은 통상적으로 부활 자체에 관한 서로 다른 견해들과 결합되어 왔기 때문에, 우리는 순환논법을 피하기 위하여 최선을 다하지 않으면 안 된다. 그러나 우리는 "종교"에 대한 "모더니즘적인" 개념 — 상당수의 비평학자들은 이 틀 안에서 작업을 해 왔다 — 은 또 다른 세계(예를 들면, "하늘")로부터의 계시들에 대한 모든 보도된 체험을 포함한 "종교적 체험"을 "내적인" 것으로 생각하여 왔다는 점을 유의하지 않으면 안 된다. 이것은 주후 18세기의 이신론의 노선을 따라서 "하나님" 또는 "종교"와 관련 있는 모든 것을 정의상으로 공간, 시간, 물질의 세계와의 접촉으로부터 제거하였던 고전적인 계몽주의 이후의 패러다임의 일부이다. 따라서 이러한 세계관에 묶여 있는 사람들은 하늘의 환상에 관

---

7) 갈라디아서 1:17(아래의 서술을 보라).

8) 예를 들면, Longenecker 1997; 최근의 것으로는 Kim 2002를 보라.

9) cf. NTPG Part II.

10) Ashton 2000, 80은 이런 식으로 문제 제기하는 것이 F. C. Baur에게 거슬러 올라간다고 말한다.

한 보도에 접할 때마다, 그들은 그것을 "내적인" 것으로 분류해 왔다. 그들에게는 그것이 전부였다. 그러나 주후 1세기 유대인들은 사물을 그와 같이 보지 않았다. 그들에게 있어서 하나님의 영역으로서의 "하늘"은 모든 점에서 실재하는 것이었고, "땅"의 세계와 마찬가지로 그들 자신의 실체, 그들 자신의 마음, 사고, 감정에 대하여 외부적인 것이었다. 2000년이 지난 후에 우리가 그들에게 무슨 일이 "실제로" 진행되고 있었는지를 말하는 것은 극히 자연스러운 일이다. 우리는 더 역사적이고 더 기능적인(emic) 이해로부터 밝혀진 것을 억누르고 우리의 비기능적인(etic) 견해를 강요하기 전에, 우리 자신의 토대에 대하여 좀 더 확신을 가질 필요가 있다.[11)]

아울러, 객관적인 것과 주관적인 것의 구별은 지나치게 단순한 것이다.[12)] 구급차가 사이렌을 울리면서 도로를 지나갈 때, 내가 그 소리를 나의 두개골의 중앙에서 느낄 수 있다는 사실은 두개골이 그것이 존재하는 유일한 장소라는 것을 의미하지 않는다. 나의 눈이 이글거리는 태양에 의해서 상처를 입을 때, 이것은 태양이 존재하지 않기 때문이 아니라 태양이 존재하기 때문이다. 물론, 외적인 실체와 연관되어 있는 것으로 보이지만 사실은 단순히 심리적인 또는 생리적인 과정들에 의해서 생겨난 의식 상태들이 존재한다. 꿈이 이런 것일 수 있고, 마약도 그렇다. 그러나 땅에서든 하늘에서든 외적인 세계에서 주목할 만한 일들이 일어났고 이 일들이 그 사건들을 보도한 사람들에게 주목할 만한 결과들을 낳았다는 주장을 관련된 사람의 의식 상태라는 관점에서 설명될 수 있다고 미리 예단하는 것은 자의적이고 역사적으로 근거가 없는 것이다. 이것은 버클리(Berkeley) 주교와 그의 인식론에 솔직히 말해서 처음에는 그가 결코 얻지 못했던 승리를 나중에 부여하는 것이 될 것이다 — "하늘의" 또는 신적인 실체들에 관한 그 어떤 진술도 그러한 것들을 경험하고 있다고 주장하는 사람에 관한 진술로 환원되어야 한다고 역설한 것이 모든 것을 체념한 채 포이어바흐(Feuerbach)에게 굴복하는 것인 것과 마찬가지로.[13)]

---

11) Rowland 1982, 378을 보라.

12) 이 논의는 부분적으로는 불트만의 해석학이 남긴 오랜 유산을 겨냥한 것이다; *NTPG* Part II를 보라.

13) Berkeley에 대한 간략하면서도 분명한 서술은 Warnock 1995과 그 밖의 다른 참고문헌들을 보라. Feuerbach에 대해서는 Wartofsky 1977 등을 참조하라.

그러므로 바울이 자신에게 심오한 영향을 미친 그 무엇을 보거나 들었다고 말할 때, 이것은 저절로 그가 단순히 그 어떤 객관적인 대상이 없는 "종교적인 체험"을 했다는 것을 의미하는 것으로 해석되어서는 안 된다.[14] 모든 체험은 해석된 체험이지만, 모든 체험이 해석이라는 관점으로 환원될 수는 없다. 이것은 쟁점들을 미리 예단하는 것이 아니다. 오히려, 그것은 내부 거래를 토대로 해서 지금은 널리 의문시되고 있는 계몽주의의 세계관에 의해서 편의적으로 제공된 언어적인 틀에 의해서 수행되고 있는 것을 막고자 하는 시도이다.

훌륭한 역사적 방법론이 역설하듯이, 우리는 바울 자신의 설명들로부터 시작하고자 한다: 즉, 그가 예수를 만났고 보았던 순간을 분명하게 언급하고 있는 세 개의 본문들.

2. 바울 자신의 설명들

(i) 갈라디아서 1:11-17

매번 바울은 다메섹 도상에서 자기에게 무슨 일이 일어났는가를 그 자체를 말하기 위해서가 아니라 각각의 경우에 서로 다른 특정한 요지를 말하기 위하여 언급한다. 세 개의 설명들 중에서 첫 번째 기사인 갈라디아서 1장에서 바울은 자기가 직면해 있었던 비난들에 맞서서 열정적으로 논증하는데, 자기는 베드로, 야고보, 요한 같은 "기둥" 같은 사도들로부터 자신의 복음을 받은 것이 아니라, 예수 자신으로부터의 위임을 통해서 직접 복음을 받았다고 주장한다. 바울은 이 순간을 두 번이나 "계시"('아포칼립 시스')라고 묘사한다:

> 11형제들아 내가 너희에게 알게 하노니 내가 전한 복음은 사람의 뜻을 따라 된 것이 아니니라 12이는 내가 사람에게서 받은 것도 아니요 배운 것도 아니요 오직 예수 그리스도의 계시로 말미암은 것이라['디 아포칼립세오스 예수 크리스투'] … [그런 후에, 바울은 열심 있는 유대인으로서의

14) 예를 들면, cf. Patterson 1998, 226f., n. 26: 우리는 바울에 대하여 심리분석을 행할 수는 없을 것이지만, 이것은 그의 체험이 "그 자신의 주관성에 의해서 깊이 영향을 받지 않았다"는 것을 의미하는 것이 아니다. 그의 체험은 결코 객관적인 사건으로 여겨질 수 없었다.

> 자신의 과거의 삶을 서술한다] … [15]그러나 내 어머니의 태로부터 나를 택정하시고 그의 은혜로 나를 부르신 이가 [16]그의 아들을 이방에 전하기 위하여 그를 내 속에 나타내시기를['아포칼립 사이 톤 휘온 아우투 엔 에모이'] 기뻐하셨을 때에 내가 곧 혈육과 의논하지 아니하고 [17]또 나보다 먼저 사도 된 자들을 만나려고 예루살렘으로 가지 아니하고 아라비아로 갔다가 다시 다메섹으로 돌아갔노라.

우리의 현재의 논증을 위해서 이 복잡한 작은 본문 속에서 여섯 가지를 논의할 필요가 있다.[15] 첫째, 바울은 자신의 논증의 수사학적인 필요들에 의해서 자연스럽게 자기가 받은 "계시"와 갈라디아 교인들이 바울 위에 더 원래적인 원천이 있었을 것이라고 말한 것과 같이 일련의 전승을 통해서 내려온 통상적인 인간적 원천들로부터 바울이 자신의 복음을 "받았을" 가능성 간의 차이를 강조한다. 이것이 바울이 자신의 요지를 말하기 위하여 '아포칼립 시스'라는 어근을 선택한 이유이다: 이 어근은 이차적으로 전해진 것을 가리킨 것이 아니라 예수 자신이 진리 자체를 "드러내 보인 것"을 가리키는 것이었다.[16] 이 단어는 이전에는 감춰어 있었던 것, 특히 하나님의 실제의 영역("하늘")에 숨겨져 있던 것, 인간의 영역("땅")에서는 통상적으로 볼 수 없지만 특별한 상황들 아래에서는 볼 수 있는 것을 돌연히 드러내 보였다는 뉘앙스를 지닌다.[17] 바울서신의 다른 곳에서 이러한 단어군은 종말론적인 의미를 지닌다: 마지막 날에 분명하게 드러나게 될 것이라고 기대될 수 있었던 그 무엇이 미리 앞서서 "계시되었다."[18] 이러한 것들이 바울이 여기에서 제시하고자 한 특정한 강조점들

---

15) 주석서들과 아울러서 Newman 1992, 196-207 등을 보라.

16) 이 어구는 그 자체로서는 "예수로부터 온 계시" 또는 "예수를 그 내용으로 한 계시" 중 어느 것이나 의미할 수 있었다; 16절은 바울이 후자를 의미하고 있다는 것을 보여준다(예를 들면, Hays 2000, 211). 또한 1:1을 참조하라: 바울은 자신의 사도직을 "메시야 예수와 죽은 자로부터 그를 일으키신 아버지 하나님을 통해서" 받았다 — 마지막 9절은 이 전체 그림의 핵심적인 부분이다.

17) Rowland 1982, 376f.를 보라.

18) 예를 들면, 롬 1:18과 2:5; 고전 1:7; 살후 1:7과 현재의 본문을 참조하라. 또한 Newman 1992를 보라: 종말론적인 영광이 미리 앞서서 계시되었다(아래의 서술을 보라).

이기 때문에, 우리는 이 단어로부터 정확한 유형의 체험에 관하여 그 어떤 것도 추론해 낼 수 없다(육안으로 본 것인지, 아니면 마음 속에서 "본 것"인지).

둘째, 바울은 자신의 회심/소명을 선지자들의 소명 기사를 연상시키는 관점으로 언급한다.[19] 여기에 두 사람의 고전적인 선지자들에 대한 반영들이 있다: 이사야 49:1, 5("여호와께서 태에서부터 나를 부르셨고 내 어머니의 복중에서부터 내 이름을 기억하셨으며 … 그는 태에서부터 나를 그의 종으로 지으신 이시요")[20]과 예레미야 1:5("내가 너를 모태에 짓기 전에 너를 알았고 … 너를 여러 나라의 선지자로 세웠노라"). 이것은 바울 자신의 짧은 기사와 누가의 더 긴 기사 — 앞으로 보게 되겠지만, 거기에서 누가는 바울에게 일어난 일을 선지자들의 (소명) 환상을 위하여 적절한 성경적 용어들을 통해서 묘사하고자 애를 쓴다 — 간의 두 가지 중요한 병행들 중 하나이다.

셋째, 이 본문은 앞 장에서 살펴보았고 곧 다시 살펴보게 될 고린도전서 15:3-11과 부분적인 병행을 보여준다. 바울은 메시야 예수가 다른 사도들에게와 마찬가지로 자기에게도 나타나셨다는 점을 말한다 — 만약 바울에게 직접 예수가 나타나지 않았더라면, 다른 사도들이 일차적인 것으로 생각되었을 것이다.

넷째, 결정적으로 중요한 계시는 "하나님의 아들"에 관한 것이었다. 이것은 바울이 다메섹 회당들을 향하여 말한 최초의 말 속에서 이것을 핵심적인 것으로 삼고 있었다고 전하는 사도행전의 기사들과 병행되는 두 번째 중요한 병행이다: 예수는 "하나님의 아들"이라는 것(9:20). 여기에서 및 로마서 1:3-4에서와 마찬가지로, "하나님의 아들"의 일차적인 의미는 "삼위일체의 두 번째 위격"이 아니라 "이스라엘의 메시야"이다.

다섯째, 16절의 핵심적인 어구는 두 가지 방식으로 이해될 수 있다: 하나님이 자신의 아들을 바울에게 계시한 것을 강조한 것 또는 하나님이 바울을 통해서 자신의 아들을 계시한 것을 강조하고 있는 것. 헬라어 '엔'은 이 둘 중의 하나, 또는 둘 모두를 의미할 수 있지만, 다음 구절은 바울이 말하고자 한 주된 것이 무엇이었는지를 보여준다: 하나님의 목적은 바울이 복음을 이방 나라들

---

19) Baird 1985, 657; Sandnes 1991; Newman 1992, 204-07.

20) 또한 cf. 사 44:2.

가운데 전파하는 것이었다는 것. 바울은 다른 곳에서 하나님의 아들이 그의 복음 전도의 수단으로서 자기 안에 거하고 있다는 말을 하지 않는다.[21] 그러나 그는 자신의 삶을 예수의 삶의 반영으로 보고, 어린 교회에게 자신을 본받으라고 말한다;[22] 다음 장에 나오는 중요한 본문을 포함한 여러 본문들 속에서 바울은 자기가 기독교 신앙을 갖게 된 것이 복음을 통하여 사람들에게 일어나고 있는 것의 패러다임이라고 설명한다.[23] 이것이 이 본문의 강조점이라면, 바울은 여기서 일차적으로 하나님이 예수를 그를 통하여 계시하는 것을 가리키고 있는 것으로 보인다 — 물론, 이것은 먼저 예수가 그에게 계시되는 것을 요구하지만. 이러한 결합은 종종 제시되는 주장, 즉 헬라어 '엔' 이라는 단어는 육안으로 보는 외적인 봄과 반대되는 것으로서의 단순히 "내적인" 계시, "영적인 체험"을 가리킨다는 주장을 배제한다.[24]

여섯째, 이 본문을 로마서 1:3-4 및 고린도전서 15:1-4과 비교해 보면, 바울이 여기서 "복음"에 관하여 말할 때, 그가 "이신칭의" 또는 "이방인들의 포함"을 의미하지 않는다는 것을 우리는 알게 된다. 바울이 의미한 것은 "메시야 예수가 죽은 자로부터 다시 살아나서 세상의 주가 되었다"는 것이다.[25] 우리는

---

21) 갈라디아서 2:20f.와 골로새서 1:28f.는 가장 가까운 본문들이다.

22) 예를 들면, 고린도전서 11:1.

23) 갈라디아서 2:19f.; 또한 메시야 예수가 이후의 신자들에 대한 주요한 또는 첫 번째 예로서 "바울 안에서" 그의 인내심을 보여주고자 한 것이라고 말하는 디모데전서 1:16도 참조하라.

24) Longenecker 1990, 32는 "기독교적 체험의 내적인 실체"에 관하여 말한다; Thral 1994, 317은 바울의 체험이 "내적인 요소"를 포함하고 있었다고 말하는데, 이것은 말할 것도 없이 사실이긴 하지만 여기서의 요점은 아니다; Patterson 1998, 223f.은 그것을 "내적인" 체험으로 말한다. Ashton 2000, 83은 이 절이 바울이 "계시, 즉 자신 안에서의 어떤 사건을 체험하였다"는 것을 아주 명확하게 진술하고 있다고 믿는다. Ashton은 "내게"를 번역하기 위해서는 "끈질기고 힘든 어원론적인 많은 몸부림"이 필요하다고 주장하지만, Martyn 1997a, 158은 "-에게"로 번역해야 한다고 주장하면서, 그러한 몸부림을 조금도 보여주지 않는다. Rowland 1982, 376도 그러한 몸부림을 전혀 하지 않는 문법학자들인 Blass-Debrunner와 Moule을 인용해서 그런 번역을 제안한다.

25) Wright, "Gospel and Theology"와 Wright, *Romans,* 415f.를 보라.

로마서와 고린도전서로부터 바울이 이러한 종류의 진술을 통해서 의미했던 것에 관한 분명한 관념을 가지고 있기 때문에, 갈라디아서 1:12과 16절을 취급하는 가장 좋은 방식은 바울이 하나님의 아들, 메시야 예수의 계시라고 말했을 때, 그는 이 계시 안에서 및 이 계시를 통해서 그가 예수는 그 밖의 다른 두 서신에 의해서 설명된 의미에서 죽은 자로부터 다시 살아나셨다는 것을 확신하게 된 것을 당연한 것으로 여기고 있었다고 역설하고 있다는 것이다.

이렇게 갈라디아서는 이 짧은 본문을 통해서 다메섹 도상에서 자기에게 일어난 일을 바울이 어떻게 해석하였는지에 관한 분명한 내용들을 우리에게 제시해 준다. 하지만 이 본문은 정확히 무슨 일이 일어났는지에 관한 문제에 대해서는 그리 많은 도움을 주지 못한다. 그러나 이 본문은 그러한 질문에 답해 줄 수 있는 두 개의 본문, 고린도전서에 나오는 두 개의 본문을 우리에게 지시해 준다.

(ii) 고린도전서 9:1

우상들에게 바쳐진 음식에 관한 고린도전서 8:1—11:1의 더 큰 논증 안에서 바울은 자기 자신의 삶을 하나의 모범으로 제시한다.[26] 바울은 자신의 식습관들을 묘사하고 있는 것이 아니다; 우리는 그런 것들에 관하여 절망스러울 정도로 거의 알지 못한다.

오히려, 바울은 사도로서의 그의 자유와 권리들을 전략적으로 사용하는 것 — 이 경우에는 사용하지 않는 것 — 을 설명한다. 그는 아내와 함께 여행할 권리를 가지고 있다; 그는 자신의 일에 대하여 삯을 받을 권리를 가지고 있다; 그러나 그는 몇몇 전략적인 이유들로 인해서 그러한 권리들을 사용하지 않기로 결심하였다 — 그러한 권리들을 사용할 경우에 복잡한 후원자 관계에 얽매이게 되는 것을 방지하기 위한 목적을 포함한.[27]

9장의 처음 두 절은 이러한 예시적인 하위 주제를 전형적으로 날카로운 방식으로 소개한다:

---

26) 이 본문은 아래의 제6장 제2절에서 간략하게 논의된다.

27) 자세한 것은 Thiselton 2000, 661-3을 보라.

> [1]내가 자유인이 아니냐 사도가 아니냐 예수 우리 주를 보지 못하였느냐 주 안에서 행한 나의 일이 너희가 아니냐 [2]다른 사람들에게는 내가 사도가 아닐지라도 너희에게는 사도이니 나의 사도 됨을 주 안에서 인친 것이 너희라.

바울에 관한 한, "사도"는 부활하신 주님을 본 적이 있는 사람이었다; 그러나 사도직의 증거는 사도적 사역이 열매를 맺고 있는 것이다.[28] 바울은 사도직이 여러 종류의 자유를 부여하고 있다는 것을 당연시하고 있고, 이것이 그가 앞으로 전개하고자 하는 요지이기 때문에, 가장 먼저 이것을 언급한다. 그러나 우리에게 있어서 중요한 연관 관계는 두 번째 질문과 세 번째 질문의 연관 관계이다. 바울은 주 예수를 본 적이 있기 때문에 사도이다.[29] 바울은 예수를 보았고 바로 그러한 사실에 의해서 여전히 특징지워지는 제한된 수의 사람들 중의 한 사람이다(이것이 '헤오라카'의 완료 시제의 의미이다: 완료 시제는 일회적으로 일어난 과거의 사건이 현재에 있어서 지속적으로 의미를 지니고 있다는 것을 나타낸다).[30] 바울은 "계시적 경험들을 주를 보았다는 말로 표현하는 기독교적인 관습"을 채택하고 있는 것이 아니었다.[31] 그는 그것이 참이라고 믿고 있고 또한 그것이 참이라는 것이 그의 논증에 있어서 중요하기 때문에 이 점을 언급하고자 하는 것이다.

이 절과 15:8-11(아래를 보라)을 한데 결합해서 보게 되면, 바울이 다양한 영적인 체험들과는 판이하게 다른 그 무엇인 "본 것," 역사의 여러 시기들에 있어서 수많은 그리스도인들이 체험해 왔던 마음의 눈으로 "본 것들"과는 판이하게 다른 그 무엇인 "본 것"을 의도하고 있다는 것이 분명해진다. 고린도 교인들은 온갖 종류의 영적인 체험들을 했었고, 이에 대해서 실제로 바울은 1:4-7에서 그들에게 축하를 보낸다; 그러나 그들은 바울과 같은 이러한 체험

---

28) 사도직에 대해서는 Thiselton 2000, 666-74와 다른 문헌들에 대한 풍부한 언급들을 보라.

29) Fee 1987, 395 n. 14는 "우리 주 예수"가 거의 부활한 그리스도를 가리키는 전문용어임을 강조한다.

30) Thiselton 2000, 668.

31) Patterson 1998, 224. Newman 1992, 186을 보라.

을 한 적은 없었다. 또한 바울은 계속해서 살아가고 사역을 행하면서 수많은 영적인 체험들을 가졌지만, 바울은 여기서 또 다시 일어날 수 있는 그러한 것에 대하여 언급하고 있는 것이 아니다. 바울에게 있어서 이것은 그를 사도로 세웠고 두 번 다시 반복될 수 없는 일회적인 최초의 "본 것"이었다. 예수의 부활 현현들은 이제 멈춰졌다. 바울에게 나타난 부활 현현은 마지막의 현현이었다; 사실은 아주 늦게 일어난 현현 사건.

'헤오라카' 라는 단어는 육안으로 통상적으로 보는 것을 가리키는 단어이다. 이 단어는 그것이 주관적인 "환상" 또는 사적이고 은밀한 계시였다는 의미를 함축하고 있지 않다; 뉴먼(Newman)이 강조하고 있듯이, 이 단어의 요지 중의 일부는 그것이 교회에 속한 그 누구라도 볼 수 있는 "환상" 같은 것이 아니라 실제로 본 것이었다는 것이다.[32] 이와 동일한 말은 고린도전서에 나오는 또 다른 본문에도 그대로 적용된다.

(iii) 고린도전서 15:8-11

우리는 이미 앞 장에서 이 본문을 살펴본 적이 있고, 따라서 여기에서는 단지 그 요점만을 좀더 확고하게 지적해 두기만 하면 될 것이다. 바울은 교회에 의해서 원칙적으로 심문될 수 있는 증인들로서 부활하신 예수를 본 적이 있는 사람들의 목록을 제시한다. 게바, 열두 제자, 일시에 부활하신 예수를 본 오백여 명의 제자들, 야고보에게 일어난 현현 사건들을 열거한 후에, 바울은 이렇게 말한다:

> 맨 나중에 만삭되지 못하여 난 자 같은 내게도 보이셨느니라.[33]

'오프데' 라는 동사가 어느 쪽을 가리키는지에 대해서는 더 이상 할 말이 없다. 앞에서 논증했듯이, 이 동사는 사적이고 은밀한 환상 또는 어떤 사람이 공적이고 매우 통상적인 사실로서 "나타난 것," 둘 중의 어느 것에 대해서도 사용될 수 있다. 그러나 네 가지 요소들은 바울이 사적이거나 내적인 "체험"이라

---

32) Newman 1992, 186.

33) "만삭되지 못하여 난"에 대해서는 위의 제7장 제1절을 보라.

는 의미에서 비유신적인 "본 것"이 아니라 통상적인 육안을 통해서 실제로 "본 것"을 말하고자 하는 의도를 지니고 있었음을 강력하게 지지해 준다.

첫째, 9:1과의 유사성은 거기에서 분명하게 드러나고 있는 것, 즉 바울이 통상적인 인간의 "본 것"과 일맥상통하는 "본 것"을 가리킬 의도가 여기에서도 있었던 것이라고 전제해야 한다는 것을 보여준다. 그것은 그 이상이었을 수는 있지만, 그 이하이었을 수는 없다. 그것은 단순히 사적인 체험이 아니었다.

둘째, "맨 나중에"라는 어구는 적어도 바울에 관한 한 그가 부활하신 예수를 "본 것"은 끝나게 되어 있던 일련의 사건들 중의 일부였다는 것을 분명하게 말해 준다. 그것은 바울이나 그 밖의 다른 사람들이 언제든지 겪을 수 있었던 지속적인 영적인 체험들의 일부가 아니었다. 그것은 전혀 다른 질서에 속한 것이었다.

셋째, 15:1-11 전체가 그것을 무언가를 보았고 심문할 수 있는 증인들의 형태로 된 증거들이 존재하는 공적인 사건이라고 분명하게 말하고 있다는 것은 주목할 만하다. 앞에서 본 것처럼, 부활한 그리스도는 그런 종류의 존재가 아니었고, 부활은 그런 종류의 사건이 아니었으며, 그것은 그러한 종류의 증거들을 갖고 있지 않고, 증인들은 단지 그들 자신의 내적인 확신과 체험을 말하고 있는 것이지 결코 그들의 눈으로 본 증거를 말하고 있는 것이 아니라고 주장하는 사람들은 만약 그것이 사실이라고 가정할 때에 바울은 여기서 자신이 말하고자 한 것의 요지를 손상시키는 말을 하고 있다고 말하지 않으면 안 될 것이다. 이러한 것의 대표적인 예, 절벽 위를 눈을 가린 채 걸어다니는 것과 같은 해석학을 낳는 단초를 제공해 준 인물은 루돌프 불트만이다.[34)]

넷째, 이것을 밑받침하는 것으로, 15장의 나머지 부분은 저 흥미로운 모순어법, 즉 비육신적인 "부활"을 말하지 않는다(우리가 이미 보았듯이). 또한 15장의 나머지 부분에서는 예수의 부활한 몸이 빛으로 이루어져 있다고도 말하지 않는다. 실제로, 우리가 앞에서 몇몇 대목들에서 보았고 앞으로 특히 복음서 기사들을 살펴볼 때에 보게 되겠지만, 놀라운 것은 예수의 부활의 몸이 광채가 나지 않았다는 것이고(단 12:3을 고려할 때), 신약성서에서는 광채가 나는 것에 관하여 거의 언급하지 않는다(바울의 회심에 관한 기사들 속에서 예수의

34) Bultmann in Bartsch 1962-4, 1.38f., 41, 83을 보라.

몸은 그 자체가 빛나는 것으로 묘사되지 않고, 다메섹 도상에서의 예수의 현현은 눈을 멀게 할 정도로 강렬한 빛이 수반된 것으로 묘사되었다; 계 1:14-17의 환상은 판이하게 다른 범주에 속한다). 또한 처음 두 세기의 교부들의 글 속에도 그러한 언급은 거의 나오지 않는다. 예수에게 일어났던 일에 관한 바울의 견해와 모든 그리스도인들에게 장차 일어나게 될 일에 관한 그의 견해 간에 매우 밀접한 연관관계, 고린도전서 15장 전체에 걸쳐서 후자가 "몸"과 관련하여 일어나게 될 것을 강력하게 서술하고 있다는 것은 바울이 8절에서 예수가 "나타났다"고 말했을 때에 그 말은 예수가 (바울의) 마음이나 생각 속에 나타났다는 것이 아니라 바울의 육신의 눈과 시각에 죽은 자로부터 몸으로 부활한 실제의 인간 존재로서 예수가 나타났다는 사실에 대한 움직일 수 없는 증거를 제시해 준다. 바울은 자기가 예수를 "본 것"과 이 목록 속에 나오는 다른 사람들이 본 것과는 뭔가 다른 점이 있었다는 것을 알고 있다. 바울은 아주 늦게서야 부활한 주님을 보았다; 현현 사건들은 거의 끝난 것이나 다름없었다; 그러나 바울은 특별한 은혜의 표지로서 그러한 현현 사건이 허락되었다 (15:10).

이 본문들은 바울이 자신의 "회심" 또는 "소명"에 관하여 쓰고 있는 유일한 본문들이다. 하지만 내가 제시하고 있는 것과 같은 논증을 반박하고 그 대신에 비육신적이고 광채가 나는 "내적인" 종류의 "본 것" — 달리 말하면(통상적으로 문제가 있는 언어를 사용한다면), 외적인 실체라는 대상이 없는 "주관적인" 체험 — 을 주장하기 위하여 이 논의와 관련하여 종종 인용되는 두 가지 본문이 더 있다. 그러므로 이 본문들은 바울의 삶의 "이전과 이후"에 관하여 설명하고 있거나 바울이 예수로부터 처음에 위임받은 것을 언급하고 있지만 우리의 특정한 문제에 관해서는 거의 아무것도 말해주지 않는 많은 수의 본문들과는 달리 여기에서 살펴보지 않으면 안 된다.[35]

---

35) 예를 들면, 롬 10:2-4; 고전 9:16f.; 고후 3:16; 5:16; 갈 2:19f.; 빌 3:4-12; 엡 3:1-13; 골 1:23-9: 또한 롬 1:5; 12:3 15:15; 고전 1:4; 3:10; 갈 2:9; 엡 3:2, 7; 골 1:25에 나오는 "내게 주신 은혜"라는 정형구도 참조하라. 이것에 대해서는 Kim 1984 [1981], 3-31; Newman 1992, 164-7을 보라.

(iv) 고린도후서 4:6

우리는 앞의 두 장에서 이미 고린도후서 3장과 4장을 살펴본 적이 있기 때문에, 여기에서는 4:5-6을 부각시키기 위하여 앞에서의 서술을 끌어다가 사용할 수 있을 것이다:

> 5우리는 우리를 전파하는 것이 아니라 오직 그리스도 예수의 주 되신 것과 또 예수를 위하여 우리가 너희의 종 된 것을 전파함이라 6어두운 데에 빛이 비치라 말씀하셨던 그 하나님께서 예수 그리스도의 얼굴에 있는 하나님의 영광을 아는 빛을 우리 마음에 비추셨느니라.

여기에 나오는 "비추다"와 "빛"은 두 가지의 것을 분명하게 말하고 있는 3:1—4:6 전체의 맥락속에서 읽혀져야 한다.

첫째, 이것은 바울이 모든 그리스도인들이 공유하고 있다고 전제하는 체험이다. 여기에 나오는 일인칭 복수형은 단순히 "나"를 공손하게 지칭하는 것이 아니다; 그것은 바울이 이 단락 전체에 걸쳐서 행하고 있는 실제적인 논증, 즉 모든 그리스도인들 한 사람 한 사람, 특히 고린도에 있는 그리스도인들은 그 마음에 새 계약이 씌어져 있기 때문에(3:3) 그리스도인들의 교제, 특히 사도와 교회의 관계는 모든 그리스도인들이 서로를 보면서 성령에 의해서 각 사람에게 반영되어 있는 살아 있는 분의 영광을 보는 것이라는(3:18) 논증을 반영하고 있는 것이다.[36] 이러한 맥락(이 본문과 관련된 바울의 회심에 관한 논의 속에서 흔히 무시되는)은 바울이 자신의 독특한 체험이 아니라 모든 그리스도인들에게 공통적인 그 무엇을 말하고 있다는 것, 그리고 바울이 자신의 최초의 회심 또는 소명의 체험에 관해서 말하고 있는 것이 아니라 원칙적으로 그리스도인들의 체험 속에서 계속해서 불변의 요소인 그 무엇에 관하여 말하고 있다

---

36) "마음"이라는 주제는 이 논증 전체에 걸쳐서 두드러지는 것으로서(고후 3:2, 3, 15; 4:6), 우리로 하여금 이러한 언급을 앞에 나오는 언급들에 비추어서 읽어야 한다고 강력하게 권유한다. Thral 1994, 316f.은 복수형 "마음들"을 이 본문을 "회심"과 관련하여 읽는 것에 대한 반론이라고 보지만, 그것에 온전한 힘을 실어주지는 않는다.

는 것을 분명하게 보여준다.[37)]

이것은 6절과 바울이 이 세상의 신이 믿지 않는 자들의 마음을 가리워서 그들로 하여금 "하나님의 형상"인 그리스도의 영광의 복음의 광채('포티스몬')를 보지 못하게 하고 있다고 말하고 있는 4절 간의 병행에 의해서 더욱 강화된다. 바울은 복음이 전파될 때마다 사람들이 그가 다메섹 도상에서 보았던 것과 동일한 방식으로 주를 보게 된다고 생각하지 않는다. 사실, 그가 여기에서 말하고 있는 것은 문자적인 "보는 것"이 결코 아니고, 3:14에서와 마찬가지로 복음의 새로운 진리를 파악할 수 있는 마음의 문제이다.

이것은 두 번째 핵심적인 내용으로 이어진다. "비추는 것," 바울이 여기에서 말하는 광채는 눈에 보이는 광채가 아니고, 또한 "내적인" 체험의 차원에서조차도 분명한 밝음도 아니다. 그것은 믿음에 의해서 인식되는 조명이다. 이것이 바울이 3장에서 그리스도 안에서의 새 계약의 계시는 사실 영광스러운 것임을 논증해야 했던 이유이다 — 고린도 교인들이 그것을 의심하고자 하는 움직

37) Furnish 1984, 250f.; Murphy-O'Connor 1996, 78 n. 20. 또한 바울의 회심에 관한 기사인 고린도후서 4:4-6에 상당한 정도로 의거해서 바울이 예수를 신적인 존재로 인식하였다고 주장하는 Kim 1984에 반대하는 Dunn 1990, 93-7을 보라. Kim 2002, 165-213은 본 저자를 비롯한 여러 학자들과 논쟁을 벌이면서 자신의 견해에 대한 갱신된 설명을 제시하여 왔다. 나는 고린도후서 4:1-6이 예수가 누구인가에 관한 바울의 이해에 대하여 결정적으로 중요한 통찰들을 제공해준다는 그의 견해에 별 불만이 없지만(나는 김세윤 박사가 바울의 움직임들을 놓쳤다고 생각하지만), 여전히 이 본문이 바울의 핵심에 대하여 명시적으로 또는 암묵적으로 말하고 있다는 것과 관련하여 제시된 본문 속의 근거들에 대하여 납득하지 못한다. Thrall 1994, 1.316-18; Ashton 2000, 84-6은 김세윤 박사의 견해를 따르고 있지만, 그들은 Furnish의 논증들 또는 거기에서 제시된 논거들을 고려하지 않았던 것으로 보인다. Newman 1992이 "영광은 전이(轉移)에 대한 사회형태론적 묘사와 그리스도인들의 진보에 관한 바울의 육신변화적(physiomorphic) 서술 속에서 바울의 확신의 세계에서 기능한다"고 말하고 있는 것은 지나치게 현학적이기는 하지만 옳다. 그러나 이것은 현재의 본문이 구체적으로 다메섹 도상의 그리스도의 현현을 가리키고 있다는 것을 반대하는 것이다. 만약 이 본문이 그것을 가리키는 것이었다면, 어떻게 바울이 자신의 체험으로부터 — 그가 예수를 본 것을 고린도전서 15:8에 나오는 일련의 일회적인 현현 사건에서 마지막에 둔 것을 감안한다면 — 그와 고린도 교인들이 모두 공유하였던 체험으로 일반화할 수 있었겠는가?

임을 보였기 때문에. 우리는 구름 없는 날 정오에 밖에 서서 최초의 원칙들로부터 시작해서 태양이 빛나고 있다는 것을 증명하기 위한 긴 논증을 제시하고 있는 것이 아니다. 바울이 자신의 회심 때에 보았던 예수의 외적인 실체를 단언하고 있는 김세윤을 비롯한 몇몇 학자들은 내적인 마음의 눈에 관하여 말하고 있는 이 본문을 왜곡하여 그것이 동일한 사건을 가리키는 것으로 만들고자 시도한다; 바울이 자신의 회심의 때에 "본" 예수의 외적인 실체를 부정하는 패터슨(Patterson)을 비롯한 몇몇 학자들은 바울이 그 동일한 사건을 서술하고 있는 본문들을 현재의 본문과 연결시킴으로서 왜곡시킨다. 고린도전서에서 바울은 자기가 예수를 보았다고 분명하게 말한다; 앞으로 보게 되겠지만, 사도행전은 사람들의 마음이 아니라 그들의 눈을 눈부시게 했던 빛에 관하여 말한다(무엇보다도 특히). 고린도후서 4:6은 이 둘 중의 어느 것에 대해서도 말하지 않는다.[38]

사실, 이것은 5절의 온전한 의미를 드러내준다. 바울이 모종의 영적인 조명이 수반된 자신의 내적인 "체험"을 예수와 결부시켜서 말하고 있는 것이라면, 5절은 솔직하지 않은 말이 될 것이다. 그렇다면, 바울은 "자기 자신을 선포하고" 있으면서, 사실상 "나는 이러한 체험을 가진 적이 있는데, 너희도 그러한 체험을 하고 싶지 않은가?"라고 말하고 있는 것이 될 것이다. 그것은 주후 1세기 또는 21세기에서 일부 설교자들의 방식일 수는 있겠지만, 바울이 사용했던 방식은 결코 아니었다. 오히려, 바울은 예수에 관하여 말하면서, 자기 자신이 아니라 죽은 자로부터 부활하여서 지금은 주로 선포되고 추앙받는 분을 지시하

38) 예를 들면, Patterson 1998, 226을 참조하라. 우리는 왜 바울이 그에게 내적인 체험 속에서 나타났던 분이 사실 예수였다고 결론을 내렸는지를 알 수가 없다고 그는 말한다. "우리가 말할 수 있는 것은 그날에 무슨 이유인지 바울은 예수가 하나님에 관하여 한 말씀들이 옳았고, 하나님은 그의 삶과 사역 속에서 빛을 발하였으며, 그의 제자들의 계속적인 사역은 실제로 하나님의 사역이었다는 것을 깨닫게 되었다는 것이 전부이다." 따라서 바울이 예수를 "본 것"은 먼저 내적이고 영적인 체험이 되었고, 그런 후에 내적이고 정신적인 논증, "깨달음"이 되었다. Patterson이 바울 자신이 부활에 관하여 말하고 있는 것들 중의 대부분을 결코 언급하고 있지 않은 것처럼, 바울은 예수가 하나님에 관하여 한 말씀들이 옳다는 것에 관하여 그 어떤 말도 언급하지 않는다.

고 있다. 물론, 바울은 마음속에서 성령의 새 계약의 사역을 통해서 지금 알려져 있는 예수가 죽었다가 다시 살아나신 바로 그 예수, 다메섹 도상에서 그에게 나타나셨던 그 동일한 예수라는 것을 믿는다. 그러나 그는 여기에서 바로 그 사건을 언급하고 있는 것이 아니다. 예수의 "얼굴"에 관한 그의 언급은 이 본문을 회심/소명의 때에 예수를 알아본 것이 아니라 3:12-18에서 가리워진 또는 가리워지지 않은 "얼굴들"에 관한 논의와 연결시킨다. 앞에서 보았듯이, 창세기 1장의 언어("어두운 데에 빛이 비치라")는 새 계약의 성취를 통해서 등장하는 새 창조라는 바울의 주제의 일부이다(5:17을 보라). 이 모든 것은 한 사도의 일회적인 경험에만 해당되는 것이 아니라 모든 그리스도인들에게 해당되고 앞으로도 계속 해당될 그런 것이다.

우리는 이 본문과 예수에 관한 바울의 견해의 초기의 발전 및 형성의 관계에 관하여 곧 다시 말하게 될 것이다. 그러나 지금으로서는 우리는 바울의 회심 또는 소명 체험과 관련하여 종종 인용되는 또 하나의 본문을 살펴보기로 하자.

(v) 고린도후서 12:1-4

또 하나의 본문은 고린도후서 12장에 나오는 하나의 특정한 환상에 관한 고도로 반어법적인 서술이다. 바울은 혀끝으로 뺨을 불룩하게 해서 경멸하는 표정을 지은 채로 자기가 자랑할 수 있는 모든 것들 — 사실, 자기가 얼마나 연약한지를 보여주는 모든 것들 — 을 "자랑하고" 있다. 고린도 교인들은 바울로 하여금 자신의 자격요건들에 관한 모종의 진술, 일종의 이력 또는 실제로는 공적을 말해 보라고 강제하여 왔고, 바울은 마침내 그렇게 한다 — 그러나 그것은 온갖 궂은 일들의 목록이다.[39]

이 본문에서 그는 "환상들과 계시들"로 눈을 돌린다. 고린도 교인들은 바울이 예수를 직접 보았다는 것에 관하여 알고자 하지 않는다. 그는 이미 그것에 관하여 직접 만나서 및 서신으로 그들에게 말한 바 있다. 그들이 원하는 것은 바울이 최근에 겪은 기이한 영적인 체험들에 관한 설명이었고, 더 최근의 것일수록 더욱 좋았다.[40] 바울이 참 사도라면, 분명히 그는 하늘로의 여행들, 비밀스

39) 위의 제6장 제3절을 보라.

러운 지혜에 관한 계시들, 육신의 눈으로는 볼 수 없는 영광을 본 것들에 관한 황홀한 이야기들로 그들을 기쁘게 해 줄 수 있을 것이다. 바울은 자기가 그렇게 함과 동시에 또한 그렇게 하지 않을 것이라고 분명하게 말한다: 그는 오직 다시 한 번 자신의 연약함을 보여주는 것들만을 자랑할 것이다(11:30; 12:9-10). 따라서 바울은 자기가 특별한 종류의 탈혼 체험들을 했었다는 것을 분명하게 말하고 있지만, 그가 강조하고자 하는 주된 것은 그에게 항상 붙어 다녔고 기도를 해도 제거될 수 없었던 "육체의 가시"였다(12:7-9). 바울이 12:1-4에서 언급하고 있는 특별한 탈혼 체험은 주후 40년경에 일어났던 것으로 보인다(고린도후서의 저작 연대를 주후 50년대 중반으로 전제한다면):

> [1]무익하나마 내가 부득불 자랑하노니 주의 환상과 계시를 말하리라 [2]내가 그리스도 안에 있는 한 사람을 아노니 그는 십사 년 전에 셋째 하늘에 이끌려 간 자라 [그가 몸 안에 있었는지 몸 밖에 있었는지 나는 모르거니와 하나님은 아시느니라] [3]내가 이런 사람을 아노니 [그가 몸 안에 있었는지 몸 밖에 있었는지 나는 모르거니와 하나님은 아시느니라] [4]그가 낙원으로 이끌려 가서 말로 표현할 수 없는 말을 들었으니 사람이 가히 이르지 못할 말이로다.

이 본문의 나중 부분을 보면, 바울은 그러한 체험들로 인한 영적인 교만의 가능성을 멀리하기 위하여 일부로 이러한 초연한 방식으로 서술하고 있기는 하지만 분명히 자기 자신에 관하여 말하고 있다는 것이 확실해 보인다. 또한 이것은 바울이 다메섹 도상에서 체험했던 것을 언급한 것일 수 없다는 것도 분명하다: 그것은 연대기적으로 너무 늦고 또한 다른 범주에 속한다.[41] 그럴 수밖에 없겠지만, 여기서의 언어는 그 사건에 관한 묘사들과 중복된다: "하늘들이 열리고," 천계의 실체들이 갑자기 육안으로 보였을 때, "계시"('아포칼립시스')라는 용어를 사용하는 것은 자연스러운 것이다. 마찬가지로, "환상"('옵타

---

40) 나는 이것을 바울이 그가 말하고 있는 체험이 있기 14년 전에 일어났다고 강조한 것으로부터 추론한다 — 내게는 그것이 아이러니컬하게 보이지만.

41) 예를 들면, Sampley 2000, 163; Künneth 1965 [1951], 84.

시아')은 사람이 통상적으로는 기대할 수 없는 방식으로 보여지는 그 무엇을 가리키는 일반적인 단어이다; 이와 동일한 단어는 사도행전 26:29에서 바울이 예수를 본 "환상"을 지칭할 때에도 사용된다. 그러나 "하늘에 이끌려"라는 표현은 다메섹 도상의 사건에 대한 바울 자신의 언급들이나 사도행전에 나오는 그러한 기사들 속에 나오는 그 어떤 표현과도 완전히 다르다.[42]

앞에서 보았듯이, 바울은 이미 자기가 예수를 "본 것"을 그의 이후의 체험들과는 다른 종류의 것으로 분류한 바 있다. 물론, 현재의 본문은 우리가 여기에서 제기하고 있는 것과 같은 그런 종류의 질문에 답하기 위하여 씌어진 것은 아니었다. 바울은 우리가 그에게 바라는 그런 것들을 상세하게 설명하는 수고를 한 적이 없다. 그러나 무슨 일이 바울에게 일어나서 그를 열심을 가지고 교회를 핍박하는 자에서 예수의 충성스러운 제자로 변화시켰는지와 "영광"의 환상적인 상태(고후 3장과 4장) 및 종종 일어나는 이례적인 영적인 고양의 순간들(고후 12장)과 관련된 그리스도인들의 체험의 지속적인 성격, 이 두 가지에 관한 그의 진술들을 한데 모아서 종합해 보면, 그의 관점으로부터 두 가지가 분명하게 구별된다.[43]

물론, 바울이 이러한 균형이 맞지 않는 등식의 어느 한 쪽을 잘못 묘사하였고, 사실 역사가로서의 우리는 다메섹 도상의 체험이 실제로 그가 암시하고 있는 그 밖의 다른 체험들과 동일한 종류의 것이었다는 것을 알아낼 수 있다고 말하는 것은 여전히 누구에게나 열려져 있다. 그러나 우리가 그렇게 한다면 무슨 일이 일어날 것인지를 주목해 보라. 그런 종류의 조치를 취함으로써, 우리는 바울이 원래의 사도들이 가졌던 "부활한 예수를 본" 체험들이 초기에 구체적으로 반복될 수 없는 사건으로 일어났다는 것을 알고 있으면서도, 의도적으로 잘못된 묘사를 통해서 자기 자신을 그들과 같은 반열에 올려놓고자 하고 있는 것임을 인정하지 않으면 안 된다. 달리 말하면, 우리는 초기에 예수를 "본 것"은 나중에 탈혼 상태의 체험들과 같지 않았다는 것을 인정하는 것이다 — 이것이 가장 먼저 해결되어야 할 쟁점이었다. 그런 후에는 이 점에 있어서 바울

---

42) cf. Barrett 1973, 308: 바울은 다메섹 도상의 체험을 "환상"으로 여기지 않았다; "그러니까 그는 우리 주 예수를 객관적으로 본 것이었다."

43) 이 본문에 대해서 자세한 것은 Rowland 1982, 379-86을 보라.

을 회의적으로 천착해서 얻어질 것은 없기 때문에, 바울은 자기가 무엇에 관하여 말하고 있는지를 알고 있었고(결국, 시간과 문화적으로 상당한 거리가 있었던 사람들이 "실제로" 무엇을 체험했는지를 다른 사람들에게 말할 수 있는 사람은 대담한 비평가이다), 그가 예수를 처음에 이례적으로 "본 것"을 그가 이후에 겪은 "통상적인" 및 이례적인 기독교적 체험들로부터 구별했을 때에 그는 자기가 무엇을 말하고 있는지를 알고 있었다고 결론을 내리는 것이 더 낫다. 이것의 증거 중의 일부는 우리가 고린도전서 15:1-11에 관하여 앞에서 말한 것과 같이 분명하게 지니고 있어야 할 전제, 즉 바울은 고린도 교인들이 이 점에 대해서 그에게 도전하지 않을 것을 알고 있었음에 틀림없다는 것이다. 바울은 부활한 예수를 본 적이 있었다; 그들은 그런 적이 없었다; 그리고 그들은 바울과 마찬가지로 그것을 알고 있었다. 이것이 여기서 다루어지고 있는 핵심적인 요지이다.

3. 사도행전에 나타난 바울의 회심/소명

누가는 바울의 다메섹 도상의 체험에 관한 이야기를 적어도 세 번 말하고 있는데, 그 기사들은 모든 점에서 서로 잘 부합하지 않는 것으로 악명이 높다. 종종 이러한 불일치는 세부적인 내용의 문제이기도 하지만, 바울과 동행했던 사람들이 정확히 무엇을 보고 들었는가라는 문제처럼 종종 서로 실질적인 차이들이 나타나기도 하는데, 이러한 것들은 누가가 이야기에 흥미를 더하기 위하여 문체를 다양하게 사용하는 헬레니즘적인 관습을 따랐기 때문인 것으로 가장 잘 설명된다. 마찬가지로, 이 이야기를 주목할 만한 정도로 반복하고 있는 것은 우리에게 누가의 동기들에 관하여 상당히 많은 것을 알게 해준다.[44] 사도행전이 구체적으로 바울의 정당성을 입증하기 위하여 씌어졌든 아니든, 바울의 회심이라는 사실만이 아니라 그 방식도 기독교적 신앙의 진리에 대한 강력한 증언이자 로마 제국 내에서의 기독교 신앙의 합법성을 지지해 주는 강력한 밑받침으로 보여지도록 의도되었다는 것은 분명해 보인다.

---

44) Alexander 2001, 1058을 보라: "기능적으로 불필요한 어구는 수사학적 중요성을 보여주는 지표이다." 또한 Witherington 1998, 311-13을 보라.

이것은 사도행전의 저자가 바울에게 일어났던 일에 관한 전통적인 이야기를 그 밖의 다른 전승의 모티프들에 비추어서 발전시키고 각색했을 때에 저자의 마음속에 최우선적으로 자리잡고 있었던 것이라고 나는 주장한다. 이것은 대단히 중요하다: 누가는 완전히 다른 피륙으로 하나의 이야기를 만들어낸 것도 아니고, 이미 존재하고 있었던 이야기를 철저하게 변조한 것도 아니라, 특히 다른 이야기들에 관한 기억들과 연상들을 불러일으키기 위하여 특정한 목적들에 기여하는 이야기 속의 요소들을 부각시키고 전면에 내세운 것이었다. 처음부터 분명하게 해 둘 것은 나는 이러한 요인들이 사도행전에 나오는 기사들(거기에서 그것들은 서로 차이가 있는 것으로 보인다)에 비하여 바울 자신의 기사들에 통상적으로 우선순위를 두는 것과 아울러서 우리로 하여금 사도행전을 바울 자신이 그의 서신들 속에서 말하고 있는 것을 꿰어 맞추거나 심지어 변조하기 위한 주조틀 또는 프로크루스테스(Procrustes)의 침대로 사용하는 것을 막아준다는 것을 논증하고자 한다는 것이다.

이 점을 분명하게 보기 위해서는 우리는 먼저 사도행전에 나오는 세 가지 판본의 기사들을 순서대로 제시해 볼 필요가 있다:

> 9:3사울이 길을 가다가 다메섹에 가까이 이르더니 홀연히 하늘로부터 빛
> 이 그를 둘러 비추는지라 4땅에 엎드러져 들으매 소리가 있어 이르시되
> 사울아 사울아 네가 어찌하여 나를 박해하느냐 하시거늘 5대답하되 주여
> 누구시니이까 이르시되 나는 네가 박해하는 예수라 6너는 일어나 시내로
> 들어가라 네가 행할 것을 네게 이를 자가 있느니라 하시니 7같이 가던 사
> 람들은 소리만 듣고 아무도 보지 못하여 말을 못하고 서 있더라 8사울이
> 땅에서 일어나 눈은 떴으나 아무것도 보지 못하고 사람의 손에 끌려 다
> 메섹으로 들어가서 9사흘 동안 보지 못하고 먹지도 마시지도 아니하니라.

> 22:6가는 중 다메섹에 가까이 갔을 때에 오정쯤 되어 홀연히 하늘로부터
> 큰 빛이 나를 둘러 비치매 7내가 땅에 엎드러져 들으니 소리 있어 이르되
> 사울아 사울아 네가 왜 나를 박해하느냐 하시거늘 8내가 대답하되 주님
> 누구시니이까 하니 이르시되 나는 네가 박해하는 나사렛 예수라 하시더
> 라 9나와 함께 있는 사람들이 빛은 보면서도 나에게 말씀하시는 이의 소

> 리는 듣지 못하더라 [10]내가 이르되 주님 무엇을 하리이까 주께서 이르시
> 되 일어나 다메섹으로 들어가라 네가 해야 할 모든 것을 거기서 누가 이
> 르리라 하시거늘 [11]나는 그 빛의 광채로 말미암아 볼 수 없게 되었으므로
> 나와 함께 있는 사람들의 손에 끌려 다메섹에 들어갔노라.

> [26:12]그 일로 대제사장들의 권한과 위임을 받고 다메섹으로 갔나이다 [13]
> 왕이여 정오가 되어 길에서 보니 하늘로부터 해보다 더 밝은 빛이 나와
> 내 동행들을 둘러 비추는지라 [14]우리가 다 땅에 엎드러지매 내가 소리를
> 들으니 히브리 말로 이르되 사울아 사울아 네가 어찌하여 나를 박해하느
> 냐 가시채를 뒷발질하기가 네게 고생이니라 [15]내가 대답하되 주님 누구시
> 니이까 주께서 이르시되 나는 네가 박해하는 예수라 [16]일어나 너의 발로
> 서라 내가 네게 나타난['오프덴'] 것은 곧 네가 나를 본 일과 장차 내가
> 네게 나타날 일에 너로 종과 증인을 삼으려 함이니 … [19]아그립바 왕이여
> 그러므로 하늘에서 보이신 것['옵타시아']을 내가 거스르지 아니하고.

이 세 개의 기사들 간에 분명하게 드러나는 병행들과 편차들은 흥미로운 것이지만, 우리의 현재의 목적의 일부는 아니다.[45] 이 기사들 중 그 어느 것도 바울이 고린도전서 9:1 또는 15:8에서 말하고 있는 것을 밑받침하기 위하여 씌어진 것이 아님은 분명하다; 즉, 이 기사들 중 그 어느 것도 바울이 거기에서 중심적인 것으로 삼고 있는 것, 즉 그가 실제로 예수를 보았다는 것을 직접적으로 말하고 있지 않다. 하지만 이 점은 예수가 "너에게 나타났다('오프데이스')"고 아나냐가 말하고 있는 사도행전 9:17, 사울이 어떻게 다메섹 도상에서 주를 보았는지('에이덴')를 바나바가 설명하고 있는 9:27로부터 분명하다.[46] 26:16에서는 예수가 바울에게 나타났다는 것을 고린도전서 15장에서 반복되고 있는 동일한 동사를 통해서 말하고 있지만, 또한 방금 일어난 것과 아울러서 장래에 볼 것에 관해서도 말한다.(그러한 장래의 볼 것에 해당하는 예

---

45) 병행들은 Barrett 1994, 439f.; Witherington 1998, 305-07에 의해서 대조 본문 형식으로 자세하게 제시된다.

46) 예를 들면, Ashton 2000, 83은 이에 반대한다.

수에 관한 한 환상은 22:17-21에 묘사되어 있다.) 누가복음 24:39에 나오는 누가의 "살과 뼈"라는 표현이 고린도전서 15:50에 나오는 "혈과 육은 하나님의 나라에 들어갈 수 없다"는 것에 관한 바울의 말과 표면적으로 긴장관계를 낳는 것과 마찬가지로, 여기에서 우리가 말할 수 있는 것은 누가가 바울의 표현을 그대로 모방하거나 그가 제시하고자 한 항목들을 그대로 추종하는 데에 관심을 갖지 않았다는 것이다. 누가는 바울이 예수를 보았다는 것을 분명히 믿고 있다. 이 기사들은 고린도전서 9장과 15장에 비추어서 직접적으로 평가절하되어서는 안 된다; 그러나 누가는 그러한 사실 또는 그러한 사건이 일어난 방식을 강조할 필요를 발견하지 못했다. 누가가 극적으로 첨가하고 있는 것은 바울이 예수를 보았을 때에 눈부신 빛이 수반되었다는 것이다. 하지만 누가는 예수가 바울에게 나타났을 때에 그 빛의 원천 또는 빛의 존재가 바로 예수였다고 결코 말하지 않는다.

이 기사들 간의 주된 차이점들은 누가가 각각의 경우에 상정하고 있는 청중이라는 관점에서 쉽게 설명된다. 첫 번째 기사에서 누가는 이 이야기를 자신의 독자들에게 들려주고 있다; 두 번째와 세 번째 기사에서 누가는 바울이 그 이야기를 약간 서로 다른 두 청중에게 다시 들려줄 때에 그의 독자들로 하여금 바울의 말 속에 들어가 "들을" 수 있게 해 준다.[47] 첫 번째 기사에서 누가는 바울을 소개하면서 어떻게 그가 핍박자로부터 전도자로 변화되었는지를 설명한다. 두 번째 기사에서 바울은 군중들의 폭력에 직면해 있고, 우리는 바울이 자기가 정통 유대인으로서의 자격을 갖추고 있다는 것을 강조하면서 왜 그가 이방인들에게로 가게 되었는지를 열정적으로 설명하는 것을 보게 된다(특히 22:15, 21을 보라). 아그립바 2세와 버니게 앞에서의 바울의 심문 장면 속에 나오는 세 번째 기사는 바울이 당시의 유대교 세계에서 가장 힘 있는 사람이었던 이 왕에게 큰 감명을 주었다는 것을 보여주기 위하여 의도된 것으로서, 끝부분에서 이 왕은 바울이 만약 가이사에게 상소하지 않았더라면 석방될 수 있었을 것이라고 말한다(26:32).[48]

47) 이하의 서술에 대해서는 Barrett 1994, 444f.를 보라.

48) 고대 세계에서 공식적인 법정의 심문을 배경으로 한 변론들에 대해서는 Winter 1993, 327-31을 보라. 심문이 진행되는 동안 Berenice의 역할에 대해서는 F.

그렇다면, 누가는 왜 이 이야기를 이런 식으로 말하고 있는 것인가? 첫째, 누가는 그의 독자들 중 적어도 일부 사람들에게 알려져 있을 수 있는 환상들과 계시들에 관한 이야기들을 의도적으로 반영하고 있다. 둘째, 누가는 바울이 겉보기에는 전통적인 유대교에 반기를 든 인물로 보여진다고 할지라도 그가 지금 하고 있는 일은 이스라엘의 신에 의해서 진정으로 위임받고 있는 것임을 강조하고 있다. 이 이야기에 대한 잘 알려진 두 가지 병행들이 있는데, 왜 누가가 이런 방식으로 그런 것들을 부각시켰는지를 알기 위해서 이 두 가지를 잠깐 살펴볼 필요가 있다.[49]

가장 분명한 병행은 시리아 왕 셀레우코스가 자신의 군관 헬리오도로스를 보내어서 예루살렘 성전에 비축되어 있던 돈을 약탈해 오는 장면을 묘사하고 있는 마카베오2서 3장이다:

> [24]그런데 그가 호위병을 데리고 성전 금고에 가까이 갔을 때 모든 신령들의 왕이시며 모든 권세를 한 손에 쥐신 분이 굉장히 놀라운 모습으로 나타나셨다['에피파네이아']. 그래서 성전을 침범하려고 하던 자들은 이 하나님의 힘에 압도되어 기운을 잃고 기절해 버렸다. [25]휘황찬란하게 성장한 말이 보기에도 무시무시한 기사를 태우고 그들 눈앞에 나타났던['오프데'] 것이다. 그 말은 맹렬하게 돌진하여 앞발을 쳐들고 헬리오도로스에게 달려들었다. 그 말을 타고 나타난['에파이네토'] 기사는 황금 갑옷을 입고 있었다. [26]그와 함께 두 젊은 장사가 나타났는데['프로스에파네산'] 그들은 굉장한 미남인데다가 입고 있는 옷마저 휘황찬란하였다. 그들은 헬리오도로스 양쪽에 하나씩 서서 그를 쉴새없이 채찍으로 때려 큰 타격을 주었다. [27]헬리오도로스는 꼼짝없이 땅에 넘어져 짙은 어둠 속에 빠져 버렸다. 그래서 사람들이 그를 거두어 들것에 얹어 놓았다. [28]많은 수행원들과 호위병을 데리고 성전 금고에 들어 갔던 그는 이제는 자기 몸도 가눌 수 없게 되어 하나님의 주권을 밝히 깨닫는 사람들에 의해서 운반되었다.

M. Gillman 2002를 보라.

49) 또 하나의 병행은 Philo *Praem.* 165이다 — 그 자체로는 흥미롭지만, 우리의 논의와는 별 상관이 없다.

이제 마침내 우리는 말이 등장하는 것을 보게 되지만, 이 말은 미켈란젤로와 카라바조의 그림들 속에 나오는 기수가 없는 말들이라기보다는 요한계시록에 나오는 환상 속의 말들, 특히 마지막의 큰 말과 비슷하다.[50] 우리가 주목해야 할 것은 여기서의 언어가 온통 환상들과 하늘로부터의 계시들에 관한 것이긴 하지만 헬리오도로스가 매를 맞은 것은 정말 현실처럼 보인다는 것이다. 이런 종류의 이야기는 우리로 하여금 다시 한 번 서구 문화에서 그토록 자주 전제되고 흔히 주관적/객관적이라는 인식론적 구별과 연관되는 하늘/땅이라는 구별이 제2성전 시대 유대교가 인식했던 것과 과연 부합하는지를 의심하게 만든다.[51]

이 이야기 또는 이와 같은 이야기들이 당시에 잘 알려져 있었다고 전제한다면, 바울의 회심에 관한 이야기를 그런 식으로 말한 누가의 동기에 빛을 비춰줄 수 있을 것이다.[52]

헬리오도로스의 이야기는 주권적인 신이 성전을 약탈하기 위하여 침입해온 이교도가 도적질을 하고자 했을 때에 중단시킨 것에 관한 이야기이다. 이 이교도의 자부심은 이스라엘의 신의 전능한 능력 앞에서 낮춰진다. 이것을 다메섹 도상의 장면으로 옮겨와 보면, 누가가 말하고자 한 요지가 뚜렷하게 드러난다. 여기 성전을 모욕하였다는 죄목으로 스데반의 죽음에 방금 동의하였던(행 8:1) 다소의 바울이 있다. 그러나 이스라엘의 신의 관심은 이제는 예루살렘 성전에 관한 것이 아니다. 지금은 바울이 핍박하고 있는 예수의 제자들이 그 성전과 그 금고를 대신하고 있다! 전능한 하나님의 능력이 나타나서, 사울을 낮추고, 땅에 고꾸라지게 하여, 그를 어둠 속으로 던진 후에, 그의 동료들을 의지하게 만든다. 괴롭힘을 당하였던 작은 제자들의 무리가 참된 "성전"임이 드러난다; 그 무리를 핍박하는 자들은 그들이 아무리 이스라엘의 신과 그의

---

50) 예를 들면, cf. 계 6:2, 3, 5, 8, 특히 19:11-16, 19, 21. 배경에 대해서는 cf. 슥 1:8; 6:2-8.

51) 이와 비슷한 이야기는 마카베오4서 4:1-14에서 말이나 때리는 것이 없이 나온다; 거기에서 주인공은 Heliodorus가 아니라 Apollonius라는 이름의 시리아 총독이다.

52) Barrett 1994, 441은 이 병행을 "상대적으로 피상적인 것"으로 치부해 버린다.

율법을 향한 열심으로부터 행하고 있다고 할지라도 새로운 이교도들이다.[53]

그렇게 밀접하지는 않지만 두 번째 병행은 『요셉과 아세넷』에서 발견되는데, 이 저작은 포티페라의 딸인 아세넷이 회심하여 요셉과 결혼하는 것에 초점을 맞춘 제2성전 시대에 나온 소설이다. 긴 회개의 기도 후에 아세넷은 하늘의 환상을 받는다:

> 아세넷은 계속해서 지켜보고 있었는데, 계명성이 뜰 무렵에 하늘이 갈라지고 말로 표현할 수 없는 큰 빛이 나타났다. 아세넷은 그것을 보고 얼굴을 재에 대고 엎드러졌다. 한 사람이 하늘로부터 그녀에게 와서 아세넷의 머리 곁에 섰다. 그는 "아세넷, 아세넷"이라고 그녀를 불렀고, 그녀는 "나를 부르시는 분은 누구십니까? 내 방의 문이 닫혀 있고, 탑은 높은데, 어떻게 내 방에 오셨습니까?"라고 말하였다. 그 사람은 "아세넷, 아세넷"이라고 두 번째로 그녀를 불렀다. 그녀는 "주여, 제가 여기 있나이다. 당신이 누구신지 내게 말해주세요"라고 말하였다. 그러자 그 사람은 "나는 주의 집의 대장이자 지극히 높으신 이의 만군의 대장이다. 일어나 서라. 내가 너에게 내가 말해주어야 할 것을 말해주리라"고 말하였다.[54]

물론, 이 이야기와 사도행전에 나오는 바울에 관한 이야기 및 마카베오2서에 나오는 헬리오도로스에 관한 이야기(그리고 마카베오4서에 나오는 아폴로니우스에 관한 이야기) 간에는 많은 차이점들이 있다. 이 이야기는 긴 회개가 앞에 나오고, 결혼해서 행복하게 산다는 내용이 뒤따라 나오는데, 이것들 중 어느 것도 사도행전이나 마카베오서에서는 두드러지게 나오지 않는다. 그러나 또한 병행들도 꽤 존재한다: 큰 빛, 땅에 얼굴을 대고 엎드러지는 것, 이름을

---

53) 이것은 Bowker 1971의 견해와 부합하는 것일 수 있다: 바울의 회심은 에스겔의 보좌 병거에 대한 묵상을 통해서 일어났고, 이를 통해서 그는 에스겔 2장의 "패역한 백성"은 그리스도인들이 아니라 그를 보낸 유대 지도자들이라는 것을 확신하게 되었다. Rowland 1982, 374-86; Segal 1990; 1992; Ashton 2000, 95f.를 보라; 그러나 Hafemann 2000, 459f.의 강력한 경고도 보라.

54) *JosAs.* 14:2-8(tr. C. Burchard in Charlesworth 1985, 224f.).

반복해서 부르는 것, 누가 말하고 있는 것이냐고 묻는 것, 일어나서 추가적인 지시를 받으라는 명령. 적어도 이러한 구성은 당시의 헬레니즘적인 유대교 문헌들에서 친숙한 것이었고, 그러한 이야기를 구성하는 자연스러운 방식이었던 것으로 보이기 시작한다.

이렇게 보는 이유는 누가가 선지자들의 소명에 관한 성경의 이야기들을 마찬가지로 상기시키고 있는 것일 가능성이 크다는 것이다. 에스겔은 주의 영광 앞에서 머리를 땅에 대고 엎드렸고, 일어나서 들으라는 말씀을 들었다.[55] 다니엘은 금식과 기도 후에 사도행전에 나오는 이야기와 그리 다르지 않은 상황 속에서 한 사람을 본다:

> 그 때에 내가 눈을 들어 바라본즉 한 사람이 세마포 옷을 입었고 허리에는 우바스 순금 띠를 띠었더라 또 그의 몸은 황옥 같고 그의 얼굴은 번갯빛 같고 그의 눈은 횃불 같고 그의 팔과 발은 빛난 놋과 같고 그의 말소리는 무리의 소리와 같더라 이 환상을 나 다니엘이 홀로 보았고 나와 함께 한 사람들은 이 환상은 보지 못하였어도 그들이 크게 떨며 도망하여 숨었느니라 그러므로 나만 홀로 있어서 이 큰 환상을 볼 때에 내 몸에 힘이 빠졌고 나의 아름다운 빛이 변하여 썩은 듯하였고 나의 힘이 다 없어졌으나 내가 그의 음성을 들었는데 그의 음성을 들을 때에 내가 얼굴을 땅에 대고 깊이 잠들었느니라 한 손이 있어 나를 어루만지기로 내가 떨었더니 그가 내 무릎과 손바닥이 땅에 닿게 일으키고 내게 이르되 큰 은총을 받은 사람 다니엘아 내가 네게 이르는 말을 깨닫고 일어서라 내가 네게 보내심을 받았느니라 하더라 그가 내게 이 말을 한 후에 내가 떨며 일어서니.[56]

이러한 분명한 병행들은 무엇이 진행되고 있는지에 관한 추가적인 단서들을 제공해준다. 이것은 누가가 그의 독자들이 다메섹 도상에서 바울에게 일어

55) 에스겔 1:28;—2:1. 또한 출애굽기 3:1-5을 반영하고 있는 5:13-15을 참조하라.

56) 다니엘서 10:5-11.

난 일에 관한 이야기를 세 번 들으면서 생각하기를 바랐던 그런 종류의 이야기이다.

이러한 이야기들의 근저에 있는 누가의 목적, 그리고 아마도 그가 사용한 원래의 자료들의 목적은 바울을 이스라엘 역사의 선지자들 및 선견자들과 동일한 반열에 올려놓고, 또한 바울을 회개하고 돌아와서 새로운 길로 간 이교도들과 나란히 놓는 방식으로(덜 확실하지만, 강력한 가능성이 있는) 이 이야기를 말하는 것이었던 것으로 보인다. 이것은 바울의 새로운 삶과 사역을 위한 변론, 잠재적으로 당혹해하거나 적대적인 독자들의 눈에 바울을 정당화시키는 것과 아울러서 바울이 폭동들과 시련들을 겪으면서 마침내 로마에 도착할 때까지 이 이야기가 점층법을 통해서 반복됨으로써 극적인 긴장감을 고조시키는 역할을 한다. 예술가적인 기질을 지니고 있었던 누가는 자신이 의도한 청중에게 말하고자 하는 특징들을 부각시키는 방식으로 바울에 관한 초상을 그려내었다.

이 모든 것은 바울 서신을 시기적으로 좀 더 빠른 자료로 보는 것과 아울러서 사도행전에 나오는 이야기들의 세부적인 내용들을 예수를 보았다는 바울 자신의 기사들 또는 정경 복음서들에 나오는 부활절 이야기들과 상반되는 것으로 보지 않아야 할 역사적으로 타당한 근거를 제공해 준다(누가복음에서는 철저하게 몸을 입은 부활한 예수를 묘사한다). 이것은 두 종류의 기사들 간의 일종의 인상파적인 융합과 혼합에 의해서 통상적으로 만들어지는 세 가지 주장들을 배제한다: (a) 사도행전에 나오는 것과 같은 하늘의 빛에 관한 환상으로부터 "순수하게 주관적인 체험"이었다고 결론을 내리는 주장(물론, 사도행전에서는 그러한 것을 말하지 않는다); (b) 이러한 소위 바울의 "내적인 조명의 주관적인 체험"으로부터 이것은 모든 사도들이 경험하였던 그런 종류의 것이었다는 가설로 이행해 가는 것; (c) 이러한 보편적인 비객관적인 체험으로부터 예수의 몸의 부활에 대한 부정으로 나아가는 것. 이러한 것들 중 그 어느 것도 정당하지 않다.

이것은 우리가 사도행전을 평가절하해야 한다고 말하는 것이 아니다. 한 가지 사소한 차원에서 사도행전이 다메섹 도상에 관하여 언급하고 있는 것은 바울이 나중에 거기로 돌아간 것에 대한 언급을 설명해준다. 이 기사들은 서로 아주 잘 들어맞는다. 그러나 그러한 기사들의 병렬적인 배치로부터 도출되는 역사적인 결론은 바울이 결국 예수를 보지 못했다거나(이 기사들 중 그 어느 것도 이렇게 말하지 않는다) 그가 예수를 오직 자신의 마음이나 생각 속에서만 "보았다"든가(이것도 그 기사들 중 어느 것도 말하지 않는다) 그가 예수를 단지 "빛의 존재"로 보았다는 것(이것도 그 기사들 중 어느 것도 말하지 않는다)이 될 수 없다. 우리는 사과와 배를 한데 합쳐서 과일 샐러드를 만들 수는 있지만, 돼지고기파이를 만들 수는 없다. 바울은 자기가 예수를 보았다고 말하고 있고, 그것은 여전히 우리의 일차적인 역사적인 사실로 남아 있다. 사도행전은 자신의 청중들에게 특정한 해석들을 전달하는 방식으로 이 이야기를 말한다. 바울의 회심에 관한 역사적인 설명은 반드시 이러한 토대 위에서 진행되지 않으면 안 된다.

4. 회심과 기독론

그러나 예수를 영광 중에 본 바울의 체험은 그를 "메시야직"과 같은 어떤 중간적인 단계 없이 곧바로 예수의 신성(神性)에 대한 인정으로 이끌지 않았는가? 이것은 내가 많은 것을 배운 바 있는 최근의 두 저술가로부터 주장된 견해이다. 그들이 제시한 논거들을 상세하게 살펴볼 필요나 지면은 없지만, 우리는 바울이 본 것이 무엇이었고 바울은 그것으로부터 어떠한 결론들을 도출해내었는가라는 문제와 관련된 대목들을 지적하지 않을 수 없다.

김세윤은 바울이 다메섹 도상에서 예수를 본 것은 "하나님의 형상"으로서의 예수에 관한 불병거 신비주의적인 환상이라고 바울이 생각하였던 것의 일부였다고 주장하는데, 여기서 그는 "아담 기독론"과 "인자"에 관한 다니엘의 환상을 중추적인 관념들로 삼는 사고의 틀 속에서 이것을 해석하였다.[57] 이미 앞에서 말한 이유들 때문에, 나는 김세윤이 이러한 주장 속에서 고린도후서 4:1-6을 중추적으로 사용하고 있는 것이 제대로 된 것이 아니라고 생각한다. 나는 바울이 예수를 보았을 때에 그 사건을 무엇보다도 특히 아담 기독론과 "인자"라는 관념들로 구성된 틀 안에서 해석하였다는 가설을 살펴보게 된 것을 무척 기쁘게 생각한다 — 물론, 나는 여전히 바울에게 있어서 이 사건의 최

57) Kim 1984 [1981]; 2002. Bowker의 이론과 비교해 보라(위의 n. 53).

초의 일차적인 의미는 다른 것(예수가 메시야라는 확신)에 있었다고 확신하지만. 김세윤은 언제나 다메섹 도상의 사건에 의미를 부여하고 있음에 틀림없는 제2성전 시대 유대교라는 맥락을 배제할 정도로 바울 신학의 모든 부분을 단순히 다메섹 도상의 체험 자체로부터 이끌어내고자 시도하는 위험성을 보여주고 있다고 나는 생각한다.

유대교적인 맥락을 훨씬 더 상세하게 설명하고 있는 캐리 뉴먼(Carey Newman)에게는 그러한 문제점은 없지만,[58] 이 점에 있어서는 그도 김세윤과 마찬가지이다: 그는 바울이 예수를 영광 중에 보았을 때에 이것을 이스라엘의 회복의 일부로 약속되었던 하나님의 영광의 계시에 대한 선취로 해석하였다고 주장한다.[59] 김세윤의 주장과 마찬가지로, 그의 주장도 불가능한 것이 아니고, 나는 그 주장이 완벽한 설명의 몇몇 필수적인 요소들을 담고 있다고 믿는다. 그러나 나는 여전히 그러한 주장은 실제로 일어난 사고의 흐름을 제대로 파악하고 있지 못한 것이라고 확신한다.

김세윤과 뉴먼이 주목한 자료들은 실제로 예수의 메시야직 — 특히 김세윤이 헹엘(Hengel)과 마찬가지로 완전히 주변적인 것으로 취급하고 있는 것으로 보이는 그러한 범주 — 에 대한 최초의 믿음의 한 기능으로서 작용할 수 있다.[60] 자기가 믿음을 갖게 된 것에 대한 바울 자신의 언급들과 기독론과 관련하여 예수의 부활을 사용하고 있는 방식을 볼 때, 우리가 제시할 수 있는 가장 좋은 이해는 다음과 같은 것이 될 것이다. 그릇된 메시야 분파에 속해서 기독교를 핍박하였던 바울은 그릇된 메시야 사상이라는 고소에 맞서서 이스라엘의 신이 예수가 옳다는 것을 입증한 살아 있는 증거와 정면으로 대면하게 되었다(그는 그렇게 믿었다). 하나님은 부활을 통해서 예수가 본질적으로 메시야적인 의미에서 "그의 아들"이라고 선언하였다. 이것은 내가 이사야 11:10을 인용하고 있는 15:12과 아울러 로마서 1:3-4의 일차적인 의미라고 보았던 것이다: 부활은 예수가 다윗의 아들, 이새의 뿌리, 이스라엘의 메시야, 하나님의

58) Newman 1992; 1997.

59) 예를 들면, 이사야 40:5: 여호와의 영광이 나타나고 모든 육체가 그것을 함께 보리라.

60) 아래의 제12장 제2절을 보라.

기름부음 받은 자라는 것을 생생하게 드러내어 보여준다.

예수가 메시야로서 신원되었다면, 몇 가지 것들이 즉시 잇따라 나온다. 예수는 이스라엘의 참 대표자로 보아질 수 있다; 시대들의 대전환점이 이미 시작되었다; "부활"은 둘로 나뉘어서, 먼저 첫 열매인 메시야 예수의 부활이 있었고, 나중에 그가 돌아올 때에 메시야의 백성의 부활이 있게 될 것이다. 그리고 예수가 메시야라면, 우리가 앞서 설명했던 성경적 뿌리들(시편 2편, 다니엘 7장 등), 신약성서에서 예수에 관한 교회의 견해에 중심적인 것으로 재확인된 뿌리들로부터, 예수가 세상의 참된 주라는 것이 도출되지 않으면 안 된다. 예수는 그 이름 앞에 모든 무릎이 꿇게 될 주님('퀴리오스')이다. 그는 짐승들 위로 승귀된 "인자," 열방들을 다스리게 될 이스라엘의 왕이다. 그러나 이런 식으로 점점 더 단계를 밟아서 내려가게 되면(나는 이러한 단계들이 초대 교회에서 극히 신속하게 이루어졌기 때문에, 바울은 이미 잘 발달된 석의적 전승을 접하게 되었다고 생각한다), 우리는 예수가 세상을 다스리는 승귀된 주님('퀴리오스')이라면 — 그의 메시야적 신분으로부터 추론되는 것 — 이런 식으로 말하고 있는 성경의 본문들은 이스라엘의 신, 야훼 자신을 가리켜서 주님('퀴리오스')이라고 말하고 있는 본문들로부터 분리되기가 점점 더 어렵게 된다고 말할 수 있다.

메시야 예수는 주님이다. 유대인들과 그리스도인들이 하나님이라고 믿은 이스라엘의 신은 예수를 높여서 세상의 참된 주가 되게 하였다; 그리고 다니엘 7장과 시편 110편이 분명히 초대 교회의 사고 속에서 대단히 중요한 의미를 지니고 있었다는 점을 고려하면, 이것은 한 분 참 하나님이 예수를 높여서 하나님의 보좌 자체를 공유하게 하였다는 것을 의미하는 것으로 보인다. 이렇게 — 우리는 이러한 움직임을 빌립보서 2:6-11에서 가장 분명하게 볼 수 있다 — 예수가 지금 승귀되어서 하나님, 즉 자신의 영광을 다른 존재와 공유하지 않는(사 45:23이 분명하게 말하고 있듯이) 그 하나님의 보좌 자체를 공유하고 있다면, 이 예수는 영원 전부터 "하나님과 동등"하였을 것임에 틀림없다.[61]

이것은 다메섹 도상에서 바울에게 일어난 일에 관한 사도행전에서의 누가의 기사들과 종종 생각하는 것보다 더 밀접하게 연관되어 있다. 바울의 회심에

61) Wright, *Climax*, ch. 4을 보라.

대한 누가의 해석은 바울이 예수를 보았고 또한 즉시 예수가 "하나님"이라고 추론하였다는 것이 결코 아니다. 누가의 전체적인 강조점은 예수가 스스로를 다소의 사울에게 "주"로서 계시하였다는 것에 두어져 있다. 그러나 이 단어는 그 자체로 및 사도행전 전체의 맥락 속에서 너무도 광범위한 범위의 의미들을 지니고 있기 때문에, 그저 단순하게 "신성"의 의미를 지니고 있다고 말할 수 없다. 사실 바울의 회심에 관한 첫 번째 기사 후에 누가는 바울이 다메섹의 회당들에서 예수가 "하나님의 아들"이라고 강력하게 주장하였다고 보도한다.[62] 이것이 무엇을 의미하는지에 관한 누가의 즉각적인 설명은 "삼위일체의 두 번째 위격"이 아니라, 바울의 서신들 속에서와 마찬가지로 "메시야"이다.[63] 사도행전에서 바울의 입에서 나온 이 어구의 또 다른 유일한 용례는 이것을 강력하게 밑받침해 준다.[64]

이와 동시에 — 이 둘을 통합시키는 것은 아마도 원시 기독교에 대한 연구에서 핵심적인 움직임일 것이다 — 우리는 다메섹 도상에 관한 누가의 이야기가 몇 가지 점에서 구약성서의 하나님의 현현 장면들을 연상시키도록 의도되어 있다는 것을 발견한다. 정오의 해보다 더 밝은 하늘로부터의 빛은 그 가장 분명한 병행인 다니엘서 10장에서의 환상만이 아니라 시내산에서의 계시 및 에스겔의 최초의 환상을 일부 학자들에게 연상시켰다.[65]

하지만 우리는 너무 빨리 결론들로 비약해서는 안 된다. 이러한 병행들 중에서 가장 밀접한 병행인 다니엘 10장에서 강력하게 함축하고 있는 의미는 다니엘이 보았던 그 사람이 하나님이 아니라 천사 가브리엘이었다는 것이다.[66]

62) 사도행전 9:20(cf. 갈 1:16).

63) 사도행전 9:22.

64) 시편 2:7을 인용하는 사도행전 13:33. 예를 들면, Wall 2002, 153을 보라.

65) 사도행전과 다니엘 10:4-21에 나오는 기사들 간에는 몇 가지 병행들이 존재한다. Wall 2002, 150은 출애굽기 19:16; 에스겔 1:4, 7, 13, 28과의 병행들도 주장한다; 이러한 것들은 그렇게 밀접한 병행인 것으로 보이지는 않는다. 물론, 구약의 많은 계시 장면들에서와 마찬가지로, 사울은 땅에 엎드려지고 일어나서 말을 듣고 순종하라는 지시를 받는다(행 9:4, 6; 예를 들면, cf. 겔 1:28; 2:1; 3:23f.; 43:3; 44:4과 창 17:3, 17; 레 9:24; 수 5:14f.; 삿 14:20; 왕상 18:39; 단 8:17f.; Tob. 12:16). 이러한 것들은 그 중 일부는 야훼의 천사의 계시이고 일부는 (엘리야의 불과 같은) 하나님의 능력에 대한 표적들이기 때문에 거의 아무것도 입증해주지 못한다.

사울에게 하라고 말해진 것에 비추어 볼 때, 그 가장 가까운 병행은 출애굽기 3:1-17인 것으로 보인다: 모세는 단지 불타는 가시덤불만을 보았을 뿐이고 (하늘로부터의 빛이나 사람 모양의 형태도 없었다), 야훼는 그에게 말씀하면서 스스로를 아브라함, 이삭, 야곱의 하나님, 스스로 있는 자로 계시하고, 그에게 이스라엘의 장로들에게 가서 그들을 건져서 그들에게 그들의 땅을 주겠다는 오랫동안 기다려왔던 약속의 성취를 알리라고 위임한다. 다메섹 도상에서 "사울아 사울아"라고 불렀던 것과 마찬가지로, 야훼는 "모세야 모세야"라고 부른다. "나는 스스로 있는 자니라"는 말 대신에, 사도행전에는 "나는 네가 핍박하는 예수라"는 말이 나온다.[67]

누가는 이러한 병행들을 우리로 하여금 주목하게 하였지만, 여전히 중요한 차이점들을 고수하기를 원한다. 그는 사울/바울을 단지 또 하나의 모세(그가 일차적으로 예수 자신에게 돌리는 지위) 또는 또 하나의 다니엘로 묘사하지 않는다. 바울은 몇 가지 점에서 그들과 비슷하지만, 그의 위임은 그들의 위임과 동일하지 않은 것과 마찬가지로, 그의 최초의 환상도 서로 다르다. 그 밖의 다른 점들은 그만두고라도 사도행전에 나오는 기사들에는 그 어디에도 사울이 실제로 어떤 인물을 보았다고 묘사하는 내용이 없다. 빛이 하늘로부터 비치지만,[68] 누가는 결코 사울이 빛으로 이루어진 인물을 보았다거나 빛이 좀 더 일반적인 의미에서의 "하늘로부터"와 반대되는 것으로서 그 인물 자신으로부터 나왔다고 말하지 않는다(카라바조의 그림 속에 나오는 말의 경우에서 볼 수 있듯이 정반대의 대중적인 인상들에도 불구하고).

이것은 머리카락을 쪼개는 것 같이 너무 미세한 분석으로 보일지도 모르지만, 본문 속에 누가가 결코 말하지 않았던 그 무엇을 집어넣어 읽어서 그것을 중심적인 위치로 승격시키지 않는 것은 대단히 중요하다 — 누가가 이 이야기를 세 번이나 말하고 있기 때문에 우리가 우연이라고 생각할 수 없는 사실. 실제로 사울이 눈부신 빛을 보고 목소리를 들은 것과 반대되는 것으로서 실제적

---

66) cf. 행 8:16; 9:21.

67) 출 3:4과 행 9:4; 출 3:14과 행 9:5; 위임과 관련해서는 출 3:10-17과 행 9:15, 20, 22; 22:14f., 21; 26:16-18, 20. 사도행전 7:23-43에서 예수와 모세의 병행을 지적하는 Wall 2002, 150f.를 보라.

68) 사도행전 9:3; 22:6; 26:13.

이 인물을 보고 있었다는 함의가 존재하는 것은 이 세 가지 기사들 가운데에서 오직 9:7에서이다. 하늘로부터의 빛은 모세의 불타는 떨기나무와 같은 역할을 하는 것으로 보인다: 그것은 누가의 서사적인 틀, 극적이고 흡입력 있으며 뭔가를 조명해 주는 듯한 맥락을 형성하는 가운데, 거기에서 위임의 목소리가 들려온다. 누가의 "빛에 관한 환상" 이야기(거기에서는 암묵적으로 바울이 어떤 인물을 본다)와 "예수를 본 것"에 관한 바울 자신의 명확한 설명을 한데 묶어서 예수를 빛 자체이거나 그 원천이라고 규정한 것은 석의상으로나 역사상으로 위험스러운 시도이다.

이렇게 다양한 종류의 거대한 문제점들이 다소의 사울이 환상을 본 순간에 그의 마음속에 일어났던 일련의 정확한 사고를 전체적으로 역사적으로 재구성하고자 하는 시도를 에워싸고 있다. 그러한 종류의 상황에 직면했을 때, 우리는 안전한 토대로 되돌아가는 것이 상책이다. 누가는 바울이 즉시 예수를 메시야적인 의미에서 "하나님의 아들"이라고 전한 것으로 보도한다. 바울은 예수가 부활을 통해서 메시야적인 의미에서의 "하나님의 아들로 인정되었다"고 말한다. 이것은 이 두 사람이 그 환상의 일차적인 의미로 여기고 있는 것으로 보이는 바로 그것이다.

그러나 두 사람 모두에게 있어서 이 환상은 메시야적인 "하나님의 아들"로서의 예수에 대한 인식에 추가적인 차원을 거의 즉각적으로 부여해준 맥락 속에서 일어났다. 누가가 이 이야기를 예언적 환상이라는 틀 속에서 말하고 있는 것은 바울이 갈라디아서 1:15-16(여기에서도 계시의 중심은 "하나님의 아들"로서의 예수이다)에서 이와 비슷한 틀을 암시하고 있는 것과 일치한다. 여기서 다시 한 번 우리는 확고한 역사적인 토대 위에 서 있다. 선지자들에 대한 소명은 이스라엘의 신으로부터 오는 것으로 인식되었기 때문에 — 물론, 종종 다니엘 10장에서처럼 중개자들을 통해서 오기도 하지만 — 메시야적인 "하나님의 아들"로서의 예수에 대한 계시는 이전에는 생각할 수 없었던 새로운 신앙의 칼날 위에서 위험스럽게 운행한다: 이 메시야적인 칭호는 사람들이 이전에 시편 2편 또는 사무엘하 7장을 읽으면서 생각했던 것보다 훨씬 더 많은 것을 내포할 수 있다는 것. 시편 110편에 대한 바울 자신의 사용은 공관복음 전승 속에서의 그 시편의 사용을 반영하고 있다: 그는 다윗의 아들이 다윗의 주이기도 하다는 것을 발견하였다.[69]

바울은 어떻게 이러한 발견을 하게 되었는가? 우리는 다소의 사울이 예수가 메시야라는 것을 즉각적으로 믿게 된 후에 논리적이고 성경적인 성찰의 과정만을 통해서 메시야가 결국 신적이라는 결론을 도출해내었다고 생각해서는 안 된다(물론, 그 과정에서 논리적이고 성경적인 성찰이 있었지만). 오히려, 우리는 다음과 같은 일련의 과정을 생각해 볼 수 있을 것이다(우리는 제12장과 제19장에서 이 점을 다시 살펴보게 될 것이다).

사울이 예수가 메시야라는 것을 믿게 된 맥락은 그에게 당시에 성경에 나오는 하나님의 현현들과 흡사하게 보였던 하나의 환상이었다. 일부 학자들이 주장했듯이, 바울은 실제로 보좌 병거에 관하여 묵상하였고, 보좌 위에 앉은 인물이 예수라는 것을 발견하였을 것이다.[70] 그런 후에, 항상 그래 왔듯이 이스라엘의 하나님에게 날마다 계속해서 기도를 해나가면서 — 이제는 나사렛 예수가 메시야, 그러한 의미에서의 "하나님의 아들"이라는 인식을 가지고 — 바울은 "하나님의 아들"이라는 어구가 원래의 의미에서는 내내 숨겨져 있었던 새로운 의미, 그리고 유대인들이 초월적이고 감추어진 참 하나님의 현존과 활동을 나타날 때에 사용하였던 그 밖의 다른 개념들과 병행적인 기능을 갖고 있다는 것을 발견하였다.[71]

논리적인 추론과 성경적인 성찰은 원래의 환상에 대한 기억(성경적인 모델들과 관련하여 해석된)과 아브라함, 이삭, 야곱의 한 분 하나님에 대한 기도와 성찰이라는 지속적인 습관의 맥락 속에서 일어났다. 바울은 점점 이 하나님이 아들 및 그 아들의 영을 보낸 분이라는 것을 분명하게 인식하게 되었다(갈 4:4-6); 자신의 공유할 수 없는 영광을 이 새로운 세상의 주와 함께 공유한 분(빌 2:9-11); 눈에 보이지 않는 하나님이 반영된 분(골 1:15); 주님('퀴리오스')이라는 단어의 다양한 가능성들을 통해서 "한 분 하나님 아버지"와 "한 주 예수 그리스도"를 구별하는 방식을 제공함과 동시에 동일한 단어들을 통해

69) 부활한 예수를 결국 "하나님"께 복종하게 될 "아들"로 이해하는 내용과 짝을 이루고 있는 고린도전서 15:25-8. Cf. 마 22:41-5/막 12:35-7/눅 20:41-4; cf. *JVG* 507-09, 642f.

70) Bowker 1971.

71) 아래의 제12장 제3절과 제19장 제2절을 보라.

서 이교의 다신론에 맞선 유대교의 유일신론을 단언하는 방식을 제공했던 그러한 주로서의 지위를 지니고 계신 분(고전 8:6).

고대의 유대적인 신앙의 한 분 하나님에 대한 이러한 숨 막히는 탐구들은 아무런 훈련도 받지 않은 무작위적인 묵상들이 아니었다. 바울은 자신이 취한 각각의 단계를 성경 속에서 발견하였다; 그러나 그가 이러한 단계들을 취할 수 있었던 근거는 그가 다메섹 도상에서 보았던 것이었고, 그는 기도 및 다른 신자들과의 교제를 통해서 메시야라는 표현이 예수에게 적용되었을 때에 아브라함, 이삭, 야곱의 하나님에게 적용되는 것과 같은 새로운 신에 관한 언어로서의 의미를 지닐 수 있다는 것을 계속해서 발견해 나간 것이었다.

메시야 예수, 주를 통해서 한 분 참 하나님을 알고, 교회와의 교제 속에서 이것을 아는 이러한 지속적인 체험은 바울이 고린도후서 4:1-6에서 말하고 있는 바로 그런 것이었다. 물론, 바울이 거기에서 말하고 있는 것과 다메섹 도상에서의 최초의 사건에 관하여 말해질 수 있는 것(바울에 의해서, 누가에 의해서, 그리고 2천년 후에 우리에 의해서), 그 사건이 지니고 있었던 것으로 보이는 의미 간에는 신학적인 연속성이 존재한다. 그러나 고린도후서 4장은 그 사건을 서술하고 있는 것이 아니고, 우리는 그것이 말하고 있는 것의 여러 요소들(예를 들면, 분명히 다메섹 도상의 사건에 관한 서술이 아닌 "우리 마음에" 빛이 비친다는 표현)을 가져다가 바울이 예수를 원래 "본 것" 속에 거꾸로 집어넣어서 읽거나 결정하려고 들어서는 안 된다.

5. 결론

바울의 회심과 그것이 그의 더 폭넓은 신학과 맺고 있는 관계에 관하여 우리가 할 말은 훨씬 더 많다. 그러한 것들 중 일부는 잠시 후에 다시 살펴볼 것이다. 그러나 우리는 바울은 자기가 직접 부활한 예수를 보았다고 믿었고, 이 예수가 누구냐에 대한 그의 이해는 예수가 변화되었지만 여전히 육신적인 몸을 소유하고 있었다는 확고한 믿음을 포함하고 있었다는 분명한 이해를 가지게 되었기 때문에, 바울에 관한 우리의 서술을 마무리할 수 있는 정도로 충분하게 많은 것을 말했다고 본다. 사도행전이나 바울서신의 그 밖의 다른 본문들을 토대로 해서 바울의 회심의 때에 "진정으로 무슨 일이 일어났는가"를 제시함으로써 이러한 결론을 손상시키려고 하는 시도들은 그 어떤 설득력도 지니지 못할 것이다.

우리는 이제 우리의 가장 초기의 증인을 살펴보았다. 이제는 지평을 넓혀서 해당되는 세기와 그 이후의 반세기에 나온 글들을 살펴볼 차례이다.

제3부

초기 기독교(바울을 제외한)에서의 부활

그 낯설은 어딘지 모르는 새로운 땅으로
금지된 모퉁이를 돌아서
빗장이 잠겨지고 닫혀진 문을 통해서
죄수들은 더 큰 세계로 방출되었다.

Easter Oratorio(위의 서문을 보라)에서

제 9 장

초점이 다시 맞춰진 소망(1): 부활 기사들 이외의 복음서 전승들

1. 서론

정경 복음서들이 의심할 여지 없이 초기 그리스도인들의 신앙들과 소망들을 반영하고 있다는 것을 생각할 때, 복음서들과 관련하여 우리가 항상 의외라고 생각하는 것들 중의 하나는 복음서들이 부활이라는 주제에 대하여 너무도 적게 말하고 있다는 것이다. 물론, 복음서들은 모두 예수의 빈 무덤에 관한 이야기들로 끝이 나고, 마가복음을 제외한 모든 복음서들에서 우리는 예수가 다시 살아나서 제자들에게 나타나신 것에 관한 이야기들을 발견한다. 그러나 초대 교회가 죽은 자로부터 다시 살아났다고 믿었던 예수의 공생애에 관하여 보도하고 있는 이야기들 속에서 부활에 관한 더 긴 서술들을 찾아보아야 아무 소용이 없다.[1]

물론, 이것은 초대 교회가 이전 세대의 학자들이 전제하기를 좋아하였던 것과 같이 "예수의 말씀들"을 신속하게 만들어내지 못했다는 것을 보여주는 분명한 표지(그러한 많은 표지들 중의 하나)이다.[2] 우리가 부활에 대한 바울의 아주 높은 관심이 그의 동시대인들의 대부분의 신자들에 의해서 공유되지 못했다고 전제할 수 있다고 하더라도, 우리는 여전히 일반적으로는 부활, 구체적으로는 예수의 부활이 교회의 선포와 외부인들에 대한 설명, 그리고 교회 내적

1) 의외의 내용에 대해서는 Evans 1970, 31을 보라.

2) *NTPG* 421f.를 보라.

인 삶의 특징이었을 것임에 틀림없는 토론들 속에서 대단히 논쟁적인 주제였을 것이라고 전제하지 않으면 안 된다. 교회의 필요들에 기여하기 위하여 전승들이 만들어졌다는 옛 전제들을 받아들인다면, 부활이 정확히 무엇이었고 그것이 무엇을 의미했는지를 더 정확하게 설명해줄 몇몇 "주의 말씀들"을 만들어내는 일은 얼마나 쉬웠을 것인가. 마가복음 9:7-9에 의하면, 제자들은 부활에 관한 설명을 필요로 했지만, 그러한 설명은 주어지지 않았다. 우리들은 그러한 말씀들을 위한 상황들이나 그 점에 관하여 말하고 있는 한두 개의 비유가 만들어졌을 것이라고 상상해 볼 수도 있을 것이다; 그러나 이것은 단지 신약학자들이 신약성서 기자들 자신들이 했던 것으로 보이는 것보다 훨씬 더 허구적인 시나리오들을 상상할 준비가 되어 있다는 것만을 보여줄 뿐이다.

우리가 확실히 말할 수 있는 것은 한 가지뿐이다. 만약 예수가 사람들이 기억할 수 있는 형태로 부활이라는 주제에 관하여 말씀한 것들이 있었다면, 그 말씀들은 보존되었으리라는 것이다.[3] 그런데 그러한 말씀들이 없다는 사실은 이것이 실제로 그의 가르침의 주된 주제가 아니었을 뿐만 아니라 이 주제에 관하여 거의 말씀하지 않았다는 것을 보여주고, 예수가 이 주제에 관하여 말한 것으로 보이는 한 경우도 다른 사람의 부추김에 의해서 이루어진 것이었다. 예수는 분명히 부활을 신의 백성에게 약속된 미래로 믿었지만, 부활은 당시의 유대교의 대부분에서 그랬던 것과 마찬가지로 — 앞에서 보았듯이, 유대교 내에서 부활을 믿었던 사람들조차도 그것을 통상적으로는 주된 주제로 여기지 않았고 여러 주제들 중의 하나로 여겼다 — 예수의 가르침 속에서 별로 큰 역할을 하지 않았던 것으로 보인다.

복음서 기자들과 그들이 수집하였던 전승이 부활에 관하여 이렇게 별로 말하고 있지 않는다는 것은 본서에 있어서 특이한 구조상의 문제점을 불러일으킨다 — 이것은 극히 중요한 것은 아니지만 그럼에도 불구하고 지적해두는 것이 좋을 것이다. 복음서들에 나오는 내용들 중의 일부는 위의 제3장에서 말했듯이 제2성전 시대 유대교 내에서 지니고 있었던 신앙들에 대한 증거들에 속하는 것으로 보인다. 예를 들면, 예수를 부활한 세례 요한일 가능성이 있다고 보았던 헤롯 안디바의 견해가 특히 그렇다.[4] 그밖의 다른 단편들은 비록 그것

---

3) Perkins, 1984, 74f.

들이 궁극적으로는 예수에게 소급될 수 있다고 할지라도 그 형태와 표현에 있어서 초기 기독교의 발전된 이해를 보여주는 증거들일 가능성이 크다. 본서의 이 대목에서 이 모든 내용들을 다루고자 하는 이유는 부분적으로는 그 내용들을 단순히 비기독교적인 당시의 유대교적 신앙들을 반영하고 있는 것으로 보이는 그러한 본문들로 나누는 것이 인위적인 것으로 보였기 때문이고, 좀 더 통상적으로는 복음서들이 초대 교회를 통하여 우리에게 왔기 때문에, 복음서들이 지닌 일차적인 증거로서의 가치는 초기 그리스도인들이 말하였던 이야기들과 그러한 이야기들이 발생시키고 지속시켰던 삶과 사상에 대한 증거로서의 가치이기 때문이다. 내가 다른 곳에서 논증했듯이, 복음서들이 흔히 생각하는 것보다 예수의 공생애에 관하여 훨씬 더 좋은 증거들을 우리에게 제공해준다는 것이 사실이라고 할지라도, 우리는 여전히 복음서들을 교회 시대의 처음 4-50년 동안에 걸친 교회의 삶, 사역, 사상, 특히 이야기 하기(story-telling)에 대한 증거로 보는 것으로부터 시작해야 한다.[5]

우리의 전체적인 주제 내에서 이 자료의 특이성을 보여주는 구체적인 예는 예수의 죽음 후에 그에게 일어난 일에 관하여 믿어졌던 것과 대비되는 것으로서의 부활(일반적인 또는 자신에게 적용된)에 관한 예수의 가르침이 초기 기독교의 부활 사상 속에서 차지하는 위치이다. 바울은 이 주제에 관한 예수의 가르침에 대해서 언급하고 있지 않지만, 사실 바울은 그 어떤 것에 대한 것이든 예수의 가르침을 거의 언급하지 않는다. 우리가 현존하는 형태의 전승들 속에서 발견하는 몇몇 말씀들의 보존 및 각색, 그리고 그것들이 초대 교회의 지속적인 관심에 관하여 우리에게 말해주는 것을 제외하면, 예수가 부활에 관하여 무엇을 말했는지를 언급하고 있는 거의 유일한 경우는 부활하신 예수 자신이 이 일은 자기가 이전에 말하였던 바로 그것이라고 설명한 것 — 그리고 마태 기사 속에서 고위 제사장들이 "저 참칭하는 자"가 죽은 자로부터 다시 살아날 것이라고 예언했다는 것을 기억하고서 무덤을 지키도록 요청한 것 — 이다.[6]

---

4) 부활에 관한 사두개파와 바리새파의 견해들에 관하여 말하고 있는 사도행전 23:1-9에 나오는 말씀들도 보라. 이것에 대해서는 이미 앞에서 다룬 바 있다.

5) 복음서들에 대해서는 특히 *NTPG* chs. 13, 14; *JVG* ch. 4을 보라.

이 모든 것을 말한 후에, 아울러 말씀과 행위를 통한 예수의 선포의 주된 주제가 하나님의 나라였다는 것을 강조하는 것은 물론 중요하다.[7] 당시의 모든 하나님 나라 운동이 반드시 부활 운동인 것은 아니었다는 점을 감안하더라도 (즉, 자신의 운동에 대하여 하나님의 나라라는 표현을 사용한 자들 중 일부는 바리새파적인 소망과 거리를 두었다), 주후 1세기 전반부에 이스라엘의 하나님의 나라를 선포한 사람은 전체적인 약속의 일부로서 부활을 포함하고 있는 것으로 전제되었을 가능성이 극히 높다. 그러므로 우리가 예수의 가르침과 행위들 속에서 부활에 대한 산발적이고 모호한 언급들을 발견할지라도, 우리는 예수가 부활을 고립적인 주제가 아니라 장차 도래할 하나님 나라의 일부로 보았다고 전제해도 틀리지 않는다. 그러나 일반적으로는 다음과 같이 말할 수 있다: 부활은 분명히 예수의 중심적인 또는 주요한 주제들 중의 하나가 아니었다.

부활, 또는 실제로 죽음 이후의 모종의 새로운 삶에 대한 언급들은 복음서 전승들 속에서 무작위적이고 비체계적인 것으로 보인다.[8] 그러한 것들을 더 질서정연하게 배열하는 것은 가능할 것이다; 그러나 본서의 제3부의 목적은 초기 기독교 전반을 살펴보고 이 주제에 관한 견해들에 관하여 무엇을 배울 수 있는지를 알아보는 것이기 때문에, 학자들이 통상적으로 규정하는 복음서 전승의 서로 다른 층위들에서 나타나는 대로 본문들을 살펴보는 것이 더 나을 것으로 보인다. 나는 전승사와 관련된 특정한 쟁점들에 대한 그 어떠한 편견

---

6) 눅 24:44; 마 27:63f. 누가복음 24:25f.에서 예수는 엠마오 도상의 두 제자를 꾸짖는데, 이것은 그가 말했던 것을 믿지 않아서가 아니라, 모세와 선지자들을 믿지 않았기 때문이었다(누가복음 16:31과 비교해 보라). 마가복음의 긴 결말에서는 (16:14) 그는 그들을 단지 앞서의 소문들을 믿지 못한 것에 대해서 꾸짖는 것으로 나온다.

7) *JVG* Part II(chs. 5-10)를 보라.

8) 정경에 속하지 않은 복음서 전승들이 이 주제에 관한 정경 복음서들과 병행되는 내용을 거의 담고 있지 않다는 것은 주목할 만하고, 그것들이 담고 있는 관련된 내용은 정경 복음서들과 너무나 달라서, 다음 장(아래의 제11장)에서 따로 다루는 것이 좋을 것이다. 월드컵의 한 축구시합을 중개하고 있던 한 미국의 해설자가 경기를 지루하게 보고 있다가 득점없이 시합이 끝나자 이렇게 말했다: "자, 국민 여러분, 나는 여러분에게 득점을 말해드리고 싶지만, 득점이 하나도 없었습니다."

없이 이 말을 하고 있는 것이다. 왜냐하면, 나는 여전히 전승들이 우리의 자료들에 처음으로 등장하기 이전에, 그리고 그때와 그 이후에 등장할 때 사이의 기간에 발전한 방식들에 대하여 우리가 무엇을 알 수 있을지에 관하여 회의적이기 때문이다.[9] 나는 Q자료의 존재를 믿어야 되는지 말아야 되는지, 만약 존재했다면 어떤 판본을 믿어야 하는지에 대해서조차도 확신이 서지 않는다. 아래에서 두 번째 범주(마태와 누가 둘 다에 나오는 내용)는 물론 Q자료와 일치할 것이다; 첫 번째 범주(다른 공관복음서 중 어느 하나 또는 둘 모두에 나오는 마가의 내용)는 많은 학자들이 꽤 이른 시기의 것으로 여기는 내용을 담고 있다.

마지막으로 한 마디: 우리는 이러한 내용을 적어도 잠재적으로는 복음서 기자들 배후에서 좀 더 이른 전승으로 거슬러 올라가는 것으로 취급하고, 부활 기사들도 동일한 방식으로 취급해야 하지만, 부활에 대한 이러한 고립적인 언급들, 특히 부활한 예수 자신에 관한 실질적이고 상세한 기사들을 담고 있는 복음서들인 누가와 요한에 나오는 언급들이 있다는 것을 언제나 기억해야 한다. 우리가 복음서 기자들을 극단적으로 경솔하다고 비난하지 않는다면, 그들이 예수의 가르침을 그의 부활한 상태에 관하여 그들이 믿었던 것과 연결시켰다는 것은 언제나 어떤 의미가 있었을 것임에 틀림없다. 이것이 중요한 가장 분명한 대목은 수난과 부활에 관한 삼중적 예고이다. 우리는 복음서 기자들이 각각의 복음서의 끝에서 말한 이야기를 이러한 예고들의 성취라고 생각했다고 보아야 한다. 그러나 이와 같은 말은 다른 경우들에도 그대로 적용될 것이다.

2. 마가복음 및 그 병행문들에서의 부활

(i) 치유

마가에서 부활에 관한 내용은 꽤 분명한 네 개의 범주들 속에서 나온다: 치유, 도전, 예고들(장래의 신원에 관한), 수수께끼 같은 말씀들. (나는 예수와 사두개파 간의 논쟁을 별개의 항목으로 다룰 것이다.) 첫 번째 범주는 오직 한

9) cf. *NTPG* ch. 14; "Doing Justice to Jesus," 360-65.

10) 막 5:21-43/마 9:18-31/눅 8:40-56.

가지 이야기만을 포함한다: 야이로의 딸을 치유한 사건.[10] 이 이야기 및 누가와 요한에만 나오는 이와 병행되는 치유 사건들(아래를 보라)은 우리에게 엘리야와 엘리사가 죽은 자들을 다시 되살려낸 사건들을 생각나게 한다.[11] 복음서들은 이 이야기들을 비록 대단히 이례적이긴 하지만 선지자로서의 예수의 면모의 일부로서 묘사한다. 추가적인 내부적 해석은 복음서들에 나오는 세 개의 기사 모두에서 야이로의 딸에 관한 더 큰 이야기 속에 배치되어 있으면서, 몇 가지 점에서 그 이야기를 반영하고 있는 혈루병을 앓는 여인에 관한 이야기에 의해서 제공된다(이 여자는 야이로의 딸의 나이와 동일하게 20년 동안 병을 앓아 왔다; 두 경우 모두에 있어서 믿음의 중요성이 강조된다).[12]

이 이야기 속에는 우리의 연구를 위해서 꽤 중요한 몇 가지 내용들이 나온다. 먼저 우리는 예수가 애곡하는 자들에게 한 말씀을 주목해 볼 수 있다: 소년은 죽은 것이 아니라 자고 있다.[13] 이것은 "잠잔다"가 죽음에 대한 통상적이고 분명한 은유로 사용되는 그러한 언어 체계를 보여주고 있는 것이 아니라, 적어도 이 이야기를 말하거나 들은 자들의 마음속에 "잠자는" 자들이 깨어날 것이라고 말하고 있는 다니엘 12:2을 연상시켰을 것임에 거의 틀림없다.[14] 그러므로 구경꾼들이 조소한 것은 제자들(처음에), 그 후에 부활절 이야기를 들은 자들의 불신앙을 반영하고 있는 것이다. "잠잔다"는 것에 대한 언급은 자연스럽게 소녀가 "깨어나는 것"에 관한 묘사로 이어진다. 예수의 명령의 말씀(마가와 누가에만 나오는)은 "일어나라"('에게이레')인데, 마가에서는 아람어 '탈리다 쿰'에 대한 번역어로 나온다.[15] 소녀가 깨어났을 때, 마가와 누가에 의해서 사용된 동사는 '아네스테'이고, 마태에서는 '에게르데'가 사용된다.[16] 부모

11) 왕상 17:17-24; 왕하 4:18-37.

12) 오직 마가복음(5:42)과 누가복음(8:42)만이 소녀의 나이를 제시하고 있고, 이 이야기의 여러 부분들에서 아마도 누가는 이 결합된 이야기 속에서 앞부분과의 병행관계를 환기시키고자 하는 것 같다.

13) 막 5:39/마 9:24/눅 8:52.

14) 바울 서신에서 "잠자다"에 대해서는 위의 제5장 제2절을 보라.

15) 이 아람어의 의미에 대해서는 Guelich 1989, 302f.; Gundry 1993, 274f.를 보라.

16) 막 5:42/마 9:25/눅 8:55. 본서의 제2-4부 전체에 걸친 전거들이 보여주듯이, 이러한 것들은 신약성서 전체에 걸쳐서 통상적인 "부활" 단어들이다.

들이 놀란 것(마가와 누가에서 '엑세스테산')은 예수의 무덤에 갔던 여자들과 그 소식을 들었던 자들의 놀라는 반응을 반영한 것이다.[17] 소녀에게 먹을 것을 주라는 예수의 요청(마가에만 나오는)은 다락방에 관한 누가의 이야기 속에서 예수 자신이 먹을 것을 달라고 요청한 것을 희미하게 반영하고 있다.[18] 초기 기독교가 이 이야기를 이와 같은 식으로 말하고 있다는 것은 거의 틀림없이 예수 자신의 부활을 이와 동일한 종류의 놀라운 능력의 더 크고 위대한 예로 생각했음을 보여주는 것이다. 복음서 기자들은 이야기들을 편집하면서 그들의 청중들이 복음서들의 끝에 나오는 이야기로부터 터져 나오게 될 주제에 관한 예비적인 진술을 미리 들을 수 있기를 기대했을 것이다. 그러나 이 이야기 속에는 묘사된 역사적 세계에서나 이야기되고 있는 허구적인 세계 속에서나 그 누가 또 다른 종류의 "부활"을 기대하였다는 것을 보여주는 암시는 존재하지 않는다. 야이로의 딸은 언젠가는 다시 죽게 될 것이다. 마가, 마태, 누가는 예수가 죽음을 통과하여 그 반대편으로 나온 것에 관한 이야기를 말하는 것으로 자신의 복음서를 끝마친다.

(ii) 도전

삼중적인 전승 속에 나오는 두 번째 범주의 내용은 예수가 그의 제자들에게 준 도전, 새로운 세상 속에서의 위대한 역전들에 관한 그의 예고들이다. 이러한 것들은 거의 틀림없이 하나님 나라를 가져오는 데에 모든 것을 걸 필요가 있다는 것에 관한 암호화된 경고들로 들려졌을 것이다; 그러한 차원에서 그것들은 말하자면 마카베오 지도자들의 권면들과 맥을 같이 한다. 나는 각각의 경우에 있어서 마가 판본을 인용하고, 다른 복음서들 속에서의 중요한 이독들에 대해서는 그때그때 지적하는 방식을 취하고자 한다.

> 8:34무리와 제자들을 불러 이르시되 누구든지 나를 따라오려거든 자기를
> 부인하고 자기 십자가를 지고 나를 따를 것이니라 35누구든지 자기 목숨
> ('프쉬케')을 구원하고자 하면 잃을 것이요 누구든지 나와 복음을 위하여

---

17) 막 5:42/눅 8:56; 막 16:5, 8; 눅 24:22.

18) 막 5:43; 눅 24:40-43.

[마태와 누가는 "와 복음"을 생략한다] 자기 목숨을 잃으면 구원하리라 [마태: "얻으리라"] 36사람이 만일 온 천하를 얻고도 자기 목숨을 잃으면 무엇이 유익하리요 37사람이 무엇을 주고 자기 목숨과 바꾸겠느냐 38누구든지 이 음란하고 죄 많은 세대에서 나와 내 말을 부끄러워하면 인자도 아버지의 영광으로 거룩한 천사들과 함께 올 때에 그 사람을 부끄러워하리라[마태는 "그때에 각 사람이 행한 대로 갚으리라"를 첨가한다] 9:1또 그들에게 이르시되 내가 진실로 너희에게 이르노니 여기 서 있는 사람 중에는 죽기 전에 하나님의 나라가 권능으로 임하는 것[마태: "인자가 그 왕권을 가지고 오는 것을"; 누가: "하나님의 나라"]을 볼 자들도 있느니라 하시니라.[19)]

9:43만일 네 손이 너를 범죄하게 하거든 찍어버리라 장애인으로 영생에 들어가는 것이 두 손을 가지고 지옥 곧 꺼지지 않는 불에 들어가는 것보다 나으니라 45만일 네 발이 너를 범죄하게 하거든 찍어버리라 다리 저는 자로 영생에 들어가는 것이 두 발을 가지고 지옥에 던져지는 것보다 나으니라 47만일 네 눈이 너를 범죄하게 하거든 빼버리라 한 눈으로 하나님의 나라에 들어가는 것[마태: "생명으로 들어가는 것"]이 두 눈을 가지고 지옥에 던져지는 것보다 나으니라.[20)]

10:29예수께서 이르시되 내가 진실로 너희에게 이르노니 [마태는 "세상이 새롭게 되어 인자가 자기 영광의 보좌에 앉을 때에 나를 따르는 너희도

---

19) 막 8:34-9:1/마 16:24-8/눅 9:23-7; JVG 304를 보라. 이 본문들과 아울러 우리는 마태복음 10:39과 누가복음 17:33("무릇 자기 목숨을 보전하고자 하는 자는 잃을 것이요 잃는 자는 살리리라")에 나오는 매우 비슷한 전승을 지적할 수 있다.

20) 마가복음 9:43-48. 44, 46은 이사야 66:24("그 벌레가 죽지 아니하며 그 불이 꺼지지 아니하여")을 인용한 것으로서, 본문 속에 나중에 삽입된 절들이다; 이것 자체가 매우 초기부터 필사자들이 이 본문과 예언적인 "새 창조" 주제 및 거기에 수반된 심판에 대한 경고들 간의 연결관계를 강조하는 데에 주의를 기울였다는 것을 보여주는 것으로서 대단히 흥미롭다. 병행문인 마태복음 18:6-9은 약간의 차이들을 보여준다.

열두 보좌에 앉아 이스라엘 열두 지파를 심판하리라"를 첨가한다] 나와
복음을 위하여[마태: "내 이름을 위하여"; 누가: "하나님의 나라를 위하
여"] 집이나 형제나 자매나 어머니나 아버지나 자식이나 전토를 버린 자
는 30현세에 있어 집과 형제와 자매와 어머니와 자식과 전토를 백 배나
받되 박해를 겸하여 받고 내세에 영생을 받지 못할 자가 없느니라 31그러
나 먼저 된 자로서 나중 되고 나중 된 자로서 먼저 될 자가 많으니라.[21]

이 본문들은 각각 나름대로의 방식으로 우리가 지금까지 살펴본 요세푸스와 제2성전 시대 본문들에 비추어 볼 때에 부활에 관한 약속으로 읽혀질 수 있는 그러한 약속들을 하고 있다. 그러한 차원에서 이 본문들은 당시에 통상적으로 사고되었던 것을 벗어나고 있지 않다: 이 길을 좇고, 이 선생에게 헌신하며, 여기에서의 특권들을 포기하라. 그러면 내세에 참 신이 너에게 새로운 생명, 새로운 세상, 새로운 가족을 줄 것이다. 첫 번째 본문에서 마가복음 8:35은 복음을 위하여 죽는 자들은 그들의 목숨을 구원하게 될 것이라고 말하고 있는데, 이것은 아마도 죽음 저편에서의 새로운 삶을 의미하는 것으로 보인다; 물론, 이것은 문맥상으로 예수를 좇으라는 구체적인 도전과 연결되어 있지만, 그 약속은 당시의 그 어떤 혁명운동 내에서도 의미를 지니고 있었을 것이다. 마가와 누가에서 하나님 나라에 관한 약속과 명시적으로 연결되어 있는 것, 마태에서 인자 및 그의 나라와 연결되어 있는 것은 우리가 위에서 지적한 것, 즉 복음서 전승들 속에서는 부활에 관한 언급이 드물지만 예수의 공생애의 주된 주제가 하나님의 나라였다는 것을 감안할 때에 이러한 연결관계를 잊어버리는 것은 잘못된 것임을 보여준다. 분명히 마태 본문이 다니엘서를 준거로 삼고 있다는 것은 제2성전 시대 유대인들의 생각 속에서 쉽게 다니엘서의 더 큰 그림, 즉 2장에 나오는 승리하는 나라, 7장에 나오는 신원받은 인자, 12장에 나오

21) 막 10:29-31/마 19:28-30/눅 18:29f. 여기에서 분류의 문제는 어렵다; 이 본문은 정말 "Q" 본문인가, 아니면 삼중적 전승의 수정들인가, 아니면 그 차이가 너무도 크기 때문에 그것들은 마태와 누가의 특수자료로 분류되어야 하는 것인가? 마태와 누가는 둘 다 먼저 버리고 나서 나중에 얻게 될 것에 관한 반복적인 목록을 생략한다. 도마복음서 55장; 101장에서는 부모 등을 미워하라는 도전에 대한 병행적인 내용들이 나오지만, 그것들은 내세에 대하여 언급하지 않는다.

는 신원받고 부활한 순교자들이 1, 3, 6장에 나오는 의로운 유대인들, 즉 이스라엘의 신에 대한 충성을 포기하느니 기꺼이 위험과 죽음을 무릅쓸 각오가 되어 있었던 자들에 관한 이야기들을 통한 도전으로 뚜렷하게 통합될 수 있다는 것이 쉽게 연상되었을 것이다. 그러므로 여기에서의 예수의 도전은 고전적인 제2성전 시대 스타일에 따라서 신의 백성에게 하나님 나라를 위하여 모든 것을 걸라는 도전 속에 놓여져 있고, 그들의 목숨을 잃는 자들은 목숨을 구원하거나(마가, 누가), 얻게(마태) 될 것이라는 암호화된 약속("부활"이라는 단어가 여기에서 나오지 않기 때문에 암호화된)을 포함하고 있다. 다니엘서와 연결되어 있는 이 묵시론적 시나리오는 자신의 신원에 관한 예수의 표현과도 닿아 있는데, 이것에 대해서 우리는 잠시 후에 살펴보게 될 것이다. 하지만 약속은 마카베오2서 7장에서의 확신과 비슷하게 철저하게 역전이라는 차원에 놓여져 있다: 모든 것을 거는 자들, 심지어 모든 것을 잃는 자들은 그들의 목숨을 다시 되찾게 될 것이다. 이것이 함축하고 있는 의미는 신의 나라 또는 인자의 나라가 현재에 있어서와 동일한 종류의 세상을 포함할 것이지만 신의 참된 백성들은 신원받게 될 것이라는 것을 내포하고 있다는 것이다.

달리 말하면, 부활에 관한 바울의 발전된 견해 속에 나오는 변화된 세상 또는 변화된 몸이라는 내용에 대한 암시는 전혀 없다는 것이다. 부활절 이후의 발전 또는 "기독교화"에 관한 그 어떤 암시도 존재하지 않는다. 이것은 그 자체가 예수가 이 모든 것을 말했을 것임에 틀림없다는 것을 입증해 주지는 않는다. 또한 그것이 나의 현재의 의도도 아니다. 그러나 이것은 그와 같은 종류의 신앙이 당시에 통용되고 있었다는 것과 그러한 말씀들을 전했고, 그 후에 수집하여 필사했던 자들은 누구나 그러한 말씀들이 자기 시대의 더 온전한 기독교적인 가르침과 동일한 방식으로 발전된 것은 아니라고 할지라도 어쨌든 양립할 수 있는 것으로 생각했을 것임에 틀림없다는 사실을 보여준다.

두 번째 본문은 상당한 개인적인 희생을 치르고서 "생명으로 들어가는 것" (마지막 행에서는 "하나님의 나라로" 들어가는 것으로 바뀜)에 관하여 말한다. 이것은 현세와 내세라는 전형적인 유대교적인 이분법, 그리고 현세와 내세에 있어서 상당한 정도의 몸의 연속성을 전제한다. 예수가 손과 발을 잘라내는 것, 눈을 뽑아내버리는 것을 문자 그대로의 충고가 아니라 생생한 은유로서 의도했다고 전제하더라도, 반복적인 설명의 요점은 사람이 '게헨나'로 가든 "생명"으로 가든, 그 사람은 이 땅에서 살던 바로 그 동일한 사람이라는 것이다. 그 이미지는 두드러진 것이기는 하지만,[22] 현재에 있어서와 실질적으로 동일한 몸을 입고서 하나님의 나라 또는 새로운 생명으로 나아간다는 관념은 여기서 찾아볼 수 없는데, 이러한 내용은 제2성전 시대 유대교의 더 폭넓은 세계 속에서 말해질 수 없었을 것이다.[23] 또한 이 본문을 읽은 주후 1세기의 그리스도인들은 당연히 이 본문을 예수를 따라서 부활 생명으로 들어가는 것으로 해석했겠지만(적어도 요한에 의하면, 예수의 부활한 몸은 십자가의 흔적들을 지니고 있었다), 여기에는 후대의 신학이 본문 속으로 들어와서 적용되었다는 것을 보여주는 그 어떤 암시도 존재하지 않는다.

세 번째 본문은 바울과 마찬가지로 계약의 백성이 내세에 신원될 것이라고 말하는 유대교적인 전승들을 활용하고 있다. 마태의 첨가는 예수의 제자들에게 맡겨진 이스라엘의 심판이 다니엘서를 준거로 삼고 있다는 것을 보여준다(우리의 다음 범주의 부분들에서처럼). "내세"에 관한 약속은 명시적으로 나오고, 내세에 합당한 생명(통상적으로 "영생"이라고 번역되는 "그 세대에 속한 생명"['조에 아이오니오스'])은 예수를 따르는 자들에게 주어지는 상급이 될 것이다. 사실, 이 본문의 주된 취지는 예수의 제자들에게 통상적으로 "온 이스라엘"에게 보장되었던 것을 주겠다고 확신시키는 것이다; 이것은 예수 자신을 중심으로 이스라엘을 놀라울 정도로 재정의한 것의 일부인데, 이러한 것은 몇 가지 차원에서 예수의 행위들과 말씀들의 특징이었다.[24] 또한 이 본문은 그 밖의 다른 많은 "역전" 말씀들, 특히 축복문들(아래를 보라)과 맥을 같이하여 "먼저 된 자"와 "나중된 자"가 서로 자리를 바꾸게 될 것이라는 극적인 역전을 약속한다. 그러나 이 본문에서 주목할 만한 것은 그 주된 역전이 내세에서가 아니라 현세 속에서 약속되고 있다는 것이다. 내세 또는 부활에 관한 발전된 신학은 존재하지 않는다. 내세를 가리키기 위하여 마태가 사용한 '팔린게네시아'는 신약성서에서 이 단어를 이런 의미로 사용한 유일한 예이다.[25] 이 단어는 분명히 세상의 커다란 변화를 함축하고 있기는 하지만, 그 밖의 다른 제2

22) 이러한 용법에 대한 유대교 병행들에 대해서는 SB 1.779f.를 보라.
23) "게헨나"에 대해서는 *JVG* 183 n. 42를 보라.
24) *JVG passim,* 특히 chs. 7, 9을 보라.

성전 시대의 많은 본문들로부터 얻을 수 있는 내용에 아무것도 더해주지 않는다.[26]

그러므로 이러한 본문들 전체에 걸쳐서 예수를 신실하게 좇는 자들, 그러는 가운데에 죽거나 손발이 절단되는 등 심각한 손상을 입는 자들에게 새로운 생명이 주어지게 될 장래에 관한 뚜렷한 인식이 존재한다. 우리가 이러한 본문들을 장차 있게 될 삶, 그리고 내세에 관한 신앙들의 스펙트럼 위에 놓는다면, 그것들은 분명히 그 밖의 다른 유대교의 묵시론적 본문들, 특히 다니엘서에 나오는 관념들을 반영하거나 발전시키고 있는 본문들과 잘 부합한다. 이러한 본문들 속에는 "부활"을 가리키는 통상적인 단어들이 없음에도 불구하고, 우리는 그러한 관념이 적어도 함축적으로는 존재한다고 분명하게 말할 수 있다. 그러나 예수를 중심으로 해서 이러한 약속들을 품고 있는 백성이 지금 재정의되고 있다는 것에 초점을 맞추고 있다는 점을 제외하면, 이 본문들 속에는 이 점과 관련하여 특별히 기독교적인 내용은 없다. 이러한 본문들을 전하고 형성하며 수집하였던 초기 그리스도인들이 이 본문들을 좀 더 기독교적인 관점으로 각색했다는 것을 보여주는 그 어떤 단서들도 없고, 심지어 화자인 예수 자신이 언젠가는 죽은 자로부터 부활할 것이라는 암시조차 존재하지 않는다.

(iii) 예수의 장래의 신원

마가 전승은 세 번이나 예수가 자신의 죽음만이 아니라 자신의 부활에 대해서도 예고하였다고 보도한다:

> 인자가 많은 고난을 받고 장로들과 대제사장들과 서기관들에게 버린 바 되어 죽임을 당하고 사흘만에[마태와 누가: "제삼일에"] 살아나야 할 것을 비로소 그들에게 가르치시되.[27]

---

25) 신약성서에서 또 하나의 다른 용례는 디도서 3:5인데, 거기에서 그것은 개인의 중생을 가리킨다.

26) '팔린게네시아'에 대해서는 *TDNT* 1.686-9; Davies and Allison 1988-97, 3.57f.와 거기에 나오는 참고문헌들을 보라.

이는 제자들을 가르치시며 또 인자가 사람들의 손에 넘겨져 죽임을 당하고 죽은 지 삼일만에[마태: "제삼일에"] 살아나리라는 것을 말씀하셨기 때문이더라[누가는 죽임을 당하고 살아나는 것에 관한 언급을 생략한다].[28]

우리가 예루살렘에 올라가노니 인자가 대제사장들과 서기관들에게 넘겨지매 그들이 죽이기로 결의하고 이방인들에게 넘겨 주겠고 그들은 능욕하며 침 뱉으며 채찍질하고 죽일 것이나 그는 삼일만에[마태와 누가: "제삼일에"] 살아나리라 하시니라.[29]

나는 이미 지난 두 세대 동안에 걸쳐서 널리 퍼진 학계의 견해에도 불구하고 예수가 죽을 것을 알고서 예루살렘에 갔고, 이것이 하나님이 그에게 주신 소명이었을 가능성이 대단히 높다는 것을 논증한 바 있다.[30] 또한 나는 예수가 자신의 다가올 죽음을 성경에 나오는 여러 다양한 표준적인 이야기들에 따라서 자신의 소명 및 공생애의 다른 측면들과 맥을 같이하여 해석하였을 가능성이 대단히 높다는 것도 논증하였다; 그리고 하나님의 나라 운동에 참여한 제2

27) 막 8:31/마 16:21/누 9:22. 마가는 마지막 단어를 가리키기 위하여 '아나스테나이'를 사용한다; 마태와 누가는 둘 다 '에게르데나이'로 되어 있다.

28) 막 9:31/마 17:22f/누 9:44. 다시 마가는 '아나스테세타이'로, 마태는 '에게르데세타이'로 되어 있다.

29) 막 10:33f/ak 20:18f/누 18:31f. 이번에는 마가와 누가는 '아나스테세타이'로 되어 있고, 마태는 '에게르데세타이'를 그대로 유지한다. 이 두 개의 핵심적인 동사는 복음서 기자들 가운데에서 꽤 골고루 분포되어 있는 것으로 보이고, 복음서 기자들은 어느 한 쪽을 강력하게 선호하지는 않았다.

30) 이 단락 전체의 배후에 있는 *JVG* ch. 12. 이러한 예고들은 이차적인 것임에 틀림없는데, 이는 만약 그렇지 않았다면 부활절 사건이 제자들에게 의외의 사건이었을 것이기 때문이라고 말하는 C. F. Evans 1970, 33과 대비해 보라; 이런 유의 설명은 논증을 몽둥이로 쳐서 침묵하게 하는 무해한 도구로서의 기능을 하는 것으로서, 상황은 그것보다 훨씬 더 미묘하기 때문에, 그런 일은 애석한 일이다. 문제는 그러한 예고들이 어떻게 들렸을 것인가 하는 것이다. C. A. Evans 1999a의 최근의 긍정적인 논증들과 대비해 보라.

성전 시대 유대인으로서 예수는 이스라엘의 신이 그를 죽은 자로부터 일으키시고 그의 고난 후에 그를 신원하실 것을 믿었고 또한 선포했을 것이다. 물론, 이러한 묘사는 마카베오2서에 나오는 순교자들의 모습과 꽤 흡사하다(그들이 죽으면서 한 위협의 말들과 예수가 죽으면서 한 말씀들 간에는 대비점들이 훨씬 더 두드러지긴 하지만).[31] 물론, 이것은 이러한 예고들이 예수가 말한 것들에 관한 문자 그대로의 보도들이라는 것을 의미하지는 않는다. 각각의 경우에 있어서 마가의 "삼일만에"가 마태와 누가에서 "제삼일에"로 수정된 것(누가는 두 번째 예고에서 이 구절 전체를 생략한다)은 전승의 초기단계에서 일어난 편집을 보여주는 분명한 표지이다; 예수가 금요일에 죽었다고 한다면, 일요일 아침 때까지는 만 삼일이 채 지나지 않았지만, 그날은 "제삼일"이었고, 이것이 바로 우리가 바울이 고린도전서 15:4에서 인용하고 있는 매우 초기의 전승 속에서 발견하는 그것이다.

특히 흥미로운 것은 제자들의 반응이다. 첫 번째 예고 후에 베드로는 예수를 붙잡고서 질책하였다; 분명히 부활에 관한 언급은 예수가 자신의 임박한 고난과 죽음에 관하여 말한 것에 대한 베드로의 충격을 완화시키는 역할을 전혀 하지 못했다. 두 번째 예고에서는 마태는 "저희가 심히 슬퍼하였다"고 말하고 있고, 마가와 누가는 둘 다 "저희가 그 말하는 것을 이해하지 못했고 그에게 물어보는 것을 두려워하였다"고 말한다. 누가는 이 말씀이 제자들로부터 의도적으로 숨겨져 있었다고 말하는데, 이것은 예수 자신이 부활할 때까지 제자들이 이해하지 못했다는 것에 관한 그의 주제와 부합하고, 이 주제는 세 번째이자 마지막 예고에서도 반복된다.[32] 달리 말하면, 그 어디에서도 제자들이 예수가 거의 즉각적인 부활을 의미하고 있었던 것으로 이해했음을 보여주는 그 어떤 표지도 나타나지 않는다는 것이다. 마카베오 순교자들을 좇는 사람들과 동료들 또는 주전 1세기와 주후 1세기 동안에 야훼의 나라를 위한 투쟁 속에서 죽은 자들에게 그들이 장래의 어느 때엔가는 다시 살아나게 될 것이라고 말해

31) 2 Macc. 7:9, 14, 17, 19, 31, 34-7에 나오는 점층법을 참조하라; cp. 누가복음 23:34과 베드로전서 2:21-3; 3:18.

32) 누가복음 9:45; 18:34; cp. 24:16, 25, 45. 마가와 마태는 세 번째 예고 후에는 아무런 설명도 하지 않는다.

주는 것이 단기적으로 작은 위안이 되었을 것임과 마찬가지로, 제자들은 예수가 임박한 죽음을 생각하고 있다는 것에 대하여 충격을 받거나 슬퍼하거나 도대체 예수가 무슨 말씀을 하고 있는지를 알지 못했던 것으로 보인다.

전승들 자체, 그리고 그 전승들을 다시 말하고 있는 복음서 기자들은 아마도 독자들로 하여금 제자들이 한편으로는 예수가 궁극적인 장래의 부활을 지칭하고 있음에 틀림없고 다른 한편으로는 그가 이스라엘의 회복을 위한 투쟁에 대하여 은유적으로 말하면서 그 과정 속에서 모든 것을 기꺼이 걸어야 한다는 것을 말하고 있는 것으로 받아들이고 있다고 이해하도록 의도하고 있다. 제자들이 "제삼일에"와 그러한 어구들에 대하여 어떻게 받아들였는지에 관한 내용은 아무튼 추측에 속한 것이다; 나의 추측은 그들이 이 어구가 은유였다고 생각했고 그것이 구체적으로 가리키는 내용을 알지 못했을 것이라는 것이다. 따라서 이 말씀들은 제2성전 시대 유대교의 세계 내에서 두드러진 것이긴 하지만, 그것들은 마카베오2서와 마찬가지로 이스라엘의 신에 순종하여 죽은 자들의 몸의 부활에 대한 신앙을 보여주는 확고한 증거들로서 제2성전 시대 유대교 내에 자리를 잡고 있다. 하지만 삼일에 대한 언급(물론, 이것 자체가 호세아 6:2에 대한 반영이라고 할 수도 있지만, 공관복음서 기자들이 이것을 염두에 두고 있다는 것을 보여주는 그 어떤 표지도 존재하지 않는다)을 제외하면, 우리가 바울이나 초기 기독교의 다른 곳에서 발견하는 유대교 전승 내부로부터의 혁신들에 관한 암시는 전혀 존재하지 않는다. 물론, 이 이야기를 말하고 이 말씀들을 수집하여 편집한 그리스도인들은 당시의 제자들이 추측했던 것보다 더 확실하게 성취되었다는 믿음을 가지고 이 본문들을 말하였을 것이다. 그러나 삼일 본문의 편집을 제외하면, 그들은 이 본문들을 더 명시적으로 수정하였던 것으로 보이지는 않는다.

이러한 신원에 관한 예고들과 아울러서, 우리는 다니엘 7장을 반영하면서 장래의 신원을 보여주는 말씀을 주목할 수 있을 것이다:

> … 네가 찬송 받을 이의 아들 그리스도냐 예수께서 이르시되 내가 그니라 인자가 권능자의 우편에 앉은 것과 하늘 구름을 타고 오는 것을 너희가 보리라 하시니.[33]

나는 『예수와 하나님의 승리』에서 이 말씀이 "다시 오심"이 아니라 "신원"에 관한 것임을 논증한 바 있다: 다니엘 7장에 나오는 "인자 같은 이"는 짐승들의 손에 의해서 고난을 받은 후에 옛적부터 계신 이에게 데려가진다. 이 말씀은 그 자체로서는 부활에 관하여 아무것도 얘기하지 않는다. 그러나 다니엘서 전체, 특히 2장에 나오는 하나님 나라에 관한 저 유명한 예언, 마찬가지로 12장에 나오는 저 유명한 부활에 관한 예언을 알고 있는 가운데에서 이 본문을 들었고 생각했고 전한 사람이라면 누구든지 이러한 언급들을 한데 통합해서 부활 자체를 일차적으로 신원으로 볼 수 있었을 것이다. 이것에 비추어서 우리는 재판 장면에서 거짓 증인들의 입 속에 넣어진 말씀과 요한이 예수 자신의 입 속에 넣은 말씀을 포함시킬 수 있을 것이다:

> 우리가 그의 말을 들으니 손으로 지은 이 성전을 내가 헐고 손으로 짓지 아니한 다른 성전을 사흘 동안에 지으리라 하더라 하되.[34]

> 예수께서 대답하여 이르시되 너희가 이 성전을 헐라 내가 사흘 동안에 일으키리라('에게로 아우톤').[35]

마가와 마태는 이것이 거짓 증인들에 의해서 말해진 것이라고 주장하지만, 요한 전승과 그 밖의 다른 말씀과의 연결 관계는 예수가 이와 같은 내용의 말

---

33) 막 14:62/마 26:64/눅 22:67-9(중요한 편차들이 있다): 세부적인 내용과 논의는 *JVG* 524-8, 550f.를 보라.

34) 막 14:58/마 26:61(손으로 한다는 것에 대한 언급이 빠져 있다). 또한 cf. 막 15:29/마 27:40.

35) 요한복음 2:19.

36) 잘 알다시피 적대적인 증인들과 사도행전으로부터의 그 밖의 다른 증거들은 사도행전 6:14에서 발견된다. 도마복음서 71장에는 반쯤 병행되는 말씀이 나오지만, 그것은 위에서 진술한 원칙을 증명해주는 예외이다: "예수께서 말씀하시기를 내가 이 집을 멸하리니 아무도 다시 세울 자가 없으리라고 하셨다." 부활에 대한 그 어떤 암시도 명시적으로 배제된다 — 재건된 성전 같은 유대적인 그 무엇에 대한 암시도 배제되는 것과 마찬가지로.

씀을 하였다는 것을 보여준다; 결국 세 공관복음서 모두에 있어서 앞 장에서 예수는 성전과 예루살렘의 멸망에 관한 엄숙한 경고를 한 후에, 자기 자신 및 자기를 좇는 자들의 신원에 관한 확신으로서 말씀을 맺고 있는 것이 된다.[36] 요한은 이 말씀을 특히 예수의 몸의 부활과 관련하여 해석한다. 내가 앞 권에서 개략적으로 서술했던 예수의 의도에 관한 좀더 상세한 그림 — 예수가 사람들이 오랫동안 기다려 왔던 참 이스라엘의 운명과 소명을 자기 자신과 결부시킬 의도로 성전 및 다락방에서 상징적으로 행동한 것에 관한 그림 -을 얼핏 보면, 우리는 이것이 역사적으로 의미가 잘 통한다는 것을 발견하게 된다.[37]

(iv) 수수께끼 같은 말씀들

(a) 헤롯

죽은 자들 및 죽은 자들에게 일어날 것이라고 생각된 것에 관한 주후 1세기의 유대인들의 신앙들에 관하여 뭔가를 배울 수 있을 것이라고 도저히 생각할 수 없는 모든 인물들 중에서 의외로 예수에 관한 논평을 통해서 뭔가를 드러내주는 인물은 바로 헤롯 안디바이다. 여기에서 누가와 마가의 기사들은 상당히 서로 다르다; 마태는 마가와 가깝지만, 마가의 14절 다음에서 갑자기 중단된다:

> [마가 6장][14]이에 예수의 이름이 드러난지라 헤롯 왕이 듣고 이르되 이는 세례 요한이 죽은 자 가운데서 살아났도다('에게게르타이') 그러므로 이런 능력이 그 속에서 일어나느니라 하고 [15]어떤 이는 그가 엘리야라 하고 또 어떤 이는 그가 선지자니 옛 선지자 중의 하나와 같다 하되 [16]헤롯은 듣고 이르되 내가 목 벤 요한 그가 살아났다('에게르데') 하더라.[38]

> [누가 9장][7]분봉 왕 헤롯이 이 모든 일을 듣고 심히 당황하니 이는 어

37) 요한복음 2:21f.(아래 제17장을 보라). 또한 *JVG* ch. 12을 보라.

38) 막 6:14-16/마 14:1f. 나는 누가복음에 나오는 반쯤 병행되는 내용을 별도로 인용하였는데, 아래에서 곧 드러나겠지만 이것은 그 본문이 여러 가지 점에서 상당히 다르기 때문이다.

> 떤 사람은 요한이 죽은 자 가운데서 살아났다고도('에게르데') 하며 [8]어떤 사람은 엘리야가 나타났다고도 하며 어떤 사람은 옛 선지자 한 사람이 다시 살아났다고도('아네스테') 함이라 [9]헤롯이 이르되 요한은 내가 목을 베었거늘 이제 이런 일이 들리니 이 사람이 누군가 하며 그를 보고자 하더라.[39]

이 작은 이야기는 몇 가지 서로 다른 차원에서 흥미롭다. 우리는 복음서 기자들로부터 시작하고자 한다: 마태와 마가는 이 이야기를 요한의 죽음에 관한 기사들로 들어가는 도입부로 사용하는 반면에, 그러한 기사가 없는 누가는 헤롯이 요한을 투옥한 것에 대해서 이미 언급했기 때문에(3:19-20) 마지막 절에서 요한이 참수되는 것에 관한 언급으로 만족하고, 예수가 부활한 세례 요한이라고 헤롯이 말했다는 마태와 마가의 기사와는 달리 9:9과 9:7에서 헤롯이 그런 말을 들은 것으로 처리한다. 물론, 마태나 마가는 헤롯이 이렇게 말한 것이 옳다고 생각하는 것은 아니다. 추측컨대, 이 이야기가 초기 전승 속에서 유포되다가 마가에 의해서 포함된 것은 부분적으로는 이 이야기가 요한의 죽음에 관한 이야기로 귀결되는 도입부를 제공해 주었기 때문일 것이고, 마찬가지로 헤롯은 분명히 잘못 생각한 것이지만 예수가 그러한 관심을 끌었고 그러한 기이한 설명들이 그의 이례적인 능력들에 대해서 부여되고 있었다는 것이 주목할 만하였기 때문이다.

사람들이 예수가 엘리야 또는 옛 선지자들 중의 한 사람이라고 생각했다는 보도들도 동일한 방식으로 작용한다: 초기 그리스도인들은 예수를 그런 식으로 규정하지 않았지만, 그들이 진리라고 믿은 것을 가리키는 이정표들로서 사람들의 그러한 기억을 보존하였다.[40] 사실, 우리가 복음서 기자들과 그들에 앞서서 이 이야기들을 말해 주던 사람들의 동기를 생각해 본다면, 이 이야기들이 초기 그리스도인들에 의해서 만들어졌을 가능성은 매우 희박해 보인다. 그들이 죽은 선지자들이 종종 부활하는 일이 있을 수 있다는 견해에 의해서 예수의 부활이라는 결정적이고 세상을 변화시키는 사건에 대한 그들의 믿음을 희

39) 누가복음 9:7-9.
40) 또한 막 8:27f/마 16:13f/눅 9:18f.를 보라.

석시켰을 가능성은 없어 보인다.[41]

복음서 기자들과 그들의 자료들로부터 예수의 공생애 기간의 상황으로 거슬러 올라가 보면, 예수가 죽었다가 부활한 한 선지자라는 견해가 마태와 마가에서 왜 예수가 그러한 놀라운 능력들을 소유하고 있는지를 설명하기 위하여 제시되었다는 것은 흥미로운 일이다. 만약 예수를 부활한 엘리야로 본다면, 이것은 분명하게 설명이 된다. 왜냐하면, 엘리야는 극히 이례적인 일들을 행하였기 때문이다(마가에서 예수가 야이로의 딸을 다시 살린 사건에 의해서 엘리야가 한 죽은 아이를 살린 것에 관한 기억들이 되살아났다). 그러나 세례 요한은 엘리야와는 달리 치유 이적들이나 그 밖의 다른 "권능 있는 역사들"을 행하지 않았다. 그러므로 예수가 부활한 요한이라고 말한 것은 그가 이미 살아 있을 때에 그러한 능력들을 지니고 있었다고 말함으로써 그의 놀라운 능력들을 설명하는 방식이 아니라, 죽은 자로부터 부활하게 되면 그 사람은 단순히 새로운 생명을 얻게 되는 것만이 아니라 이례적이고 초인간적인 능력들을 얻게 된다고 생각되고 있었다는 것을 보여주는 표지였다. 이러한 믿음을 보여주는 그 밖의 다른 증거들은 없다. 틀림없이 복음서 기자들은 이러한 말을 예수 자신이 죽은 자로부터 부활하였을 때에 온갖 종류의 놀라운 능력들이 실제로 세상 속으로 흘러들어 왔다는 그들 자신의 믿음을 희미하게 보여주는 지표로 보았을 것이다.

이 이야기는 제2성전 시대 유대인들의 신앙의 세계에 관하여 우리에게 무엇을 말해 주고 있는가? 우리가 헤롯과 그의 신하들이 정말 이와 같은 것을 말했다고 전제한다면, 그것은 "죽은 자들의 부활"이 모든 죽은 의인들에게 동시적으로 일어날 것이라는 일반적인 믿음에 대한 예외, 즉 여기저기에서 한두 사람이 부활한다고 말하는 내용이 되는 것으로 보인다. 이 모든 본문들에서 엘리야가 언급되고 있는 것은 우리가 이미 보았듯이 엘리야에 관한 이야기가 그가 통상적인 방식으로 죽지 않고 하늘로 들리워 올라간 것으로 끝이 났고, 선

41) 물론, 이와 같은 주장은 마 11:14; 마 17:12f/막 9:13에서 예수 자신에 의해서 행해진다. 예수는 그만두고라도 마태는 어떤 의미에서 엘리야와 요한이 문자 그대로의 의미에 있어서 동일한 인물이라고 생각했는지는 적어도 내게는 여전히 모호한 채로 남아 있다; 예를 들면, Davies and Allison 1988-97, 2.258f.를 보라.

지자 말라기가 엘리야가 언젠가는 다시 돌아올 것이라고 약속했다는 점에서 이러한 예외에 대한 근거를 보여준다.[42] 우리는 헤롯과 그의 신하들을 제2성전 시대 유대인들의 주류적인 신앙을 가장 정확하게 반영하고 있는 인물들로 여겨서는 안 된다고 나는 생각한다; 비록 바리새파와 헤롯당이 몇몇 경우들에 있어서는 보조를 같이 했다는 것은 사실이지만, 우리는 그들이 나중에 랍비 신학으로 등장할 내용들 중 더 섬세한 부분들을 같이 앉아서 토의하지는 않았다고 생각할 수 있다.[43] 하지만 우리가 주목해야 할 두 가지 점이 있다.

첫째, 이것은 죽음 직후에 또는 일정 시간이 지나서 죽은 영혼이 다시 몸을 입고 오는 것을 가리키는 "환생" 또는 "윤회"에 대한 신앙을 보여주는 증거라고 할 수는 거의 없다.[44] 그러한 신앙은 통상적으로 영혼이 새로 태어나는 아이 또는 새롭게 잉태한 아이 속으로 들어가는 것을 필요로 하는데, 예수는 세례 요한과 거의 동일한 나이에 속한 완전한 성인이었다. 둘째, 예수가 이리저리 걸어 다니며 말하고 일들을 행하는 몸을 입은 사람이었다는 것은 물론 분명하다. 이 점에 있어서 헤롯은 제대로 말한 것이다. "부활"이라는 표현은 유령들이나 허깨비들에 관하여 말하는 것이 아니다; 그런 것들을 가리키는 다른 표현들이 많이 있었다. 부활은 몸들에 관한 것이었다. 우리는 여기서 그러한 존재가 가지고 있다고 생각되는 새로운 능력들을 제외하고는 몸 자체가 어떤 식으로든 변화되었다 — 또는 몸이 다시는 죽지 않게 되었다 — 는 내용을 전혀 찾

42) 왕하 2:1-18; 말 4:5.

43) 막 3:6; 12:13/마 22:15f. 이것이 "널리 퍼진" 신앙의 증거라는 Barclay의 주장(1996a, 26)은 추가적인 밑받침이 없다; 부활한(*redivivus*) 네로라는 관념과의 병행은 밀접하지 않다.

44) Harvey 1994, 69, 78 n. 1는 이에 반대한다. Harvey는 마가에 의하면 헤롯은 예수가 다시 살아서 돌아온 세례 요한이라고 말하고 있는 것이 아니라, "그가 죽은 자로부터 부활한 것의 효과가 그의 능력이 예수 안에서 역사하고 있다는 것"이라고 말하고 있다고 주장한다. 나는 마가가 그 같은 내용에 대하여 이러한 설명으로 만족했을까 의심스럽다; 분명히 그것은 마태 또는 누가가 쓴 내용의 의도는 아닐 것이다. 어쨌든 Harvey가 제안한 읽기는 "환생" 신앙 자체에 대한 증거가 되지 못할 것이다. 하지만 Harvey가 예수가 다시 살아서 돌아온 세례 요한이었다는 주장은 헤롯으로 하여금 세례 요한의 무덤이 비어있는지를 알아보기 위하여 관원들을 보낸 것을 수반하지 않았다고 지적한 것은 옳다(75).

아볼 수 없다.[45] 아마도 헤롯이 그렇게 말한 이유 — 또는 헤롯이 그렇게 말했다고 누군가가 말한 이유 — 에 대한 가장 단순한 설명은 적어도 마카베오서와 다니엘서 이래로 통용된 일반적인 관념, 즉 이스라엘의 신이 의롭게 고난받은 자를 신원하실 것이라는 관념이 널리 퍼져 있었고, 헤롯은 세례 요한을 그런 식으로 생각했다는 것이다.[46]

(b) 제자들의 당혹감

우리가 부활에 관한 주후 1세기의 언어가 종종 당혹스러운 것임을 발견한다면, 제자들도 그랬다는 것을 아는 것은 그리 어렵지 않다:

> 9그들이 산에서 내려올 때에 예수께서 경고하시되 인자가 죽은 자 가운데서 살아날 때까지는 본 것을 아무에게도 이르지 말라 하시니 10그들이 이 말씀을 마음에 두며('톤 로곤 에크라테산') 서로 문의하되 죽은 자 가운데서 살아나는 것이 무엇일까 하고.[47]

10절은 번역상의 문제점들을 보여준다: 제자들은 "그 말씀을 마음속에 담아둔" 것인가, 아니면 "서로 의논하는" 가운데에 "그 말씀을 파악했던" 것인가? 또한 흥미로운 것은 일부 필사자들이 마지막 어구를 훨씬 더 쉬운 내용, "언제 그가 죽은 자로부터 부활하게 될 것인지를 물었다"로 바꾸었다는 것이다.[48] 이것은 실제로 마태가 제자들이 당혹해하는 모습을 생략한 것과 맥을 같이 한다: 분명히 그리스도인 독자라면 제자들이 "죽은 자로부터 부활하는 것"이 무엇을 의미하는 것인지를 알고 있을 것이라고 생각했을 것이다. 이 절은

---

45) Wedderburn 1999, 41. 부활한 사람이 특별한 능력을 지니고 있다는 관념은 물론 우리가 사도행전에서 발견하는 것(예를 들면, 2:32f.; 4:10), 즉 치유의 능력이 성령을 통해서 부활한 예수의 대리자에 의해서 행해지고 있는 것과 관련되어 있다.

46) Nickelsburg 1980, 153-84를 인용하고 있는 Perkins 1995, 598 n. 749.

47) 마가복음 9:9f.; 마태복음에 나오는 병행문(17.9)에는 오직 예수의 명령만이 나온다.

48) Evans 1970, 31 — 이 읽기는 Lagrange, Vincent Taylor 등에 의해서 채택되었지만.

정반대의 그 밖의 다른 모든 표지들에도 불구하고 부활에 대한 신앙이 널리 퍼져 있지도 않았고 정통 신앙으로 정립되어 있지도 않았다는 것을 보여 주는 것인가?[49] 이러한 문제는 헤롯과 세례 요한에 관한 우리의 앞선 논의와 결부되어서 더욱 복잡해진다. 왜냐하면, 마태와 마가에서 제자들은 계속해서 예수에게 엘리야의 오심에 관하여 질문하고, 엘리야는 이미 왔고 그들은 이제 인자에게 무슨 일이 일어날 것인지에 관하여 생각해야 한다는 대답만을 받기 때문이다.[50] 마가는 부활에 관한 문제에 직면한 제자들이 뭔가 확실한 것들을 찾아내기 위하여 궁리하고 있었고, 헤롯의 신하들이 앞서 직면하였던 것과 동일한 문제에 직면해 있었다는 것을 암시하고 있는 것으로 보인다.

그러나 이 문제 — 부활에 관하여 의아해하는 그들의 문제인 동시에 그들의 문제가 무엇에 관한 것인지를 의아해하는 우리 자신의 문제 — 에 대한 대답은 멀리서 찾을 필요가 없다. 헤롯이 무엇을 생각했든지간에, 또는 헤롯이 무엇을 생각했다고 어떤 사람이 생각했든지간에, "죽은 자로부터 살아나는 것"('토 에크 네크론 아나스테나이,' 막 9:10)은 통상적으로 한 의로운 사람이 시간의 중간에서 다시 살아나는 것이 아니라 시간의 종말에 모든 의인들이 다시 살아나는 것을 가리키는 것이었다. 하비(Harvey)는 이 점을 잘 표현하고 있다: 예수는 그들에게 죽음 너머의 궁극적인 장래의 삶과 관련된 신앙을 가져다가 "돌연히 그들이 변화되는 것에 관하여 자유롭게 얘기하게 될 그때를 보여주는 임박한 사건들의 일정 속에 끼워 넣고" 있는 것으로 보였다.[51]

따라서 이 본문은 우리가 바울에 대한 연구 속에서 중요한 기독교적인 혁신이라고 보았던 것들 중의 하나를 제시하고 있다: "부활"은 두 단계로 구분되어 일어나는데, 예수의 부활은 역사의 한복판에서 일어날 것이라는 관념. 마가는 분명히 그의 독자들이 예수가 앞서서 가지고 있는 것으로 보인 지식을 그들이 공유하고 있다는 것을 알아차리도록 의도한다. 독자들은 당시에 제자

49) 예를 들면, Evans 1970, 30f.

50) 막 9:11-13/마 17:10-13.

51) Harvey 1994, 72. Harvey가 이 시기에 있어서 부활 신앙은 "내세에 관한 사변적인 관념"이었다고 말한 것은 잘못이다; 우리가 반복해서 보았듯이, 부활은 "내세"에 관한 것이 아니라 "내세" 이후의 새로운 삶에 관한 것이었다.

들에게 여전히 수수께끼였던 것을 이해한다. 이러한 식으로 마가는 이것이 바로 유대교적 사고 내에서의 혁신이라는 사실에 주의를 환기시키고 있다. 그 다음에 이어지는 대화는 무엇보다도 특히 우리가 헤롯의 신하들이 말하고 있는 것, 즉 예수가 엘리야라는 견해에 동의하지 않을 것임을 분명히 하는 방식이다. 엘리야는 이미 왔고, 그들은 그들이 그에게 하고자 했던 것을 이미 하였다. 이제는 인자가 동일한 고난의 길을 따라갈 때이다; 그러나 인자는 죽은 자로부터 다시 살리심을 받게 될 것이다.

(v) 사두개인들의 질문

(a) 서론

복음서 전승 전체에서 부활에 관한 가장 중요한 본문은 뭐니뭐니 해도 예수가 사두개인들의 질문에 대하여 답변한 대답이다. 우리는 다른 자료들을 통해서 사두개파 및 이 주제에 관한 그들의 신앙들에 관하여 충분히 알고 있기 때문에, 그들이 바리새파에게 던질 수 있는 그러한 종류의 질문을 예수에게 제기한 것에 대하여 전혀 이상하게 여기지 않는다. 정말 흥미로운 것은 예수가 그들에게 말한 내용이다.[52]

> [18]부활이 없다 하는 사두개인들이 예수께 와서 물어 이르되 [19]선생님이
> 여 모세가 우리에게 써 주기를 어떤 사람의 형이 자식이 없이 아내를 두
> 고 죽으면 그 동생이 그 아내를 취하여 형을 위하여 상속자를 세울지니
> 라 하였나이다 [20]칠 형제가 있었는데 맏이가 아내를 취하였다가 상속자가
> 없이 죽고 [21]둘째도 그 여자를 취하였다가 상속자가 없이 죽고 셋째도 그
> 렇게 하여 [22]일곱이 다 상속자가 없었고 최후에 여자도 죽었나이다 [23]일곱
> 사람이 다 그를 아내로 취하였으니 부활 때 곧 그들이 살아날 때에 그 중
> 의 누구의 아내가 되리이까
>
> [24]예수께서 이르시되 너희가 성경도 하나님의 능력도 알지 못하므로 오

52) 이것은 내가 여기에 포함시키기 위하여 *JVG*에서 일부러 빼놓은 공관복음서의 주요한 단락 중의 하나이다. 사두개파와 그들의 신앙에 대해서는 위의 제4장 제2절을 보라.

해함이 아니냐 [25]사람이 죽은 자 가운데서 살아날 때에는 장가도 아니 가
고 시집도 아니 가고 하늘에 있는 천사들과 같으니라 [26]죽은 자가 살아난
다는 것을 말할진대[마태: "죽은 자의 부활을 논할진대"] 너희가 모세의
책 중 가시나무 떨기에 관한 글에 하나님께서 모세에게 이르시되 나는
아브라함의 하나님이요 이삭의 하나님이요 야곱의 하나님이로라 하신 말
씀을 읽어보지 못하였느냐 [27]하나님은 죽은 자의 하나님이 아니요 산 자
의 하나님이시라 너희가 크게 오해하였도다 하시니라.[53]

예수의 대답에 관한 누가의 판본은 몇 가지 점에서 상당히 다르다:

[34]예수께서 이르시되 이 세상의 자녀들은 장가도 가고 시집도 가되 [35]저
세상과 및 죽은 자 가운데서 부활함을 얻기에 합당히 여김을 받은 자들
은 장가 가고 시집 가는 일이 없으며 [36]그들은 다시 죽을 수도 없나니 이
는 천사와 동등이요 부활의 자녀로서 하나님의 자녀임이라 [37]죽은 자가
살아난다는 것은 모세도 가시나무 떨기에 관한 글에서 주를 아브라함의
하나님이요 이삭의 하나님이요 야곱의 하나님이시라 칭하였나니 [38]하나님
은 죽은 자의 하나님이 아니요 살아 있는 자의 하나님이시라 하나님에게
는 모든 사람이 살았느니라 하시니.[54]

이 미묘한 작은 본문은 본서에서 지면이 허락하는 것보다 훨씬 더 광범위하게 다루어질 가치가 있고, 또한 그렇게 다루어져 왔다.[55] 하지만 나는 적어도 우리가 관련된 문제들에 대한 역사적인 이해를 위한 길을 발견할 수 있을 정도로는 이 본문을 다루어 보고자 한다.

---

53) 막 12:18-27/마 22:23-33/눅 20:27-40. 마태는 꽤 충실하게 마가를 따른다; 누가에 대해서는 아래의 서술을 보라.

54) 누가복음 20:34-8. 마가와의 차이들에 대해서는 Kilgallen 1986, 481f. 등을 보라.

55) 특히 Schwankl 1987; 그리고 Davies and Allison 1988-97, 221-34에 나오는 다른 참고문헌을 보라. Juhasz 2002, 116-21는 Jerome과 초기 영국의 종교개혁에 의해서 제시된 이 본문의 해석에 대한 매혹적인 창(窓)을 보여준다.

이 본문은 독자의 시대착오적인 전제들의 고전적인 사례를 보여준다. 하나의 예화를 드는 것이 도움이 될 것이다. 나는 알브레히트 뒤러가 그린 성 제롬에 관한 그림을 복제한 그림엽서를 내 책상 위에 두고 있다. 제롬에 관한 많은 그림들에서와 마찬가지로, 이 그림 속에서 사자는 이 성인의 바로 뒤에서 사지를 쭉 뻗은 채 그의 등을 노려보고 있고 제롬은 마치 환상을 보는 듯이 저 먼 곳을 응시하고 있다. 이제 내가 제롬에 관해서는 아무것도 모른 채 성경에 나오는 이야기들에 대해서는 잘 아는 가운데 이 그림을 한 번 본다고 가정해 보자. 나의 첫 번째 인상은 이 그림이 사자 굴 속에 들어간 다니엘에 관한 그림이라는 것이 될 것이다. (이 그림의 배경이 야외라는 사실은 이 예화의 목적과는 별 상관이 없다: 중세 및 르네상스 시기의 화가들은 그들의 주인공들을 새로운 배경 속에 두기를 좋아하였다.) 여기서 이 거룩한 성인은 기도 중에 천사를 보고 있다. 여기서 사자는 이 성인을 공격하고자 하지만 거룩함의 현존 앞에서, 그리고 아마도 천사들의 존재 앞에서 자기가 그렇게 해서는 안 된다는 것을 깨닫고 있다. 그렇다. 이 그림은 다니엘에 관한 훌륭하고 감동적인 연구라고 우리는 결론을 내리게 된다. 그러나 사실 이 그림의 배경과 의미는 전혀 다르다. 전설에 의하면, 사자가 제롬과 함께 있는 이유는 그가 안드로클레스처럼 사자의 발에서 가시를 제거해주어 치유해 준 뒤로 사자가 그의 충성스러운 동료가 되었기 때문이라고 한다. 겉으로 나타난 피상적인 유사성을 가지고 제3자가 상상하는 것은 완전히 잘못된 방향으로 가버릴 수 있다. 사자는 이 성인을 공격하려고 궁리하고 있는 것이 아니라 보호하고 있는 것이다.

예수와 사두개인들에 관한 이야기를 오늘날의 서구 세계에서 그리스도인들, 그리고 실제로는 비그리스도인들이 읽을 때에도 이와 비슷한 현상이 일어난다.[56] 수많은 세월동안 서구기독교 세계에서는 그리스도인이 되는 궁극적인 목적은 "죽어서 천국 가는 것"이라고 생각해 왔다. 하나의 전통(이 점에 있어서 동방정교회와 개신교와는 다른 로마의 전통)은 완전히 거룩하게 된 자들을 제외하고는 모든 사람이 일정한 과정을 거쳐서(즉, "연옥") 천국에 들어가는 것이라고 말하고 있긴 하지만, 그 그림은 여전히 대동소이하였다: 신의 백성들은 죽음 직후에 또는 죽음 후의 어느 단계에서 신과 천사들이 살고 있는 "천국"

56) 기독교 학자들을 포함한: 예를 들면, Evans 1970, 32; Perkins 1984, 74f.

이라고 불리는 곳으로 들어가게 된다.[57] 이러한 그림은 중세 및 르네상스 시대에 한편으로는 단테의 글들과 다른 한편으로는 미켈란젤로의 그림들 같은 명작들에 의해서 엄청나게 강화되었다.

개신교 개혁자들이 우선적으로 사람이 어떻게 의롭다 하심을 받을 수 있는지에 대하여, 그리고 다음으로 사람이 연옥에 가는 것인지에 대하여 로마 전통에 대항해서 의문을 제기하고 도전했을 때, 그들은 이 모든 것의 궁극적인 목적이 "천국"에 가는 것으로 마무리된다고 믿는 신앙에 대해서는 도전하지 않았다. 사실 평범한 그리스도인들은 그만두고라도 신학자들이 이러한 그림 내에서 몸의 부활이라는 개념 자체를 어떻게 다루었는지는 결코 분명치 않다.[58] 그러나 예수는 부활 후에 어쨌든 "천국에 간" 것으로 믿어졌기 때문에, 그리스인들의 삶, 영성, 소망의 목적은 분명히 예수를 따라 거기에 가는 것이었다. 무수한 찬송들, 수많은 기도들, 헤아릴 수 없는 설교들을 통해서 표현된 이러한 신앙은 여전히 오늘날 대부분의 그리스도인들의 고정 식단이다.[59]

이러한 맥락 속에서 "부활"이라는 단어는, 오늘날 많은 사람들이 여전히 그렇게 듣고 있듯이, 단순히 "죽음 이후의 삶" 또는 "천국에 가는 것"을 말하는 생생한 방식으로 들려질 수 있다. 그리고 (a) 천국은 언제나 유대교 및 기독교 전통 속에서 천사들이 거하는 곳으로 전제되어 왔고, (b) 민간 신앙 속에서 언제나 사랑하는 죽은 자들이 지금 천사들이 되어 있다고 생각하는 경향이 있어 왔기 때문에, 이 둘은 쉽게 결합되어서, 현재의 본문을 "이해하는" 해석학적인 격자망으로서의 역할을 할 수 있었다. 이렇게 "부활"은 "천국에서 사는 것,"

57) 연옥, 그리고 오늘날 주류 로마 가톨릭 사상 내에서 이것에 대한 주목할 만한 재정의들에 대해서는 Rahner 1961, 32f.: McPartlan 2000, 또한 *ODCC*^{3}(1349f.)에 실린 자세하고 유익한 논문을 보라.

58) 특히, Bynum 1995를 보라. 종교개혁 논쟁들에 대해서는 Juhasz 2002를 참조하라.

59) 예를 들면, "여기서 한 계절, 그 후에는 위에 / 오, 하나님의 어린 양이여, 내가 오나이다 / 한 마디 변명 없이 내 모습 그대로"라고 Charlotte Elliott의 찬송의 마지막 행들은 말한다(*New English Hymnal* 294). 주목할 만한 것은 부활절 찬송들 중에서 최초의 그리스도인들이 예수의 부활이 무엇과 같은 것이었는지를 표현하려고 시도한 것은 거의 없었다는 것이다: Wright, "From Theology to Music"을 보라.

"천사가 되는 것"을 의미하는 "죽음 후의 삶"을 의미하게 되었다(적어도 낙관적인 견해에서는).[60] 이것이 예수가 사두개인들과의 논쟁 속에서 단언하고 있는 것이라고 많은 독자들은 생각한다.[61]

그러나 현재의 본문을 그러한 일련의 관념들을 자신의 머릿속에 둔 채로 접근하는 것은 제롬에 관한 그림을 사자 굴 속에 있는 다니엘을 생각하면서 보는 것과 같다. 우리는 오랜 세월에 걸쳐서 다방면에서 그토록 엄청나게 발전되어 온 이와 같은 일련의 관념들 전체가 예수 또는 사두개인들, 또는 바리새인들, 그리고 실제로는 주후 1세기에 살았던 평범한 유대인들이나 이교도들의 머릿속에나 가슴속에 결코 들어 있지 않았다는 것을 아무리 힘주어 강조한다고 해도 지나칠 수 없다. 그런 것은 헤롯이 자신의 궁전에서 음악이 연주되기를 원했을 때에 하이든, 모차르트, 베토벤의 곡들 중에서 선택해야 했다고 생각하는 것과 같다. 유대교 전통 내에서 적어도 "천국"은 주후 1세기 이후의 한참 때까지는 의인들이 죽음 직후에 또는 죽음 이후의 어느 단계에서 가는 곳에 대한 통상적인 명칭이 아니었다. 우리가 알고 있는 한, 사람들이 그러한 장래의 삶 속에서 천사들이 될 것이라고 생각했던 사람은 거의 없었다. 그리고 "부활"이라는 단어가 일반적인 "죽음 이후의 삶"을 의미한다고 생각하는 사람도 아무도 없었다. 우리가 제3장에서 사두개파의 견해들에 대하여 살펴볼 때에 이미 보았던 것처럼, 사두개파가 이 주제와 관련하여 바리새파와 논쟁을 벌였을 때, 이 문제는 두 가지 차원을 지니고 있었다: 첫째, 최종적으로 몸을 다시 입는

---

60) 죽음 이후의 삶에 관한 민간 신앙을 쓴 많은 저작들 중에서 Barley 1995; Edwards 1999; Jupp and Gittings 1999; Innes 1999; Harrison 2000 등을 보라.

61) 이 단락이 실질적으로 예수에게 소급되는가라는 문제에 대해서는 *Forschungsberichte* in Schwankl 1987, 46-58을 보라. 나는 이 단락의 이중적 유사성과 이중적 비유사성이라는 판별기준에 꼭 들어맞는다고 본다(*JVG* 131-3을 보라): 이 단락은 유대교에 철저하게 부합하는 것이지만, 그것이 말하고 있는 정확한 요지와 말하기 방식은 그 밖의 다른 곳에서는 알려져 있지 않다; 이 단락은 초기 그리스도인들이 기억하고 있던 예수와 사두개인들 간의 논쟁으로서 철저하게 믿을 만한 것이고, 초대 교회과 부활에 관한 자신의 관심을 밑받침하기 위하여 만들어낸 것이 아니다(만약 그들이 만들어낸 것이라면, 그들은 이것과는 다르게 만들어내었을 것이다; 부활 이야기들과 관련한 아래 제13장에서의 이와 비슷한 논증을 보라).

것이 있게 될 것인가에 관한 궁극적인 문제; 그렇게 몸을 다시 입을 때까지 기다리고 있는 자들이 어떤 종류의 실존을 지니고 있느냐에 관한 두 번째의 문제.[62](이러한 것들은 하나의 추가적인 문제와 결합되어 있었다: 당신은 이것을 토라로부터 입증할 수 있는가?) 이러한 문제들은 오늘날의 서구인들이 통상적으로 제기하여 온 문제들이 아니기 때문에(오늘날의 신문들은 사람들에게 단지 그들이 "죽음 이후의 삶"를 믿는지 안 믿는지를 물음으로써, 마치 죽음 이후의 "생존"을 부정하는 세속주의자가 되는 것과 그것을 긍정하여 전통주의자가 되는 것이 단지 선택사항에 불과한 것처럼 말하는 경향을 보여준다), 우리가 우리의 생각들 속에 있는 시대착오적인 것들을 제거하고 이러한 문제들이 불러일으키는 적절한 질문들과 의미의 맥락들로 대체하려면, 상당한 정도의 역사적 재교육이 필요하다. 우리가 이렇게 할 준비가 되어 있지 않다면, 우리는 예수가 플라톤과 상당히 비슷한 내용을 가르쳤다고 생각하기를 당장 그만두는 것이 좋을 것이다 — 신학자들은 너무도 쉽게 예수가 플라톤과 거의 흡사한 내용을 가르쳤다고 결론을 내어버린다.

다행히도 올바른 질문들을 제기할 수 있는 자료들이 우리에게 준비되어 있다. 우리는 이 본문이 놓여있는 맥락을 개략적으로 살펴보는 것을 통해서 논의를 시작하여야 한다. 세 개의 공관복음서 모두에 있어서 그 맥락은 성전에서의 예수의 상징적인 행위 이후에 예수와 여러 다양한 집단들 간에 벌어진 일련의 긴 논쟁들이다.[63] 공관복음서들의 관계에 관한 전통적인 견해를 전제하면, 마가는 이 이야기를 여기에 두고서, 한 쪽 옆에는 악한 소작농들에 관한 비유와 공세로 드리는 돈에 관한 문제, 다른 쪽 옆에는 가장 큰 계명에 관한 문제와 다윗의 주 및 다윗의 아들에 관한 예수의 반문을 두었다. 마태와 누가는 이러한 순서를 충실하게 따른다.[64] 이것과 관련하여 흥미로운 것은 마태에 의해서 첨가된 추가적인 논쟁들을 포함해서 이러한 순서로 되어 있는 그 밖의 다른 모든 논쟁들은[65] 장래의 삶에 관한 신학 또는 신앙의 더 정교한 내용들에 관한 추상적인 논쟁들이 아니라 예수가 방금 성전에서 행한 일이 지니는 직접적인

62) 위의 제4장 제2, 4절을 보라.

63) 이러한 연속에 대해서는 *JVG* ch. 11을 참조하라.

64) 막 11:27-12:37/마 21:43-22:46/눅 20:1-44.

정치적 의미를 쟁점으로 하는 매우 변론적이고 논쟁적인 맥락 속에 구조화되어 있다는 것이다. 마가와 누가는 이러한 일련의 논쟁들 직전에 고위 제사장들(즉, 지도적인 사두개인들)과 서기관들이 예수를 잡아 죽일 모의를 한 것에 관하여 말하고 있다.[66] 또한 마가와 누가는 이러한 일련의 논쟁들 직후에 곧바로 예수가 도성과 성전 전체에 대하여 "묵시론적으로" 규탄하는 내용을 배치한다; 마태는 예수가 서기관들과 바리새인들을 규탄하는 내용의 긴 장 뒤에 그러한 것들을 결합시킨다. 물론, 이 시점으로부터 세 공관복음서 기자들은 모두 이 이야기를 빠른 속도로 진척시켜서, 예수는 지도적인 사두개인, 즉 대제사장 앞에 서고, 성전을 위협했다는 죄목에 대한 응답으로 다니엘서를 반영하는 가운데 하나님이 자기를 고난 후에 신원하실 것이라고 선언한다. 어쨌든 복음서 기자들은 부활에 관한 논쟁이 이러한 더 큰 복합적인 사고 내에, 공관복음서 이야기의 절정을 이루는 정치와 신학의 풍부하고 폭발성 있는 결합 내에 속하는 것으로 생각하고 있는 것 같다. 우리는 그들이 아마도 옳을 것이라고 결론을 내려야 할 것이다.[67]

복음서 기자들의 전체적인 의도라는 관점에서 볼 때, 여기에서 부활에 관하여 말하고 있는 것을 그들이 각자의 복음서를 마무리하는 극히 이례적인 이야기 속에서 말하고 있는 것과 비교해 보는 것은 마찬가지로 흥미롭다. 마가의 이야기가 이 대목에서 의도적으로 짧고 별로 정보를 주지 않게끔 구성되어 있거나 또는 중간에서 잘려나간 것이라고 하더라도(나는 후자를 지지하지만, 우리는 구태여 제14장의 논증을 미리 앞당겨 얘기할 필요는 없을 것이다), 예수 자신의 부활에 관한 마태와 누가의 기사들은 현재의 본문이 의미하는 것에 관한 오늘날의 통상적인 서구인들의 이해와 결코 부합하지 않는다. 물론, 우리는 마태와 누가가 그들 각자의 복음서에서 이야기의 절정을 이루고 있는 것과 이 전승 자료가 잘 부합하지 않는다는 것을 알면서도 현재의 본문 속에 그 전승

65) 두 아들 비유(21:28-32)와 큰 잔치 비유(22:1-14).

66) 막 11:18f/눅 19:47f.

67) 예수는 자식이 없이 죽는 사람들에 관한 이러한 질문에 대답하면서, 그 자신이 자식이 없는 독신의 남자로서 그를 죽이고자 하는 사람들 앞에 서 있다는 매력적인 관점을 내게 제시해 준 사람은 Andrew Goddard 박사이다.

자료를 그냥 포함시킨 것이라고 말할 수도 있다; 그러나 그렇게 하는 것은 무책임한 일이 아닐 수 없다. 결국, 누가는 예수의 대답에 관한 마가의 판본을 아주 주의 깊게 편집하는 것이 옳다고 생각했고, 만약 그가 그 과정에서 그것이 24장에서 제시하기로 되어 있었던 예수 자신의 부활에 관한 묘사와 갈등을 일으킨다고 생각했다면, 그것을 좀 더 수정했을 것이다.[68] 그런데 누가가 그렇게 하지 않았고, 마태에 관해서도 이와 비슷한 말을 할 수 있다는 사실은 이 문제가 그렇게 간단하지 않다는 것을 보여준다. 이 대목은 복음서 기자들 모두가 예수가 죽은 자로부터의 부활이 무엇을 실제로 내포하고 있는지에 관하여 실제적인 내용을 말하고 있다고 보도하고 있는 유일한 대목이다; 즉, 복음서 기자들은 이 중요한 가르침의 단편이 그들이 예수 자신에 관하여 앞으로 말하고자 하는 것과 모순된다는 사실조차도 눈감아 버릴 정도로 이 본문을 고지식하게 보존하였다는 것을 보여준다. 예수는 부활절에 "천국에 간" 것이 아니었다; 예수가 하늘로 올라간 것은 부활과는 다른 사건이었다고 누가는 힘주어 말한다(누가복음과 사도행전에서). 우리가 이것을 인위적인 구별이라고 말할 수 있다고 하더라도, 적어도 누가는 예수의 "부활"이 그가 천국으로 가서 천사가 된 것이라고 생각하지 않았고, 마태도 그렇게 여겼다고 생각할 만한 근거는 없다.

이와 동시에, 복음서 기자들에게 있어서 예수의 대답은 나중에 그들이 말하게 될 이야기에 대한 예고로서의 기능을 하고 있지 않다는 점도 중요하다. 예수는 여기서 사두개인들이 틀렸고, 자기가 머지않아 그 점을 친히 증명할 것이라고 말하지 않는다. 예수는 제삼일에 관하여, 인자가 죽은 자로부터 부활할 것에 대하여, '팔린게네시아'에 대하여 말하지 않는다. 누가는 예수가 현세와 내세에 관하여 말한 것으로 보도한다 — 달리 말하면, 예수가 분명히 긍정했지만 마가와 마태가 여기서 예수가 명시적으로 밝혔다고 말하지는 않은 바리새파 종말론의 기본적인 범주들을 사용해서. 우리는 이 대목에서 행간을 읽어낼 수 있다: 적어도 누가는 예수 자신의 부활을 통해서 내세가 실제적으로 돌입해왔다고 말하기를 원하고 있는 것이다. 누가에게 있어서 예수의 말씀은 어쨌든

---

68) 또한 누가복음/사도행전의 다른 곳, 예를 들면 사도행전 2장에 나오는 부활에 관한 견해를 참조하라(아래 제10장).

암묵적으로는 바울의 발전된 신학을 지향하고 있다. 그러나 세 복음서 기자들 모두에 있어서 주된 것은 예수가 먼저 현재의 몸과 장래의 몸 간의 불연속성을 기정사실로 전제함으로써 사두개파의 결론을 반박하고, 다음으로 부활을 함축하고 있는 성경의 한 본문을 인용하고 있는 것이다. 이 두 가지는 교묘하고 쉽게 오해할 수 있는 것이기 때문에, 우리는 이것들을 차례차례로 살펴보지 않으면 안 된다.

(b) 부활의 삶 속에서는 혼인이 없다

사두개파의 질문은 율법에 나오는 하나의 특정한 계명, 즉 신명기 25:5-10에 규정되어 있는 수혼법(嫂婚法)을 전제한다. 이것에 따르면, 어떤 남자가 아이가 없이 죽으면, 그의 형제가 그 과부와 결혼해서, 그 결과로 낳은 아이들은 원래의 남편의 자녀들로 여겨진다는 것이다. 우리는 이 원칙이 창세기 38장 같은 본문들(38:8, "네 형을 위하여 씨가 있게 하라"는 사두개파의 질문의 일부로서 인용되고 있다)과 룻기에 적용되고 있는 것을 볼 수 있고, 이 원칙은 후대의 랍비들의 율법전들에서 흔히 논의된다.[69] 물론, 수혼법의 취지는 이스라엘에서 가문들이 사라지는 것을 막기 위한 것이다. 이것으로 인해서 짧은 수명 때문에 오늘날 서구 세계에서 생각하는 것보다 더 흔하게 여러 번 과부가 되어 재혼하는 일이 발생하고 적어도 이론상으로는 한 가족 내의 일곱 형제 모두가 한 여자와 차례로 혼인하게 되는 전설 같은 이야기가 생겨날 수 있는 상황이 벌어진다.[70] 게다가 율법 자체가 이러한 관습을 인정할 뿐만 아니라 명령하고 있기 때문에 사람들은 빈번한 재혼이 야훼의 뜻이 아니라고 주장하면

69) 특히, mYeb. *passim*; 그리고 mBekh. 1.7을 보라.

70) 토빗서 6-8장과의 유비는 분명하다. 마카베오2서 7장의 반영들은 매력적이기는 하지만(부활의 소망 가운데서 죽은 일곱 형제들과 한 어머니), 주제상으로는 그렇게 밀접하지 않다. Schwankl 1987, 347-52은 실제적인 의존관계를 자세하게 논증한다.

71) 하지만, cf. 막 10:2-12(이혼에 관한 창세기로부터의 명령이 신명기의 명령과 반대된다고 말한다). 현재의 본문은 특히 독신에 관한 그 본문과 몇몇 흥미로운 병행들을 갖고 있다. 누가 본문에 대하여 언급하는 Fletcher-Louis 1997, 78-86을 참조하라.

서 이 법을 폐할 수는 없었다.[71] 그렇다면 예수는 율법에 불충실하여 부활에 관하여 바리새파의 비논리적이고 우스꽝스러운 관념을 지지하고 있는 것인가(예수가 하나님의 나라라는 압력집단을 이끌면서 방금 성전에서 상징적인 혁명의 행위를 수행했다는 사실에 의해서 함축되어 있는 것과 같은)?

마가와 마태에서 예수의 반응은 하나의 머릿기사로 시작된다: 사두개파는 그들의 질문에 의해서 그들이 성경 및 신의 능력에 대하여 무지하다는 것을 드러내 보이고 있는 것이다. 이것은 바울에 대한 우리의 읽기에 비추어 볼 때에 한층 더 흥미로운데, 바울에게 있어서 예수 자신의 부활은 "성경대로" 이루어진 것이었고, 특히 창조주로서의 신의 능력을 가리키는 하나님의 능력의 행위로 자주 말해졌다. 예수는 마가복음 10:2-8에서처럼 후대의 율법의 계명을 상대화시키기 위하여 창조 자체를 간접적으로 인용하고 있는 것인가?[72]

그렇기도 하고 그렇지 않기도 하다. 마가복음 10장에서 예수는 신명기의 계명(아내와 어떻게 이혼해야 하는가에 관한) 배후를 거슬러 올라가서 창세기 2장의 원래의 명령으로 나아가, 이 계명을 일생 동안의 정조의 의무를 의미하는 것으로 해석한다. 현재의 본문에서 예수는 뒤로 거슬러 올라가서 원래의 창조로 나아가는 것이 아니라 앞으로 새 창조를 향하여 나아간다. 그리고 예수는 죽은 자로부터 부활한 자들은 결혼을 하지 않고 하늘에서 천사와 같이 산다고 분명하게 말한다 — 마가와 마태에는 설명이 나오지 않는다. 후자의 구절은 단순히 부활한 자들이 왜 결혼을 하지 않는가에 대한 설명이 아니다: 만약 그것을 의도했더라면, 그 구절의 첫 단어로 "그러나"('알라')가 아니라 "왜냐하면"('가르')이 사용되었을 것이다. 그 구절은 새로운 긍정적인 내용을 첨가하는 것으로서, 그렇기 때문에 회고적으로 부정적인 내용에 대한 설명으로서의 역할을 한다: 부활을 한 후에 그들은 하늘에서 천사들과 같을 것이다.

이 마지막 구절은 "그들은 천사들과 같이 하늘에 있을 것이다"를 의미하지 않는다. 즉, 그것은 부활한 자들이 거하는 장소를 가리키는 것이 아니다 — 서구인들은 그렇게 생각하기가 아주 쉽지만. 그러니까 만약 주후 1세기의 유대인들이 사람들이 "죽어서 천국에 간다"고 믿었다면, 그들은 혼인 생활이 천국에서도 계속된다고 생각했을 것이다; 죽은 자들이 거하는 장소를 언급하는 것

72) cf. *JVG* 284-6.

이 예수의 말씀의 핵심이 아니었다. 오히려, 후대의 일부 필사자들이 그 의미를 분명히 하려고 시도하였던 것처럼, 그것은 "그들은 하늘에 있는 천사들과 같을 것이다"를 의미하거나,[73] 또는 "그들은 천사들(하늘에 있다고 하는)과 같을 것이다"를 의미하고, 마치 내가 런던에 있는 나의 조카에게 "너는 너의 사촌(밴쿠버에 있는)과 같다"라고 말하는 것과 동일한 것이다. 여기서 "같다"는 존재론적 의미에서 부활한 자들이 이제 천사들과 동일한 종류의 피조물이 된다거나 장소적인 의미에서 그들이 천사들과 동일한 공간을 공유한다는 것을 의미하는 것이 아니라, 기능적인 의미에서 천사들이 혼인하지 않는 것과 마찬가지로 그들도 혼인하지 않는다는 것을 의미한다. 여기에서나 초기 기독교 문헌들의 다른 곳에서 부활한 사람들이 천사로 변한다고 말하는 것은 나오지 않는다.[74] 트롬본은 청동으로 만들어지고 오보에는 나무로 만들어지지만 이 두 악기가 관악기라는 점에서 트롬본은 오보에와 같다라고 말하는 것과 마찬가지로, 부활한 자들은 천사들과 같다.

마가의 가장 초기의 독자들 중의 한 사람이었던 누가는 사두개파에 대한 이러한 반박을 서술하는 데에 세심한 신경을 썼기 때문에, 누가 본문은 더 분명하게 제2성전 시대 유대인들의 신앙들 및 적어도 바울에 의해서 대변되는 초기 기독교의 흐름과 합치한다. 앞에서 본 것처럼, "현세"와 "내세"는 바리새파와 그들을 추종한 많은 사람들이 종종 "개인적 종말론"(즉, 죽음 이후의 개인의 소망)이라 불리는 것과 아울러서 우주론과 정치를 이해하는 표준적인 틀이었다. 누가의 판본 속에서는 예수는 이 두 시대를 날카롭게 구별하고, 전자에 있어서는 혼인이 합당하지만 후자에 있어서는 합당치 않다고 말한다. 이것은

---

73) 이 본문은 A, B, Θ, Γ 등을 비롯한 몇몇 사본들에 의해서 이러한 방향으로 여러 가지로 확장된다.

74) Harvey 1994, 71는 예수가 여기서 "하늘에 있는 천사들(아마도 몸을 지니고 있지 않은)로서의 죽은 사람들"을 묘사함으로써 자신의 견해와 바리새파의 견해를 구별하고 있다고 주장하는데, 이것은 부정확한 진술이다. 핵심은 (a) 그들이 살아있다는 것; (b) 그들은 천사들과 동일한 것이 아니라 한 가지 구체적인 점에 있어서 천사들과 같다는 것이다. 초기 기독교 저술가들이 죽은 자들을 천사들과 동일시한 것에 가장 가까이 다가간 것에 대해서는 아래의 제11장 제2, 3, 5절을 보라. 유대교에 있어서 이와 비슷한 문제들에 대해서는 위의 제4장 제4절을 보라.

혼인이 나쁘다거나 성적인 정체성과 행위가 나쁘기 때문이 아니라, "내세"가 불멸에 의해서 특징지워질 것이기 때문이라는 것이 분명해진다. 불멸을 얻은 자들은 이제 더 이상 죽지 않는다(36절). 부활은 야이로의 딸이나 나사로처럼 단순한 소생을 의미하지 않는다. 그것은 현재에 있어서와 정확히 동일한 종류의 세상 속에서 다시 삶을 시작하는 것을 의미하지 않는다. 그것은 죽음을 통과해서 반대편으로 나와서 죽음이 없는 세상 속으로 들어가는 것을 의미한다. (이미 우리는 이 모든 것이 의미를 지니는 세계관, 즉 제2성전 시대 유대교의 부활을 믿는 흐름들의 세계관 내에서 "그들이 이제 더 이상 죽을 수 없다"라는 어구가 몸을 입지 않은 불멸을 의미할 수 있다는 것을 살펴본 바 있다. 그러나 또한 그것은 부활을 보여주는 그 밖의 다른 표현과 함께 사용되었을 때에 부활하여서 죽음이 더 이상 힘을 쓸 수 없는 그러한 몸을 다시 입게 되는 것을 가리킬 수 있었다 — 죽음이 실제로 지배하여 몸을 다시 입는 것을 금하는 것과 같은 종류의 몸을 입지 않은 상태와는 다른.)

그러므로 예수의 재치 있는 대답에 관한 누가의 판본의 논리가 지니는 의미는 본문에는 명시되어 있지 않은 두 가지 전제에 의거해 있다: (a) 혼인은 사람들이 죽는다는 문제점에 대처하기 위하여 제정된 것이다; (b) 천사들은 죽지 않는다. 수혼법은 아주 명시적으로 죽음에 직면했을 때에 가문을 잇는 것과 관련되어 있었다; 누가의 판본 속에서 예수는 이 율법이 죽음이 없는 세상에서는 불필요하다고 선언하고 있을 뿐만 아니라, 일부일처제와 같은 혼인 자체도 마찬가지로 그러한 세상에서는 필요치 않게 될 것이라고 분명하게 말하고 있다. 사람들이 흔히 알아차리지 못하는 핵심적인 내용은 사두개파의 질문은 남편과 아내의 상호적인 애정과 동반자 관계에 관한 것이 아니라 자녀를 가지라는 명령을 어떻게 수행하느냐, 즉 장래의 삶 속에서 어떻게 가문이 계속해서 지켜질 것인가에 관한 것이라는 사실이다.[75] 이것은 아마도 창세기 1:28로 거슬러 올라가는 신앙, 즉 혼인의 주된 목적은 생육하고 번성하는 것이라는 신앙을 토대로 하고 있는 것으로 보인다.

천사들에 관한 누가의 설명적인 구절은 마가와 마태에 나오는 것과 미묘하게 다르다. 누가 본문 속에서 예수는 부활한 자들이 천사들과 같을 것이라고

75) 이것은 Kilgallen 1986, 482-5에 의해서 강조된 점이다.

말하는 것이 아니라, 희귀한 단어인 '이상겔로이'를 사용해서 천사들과 동등할 것이라고 말한다.[76] 하지만 다시 한 번 말해 둘 것은 예수가 그들이 모든 점에서 천사들과 같거나 동등하다고 말하고 있는 것은 아니라는 것이다; 오직 한 가지 점, 즉 그들이 불멸할 것이라는 점에서만 동등하다(이번에는 그것은 '가르'를 통한 통상적인 설명이다).[77] 그들은 "신의 자녀들, 부활의 자녀들이 될 것이다." 여기서 누가는 이 두 어구가 동일한 의미를 지니도록 의도하고 있는 것으로 보인다. 하나님의 참된 자녀들은 그들의 아버지와 같아서 죽을 수 없다.[78] 누가는 여기서 다른 대목들에서보다도 더 많은 자유를 사용하고 있지만, 그 기본적인 의미는 마가 및 마태에서와 동일하다: 수혼법에 관한 문제는 부활에 관한 문제와 아무 상관이 없다. 왜냐하면, 창조주 신이 만들 새로운 세상에는 죽음이 없을 것이고, 따라서 생식도 필요없게 될 것이다.[79] 예수는 이 문제의 전제를 집중적으로 다루어서, 애초부터 그런 질문을 할 필요가 없다는 것을 밝혀준다.[80]

(c) 산 자들의 하나님

이것은 우리를 부활을 믿는 것과 관련하여 예수가 제시하는 적극적인 증거로 데려다준다. 누가는 여기서 어느 정도 중요성을 지닌 한 단어만을 수정한 채 마태와 마가를 따르고 있다. 이것은 오늘날의 통상적인 서양의 전제들이 우

76) LSJ에 열거된 유일하게 다른 용례는 Hierocles Platonicus(C5 AD) *in Carmen Aureum* 4에서 발견된다. Kittel(*TDNT* 1.87)은 그 밖의 다른 문학적 용례들과 하나의 비문을 든다. 신약성서에서 가장 가까운 다른 어구는 사도행전 6:15에 나온다(스데반의 얼굴이 "천사의 얼굴과 같더라").

77) 예를 들면, Ellis 1966, 237.

78) 누가는 여기서 출애굽기 4:22에 대한 반영을 의도한 것일 수 있다; 아래의 서술을 보라.

79) 복음서 기자들이나 예수나 그에게 질문한 자들이나 우리에게 일어나는 문제에 직면하지 않는다: 혼인이 죽음에 직면해서 종(種)을 보존하고자 하는 것이라면, 왜 창세기 2장은 타락 이전에 혼인이 제도화된 것으로서 묘사하고 있는 것인가? 여기에 대한 유일한 대답은 현재의 질문과 대답은 수혼법의 함축된 범위에 의해서 여전히 제한받고 있다는 것이다.

80) Kilgallen 1986, 486.

리를 가장 결정적으로 낙담시키는 대목이다. 이 본문에 대한 "자연스러운" 읽기로 인식되고 있는 것은 다음과 같다: 아브라함, 이삭, 야곱은 오래 전에 죽었다; 그러나 모세는 하나님이 그들이 여전히 살아있는 것으로 말씀하고 있다고 쓴다; 그러므로 이것이 "부활"이 의미하는 것이다. 이러한 읽기를 이 본문의 앞부분에 나오는 "천사들과 같이"에 대한 너무 성급한 읽기와 결합해서 보면, 많은 학자들이 그래 왔던 것처럼, 이것은 "사두개파 또는 헤롯이 생각하고 있는 것과 같은 몸의 부활이 아니라 영적인 부활"이라는 견해,[81] 또는 여기에서 논증되고 있는 것이 아니라 단순히 전제되고 있는 "부활"은 인간의 삶을 천사들의 삶과 같은 비육신적인 형태로 변화시키는 신의 창조적인 능력을 내포하고 있다는 견해로 낙착된다.[82]

이것은 우리가 살펴보고 있는 논증의 유형을 오해하고 있는 것이다.[83] 탈무드에 나오는 정확히 동일한 주제에 관한 보도된 논의들을 세밀하게 연구해 보면, 이 논증 속에서 실제로 무슨 일이 진행되고 있는지가 잘 드러난다. 우리가 제4장에서 살펴보았던 것을 여기에서 다시 한 번 반복해 보자: 부활에 관한 바리새파적이고 랍비적인 견해는 언제나 두 단계를 포함하고 있었다: 이런저런 방식으로 죽은 자들이 여전히 살아 있는 중간단계와 죽은 자들이 다시 몸을 입게 되는 최종적인 단계. 그리고 사실 몸을 입지 않은 불멸이 실제로 죽은 사람이 죽음 직후에 들어가게 되는 최종적인 상태라고 믿었던 유대인들은 거의 없었기 때문에, 바리새파에 관한 한, 주된 논쟁은 그들이 주장한 두 단계설과 사람들은 죽음 이후에는 존재 자체가 완전히 없어진다고 보았던 사두개파의 무단계설 간의 논쟁이었다.[84] 이보다 더 중요한 것은 모든 사람이 통상적으로 "부활"이 의미하는 것이 아직 일어나지 않았다고 알고 있었다는 것이다. "너는 부활에 관하여 어떻게 생각하느냐?"라는 질문은 언제나 장래에 관한 질문이었다.

---

81) Perkins 1984, 74f.

82) Evans 1970, 32. Evans는 출애굽기로부터의 인용문은 "다소 어색하게" 첨가되어 있고, 그 논증은 "일반적인 부활에 대한 증명이 아니라 그 정반대"라고 말한다.

83) 그 근저에 있는 논리에 대해서는 특히 Schwankl 1987, 403-06을 보라.

84) 아래 제4장을 보라.

탈무드에 나오는 논쟁들이 보여주듯이, 이것이 쟁점이었고, 또한 양쪽 진영이 모두 그것을 알고 있었다면, 상세한 논증을 펼치는 것은 언제나 꼭 필요한 것은 아니었다. 게임을 이길 것인지 질 것인지를 열두서너 수 앞서서 완전히 알고 있는 체스 경기자들과 마찬가지로, 논쟁을 벌인 랍비들은 흔히 어떤 논쟁에서 마지막 수들을 상세하게 기록하지 않았다; 그것은 마치 농담을 설명하는 것과 진배 없었기 때문이다. 따라서 예를 들면 바빌로니아 탈무드에서 민수기 18:28은 아론의 죽음 이후에 이스라엘 백성들이 그에게 십일조를 드렸다고 말하고 있기 때문에 부활을 입증하는 본문으로 인용된다. 이것은 암묵적으로 아론이 여전히 살아있고 장래에 부활할 것임을 보여주는 것으로 해석된다; 그러나 그러한 함의는 논쟁의 완결을 위해서 대단히 중요한 것이긴 하지만 명시적으로 언급되지는 않는다.[85] 고대 및 현대의 많은 정치적인 논쟁들도 이와 같은 패턴을 공유하고 있다.

이것은 정확히 우리가 현재의 본문 속에서 직면하고 있는 바로 그것인 것으로 보인다. 하나님은 모세에게 스스로를 "아브라함의 하나님 이삭의 하나님 야곱의 하나님"(출 3:6)으로 소개한다. 예수는 이러한 본문으로부터 이 하나님은 죽은 자들의 하나님이 아니라 산 자들의 하나님이기 때문에 족장들은 여전히 살아있다는 예비적인 결론을 이끌어낸다. 그러나 이것이 실제적인 논증의 끝은 아니다. 우리가 이 논쟁을 이와 비슷한 랍비들의 논쟁들이라는 주형(鑄型) 위에 놓아보면, 이 이야기의 진정한 핵심(우리가 듣고 싶어하는 것)이 생략되어 있다는 것이 분명해진다. 그들이 야훼의 존전 앞에서 여전히 살아있다면, 그들은 장래에 부활하게 될 것이다. 그러니까 결국 아브라함, 이삭, 야곱이 이미 죽은 자로부터 부활하였다고 생각한 사람은 아무도 없었다. 그들이 여전히 몸을 입지 않은 상태로 살아가고 있다는 것을 보여주는 어떤 본문을 인용하는 것 — 그것이 이 이야기의 끝이라면 — 은 이 논의와 별 상관이 없을 것이다. 그러한 점에서 출애굽기 3장으로부터의 인용문은 부활의 정반대를 입증하고 있는 것으로 보인다고 말하는 에반스(Evans)의 견해는 옳을 것이다: 죽은 자들은 부활하는 것이 아니라, 어떤 종류이든 죽은 이후에 몸을 입지 않은 상태에서 살아간다는 것. 이것이 사두개파의 질문에 대한 대답은 아닐 것이다; 오

85) bSanh. 90b.

히려, 그것은 "나는 실제로 알렉산드리아에서 내려온 저 젊은 철학자 필로의 견해에 동의하지만, '부활' 이라는 단어를 계속 사용하기를 원하기 때문에, 이제는 그의 견해와 같은 그런 것을 가리키기 위하여 완전히 새로운 방식으로 그 단어를 사용하고자 한다"고 말하는 방식일 것이다. 이것이 주후 20세기에 기독교 신학이라고 하는 것 속에서 친숙하게 볼 수 있는 것이기 때문에, 우리는 예수도 그와 같이 생각했을 것이라고 전제하기가 너무도 쉽다.[86] 그러나 그것은 이 논쟁이 진행되고 있는 방식이 아니다. 족장들은 여전히 살아있고, 그렇기 때문에 그들은 장래에 부활하게 될 것이다. 첫 번째의 것을 증명해 보라. 그러면(이 논쟁 속에서 양 당사자, 그리고 그것을 듣고 있는 바리새인들에 의해서 전제되고 있는 세계관 내에서) 너는 두 번째의 것을 입증한 것이 된다.

이 대목에서 누가의 사소한 이독은 "그에게 모든 사람은 살아있다," 즉 이스라엘의 신에게 모든 사람들은 살아 있다는 보충설명의 어구를 첨가한다. 이렇게 죽은 자들, 그러니까 죽은 족장들은 "하나님에 대하여 살아 있다." 하지만 이 구절은 두 가지 다른 방식으로도 사용될 수 있기 때문에, 주후 1세기의 유대교 속에서 어느 특정한 상태를 가리키는 전문적인 용어로 해석되어서는 안 된다. 마카베오4서의 저자는 마카베오2서에 나오는 부활에 관한 분명한 가르침을 일관되게 감정들에 대한 이성의 승리, 지복의 불멸의 삶에 관한 약속으로 바꿔 놓는다.[87] 육신적인 정욕을 다스리는 자들(순교자들에 관하여 이런 식으로 말하는 것은 약간 억지스러운 면이 있지만, 저자는 자신의 취지를 밀어붙이기로 결심한다)은 "우리의 족장들인 아브라함, 이삭, 야곱이 살아있지 않지만 하나님에 대하여 살아있는 것과 마찬가지로, 그들은 하나님에 대하여 죽은 것이 아니다"(마카베오4서 7:19)라고 믿는다. 죽임을 당한 일곱 명의 형제들을 둔 어머니는 그들에게 신이 준 계명들에 불순종하느니 차라리 죽으라고 격려하면서, "신으로 말미암아 죽은 자들은 아브라함, 이삭, 야곱, 모든 족장들과 마찬가지로 신에 대하여 살 것임을 알라"(마카베오4서 16:25)고 말한다. 여기서 "신에 대하여 산다"라는 어구는 몸을 입지 않은 최종적인 지복의 상태를 묘사

---

86) Wedderburn 1999, 147-52이 이러한 근거 위에서 비판하는 저작들을 보라. Wedderburn은 대안적인 신앙을 단언하고 "부활"이라는 단어를 탈락시키고자 한다.

87) 위의 제4장 제4절을 참조하라.

하기 위하여 사용되고 있는 것으로 보인다. 하지만 로마서 6:10-11에서 이 동일한 어구는 예수 자신이 지금 소유하고 있는 삶, 우리가 로마서의 다른 대목으로부터 분명하게 알고 있는 새로운 몸의 실존을 묘사하면서 그것을 토대로 해서 현재에 있어서 그리스도인들의 "하나님에 대하여 사는 삶," 즉 순종의 삶을 촉구하기 위하여 사용된다.[88)]

이러한 본문들은 이 어구가 아주 일반적인 표현이었기 때문에 표준적인 의미를 지니고 있지 않았다는 것을 보여준다. 누가는 모든 죽은 자들이 "하나님에 대하여 살아 있어서" 여전히 그들의 부활을 기다리고 있는 일시적으로 몸을 입고 있지 않은 상태를 가리키는 데에 이 어구를 사용한 것으로 보인다. 그리고 그 밖의 다른 두 본문도 이 어구를 다른 방향으로 사용하였다고 볼 수 없다.

사실, 사두개파에 대한 예수의 대답은 나중에 일어나게 될 부활 소망에 대한 초점의 재조정, 특히 바울의 사역을 통한 초점의 재조정을 지향하고 있다. 그것은 다른 특질을 지닌 삶, 죽음이 더 이상 건드릴 수 없는 삶, 그러므로 생식을 위한 혼인을 포함한 죽을 운명의 삶의 통상적인 척도들은 더 이상 타당하지 않는 삶에 관하여 말한다. 그것은 모든 죽은 의인들이 바리새파든 사두개파든 누구나 다 아직 일어나지 않았다는 것을 너무도 잘 알고 있었던 부활을 기다리면서 모종의 지속적인 삶 속에 있는 중간 상태에 관하여 말한다. 그것은 현재의 실체를 가리킴으로써(족장들은 여전히 살아있다) 장래의 소망을 단언하기 위하여(그들은 새롭게 몸을 입은 삶으로 부활하게 될 것이다) 야훼가 모세에게 한 말씀에 관하여 말한다.

(d) 족장들, 출애굽, 하나님의 나라

본문에 대한 이러한 읽기는 이 논쟁을 "부활"이라는 단어를 "죽음 이후의 삶"과 대체로 비슷한 의미를 지니는 동의어로 사용하도록 가르쳐왔던 후대의 서구 사상의 세계가 아니라 주후 1세기의 유대교의 세계 속에 위치시키는 장점을 가질 뿐만 아니라, 공관복음서 기자들은 이 본문을 기독교 특유의 내용들을 부각시키기 위하여 나름대로 편집하려고 시도한 것도 아니고 예수의 부활

88) 위의 제5장 제7절을 보라.

에 관한 그들 자신의 나중의 이야기들이 부인하게 될 내용을 예수가 긍정하는 (또는 그들의 나중의 이야기들이 긍정하게 될 내용을 암묵적으로 예수가 부정하는) 논의를 수동적으로 기록한 것도 아니라는 것을 분명하게 보여준다. 그러나 부활에 관한 초기 기독교의 견해를 이해함에 있어서 상당한 중요성을 지닌 또 하나의 차원을 우리는 고찰하지 않으면 안 된다. 즉, 우리는 이 교리가 바리새파에게 있어서 언제나 지니고 있었던 정치적인 의미를 잊어서는 안 된다; 결국, 이것이 바로 사두개파가 이 교리를 반대했던 이유들 중의 하나였다. 이 본문을 보면, 그러한 정치적인 의미는 초기 기독교에서도 여전히 생생하게 살아 있었던 것으로 보인다. 아마도 이것은 흄(Hume)과 같은 경험주의자들의 암묵적인 회의론만이 아니라 후대의 서구적인 현대 사상이 부활에 대하여 그토록 견딜 수 없어 했던 이유이기도 할 것이다.

이 본문은 마가가 이 본문을 두고 있는 자리, 즉 예수가 방금 성전에서 행한 일이 도대체 어떤 의미를 지니는지, 그의 권세는 어디로부터 왔는지, 그의 하나님 나라 운동은 가이사에게 바치는 세금들을 폐하려고 하는 것이지, 궁극적으로는 그가 진정으로 이스라엘의 메시야인지 — 그가 메시야라고 주장하고 있는 것처럼 보였기 때문에 — 에 관한 일련의 격렬한 논쟁들의 한복판에 나온다. 이 이야기를 이러한 순서 및 맥락 속에 두고 있는 마가와 그 밖의 다른 복음서 기자들은 이 특정한 이야기를 예수 자신의 부활을 가리키는 것으로 사용하고 있는 것으로 보인다. 이것은 사두개인들이 논쟁에서가 아니라 존재론적인 실체에 있어서 패배당하게 될 그 순간일 것이라고 그들은 암목적으로 말하고 있는 것이다. 예수가 죽은 자로부터 부활하게 될 때, 사두개인들이 잘못되었다는 것을 보여주는 그 사건은 그 밖의 다른 사건들, 특히 동일하게 실제적이며 신학적인 의미를 지니게 될 성전의 파괴와 긴밀하게 결부될 것이다. 이 이야기 속에서 예수 자신의 목소리를 들을 때, 우리는 이 대화 전체를 더 큰 대화의 일부로 보아야 한다: 당시의 유대교의 공식적인 지도자에 대한 예수의 비판. 예수는 바리새인들에 대해서도 비판을 하였지만, 부활이라는 문제에 대해서는 사도행전에 나오는 바울과 같이 바리새인들과 손을 잡고 이 특정한 대적자들, 즉 사두개인들에 맞서 싸울 수 있었다.

이것을 염두에 둔 채, 우리는 예수가 앞으로 중대한 결론을 가져오게 될 조그마한 단서로 선택하고 있는 출애굽기 3장으로부터의 인용문이 지닌 의도적으로 전복적인 함의(含意)를 놓쳐서는 안 된다. 하나님은 모세에게 그가 아브라함, 이삭, 야곱의 신이라는 것을 말하기 위해서만이 아니라, 그가 외국에 있는 자기 백성의 부르짖음을 들었고, 족장들과의 계약을 기억하였으며, 마침내 이스라엘을 자유케 하여 그들을 그들 자신의 땅으로 데려올 것임을 말하기 위하여 가시덤불 속에서 모세에게 나타난다. 출애굽기 3:6은 단순히 부활에 관한 잠재적인 증거 본문이 아니다(이것은 오직 "나는 아브라함의 하나님이다"라는 인용문 속에서의 현재 시제가 아브라함이 여전히 살아 있다는 것을 보여준다는 전제 위에서만 옳다). 그것은 야훼가 자기 백성을 해방시키고자 한다는 것에 관하여 말하고 있는 본문의 일부이다. 야훼의 이러한 소원은 수많은 유대인들의 저항 운동의 지지대였고, 또한 하나님의 나라에 대한 예수의 선포의 핵심에 있었다. 예수의 운동은 그 자체가 내가 『예수와 하나님의 승리』에서 제시했던 의미들에서 새로운 출애굽 운동, 해방 운동, 포로생활로부터의 귀환 운동이었다. 부활을 긍정하는 것은 이스라엘의 신이 세상을 전복시키고 현재의 유대인들의 통치자들에게 예수가 성전에서 행하였던 일을 행하기 위하여 새로운 방식으로 일하고 계시다는 사실을 긍정하는 것이었다. 이 논의를 이러한 맥락 속에 두게 되면, 모든 것이 제대로 잘 맞아들어간다.

출애굽기 3:6은 사실 족장들에 관하여 뭔가를 말하기 위해서가 아니라 이 신에 관하여 뭔가를 말하기 위하여 인용된 전형적인 말씀들 중의 하나였다(아브라함, 이삭, 야곱의 신으로서의 이스라엘의 신에 관한 말씀들): 이 신은 과거에서와 마찬가지로 현재와 미래에서도 이스라엘의 구원자가 되실 것이다.[89] 야훼는 족장들에게 신실하셨다; 이러한 신실하심은 모세의 때에 그대로 드러났다(출 3장의 맥락); 그리고 그것은 이후의 상황들에서 이스라엘을 위하여 계속해서 작용할 것이다.[90] 모세의 이야기는 이스라엘의 신, 참 신이 자유의 신이

89) 이 점에 대해서는 Dreyfus 1959; Janzen 1985; 그리고 온전한 맥락 속에서 Schwankl 1987, 391-6을 보라. 하지만 이들 중 누구도 사두개파와의 논쟁이 지닌 정치적 의미와 관련하여 그것의 함의들을 보지 못한다.

90) Janzen 47. 그가 지적하듯이, 사두개인들이 먼저 꺼낸 이중적 인용문은 모세를 조상의 여러 세대들과 연결시켰고, 예수는 이제 그들에게 대답함에 있어서 이것을 활용할 것이다; 아울러 이 두 인용문은 "자녀를 낳다"라는 의미로 "일으키다"라는 어구를 사용하고 있지만, 청자/독자에게는 "부활하다"라는 뉘앙스를 띠게 된다.

라는 사실을 강조하기 위하여 반복해서 말해졌고, 오늘날에도 여전히 말해지고 있다(예를 들면, 유월절에). 앞에서 계속해서 보아왔듯이, 이스라엘이 주후 1세기에 갈망하였던 자유는 새로운 출애굽이라는 관념들의 관점에서 표현될 수 있었고, 이 관념들은 은유와 환유를 통해서 부활에 대한 신앙과 이미 견고하게 연결되어 있었다. 에스겔 37장은 부활의 이미지를 민족 해방에 대한 은유로 사용하였다; 그래서 예수 당시에는 부활은 문자적으로 받아들여져서 그 자체가 이스라엘의 신이 계약에 의해서 행하기로 되어 있었던 자유와 관련된 총체적인 내용 중의 한 요소로 보아졌다.

이제 복음서의 독자들은 예수가 자신의 공생애 기간 전체에 걸쳐서 이스라엘의 소망을 재천명함과 동시에 자신을 중심으로 그것을 재정의하였다는 것을 알고 있어야 한다. 상징 행위를 통한 성전에 대한 강력한 도전에서 절정에 달한 예수의 하나님 나라 메시지는, 사두개인들이 잘 알고 있었듯이, 이스라엘의 신이 "부활"이라는 강력한 상징이 말하고 있었던 일을 행하고 계시다는 것에 관하여 말하는 것이었다: 현재의 질서를 뒤집어엎고 하나님 나라를 개시시키는 것. 이렇게 이 이야기 속에 들어 있는 여러 차원의 의미들을 통과해 오면서, 우리는 예수의 부활이 예수를 하나님의 아들, 메시야, 세상의 주로 세웠다고 말했을 때에 바울이 의미했던 것(롬 1:3-5), 예수는 만물을 자기에게 복종시킬 능력을 지닌 주이자 구원자이기 때문에 예수의 백성의 부활이 장래에 있을 것이라고 말했을 때에 그가 의미했던 것(고전 15:20-28; 빌 3:20-21)으로부터 우리 자신이 그리 멀지 않다는 것을 발견하게 된다.

그러므로 이 이야기는 초기 그리스도인들이 부활에 관하여 인식하고 있었던 여러 가지 방식들에 관한 우리의 탐구에 다층적으로 기여를 한다. 사두개인들과 예수의 논쟁은 주후 1세기 유대교에서 일어나고 있었던 논쟁들과 유대교 자체 내부로부터 자라나서 예수가 죽은 자로부터 부활하였다고 믿었던 공동체 속에서 신속하게 형성되었던 새로운 견해가 만나는 지점에 있다. 복음서 기자들, 그들이 사용하였던 자료들, 그리고 분명히 예수 자신은 이러한 신앙의 스펙트럼 속에서 주류적인 바리새파적 관점에 서 있다. 그들은 장래의 몸의 부활을 믿고, 그것에 선행하는 중간 상태 속에서 잠시 족장들과 함께 거하게 될 것이라는 사실을 받아들인다. 이 본문이 추가하고 있는 것은 현재의 상태와 장래의 상태 간의 불연속성에 관한 새로운 짤막한 내용이고, 그것은 바울이 고린도전서 15장에서 말한 불연속성과 일치한다: 현세 내에서 현재의 몸은 썩어질 것으로서 결국 죽게 될 것이지만, 하나님의 새 시대에 거하게 될 새로운 몸은 썩지 않고 죽지 않을 것이다. 그 밖의 다른 잡다한 불연속성들은 이러한 핵심적인 불연속성으로부터 따라나오는 것이기 때문에, 특히 이 경우에 있어서 내세에는 누구와 혼인할 것인지를 고민할 필요가 없게 된다. 게다가 사두개인이 바리새파의 부활 신앙에서 이미 냄새를 맡았듯이, 그리스도인들의 고약한 부활 신앙은 모든 면에서 정치적인 의미에서 혁명적인 것으로 보인다. 이것이 이 이야기가 공관복음서의 이야기들 속에서 현재의 위치에 있는 이유이다. 그리고 이것은 우리가 바울 및 주후 2세기에 이르기까지 이 신앙이 초대 교회로 하여금 가이사가 아니라 예수에게 충성을 바치는 태도를 견지할 수 있게 해준 것이라는 것을 발견하고서 놀라지 않아야 할 이유이다.

물론, 이것들 중 그 어느 것도 분석의 주된 주제인 예수의 부활에 관하여 직접적으로 많은 것을 우리에게 말해주지 않는다. 그러나 우리가 이 사건에 관한 초기 기독교의 중심적인 진술들에 접근할 때, 그 언어와 개념들이 당시에 어떤 식으로 기능하였는지를 아는 것은 대단히 중요하다. 그리고 초기 기독교 내에서 중요한 혁신들이 유대교 전승 내부로부터 이루어진 방식들을 주목하는 것은 특히 중요하다. 현재의 본문은 우리에게 적어도 한 가지를 제공해 주고 있는데, 원칙적으로 그것이 예수 자신에게 소급된다는 것을 부인할 타당한 근거는 없다. 그러나 이 이야기가 이런 식으로 전해지고 말해졌으며, 특히 마가에 의해서 저 마지막의 결정적으로 중요한 예루살렘에서의 출애굽 기간 동안에 실제로 무슨 일이 일어나고 있었는지를 설명하기 위한 일련의 논쟁들의 일부로서 수집되었다는 사실 — 이것은 예수 및 그의 백성의 부활에 대한 초기 기독교의 믿음, 그것들이 지닌 의미, 즉 부활절에 개시된 새 시대가 참 신이 마침내 온 세상을 위하여 출애굽 때에 이스라엘을 위해서 행하셨던 일을 성취하게 될 시대라는 인식을 큰 소리로 말해준다. 예수는 악을 심판하고, 자기 백성을 해방시키며, 마침내 공의와 소망을 가져다줄 것이다.

3. 마태/누가 자료(종종 "Q"로 알려진)에서의 부활

삼중의 공관복음 전승, 그리고 공관복음서들의 원자료로 받아들여지고 있는 마가에 의해서 대변되고 있는 초기 기독교가 예수의 부활, 그리고 장래에 있어서의 신의 모든 백성의 부활을 굳게 믿었다는 것을 아무도 의심하지 않을 것이다. 그러나 적어도 최근에 와서는 많은 학자들이 마태와 누가가 공유하고 있는 전승, 즉 마태와 누가에 공통적으로 나오지만 마가에는 나오지 않는 본문들에 의해서 대변되고 있는 초기 기독교의 형태가 그러한 부활 신앙을 지니고 있었는지에 대하여 의심을 하여 왔다. 심지어 부활이라는 "은유"는 "Q의 장르와 신학에는 근본적으로 부적절하다"라는 대담한 진술까지 제시되기도 하였다 — 물론, "Q"는 한 세기가 넘게 해당 자료에 대하여 붙여진 명칭이었다[91] 나는 최근의 논문 속에서 정반대의 가능성을 주장한 바 있다: "Q"가 존재했고 실제로 뚜렷한 신학을 지닌 공동체에서 헌장으로서의 성격을 지닌 문서였다면, 그 신학은 예수 및 신자들의 부활을 포함하고 있었을 것이라는 것. 우리는 여기서 또다시 이것에 대하여 길게 논쟁할 필요는 없을 것이다.[92] 여기서 나는 "Q" 가설에 대한 그 어떠한 선입견적인 판단을 하지 않은 채, 마가를 제외한 공관복음서 전승 속에서 어느 정도 병행되고 있는 주된 본문들을 한 번 일별해 보고자 한다.

확실한 토대 위에서 시작해 보자, 마태의 예수는 로마의 백부장 속에서 믿음을 발견하고, 그것을 종말의 하나님의 백성들이 큰 무리로 모여드는 것을 나타내는 표지로 본다 — 여기에서 스스로를 자동적으로 거기에 편입된 것으로 생각한 일부 사람들은 배제될 것이다. 한편, 누가의 예수는 자기가 마치 다 된 사

---

91) Kloppenborg 1990b, 90. 이 점은 이미 Schillebeeckx 1979 [1974], 409f.에 의해서 전제되고 있다.

92) Wright, "Resurrection in Q?" 또한 cf. Nickelsburg 1992, 688: "Q"는 예수를 핍박받고 신원받은 의인들의 반열에 서 있는 지혜의 대변인으로 묘사한다(마 23:34f/눅 11:49-51); Q는 예수를 장차 오실 인자로 보고, 그가 장래에 갖게 될 심판자로서의 지위는 "그의 부활의 승귀적 기능"의 결과라고 말한다. 또한 Meadors 1995, 307f. "Q"에 대해서는 표준적인 본문들과 아울러서(예를 들면, Kloppenborg 1987; 1990a; Catchpole 1993; Tuckett 1996) *NTPG* 435-43; *JVG* 35-44에 나오는 짤막한 서술을 보라. Martin Hengel(2000 ch. 7)은 "Q 회의론자들"은 아닐지라도 적어도 의심을 갖고 있는 자들에 합류하였다. 인접 분과에 속한 역사가로부터의 영악하고도 날카로운 논평으로는 Akenson 2000, 321-8을 참조하라.

람인 양 행세하는 것의 위험성에 대하여 경고한다. 마태와 누가는 이 점에 있어서 서로 내용이 중복된다:

> [마태 8장][11]또 너희에게 이르노니 동 서로부터 많은 사람이 이르러 아브라함과 이삭과 야곱과 함께 천국에 앉으려니와 [12]그 나라의 본 자손들은 바깥 어두운 데 쫓겨나 거기서 울며 이를 갈게 되리라.

> [누가 13장][28]너희가 아브라함과 이삭과 야곱과 모든 선지자는 하나님 나라에 있고 오직 너희는 밖에 쫓겨난 것을 볼 때에 거기서 슬피 울며 이를 갈리라 [29]사람들이 동서남북으로부터 와서 하나님의 나라 잔치에 참여하리니.

제2성전 시대 유대교라는 맥락 속에서 이것은 오직 다음과 같은 한 가지 것만을 의미할 수 있다: 종말론적인 위대한 역전이 진행중에 있고, 그것이 이루어졌을 때, 족장들은 죽은 자로부터 부활하여 그들의 후손들 — 이들 중 일부는 그 무리에 끼지 못할 절박한 위험성 속에 있다 — 만이 아니라 이방 세계로부터의 많은 사람들 — 마태의 백부장이 그 초기의 예이다 — 과 함께 그것을 누리게 되리라는 것. 사실, 이것은 장차 다가올 심판에 관하여 말하고 있는 이중적 전승 속에 나오는 몇몇 말씀들과 부합한다: 제2성전 시대 유대교에서 최후의 심판은 단순히 악을 벌하기 위해서만이 아니라 의인들을 신원하고 그들에게 상을 주기 위한 것이기도 하였다. 피상적인 차이점에도 불구하고 이 말씀을 "이중적 전승" 자료라는 것을 인정한다면, 이러한 흐름이 비록(그 밖의 다른 많은 제2성전 시대의 유대교 문헌들과 같이) 부활에 관하여 오직 이따금씩만 언급하고 있다고 할지라도 장래의 부활을 상정하고 있다는 것을 부인하기는 힘들다.

마태복음 19:28/누가복음 22:29f.에 대해서도 이 말은 그대로 적용된다:

> [마태 19장][28]예수께서 이르시되 내가 진실로 너희에게 이르노니 세상이 새롭게 되어['팔린게네시아'] 인자가 자기 영광의 보좌에 앉을 때에 나를 따르는 너희도 열두 보좌에 앉아 이스라엘 열두 지파를 심판하리라.

[누가 22장][28]너희는 나의 모든 시험 중에 항상 나와 함께 한 자들인즉 [29]내 아버지께서 나라를 내게 맡기신 것 같이 나도 너희에게 맡겨 [30]너희로 내 나라에 있어 내 상에서 먹고 마시며 또는 보좌에 앉아 이스라엘 열두 지파를 다스리게 하려 하노라.[93)]

이 말씀이 초기의 것이라는 사실은 특히 열두 제자라는 언급에 의해서 드러나는데, 이는 매우 이른 시기부터 유다는 열두 제자의 목록에서 제외되었기 때문이다. 마태에 나오는 새로 태어날 세상과 보좌 위에 앉은 인자에 관한 언급을 포함해서 서로 다른 요소들은 물론 초기의 공통 전승에 대한 후대의 첨가들일 것이지만, 그 핵심적인 내용은 하나님 나라가 제대로 세워질 때, 이스라엘의 신이 이스라엘과 세상을 다스리게 될 때, 제자들이 예수와 함께 식탁에 앉으며 한 분 참 신의 주권적인 통치를 베푸는 것을 위임받을 — 바울이 고린도 교인들에게 말했던 것과 흡사한! — 때가 올 것임을 전제하고 있다. 이 말씀이 예수의 죽음 후에 유포되다가 적어도 두 개의 문서 속으로 통합되었다는 것, 그리고 아마도 이 문서들 배후에는 더 초기의 본문이 존재할 가능성은 이러한 문서들, 그리고 그 문서들에 따라서 살았던 사람들이 예수의 부활과 그들 자신의 부활을 믿었을 강력한 개연성을 보여준다.

내게는 부활에 관하여 말하고 있는 것으로 분명하게 보이는 세 번째 이중적 전승에 속한 본문은 몸을 죽일 수는 있지만 그 이상의 것을 할 수는 없는 자들에 대한 예수의 경고와 약속이다:

[마태 10장][28]몸은 죽여도 영혼['프쉬케,' 그러나 유대적인 맥락 속에서 이 단어는 헬레니즘적인 이원론을 지니고 있는 것으로 여겨서는 안 된다]은 능히 죽이지 못하는 자들을 두려워하지 말고 오직 몸과 영혼을 능히 지옥에 멸하실 수 있는 이를 두려워하라 [29]참새 두 마리가 한 앗사리온에 팔리지 않느냐 그러나 너희 아버지께서 허락하지 아니하시면 그 하나도 땅에 떨어지지 아니하리라 [30]너희에게는 머리털까지 다 세신 바 되었나니

93) 몇몇 사본들은 "보좌들" 앞에 "열둘"을 첨가하지만, 이것은 분명히 이차적인 것이다.

[31]두려워하지 말라 너희는 많은 참새보다 귀하니라.

[누가 12장][4]내가 내 친구 너희에게 말하노니 몸을 죽이고 그 후에는 능히 더 못하는 자들을 두려워하지 말라 [5]마땅히 두려워할 자를 내가 너희에게 보이리니 곧 죽인 후에 또한 지옥에 던져 넣는 권세 있는 그를 두려워하라 내가 참으로 너희에게 이르노니 그를 두려워하라 [6]참새 다섯 마리가 두 앗사리온에 팔리는 것이 아니냐 그러나 하나님 앞에는 그 하나도 잊어버리시는 바 되지 아니하는도다 [7]너희에게는 심지어 머리털까지도 다 세신 바 되었나니 두려워하지 말라 너희는 많은 참새보다 더 귀하니라[94]

사람들에게 몸을 죽일 수 있는 자들을 두려워하지 말라고 함에 있어서 유일한 핵심은 몸의 죽음 이후에 기다리고 있는 삶이 존재한다는 것이다. 물론, 이것은 고난과 순교를 마카베오2서 및 솔로몬의 지혜서에서와 동일한 방식으로 이해하라는 권면이다.[95] 두 복음서에서 이 본문 직후에 나오는 것은 예수를 좇는 자들에게 두려움 없이 예수에 대한 신앙을 고백하면 예수가 장차 하나님과 그의 천사들 앞에서 그들을 시인할 것이라는 내용이다.[96] 이것도 제2성전 시대 유대교에 있어서 미래에 관한 신앙들의 스펙트럼에 부합하고, 이러한 신원이 일어나게 될 장래의 부활에 대한 신앙과 잘 들어맞는다.

또한 이 이중적 전승은 죽은 자를 살리는 예수 자신의 사역에 관한 말씀을 보존하고 있다. 감옥에 갇힌 세례 요한으로부터 예수가 진정으로 "오실 자"인지에 대하여 질문을 받고서, 예수는 다음과 같이 자기가 지금 하고 있는 일을 묘사하는 것으로 대답한다:

맹인이 보며 못 걷는 사람이 걸으며 나병환자가 깨끗함을 받으며 못

94) 이 본문의 의미에 대해서는 *JVG* 454f.를 보라.

95) 위의 제4장 제4절을 보라. 마태복음 10:28 속에는 마카베오4서의 입장과의 피상적인 병행이 존재한다(위의 제4장 제4절).

96) 마 10:32f/눅 12:8f.

듣는 자가 들으며 죽은 자가 살아나며 가난한 자에게 복음이 전파된다.[97]

흔히 지적되듯이, 이 말씀은 4Q521의 메시야 예언들과 일맥 상통한다.[98] 이 말씀은 마태에서는 야이로의 딸을 다시 살린 사건(9:18-16)과 연결되어 있고, 누가에서는 나인성 과부의 아들을 다시 살린 사건(7:11-17)과 연결되어 있다. 이것은 그 자체로는 아주 최근에 죽은 자들을 다시 살린 사건들을 치유 이야기들 중에서 가장 극적인 사건들로 부각시키고 있는 것일 뿐이다. 하지만 복음서들 속에 나오는 다른 내용들과 함께 받아들여졌을 때, 이 말씀은 초대 교회에서 예수가 실제로 메시야였다는 것만이 아니라 그 밖의 다른 본문들이 말했던 궁극적인 부활을 보여주는 지표로 들려졌을 것임에 틀림없다. 우리는 이것과 아울러 위대한 역전에 대하여 말하고 있는 여러 본문들, 특히 축복문들을 들 수 있을 것이다: 주린 자가 배부르고 핍박받는 자가 하나님 나라를 유업으로 받기 위해서는 뭔가 극적인 일이 곧 일어나지 않으면 안 된다. 심지어 우리는 애통하는 자들이 위로를 받고 우는 자들이 웃게 되려면 죽은 자들이 새로운 생명으로 다시 살아나야 할 것이라고까지 생각할 수 있을 것이다.[99]

관련된 이중적 전승 본문들 중에서 가장 복잡하고 논쟁이 많은 본문은 요나의 표적에 관한 예수의 암호 같은 말씀이다:[100]

[마태 12장][39]악하고 음란한 세대가 표적을 구하나 선지자 요나의 표적 밖에는 보일 표적이 없느니라 [40]요나가 밤낮 사흘 동안 큰 물고기 뱃속에 있었던 것 같이 인자도 밤낮 사흘 동안 땅 속에 있으리라 [41]심판 때에 니느웨 사람들이 일어나('아나스테손타이') 이 세대 사람을 정죄하리니 이는 그들이 요나의 전도를 듣고 회개하였음이거니와 요나보다 더 큰 이가 여기 있으며 [42]심판 때에 남방 여왕이 일어나('에게르데세타이') 이 세대

97) 마 11:5/눅 7:22, 이 두 본문은 실질적으로 동일한 단어들을 사용한다.

98) 위의 제4장 제4절; *JVG* 531f.를 보라.

99) 마 5:4; 눅 6:21.

100) 요나에 관한 추가적인 언급은 마태에 의해서 삽입된 것으로 보이는 16:4에서 발견된다. Catchpole 1993, 244를 보라.

사람을 정죄하리니 이는 그가 솔로몬의 지혜로운 말을 들으려고 땅 끝에서 왔음이거니와 솔로몬보다 더 큰 이가 여기 있느니라.

[누가 11장][29]이 세대는 악한 세대라 표적을 구하되 요나의 표적밖에는 보일 표적이 없나니 [30]요나가 니느웨 사람들에게 표적이 됨과 같이 인자도 이 세대에 그러하리라 [31]심판 때에 남방 여왕이 일어나('에게르데세타이') 이 세대 사람을 정죄하리니 이는 그가 솔로몬의 지혜로운 말을 들으려고 땅 끝에서 왔음이거니와 솔로몬보다 더 큰 이가 여기 있으며 [32]심판 때에 니느웨 사람들이 일어나('아나스테손타이') 이 세대 사람을 정죄하리니 이는 그들이 요나의 전도를 듣고 회개하였음이거니와 요나보다 더 큰 이가 여기 있느니라.

여기에서 우리가 첫 번째로 주목해야 할 것은 니느웨 사람들 및 남방의 여왕과 관련하여 사용된 명시적인 부활 언어이다. 두 판본은 모두 예수 자신의 세대의 이스라엘 사람들과 마찬가지로 그들이 "심판 때에 일어나게" 될 것이라는 예수의 말씀을 강조한다. 그들의 존재 자체가 그들이 옳고 예수의 동시대인들이 틀렸다는 것을 보여주게 될 것이다. 이것도 장래의 부활이 통상적으로 이스라엘이 이방인들을 심판하는 것이지 그 반대가 아니라고 예언하였던 유대인들을 제외하고는 제2성전 시대 유대교의 신앙들의 스펙트럼 위에 확고하게 서 있다. 여기에서 우리는 마태복음 8장과 누가복음 13장에 나오는 본문에서 말하고 있는 것과 같은 동일한 종류의 역전을 보지만, 이 본문들은 다니엘 7장의 노선을 따라서 유대교의 고전적인 장래의 심판에 관한 시나리오 내에 배치되어 있다.

이것은 마태나 누가가 "요나의 표적"을 예수 자신의 부활을 가리키는 것으로 이해할 것을 의도하고 있을 가능성을 더 높여준다고 생각된다. 마태에서 그것은 분명하다: 이 세대가 받게 될 유일한 "표적"은 요나가 구현했던 것과 동일한 표적이다. 요나는 삼일 낮과 삼일 밤 후에 바다 괴물의 뱃속으로부터 다시 나왔다; 인자는 땅의 심장, 달리 말하면 무덤으로부터 다시 나오게 될 것이다. 하지만 대부분의 학자들은 이것은 초기의 판본을 마태가 확장한 것이고, 더 암호적인 누가 본문이 원래의 본문에 더 가깝다고 주장해 왔다; 그리고 누가는 예수가 보여줄 "표적"을 그의 지혜와 회개에 관한 설교(눅 11:31-32에서의 솔로몬과 요나의 경우처럼) 또는 결코 아무런 표적도 보여주지 않을 것이라는 사실 — 이것은 누가복음 11:16의 견지에서 동일한 것을 가리키게 된다 — 로 이해하고 있다는 것이다.[101] 그러나 이 본문의 나머지 부분에 비추어 볼 때, 누가는 마태와 마찬가지로 예수의 부활을 "표적"으로 보도록 의도하고 있을 가능성이 분명히 있다. 나는 우리가 곧 살펴보게 될 누가복음 16:31의 경고 속에서 이것에 대한 간접적인 확증을 발견한다.[102]

그러므로 마태와 누가에 의해서 대변되고 있는 이중적 전승은 초기 기독교의 그 밖의 다른 분파들과 별반 다르지 않다.[103] 물론, 학자들이 가설적인 자료(즉, "Q")로부터 하나의 주제를 주의 깊게 추출해내서 이 주제를 알지 못했던 더 이른 시기의 판본을 복원해 내었다고 말하는 것도 얼마든지 가능하다. 하지만 초기 기독교의 역사 속에는 이 경우에 있어서와 같은 그러한 가설을 의심할 만한 강력한 근거들이 존재한다. (감히 말하건대) 오늘날 특히 북미의 신약학회의 몇몇 진영들에서, 예수의 죽음과 부활에 관하여 거의 알고 있지 않았고 별 신경을 쓰지 않았던 초기 기독교의 판본들을 만들어내라는 엄청난 압력이 제기되고 있는 것은 그와 비슷한 오늘날의 운동들을 합법화하고 그러한 것들을 강조하는 운동들을 불신하기 위한 것인데, 그들은 "Q"의 초기 판본이 그러한 종류의 운동을 위한 증거들을 제공해준다는 주장을 하고 있기 때문에, 우리는 그러한 가설들에 대하여 경계를 하지 않으면 안 된다.

물론 "Q"에 부활 기사가 없다는 것은 여전히 사실이다 — 그러한 문서가

---

101) Catchpole 1993, 245-6은 사적인 서신을 통해서 그 내용을 보강하였다. Catchpole은 내게 현재의 본문에 대한 해석사는 우리가 이 본문이 지닌 모든 비밀들을 최종적으로 다 풀었다고 생각해서는 안 되게 만든다는 것을 경고하였다.

102) "인자" 자료들을 고려한 좀 더 온전한 논증은 Wright, "Resurrection in Q?," 93-6이다; 또한 Edwards 1971, 56 등을 보라.

103) 예를 들면, 마 5:12/눅 6:23, 그리고 눅 6:35의 몇몇 사본들에서 다양하게 발견되는 이 말씀은 좀 더 논란이 많이 된다: "너의 상급이 하늘에서 크다." 이것은 골로새서 1:5과 베드로전서 1:3-5(위의 제5장 제5절과 아래의 제10장 제5절을 보라) 같이 통상적으로 "네가 천국에 갈 때에 보상을 받게 될 것이다"를 의미하는 것으로 해석되어 왔지만, 이 상급이 주어지게 될 장소가 어디냐와는 상관 없이 "하나님이 너를 위하여 큰 상급을 예비해 두셨다"로 해석되어야 할 것이다.

존재했고 실제로 예수의 어록집으로 의도된 것이라면, 그 문서에서 부활 이야기를 제외했을 이유가 전혀 없지만[104] 에이브러햄 링컨, 또는 윈스턴 처칠의 지혜로운 말들만을 모아 놓은 책들이 존재하는데, 거기에서 우리는 그 신사 분들이 무슨 일을 했고, 최후를 어떻게 마쳤는지에 관해서는 거의 또는 전혀 알 수 없을 것이다; 이러한 예는 물론 명백히 시대착오적인 것이기는 하지만, 그것은 우리에게 초기 기독교를 지나치게 여러 분파들로 나누는 것의 위험성에 대하여 경고해 준다. 결국, 마태는 "Q"를 부활이 중요한 역할을 하는 하나의 신학 속에 아주 자연스럽게 통합시킬 수 있었다.[105] 이중적 전승은 부활에 관심을 가지고 있지 않았던 초기 기독교의 한 형태에 대한 증거로 사용될 수 없을 뿐만 아니라, 더 적극적으로는, 부활에 관한 제2성전 시대 유대교의 기대들의 지도 위에 확고하게 서 있는 초기 기독교 전승들과 예수 자신의 말씀들에 대한 증거들을 제공해 준다.

그 외에도 하나님의 백성, 그리고 모든 사람의 장래의 부활에 대한 반복적인 강조가 존재하고, 그 부활은 새로운 몸을 입은 삶을 지칭하는 것으로밖에는 해석될 수 없다; 그리고 요나의 표적에 관한 본문 속에는 예수의 부활이 요나의 표적과 상응하지만 그것을 뛰어넘는 새로운 표적, 과거지향적으로는 예수의 선지자적 및 메시야적 사역의 합법성을 보여주고(이것이 표적을 요구한 핵심적인 동기였다), 미래지향적으로는 유대인들과 이방인들의 역할이 역전될 최후의 표적으로 보아졌다는 상당한 증거가 존재한다. 이것이 어느 정도 올바른 해석에 가깝다면, 우리는 여기서 마가복음 9:9-10이 암호적으로 언급했고 바울이 나중에 훨씬 더 명시적으로 언급하게 될 방향을 보여주는 것에 대한 증거를 갖게 되는 것이다: 두 단계로 구분된 일반적인 부활, 예수가 나중에 모든

104) 사실 "Q"가 마태복음 또는 누가복음에 나오는 것과 같은 부활 이야기를 가지고 있었고, 다른 복음서 기자는 그가 선호하였던 다른 자료를 이용하였을 가능성은 논리적으로 얼마든지 있다. 우리는 "Q"가 단순히 구성물이며, 한 복음서 기자가 Q를 수정하였다거나 자신의 특수자료를 선호하였다는 것을 인정하자마자 우리는 온갖 종류의 다른 가능성들에 대하여 넓은 문을 활짝 열어놓게 된다는 것을 잊어서는 안 된다.

105) 이러한 내용은 David Catchpole이 개인적인 서신을 통해서 내게 지적해 준 것이다.

사람들에게 일어나게 될 부활에 대한 표적으로서 미리 부활하게 되는 것.

4. 마태에서의 부활

우리는 이미 마태가 마가를 따르거나 누가와 병행되는 대목들에서 본문에 대하여 작지만 중요한 변화들을 가미한 몇몇 경우들을 살펴본 바 있다.(내가 "변화들을 가미하였다"고 말하는 것은 마태가 그러한 수정들을 우리가 지금 알지 못하는 자료 속에서 발견했는지, 아니면 그러한 것들을 직접 첨가하였는지를 판단하지 않고 열어두고자 하는 것이다.) 이러한 본문들에 우리는 마태에서 "부활"에 관한 그림을 완성하는 다음과 같은 본문들을 추가할 수 있을 것이다(물론, 마태가 그의 복음서의 끝에서 서술하고 있는 사건들과는 별개로).

제자들에 대한 전도 명령에 관한 마태의 판본에서 예수는 제자들에게 자기가 행하고 있는 것과 동일한 종류의 질병 치유들을 행할 뿐만 아니라 심지어 죽은 자들을 다시 살리라고 지시한다(10:8). 이것은 병행이 없지만, 11:5의 이중적 전승 본문과 일맥상통한다: 그것은 예수가 엘리야 및 엘리사와 같이 행하였던 것으로 보도되고 있는 최근에 죽은 사람들을 "다시 살린 것들"을 가리킨다. 그것은 장차 있을 더 위대한 부활을 보여주는 표적일 수 있지만, 여기에서는 단순히 가장 두드러진 종류의 "치유"로 여겨진다.

다니엘 12:3(의인들이 별과 같이 빛날 것이다)을 간접 인용하고 있는 드문 예들 중의 하나는 마태의 비유장인 13:43에 나온다. 밭의 가라지들에 관한 비유에 대한 해석인 위대한 묵시론적 장면의 끝 부분에서 예수는 가라지들이 불 속에 던지우고 알곡들을 곡간에 모아들일 때에 "의인들이 아버지의 나라에서 해처럼 빛나게 될 것"이라고 분명하게 말한다. 다니엘서에는 해가 아니라 별들에 대하여 언급하고 있기 때문에, 이 본문은 정확한 인용은 아니다. 그러나 이 본문은 마태가 분명히 활용할 줄 알고 있었던 본문들 간의 상호참조라는 복잡한 세계 속에서 이 비유들에서 말하고 있는 하나님 나라는 특히 다른 무엇보다도 부활에 관한 약속을 성취하는 것이라는 암시일 수 있다. 이러한 판단이 맞다면, 그것은 마태가 우리가 지금까지 살펴본 그 밖의 다른 전승들과 마찬가지로 제2성전 시대의 유대교적 신앙의 지도 위에서 주류적인 바리새파 신학과 동일한 자리를 점하고 있다는 사실을 재확인해 준다.[106]

5. 누가에서의 부활

마태의 경우에서와 마찬가지로, 우리는 이미 누가가 삼중적 전승 또는 이중적 전승 속에서 본문들에 대하여 자신의 약간의 수정들을 첨가하고 있는 여러 경우들을 지적한 바 있다(어느 대목에서 수정들이 개입되었는지를 확실하게 말하는 것은 항상 어렵다는 점을 염두에 두고). 그러나 누가의 경우에 있어서 그가 부활이라는 주제를 그의 복음서의 전체적인 구조 속에 짜 넣고자 의도했다는 것을 보여주는 추가적인 몇몇 표지들이 부활 이야기 자체와 더불어 존재한다.

이것은 심지어 출생 및 유년기에 관한 이야기들 속에서 시작된다. 요셉과 마리아가 아기 예수를 성전을 데려왔을 때, 가장 먼저 시므온이 다가와서 자기가 이 때를 기다려 왔다고 말하면서, 특히 마리아에게 엄숙한 말씀을 전한다:

> [누가 2장][34]시므온이 그들에게 축복하고 그의 어머니 마리아에게 말하여 이르되 보라 이는 이스라엘 중 많은 사람을 패하거나 흥하게 하며('에이스 프토신 카이 아나스타신') 비방을 받는 표적이 되기 위하여 세움을 받았고 [35]또 칼이 네 마음을 찌르듯 하리니 이는 여러 사람의 마음의 생각을 드러내려('아포칼륩 도신') 함이니라 하더라.

이것은 심판 장면의 축소판이다: 사람들의 속마음들을 "드러내는 것"은 마지막 날이나 그것에 대한 위대한 어떤 선취에서 일어날 일이다. 누가는 자신의 이야기가 어디에서 끝날 것인지를 알고 있기 때문에 시므온의 이 말을 예수의 죽음과 부활이 사적인 자격으로 일어나지 않을 것임을 말하는 것으로 보아지기를 원한다: 예수의 운명은 이스라엘 자체의 운명을 결정하게 될 것이다. 독자들은 예수에 대한 점점 커가는 반대와 예수의 삶의 행보를 본 마리아의 고뇌를, 이스라엘이 포로생활의 절정에까지 도달하였다가 그 너머에서 새로운

106) 의인들이 해와 같이 빛나고 심판을 행할 것이라는 관념에 대한 배경의 또 하나의 일부는 하나님을 경외하며 다스리는 의로운 통치자는 해가 뜰 때에 아침빛과 같을 것이라는 다윗의 예언이 나오는 사무엘하 23:3f.에서 발견된다. 또한 시스라를 물리친 후에 야훼의 모든 원수들에게 심판을 내려달라고 기원하고 있는 것을 보라: 삿 5:31; 또한 cf. 시 37:6; 말 4:1f.

삶으로 들어가는 것을 의미하는 위대한 은유적인 "넘어지고 일어서는 것"을 통과하고 있다는 표적으로 이해하여야 한다. 이것은 에스겔 37장과 그 밖의 다른 곳들에 나오는 "부활"의 은유적 의미를 다시 제시하는 기능을 한다. 물론, 누가는 "부활"의 의미를 현재적 사건들에 대한 은유로 축소시키고 있는 것은 아니지만, 의미의 동심원(同心圓)들이 예수 자신의 실제적인 부활이라는 중심으로부터 사방으로 방사되고 있는 것을 본다.

누가의 처음 두 장에 나오는 부활에 관한 그 밖의 다른 암시는 열두 살된 예수가 예루살렘에 남겨진 채로 요셉과 마리아는 예수가 순례자들의 큰 무리 속의 어느 곳에 있을 것이라고 생각하고 갈릴리로 되돌아가는 것에 관한 이야기 속에서 발견된다.[107] 나중에 보게 되겠지만, 이 고도로 교묘하게 만들어진 이야기는 복음서의 결론부에 나오는 엠마오 도상의 제자들에 관한 이야기(24:13-35)와 병행되는 복음서의 서론 속에 나오는 이야기로 의도된 것으로 보인다. 누가는 독자들이 복음서의 마지막 장이 아니라 복음서 전체를 부활에 관한 이야기로 이해함으로써 실제로 부활 사건이 일어날 때에 그것이 옳고 적절하다는 것을 깨닫게 되기를 의도하고 있다. 그것은 단순히 뭔가 다른 것에 관한 하나의 이야기의 말미에 어설프게 덧붙여진 "행복한 결말"(happy ending)이 아니라, 복음서 내에서 내내 진실이었던 것의 완성, 하나님에 의해서 성경을 성취하는 완성이라는 것이다.

이러한 틀 내에서 누가의 복음서는 이미 앞에서 말한 수많은 삼중적 및 이중적 전승을 포함하고 있을 뿐만 아니라 — 그것들에 대한 누가 자신의 다시 읽기가 자주 두드러지지만 — 누가복음 2장에서와 동일한 일이 일어나고 있는 것을 볼 수 있는 몇몇 본문들을 담고 있다. 누가에게 있어서 부활은 과거에 예수에게 일어났던 일에 관한 진리이자 종말의 의인들에게 일어날 일에 관한 진리일 뿐만 아니라, 그러한 문자적이고 구체적인 사건들에 대한 선취로서 마찬가지로 구체적이지만 부활이라는 언어를 은유적으로 사용하는 그 밖의 다른 사건들 속에서 생겨나는 진리이기도 한다. 14:14과 18:7-8 같은 본문들이 보여주듯이, 누가는 분명히 궁극적인 장래의 약속을 밋밋하게 만들어 버린 것이 아니었다: 그들의 덕이 보상받게 될 "의인의 부활"이 있을 것이고, 이스라

107) 누가복음 2:41-52. 아래의 제16장 제2절을 보라.

엘의 신은 진실로 그에게 밤낮으로 부르짖는 택한 자들을 신원하실 것이다. 그러나 누가 특수자료에서 가장 두드러지는 것은 "부활"이 예수의 사역 자체에서 진행되고 있는 것에 대한 은유가 되고 있는 방식이다.

물론, 실제로 생명을 다시 살린 사건에 관한 누가복음에 특유한 하나의 사례가 존재한다: 나인성 과부의 아들(7:11-17). 이 사건에 대한 누가의 해석은 무리들의 반응 속에 특히 두드러지게 나타난다(16절): "큰 선지자가 우리 가운데 일어나셨다; 하나님께서 자기 백성을 돌보셨다." 이미 1:68에서 나온 "돌보셨다"라는 주제는 2:34의 모호한 의미를 분명하게 드러내주는 19:44에 다시 나온다: 이러한 "권고하심"은 이스라엘 중 많은 사람들의 흥함과 망함을 가져오게 될 것이다. 이것은 나인성 과부의 아들을 살리신 사건을 이 주제가 등장하는 세 개의 비유들과 결합시켜 준다. 선한 사마리아인의 비유에서 강도 만난 이스라엘 사람은 거의 반 죽어 있었고, 사마리아인이 그를 회복시킨다; 예수의 사역 내에서의 이 비유의 다중적인 공명들은 중요하지만, 우리의 현재의 관심사는 아니다.[108] 탕자의 비유는 이것이 부활에 관한 이야기라는 것을 두 번이나 강조한다: "이 내 아들은 죽었다가 다시 살아났으며 내가 잃었다가 다시 얻었노라"와 "이 네 동생은 죽었다가 살아났으며 내가 잃었다가 얻었기로."[109] 이러한 부활의 은유적 용법은 누가복음에서 분명하고 구체적인 지시대상이 있다: 예수는 죄인들을 영접하여 그들과 함께 먹고 있고, 이 죄인들 편에서 보면, 이것은 "죽은 자로부터 살아난" 것의 극적이고 생생한 형태이다. 진정한 포로생활로부터의 귀환이 지금 여기에서 이루어지고 있는 것이다.[110] 예수 자신의 부활, 하나님의 모든 백성의 장래의 부활이 예수의 인격 및 공생애 사역을 통해서 현재 속으로 돌입해 오고 있다. 모든 대목들 중에서 여기에서 사용된 은유적 용법은 포로생활로부터의 귀환에 관하여 말하고 있는 에스겔 37장과 맥을 같이하는데, 내가 다른 곳에서 논증하였듯이, 탕자는 포로생활로부터의 귀환에 대한 생생한 이미지이다.[111]

---

108) 누가복음 10:30-37; cf. *JVG* 305-07.
109) 누가복음 15:24, 32.
110) 누가복음 15:1f.
111) *JVG* 126-9.

이 주제는 부자와 나사로의 비유에 나오는 놀라운 결론 속에서 가장 극명하게 드러난다. "모세와 선지자들에게 듣지 아니하면 비록 죽은 자 가운데서 살아나는 자가 있을지라도 권함을 받지 아니하리라"(16:31). 이 말씀은 예수 자신의 궁극적인 부활에 빗대어서, 성경을 믿지 않는 자들은 그러한 사건을 통해서도 확신을 갖지 못하게 될 것임을 경고하고, 부활의 의미는 성경 속에서 발견될 수 있다는 부활한 예수의 말씀을 예고하고 있다.[112] 또한 이 말씀은, 앞 장의 위대한 비유가 분명하게 보여주었던 것과 마찬가지로, "큰 아들들," 즉 예수가 죄인들을 영접하여 함께 먹을 때에 곁에서 보고만 있었던 서기관들과 바리새인들이 예수가 탕자를 영접한 아버지의 모습을 구현함으로써 부활이 성경에서 지니고 있었던 은유적인 의미를 송축하고 있다는 것을 볼 수 없었다고 할지라도, "부활"이 이미 진행되고 있었던 예수의 사역이라는 현재적 맥락을 보고 있다.[113]

나는 이 총서의 제2권에서 부자와 나사로 비유는 내세와 그 가능성들에 관한 문자적인 묘사가 아니라 비유로 취급되어야 한다는 것을 강조하였다.[114] 그러므로 이 비유를 예수 자신(또는 누가가 묘사한 예수)이 묘사한 표준적인 사후 세계에 관한 시나리오를 보여주는 증거로 사용하는 것은 적절하지 않다. 오히려, 이 비유는 사람들이 잘 알고 있던 민담을 각색해서, 현재의 부자/가난한 자의 구분을 미래로 투영해서 부주의한 부자의 현재적 책임과 죄책을 강조하고 있는 것이다. 하지만 이 이야기가 비유적인 성격을 지니고 있기 때문에 우리가 이 이야기를 내세가 어떻게 구성되어 있는지에 관한 예수 자신의 묘사로 취급할 수 없는 것과 마찬가지로, 예수 자신 또는 이 전승을 유포시킨 자들에게 있어서 이 이야기가 표준적인 유대적 스타일로 현재적 삶과 미래적 삶 간

112) 누가복음 24:25-7, 44-7.

113) 이렇게 Evans 1970, 32f.는 나사로가 죽은 자로부터 다시 돌아가서 부자의 형제들에게 말한다는 관념은 통상적인 유대교적 견해 속에서 발견되는 그런 종류의 내용이 아니라고 말함으로써 핵심을 놓치고 있다. 이것은 사실이지만, 이 비유의 목적과는 아무런 상관이 없다.

114) *JVG* 255f. 저 유명한 23:3에 의거해서 많은 내용을 구축하는 것도 마찬가지로 어렵다; "낙원"은 영속적인 목적지라기보다는 일시적인 안식처를 가리키고 있을 가능성이 높다.

의 연속성에 대한 분명한 믿음을 보여주는 것이라고 말할 수도 없다. 현존하는 상태대로의 이 이야기가 제2성전 시대 유대교 속에서의 "부활" 흐름에 속하는 것인지, 아니면 "몸을 입지 않는 불멸"의 흐름에 속하는지를 말하는 것은 불가능하다; 나사로가 죽은 자로부터 다시 돌아올 수 있는 가능성이 상정되고 있지만, 아브라함이 그것을 막는다. 하지만 이 이야기는 복된 자들이 영속적으로 또한 부활 이전에 거하게 될 처소에 대한 유대교 내에서 통용되었던 많은 은유들 중의 하나를 부각시키고 있다: 나사로는 "아브라함의 품"으로 갔다.[115] 누가가 이 이야기를 여기에 배치한 의도(15:24, 32의 "개시된 종말론" 직후, 7:22-37의 묵시론적 경고들의 직전)는 적어도 분명하다: 현재에 있어서 행해지고 결정된 일들은 약속된 미래의 빛 아래에서 보아져야 한다. "부활"은 예수의 사역을 통해서 현재로 돌입해 오고 있지만, 그것을 볼 수 없고 자신의 삶을 이에 따라서 재정립할 수 없는 사람들은 모든 것을 잃을 위험에 처해 있다. 중요한 것은 부활에 관한 이러한 메시지가 초기 기독교 전체에 걸쳐서 밀접하게 연관된 주제였던 공의에 대한 요구와 분명하게 연결되어 있다는 것이다. 이것은 정확히 평균적인 사두개인의 경우에 정신이 번쩍 들게 했을 바로 그러한 이야기였을 것이라고 우리는 생각한다.[116]

누가의 독특한 기여는 비록 두드러진 것이기는 하지만, 누가는 우리가 부활에 관한 공관복음서의 이해와 관련하여 살펴본 전체적인 틀에서 벗어나지 않는다. 세 공관복음서 기자들은 모두 다가올 예수 자신의 부활이 그의 하나님 나라 선포, 그의 사역의 특징이었던 상징적인 행위들을 통한 하나님 나라의 구현이 지향하고 있었던 결정적인 순간이라는 것을 분명하게 말하고 있다. 또한 그들은 제자들에 대한 예수의 도전은 현재에 있어서 목숨을 잃음으로써 생명을 얻으라는 부르심과 장래에 있어서 그들이 새로운 역할들을 맡게 될 새 세상에 관한 약속을 포함하고 있었다는 것을 분명하게 보여준다. 달리 말하면, 장래의 부활은 현재적으로 일어나야 하는 "스스로에 대하여 죽는 것"과 밀접하

115) 이 주제가 나오는 다른 경우들에 대해서는 SB 2.225-7을 참조하라. 족장들이 의롭게 죽은 자들을 환영한다는 것에 대해서는 4 Macc. 13:17을 참조하라(위의 제4장 제4절).

116) 위의 제4장 제2절을 보라.

게 연결되어 있다는 말이다. 그리고 그들은 모두 예수가 실제로 매우 최근에 죽은 자를 다시 살리신 사건들을 치유 능력의 극적인 사례로서만이 아니라 하나님이 예수와 관련하여 행하실 일을 보여주는 이정표로 보도하고 있다.

그러므로 우리의 현재의 연구에 대한 공관복음서 전승의 기여(부활 기사들 자체는 제외하고)는 다음과 같이 요약될 수 있을 것이다. 어떤 차원에서 이 전승은 죽음과 그 이후의 삶에 대하여 제2성전 시대 유대교가 이해하고 있었던 방식들에 대한 추가적인 중요한 증거들을 제공해 준다. 또 다른 차원에서 이 전승은 예수 자신이 이 주제에 관하여 무엇을 말하고 생각했는지에 대한 적어도 어느 정도의 증거들을 제공해 준다. 또한 어떤 차원에서는 — 그리고 이것이 이 내용을 여기에 포함시킨 이유이다 — 이 전승은 초기 기독교의 일부 흐름들, 아마도 몇몇 서로 다른 흐름들이 죽음과 그 이후의 삶에 관하여 생각했던 방식에 대한 증거를 제공해 준다. 달리 말하면, 이 전승은 바울과 거의 동시대에 살았던 그리스도인들이 예수 및 그가 말하고 행하였던 것에 관한 이야기들을 하면서, 거기에 형태를 부여하고 궁극적으로는 모종의 함의들을 분명하게 드러내 주는 문학적인 배경들을 부여하는 방식에 관한 다양하고도 복잡한 그림을 제공해 준다는 말이다.

공관복음서 전승에 대한 검토를 끝마치기 전에, 우리는 우리가 앞에서 설정한 질문들이라는 관점에서 공관복음서 전승이 우리의 좀 더 폭넓은 논의에 기여하고 있는 제한적이기는 하지만 중요한 것들을 요약해 보는 것이 좋을 것이다. 여기서 "부활"은 분명히 예수 자신 및 그의 제자들의 몸의 부활을 가리킨다. 중간 상태의 가능성이 존재하기 하지만, 자주 언급되지는 않는다. "죽은 자로부터 다시 살아나는 것"이 두 개의 별개의 사건들(먼저 예수, 나중에 그 밖의 다른 사람들)로 나누어지는 것으로 보인다는 점과 부활의 삶은 혼인과 자녀를 낳는 일이 과거의 일이 되어 버릴 그러할 삶이라는 점에서, 이 부활이 주류적인 유대교 속에서 상정되었던 것과는 미묘하게 다른 종류의 것이 될 것이라는 것을 보여주는 표지들이 존재한다. "부활" 언어는 은유적으로 예수의 사역 내에서의 사건들, 특히 예수가 죄인들을 영접한 것을 가리키는 기능을 한다; 이것은 "부활"이 이스라엘의 회복에 대한 은유이자 환유였던 유대교 전승들의 초점을 다시 맞추고 있는 것으로 보인다.

이 모든 것은 바울의 신학을 예수의 가르침과 사역에 관한 전승들 속으로 거꾸로 투영한 일련의 교묘한 창작들로 설명되기 어렵다. 복음서들 속에 부활에 관한 내용이 상대적으로 적다는 것이 초대 교회 전체에 걸쳐서 부활이 강력하고 핵심적으로 강조되었다는 것과 날카롭게 대비되고 있는 것은 적어도 이 분야에 있어서는 그리스도인들이 그들 자신의 시대에 속한 내용을 예수의 입에 넣지 않았을 가능성이 많다는 것을 보여준다.[117] 해당 본문들은 초대 교회의 지속적인 전승 속에서 나름대로의 삶을 가지고 있는 비슷한 강조점들 — 물론, 항상 동일한 것은 아니지만 — 을 반영하고 있는 것으로 보인다. 이 본문들은 초기 기독교 전승이 꽤 널리 퍼져나갔음에도 불구하고 부활에 대한 신앙은 그리스도인들의 공통된 신조로서 유대교 내에 속했고(종교사의 스펙트럼 속에서) 바리새파와 가까운 이웃으로(유대교 자체 내에서) 있었다는 것을 보여주는 증거들을 제공해 준다. 이러한 유대교적 신앙은 복음서들 속에서 다시 재확인되면서 예수가 개입된 사건들과 아울러 예수의 가르침에 의해서 조금씩 재형성되고 있었다.

6. 요한에 있어서의 부활

요한복음은 다른 복음서들과는 판이하지만 다르지만 이 점에 있어서는 다른 복음서들(그리고 또한 바울)과 흡사하다: 요한복음도 초기 기독교의 한 별개의 흐름 속에서 "부활" 관념들의 중심성과 풍부한 다양성을 증언해 준다. 요한은 누가와 마찬가지로 자신의 독특한 방식으로 "부활" 주제들이 그의 복음서의 결론에 나오는 몇몇 대목들에서 들려질 수 있게 하였는데, 우리는 제17장에서 그의 부활절 이야기들을 살펴보면서 그러한 것들을 더 자세하게 살펴보게 될 것이다. 부활 속에서 절정에 도달하게 될 새 생명은 현재 속으로 들어와 역사하고 있고, 예수의 사역 속에서 이미 그렇게 하고 있다.[118]

이러한 것을 대규모로 밝혀 놓고 있는 것은 요한이 의도적으로 "표적들"을 연속적으로 묘사하고 있는 것에서 볼 수 있다. 나는 요한이 독자들로 하여금 가나에서 물을 포도주로 변화시킨 첫 번째 표적을 시작으로 해서 일곱 번째 표적인 십자가 처형에 이르기까지 일련의 일곱 가지 표적을 따라가도록 의도

117) 동일한 현상의 다른 예들에 대해서는 *NTPG* 421f.를 참조하라.

118) 이 주제에 대해서는 Lincoln 1998과 거기에 나오는 참고문헌들을 참조하라.

하고 있다고 믿는다 — 물론, 이것은 논쟁이 되고 있는 사항이긴 하지만.[119] 예수의 부활은 "한 주간의 첫 날에" 일어났다고 그는 우리에게 두 번이나 일부러 말하는데, 나는 이것이 하나님의 새로운 창조의 시작으로 해석하는 것이 가장 좋다고 믿는다. 한 주간의 여섯째 날인 금요일에 예수는 빌라도 앞에 서고, 빌라도는 예수를 가리키며 "보라 이 사람이로다!"라고 말하는데(19:5), 이것은 창조의 여섯째 날에 사람을 창조한 것을 반영한 것이다. 십자가 위에서 예수는 창조의 완성 자체와 대응되는 승리의 부르짖음("다 이루었다"['테텔레스타이'], 19:30)을 끝으로 아버지가 그에게 하라고 주신 일을 완성한다(17:4).[120] 그런 후에, 창세기에서처럼 안식의 날, 안식일이 뒤따른다(19:31); 그리고 나서, 아직 어두울 때에 막달라 마리아가 "한 주간의 첫 날에" 무덤으로 간다. 우리는 본서의 제17장에서 바로 이 대목부터의 이야기를 다루게 될 것이지만, 우리의 현재의 목적을 위해서 요한복음의 읽기를 위한 강력한 함의를 지적해 두고자 한다: 예수의 공생애는 부활을 새 창조의 시작으로 하는 원래의 창조에 대한 완성으로 이해되어야 한다는 것. 요한복음 전체는 부활 사건을 위한 일종의 준비로서 부활에 대한 표적들을 몇몇 대목들에 미리 배치한다.

실제로 표적들 중에서 첫 번째 표적은 나름대로의 암시를 지니고 있다: 가나에서의 혼인잔치는 "제삼일에" 일어났는데, 이것은 초기 그리스도인 독자들에게 강력한 반영들을 시사하지 않을 수 없었을 것이다. 나중에 동일한 장에서 요한은 동일한 길을 가리키는 또 하나의 이정표를 세운다: 예수는 성전에서의 자신의 극적인 행위를 제3자들이 성전의 멸망과 재건에 관한 예언으로 받아들이는 내용으로 설명한다(공관복음서 전승에서는 산헤드린 앞에서의 심문이 있었던 밤에, 그리고 십자가 위에 있는 예수를 조롱하는 말 속에 나오는 내용): "이 성전을 헐라 내가 사흘 동안에 일으키리라('에게로 아우톤')"[121] 그런 후에, 요한의 독자들이 전형적인 오해와 해석으로 인식하게 되는 내용이 나온다:

---

119) 아래 제17장을 보라.

120) 하나님이 일곱째날에 안식하기 전에 여섯째 날에 원래의 창조를 완성한 것과 관련하여 '쉰텔로'를 두 번 사용하는 창세기 2:1-2을 참조하라.

121) 요 2:19; cf. 막 14:58/마 26:61/; 막 15:29/마 27:40.

[요한 2장][20]유대인들이 이르되 이 성전은 사십육 년 동안에 지었거늘 네가 삼 일 동안에 일으키겠느냐 하더라 [21]그러나 예수는 성전된 자기 육체를 가리켜 말씀하신 것이라 [22]죽은 자 가운데서 살아나신 후에야 제자들이 이 말씀하신 것을 기억하고 성경과 예수께서 하신 말씀을 믿었더라.

이것은 요한의 신학이 예수의 삶과 죽음으로 끝나고 실제로 예수가 죽은 자로부터 몸으로 부활한 것을 말할 필요가 없었다는 오래된 소문을 일거에 불식시키기에 충분할 것이다.[122] 여기에서 요한의 예수는 자기가 했던 일을 할 권리를 갖고 있다는 것과 자기가 그것에 부여한 의미를 보여줄 궁극적인 표적이 될 것이라고 말하고 있다. 현재의 성전 체제는 부패했고 하나님의 심판 아래에 있다; 예수 자신의 죽음과 부활은 참 신이 새 일을 행하시는 수단이 될 것이고, 복음서의 많은 부분이 분명하게 보여주듯이, 이 새 일을 통해서 이제까지 성전에 의해 수행되어 왔던 것들은 이제부터는 예수 자신을 통하여 수행될 것이다. 부활은 성전 예배가 지리 및 인종적 배경과는 상관 없이 모든 자들과 온갖 부류들에게 새로운 방식으로 활짝 열리게 될 새 세상을 가져오게 될 것이다.[123] 고위 제사장들이 나사로가 다시 살아난 사건 후에 재빨리 깨달았던 것처럼, 예수의 행위들은 실제로 모든 것이 변화되고 특히 성전이 "폐지될" 미래를 지향하고 있는 것이었다.[124] 요한은 이미 예수의 부활이 실제로 오랫동안 약속되어 왔던 새로운 세상을 열어놓았고(그러므로 누가에서처럼 "성경을 믿는

122) Evans 1970, 116(Selby 1976, 117도 그를 따른다): "엄밀하게 말해서, 제4복음서에는 부활 이야기들이 들어설 곳이 존재하지 않는다. 왜냐하면, 승천 또는 승귀가 이미 일어났기 때문이다. 그럼에도 불구하고, 틀림없이 기독교 전승을 존중하는 의미에서 이 복음서 기자는 세 개의 [부활 이야기들]을 보충해 넣는다." 또한 120(현현 사건들의 "엄청난 사실주의"는 "아버지에게로의 영적인 승천"으로서의 부활에 대한 이전의 해석과 대비되는 의외의 것이다). 요한복음 20:17은 이런 노선의 사고에 대한 꽤 결정적인 반박을 제공해 준다. 또한 이 견해를 Dodd 1953, 441f.에게로 소급시키는 Mencken 2002, 198-204도 보라.

123) 예를 들면, cf. 요 4:19-24; 요한복음에서 여러 절기들의 성취(유월절: 여기 6장과 12, 19장; 장막절: 7장; 수전절: 10장).

124) 요한복음 11:45-53.

것"이 부활 사건의 의미를 자신의 것으로 만드는 것의 일부로서 중요하게 된다), 오랫동안 기다려 왔던 하나님의 축복이 모든 민족들에게 퍼져나가게 될 것임을 독자들에게 보여주고 있다. 이것은 비록 분위기와 어조는 분명히 매우 다르기는 하지만 바울의 신앙으로부터 그리 멀지 않다.

요한복음에서의 부활은 계속해서 현재적인 것과 동시에 미래적인 것이기 때문에, 우리는 "미래적인" 강조점을 주변화시키거나 "실현된 종말론"을 과도하게 강조함으로써 이 점을 희석시키고자 하는 시도들을 막아야 한다. 물론, 바울에게 있어서와 마찬가지로 요한에게도 "영생"은 단순히 미래적인 것이 아니라 이미 현재 속에서 신자들이 누리고 있는 것이라는 것은 사실이다.[125] 초기 기독교에서 이것에 관한 가장 두드러진 진술들 중의 몇몇은 생명의 떡에 관한 강론에서 발견된다: 그러나 그러한 것들은 궁극적인 미래에 관한 약속들 속에 뒤섞여 있고, 따라서 서로 분리될 수 없다:

> [요한 6장][39]나를 보내신 이의 뜻은 내게 주신 자 중에 내가 하나도 잃어버리지 아니하고 마지막 날에 다시 살리는 이것이니라 [40]내 아버지의 뜻은 아들을 보고 믿는 자마다 영생을 얻는 이것이니 마지막 날에 내가 이를 다시 살리리라 하시니라 …
>
> [44]나를 보내신 아버지께서 이끌지 아니하시면 아무도 내게 올 수 없으니 오는 그를 내가 마지막 날에 다시 살리리라 …
>
> [50]이는 하늘에서 내려오는 떡이니 사람으로 하여금 먹고 죽지 아니하게 하는 것이니라 [51]나는 하늘에서 내려온 살아 있는 떡이니 사람이 이 떡을 먹으면 영생하리라('에이스 톤 아이오나,' 즉 내세 속으로) 내가 줄 떡은 곧 세상의 생명을 위한 내 살이니라 하시니라 …
>
> [54]내 살을 먹고 내 피를 마시는 자는 영생을 가졌고 마지막 날에 내가 그를 다시 살리리니.

이 본문은 일부 학자들이 떼어놓으려고 애를 써왔던 것, "부활"의 현재적 의

---

125) 요한복음 3:15f., 36; 4:14, 26; 5:39; 6:27, 40, 47, 54, 68; 10:28; 12:25, 50; 17:2f.

미와 미래적 의미를 힘들이지 않고 자연스럽게 결합시켜 놓는다. 이것에 비추어볼 때, 5장에 나오는 유명한 본문을 우리가 요한복음의 다른 곳에서 발견한 것과는 다른 종류의 "부활"의 돌연한 난입(亂入)으로 보는 것은 잘못이다:

> [요한 5장][24]내가 진실로 진실로 너희에게 이르노니 내 말을 듣고 또 나 보내신 이를 믿는 자는 영생을 얻었고 심판에 이르지 아니하나니 사망에서 생명으로 옮겼느니라 [25]진실로 진실로 너희에게 이르노니 죽은 자들이 하나님의 아들의 음성을 들을 때가 오나니 곧 이 때라 듣는 자는 살아나리라 [26]아버지께서 자기 속에 생명이 있음 같이 아들에게도 생명을 주어 그 속에 있게 하셨고 [27]또 인자됨으로 말미암아 심판하는 권한을 주셨느니라 [28]이를 놀랍게 여기지 말라 무덤 속에 있는 자가 다 그의 음성을 들을 때가 오나니 [29]선한 일을 행한 자는 생명의 부활로, 악한 일을 행한 자는 심판의 부활로 나오리라.

만약 이 본문을 위경 중의 하나 속에서 만났다면, 우리는 별 어려움 없이 본문을 최후의 부활을 예언하고 있는 다른 많은 본문들과 맥을 같이 하여, 악한 자들도 의인들과 함께 부활하여서, 그들 자신의 악함을 똑똑히 보지 못하고 그저 사라져 버리는 것이 아니라 그들의 온전한 인간적 실존 속에서 정죄를 받는다고 말하는 그러한 본문들에 속한다고 지적했을 것임에 거의 틀림없다.[126] 하지만 여기에서도 비록 부분적이기는 하지만 현재적인 성취에 관한 언급이 나온다: 24절에 의하면, 믿는 자들은 이미 죽음에서 생명으로 옮긴 것이고, 25절에 의하면, 그 때가 오고 있는데, "지금이 그때이다."[127] 그러나 이것은 우리로 하여금 그 직후에 나오는 장래의 부활에 관한 약속을 예수의 사역 동안에 일

126) 의인들과 악인들 둘 다의 부활에 대해서는 단 12:2; 2 Bar. 50:2-4; 4 Ezra 7:32; 1 En. 51:1f.; mAb. 4.22; 신약에서는 이 본문과 아울러 행 24:15; 계 20:12f.를 참조하라. 일부 학자들은 여기서 고린도후서 5:10을 인용하지만, 이 본문은 의인들에게 부활의 삶을 수여해주는 결과를 갖게 될 최후의 심판을 가리키는 것으로 보인다(롬 2:1-16처럼). 오직 의인들만의 부활(로마서 1장과 고린도후서, 빌립보서, 데살로니가전서의 고전적인 본문들에 나타난 바울의 견해)에 대해서는 2 Macc. 7.9; Ps. Sol. 3.12; 눅 14:14; Did. 16.7; Ign. Trail. 9.2; Pol. Phil. 2.2을 참조하라.

어나고 있는 사건들의 은유적인 의미로 변질시켜 버리는 것을 허용하지 않는다. 오히려, 그것은 그러한 여전히 미래적인 사건들은 그들 앞에 빛을 던지고 있기 때문에, 예수에 대한 사람들의 신앙 또한 불신앙의 반응들은 그들의 미래적인 운명을 보여주는 진정한 현재적인 표지들이라는 것을 보여준다. 이 점에서 요한은 바울과 매우 흡사하다. 실제로 요한의 개시된 종말론을 묘사하고 있는 마지막에서 두 번째의 문장은 바울의 이신칭의 교리와 아주 비슷하다.

물론, 요한복음 11장에 나오는 나사로를 다시 살리신 사건에 관한 이야기는 정경에 나오는 예수에 관한 묘사들 중에서 가장 강력한 이야기들 중의 하나이다.[128] 이 이야기 속에 배어 있는 인간의 깊은 감정들에 눈을 고정시키고 들어보면, 이 이야기는 신학적인 중요성으로 가득 차 있다. 물론, 나사로는 죽음으로부터 그가 이전에 가졌던 것과 같은 종류의 삶으로 다시 돌아와서, 저녁 식사를 같이 하는 것과 같은 통상적인 활동들을 재개한다(12:2). 심지어 그는 예수의 능력을 증언해 주는 살아있는 증거로서의 가치 때문에 죽을 위협들에 직면하기까지 한다(12:9-11).

이 이야기는 나사로가 병들었다는 소식이 예수에게 전해지고, 예수는 도우러 가는 것이 아니라 그가 있던 곳에 머무는 장면으로 시작된다(11:1-6). 나중에 분명해지듯이(11:41-42), 요한은 예수가 애초부터 나사로가 죽게 될 것이고, 기도에 대한 응답으로서 그를 다시 살릴 수 있을 것임을 알고 있었다는 것을 독자들이 이해하도록 의도하고 있다. 그러므로 이것은 5장과 6장에 나오는 약속들에 대한 생생한 구체화가 된다(나사로는 여전히 죽을 몸을 지니고 있기 때문에 언젠가는 다시 죽게 될 것이라는 단서와 함께). 예수는 제자들에게 유대 땅, 구체적으로는 베다니로 다시 돌아가자고 말하면서, 나사로가 "잠들어 있지만," 자기가 "그를 깨울" 것이라고 말한다. "잠잔다"는 표현을 문자적으로 받아들인 제자들의 반응은 야이로의 딸에 관한 이야기에서의 마가의 경우처럼

127) 이 어구는 시내산 사본과 두 개의 초기 라틴 사본에는 없다.

128) 관원의 아들에 관한 이전의 이야기(요 4:46-54)는 야이로의 딸에 관한 공관복음서의 이야기와 몇몇 유비들을 지니고 있고, 소년이 죽기 직전이지만 "살아나게 될 것"(47, 49, 50, 51, 53절)이라는 사실에 대한 강조(요 4:46-54)는 나사로 이야기가 이 주제를 아주 자세하게 풀어놓은 진술이라는 것을 보여준다.

적어도 요한에게 있어서 이것은 더 설명할 여지도 없이 죽음에 대한 은유가 아니었다는 것을 보여준다.[129)]

예수가 베다니에 도착했을 때, 나사로가 무덤에 있은 지 이미 나흘이 되었다. 이것은 두 번 강조된다(11:7, 39). 모든 사람들의 통상적인 예상대로라면, 시신은 지금쯤 썩기 시작했을 것이고, 이것은 이 이야기 전체에 걸친 핵심적인 역동적 요소을 제공해 준다. 냄새가 날 것이라는 마르다의 경고에도 불구하고(39절), 돌을 무덤 입구에서 굴렸을 때(요한은 여기에서 마지막의 부활절 이야기를 암시한다), 예수는 즉시 감사의 기도를 올린다(41절). 아마도 요한은 우리가 냄새가 전혀 없었다는 것을 이해하기를 원하는 것 같다; 예수는 나사로가 부패하지 않게 해 달라고 한 그의 기도가 응답되었다는 것을 알고 있다. 그러므로 이제 남은 일은 단순히 그를 불러내서 그를 동여매고 있는 천을 풀어서 다시 일상적인 생활로 되돌아가게 하는 것뿐이다. 그러므로 이것이 20장을 지시하고 있다고 하더라도, 병행들과 아울러서 중요한 차이점들도 존재한다. 예수의 몸으로부터는 수의를 풀어줄 사람이 필요하지 않았고, 그 밖의 몇 가지 일들은 예수 자신의 부활이 무엇을 의미하든지간에 그것은 나사로의 경우와는 판이하게 다른 질서에 속한다는 것을 보여준다. 요한은 독자들이 이 사건을 하나의 이정표, 그러나 앞으로 있게 될 일에 대한 이정표로만 보기를 의도하고 있다.

미래에 성취될 일을 미리 보여줌과 동시에 그 효력을 갑자기 현재 속으로 가져오고 있는 베다니에서의 예수의 행위가 지닌 이러한 의미는 우리로 하여금 이 장에서 벌어지는 대화를 이해할 수 있게 해 준다:

> [요한 11장][21]마르다가 예수께 여짜오되 주께서 여기 계셨더라면 내 오라버니가 죽지 아니하였겠나이다 [22]그러나 나는 이제라도 주께서 무엇이든지 하나님께 구하시는 것을 하나님이 주실 줄을 아나이다 [23]예수께서 이르시되 네 오라비가 다시 살아나리라 [24]마르다가 이르되 마지막 날 부활 때에는 다시 살아날 줄을 내가 아나이다 [25]예수께서 이르시되 나는 부활이요 생명이니 나를 믿는 자는 죽어도 살겠고 [26]무릇 살아서 나를 믿는

129) 요한복음 11:11-16.

> 자는 영원히('에이스 톤 아이오나,' 즉 내세까지) 죽지 아니하리니 이것을 네가 믿느냐 [27]이르되 주여 그러하외다 주는 그리스도시요 세상에 오시는 하나님의 아들이신 줄 내가 믿나이다.

장래의 부활이 분명하게 단언되고 있다; 모든 믿는 자들에게는 그 부활을 선취한 현재적으로 죽지 않는 "영생"이 주어진다. 믿는 자들은 현재 속에서의 진정한 새로운 정체성, 이제 결코 죽지 않게 될 생명이 주어진다; 달리 말하면 (요한이 다른 곳에서 이것을 표현하고 있는 방식을 사용해서 말하면), 믿는 자들은 이제 죽음에서도 살아남고 최종적인 부활 속에서 다시 몸을 입게 될 하나님이 주신 불멸의 삶을 이미 소유하고 있다. 이것은 주후 1세기의 부활 신앙들에 관하여 우리가 제기한 일련의 질문들에 대한 요한의 가장 완전한 대답이다. 그것은 몇 가지 점에서 우리가 바울과 공관복음서들에서 발견했던 것과 일치하지만, 그것이 표현되고 있는 방식은 요한 특유의 것이다. 장래의 부활은 확실하지만, 그것으로의 길은 더 상세한 다른 언어로 설명되고 있다. 현재에 있어서 일어나는 일에 대한 은유로서의 "부활"은 메시야, 참 신이 보내신 분으로서의 예수에 대한 신앙고백, 믿음을 근거로 한 "내세의 생명"의 소유와 관련되어 있다. 이렇게 해서 예수는 자신이 "부활"이라고 말해줄 수 있었는데, 이것은 그의 현재적 사역을 통해서 나사로 같은 사람들이 다시 살아나서 정상적인 몸의 생활을 재개할 수 있다는 것과 그를 믿는 자들은 이미 내세의 생명을 가지고 있다는 것, 그로 말미암아, 특히 그 자신의 다가올 부활을 통해서 제5장에서 서술한 의미에서의 "죽은 자들의 부활"이 장차 일어나게 될 것임을 의미한다.

그런 후에, 공생애 기간 동안에 예루살렘에서 예수가 마지막 순간에 한 말씀, 곧 공관복음서에 나오는 목숨 자체를 버릴 각오를 하라는 제자들에 대한 도전들 및 부활의 몸에 관한 바울의 분석과 공명되는 하나의 말씀이 나온다:

> [요한 12장][23]예수께서 대답하여 이르시되 인자가 영광을 얻을 때가 왔도다 [24]내가 진실로 진실로 너희에게 이르노니 한 알의 밀이 땅에 떨어져 죽지 아니하면 한 알 그대로 있고 죽으면 많은 열매를 맺느니라 [25]자기의 생명을 사랑하는 자는 잃어버릴 것이요 이 세상에서 자기의 생명을 미워하는 자는 영생하도록('에이스 조엔 아이오니온,' 영생을 위하여) 보전하

리라 [26]사람이 나를 섬기려면 나를 따르라 나 있는 곳에 나를 섬기는 자도 거기 있으리니 사람이 나를 섬기면 내 아버지께서 그를 귀히 여기시리라.

이것은 앞서의 신학을 하나의 도전으로 만들어준다: 예수가 지금 걸어가야 할 길, 새 생명을 맺기 위하여 한 알의 밀알이 죽어야 한다는 것이 가장 좋은 유비인 그러한 길로 예수를 좇는 것.[130] 이 본문은 요한복음에서 앞으로 올 "때", 독자들이 이제는 예수의 죽음과 부활의 사건들을 통해서 도래하고 있다고 이해하고 있는 "때"에 관한 앞서의 여러 언급들을 되돌아보고, 예수가 부활 후에 베드로에게 죽음을 각오하고 자기를 따르도록 도전하는 것을 내다본다.[131] 여기에는 우리가 다른 곳에서 살펴보았던 부활에 관한 다중적인 의미가 존재한다. 첫째, 부활은 씨앗이 식물로 변하는 것과 마찬가지로 변모(transformation)를 의미한다. 둘째, 부활은 예수가 먼저 겪어야 하고 나중에 그의 제자들이 겪어야 하는 바로 그런 것이다. 셋째, 이 과정을 거치면서 관련된 사람들은 죽음으로부터 건져져서 새로운 생명으로 들어가게 될 뿐만 아니라, "많은 열매를 맺게" 될 것이다. 이러한 대화가 몇몇 헬라인들이 예수를 보고자 하는 것에 대한 대답으로서 주어지고 있다는 것(12:20-22)은 의미심장하고, 바울 사상과의 또 하나의 병행을 보여주는 것이다. 우리는 예수가 이 헬라인들에게 뭔가를 말하였다는 것을 듣지 못한다; 오히려, 예수는 그들의 요청을 자신의 죽음과 부활을 통해서 이스라엘만이 아니라 온 세상이 이스라엘의 신의 구원의 통치 아래에 있게 될 때가 급속하게 다가오고 있고 이미 도래하였다는 것을 보여주는 징조로 이해하였다.

이것은 우리를 가르침, 경고, 약속 등이 풍부하고 조밀하게 압축되어 있는 13—17장의 고별 강론들로 이끈다. 예수는 자기가 "떠날" 때가 되었다는 것을 제자들에게 반복해서 말한다; 그는 이제 "아버지께로 가야" 한다.[132] 요한복음

---

130) cf. 고전 15:36f. 하나님이 순교자들을 "존귀하게 대하신다"는 관념에 대해서는 4 Macc. 17:20을 참조하라.

131) 요한복음 21:19, 22. "때"에 대해서는 2:4; 4:21, 23; 5:25, 28; 7:30; 8:20; 그리고 현재의 본문 다음에 나오는 12:27; 13:1; 16:32; 17:1을 참조하라.

에서 예수의 죽음과 부활은 단순히 "천국에 가는" 과정으로 이해되고 있기 때문에, 온전하고 명시적으로 몸을 입은 부활 현현들은 엄밀히 말해서 불필요한 것으로 이해되고 있다는 견해가 널리 퍼지게 된 것은 바로 이러한 표현 때문이었다.[133] 그러나 그러한 주장은 이 표현의 취지를 놓치고 있는 것이다. 요한복음 20장에서는 예수가 이미 소유하고 있는 부활 생명과 아직 일어나지 않은 "아버지께로 가는 것"은 명시적으로 뚜렷하게 구별되어 있다(20:17). 여기에서는 일련의 과정 전체를 염두에 두고 있는 것이다. 왜냐하면, 예수는 자기가 더 이상 이제까지와 같은 동일한 방식으로(그리고 그가 부활한 후에와 같은 방식으로) 하나님이 함께 하는 것이 없게 될 최종적인 상태와 관련하여 제자들을 준비시키고 있기 때문이다. 그렇기 때문에, 성령이 와서 새로운 방식으로 예수의 현존을 알게 해 줄 것이고, 인도하심과 가르침을 베풀 것이라는 것이 강조된다.

이것이 제자들을 위하여 "거할 곳들"을 준비한다는 것에 관한 본문을 이해하는 가장 좋은 길이라고 나는 믿는다:

> 14:2 내 아버지 집에 거할 곳이 많도다 그렇지 않으면 너희에게 일렀으리라 내가 너희를 위하여 거처를 예비하러 가노니 3 가서 너희를 위하여 거처를 예비하면 내가 다시 와서 너희를 내게로 영접하여 나 있는 곳에 너희도 있게 하리라.

"내 아버지의 집"이라는 그 밖의 다른 언급들은 분명히 성전을 가리키고 있는데, 예수는 큰 성전 건물 속에 있는 많은 방들이라는 이미지를 천상의 세계 — 성전은 이 천상의 세계를 지상에 반영시켜 놓은 곳이고 천계와 이 땅의 세계가 서로 교차하는 지점이다 — 에서 주어지게 될 많은 "방들"에 관한 묘사로 사용하고 있는 것으로 보인다(특히, 유대인들은 성전을 하늘과 땅이 만나는 곳이라고 생각했기 때문에).[134] 여기에서 "거할 곳"을 나타내는 단어는 신자가 예수와 함께 자신의 거처를 정한다는 개념을 담고 있는 요한의 강력하고 자주

132) 요한복음 13:1, 3, 33, 36; 14.:12, 28; 16:5-7, 16-22, 28; 17:11, 13.

133) Evans 1970(위의 제9장 제6절을 보라).

사용되는 단어인 "거하다"('메노')라는 단어와 동일한 어원에서 나온 '모네' 이다.[135] 하지만 '모네'의 통상적인 의미는 여행자가 여행을 하는 동안에 기운을 차리기 위하여 잠시 머무는 곳 또는 정거장이다. 이 단어의 의미를 밝혀내고자 시도했던 일부 주석가들은 유대 묵시 문헌들 속에서의 자연스러운 병행들이 영혼들이 궁극적인 부활의 날까지 보존되어 있는 방들을 말하고 있는 그러한 본문들이라는 것을 보지 못한 채 여기에서 이 단어가 내세에서의 단순한 휴식이 아니라 진행 과정의 의미를 나타낸다고 주장하여 왔다.[136] 따라서 이 본문의 "거할 처소들"은 죽은 자들이 성전에서의 순례자들처럼 몸을 입지 않는 "하늘"의 삶 속에서 계속적인 순례의 과정 속에서가 아니라 장차 있게 될 부활을 기다리는 가운데 잠시 거처하고 휴식하는 안전한 장소들로 이해하는 것이 가장 좋을 것이다.

이것은 우리를 부활 사건에 대한 더 구체적인 언급이라고 해석될 수 있는 약속으로 데려다준다:

> [요한 16장][20]내가 진실로 진실로 너희에게 이르노니 너희는 곡하고 애통하겠으나 세상은 기뻐하리라 너희는 근심하겠으나 너희 근심이 도리어 기쁨이 되리라 [21]여자가 해산하게 되면 그 때가 이르렀으므로 근심하나

---

134) "내 아버지의 집": cf. 눅 2:49; 요 2:16. Philo *Som.* 1.256는 하늘을 가리키기 위하여 "아버지의 집"이라는 표현을 사용한다; 1 Macc. 7:38은 성전 내의 살 곳을 가리키기 위하여 '모네'라고 말한다(NRSV의 "그들로 더 이상 살게 하지 말라"는 헬라어 '메 도스 아우토이스 모넨' ["그들에게 거할 곳을 주지 말라"]에 대한 해석을 가미한 의역이다).

135) 예를 들면, 1:38f.; 4:40; 6:56; 8:31, 35; 14:10; 15:4-10.

136) 발전을 주장하는 학자로는 Westcott 1903, 200 등이 있고, Barrett 1978 [1955], 456f.는 이를 부정한다. Barrett는 *1 En.* 39:4과 *2 En.* 61:2이 거처들을 언급하고 있는 것이라고 말할 뿐, *1 En.* 1:8; 22:1-14; 102:4f.; 4 Ezr. 4:35, 41; 7:32; *2 Bar.* 30:1f.에서와 마찬가지로 에녹1서의 본문에서 "방들"이 의인의 영혼들이 부활의 날까지 기다리는 곳임을 보지 못하였다. 일시적으로 거하는 것으로서의 '모네'의 의미에 대해서는 Chariton 1.12.1; Paus. 10.31.7; *OGI* 527.5(Hierapolis에서 나온 금석문)를 참조하라.

> 아기를 낳으면 세상에 사람 난 기쁨으로 말미암아 그 고통을 다시 기억하지 아니하느니라 [22]지금은 너희가 근심하나 내가 다시 너희를 보리니 너희 마음이 기쁠 것이요 너희 기쁨을 빼앗을 자가 없으리라.

이것은 분명히 부활절 이야기들 속에서 성취되고 있는 것으로 보인다(23:20). 그들이 예수를 다시 "보게" 될 것이라는 약속(이 본문이 설명하고 있는 16:16-19)은 단순히 성령의 오심에 대한 언급이 아니다; 그러한 약속은 그 어디서도 "주님을 본다"라는 관점에서 말해지고 있지 않다. 우리는 두세 가지 것들(요한은 나중에 이것들을 분리한다)을 한데 뭉쳐서 제자들의 유익을 위한 한 묶음의 약속들로 들려주고 있는 것을 보게 되는 것 같다. 요한 자신의 신학 속에서 예수가 지금 아버지에게 가고 성령을 자기를 믿는 모든 자들, 자기를 좇는 자들에게 보낸다는 것은 하나의 포괄적인 현실로서 물론 중요하다. 그러나 그 안에서 부활, 제자들이 그의 죽음 후에 다시 예수를 보게 되는 것을 통해서 새 창조가 동터왔고, 신의 창조의 "여덟째 날"이 도래하였으며, 모든 것이 이제 새롭게 되었다는 것도 아울러 중요하다. 요한에게 있어서 새 창조는 정확히 다음과 같은 것이다: 새로운 창조, 태초에 말씀에 의해서 만들어진 만물의 갱신(1:3). 부활절은 참 빛이 어둠 속에 비쳐서 아무도 끌 수 없는 때이다(1:5, cf. 20:1). 왜냐하면, "그 안에 생명이 있었기" 때문이다(1:4, cf. 5:26).

달리 말하면, 요한은 서문 이래로 길 위에 여러 표지판들을 설치해 왔는데, 이 표지판들이 가리키는 방향은 "죽음 이후에 천국으로 가는 것"이 아니라 부활절이라는 것이다. 이제 예수가 성령을 보내서 아버지와 아들의 내적인 삶을 제자들과 함께 나누도록 하고 자신은 아버지와 함께 하는 삶(17:20-24)은 그가 적절한 때에 아버지가 그에게 이미 맡긴 것, 즉 죽은 자들을 새 생명으로 일으키는 것을 수행하는 토대가 될 삶이다(5:25-29).[137] 이것도 장래에 관한 바울의 묘사와 비슷하다. 그것은 영적으로 해석된 "실현된 종말론"이나 플라톤

137) 예수가 죽은 자를 살린다는 관념은 가장 초기의 기독교에서는 매우 드문 것이었다. 그것은 예수가 아담과 하와를 무덤으로부터 다시 살리는 것에 관한 오랜 성화 전승에서 꽃피우게 된다. 이 전승은 대체로 동방 교회와 관련이 있음에도 불구하고 브리스톨 대성당에 있는 앵글로색슨계의 조각에도 표현될 정도로 아주 널리 퍼졌다.

화된 불멸에 대한 기대 같은 것으로 평면화시킬 수 없는 풍부하고 다양한 측면들을 지닌 한 묶음의 약속들이지만, 여전히 유대교의 부활 신학의 테두리들과 그 신학을 예수 자신을 중심으로 재정의한 초기 기독교의 표준들 내에 굳건하게 머물러 있다.

사실, 요한은 바울 및 공관복음 전승과 아울러 초대 교회의 삶과 전승들 안에서의 "부활"의 중심성에 대한 강력하고도 두드러진 추가적인 증언을 제공해 준다. 그의 복음서의 역사적 가치에 관하여 우리가 어떻게 말하는가와는 상관없이 — 그리고 그것은 여기에서 우리의 주제가 아니다 — 우리는 요한이 물려받은 전승들과 그가 그러한 전승들에 형태를 입혀서 제시한 방식은 고대 세계에서의 신앙들의 스펙트럼 속에서 유대교 쪽에 속해 있는 초기 기독교의 부활 신앙의 입장을 견지하고 있고, 또한 상당히 뉘앙스와 색채를 달리한다고 할지라도, 유대교 내에서는 몸의 부활에 관한 바리새파적인 견해를 견지하고 있다고 우리는 단언하지 않으면 안 된다. 요한에게 있어서 "부활"은 결코 단순히 현재의 영적인 삶에 대한 은유가 아니다 — 물론, 이 단어가 지닌 여러 차원의 의미 속에는 분명히 그것도 포함되겠지만.

예수가 "나는 부활이요 생명이니"라고 말할 때, 그는 재정의의 몇 가지 층위들을 열어놓고 있다: 현재에 있어서 새로운 가능성들을 활용할 수 있는 새로운 삶. "내세의 생명"이 현재 속으로 들어와 있기 때문에, 신자들은 그것을 이미 누릴 수 있고 그 생명은 육신의 죽음을 통과해서 하나님의 미래로 이어질 것임을 확신할 수 있다; "영생"은 최종적인 상태와 아울러 중간 상태에 관하여 말하는 또 다른 방식이다. 궁극적인 부활에 관한 약속은 재확인된다. 그리고 예수는 부활에 관한 이러한 모든 재정의들이 일어나는 중심에 서 있는 인물로 규정된다. 바울 및 공관복음서들에서와 마찬가지로 요한과 관련해서도 역사가들은 다음과 같은 질문에 직면한다: 요한은 왜 부활을 이런 식으로 표현한 것인가? 요한은 유대교 전승에 대한 그의 재확인과 재형성에 대하여 만족할 만한 설명을 제공해 줄 수 있는 어떠한 신앙을 지니고 있었는가?

7. 복음서들에서의 부활: 결론

그렇다면, 사복음서에 나오는 부활절 이야기들을 제외한 채, 우리는 부활에 관한 주제에 대하여 무엇을 발견하였는가? 우리는 초기 전승들을 분석하는 모든 가능한 방식들을 뛰어넘어서 도처에 산재해 있는, 부활 — 예수 자신의 부활과 그의 모든 백성의 부활 — 을 약속된 미래로 말하고 있는 아주 다양한 암시들과 지표들을 발견한다. 우리는 서로 다른 기자들과 전승들 속에서 서로 다른 강조점들과 본문들을 살펴보았지만, 그러한 것들을 다시 한데 종합해서 쉽게 요약할 수 있다. 복음서 전승 전체를 제2—4장에서 살펴본 죽음 이후의 삶에 관한 신앙들의 지도 위에 놓는다면, 우리가 방금 요한에 관하여 말했던 것과 마찬가지로, 그것들은 이교적인 견해와 대비되는 유대교적인 견해에 속하고, 유대교적인 견해 속에서도 그 밖의 다른 여러 대안들과 대비되는 바리새파(그리고 그들의 견해에 동의한 그 밖의 다른 사람들)의 견해에 속한다는 것은 분명하다.

하지만 우리는 부활 사상을 열렬하게 지지하였던 제2성전 시대 저자들과 비교해 보더라도 하나의 주제로서 부활이 상당히 빈번하게 등장한다는 것을 발견할 뿐만 아니라 — 이것 자체가 설명을 필요로 하는 것이다 — 바울에게서 발견되는 것과 별반 다르지 않은(물론, 통상적으로 다른 방식으로 표현된) 부활 개념의 발전과 재정의를 발견한다. "부활"은 여전히 궁극적으로는 종말에 하나님이 그의 모든 백성에게 선물로 주시는 새로운 몸을 입은 삶을 의미한다(그리고 요한복음 5장의 경우에는 최후의 심판 때에 자신의 파국에 관한 선고를 듣기 위하여 부활하는 자들과 관련된 새로운 몸을 입은 삶도 이 단어로 표현된다).[138] 그러나 부활은 유대교 속에서 은유적 용법들의 발전과 비슷한 방식으로 현재에 있어서 하나님의 백성의 회복을 가리키는 데에도 사용될 수 있다 — 예를 들면, 누가복음 15장에서 탕자가 "죽었다가 다시 살아난" 것에 관한 극적인 이중적인 요약에서 볼 수 있듯이. 이러한 부활은 사람들이 죽음으로부터 "다시 살리심을 받는 것들" 속에서 극적으로 재연되는데, 나사로의 예가 그 가장 두드러진 것이다.

더 구체적으로 말하면, 우리는 바울에게서 두드러진 것과 동일한 두 가지 특징을 발견한다. 첫째, "부활"은 두 단계로 나누어져 있다는 반복적인 인식이 존재하는데, 제자들은 예수의 공생애 기간 동안에는 이러한 사실을 전혀 알지 못

138) 위의 제9장 제6절을 보라. 이것은 요한과 바울의 주된 차이점이다.

하다가, 성경에 비추어서 부활절 사건을 상고하면서 그것을 이해하게 된다. 둘째, 비록 예수가 각각의 복음서들 속에서 최근에 죽은 사람을 다시 살리긴 했지만 하나의 사상으로서의 "부활"은 단순히 사람들이 이제까지 살아왔던 것과 동일한 종류의 육신의 삶으로 되돌아오는 것을 의미하지 않는다. 최종적인 장래의 삶은 상당한 정도로 다를 것이다; 거기에 참여하는 자들은 나사로를 비롯한 그 밖의 다른 사람들과는 달리 죽음으로부터 완전히 떠나게 될 것이다. 그들이 어떤 종류의 몸을 가지게 될 것인지에 대해서 복음서들은 명확하게 말하고자 하지 않는다. 그러나 바울이 그러한 문제에 대한 자신의 대답을 시작할 때에 사용했던 이미지가 요한복음에서 예수가 "때"가 지금 왔다는 사실에 직면하고 있는 대목에서 나올 뿐만 아니라, 공관복음서들에서 제일 처음에 나옴과 동시에 가장 중요한 비유 속에서 등장한다는 것은 분명히 의미심장하다. 우리는 여기에서 이 비유를 자세히 살펴보지는 않았지만, 부활절 이야기들의 빛 아래에서 읽은 씨 뿌리는 자의 비유는 적어도 후대의 청중들에게는 단순히 예수가 복음의 말씀을 뿌리는 것에 관한 묘사가 아니라 이스라엘의 신이 예수라는 말씀을 뿌리는 것에 관한 묘사로 들려졌을 것이다.[139)]

바울과 복음서들을 살펴보았기 때문에, 우리는 우리가 알고 있는 초기 기독교의 영토의 큰 부분을 다루었다고 주장할 수 있다. 그러나 우리는 이제 이 그림을 완성하기 위하여 두 가지 다른 분야들을 살펴보지 않으면 안 된다. 첫째, 우리는 신약성서의 나머지 부분을 살펴보아야 한다. 그런 후에, 우리는 격동의 주후 2세기에 이 메시지를 전하였던 자들의 다양하고도 활기찬 증언에 귀를 귀울여 보아야 한다.

---

139) "씨뿌리는 자"(마 13:1-9/막 4:1-9/눅 8:4-8/*Thom* 9)에 대해서는 *JVG* 230-39를 참조하라.

제10장

초점이 다시 맞춰진 소망 (2): 복음서를 제외한 신약성서의 다른 책들

1. 서론

우리는 이제 신약성서에 들어있는 내용들 중 대략 삼분의 이 가량을 살펴보았다. 우리는 초기 기독교의 몇몇 중요한 흐름들을 반영하고 있는 다음과 같은 내용들을 발견하였다: (1) 바리새파의 신앙과 부합하는(그리고 그들과 같이 모종의 중간 상태를 함축하고 있는) 장래의 부활에 대한 신앙; (2) 유대교적인 자료들에서보다 부활에 대한 언급이 훨씬 더 빈번하게 나온다는 것; (3) 유대교에서의 부활 주제에 대한 두 가지 변형들, 즉 "부활"은 예수 안에서 먼저 이루어졌고 나중에 그의 모든 백성에게 이루어질 것이라는 신앙과 이 부활은 단순히 동일한 종류의 삶으로의 소생이 아니라 죽음을 통과하여 그 너머에 있는 새로운 종류의 삶, 더 이상 썩어짐이나 죽음에 종속되지 않는 몸으로 나아가는 것이라는 신앙; (4) 이제는 포로생활로부터의 이스라엘의 회복을 가리키는 것이 아니라 거룩함과 예배를 포함하여 하나님의 백성들이 현재에 있어서 누릴 수 있는 새로운 삶을 가리키는 방식으로 하나님의 백성의 회복에 대한 은유로서의 "부활"의 새로운 용법. 이러한 두드러진 발견물들은 이제 신약성서의 나머지 내용에 비추어서 검증될 필요가 있다.

물론, 이제부터 우리가 살펴보고자 하는 내용의 상당 부분은 우리가 이미 살펴본 것과 관련되어 있다. 신약성서의 책들 중에서 가장 긴 책인 사도행전은 누가복음의 저자의 작품이라는 것이 공통된 견해이다. 요한서신들과 요한계시록은 온갖 종류의 문제점들을 보여주고 있기는 하지만 제4복음서와 모종의 가족관계에 있다. 다행히 이 장의 주된 목적은 그러한 자료들을 역사적인 순서 또는 발전과정 속에 위치시키기 위한 것이 아니라 죽음 너머의 장래의 소망(이교 사상 및 유대교에 관한 앞서의 장들에서처럼), 그리고 그 소망과 예수에게 일어난 일의 관계에 관한 그 책들의 견해를 평가하기 위하여 살펴보는 것이기 때문에, 비평적인 문제점들은 우리의 연구에서 전혀 문제가 되지 않는다. 이러한 관점에서 볼 때, 우리가 이제부터 검토하고자 하는 각각의 책들이 초기에 씌어졌는지 후대에 씌어졌는지, 아니면 전통적인 저자들에 의해서 씌어졌는지 또는 다른 사람들에 의해서 씌어졌는지는 중요한 문제가 되지 않는다. 중요한 것은 그 책들이 부활에 관하여 무엇이라고 말하고 있는가 하는 것이다.

우리는 앞 장에서 살펴본 바 있는 복음서의 내용과 가장 가까운 사도행전에서부터 시작하고자 한다; 그리고 우리는 사도행전 1:1-14을 제외하고자 하는데, 그 부분은 마지막의 부활 현현에 관한 내용을 담고 있고, 따라서 제15장에서 다른 것들과 아울러서 다루어져야 하기 때문이다.

2. 사도행전

사도행전은 부활에 관한 풍부하고 다양한 내용을 제공해 준다.[1] 저자가 하나님의 배성의 최종적인 운명에 관한 무엇을 믿고 있는지는 그 어떤 의심도 없이 분명하게 드러난다: 큰 심판의 날이 있게 될 것이고, 그날에 죽은 자로부터 부활한 예수가 심판장이 되실 것이다. 그때에 예수를 믿은 모든 자들은 신원을 받게 될 것이다:

> 10:40하나님이 사흘 만에 다시 살리사 나타내시되 41모든 백성에게 하신 것이 아니요 오직 미리 택하신 증인 곧 죽은 자 가운데서 부활하신 후('메타 토 아나스테나이 아우톤 에크 네크론') 그를 모시고 음식을 먹은

---

1) 주석서들과 아울러서 최근의 것으로 Green 1998을 보라. 물론, 우리는 이미 위의 제8장에서 바울의 회심에 관한 이야기들을 살펴본 바 있다. 사도행전이 꽤 늦은 시기에 씌어졌다고 할지라도 훨씬 더 오래된 전승을 보존하고 있을 가능성이 높다는 것은 Michaud 2001, 113가 이 견해를 지지하는 다른 학자들을 인용해서 강조하고 있다.

우리에게 하신 것이라 [42]우리에게 명하사 백성에게 전도하되 하나님이 살아 있는 자와 죽은 자의 재판장으로 정하신 자가 곧 이 사람인 것을 증언하게 하셨고 [43]그에 대하여 모든 선지자도 증언하되 그를 믿는 사람들이 다 그의 이름을 힘입어 죄 사함을 받는다 하였느니라.

[17:30]알지 못하던 시대에는 하나님이 간과하셨거니와 이제는 어디든지 사람에게 다 명하사 회개하라 하셨으니 [31]이는 정하신 사람으로 하여금 천하를 공의로 심판할 날을 작정하시고 이에 그를 죽은 자 가운데서 다시 살리신 것으로 모든 사람에게 믿을 만한 증거를 주셨음이니라 하니라.

이렇게 예수가 장래의 심판장으로 "지명되었다" 또는 "정해졌다"라는 표현은 바울이 로마서 1:4에서 말하고 있는 것과 매우 흡사하다: 예수는 죽은 자로부터의 부활을 통해서 "하나님의 아들"(즉, 심판의 역할을 맡는 메시야로서)로 "선포되었다."[2] 그리고 장래에 있을 심판은 사람들이 예수를 믿고 마침내 약속된 "죄사함"을 받을 때에 현재적으로 선취된다. 다음에 나오는 맥락들을 볼 때, 이것은 분명히 우리가 이전의 본문들에서 보았던 "새 계약"의 뉘앙스를 지닌다. 여기서의 "죄사함"은 단순히 개개인의 괴로운 양심을 평온하게 해주는 것이 아니라, 이스라엘에게 약속되었던 대규모의 "죄사함," 오랫동안의 포로생활의 징벌을 야기시켰던 죄악들이 제거되는 때를 가리킨다:[3]

[5:31]이스라엘에게 회개함과 죄 사함을 주시려고 그를 오른손으로 높이사 임금과 구주로 삼으셨느니라.

[13:30]하나님이 죽은 자 가운데서 그를 살리신지라 [31]갈릴리로부터 예루살렘에 함께 올라간 사람들에게 여러 날 보이셨으니('오프데') 그들이 이제 백성 앞에서 그의 증인이라 [32]우리도 조상들에게 주신 약속을 너희에게 전파하노니 [33]곧 하나님이 예수를 일으키사 우리 자녀들에게 이 약속을

2) 위의 제5장 제7절을 보라.
3) *JVG* 268-74를 보라.

이루게 하셨다 함이라 …

… [38]그러므로 형제들아 너희가 알 것은 이 사람을 힘입어 죄 사함을
너희에게 전하는 이것이며 [39]또 모세의 율법으로 너희가 의롭다 하심을
얻지 못하던 모든 일에도 이 사람을 힘입어 믿는 자마다 의롭다 하심을
얻는 이것이라.

새로운 계기가 이스라엘과 세상을 위한 하나님의 계획 속에서 열려졌는데, 이것은 오래 전에 약속되었고 오랫동안 기다려왔던 사건이 마침내 일어났기 때문이다: "죽은 자들의 부활"은 어떤 의미에서 예수의 부활을 통해서 이미 일어났다. 이것이 바로 사도들이 성전의 직원들과 사두개인들의 분노를 샀다고 말하고 있는 본문의 의미이다 — 이런 식으로 이해하지 않으면, 이 본문은 이해하기 어렵다:

[4:1]사도들[즉, 베드로와 요한]이 백성에게 말할 때에 제사장들과 성전 맡
은 자와 사두개인들이 이르러 [2]예수 안에 죽은 자의 부활이 있다고 백성
을 가르치고 전함을 싫어하여.

이것은 단순히 사도들이 예수의 권위를 힘입어서 또는 예수를 하나의 예로 들어서 특정한 교리(우리가 알고 있듯이, 사두개인들이 강력하게 반대하였던 그러한 교리)를 가르치고 있었다는 것을 의미하지 않는다.[4] 상황은 그것 이상이었다. 그것은 그들이 예수를 원형(prototype)으로 삼아서 "죽은 자들의 부활"이 일어났다고 선포하고 있었다는 것을 의미한다('카탕겔레인' 이라는 단어 자체가 단순히 어떤 교리에 관하여 가르친 것이 아니라 이미 일어난 일을 선포했다는 의미를 지닌다). 헬라어 본문은 죽은 자들의(of) 부활을 가리키는 '아나스타시스 네크론' 으로 되어 있지 않다 — 이것은 모든 죽은 자들(또는 적어도 모든 죽은 의인들)이 부활하게 될 위대한 때로서 여전히 미래에 있다. 사도들은 "죽은 자들로부터의 부활"('텐 아나스타신 에크 네크론')을 가르치고 있

4) Evans 1970, 134를 보라. Kilgallen 2002에 나오는 이 본문에 대한 논의는 요지를 제대로 파악하지 못한 것으로 보인다.

었다. 분명히 이것은 새 날이 동터온 것을 의미한다; 그러나 그것은 예수 자신의 단일하고 개인적인 사례 속에서 그러한 것이었다. 예수는 죽은 몸들"로부터" 왔다. 그러나 이것의 양쪽 모두가 중요하였다. 제자들은 단지 예수에 관한 괴이한 일을 말하고 있었던 것이 아니라, 예수 안에서 및 예수를 통해서 이스라엘의 역사, 세계의 역사 속에서 새로운 시대가 동텄다고 말하고 있는 것이었다:

> 3:24또한 사무엘 때부터 이어 말한 모든 선지자도 이 때를 가리켜 말하였느니라.

그리고 이렇게 해서 예수의 부활은 이스라엘이 마침내 죄사함을 발견할 수 있는 새로운 기회를 열어준 것이었다:

> 3:26하나님이 그 종을 세워 복 주시려고 너희에게 먼저 보내사 너희로 하여금 돌이켜 각각 그 악함을 버리게 하셨느니라.

"죽은 자로부터의 부활"이 이렇게 이미 예수에게서 일어났다고 한다면, 그것은 분명히 장래에 하나님의 모든 백성에게 일어나게 될 것이다. 이방인들 가운데에서의 바울의 설교에서 부활이 아주 중심적인 위치를 차지하고 있었기 때문에(물론, 이것은 서신들 속에서 강력하게 확증된다), 아테네 사람들조차도 바울이 예수와 "아나스타시스"(부활)라는 두 새로운 신을 전파하고 있는 것으로 오해하였다. "부활"을 가리키는 헬라어 단어가 바울의 입술에 너무도 자주 오르내렸기 때문에, 그들은 오시리스(Osiris)의 배우자인 이시스(Isis)와 마찬가지로 부활이라는 신이 예수의 배우자라고 생각하였다.[5] 바울이 예루살렘과 가이사랴에서 자신을 변호할 때에, 부활이라는 주제는 우리가 이미 살펴본 한 본문을 필두로 해서 그의 입술에 자주 오르내린다:[6]

> [유대 공회 앞에서]23:6바울이 그 중 일부는 사두개인이요 다른 일부는

5) 사도행전 17:18.
6) 위의 제4장 제2절.

바리새인인 줄 알고 공회에서 외쳐 이르되 여러분 형제들아 나는 바리새인이요 또 바리새인의 아들이라 죽은 자의 소망 곧 부활('아나스타시스 네크론')로 말미암아 내가 심문을 받노라.

[벨릭스 앞에서][24:14]그러나 이것을 당신께 고백하리이다 나는 그들이 이단이라 하는 도를 따라 조상의 하나님을 섬기고 율법과 선지자들의 글에 기록된 것을 다 믿으며 [15]그들이 기다리는 바 하나님께 향한 소망을 나도 가졌으니 곧 의인과 악인의 부활이 있으리라 함이니이다 [16]이것으로 말미암아 나도 하나님과 사람에 대하여 항상 양심에 거리낌이 없기를 힘쓰나이다 …[7)]

… [20]그렇지 않으면 이 사람들이 내가 공회 앞에 섰을 때에 무슨 옳지 않은 것을 보았는가 말하라 하소서 [21]오직 내가 그들 가운데 서서 외치기를 내가 죽은 자의 부활('아나스타시스 네크론')에 대하여 오늘 너희 앞에 심문을 받는다고 한 이 한 소리만 있을 따름이니이다 하니.

[벨릭스가 아그립바에게 보고한 것][25:18]원고들이 서서 내가 짐작하던 것 같은 악행의 혐의는 하나도 제시하지 아니하고 [19]오직 자기들의 종교와 또는 예수라 하는 이가 죽은 것을 살아 있다고 바울이 주장하는 그 일에 관한 문제로 고발하는 것뿐이라.

[아그립바 앞에서][26:6]이제도 여기 서서 심문 받는 것은 하나님이 우리 조상에게 약속하신 것을 바라는 까닭이니 [7]이 약속은 우리 열두 지파가 밤낮으로 간절히 하나님을 받들어 섬김으로 얻기를 바라는 바인데 아그립바 왕이여 이 소망으로 말미암아 내가 유대인들에게 고소를 당하는 것이니이다 [8]당신들은 하나님이 죽은 사람을 살리심('에이 호 데오스 네크루스 에게이레이')을 어찌하여 못 믿을 것으로 여기나이까.

… [22]하나님의 도우심을 받아 내가 오늘까지 서서 높고 낮은 사람 앞에

---

7) 사고의 흐름 — 장래의 심판으로 인하여 현재 속에서 특정한 방식으로 사는 것 —에 대해서는 고린도후서 5:6-10, 11f.와 비교해 보라.

서 증언하는 것은 선지자들과 모세가 반드시 되리라고 말한 것밖에 없으니 [23]곧 그리스도가 고난을 받으실 것과 죽은 자 가운데서 먼저 다시 살아나사('프로토스 엑스 아나스타세오스 네크론') 이스라엘과 이방인들에게 빛을 전하시리라 함이니이다.

이렇게 확고한 여러 증거들은 사도행전은 초기의 전승들을 어느 정도나 포함하고 있는가와는 상관 없이 예수의 부활을 자신의 신학의 중심적인 위치에 놓고 있다는 것을 보여준다. 죽은 자로부터의 예수 자신의 부활은 "죽은 자들의 부활"의 시작이다. 고린도전서 15장에서와 마찬가지로, "부활"은 두 개의 서로 구별되는 계기들로 구별되어 있다. 이렇게 해서 만들어진 시간 간격은 예언이 성취되는 때, 이스라엘의 위로가 마침내 오는 때, 이방이 들어오는 때로 이해된다:

[베드로의 설교][3:19]그러므로 너희가 회개하고 돌이켜 너희 죄 없이 함을 받으라 이같이 하면 새롭게 되는 날이 주 앞으로부터 이를 것이요 [20]또 주께서 너희를 위하여 예정하신 그리스도 곧 예수를 보내시리니 [21]하나님이 영원 전부터 거룩한 선지자들의 입을 통하여 말씀하신 바 만물을 회복하실('아포카타스타시스') 때까지는 하늘이 마땅히 그를 받아 두리라 [22]모세가 말하되 주 하나님이 너희를 위하여 너희 형제 가운데서 나 같은 선지자 하나를 세울 것이니('아나스테세이') …

우리는 여기서 칠십인역 본문에서 '아나스테세이'라는 단어를 포함하고 있어서 쉽게 선지자-메시야 예수의 특별한 부활에 대한 증거가 될 수 있었던 신명기의 한 본문(18:15)이 얼핏 사용되고 있는 것을 본다.[8] 이것 또한 유대교 전승 내부로부터의 혁신으로서 등장한다: 예수에게 무슨 일이 일어났고, 그것이 도대체 무엇을 의미하는지에 대한 설명은 오직 유대교 내에서만 이해될 수 있지만, 초기 그리스도인들이 등장하기 이전에는 아무도 부활을 그런 식으로

8) 초기 기독교의 부활 변증에서 칠십인역의 사용에 대해서는 위의 제4장 제4절을 보라.

생각한 적이 없었다. 그리고 예수의 부활과 '아포카타스타시스'(만물의 회복) 사이의 기간 동안에는 믿는 자들은 새로운 치유의 가능성들과 더불어 새로운 삶을 살 수 있었다.[9] 하나님이 예수를 죽은 자로부터 일으키신 것은 오직 예수 안에만 구원이 있다는 것을 보여주는 표적으로서, 바로 이것이 베드로와 요한이 행한 주목할 만한 치유 사건에 대한 설명이다(4:5-12). 초기 기독교의 메시지 전체는 "이 생명"(5:20)이라는 어구로 요약될 수 있다. 이러한 맥락 속에서 베드로가 과부를 죽은 자로부터 일으키고 바울이 마찬가지로 죽은 소년을 살리는 것을 우리가 볼 때, 사도행전의 독자들은 그러한 사건들이 그 근저에 있는 신학적인 메시지 — 그리고 복음서들에 보도된 사건들 — 와 부합한다고 느끼지 않을 수 없었을 것이다.[10] 지금은 생명의 때, 회복과 부활의 때이다.

우리는 이미 육신의 죽음과 몸의 부활 사이의 중간 상태에 관하여 뭔가를 말해주는 사도행전의 두 본문을 살펴본 바 있다.[11] 누가는 중간 상태에 있는 사람들이 "천사" 또는 "영"이라고 말해질 수 있다는 바리새파의 견해들에 전적으로 동의하지 않지만, 그가 그들의 견해들을 넌지시 언급하고 있는 것은 초기 그리스도인들이 참여하고 있었던 사상 세계, 그 안에서 그들의 주장들이 의미를 얻게 된다고 인식하였던 사상 세계를 잘 보여준다.

"죽은 자들의 부활"이 예수에게서 이미 시작된 것으로 선포하는 이러한 신학 전체는 사도행전에서 극히 중요한 토대 위에 구축되어 있다. 이 토대는 예수 자신의 부활에 관한 매우 상세한 해설, 예수의 부활이 의미하는 것과 함축하고 있는 것을 알게 해주는 성경적 맥락으로 이루어져 있다. 지금까지 살펴본 제2성전 시대와 초기 기독교의 모든 자료들로부터 예상할 수 있듯이, 사도행전에는 그 어디에도 죽은 자로부터 몸으로 다시 살아나는 것 이외의 것을 가리키는 "부활"은 존재하지 않는다. 이것이 의인들 및 악인들의 장래의 부활과 관련하여 분명하다면, 그것은 베드로가 오순절 날에 예수에게 일어난 일을 이해하기 위한 성경적인 토대를 하나님이 메시야로 하여금 "썩어짐을 보지" 않게 하실 것이라고 말하고 있는 한 시편을 통해서 제시할 때에 더욱 분명하게

9) '아포카타스타시스'에 대해서는 Barrett 1994, 206f.를 보라.

10) 사도행전 9:36-42; 20:7-12.

11) 사도행전 23:6-9; 12:15; 위의 제4장 제2절을 보라.

드러난다:

[2:22]너희도 아는 바와 같이 하나님께서 나사렛 예수로 큰 권능과 기사와
표적을 너희 가운데서 베푸사 너희 앞에서 그를 증언하셨느니라 [23]그가
하나님께서 정하신 뜻과 미리 아신 대로 내준 바 되었거늘 너희가 법 없
는 자들의 손을 빌려 못 박아 죽였으나 [24]하나님께서 그를 사망의 고통에
서 풀어 살리셨으니 이는 그가 사망에 매여 있을 수 없었음이라.
[25]다윗이 그를 가리켜 이르되 내가 항상 내 앞에 계신 주를 뵈었음이여
나로 요동하지 않게 하기 위하여 그가 내 우편에 계시도다 [26]그러므로 내
마음이 기뻐하였고 내 혀도 즐거워하였으며 육체도 희망에 거하리니 [27]이
는 내 영혼을 음부에 버리지 아니하시며 주의 거룩한 자로 썩음을 당하
지 않게 하실 것임이로다 [28]주께서 생명의 길을 내게 보이셨으니 주 앞에
서 내게 기쁨이 충만하게 하시리로다 하였으므로
[29]형제들아 내가 조상 다윗에 대하여 담대히 말할 수 있노니 다윗이 죽
어 장사되어 그 묘가 오늘까지 우리 중에 있도다 [30]그는 선지자라 하나님
이 이미 맹세하사 그 자손 중에서 한 사람을 그 위에 앉게 하리라 하심을
알고 [31]미리 본 고로 그리스도의 부활을 말하되 그가 음부에 버림이 되지
않고 그의 육신이 썩음을 당하지 아니하시리라 하더니 [32]이 예수를 하나
님이 살리신지라 우리가 다 이 일에 증인이로다 [33]하나님이 오른손으로
예수를 높이시매 그가 약속하신 성령을 아버지께 받아서 너희가 보고 듣
는 이것을 부어 주셨느니라.
[34]다윗은 하늘에 올라가지 못하였으나 친히 말하여 이르되 주께서 내
주에게 말씀하시기를 [35]내가 네 원수로 네 발등상이 되게 하기까지 너는
내 우편에 앉아 있으라 하셨도다 하였으니 [36]그런즉 이스라엘 온 집은 확
실히 알지니 너희가 십자가에 못 박은 이 예수를 하나님이 주와 그리스
도가 되게 하셨느니라 하니라.

이 긴 설교는 흥미로운 것들로 가득 차 있지만, 우리의 현재의 목적을 위해서 우리는 다음과 같은 것만을 말해두고자 한다: 이례적인 부활절 사건들을 해석하는 열쇠가 되는 본문으로서 시편 16편(칠십인역에서는 15편)을 선택한

유일한 이유는 적어도 누가는 예수의 부활이 그의 육신적인 몸이 무덤에서 썩는 것(그리고 그가 비육신적인 위엄의 영역 또는 주님의 지위로 올라가는 것)이 아니라 그 몸이 썩지 않음을 포함한다고 믿었다는 것이다 — 그리고 누가가 사용했던 초기 자료들도 그렇게 믿었던 것으로 보인다.[12] 33절에서 말하고 있는 "승귀"는 부활절에 대한 또 다른 해석이 아니라, (특히 사도행전 1장에 비추어 볼 때) 추가적인 사건에 대한 언급이다. 원래 누가 시편 16편을 예수와 관련하여 인용하였든, 또는 그 자료를 편집하였든, 또한 현재의 맥락 속에 그 시편을 두었든지간에, 부활을 예수의 육신적인 몸이 족장들의 경우와는 달리 썩어지지 않은 채로 새로운 생명을 받은 몸과 관련된 사건으로 생각할 때에만 이 본문 전체는 그것이 의도하였던 의미를 지니게 된다.[13] 그리고 앞으로 보게 되겠지만, 이러한 새로운 생명으로부터 하나님이 예수에 관하여 무엇이라고 말씀하고 있는지에 관한 확고한 결론들이 곧 도출되었다.

예수의 부활에 관한 이와 동일한 입장은 이미 앞에서 인용한 그 이후의 몇몇 본문들 속에 발전되어 있다. 이 각각의 본문은 예수의 부활에 관한 초기 기독교의 이해라는 더 큰 그림에 나름대로의 기여를 한다. 4:33에 나오는 요약문은 초반에 나오는 여러 장들 전체의 인상(impression)을 통합하고 있다: "사도들이 큰 권능으로 주 예수의 부활을 증언하니 무리가 큰 은혜를 받아." 이렇게 바울의 위대한 설교들에 다가갈 때, 우리는 거기에서 부활이 두드러진 위치를 차지하고 절정의 역할을 하고 있다는 것에 놀라서는 안 된다(우리는 이미 바울에 대하여 알고 있는 것으로부터나 사도행전에 관하여 알고 있는 것으로부터 이것을 예상할 수 있기 때문에). 위에서 부분적으로 인용했던 사도행전 13:30-39에서 바울은 부활은 예수를 메시야로 선포했음을 강조하고 그의 몸이 썩지 않는 것에 관한 사도행전 2장의 요지를 다시 한 번 강조하기 위하여 시편 2편과 16편을 사용한다. 그리고 사도행전 17장의 아레오바고 설교의 절정에서 바울은 우리가 제2장에서 살펴보았던 호메로스와 고전적인 전승 전

12) Michaud 2001, 112-15는 이 점을 놓치고 있는 것으로 보인다.

13) 이렇게 사도행전 10:40f.에 나오는 선포가 빈 무덤을 언급하고 있지 않다는 사실을 증거로 제시하는 것은 아무 소용이 없을 것이다. 고린도전서 15:3f.에서처럼, 그것은 분명하게 전제되어 있기 때문이다.

체를 명시적으로 사용한다:

> 17:31이는 정하신 사람으로 하여금 천하를 공의로 심판할 날을 작정하시고 이에 그를 죽은 자 가운데서 다시 살리신 것으로 모든 사람에게 믿을 만한 증거를 주셨음이니라.

그들의 전승들과 표준적인 신앙들을 감안하면, 일부 사람들이 바울을 조롱하였다는 것은 별로 놀랄 일이 아니다(17:32). 그러나 사도행전은 흔들림 없이 바울 자신과 그 밖의 다른 초기 기독교 저자들의 편에 확고하게 서 있다. 최근의 역사 내에서의 한 사건으로서의 부활은 유대교 내에서 오랫동안 기다려 왔던 세상에 대한 심판이 지금 모든 사람들에게 선포되고 있다는 것을 의미한다. 부활을 통해서 메시야로 인정된 바로 그분이 재판장의 역할을 맡게 될 것이다.[14]

이렇게 부활은 사도행전에 나오는 전승들에 의해서 대변된 초기 기독교의 모든 흐름들과 그러한 것들을 한데 통합하였던 저자의 관점에서 분명히 중심적인 것이었다. 우리가 사도행전에서의 부활을 고대 세계에서의 견해들의 스펙트럼 속에 둔다면, 물론 그것은 유대교 내에 속하고, 그 중에서도 특히 바리새파 사상에 속한다: 그러나 초기 기독교 사상의 다른 부분들에서와 마찬가지로, 그것은 그러한 틀 내에서 철저하게 수정되었다. 부활은 한 사람에게 이미 일어난 일로서, 그가 "선지자," "주," "메시야"라는 것을 드러내준다. 그러나 죽은 자로부터의 그의 부활은 "죽은 자들의 부활" 또는 "죽은 자들 가운데로부터의 부활"로 알려져 있는 장래에 일어날 단일한 사건의 시작이다. 그것은 그러한 장래의 소망에 대한 신앙을 강화시키는 것이었기 때문에, 예수를 전하는 것은 유대교가 소중히 여겼던 기대에 대한 충성이라고 할 수 있었다. 나머지 사람들에 앞서서 한 사람이 부활한 것에 의해서 만들어진 새로운 시간 간격은 예언이 성취되는 때, 이스라엘이 오랫동안 기다려왔던 하나님에 의한 구원의 때로 해석될 수 있다. 물론, 이것 자체도 재해석된다. 그것은 더 이상 정치적인 해방으로 읽혀지지 않고, "죄사함," 특히 하나님의 메시야를 거절한 것에 대한

14) cf. 롬 1:3f.; 2:16.

죄사함이라는 의미에서 읽혀진다. 예수가 몸으로 부활했다는 것은 단언되고 강조되고 있지만, 예수는 분명히 현재의 삶과 정확히 똑같은 삶으로 되돌아온 것이 아니었다. 왜냐하면, 그의 몸은 새로운 속성들을 지니고 있는 것으로 보이기 때문이다. 그의 몸은 현재 "하늘에" 있지만, 그가 온 세상에 대한 재판장으로서 나타날 때, 모든 것이 회복될 때('아포카타스타시스') 하늘로부터 다시 오실 것이다.

이러한 내용으로부터 두 가지 추가적인 중간 결론들이 도출될 수 있다. 첫째, 이러한 묘사와 바울의 묘사 간에는 몇 가지 중복되는 것들이 존재하지만, 사도행전은 이 주제에 관하여 바울의 묘사를 맹목적으로 모방하고 있는 것으로 보이지는 않는다. 사도행전이 바울과 가장 근접해 있는 대목은 흥미롭게도 하나님이 예수를 다시 살리셨다는 것을 말하면서 로마서 1:4을 연상시키는 언어를 사용하고 있는 대목이다. 둘째, 우리가 충분히 예상할 수 있는 일이지만, 이러한 묘사는 우리가 누가복음에서 발견하는 것과 완전히 일치하지만, 동일한 인물이 이 두 작품을 썼다는 점을 감안하면, 우리는 누가가 복음서에서는 말을 아꼈다는 것을 지적해 두지 않으면 안 된다. 누가는 부활에 관하여 뭔가를 말할 수 있었던 몇몇 대목들에서 부활의 의미에 관한 더 상세한 설명을 제시하지 않았는데, 그러한 설명은 사도행전에서 특히 베드로와 바울에 의해서 행해진다. 물론, 이것이 매우 초기의 교회의 진정한 역사적 기억을 반영하고 있는 것일 가능성도 얼마든지 생각해 볼 수 있지만(예수는 이 주제에 관하여 거의 말하지 않았고, 베드로와 바울은 많이 말하였다), 그것이 과연 그러한지를 논증하는 것은 나의 현재의 목적의 일부가 아니다. 더 중요한 것은 인간의 미래의 소망 및 예수 자신과 관련하여 "부활"이 이해되고 있는 방식을 주목하고, 서로 다른 여러 문서들 속에 나오는 여러 가지 다양한 형태의 묘사들을 통해서 주후 1세기의 견해들의 지도 위에 올려놓을 수 있고 또한 우리의 주된 질문에 단호하게 대답할 수 있는 다면적이고 복합적이지만 철저하게 통일적인 그림이 드러나는 방식을 고찰하는 것이다: 왜 그들은 그러한 종류의 소망을 그러한 종류의 방식으로 지니게 되었는가? 사도행전은 바울 및 공관복음서들과 마찬가지로 이렇게 대답한다: 예수에게 일어난 일 때문에.

3. 히브리서

히브리서는 많은 점들에서 신약성서의 나머지 책들과 구별되지만, 그 가장 분명한 특징들 중의 하나는 이것이다: 히브리서는 꽤 긴 초기 기독교의 책들 중에서 좀 더 비중있는 책에 속하지만, 부활에 관하여 거의 언급하지 않고 있다.[15]

히브리서 기자는 "죽은 자들의 부활"을 새로운 회심자들에게 가르쳐야 할 기본적인 교리들 중의 하나로 전제한다(이것은 초보적인 교리들로 여겨진 그 밖의 다른 것들과 아울러 6:2에 나온다).[16] 그는 11장에서 믿음의 영웅들에 관한 긴 목록을 제시할 때까지는 부활을 논의의 주제로 삼지 않는다. 거기에서 우리는 바울에서와 마찬가지로 하나님이 "죽은 자와 방불한"자에게 자녀를 주실 수 있다고 믿었던 아브라함의 신앙(11:11-12), 그리고 바울에서보다도 더 명시적으로 진정한 믿음은 부활 신앙이라는 것을 보여주기 위하여 아브라함과 이삭에 관한 이야기를 사용하고 있는 것을 발견하게 된다:

> 17아브라함은 시험을 받을 때에 믿음으로 이삭을 드렸으니 그는 약속들을 받은 자로되 그 외아들을 드렸느니라 18그에게 이미 말씀하시기를 네 자손이라 칭할 자는 이삭으로 말미암으리라 하셨으니 19그가 하나님이 능히 이삭을 죽은 자 가운데서 다시 살리실 줄로('뒤나토스') 생각한지라 비유컨대 그를 죽은 자 가운데서 도로 받은 것이니라.

로마서 4장과의 병행들은 분명하게 드러나고, 이러한 병행들은 이 대목에서 히브리서 기자가 바울, 그리고 실제로는 주후 1세기의 주류적인 유대 사상과 동일한 틀 안에서 사고하고 있다는 것을 보여준다.[17] 그러나 이것이 그렇다면,

---

15) Harvey 1994, 73가 아무런 언급도 없다고 분명하게 말하는 것은 지나친 것이다; 아래의 서술을 보라. 히브리서에 나타난 부활에 관한 최근의 연구는 Lane 1998이다 — 이 저자가 이 글을 쓸 당시에 시한부 인생을 살면서 고군분투하였다는 것을 아는 사람들에게는 그의 책은 더욱더 감동적인 것이 될 것이다.

16) "죽은 자들"은 복수형으로서 예수의 부활이 아니라 많은 사람들의 장래의 부활을 가리킨다.

17) Koester 2001, 491.

우리는 11장의 대부분을 동일한 방향을 지시하는 것으로 해석해야 할 것이다. 흔히 강조되어 왔듯이, 이 장에서의 "믿음"의 핵심은, 약속되어 있지만 아직 허락되지 않은 것을 기대하고 바라보는 것이다. 노아는 장래에 일어날 일들에 관하여 경고를 받았다. 아브라함은 약속은 받았지만 아직 보지는 못한 곳을 향하여 떠났다. 히브리서 기자가 설정하고 있는 주된 대비는 헬레니즘적인 의미에서 "위에 있는" 또는 "영적인" 세계와 "아래에 있는" 또는 "물질적인" 세계 간의 대비가 아니라, 현재의 세상과 장래의 세상, 즉 하늘로부터 주어지는 하나님의 선물일 약속된 새로운 세상 간의 대비이다:

> 13이 사람들은 다 믿음을 따라 죽었으며 약속을 받지 못하였으되 그것들을 멀리서 보고 환영하며 또 땅에서는 외국인과 나그네임을 증언하였으니
> 14그들이 이같이 말하는 것은 자기들이 본향 찾는 자임을 나타냄이라
> 15그들이 나온 바 본향을 생각하였더라면 돌아갈 기회가 있었으려니와
> 16그들이 이제는 더 나은 본향을 사모하니 곧 하늘에 있는('에푸라니오스') 것이라 이러므로 하나님이 그들의 하나님이라 일컬음 받으심을 부끄러워하지 아니하시고 그들을 위하여 한 성을 예비하셨느니라.

그러나 이것은 무엇을 의미하는가? 우리는 결국 그토록 많은 다른 본문들이 긍정하지 않고 있는 것, 즉 믿음과 소망의 핵심은 결국 "죽어서 천국에 가는 것"임을 초기 기독교의 한 본문이 직설적으로 단언하고 있다고 보아야 하는가?

문제는 그렇게 간단하지가 않다. 만약 이 본문이 그런 것이었다면, 히브리서 기자는 계속해서 아브라함의 부활 신앙, 또한 단순한 소생이 아니라 "더 나은 부활"을 구했던 자들에 관하여 말하지 않았을 것이다:

> 35여자들은 자기의 죽은 자들을 부활로('엑스 아나스타세오스') 받아들이기도 하며 또 어떤 이들은 더 좋은 부활을 얻고자 하여('히나 크레이토노스 아나스타세오스 튀코신') 심한 고문을 받되 구차히 풀려나기를 원하지 아니하였으며.

이것은 한편으로는 엘리야가 소생시켰던 시돈 과부의 아들과 엘리사가 소생시켰던 수넴 여인의 아들, 그리고 다른 한편으로는 마카베오2서에 나오는 순교자들에 대한 간접인용인 것으로 보인다.[18] 이렇게 본문은 "부활"이라는 단어를 "아주 최근에 죽은 자의 소생"이라는 의미와 "장래의 어느 단계에 있어서 새로운 몸의 삶으로의 부활"이라는 의미, 이러한 두 가지 의미로 사용하고 있다. 분명한 것은 둘 다 몸이 포함되어 있다는 것이다; 이 두 가지를 구별해서 후자를 "더 나은 것"이라고 부르는 이유는 아마도 히브리서 기자가 마카베오2서에서 그 어머니가 단기적인 소생이 아니라 창조주 신이 언젠가 행하실 우주적 공의의 시대를 열 위대한 새 역사의 일부로서의 새 창조를 구했다는 것을 잘 알고 있었기 때문일 것이다.

히브리서 기자가 말하고 있는 "하늘에 있는 본향"은 12장에서 더 구체적으로 설명된다. 그것은 바로 하늘의 예루살렘이다:

> 22너희가 이른 곳은 시온 산과 살아 계신 하나님의 도성인 하늘의 예루살렘과 천만 천사와 23하늘에 기록된 장자들의 모임과 교회와 만민의 심판자이신 하나님과 및 온전하게 된 의인의 영들과 24새 언약의 중보자이신 예수와 및 아벨의 피보다 더 나은 것을 말하는 뿌린 피니라.

다시 한 번, 이것도 "영적인," "천상의," 전적으로 "다른 세상과 관련된" 목표인 것처럼 보인다. 사실, 정말 그렇다. "온전하게 된 의인의 영들"은 새 창조 속에서의 그들이 입을 새로운 몸을 기다리고 있는 옛적의 성도들과 순교자들일 것이다.[19] 이것조차도 하늘과 땅이 "진동해서" 하나님이 영원토록 지속되도록 의도한 것이 이루어질 새 창조를 향한 것 중에 있는 중간 상태에 관한 것으로

---

18) 왕상 17:17-24; 왕하 4:18-37; 2 Macc. 7. Koester 2001, 514는 성경의 이야기들은 소생에 관한 것들이고 관련된 사람들은 다시 죽게 될 것이지만 그들은 이삭의 구원과 같이 최후의 부활을 미리 보여주는 것으로 여겨진다고 지적한다.

19) 이러한 개념들이 당시의 유대교 속에서 인식되고 있었던 방식을 감안할 때에(위의 제4장), 나는 이것을 Koester 2001, 306가 주장하는 것과는 달리 히브리서에서의 해결되지 않는 긴장관계로 보지 않는다. Koester가 2:14f.; 12:22-4 속에 암묵적인 부활에 관한 가르침이 있다고 주의를 환기시킨 것(311)은 옳다.

보인다:

> [26]이제는 약속하여 이르시되 내가 또 한 번 땅만 아니라 하늘도 진동하리라[학개서 2:6, 21] 하셨느니라 [27]이 또 한 번이라 하심은 진동하지 아니하는 것을 영존하게 하기 위하여 진동할 것들 곧 만드신 것들이 변동될 것을 나타내심이라 [28]그러므로 우리가 흔들리지 않는 나라를 받았은즉 은혜를 받자 …

그리고 영원히 지속될 세상, 현재의 세상보다 더 견고하고 더 실제적인 세상에 대한 이러한 장래의 소망은 마지막 장에서 재천명된다: 여기에서 우리는 영원히 지속되는 도성을 가지고 있지 않지만, 우리는 장차 올 것(13:14), 즉 11:16과 12:22의 "하늘의 예루살렘"을 구한다.[20]

이렇게 이 책의 절정 부분에 등장하는 장래의 소망은 하나님의 장래의 세상은 하늘에 준비되어 있고 기다리고 있다는 신앙과 그것은 죽은 자들의 부활을 포함하게 될 것이라는 신앙을 한데 결합시키고 있는 것으로 보인다. 고린도서신에서와 마찬가지로, 이 두 가지 이미지는 함께 작용한다: "하늘에서 기다리고" 있는 것은 창조주의 계획과 의도 속에서 이미 확보되어 있는 것이다. 그리고 이 대목에 이르기까지 이 책 전체에 걸쳐서 이 모든 것은 시편 8편과 110편에 따라서 하나님에게 순종함으로써 세상을 통치하는 메시야로서 세워진 예수의 죽음에 의한 승리를 토대로 하고 있다. 이러한 본문들, 흥미롭게도 우리가 고린도전서 15:25-28과 빌립보서 3:20-21에서 발견하는 것과 동일한 본문들은 여기서 명시적으로 예수의 부활 및 그 결과들에 대한 단원과 연결되어 있지 않고, 오히려 예수가 천사들보다 우월하다는 것(6:13) 및 "만물" 위에 즉위하였다는 것(2:5-9)과 연결되어 있다.

---

20) Attridge 1989, 380f.는 다른 여러 주석자들을 인용해서 여기에서 기존의 창조의 갱신이 아니라 그 철저한 파괴를 본다. 시적인 언어는 이 점에 대한 확고한 결론을 허용하지 않을 것이지만, 히브리서가 여기에서 대중적인 플라톤적 이원론에 의해서 지배되고 있고, "요동할 수 없는 것들"은 비물질적인 것이라는 그의 주장은 의문스럽다.

물론, 이 모든 것은 논리적으로 부활에 의거하고 있다. 예수가 지금 부활을 통해서 죽음을 패배시켰다는 것을 전제하지 않는다면, 그 누가 예수가 "죽음의 세력을 잡은 자 곧 마귀를 멸하시며 또 죽기를 무서워하므로 한평생 매여 종노릇 하는 모든 자들을 놓아 주려 하심이니"라고 말할 수 있었을 것이라고 생각하기는 어렵다. 예수가 그를 죽음으로부터 구원할 수 있었던 아버지에게 통곡과 눈물을 올려드렸다고 말하고 있는 통렬한 본문(5:7)은 얼핏 보면 아버지가 그를 구원하지 않았다는 것을 말하고 있는 것으로 보이지만(복음서들에 나오는 겟세마네 동산의 이야기들과 마찬가지로), 우리는 그 절이 "그의 경건하심으로 말미암아 들으심을 얻었느니라"는 구절로 계속되는 것을 볼 때에 그 본문이 지니는 의미는 아버지가 그에게 죽음 너머의 삶, 죽음을 피하는 것이 아니라 죽음을 통과해서 그 너머에 있는 새롭고 썩어지지 않는 생명으로 나아가는 것을 의미하는 죽음으로부터의 구원을 주었다는 것이 된다는 것을 알게 된다. 그런 후에 이것은 예수가 맡게 된 최고의 대제사장직을 위한 토대가 된다(7:23-25); 예수는 육신적인 혈통을 통해서가 아니라 "무궁한 생명의 능력으로 말미암아" 제사장이 되었다(7:16). 히브리서가 그 주된 관심을 부활 자체가 아니라 그것에 선행하였던 십자가의 효력 있는 희생제사 및 그 후에 있은 승천(ascension)과 즉위(enthronement)에 쏟고 있다는 것은 사실이다.[21] 그러나 우리가 특히 11장으로부터 추측할 수 있듯이, 부활은 결코 시야에서 사라진 것이 아니고, 이 서신의 마지막에 나오는 축도에서 명시적으로 표현된다:

> 양들의 큰 목자이신 우리 주 예수를 영원한 언약의 피로 죽은 자 가운데서 이끌어 내신 평강의 하나님이 모든 선한 일에 너희를 온전하게 하사 자기 뜻을 행하게 하시고 …[22]

---

21) 희생제사: 히 2:17; 7:27; 10:10; 승천과 즉위: 10:12f.; 둘 다: 9:11-28.

22) 히브리서 13:20f. "불러올렸다"는 '아나가곤' 인데, LXX 1 Kgds. [MT 1 Sam.] 2:6; 28:11; Tob. 13:2; Wisd. 16:13(cf. 롬 10:7)에서처럼 직역하면 "이끌어 올렸다"(led up)이다. Attridge 1989, 406는 신약에서 "부활"을 가리킬 때에 통상적으로 사용되는 단어들을 피하고 있는 것은 예수와 관련하여 부활이 아니라 승귀를 말하고자 하는 일관된 의도의 일부라고 말한다. 하지만 이 절의 실제적인 내용은 분명히 그러한 주장에 의문을 제기한다. 이 절을 다른 곳에서 암묵적으로 말해주고 있는 것

목자이신 예수를 죽은 자로부터 "불러올렸다"는 관념은 야훼가 목자인 모세를 애굽으로부터 "불러올린" 것에 관하여 말하고 있는 이사야 63:11-14을 반영하고 있다.[23] 모세는 "고립적인 개인으로서가 아니라 양떼의 목자로서 불러올려졌다"; 이것은 종말에 있을 모든 자들의 부활을 선취하여 가장 먼저 부활한 예수에게도 그대로 적용된다(6:2).[24]

여기에서 마침내 예수와 그의 백성의 부활이 공개적으로 표현된다. 물론, 이 책의 나머지 부분에서 주된 강조점은 예수가 고난을 받고 하늘로 승귀되었다가 그를 기다리고 있는 자들을 구원하기 위하여 거기로부터 다시 오실 것이라는 내용에 두어져 있다(빌립보서 3:20-21에서처럼).[25] 이 주제와 관련하여 절정에 해당하는 진술은 독자들에게 과거 세대들로부터의 구름 같은 무수한 증인들로 둘러싸여 있는 가운데 예수를 바라보고 앞으로 나아가라고 권면하는 12:1-2에 나온다. 그들은 끊임없이 어떻게 예수가 "그 앞에 있는 기쁨을 위하여 십자가를 참으사 부끄러움을 개의치 아니하시더니 하나님 보좌 우편에 앉으셨는지"를 상기하여야 한다. 물론, 메시야와 주로서의 예수의 즉위는 특히 바울에 의해서 그의 부활과 결합되어 있다. 실제로 바울에게 있어서 즉위는 부활을 전제한다. 그러나 히브리서에서는 이러한 연결관계가 명시적으로 표현되어 있지 않다. 나는 레인(Lane), 쾨스터(Koester), 그리고 그 밖의 몇몇 주석자들과 마찬가지로, 이것은 그것이 도처에 전제되어 있기 때문이라고 말하고 싶다; 그러나 나는 그러한 주장을 입증하기가 어렵다는 것을 인정하기 때문에, 나의 현재의 논증에서 그러한 것에 의거하고 있는 것은 거의 없다. 히브리서는 부활에 대한 재정의를 보여주는 중심적인 증언으로서 사용될 수 없다 — 물론, 우리는 히브리서가 그러한 방향으로의 몇몇 암시들을 내포하고 있다는 것을 살펴보았지만. 히브리서는 예수 자신의 부활과 신자들의 장래의 부활에 대한 신앙을 토대로 예수 및 그리스도인들의 순례에 관한 하나의 특정한 비전을 추구한다. 그러나 히브리서는 이것을 어쨌든 주된 주제로 삼고 있지는 않다.

을 명시적으로 드러내고 있는 것으로 보는 Lane 1991, 561과 대비해 보라.

23) Lane 1991, 561에 분명하게 서술되어 있다; 또한 cf. Koester 2001, 573.

24) Lane 1991, 561f.은 히브리서의 계약 갱신 신학과의 연결관계를 강조한다.

25) 특히, cf. 4:14; 5:5-10; 6:19f.; 7:16; 7:24; 9:24-8; 10:12-14(시 110편에 대한 긴 해설을 계속하는).

4. 일반 서신들

야고보서가 부활에 관하여 거의 말하고 있지 않다는 사실은 아마도 별로 놀라운 일이 아닐 것이다. 이 주제와 가장 가까운 본문은 믿음의 기도가 병든 자를 구원하고, 주가 "그를 일으켜 세워서"('에게레이 아우톤') 그의 죄들을 사하실 것이라고 말하고 있는 약속이다.[26] 기도, 질병, "일으키심," 죄사함의 이러한 결합은 우리가 지금까지 살펴본 몇몇 본문들로부터 친숙한 것이기는 하지만, 야고보서는 부활에 관하여 이것보다 더 명시적인 것은 전혀 말하지 않는다. 야고보서는 신자들 또는 모든 인간의 장래의 사후의 실존이나 예수의 부활이라는 과거의 사건이나 그 어느 것에 대해서도 전혀 언급하지 않는다. 그 밖의 다른 많은 주제들의 경우에서와 마찬가지로, 야고보서가 그것을 언급하고 있지 않다고 해서, 야고보가 이 모든 것을 믿지 않았다고 결론을 내리는 것은 경솔한 일이 될 것이다.[27] 야고보서에 대해서는 우리의 현재의 목적을 위해서는 이 정도로 해두면 충분할 것이다.

이와 동일한 말은 베드로후서와 유다서에도 그대로 적용된다. 이 서신들이 지닌 묵시론적인 분위기로 보아서 우리가 종말에 관한 모종의 시나리오를 예상할 수 있는데도 불구하고, 이 서신들이 그렇지 않다는 것은 다소 의외이다. 우리는 베드로후서에서 정욕으로 인한 이 세상에서의 썩어짐을 피하고 하나님의 성품에 참여하는 자들이 되라는 말을 발견하지만(1:4), 이 본문만으로 볼 때는 "썩어짐을 피하는 것"이 무엇을 의미하는지가 분명하지 않다. 마찬가지로 베드로후서는 그리스도인들의 삶의 목표가 "우리 주 곧 구주 예수 그리스도의 영원한 나라에 들어"가는 것(1:11)이라고 말하고 있지만, '아이오니오스 바실레이아' (이것은 고린도전서 15:24-28을 생각나게 한다)는 더 이상 자세하게 정의되지 않는다.[28] 베드로후서 기자는 바울이 빌립보서 1장 또는 고린도후서 5장에서 그런 것과 마찬가지로 자신의 다가올 죽음을 "장막"('스케노마') 속

---

26) 단수형을 강조하기 위하여 남성형을 고수하는 야고보서 5:15.

27) 야고보서 1:10f.은 이사야 40:6f.를 간접인용하고 있지만(풀은 마르고 꽃은 시든다), 베드로전서 1:23-5에서처럼 이 본문의 긍정적인 측면을 표현하지는 않는다.

28) 하지만 그것은 주후 2세기의 저술가들 중 몇몇의 언어를 미리 보여주는 것이

에 있는 것으로서의 현재의 몸에 머물러 있는 것과 대비하여 말하고 있지만, 현재의 몸 또는 그 몸에 "거하는 자"에게 무슨 일이 일어날 것인지에 관한 상세한 인간론을 발전시키지는 않는다.

하지만 우리는 베드로후서에서 이사야가 약속했던 "새 하늘과 새 땅"에 관한 언급을 발견한다.[29] 이것은 요한계시록의 마지막 부분(아래를 보라), 썩어짐과 쇠함으로부터 최종적으로 해방되어 하나님의 능력에 의해서 새로워진 세계를 그리고 있는 로마서 8장, 고린도전서 15장과 맥을 같이 한다.[30] 이러한 극적인 시나리오 내에서 부활 자체는 언급되어 있지 않지만, 하나님의 창조의 능력에 대한 언급과 만유의 갱신에 관한 약속은 다른 본문들에서 부활을 이 우주적인 드라마 속에서 인간에게 제시하고 있는 특유한 소망과 동일한 것이다:

> 3:5이는 하늘이 옛적부터 있는 것과 땅이 물에서 나와 물로 성립된 것도
> 하나님의 말씀으로 된 것을 그들이 일부러 잊으려 함이로다 6이로 말미암
> 아 그 때에 세상은 물이 넘침으로 멸망하였으되 7이제 하늘과 땅은 그 동
> 일한 말씀으로 불사르기 위하여 보호하신 바 되어 경건하지 아니한 사람
> 들의 심판과 멸망의 날까지 보존하여 두신 것이니라 8사랑하는 자들아 주
> 께는 하루가 천 년 같고 천 년이 하루 같다는 이 한 가지를 잊지 말라 9
> 주의 약속은 어떤 이들이 더디다고 생각하는 것 같이 더딘 것이 아니라
> 오직 주께서는 너희를 대하여 오래 참으사 아무도 멸망하지 아니하고 다
> 회개하기에 이르기를 원하시느니라.
>
> 10그러나 주의 날이 도둑 같이 오리니 그 날에는 하늘이 큰 소리로 떠
> 나가고 물질이 뜨거운 불에 풀어지고 땅과 그 중에 있는 모든 일이 드러
> 나리로다 11이 모든 것이 이렇게 풀어지리니 너희가 어떠한 사람이 되어
> 야 마땅하냐 거룩한 행실과 경건함으로 12하나님의 날이 임하기를 바라보
> 고 간절히 사모하라 그 날에 하늘이 불에 타서 풀어지고 물질이 뜨거운
> 불에 녹아지려니와 13우리는 그의 약속대로 의가 있는 곳인 새 하늘과 새

다; 아래의 제11장을 보라.

29) 3:13; cf. 사 65:17; 66:22.

30) 썩어짐과 그것을 피하는 것에 대해서는 베드로후서 2:19(1:4과 아울러)을 참

땅을 바라보도다.

여기서 이 서신 전체의 세계관의 중심축을 이루고 있는 것으로 보이는 결정적인 구절은 10절이다. 베드로후서 기자는 피조 세계 전체가 없어지고 새롭게 만들어진 새로운 피조 세계가 그것을 대신하게 될 것이라고 말하고 있는 것인가? 10절이 AV와 RSV에서처럼 "불태워질 것이다"로 끝난다면, 그럴 가능성이 있어 보인다. 이것은 피조 세계 자체가 구제할 수 없을 정도로 악한 것이라는 이원론적인 세계관을 함축하는 것일 수도 있고 — 이것은 피조 세계가 하나님에 의해서 만들어진 것이라는 주장에 의해서 배제되는 것으로 보인다 — 현재의 세계는 불에 의해서 녹아져서 불사조처럼 잿더미로부터 다시 탄생하게 될 것이라는 스토아학파적인 세계관을 함축하는 것일 수도 있다[31] — 이것은 그 근저에 있는 이야기가 스토아 사상에서처럼 무한한 윤회에 관한 이야기가 아니라 유대교에서처럼 심판과 새 창조를 향하여 나아가는 직선적인 역사의 운동에 관한 이야기라는 사실에 의해서 배제되는 것으로 보인다.[32] 그렇다면, 이 본문은 무엇에 관하여 말하고 있는 것이고, 그 안에서 장래의 세상과 인간에 관하여 어떠한 견해를 제시하고 있는 것인가?

사실, "불태워질 것이다"라는 번역은 몇몇 사본들의 이독에 의거하고 있다.[33] 가장 좋은 사본 증거들 중 대부분은 "발견되어질 것이다"('휴레데세타이')로 되어 있다. 최근까지만 해도 이 표현은 정말 이해할 수 없는 것으로 생각되었지만, 좀 더 최근에 주석자들은 "발견하다"라는 용어가 유대교 문헌들과 바울, 복음서들을 비롯한 신약성서의 여러 곳에서 종말론적인 심판이라는 배경 속에서 "발견되다"라는 의미로 사용된다는 것을 지적하여 왔다.[34] 이것으로부터 여러 가지 의미의 뉘앙스들이 생겨나는데, 그 중에서 특히 한 가지가 두드러진다: 베드로후서 기자는 불연속성 내에서의 연속성, 새 세상, 그리고 거기에 거

조하라.

31) 예를 들면, cf. Cic. *De Nat. Deorum* 2.118.

32) Duff 2001, 1274.

33) A(C5)와 일부 사본들에 나오는 '카타카에세타이'는 주목할 만하다.

34) 예를 들면, Bauckham 1983, 303, 316-21; 복음서들에 나오는 예수의 묵시론적 가르침에 뿌리를 두고 있을 가능성을 지적하는 Wenham 1987; Wolters 1987;

하게 될 새 백성은 고난이라는 가혹한 시련을 통해서 시험되고 연단되며 정화되어서 나타난다고 하는 연속성을 강조하고자 한 것이라는 것.[35] 이와 같은 것이 정말 이 본문의 의미라면(이 본문은 난해하고 모호한 본문이고, 또한 앞으로도 계속해서 그럴 것이다), 거기에서 우리가 발견하는 세계관은 피조 세계가 폐하여지는 것을 소망하는 이원론자의 세계관이 아니라, 피조 세계가 선하다는 것을 여전히 믿으면서 현재의 악을 대신할 공의와 선함에 대한 창조주의 갈망을 성취할 수 있는 유일한 길은 태워 없애버리기 위한 것이 아니라 정화하기 위한 불의 과정이라고 보는 자의 세계관이다.

따라서 베드로후서는 고린도전서에서의 바울의 종말론으로부터 그리 멀지 않은 초기 기독교의 종말론에 대한 희미한 증언을 제시해 주고 있는 것일 가능성이 있다. 유다서는 대부분의 내용을 심판에 관한 무시무시한 경고들에 집중하고 있고, 끝부분에 가서야 영생으로 이끄는 주 예수 그리스도의 긍휼에 관한 언급이 한 번 나온다(21절). 마지막의 축도는 하나님이 "너희로 그 영광 앞에 흠이 없이 기쁨으로 서게 하실" 것이라고 되어 있다(24절). 이러한 내용들만으로는 부활에 관한 유다서의 사상을 말하기는 어렵지만, 어쨌든 이것은 우리가 위에서 살펴본 더 큰 그림과 아주 잘 들어맞는다.

마찬가지로, 요한서신들도 사후의 궁극적인 미래 또는 그 토대가 되는 예수의 부활에 관한 언급이 별로 없다. 요한복음의 서문을 반영하고 있는 요한1서의 서두는 물론 온통 "생명" — 예수 안에서 나타난 생명, 아버지와 함께 있다가 우리에게 계시된 "영생"(1:2) — 에 관한 것이지만, 이 서신의 강조점은 이 어구의 미래적인 의미가 아니라, 복음서에서와 마찬가지로 그 현재적인 함의들에 두어져 있다. 장래를 보여주는 암시들도 존재한다: 세상과 그 정욕은 사라져가고 있지만, 하나님의 뜻을 행하는 자는 "영원히 거하게" 될 것이다(2:17).

하지만 궁극적인 미래에 관한 주된 언급은 분명하게 골로새서 3:1-4 같은 본문들과 아주 밀접하게 부합한다. 요한1서 기자는 지금이 "마지막 때"라고 말하면서, 현재에 있어서는 감추어져 있는 예수가 "나타날" 그날을 고대하라고 경고한다. 그러한 일이 있을 때, 그의 백성도 나타나게 될 것이다:

Neyrey 1993, 243f.를 보라.

> [2:28]자녀들아 이제 그의 안에 거하라 이는 주께서 나타내신 바 되면('에안 파네로데') 그가 강림하실 때에 우리로 담대함을 얻어 그 앞에서('파루시아') 부끄럽지 않게 하려 함이라 [29]너희가 그가 의로우신 줄을 알면 의를 행하는 자마다 그에게서 난 줄을 알리라.
>
> [3:1]보라 아버지께서 어떠한 사랑을 우리에게 베푸사 하나님의 자녀라 일컬음을 받게 하셨는가, 우리가 그러하도다 그러므로 세상이 우리를 알지 못함은 그를 알지 못함이라 [2]사랑하는 자들아 우리가 지금은 하나님의 자녀라 장래에 어떻게 될지는 아직 나타나지 아니하였으나('우포 파네로데') 그가 나타나시면('에안 파네로데') 우리가 그와 같을 줄을 아는 것은 그의 참모습 그대로 볼 것이기 때문이니 [3]주를 향하여 이 소망을 가진 자마다 그의 깨끗하심과 같이 자기를 깨끗하게 하느니라.

여기에 드러나 있는 사고의 흐름은 바울에 있어서의 몇몇 본문들과 매우 흡사하다. 예수는 현재에 있어서 우리의 눈으로 볼 수 없지만, 우리의 현재적 삶은 주변 세계에는 보이지 않는 방식으로 그의 생명과 연결되어 있다. 그러나 언젠가는 예수가 나타나게 될 것이다[36] 그때에 신자들이 이미 소유하고 있는 생명이 드러나게 된다. 빌립보서 3:20-21에서와 마찬가지로, 그런 일이 일어날 때에 우리는 "그와 같이" 될 것이다. 예수의 "왕적인 현존"('파루시아')은 현재적인 그리스도인들의 체험의 감추어진 실체가 하나님의 새로운 세상과 그의 갱신된 백성의 공적인 현실이 될 위대한 변화를 위한 신호탄이 될 것이다. 바울에서처럼, 이러한 소망은 현재에 있어서 제시된 윤리적인 요구들에 대하여 동력을 제공해 준다.

이 서신의 나머지 부분에서는 제4복음서가 강조했던 것을 강조한다: 현재에 있어서 죽음에서 생명으로 옮겨가는 일이 일어날 수 있다는 것, 그리스도인들은 그러한 변화가 그들의 생각과 행위 속에 일어날 수 있도록 허용하여야 한다는 것. "우리는 형제를 사랑함으로 사망에서 옮겨 생명으로 들어간 줄을 알거니와."[37] 그리고 이것은 지금 성령을 통해서 알려지게 된 예수 안에서 성

35) 정련 과정과 연결된 야금술과 관련된 의미를 제시하는 Wolters 1987, 411f.

36) 이것은 요한서신들 중에서 제4복음서에 나오는 재림에 관한(마찬가지로 드

육신된 하나님의 사랑에 토대를 두고 있다(4:1-5:5). 그리고 복음서에서와 마찬가지로, 그리스도인들의 현재적 경험으로부터 그리스도인들의 미래적인 소망으로의 연속성을 전달해주는 어구는 "영생"('조에 아이오니오스')이다.[38)]

이것은 우리를 단순한 흥밋거리 이상의 의미를 지닌 두 개의 단락을 포함하고 있는 베드로전서로 데려다 준다. 처음에 나오는 문안 인사 후에 베드로전서는 통상적으로 "구원"은 현재의 세상을 떠나서 "천국"으로 가는 것으로 이루어진다는 것을 보여주는 것으로 해석되어 온 본문으로 시작된다:

> [1:3]우리 주 예수 그리스도의 아버지 하나님을 찬송하리로다 그의 많으신 긍휼대로 예수 그리스도를 죽은 자 가운데서 부활하게 하심으로 말미암아 우리를 거듭나게 하사 산 소망이 있게 하시며 [4]썩지 않고 더럽지 않고 쇠하지 아니하는 유업을 잇게 하시나니 곧 너희를 위하여 하늘에 간직하신 것이라 [5]너희는 말세에 나타내기로 예비하신 구원을 얻기 위하여 믿음으로 말미암아 하나님의 능력으로 보호하심을 받았느니라 [6]그러므로 너희가 이제 여러 가지 시험으로 말미암아 잠깐 근심하게 되지 않을 수 없으나 오히려 크게 기뻐하는도다 [7]너희 믿음의 확실함은 불로 연단하여도 없어질 금보다 더 귀하여 예수 그리스도께서 나타나실 때에 칭찬과 영광과 존귀를 얻게 할 것이니라 [8]예수를 너희가 보지 못하였으나 사랑하는도다 이제도 보지 못하나 믿고 말할 수 없는 영광스러운 즐거움으로 기뻐하니 [9]믿음의 결국 곧 영혼('프쉬콘')의 구원을 받음이라.

이 본문은 현대의 서구의 독자들에게 충분히 즉각적으로 이해되는 본문인 것처럼 보인다. 구원받는 것은 영혼('프쉬케,' 9절)이고, 이 구원은 하늘에서 일어날 것이다(4절). 그러나 이것은 오늘날의 많은 사람들에게는 "분명한" 것으로 보일지라도 저자가 의도한 것이 전혀 아니라는 것을 보여주는 세 가지 표지들이 존재한다.

첫째, "구원"은 "마지막 때에 나타날 것"이다(5절). 이것은 골로새서 3장 또

문) 진술(21:22f.)과 가장 가깝게 접근하고 있는 것이다.

37) 요일 3:14f.; cf. 요 5:24.

는 요한1서 3장에 나오는 것과 비슷하게 들린다: 현재에 있어서 하늘에 속한 차원은 눈에 보이지 않지만, 언젠가는 드러나게 될 것이다.[39] 만약 구원이 단순히 하늘에 속한 차원으로 떠나가서 거기서 머무는 것이고 땅은 계속해서 멸망의 길을 향하여 가고 있는 것이라면, 이 서신의 저자는 그것을 이런 식으로 표현하지는 않았을 것이다. 믿음과 인내에 대한 상급은 최근에 죽은 사람이 몸을 입지 않은 채로 천국에 도달할 때가 아니라 "메시야 예수가 나타나실 때에" 드러날 것이다(7절). 이러한 표현은 땅으로부터 벗어나서 몸을 입지 않은 상태로 안전하게 "하늘"에 도달하고자 하는 이원론적 사고가 아니라 창조주의 장래의 목적들이 약속된 새로운 세상에서 드러날 때까지 예비되고 "안전하게 보존되는" 장소로서의 "하늘"이라는 관념과 훨씬 더 자연스럽게 어울린다(4절).[40]

둘째, 여기서 구원은 바울의 부활을 토대로 한 구원론을 강력하게 연상시키는 방식으로 말해진다. 그것은 "유업"('클레로노미아')이 될 것이다. 유업이라는 단어는 로마서 8장과 갈라디아서 3-4장에서처럼 출애굽 이야기 내에서 약속된 땅을 가리키는 데에 통상적으로 사용되었던 단어이다. 이 유업은 "썩지 않는"('아프다르톤,' 4절) 것이다. "찬송과 영광과 존귀"(7절)는 바울이 로마서에서 약속했던 것과 거의 동일하다.[41] 이 서신의 저자가 여기저기에서 바울 전승을 사용하고 있다는 사실은 우리가 그 언어를 바울에서와 동일한 방식으로 해석해야 한다는 것을 강력하게 암시한다.[42]

셋째, 구원은 예수 자신의 부활에 토대를 두고 있다(3절). 서두에 나오는 축복 기도에서 중심적인 위치를 차지하고 있는 이 진술은 서구의 이원론이라는 오랜 전통 속에서 진행되어온 재정의들에 대하여 모르고 있었던 세계에서 그것이 지녔을 온전한 의미가 부여되어야 한다. 예수의 부활로 말미암아 메시야

---

38) 요일 1:2; 2:25; 3:15; 5:11f., 13, 20.

39) 또한 cf. 벧전 4:13("그의 영광을 나타내실 때에").

40) 유업이 장차 이 땅으로 가져오기 위하여 현재적으로 "하늘에," 즉 하나님에 의해서 보존되어 있다는 관념은 유대교 및 예수의 가르침 속에서 친숙한 것이었고, "전적으로 변화된 종말론적인 실체"에 관한 바울의 인식과 잘 부합한다는 것을 보여주는 Achtemeier 1996, 96을 참조하라.

41) 로마서 2:7, 10; cf. 위의 제5장 제7절.

의 백성에게 속하게 된 새로운 탄생과 새로운 생명이 단순히 몸을 버리고 땅도 몸도 없는 영역으로 떠나가는 것이라면, 부활이라는 표현 자체가 잘못된 범주가 아닌가? 우리는 11절(그리스도의 영이 예언서들 속에서 "메시야의 고난과 그 이후의 영광에 대하여" 증거하고 있다고 말하는)에 의거해서 이러한 올무를 제거할 수 없다: 이것은 정확히 누가복음 24:26에서 사용된 언어로서, 그 절 자체 속에는 부활에 관한 언급이 없고 고난에서 영광으로 바로 넘어가긴 하지만, 기자가 부활절과 관련하여 몸의 중요성을 평가절하하고 있다는 것을 보여주는 것으로 해석될 수는 없다. 어쨌든 동일한 단락은 열 개의 절 다음에 한 신이 "그를 죽은 자로부터 일으켜서 그에게 영광을 주었다"고 말한다. 기자들이 한 이야기에 관한 축약된 판본을 말할 때에는 그들이 (잠시동안) 생략하고 있는 요소들을 의도적으로 평가절하하거나 심지어 부정하고자 하는 것이라고 전제할 위험성이 항상 존재한다. 빌립보서 9-11과 3:20-21을 비교해 보면, 이와 같은 것을 우리는 쉽게 알 수 있다.

실제로, 진정으로 중요한 것이 "영적인" 생명이라는 것을 함축하고 있지 않은 1:3에 나오는 새로운 탄생은 그 장의 끝에서 다시 사용되어, 신자 안에서의 "썩지 않는"('아프다르토스') — 1:4에서 "유업"에 관하여 사용되었던 바로 그 단어 — 생명의 탄생으로 설명된다. 이스라엘의 위대한 회복에 관한 이사야의 예언(40:6-7)에서처럼, "하나님의 살아있고 영원한 말씀"은 복음의 전파를 통해서 그 일을 행하여 내세에까지 이어지는 영원한 생명을 낳게 될 것이다(벧전 1:23-25). 바울은 "새로운 탄생" 같은 용어를 사용하고 있지는 않지만, 이러한 일련의 사고 — 복음의 말씀이 신자들 속에서 은밀하게 역사하여 그들의 최종적인 갱신과 부활을 가져올 것이라는 것 — 는 사람들이 어떻게 믿음에 이르게 되는지에 관한 바울의 이해와 매우 흡사하다.

이것은 1:9에서 통상적으로 "혼"으로 번역되는 '프쉬케'의 사용을 설명해준다고 나는 생각한다. 앞에서 본 것처럼, 이 단어는 어쨌든 당시의 유대교 및 초기 기독교에서 여러 가지 의미를 지닌 용어였다. 이 단락의 나머지 부분이 강력하게 다른 방향으로 말하고 있기 때문에, 우리는 이 단어가 플라톤적인 의미를 지니고 있다고 말할 수 없다.[43] 우리가 말할 수 있는 것은 이 단어는 여

42) Achtemeier 1996, 95f.

기서 실제로 모든 인간들이 자동적으로 소유하고 있는 "불멸의" 요소, 육신으로부터 해방되어서 저 끝날을 기다리고 있는 "영혼"이 아니라, 은밀하고 내면적으로 갱신되어서 인간의 전인적 존재에 대하여 이루어지게 될 약속을 지니고 있는 인간 존재의 그러한 측면(고린도후서 4:16에 나오는 속사람과 같은)을 가리키는 역할을 하고 있다는 것이다. 이것이 바로 이 기자가 "너희 안에 있는 소망"(3:15)이라고 말할 때에 의미하고 있는 것이라고 나는 생각한다. 또한 이것은 바울에서와 마찬가지로 독자들이 예수의 영광에 참여하기 위해서는 그의 고난에도 참여하여야 한다는 자주 반복되는 호소에 대하여 십자가와 부활이라는 형태를 부여해 주는 것이다.[44] 이것은 극히 바울적인 것이다.

그렇다면, 우리는 이 서신의 한복판에 있는 저 당혹스러운 본문에 대해서 무엇이라고 말해야 하는가? 핍박 가운데에서 굳게 서 있으라는 것에 관한 긴 권면의 일부로서, 저자는 처음은 아니지만 예수의 모범을 언급한다. 그러나 이번에는 2:21-24과는 달리, 그는 예수에 관한 이야기를 확장해서, 거기에 예수가 죽음 이후의 삼일 동안에 행하였던 일에 관한 진술을 포함시킨다:

> [3:18]그리스도께서도 단번에 죄를 위하여 죽으사 의인으로서 불의한 자를 대신하셨으니 이는 우리를 하나님 앞으로 인도하려 하심이라 육체로는('사르키') 죽임을 당하시고 영으로는('프뉴마티') 살리심을 받으셨으니 [19]그가 또한 영으로 가서 옥에 있는 영들에게 선포하시니라 [20]그들은 전에 노아의 날 방주를 준비할 동안 하나님이 오래 참고 기다리실 때에 복종하지 아니하던 자들이라 방주에서 물로 말미암아 구원을 얻은 자가 몇 명뿐이니 겨우 여덟 명이라 [21]물은 예수 그리스도께서 부활하심으로 말미

---

43) Achtemeier 1996, 104: 여기서 '프쉬케'의 의미는 "몸과 대비되는 한 사람의 더 높은 또는 영적인 부분의 구원이 아니라 전인(全人)의 구원"이다. 베드로전서 속에서의 부활과 구원에 대해서는 Schlosser 2002를 보라.

44) 장차 도래할 심판에 관한 전형적인 경고를 포함하고 있는 베드로전서 4:12-19; 하나님의 은혜, 영광, 마지막으로 능력을 송축하고 있는 5:10f. 이 논증 전체는 베드로전서에서 부활은 주로 현재적인 체험이기 때문에, 단지 "정통 신앙에 있어서의 영속적이지만 비교적 수동적인 요소로서의 장래의 부활에 관한 묵시론적 견해에 대한 의례적인 존중"을 위한 여지만 남겨두고 있다고 주장하는 Robinson 1982,

> 암아 이제 너희를 구원하는 표니 곧 세례라 이는 육체의 더러운 것을 제하여 버림이 아니요 하나님을 향한 선한 양심의 간구니라 [22]그는 하늘에 오르사 하나님 우편에 계시니 천사들과 권세들과 능력들이 그에게 복종하느니라.

베드로전서의 기자는 고난이라는 주제로 되돌아가서, "이방인들"이 그리스도인들이 그들의 방탕한 삶에 함께 하기를 거부하는 것을 보고 이해할 수 없는 일로 여기며 불쾌해할 것이라고 설명한다. 그러나 장차 회계하는 날이 올 것이라고 그는 말한다:

> [4:5]그들이 산 자와 죽은 자를 심판하기로 예비하신 이에게 사실대로 고하리라 [6]이를 위하여 죽은 자들에게도 복음이 전파되었으니 이는 육체로는('사르키') 사람으로 심판을 받으나 영으로는 하나님을 따라 살게 하려 함이라.

이 두 본문은 가리키는 대상이 반드시 동일한 것은 아니지만 분명히 서로 연결되어 있다. 이제까지의 우리의 연구 패턴을 따라서, 우리는 첫째로 인간의 심판과 구원에 관하여, 둘째로 예수 자신에 관하여 이 본문들이 무엇을 말하고 있는지를 물어야 한다.[45]

물론, 이 기자는 최후의 심판과 재판장으로서의 예수에 관하여 매우 분명하게 말한다(4:5). 이것은 초기 기독교 전체에 걸쳐서 공통된 내용이다. 모든 사람이 똑같이 메시야에 의해서 심판을 받게 될 날이 올 것이기 때문에, 그러한 미래의 빛 아래에서 현재를 살아가는 것이 중요하다(4:1-2). 이것은 3:21-22에 나오는 세례의 준거점이 되고 있는 것으로 보인다: 그리스도인으로서의 삶의 상징적인 시작으로서의 세례는 신자를 지금 하나님의 우편에서 세상에 대하여 권세를 가지고 다스리고 있는 부활하신 메시야와 연합시킨다(우리는 여기서도 고린도전서 15:25-28 및 빌립보서 3:20-21과 비교해 볼 수 있을 것이다). 따라서 신자는 하나님 앞에 나아갈 때에(3:18) 자신의 죄들을 위하여

19의 분석을 정면으로 반박한다.

고난받은 메시야의 신원으로 인해서(3:18) 선한 양심을 가지고 그 앞에 설 수 있다(3:21). 물론, 이것은 옛 삶의 유혹을 물리치고(4:3-4) 현재에 있어서 도덕적인 노력을 요구하는 그러한 입장을 견지하느냐에 달려있다(4:1-2).

이 본문의 전체적인 요지는 하나님의 심판이 세상에 임하는 것과 마찬가지로 의인들은 안전하게 그 심판을 통과하게 되리라는 것으로 보인다. 그리스도인들의 경우에 세례는 노아의 시대에 세상을 심판하였던 물과 죄인들을 위하여 고난받은 메시야의 죽음, 이 두 가지에 대한 병행으로서의 기능을 한다. 지금 그들은 핍박 및 그들의 도덕적인 자세에 대한 비방이라는 필수적인 고난을 통과하는 동일한 패턴을 따르지 않으면 안 된다. 그렇게 함으로써, 그들은 하나님 자신이 예수 안에서 및 예수를 통해서 행하였고 세례라는 강력한 상징적 행위 속에서 분명하게 된 것을 토대로 해서 하나님 앞에서 자신의 선한 양심을 견지하게 될 것이다.

그렇다면, 감옥에 있는 영들은 도대체 무엇인가? 이 본문에 대한 수많은 해석들 중에서 내게는 다음과 같은 일련의 사고가 전체적인 문맥상으로 적절한 것으로 보인다. 기자의 주된 요지는 지금 기자의 말을 듣고 있는 자들은 시련과 심판의 때를 안전하게 통과할 수 있도록 준비되어야 한다는 것이다. 노아와의 유비(類比)는 불순종한 영들, 즉 노아 시대의 "방관자들" 또는 단순히 부주의한 사람들은 그때까지 그들이 마땅히 받아야 했던 심판을 받지 않았지만 이제 받게 되리라는 의미를 함축하고 있다. 한 분 참 하나님은 사람들이 마땅히 받아야 할 심판을 보류하느라고 극도의 인내심을 발휘하여 왔었다; 이제 대홍수를 통해서 마침내 심판이 임했다. 그러나 인내의 때의 끝은 무엇이었는가? 그것은 악인들을 심판한 대홍수 자체였는가? 아니면, 그것은 메시야가 사람들의 죄악으로 인해서 고난을 받은 후에 자기가 행한 일을 여전히 감옥에 갇혀있는 영들에게 전하러 갔을 때였는가? 그리고 그렇게 전한 것은 그들을 위한 좋은 소식이었는가("마침내 구속이 발견되었다")? 아니면, 그것은 나쁜 소식이었는가("마침내 너희의 파국이 확정되었다")?

4:6이 동일한 문제를 말하고 있는 것이라면, 그것이 함축하는 있는 것은 여기서의 "영들"은 방주로 들어가서 살아남은 여덟 명만을 제외하고 대홍수로 인해서 목숨을 잃었던 자들이 수많은 세월이 흐른 후에 메시야의 죽음을 통해서 구원받을 수 있게 된 노아 세대의 사람들인 것으로 보인다는 것이다. 하지

만 "영들"이 심판을 기다리는 악한 세력들이라면 — 현재의 본문을 그 자체로 본다면 가장 개연성 있는 해석 — 예수가 선포한 것은 그들의 최종적인 파국에 관한 것이었을 가능성이 높다(현재에 있어서 악의 결과들로 말미암아 고통을 당하고 있는 자들에 대한 격려로서). 이 본문은 초기 기독교의 모든 문헌들 중에서 가장 난해한 대목들 중의 하나이기 때문에 우리는 이렇게 해서 그 미스테리들을 해결하였다고 생각해서는 안 된다.[46] 하지만 내가 위에서 개략적으로 설명한 두 가지 견해들 중 어느 쪽이 진실에 가깝다고 하더라도, 이 본문은 우리의 주된 연구에 실질적인 기여를 하지는 않는다. 우리는 여기서 일반적으로는 사람들, 구체적으로는 그리스도인들을 기다리고 있는 사후의 삶에 관한 초기 기독교의 이해를 탐구하고 있는 것이 아니기 때문이다.

하지만 이러한 견해들 중의 하나가 어느 정도 정확하다면, 우리는 고린도전서 15장, 특히 50절과 관련해서 너무도 자주 일어나는 것과 동일하게 본문을 잘못 해석할 수 있는 위험성에 처하게 된다. 3:18과 4:6의 "육체/영"의 대비는 오늘날의 서구 독자들의 귀에는 마치 그것이 우리의 "육신적인/비육신적인"이라는 구별을 나타내는 것으로 들린다; 그러나 만약 그런 식으로 받아들이게 되면, 우리는 잘못된 길로 접어들게 된다. 이 기자는 구원을 이룬 것은 예수의 부활이라고 역설한다. 이 본문에는 부활이 이교 및 유대교 세계와 초기 기독교의 나머지 문헌들에서의 표준적인 용법과 다르게 이해되고 있다는 것을 보여주는 그 어떤 암시도 존재하지 않는다. 그러므로 이 기자가 메시야가 "육체로 죽음에 처해졌지만 영으로 살아났다"고 말할 때, 우리는 "육체/영"이라는 표현이 오늘날 우리에게 암시하는 "육신적인/비육신적인"이라는 대비를 이 본문 속에 투영해서는 안 된다. 디모데전서 3:16에서와 마찬가지로, 여기서도 "영"이라는 단어는 장소적인 것이 아니라 도구적인 것으로 해석될 수 있는 가능성이 실제로 존재하고, 나는 이것을 두 가지 대안과 더불어 번역문에 반영하였다. 아마도 우리는 앞 행에 나오는 "육체"라는 단어도 동일한 방식으로 이

45) 이 본문에 대해서는 주석서들과 아울러서 Westfall 1999를 보라.

46) 후자의 노선을 취하는 Davids 1990, 138-41; Achtemeier 1996, 252-62를 보라. 또한 Achtemeier는 19절이 그리스도가 "영들"에게 전도하기 위하여 "간다"라고 말할 때, 그것은 지하세계로 내려가는 것이 아니라 승리의 선포를 하기 위하여 하

해해야 할 것이다. 그는 육신으로 죽음에 처해졌고, 영으로 다시 살아났다.[47] 그러므로 19절과 연결해서 생각해 보면, 그 번역은 "그가 영으로 다시 살아났고, 감옥에 있는 영들에게 전하러 갔다"가 아니라 "그는 성령에 의해서 다시 살아났고, 그 성령의 능력으로 또는 성령을 통해서 감옥에 있는 영들에게 전하러 갔다"가 될 것이다. 어느 쪽으로 해석하든지간에 1:3을 다시 받아서 3:21에서 예수의 부활에 관하여 명시적으로 언급하고 있는 것은 이 본문의 해석을 위한 토대가 되어야 한다. 에베소서 1장과 빌립보서 3장에서처럼, 지금 예수에게 천사들, 정사들, 권세들의 주가 될 수 있는 자격을 부여해준 것은 바로 그의 부활이다. 예수는 로마서 8:34에서처럼 한 분 참 하나님의 우편에 앉아 있고, 아무것도 그의 백성을 그의 강력한 사랑으로부터 떼어놓을 수 없을 것이다.

이렇게 신약성서의 좀 더 작은 일반 서신들은 우리의 연구를 위한 다채로운 결과들을 낳는다. 그것들은 우리가 바울, 복음서들, 사도행전에서 볼 수 있는 것과 같은 자세한 내용이나 빈번한 언급을 하지는 않는다. 그럼에도 불구하고, 부활 소망은 여전히 변함없이 존재하고, 예수의 부활은 그 토대가 되고 있다. 더 다듬어질 필요가 있었던 주된 관심으로서의 부활이라는 주제가 집중적으로 다루어지고 있지는 않다고 하더라도(이러한 서신들은 바울, 복음서 전승들, 사도행전보다 후대의 것이라는 것을 언제나 전제하고), 이 주제는 사라져버리거나 뭔가 다른 것으로 변질되거나 왜곡되지 않았다. 부활은 여전히 주후 1세기에 다른 곳에서 그것이 의미하였던 것을 의미하고 있다; 초기 그리스도인들은 바리새인들이 그랬던 것처럼 부활을 긍정하였다; 다음 장에서 보겠지만, 그 이후의 두세 세대도 계속해서 그러하였다. 우리가 이 서신들에서 발견하는 것은 비록 지엽적인 차이들은 존재하지만 우리가 바울과 그 밖의 다른 곳에서 보았던 일반적인 패턴에 부합하는 일련의 부분적인 재정의들이다.

우리는 이제 이제까지 씌어진 것 중에서 그리스도인들의 미래적 소망에 관한 가장 강력한 진술을 담고 있는 책을 살펴보기로 하자: 요한계시록.

늘로 올라가는 것(22절에서처럼)을 가리킨다고 주장한다.

47) Achtemeier 1996, 250f.를 보라. 마찬가지로 여기에서 그 어떤 이원론도 거부하는 또 하나의 좀 더 통상적인 해법은 Davids 1990, 137의 것이다: 예수는 죄악된

5. 요한계시록

요한계시록은 강력한 책이지만, 물론 자주 오해되고 있는 책이기도 하다. 요한계시록의 마지막 두 장에 나오는 하늘의 도성에 관한 묘사는 흔히 후대의 서구적인 경건의 렌즈를 통해서 해석되어서, 그것은 단지 그리스도인들이 죽은 후에 가게 될 "천국"이라고 생각되었다. 그러나 그러한 견해는 단순히 뭔가 좀 부족한 해석 정도가 아니라, 본문을 제대로 읽는 데에 완전히 실패하고 있는 것이다. 요한계시록 21장에서(그리고 다른 곳에서; 이 환상은 단지 끝부분만이 아니라 이 책 전체를 지배하고 있다) 하늘의 도성은 하늘로부터 땅으로 내려온다. 이것이 이 이야기가 말하고 있는 것의 전부이다. 크리스토퍼 로울랜드(Christopher Rowland)가 역설하였듯이, 요한계시록의 결말은 초연한 타계적인 영성을 궁극적으로 거부하고, 피조 세계의 두 절반인 "하늘"과 "땅"이 마침내 연합되는 새 창조에 관한 통합된 비전을 제시한다. 언제나 서로 결합되고자 했던 하늘과 땅은 이렇게 해서 다시 만들어져서, 살아계신 신이 그의 백성 가운데 영원히 거하게 될 곳으로 거듭난다.[48]

하지만 이것은 단지 이 책의 끝부분일 뿐이다. 그것이 이 이야기가 가고 있는 지점이라는 것을 항상 염두에 두는 것은 중요하지만, 우리는 우리가 내내 검토해왔던 질문들을 염두에 둔 채로 이 책의 나머지 부분을 읽음으로써 거기로 가는 길을 가지 않으면 안 된다.

서두의 장의 절정을 이루는 예수에 관한 환상에서 부활한 주는 죽음에 대한 자신의 승리로 인해서 그가 지금 사망과 음부에 대한 독점적인 권리들을 가지고 있다는 것을 분명하게 말한다.[49] 우리가 거기에서 말하고 있는 것이 엄

육체의 영역은 그대로 남겨둔 채 성령과 관련해서 살아나셨다.

48) Rowland 1985, 292-4, 310f.; 1998, 720-30. 또한 O'Donovan 1986, 56을 보라.

49) 1:13-16에 나오는 환상은 "부활 현현"으로 취급되어서는 안 된다(예를 들면, Robinson 1982, 10; McDonald 1989, 19). "부활 현현"을 짧은 초기의 기간으로 국한시키고 있는 것은 누가만이 아니라 바울과 요한도 마찬가지이다. 양식과 내용은 둘 다 이것이 성경 및 성경 이후의 전승에 대한 다중적인 반영을 지닌 채 씌어진 "환상"이라는 것을 분명하게 보여주기 때문에(예를 들면, cf. Rowland 1980; 1998, 561f.; Aune 1997-8, 70-74), Robinson이 주장하듯이, 그것을 "선견자가 본 것"을 그대로 글로 옮긴 것이라고 취급하는 것은 문자주의를 보여주는 것이다 — 다른 어느

청난 것이라는 사실과 그 정확한 초점을 알기 위해서는 단지 본서의 제2—4장에서 살펴보았던 내용 및 거기에서 서술한 세계들에서는 그러한 주장에 대한 병행이 없었다는 것만을 잠시 생각해보면 된다:

> [1:17]두려워하지 말라 나는 처음이요 마지막이니 곧 살아 있는 자라 내가 전에 죽었었노라 볼지어다 이제 세세토록('에이스 투스 아이오나스 톤 아이오논') 살아 있어 사망과 음부의 열쇠를 가졌노니.

이것은 요한계시록 2장에서 다시 다루어진다. 이것은 분명히 이 책의 의도적인 틀의 일부를 구성한다. 왜냐하면, 마지막에서 두 번째 장면에서 사망과 음부는 그들이 담고 있던 모든 죽은 자들을 내어놓고, 불못으로 던져지기 때문이다.[50] 그러나 이 장면 전체를 보기 전에, 우리는 약속과 경고에 관한 메시지가 각각에게 주어지고 있는 소아시아의 일곱 교회를 돌아보는 순회 여행을 하게 된다. 이 교회들 중 다수는 이 책의 주된 주제들 중 하나를 반영하고 있다: 고난을 통한 악과 세상의 정복. 이것은 그 자체가 표준적인 유대교적 주제로서, 마카베오 시대 및 그 이후에 걸쳐서 재정의되었고, 지금은 예수의 죽음과 부활을 통해서 새로운 초점이 부여되어 있다. 소아시아의 교회들에게 주어진 메시지들 중에서 특히 서머나 교회에 주어진 메시지는 죽도록 충성할 것을 강력히 촉구하면서, 생명의 면류관이 주어지고 "둘째 사망"이 그들을 해하지 못할 것이라는 약속이 주어지고 있는 메시지이다. 이것은 "둘째 사망"에 관한 최초의 언급으로서, 이 책의 절정의 중요한 부분이다.[51]

책이 진행되면서 — 미로와 같은 이 책의 세부적인 내용을 살펴볼 지면도 없고, 구태여 그럴 필요도 없다 — 우리는 싸움 속에서 죽어갔지만 아직 부활하지 않은 자들을 상정하는 또 다른 방식을 얼핏 보게 된다. 그들은 악에 대한 하나님의 궁극적인 승리를 고대하면서 "제단 아래에서" 안식하며 기다리고 있다. 그들은 그들의 동료 그리스도인들의 충만한 수가 그들과 마찬가지로 죽임을 당할 때까지 좀 더 쉬고 있으라는 말을 듣는다.[52] 이 이상한 작은 장면은

것보다도 여기에서! 그는 다른 곳에서는 앞장서서 이 문자주의를 버린다.

50) 요한계시록 2:8; 20:13f.

우리가 의롭게 죽은 자들은 장래에 창조주가 세상을 마침내 심판할 그날에 부활하게 될 것이지만 아직은 부활하지 않았다는 유대교적인, 더 구체적으로는 바리새파적인 관점을 갖고 볼 때에만 의미를 지니게 된다. 또한 이것은 7:14-17에 나오는 순교자들에 관한 묘사를 읽는 올바른 방식이기도 하다 — 실제로 이것이 21장과 22장에 나오는 환상에 대한 복선이 아니라면.[53] 또한 이것은 14:13에서 불쑥 끼어든 말, 즉 하늘로부터의 소리가 선견자에게 이것을 쓰라고 말하는 내용에 대한 적절한 설명이다: "주 안에서 죽는 자들은 복이 있도다." "그들이 수고를 그치고 쉬리니 이는 그들의 행한 일이 따름이라"고 성령은 이것을 확증해준다. 이것은 그들의 최종적인 운명(모종의 끝없는 "안식")에 관한 진술이 아니라 그들의 일시적인 거처에 관한 진술로 해석되어야 한다. 이 말은 하늘로 올라오라고 부르심을 받고 구름을 타고 올라가서 그들의 원수들을 훤히 내려다보는 자들에게도 그대로 적용된다(11:12). 이 책 전체의 더 큰 드라마 속에서 마지막 3개의 장들에 나오는 사건들을 통해서 이 모든 사람들이 새로운 삶으로 들어가게 될 것이라고 우리가 전제하는 것은 옳다.

11:1-13에서 이야기되고 있는 이상한 사건들은 여러 가지로 이해되어 왔지만, 우리는 여기서 그 사건들에 대한 가장 좋은 해석이 무엇인지를 결정하기를 멈출 필요가 없다. 엘리야와 마찬가지로 비를 내리지 않도록 하늘 문을 닫을 권세를 지니고 있는 두 증인은 핍박을 받고 죽임을 당하지만, 삼일 반 후에 창조주의 생기가 그들에게로 들어가서, 그들은 발로 서게 된다. 이 기자는 분명히 우리에게 창세기 2:7과 에스겔 37:5-14에 대한 반영들을 듣기를 의도하고 있다. 그런 후에, 이 증인들은 엘리야 또는 다니엘 7장에 나오는 "인자" 같은 이와 마찬가지로 구름을 타고 하늘로 올리운다. 부활에 관한 성경의 이미지들을 통해서 묘사되고 있는 이 사건들은 송축을 불러일으킨다: "하나님과 메시

---

51) 요한계시록 2:10f.; cf. 20:6, 14; 21:8.

52) 요한계시록 6:9-11. 나는 그들이 "영적인 부활"상태에 있다고 주장하고자 하는 Beale의 시도(1999, 1010)를 확신하지 못한다; 아래에서 요한계시록 20:4-6에 대한 서술을 보라.

53) 이것이 종말에 미리 참여하는 것이라는 점을 지지하는 견해: 그들은 생명수 물가로 인도되고, 그들의 눈으로부터 모든 눈물들이 닦여진다(계 21:1-5; 21:4을 보라). 반대하는 견해: 그들은 그의 성전에서 살아계신 신을 섬기지만(7:15), 하늘

야의 나라가 마침내 임하였다"(계 11:15); 열방들은 심판을 받고, 참 하나님의 종들은 신원을 받으며, 이 땅을 멸망시킨 자들은 스스로 멸망받게 될 것이다(11:18).

물론, 이 모든 것은 예수 자신이 죽음과 부활을 통해서 친히 이룬 일에 토대를 두고 있다. 예수는 희생양이 됨으로써 세상을 정복한 유다의 사자이다(계 5:5-6, 9-10). 골로새서 1장에서와 마찬가지로, 예수는 "죽은 자들의 첫 열매"(계 1:5)로서, 지금 "땅의 왕들의 통치자"가 되어 있다.[54] 신약성서에서 아주 자주 그러하듯이, 부활은 강력한 정치적인 강조점을 지니고 있다: 부활 사건은 예수를 서로 으르렁거리며 싸우는 열방들 가운데에서 세상의 올바른 주권자로 세웠다(11:18). 그런 후에, 11장에서 선포된 승리는 어린 양의 참 신부인 하늘의 도성에 대한 패러디인 음녀 바벨론에 대한 심판이 선포되고 집행되는 19장에서 다시 송축된다. 18-20장 전체에 걸쳐서 끊임없이 등장하는 주제는 성도들, 사도들, 선지자들을 위한(for) 심판, 하나님의 백성을 압제했던 바벨론에 대한(against) 심판이다.[55]

이것은 차별화된 부활로 이어지는데, 이것은 이 시기 전체에 걸친 유대교 또는 기독교 문헌들에 나오는 것들 중에서 가장 복잡하게 부활 신앙을 발전시킨 것이다.[56] 짐승 또는 그 우상을 섬기지 않았던 죽은 순교자들은 다시 살아나서 메시야와 함께 천년 동안 다스리게 되고, 그들이 "둘째 사망"을 피할 것임을 미리 보장받는다. 그 동안에 나머지 죽은 자들은 천년이 끝날 때까지 다시 살아가지 못한다:

도성에는 성전이 없다(21:22).

54) 일부 사본들은 이 어구를 골로새서 1:18과 맞춰서 "죽은 자로부터('에크')"로 읽는다(하지만 일부 사본들은 골로새 본문에서 '에크'를 생략한다).

55) 요한계시록 18:20.

56) 나는 요한계시록이 주후 1세기의 마지막 30년의 어느 시기에 씌어진 것으로 생각하지만, 정확한 저작 연대는 우리의 목적을 위해서 중요하지 않다. Oegema 2001는 요한계시록에 나오는 "이중적 부활"이 교부 시대에 어떻게 취급되었는지에 관한 역사를 보여준다; Hill 2002 [1992]은 이 본문에 대한 석의를 제시하고, Origen(181-7)과 Cyprian(198-207)를 비롯한 초기의 핵심적인 주석자들이 이 본문

[20:4]또 내가 보좌들을 보니 거기에 앉은 자들이 있어 심판하는 권세를
받았더라 또 내가 보니 예수를 증언함과 하나님의 말씀 때문에 목 베임
을 당한 자들의 영혼들과 또 짐승과 그의 우상에게 경배하지 아니하고
그들의 이마와 손에 그의 표를 받지 아니한 자들이 살아서 그리스도와
더불어 천 년 동안 왕노릇 하니 [5]그 나머지 죽은 자들은 그 천 년이 차기
까지 살지 못하더라 이는 첫째 부활('헤 아나스타시스 헤 프로테')이라 [6]
이 첫째 부활에 참여하는 자들은 복이 있고 거룩하도다 둘째 사망이 그
들을 다스리는 권세가 없고 도리어 그들이 하나님과 그리스도의 제사장
이 되어 천 년 동안 그리스도와 더불어 왕 노릇 하리라.

여기에서 묘사되고 있는 것이 정확히 무엇인지, 그리고 그런 일이 언제 일어나게 되는지에 관한 문제를 둘러싸고 끝없는 논쟁들이 펼쳐져 왔다. "천년왕국"에 관한 영향력 있는 사고 도식들은 주후 2세기에서 오늘날에 이르기까지 교회사의 여러 시기들마다 각각 달랐다.[57] 우리의 목적을 위해서 중요한 것은 우리가 여기에서 이번에는 유대교 내부로부터가 아니라 기독교 자체의 내부로부터 부활의 언어와 신앙에 대한 새롭고 독특한 돌연변이를 갖고 있는 것으로 보인다는 것이다.

하지만 이 돌연변이는 결코 임의적인 것이 아니다. 그것은 우리가 초기 기독교에서 살펴보았던 중요한 발전들 중의 하나, 즉 "부활"이 연대기적으로 둘로 나누어진다는 것(첫째는 예수, 그 후에는 그의 모든 백성)과 맥을 같이 한다 — 물론, 그것을 뛰어넘고 있지만.[58] 이제 예수의 백성의 부활 그 자체가 둘로 나뉜다: 첫째는 순교자들이고, 다음으로는 그 밖의 모든 사람들. 하지만 요한계시록에서는 그 어느 것도 간단하지가 않은데, "부활"이라는 단어 자체도 실제로 20:12-13에서 모든 죽은 자들이 그 후에 나타나는 것, 또는 21장과 22장에서 복된 자들의 최종적인 상태를 가리키는 데에 사용되지 않는다. 하지만 관련된 몇몇 유대교 본문들과 요한복음 5:28-29에서와 마찬가지로, 악인들이 심

을 어떻게 다루었는지를 다룬다.

57) 주석서들과 아울러서 Clouse 1977; Wright, *Millennium*; Hill 2002 [1992]를 참조하라.

판을 받기 위하여 부활하게 된다는 것은 적어도 분명하다: 그때까지 그들은 "사망과 음부"의 소유, 그리고 실제로 바다의 소유가 되어 있는데(20:13), 이것은 죽은 자들의 물리적 및 영적 "처소"의 결합에 관한 주후 1세기의 견해들에 대한 흥미로운 통찰을 제공해 준다.[59] 악인들을 심판을 받기 위하여 다시 살아났다가 불못에 던져진다: 또한 사망과 음부도 불못에 던져진다(20:14-15). 첫 번째 하늘과 땅이 새로운 하늘과 땅을 위하여 자리를 내어주기 위해서 없어지는 바로 그때에 바다도 21:1에서 없어진다.[60]

우리의 목적을 위하여 결정적으로 중요한 것은 다음과 같은 질문이다: 20:5-6에서 말하고 있는 첫째 부활은 과연 무엇인가? 그것은 모든 의인들이

58) 고전적인 진술은 고린도전서 15:23이다(위의 제7장 제1절을 보라).

59) Bauckham 1993a, 56-70은 유대교 문헌들에 나오는 많은 병행들을 제시하고 논의한다. "죽음"과 "하데스"는 둘 다 의인화된 것들임과 동시에 장소들일 수 있다; 또한 "죽음"은 "하데스"라 불리는 장소의 통치자일 수 있다. 땅 아래에 있다고 생각되었던 이곳은 바다보다는 죽은 자들을 위한 더 자연스럽고 적절한 장소로 여겨졌다; 예를 들면, Clitophon이 그의 사랑하는 연인인 Leucippe가 바다에서 죽었다고 생각하고는 그와 Melite가 그 순간에 선상에 있었기 때문에 그들이 Leucippe의 무덤 위로 항해해 가고 있고, 아마도 그녀의 유령이 그 순간에 그 배를 맴돌고 있을 것이라고 말하고 있는 Achilles Tatius, *Leucippe,* 5.16.2를 참조하라. "바다에서 죽은 영혼들은 하데스로 내려가지 않고 바다 위를 맴돈다고 전해진다"고 그는 설명한다. Aune 1997-8, 3.1102f.에 나오는 그 밖의 다른 참고문헌들과 Chester 2001, 71f.에서의 추가적인 논의를 보라. 모든 사람들의 부활과 의인들의 부활 간의 차이에 대해서는 아래의 서술에 나오는 요한복음 5:28f.에 대한 설명을 보라.

60) Beale 1999, 1042는 바다의 폐지를 위한 다섯 가지 가능한 이유들을 열거한다(1050f.에 나오는 추가적인 내용과 더불어서): 바다는 우주적인 악의 기원, 믿지 않는 나라들에 관한 묘사, 죽은 자들의 처소, 우상숭배적인 교역의 장소, 옛 창조 전체에 대한 대유법으로 보아진다. 이러한 것들 중에서 마지막의 것은 요한계시록 21:1의 나머지 부분에 비추어 볼 때에 별로 가능성이 없어 보인다; 네 번째의 것은 흥미롭기는 하지만 일차적인 요점은 아닌 것 같다; 처음 세 가지의 것은 서로 결합되었을 때에 가장 가능성이 있는 것들로 보인다. Bauckham 1993a, 49f.은 다른 문헌들 속에서의 비슷한 언어를 토대로 해서 처음 하늘과 땅이 "사라지는 것"은 "그것이 다른 것으로 대체되는 것이 아니라 이 창조의 종말론적인 갱신을 가리킨다"고 주장한다(Chester 2001, 73도 보라). 바다와 그 폐지에 관한 Bauckham의 논의(51-53)는 다시는 세상을 홍수로 멸망시키지 않겠다는 노아에 대한 하나님의 약속(창

아니라 일부 의인들이 처음으로 부활하게 되는 것인 것으로 보인다. 침상에서 죽은 평범한 그리스도인들이 아니라 순교자들, 그리고 그 중에서 한 유형의 순교자들이 특별히 선택되고 있다: 참수당한 자들.[61] 그런 후에, 이 무리는 의인들의 선봉대로서 메시야의 통치에 이미 참여하게 된다(이 일이 어느 정도 교회 시대와 거의 같은 시대인 "천년의 기간"에 일어나는지, 아니면 문자 그대로 장차 도래할 천년왕국에서 일어나는지는 현재에 있어서 우리의 관심이 아니다). 마침내 나머지 죽은 자들이 부활할 때에(20:12-13), 그들 중 다수는 그들의 이름이 생명책에 기록되어 있다는 것이 밝혀지고(20:12, 15), "사망이 더 이상 존재하지 않게 될"(21:4) 새 예루살렘에서 새로운 삶을 살게 된다(21장). 이 기자는 정확히 무엇을 염두에 두고 있는 것인가?

요한계시록의 기자는 이러한 "첫째 부활"을 물리적인 관점에서 생각하여, 의인들이 몸을 입고서 하늘의 세계에서 있게 되는 것으로 생각했을 수 있다(아마도 21장에서처럼 결국에는 이 땅에도 나타나게 될 새 예루살렘에서) — 물론, 오늘날의 해석자들 중에서 이런 식으로 생각하는 사람은 거의 없지만[62] 고전적인 "전천년설"은 이 본문을 모든 의인들 또는 일부 의인들이 부활하여 그리스도와 함께 세상을 다스리게 될 문자 그대로의 천년왕국이라는 미래의 시기라는 관점에서 이해한다. 이러한 학설을 반박하려는 시도 속에서 흔히 제시되고 있는 것은 "첫째 부활"은 단순히 모든 의인들이 복된 중간 상태로 들어가기 위하여 죽음을 통과하는 것을 묘사하는 한 방식일 뿐이라는 주장이다; 그러나 그것이 이 기자가 의미했던 것이었다고 할지라도, 그는 그것을 분명하

9:11)의 최종적인 성취라는 점을 환기시킨다.

61) 이것이 비유적인 것으로서 일반적인 순교자들, 또는 일반적인 박해받는 성도들을 가리키려는 의도를 지니고 있다고 할지라도, 그것은 여전히 의인들 중에서 다수를 그 범주로부터 배제시킨다. Beale 1999, 998f.은 모든 죽은 의인들이 사실 여기에 포함된다고 역설하고자 애쓴다; 아래를 보라.

62) 하지만 한편으로는 순교자들이 "땅보다 더 확고하고 영속적인, 그러므로 더 실제적인 하늘"에 도달하였다고 말하는(그러나 그런 후에 당황스럽게도 첫 번째와 두 번째 부활이 "이 땅에서의 몸의 삶"에 대한 것은 아니라고 말하는) Caird 1966, 253f.를 참조하라. Chester 2001, 73가 여기에서의 부활은 "물론 문자적이고 육신적인 부활"이며, 에스겔, 이사야, 다니엘의 전승들 속에서 "은유적, 공동체적, 우주적 부활에 대한 강력하고도 함축적인 상징"이라고 역설한 것은 옳다. 문자적인 새 예루살

게 나타내지 않는 것으로 보인다(물론, 이런 일이 요한계시록에서는 심심치 않게 일어나지만).[63] 아마도 이 견해에 대한 가장 치명적인 반론은 우리가 지금까지 살펴보았던 이교, 유대교, 기독교의 문헌들 전체에 걸쳐서 나타나고 있는 "부활"의 의미를 근거로 한 반론일 것이다: 죽음 자체가 아무리 예수 자신의 죽음과 부활이라는 빛 아래에서 재평가되고 있다고 하지만, 죽음에 새로운 의미를 부여하기 위하여 "부활"이라는 단어를 죽음을 가리키는 데에 사용하고 있다는 것은 내게는 참을 수 없을 정도로 괴상한 용법인 것으로 보인다. 아울러, 4절은 두 단계를 상정하고 있는 것으로 보인다; 먼저는 순교자들이 죽임을 당한다; 그런 후에 나중의 단계에서 그들은 다시 살아나게 된다. 이러한 두 단계를 한 단계로 만들어버리는 것(물론, 요한계시록에서 발견되는 이미지들에 대해서는 모든 것들이 가능하지만)은 도저히 있을 수 없는 일인 것으로 보인다.

물론, 이것은 우리가 여기서 문자 그대로의 전천년설적인 묘사를 대하고 있다는 것을 의미하지는 않는다. 오히려, 우리는 여기서 급진적인 혁신을 만나고 있는 것일 가능성이 있다: 최종적인 몸의 부활이라는 의미와는 다르고, 또한 그것에 선행하는 의미에서 다시 살아난다는 것을 가리키는 데에 "부활"이라는 단어를 사용하고 있는 것.[64] 여기까지 본서를 읽어온 독자라면 누구나 이해할 그러한 이유들로 인해서 나는 "비육신적인"을 의미하기 위하여 "영적인"이라는 단어를 사용하는 것은 잘못된 것이라고 여긴다; 그리고 우리는 20:4에서 영혼들이 "다시 살아났다"는 것을 주의 깊게 보아야 한다. 이것은 그들이 이전에는 "죽은 영혼들"이었고(여전히 영혼들로서 존재하지만, 죽음의 상태 속에서 실존하는), 그들이 사후의 실존의 새로운 두 번째 단계, 어떤 형태의 새로운 삶으로 들어갔다는 것을 함축한다.[65] 그들에게 있어서 궁극적인 목적지로의 여행

렘을 상정하였던 교부 저술가들에 대해서는 Hill 2002 [1992] Part I를 보라.

63) 논쟁들에 대해서는 특히 방금 서술한 견해를 지지하는 Beale 1999, 991-1021을 보라; Johnson 2001, 290-94 등은 Beale을 따른다.

64) Beale 1999, 1008f.는 그 밖의 다른 유대교 및 기독교의 문헌들 속에서 "영적인 부활"을 입증해 내고자 시도한다. 그러나 그가 인용하고 있는 본문들(중간상태가 아니라 궁극적인 부활을 언급하고 있는 마카베오2서 7장을 제외하고)은 '아나스타시스'와 그 동일 어원의 단어들을 사용하고 있지 않고, 통상적으로 육신을 입지 않은 중간상태를 비롯한 훨씬 더 넓은 지시대상을 지니는 '조에'("삶," "생명")와 '자

은 죽음 이후의 세 단계를 거쳐 진행되고 있는 것으로 보인다: 첫째, "죽은 영혼들"이 되어 있는 상태; 둘째, 그 의미가 무엇이든 "첫째 부활"; 21장과 22장에서 묘사되고 있는 "둘째 부활" 또는 "최종적인 부활"(하지만 그러한 표현을 사용하고 있지는 않다). 이것은 현재의 본문에 의거하고 있는 글들 외에는 유대교 또는 초기 기독교의 문헌들에서 다른 곳에서는 해당되는 내용이 없기 때문에, 이 기자가 무엇을 염두에 두고 있는지를 분명하게 파악하기는 어렵다.

하지만 우리는 로마서 6장, 골로새서 3장 등과 같은 곳에 나오는 선취된 부활이라는 개념 속에서 어느 정도 유비를 발견할 수 있다고 주장한다. 거기에서 우리가 이미 살펴보았듯이, 세례 받은 신자는 그 현재의 삶이 예수의 죽음과 부활이라는 과거의 사건을 토대로 하고 있고 그의 몸은 장래에 부활하게 될 것이지만 어떤 의미에서 이미 "메시야와 함께 다시 살리심을 받았다." 신자의 현재적 상태를 나타내기 위하여 이런 식으로 "부활" 언어를 은유적으로 사용하고 있는 것은 내게는 예수의 부활을 토대로 해서 장차 도래할 온전한 몸의 부활을 선취하는 형식으로 이러한 특정한 "영혼들"이 부여받고 있는 새로운 삶을 가리키기 위하여 요한계시록 20:4에서 "첫째 부활"이라는 표현을 사용한 것과 적어도 부분적인 병행을 보여주는 것 같다. 이와 같이 그 용법은 매우 낯선 것이기는 하지만, 이것은 통상적인 유대교적 및 기독교적 언어를 포기한 것이 아니라, 초기 기독교 내에서 이미 검증된 범주들을 과감하게 확장한 것으로 이해될 수 있다.

20장의 심판 장면은 하늘의 도성이 그 남편인 메시야를 위하여 예비된 신부로서 하늘로부터 내려오는 것에 관한 장엄하고 감동적인 환상에 길을 내어준다. 이 도성과 거기에서의 삶에 관한 묘사들 중에서 두드러지는 것은 다음과 같은 것들이다: 죽음이 더 이상 존재하지 않으리라는 것(21:4), 창조주 신에 의해서 의도된 온전하고 풍부한 인간의 삶에 못 미치는 모든 것들은 폐하여져서 불못에 던져진다는 것(21:8). 사실, 이 마지막의 두 장은 새 창조를 보여주

오'("살다")를 사용한다.

65) '에제산'이 단순히 "그들이 살았다," 달리 말하면 그들이 죽음 이후에 "계속해서 살았다"를 의미하는 것은 가능하지만, 그것이 "그들이 삶을 얻게 되었다"를 의미할 가능성이 훨씬 더 높다(Beale 1999, 1000). 요한계시록 2:8에서 예수가 "살아

는 것들로 가득 차 있다. 이 장들은 이미 "새 창조"라는 주제를 지니고 있었던 갱신된 예루살렘에 관한 성경의 이미지들로부터 핵심적인 상징들을 가져왔고, 비록 많은 세부적인 내용들에 있어서 새로운 방식으로 발전시키고 있기는 하지만, 이전의 묘사들의 개요를 그대로 유지하고 있다. 에덴에서 강이 발원했듯이, 도성으로부터 발원한 강은 이제 새로운 의미에서 생명을 주면서 생명나무를 밑받침하고 있는데, 이제는 동산 중앙에 있는 단 하나의 나무가 아니라, 강의 양 언덕에 많은 나무들이 자라고 있다.[66] 이 나무는 매 달마다 열매를 맺고, 그 잎사귀들은 열방들의 치유를 위하여 사용된다. 여기저기에서 우리는 지복(至福) 상태에 관한 정적인 묘사가 아니라 새로운 계획들, 새로운 목표들, 새로운 가능성들이 터져 나오는 새 창조를 엿보게 된다. 하나님과 세상, 하나님과 이스라엘, 하나님과 메시야에 관한 기나긴 이야기는 마침내 그 목표지점에 도달하였다. 죽음은 언제나 선한 피조 세계에 대한 궁극적인 부정이었다; 이제 죽음이 폐하여짐으로써, 창조주의 새로운 세상이 펼쳐질 수 있게 되었다.

애써서 다시 요한계시록의 요지를 말할 필요는 없을 것이다. 요한계시록은 부활에 관한 핵심적인 단어들이 아주 드물게 등장하지만(어차피 요한계시록은 특이한 어휘들로 가득 차 있다), 신약성서에 속한 그 밖의 다른 모든 책만큼이나 부활에 푹 젖어 있다. 그 시나리오 전체는 제2성전 시대 유대교의 세계관, 특히 장차 도래할 하나님 나라를 갈망하면서 악한 열방들에 대한 심판과 하나님의 고난받는 백성의 신원을 가져올 그날을 갈망하며 기도하며 일하였던 그러한 세계관 내에서만 의미를 지닌다. 십자가에 못 박혔다가 부활한 메시야, 어린 양이기도 한 사자에 관한 메시지는 이러한 세계관을 재형성시켜서, 몇 가지 새로운 돌연변이들을 낳았는데, 특히 죽음을 두 단계로 나누고("첫째 사망"과 "둘째 사망") 부활 자체도 세 단계로 나눈 것(첫째는 메시야, 그 다음에는 20:5의 "첫째 부활", 그 다음에는 20:12의 최종적인 부활)이 그것이다. 그러나 우리가 세부적인 내용들을 어떻게 이해하든지간에, 이 책이 바울, 복음서들, 사도행전과 더불어서 죽음 이후의 삶에 관한 신앙의 주후 1세기 유대교적인 스펙트럼 중에서 특히 바리새파에 속한다는 것, 그리고 부활에 대한 주류적인 바리새파 스타일의 신앙이 여기에서 이스라엘의 메시야가 죽은 자로부터

났다"('에제센')고 말하고 있는 것과의 병행을 참조하라.

부활하여서 지금 사망과 음부의 열쇠들을 가지고 있다는 근본적인 신앙을 중심으로 결정적으로 재형성되었다는 것은 의심의 여지가 없다.

6. 결론: 신약성서에서의 부활

나무들은 그 자체로 매력적이기는 하지만, 나의 현재의 논증을 위해서 중요한 것은 숲이다. 우리는 아직 모든 가능한 초기의 증거들을 다 살펴본 것은 아니다. 다음 장에서는 신약성서 이외에 우리의 주제에 관한 여러 다양한 견해들을 보여주는 몇 가지 그 밖의 다른 초기 문헌들을 살펴볼 것이다. 그러나 신약성서 자체는 한 목소리는 아니지만 분명히 밀접한 화음을 통해서 노래하는 한 무리의 목소리들로 말하고 있다. 히브리서를 제외한 모든 주요한 책들과 흐름들은 부활을 중심적이고 중요한 주제로 다루고 있고, 그것을 창조주이자 재판장인 한 분 하나님에 관한 유대교적인 사고의 틀 속에 둔다. 이러한 부활 신앙은 한편으로 이교 사상의 세계 전체와 맞서서 확고하게 서 있고, 다른 한편으로 예수 자신의 부활을 중심으로 한 부활 신앙의 재형성은 유대교 내에서의 극적인 수정으로서의 지위를 지닌다.[67]

이것과 관련해서 다섯 가지 주목할 만한 것들이 있는데, 이것들의 각각은 역사적인 설명을 필요로 한다.

첫째, 부활이 유대교 내에서 가르쳐졌다고 할지라도, 그것은 거의 주된 관심이 아니었지만, 초기 기독교에서 부활은 주된 관심이었다. 에반스(Evans)의 말을 빌리면, 그것은 주변부로부터 중심부로 옮겨갔다.[68]

둘째, 우리가 이미 보았듯이, 고대 후기의 유대교와 이교 세계는 죽음 이후의 삶에 관한 사변들로 가득 차 있었고, 그것은 유대교 안팎에서 폭넓은 스펙트럼

---

66) 계 22:1f.; cf. 겔 47:1-12.

67) 이러한 결론은 육신의 부활은 "애초부터 (거의) 존재하지 않았고 세대들을 거치면서 교회 속에서 발전되었다"는 Riley 1995, 66의 이례적인 주장을 훼손시킨다. 우리가 누가와 요한이 예수의 부활한 몸에 관한 이야기들을 만들어 낸 최초의 인물들이었다는 견해를 받아들인다고 할지라도, 그것은 여전히 두 세대에 걸친 일이 된다. Riley가 사람의 육체는 "무덤 이후에도 살아남는다"(8, 66)는 말을 반복해서 하는 것은 그가 초기 그리스도인들이 무엇에 관해 말하고 있었는지를 제대로 파악하지 못했다는 것을 분명하게 보여준다.

을 형성하고 있었다. 초기 그리스도인들은 유대교 및 이교와 관련된 아주 다양한 출신 배경을 지니고 있었지만(그리고 죽음 이후의 삶에 관한 신앙들은 하나의 문화 속에서 가장 끈질기게 보호되는 요소들 중의 하나였다), 신약성서 속에는 실질적으로 그러한 스펙트럼이 전무하다. 이러한 관점에서 볼 때, 우리는 기독교가 바리새파 유대교의 하위분파로 등장했다고 말할 수 있을 정도이다.

하지만 셋째, 부활에 관한 바리새파적인 견해는 우리가 지금까지 살펴본 본문들을 통해서 특히 두 가지 점에서 분명하게 일관되게 수정되었다.[69] (1) 종말론적인 사건으로서의 부활은 두 단계로 구분되었다(첫째는 예수, 그 후에는 그가 오실 때에 그의 모든 백성 — 요한계시록 20장에서 후자를 추가적으로 세분하고 있는 것은 현재의 내용에 영향을 미치지 않는다).[70] (2) 장래의 부활의 몸의 성격은 더 추가적으로 설명된다: 그것은 죽거나 쇠할 수 없는 것이기 때문에, 이미 죽은 자들만이 아니라 여전히 살아있는 자들에 대해서도 변화(transformation)를 필요로 할 것이다. 이렇게 몸을 입은 새로운 상태는 묘사하기가 어렵지만, 우리는 적어도 그것에 합당한 명칭을 제안할 수는 있다. "트랜스피지컬"(transphysical)이라는 단어가 영어사전에는 존재하지 않지만(존재론을 연구한 사람이 과거에 그러한 단어를 오래전부터 사용했을 법한데 그렇지 않다는 것이 의외이다), 나는 옥스퍼드 영어사전에 transphosphorylation와 transpicuous 사이에 이 단어를 끼워넣을 것을 주장한다.[71] "트랜스"는 "변

68) Evans 1970, 40.

69) 이것은 "부활"이라는 단어가 밀랍의 코가 되어서 어떤 형태로도 조형될 수 있었다는 것을 의미하지 않는다; Wedderburn 1999, 85-95에서 개관되고 있는 저술가들을 보라. 한편으로는 유대교적인 맥락 속에서, 그리고 다른 한편에서는 초기 기독교적인 맥락 속에서 이 구체적인 의미들에 대한 인식은 이러한 즐거운 사변들의 대부분을 잠재운다.

70) 이것은 Wiles 1994, 125가 하고 있는 것처럼 부활 소망은 당시에 "허공 중에" 있는 것이었기 때문에, 사람들은 예수가 부활하였다고 믿는 것이 훨씬 더 수월하게 되었다고 주장하는 것이 얼마나 불가능한지를 보여준다. 그리스도인들이 믿었던 것은 당시에 "허공 중에" 있었던 것이 아니었다.

71) 물론, 그것의 부재(不在)는 라틴어 어근과 헬라어 어근을 혼합하는 것을 반대하는 흥미로운 레위적인 금기(taboo)에 의해서 설명될 수 있을 것이다.

형된"(transformed)이라는 말의 줄임말이다. "트랜스피지컬"은 초기 그리스도인들이 예수가 이미 지니고 있었고 그들도 궁극적으로 지니게 될 것이라고 믿었던 것이 어떤 종류의 몸인지를 상세하게 묘사하고자 하는 것이 아니다. 또한 이 단어는 그러한 것이 어떻게 생겨날 수 있는지를 설명하고자 하는 것도 아니다. 이 단어는 단지 초기 그리스도인들이 육신적이면서도 현재의 몸과는 상당한 정도로 다른 몸을 상정했다는 입증될 수 있는 사실을 근거로 한 명칭일 뿐이다. 어쨌든 우리는 그 몸이 마치 모종의 유령 또는 허깨비인 것인 양 덜 육신적이라고 말해서는 안 되고, 오히려 더 육신적이라고 말해야 할 것이다 — 그들이 상정했던 것으로 보이는 주된 차이점은 새로운 몸이 썩지 않는다는 것이기 때문에. "입지 않는 것이 아니라, 더 온전하게 입는 것." 역사가들로서의 우리는 그러한 것을 상상하는 데에 어려움을 느낄 수 있다. 그러나 역사가들로서 우리는 바로 그것이 초기 그리스도인들이 말하고 있었던 바로 그것이라는 점을 단언하는 데에 조금도 주저하지 않아야 한다. 그들은 비육신적인 "영적인" 생존에 관하여 말한 것이 아니었다. 그들이 그렇게 말하고자 했다면, 그들은 오늘날 우리에게와 마찬가지로 그러한 것을 표현할 수 있는 그 밖의 많은 용어를 가지고 있었다. 우리는 우리 자신의 상상력의 한계들을 다른 사람들에게 투영시켜서는 안 된다.[72)]

넷째, 초기 그리스도인들은 예수에게 일어난 일과 예수의 모든 백성에게 장차 일어나게 될 일의 의미를 표현하기 위하여 성경의 본문들을 많이 사용하였지만, 그들은 일관되게 몇몇 본문들을 강조하였고 그 밖의 다른 본문들을 회피하였다. 예를 들면, 특히 하나님에 대한 충성으로 인하여 죽은 자들의 신원에 관한 강력한 내용으로 인해서 초기 그리스도인들에게 유리하였을 것이라고 생각되는 다니엘 12:1-3은 실제로 거의 사용되지 않았다.[73)]

---

72) Wedderburn 1999, 150f.와 284 n. 356. "부활" 언어에 매달리면서 그것을 판이하게 다른 것을 의미하는 것으로 사용하는 것은 기껏해야 "정통 신앙을 계속해서 존중하는 체 하는" 역할만을 할 뿐이다(151). Küng 1976, 350f.은 부활은 생각할 수도 없다는 것을 "예수의 부활은 공간과 시간 속에서 일어난 사건이 아니었다"는 그의 논증의 일부로서 강조한다. Evans 1970, 130는 난점은 "신앙을 위해서 제시되고 있는 것이 무엇인지를 아는 것"에 놓여 있다는 취지로 널리 인용되어 왔다: 이제 이것은 분명해졌다고 나는 믿는다.

다섯째, 유대교 내에서 부활이라는 관념은 적어도 에스겔 37장과 같은 포로 생활로부터의 귀환이라는 장래의 구체적인 사건들에 의미를 부여하기 위한 은유로 사용되었던 반면에, 이러한 은유적인 용법은 초기 기독교 내에서는 전혀 나타나지 않는다. 그것은 마찬가지로 구체적이지만 서로 다른 지시대상들을 지닌 부활, 실제로는 "죽고 다시 사는 것"의 은유적 용법으로 대체되었다: 세례, 육신적 삶의 거룩함, 기독교적인 증거.

따라서 현재의 장은 앞서의 장 및 바울에 관한 제3부와 더불어서 역사가들에게 엄청난 질문을 제기한다. 어떻게 우리는 다양한 형태의 유대교 내에서 자라나서 고도로 다양성을 갖춘 이교 세계 속으로 침투하여 죽음 이후에 사람들에게 일어나는 일에 관한 한 가지 흐름의 신앙을 배타적으로 천명하면서 이 운동의 그 밖의 다른 몇몇 측면들을 위한 주축으로 삼아서 광범위한 본문들에 걸쳐서 특정한 방향들로 중요하고도 일관된 수정들을 행한 생생하고 다면적인 운동의 돌연한 출현을 설명해낼 수 있는가?[74]

물론, 초기 그리스도인들은 이에 대한 대답을 가지고 있었다. 그들은 "그리스도가 하늘에 현존한다는 징조들"을 보았다고 말하지 않았다.[75] 그들은 나사렛 예수가 죽은 자로부터 부활하였고, 이 사건은 그들에게 "부활" 운동이 되고 "변형된 부활" 운동이 되기에 필요충분한 조건이었다고 말한다. 그러나 이러한 주장을 더 자세히 살펴보기 전에, 우리는 먼저 신약성서 이외의 본문들로 우리의 연구를 확장시키지 않으면 안 된다. 주후 2세기 동안에 이러한 초기 기독교의 신앙에 무슨 일이 일어났던 것인가?

---

73) 요 5:29; 행 24:15(단 12:2), 마 13:43; 빌 2:15(단 12:3)을 제외하고. 처음 두 본문은 단순히 부활은 의인들과 불의한 자들을 모두 포함할 것이라는 내용을 말하고 있다(위의 서술을 보라). 마태복음과 빌립보서의 본문들은 장래의 부활에 대한 초기 기독교의 언급들이 아니다; 전자는 부활절 이전에 예수에 의해서 말해진 것이고, 후자는 현재적인 기독교적 증언을 가리키는 의미로 은유적으로 사용되고 있다.

74) 이렇게 우리는 비록 새로운 내용을 가진 채로이긴 하지만 Moule 1967, 13이 제기한 문제로 되돌아왔다: "기독교회의 탄생과 급속한 성장은 … 교회 자체에 의해서 제시된 유일한 설명을 진지하게 고려하기를 거부하는 역사가들에게는 여전히 풀리지 않는 수수께끼로 남는다"(강조는 원저자의 것).

75) 예를 들면, Carnley 1987, 246는 이에 반대한다.

제11장

초점이 다시 맞춰진 소망 (3): 정경 이외의 초기 기독교 문헌들

1. 서론

초대 교회가 돌풍을 일으키며 출현한 것과 주후 2세기를 통과하면서 발전해 간 모습은 여기에서 요약하기가 불가능할 정도로 아주 방대하고 거대하며 무차별적으로 뻗어나간 이야기이다. 다른 사람들이 이 분야에서 수고를 해왔고, 나는 그들의 수고에 참여하여 왔다.[1] 초대 교회의 기원과 환경을 감안할 때에 우리가 충분히 예상할 수 있듯이, 교회는 죽음 이후의 삶을 비롯한 온갖 종류의 주제들에 관하여 말하는 방식들을 발전시켰는데, 그것들은 종종 신약성서의 대부분의 내용을 날카롭고 정확하게 설명한 것을 반영한 것들이기도 했고, 종종 그렇지 않은 것들이기도 했다. 별로 이상한 일은 아니지만, 예수의 부활은 계속해서 교회의 선포에서 중심적인 위치를 차지하고 있었고, 그 의미는 다각도로 연구되었다. 그리고 우리는 "부활" 언어가 처음 두 세기의 어느 시점

1) 특히: Chadwick 1967; Kelly 1977 [1958]; Frend 1984; Stark 1996. 현재의 주제에 대해서는 특히 Bynum 1995 ch. 1을 보라. 불행히도 Bynum은 후대의 저술가들을 측정하는 잣대로서 변화로서의 부활에 대한 그의 견해를 지나치게 강조하고, 우리가 위의 제2부에서 하고자 시도해 왔던 것처럼, 그에게 있어서 몸의 연속성의 중요성을 온전히 고려하지 못하는 바울에 대한 이해를 전제한다(3-6). 이것과 밀접하게 관련된 주제에 관한 중요한 연구는 Hill 2002 [1992]이다. 이 장 전체는 몸의 부활은 주후 2세기 기독교 저술가들에게 별로 중요치 않은 주제였다고 주장하고자 하는 Lona 1993에 대한 반박으로서의 기능을 한다.

에서 등장해서 판이하게 다른 은유적인 의미로 사용되고 있는 것을 발견한다: "영지"(gnosis)라는 "영적인" 체험 또는 그와 비슷한 것을 가리키는 의미. 언제 그리고 왜 이런 일이 발생했으며, 이 언어가 무엇을 의미하는 것으로 받아들여졌는지라는 문제는 아래의 서술에서 다루어질 것이다.

하지만 이 모든 것들에 걸쳐서 우리가 대답해야 할 주된 질문들은 우리가 앞서 신약성서에 대하여 제기하였던 질문들과 동일하다. 죽음 이후의 미래의 소망에 관하여 어떤 견해가 채택되고 있었는가? 부활 언어가 등장하는 곳에서, 그것은 무엇을 의미하였는가? 중간 상태에 대한 언급은 있었는가? 현재의 몸과 장래의 몸 간에는 어떠한 연속성과 불연속성이 존재한다고 생각되었는가? 부활이라는 언어가 등장할 때에 부활은 어떻게 더 큰 그림과 부합하였는가? "부활"이라는 언어가 어떠한 은유적인 용법으로 사용되고 있었는가? 그리고 마지막이면서 본서에서 가장 중요한 것으로서는, 예수 자신의 부활에 대해서 어떠한 견해가 채택되고 있었고, 그것은 그 밖의 다른 질문들과 어떠한 관계에 있었는가?

우리는 꽤 표준적인 방식으로 서술을 진행해 나가고자 한다: 첫 번째로는 "사도 교부들"(거기에 포함되는 한두 개의 나머지 작품들과 함께), 다음으로는 변증가들, 그리고 마지막으로는 주후 2세기 말과 3세기 초에 활동하였던 위대한 네 명의 저술가들인 테르툴리아누스, 이레나이우스, 히폴리투스, 오리게네스(이들에 대해서 상세하게 살펴볼 수는 없는데, 그렇게 하려면 한 권의 연구서가 필요하게 될 것이다). 우리는 이들 모두가 활동한 연대를 꽤 정확하게 설정할 수 있다. 그런 후에, 짧은 간주곡으로 초기 시리아의 기독교를 살펴본 후에, 우리는 "부활"을 다소 다른 의미로 말하고 있는 나그 함마디(Nag Hammadi) 문서들을 살펴볼 것이다.[2] 마지막 두 범주에 속하는 문헌들은 연대를 설정하기가 극히 어렵다.

2. 사도 교부들

(i) 클레멘스1서

2) Pelikan 1961이 그의 자료들을 인용하였다면, 이 책은 우리의 연구를 위해서 상당히 유용했을 것이다; 그런데 애석하게도 그 책은 아주 부차적으로만 흥미롭다.

우리에게 지금 클레멘스1서로 알려져 있는 서신은 통상적으로 주후 1세기의 90년대 중반에 로마의 감독이었던 클레멘스에 의해서 씌어진 진정한 서신으로 여겨진다. 그러므로 이 서신은 연대상으로 신약성서와 매우 가깝고, 정경 문서들 중에서 일부보다는 시기적으로 앞설 가능성조차 있다. 따라서 클레멘스가 신약성서에 나오는 것과 별반 다르지 않은 교리를 말하고 있다는 것은 이상한 일이 아니다.[3)]

하지만 처음에 얼핏 보면 이 서신은 다른 식으로 보였을 수도 있다. 앞의 장들에서 클레멘스는 베드로와 바울 사도가 죽어서 베드로는 "영광의 장소"로 갔고 바울은 "거룩한 곳"으로 갔다고 말한다.[4)] 그는 계속해서 순교자들은 "고상한 상급을 받았고," 어떤 사람들은 "불멸의 삶"이라는 선물을 얻었으며, 장로들은 그들의 갈 길을 다 간 후에 "결실 있는 완전한 해방"('아날뤼시스')을 얻었는데, 지금은 "그들에게 정해진 장소로부터" 옮겨질 두려움을 가질 필요가 없다고 말한다.[5)] 이 본문들은 그 자체로는 몸을 입지 않은 최종적인 상태에 대한 신앙, 간단히 말해서 "천국에 가는 것"(클레멘스는 이러한 표현을 사용하고 있지 않지만)으로 묘사될 수 있는 신앙을 보여주는 것으로 해석될 수도 있었다.[6)]

그러나 클레멘스가 복된 죽은 자들의 최종적인 상태에 관한 자신의 견해를 설명할 때, 그는 베드로, 바울, 그 밖의 다른 사람들에 관한 이러한 표현이 복되고 영광스러우며 거룩한 곳에 있는 그들의 일시적인 거처를 가리킨다는 것을 분명하게 보여준다. 그는 최종적인 부활을 믿을 뿐만 아니라, 그것이 사람들이 생각하듯이 믿기에 불합리한 일이 아니라는 것을 보여주기 위하여 다양한 논

---

3) 사용된 헬라어 본문들: Loeb(1912-13); Lightfoot 1989 [1889]. 번역은 필자의 것이다; 또한 Loeb에 실린 Lake; Holmes 1989도 보라. 사도 교부들의 저작 속에서 부활 및 관련 개념들에 대해서는 O'Hagan 1968; Van Eijk 1974; Greshake and Kremer 1986, 176-83; Bynum 1995, 22-4; Hill 2002 [1992], 77-101을 보라.

4) *1 Clem.* 5:4, 7.

5) *1 Clem.* 6:2; 35:1f.; 44:5.

6) 실제로는 하늘의 성소 속으로; 요한복음 4:2과 비교해보라(위의 제9장 제6절을 보라). 클레멘스가 의인들은 하데스로 가는 것이 아니라 사후의 일시적인 천국을 믿었다는 것을 보여주고 있는 Hill 2002 [1992], 80-83을 보라.

증들을 제시한다. 첫째, 낮과 밤의 교대, 파종할 때와 추수할 때의 교대는 그러한 과정이 피조 세계에 구축되어 있는 질서라는 것을 보여준다. 그는 씨 뿌리는 자의 비유의 처음 부분을 인용해서, 그것을 고린도전서 15:36-38에 나오는 것과 연결시킨다:

> "씨 뿌리는 자가 나가서" 각각의 씨앗을 땅에 뿌렸다; 그 씨앗들은 마르고 벌거벗은 채로 땅에 떨어져서 해체된다. 그런 후에, 그것들의 해체로부터 주님의 미리 아심의 위대함이 그 씨앗들을 다시 살려서('아니스테신 아우타'), 하나의 밀알로부터 더 많은 씨앗들이 자라나고 열매를 맺는다.[7]

그런 다음에, 클레멘스는 500년마다 죽었다가 다시 살아나는 불사조라는 겉보기에 분명한 병행을 제시한다 — 우리가 생각하기에는 이것은 대담한 시도이다.[8] 그리고 그는 자신의 설명을 "만물의 창조주가 거룩함과 선한 신앙의 확신 속에서 그를 섬겼던 자들의 부활을 창조해 내실 것"임을 보여주는 — 그는 그렇게 말한다 — 세 개의 성경 본문들로 끝을 맺는다.[9] 거기에 인용된 본문들은 정확히 우리가 추측할 수 있었던 그런 본문들이 아니다. 세 번째 본문은 우리에게도 잘 알려진 욥기 19:26이지만,[10] 처음 두 본문은 시편에서 가져온 것들이다. 첫 번째 본문은 시편 41:10, 28:7, 88:11에서 가져온 합성된 인용문이다: "나를 다시 살리라. 그러면 내가 너희를 칭찬하리라."[11] 두 번째 본문은 시

7) *1 Clem.* 24:5. 또한 요한복음 12:24의 반영들도 주목하라.

8) *1 Clem.* 25:1-5; Hdt. 2.73; Pliny *NH* 10.2에 나오는 이와 비슷한 기사들을 보라. 몇몇 초기 기독교의 분파들에서 이러한 유비는 시편 92:12 [91:13]의 칠십인역 본문에 의해서 인정되고 있다고 생각되었다. "의인들은 종려나무같이 번성하리라"는 어구에서 "종려나무"를 가리키는 단어는 헬라어에서 전설적인 새를 가리키는 단어와 동일한 '포이닉스'이다(Lake ad. loc.). 클레멘스는 이 유비가 약간 기괴한 성격을 지니고 있다는 것을 알고 있었던 것으로 보인다(26:1): 창조주는 우리에게 이것을 "심지어 한 새를 통해서도" 보여주신다.

9) 26.1: 성경 인용문들은 26.2f.에 나온다.

10) 칠십인역 본문과 단어 사용이 다르긴 하지만.

11) 칠십역에서: 시 40:11; 27:7; 87:11; 클레멘스가 사용하는 동사('엑사니스테미')는 시편의 칠십인역 본문에는 나오지 않는다.

편 3:5과 23:4이 결합된 것이다: "나는 누웠고 잠들었다가 다시 일어났으니('엑세게르덴'), 이는 주께서 나와 함께 하심이라."[12] 이것은 신약성서에 이미 존재해 있던 것을 뛰어넘는 석의적 독창성의 지속적인 전통을 보여주는 분명한 증거로서, 핵심적인 헬라어인 "부활"과 관련된 단어들이 나오는 것을 토대로 해서 폭넓은 헬라-로마 세계 속에서 여전히 부조리한 신앙이었던 것의 진리성을 보여주는 증거로서 본문 전체를 읽은 것이다. 물론, 만약에 이 본문에서 전제한 최종적인 목표 지점이 몸을 입지 않은 불멸의 상태였다면, 구태여 이렇게까지 할 필요는 없었을 것이다. 상당수의 고대의 이교도들이 이미 믿고 있었던 것을 증명하기 위하여 애써서 그럴 것 같지 않은 본문들을 사냥하고 우화 속에 나오는 새를 동원하여 의심스러운 유비를 이끌어내는 수고를 일부러 할 사람이 어디 있겠는가?

그 다음에 나오는 본문 속에서 클레멘스는 두 단계로 된 사후의 삶에 관한 자신의 견해를 더 분명하게 제시한다: 먼저는 안식의 때이고, 그 후에는 그 나라가 임할 때에 모든 것이 "명백해지는 때"이다:

> 하나님의 은혜로 말미암아 사랑 안에서 완전케 된 자들은 경건한 자들 가운데 거하고 있다가, 메시야의 나라가 임할 때에 분명하게 나타날 것이다. 기록된 바와 같이, "나의 분노와 진노가 사라질 때까지 아주 잠깐 동안 너희의 방들로 들어가라. 내가 선한 날에 너희를 기억하고, 무덤에서 너희를 일으키리라."[13]

이것도 우리가 신약성서에서 발견하는 것을 뛰어넘는 성경에 대한 창의적인 사용이다 — 물론, 꽤 분명한 두 개의 장, 즉 이사야 26장(이 장에서 가장 분명한 절은 아니지만 단락 전체를 염두에 두고 있는 것으로 보이는 20절을 인용해서)과 에스겔 37장(12절을 인용해서)을 사용하고 있다. 지금 죽은 자들

---

12) 칠십인역에서: 시 3:6; 22:4; 물론 후자가 적절하다. 후자는 죽음의 그늘 속에도 하나님의 임재가 있다고 말하고 있기 때문이다.

13) *1 Clem.* 50:3f. 에녹1서 및 다른 곳에 "죽은 자들의 방들"에 대한 반영이 존재하는가?

이 그 나라가 "임할 때에"('에피스코페') "나타나게"('파네로오') 된다는 것은 성경의 여러 본문들, 특히 골로새서 3:4과 지혜서 3:7을 연상시킨다. 클레멘스는 또 다른 본문 속에서 "잠잔다"는 관점에서 중간 상태에 관하여 묘사하고 있지만, 그가 말하고 있는 다른 내용들에 비추어 볼 때, 바울에게서와 마찬가지로 그에게도 이것은 단순히 편의상의 은유일 뿐이고 무의식 상태를 가리키는 것으로 해석되어서는 안 될 것으로 보인다.[14)]

클레멘스는 장래의 부활이 예수 자신의 부활에 토대를 두고 있다는 것을 아주 분명하게 말한다. 바로 그것은 제자들에게 지금이 세상 속으로 나아가서 하나님 나라가 오고 있다는 것을 선포할 때라는 것을 확신시켜주는 것이었다(42:3). 이렇게 클레멘스는 대부분의 신약성서에 나와 있는 노선으로부터 분명하게 일탈함이 없이 전승에 대한 지속적이고 창조적인 발전을 보여주는 초기의 증인으로 우리 앞에 서 있다.[15)]

(ii) 클레멘스2서

오랫동안 다른 누군가에 의해서 씌어진 것으로 생각되어온 이른바 클레멘스2서는 그리스도인들의 삶, 특히 회개에 관한 일반적인 설교이다. 이 서신은 클레멘스1서보다 짧지만 단순한 몸의 부활이 아니라 육체의 부활에 대한 테르툴리아누스의 강조를 미리 보여주는 주목할 만한 본문을 포함해서 부활에 관한 몇몇 본문들을 담고 있다:

> 너희 중 누구도 이 육체가 심판을 받지 않고 다시 살아나지도 않는다고 말해서는 안 된다. 이것을 알라: 만일 너희가 이 육체 안에 있지 않았다면, 너희는 무엇 안에서 구원을 받고 무엇 안에서 너희가 다시 보겠느냐? 그러므로 우리는 하나님의 성전인 육체를 보존하여야 한다. 너희가 육

14) *1 Clem.* 44:2.

15) 클레멘스가 자연의 과정들과 부활 자체 간에 매우 밀접한 유비를 이끌어내고 있다고 Bynum 1995, 24이 말한 것은 옳다. 그러나 내가 생각하기에는 그녀가 이 본문과 이와 비슷한 본문들은 "바울이 의미하고 있는 것을 전혀 의미하고 있지 않다"고 말함으로써 지나치게 멀리 나가고 있다. 나는 결함이 있는 것은 바울 자신에 관한 그녀의 묘사(3-6)라고 생각한다.

체 안에서 부르심을 받았듯이, 너희는 또한 육체 안에서 오게[즉, 다시 살아나게] 될 것이다. 메시야, 우리를 구원하신 주님이 처음에는 영이었지만 육체가 되어서 우리를 부르신 것 같이, 동일한 방식으로 우리는 이 육체 안에서 상급을 받게 될 것이다. 따라서 우리 모두가 하나님 나라로 갈 수 있도록, 서로 사랑하자.[16)]

분명히 이 저자는 "육체"와 "몸" 간의 바울의 미묘한 구별을 깊게 생각해 본 적도 없었고, 단순히 "몸"이 아니라 "육체"를 사용하지 않으면 안 되게 만들었던 변증적 동기도 가지고 있지 않았다. 마찬가지로, 그가 바울이 고린도전서 6장에서 단언하였던 것을 마찬가지로 단언하고자 했다는 것, 즉 현재의 몸과 장래의 몸 간의 연속성이 성전 이미지를 통해서 현재에 있어서의 윤리적인 노력에 실체를 부여하였다는 것을 단언하고자 했다는 것은 의심의 여지가 없다. 또한 그는 성도들의 부활이 성령에 의해서 이루어질 것임을 강조한다.[17)] 이 저자는 그러한 묘사를 더 자세하게 발전시키고 있지 않고, 예수 자신의 부활에 관하여 언급하고 있지 않지만, 분명히 클레멘스1서 및 정경의 기자들과 동일한 사상 세계 속에 속한다.[18)]

(iii) 안디옥의 이그나티우스

이그나티우스(주후 35-107년경)가 주후 2세기 초반에 순교를 당하기 위하여 로마로 가는 도중에 쓴 그의 서신들에서 표명하였던 많은 관심사들이 있었지만, 신자들, 특히 예수의 부활은 그가 반복적으로 되돌아가는 토대들 중의 하나였다. 예수는 실제로 진정한 인간이 아니었고 단지 그런 것처럼 "보였을" 뿐이라고 주장하였던 가현론자들은 예수의 육체, 수난, 부활이 실제적인 것이었

---

16) *2 Clem.* 9:1-6. "하나님 나라에 들어가는 것"이라는 이미지는 11.7에서도 발견된다.

17) 성령이 육체와 결합되면, 육체는 "생명과 불멸"이라는 큰 선물을 받을 수 있다는 단언으로 끝나는 14:3-5(딤후 1:10을 연상시키는). 고난을 당하면서도 그리스도인으로 살아가는 것과 관련하여 그가 제시한 가르침들에 순종하는 자들은 "부활의 불멸의 열매를 거두게"(19:3) 될 것이라고 저자는 말한다.

18) 예를 들면, Hill 2002 [1992], 100.

다는 것을 부인하였다; 이그나티우스는 그러한 것들이 실제적인 것이었다는 것을 단호하게 천명한다. 예수는 진정으로('알레도스') 부활하였고, 우리를 다시 살리실 것이다;[19] 교회는 예수의 부활을 온전히 확신하여야 한다.;[20] 기독교 신앙의 헌장은 예수 그리스도, 특히 그의 십자가, 죽음, 부활, 그로 말미암은 믿음이다.[21] 예수는 우리를 위하여 진정으로 육체 가운데서 나무에 못 박히셨고, 그렇게 함으로써 예수는 부활을 통해서 모든 세대에 깃발을 세울 수 있었다;[22] 한 본문에 의하면, 예수는 진정으로 죽은 자로부터 부활하였고, 또 다른 본문에 의하면(신약성서와 좀더 부합하는) 아버지가 예수를 그의 선하심으로 다시 일으키셨다.[23]

이 주제에 관한 이그나티우스의 중심적인 진술은 서머나 교회에 보낸 편지 속에 나오는데, 거기에서 그는 클레멘스2서 및 테르툴리아누스와 마찬가지로 "육체"의 부활을 역설한다:

> 나는 부활 후에 그가 육체 안에 있었다는 것을 알고 또한 믿는다. 그는 베드로를 비롯한 사람들에게 다가와서 그들에게 "나를 잡고 만지며 보라. 나는 몸이 없는 유령('다이모니온 아소마톤')이 아니다"라고 말씀하였다. 즉시 그들은 그를 만졌고, 그의 몸과 그의 영이 함께 결합되어 있다는 것을 믿었다. 이런 이유로 그들은 죽음조차도 경멸하였고, 죽음을 초월해 있었다. 부활 후에 그는 비록 영적으로는 아버지와 연합되어 있었지만 육체적인 존재('호스 사르키코스')로 그들과 함께 먹고 마셨다.[24]

이것을 토대로 이그나티우스는 점진적으로 신자들의 장래의 부활이 중요하

19) *Trail*. 9.2.

20) *Philad*., introd.

21) *Philad*. 8.2; 마찬가지로, 9.2.

22) *Smyrn*. 1.2; "깃발을 세우다"는 이사야 5:26; 11:12을 참조한 것이다.

23) *Smyrn*. 2.1(cf. 요 2:19; 10:18); 7.1; 또한 cf. 7.2; 12.2; *Rom*. 6.1.

24) *Smyrn*. 3.1-3. 예수의 말씀의 이 판본의 근저에 있는 전승들에 대해서는 Schoedel 1985, 226-8을 보라. "몸과 영이 함께 결합되어 있었다"라는 구절은 두 차원에서의 교제를 가리키는 것으로 보인다; cf. *Eph*. 5.1.

다는 것을 주장한다. 성육신 자체는 장래에 계획되고 있는 것이 죽음의 폐지라는 사실로부터 그 의미를 지니게 된다.[25] 성찬은 "불멸의 약"이기 때문에, 요한복음 6장에서처럼 먹는 자들은 죽지 않고 살 것이다.[26] 우리가 안식일이 아니라 주의 날을 지키는 이유는 "우리의 생명이 그를 통하여 및 그의 죽음을 통하여 솟아난 것"이기 때문이다; 그는 선지자들이 기다려왔던 바로 그분이고, "그가 왔을 때, 그는 그들을 죽은 자들로부터 일으키셨다" — 아마도 이것은 그가 죽어서 음부로 내려가서 죽은 의인들을 부활시키고 해방시켰다는 신앙에 대한 간접 인용일 것이다.[27] 이그나티우스는 현재에 있어서의 자기 자신을 종으로 보지만(적어도 사도들과 비교해 볼 때), 자기가 고난을 받고 죽게 되면 자기는 예수 그리스도의 자유인이 될 것이고 "그 안에서 자유로운 자로 부활하게" 될 것이라는 신앙 안에서 죽음을 맞으러 간다.[28] 예수의 실제적이고 육체적인 수난은 "우리의 부활"이다.[29]

이와는 대조적으로, 수난과 부활에 있어서 예수의 진정한 인성(人性)을 믿지 않는 자들은 몸이 없는 유령들('아소마토이스 카이 다이모니코이스')로 최후를 마치게 될 것이다. 랍비들이 사두개인들에 대하여 말했듯이, 부활을 믿지 않는 자들은 부활을 얻지 못하게 될 것이다.[30] 이그나티우스는 클레멘스와 마찬가지로 몇몇 관념들을 새로운 방식으로 발전시켰고 다른 용어들을 사용하기는 했지만, 부활 신앙의 눈금자 위에서 신약성서와 동일한 지점에 속한다. 그는 바울에게서 분명하게 나타나고 그 밖의 다른 곳들에서 암묵적으로 드러나는

---

25) *Eph.* 19.3.

26) *Eph.* 20.1.

27) *Magn.* 9.1f. Lightfoot(1989 [1889], 2.131f.)는 이 해석을 강력히 지지하면서, 이것이 *Philad.* 5.2; 9.1에 반영되어 있다고 보고, 특히 Justin(*Dial.* 72), Irenaeus, Tertullian, Clement of Alexandria, Origen에 의해서 인용되었다고 보는 성경 본문을 논의한다. 또한 Hennas, *Sim.* 9.16(아래의 서술을 보라)을 보라. Lake, ad loc.는 이 주제와 관련하여 *Gospel of Nicodemus* 와 *Acts of Pilate*을 언급한다.

28) *Rom.* 4.3. 나는 이것이 하늘로 "올라가는 것"이 아니라 최종적인 부활에 대한 언급으로 본다; 또한 *Eph.* 11.2도 마찬가지이다(Hill 2002 [1992], 89은 이에 반대한다).

29) *Smyrn.* 5.3.

30) *Smyrn.* 2.1. 랍비들과 사두개파에 대해서는 위의 제4장을 보라.

구별, 즉 십자가에 못 박힌 몸과 부활한 예수의 몸을 구별하지 않는다. 그의 변증적인 관심사는 불연속성이 아니라 연속성에 대한 것이었다.[31] 서머나 교회에 보낸 편지에 나오는 마지막 인사말은 그의 마음이 어디에 있었는지를 잘 보여준다:

> 나는 하나님 및 너희와의 연합 안에서 육체적 및 영적인('사르키케 테 카이 프뉴마티케') 예수의 고난과 부활로 말미암아 예수 그리스도의 이름과 그의 육체 및 피 안에서 너희 모두에게 개인적으로 및 함께 더불어 문안 인사를 드린다.[32]

(iv) 폴리카르푸스: 『서신』과 『순교』

폴리카르푸스(주후 69-155년경)는 소아시아의 서쪽 해안에 있었던 서머나 교회의 감독이었다. 빌립보 교인들에게 보낸 그의 서신은 짧지만, 우리의 주제에 관한 꽤 자세한 견해를 담고 있다. 그것은 신약성서와 완전히 맥을 같이 한다. 예수 자신은 하나님에 의해서 죽은 자로부터 부활하였고, 산 자와 죽은 자 모두의 재판장이 될 것이다. 죽은 자로부터 예수를 다시 살리신 이는 또한 그의 뜻을 행하는 자들을 다시 일으키실 것이다.[33] 이것은 현세와 내세라는 관점에서 표현된다:

> 우리가 현세에서 그를 기쁘시게 한다면, 그가 우리에게 죽은 자로부터 우리를 일으키실 것이라고 약속했던 것처럼, 우리는 내세도 받게 될 것이

31) 그 밖의 다른 초기 저술가들과 관련해서 Ignatius의 호교론적인 관심에 대해서는 Schoedel 1985, 227-9를 보라. 누가복음 24장이 동일한 동기를 가지고 씌어졌는지에 대해서는 아래의 제16장 제4절을 보라.

32) *Smyrn.* 12.2. 우리는 여기서 "육신"이라는 단어의 사용을 주목한다. 이것은 고린도전서 15:50과는 다르고 누가복음 24:39과는 일치한다. 이것은 Tertullian 등의 후대의 용례를 예감케 한다.

33) Pol. *Phil.* 2.1f. Polycarp에 대해서는 Hill 2002 [1992], 91f.를 참조하라.

34) Pol. *Phil.* 5.2. "우리가 합당하게 행하면"은 '에온 폴리튜소메다 악시오스'인데, 이것은 동일한 교회에 보낸 바울의 서신의 반영이다(빌 1:27).

고, 우리가 그분에게 합당하게 행한다면, 우리는 믿음이 있는 한 그와 함께 다스리게 될 것이다.[34]

이것은 바울만이 아니라 바리새파/랍비들의 사상과 매우 흡사하다 — 부활과 심판을 부인하는 자들은 죄인 중의 죄인들이라는 경고와 마찬가지로. 이러한 선언을 하고 있는 본문(7:1)은 요한1서 4:2-3을 인용해서, 예수의 인성이 실제적인 것이 아니었다고 주장하는 가현설적 이단을 경고한다. 이레나이우스에 의하면 폴리카르푸스는 나중에 마르키온에 대해서도 이와 비슷한 표현을 사용하였다고 한다.[35]

또한 폴리카르푸스는 클레멘스와 비슷한 방식으로 순교자들의 중간 상태에 관하여 말한다. 신자들은 이그나티우스, 조시무스(Zosimus), 루푸스(Rufus), 각 교회의 사람들, 그리고 물론 바울 자신과 그 밖의 다른 사도들이 "헛되이 달음질치지" 않았다는 것을 온전히 확신해야 하지만(다시 폴리카르푸스는 여기에서 바울의 빌립보서 2:16을 인용한다), "그들이 주와 함께 있으며"('파라 토 퀴리오') 주와 함께 고난받은 후에 지금은 "그들에게 마땅한 곳으로"('에이스 톤 오페일로메논 아우토이스 토폰') 갔다는 것을 믿음과 의로써 온전히 확신하여야 한다. 우리는 여기서 초기 그리스도인들이 빌립보서 1장에서의 바울과 비슷한 관점에서 죽음 직후의 삶에 관하여 말하고자 하는 시도를 아주 조심스럽게 행하면서 이러한 "사후의 삶"의 상태 후에 주어지게 될 최종적인 상태, 부활의 삶의 중요성도 강조하고 있는 모습을 본다.

폴리카르푸스의 서신을 통해서 우리는 그의 순교에 관한 기사도 얼핏 볼 수 있다.[36] 거기에서 우리는 다른 사상 세계를 만난다. 배경은 단 한 시간의 시련을 통해서 영생을 살 수 있었던 옛적의 순교자들에 관한 묘사이다. 그들은 그들이 지금 직면해 있는 짧은 시간의 불을 꺼지지 않고 영원히 계속되는 지옥불과 비교하였다; 그들은 견디는 자들에게 약속된 기이한 것들, 주님이 "더 이상 사람이 아니라 이미 천사가 된 자들에게" 보여주었던 그 기이한 일들에 눈을 고정시켰다.[37] 그렇게 죽은 그리스도인들을 천사들이라고 규정한 것은 비

---

35) Iren. *Adv. Haer*. 3.3.4; cf. Euseb. *HE* 4.14.

36) 이것에 대해서는 *NTPG* 347f.를 보라.

록 사도행전 12:15과 23:9에 나오는 내용을 반영한 것이기는 하지만 새로운 관념이다; 그리고 그것은 『헤르마스』에서 발전된다.[38] 저자는 종종 장래의 부활을 강조하는 것인지, 아니면 순교자들이 이미 얻은 현재적인 영광의 상태를 강조하는지에 대하여 불분명해 보인다. 이렇게 해서, 우리는 폴리카르푸스가 불로 나아가면서 다음과 같이 기도하는 것을 본다:

> 내가 당신을 찬송함은 당신이 나를 이 날 이 시간까지 살기에 합당한 자로 여기셔서 나로 하여금 성령의 썩지 않음 안에서 영혼과 몸의 영원한 생명의 부활을 위하여 순교자들의 반열과 당신의 메시야의 잔에 참여할 수 있게 해 주셨기 때문입니다.[39]

이와 동시에, 저자는 폴리카르푸스가 이미 누리고 있는 영광스러운 삶을 송축한다 — 아마도 당시의 잠재적인 순교자들을 격려하기 위한 목적으로:

> 인내로서 그는 불의한 통치자를 이겼고, 썩지 않는 면류관을 얻었다. 이제 그는 사도들 및 모든 의인들과 더불어 송축하면서, 전능하신 아버지 하나님께 영광을 돌리며, 우리 영혼들의 구원자이자 우리의 몸들의 인도자이며 온 세계에 걸친 보편 교회의 목자이신 우리 주 메시야 예수를 찬송한다.[40]

이 둘을 종합해보면, 우리는 죽은 자들의 현재적 상태와 그들의 장래의 부활 간의 주의 깊은 구별이 그의 선구자들, 특히 폴리카르푸스 자신에게 있어서와 마찬가지로 저자의 생각 속에 온전하게 들어 있었는지를 의심하게 된다. 또한 이 기사는 불이 그를 충분히 빠르게 태우지 못하자 한 병사가 폴리카르푸스를

---

37) *ML Pol.* 2.3.

38) 사도행전 본문들에 대해서는 제4장(사두개파 항목)과 위의 제10장을 보라; *Hermas*에 대해서는 아래의 제11장 제2절을 보라.

39) *Mt. Pol.* 14.2.

40) *Mt. Pol.* 19.2.

찔렀고 비둘기 한 마리가 그의 몸으로부터 나타났는지에 관한 주목할 만한 묘사를 담고 있다 — 많은 고전적인 병행들과 부분적인 병행들을 지닌 관념.[41] 끝으로, 그리스도인들이 순교자들의 무덤을 숭배했다는 것을 보여주는 가장 초기의 증거들 중의 하나가 여기에 나온다. 저자는 유대인들과 이교도의 비난에 맞서서 그리스도인들이 하나님의 아들로 예배한 그리스도 자신에 대한 그리스도인들의 태도와 그리스도의 제자들이자 본받는 자들이었던 순교자들에 대한 그리스도인들의 사랑 간에는 엄청난 차이가 여전히 존재한다고 역설한다.[42] 또한 그는 폴리카르푸스의 무덤 앞에서 정기적으로 예식들이 드려질 것이라는 것을 분명하게 보여준다:

> 따라서 우리는 마지막으로 보석들보다도 더 값지고 금보다도 더 존귀한 그의 뼈들을 취하여서 그 뼈들이 마땅히 있어야 할 곳에 두었다. 거기에서 주께서는 우리에게 우리가 할 수 있는 한 함께 모여서 그의 순교의 탄일에 예식들을 행하고 송축하며 기뻐하게 하실 것이다 — 이미 경주에 참여한 사람들을 기념함과 동시에 장래에 그렇게 할 사람들을 훈련시키고 준비시키기 위하여.[43]

이렇게 이 책은 죽음 이후에 순교자들에게 정확한 무슨 일이 일어나는지에 대하여 아주 분명하게 서술하고 있지는 않지만, 뒤에 남겨진 자들의 행위들에 대한 증거들을 제공해 준다. 이것은 예수의 무덤에 대한 초기 그리스도인들의 태도와 흥미로운 대조를 보여준다.[44]

(v) 디다케

디다케가 언제 그리고 어디에서 씌어졌느냐 하는 문제는 여전히 상당히 논란되고 있는 주제이다.[45] 그 대부분의 내용을 통해서, 우리는 초기 기독교가 경

---

41) Lightfoot 1989 [1889], 3.390-93을 보라.
42) *Mt. Pol.* 17.2f.
43) *Mt. Pol.* 18.2f.
44) 아래의 제18장 제3절.
45) 예를 들면, Draper 1996; Niederwimmer 1998 [1989], 52-4.

건과 선행의 삶 이외의 다른 것이 아니었다는 것을 알게 된다; 서두에 나오는 내용은 생명의 길과 사망의 길, 이렇게 두 가지 길에 관하여 말함으로써 이 책이 염두에 두고 있는 궁극적인 목적지를 보여주고 있기는 하지만[46] 자세한 윤리적인 권면들 전체에 걸쳐서 그 어디에도 죽음 이후의 궁극적인 인정(sanction) 또는 상급에 관한 명시적인 언급은 존재하지 않는다. 오직 성찬과 관련된 가르침들에 도달할 때에야, 우리는 두 개의 기도문들에서 궁극적인 목표 지점에 관한 언급을 발견한다:

> 이 쪼개진 떡이 산 위에 흩어져 있다고 할지라도 한데 모여서 하나가 되었듯이, 너희의 교회도 땅끝들로부터 너희의 나라로 모여오게 될 것이다; 예수 그리스도로 말미암아 영광과 능력이 세세토록 너희의 것이기 때문이다.
>
> 주여, 당신의 교회를 기억하셔서, 모든 악으로부터 구원하시고, 당신의 사랑 가운데서 완전하게 하시며, 거룩한 백성으로서 사방으로부터 당신이 예비해 두신 당신의 나라로 모으소서; 능력과 영광이 세세토록 당신에게 있어지이다.[47]

신의 능력에 의해서 생겨난 "나라"라는 개념은 우리가 지금까지 살펴본 종말론을 반영하고 있는 것으로 보인다. 그리고 성찬식은 "주님의 주의 날에"('카타 퀴리아켄 퀴리우') 거행되어서, 예수가 참된 왕이라는 사실을 송축하였다 — 특히, 이 이상한 반복적인 어구를 통해서![48]

이 짧은 책의 마지막 장에서 저자는 장차 다가올 종말에 관하여 말하기 위해서 주로 마태복음 24장에서 가져온 일련의 인용문들을 짜깁기해 놓는다. 교회는 주님이 오실 것에 대비하여 항상 깨어 있어야 한다; 거짓 선지자들이 나타날 것이고, 궁극적으로는 "속이는 자"가 나타날 것이다; 그러나 그때에 진리의 표적들이 나타날 것이다:

---

46) *Did.* 1.1f.
47) *Did.* 9.4; 10.5.
48) *Did.* 14.1, 3.

이것은 하늘에 펼쳐질 표적이고, 그 후에는 나팔소리의 표적이다. 세 번째 표적에서 죽은 자들의 부활이 있을 것이다. 그러나 기록된 대로 "주께서 그의 모든 성도들과 함께 임하시리라." 그때에 세상은 주님이 "하늘 구름을 타고 오시는 것"을 보게 될 것이다.[49]

이것은 마태의 묵시론적 강화와 구약의 예언(여기에서는 스가랴 14:5과 다니엘 7:13)만이 아니라 고린도전서 15:52과 데살로니가전서 4:16에 나오는 부활에 관한 예언에 의존하고 있는 것으로 보인다.[50] 디다케가 장래의 부활을 좀 더 큰 종말론적인 도식 안에서 어떻게 통합하고 있느냐 하는 문제는 우리가 여기에서 살펴볼 문제는 아니다.[51] 디다케가 부활을 장차 도래할 하나님의 나라에 관한 신학의 일부로서 단언하고 있다는 것은 이러한 가르침이 이 문서에 있어서 중심적인 것은 아니지만(이 문서는 바울의 패턴을 따라서 이것을 그 주된 관심, 즉 교회의 삶과 윤리에 관한 세세한, 실제적인 내용들과 통합하지 않는다), 우리가 클레멘스, 이그나티우스, 폴리카르푸스, 그리고 물론 신약성서 자체 속에서 발견하는 것과 동일한 신학에 대한 또 하나의 증언이라는 것을 의미한다.

(vi) 바나바서

바나바서(이 책의 저작 연대는 주후 1세기 후반 또는 주후 2세기 초반으로 다양하게 추정되어 왔다)는 대체로 구약성서의 모형론적인 성취라는 관점에서 기독교 신앙에 대한 확대된 해설을 제공해 준다. 이 서신이 서술하고 있는 중심적인 주제들 속에는 새 계약과 새 창조라는 주제도 포함되어 있다. 이 서신의 서문은 저자가 해설하고자 하는 세 가지 교리('도그마타') 중의 첫 번째는 "우리의 신앙의 처음이자 마지막인" "생명의 소망"('조에스 엘피스')이라고 선언한다.[52]

---

49)Did. 16.6-8.

50) 예를 들면, Niederwimmer 1998 [1989], 223-5를 보라.

51) 이 저작의 결말 부분이 멸실되었을 가능성이 있다는 주장과 더불어서 이 문제에 대해서는 Aldridge 1999와 Hill 2002 [1992], 77f.를 참조하라.

그런 후에, 그는 구약의 계약이 예수를 통하여 갱신되었고, 유대인들로부터 빼앗아졌다고 주장한다; 심판, 곧 다니엘서와 그 밖의 다른 곳에서 말한 심판이 다가오고 있기 때문에, 그리스도인들은 자신의 믿음을 굳게 붙잡아야 한다.[53] 예수는 하나님의 형상대로 지음받은 참 인간으로서, "육체로 나타나서 죽음을 폐하고 죽은 자로부터의 부활을 계시하기 위하여" 사람들의 손에 의해서 고난을 받고 견디셨다.[54] 이 본문은 그 자체로만 보면 저자가 디모데전서 3:16("육체로 나타나서")이 부활을 가리키는 것으로 해석하고 있다는 것을 보여주는 것 같지만, 그 다음에 나오는 본문은 그것이 성육신에 관한 반가현설적인(anti-docetic) 논평이라는 것을 보여준다.[55] 이것은 새 창조, 창세기 1:26-28의 약속의 궁극적인 성취로서의 젖과 꿀이 흐르는 새로운 땅에 관한 약속으로 이어진다.[56] "우리가 주님의 계약의 상속자들로서 완전하게 되었을 때에" 새로운 세상은 완성될 것이다.[57]

그런 후에, 예수의 죽음 및 그리스도인들의 행실과 관련된 성경 본문에 대한 모형론적이고 알레고리적인 설명과 세례 및 십자가에 관한 추가적인 설명으로 이루어진 긴 단원이 나온다(7-12장). 이것은 계약이 갱신되어서 그 안에 이방인들을 포함하게 될 것임을 보여주는 약속들에 관한 명시적인 진술로 이어진다(13-14장). 그런 후에, 이것은 장차 다가올 "안식"이라는 관점에서 종말론적으로 해석되고 있는 (히브리서에서처럼) 안식일 계명에 초점이 맞춰진다. 사실, 그것은 예수가 새로운 주간의 첫째 날에 죽은 자로부터 다시 살아나셨을 때에 개시된 최종적인 새 창조를 가리킨다:

> 내가 만물에게 안식을 주기 위하여 만든 안식일은 여덟째 날의 시작,

---

52) *Barn.* 1.6. 다른 두 교리(*dogmata*)는 의, 심판의 시작과 끝, 기쁘고 즐거운 사랑(Lake ad loc, Holmes 162의 주장과는 달리, '유프로쉬네스'와 '아갈리아세오스'를 목적어가 아니라 형용사로 보아서)인데, 이것은 의의 공로에 대한 증언이다.

53) *Barn.* 4.1-14. 또한 cf. 19.10.

54) *Barn.* 5.5f.

55) *Barn.* 5.9-12; cf. 6.7, 9.

56) *Barn.* 6.9-19.

57) *Barn.* 6.19; 여기서 "완전"에 대해서는 빌 3:12을 참조하라.

> 또 다른 세계의 시작이다[하나님이 말씀하신다]. 그러므로 우리도 여덟째 날을 예수께서 죽은 자로부터 다시 살아나셔서 우리에게 보이셨다가 하늘로 올라가신 것을 기념하는 송축의 날로 여긴다.[58]

이 책은 "두 길"에 관한 해설로 끝이 나고, 마지막 요약문은 빛의 길이 의미를 지니는 것은 장차 도래할 일 때문이라고 힘주어 말한다:

> 이러한 일들을 행하는 자는 하나님의 나라에서 영화롭게 될 것이지만, 다른 것들을 택한 사람들은 그들이 한 일들과 더불어 멸망받게 될 것이다. 이것이 바로 부활이 존재하는 이유이다; 이것이 바로 상벌이 존재하는 이유이다.[59]

이 책의 마지막 단락은 장차 도래할 심판에 관한 경고와 최종적인 구원에 관한 약속을 거듭거듭 반복한다.[60] 현재의 삶은 장차 도래할 삶에 비추어 볼 때에만 의미를 지닌다. 이러한 설명은 우리가 신약성서 속에서 발견하는 그 어떤 것과도 매우 다른 종류에 속한 것이기는 하지만, 이것은 분명히 다른 상황 속에서 (그리고 유대교의 반대라는 압력 하에서) 새 창조와 새 계약에 관한 초기의 신학을 설명하고자 하는 시도라는 것은 분명하기 때문에, 우리는 예수 및 그리스도인들의 부활이 그 안에서 중요한 흐름 — 비록 그리 발전되지는 못했지만 — 이라는 것을 발견하고 놀라지 않아야 한다.

(vii) 헤르마스의 목자서

헤르마스가 쓴 3부로 된 긴 작품은 지금은 통상적으로 주후 2세기 중반에 씌어진 것으로 여겨지고 있지만, 이레나이우스, 알렉산드리아의 클레멘스, 테르툴리아누스(그의 활동 초기에)는 이 책을 신약성서의 일부로 생각하였다. 환상

---

58) *Barn.* 15.8f. 요한복음에서 "여덟째 날" 도식에 대해서는 위의 제9장 제6절과 아래의 제17장 제2절을 보라.

59) *Barn.* 21.1.

60) *Barn.* 21.3, 6, 9.

들, 독백들, 계시들, 성찰들로 가득 차 있는 길고 구불구불한 길 속에는 예언의 성취로서의 새 창조에 관하여 말하는 본문이 포함되어 있다;[61] 그러나 이 책의 대부분은 세례를 받은 후에 죄를 짓고서 회개의 가능성이 있느냐에 관한 것으로서, 악한 행실과 선한 행실의 여러 수준들과 유형들에 관한 길고도(우리 눈에 보기에는) 고통스러운 분석들을 제시하고 있다. 이것 안에서 신약성서 및 그 밖의 다른 사도 교부들 속에서 가르쳐진 분명한 교리들은 침묵하고 있다; 이것은 죽음 이후의 삶과 마찬가지로 예를 들면 기독론 등에도 적용된다.

이 책 전체에서 부활에 관한 유일하게 분명한 진술은 다섯 번째 비유 또는 직유의 마지막 부분에 나온다:

> 너희의 육체를 순결하고 더럽혀지지 않은 채로 보존하라. 이것은 그 안에 거하는 영이 그것을 증거하고, 너희의 육체가 의롭다 하심을 받기 위한 것이다. 너희의 이 육체가 썩어질 것이라고 생각해서, 그것을 더러움이나 다른 방식으로 잘못 사용하지 않도록 조심하라. 너희가 너희의 육체를 더럽힌다면, 너희는 또한 성령을 더럽히는 것이다. 그리고 너희가 육체를 더럽히면,[62] 너희가 살지 못하리라.
>
> [그런 후에 헤르마스는 이러한 가르침을 모른 채 육체를 더럽히는 사람이 어떻게 여전히 구원받을 수 있는지를 묻는다. 선생은 계속해서 이렇게 말한다:] 너희가 장차 육체나 영을 더럽히지 않는다면, 이전의 무지들에 대해서 치유하시는 것은 오직 하나님의 권능 안에서이다 — 왜냐하면, 오직 그분만이 권세를 갖고 있기 때문이다. 육체와 영은 서로 교통하는 관계에 있기 때문에, 어느 한 쪽 없이 다른 쪽을 더럽히는 것은 불가능하다. 그러므로 둘 모두를 순전하게 보존하라. 그리하면 너희가 하나님에 대하여 살게 될 것이다.[63]

---

61) 예를 들면, 이사야 40:4을 간접인용 하고 있는 *Vis.* 1.3.4.

62) 편집자들은 종종 의미와 관련된 명백한 이유들로 인해서 이것을 "영"으로 바꾸지만, 사본들은 분명히 더 어려운 읽기를 보여준다.

63) *Sim.* 5.7.1-4. Hill 2002 [1992], 94은 *Hermas*가 부활을 당연시하고 있다는 것을 분명히 말한다.

이 본문 속에서 헤르마스가 순결한 그리스도인의 최종적인 상태가 무엇이라고 생각하는지는 여전히 불분명하다. 그러나 그는 육체와 영의 하나됨과 어느 한 쪽이 없이는 다른 한 쪽을 더럽힐 수 없다는 것을 자신의 논증의 핵심으로 사용하고 있기 때문에, 종말에 육체와 영의 부활을 긍정하는 것일 가능성이 많다; 그리고 아마 이것이 "하나님에 대하여 산다"라는 어구, 우리가 다른 맥락들 속에서 여러 번 만났고 헤르마스에서 세 번 더 나오는 어구의 의미일 것이다.[64]

『폴리카르푸스의 순교』에서와 마찬가지로, 『헤르마스』에서도 죽은 의인들이 천사가 된다고 말하고 있다는 주장이 종종 제기된다.[65] 그러나 『환상』 2.2.7에 나오는 관련된 본문은 단순히 "네가 죽을 때에('파로도스') 거룩한 천사들과 함께 하게 될 것이다"라고 말할 뿐이다.[66] 『비유서』 9.27.3을 보면, 의인들은 "주님의 보호를 받게" 될 것이다; 그들은 이미 "하나님과 함께 영화로우며," "그들이 계속해서 끝까지 주님을 섬긴다면, 그들의 자리는 이미 천사들과 함께 있다." 이러한 어구들 중에서 그 어디에서도 저자는 죽은 자들을 천사들로 규정하지 않는다; 우리가 누가복음 16:22에 나오는 나사로에 대하여 말할 수 있는 것과 마찬가지로, 단순히 그는 죽은 자들이 천사들의 무리와 함께 있다는 것만을 말하고 있다. 또 다른 경우에 있어서 그는 죽은 의인들이 "하나님의 아들의 영을 받아서 그와 함께 거한다"라고 말하고 있다.[67]

안타깝게도 버드나무에 관한 긴 비유(비유서 8장)는 분명히 이러한 마른 것들(이 비유 속에 나오는 막대기들)이 어떻게 살아날 수 있느냐고 물을 때에 에스겔 37장을 간접 인용하고 있지만 이 저자가 그 특정한 예언의 성취가 무엇이라고 믿었는지를 보여주는 온전한 대답을 결코 발전시키지 않는다.[68] 모든 것을 고려해 볼 때, 우리는 헤르마스가 관심을 갖고 있지 않았던 질문을 우리가 그에게 던지고 있는 것이라는 느낌을 강하게 받는다. 우리는 그토록 많은 다른 초기 기독교 본문들이 제시하고자 열을 올렸던 것과 동일한 대답을 그에

---

64) *Sim.* 8.11.4; 9.22.4; 9.30.5; 위의 제5장 제7절 n. 96; 425를 보라.

65) Lake on *Vis.* 2.2.7과 *Mart. Pol.* 2.3.

66) 이 어구는 *Sim*: 9.25.2에 거의 정확하게 재현되어 있다.

67) *Sim.* 9.24.4.

68) *Sim.* 8.2.6.

게 이런저런 식으로 강요할 수 없다.

(viii) 파피아스

폴리카르푸스가 서머나 교회의 감독이었던 바로 그 무렵에 히에라폴리스의 감독이었던 파피아스(주후 60-130년경)의 가르침과 글들의 몇몇 단편들이 후대의 저술가들에 의한 인용문들과 논의들 속에 보존되어 있다.[69] 유세비우스는 파피아스가 당시에 "죽은 사람의 부활"('네크루 아나스타시스')을 어떻게 설명했는지, 그리고 그리스도의 나라가 이 땅 위에 몸으로('소마티코스') 세워질 때에 죽은 자들의 부활 후에 천년의 기간이 있게 될 것을 믿었다는 것을 말해준다. 이것이 분명히 요한계시록 20장을 토대로 하고 있다는 사실에도 불구하고, 유세비우스는 이 모든 것을 신학 및 식견의 부족으로 취급하여, "그의 글들의 증거가 보여주는 것 같이 극히 지성이 모자란 사람"인 파피아스는 사도들을 오해해서 그들이 "신비적이고 상징적으로" 글을 썼다는 것을 보지 못한 것이라고 재빨리 역설한다. 하지만 유세비우스는 그가 그러한 경멸적인 어조로 묘사하지 않았던 이레나이우스가 이 점에서 파피아스를 따랐다고 지적한다.[70] 제롬도 이와 동일하게 말하고 있는데, 이레나이우스와 아폴리나리우스 등을 비롯한 사람들이 파피아스의 천년왕국설을 따라서 부활 이후에 주님이 몸으로 성도들과 함께 다스릴 것이라고 말하고 있다는 것을 덧붙인다.[71] 주후 7세기의 위대한 인물이었던 고백자 막시무스(Maximus the Confessor)는 파피아스의 견해를 따라서 음식은 부활의 즐거움들 중 하나가 될 것이라고 말한다.[72]

자신의 시대 이전에 있었던 신앙들 — 그는 그러한 신앙들을 자신의 것으로 삼았었다 — 에 관한 내용을 설명하는 이레나이우스의 기사에는 "주의 제

69) 이 단편들을 모아놓은 가장 편리한 자료는 Holmes 1989, 307-29이다.

70) *HE* 3.39.9, 12f. 이 점에 관한 Papias의 다른 설명은 7세기의 Anastasius of Sinai에 의해서 전해진다(Holmes 1989, 321). Papias에 있어서 지상의 낙원(그리고 천년왕국설 일반)이라는 문제 전체에 대해서는 특히 Hill 2002 [1992], 22f., 63-8을 보라.

71) Jerome, *Vir. Illustr.* 18. Holmes 1989, 319에서 재인용; 또한 5세기의 Philip of Side를 보라(Holmes 318).

72) Holmes 1989, 323에서 재인용.

자 요한을 보았던 장로들"이 포도들이 풍성하게 자라고 밀알들이 무수하게 맺게 될 때가 장차 오게 될 것이라는 말을 하곤 하였다는 것에 관한 풍부한 기사가 들어 있다. 이러한 기가 막힌 식단을 먹고 자라는 짐승들은 서로에 대하여 평화롭고 온순하게 될 것이고, 인간들에게 온전히 복종하게 될 것이다(이사야 11:6-9 같은 본문들을 설명하기 위한 흥미로운 시도).[73] 이레나이우스는 그의 청중들이 눈썹을 치켜세우며 놀랄 것을 틀림없이 알고서도, 파피아스의 견해를 따라서 그러한 일들은 믿는 자들에게 믿어질 수 있다고 단호하게 말한다. 실제로 파피아스는 유다가 장차 도래할 축복의 때를 믿지 않았었고, 예수는 단지 그때까지 산 자들이 볼 수 있을 것이라고만 대답하였다고 말한 것으로 그는 보도한다.[74] 분명히 파피아스는 클레멘스 및 이그나티우스와 더불어서 의인들 및 세상에 대한 최종적인 구원과 관련해서 눈에 보이는 육신적인 형태를 띠게 될 것을 지지했던 또 한 명의 증인으로 인용될 수 있을 것이다.

(ix) 디오그네투스서

『디오그네투스서』(*the Epistle to Diognetus*)는 통상적으로 그 밖의 다른 "사도 교부들"과 함께 취급되지만, 사실은 그러한 것들에 속하지 않는다.[75] 이 편지는 주후 2세기 말 또는 심지어 3세기에 나온 것으로서, 유스티누스와 아테나고라스 같은 변증가들과 함께 분류되어야 한다.[76]

또한 이 서신은 기독교적인 소망에 관하여 말할 때에도 클레멘스, 이그나티우스, 폴리카르푸스와 맥을 같이 하지 않는다. 적어도 이 서신은 기독교적인 소망에 관하여(또한 예수의 부활에 관하여) 별 말을 하지 않고 있지만, 이 서신이 더 넓은 세계 속에서 기독교회가 가지는 위치에 관하여 말하는 내용을 보면, 그 저자가 육신의 몸 속에 갇혀 있는 불멸의 영혼이라는 표준적인 헬레니

---

73) 이 본문은 *2 Bar.* 29:5과 비슷하다. Irenaeus는 "장로들"로부터의 이러한 소문이 Papias에 의해서 씌어졌다고 암시하지만, 그것을 직접 그에게 돌리지는 않는다(Bynum 1995, 23). 다시 Hill 2002 [1992], 특히, 254-9를 보라.

74) Iren. *Adv. Haer.* 5.33.3f. 이단자들과는 달리 자기는 진정한 전승을 따르고 있다고 역설하는 Irenaeus에 대해서는 아래의 제11장 제5절을 보라.

75) Louth 1987, 140; Holmes 1989, 291f.

76) Hill 2002 [1992], 102은 주후 150년경을 지지한다.

즘적인 견해를 지니고 있었다는 것을 보여준다. 영혼이 몸 안에 거하지만 몸에 속한 것이 아닌 것처럼, 그리스도인들은 세상 안에 거하지만 세상에 속해 있지 않다(6:3). 세상이 그리스도인들을 미워하는 것과 마찬가지로, 육체는 영혼을 미워하여 대항해서 싸운다. 이것은 영혼 또는 그리스도인들이 어떤 잘못을 저질렀기 때문이 아니라, 그들이 세상과 육체의 쾌락들을 반대하기 때문이다(6:5). 부활을 가리킨다고 할 수 있는 몸에 관한 긍정적인 견해에 가장 가까운 본문은 다음과 같은 것이다:

> 영혼은 자기를 미워하는 육체와 사지(四肢)들을 사랑한다; 그리고 그리스도인들은 그들을 미워하는 자들을 사랑한다. 영혼은 몸 안에 갇혀 있지만, 스스로 몸을 지탱해 준다; 그리고 그리스도인들은 감옥에서처럼 세상 속에 갇혀 있지만 스스로 세상을 지탱해 준다. 영혼은 불멸하고, 죽을 장막 안에 산다; 그리고 그리스도인들은 하늘에서의 썩지 않음을 기다리면서 잠시 동안 썩을 것들 가운데서 살아간다.[77]

얼핏 보면, 이것은 예를 들면 고린도후서 4장 및 5장과 양립될 수 있는 것으로 이해될 수 있지만, 이 본문은 썩지 않을 몸을 하늘로부터의 선물로 보는 것이 아니라 불멸의 영혼이 썩어 없어질 물질 세계를 떠나서 완전한 불멸을 기다리면서 하늘 자체에서 누리게 될 선물로 보는 전형적인 플라톤적인 진술이라고 보는 것이 더욱 자연스러워 보인다. 이렇게 디오그네투스는 수많은 서구 그리스도인들이 여전히 신약성서의 것이라고 확신하고 있는 개인적 종말론에 관한 견해를 설명하고 있는 것 같다.[78]

사도 교부들은 정경에 나오는 그들의 전임자들과 매우 흡사한 입장에 머물러 있다. 싸워야 할 새로운 싸움들, 특히 가현설과 대항해서 싸우는 싸움이 존재한다. 그러므로 몇몇 사람들, 특히 이그나티우스는 부활한 몸을 현재의 썩어

---

77) *Diog.* 6.6-8.

78) Hill 2002 [1992], 103은 더 긍정적으로 이 저작이 분명히 부활을 언급하고 있지는 않지만, 저자가 그것을 의심하였다는 것을 보여주는 증거는 없다고 주장한다.

없어질 몸과 구별하지 않고 예수의 "육체적" 부활을 강조한다. 그들은 새로운 상황들에 대처하기 위하여 새로운 언어와 이미지들을 발전시킨다. 정경의 짧은 책들 중 일부의 경우와 마찬가지로, 그들은 언제나 부활을 논의하거나 단언할 필요는 없었다. 그러나 많은 본문들 속에서 그들은 우리에게 알려진 초기 그리스도인들 중 압도적인 다수에게 있어서 "부활"은 그리스도인들의 궁극적인 소망이었고, 명확히 몸의 부활이라는 의미로 이해되었다는 것, 이것은 그 자체로 영광스럽고 복된 모종의 중간 상태를 수반한다는 것, 장래의 부활은 예수 자신의 부활에 의거해 있고 그것을 모델로 한다는 것을 확증해 준다. "부활"이라는 언어를 신약성서에서 발전된 방식들로(문자적인 용법과 더불어) 또는 『레기노스서』(*the Epistle to Rheginos*)에 의해서 발전된 판이하게 다른 방식들로 은유적으로 사용하고자 한 시도는 전혀 없었다. "부활"은 여전히 문자 그대로의 용법으로 사용되었고, 구체적인 지시 대상이 있었으며, 초기 기독교의 신학과 소망에 있어서 토대를 이루는 것이었다.

3. 초기 기독교의 외경들

(i) 서론

통상적으로 "신약 외경들"로 분류되는 몇몇 책들이 있는데, 이 책들은 저작 연대와 배경이 여전히 논란 중에 있기는 하지만, 초기 기독교 운동에 관하여 상당한 내용을 밝혀줄 수 있는 잠재력을 지니고 있다. 해당 본문들은 좋은 현대어 역본들에 수록되어 있다.[79] 우리는 특히 네 개의 작품을 간략하게 살펴보고자 한다.

(ii) 이사야 승천기

『이사야 승천기』로 알려져 있는 초기 기독교의 저작은 오늘에 와서는 완전한 형태로 남아 있는 에디오피아 판본과 단편들로 남아 있는 헬라어, 라틴어, 슬라브어, 콥트어로 된 본문의 일부로 우리에게 전해진다. 그 본문은 합성된 것으로서, 『이사야의 순교』라는 명칭으로 알려져 있는 기독교 이전의 유대교 부분(1-5장)에 기독교적인 두 번째 부분(6-11장)이 첨부되었다고 통상적으로

79) 특히, Hennecke 1963, 1965; Elliott 1993을 보라.

생각되어 왔다.[80] 이 본문의 합성적인 성격과 저작 연대는 계속해서 논란이 되어왔다; 학자들은 그 저작 연대를 주후 2세기 어간으로 조심스럽게 추정해 왔지만, 가장 최근의 주요한 비평적 연구는 이 저작의 본질적인 통일성을 주장하면서 그 저작 연대를 주후 1세기, 그리고 70년대로 확고하게 설정한다.[81] 그러나 우리가 이 작품의 저작 연대를 이러한 범위의 기간 중에서 어느 시점으로 설정하든지 간에, 부활에 관한 환상 부분은 종종 주장되어 왔던 것과는 달리 영지주의적인 것이 아니다.[82] 그것은 이미 살펴본 신약성서 및 사도 교부들과 어느 정도 맥을 같이 하고 있는 것으로 보인다.

우리의 목적을 위해서 살펴보아야 할 두 개의 핵심적인 본문들이 있는데, 전반부와 후반부에 각각 하나의 본문이 있다. 이 본문을 합성된 것으로 취급하는 학자들은 첫 번째 본문을 비기독교적이고 유대적인 첫 번째 부분에 첨가된 기독교적인 것으로 설명한다. 첫 번째 본문은 칠층천으로부터 와서 사람의 형상을 입고서 고난을 받고 십자가에 못 박혔다가 매장되어 그 무덤을 군사들이 지켰던 "사랑하는 자," 즉 메시야에 관하여 말한다:

> 거룩한 영의 천사와 거룩한 천사들의 대장인 미가엘이 제삼일에 그의 무덤을 열 것이고, 저 사랑하는 자는 그들의 어깨 위에 앉아서 그의 열두 제자들을 나오게 하여 파송할 것인데, 그들은 모든 민족들과 모든 혀에게 사랑하는 자의 부활을 가르칠 것이고, 그의 십자가를 믿고 그가 칠층천으로 승천했고 거기로부터 온 것을 믿는 자들은 구원을 받으리라; 그를 믿는 많은 자들은 성령을 통해서 말할 것이고, 그날들에 많은 표적들과 이적들이 있으리라.[83]

---

80) 나는 Charlesworth 1985, 143-76에 수록된 Knibb의 서론과 본문을 토대로 연구하였다.

81) Bauckham 1998a, 389. 또한 Hall 1990; Norelli 1994, 1995; Knight 1996; Hill 2002 [1992], 109-16을 보라. Norelli 1995에 나오는 자세한 참고문헌들.

82) 예를 들면, Helmbold 1972(더 정확히 말해서 "준기독교적인 … 또는 기독교적인 영지주의자," 227). 나그 함마디 문서들에서 발견되는 모티프들을 지닌 많은 병행들이 존재한다는 것은 분명하다; 그러나 중요한 것은 실제적인 내용이다.

83) *Asc. Isa.* 3.15-20.

이 본문은 정경의 전승들에 나오는 여러 요소들과 분명한 유사점들을 지니고 있다; 마가복음의 긴 결말(이것은 충분히 이 시기의 것이라면 이 본문을 위한 자료로 간주될 수 있을 것이다)과 베드로 복음서에서 두 기이한 남자가 예수를 떠받들고 무덤으로부터 나오는 것에 관한 이야기. 하지만 이 작품이 이 두 전승들 중 어느 것에 직접적으로 의존해 있는 것인지, 또는 이 두 전승이 이 작품에 의존해 있는 것인지는 의심스럽다; 이것은 더 면밀하게 연구해 볼 만한 주제이다.[84] 또 다른 핵심적인 본문은 "이사야"가 일곱 개의 하늘들을 통과하여 승천할 때에 그에게 주어진 장차 오실 메시야에 관한 환상의 절정 부분인 9장에 나온다.[85] 그는 도착해서 에녹 및 그와 함께 있는 모든 자들을 본다. 그들은 "육체의 옷들을 벗고" 있었고, 천사들과 같이 하늘의 옷들을 입고 있었다. 하지만 그들은 아직 보좌에 앉지는 않았다.[86] 이것을 위해서 그들은 그리스도가 성육신을 통해서 땅으로 내려가서 "이 세상의 신"에 의해서 죽임을 당할 때까지 기다려야 한다. 그 일 후에,

> 그가 죽음의 사자를 침탈했을 때, 그는 제삼일에 부활하여 그 세상에 오백사십오일 동안 머물게 될 것이다. 그때에 수많은 의인들이 그와 함께 승천하겠고, 그 영들은 주 그리스도께서 승천하고 그들이 그와 함께 승천할 때까지는 옷을 받지 못하리라. 그런 후에 그들은 칠층천으로 승천하여 옷과 보좌와 면류관을 받으리라.[87]

이 본문은 분명히 예수의 부활과 의인들이 "다시 옷을 입는 것"에 관하여

---

84) Bauckham 1998a, 389f.를 보라. 마가복음의 결말들에 대해서는 아래 제14장을 보라; *Gos. Pet.*에 대해서는 제13장을 보라.

85) 또한 장래의 부활을 분명하게 가르치고 있는 4:14-18도 참조하라(4:18에서의 부활은 악인들만의 부활이라고 묘한 주장을 하고 있는 Hill 2002 [1992], 113f.에도 불구하고; 그러한 관념은 유대교 또는 기독교의 자료들에서 다른 곳에서는 알려져 있지 않다).

86) *Asc. Isa.* 9.9-11. 의인들의 변화된 상태를 보여주는 것으로서 "의복들"에 대해서는 1.5; 3.25; 4.16f.; 7.22; 8.14, 26; 9.2, 17f., 24-6; 11.40을 보라.

87) *Asc. Isa.* 9.16-18.

말하고 있다 — 그리고 예수의 성육신, 죽음, 부활을 통해서 이미 죽은 자들을 위하여 새로운 일이 성취되는 시간적인 순서를 따라서. 하늘의 옷을 "다시 입는 것"은 새로운 몸들이 "비물질적인" 것을 의미한다고 억지로 해석되어서는 안 된다; 여기에 나오는 사상은 대략 고린도후서 5:1-5에 나오는 것과 비슷하다고 할 수 있다. 죽음의 사자를 침탈하는 것은 죽음을 육신적인 몸이 피흘리는 것으로 보고 환영하는 관념과 매우 다르다. 이사야 승천기는 합성된 작품이든 통일적인 작품이든, 아니면 주후 1세기의 작품이든 2세기의 작품이든, 그 신학이 정경에 나오는 내용 및 사도 교부들과 맥을 같이 한다 — 물론, 그 이미지가 항상 동일한 것은 아니지만.

(iii) 베드로 묵시록

『베드로 묵시록』으로 알려져 있는 작품(동명의 나그 함마디 문서와는 상관없는 것으로서, 이것에 대해서는 아래를 보라)은 지금 일반적으로 바르 코크바 시대(주후 132-5년)에 변함없는 충성을 맹세한 한 무리의 그리스도인들 내부로부터 씌어진 것으로 여겨진다.[88] 이 책은 신약성서의 몇몇 부분들, 그리고 유대적인 묵시론적 저작 내에서 통용되었던 몇몇 관념들에 의존하고 있다는 것을 분명하게 보여준다. 우리의 현재의 주제와 관련해서 중심적인 본문은 저자가 주후 2세기의 다른 몇몇 저작들에서와 마찬가지로 씨앗들과 식물들에 관한 바울의 이미지를 활용한 부활에 대한 설명들과 더불어 성경의 예언, 특히 에스겔 37장의 반영들을 통합하고 있는 4장에 나온다;

> 하나님의 날이 임할 때에 그들이 말일에 겪게 될 일을 이제 보라. 하나님의 심판의 날에 동에서 서까지 모든 사람의 자녀들은 항상 살아 계시는 내 아버지 앞에 모이게 되고, 하나님은 지옥에게 명하여 그 철빗장들

---

88) 본문: Hennecke 1965, 668-83; Elliott 1993, 593-612. 이 저자, 그 배경과 특정한 강조점들에 대해서는 Buchholz 1988; Bauckham 1998a, ch. 8; Hill 2002 [1992], 116-20을 보라. Bauckham(239)은 "그리스도인들이 Bar Kokhba를 메시야로 받아들이기를 거부하고 혁명에 참여하기를 거부함으로써 고난받고 있던" 때를 구체적인 배경으로 제시하고, 이것을 "유대 그리스도인들을 이스라엘의 종교 공동체로부터 배제하고자 한 랍비적인 시도" 안에 놓는다.

을 열어서 그 안에 있는 모든 것을 내놓도록 명하시리라. 그리고 짐승들과 새들에게는 그들이 집어삼킨 모든 육체를 내놓으라고 명하실 것이다. 왜냐하면, 하나님은 사람들이 다시 나타나기를 원하시기 때문이다; 만물이 그의 것이기 때문에, 하나님에게는 그 어떤 것도 망하지 않으며 그 어떤 것도 불가능하지 않다. 하나님이 세상을 창조하여 그 안에 있는 모든 것에게 명하셨을 때에 만물이 생겨났고 모든 것이 이루어졌듯이, 결정의 날, 심판의 날에 하나님의 말씀으로 만물이 생겨나리라 — 이는 성경에 기록된 바, "인자야, 뼈들에게 예언하며 뼈들에게 말하라 — 뼈와 뼈가 상합하고 관절과 힘줄과 신경과 살과 피부와 털이 생겨나라" 한 것과 같으니라.[89] 하나님의 명령으로 위대한 우리엘이 혼과 영을 주리라.[90] 하나님은 그에게 심판의 날에 죽은 자들의 부활을 맡기셨다. 보라, 그리고 땅에 뿌려진 밀알들을 생각하라. 메마르고 혼이 없는 밀알들을 사람은 땅에 뿌리지만, 그것들은 다시 살아나서 열매를 맺으며, 땅은 밀알들에게 자기에게 맡겨진 것을 되돌려준다. 죽어서 땅에 씨앗으로 뿌려져서 다시 살아나서 생명으로 회복되는 이것이 바로 사람이다. 하물며 결정의 날에 하나님은 그를 믿고 그에 의해서 택함받은 자들 — 그들을 위하여 그가 땅을 만들었다 —을 다시 살리지 않겠느냐; 이 모든 것을 땅은 결정의 날에 되돌려주리라. 이는 땅과 하늘도 그들과 함께 심판받을 것이기 때문이다.[91]

장래의 몸들을 필요로 하는 장래의 심판에 관한 이 강조적인 진술은 이 책

89) Bauckham 1998a, ch. 9은 에스겔 37장에 대한 이 언급이 4Q385(멸실되었다고 알려져 있는 "Apocryphon of Ezekiel"과 동일한 것일 수 있는 4Q Second Ezekiel 사본들 중의 하나)에 보존되어 있는 전승들에 의거하고 있다는 것을 상당히 자세하게 보여준다. 이러한 성경 이후의 전승들에 대한 이와 비슷한 의존관계는 Justin *1 Apol.* 52.5f. and Tert. *De Res.* 32.1 등에서도 발견된다.

90) 우리엘과 그의 역할에 대해서는 Bauckham 1998a, 221f.를 참조하라. *1 En.* 20:1에서 우리엘은 일곱 천사의 목록 중에서 첫 번째이다; 다른 곳에서 그는 흔히 미가엘과 가브리엘 다음으로 세 번째이다.

91) *Ap. Pet.* 4; Henneke 1963로부터의 번역문. Bauckham 1998a, ch. 10은 죽은 자들을 "돌려준다"는 개념을 부활에 관한 유대교 및 기독교의 사상 세계 속에 위치시킨다.

의 다른 곳에서 "택함받은 자들과 의인들"이 입게 될 새로운 "의복들" — 달리 말하면, 그들이 받게 될 새로운 몸들 — 과 그들이 누리게 될 "낙원"이라는 중간 상태라는 관점에서 확대되어 설명된다.[92] 이것은 분명히 우리가 유대교 및 기독교 자료들로부터 살펴보았던 주류적인 "부활" 관념들에 속해 있다. 이 묘사의 몇몇 세부적인 내용들은 일관성이 없어 보이지만 — 의인들은 최후의 심판 이전에 새로운 몸들을 얻게 되는 것인가, 아니면 그 후에 얻게 되는 것인가? — 그 기본적인 신앙과 관련해서는 어떠한 의심도 있을 수 없다. 다른 곳에서처럼 여기에서도 부활 소망은 핍박을 받고 있는 자들을 지탱해주기 위하여 제시되고 있다.

(iv) 에스라5서

『에스라5서』로 알려져 있는 작품은 구약 외경에 속한 에스드라2서로 알려진 작품의 처음 두 장으로 인쇄되기 때문에, 우리에게 혼란을 준다.[93] 일부 학자들은 여전히 이 작품을 유대교적인 것으로 여기지만,[94] 대부분의 학자들은 이 작품이 바르 코크바 혁명의 영향으로 씌어진 기독교적인 저작이라는 그레이엄 스탠턴(Graham Stanton)의 견해에 동의한다.[95]

전통적인 유대교적 주제들에 확고하게 뿌리를 내리고 있는 이 저작의 두 번째 장은 죽은 자들의 부활을 약속한다:

> 주께서 말씀하신다. 부르라, 오, 하늘과 땅을 증인으로 부르라: 나는 악을 물리쳤고 선을 창조하였다: 나는 살아 있는 자이기 때문이다.
>
> 어머니여, 너의 자녀들을 껴안으라; 비둘기가 그러는 것처럼, 그들을 기쁨으로 키우고, 그들의 발을 강하게 하라. 내가 너희를 선택하였음이라. 주께서 말씀하신다. 내가 죽은 자들을 그들의 처소로부터 다시 일으키고, 그

---

92) *Apoc. Pet.* 13.1 ; 16-17.

93) 2 Esdr. 3-14장은 통상적으로 에스라4서로 알려진 저작을 포괄한다; 또 하나의 별개의 저작인 2 Esdr. 15-16장은 에스라6서로 더 잘 알려져 있는데, 주후 3세기에 나오는 기독교 작품인 것으로 보인다.

94) 예를 들면, cf. O'Neill 1991.

95) Stanton 1977.

> 들을 무덤으로부터 나오게 하리라. 이는 내가 그들 안에서 내 이름을 보기 때문이다 … 나는 너희를 위하여 갖가지 열매를 맺는 열두 나무, 젖과 꿀이 흐르는 열두 샘물, 장미와 백합이 자라는 일곱 개의 거대한 산들을 성별하여 예비해 두었노라 …[96)]

이렇게 에스겔 37장을 반영하고 있는 부활에 관한 약속은 에덴이 회복되는 새 창조에 관한 더 큰 환상 안에서 주어진다. 독자들은 공동체 안에서 공의를 행하고, 특히 아직 매장되지 않은 자들을 매장하라는 말을 듣는다. 그렇게 하는 자들은 "나의 부활의 날에 첫 번째 자리"가 약속된다.[97)] 열방들이 택하신 백성에 대항하여 싸움을 걸고 환난과 고난의 날이 올 것이다. 그러나 그들은 하나님의 보호하심만이 아니라 다시 한 번 부활에 관한 약속을 받는다:

> 오, 어머니여, 너희 자녀와 함께 기뻐하라. 이는 내가 너희를 구원할 것임이라. 주께서 말씀하신다. 잠자고 있는 너희 자녀를 기억하라. 이는 내가 그들을 땅의 숨겨진 곳들로부터 불러내어 그들에게 긍휼을 베풀 것임이라; 나는 긍휼을 베푸는 자니라. 전능하신 주께서 말씀하신다.[98)]

이것이 실제로 기독교적인 저작이라면, 그것은 이 대목에서 핍박받는 어린 교회가 유대교의 순교자들이 마카베오2서 및 그 밖의 다른 곳에서 행하였던 것과 동일한 약속들을 주장하고 있다는 것(특히 다니엘 12장을 토대로 한)을 보여준다.

(v) 사도 서신

이 명칭을 지닌 작품은 19세기 후반에 콥트어 역본으로 발견되었고, 그 이후에 에디오피아어 역본과 몇몇 라틴어 단편들로 발견되었다[99)] 이 작품은 열한 명의 생존한 사도들이 온 세계에 있는 그리스도인들에게 보낸 편지로서, 그

96) *5 Ezr.* 2.14-19.
97) *5 Ezr.* 2.23.
98) *5 Ezr.* 2.30f.

들이 부활절 후에 부활하신 예수와 나눈 대화들을 그리스도인들에게 말해주기 위한 것이었다. 나그 함마디 문서의 일부 및 그와 비슷한 여러 저작들로부터 친숙한 이러한 허구적인 배경(아래를 보라)은 여기에서 신약성서, 그 밖의 다른 사도 교부들, 변증가들의 것과 매우 유사한 신학적인 입장을 제시하기 위하여 사용된다. 이 작품의 저작 연대는 대략 주후 2세기 중엽 또는 그보다 약간 이른 시기의 것으로 추정된다.

이 저작은 무엇보다도 특히 케린투스(Cerinthus)와 시몬 마그누스(Simon Magnus) 같은 교사들에 대항하여 예수의 몸의 부활과 그를 좇는 자들의 장래의 몸을 입은 삶에 관한 단호한 견해를 제시하고 있다. 사도들은 예수의 부활 후에 예수의 음성을 들었을 뿐만 아니라 만질 수도 있었다.[100] 부활한 주님은 제자들에게 확신을 주기 위하여(이 본문에 의하면, 제자들은 정경의 이야기들 속에 나오는 것과는 달리 잘 믿으려 하지 않았다) 도마만이 아니라 베드로와 안드레에게도 만지도록 지시하였다:

> 너희가 이것이 나인 줄을 알기 위하여, 베드로여, 너의 손과 손가락을 내 손의 못자국에 올려놓고, 도마여, 내 옆구리를 만지며, 안드레여, 땅에 있는 나의 발자국들이 있는지를 보라.[101]

부활한 예수는 제자들에게 그들에게도 모든 피조 세계의 갱신의 일부로서 새로운 썩지 않는 몸들이 주어질 것이라고 약속하면서, 다음과 같은 절을 포함한 시편 3편을 인용해서 자신이 한 말을 밑받침한다: "나는 누웠고 잠들었으나, 하나님이 나를 일으키셨으므로 내가 일어났도다"(이 시편 자체는 "주께서 나를 살리셨으니"로 되어 있다).[102] 그런 후에, 이것은 제자들 자신에게 적용된다; 아버지가 예수를 죽은 자로부터 깨웠듯이, 그들도 동일한 방식으로 다시

---

99) 본문: Hennecke 1963, 191-227; Elliott 1993, 555-88. 또한 Hill 2002 [1992], 123-5를 보라.

100) *Ep. Ap.* 2.

101) *Ep. Ap.* 11(Ethiop.). 콥트어 판본의 병행문에서 안드레는 예수의 발이 정말 땅에 닿아 있는지를 보아서 그가 유령이 아니라는 것을 확인하도록 요구받는다.

102) *Ep. Ap.* 19.

일으켜져서, "썩지 않는 의복"을 받게 될 것이다.[103] 분명히 부활 신앙을 밑받침하기 위하여 성경의 본문들을 찾아내는 초기 그리스도인들의 능력은 여전히 생생하게 살아 있었고, "나는 —이다"(I am)라는 식의 말씀들을 선호하는 것도 똑같았다: "나는 소망없는 자들의 소망이요, 도울 자 없는 자들의 돕는 자요, 궁핍한 자들의 창고요, 병든 자들의 의사요, 죽은 자들의 부활이다"라고 예수는 분명하게 말한다.[104]

부활에 관하여 썼던 주후 2세기의 많은 저자들과 마찬가지로, 이 저자는 부활이 어떻게 이루어질 것인가에 관한 문제에 직면한다. 죽어서 흩어진 것들이 어떻게 다시 살아날 수 있게 되는가?[105] 예수는 잃어버린 것이 찾아지고 연약한 것이 회복되는 것과 마찬가지로, "여기저기로 흩어졌던" 육체는 아버지의 영광을 위하여 다시 살아나게 될 것이라고 설명한다.[106] 이것은 초기 기독교의 그 밖의 다른 저자들, 특히 우리가 이제 살펴볼 저자에 의해서 제시되고 있는 것과 같은 온전한 대답이 아니다; 그러나 사도 서신이 몸의 부활을 분명하게 단언하고자 하는 의도를 가지고 있었다는 것은 전혀 의심의 여지가 없다.

4. 변증가들

(i) 순교자 유스티누스

주후 2세기 중반에 글을 썼던 유스티누스(주후 100-165년경)은 우리가 완전한 의미에서의 책이라고 여길 수 있는 것을 쓴 최초의 기독교 사상가이다.[107] 그는 훈련받은 노련한 철학자였고, 기독교로 회심한 후에(주후 130년경)

---

103) *Ep. Ap.* 21.

104) *Ep. Ap.* 21; cf. *Ac. Paul & Thecla* 37.

105) *Ep. Ap.* 24.

106) *Ep. Ap.* 25(콥트 판본을 따라서).

107) Papias의 저작들은 남아있지 않기 때문에, 그것들이 얼마나 방대한 것이었는지를 말하는 것은 어렵다. 우리는 그가 다섯 권의 『주님의 가르침에 대한 해설』(*suggramata*; Eus. *HE* 3.39.1)를 썼다는 것을 알고 있고, 그것들은 아마도 *1 Clem.*보다 더 큰 것이었을 것이지만, 유스티누스의 저작들의 규모에는 못 미쳤을 것이다. 유스티누스와 관련해서는 Chadwick 1966의 연구가 여전히 중요하다. 이 시기의 다른 저술가들 중에서 특히 우리는 Melito of Sardis를 언급하지 않으면 안 된다; 그의

계속해서 철학을 가르쳤다 — 물론, 이제 기독교 신앙을 설명하는 것이었지만. 그 밖의 다른 변증가들과 마찬가지로, 그는 음행, 선동, 무신론(이교의 정당성을 부정한 자들에게 붙여진 통상적인 비난)이라는 비난들을 반박하는 것을 자신의 주된 임무로 보았다.[108] 그러나 유스티누스는 기독교는 실제로 이교 사상 속에 들어 있는 희미한 불빛들에 대하여 온전한 의미를 부여해주는 진리라고 논증하는 일에도 힘을 쏟았다. 세상의 나머지는 잘못되었고 그리스도인들은 옳다는 것이 아니었다; 세상의 나머지는 이정표들과 단서들을 보고 있고, 그리스도인들은 그것들이 지시하는 목표 지점을 발견하였다.

이교도들이 전반적으로 부활을 믿지 않았다는 것을 감안하면, 유스티누스가 한 권 전체를 할애한 경우를 비롯해서 몇 차례에 걸쳐서 이 문제를 심도있게 다루어야 했다는 것은 별로 이상한 일이 아니다. 그의 견해가 무엇이었는지에 관해서는 논쟁이 없기 때문에, 간략한 요약만으로도 충분할 것이다.

『첫 번째 변증』(*First Apology*)에서 그는 악인과 의인들은 모두 심판을 받기 위하여 부활하게 될 것이라고 말한다(8). 이교 문화 속에 있는 접촉점들로부터 논증을 제시하고자 항상 유의하였기 때문에, 그는 심지어 접신술조차도 죽음 이후에 영혼의 지속적인 삶에 대한 증거를 제공해 준다고 지적하고(18), 거기에서 기독교 신앙으로 넘어가는 것은 그리 먼 길이 아니라고 주장한다.[109] 마찬가지로, 사람의 신격화에 관한 이교적인 신앙들은 그러한 세계관 내에서 계속적인 생존과 영화(榮化)가 받아들여질 수 있는 교설이라는 것을 보여준다; 유스티누스는 부활에 대한 신앙을 이런 종류의 입장과 동일시하고 있는 것이 아니라, 단지 그러한 것을 진리를 향한 디딤돌로 주장하고 있는 것이다

저작은 많이 남아있지는 않지만, 그의 소논문인 *On Pascha*는 죽음에 대한 그리스도의 승리와 그리스도가 인류를 하늘로 데리고 간다는 것에 관한 기억에 남을 만한 서술(102.760-64)을 담고 있다; Hill 2002 [1992], 105f.를 보라.

108) cf. *Mt. Poly.* 9.2.

109) 이것은 그 또는 그 밖의 다른 사람이 예수의 부활에 대한 신앙을 초기의 접신술적 관습들과 혼동하였다는 것을 보여주는 증거로 해석될 수 없다(Riley 1995, 44-7; 위의 제2장 제3절을 보라). 유스티누스가 그러한 주장들이 제시될 줄을 알았더라면, 우리는 그가 이 논증을 그의 이교도 청중들을 인도해줄 유익한 교량으로 여겼을지는 의심스럽다.

(21-22). 우리의 몸들이 죽어서 땅에 흩어진다고 할지라도, 우리는 우리의 몸을 다시 받을 것을 기대한다고 그는 말한다(18). 우리는 온갖 종류의 불가능해 보이는 일들이 물리적인 세계 속에서 일어나고 있는 것을 안다. 예를 들면, 어떻게 정자가 사람으로 변하게 되는가? 그렇지만 그런 일이 실제로 일어난다. 사람의 몸에 대해서도 마찬가지이다(19). 몸들은 씨앗들과 마찬가지로 땅에서 해체된 후에(요한복음 12장과 고린도전서 15장에 대한 친숙한 반영) 하나님의 정하신 때에 다시 살아나서 "썩지 않음을 입게"('아프다르시안 엔뒤사스다이') 될 것이다. 바울이 고린도전서 15장에서 했던 것을 따라서, 유스티누스는 시편 110편을 하나님이 그리스도를 죽은 자로부터 먼저 일으키신 후에 그가 그의 원수들을 복속시킬 때까지 그를 하늘로 데려갈 것이라는 예언으로 인용한다(45).

『트리포와의 대화』(*Dialogue with Trypho*)에 나오는 두 단원은 부활을 더 상세하게 다룬다. 첫 번째 단원(80)에서, 유스티누스는 그리스도인으로 자처하면서도 몸의 부활을 믿지 않고 오히려 그들의 영혼이 단순히 죽은 후에 천국으로 가는 것이라고 주장하는 일부 사람들에 대항하여 몸의 부활에 관한 자신의 신앙을 통렬하게 설명한다. (그는 "부활"이라는 언어를 그대로 유지하면서도 그것을 현재적 삶 속에서의 영적인 체험을 가리키는 데에 사용하는 좀 더 교묘한 수법을 사용하는 사람들을 알고 있지 않았던 것으로 보인다; 그러한 관념에 대한 반박을 위해서는 우리는 이레나이우스가 등장할 때까지 기다려야 한다.) 이와 동시에, 그는 재건된 예루살렘을 비롯한 지상의 낙원에 관한 분명한 진술을 제시한다.[110]

또 다른 핵심적인 본문에서 유스티누스는 그리스도는 아버지가 그를 죽은 자로부터 다시 살리실 것을 알고 있었다는 취지로 시편 22편을 설명한다(106). 우리는 이것을 요나서에서도 볼 수 있는데, 거기에서 이 선지자는 제삼일에 물고기 배 속에서 나온다고 그는 말한다(107). 108쪽에서 유스티누스는 유대인들은 여전히 제자들이 예수의 시신을 훔쳐갔고, 그런 후에 예수가 부활하여 하늘로 승천하였다고 말함으로써 사람들을 속이고 있다고 말한다고 논

110) 유스티누스의 천년왕국설 내에서의 명백한 모순점들에 대해서는 Hill 2002 [1992], 25-7을 참조하라.

평한다. 그는 여호수아는 이스라엘 백성에게 일시적인 유업을 주었지만, 그리스도는 "거룩한 부활 후에" 우리에게 "영원한 소유"를 주실 것이라고 분명하게 말한다(113).[111)]

유스티누스로부터 나왔다고 할 수 있는 이 주제에 관한 그 밖의 다른 단편적인 말들이 있다.[112)] 그러나 우리가 꼭 주목해야 할 것은 완전한 형태로 보존되어 있지는 않지만 부활에 관하여 그가 쓴 작은 소논문이다.[113)] 진리는 스스로 자명한 성격을 지니고 있다는 것에 관한 서론적인 언급(1) 후에, 유스티누스는 이교 사상으로부터 온 것이 아니라(물론, 거기에는 당연히 "육체의 부활"에 대한 부인이 있었지만) 초기 기독교 신앙이라고 하는 것의 내부에서 온 것인 "육체의 부활"에 대한 부정이 당시에 널리 퍼져 있었던 것에 관한 묘사로 들어간다(2). 그는 가현론자들을 명시적으로 언급하고 있는 것임에 틀림없는데, 그들은 예수가 단지 육체를 지닌 것처럼 "보였을" 뿐이었고, 사실은 "영적인"('프뉴마티콘') 존재였다고 말하고, 또 그들 중 일부는 사두개인들에 대한 대답 속에서 예수가 말씀한 것(막 12:25)을 거기에서 말해진 부활은 육체적인 것이 아니라는 것을 보여주는 증거로 사용하기도 하였다.

---

111) '메타 텐 하기안 아나스타신' 이라는 핵심적인 어구 속에서 몇몇 편집자들은 '하기안' 대신에 '하기온' 이라는 읽기, 즉 "거룩한 자들의 부활 후에", 하나님의 백성의 완전한 수 이후에라는 읽기를 제시하여 왔다. Otto(in Migne *PG* 6.736)는 유스티누스가 먼저는 복된 자들('하기아'), 다음으로는 그 밖의 다른 모든 사람들이라는 이중적 부활을 알고 있는 것으로 보인다고 설명한다. (이것은 고린도전서 15:23f. 또는 요한계시록 20장 또는 이 둘의 결합에 대한 구체적인 이해로 거슬러 올라갈 수 있다.)

112) Epiphanius *Haer.* 64(in Photius *Bib.* 234)에 보도된 것에 의하면, Methodius는 "죽을 것은 물려주지만, 죽지 않을 것은 물려받는다; 육체는 진실로 죽지만 하늘나라는 산다"라는 유스티누스의 말을 전해준다. 이것은 그 어떤 것을 의미할 수도 있고 아무것도 의미하지 않을 수도 있다. 그의 최후의 재판에서 유스티누스와 완전한 자들 간의 대화로 보도된 내용에 대해서도 이와 비슷한 것들을 말할 수 있을 것이다(*Martyrdom of Justin* ch. 4).

113) 이것이 실제로 유스티누스로부터 온 것인지에 대해서는 약간의 논란이 있다; 그 진정성을 옹호하는 좋은 주장은 Prigent 1964, 28-67에 제시되어 있다; 또한 cf. Bynum 1995, 28f.

그런 후에, 유스티누스는 관련된 주제들을 하나씩 차례로 다루어간다. 사람은 자신의 몸의 지체들을 모두 되돌려받을 것이지만, 그 지체들은 장래에도 지금 하고 있는 것과 동일한 기능을 하게 되는 것은 아니라고 말하는 것은 이치에 맞다(3). 어떤 사람이 현재에 있어서 기형이라는 사실은 그 기형이 장래에도 그대로 유지될 것이라는 것을 의미하지는 않는다; 부활은 그 자체가 치유의 행위일 것이기 때문에, "육체는 완전하고 온전한 모습으로 부활하게 될 것이다"(4). 호메로스(Homer)조차도 인정하고 있듯이, 하나님은 그가 기뻐하는 대로 무엇이든지 행할 수 있다.[114] 왜냐하면, 하나님은 창조주이기 때문이고, 이것은 하나님이 물리적인 피조 세계를 세심하게 돌보고 새로운 생명에 합당한 것으로 만들 것임을 보여주기 때문이다(5). 게다가 플라톤, 스토아 학파, 에피쿠로스 학파의 철학들 속에는 "육체의 신생(新生)"을 보여주는 적어도 몇몇 측면들이 존재한다(6).[115](유스티누스는 다른 방향을 보여주는 그 밖의 다른 측면들이 존재한다는 것을 알고 있었을 것임에 틀림없지만, 문화들을 연결시켜주는 다리들을 구축하고자 하고 있는 것이기 때문에, 어떻게 해서든지 접촉점들을 발견해내고자 애쓴다.) 인간들 — 물론, 육체를 지닌 인간들! — 은 창조주의 형상을 따라 지음 받았기 때문에, 몸은 창조주의 보시기에 가치 있는 것이다(7). 유스티누스는 표준적인 유대교의 부활 신학들과 마찬가지로 무엇보다도 특히 창조 교리에 뿌리를 내리고 있다.

그런 후에, 그는 더 해결이 곤란한 논증들로 나아간다. 육체가 영혼으로 하여금 범죄하게 만든다고 어떤 사람들은 말한다; 유스티누스는 아니라고 대답한 후에(8), 육체와 영혼 둘 다 책임이 있으며, 따라서 둘 모두가 구원을 받게 될 것이라고 말한다. 하나님은 육체를 가장 먼저 지으셨고, 화가가 망쳐진 작품을 재생하는 것과 마찬가지로 그 육체를 재생하게 될 것이다. 몇몇 사람들이 영혼은 신의 일부로서 썩어지지 않는다고 말하는 것이 옳다고 하더라도(유스티누스는 이것을 부정하지 않는다), 그것은 단지 하나님이 몸을 구원하여야 한다는 것을 보여주는 것이다. 왜냐하면, 하나님이 분명히 행하시는 것은 구원이고, 구

114) *Od.* 2.304.

115) '헤 테스 사르코스 휘파르켄 팔린게네시아,' *PG* 6.1581. 위의 제2장 제1절과 비교해 보라.

원을 필요로 하는 것은 오직 몸이기 때문이다.

본문 속에서 하나의 단절처럼 보이는 것 다음에 나오는 그 이후의 장(9)은 하나님이 실제로 예수를 죽은 자로부터 몸으로 다시 살리셨다는 전제로부터 시작한다. 예수는 "그가 고난을 겪은 육체로" 부활하였고, 이것은 부활이 무엇과 같은지를 확증해준다. 유스티누스는 독자들에게 예수가 제자들에게 자기를 만져보라고 지시하였고 그들과 함께 먹었다는 것에 관한 누가의 기사를 참조하도록 권한다. 그러므로 몇몇 사람들이 말하는 것처럼, 부활은 "오직 영적인" 부활일 수 없다.[116] 그러한 주장을 하는 사람들은 자신을 사두개인들과 동일한 반열에 놓는 것이다. 유스티누스는 하나님의 능력의 중요성을 다시 한 번 인용하고 있는 것으로 보아서, 여기서도 사두개인들과 예수의 논쟁을 반영하고 있는 것으로 보인다.

끝으로(10), 만약 구원이 오직 영혼을 위한 것이라면, 그것은 피타고라스와 플라톤이 이미 말한 것과 무엇이 다르겠는가? 복음은 이미 잘 알려져 있는 것에 약간의 변형을 가한 것이 아니라, "새롭고 기이한 소망"이다. 단편으로 남아 있는 이 소논문은 정확히 고린도전서의 전체적인 논증과 맥을 같이 하는 하나의 본문으로 끝난다: 육체가 다시 살리심을 받는 것이기 때문에, 현재에 있어서 육체로 행하는 것들이 중요하다. 만약 육체가 다시 살리심을 받지 않는 것이라면, 우리는 육체의 다양한 욕구들을 채우며 방탕하게 살아가게 될 것이다. 사실,

> 우리의 의사이신 그리스도(하나님은 우리를 우리의 정욕들로부터 구원하셨다)가 그의 지혜롭고 적절한 통치로 우리의 육체를 규율한다면, 그가 육체를 죄들로부터 보호할 것은 분명한데, 이것은 육체가 구원의 소망을 소유하고 있기 때문이다.

이렇게 유스티누스는 현재적인 몸과 장래의 몸 간의 연속성(이것과 관련해서 바울과는 달리 그는 "육체"라는 용어를 사용한다)만이 아니라, 그것들 간의 차이(육체의 지체들은 장래의 삶 속에서는 지금 그것들이 하고 있는 것과 동

116) '프뉴마티케 모네,' *PG* 6.1588.

일한 기능을 갖지 않을 것이고, 기형들은 치유될 것이다)에 관해서도 신약성서와 정확히 맥을 같이 한다. 그는 중간 상태에 관한 이론을 제시하고 있지는 않지만, 영혼 문제에 관한 그의 조심스러운 서술로부터 우리는 그가 몸의 갱신을 기다리는 영혼의 연속성이라는 관점에서 사고했을 것이라고 생각할 수 있다. 그는 예수 자신이 몸으로 부활하였다는 것을 조금도 의심하지 않는다. 사도 교부들과 마찬가지로, 유스티누스는 현재적인 윤리적 삶과 장래의 부활 간의 연속성을 강조하기는 하지만, "부활" 언어를 은유적인 방식으로 사용하지는 않는다. 바울 이후에 대략 100년이 지나서 순교한 유스티누스는 이 주제에 관하여 바울과 본질적으로 동일한 견해를 흡수한 가운데, 이교 철학이 횡행하는 환경 속에서 바울이 예전에 했던 것보다 더 길게 그러한 견해를 변호하였다는 온갖 표지들을 보여준다.

(ii) 아테나고라스

아테나고라스는 유스티누스보다 나이가 어렸지만 그와 동시대에 살았던 인물이었던 것으로 보이는데, 지금 남아있는 그의 저작들은 유스티누스의 『변증』과 『부활』이 다루고 있는 것과 비슷한 분야를 취급하고 있다. 아테나고라스의 『변증』은 이미 보편화되어 있었던 그리스도인들에 대한 비난들에 대항하여 그리스도인들을 옹호하는 변론임과 동시에 이교 사상의 어리석음에 대항하여 그리스도인들이 예배하는 한 분 신이 누구인가에 대한 합리적인 설명의 효시이다. 우리의 목적과 관련되어 있는 유일한 부분은 그가 그리스도인들의 예배가 식인 축제라는 비난을 반박하면서 부활을 믿는 사람들에게는 그러한 것이 전혀 있을 수 없는 일이라는 점을 지적하고 있는 대목이다(36). 그는 기회를 잡아서 사람들이 이 신앙이 정말 어리석은 것이라고 생각한다고 할지라도 이 신앙을 반사회적인 것으로 생각할 수는 없다는 말을 덧붙인다; 그리고 좀 더 불안한 토대 위에서, 그는 피타고라스와 플라톤의 말마따나 해체된 몸들이 동일한 원소들로부터 재구성될 수 있다고 주장한다.[117] 여기서 그의 목적은 부활 신앙은 그리스도인들에 대한 여러 가지 비난들을 말도 안 되는 소리로 만든다

117) 이것은 Epicurus와 Pliny가 Democrirus에게 돌린 이론과 아주 흡사하게 들린다: 위의 제2장 제1절을 보라.

는 것을 보여주는 것이다; 이것을 지적하는 우리의 목적은 그가 부활에 관하여 말할 때에 물론 몸들에 관하여서도 말하고 있다는 것을 지적하기 위한 것이다.

『죽은 자의 부활에 관하여』(*On the Resurrection of the Dead*)라는 그의 소논문은 유스티누스의 동명의 소논문과 내용이 비슷하지만 더 상세하다; 이 소논문은 단편이 아니라 완전한 형태로 남아 있는데, 그는 여러 노선의 사상을 좀 더 발전시킨 것으로 보인다.[118] 그는 자신의 서론(1장)을 솔직히 말해서 오늘날에 글을 쓰는 어떤 학자에 의해서 반영되고 있는 수식어구로 끝을 맺는다:

> 또한 이 주제와 관련해서 우리는 어떤 사람들은 철저하게 믿지 못하고 어떤 사람들은 의심하는 것을 보는데, 첫 번째 원칙들을 받아들인 사람들 가운데서도 심지어 의심하는 자들과 마찬가지로 무엇을 믿고 있는지를 잘 모르고 헷갈려한다; 무엇보다도 가장 이해할 수 없는 일은 그들이 이러한 문제들에 있어서 그들의 불신앙을 위한 그 어떤 토대도 갖고 있지 않고, 또는 그들이 믿지 않거나 당혹감을 느끼는 어떤 합리적인 이유를 댄다는 것이 가능하다고 생각하지도 않으면서도 그러한 마음 상태 속에 있다는 것이다.

그런 후에, 그는 더 실질적인 논증들로 옮겨간다. 부활은 신에게 결코 불가능한 것이 아니다. 왜냐하면, 신은 결국 창조주이기 때문이다(2); 창조주로서 신은 분명히 죽은 자들을 다시 살릴 수 있다(3). 어떤 몸들은 짐승들에 의해서 먹히고 어떤 몸들은 실제로 다른 사람들에 의해서 먹힌다는 것을 지적하는 것은 전혀 반론이 되지 않는다; 여러 서로 다른 유형의 물질들이 섞여서 소화되는 과정 속에서 몸에서 필요로 하지 않는 것들은 배출될 것이다(4-6). (만약

---

118) Grant 1954는 Athenagoras가 저자라는 것에 대하여 이의를 제기하지만, 그의 주장은 Pouderon 1986에 의해서 어느 정도 반박되었다. 또한 Bynum 1995, 28f.와 거기에 나오는 방대한 서지를 참조하라. Athenagoras는 유스티누스의 천년왕국설의 그 어떤 표지도 보여주지 않는다: Hill 2002 [1992], 107f.를 보라.

아테나고라스가 몸이 어떻게 작용하는지를 더 잘 알고 있었더라면, 그의 논증은 좀 더 힘을 얻었을 것이지만, 이 문제는 우리가 곧 살펴보게 될 동일한 주제에 관한 테르툴리아누스의 시도가 증언해 주듯이 주후 2세기에 분명히 중요하였다.) 사실 — 여기서 그는 사도 교부들과 유스티누스가 했던 것보다 더 충실하게 바울을 따른다 — 부활의 몸은 특히 썩어지지 않을 것이라는 점에서 현재의 몸과는 상당히 다를 것이다(7). 사람의 몸들이 해체되거나 흩어져 있다고 할지라도, 그리고 심지어 식인 관습에 의해서 그렇게 되었다고 할지라도, 어쨌든 하나님은 사람의 몸들을 재조립할 수 있는 능력을 가지고 계신다(8).[119] 사람들에게는 불가능한 것이 하나님에게는 가능하다(9). 하나님이 부활을 원하지 않는다는 것을 입증할 수는 없고, 하나님이 사람의 몸들을 다시 살리는 것은 합당치 않은 것이 아니다(10).

이제까지의 논증을 다시 요약한 후에(11), 아테나고라스는 계속해서 인간 존재의 성격에 토대를 둔 적극적인 논증을 펼쳐나간다. 하나님은 사람들을 창조하였을 때에 나름대로의 목적을 지닌 피조물들로 만드셨다; 또한 이와 비슷하게 하나님 자신도 사람들을 창조함에 있어서 목적을 가지고 계셨다. 그러므로 하나님은 사람들을 멸망하게 내버려 두는 것이 아니라, 그들에게 적절한 모든 필수적인 변화들(나이, 모습, 키와 관련된)을 통과하게 하실 것이다. 부활은 이러한 일련의 필수적인 변화 과정들 중에서 최종적인 것, "그때에도 여전히 실존해 있는 것의 더 나은 것으로의 변화"일 것이다(12). 이렇게 해서 부활은 인간이 애초에 창조된 이유들에 대한 고찰을 통해서 증명된다(13).

부활은 최후의 심판과 밀접하게 연결되어 있지만, 아테나고라스는 단지 장래의 심판을 토대로 해서 부활을 논증하는 것은 별로 효과가 없을 것이라고 생각한다(14). 사실 모든 사람이 심판을 받게 되는 것은 아니다; 예를 들면, 어린아이들은 면제될 것이다; 그러나 그렇다고 해서, 어린아이들이 부활하지 않는다는 것은 아니다. 부활은 인간 자체의 본성에 토대를 두고 있다(15): 하나님은 인간의 몸과 (불멸의) 영혼이 조화 속에서 함께 하도록 창조하였고, 이러한 통일성은 유지되어야 한다. (몸은 영혼의 감옥이고, 영혼은 몸으로부터 영원히 벗어날 때에 행복하게 된다는 플라톤적인 대안은 고려조차되지 않는다; 아

---

119) 주후 3세기에 유명해진 이 주제에 대해서는 Bynum 1995, 32f.를 보라.

테나고라스는 이 문제를 고찰함에 있어서 철저하게 유대적인 창조 신학에 뿌리를 둔다.) 죽음과 잠자는 것 간의 유비는 부활에 대한 예시, 따라서 부활을 입증하는 논거를 제공해 준다. 영혼은 변함없이 계속되지만, 몸은 정자로부터 어린아이의 몸을 거쳐서 여러 가지 변화를 겪은 후에 성인으로 변화되는데, 부활을 위해서 요구되는 추가적인 합리적이고 자연스러운 변화가 또한 있게 될 것이다(16-17).

장래의 심판을 부활을 위한 유일한 토대로 삼는 것을 경고한 후에, 아테나고라스는 이제 장래의 심판이 있다고 할 때에 그것은 몸과 영혼 둘 모두에 대한 심판일 것임에 틀림없다고 논증한다; 몸이 잘못한 일들에 대하여 영혼을 벌하는 것은 불공평할 것이다(18-23). 게다가 부활이 없다면 사람들은 궁극적으로 짐승들보다도 사정이 더 안 좋을 것인데, 그렇다면 차라리 짐승처럼 사는 것이 더 나을 것이다(19). 그의 논증들 가운데서 가장 긴 이것은 고린도전서의 논증과 잘 부합하는 것으로서, 현재적 몸의 실존과 장래의 몸의 실존 간의 연속성을 현재에 있어서의 도덕적인 삶을 위한 주된 근거로 강조한다. 그러나 아테나고라스는 그가 가장 강력하게 강조하고자 하는 것을 마지막까지 유보해 둔다(24-25). 우리는 인간 존재의 특별한 목적이 무엇인지를 살피지 않으면 안 된다. 그것은 짐승들의 목적과 동일한 것일 수 없다; 그것은 단순히 몸을 입지 않은 영혼의 행복 또는 고통으로부터의 자유일 수는 없다. 그것은 몸과 영혼에 의해서 공유되는 목표, 동일한 영혼과 동일한 몸이 재결합되는 것일 것임에 틀림없다(이렇게 해서 부수적으로 몸을 입지 않은 불멸과 아울러서 윤회 및 그와 비슷한 이론들이 배제된다). 이런식으로,

> 죽은 자들의 몸들 또는 심지어 완전히 해체된 몸들의 부활이 있을 것은 너무도 당연한 이치이고, 동일한 사람들은 새롭게 형성될 것임에 틀림없다. 왜냐하면, 자연의 법칙은 그 종말을 절대적인 것이거나 어떤 사람들의 종말로 규정하고 있는 것이 아니라, 이전의 삶을 통과한 동일한 사람들의 종말로 규정하고 있기 때문이다; 그러나 동일한 몸들이 동일한 영혼들에게로 회복되지 않는다면, 동일한 사람들이 재구성되는 것은 불가능하다. 그러나 동일한 영혼이 동일한 몸을 얻는 것이 어떤 다른 방식으로는 불가능하지만, 오직 부활을 통해서는 가능하다; 이 일이 일어난다면, 사람

들의 본성에 합당한 종말이 뒤따르게 된다(25).

이렇게 아테나고라스는 온전하게 몸을 입은 부활을 자세하게 설명하면서 유스티누스, 이그나티우스, 클레멘스와 보조를 같이 한다. 실제로 이것이 이 단어가 언제나 고대 세계 속에서 의미했던 바로 그것이다: 주후 2세기의 후반부에 기독교 변증가들은 앞서 우리가 유스티누스에게서 보았고 곧 좀 더 자세하게 보게 될 것과 마찬가지로 부활이라는 관념을 다른 방식으로 사용하기 시작하였던 사람들과 논쟁을 벌였지만, 그러한 다른 입장은 사용하는 언어만 교묘하게 새롭게 바꾸어서 과거의 내용을 말하고 있는 것에 다름 아니었다. 이것을 꼭 강조할 필요는 없겠지만, 최근의 논쟁들은 이 점을 강조할 필요가 있다는 것을 보여준다: 만약 우리가 "부활"이 몸이 다시 살아나는 것(예수의 경우에는 빈 무덤을 남겨 두는 것) 이외의 다른 것을 의미할 수 있다고 생각한다면, 유스티누스 또는 아테나고라스에 의해서 사용된 논증들 중에서 그 어느 것도 의미를 지니지 못하게 된다.

아테나고라스는 다른 사람들과 마찬가지로 자신의 논증들을 주로 창조주로서의 하나님을 토대로는 삼아서 전개한다. 그는 그 밖의 다른 초기 기독교의 저술가들의 대부분과는 달리 영혼이 이미 불멸하다고 말하는 것에 대해서 별로 거리낌이 없지만, 영혼이 몸이 없다면 더 나을 것이라고는 결코 생각하지 않는다. 유스티누스 또는 이그나티우스와는 달리, 그는 육체의 부활이 아니라 몸의 부활에 관하여 말하고, 부활은 연속성만이 아니라 변화도 포함한다고 설명하는 것(바울과 맥을 같이 하여)이 그의 변증의 일부로서 적절하다고 생각한다. 그는 중간 상태에 관하여 별도로 논의하고 있지는 않지만, 영혼에 관한 그의 견해는 중간 상태를 현재적 삶과 장래의 삶 간의 연속성으로 보고 있다는 것을 보여준다. 그가 죽음을 잠자는 것과 관련하여 논의하는 것은 그가 그 언어를 (바울의 경우와 마찬가지로) 은유적으로 사용하는 데에 만족하였을 것임을 보여준다: 달리 말하면, 그는 부활 이전의 의식을 지닌 사후의 상태를 믿었던 것으로 보인다. 그는 우리가 이 장에서 살펴보았던 다른 모든 인물들과 마찬가지로 그 밖의 다른 것에 대한 은유로서 "부활" 언어를 사용하지는 않는다. 그는 주된 목적, 그리고 그것을 밑받침하는 (매우 유대적인) 논증들에 자신의 눈을 고정시킨다.

(iii) 테오필로스

주후 2세기 후반에 안디옥의 감독이었던 테오필로스의 유일하게 남아 있는 저작은 기독교 및 그 주장들에 대하여 회의적인 생각을 표현하였던 아우토리쿠스(Autolycus)라는 사람에게 보낸 글이다. 이 저작은 테오필로스가 유스티누스 및 아테나고라스와 매우 흡사한 변증가라는 것을 보여준다.[120]

이러한 전통 속에 있는 다른 저술가들의 경우와 마찬가지로, 그는 창조주로서의 하나님에 관한 강력한 교리를 지니고 있다.[121] 제1권에서 그는 이것을 토대로 사용해서, 새 창조와 부활에 관한 교리를 오늘날 종말론적 증명이라고 부를 수 있는 것의 일부로서 빠른 필체로 서술해 나간다. 사람들이 새로워질 때, 그들은 지금에 있어서는 볼 수 없기 때문에 경멸하는 바로 그 하나님을 보게 될 것이다:

> 네가 죽을 것을 벗어버리고 썩지 않을 것을 입게 될 때, 너는 하나님을 제대로 보게 될 것이다. 하나님은 너의 육체를 너의 영혼과 함께 불멸의 존재로 다시 살리실 것이다; 그런 후에, 네가 불멸의 존재가 되었을 때, 너는 불멸하신 분을 보게 될 것이다 — 네가 그를 현재에 있어서 믿는다면; 그런 다음에, 너는 네가 그분에 대하여 잘못된 말들을 해왔다는 것을 알게 될 것이다.[122]

영혼에 부여된 역할을 제외하면(하지만 이것은 하나님의 역사(役事) 이전에 불멸성을 소유하고 있는 것으로 보이지는 않는다), 이것은 고린도전서 15장으로부터 곧바로 도출해낼 수 있는 그런 내용이다.[123] 계속해서 그는 아우토리쿠스가 죽은 자들이 부활할 것임을 믿지 못할 수 있지만, 부활이 일어날 때에 그

120) Bynum 1995, 30f.를 보라.

121) 특히, *Autol.* 2.10-27을 보라; 또한 3.9.

122) *Autol.* 1.7.

123) *Autol.* 2.27에서 Theophilus는 인간은 죽을 존재 또는 불멸의 존재로 창조된 것이 아니라, 양쪽 모두가 가능했다고 주장한다. 범죄함으로써 인간은 죽을 존재가 되었지만, 이제 이것을 역전시킬 기회를 갖고 있다. 왜냐하면, 구원받은 자들은 부활을 얻고, 따라서 썩지 않음을 물려받게 될 것이기 때문이다.

는 믿게 될 것이라고 말한다![124] 현재에 있어서 이것을 아는 것은 믿음이 필요하지만, 사람들은 인간적인 온갖 종류의 시도들 속에서 믿음을 발휘하는데, 왜 이 경우에는 믿음을 발휘하지 않는 것인가?

이것은 테오필로스를 이교의 신들에 대한 몇몇 추가적인 규탄들 후에 자신의 신앙을 황제숭배로부터 세심하게 거리를 두는 내용과 "그리스도인"이라는 이름에 대한 설명, 그리고 부활 자체에 관한 장으로 이끈다.[125] 유스티누스와 마찬가지로 그의 독자들의 세계와의 접촉점들을 찾아서, 그는 이교 신화의 몇몇 판본들 속에서 헤라클레스는 불타 죽었지만 다시 살아났고, 아스클레피오스는 벼락에 맞았다가 다시 살아났다는 사실을 환기시킨다.[126] 테오필로스는 이러한 이야기들을 믿는다고 말하는 것이 아니라, 아우토리쿠스가 기독교의 주장들을 거부하면서 한편으로 자랑했던 이교 사상 속에 그러한 내용들이 담겨져 있다는 것을 말하고 있는 것이다. 이 대목에서의 논증은 인간적인 감정에 호소하는 방식을 취하고 있고, 말하자면 적어도 그 사람이 속한 문화에 호소하는 방식을 취하고 있다. 그러나 그런 후에 테오필로스는 더 친숙한 논증으로 옮겨간다: 계절들, 낮과 밤들, 특히 씨앗들과 식물들의 죽고 다시 사는 것.

부활담론에 관한 유대교 및 기독교 전승들 전체에 걸쳐서 친숙한 것이기도 한 그의 전체적인 요지는 달이 매달마다 "부활"하는 것과 사람의 몸이 질병 후에 회복되는 것 속에서 볼 수 있는 창조주로서의 하나님의 능력이다. 어떤 사람이 이러한 일들이 "자연적인" 수단에 의해서 일어난다고 응수한다면, 그는 그것도 창조주 하나님의 작품이라고 대답한다:

> 내가 너의 육체가 어디로 사라져서 없어지는지에 대하여 알지 못하는 것과 마찬가지로, 너는 너의 육체가 어디로부터 생겨났는지 또는 그것이 어디에서 다시 왔는지를 알지 못한다. 그러나 너는 "고기와 술로부터 피로 변화되었다"고 말할 것이다. 과연 그렇다; 그러나 이것도 다른 어떤 존재가 아니라 하나님의 작품이다; 그것은 하나님이 운행하는 방식이다.[127]

---

124) *Autol.* 1.8.
125) *Autol.* 1.13.
126) 위의 제2장을 보라.

테오필로스는 몇 가지 가능한 접촉점을 계속해서 찾아내서, 호메로스와 그 밖의 다른 시인들이 죽음 이후에 모종의 인식(sensation)이 존재한다는 것을 증언하고 있다고 말한다.[128] 물론, 이것 자체가 장래의 심판이 존재한다는 것을 증명해 주지는 않지만, 그것은 그러한 것에 대한 유대교 및 기독교의 신앙이 종종 주장되는 것과는 달리 개연성이 없지 않다는 것을 보여준다.

이렇게 테오필로스는 기본적으로 바울적인 전승을 증언하는 또 한 사람의 증인이다. 우리는 그가 이 책에서 예수 자신의 부활에 관하여 말하고 있지 않다는 것을 의외라고 생각할지 모른다. 아마도 그는 그것에 관하여 말하는 것이 불러올 경멸을 너무도 잘 알고 있었을 것이다. 그러나 그는 수많은 사람들이 그런 것과 마찬가지로 장래에 썩지 않을 몸을 입게 되는 것에 관한 소망이 의미를 지닐 수 있는 해석학적인 공간을 만들어내기 위하여 창조에 관한 교리, 피조 질서 내에서 부활에 대한 유비들을 다룬다. 또한 그는 성경의 예언에 따라서 창조주의 돌보심을 받는 영혼의 과도기적인 상태에 관하여 언급한다.[129] 그는 "부활" 언어를 구체적인 또는 추상적인 대상과 관련된 은유적인 용법으로 사용하지 않고, 언제나 문자 그대로의 의미로 사용해서, 구체적으로 현재에 있어서 이 길을 따른 자들이 장래에 몸을 입게 될 것을 가리키는 의미로 사용한다.

(iv) 미누키우스 펠릭스

미누키우스 펠릭스(Minucius Felix)는 테르툴리아누스에 의존한 주후 3세기의 저술가로 여겨지기도 하고, 테르툴리아누스가 사용한 자료들 중의 하나로서 주후 2세기 후반에 저술 활동을 한 인물로 여겨지기도 한다. 『옥타비우스』(*Octavius*)라는 그의 소논문은 특히 대화 형식을 통해서 귀류법에 의한 부활의 부정을 포함해서 반기독교적인 논증을 제시하고 있다는 점에서(카에킬리우스라는 사람의 입을 통해서) 흥미롭다. 우리는 이런 종류의 것이 바울이

---

127) *Autocl.* 1.13.

128) *Autocl.* 2.38.

129) 시 51:8; 잠 3:8을 인용하고 있는 Ibid. 세계사의 "이레 한 주간"에 관한 Theophilus의 이론에 대해서는 Hill 2002 [1992], 162f.를 보라; cp. Plut. *De Isid.* 47.

고린도전서 15장을 쓸 때에 염두에 두고 있었던 것이 아닌가 생각해 본다:

> 나는 네가 몸으로 다시 살아나게 될 것인지 아닌지에 대하여 의견을 듣는 것이 기쁘다 — 동일한 몸, 또는 새로워진 몸으로 다시 살아날 것인지? 몸이 없이 살아날 것인지? 그런데 내가 알기로는 마음도 영혼도 생명도 없을 것이다. 동일한 몸으로? 그러나 이것은 이미 이전에 멸해지고 없다. 또 다른 몸으로? 그렇다면 태어나는 것은 새로운 사람이지 이전의 사람이 회복되는 것이 아니다; 그렇지만 너무도 오랜 시간이 흘렀고, 무수한 세대들이 흘러갔는데, 몇 시간 동안이나마 이 땅에 체류하도록 허락을 받고서, 프로테실라우스의 운명을 따라서 또는 우리로 하여금 하나의 예로서 그것을 믿게 하기 위하여, 어떤 사람이 죽은 자로부터 되돌아온 적이 있는가?[130]

미누키우스 펠릭스의 대변인격인 옥타비우스는 대답을 하기 위하여 나름대로 애를 쓴다. 스토아 학파 사람들이 말했던 것처럼, 세상에 대한 장래의 심판이 있을 것이다; 에피쿠로스 학파, 그리고 플라톤 자신조차도 적어도 부분적으로 이것에 기꺼이 동의할 것이다. 하지만 피타고라스와 플라톤이 윤회를 주장한 것은 잘못된 것이다; 그들은 "부패하고 양분된 신앙을 가지고 부활 교리를 전했다"고 옥타비우스는 말한다. 오히려, 여기에서도 다시 한 번 중요한 것은 하나님이 창조주라는 것이다. 이미 행하여진 것을 반복하는 것보다 지금까지 결코 존재하지 않았던 것을 창조해 내는 것은 더 어렵다; 그러므로 부활은 창조 자체보다 하나님에게 더 쉬운 일이다. 하지만 우리는 옥타비우스가 죽음 이후에 사람은 마치 그가 잉태되기 전에 그랬던 것처럼 "무"로 돌아간다고 말하는 것에 주목한다. 그는 그리스도인들은 화장 같은 몸을 처리하는 다른 형태들을 두려워하지 않지만 "땅에 매장하는 고대의 더 나은 관습"을 선호한다고 설명한다. 그는 다른 많은 사람들과 마찬가지로 피조 세계로부터의 유비들을 제시한다: 이 경우에는 일출과 일몰, 죽었다가 다시 살아나는 꽃들, 썩어서 화려하게 꽃피우는 씨앗들. 지금은 여전히 겨울이고 날씨가 찬데, 왜 너는 몸이 다

130) *Oct.* i 1.7f. Protesilaus에 대해서는 위의 제2장 제3절을 보라.

시 살아나서 되돌아오는 것을 그토록 서두르는 것이냐고 그는 카에킬리우스에게 묻는다. "몸의 봄날"을 기다리는 것이 더 낫다.[131)]

매장 관습들에 관한 언급은 추가적인 논증을 보여주는 것이다. 그리스도인들은 죽은 자들을 꽃으로 관 씌우지 않는다; 그럴 필요가 없는 것이다. 그들의 장례식은 그들의 삶과 마찬가지로 동일한 평온함 속에서 진행된다:

> 우리는 시들은 화관에 얽매이지 않고, 하나님으로부터 영원한 꽃들로 된 살아있는 화관을 쓴다. 왜냐하면, 우리는 우리 하나님의 후하심 속에서 절제하고 안전한 가운데 그의 현재적인 엄위에 대한 확신으로 말미암아 장래의 지복에 관한 소망을 가지고 살아가기 때문이다. 이렇게 우리는 복된 상태 속에서 다시 살아나게 될 것이고, 이미 장래에 관한 관상(觀想) 속에서 살아가고 있다.[132)]

그러므로 우리는 다른 변증가들에게서와 동일한 단순한 도식을 발견한다. 장래의 부활이 있을 것이고, 죽은 자들은 의식을 지닌 채로의 안식 가운데에서 그것을 기다리고 있다. 이것에 대한 증거는 예수 자신의 부활이 아니라 자연세계가 보여주는 풍부한 증거들이다. 어떤 사람들은 이것이 신약성서에서 놓여진 안전한 토대로부터 벗어난 것이라고 생각할지 모르지만, 그 동기는 단순히 이 교리를 독자들에게 친숙한 것들과 결합시키고자 하는 욕구일 뿐만 아니라, 기독교는 이상한 미신이 아니라 창조주 신에 의해서 만들어진 세계에 뿌리를 내리고 있다는 것을 보여주기 위한 것이다.

변증가들은 선구자들이었다. 그들의 논증은 신약성서 및 그 이후의 기독교 저술가들과 비교해 볼 때에 상당히 단순한 것으로 보이지만, 그들에게는 주목을 끌 만한 유쾌한 담대함이 존재한다. 언제라도 핍박이 일어날 수 있었고 실제로 자주 일어났던 때에 글을 쓰면서, 그들은 복음의 놀라운 주장들로부터 물러서기를 거부하였고, 그들 중 다수는 그것으로 인해서 고통을 당하였다. 이렇게 그들은 더 철저하고 정교한 저술가들을 위한 길을 닦아놓았는데, 우리는 이

131) *Octavius* 34.6-12.

132) *Octavius* 38.3f.

제 그러한 인물들 중에서 네 사람을 살펴보게 될 것이다. 그러면 그들 중에서 가장 위대한 논증자들 중의 한 사람으로서 허세 부리는 수사학자에서 신학자로 변신한 테르툴리아누스부터 살펴보기로 하자.

5. 위대한 초기 신학자들

(i) 테르툴리아누스

라틴 신학의 아버지라 불리는 테르툴리아누스는 변증가들에서 신학자들로 넘어가는 과도기적인 인물이다. 미누키우스 펠릭스와 그의 관계가 무엇이었든 지간에, 그는 자주 변증가로서 글을 썼고, 그의 글의 범위와 힘이 변증가들을 아무리 뛰어넘는다고 해도, 부활에 관한 그의 저작은 분명히 우리가 지금까지 살펴보았던 변증가들과 맥을 같이 한다. 그는 변증가들 중에서 (아마도) 마지막 변증가를 제외하고는 그 누구보다도 나이가 젊었는데, 주후 160년경에 태어나서, 30대가 되었던 주후 2세기의 마지막 어간에 기독교로 회심하여 225년경에 죽었다. 이렇게 그는 우리가 곧 살펴보게 될 이레나이우스가 죽은 후에 주후 3세기 초반에 영향력 있는 책들을 써냈다. "죽은 자의"(mortuorum) 부활 또는 "몸의"(corporis) 부활이 아니라 "육체의 부활"(resurrection carnis)이라는 어구를 포함한 교리 학습자들을 위한 초기 신조들이 만들어지고 있었던 것도 바로 이 무렵이었다.[133)]

테르툴리아누스의 『변증』(*Apology*)은 그리스도인들과 그들에 대한 비판자들 사이에서 쟁점이 되어서 논란되고 있던 문제들 중 대부분을 탁월한 필체로 종횡무진 다룬 저작이다. 그 저작은 부활에 관한 하나의 짧지만 두드러진 묘사를 담고 있다:

> 현세가 그 온전한 종말에 도달할 때, [하나님은] 재판장으로서 앉으셔서, 그를 예배한 자들에게는 영원한 생명으로 상급을 주실 것이고, 속된 자들에게는 영원하고 꺼지지 않는 불을 선고하실 것이다; 죽은 자들은 남김없이 부활하여 재형성되고 조사를 받은 후에, 악의든 선의든 그들의 공적이

133) Kelly 1972 [1960], 163-5를 보라.

판단될 것이다. 그렇다! 우리 시대에 우리도 이것을 비웃었다 …[134)]

그러나 이 주제를 아주 상세하게 설명하고 있는 것은 부활에 관한 테르툴리아누스의 책이다. 그 책은 고대 교회에서 씌어진 이 주제에 관한 글들 중에서 가장 단호한 글이었다.[135)]

『부활에 관하여』(*De Resurrectione*)라는 그의 글은 죽은 자들에 관한 이교적인 신앙들에 대한 공격으로 시작한다. 어떤 사람들은 그들이 존재하기를 완전히 멈춘다고 말하고, 어떤 사람들은 무덤가에서 제사를 드려서 죽은 자들을 "먹임"으로써 죽은 자들이 여전히 식욕이 있다는 것을 보여준다. 윤회설은 그 중간쯤에 있지만, 그러한 것들과는 그리 가깝지 않다; 윤회설을 믿는 자들은 진리의 문을 두드리기는 했지만 들어가지는 않은 것이다(*De Resurrectione*, 제1장). 그러나 테르툴리아누스는 단지 이교의 대적자들을 겨냥하고 있는 것만은 아니었다. 그는 교회 내에 있는 이원론자들 또는 이원론 언저리를 맴도는 자들, 즉 그리스도가 그의 죽음과 부활 이전이나 이후에 진정한 육체를 지니고 있지 않았다고 말하는 자들에 대하여 많은 경멸하는 마음을 지니고 있다(2-4장).

테르툴리아누스는 다른 변증가들과 마찬가지로 하나님이 물질 세계의 창조주이며, 하나님은 자기가 만든 것을 최상의 것으로 만들었다는 사실을 논증의

134) *Apoll.* 18.3f.

135) *ANF* 3.545-94. 최근의 논의들로는 Bynum 1995, 35를 보고, 이전의 저작들 중에서는 Siniscalco 1966, ch. 5을 참조하라. 부활에 관한 반마르키온적인 시(*ANF* 4.145f.)는 그 시가 속해 있는 모음집과 마찬가지로 한때는 테르툴리아누스에게 돌려졌지만, 지금은 그의 것으로 여겨지지 않는다. 이 시는 많은 변증가들이 그랬던 것처럼 육체의 회복의 필연성을 공의의 문제로서 강조하고, 그런 일이 쉽다는 것을 하나님의 창조능력을 토대로 해서 강조한다. 몸의 부활이 없다면, 죽음은 하나님이 만드셨고 이미 존귀하게 한 것에 대한 승리를 보유하게 된다. 테르툴리아누스는 그의 글들의 다른 곳에서 부활에 대하여 언급하지만, 이 주제에 관하여 직접적으로 쓴 그의 소논문은 자세하여서, 우리에게 우리의 현재의 목적을 위해서 충분한 것보다 더 많이 우리에게 말해준다. 테르툴리아누스의 강력한 천년왕국설, 그리고 그와 마찬가지로 몸의 부활을 믿었던 대적자들과 그가 이 주제를 놓고 벌인 논쟁들에 대해서는 Hill 2002 [1992], 27-32를 보라.

토대로 삼는다(6). 사람의 육체도 하나님의 손으로 만든 것들 중의 일부이다; 육체는 영혼과 함께 유업을 받는 공동 상속자이다(7). 육체는 기독교적 사고 속에서 매우 중요하다고 테르툴리아누스는 분명하게 말한다(8); 육체는 은혜, 그리스도 자신의 은혜를 받았고(9), 사도 바울이 "육체"에 관하여 부정적인 것들을 말하였을 때에, 그는 육체라는 본질 자체가 아니라 그 행위들을 언급하고 있었던 것이다(10). 우리는 이레나이우스에게서와 마찬가지로 여기에서도 일부 사람들이 바울 자신이 배제하는 방향으로 바울을 인용하기 시작하고 있다는 것을 보게 된다.[136] 중요한 것은 창조주로서의 하나님의 능력이다. 하나님은 자기가 만든 것을 다시 재생할 수 있다(11).

우리는 지금쯤은 이것이 어디로 귀결될 것인지를 예측할 수 있어야 한다. 자연으로부터의 유비들이 제시된다: 밤과 낮; 달; 계절들(12); 그리고 클레멘스에서와 마찬가지로, 우리의 오랜 친구인 불사조(13)는 감동적인 수사학의 대상이 되고 있다. 사람들은 반드시 죽어야 하지만, 아라비아의 새들은 부활을 확신하고 있지 않은가? 또한 부활은 장래의 심판에 관한 고전적인 유대교 및 기독교의 견해와 부합한다: 심판이 완전한 것이 되기 위해서는, 영혼과 몸이 다시 결합되지 않으면 안 된다; 그것들은 이생에서 함께 활동하였다; 그것들은 종말에 함께 심판을 받게 될 것이다(14-17).

그런 후에, 테르툴리아누스는 교회 자체 내에 있던 이단자들과 접전을 벌인다. 성경은 영혼의 부활이 아니라 죽은 자들의 부활에 관하여 말하고 있는데도(18), 이단자들은 "죽은 자들의 부활"이라는 관념이 현재적인 삶 속에서의 도덕적인 변화 또는 몸으로부터 완전히 벗어나는 것을 가리키는 것으로 해석한다(19). 이렇게 테르툴리아누스는 구체적인 것이 아니라 추상적인 지시대상을 지닌 "부활" 언어의 은유적 용법에 직면한다: 그는 부활에 관한 예언들이 "영적인" 의미들을 지니고 있다는 것을 인정하지만, 그러한 것들은 구체적인 현실 내에서 실제적인 지시대상이 존재한다는 것에 의거한 것이라고 역설한다(20). "죽은 자의 부활"은 단순히 뭔가 다른 것을 가리키기 위한 비유적인 언어가

136) 흔히 바울 자신이 논증하고 있는 입장과 어긋나는 것으로 인용되는 고린도전서 15:50("혈과 육은 하나님 나라를 이어 받을 수 없고")을 참조하라(위의 제7장 제1절).

아니다(21). 또한 성경은 부활이 이미 지나갔다거나 부활이 죽음 직후에 일어난다고 말하는 것을 허용하지 않는다. 부활은 세상의 종말에 일어나고, 이러한 부활은 분명히 아직 일어나지 않았다. 따라서 자기들이 이미 "부활하였다"고 주장하는 이단자들은 잘못된 것이다; 그들은 부활이 원래 의미하지 않았던 그러한 의미로 부활이라는 언어를 사용하고 있는 것이다(22). 바울이 골로새서 2장과 3장 같은 본문들에서 현재적 부활에 관하여 말할 때, 그리고 요한이 요한1서 3장에서 이와 비슷한 것을 말할 때, 그것은 바울이 빌립보서 3장 같은 곳에서 말하고 있는 몸의 부활을 지시하고 있는, 마음속에서 일어나는 일을 가리킨다(23). 데살로니가전후서는 그리스도가 다시 오시고 몸의 부활이 일어나게 될 장차 도래할 그때에 관하여 말한다(24). 또한 요한계시록도 장차 있을 몸의 부활에 관하여 말한다(25). 성경이 은유들을 사용할 때, 그 지시 대상은 여전히 부활 자체이다(26-27); 테르툴리아누스는 시간을 조금 할애해서 에스겔 37장(28-30)과 그 밖의 다른 관련된 예언 본문들(31)의 의미를 설명한다. 예수의 가르침도 동일한 방향을 보여주는데(33-34), 그것은 단순히 영혼을 위한 새로운 삶이 아니라 몸의 부활을 보여준다(35). 예수와 사두개인들 간의 논쟁을 다루면서, 테르툴리아누스는 혼인 여부에 관한 문제는 거기에서 논쟁되고 있는 주제가 실제로 육체와 그 회복일 때에만 의미를 지닐 수 있게 된다고 역설한다(36).

그는 계속해서 사도행전과 바울서신에 나오는 관련된 본문들을 꽤 길게 살펴보는데(39-55), 특히 고린도서신에 나오는 핵심적인 본문들을 주목한다. 바울이 정죄하고 있는 것은 육체의 본질이 아니라 육체의 일들이다(46). 그러므로 "혈과 육은 하나님의 나라를 유업으로 받을 수 없다"라는 저 유명한 말씀은 몸의 부활에 대한 부정으로 해석되어서는 안 된다(48, 50). 완전한 사람이신 예수가 지금 하나님의 우편에 계신다는 사실 자체가 몸의 부활에 대한 보증이다(51). 물론, 몸은 변화되어서 썩지 않는 것이 될 것이지만, 이와 같은 변화는 본질을 파괴하는 것이 아니다(55). "부활이 있기 위해서는 변화들, 개조들, 변혁들이 반드시 일어날 것이지만, 육체의 본질은 여전히 그대로 보존될 것이다."[137]

---

137) *De Res.* 55 ad fin.(강조는 번역문에서: *ANF* 3.589).

그렇다면, 최후의 심판은 어떻게 일어날 수 있고 유효할 수 있는가? 오직 부활한 몸과 현재의 몸 간의 동일성을 통해서(56). 사람의 몸은 완전한 상태로 회복되고, 거기에 기쁨과 평안이 영원히 거하게 될 것이다(57-58); 이것은 변화들을 수반할 것이지만, 우리의 다양한 특성들은 그때에 어떤 용도로 사용될 것인지와는 상관 없이 보존될 것이다(60-61).[138] 이렇게 부활한 몸들은 "천사들과 동등하게" 될 것이다; 하지만 그 인성이 손상되지 않은 채로 보존될 것이기 때문에, 그 몸들은 천사들이 되지는 않을 것이다(62). 몸과 영혼은 신에 의해서 결합되었으며, 분리되도록 설계되어 있지 않다(63).

이렇게 우리는 성경 석의라는 장기간의 장기 시합에서 초기의 몇 수를 볼 수 있다; 그리고 바울에 관한 우리의 앞서의 연구는 적어도 이러한 점들에 있어서 테르툴리아누스는 바울을 영지주인적인 방향으로 해석하고 있었던 자들과는 반대로 바울이 말하고 있는 것을 제대로 이해하였다는 것을 보여준다. 발렌티누스주의자들과의 의도적인 논쟁(아래를 보라)에서, 그는 예수 자신의 부활을 토대로 해서 복음서들과 서신서들에 나오는 핵심적인 본문들을 설명하고, 주후 2세기의 후반부에 출현하고 있었던 여러 가지 문제점들을 다루면서, 부활 교리를 제시한다.

사실, 그는 이 점에 있어서 주후 2세기의 마지막 20년 동안에 리옹의 감독이었던 이레나이우스라는 헬라 신학의 위대한 교부들 중의 한 사람과 긴밀한 동맹자이다. 이 두 사람은 "부활의 몸에 관한 지나치게 물질주의적인 개념"과 "철저한 변화"를 지나치게 강조한 견해를 서로 보완적인 방식으로 통합하였다.[139] 주후 2세기 중반에 통용되었던 수정주의자들의 주장들, 그리고 그러한 것들에 대처하기 위하여 형성되고 있었던 성경 석의 및 사도 교부들과 변증가들의 논증들의 발전을 더 자세하게 이해하기 위해서는 우리는 이레나이우스를 살펴보지 않으면 안 된다.

---

138) 테르툴리아누스는 여기에서 이 이야기에 대한 유대적인 재구연들(retellings)을 발전시켰다: 광야에서 유랑하던 이스라엘 자손들은 신발과 의복이 해지지 않았다는 것을 발견하였다(신 8:4). 또한 그들의 머리카락과 손톱들도 자라지 않았다고 그는 말한다; 이것은 테르툴리아누스 자신이 전설을 확장시킨 것으로 보이는데, Jerome이 이것을 따르고 있다. 이 모든 것에 대해서 Satran 1989를 보라.

139) Bynum 1995, 38.

(ii) 이레나이우스

이레나이우스(주후 130-200년경)는 주후 177년에 박해가 일어나서 그의 전임자가 순교한 직후에 리옹의 감독이 되었다(박해 당시에 이레나이우스는 로마에 있었다). 따라서 이단들에 관한 글을 썼을 때, 그는 특히 죽음 및 기독교적 소망과 관련해서 이단들은 단순히 장난으로 해보는 관념들도 아니고, 종종 주장되는 것과는 달리 교회가 더 편안하고 부르주아적인 삶을 누리기 위한 관념들도 아니라는 것을 교회 안에서 및 교회와 더불어 목격하였다. 이레나이우스에게 있어서 신학과 석의는 교회를 이교 제국과 이교 문화에 맞서서 수행하는 위험스럽고 어려운 증언 사역을 위하여 무장시키는 과제의 일부였다. 그가 보기에, 그가 공격했던 견해들은 모든 차원에서 복음의 진정한 도전을 무력화시키고 회피하는 방식들이었다.[140]

우리가 지금까지 살펴본 다른 저술가들과 마찬가지로, 이레나이우스는 창조주로서의 하나님에 관한 강력한 교리를 자신의 신학의 토대로 삼았다; 그는 『이단들을 반박함』(*Against Heresies*)이라는 저작의 제1부에서 여러 이단들을 설명한 후에, 창조주로서의 하나님에 관한 교리를 제2권의 서두의 장들의 주제로 삼는다. 이것은 최후에 "영적인 것"과 "물질적인 것"의 분리가 일어나는 것을 비롯해서 종말에 일어나게 될 일에 관한 복잡한 도식을 날조해 낸 발렌티누스주의자들에 맞선 부활에 관한 그의 최초의 설명으로 이어진다.[141] 테르툴리아누스와 마찬가지로, 이레나이우스는 영혼과 몸은 함께 속해 있고, 하나님은 죽을 몸들을 다시 소생시키실 때에 하나님은 그 몸들을 썩지 않고 죽지 않는 것이 되게 할 것이라고 단언한다.[142] 그는 윤회설을 터무니 없는 이론으로 여겨서 거부한다; 여기서도 다시 한 번 창조주로서의 하나님은 각각의 몸에 적절한 영혼을 수여하실 수 있고, 이때에 하나님은 의인들에게는 상급으

140) 이 시기에 있어서 부활에 관한 많은 글들의 배경 역할을 한 순교에 대해서는 Bynum 1995, 43-7을 보라. Irenaeus에게 있어서 리옹의 순교들의 의미에 대해서는 아래의 제11장 제7절을 보라.

141) *Haer*. 2.29.1. 발렌티누스 운동에 대해서는 Mirecki 1992b 등을 보라. Valentinus 자신은 주후 2세기 중엽에 활동하였고, 그의 추종자들은 그 후 몇 세기 후에도 하나의 집단으로 남아있었다.

142) *Haer*. 2.29.2.

로서, 불의한 자들에게는 징벌로서 그렇게 하실 것이다.[143] 사두개인들에 대한 예수의 대답을 활용해서, 그는 그것은 현재의 삶과는 다른 종류의 삶이 될 것이라고 주장한다:

> 그때에 두 부류는 혼인하는 것을 통해서 출생하지도 출생되지도 않을 것이고, 더 이상 혼인도 없을 것이다; 따라서 사람들의 수는 하나님의 미리 정하심에 따라서 다 채워져서, 아버지에 의해서 만들어진 도식을 완전히 실현하게 될 것이다.[144]

중간 상태는 영혼의 지속적인 실존이고, 그러한 영혼들은 인식이 가능하다; 여기서 이레나이우스는 누가복음 16장, 곧 부자와 나사로의 비유를 인용한다.[145] 그러나 영혼은 자동적으로 삶을 소유하게 되는 것도 아니고, 선재(先在)하는 것도 아니다; 즉, 그 삶은 하나님에 의해서 주어진다.[146]

제3권과 제4권은 특히 참 신이 정확히 어떤 분인지, 교회가 원래의 메시지에 충실한지를 어떻게 확신할 수 있는지라는 문제들과 관련하여 발렌티누스주의자들과 마르키온주의자들을 반박하는 이레나이우스의 논쟁들을 상당히 길게 제시한다. 이 대목이 바로 교회의 연속성, 성경의 섭리적인 배치에 관한 그 유명한 가르침이 나오는 곳이다. 그러나 그가 이번에는 길게 부활이라는 문제로 되돌아가는 것은 제5권에서이다. 여기서 인간의 육체가 선하다는 것과 하나님에 의해서 주어졌다는 것에 대한 그의 긴 논증은 진가를 발휘한다. 그렇다, 인간의 육체는 연약하지만, 그 육체를 죽은 자로부터 다시 살리는 것은 하나님의 능력이다; 육체가 현재에 있어서 철저하게 살아 있을 수 있다면, 그 육

---

143) *Haer.* 2.33.1-5. Andrew Goddard 박사는 내게 의인들과 악인들이 동일하게 부활한다는 것에 대한 점증하는 강조는 부활의 토대가 자기 백성의 부활을 보증하는 메시야로서의 예수의 부활이 아니라 (바울에서처럼) 장차 도래할 심판으로 옮겨지면서 유래하였을 것이라고 지적하여 주었다.

144) 구원받는 자의 수를 하나님이 정하여 놓았다는 사상을 소개하는 *Haer.* 2.33.5.

145) *Haer.* 2.34.1.

146) *Haer.* 2.34.4.

체가 장래에는 왜 그렇게 못하겠는가?[147] 오직 한 분 신이 계시고, 고대인들의 장수는 모든 통상적인 가능성을 뛰어넘어서 생명을 주는 신의 능력을 보여주는 한 예이다.[148] 인간은 혼, 영, 몸의 결합과 연합으로 이루어져 있다; 이것들은 한데 어우러져서 하나님의 형상을 지닌다. 바울이 사람들을 "영적"이라고 부를 때, 그의 말이 의미하는 것은 사람들이 육체를 벗어 버렸다는 것이 아니라, 사람들이 성령에 참여하고 있다는 것이다.[149] 성령의 전(殿)이 되는 것은 바로 이러한 완전한 인간 존재이다; 여기서 이레나이우스는 고린도전서 6장에 대한 자세한 해설을 제시한다.[150] 예수 자신이 이전의 몸과 동일한 몸으로 부활하였다는 것을 보여주는 증거는 예수의 부활의 몸에 있었던 못자국들이다; 그러므로 바울이 고린도전서 6장과 15장, 로마서 8장에서 역설하고 있듯이, 우리는 몸을 입지 않는 것이 아니라 몸을 입은 채로 예수와 동일한 방식으로 부활하게 될 것이다.[151] 여기서 이레나이우스는 고린도전서 15:35-49에 대한 더 자세한 해설로 나아가서, "영적인 몸"이라는 어구는 혼 또는 영을 가리키는 것이 아니라, 성령의 역사를 통해서 영속적인 생명을 소유하고 있는 몸을 가리킨다는 것을 강조한다.[152] 이것은 현재에 있어서의 성령의 사역에 관한 여담으로 이어진다.[153]

그런 후에, 이레나이우스는 고린도전서 15:50에 나오는 "혈과 육은 하나님 나라를 이어받을 수 없고"라는 구절에 대한 고전적인 잘못된 읽기(우리가 이미 논증했듯이)를 정면으로 다룬다. 이단(異端)들은 이 본문을 물질적인 피조세계(이레나이우스는 이것을 "하나님의 만드신 것"이라고 부른다)는 구원받지 못한다는 것을 보여주는 것으로 인용한다고 그는 말한다. 이것은 잘못된 이해이다: "혈과 육"은 생명의 원리를 갖고 있지 않은 자들, 즉 하나님의 성령이 그들 안에 거하지 않는 자들을 가리킨다. 그들은 죽은 자들과 다름이 없는 자

147) *Haer*. 5.3.2f.

148) *Haer*. 5.4f.

149) *Haer*. 5.6.1.

150) *Haer*. 5.6.2.

151) *Haer*. 5.7.1.

152) *Haer*. 5..7.2.

153) *Haer*. 5.8.1-4.

들이다.[154] 하지만 성령은 육체에게 생명을 줄 것이다; 그리고 주께서 실제로 온유한 자가 땅을 유업으로 받을 것이라고 약속하였듯이, 땅으로부터 온 육체도 성령, 그리고 성령이 그 안에서 역사하는 자들이 받을 유업의 일부가 될 수 있다.[155] 바울이 로마서 11장에서 돌감람나무가 참감람나무의 생명에 참여하게 되는 것에 관하여 말하고 있는 것처럼, 육체도 성령의 생명에 참여하게 될 것이다.[156] 이것은 하나님의 백성의 현재적인 삶이 "육체를 따라서" 사는 삶이 되어서는 안된다는 것을 의미한다; 그들은 성령의 인도를 받아야 한다.[157] 물론, 육체는 죽음을 맞을 수 있지만, 또한 마찬가지로 다시 생명으로 부활할 수 있다.[158] 야이로의 딸, 나인성 과부의 아들, 그리고 나사로가 다시 살아난 것은 주님께서 죽은 자들이 그들 자신의 몸으로 다시 살아날 것을 미리 보여주신 분명한 증거이다.[159] 그러므로 이단들은 "사도가 한 말의 의미를 제대로 파악하거나 용어들의 의미를 비판적으로 검토함이 없이 바울의 수많은 표현들 가운데에서 단지 두 표현만을 가져와서 그 문자적인 표현 자체만을 고집하고" 있는 것이다.[160] 고린도전서 15장의 나머지 부분과 빌립보서 3장의 결말 부분은 곧 죽을 것이 생명에 의해서 삼켜질 것이라는 고린도후서 5:4의 약속과 마찬가지로 이 문제를 분명하게 보여준다.[161] 그러므로 이단들은 바울로 하여금 그가 다른 곳에서 분명히 말하고 있는 한 구절과 모순되게 만들지 않을 수 없게 된다.[162] 게다가 이단들은 예수 자신이 인류와 공유하였던 혈과 육에 대하여 의문을 제기하고 있는 것이다.[163]

---

154) *Haer.* 5.9.1,4.

155) *Haer.* 5.9.3f.

156) *Haer.* 5.10.11.

157) *Haer.* 5.10.2-11.2.

158) *Haer.* 5.12.1-6.

159) *Haer.* 5.13.1.

160) *Haer.* 5.13.2.

161) *Haer.* 5.13.3. 또한 죽음을 결국에는 완전히 멸망받을 원수로 보아야 한다는 점을 강조하는(고전 15:20-28과 같이) 3.23.7도 참조하라.

162) *Haer.* 5.13.1, 5.

163) *Haer.* 5.14.

그런 후에, 이레나이우스는 상세한 논증으로부터 성경에 나오는 증거들로 눈을 돌린다: 이사야와 에스겔은 우리를 창조하신 동일한 하나님이 우리를 다시 살리실 것이라고 분명하게 말한다.[164] 이것은 인간이 어떻게 창조되었고 치유되는가에 관한 고찰로 이어지면서, 전인(全人)에 관한 창조주의 관심을 보여준다.[165] 그리고 이것을 계기로 이레나이우스는 이 특정한 논쟁에서 벗어나서 창조주로서의 하나님, 그리고 그 안에서 성육신의 적절성에 관한 더 자세한 고찰을 전개한다.[166] 그는 자신의 비판의 대상이 된 이단들이 사도들로부터 후계자로 지명되었던 제2세대의 감독들 및 교사들보다 훨씬 후대에 일어났다는 것을 역설한다.[167]

이 저작의 마지막 부분에 이르러서, 이레나이우스는 장래에 관한 자신의 견해, 최후의 심판, 적그리스도의 출현, 참 신의 승리를 간략하게 서술한다.[168] 이러한 맥락 안에서 그는 부활에 관한 최종적인 설명을 제시한다. 그는 이단들을 반박하며, 예수가 단순히 "죽어서 천국에 간" 것이 아니었다고 역설한다: 예수는 성경대로 무덤 속에서 죽은 자들 가운데서 3일을 보냈다.[169] 우리는 부활과 승천을 혼동해서는 안 된다. 그러므로 주의 모든 백성은 두 단계의 사후의 실존이라는 패턴을 따르게 될 것이 틀림없다: 먼저는 "하나님에 의해서 배정된 눈에 보이지 않는 곳들에" 있는 기간, 다음에는 최종적인 몸의 부활.[170] 새로운

164) *Haer.* 5.15.1.

165) *Haer.* 5.15.21.

166) *Haer.* 5.111.

167) *Haer.* 5..20.1f.

168) *Haer.* 5.25.23-30.

169) *Haer.* 5.31.1: 이단자들은 예수가 "십자가 위에서 절명하자마자 의심할 여지없이 그의 몸을 이 땅에 버려두고 높은 곳으로 떠났다"고 말한다. Irenaeus는 성경의 그 밖의 다른 증거들 가운데에서 그가 4.22.1에서도 인용하고 있는 본문을 인용하는데, 거기에서 그는 그 본문이 예레미야에게서 온 것이라고 말한다. 이 본문은 우리에게 알려져 있는 구약성서의 그 어떤 사본들에서도 발견되지 않는다: 유스티누스(*Dial.* 72)는 유대인들이 그 본문을 그들에게 반대하는 목적으로 사용하지 못하도록 삭제해 버렸다고 말한다. 또한 *Haer.* 3.20.4를 보라. (여기에서 Irenaeus는 그것이 이사야서에서 왔다고 말한다).

170) *Haer.* 5.31.2.

유업, 예수가 제자들과 함께 먹고 마실 그 나라에 관한 수많은 약속들, 내세에서는 식물들이 극히 풍성할 것이라는 예수의 가르침(사도 요한으로부터 전해들은 장로들이 말한) — 이 모든 것은 물리적인 우주가 그대로 존재하는 가운데 변화될 것을 보여주는 증언들이다.[171] 우리는 이러한 약속들을 알레고리화해서는 안 된다(유세비우스가 나중에 시도하는 것처럼). 이러한 약속들은 적그리스도의 출현 이후에 이 땅에서의 새 예루살렘에서 성취될 것이다.[172]

이렇게 실제의 갱신된 세계 속에서의 진정한 부활이 있을 것이고, 거기에서 축복의 정도는 각각 다를 것이다. 이레나이우스는 다시 한 번 고린도전서 15장으로 되돌아간다: 죽음 자체가 멸해지고, 아들은 아버지에게 복종할 것이며, 참 신은 만유의 주가 되실 것이다.[173]

이 시기까지 부활에 관한 논의들 중에서 가장 긴 이 저작은 이 문제가 어느 지점에서 합류하고 있는가를 분명하게 보여준다. 또한 이레나이우스는 부활에 관한 별개의 책을 썼지만, 다메섹의 요한이 쓴 『파라렐라』(*Parallela*, 이것 자체도 단편들로 보존되어 있다)에 보존된 세 개의 아주 짧은 단편들을 제외하고는 멸실된 상태이다.[174] 그러나 부활과 관련하여 그가 취했던 입장, 또는 그가 반박하고자 했던 기본적인 입장에 대해서는 그 어떤 의문도 존재하지 않는다. 예수 및 장래에 있어서 사람들의 몸의 부활은 이레나이우스에게 있어서 고립적인 교리가 아니었다. 그것은 선한 창조주, 진정으로 성육신 한 말씀, 예수의 참된 가르침의 보고(寶庫)로서의 교회와 정경에 관한 여러 교리들과 무수한 방식으로 연결되어 있었다 — 달리 말하면, 그의 저작의 중심적인 주제들과 연결되어 있었다는 것이다.

또한 이렇게 해서 부활은, 우리가 지금까지 살펴보았던 다른 저술가들과 마찬가지로 이레나이우스가 신앙의 강력한 핵심으로 여겼던 신앙의 네트워크 또는 그물망의 일부였다는 것을 우리는 명심하여야 한다. 이러한 강점은 유대

171) *Haer.* 5.32-35. 또한 위에서 Papias에 관한 항목을 보라.

172) *Haer.* 5.35. 이 주제 및 Irenaeus 속에서의 이 주제의 좀 더 폭넓은 역할에 대해서는 Hill 2002 [1992], 254-9를 참조하라.

173) *Haer.* 5.36.2.

174) Iren., *Frags.* 9, 10, 12. 마지막 본문은 씨앗과 식물 예화를 다시 한 번 설명한다. John of Damascus은 주후 7세기 말과 8세기 초에 살았다.

교적인 불신앙 — 이것은 이레나이우스에게 있어서는 특별한 관심사가 아니었지만, 주후 2세기의 다른 몇몇 저술가들에게는 특별한 관심사였다 — 에 맞서서 뿐만 아니라 이교도들의 적대감에 맞서서 복음의 진리를 수호하는 데에 꼭 필요한 것이었다; 이교도들의 적대감은 단순히 지적인 것에 멈춘 것이 아니었다. 나중에 보게 되겠지만, 그러한 차원에서 이레나이우스는 영지주의적인 대안을 그리스도인들에게 필수적인 싸움을 회피하고 그 누구에게도 위협이 되지 않고 따라서 박해를 초래하지도 않는 영성의 영역으로 도피하는 것이라고 보았다. 몸의 부활은 이교 제국이 취할 수 있는 가장 악한 것에 맞서기 위하여 그리스도인들이 갖추어야 할 무장들 중의 일부였고, 그것은 모든 다른 무장들과 서로 연결되어 있었다.

(iii) 히폴리투스

주후 3세기 초의 저술가였던 히폴리투스(주후 170-236년경)의 방대한 저작 중에서 부활에 관한 두 가지 짧은 본문들이 두드러진다.[175) 『그리스도와 적그리스도의 관한 소고』(*Treatise on Christ and Antichrist*)라는 저작은 구약 및 신약에서 가져온 부활이라는 주제에 관한 일련의 인용문들로 끝난다. 데살로니가후서 2장 전체가 인용되어 있고, 그 다음에 마태복음 24장과 누가복음 21장에서 군데군데 인용한 본문들이 나오고, 아울러 시편, 예언서들, 바울 서신들로부터 가져온 본문들이 나온다.[176) 그런 후에, 특별히 부활과 관련해서, 그는 다니엘 12:2; 이사야 26:19; 요한복음 5:25; 에베소서 5:14; 요한계시록 20:6; 마태복음 13:43; 마태복음 25:34; 요한계시록 22:15; 이사야 66:24; 데살로니가전서 4:13-17을 연속적으로 인용한다. 단지 이상한 것은 그가 인용하고 있지 **않은** 것과 관련해서이다: 로마서는 왜 빠져 있는가? 고린도서신들은 왜 제외되었는가? 당시에 바울 서신들이 다른 식으로 읽혀졌기 때문에, 그가

---

175) Hippolytus에게 돌려진 저작들 중에서 어느 저작들이 실제로 그가 쓴 것인지를 알아내는 복잡한 과제, 우주적 갱신에 관한 그의 비전, 현재에 있어서의 개인의 복된 사고의 실존과 장래의 부활의 통합에 대해서는 Hill 2002 [1992], 160-69를 보라.

176) *Christ and Antichr.* 63f.

그러한 본문들을 논증 없이 인용하는 것이 어려웠던 것일까? 위에서 살펴본 이레나이우스의 증거들은 아마도 그랬을 것이라는 것을 보여준다.

또 하나의 본문은 단편으로만 남아있는 저작인 『만유의 원인자에 관하여 플라톤을 반박함』(*Against Plato, on the Cause of the Universe*)에 나온다. 여기서 히폴리투스는 음부(陰府), 즉 모든 죽은 자들이 현재 거처하는 곳을 영혼들을 위한 구치소로 묘사하면서, 거기에서는 이미 최후의 심판에 앞서서 징벌들이 시행되고 있다고 말한다. 의인들도 잠시 동안 음부에 있지만, 그들은 악인들과는 격리되어 있는 장소에 있으면서 "썩어지지 않고 시들지 않은 나라"를 기다리고 있다.[177] 그들이 현재 거처하는 곳은 빛과 행복한 기대가 있는 곳이다; 그곳은 "아브라함의 품"으로 지칭되는 곳이다. 이 첫 번째 장은 여러 가지 점에서 누가복음 16장에 나오는 비유에 의존하고 있는 것으로 보이는데, 죄인들과 의인들 사이에 건널 수 없는 큰 간격이 있다는 것을 비롯한 이 비유의 내용을 내세에 관한 묘사로 읽고 있다.

그런 후에 종말에 이르러서 신은 부활을 이루실 것이다; 실제로 그들로 하여금 다른 몸으로 들어갈 수 있도록 해주는 것을 통해서가 아니라, 그 몸들 자체를 다시 살림으로써.[178] 사람들의 몸이 해체되었다고 해서, 창조주가 동일한 원소들을 모아서 그 몸을 불멸의 것으로 만들 수 없는 것이 아니다. 죽음 이후의 몸은 한 알의 밀알로 뿌려지지만 그 후에는 그 형체가 새롭게 형성되는 씨앗과 같다: "죽음 이후의 몸은 지금과 동일한 것으로 부활하는 것이 아니라, 순결하고 더 이상 썩어지지 않을 것으로 부활한다." 이러한 몸들 각각은 그것에 적합한 영혼을 갖게 될 것이다. 하지만 불의한 자들은 그들이 남겨놓았던 부패하고 연약하며 병든 상태로 그들의 몸을 받을 것이고, 그러한 상태에서 심판을 받게 될 것이다; 이것은 이 논증 속에서 새로운 변형인 것으로 보인다. 히폴리투스는 마지막 심판과 그 후에 있을 의인들의 행복한 상태를 그리는 고양된 본문으로 끝을 맺는다.

(iv) 오리게네스

---

177) *Ag. Plat.* 1.
178) *Ag. Plat.* 2.

알렉산드리아의 위대한 저술가인 오리게네스(주후 185-245년경)에 이르러서, 우리는 몇 가지 의미에서 다른 세계를 만나게 된다. 그는 초기 기독교에 대한 우리의 연구에 있어서 편리한 연대기적인 종착점이다. 그의 박학다식함과 사변적인 신학은 오늘날 그 대부분이 멸실되었지만, 그로 하여금 그의 생존 동안만이 아니라 이후의 여러 세기들, 그리고 오늘날에 이르기까지 신학적인 논쟁들에 있어서 특별한(항상 호의적인 것은 아니지만) 지위를 얻게 해 주었다. 그는 그의 동시대인이었던 알렉산드리아의 클레멘스와 더불어서 이제까지 다른 신학자들이 할 수 있다고 생각했던 것보다 플라톤 철학에 더 많은 공간을 부여하였다는 좋지 않은 평판을 얻고 있다; 이것은 그의 경우에 있어서 개략적인 지나친 단순화이기는 하지만, 적어도 그의 저작들 중의 일부에서 나타나는 부활에 관한 그의 견해들을 한층 더 주목할 만한 것이 되게 해준다. '아포카타스타시스'(*apokatastasis*)에 관한 그의 가르침, 즉 모든 것들이 최초의 기원에서 그것들이 차지하고 있던 자리로 회복되거나 되돌아온다는 것에 관한 가르침이 너무 강력했기 때문에, 그는 심지어 마귀조차도 구원받게 될 것이라고 주장했던 것으로 보인다. 이것과 관련해서, 그는 아우구스티누스로부터 심한 공격들을 받은 후, 주후 543년에 콘스탄티노플 공의회에서 단죄되었다. 그럼에도 불구하고, 그는 기가 막히게 박식하고 분별력있는 주석자이자 신학자였고, 우리의 연구를 위한 특별한 관심대상이다.[179]

캐롤라인 바이넘(Caroline Bynum)은 이 점과 관련된 오리게네스에 대한 오늘날의 연구에 있어의 주된 흐름을 요약하면서 그러한 입장을 다음과 같이 표현한다:

> 오리게네스는 자기가 한편으로는 몸의 부활을 죽은 육체가 다시 생명을 얻는 것으로 이해하였던(그가 생각하기에) 유대인들, 천년왕국설을 지

179) Origen에 대해서는 Crouzel 1989를 보라; 부활, 그리고 그 이후의 논쟁에 대해서는 DeChow 1988, 373-84; Clark 1992; Bynum 1995, 63-71과 자세한 참고문헌; Hill 2002 [1992], 176-89를 보라. 과거의 연구들 가운데서는 Chadwick 1948이 Chadwick 1953과 더불어 효시이다. 또한 Perkins 1984, 372-7; Coakley 2002, 136-41을 보라.

지하는 그리스도인들, 이교도들, 다른 한편으로는 부활 또는 몸과 관련된 그 어떤 궁극적인 실체도 부정하였던(그가 생각하기에) 영지주의자들과 헬레니즘 사상가들 사이에서 중도의 길을 걷고 있는 것으로 보았다.[180]

오리게네스의 견해는 인간의 몸은 끊임없이 유동하는 상태로 있다는 것인 것 같다. 몸은 강과 같다; 실제적인 물질은 오늘과 내일에 있어서 서로 동일한 것으로 머물지 않는다.[181] 오리게네스에게 있어서 동일하게 머무는 것은 플라톤의 형상(form)과 스토아 학파에서 말한 이성의 배아(胚芽)을 결합한 것인 '에이도스' 였다. 바이넘은 그것이 "유전자 정보와 비슷한 것"이라고 말한다.[182] 그러므로 문제는 오리게네스가 현재적인 삶으로부터 부활로 옮겨갈 때에 몸의 연속성을 진정으로 옹호하였는지, 아니면 변화(transformation)의 개념을 강조하기 위하여(동일한 입자들을 다시 얻게 된다는 견해에 반대하여) 그것을 희생시켰느냐 하는 것이다. 이것이 주후 3세기 중반에 메토디우스(Methodius)가, 그리고 주후 6세기 중반에는 제2차 콘스탄티노플 공의회가 오리게네스를 겨냥하여 행한 공격의 토대였다.[183]

이러한 개관은 오리게네스가 한편으로는 바울과 유사한 문제들(하나님 나라를 유업으로 받을 수 없는 "혈과 육," 그리고 하나님 나라를 유업으로 받을 수 있을 뿐만 아니라 현재적인 예배와 순종의 처소로서의 "몸"의 구별), 다른

---

180) Bynum 1995, 64. Origen이 천년왕국설 및 그 구체적인 판본인 몸의 부활과 싸우면서 한편으로는 동일한 교리에 대한 자신의 판본을 옹호할 필요성이 있었다는 것이 Hill, loc. cit.의 구체적인 초점이다.

181) 시편 1:5에 대해서는 Methodius *De Res.* 1.22f.를 보라. 이 문제 전체에 대해서는 Clark 1992, 89 n. 31을 보라. 우리는 C. S. Lewis가 1960 [1947], 155에서의 그의 논증의 선구적인 연구를 알고 있었는지 의심할 수밖에 없다: "각각의 영이 그가 이전에 지배하였던 그러한 특정한 물질단위들을 회복해야 한다는 것은 어리석은 공상인 것 같다. 한 가지만 말한다면, 그렇게 충분한 물질단위들이 있지 않다는 것이다. 또한 우리의 통일적인 몸은 심지어 이 현재적인 삶에 있어서조차도 동일한 입자들을 계속해서 보유하고 있는 것이 아니다. 내 안의 물질이 끊임없이 변화한다고 할지라도, 나의 형태는 여전히 동일하다. 그 점에서 나는 폭포의 물줄기와 같다."

182) Bynum 1995, 66.

183) Bynum 1995, 67-9.

한편으로는 빌립복음서 및 레기노스서(*Letter to Rheginos*)와 유사한 문제들(다음 항목을 보라)과 실제로 씨름하고 있었다는 것을 보여준다. 오리게네스가 바울과 나그 함마디 문서(Nag Hammadi) 사이의 중도적인 입장을 보여주고 있다고 주장하는 것은 그를 정당하게 대우하고 있지 않은 것이다. 왜냐하면, 그는 창조에 관한 유대교적인 교리 같은 것과 관련해서 아주 확고하게 바울 편에 서 있기 때문이다. 그렇지만 또한 이것은 관련된 두 개의 나그 함마디 본문들이 적어도 스스로를 모종의 기독교적인 세계관 내에 머물고자 애쓰는 것으로 여겼다는 것을 보여주는 것일 수도 있다. 이것은 우리가 나중에 다시 다루어야 할 문제이다.

하지만, 먼저 우리는 영지주의자들, 헬라파들(hellenizers), 또는 켈수스(Celsus) 같은 황당한 이교도들에 맞서서 몸의 부활을 단언하고자 한 본문들 속에서 오리게네스 자신이 실제로 무엇이라고 말하고 있는지를 더 살펴보지 않으면 안 된다. 켈수스에 맞서서 부활 문제를 여러 차례에 걸쳐서 언급하고 있는 그의 주된 변증적 저작을 살펴보기 전에, 우리는 그의 체계적인 강론인 『원리들에 대하여』(*De Principiis*)를 훑어보아야 한다. 여기서 그는 바울의 용어들 중에서 가장 논란되는 것인 "영적인 몸"에 대해서 두 번 설명한다.

첫 번째 본문에서 오리게네스는 자신의 강해의 논리적인 순서 내에서 부활 문제를 다루게 되었을 때에 그가 다른 곳에서 더 자세하게 말하였던 내용을 요약하고자 결심한다 — 이 "다른 곳"이 켈수스를 반박하는 저작을 가리키는 것이 아니라면 그 저작은 멸실되고 없기 때문에, 이 요약은 우리에게 아주 유익하다. 그는 죽는 몸이 존재한다면 부활하는 몸도 존재할 것이라고 단언하는 것으로 시작한다. 바울이 "영적인 몸"에 관하여 말할 때, 그는 분명히 몸을 의미하고 있는 것이다; 여기서 오리게네스는 분명히 우리가 물리적인 의미에서 그렇게 부르는 바로 그 "몸"을 말하고 있다. "우리가 부활의 때에 두 번째로 입을 수 있도록 하기 위하여" 몸들이 부활하게 될 것이라고 그는 말한다.[184] 여기서 "영적"이라는 단어는 썩어짐과 죽을 것을 벗어버린 것과 관련되어 있다. 따라서 영적 몸은 이전의 "동물적인" 몸(즉, '소마 프쉬키콘')의 변모를 포함하겠지만, 그것의 폐기를 의미하지는 않는 것으로 보인다.

---

184) *De Princ.* 2.10.1.

이러한 변모는 부활의 몸에 관한 오리게네스의 견해에서 핵심적인 역할을 한다. 부활의 몸은 죽은 몸과 동일한 것임과 동시에 다른 것이기도 하다. 이 둘 사이의 핵심적인 차이점 — 여기서 그는 바울과 매우 유사하다 — 은 죽지 않는 새로운 몸이 지닌 썩지 않음이라는 특성에 있다. 오리게네스는 이 모든 것을 상정(想定)하는 것이 지니는 문제점들은 기독교를 비판하는 이교도들 가운데서만이 아니라 잘 가르침을 받지 못한 그리스도인들 가운데에서도 일어날 것이라고 본다. 또한 그는 바울을 인용해서 몸의 변모를 강조한다: "우리가 다 변화되리니."[185]

오리게네스는 제3권에서 이 점에 대한 논의로 다시 돌아오는데, 거기에서 제6장을 보면, 그는 온 세상의 종말이라는 문제에 대하여 말한다. 이번에 그는 부활의 때에 몸이 변화될 것에 대해서 말한 후에 새로운 몸에 관한 그의 묘사를 더 발전시킨다:

> 우리가 그것을 천상의 몸들에 속하는 가장 빛나는 광채를 지닌 몸들이면서도 손으로 만들어졌고 우리의 눈으로 볼 수 있는 것들과 비교해 본다면, 그 몸의 속성들은 얼마나 순전하고 얼마나 고상하며 얼마나 영광스러운지 … 영적인 몸의 아름다움, 광채, 탁월함은 얼마나 큰지.[186]

이 모든 일은 마지막 원수인 죽음(사망) 자체가 멸해지고 모든 것이 최후의 완성 속에서 하나로 되돌아왔을 때에 일어나게 될 것이다.[187]

오리게네스가 자신의 견해들을 잘 설명하고 있는 중요한 내용은 이교도인 켈수스를 반박하는 글 속에 나오는데, 기독교에 대해서 냉소적이고 여러 가지

---

185) 고린도전서 15:51을 인용하는 *De Princ.* 2.10.3.

186) "손으로 만들지 않은" 새 몸에 관하여 말하고 있는 고린도후서 5:1을 인용한 *De Princ.* 23.6.4. Origen은 원래의 창조의 일부인 해, 달 등은 그러한 의미에서 "손으로 만들어졌다"고 전제하는 것으로 보인다. 그의 시대 및 그 이후의 시대에서 일부 사람들이 Origen이 "별과 관련된 불멸성"에 대한 고대 이교의 신앙(위의 제2장에서 설명한)을 어느 정도 공유하고 있지 않았는가 의심해온 것은 바로 이와 같은 대목들 때문이다: 예를 들면, Scott 1991을 보라.

187) *De Princ.* 3.6.5.

각도에서 공격한 글인 『참 가르침에 대하여』(*On the True Doctrine*)라는 켈수스의 저작은 거의 틀림없이 170년대 후반에 씌어진 것으로 보인다.[188] 켈수스는 자신의 수많은 논증들을 제시하고 있지만, 이 저작의 몇몇 대목에서 그는 부활에 관한 자신의 첫 번째 냉소적인 언급을 비롯한 반기독교적인 변증을 가공의 인물인 한 유대인의 입 속에 둔다: 그는 왜 신이 부활 후에 예수가 물고기를 먹는 것 등과 같은 그러한 설득에 의존할 필요가 있느냐고 반문한다.[189] 추종자들이 예수가 죽은 자로부터 부활하였다고 말했다고 할지라도, 그것은 단지 예수를 오르페우스, 프로테실라우스, 헤라클레스, 테세우스를 비롯한 이교 세계에 있어서의 사몰시스(Samolxis) 등과 같은 인물들과 동일한 반열에 두고 있는 것일 뿐이라고 켈수스가 만들어낸 가공의 한 유대인은 말한다. 틀림없이 너는 이러한 것들이 전설들에 불과하다는 것을 인정할 것이라고 — 그 자신이 인정하고 있는 것처럼 — 켈수스는 말한다(어쨌든 우리가 제2장에서 보았듯이, 이러한 전설들 중 그 어느 것도 실제로 고대 이교 사상에서 통상적으로 부정하였던 엄밀한 의미에서의 "부활"을 포함하고 있지 않았다); 그러나 너는 계속해서 십자가에서의 끔직한 부르짖음에도 불구하고 너의 이야기가 믿을 만하고 고상하다고 주장할 것이다. 그는 계속해서, 내가 추측컨대 너는 다음과 같이 말할 것이라고 말한다:

> 그가 죽을 때에 땅을 뒤덮었던 지진과 어둠은 그가 신이라는 것을 증명해주고, 그가 아직 살아있을 때에 십자가에서 스스로 벗어나라거나 그의 핍박자들을 피하라는 도전을 받아들이지 않았음에도 불구하고, 그는 죽은 자로부터 부활하여 그의 징벌의 표시들인 못에 찔린 손들 같은 것을 다른 사람에게 보여줌으로써 그들 모두를 이겼다고 할 것이다. 그러나 진짜 그것을 본 사람이 누구인가? 내가 인정하듯이, 신경질적인 한 여자와

188) ET Hoffman 1987(이 책은 Origen 자신의 저작 속에 나오는 풍부한 인용문들로부터 재구성되었다: 이 작업과 관련된 문제점들에 대해서는 Chadwick 1953, xxii-xxiv의 말들이 여전히 유익하다). Justin의 대적자였던 Trypho를 거쳐서 주후 1세기의 주제들로 소급되는 Celsus의 반론들에 관한 유익한 요약은 Stanton 1994에서 찾아볼 수 있다.

189) Hoffman 1987, 60.

> 아마도 다른 또 한 사람 — 이 두 사람은 예수의 마술에 속았거나, 극도의 절망감과 슬픔에 휩싸여서 그들의 간절한 소원을 따라서 예수가 죽은 자로부터 부활하는 환각을 체험하였다. 이렇게 환각을 현실로 착각하는 것은 그리 드문 일이 아니다; 실제로 그런 일은 무수하게 일어났다. 짐작할 수 있는 일이지만, 이렇게 속은 여자들은 그들이 본 환각을 "환상들"(visions)로 각색해서 널리 퍼뜨림으로써 다른 사람들 — 예수를 포기할 정도로 정상적인 지각을 갖고 있었던 사람들 — 에게 감동을 주고자 했다. 몇몇 소수가 그러한 것을 믿게 된 후에, 미신의 불길이 퍼져나가는 것은 그리 어려운 일이 아니었다.[190]

켈수스는 분명히 자기가 기가 막힌 논증을 해나가고 있다고 생각하고는, 이번에는 예수 자신을 조롱한다:

> 이 예수가 누군가에게 자신의 능력에 관하여 확신시키고자 하였다면, 분명히 그는 자기를 그토록 심하게 대우하였던 유대인들 — 그리고 그를 고소한자들, 그리고 실제로는 모든 곳에서 모든 사람에게 나타났어야 한다. 아니 더 좋게는, 그는 매장되는 수고를 스스로 덜어내어서 십자가로부터 그냥 사라져 버렸으면 더욱 좋았을 것이다. 나는 지금까지 그러한 어리숙한 전략가를 본적이 없다: 그가 육체에 있었을 때, 그는 불신을 받았지만, 모든 사람들에게 전파되었다; 부활 후에 강력한 믿음을 세워주기 위하여 그는 한 여자와 몇몇 동료들에게만 자기를 보여주기로 선택한다. 그가 징벌을 받았을 때에는 모든 사람이 보았다; 그런데 무덤으로부터 부활하였을 때에는 거의 아무도 본 사람이 없었다.[191]

한 유대인의 입 속에 넣어진 논쟁들의 끝 부분에 이르러서, 켈수스는 자신의 목소리로 이야기한다. 그리스도인들은 더 넓은 세계 속에서 그들이 활용할 수 있는 멋진 신들을 무시하고, 헤라클레스 또는 카스토르(Castor), 폴룩스(Polux)

---

190) Hoffman 1987, 67f.
191) Hoffman 1987, 68.

같은 인물들은 애초에 사람이었기 때문에 신들이 아니라고 말한다:

> 그렇지만 그들은 오직 그의 작은 무리에 속한 지체들에게만 나타났고 그 후에는 단순히 일종의 유령으로서 나타났던 유령 신에 대한 믿음을 고백한다.[192)]

이와는 대조적으로, 아스클레피오스가 여기저기 돌아다니면서면서 치유 활동을 하는 것을 보았다고 말하는 사람들은 유령이 아니라 진짜 아스클레피오스를 본 것이라고 그는 말한다.[193)] 그 밖에도 이교 세계에는 기이한 이야기들이 전해지는 그런 인물들이 존재한다; 그렇지만 그리스도인들은 예수가 유일한 인물인 것처럼 예수를 숭배하여야 한다고 역설한다. 그리스도인들의 말마따나 예수가 우리와 마찬가지로 죽을 연약한 육체를 공유하였다는 점에서 이것은 더욱 이상한 일이다;

> 하지만 그들은 예수가 이 육체를 버리고 다른 몸을 입어서 신이 되었다고 말한다. 그렇다면, 신격화(apotheosis)가 신성의 표지라면서 훨씬 더 오래된 이야기들이 전해지는 아스클레피오스, 디오니소스, 헤라클레스 등에 대해서는 왜 신이 아니라고 말하는가? 나는 한 그리스도인이 여행객들에게 제우스의 무덤을 보여주는 크레테 사람들을 비웃으면서 이 크레테 사람들은 헛된 짓을 하고 있다고 말했다는 것을 들은 적이 있다. 그럴지도 모른다; 그렇지만 그리스도인들은 무덤에서 부활한 자를 그들의 신앙의 토대로 삼고 있다.[194)]

그는 복음서들에 나오는 서로 다른 부활 이야기들 간의 긴장관계를 잘 알고 있다: 한 천사였는가, 아니면 두 천사였는가? 왜 신의 아들은 다른 사람으로

---

192) Hoffman 1987, 71.

193) Hoffman 1987, 133 n. 59(with refs.)은 이러한 비교가 반기독교적인 변증에서 표준적인 것이었다고 지적한다.

194) Hoffman 1987, 72.

하여금 자신을 위하여 무덤의 돌을 굴리게 할 필요가 있었는가?[195]

특히 켈수스는 "이 땅과는 다르고 더 나은 또 다른 땅"으로 가고자 하는 기독교적인 소망은 플라톤이 말한 이상향(Elysium)을 변형시킨 것에 불과하다는 것을 보여주고자 한다.[196] 그는 그리스도인들이 플라톤의 환생설을 오해했다고 말하는 것 같다:

> [그들은] 육신적인 몸이 하나님에 의해서 부활되어서 재구성될 것이며, 그들이 죽어질 눈으로 하나님을 직접 보며 귀로 그의 말을 들으며 손으로 그를 만질 수 있을 것이라는 엉터리 같은 이론을 믿는다. 그리스도인들은 하나님을 아는 것에 관한 문제에 몰두해 있고, 사람은 몸의 감각들을 통해서가 아니고서는 하나님을 알 수 없다고 생각한다.[197]

그들이 영웅적인 죽음을 죽은 어떤 사람을 따르고자 원한 것이라면, 그들은 차라리 헤라클레스, 아스클레피오스, 오르페우스, 아낙사르쿠스(Anaxarchus), 또는 에픽테토스를 선택하는 편이 더 나았을 것이라고 그는 말한다.[198]

켈수스는 종종 의도적으로 우둔한 체하면서, 그리스도인들의 주장들을 전혀 터무니 없는 사고틀 속에 집어넣는다; 그러나 우리는 켈수스가 어떤 그리스도인들을 만났고 또 어떤 그리스도인들의 글들을 읽었는지 알지 못한다. 그럼에도 불구하고, 그의 변증은 주후 2세기 말의 이교 세계 속에서 기독교가 어떻게 인식되었는지를 볼 수 있는 창문을 우리에게 제공해줌과 동시에 함축적으로 우리로 하여금 앞으로 살펴보게 될 성경의 이야기들의 몇 가지 측면들에 대하여 성찰해볼 수 있게 해 준다는 점에서 그 자체로 가치가 있다. 그러나 물론 우리의 현재의 연구 속에서 켈수스를 살펴보는 주된 이유는 그의 변증이 오리게네스로부터 그의 가장 위대한 저작들 중의 하나를 낳게 하였기 때문이다. 오리게네스의 그 저작을 자세하게 살펴보는 것은 본서의 범위를 뛰어넘는

195) Hoffman 1987, 90.
196) Hoffman 1987, 109.
197) Hoffman 1987, 110.
198) Hoffman 1987, 112.

일이다; 우리는 단지 그 저작으로부터 부활이라는 주제에 관한 오리게네스의 핵심적인 답변들을 가져와서 살펴보고자 한다. 학자들이 오리게네스에 대하여 너무도 자주 의문을 제기해 왔음에도 불구하고, 그는 몇몇 중심적인 사항들에 있어서 확고하게 정통적인 신앙에 머물러 있다.

그는 부활한 예수가 물고기를 먹었다는 것에 관한 켈수스의 질문에 대해서는 짤막하게 대답할 뿐이다. 그것은 사소한 것이라고 오리게네스는 말한다; 예수는 한 여자로부터 태어난 사람으로서 진정한 몸을 지니고 있었다.[199] 마찬가지로, 그는 예수의 죽음과 부활 사이의 기간 동안에 예수는 벌거벗은 영혼으로서 몸을 입고 있지 않은 영혼들 가운데에서 거하기 위하여 거기에 갔고 거기에서 그들 중 일부를 회심시켰다고 아무런 논증 없이 말한다.[200] 더 중요한 것은 오리게네스가 오르페우스, 프로테실라우스 등과 같은 인물들이 진정으로 죽은 후에 진짜 몸을 입고 다시 부활하였다고 실제로 믿는 사람은 아무도 없다는 점을 지적하고 있다는 것이다. 예수의 부활에 관한 이야기는 그러한 것들과 동일한 범주에 속하지 않는다; 이 영웅들은 기껏해야 모종의 속임수를 썼을 뿐이지만, 예수의 죽음이 지닌 공공연한 성격은 그러한 속임수를 불가능하게 만들었다.[201] 예수의 죽음이 사사롭게 일어난 후에 그가 부활했다고 주장한 것이라면, 사람들은 분명히 이의를 제기할 수도 있었겠지만, 예수가 실제로 죽었다는 것은 아무도 의심할 수 없었다. 특히(그날 이후로 지금까지 변증가들에 의해서 사랑받고 있는 논증):

> 목숨을 잃을 위험성을 지니고 있었던 교리, 죽은 자로부터 예수가 부활했다는 것을 만들어 낸 것이라면 그러한 동일한 용기로서 차라리 가르치지 않았을 교리를 가르치는 데에 헌신하였고, 이와 동시에 다른 사람들에게 죽음을 경시하라고 준비시켰을 뿐만 아니라 그들 스스로도 죽음의 공포들을 명백하게 무시하고 있음을 보여준 최초의 인물들인 그의 제자들의 모습이야말로 나는 이 사실에 대한 분명하고도 틀림없는 증거라고 본다.[202]

199) C. *Cels*. 1.70.
200) C. *Cels*. 2.43.
201) *C. Cels*. 2.55f.
202) C. *Cels*. 2.56.

성경 자체 속에 엘리야와 엘리사가 어린 아이들을 죽은 자로부터 다시 살린 것에 관한 이야기들이 있기 때문에, 켈수스가 그가 만들어 낸 가공의 한 유대인으로 하여금 어떤 사람이 진정한 몸을 지니고 부활할 수 있는지에 대하여 의문을 제기하도록 만든 것은 잘못된 것이다.[203] 오리게네스는 신화들과 역사적 사건들의 차이를 너무나 잘 알고 있었고, 예수의 부활은 후자라는 것을 역설한다. 사실 그것은 옛적의 두 선지자들의 작은 이적들보다 훨씬 더 중요한 의미를 지니고 있고 훨씬 광범위한 효과들을 낳았다.[204] 그리고 오리게네스는 부활 이야기들에 관한 켈수스의 잘못된 견해를 바로잡는다: 그렇다, 막달라 마리아는 예수를 보았다. 하지만 그 밖의 다른 한 사람 외에도 더 많은 사람들이 예수를 보았다.[205] 또한 오리게네스는 환상들, 꿈들, 환타지들 등등에 관하여 알고 있었고, 그러한 것들을 몸으로부터 분리된 영혼의 상태를 보여주는 증거들로 본다.[206] 성경에 기록된 예수의 현현 사건들은 그런 유형에 속하지 않는다:

> 켈수스는 예수에 관한 말들과 부활 후에 그를 본 사람들에 관한 말들을 다른 종류의 상상에 의한 현상들 및 그러한 것들을 만들어낸 사람들과 동일한 차원에 두고 싶어하지만, 솔직하게 지적으로 살펴보고자 하는 자들에게는 그러한 사건들은 한층 더 이적으로 보일 뿐이다.[207]

그런 후에, 오리게네스는 그가 더 중요한 질문이라고 보는 것을 다룬다: 왜 예수는 오직 제자들에게만 나타났고, 그에게 악하게 대하였던 자들에게는 나타나지 않았는가? 이것은 가르침을 잘 받은 많은 그리스도인들도 파악하기 어려운 깊고 기이한 신비들을 열어준다고 그는 말한다: 그러나 그는 그 신비들을 설명하고자 하는 시도를 한다.[208] 변화산 사건에서와 마찬가지로, 누구나가

---

203) *C. Cels.* 2.57.
204) *C. Cels.* 2.58.
205) *C. Cels.* 2.59.
206) *C. Cels.* 2.60f.
207) *C. Cels.* 2.62.
208) *C. Cels.* 2.63.

다 부활하신 예수를 볼 수 있는 눈을 가지고 있지는 않았다.[209] 부활한 몸은 통상적인 육안으로 볼 수 있는 그런 것이 아니다; 그것을 볼 수 있는 눈을 받는 것이 필요하다; 예수는 그것을 볼 수 있는 눈을 가진 각 사람에게 각자의 분량을 따라서 그의 신적인 능력을 보여주기를 원하였다.[210] 예수가 십자가로부터 내려왔어야 했다는 켈수스의 주장에 대해서, 오리게네스는 그것은 구원에 관한 기독교적인 이해 속에서 예수의 십자가 사건과 죽음이 지닌 온전한 의미를 오해한 것임을 보여준다고 말한다.[211] 켈수스는 그가 만들어 낸 가공의 한 유대인이 최후의 부활을 믿고 있다는 것을 인정한다; 오리게네스는 그리스도인들이 그 가공의 유대인이 이러한 신앙을 밑받침하기 위하여 사용하는 것과 동일한 논거들을 사용할 수 있고 사용하게 될 것이라는 점을 지적한다.[212]

그 밖의 다른 많은 문제들을 다룬 후에, 오리게네스는 제5권에서 육체의 부활이라는 것이 정확히 무엇을 의미하는지에 관한 문제로 되돌아간다. 그가 제일 먼저 강조하고 있는 것은 『원리들에 대하여』에 나오는 짤막한 요약에서와 마찬가지로 장래의 몸은 현재의 몸과 절대적으로 동일한 것은 아니라는 것이다:

> 우리 또는 성경은 더 높은 상태로의 변모를 말함이 없이 오래 전에 죽은 자들이 동일한 몸을 가지고 땅으로부터 부활하여 다시 살아날 것이라고 단언하지 않는다.[213]

오리게네스는 주로 고린도전서 15장을 근거로 설명을 진행해 나간다: 바울에 의하면, 변화는 뿌려진 씨앗과 다 자란 식물 사이에 일어나고, 이러한 변화의 중심적인 특징은 썩어짐과 썩지 않음의 차이이다. 바울은 그것을 신비라고 말하고, 실제로 그러하다; 그러나 그리스도인들의 소망이 이미 썩어짐을 경험

209) *C. Cels.* 2.64.
210) *C. Cels.* 2.65, 67. Coakley 2002 ch. 8에 나오는 비슷한 사고 노선을 보라.
211) *C. Cels.* 2.69.
212) *C. Cels.* 2.77.
213) *C. Cels.* 5.18; 이 인용문은 Celsus에서 가져온 것이다.

한 몸에 대한 것이라고 주장하는 것은 잘못된 것이다.[214] 그런 후에, 오리게네스는 켈수스가 기독교적인 우주적 소망과 유사하고 더 바람직한 것으로 제시하였던 스토아 학파와 피타고라스의 학파의 우주론들을 우스꽝스러운 것이라고 거부한다.[215] 또한 그는 그리스도인이라는 이름을 지니고 있으면서도 "성경에서 가르치고 있는 부활 교리를 폐기하는" 자들을 기각한다.[216] 오리게네스가 여기서 몸을 전혀 포함하지 않는 "부활"을 가르치는 자들을 염두에 두고 있었을 가능성이 있지만, 그가 염두에 두고 있었던 것은 하나님이 해체된 몸의 모든 조각들을 찾아내서 다시 그것들을 한데 붙여놓는다는 단순한 소생(resuscitation) 또는 재구성(reconstitution)을 가르치는 자들이었을 가능성이 더 높다. 그것은 다음과 같은 본문의 취지인 것으로 보인다:

> 그러므로 우리는 썩어진 밀알이 그 이전의 상태로 되돌아가는 것과 마찬가지로 썩어짐을 겪은 몸이 그 원래의 본성을 다시 회복하는 것이라고 주장하지 않는다. 우리는 위에서처럼 밀알이 줄기를 만들어 내는 것과 같이 어떤 능력(*logos*)이 몸 속에 숨겨져 있어서 멸해지지 않는 가운데 그것으로부터 몸이 썩지 않는 것으로 다시 부활한다고 주장한다.[217]

오리게네스는 단순히 하나님은 모든 것을 할 수 있다는 주장으로써 이것을 밑받침하지 않기 위하여 신경을 쓴다. 하나님은 하나님으로서 도저히 상상할

---

214) *C. Cels.* 5.18f.

215) *C. Cels.* 5.20f.

216) *C. Cels.* 5.22.. Riley가 Origen이 성경으로부터 몸의 부활을 추론해 낸 것은 단지 "그의 해석방법론에 토대를 둔 것"이었고, 그의 대적자들도 다른 해석방법론들을 가지고 있었기 때문에 그들의 결과물들은 그의 결과물과 마찬가지로 "성경적"이었다고 말한 것(1995, 61)은 "성경적"이라는 단어를 기괴한 의미로 사용하고 있는 것이다. 우리는 Riley가 모든 사람들 중에서 Marcion이 "당시의 가장 성경적인 그리스도인들 중의 한 사람"(64)이었다고 말할 때에 그가 무엇을 의도하고 있는 것인지를 보게 된다 — Marcion은 구약성서 전체를 거부하였고, 신약성서를 "편집하여" 상당 부분을 가위질하여 내버렸다.

217) *C. Cels.* 5.23. 다소 동일한 논증이 6.29에서 또 다른 맥락 속에서 반복된다.

수 없거나 부끄러운 일들을 하실 수 없다.[218] 이와 동시에, 사람들에게는 믿을 수 없는 것들로 보이지만 사실은 본성을 거스르지 않는 그런 몇몇 일들이 있을 수 있다. 부활 사건에 관한 복음서의 기사들 간의 불일치점들에 관해서, 오리게네스는 그 문제점을 잘 알고 있고, 자신의 대답을 준비해놓고 있다. 켈수스는 실제로 상황을 잘못 파악하였다: 마태와 마가는 한 명의 천사에 관하여 말하고 있는 반면에(돌을 굴린 바로 그 천사), 누가와 요한은 여자들에게 나타난, 또는 무덤 속에 있었던 두 천사에 관하여 말하고 있다. 이 각각의 경우는 "실제로 일어났고," "말씀의 부활을 바라볼 준비가 되어 있었던 사람들에게" 비유적인 의미를 지니고 있다는 것을 지금 입증할 수 있다고 그는 말한다.[219] 게다가 천사가 무덤을 막고 있던 돌을 굴려놓은 것은 예수로 하여금 무덤에서 나가도록 하기 위한 것이 아니라, 세상으로 하여금 무덤이 실제로 비었다는 것을 보게 하기 위한 것이었다.[220]

제7권에서 오리게네스는 부활에 관한 기독교 교리는 플라톤의 윤회설을 오해한 것이라는 켈수스의 주장을 다룬다. 오리게네스는 부활이 "수준 높은 난해한 교리, 다른 것들보다 더 그것이 신에게 얼마나 합당한 것인지를 보이기 위해서는 고도의 진보된 지혜를 요구하는 교리"라는 것을 인정한다. 그런 후에, 그는 다시 한 번 우리가 이미 언급했던 내용, 즉 영혼은 몸을 입어야 하지만 몸은 한 상태에서 다른 상태로 변화될 것이라는 내용을 말하기 위하여 고린도후서 5:1-5과 고린도전서 15장을 설명해나간다. 그는 이렇게 말한다: 그러므

218) Chadwick가 지적하듯이(1953, 281 n. 6), 이것은 너무도 잘 알려진 Euripides(*Frag.* 292)로부터의 인용문이다.

219) *C. Cels.* 5.56; 또한 5.57에서도 그 옳음을 입증한다. Origen은 이 문제는 복음서 본문들에 대한 해석에 관한 문제라고 말한다.

220) *C Cels.* 5.58. 다른 곳에서 Origen은 문자적인 의미를 버릴 준비가 기꺼이 되어 있었다: "어떤 사람이 복음서들을 역사적인 문제들에 있어서의 불일치점들과 관련하여 주의 깊게 연구한다면, 그는 현기증을 일으키며 복음서들의 진리를 확정하는 시도를 포기하고 — 그는 감히 우리 주님(에 관한 이야기)과 관련된 그의 신앙을 온전히 부정하지 못하기 때문에 — 복음서들 중의 하나를 무작위적으로 선택하든가, 아니면 이 사복음서의 진리는 문자적인 본문에 있지 않다는 것을 받아들이게 될 것이다"(*Comm. in Ioannem* 10.3.2).

로 보라,

> 성경이 우리에게 그것들을 입은 자들로 하여금 썩어짐이나 죽음을 겪지 않게 할 그러한 의복들이 썩어지지 않음과 죽지 않음을 입게 되는 것에 관하여 말할 때, 성경은 우리에게 어떠한 전망을 보도록 격려하고 있는가.[221]

우리는 하나님을 보기 위하여 몸을 필요로 하는 것이 아니다. 어쨌든 하나님을 보는 것은 정신과 마음으로도 가능한 일이다.[222] 이 주제에 관한 켈수스의 마지막 비난은 부활 현현들은 사람들의 눈앞에 망령이 나타나 어른거린 것이었다는 의미를 함축하고 있다. 그러나

> 그가 묘사한 대로 한 유령이 빠르게 날아가면서 목격자들을 속인 것이라면, 그렇게 유령이 지나간 후에 사람들의 마음을 돌려놓아서 나중에 하나님에 의해서 심판 받을 것을 생각하고 그들의 행위들을 하나님의 뜻을 따라 규율하도록 인도하는 일이 어떻게 일어날 수 있는 것인가? 그리고 어떻게 유령이 귀신들을 내어쫓으며, 능력을 보여주는 움직일 수 없는 그 밖의 다른 증거들을 나타내 보이고, 이른바 사람의 모양을 한 그러한 신들[켈수스가 언급했던 신들]과 같이 어느 한 장소가 아니라 온 세상에 걸쳐서 그 신적인 능력을 알게 하고, 선하고 고상한 삶을 영위하고자 하는 모든 자들을 이끌어서 한데 모이게 하는 일이 있을 수 있는가?[223]

이렇게 오리게네스의 마지막 대답은 기독교 공동체라는 증거였다; 이것은 틀림없이 켈수스에게 당시의 그러한 공동체가 보여준 어리석음, 악한 행실, 분열 등등에 관하여 말할 수 있는 여지를 남겨주었을 것이다. 그러나 그것은 또 다른 주제이다; 우리는 지금 오리게네스가 우리 자신에 관하여 말하고 있는

221) *C. Cels.* 7.32.
222) *C. Cels.* 7.33f.
223) C. Cels. 7.35.

것을 보았다.

사실, 그는 부활에 관한 주후 2세기의 설명들이 보여주었던 공백을 채우고 있는 것이다. 클레멘스, 이그나티우스, 유스티누스, 테르툴리아누스는 바울이 현재의 몸이 변화될 것이라고 생각했다는 것을 말하지 않았다; 그들은 온통 연속성에 관심을 집중했기 때문에, 불연속성에 대하여 언급하지 않는다. 오리게네스는 그들과는 정반대의 관심을 가지고 있었다. 그러나 오리게네스는 일종의 플라톤주의자, 현세적인 사건들이 아니라 영적인 의미에 더욱 관심을 가진 알레고리주의자라는 평판을 받고 있지만, 논증의 모든 대목에서 구석구석 자신의 무기들을 굳게 붙잡는다. 예수의 부활은 이 땅에서 그가 실제로 지니고 있었던 그 몸의 변화된 모습이기도 했지만 무엇보다도 특히 그의 몸의 부활이었다. 그리스도인들의 부활은 비록 썩지 않은 몸일 것이지만 실제적으로 육신적인 몸을 받게 될 것이다.

그러므로 우리의 질문들에 대한 오리게네스의 대답들(그때나 지금이나 반드시 다른 모든 사람들의 질문들에 대한 것은 아니겠지만)은 적어도 이 중심적인 본문 속에서는 명백하다. 부활을 단언할 때, 그의 말은 이전의 몸과의 중요한 연속성과 중요한 불연속성 안에서의 실제적인 몸을 의미한다. 그는 영혼이라는 관점에서 중간 상태에 관하여 말하는 것을 즐겨하고, 심지어 예수의 영혼이 죽음과 부활 사이의 기간 동안에 죽은 자들에게 가서 복음을 전하였다고 말하기까지 한다. 우리가 지금까지 살펴보았던 다른 교부 저술가들과 마찬가지로, 그는 최종적인 부활을 최후의 심판이라는 더 큰 그림의 맥락 속에 둔다 — 물론, 그는 그 궁극적인 결과에 관하여 자신만의 특별한 견해들을 가지고 있지만. 그리고 최종적인 부활은 예수 자신의 부활에 토대를 두고 있다. 우리가 지금까지 살펴보았던 다른 저술가들의 경우와 마찬가지로, 오리게네스도 신자들이 현재에 있어서 세례와 거룩함 속에서 갖고 있는 새로운 생명을 가리키는 데에 은유적인 용법으로서 "부활"(신약성서에서 종종 나타나는)을 사용하지 않는다.

또한 그는 장래에 최종적인 복된 몸을 입지 않은 상태로 귀결될 현재에 있어서의 새로운 영적인 체험을 가르치는 데에 어떤 식으로든 부활이라는 용어를 사용하지 않는다(이러한 영지주의적인 견해에 대해서는 아래에서 논의하게 될 것이다). 우리는 그가 이레나이우스 등이 반대했던 "부활"이라는 언어를 이런 식으로 사용한 본문들을 알고 있었지만, 결코 그러한 본문들에 대하여 논평하지 않았다고 생각해야 한다; 또한 켈수스도 이러한 주제를 전혀 사용하지 않았다. 실제로 우리는 지금 신약성서로부터 주후 3세기 초에 이르기까지의 흐름을 훑어보았는데, 그러한 관념 — 고대 세계 전체에 걸쳐서 아주 극적인 언어적 혁신 — 에 관하여 말하고 있는 유일한 언급은 그러한 것을 배제하기 위하여 그것을 언급하고 있는 이레나이우스의 좀 더 긴 변증 속에서만 나온다. 우리는 곧 그러한 견해를 대변하는 본문들을 살펴볼 것이다. 그러나 우리는 먼저 막간을 이용해서 초기 기독교의 서로 다른 이러한 유형들 사이의 중간 지점에 놓여있는 또 하나의 일련의 본문들을 주목하지 않으면 안 된다.

6. 시리아의 초기 기독교

(i) 서론

시리아의 초기 기독교를 나란히 대변하고 있는 것으로 생각되는 세 개의 본문이 있다. 첫 번째와 세 번째 본문은 그 저작 연대가 확실치 않다; 즉, 그것들은 주후 1세기 말과 3세기 중반 사이의 어느 때에 씌어진 것으로 추정된다. 그것들은 모두 시리아어를 사용하는 세계 속에서 정통 그리스도인들이라고 하는 사람들이 극단적인 금욕주의를 보여주는 경건으로 나아가고 있었던 여러 모습들을 증언해준다 — 하지만, 몸 자체에 대한 증오심 때문이 아니라, 그리스도의 가난과 단순성을 좇고자 하는 소명으로부터.[224] 이런 점에서 그것들은 영지주의적 문헌들 중의 몇몇과 가까운 것으로 평가될 수 있다 — 물론, 여기에서의 개략적인 요약으로는 두 범주 간의 미묘한 유사점들과 차이점들을 제대로 다룰 수는 없지만.[225]

(ii) 솔로몬의 시편

시리아어로 씌어진 『솔로몬의 시편』(*Odes of Solomon*)으로 알려진 저작은 20세기 초에 이르기까지 발견된 몇몇 사본 속에 남아 있는 단편들로 빛을 보게 되었다. 마흔두 편의 시들이 존재하는데, 그것들의 저작 연대와 성격에 대한

224) 짧은 소개의 글은 Harvey 2000을 보라.

225) *Book of Thomas the Contender*에 대해서는 아래의 제11장 제7절을 보라.

평가는 여전히 크게 엇갈린다. 어떤 학자들은 이 시편들의 저작 연대를 늦게 잡아서 주후 3세기로 보고 있지만, 쿰란 문헌 속에 나타나 있는 유대교적인 사상 및 제4복음서와의 분명히 연결고리들은 몇몇 저술가들로 하여금 이 시편들의 저작 연대를 주후 1세기 말 또는 2세기 초로 추정하는 위험을 감수하게 하였다.[226] 우리가 이 시편들을 여기에서 주후 2세기 말과 3세기 초의 저술가들과 나란히 놓고 있는 것은 그것들이 연대기적으로 거기에 속한다는 것을 우리가 확신할 수 있기 때문이 아니라, 그것들이 비록 시편과 쿰란 문헌들에 의해서 대변되는 유대적 경건 속에 뿌리를 두고 있기는 하지만 우리가 신약성서나 사도 교부들에게서 보는 것보다 더 발전된 신학과 광범위한 이미지들을 보여주는(내 판단으로는) 신학과 영성을 표현하고 있기 때문이다. 우리의 현재의 논증에 있어서 이 초기 기독교의 찬송 시편의 저작 연대 또는 배경에 관한 그 어떤 결정에 좌우되는 것은 아무것도 없다.

솔로몬의 시편은 유려한 시리아의 시가(詩歌)로 표현되어 있는 따뜻한 영성을 보여준다. 후대의 몇몇 시리아 기독교와는 달리, 이것들은 창조와 성육신에 관한 강력한 교리 속에 확고하게 뿌리를 두고 있다.[227] 신자는 메시야, 성령, 창조주 신과 더불어 밀접하고도 친밀한 생명을 주는 연합을 누린다.[228] 이것 안에서 솔로몬의 시편은 구약의 안식일의 노선을 따라서 인식된 최종적인 "안식"에 관한 약속을 강조한다.[229] 요한복음을 연상시키는 언어를 통해서 이 시편들은 신자가 메시야, 불멸하는 자, 그 자신 안에 생명을 지니고 있고 그 생명을 다른 사람들에게 주는 분과 연합되어 있다고 말한다.[230] 메시야에게 속한 자들은 불멸과 썩지 않음을 선물로서 받게 될 것인데, 그러한 것들을 처음부터

226) 예를 들면, Charlesworth 1992를 보라. Charlesworth 1977 [1973]에 나와 있는 본문과 번역문; Charlesworth 1985, 725-71에 수록되어 있는 개정된 번역문.

227) 창조:: 예를 들면, *Od. Sol.* 7.9; 16.5-20. 성육신: 예를 들면, 7.6 등등.

228) 성령에 대해서는 특히 *Ode* 36을 보라. *Ode* 23(23.22)은 초기의 삼위일체적인 문구로 끝난다.

229) *Od. Sol.* 3.5; 11.12(여기서 나머지는 "불멸"이다); 16.12 등; Charlesworth의 주(1977 [1973], 20 n. 7)를 보라.

230) 예를 들면, *Od. Sol.* 3.8f.; 6.18.

231) *Od. Sol.* 9.7; 17.2; 28.6f; 33.9, 12; 40.6.

소유하고 있는 것은 아니다.[231] 그들에게는 낙원이 약속되는데, 솔로몬의 시편에서 낙원에 관한 묘사들은 종종 두드러지게 현세적인 것으로 보인다.[232]

그러나 솔로몬의 시편은 부활 자체를 가르치고 있는가? 물론 그렇다. 솔로몬의 시편 제15편은 고린도전서 15장을 반영하고 있다:

나는 그의 이름으로 말미암아 썩지 않음을 입고,
그의 은혜로 썩어짐을 벗어버렸다.
죽음은 내 면전에서 멸해졌고,
스올은 내 말에 의해서 격퇴되었다.
영원한 생명이 주의 땅에 일어났고,
그것은 그의 신실한 자들에게 선포되었으며,
그를 의지하는 모든 자들에게 한량 없이 주어졌다
할렐루야.[233]

기독교적인 소망에 관한 이러한 진술은 여기저기에서 개인적인 차원에서 강조되고 있다. 예를 들면, 17:13에서는 메시야가 그를 좇는 자들에게 자신의 부활을 줄 것이라고 말하고 있고, 21:4에서는 질병, 환난, 고난을 겪지 않게 될 새로운 "지체들"이 주어질 것이라고 말한다.[234] 솔로몬의 시편 29편은 시편 15편(우리가 앞에서 보았듯이, 사도행전에서 예수의 부활에 관한 초기의 선포의 일부로서 사용되었던)을 연상시키는 것으로서, 주님이 신자들을 스올에서 건지시는 것에 관하여 말한다:

주는 나의 소망이시니,
내가 그를 부끄러워하지 않으리다.

---

232) *Od. Sol.* 11.16, 18, 23, 24 ; 20.7. IHill 2002 [1992], 125f.이 이것을 좀 더 탐구하지 않는 것은 이상한 일이다. *Odes*에 나타난 불멸이라는 주제 전체에 대해서는 Charlesworth 1985, 731을 보라.

233) *Od. Sol.* 15.8-10.

234) *Od. Sol.* 17.13의 번역문은 Charlesworth 1977 [1973], 77 n. 17을 보라. 이 시는 42에 나오는 "지옥의 고초"에 대한 복선일 것이다: 아래의 서술을 보라.

그의 긍휼하심을 좇아 그가 나를 높이셨고[또는: 나를 일으키셨고],
그의 크신 존귀하심을 좇아 그가 나를 드시었다.
그는 나로 스올의 깊음에서 올라오게 하셨고,
죽음의 입에서 그는 나를 끌어올리셨다.
나는 내 원수들을 꺾었고,
그는 은혜로 나를 의롭게 하셨다.
이는 내가 주가 메시야임을 믿었고,
그가 주이시라 여겼기 때문이다.[235)]

또한 솔로몬의 시편 41편은 부활에 대하여 언급하고 있다고 주장되어 왔다:

큰 날이 우리에게 비추었으니,
우리에게 그의 영광을 주신 분은 기이하시다 …
스스로를 낮추셨지만
그의 의로 인하여 높아지신 분.[236)]

그러나 부활에 관하여 가장 분명하게 진술하고 있는 것들은 솔로몬의 시편 22편과 42편이다. 22편에서 메시야는 그의 신이 그에게 일곱 머리를 가진 용과 싸워서 이기게 하심으로써 자기가 믿는 자들을 위한 "길"을 평탄케 하였다고 직접 말한다. 이 시편은 이것을 행한 하나님의 손(본문에서 "그것")을 언급하면서 계속해서 이렇게 노래한다:

그것은 그들을 무덤으로부터 선택하셨고,

---

235) *Od. Sol.* 29.1, 3-6.

236) *Od. Sol.* 41.4, 12; Charlesworth 1977 [1973], 142 n. 7는 H. Leclercq가 4절을 부활에 대한 언급으로 보고 있다고 말하지만, Charlesworth는 성육신을 선호한다. 해당 동사('룸')는 29.3에서와 마찬가지로 Charlesworth의 두 번역문(1985, 770과 상반되는 1977 [1973], 141; 1992, 114)에 반영되어 있듯이 "승귀된" 또는 "일으키심을 받은"으로 번역될 수 있다.

그들을 죽은 자들로부터 구분하셨다.
그것은 죽은 뼈들을 취하여
그것들을 살로 덮으셨다.
그러나 그것들은 움직임이 없었으므로,
그것은 그것들에게 생기를 주셨다.
당신의 길과 당신의 얼굴은 썩지 않는 것들이었다;
당신은 당신의 세계에 썩어짐을 가져오셨으므로,
모든 것은 해체되고 새로워질 것이다.
모든 것의 토대는 당신의 반석이다.
그것 위에 당신은 당신의 나라를 세우셨으니,
그것은 거룩한 자들의 거처가 되었다.
헬렐루야.[237)]

이것은 분명히 에스겔 37장에 대한 묵상으로서, 그것을 백성을 구속한 하나님의 행위에 적용하고, 온 세상을 썩어짐과 쇠함을 거쳐서 새 창조, 즉 하나님의 나라, 구속 받은 자들의 궁극적인 본향으로 이끌고 있다고 노래한다. 그러한 정서는 이사야, 요한계시록, 바울로부터 결코 벗어난 것이 아닐 것이다. 그런 후에, 17편에서 미리 말해지고 있는 최후의 시편에서 메시야는 지옥의 고통 같은 그런 것을 포함해서 자신의 구원 역사(役事)들에 관한 이야기를 들려준다:

나는 버림받았다고 생각되었지만 버림받지 않았고,
나는 망하였다고 생각되었지만 망하지 않았다.
스올은 나를 보고 혼비백산하였고,
죽음은 나를, 그리고 나와 함께 많은 사람을 토해냈다.
나는 죽음에게 시고 쓴 것이었고,
나는 죽음과 함께 가장 깊은 곳으로 내려갔다.
그런 후에 죽음은 발과 머리를 놓아주었는데,
이는 죽음이 내 얼굴을 견딜 수 없었기 때문이다.

237) *Od. Sol.* 22.8-12.

> 나는 그의 죽은 자들 가운데서 산 자들의 회중을 만들었다;
> 나는 살아 있는 입술로 그들과 함께 말하였다;
> 내 말이 유익하지 못한 것이 되지 않도록 하기 위하여.
> 죽었던 자들은 내게로 달려 왔다;
> 그들은 울부짖으며 말하였다:
> 하나님의 아들이여 우리를 불쌍히 여기소서.
> 당신의 자비하심을 좇아 우리를 다루시고,
> 우리를 흑암의 속박에서 건져내소서.
> 우리로 당신에게 갈 수 있도록
> 우리를 위하여 문을 여소서;
> 우리의 죽음이 당신을 만지지 못한다는 것을 우리가 압니다.
> 당신은 우리의 구원자이시니,
> 우리로 당신과 함께 구원받게 하소서.[238]

처음에 나오는 두 행을 가현설적인 또는 심지어 영지주의적인 입장을 밝힌 것으로 잘못 읽어서, 메시야가 실제로 죽지 않았다는 것을 의미하는 것으로 해석하기가 쉬울 것이다.[239] 그러나 그것과 실제적으로 병행되고 있는 내용은 지혜서 3:2, 4 및 그 넓은 맥락이다.[240] 여기서 말하고자 하는 요지는 의인들(이 경우에는 메시야 자신)이 육신적인 죽음을 겪지 않았다는 것이 아니라, 구경꾼들은 그들 또는 그가 영원히 사라져 버렸다고 생각하지만, 살아 계신 신이 그들을 돌보고 계시다는 것이다. 메시야의 경우에 있어서 그는 죽은 자들의 세계에 있는 자들을 건져내기 위하여 거기로 가셨다. 이것은 베드로전서 3:19에 나오는 "옥에 있는 영들에게 선포하시니라"는 구절의 강력한 반영이다.[241] 그러나 철저하게 유대적이고 바울적이기도 한 그 주된 요점은 죽음과 스올은 하나님, 세상, 인간의 원수들로서, 메시야의 구속 사역은 그것들을 패배시키고 그것

238) *Od. Sol* 42.10-18.
239) Charlesworth 1977 [1973], 147 n. 17을 보라.
240) 위의 제4장 제4절을 보라.
241) 위의 제10장 제4절.

들이 장악하고 있는 것들을 해방시키는 것이라는 것이다. 물론, 이것은 메시야 자신을 중심으로 재정의된 제2성전 시대의 유대교의 주류적인 신앙에 관한 재서술이다. 금박을 입힌 성상에서처럼 이 시편에도 생생하게 표현되어 있듯이, 메시야의 부활은 그를 믿는 모든 자들을 그가 죽은 자로부터 다시 살리는 수단이 된다. 솔로몬의 시편은 첫 두 세기 동안의 위대한 신학자들과 어깨를 나란히 하는 것으로서, 교회가 신학적인 논증을 통해서만이 아니라 시와 노래를 통해서도 자신의 신앙을 표현하고 배웠다는 것을 생생하게 증언해준다.

(iii) 타티아누스

아테나고라스(Athenagoras)와 대략 동시대인으로서, 유스티누스의 제자였지만 곧 자신의 길을 갔던 타티아누스는 정경에 나오는 사복음서를 조화시켜서 쓴 그의 『디아테사론』(*Diatessaron*)으로 아주 유명하다.[242] 그는 많은 글을 썼지만, 아마도 그가 이후에 불신을 받았기 때문에, 그의 거의 모든 저작들은 멸실된 상태이다. 현존하는 『헬라인들에게 고함』(*Address to the Greeks*)이라는 저작은 헬라인들의 삶, 철학, 생활양식을 격렬하게 규탄하는 글이다. 그에게서는 변증적인 형태의 부드러운 접근방식은 찾아볼 수 없다.

『헬라인들에게 고함』은 부활에 관한 짧은 본문(6)을 포함하고 있다. 부활은 창조주로서의 신에 대한 믿음에 토대를 둔다(5); 유스티누스의 경우에서와 마찬가지로, 이 글은 창조주의 최초의(first-begotten) 작품으로서의 '로고스'에 관한 교리를 담고 있다. 만물이 완성된 후에 몸들의 부활이 있게 될 것이다; 이것은 스토아 학파에서 주장하는 주기적인 윤회와는 구별되는 "일회적인 부활"이다. 이러한 부활의 목적은 심판을 위한 것이다. 일부 이교적인 신앙들에서와는 달리, 이것은 미노스(Minos) 또는 라다만투스(Rhadamanthus) 앞에 서게 되는 문제가 아니다;[243] 창조주 자신이 재판장이 되실 것이다. 타티아누스는 아테나고라스처럼 사람의 몸이 산산이 해체되었을 때에 무슨 일이 일어날 것인지에 관하여 염려하지 않는다;

---

242) 이것에 대해서는 Metzger 1977; Petersen 1994를 보라.

243) 위의 제2장 제2절을 보라.

> 불이 나의 육체의 모든 흔적들을 파괴해버리고, 세상이 수증기화된 물질을 받으며, 내 육체가 강들과 바다들로 널리 흩어지고, 날짐승들에 의해서 산산조각으로 찢겨진다고 할지라도, 나는 부요하신 주님의 곳간들에 놓여지게 된다. 그리고 가난한 자들과 불경건한 자들이 무엇이 저장되어 있는지를 알지 못한다고 할지라도, 주권자이신 하나님은 그가 기뻐하시는 때에 오직 그에게만 보이는 그 원래의 상태로 회복시키실 것이다.

그의 다른 견해들(이것은 이 시기의 시리아 기독교의 특징을 이루고 있었던 금욕주의적인 성향과 더 관련이 있었다)에 대한 후대의 기독교 저술가들의 판단에도 불구하고, 이 주제와 관련해서 타티아누스는 우리가 이제까지 살펴본 신약성서 및 주후 2세기의 저술가들과 확고하게 맥을 같이 한다. 실제로 아테나고라스와 비교해 보면, 그는 적어도 한 가지 점에서는 신약성서에 더 가깝다: 그는 영혼은 본성적으로 불멸하는 것이 아니라 죽을 운명을 타고난다고 주장한다(13).[244] 하지만, 영원히 죽지 않는 것은 가능하다; 그러나 영혼이 진리를 알게 되지 못한다면, 영혼은 죽어서 몸과 함께 해체된 후에, 종말에 심판을 받기 위하여 몸과 더불어 다시 살아나게 될 것이다. 그러나 영혼이 이생에서 사는 동안에 신을 알게 된다면, 영혼은 잠시 동안 해체될 수는 있겠지만, 죽지는 않을 것이다. 이렇게 타티아누스는 조건적인 불멸을 주장한다: 악인들은 몸과 영혼이 다 죽게 될 것이지만, 나중에 다시 부활하게 될 것이다; 의로운 영혼들은 죽음과 부활 사이의 기간 동안에 몸으로부터 분리되어 여전히 생명을 지닌 채 존재하게 된다. 하지만 이것을 설명하는 그의 시도들은 기독교의 이러한 이례적인 단언들을 표현하는 데에 적합한 방식들을 충분히 탐구함이 없이 그가 당시의 철학으로부터 가져온 인간론에 의지하고 있는 것으로 보인다.[245]

(iv) 도마행전

---

244) 신약의 견해에 대해서는 디모데전서 6:16을 보라: 예수는 선천적으로 불멸성을 소유한 유일한 자이다. 위의 제5장 제8절을 보라.

245) Perkins 1984, 351f.를 보라. 유대적 배경에 대해서는 Bauckham 1998a, 275f.를 보라.

원래 시리아어로 씌어진 마니교적 성향을 지닌 작품인 도마행전은 도마가 순교자로서 죽임을 당하고 그의 뼈들이 에데사(Edessa)로 옮겨졌다는 전설을 보여주는 가장 오래된 증언이다.[246] 주후 3세기 초에 씌어졌을 가능성이 높은 이 저작은 도마의 삶 속에서 일어났던 온갖 종류의 흥미진진한 일화들을 금욕적인 영성에 대한 가르침을 위한 틀로 사용하고 있다. 이 저작은 발렌티누스주의적인 영지주의의 발전된 신화 체계를 결여하고 있지만, 구속받은 자는 땅으로 내려가서 침입자들에게 자기가 누구이고 그들이 누구인지를 밝혀준 후에 빛의 세계로 다시 올라간다는 느슨한 이원론적이고 비의적(秘儀的)인 세계관을 공유하고 있다. 이렇게 해서 신실한 자들은 물질적인 몸의 영역으로부터 해방된다. 이것은 영지주의와 몇몇 유비들을 가지고 있다 — 물론, 영지주의의 주된 모티프들은 이 저작 속에 나오지 않지만.[247]

계시와 구원이라는 주제는 특히 영혼의 운명에 대한 알레고리로 해석될 수 있는 주목할 만한 글인 "진주의 찬가"(108-113장)에 나온다. 이 찬가 속에서 기가 막힌 진주를 구하기 위하여 외국으로 보내진 왕자로 표현된 영혼은 물질의 영역 속으로 내려가서, 거기서 자신의 기원과 운명을 망각해 버린다. 하늘로부터의 메시지를 통해서 그러한 것들을 다시 기억해 내게 된 그는 진주를 찾는 과업을 완수하고, 진주를 가지고 외국을 떠난다. 그가 외국 땅을 떠나면서 하는 최초의 일은 그가 외국에서 입고 있었던 더럽고 부정한 의복을 벗어서 거기에 버려 두는 것이다. 그 대신에 고국으로 돌아오는 길에 그에게는 왕의 의복이 주어지고, 그 의복을 입자, 그는 스스로를 보고 자기가 진정으로 누구인지를 깨닫게 된다. 이렇게 해서, 다시 한 번 적합한 옷을 입고서, 그는 진주를 가지고 왕에게로 돌아온다. 그 밖의 다른 광범위한 이미지들 속에서 우리는 제4막(39-41장)을 예로 들 수 있는데, 거기에서는 도마에게 나귀 새끼가 주어지고, 그 나귀 새끼는 그를 하늘의 "안식"으로 실어다 주지만, 도성의 성문 앞에서 고꾸라져 죽는다. 여기서 나귀 새끼는 영혼을 잠시 동안 "실어다 주지만," 영혼과 함께 구속받을 수 없기 때문에, 이 사도에 의해서 죽은 자로부터 다시

---

246) Hennecke 1965, 425-531(자세한 서론과 본문); Attridge 1992(최근의 서지와 명쾌한 서론); Elliott 1993, 429-511을 보라. 논의로는 Riley 1995 167-75를 보라.

247) 다른 논의들을 언급하는 Hill 2002 [1992], 126f.를 보라.

살리심을 받지 못하는 몸을 상징한다. 지켜보고 있던 무리들은 도마에게 나귀 새끼를 일으켜 세우라고 강권하지만 그는 이렇게 말한다:

> 나는 실제로 예수 그리스도의 이름으로 나귀를 다시 살릴 수 있었다. 그러나 그것은 별로 좋은 일이 아니다. 나귀에게 말할 수 있도록 언어를 주신(이 나귀는 발람의 나귀처럼 말할 수 있는 능력을 가지고 있었다) 그는 또한 나귀가 죽지 않게 하실 수 있었다. 그러나 내가 나귀를 다시 살리지 않은 것은 내가 할 수 없기 때문이 아니라, 그것이 나귀에게 도움이 되거나 유익하지 않기 때문이다.[248]

제12막에 나오는 도마의 긴 기도도 동일한 메시지를 담고 있다:

> 나의 의복은 다 닳았고, 안식으로 이끄는 수고와 땀을 나는 다 이루었나이다. 나는 창고들을 허물어서 땅 위에 황폐케 하였는데, 이는 내가 당신의 창고로부터 배부를 수 있기 위함입니다. 내가 내 안에 있는 풍부한 샘물을 다 말려 버린 것은 당신의 살아있는 샘물을 발견하기 위함입니다. 당신이 내게 맡기신 죄수를 내가 죽인 것은 내 안에 있는 자유인이 그의 신뢰를 잃지 않기 위함입니다. 내가 안쪽을 바깥쪽으로 하고 바깥쪽을 안쪽으로 했더니, 당신의 온전함이 내 안에 채워졌나이다. 내가 죽은 자를 소생시켰고 산 자를 죽음에 처했나이다. 내가 땅에서는 후욕을 당했지만, 하늘에서는 내게 보상을 주옵소서.[249]

중요한 것은 몸이 아니라 영혼이다. 최후의 여행에서 몸은 기꺼이 버려진다. 여기서 우리는 신약성서는 물론이고 이 장에서 우리가 살펴보았던 거의 모든 본문들을 떠나버린 진정한 변질을 보게 된다. 우리는 다시 한 번 고대 플라톤 사상의 세계 속으로 되돌아와 있다. 부활은 재해석되고 있는 것이 아니라, 그냥 기각된다. 우리는 영지주의의 문턱에 와 있는 것이다.

---

248) *Ac. Thom.* 41 ; cf. Bornkamm 430f.(in Hennecke 1965).

249) *Ac. Thom.* 147(Hennecke 1965, 520f.).

7. 영성으로서 "부활"? 나그 함마디 문서와 그 밖의 다른 분문들

(i) 서론

이 내용을 여기에 두게 되면, 우리는 나그 함마디 문서들과 신약성서 사이에 암묵적으로 연대기적인 장애물을 세우고 있다는 비난을 면할 수 없게 된다.[250] 나는 면책을 호소하지는 않을 것이다. 문제는 우리가 이 문서들이 언제 씌어졌고, 또한 이 문서들 또는 그것들이 담고 있는 관념들의 전사(前史)가 무엇이었는지를 우리가 모르는 데에 있다. 이 장에서 이제까지 우리는 시리아의 초기 기독교에서 나온 세 가지 저작들을 제외하고는 꽤 확실한 역사적인 도식을 따라왔었다; 그러나 이 시점에서 우리는 명확한 공간과 시간 밖으로 나와서(주제가 주제인 만큼 이것은 적절할 것이다), 몸과 부활에 관한 견해 및 좀 더 폭넓은 세계관 자체와 관련해서 이 본문들을 살펴보고자 한다.[251]

(ii) 도마복음서

우리가 이 특정한 부류의 본문들을 연구할 때에 유일한 출발점으로 삼을 수 있는 것은 바로 스스로 도마복음서라고 명칭을 붙인 저작이다.[252] 이 분야에서 지도적인 학자들 중의 한 사람(하버드 대학의 헬무트 쾨스터)에 의해서 씌어진 도마복음서의 표준적인 판본에 대한 서론은 이 책에 대하여, 그리고 그 기원과 기본적인 신학에 관하여 다음과 같이 말한다:

> 우리는 도마복음서를 어느 특정한 학파 또는 분파에 돌릴 수는 없지만, 도마복음서 속에는 영지주의적 신학의 영향이 분명하게 존재한다. 도마복

250) cf. Robinson 1982, 6. 나는 앞으로 분명해질 여러 가지 이유들로 인해서 최근에 간행된 *Gospel of the Saviour*를 포함시킨다(Hedrick and Mirecki 1999를 보라).

251) 나그 함마디 발견물들에 대해서는 Robinson 1979를 보라; 우리의 목적을 위하여 가장 중요한 본문들에 대한 연구를 개관하고 있는 것으로는 Fallon and Cameron 1989를 보라.

252) *Thomas*에 대해서는 cf. *NTPG* 435-43; *JVG* 72-4. 많은 학자들이 도마복음서의 연대를 주후 2세기 중엽으로 설정해 왔지만, 오늘날 Koester와 Patterson를 비롯한 몇몇 학자들은 주후 1세기 중엽을 주장한다. Elliott 1993, 123-47에 나오는 요약들을 보고, Perrin 2002에서 주후 2세기 말을 주장하는 새로운 논거들을 살펴보라.

음서에 의하면, 기본적인 종교적 체험은 사람들에게 자신의 신적인 정체성에 대한 인식만이 아니라 더 구체적으로 자신의 기원(빛)과 운명(안식)에 대한 인식을 가져다준다. 제자는 자신의 기원으로 되돌아가기 위해서 육체의 의복을 "벗어버리고" 현재의 썩어질 실존을 "지나감"으로써 세상으로부터 분리되어야 한다; 그런 후에야 제자는 새 세상, 빛과 평화와 생명의 나라를 체험할 수 있다.[253]

이러한 관점은 다음과 같은 말들 속에 분명하게 구현되어 있다(구현되어 있다는 말[embody]이 이 상황 속에서 잘못된 용어가 아니라면):

> 이 하늘은 사라질 것이고, 그 위에 있는 하늘도 사라질 것이다. 죽은 자들은 살아 있지 않고, 산 자들은 죽지 않을 것이다. (11)

> 마리아가 예수에게 "당신의 제자들은 무엇과 같습니까?"라고 물었다. 그는 말했다. "그들은 자신의 것이 아닌 밭에 정착한 어린아이들과 같다. 밭의 소유자들이 올 때, 그들은 '우리에게 밭을 돌려달라' 고 말할 것이다. 그들은 밭을 돌려주기 위하여 그들 앞에서 옷을 벗을 것이다. 그러므로 나는 너희에게 말한다. 집주인이 도적이 올 것을 알고 있다면, 그는 도적이 오기 전에 경계를 서기 시작해서, 도적으로 하여금 자신의 영역인 집으로 뚫고 들어와서 물건을 가져가도록 내버려 두지 않을 것이다. 그러므로 너희는 세상에 대하여 경계를 서고 있으라. 도적들이 너희에게 오는 길을 찾지 못하도록 큰 힘으로 스스로를 무장하라. 왜냐하면, 너희가 예상하는 어려움은 분명히 현실화될 것이기 때문이다 … "(21)

> 그의 제자들이 말하였다. "당신은 언제 우리에게 나타나고, 우리는 언제 당신을 보게 됩니까?" 예수는 말씀하였다. "너희가 아무런 부끄러움 없이

253) Koester in Robinson 1977, 117. Pagels 1975에는 신약성서의 글들이 영지주의적으로 사용된 많은 흥미로운 예들이 나와 있고, 그 중 몇몇은 부활과 관련된 것들이다.

옷을 벗어서 너희의 옷들을 취해서 어린 아이처럼 너희 발 아래 두고 밟는다면, 그때에 너희는 살아 계신 분의 아들을 보게 될 것이고, 너희는 두려워하지 않을 것이다."(37)

그의 제자들이 그에게 말하였다. "죽은 자들의 안식이 언제 찾아오며, 새 세상은 언제 임합니까?" 그가 그들에게 말씀하였다. "너희가 기다리고 있는 것은 이미 왔지만, 너희는 그것을 깨닫지 못한다."(51)

예수께서 말씀하였다. "내가 이 집을 멸하리니, 그것을 다시 지을 자가 없으리라."(71)

여기에서 "옷을 벗는 것"과 관련된 두 본문(21, 37)은 이 말씀들 중에서 가장 분명한 것들이다: 통상적인 육신의 몸은 "의복들"이고, 저자는 우리가 그 의복들을 스스로 벗어서 멸시할 것들로 생각해서 그것을 발 아래 짓밟도록 해야 한다고 권고한다.[254] 더 긴 말씀 속에 나오는 "밭"은 우리가 현재적으로 살고 있지만 기꺼이 버릴 준비가 되어 있어야 하는 피조 세계이다; 어록11에서처럼, 시간, 공간, 물질로 이루어진 현재의 질서는 본질적으로 일시적인 것이다.[255]

도마복음서 21장에 나오는 만화경적인 이미지들 속에서 도적이 들지 못하도록 지키는 집 주인은 영적인 지식의 보고를 누가 빼앗아가지 않도록 지켜야 하는 신자를 상징하는 것으로 보인다. 육체의 세계는 영혼의 세계를 공격할 가능성이 있기 때문에, 항상 방비하고 있어야 한다.

죽은 자들의 안식에 관한 말(51)은 여전히 논란되고 있다. 도마복음서의 최

254) Riley 1995, 130을 보라. 그 밖의 다른 해석들에 대해서는 Miller 1992 [1991], 309를 보라. *Gos. Thom.* 29; 87; 112를 보라. 하지만 콥트어 역본에서의 "옷을 입지 않은"이라는 단어는 "부인하다"를 의미하는 시리아어에 대한 오역일 가능성이 있다: Perrin 2002, 40을 보라.

255) cf. *Gos. Thom.* 56: 세상을 이해하는 사람은 오직 시체를 발견한 것이고, 시체를 발견한 사람(즉, 세상은 단지 생명없는 조개껍질이라는 것을 깨달은 자), 그 사람에게는 세상은 아무런 가치가 없다.

근의 판본은 "안식"('아나파우시스')이라는 단어는 잘못된 것으로서, 앞에 나온 말씀의 끝 부분과 맞추다 보니 이 말씀 속으로 끼어들게 된 것이라고 설명한다.[256] 오히려, 여기에서 진정으로 말하고자 한 요지는 죽은 자들의 "안식"이 아니라 "부활"이라고 주장되어 왔다. 이것은 "부활"에 관한 가르침이 나오지 않는 도마복음서에서 그러한 내용을 발견하고자 하는 시도인 것 같다; 그러나 어느 쪽으로 보든지간에, 이 말씀의 요지는 죽은 자들의 운명 —우리가 그것을 어떻게 생각하는가와는 상관 없이— 은 어록 113에 나오는 "현재적이지만 눈에 보이지 않는 나라"에서처럼 육안으로는 볼 수 없지만 은밀하게 이미 도래하였다는 것이다. 이 말은 새 하늘들과 새 땅을 가져올 역사 내에서의 하나님의 최후의 행위에 대한 초기 기독교의 기대를 명시적으로 거부한다.[257] 이 일련의 말씀들 가운데 나오는 마지막 말씀(71)은 흥미로운 이중적인 이미지를 제시한다: "내가 이 집을 멸하리니, 그것을 다시 지을 자가 없으리라." 이 말씀은 잘 알려져 있던 정경의 말씀으로부터 가져온 것이 분명하지만,[258] 그 의미는 그리 분명하지 않다. 어떤 차원에서 유대교의 중심적인 제도인 물리적인 현세적 성전은 멸해져서 재건되지 않을 것이라고 말하는 것은 도마복음서의 나머지 부분과 부합할 것이다; 실제로 이 문서의 몇몇 대목들에 나오는 탈유대화는 이 문서의 가장 두드러진 특징들 중의 하나이다. 하지만 또 다른 차원에서 이 문서에서 "성전"을 자주 몸에 대한 이미지로 사용하고 있다는 것을 감안하면 — 이미 이 말씀의 요한복음의 판본에서 이런 현상은 시작되었는데, 거기에서 요한은 예수가 "성전된 자기 육체"라고 말했다고 보도한다.[259] — 이 말씀은 적어도 어떤 측면에서는 예수가 신자로부터 육신적인 몸을 제거하고 그것을 대체하지 않을 것을 의미하는 것일 가능성이 많다. 그렇게 본다면, 이것

256) *Gos. Thom.* 50.3: "그들이 너희에게 너희 안에 너희 아버지가 계시다는 표지가 무엇이냐고 물으면, 그들에게 움직임과 평안('아나파우시스')이라고 말하라." Patterson, Robinson and Bethgt 1998, ad loc.를 보라. "안식" 개념은 *P. Oxy.* 654에 나오는 어록2의 판본에서도 발견된다("통치를 받는 그들은 안식을 누리게 될 것이다"). Cf. *Rheg.* 43.34f.

257) Riley 1995, 131.

258) 막 14:58/마 26:61; 막 15:29/마 27:40; 요 2:19; cf. 막 13:2; 행 6:14.

259) 요 2:21; cf. 고후 5:1-5.

은 몸의 부활에 대한 명시적인 부정이 될 것이다.[260]

이와 동일한 관념은 영혼이 현재의 육신적인 몸에 갇혀 있는 것을 생각하고서 몸서리를 친다는 내용을 말하고 있는 세 개의 말씀들 속에 반영되어 있다:

> 예수께서 말씀하였다. "육체가 영 때문에 존재하게 되었다면, 그것은 기이한 일이다. 그러나 영이 몸 때문에 존재하게 되었다면, 그것은 기이한 일들 중의 기이한 일이다. 실제로 나는 이 엄청난 부유함이 어째서 이 가난함 속에 거처를 정하게 되었는지 신기하게 여긴다."

> 예수께서 말씀하였다. "몸에 의지하는 몸은 비참하고, 이 둘에 의지하는 영혼은 비참하다."

> 예수께서 말씀하였다. "영혼에 의지하는 육체에게 화 있을진저; 육체에 의지하는 영혼에게 화 있을진저."[261]

이 본문에서 반복해서 말하고 있는 것과는 달리, 도마복음서에서 무엇이 말해지고 있는지를 아는 데에는 들을 귀도 필요없고 특별히 볼 수 있는 날카로운 눈도 필요없다 — 그리고 그것이 시리아어로 된 도마행전이라는 한 가지 예외를 제외하고는 우리가 지금까지 살펴보았던 거의 모든 문헌들과 얼마나 다른지를 아는 데에도 그런 것들이 필요없다. 도마복음서는 명백하게 반창조적이라는 점에서 도마행전조차도 뛰어넘는다: 공간, 시간, 물질의 세계는 예수에 의해서 계시된 신보다 더 하급의 신이 만들어 낸 악한 피조물이다.[262] 따라

---

260) 이것은 Riley 1995, 133-56에 의해서 자세하게 논증되고 있는데, 그의 요지는 그것이 예수와 그의 제자들의 몸의 부활을 구체적으로 부정하였던 초기 기독교의 형태에 대한 증거를 제시해 준다는 것이다. 그는 이 말씀의 초기 판본이 존재하였고, 요한 그리스도인들은 한 방식으로 그것을 수정하였고(따라서 몸의 부활을 말하는 방식으로) 도마 그리스도인들은 정반대의 방향으로 수정하였다고 생각한다. 물론, 그 밖의 다른 사변적인 전승사들도 얼마든지 가능하다.

261) Sayings 29; 87; 112.

서 우리가 해야 할 일은 어떻게 이 세계를 벗어나서 우리가 이전에 누리고 있었던, 몸을 입지 않은 상태로 되돌아갈 수 있는지를 발견하는 것이다. 이러한 내용은 발렌티누스주의적인 만개한 영지주의는 아니지만, 분명히 우주론적 및 인간론적 이원론, 그것에 수반된 구원론에서 그러한 견해 쪽으로 나아가고 있다. 이 저작은 초기 기독교로부터 나온 자료들을 사용하고 있지만, 그것들을 판이하게 다른 세계관 내에서 통합하였다. 그러한 세계관 속에서는 부활(바울, 복음서 전승들, 클레멘스, 베드로 묵시록, 유스티누스 등등에 의해서 말해진 의미에서)은 우연적으로가 아니라 원칙적으로 배제될 수밖에 없다.

(iii) 그 밖의 다른 도마 문헌들

『논쟁자 도마서』(*Book of Thomas the Contender*)는 부활한 예수와 소위 그의 쌍둥이 형제라고 하는 "유다 도마"가 나눈 대화록이다. 이 저작은 주후 3세기 초에 시리아에서 나온 것이 거의 확실한데, 완전히 만개한 영지주의의 급진적인 이원론이 아니라 타티아누스(Tatian)가 앞서 어느 정도 반영하고 있었던 시리아 기독교의 극단적인 금욕주의를 반영하고 있다.[263] 하지만 중복되는 내용들도 있다. 도마는 "스스로를 알게" 되면서, "만유의 깊은 것," 즉 예수가 왔고 또한 예수가 다시 돌아가게 될 곳에 관한 신비를 알게 된다. 부활과 승천 사이의 기간 동안에 예수에 의해서 주어진 계시들에 관한 이야기들은 자주 영지주의적인 자료의 일부로 사용되었고, 이에 따라서 그들은 그들이 주류적인 교회의 표준적인 가르침들과 상반되는 예수의 참된 — 하지만 비밀스러운 — 지혜를 받았다고 주장할 수 있었다. 이 짧은 저작은 지금 주어지고 있는 비밀스러운 계시들을 이해하는 것이 얼마나 어렵고 또한 얼마나 꼭 필요한 일이지를 끊임없이 강조한다.

부활한 구주는 먼저 사람의 몸이 짐승들의 몸과 같이 불합리하다는 것을 강조한다. 사람의 몸은 다른 피조된 것들을 먹기 때문에 변화에 종속된다; 사

262) 어록 100: "가이사의 것을 가이사에게 주고, 신의 것을 신에게 주며, 나의 것을 나에게 주라." 달리 말하면, "신"이 가이사보다 우월한 것과 마찬가지로, 예수는 "신"보다 우월하다는 것이다.

263) Robinson 1977, 188-94(J. D. Turner)에 실린 본문과 짧은 서론.

람의 몸은 생명에 대한 소망 없이 사라져서 없어질 것이다. 결국, 사람의 몸은 성관계의 결과이다; 이러한 논증의 취지는 성관계 자체가 악하고 무가치하다는 것인 것 같다. 그러므로 택함받은 자들은 "동물적인 본능," 즉 육체의 소욕들을 버려야 한다.[264] 이것은 시리아 기독교에서 표준적인 주제들이다; 그것은 그 자체로 피조 세계가 하급 신의 작품이라는 것을 의미하지 않는다. 그 금욕적인 이원론은 타티아누스의 몇몇 저작들과 맥을 같이 하는 것으로서, 완전한 체계라기보다는 비의적(秘儀的)이고 영지주의적인 경향들을 보여주는 표지들을 지니고 있다. 사람은 지혜로운 자와 어리석은 자, 이렇게 두 가지 종류로 태어난다; 어리석은 자들은 통상적인 인간의 죽음을 맞게 되고, 그때에 그들의 가시적인 몸은 해체될 것이다. 그리고,

> 형체 없는 형체들이 출현해서, 무덤들 가운데에서 그의 시신들은 고통 중에 있고 영혼은 썩어짐 속에서 영원히 거하게 될 것이다.[265]

그런 후에, 진리를 멸시한 자들을 기다리고 있는 심판에 관한 긴 묘사와 "육체 및 없어져 버릴 감옥에 소망을 두는 자들"에 대한 일련의 "화들"의 목록이 나온다.[266] 이 책은 통상적인 육신적 실존을 피한 지혜로운 자들의 소망이 아니라, 그러한 실존 속에서 살아가고 그러한 실존을 기뻐하는 자들에게 임할 심판에 더 관심을 갖고 몰두한다; 그러나 이 책은 산상수훈을 반영하는 세 개의 축복문들과 "안식"에 관한 약속으로 끝난다:

> 너희가 육체 안에 있게 되지 않고, 이생의 비참함의 속박으로부터 벗어나기를 위하여 깨어서 기도하라. 너희가 기도할 때, 너희는 안식을 찾으리니, 이것은 너희가 고난과 수치를 뒤로 하였기 때문이다. 너희가 몸의 고난들과 정욕으로부터 벗어나면, 너희는 선하신 분으로부터 안식을 얻게

264) *Thom. Contend.* 138.39—139.30; 인간의 성적인 교섭은 다시 139.33—140.3; 144.9f.에서 비난된다.

265) *Thom. Contend.* 141.16-19.

266) *Thom. Contend.* 142.10-143.10; 143.11-144.19.

될 것이고, 너희가 그와 함께, 그가 너희와 함께 하나가 되어서, 너희는 지금부터 영원토록 왕과 함께 다스리게 될 것이다. 아멘.[267]

여기에서도 장래의 삶에 있어서의 핵심은 "안식"이고, 거기에서는 몸의 삶은 감사하게도 영원히 사라지게 된다. 이 책의 대부분의 내용은 저자의 지배적인 세계관, 우리가 제2장에서 살펴보았던 대부분의 것들과 완전하게 일치하는 세계관을 분명하게 보여준다: 현재의 물리적인 세계는 그 정욕들 및 욕망들과 더불어서 어둡고 악한 곳이다. 우리가 할 수 있는 가장 좋은 것은 거기를 벗어나는 것이다.[268]

(iv) 레기노스서

초기 기독교 전승과의 연속성을 주장하는 가운데 부활을 다루는 또 하나의 방식은 장래에 있어서 영 또는 혼의 "부활"로 이어지는 현재에 있어서의 "영적인" 부활을 가리키는 의미로 "부활" 언어를 해석하는 것이었다(이런 일은 유대교, 이교 사상, 또는 초기 기독교에서 이전에는 없던 일이었다). 이것은 나그 함마디 문서들 중에서 우리의 현재의 질문들을 직접적으로 다루고 있는 유일한 책인 『부활에 관한 소고』(*Treatise on Resurrection*)로도 알려져 있는 레기노스서가 취하고 있는 노선이다.[269]

이 책은 일반적으로 주후 2세기 말경에 발렌티누스 분파 또는 다른 세계관들로부터의 압력 아래에서 기독교적인 가르침을 고수하고자 애쓴 매우 혼합

267) *Thorn. Contend.* 145.8-16.

268) 나는 일단 Riley(1995, 167)의 견해에 동의한다. 나는 심지어 영혼은 "무게가 없고 순수한" 상태로 머물며 물질적인 영역과 동일시되어서 붙잡히거나 끌려가는 것에 저항한다는 세계관에 관한 그의 설명을 "존중할 만한 철학적인 배경"이라고 생각하여 동의한다. 그는 그것이 모든 초기 그리스도인들(그리고 대다수의 유대인들)이 피조질서, 인간의 삶의 성격, 궁극적인 인간의 운명에 관하여 믿었던 것과 정반대라는 것을 눈치채지 못하고 있는 것으로 보인다.

269) 본문은 Peel in Robinson 1977, 50-53을 보라; 또한 자세한 논의가 나와 있는 Peel 1969; 다른 최근의 서지들을 소개하고 있는 Peel 1992를 보라. Perkins 1984 357-60을 보라.

적인 정통 신앙의 신자에 의해서 씌어졌다고 여겨진다. 이 책에 관한 연구서를 쓰기도 했던 나그 함마디 문서들의 영문판 편집자이자 번역자는 이 책의 가장 두드러진 특징은 디모데후서 2:18에서 단죄되고 있는 견해, 즉 부활이 이미 지나갔다고 하는 견해와 그 가르침이 유사하다는 것이라고 말하는 것으로 이 책을 소개한다. 그런데 그는 몇 가지 점들에 대한 저자의 견해가 발렌티누스보다 바울과 더 가깝다고 말하고도 있기 때문에, 우리의 호기심은 한층 더 일어난다. 이 서신은 실제로 무엇을 말하고 있는 것인가?

나그 함마디 문서들의 경우가 흔히 그러하듯이, 이것에 대한 대답은 몇몇 중요한 점들에 있어서 그것이 무엇을 말하고 있는지를 확실하게 파악하기 어렵다는 것이다. 그러나 몇몇 내용들은 꽤 분명하다. 저자는 진리의 말씀 안에 서 있지 않은 자들이 있다고 말한다. 그들은 그들 자신의 "안식"을 구하고 있다; 하지만 우리는 우리 구주, 우리 주님이신 그리스도로부터 우리의 안식을 받았다. 우리는 진리를 알고 진리에 우리 자신을 맡겼을 때에 그러한 안식을 받았다.[270] 이 "안식"은 도마복음서 51장에서 말하고 있는 것과 동일한 것, 즉 이미 이생에서 일정 정도의 안식에 영적으로 도달하는 것을 의미할 것이다.[271] 그러나 저자는 계속해서 특히 부활에 관하여 말한다.

그는 신의 아들(이것을 통해서 그가 의미하는 것은 신적인 존재라는 것이다)인 예수가 현재의 세상 — 이것을 저자는 "죽음"이라고 부른다 — 속에서 사람의 아들(이것을 통해서 그가 의미하는 것은 인간적 존재라는 것이다)로서 산 것에 관하여 말하는 것으로 시작한다. 그는 자신의 신성을 통해서 죽음을 정복하였고(도대체 이것은 무엇을 의미하는가?), 자신의 인성을 통해서 우리를 부차적인 죽음의 장소인 피조 세계로부터 건져내어 "플레로마," 즉 "충만"(발렌티누스의 이론으로부터 친숙한 용어)으로 우리를 회복시킨다.[272]

사실, 이 저자가 구주가 "죽음을 삼켰다"고 말할 때에 그것이 의미하는 것은 피조 세계를 제거하는 것이다:

---

270) *Rheg.* 43.30-44.4(본문은 NH codex I에서의 위치에 따라서 번호가 매겨져 있다).

271) Peel 1969, 37을 보라.

272) *Rheg.* 44.13-38.

> 그는 멸망해 가는 세상을 제쳐두었다; 그는 스스로를 변화시켜서 멸망되지 않는 세상 속으로 들어갔고, 다시 부활하여, 눈에 보이지 않는 것을 통해서 보이는 것을 삼켰으며, 우리에게 불멸의 길을 주셨다. 그러므로 사도가 말했듯이, "우리는 그와 함께 고난을 당하고 그와 함께 부활하여 그와 함께 천국으로 갔다."

이렇게 신자들은 태양인 구주에 대하여 햇살들과 같고, "우리는 우리가 준비될 때까지, 즉 우리가 이 세상에서 죽을 때까지 그에 의해서 둘러싸여 있다."[273] 이것은 "자연적이고" "육신적인" 것들은 모두 제거되는 "참된 부활"이 될 것이다:

> 우리는 햇살들이 태양에 의해서 하늘로 이끌려 가는 것과 마찬가지로 아무런 구속도 받지 않은 채 그에 의해서 천국으로 이끌려 간다. 이것은 육적인 것과 동일한 방식으로 혼적인 것[고전 15장에서처럼 '프쉬키케' ("자연적인")]을 삼키는 영적인 부활이다.[274]

저자는 분명히 바울이 고린도전서에서 사용하는 용어들을 가지고 설명하고 있지만, 그의 유사성은 피상적인 것에 불과하다. 바울의 설명 전체는 창세기 1장과 2장에 관한 끈질기고 긍정적인 석의가 유지되고 있는 반면에, 『부활에 관한 소고』는 발렌티누스주의와 마찬가지로 피조 세계의 가치에 관한 깊은 회의론을 공유하고 있다. 이 책은 실제로 예수가 "죽은 자로부터 부활하였고," 예수는 사망을 멸한 분이라는 것을 긍정한다.[275] 그러나 신자들에게 적용된 이러한 "부활"은 "육체"보다 더 나은 것을 받는 문제인 것으로 보인다(같은 시기의 변증가들이 "육체의 부활"을 강조한 것을 상기하라):

> 그러므로 내 아들 레기노스여, 부활에 관하여 결코 의심하지 말라. 네가

273) *Rheg*. 45.32-5.
274) *Rheg*. 45.36-46.2.
275) *Rheg*. 46.16-19.

> 육체로 존재하지 않았지만, 이 세상에 들어올 때에 육체를 받았다. 그런데 왜 네가 영원한 곳으로 올라갈 때에 육체를 받지 않겠는가? 생명의 원인자는 육체보다 더 나은 것이다. 너 때문에 생긴 그것이 너의 것이 아니겠느냐? 너의 것인 그것이 너와 함께 존재하지 않겠느냐? 그렇지만 네가 이 세상에 있는 동안에, 너에게 부족한 것이 무엇이냐? … 몸의 결국은 나이 드는 것이고, 너는 썩어짐 속에 존재한다. 네가 얻은 것은 아무것도 없다. 네가 떠난다고 해도, 너는 더 좋은 것을 포기하는 것이 아니다 … 그러므로 아무것도 우리를 이 세상으로부터 구원하지 못한다. 그러나 우리에게 있는 만유의 주 — 그로 말미암아 우리는 구원을 받는다.[276]

신자들은 이미 자기 자신 속에 더 나은 것을 소유하고 있고, 그들이 장차 가는 곳에서는 육체가 필요없게 될 것이다. 이것은 바울(그리고 그에게 의존하고 있는 후대의 전승)이 긍정하고 있는 것에 대한 사실상의 구체적인 부정으로 발전한다:

> 그러나 그들이 살펴보고 있는 그러한 것들에 관한 탐구 속에서 구원받은 자가 자신의 몸을 뒤로 할 때에 즉시 구원을 받게 되는 것인지를 알고자 하는 몇몇 사람들이 있다. 아무도 이것에 관하여 의심을 갖도록 하지 말라 … 실제로 가시적인 지체들은 죽어서 구원받지 못할 것이고, 오직 그것들 안에서 존재하는 살아 있는 지체들만이 부활하게 될 것이다. 그렇다면, 부활은 무엇인가? 그것은 언제나 부활한 자들의 나타남이다.[277]

그러므로 신자들은 이미 이생에서 "부활한다"; 그들은 죽을 때에 "가시적인 지체들"인 몸을 버리게 될 것이다; 오직 그것들 안에 있는 생명만이 살아 남게 된다. 당연히, 우리가 이미 살펴본 바울 및 주후 2세기 저술가들에서와는 달리, 그 어떠한 중간기, 또는 "잠자는 것"은 존재하지 않게 된다.[278] 변화에 관하

276) *Rheg.* 47.2-27. Peel 1969, 42은 신자는 "죽어서 승천할 때에 새롭고 변화된 육신"을 받게 된다고 말한다.

277) *Rheg.* 47.30—48.6(강조는 필자의 첨가).

여 생각해 보라고 저자는 말한다: 엘리야와 모세는 그들이 내내 살아 있다는 것을 보여주었다; 그가 이러한 언어를 통해서 의미하고 있는 것은 장래의 몸의 부활이 아니라 바로 이런 것이다.[279] 이 "부활"은 현실이고, 세상은 환상이다.[280]

이렇게 부활은 새 창조가 아니라, 이미 존재하는 것을 드러내는 것이다. 하지만 그것은 변화, 즉 "새로움으로의 이행"을 포함한다.[281] 이것은 그 자체로만 보면 또 다시 거의 바울적인 것으로 보인다; 그러나 저자는 계속해서 "분열들과 족쇄들"(이러한 이해에 대하여 문제 제기를 했던 자들의 분열적인 견해들과 올무들)로부터 벗어난 사람들은 이미 "부활을 가지고 있다"고 역설한다.[282] 그러므로 신자는 이미 죽었다가 부활한 것이다 — 물론, 우리가 바울에게서 보았던 것과 판이하게 다른 의미에서.[283] 이러한 현재적 부활은 이제 현재적 삶의 방향을 결정해야 한다; 여기에서도 다시 한 번 바울적인 견해인 것처럼 보이지만, 매우 다른 형태로 되어 있다.[284]

나그 함마디 문서의 중요한 영어권 편집자인 맬컴 필(Malcolm Peel)은 그것을 발렌티누스적인 관념과 바울적인 관념의 기묘한 결합으로 보아야 한다고 역설하였다.[285] 이것은 부활에 관한 바울의 견해들이 적어도 서로 다르지만 동등하게 적절한 두 가지 방식으로 발전될 수 있었다는 주장의 토대가 되어왔다 — 한 가지 방식은 이 서신 및 나그 함마디 문서들의 다른 곳에 나오는 이와 비슷한 관념들로 귀결되었고, 다른 한 가지는 유스티누스, 테르툴리아누스 등의 견해로 귀결되었다.[286] 그러나 병행들은 엄밀하게 말해서 피상적이다. 바울의 몇몇 서신들, 특히 고린도전서에서 부활에 관한 그의 서술은 언제나 창

278) Peel 1969, 43에 의해서 강조되었다.

279) *Rheg.* 48.6-11.

280) *Rheg.* 48.12-16, 27f.

281) *Rheg.* 48.34-8.

282) *Rheg.* 49.14-16; cf. Peel 1969, 45f.

283) *Rheg.* 49.16-24.

284) *Rheg.* 49.25-36.

285) 특히, Peel 1969, 139-50을 보라.

286) Robinson 1982; 또한 Riley 1995, 8f.를 보라.

세기 1장과 2장에 나오는 원래의 창조의 선함과 예수의 부활 속에서 그러한 첫 번째 창조의 성취, 송축, 최고의 영광을 보는 것에 토대를 둔 새 창조 신학의 일부였다. 그것은 공간, 시간, 물질 세계가 내던져지는 것이 아니라 오히려 구속받는 우주적 종말론을 탄생시켰다. 현재의 세상이 환상이고, 따라서 현재 또는 장래에 있어서 이 세상을 벗어남으로써 "부활"을 발견할 수 있다는 관념은 바울에게 전적으로 낯선 것이다.

(v) 빌립복음서

나그 함마디 문서들에 속해 있는 "외경" 또는 비정경적인 복음서들 중의 하나는 부활과 관련된 몇몇 짧은 내용들을 담고 있다.[287] 예수의 육체가 "참된 육체"가 되었다고 말하는 예수의 부활에 관한 기사를 시작으로 빌립복음서에서는 세 개의 본문이 두드러진다.[288] 본문은 훼손된 상태지만, 복원된 표준적인 본문은 다음과 같이 되어 있다:

> [주님은] 죽은 자로부터 [부활하셨다]. [그는 예전처럼 되었지만], 이제 [그의 몸은] 완전해졌다. [그는 실제로] 육체를 [소유하였지만], 이 [육체는] 참된 육체이다. [우리의 육체는] 참된 것이 아니라, [우리는] 참된 육체의 형상만을 [소유하고 있다].[289]

이 본문은 너무 짧고 실제로 단편만 남아 있기 때문에, 저자가 "참된 육체"라는 표현을 통해서 정확히 무엇을 의도하고 있는지를 확실하게 알기는 어렵다. 하지만 장래의 소망에 관하여 말하고 있는 두 번째 본문은 레기노스서에서와 비슷한 신학을 보여주는 것 같다:

> 자기들이 먼저 죽고 그 후에 부활하게 될 것이라고 말하는 사람들은

287) 아래 제13장에서 나그 함마디에서 나오지 않은 *Gospel of Peter*를 살펴보는 것이 더 편리할 것이다.

288) cf. Staats in Wissman, Stemberger, Hoffman et al. 1979, 474.

289) *Gos. Phil.* 68.31-7(tr. W. W. Isenberg in Robinson 1977, 141).

> 잘못된 것이다. 그들이 살아 있는 동안에 먼저 부활을 받지 않는다면, 그들은 죽을 때에 아무것도 받지 못하게 될 것이다. 그들이 세례에 관하여 말하면서, 세례를 받는 사람들은 살 것이기 때문에 "세례는 위대한 것이다"라고 말하는 것도 마찬가지이다.[290)]

세례에 대한 언급과 현재에 있어서의 "부활"은 로마서 6장 또는 골로새서 2장에서의 의미로 해석될 수 있다. 그러나 그 강조점은 이생의 삶을 사는 동안에 세례를 통한 "은유적인 부활"에 의해서 선취되는 몸의 부활에 두어지고 있는 것이 아니라, 이러한 인용문들 중에서 가장 처음의 것 속에 규정되어 있는 다른 종류의 은유적인 "부활"에 두어져 있는 것으로 보인다:

> 주가 먼저 죽고 그 후에 다시 살아나셨다고 말하는 자들은 잘못된 것이다. 왜냐하면, 주는 먼저 부활하였고 그 후에 죽었기 때문이다. 사람이 먼저 부활을 얻지 않는다면, 그는 죽지 않겠는가? 하나님이 살아계시듯이, 그는 이미 죽은 것이다. 아무도 큰 것 속에 크고 가치 있는 물건을 숨기지 않을 것이지만, 사람들은 한 푼의 가치 밖에 없는 것을 셀 수 없이 달아보곤 했다. 영혼과 비교해 보라. 그것은 귀중한 것이고, 경멸할 만한 몸 속에 있게 되었다.
>
> 어떤 사람들은 그들이 벌거벗은 채로 부활하게 되지 않을까 염려한다. 이것 때문에 그들은 육체로 부활하기를 원하지만, 그들은 진정으로 벌거벗은 자들은 육체를 입고 있는 자들이라는 사실을 알지 못한다. 스스로 옷을 입지 않은 … 자들이 벌거벗지 않은 자들이다. "혈과 육은 하나님의 나라를 유업으로 받을 수 없다." 하나님의 나라를 유업으로 받지 못하게 될 이것은 무엇인가? 바로 우리에게 있는 그것이다. 그러나 하나님의 나라를 유업으로 받게 될 바로 그것은 무엇인가? 그것은 예수와 그의 피에 속

---

290) *Gos. Phil.* 73.1-8.

291) *Gos. Phil.* 56.15-57.8. 주가 "먼저 살아났다가 후에 죽었다"라는 관념, 그리고 이것과 세례와의 연결관계는 Barker 1997에서 흥미로운 현대적인 병행을 가지고 있다.

> 해 있는 그것이다. 이 때문에 예수는 "내 살을 먹고 내 피를 마시지 않는 자는 그 안에 생명이 없다"고 말씀하였다. 이것은 무엇인가? 그의 살은 말씀이고, 그의 피는 성령이다. 이러한 것들을 받은 사람은 먹을 것과 마실 것과 의복을 갖고 있는 것이다.[291]

이렇게 이 본문은 고린도전서 15:50을 이레나이우스가 반대하는 그러한 의미로 인용하고 있고, 또한 고린도후서 5장에 나오는 "벌거벗은 채로 발견되지 않기 위하여"에 관한 바울의 언어를 비판하고 있는 것으로 보인다. 그러나 이러한 "벌거벗음"은 무엇인가? 그것을 해석하는 한 가지 방식은 진정한 "벌거벗음"은 몸을 갖고 있는 것이라고 말하는 것이 될 것이다. 하지만 몇몇 시리아 기독교에서는 세례를 일종의 부활이자 타락 때에 잃어버렸던 영광을 "다시 입는" 수단으로 보았다. 이것이 여기에서 의도한 의미라면, "벌거벗음"은 아마도 적절한 방식으로 세례를 받지 않은 자들을 가리킬 것이다. 그들은 그들의 세례 받지 않은 — 따라서 구속받지 않은 — 육체가 천국에 들어갈 것을 기대하지 말아야 한다.[292]

이러한 본문 직후에는 정반대의 견해에 관한 진술 같아 보이는 내용이 나온다:

> 나는 그것[육체]이 부활하지 않을 것이라고 말하는 자들에게서도 잘못을 발견한다. 그러니까 두 부류 모두 잘못된 것이다. 너는 육체가 부활하지 않을 것이라고 말한다. 그러나 우리가 너의 말을 존중할 수 있도록, 무엇이 부활할 것인지를 내게 말하라. 너는 육체 안에 있는 영을 말하지만, 그것은 또한 육체 안에 있는 빛이기도 하다. 그러나 이것도 육체 안에 있는 물질이기 때문에, 네가 무엇이라고 말할지라도, 너는 육체 바깥의 그 무엇에 대하여 말하고 있는 것이 아니다. 모든 것이 육체 안에 존재하기

---

292) 예를 들면, Hippolytus로부터의 병행을 인용하는 Gaffron 1970; Van Eijk 1971을 보라. 이것은 *Gos. Phil*의 저자가 정통 신앙으로의 방향으로 약간 용인하고 있는 영지주의(Robinson처럼: 아래를 보라)가 아니라 혼합적인 정통 신앙인이었다는 것을 의미할 수 있다(일부 학자들이 레기노스서의 저자와 관련해서 말하고 있는 것처럼).

> 때문에, 이 육체로 부활하는 것은 필수적이다. 이 세상에서 의복들을 입고 있는 사람들은 의복들보다 더 낫다. 천국에서 의복들은 그것들을 입은 자들보다 더 낫다.[293]

이 본문만을 보아서는, 저자가 장래의 몸의 부활을 부정하고 "부활"이라는 단어를 레기노스서에서와 마찬가지로 일차적으로 이생에서의 영적인 변화를 가리키는 것으로 사용하고자 하는 것인지, 아니면 이와 같은 경고를 모종의 장래의 "육체적인" 실존에 대한 단언과 대비시키고자 하는 것인지가 적어도 내게는 분명치가 않다. 이 두 본문은 유대교 및 기독교의 사상(실제의 부활을 포함한)과 육체성을 제거하고 순수한 영이 되고자 하는 헬레니즘적인 소망의 종합을 시도한 것이라고 주장되어 왔다.[294] 만약 이것이 사실이라면, 우리는 이러한 저작들을 오리게네스의 사상의 격류들과 별반 다르지 않은 것으로 볼 수 있을 것이다. 여기에서 사용된 언어 중 일부는 일종의 궁극적인 "몸"에 머물고자 하는 시도인 것으로 보이지만, 우리가 "변화된"(transphysical) 몸이라고 불렀던 것에 관한 바울의 견해를 묘사할 수 있는 단어들을 발견하는 것이 어렵고, 오리게네스의 사상을 제대로 다루기 위한 단어들을 발견하는 것은 한층 더 어렵다고 한다면, 레기노스서와 빌립복음서에 담긴 사상을 표현하기에 적절한 용어들을 발견한다는 것은 거의 불가능해 보인다. 이러한 저자들의 견해에 의하면, 썩어 없어질 육체 "이면에" 또 하나의 "영/육체" 또는 메나드(Menard)가 초지상적인(super-terrestial) 육체라고 불렀던 것이 존재한다. 이러한 저작들이 어떠한 입장을 비판하고 있는지를 알면, 그것을 이해하는 데에 도움이 될 것이다: 이 저작들은 사람들이 동일한 몸으로 되돌아올 것이라고 믿는 것에 대하여 염려를 하고 있는 것인가? 이 저작들은 완전하게 몸을 입지 않는다는 견해를 물리치는 데에 힘을 쏟고 있는 것인가?[295]

---

293) *Gos. Phil.* 57.9-22.

294) Menard 1975.

295) 또한 Perkins 1984, 360-62를 보라. Robinson 1982, 16f.은 추가적인 증거로 *Apocryphon of James* 14.35f.를 인용하면서(아래에서 인용된) 여기에서 빌립 복음서는 영지주의가 "그 대비되는 기본적인 입장을 버리지 않고 정통 신앙 쪽으로 최대한 다가갈 수 있었던" 지점을 보여주는 것이라고 말한다. 하지만 장래의 몸에 관한

하지만 두 저작의 근저에 놓여 있는 세계관은 분명하다. 부활이 중심적인 역할을 하는 유대교 및 초기 기독교의 저작들 전체에 걸쳐서 우리는 그것이 창조주로서의 한 분 하나님에 대한 신앙 및 최후의 심판과 밀접하게 서로 연결되어 있다는 것을 발견하는 반면에, 이러한 모티프들 중에서 그 어느 것도 여기에서는 전혀 어떠한 역할도 하지 않는다. 레기노스서 및 이 항에서 다룬 그 밖의 다른 문서들의 경우에서와 마찬가지로, 빌립복음서를 둘러싸고 있는 세계관은 정경에 속한 책들 및 초기 교부들의 세계관과는 근본적으로 다르다. 그것은 바울로부터 테르툴리아누스에 이르기까지의 공통적인 흐름, 즉 피조 세계의 선함에 대한 강력하고도 반복된 긍정에 관한 그 어떤 표지도 보여주지 않는다. 오히려, 빌립복음서는 육체는 경멸할 만한 것이고 영혼은 선한 것이라는 것, 따라서 영혼은 육체로부터 벗어나야 한다는 것을 강조하고 있는 것으로 보인다.

(vi) 그 밖의 다른 나그 함마디 문서들

이러한 문서들에 나오는 주제들은 한두 가지 다른 문서들을 통해서 짤막하게 예시될 수 있다.

『베드로묵시록』(이 책은 이 장의 앞 부분에서 언급했던 동명의 외경과는 아무런 관련이 없다)은 정통 신앙을 지닌 자들에 의해서 공격받고 있었던 여러 무리의 영지주의적인 신자들을 격려하기 위하여 씌어졌다. 이 책은 영적인 체험들에 관한 묘사를 베드로의 입을 빌려서 말하고 있는데, 거기에는 베드로가 체험한 빛에 관한 환상을 통해서 영지주의자들의 체험에 대한 사도적 공인을 주장하는 내용도 포함되어 있다.[296] 이 저작은 "진정한" 예수는 그의 옛 적인 육신적 형태와는 다른 영적 존재였기 때문에, 그의 육신이 고문을 받고 죽어가고 있는 동안에, 예수 자신은 사람들이 인식하지 못하는 가운데 그 옆에 서서

빌립 복음서의 입장이 바울의 입장과 동일하다는 그의 주장은 솔직히 말해서 터무니없는 것이다.

296) *Apoc. Pet.*(NH 7) 72.9-26. 또한 예수는 *Letter of Peter to Philip* 134.9-18에서 큰 빛으로 나타난다. *Gos. Mary* 10.10-16에 나오는 마리아의 환상을 보라(Robinson 1977, 471-4, 특히 472).

웃고 있었다는 예수에 관한 견해를 강조하고 있다. 그런 후에, 예수의 영적인 실체는 몸으로부터 놓여 나서 천상의 "지적인"(즉, 비물질적인) "플레로마"의 빛에 다시 합류한다:

> 그러나 그들이 놓아준 것은 나의 무형의 몸이었다. 그러나 내[예수]는 광채나는 빛으로 충만한 지적인 영이다. 네가 나에게 와서 본 것은 완전한 빛과 나의 거룩한 영이 연합된 우리의 지적인 충만이다.[297)]

그런 후에, 이것은 현재의 세상에 속해 있지 않고 이미 불멸의 존재들이 된 자들의 구원을 위한 모형이 된다.[298)]

나그 함마디 문서의 편집자가 주후 3세기에 애굽에서 나온 것일 가능성이 많다고 설명하고 있는 『야고보 외전』(*Apocryphon of James*)은 550일의 대기 기간 후에 부활하신 예수에 의해서 사도들, 특히 야고보와 베드로에게 주어진 비밀스러운 계시들을 말하고 있다.[299)] 예수는 그들에게 그가 영화롭게 되었으며, 오직 그들이 더 많은 가르침을 원하기 때문에, 아버지에게로 가는 것을 보류하고 있는 것이라고 말씀한다.[300)] 예수는 그가 아버지에게 가는 것을 다음과 같이 묘사한다:

> 그러나 나는 너희에게 할 말을 다했기 때문에, 이제 너희를 떠날 것이다. 영의 병거가 나를 태워서 높이 올라가리니, 이 순간부터 나는 입기 위하여 벗게 될 것이다.[301)]

『야고보의 첫 번째 묵시록』(*First Apocalyse of James*)에서도 승천이 이와 비슷하게 강조되고 있는데, 거기에서 예수는 고난을 통한 구속에 대한 확신을 심어 준다. 하지만 예수는 고난 후에 가르침을 위한 시간을 벌기 위하여, 죽은

---

297) *Apoc. Pet.* 83.6-15.
298) *Apoc. Pet.* 83.15-84.6.
299) *Apocryph. Jas.* 2.16-28.
300) *Apocryph. Jas.* 7.35-8.4.
301) *Apocryph. Jas.* 14.32-6.

자로부터 부활하는 것이 아니라 "스스로 있는 분에게 올라가게" 될 것이다.[302)]

『베드로가 빌립에게 보낸 편지』(*Letter of Peter to Philip*)는 예수가 더 이상 없는 상황 속에서 감람산, "예수가 육체로 계실 때에 그들이 복된 그리스도와 함께 모이곤 했던 곳"을 배경으로 한 짧은 장면을 담고 있다.[303)] 사도들은 아버지와 아들에게 그들을 조명해 주실 것을 간구한다:

> 그 때에 큰 빛이 나타났고, 나타나신 분으로 말미암아 산이 빛이 났다. 그리고 한 음성이 그들에게 큰 소리로 말씀하였다. "내가 너희에게 말하리니 나의 말을 들으라. 어찌하여 너희는 나를 구하고 있는 것이냐? 나는 너희와 항상 함께 있는 예수 그리스도니라."[304)]

그런 후에, 도마 복음서에 나오는 "옷을 벗는 것"에 관한 말씀들과 맥을 같이 하는 것으로 보이는 도전을 비롯해서 온갖 계시들이 뒤따라 나온다:

> 너희가 썩어질 것을 너희 자신들로부터 벗어버릴 때, 너희는 죽은 자들 가운데서 빛을 비추는 자들이 될 것이다.[305)]

로빈슨(Robinson)은 이 본문을 그의 "광채나는 계시" 가설의 한 예로 사용한다 — 물론, 이 본문이 보여주는 부활 및 현재의 몸에 관한 견해는 로빈슨이 전승의 시작으로 보았던 바울의 견해와 완전히 다른 것으로 보이지만.[306)] 하지만 이 본문은 나그 함마디 문서들에 표현된 주후 2세기 말경에 존재했던 전승의 좋은 예이다.

끝으로, 『영혼의 석의』(*Exegesis of the Soul*)는 "부활"에 관한 영지주의적인 재해석을 보여 주는 고전적인 본문을 담고 있다:

---

302) *1 Apoc. Jas.*(NH 5) 29.16-19.

303) *Let. Pet. Phil.* 133.15-17. Text tr. Wisse in Robinson(ed.), 1977, 395-8, 특히 395.

304) *Let. Pet. Phil.* 134.9-19.

305) *Let. Pet. Phil.* 137.6-9.

306) Robinson 1982, 10f.

> 이제 영혼이 스스로 거듭나서 다시 이전의 모습으로 되는 것이 합당하다. 그런 후에, 영혼은 자신의 뜻대로 움직인다. 영혼은 중생을 위하여 아버지로부터 신적인 본성을 받았기 때문에, 원래 그가 있었던 곳으로 회복될 수 있다. 이것이 죽은 자로부터의 부활이다. 이것이 포로된 것으로부터의 구속이다. 이것이 하늘을 향하여 올라가는 여행이다. 이것이 아버지에게 올라가는 길이다 … [시편 103:1-5로부터의 인용문이 나온다] … 그런 후에, 영혼이 다시 젊어질 때[즉, 시편에서 말하고 있는 것처럼, "그 젊음이 독수리의 젊음 같이 새로워질" 때], 영혼은 자기를 건지신 아버지와 자신의 형제를 찬송하며 승천할 것이다. 이렇게 영혼이 구원받는 것은 이러한 중생을 통해서이다.[307]

달리 말하면, "부활" 언어는 "포로되었던" 세상, 즉 영혼이 물질, 육신적인 몸에 묶여 있었던 곳으로부터 벗어나는 것으로 이어지는 영적인 중생을 가리키기 위하여 사용된다.

(vii) 구주 복음서

1967년에 베를린의 이집트 박물관은 한 뭉치의 양피지 단편들을 구입하였고, 거기에 써 있는 콥트어 본문은 현재 간행되어 있다.[308] 그것은 예수의 어록으로부터 온 것으로 보이는데, 적어도 마태복음과 요한복음에 어느 정도 의존하고 있다는 것을 보여준다. 이 문서가 처음 씌어진 연대는 여전히 불확실하지만, 특히 재해석된 "부활"에 관한 암시들을 보여준다는 점에서, 이 문서는 분명히 이 단원에서 다루었던 그 밖의 다른 저작들과 맥을 같이 하는 것으로 보인다.

관련된 대목들은 다음과 같은 것들이다. 제자들은 고린도전서 15:35에서 바울에게 질문했던 사람들과 같이 "오 주여, 당신은 어떠한 형태로 당신 자신을 우리에게 나타내 보이시거나 어떤 종류의 몸으로 오실 겁니까?"라고 묻는다. 요한은 주에게 "당신이 우리에게 당신 자신을 계시하게 될 때, 우리로 하여금

307) *Exeg. Soul* 134.6-29.

308) Hedrick and Mirecki 1999.

당신을 보고 절망하지 않고 견딜 수 있도록 하기 위하여 당신의 모든 영광 속에서 우리에게 당신 자신을 계시하지 마시고 당신의 영광을 또 다른 영광으로 바꾸어서 계시해 주옵소서"라고 강권한다.[309] 이 단편들 속에서 가장 훼손이 많이 된 본문들 중의 하나에서는 십자가를 두 번 언급한 후에, 약간의 간격과 몇몇 멸실된 문자들이 있은 후에, 계속해서 "… 삼일 [후에] [내가] 너희를 나와 함께 [하늘]로 데려가서 너희를 가르치리라"고 말한다.[310]

이 본문은 너무 짧고 지나치게 단편적이어서, 우리는 예수 및 신자들의 부활에 관한 이 본문의 완전한 견해를 확실하게 말할 수는 없다. 하지만 이 본문은 분명히 예수를 승귀된 영화로운 존재로 보고 있고, 예수가 자신의 상태를 어느 정도 바꾸지 않는다면, 그를 보는 것은 사람으로서 감당할 수 없는 일이라고 말하고 있다. "부활"은 이 세상에서의 새로워진 삶에 관한 것이 아니라 천국의 삶에 관한 것이라고 이 본문은 말하고 있는 것으로 보인다. 100.7.1-6에서는 이러한 의미에서의 "영적인 몸들"에 관하여 말한다:

> … 그리고 우리도 영적인 몸과 같이 되었다. 우리의 눈들은 모든 방면으로 열려졌고, 그곳 전체가 우리 앞에 계시되었다. 우리는 하늘들로 [가까이 나아갔고], 하늘들은 서로에 대하여 [일어났다]. 문들을 지키는 자들은 당혹하였다. 천사들은 두려워 하였고, […]로 도망쳤다. [그들은] 그들이 모두 멸망받게 될 [것이라고] 생각하였다. 우리는 우리 구주가 모든 하늘들을 통과한 후에 그를 보았다.[311]

그러므로 이 "몸"은 예수의 몸과 같을 것이다. 그 몸은 가장 높은 하늘에 거하게 될 것이고, 우리가 예수의 빛나는 몸을 이 땅에서 실제로 보게 되면 두려움을 느끼게 되는 것과 마찬가지로 그 몸은 하늘에 거하는 자들에게 두려움을 주게 될 것이다. 이것은 바울에 있어서의 "영적인 몸"의 용법과 근본적으로 다

---

309) *Gosp. Sav.* 107.12.3f.(lines 4-22).

310) *Gosp. Sav.* 122(lines 60-63). 또한 "하데스에 매어 있는 영혼들로 인하여" 예수가 하데스로 내려갔다는 언급도 나온다: 97.2.1(lines 59-63).

311) 첫 번째 문장에서 나는 Hedrick and Mirecki 35에 나오는 "몸들"을 콥트 판본의 '소마'에 맞춰서 단수형 "몸"으로 수정하였다.

르다 — 물론, 저자는 고린도전서 15장에 대한 석의 또는 해설을 제시하고 있다고 생각했을 수는 있겠지만.

(viii) 나그 함마디 문서: 결론

나그 함마디 문서들 및 관련된 문헌들 속에는 이와 비슷한 취지를 말하고 있는 본문들이 많이 있다는 것은 의심할 여지가 없다. 그러나 우리는 나그 함마디 문서가 죽음과 삶에 관한 주후 2세기와 3세기의 소용돌이치는 다양한 신앙들 속에서 차지하는 위치에 대한 평가를 제시할 정도로 충분히 이 자료를 검토하였다. 나그 함마디에서 발견된 글들은 일률적인 분석을 허용하지 않는다; 서로 다른 많은 견해들이 나타나 있고, 동일한 문서 속에서 그러한 경우도 종종 있다. 발렌티누스주의적이거나 이와 비슷한 사변의 세계 속에서는 일관성(우리가 그러한 종류의 세계관 속에서 무엇을 일관된 것으로 여길 수 있는지를 말할 수 있다고 전제하더라도)을 확보하는 것은 의심할 여지 없이 어려웠고, 어쨌든 어느 하나가 주류를 이루고 있었을 가능성은 없어 보인다. 그러나 세 가지 주된 내용들은 우리가 여기에서 제시할 수 있을 것이다.

첫째, 우리가 기독교의 처음 두 세기 동안에 사용된 "부활"이라는 단어와 그 동일 어원의 단어들이 지니고 있다고 보았던 주된 의미에서의 "부활"은 이러한 본문들에서 부정되거나 근본적으로 재해석되고 있다. "부활"을 어떤 의미에서이든 죽음 이후의 어느 시점에 온전한 몸의 삶으로 되돌아오는 것이라고 본다면, 그것은 부정된다. 부활이라는 언어가 그대로 유지되고 있다고 하더라도(레기노스서에서처럼), 그것은 더 이상 어떤 의미에서이든 궁극적인 부활이나 이생에서의 도덕적인 순종과 관련된 몸의 사건들을 가리키는 것이 아니라, 현재적인 삶을 사는 동안에 겪는 몸과 상관 없는 종교적 체험 또는 죽음 이후에 몸을 입지 않은 생존과 승귀를 가리키는 것으로 재해석된다.이 점은 신약성서(로마서 6장, 골로새서 2-3장 등등)에 나오는 "부활" 언어의 은유적인 의미와 레기노스서 및 그 밖의 다른 문헌들에 나오는 은유적인 의미 간의 차이점을 고찰해 보면 잘 드러난다. 위에서 논증했듯이, 바울이 사용하는 은유는 에스겔서 및 그 밖의 다른 곳에서의 "부활"의 은유에 대한 재해석으로서, 세례 및 몸의 순종(실제적인 육신적 행위들)이라는 구체적인 지시 대상을 갖고 있다. 갱신된 인류에 관한 바울의 사상 속에서 이것은 구약성서에서 부활에 대한 은유의 지시 대상이었던 포로생활 이후의 이스라엘의 "귀환" 또는 "회복"에 해당하는 것이다. 레기노스서, 영혼의 석의, 그 밖의 다른 본문들이 "부활"을 은유로 사용할 때, 그것들은 그것을 특별히 구체적이지 않은(non-concrete) 상태, 즉 영혼이 현재의 삶을 살거나 죽음 이후에 겪게 되는 추상적인(또는 플라톤적인 의미에서의 "영적인") 고양(elevation)을 가리키는 데에 사용한다. 이것은 바울 및 신약성서의 다른 곳에서 나타나는 부활 언어의 "현재 시제적" 용법들이 이러한 후대의 영지주의적인 언어와 직접적으로 연결되어 있다고 주장하는 빈번한 시도를 분쇄하는 결정적으로 중요한 차이이다.[312]

둘째, 우리는 바울로부터 테르툴리아누스, 그리고 심지어 오리게네스에 이르기까지 예수 및 신자들의 부활에 관한 서술을 지배하고 있는 세 가지 주제가 나그 함마디 문서 및 관련된 본문들에서는 전혀 나타나지 않는다는 것을 지적할 수 있다.

(1) 창조에 관한 유대교 및 초기 기독교의 교리, 현재의 피조 질서의 선함, 그것을 만들었고 그것을 갱신시키고자 하는 한 분 참 하나님에 대한 강조가 전혀 없다. 사실 이것에 대한 강조가 없다고 말하는 것은 온건하게 표현한 것이다; 흔히 그것에 대한 끈질기고 종종 경멸적인 거부, 부활에 관한 제2성전 시대 유대교의 모든 서술 및 바울로부터 오리게네스에 이르기까지의 모든 기독교적인 서술들의 핵심에 놓여 있는 우주론과 존재론에 대한 철저한 부정이 존재한다.[313] 피조 세계와 창조주에 관한 긍정적인 가르침이 유대교 및 초기 기독교의 주된 본문들이 부활이라는 언어를 통해서 의미하는 것에 있어서 중심적이고 기본적이기 때문에, 완전히 다른 세계관 내에서 부활 언어, 빛에 관한 환상들 등등을 사용하는 것은 점진적인 발전이 아니라 근본적인 재정의임을 보여주는 분명한 증거가 된다.

(2) 장래의 심판, 그 심판이 진정으로 의로운 것이 되기 위해서는 부활을 필요로 하는 그러한 심판에 대한 강조가 없다. 앞에서 보았듯이, 이것은 유대교

312) Robinson 1982.

313) 지난 세대의 학계에서는 그 무엇도 Moule 1966, 112에 도전하지 않았다: "가장 영적이고 바울적인 바리새파 진영조차도 레기노스서가 보여주는 유형의 영지주의와 맥을 같이 한다."

및 초기 기독교에서 여러 가지 방식으로 표현된 교리이다. 때로는 오직 의인들만이 부활하고(그리고 부활은 그 자체가 그들에 대한 신원이 된다; 이것은 마카베오2서와 바울의 경우에 그러하다), 때로는 의인들과 불의한 자들이 모두 부활하는데, 불의한 자들은 음부 또는 스올에서 반쯤 존재하는 그림자로 살아가기 위한 것이 아니라, 몸으로 그들의 행위들에 대한 징벌을 받기 위한 것이다. 나그 함마디 문서들 중에는 그 어느 것도 이러한 방향을 보여주지 않는다. 그 문서들에 관한 한, 장래의 지복과 관련하여 중요한 것은 단지 현재에 있어서 자기 자신, 자신의 영혼 등등에 관한 진리를 발견하는 것과 자신의 정체성을 몸과 그 주변의 세계라는 관점에서 해석하려는 시도들을 포기하는 것이다. 부활에 관한 유대교 및 기독교의 서술들에서 그토록 중심적이었던 창조와 심판에 관한 교리들은 영지주의적인 재정의들에서는 전혀 나오지 않는다.

(3) 부활이 기존 세력들에 대항하는 자세를 수반한다는 것은 거의 또는 전혀 의미가 없다. 종종 영지주의적으로 재정의된 "부활," 즉 영혼의 승천은 현재적인 고난을 벗어나는 것이라는 관점에서 말해진다. 그러나 우리는 적어도 다니엘서와 마카베오2서로부터 시작해서 바울, 요한을 거쳐서 이그나티우스, 베드로묵시록, 유스티누스, 테르툴리아누스, 이레나이우스에 이르기까지 관통하는 뉘앙스, 즉 부활은 창조주가 세상의 나라들을 전복시키고 새로운 세상을 세우는 것과 관련된 혁명적인 교리라는 것을 여기서는 완전히 볼 수 없게 된다. 바리새인들은 사두개인들과 맞섰고, 바울은 가이사와 맞섰다: 바울이 제국을 전복시키고 있다는 것을 이해하기 위한 핵심적인 본문들 중 일부는 정확히 예수의 부활과 신자들의 부활에 관한 바울의 견해를 이해하기 위한 핵심적인 본문들과 동일하다는 것은 주목할 만하다(예를 들면, 고전 15:20-28; 빌 3:19-21). 우리는 이레나이우스가 리옹의 감독이 되었을 때에 그는 격렬한 박해 속에서 죽었던 감독을 대신한 것이었고, 그러한 박해의 원인들 중의 하나는 그리스도인들이 끈질기게 몸의 부활에 대한 신앙을 붙잡고 있었기 때문이었다는 사실을 잊어서는 안 된다. 순교와 관련된 상세한 내용들은 비엔(Vienne)과 리옹의 교회들이 아시아와 프리기아의 교회들에 보낸 서신에 잘 나타나 있다.[314] 이 서신은 몇몇 경우들에 있어서 고문하는 자들이 순교자들의 몸들을 불태워

314) Eus. *HE* 5.1.1-2.8에 보존되어 있다.

서 그 재를 론 강에 뿌림으로써 순교자들의 유해가 이 땅에 남아 있지 않도록 했다는 것을 서술하고 있다. 이 서신의 저자는 그들이 이렇게 한 것은 "마치 그들이 신을 정복해서 그들의 재탄생('팔린게네시아')을 없애버릴 수 있는 것처럼" 생각했기 때문이라고 말한다. 그는 고문하는 자들이 지혜서 2장에 나오는 악인과 비슷하게 그렇게 한 목적은 그리스도인들로 하여금 부활에 관한 그 어떤 소망도 가지지 못하게 하기 위한 것이라고 말했다고 인용한다:

> 이것을 믿었기 때문에, 그들은 괴이하고 새로운 예배를 도입했고, 두려움을 멸시하고 즐거운 마음으로 기꺼이 죽음을 맞이하였다. 이제 그들이 다시 살아나는지, 그들의 신이 그들을 도와서 우리의 손아귀로부터 그들을 낚아채 가기에 충분할 정도로 강한지를 보리라.[315]

교회는 신속하게 부르주아적인 편안한 삶에 안주하게 되었다는 옛 비방, 그리고 그러한 비방에 수반되는, 부활에 관한 교리가 점차 "몸의 부활"이 된 것은 이러한 과정의 일부였다는 주장은 아무런 토대가 없는 것이다.[316] 어떤 토대가 있다고 한다면, 그것은 신을 잘못 신고 있는 것임에 틀림없다. 어떤 로마 황

315) Eus. *HE* 5.1.63. 뭔가를 보여주는 또 하나의 일화는 다음과 같은 것이다: 기독교 신앙을 고백한다는 죄목으로 감옥에 갇히게 된 자들 중의 한 사람이었던 알키비아데스라는 사람은 오직 떡을 먹고 물만을 마시면서 감옥에서 대단히 금욕적인 삶을 살고 있었다. 다른 그리스도인들은 사람들이 그가 물질적인 것들은 그 자체로 악하다는 것을 믿게 되었다고 생각하지 않도록 그에게 그의 식단을 넓히도록 설득하였다.

316) 예를 들면, 주후 2세기의 영지주의(이것은 좀 더 초기의 묵시론적 급진주의 중 일부로부터 "변신한" 것이었다고 그는 말한다)에 의해서 대변된 "좌익의" 전승 궤도와 … "분파들이 제2세대 및 제3세대에서 흔히 그렇듯이, 주류적인 기독교가 표준화되고 공고화되며 자기 속에 안주하여 문화적 환경의 주류로 이동해가는" 것과 서로 싸움을 붙여서 이득을 보고자 하는 Robinson 1982, 6. 우리는 이러한 묘사가 실제로 완전히 근거없는 것인지를 알기 위해서는 — 그리고 그것이 지난 세대의 학계에서 그토록 유혹적인 것이었음이 입증된 이유를 보기 위해서는 — Ignatius, Polycarp, Justin이 순교에 직면했을 때에 무슨 대답을 했을 것인가를 생각해보기만 하면 된다.

제가 도마복음서를 읽은 사람을 박해하겠는가? 어떤 지방 관리들이 레기노스서 또는 『영혼의 석의』를 설명하는 사람 때문에 위협을 느끼겠는가?[317]

이러한 점들과 관련된 것으로서 세 번째로 주목할 만한 것은 바울로부터 테르툴리아누스에 이르기까지 몸의 부활을 주장했던 주류적인 지지자들은 반복해서 구약성서 본문들을 사용하였다는 것이다. 언제나 동일한 본문들이 사용된 것은 아니었다; 그들은 새로운 석의를 수행할 수 있는 능력이 있었다; 그러나 예수 그리스도 안에서 계시된 신, 그를 죽은 자로부터 다시 살리셨고 마찬가지로 그의 모든 백성을 다시 살리실 신이 아브라함, 이삭, 야곱의 신이었고, 그의 목적들은 예수의 죽음과 부활에서 절정에 도달했으며, 이제 세상 속에서 시행될 것이라는 중심적인 신앙은 언제나 한결같았다. 마찬가지로 주목할 만한 것은 이따금의 언급들을 제외하면(주류적인 본문들에서와 동일한 것들이 아닌), 영지주의적이거나 그와 비슷한 저작들은 마치 역병이라도 되는 것처럼 구약성서를 피하였다는 것이다. 마르키온주의의 몇몇 태도들(유대인들, 그들의 신, 그들의 전승을 완전히 거부하는 것)을 명시적으로 받아들이고 있지 않은 경우라고 할지라도, 그것들은 분명히 그들이 말하고 있는 영성, 그들이 믿고 있는 예수, 예수에게 일어났다고 하는 그 어떤 사건들, 그들 자신이 지니고 있는 장래의 소망이 이스라엘, 유대인들, 족장들, 구약성서와 어떤 관련이 있다는 인상을 주고 싶어하지 않는다.

이 모든 것을 볼 때, 이러한 문서들이 역사적으로 및 신학적으로 어디에 속해 있는지는 분명해진다. 레기노스서 및 그 밖의 다른 문헌들에 의해서 사용된 의미로 "부활"에 관하여 말하는 것은 기독교적인 언어에 대한 후대의 근본적인 수정 이외의 다른 것이라고 생각하는 것은 불가능하다. 이러한 문서들은 기독교의 한 핵심적인 용어를 그대로 유지하는 가운데 거기에 새로운 내용을 채워넣고자 시도하고 있다. 이교적인 용법에서나 유대교적인 용법에서 "부활"과 그 동일 어원의 단어들은 결코 이 문서들이 사용했던 그러한 의미를 지니고

317) 영지주의자들이 박해를 받지 않은 것은 부활을 믿지 않았기 때문이라는 것에 대해서는 Frend 1954와 Holzhausen 1994을 인용하고 있는 Bremmer 2002, 51f.를 보라. 또한 Pagels 1980을 보라. Irenaeus (*Adv. Haer.* 1.24.6; 3.18.5; 4.33.9)는 여러 맥락들 속에서 이 점에 관하여 말한다; 또한 Tert. *Scorp.* 1.6; Eus. *HE* 4.7.7을 보라.

있지 않았다; 이것에 대한 유일한 설명은 그들이 어떤 유형의 그리스도인으로 보이기를 원하기 때문에 이 단어를 포기하기를 싫어하지만 앞선 시기에 그 어떤 보증도 존재하지 않는 방식으로 이 단어를 사용하고 있다는 것이다.

물론, 이것은 기독교 이전의 "영지"(gnosis)가 존재하지 않았다는 것을 의미하지는 않는다. 그것은 또 다른 문제이다[318] 그것이 의미하는 것은 나그 함마디 문서 및 그것과 유사한 문서들의 상당 부분은 초기의 자료들과는 달리 우리가 바울로부터 테르툴리아누스에 이르기까지의 흐름 속에서 발견하는 것과 병행되는 흐름을 보여주지 않는다는 것이다.[319] 그러한 것들은 유대교 속에서 "부활" 신앙의 뿌리들, 즉 구약성서, 창조와 심판에 관한 교리들, 제국의 권세로부터의 핍박을 직면하는 사회적인 상황 등과 같은 뿌리들과 명시적으로 단절된 전혀 새로운 운동을 대변한다. 이것은 여전히 예수의 이름을 부르고 있기는 하지만, 예수를 예수되게 한 바로 그러한 것들, 초기 그리스도인들을 그리스도인이 되게 한 그러한 것들을 내버린 영성의 형태이다.

8. 주후 2세기: 결론

주후 2세기의 위대한 이교도 의사였던 갈렌(Galen)은 이 시기 동안에 그리스도인들에 대한 대중들의 인식에 관한 흥미로운 논평을 제공해 준다. 플라톤의 『국가론』에 대한 자신의 요약 속에서 그는 대부분의 사람들은 일련의 논증 과정들을 따라갈 능력이 없기 때문에, 그들을 좀 더 높은 것들로 이끌고자 한

318) *NTPG* 155f.와 거기에 나오는 다른 참고문헌들을 보라.

319) 정통 신앙의 부활관은 모호한 것에 반해서 "부활"에 관한 영지주의적인 관점(이것을 그는 이렇게 설명한다: "예수는 몸을 입지 않은 광채로 부활하였고, 입교자들은 탈혼 상태에서 이런 종류의 부활을 재연하며, 그러한 영성은 부활한 그리스도와 그의 영지적인 제자들의 해석학적으로 풍부한 대화들을 통해서 예수의 말씀들을 신비화한다" — 이러한 본문들에 대한 기가 막힌 요약)은 일관되다는 Robinson 1982, 37의 엄청난 주장. 그것은 내적으로 일관된 것일 수 있다. 그러나 Robinson은 그 이상의 것을 의미하는 것으로 보인다: 그것은 Justin 또는 Irenaeus가 최초의 제자들의 부활절 환상과의 직접적인 일직선상의 관계 속에 있는 것과 동일한 타당한 주장을 지니고 있다는 것. 우리의 역사적 연구는 그러한 주장을 완전히 배제한다.

다면, 그들에게는 "알레고리들"(이것을 통해서 그가 의미하는 것은 특히 장래의 세상에서의 상급과 징벌에 관한 이야기들이다)이 필요하다고 지적한다. 그는 이렇게 말한다:

> 지금 우리는 그들의 신앙을 단순한 알레고리들로부터 가져왔음에도 불구하고 종종 진정한 철학자들인 것처럼 행동하는 그리스도인들이라 불리는 사람들을 본다. 그들이 죽음을 두려워하지 않으며 죽음 후에 맞게 될 것을 두려워하지 않는다는 것은 우리가 매일 볼 수 있는 것이고, 마찬가지로 그들과 함께 살 수 없는 이유가 된다.[320]

이러한 증언은 우리가 지금까지 살펴본 글들에 의해서 풍부하게 입증되고 있는 것으로 보인다. 신약성서에서처럼, 부활에 대한 신앙(예수 자신의 부활에 토대를 둔 신자들의 장래의 부활한 삶)은 우리가 방금 앞 단원에서 살펴보았던 것들, 즉 "부활"이라는 핵심적인 용어를 기독교의 언어적 용례들로부터 가져와서 전혀 다른 방식으로 사용하여 그 용어를 근본적으로 다른 세계관 속에 둔 것들을 제외하고는 우리에게 알려져 있는 모든 형태의 초기 기독교에서 토대를 이루고 있었다. 갈렌은 정곡을 찔렀다. 죽음을 몸의 종말(아마도 모든 것의 종말, 그리고 지복의 불멸의 상태로 들어가는 입구)이라고 본 표준적인 이교적인 견해에 맞서서, 기독교는 비기독교적인 상당수의 유대인들과 더불어서 하나님의 모든 백성(그리고 많은 사람들의 관점에 의하면, 의인들이든 악인들이든 모든 사람들)의 장래의 몸의 부활을 단언하였다. 마카베오2서, 랍비들, 그 밖의 다른 곳들(물론, 우리가 지금 살펴보고 있는 발전들과 동시대에 살았던 많은 랍비들)에 나오는 부활에 관한 발전된 유대교적인 견해들과는 대조적으로, 기독교는 부활은 죽음을 통과하여 그 너머에 있는 썩지 않은 몸으로 나아가는 것을 포함하며, 한 사람 메시야가 다른 모든 사람에 앞서서 죽은 자로부터 부활하였다는 것을 포함하고, 죽은 사람이 부활의 때까지 주와 함께 거한다는 관점에서 가장 잘 설명될 수 있는 중간 상태를 포함하는 신앙을 아주 상세

320) Beard, North and Price 1998, 2.338에 수록되어 있는 본문(오직 『국가론』에 대한 Galen의 요약문을 아랍어로 의역한 것으로만 보존되어 있다)과 번역문.

하게 단언하였다. 유대인들과 마찬가지로, 그리스도인들은 창조와 심판에 관한 교리들을 토대로 하고 있었고, 일회적인 사건들에 관한 예언들로서만이 아니라 예수 안에서 절정에 도달했다고 믿어진 근본적인 이야기를 제시하는 방식으로 유대 성경을 다시 읽는 것 속에 뿌리를 두고 있었다. 그럼에도 불구하고, 그들은 부활의 문자적인 용법과 구체적인 지시대상을 떠남이 없이 유대교의 통상적인 은유적 용법(이스라엘의 민족적 구속이라는 구체적인 사건들을 가리키는)을 버리고 세례, 몸과 행실의 거룩함이라는 구체적인 사건들을 가리키는 또 다른 은유적 용법을 발전시키는 방식으로 부활 개념을 발전시켰다.

그러므로 주목할 만한 것은 기독교는 위의 (vii)에서 살펴본 본문들을 제외하고는 이교 또는 유대교의 부활 신앙에 관한 일련의 스펙트럼과 관련해서는 그 단초들조차도 발전시키지 않았고 언제나 유대교의 스펙트럼 안에서 한 점에 굳건하게 머물러 있었던 것으로 보인다는 것이다.[321] 더 주목할 만한 것은 기독교는 그런 후에 이러한 입장에 의거해서 실질적으로 그러한 입장을 뛰어넘는 새로운 방식들, 즉 유대교 자료들로부터는 예측할 수 없었을 것이지만 그럼에도 불구하고 유대교 자료들과의 강력한 연속성 속에 머물러 있는 모습을 보여주는 새로운 방식들을 통해서 부활이 무엇을 포함하고 어떻게 부활이 일어날 것인지에 관하여 말하는 것을 발전시켰다는 것이다. 우리가 제2부와 제3부를 하나로 엮어서 종합적으로 고려할 때, 이제 이러한 상황들의 종합은 이제까지의 우리의 논증이 준비해 온 질문을 불러일으킨다: 이러한 주목할 만한 발전을 야기시켰고, 부활을 신앙의 주변부로부터 최중심부로 옮겨놓았을 뿐만 아니라, 절반쯤 형성된 신앙으로부터 매우 날카로운 초점을 지닌 신앙으로 바꾸어 놓은 것은 과연 무엇이었는가?

321) Riley 1995, 179는 정반대의 결론을 이끌어낸다: "예수의 부활과 그의 제자들의 사후의 상태에 관한 초기의 관념은 영적인 것으로서, 바울, 헬레니즘적인 교회, 도마 기독교에 의해서 여러 가지 방식으로 대변되었다는 것": "좀 더 초기의 개념"은 "예수가 영적인 존재로서 영적인 빛의 몸으로 다시 살아났다"는 것이었고, 그들 자신과 관련해서 그들은 "영적인 존재들이 되어서 몸과 그 고난들로부터 자유롭게 될 하늘의 내세에 관한 약속을 소망하였다"는 것. 그렇다면, 그들은 주변의 이교도들과 어떤 점에서 달랐던 것인가? 왜 그들은 박해를 받았는가?

물론, 초기 그리스도인들은 이런 일이 일어난 것은 그들의 운동이 결정적으로 예수 자신의 부활에 의해서 개시되었고 그것을 중심으로 형성되었기 때문이라고 대답하였다. 그들이 이 모든 것들을 말한 것은 그들이 예수에게 일어났다고 확고하게 믿은 것 때문이었다. 우리는 곧 그들이 이러한 이야기들을 말해 놓은 본문들을 살펴보고, 그들이 우리가 지금까지 살펴본 방대한 내용들에 대하여 어떻게 말하고 있는지를 살펴보지 않으면 안 된다. 그러나 그렇게 하기 전에, 우리는 먼저 초기 기독교를 좀 더 전체적인 관점에서 살펴볼 필요가 있다. 부활 교리의 발전은 역사적인 설명을 요구한다. 예수가 이스라엘의 메시야였고, 세상의 참된 주였다는 초기 기독교의 신앙들도 마찬가지이다.

제12장

참 소망: 메시야와 주로서의 예수

1. 서론

본서의 제3부의 중심적인 논증은 이제 끝이 났다. 초기 그리스도인들의 장래의 소망은 철저하게 유대적인 방식으로 부활에 그 초점이 맞춰져 있다; 그러나 그 소망은 유대교가 이제까지 말해 왔던 것 또는 실제로 나중에 말하게 될 모든 것을 뛰어넘는 것을 중심으로 재정의되었다. 그러나 재천명되고 재정의된 것은 단순히 부활에 대한 신앙만은 아니었다. 그 중심적인 재정의들 중의 하나는 초기 그리스도인들이 모든 다른 사람들에 앞서서 한 사람에게 부활이 일어났다고 믿었다는 것이기 때문에, 우리는 그 사람 자체에 관한 초기 기독교의 신앙이 병행적인 재정의의 여러 표지들을 보여주고 있다는 것을 발견하고는 이상하게 생각해서는 안 된다. 또한 이것은 그 사람에게 일어났던 일에 관한 초기 기독교의 신앙을 밑받침해 주는 강력한 증거를 제공해 준다고 나는 생각한다.

"하나님은 이 예수를 주와 메시야가 되게 하셨다." 베드로는 오순절 날에 이렇게 말하였다.[1] 또한 초기의 시편을 인용해서 바울이 표현한 것을 빌리면, "모든 혀가 그리스도 예수가 주시라고 고백하리라."[2] '퀴리오스'와 '크리스토스'는 초기 그리스도인들이 그들이 지금 예수에 관하여 믿고 있는 것을 표현하기 위하여 사용한 핵심적인 단어들이었다. 초기 기독교는 철두철미하게 메시야적이었고, 성경 및 성경 이후의 문헌들에 나오는 수많은 암시들 및 약속들

1) 사도행전 2:36. 물론, 이것은 누가의 관점에서 본 것이다; 아래의 서술을 보라.
2) 빌립보서 2:11.

과 맥을 같이 하여, 초기 그리스도인들은 지금 그들이 그 이름을 알고 있는 메시야가 세상의 참된 주라고 믿었다. 이 두 가지 용어가 최근에 로마인들에 의해서 처형당한 한 사람에 대하여 사용되었다는 것은 충격적인 것은 아닐지라도 놀라운 일이다. 이러한 충격은 현재의 장의 논증에서 중심축으로서, 우리를 부활이 초기 기독교의 세계관 내에서 기능했던 방식에 대한 최종적인 검토로 이끌 것이다. 이 두 가지 명칭, 그리고 그것들 주변에 들러붙어 있는 의미들은 밀접하게 서로 얽혀 있지만, 명확한 설명을 위해서 우리는 그것들을 따로 분리해서 내게 그 밖의 다른 모든 것을 위한 토대로 보이는 것으로부터 먼저 살펴보고자 한다. 초기 그리스도인들은 예수를 메시야라고 믿었다; 그리고 그들이 이렇게 믿은 것은 그의 부활 때문이었다.

2. 메시야로서의 예수

(i) 초기 기독교에서의 메시야직

이 점에 관한 논증은 세 단계로 나누어서 진행된다. (i) 초기 기독교는 철저하게 메시야적이었고, 예수가 하나님의 메시야, 이스라엘의 메시야라는 신앙을 중심으로 형성되었다. (ii) 그러나 유대교 내에서의 메시야직은 결코 예수가 겪은 운명을 겪는 것은 말할 것도 없고 예수가 했던 것과 같은 그런 일들을 행하는 메시야를 상정하지 않았다. (iii) 그러므로 역사가들은 왜 초기 그리스도인들이 예수에 관하여 그러한 주장을 하였고, 이에 따라서 그들이 자신의 삶을 재정립하였는지를 물어야 한다.

초기 기독교가 철저하게 메시야적이었다는 주장은 물론 논란이 있다. "Q"와 도마복음서(또는 이러한 것들을 영악하게 축약한 판본들)를 가장 초기의 기독교 문헌들이라고 끈질기게 주장하는 사람들은 이것을 토대로 예수의 메시야직에 대한 관심이 없었던 초기 그리스도인들이 실제로 존재하였다는 결론을 내린다 — 물론, 이것이 증거들로부터의 결론인지, 아니면 이러한 결론을 내기 위하여 증거들을 만들어낸 것인지는 여전히 논쟁거리이지만. 우리가 마태복음 11:2-6과 누가복음 7:18-23에서 볼 수 있듯이, "Q"는 그 자체가 메시야적인 신앙에 대한 분명한 표지들을 보여준다.[3] 그러나 적어도 비메시야적인 초기 형태의 "Q"를 받아들인다고 할지라도, 우리는 그러한 흐름은 거의 한꺼번에 밀려온 철저하게 메시야적인 운동에 의해서 신속하게 삼켜졌다는 말을 하지 않으면 안 될 것이다; 메시야는 이미 초기 그리스도인들의 사고 속에 아주 철저하게 배어 있었기 때문에, 그것은 당연한 것으로 여겨졌다. 이미 바울에게서 '크리스토스'(그리스도)라는 단어는 더 이상 특별한 내포(그가 이스라엘의 메시야라는 것을 나타내는 의미)를 지니지 않고, 오직 외연(나사렛 예수를 가리키는)만을 지닌 단순한 고유명사가 되어 가고 있었던 것으로 보인다.

실제로 일부 학자들은 이미 그러한 현상이 종결되어 있었다고 생각한다. 마르틴 헹겔(Martin Hengel)은 한 유명한 논문에서 이 단어가 거의 완전히 고유명사화되어서, 오직 몇몇 본문들에서만 "명칭으로서의 이 단어의 용법에 대한 흔적"을 보여줄 뿐이라고 말한다.[4] 나는 여러 곳에서 이와 정반대의 견해를 주장한 바 있다: 예수의 메시야직은 바울에게 여전히 중심적이고 결정적으로 중요한 것으로서, 그의 신학의 다른 주요한 주제들과 밀접하게 통합되어 있었다.[5] 이것은 그 밖의 다른 역사적이고 석의적인 장점들 중에서 특히 바울을 칠십인역의 증거들과 부합하게 만들어주는 장점을 지닌다.[6] 그러나 이것은 내가 여기에서 살펴볼 내용은 아니다. 헹겔의 견해가 옳아서, 바울의 메시야적 신앙의 모습 전체(내게는 너무도 분명해 보인다)가 허구라면, 그것은 단지 이 문제를 한층 더 첨예하게 만들 뿐이다: 20년 동안에 '크리스토스'라는 단어가 그토록 친숙하게 되어서 그 명칭적인 의미를 잃고 하나의 이름이 되어버려서 이제 구체적인 외연은 있지만 더 이상 내포를 지니지는 않는 단어가 되어 버릴 정도로 바울 이전의 초기의 기독교를 그토록 확고하게 메시야적으로 만든 것

3) 이것에 대해서는 *JVG* 495-7을 보라.

4) Hengel 1995, 1; 또한 cf. Hengel 1983 ch. 4. 1995, 4 n. 3에서 그는 이러한 칭호적 의미가 로마서 9:5에 잘 부합한다는 것을 인정하지만, "바울은 그 밖의 다른 곳에서 이 단어를 칭호로 사용하고 있지" 않기 때문에 거기에 나오는 것도 이름으로 취급하는 것이 더 낫다고 말한다. 이것은 증거에 대한 이론의 승리로서 의심스러운 주장이다.

5) Wright, *Climax* ch. 3; *Romans* passim, 특히, 1.3f.; 9.5; 15.3, 7, 12를 보라. 본서에서는 아래 제7장에 나오는 고린도전서 15:20-28에 대한 서술을 보라.

6) Hengel 1995, 1f.를 보라.

은 도대체 무엇이었는가? 물론, 예수의 메시야직은 복음서들에 나타나 있는 여러 전승들 속에서 고유명사의 지위로 축소되어 있지 않다. 나는 『예수와 하나님의 승리』 제11장에서 공관복음서의 증거들을 꽤 자세하게 살펴본 바 있다. 거기에서의 나의 요지는 예수가 자신의(흔히 많은 부분이 감추어져 있는) 소명에 관하여 무엇을 믿었는가를 밝히는 것이었지만, 공관복음서의 통상적인 층위 분류에서 서로 다른 여러 층위들에 속한 광범위한 본문들은 예수의 메시야직이 초기 기독교의 다수의 전승들에서 계속해서 중심적인 주제였다는 것을 보여준다.

이것은 사도행전에도 그대로 적용된다. 시편 16편에 대한 명시적으로 다윗적인 긴 석의를 통해서 나온 2:36에서의 초기의 언급은 사도행전 전체의 주제가 되고 있다. 누가복음 24:26, 46에서와 마찬가지로(아래를 보라), 사도행전 3:18, 20 같은 본문들에서 '크리스토스'라는 단어는 "메시야"를 의미하고 있음에 틀림없다.[7] 사도행전의 전반부(12장까지)는 헤롯이 그 배경에서 어른거리다가 결국은 이교 스타일의 오만함으로 인하여 하나님의 징벌을 받아 죽는다; 구조적인 측면에서 볼 때, 이것이 말하고자 하는 요지 중의 일부는 예수가 유대인들의 참된 왕이라는 것이다. 우리가 후대의 메시야 신앙을 형성시켰던 시편들과 예언들의 논리를 감안하면 예상할 수 있듯이, 사도행전의 후반부(13장에서 끝까지)는 이제 유대인들의 왕으로 세워진 예수가 어째서 세상의 참된 주인지를 보여주는 데에 집중한다. 실제로 "다른 임금 곧 예수라 하는 이"(17:7)가 있다. 사도행전은 바울이 로마에서 하나님 나라를 선포하면서(통상적인 인간 왕들이 아니라 참 신이 왕이 될 것이라는 유대인들의 소망의 성취), 아무런 방해도 없이 공개적으로 예수를 주이자 메시야로 가르치는 것으로 끝이 난다(28:31).

예수의 메시야직은 요한복음에서도 주된 주제이다. 요한의 고등 기독론이 이 복음서의 전체적인 흐름을 지배하고 있기는 하지만, '크리스토스'로서의 예수는 여전히 주된 관심이 된다. 예수가 처음으로 메시야로 인식될 때에 실제로 그 단어는 아람어로 표현된다: "우리가 메시야를 만났다"라고 안드레가 시몬에게 말한다. 이 복음서 기자가 조심스럽게 헬라어 번역문을 제공하고 있는 것

7) 또한 cf. 행 4:26; 9:22; 17:3; 18:5, 28; 26:23.

은 그가 '크리스토스'를 계속해서 이러한 의미를 지니는 것으로 사용하고 있다는 것을 보여준다.[8] 이것은 사마리아 여인과의 대화(4:25, 29), 예루살렘의 군중들과의 논쟁들(7:26f., 31, 41f.; 10:24; 12:34), 유대 통치자들의 칙령(9:22), 마르다의 신앙고백(11:27)에서 강화된다. (오늘날의 사람들의 눈에는) 이중적으로 된 이름처럼 보이는 '예수스 크리스토스'가 등장하는 두 번의 경우에서, 그것은 의심할 여지 없이 이러한 메시야적인 뉘앙스를 띤 채 읽혀져야 한다(1:17; 17:3). 예수의 부활과 도마의 신앙고백 다음에서 아마도 원래 의도했던 이 복음서의 결말이었던 내용 속에서, 이 복음서 기자는 자기가 이 모든 것을 자세하게 기록한 목적은 "예수가 하나님의 아들 메시야라는" 신앙을 생기게 하고 밑받침하려는 것이라고 분명하게 선언한다.[9] '크리스토스'라는 단어가 실제로 나오는 대목들만을 이런 식으로 열거하는 것을 통해서는 이 복음서에 나타나는 메시야와 관련된 주제들의 온전한 범위를 제대로 다룰 수 없다; 한 예로, 우리는 10장에 나오는 "선한 목자" 강론이(특히 무엇보다도) 왕을 목자로 묘사한 성경의 전승을 강력하게 환기시키고 있다는 것을 지적할 수 있을 것이다.[10]

이렇게 예수의 메시야직은 복음서들과 사도행전, 그리고 적어도 어떤 읽기에 있어서는 바울 서신에서도(그리고 또 다른 읽기에 있어서는, 그것은 바울이 서신들을 쓰기 이전에 이미 주된 주제였기 때문에, 바울 서신에서는 이미 이 단어가 고유명사화되어 있다고 한다) 주된 주제이다. 이러한 주제는 신약성서의 나머지 부분에서만이 아니라 그 밖의 다른 몇몇 전승들 속에서도 계속해서

---

8) 요한복음 1:41. 이 주제는 이미 세례 요한과의 대화 속에 암시되어 있다. 거기에서 그는 자기가 '크리스토스'라는 것을 부인한다(1:20, 25; cf. 3:28).

9) 요한복음 20:31: '호티 예수스 에스틴 호 크리스토스, 호 휘오스 투 데우.' "예수는 메시야 하나님의 아들이라는 것"으로 번역되는 통상적인 번역문은 그 강조점을 잘못된 곳에 두고 있다: 5:15에서의 문법적 병행이 보여주듯이, '크리스토스'에 정관사가 붙어있는 것과 '예수스'에 정관사가 없는 것이 이 점을 분명하게 보여준다. 또한 요한일서 4:15을 참조하라. 나는 아래의 제7장에서 특히 서문(1:1-18)과 20장의 병행들을 토대로 해서 21장이 이 책이 기본적으로 완성된 후에 덧붙여진 것이라는 것을 논증하고자 한다.

10) 예를 들면, 렘 23:4f.; 겔 34:23f.; 37:24; 미 5:4; 7:14; *JVG* 533f.에 나오는 좀 더 자세한 내용과 참고문헌들.

중요하였는데, 예를 들면 왕가의 후예라는 의심을 받아서 도미티아누스 황제 앞에 끌려간 예수의 친척들에 관한 이야기가 그것이다.[11] 다음 세대의 저술가들 중에서는 이그나티우스, 디다케, 바나바는 모두 예수의 메시야직이라는 개념에 익숙해 있다.[12]

그러므로 우리는 "도"를 좇는 자들이라고도 알려져 있었던 초대 교회가 아주 초기부터 "그리스도인들"로도 알려져 있었다는 것을 발견하고는 이상하게 생각해서는 안 된다.[13] 이것은 수에토니우스(Suetonius)와 타키투스에 나오는 (잘 알다시피 모호한) 증거들로부터도 드러난다.[14] 요세푸스도 예수를 묘사하면서 "이 사람이 메시야였다"고 분명하게 말하고 있고, 야고보의 죽음에 관하여 말할 때에는 그를 "소위 메시야의 동생"이라고 설명한다.[15] 이러한 증거들은 넘쳐난다. 예수는 초기 기독교 내부에서는 물론이고 그 외부에서도 "메시야"로 확고하게 알려져 있었다. 물론, 이것에 비추어 볼 때, 바울이 이 단어를 그토록 빈번하게 사용하면서도 이 단어가 명칭으로서 지니는 의미를 이해하지 못했다고 보기보다는 바울도 이 명칭의 의미를 정확하게 알고 있었다고 보는 것이 훨씬 더 자연스럽다. 그러나 내가 앞에서 말한 것처럼, 이것이 그렇지 않다고 할지라도, 분명히 그것은 매우 초기의 그리스도인들이 이 단어를 예수와 관련하여 너무도 빈번하게 사용해서, 이 단어가 그 원래의 의미를 잃어버리고 고유명사화될 정도였다는 것을 의미할 것이기 때문에, 그것은 이러한 논증의 나사를 한층 더 단단하게 조여 주는 것이 될 뿐이다. 또한 이것은 복음서 전승들과 사도행전의 증거들은 모두 후대의 것이라는 취지의 그 어떤 반론도

---

11) Euseb. *HE* 3.19f. Cf. *NTPG* 351f.

12) Ign. *Eph.* 18.2(cp. 20.2); *Trail.* 9.1; *Did.* 9.2; *Barn.* 12.10.

13) 행 11:26; cf. 26:28; 벧전 4:16. "그 도"에 대해서는 cf. 행 9:2; 18:25f.; 19:9, 23; 22:4; 24:14, 22.

14) Suet. *Claud.* *25A*; Tac. *Ann.* 15.44. Cf. *NTPG* 352-5.

15) Jos. *Ant.* 18.63f.; 20.200-03(*NTPG* 353f.를 참조하라. 거기에서 나는 *Ant.* 18에서의 예수에 관한 핵심적인 어구는 그리스도인의 첨가이거나 요세푸스가 예수를 메시야라고 믿는다는 고백이 아니라, 예수를 지칭하는 한 가지 방식이라고 본다: "너희가 들은 그 그리스도가 이 사람이었다.") 나는 Hengel이 후자의 어구가 "'크리스토스'가 얼마나 완벽하게 고유명사화 되어 있었는지를 보여준다"고 주장한 것에 대해서(1995, 2) 아주 이상하게 생각한다.

막아준다. 기독교는 비메시야적인 운동으로 시작된 후에 더 넓은 세계로 나아가면서 갑자기 메시야로서의 예수에 관한 온갖 종류의 전승들을 발전시켰다는 관념은 역사적으로 사고하는 그 어떤 사람에게나 직감과 반대되는 것임에 틀림없다.

우리가 왜 예수가 초기 기독교 전체에 걸쳐서 메시야로 여겨졌는가 하는 한 가지 가능한 이유를 고찰한다면, 여기에서도 앞에서와 비슷한 결과가 도출된다: 예수는 자기 자신을 이런 식으로 여겼고, 그가 그러한 소명을 지니고 있다는 자신의 믿음을 보여주는 일들을 말하고 행하였다는 것. 나는 이 총서의 제2권에서 이것이 실제로 사실이었다는 것을 꽤 자세하게 논증한 바 있다.[16] 하지만 이러한 가르침이 그의 공생애 기간 동안에 그를 따른 무리들을 확신시키는 데 있어서 가졌을 그 어떤 효과도 곧 분명하게 밝혀지게 될 이유들로 인해서 로마 당국자들의 손에 의해서 그가 수치스러운 죽음을 당함으로써 완전히 무효화되었을 것이다. 어쨌든 자신의 소명에 관한 예수의 이해와 관련된 나의 논증에 대해서 누구나 다 확신할 것은 아니기 때문에, 예수가 어쨌든 자기가 이스라엘의 메시야라고 생각했다는 인상을 주지 않았다면 그것은 단지 한층 더 혼란만을 증폭시킬 뿐이라는 것을 말해두는 것은 중요하다. 이렇게 갑자기 불쑥 터져나온 메시야 신앙은 도대체 어디로부터 온 것인가?

(ii) 유대교에서의 메시야직

물론, 문제는 당시의 다양한 유대교들 내에서 장차 오실 기름부음 받은 자들에 관한 다양한 묘사들이 예수에게 실제로 일어난 일은 말할 것도 없고 예수가 행하고 말하였던 것과도 부합하지 않는다는 것이다. 나는 그러한 것들을 다른 곳에서 자세하게 설명했기 때문에, 여기에서는 간략하게 요약만 할 것이다.[17] 그러한 복잡한 내용들을 우리가 일반화시킬 수 있다면, 자료들마다 강조점은 약간씩 다르지만, 세 가지 서로 연관된 주제들이 도출된다: 메시야는 이교도들에 대하여 결정적인 승리를 얻고, 성전을 재건하거나 정결케 하며, 이런저런 방식으로 신이 주신 참된 공의와 평화를 온 세상에 가져올 것으로 여겨

16) *JVG* ch. 11. 또한 Hengel 1994 chs. 1, 2을 보라.
17) *NTPG* 307-20; *JVG* 481-6.

졌다. 사람들이 메시야와 관련하여 전혀 예상하지 못했던 것은 이교도들을 패배시키는 것이 아니라 도리어 이교도들의 손에 죽는 것, 성전을 재건하거나 정결케 하는 것이 아니라 성전에 대하여 상징적인 공격을 행하면서 성전에 대한 임박한 심판을 경고하는 것, 이교도들에게 공의와 평화를 가져다 주는 것이 아니라 이교도들의 손에 의해서 불의한 폭력을 당하는 것이었다. 제3자 — 예수에게 공감하는 사람이든 아니든 — 의 관점에서 볼 때, 예수의 십자가 처형은 예수 또는 그의 제자들이 암시하였던 그 어떤 메시야적인 운동의 가능성들의 완전한 와해로 보였을 것임에 틀림없다. 제3자로서 지켜보았던 그 어떤 유대인도 한 선지자(많은 사람들이 예수를 이렇게 여겼다는 것은 논란의 여지가 없다), 또는 메시야로 자처하는 자가 폭력에 의해서 처형당한 것을 보고, 그가 진정으로 메시야였다거나 야훼의 나라가 그의 사역을 통해서 임하였다고 말하지 않았을 것이다. 그러한 사건은 강력하고도 저항할 수 없을 정도로 예수는 메시야가 아니었고 야훼의 나라는 임하지 않았다는 것을 말해주는 것이었다.

우리가 잠시 이 시기에 있어서 메시야를 자처했던 아주 유명한 인물들 중에서 두 사람, 즉 제1차 유대 혁명(주후 66-70년) 기간 동안의 시몬 바르 기오라(Simon bar-Giora)와 제2차 유대 혁명(주후 132-135년) 기간 동안의 시므온 벤 코시바(Simeon ben Kosiba, 바르 코크바)의 죽음 이후의 상황을 생각해 보면, 우리는 이것을 아주 분명하게 볼 수 있다.[18] 시몬은 베스파시아누스 황제가 한창 로마로 개선 행진을 해 갈 때에 죽임을 당하였다; 시므온은 로마군이 그의 운동을 분쇄하고 아울러 유대인들의 해방에 관한 모든 전망을 분쇄해 버렸을 때에 죽었다. 우리는 단지 적절한 역사적인 상상력을 발휘해서 그들이 죽고 난 후 수 일 동안의 상황이 어떠했을지를 생각보기만 하면 된다.

예를 들면, 시몬의 경우를 보자. 그 해는 주후 70년이었다. 베스파시아누스는 황제가 되어 있었다. 그의 아들이자 후계자였던 티투스는 유대 혁명을 짓밟았고, 그 과정에서 예루살렘을 파괴하였다. 그는 로마로 돌아와서 자신의 혁혁한 승리를 축하하였는데, 이것에 관한 그림이 광장의 동쪽 끝에 있는 티투스의 홍예문에 오늘날까지 돌에 새겨져 있다. 거지꼴을 한 유대인 포로들은 이 전쟁에 관한 이야기를 말해 주는 행렬 속에 등장한다; 탈취물들, 특히 성전에서 탈취

18) 자세한 것은 *NTPG* 176-8; 165f.를 보라.

해 온 물건들은 도성의 길거리에 길게 늘어서 있다. 끝으로 거기에는 정복의 영웅들이 나온다: 베스파시아누스 황제, 그 다음에 티투스, 그리고 그들 곁에서 말을 타고 있는 티투스의 동생인 도미티아누스. 그러나 한 가지 의식이 남아 있다:

> 개선 행렬은 유피테르 카피톨리누스(Jupiter Capitolinus)의 신전 앞에서 멈췄다 … 적군의 원수가 사형에 처해졌다는 것을 고할 때까지 거기에서 기다리는 것이 오래된 옛 관습이었다. 그는 행렬 중에서 죄수들 가운데 있었던 기오라의 아들인 시몬이었고, 그는 올가미가 씌어진 채 로마법에서 사형선고를 받은 죄인들을 처형하는 장소로 규정하고 있는 광장 옆의 장소로 끌려 나왔다. 그를 거기로 끌고 나온 사람들은 거기에 다다를 때까지 그에게 채찍질을 하였다. 그의 사형이 선포되고, 이어서 무리들이 기쁨의 환호성을 다 함께 지른 후에, 왕자들은 희생 제사들을 시작하였다; 그의 제사들이 적절하게 드려졌을 때, 그들은 황궁으로 돌아갔다 … 로마시는 원수들에 대한 전쟁에서의 승리, 내전의 종식, 번영의 소망의 시작을 기념하여 그날에 축하 잔치를 벌였다.
>
> 승전 예식들이 끝나고, 로마 제국이 가장 든든한 토대 위에 세워졌을 때, 베스파시아누스는 평화의 신전을 세우기로 결심하였다 … [19]

로마의 승리; 로마의 공의; 로마 제국; 로마의 평화; 이 모든 것은 유대 지도자가 죽임을 당하였기 때문이었다. 이것은 메시야의 죽음으로 인해서 구원이 세상에 임하였다는 기독교의 주장에 대한 흥미로운 병행이다; 그러나 우리는 이것을 잠시 접어두고, 우리의 직접적인 과제와 관련해서 시몬이 처형당한지 수일 후에 시몬의 지지자들 중에서 두세 사람을 생각해 보자 — 그들이 동굴이나 은밀한 곳에 숨어서 살아남아 있었다고 한다면. 한 사람이 다른 사람에게 "정말 나는 시몬이 진정으로 메시야였다고 생각해"라고 말하였다고 가정해 보자. 다른 사람들이 그 사람의 말에 대하여 취하였을 가장 온건한 견해는 그렇게 말한 사람이 미쳤다는 것일 것이다. 또는 그러한 말은 대단히 반어법적인

---

19) Jos. *War* 7.153-8.

것으로 이해되었을 수도 있다: 그는 진정으로 우리의 메시야였다 — 달리 말하면, 우리의 신은 우리를 잊어버렸고, 이것이 우리가 기대할 수 있는 최선의 것이고, 우리는 더 이상 소망이 없다는 것을 인정하지 않을 수 없다! 그러나 가정을 계속해 보자: 시몬은 진정으로 메시야였기 때문에, 우리는 이제 그를 메시야로 받드는 운동을 시작하여, 우리의 동료 유대인들에게 야훼의 기름부음 받은 자가 그들 가운데에 있었고 하나님 나라를 세웠다고 선포한 후에(가이사의 나라가 어느 때보다도 가장 견고하게 세워져 있는 것으로 보이는 바로 그때에!) 유대인들의 왕인 시몬이 진정으로 온 세상의 주라고 선포하기 위하여 세상으로 나아간다면, 사실을 완전히 뒤엎은 일종의 범죄적인 광기라는 평결은 불가피할 것으로 보인다. 그리고 만약(우리가 나중에 논의하게 될 그러한 이론을 미리 예상해서) 말하는 사람이 그의 제안에 대하여 그의 동료들이 경악하는 것을 깨닫고 자기가 시몬과 함께 하는 비전을 받았으며, 이스라엘의 신이 그들이 그를 적절하게 밑받침하지 못한 것에 대하여 죄를 사하여 주셨고, 그는 시몬의 죽음에 관하여 생각할 때에 기이하고 감동적인 영적 체험을 하였다고 말함으로써 이 모든 것을 설명한다면, 그의 동료들은 서글픈 눈으로 머리를 절레절레 흔들었을 것이다. 이러한 것들 중 그 어느 것도 시몬이 결국 메시야였다는 것을 희미하게나마 보여주지 않는다. 그러한 것들 중 어느 것도 사람들이 오랫동안 기다려왔던 이스라엘의 하나님의 나라가 임했다는 것을 의미하지 않는다. 그러한 것들 중 그 어느 것도 시몬이 "죽은 자로부터 부활하였다"는 것을 의미하지 않는다.[20]

그러므로 잠시 동안의 훈련된 역사적 상상력만으로도 이 점을 알기에 충분하다("역사적 비평"은 흔히 그러한 상상력을 사용하기를 꺼려 왔다). 장차 오실 메시야, 그리고 그러한 인물이 이루게 될 것이라고 기대되었던 행위들에 관한 유대인들의 신앙들은 여러 모양과 규모를 지니고 있었지만, 그것들은 로마 제국에게 통상적인 승리를 축하하게 해 준 수치스러운 죽음을 포함하고 있지 않았다. 이것은 세 번째 질문, 역사가가 꼭 던져야 할 질문으로 이끈다.

---

20) 이것은 Schillebeeckx 1979(아래 제18장을 보라), Marxsen(예를 들면, 1968a, 1968b), Wilckens 1968, 68f. 등에 의해서 주창된 모형 이론들에 대한 역사적 답변의 토대이다.

(iii) 그렇다면, 사람들은 왜 예수를 메시야라고 불렀는가?

그렇다면, 왜 초기 그리스도인들은 예수가 분명히 메시야가 아니었음에도 불구하고 예수를 메시야로 부르며 환호하였던 것인가? 예수는 채찍질을 당하고 길거리를 질질 끌려 다니다가 처형당하였었다. 실제로 그의 처형은 공개적으로 이루어져서, 수치와 이교도들의 완벽한 승리 의식을 증대시켰다. 이러한 죽음에 직면해서, 왜 제자들은 그가 메시야였다고 말할 생각을 갖게 되었던 것일까 — 게다가, 앞으로 보게 되겠지만, 이 신앙을 중심으로 그들의 세계관을 재정립해서, 기독교가 유대교의 메시야 사상과는 상당한 차이점들을 보이는 메시야적 운동으로 시작되게 하였는가?

그들 앞에 놓여 있었던 선택지(options)들은 분명하였다. 메시야로 자처하던 자가 죽었다면, 그들은 목숨을 건진 것을 감사하면서 집으로 슬그머니 돌아갈 수 있었을 것이다. 주후 135년 이후의 랍비들이 했던 대로, 그들은 혁명에 대한 꿈은 끝났다고 선언하고, 그 이후로는 이스라엘의 신에게 충성할 수 있는 다른 길을 찾아 보아야겠다고 말할 수 있었을 것이다. 또한 그들은 또 다른 메시야를 찾아 나설 수도 있었을 것이다.

이것은 진지한 대안이었다. 이것은 한 왕가를 통해서 연결되어 있는 주후 1세기의 여러 운동들로부터 분명하다. 모든 세부적인 내용이 분명한 것은 아니지만, 예수의 공생애 기간 및 바울의 선교 여행 기간을 포함한 거의 100여년 동안 한 왕가로부터 일련의 지도자들이 출현해서, 마사다에서의 최후의 항전을 이끌었던 엘르아살에게서 끝이 난 것으로 보인다.[21] 나사렛 예수는 그의 죽음 후에 두 세대가 지나서 자신의 친척들로 알려진 사람들을 가지고 있었기 때문에, 그들의 어깨 위에 메시야에 대한 소망을 다시 두는 것은 아무런 문제도 없었을 것이다.

메시야로서 이상적인 후보자로 보였을 법한 한 인물이 예수의 친척 중에 있었다. "주의 형제" 야고보는 아마도 예수의 공생애 기간 동안에 예수를 좇지 않았던 것으로 보이지만, 매우 초기의 전승에 의하면, 그는 열한 사도와 마찬가지로 부활한 예수를 보았다고 한다.[22] 그런 후에, 그는 신속하게 예루살렘 교회

21) 자세한 것은 *NTPG* 179f.

22) 고린도전서 15:7. 야고보가 예수가 살아계신 동안에 예수를 과연 따랐는지,

에서 중심적인 지도자들 중의 한 사람이 되었다. 바울이 다메섹 도상에서 예수를 만난 후에 처음으로 예루살렘으로 갔을 때, 이 야고보는 베드로 이외에 그가 만났던 "사도들" 중의 유일한 사람이었다.[23] 사도행전은 야고보를 이방인들을 공동체의 온전한 지체로 받아 들이기 위한 조건들을 다루는 토론을 주재한 인물로 묘사한다.[24] 그는 분명히 예루살렘 교회, 그리고 온 세계의 교회에서 권위의 중심으로 여겨졌다 — 물론, 사람들은 바울이 그의 권위를 반대한다고 주장하였지만.[25] 신약성서에서 그에게 돌려진 서신이 실제로 그의 저작이든 아니든(이 가능성은 학계에서 자동적으로 배제되어 왔지만, 지금은 훨씬 더 널리 인정되고 있다), 그 서신이 그에게 돌려지고 있다는 사실은 그가 지혜롭고 명망높은 교사로서 초기 기독교에서 누렸던 지위를 보여준다.[26] 그리고 헤게시푸스(Hegesippus)에 나오는 그의 죽음에 관한 기사(유세비우스의 글에 보존된)는 그를 그의 일생 동안의 금욕적인 경건, 끊임없는 기도와 효과적인 증거로 인해서 의인 — 헬라어로는 '디카이오스,' 히브리어로는 '차디크' — 야고보로 묘사한다.[27] 이러한 헤게시푸스의 기사(아마도 왜곡된 것으로 보이는)에 의하면, 유대 지도자들은 야고보에게 사람들이 점점 더 그의 형인 예수를 메시야

만약 그렇다면 어느 정도나 따랐는지라는 문제에 대해서는 Painter 1997, 11-41; Bauckham 2001, 106-09를 보라. Bauckham은 "통상적인 견해와는 반대로, 야고보는 예수의 사역기간 중의 상당 기간 동안 예수를 따라다니며 그의 가르침을 배운 제자들에 속해 있었다"고 결론을 내린다(109). 이것은 요한복음 7:5과 명백한 긴장관계에 놓이게 되는데, 물론 야고보는 복음서 이야기들 속에서는 그 어느 대목에서도 예수의 제자로 언급되지 않는다.

23) 갈라디아서 1:19.

24) 사도행전 15:13-21. 또한 cf. 행 12:17; 21:18.

25) 갈라디아서 2:12. 야고보와 그의 중요성에 대해서는 Painter 1997; Chilton and Neusner 2001 등과 거기에 나오는 다른 참고문헌들을 보라. 이것에 비추어 볼 때, 복음서들에 나오는 부활 이야기들 속에 지도자로서의 야고보를 정당화하는 "부활 현현"을 삽입시키려고 하는 시도를 보여주는 그 어떤 표지도 존재하지 않는다는 것은 더욱 흥미롭다; 야고보와 관련된 유일한 언급은 물론 고린도전서 15:7이다(Jerome, *De Vir. Ill.* 2가 인용하는 훨씬 후대의 *Gospel of the Hebrews*가 나올 때까지는).

26) Chilton and Neusner 2001, 특히 Bauckham의 논문을 보라.

27) Euseb. *HE* 2.23.1-7.

라고 믿게 되고 있으니 이를 진화해 달라고 요청하였다고 한다:

> 우리는 당신에게 사람들이 마치 예수가 메시야인 것처럼 예수를 좇아 어그러진 길로 가고 있는 것을 억제해 달라고 요청한다. 우리는 당신에게 유월절 날에 오는 모든 자들에게 예수에 관하여 설득해 주기를 부탁한다. 왜냐하면, 모든 사람들이 당신의 말에 순종하기 때문이다. 우리와 이 백성 전체는 당신이 의롭고 사람들을 두려워하지 않는다는 것을 증언한다. 이 백성 전체와 우리 모두가 당신에게 순종하니, 당신은 무리를 설득하여 예수에 관하여 잘못 생각하지 않도록 해 달라.[28]

하지만 야고보는 정반대로 행하여서, 예수를 메시야적인 인자로 선포하여서, 무리들로부터 "호산나 다윗의 자손이여"라는 외침을 이끌어내었다.[29] 그래서 당국자들은 그를 잡아다가 돌로 쳤고, 마침내 그를 몽둥이로 쳐서 죽였다:

> 그리고 그들은 그를 성전 옆에 있는 곳에 묻었는데, 그의 비문은 여전히 성전 옆에 남아 있다. 그는 유대인들과 헬라인들에게 예수는 메시야라는 것을 증언한 참된 증인이 되었다. 즉시 베스파시아누스는 그들을 포위하기 시작하였다.[30]

요세푸스의 글 속에 나오는 병행되는 보도는 기본적인 진상을 확증해 준다: 야고보는 충성스럽고 엄격한 유대인들에 의해서 깊은 존경을 받았고, "이른바 메시야라 불린 예수의 형제"('톤 아델폰 예수 투 레고메누 크리스투')로 알려져 있었다는 것.[31] 달리 말하면, 야고보는 나름대로 메시야적인 인물로 여겨질 만한 최우선적인 후보자였다는 말이다.

---

28) *HE* 2.23.10.

29) *HE* 2.23.13f.

30) *HE* 2.23.18.

31) Jos. *Ant.* 20.200. Cf. *NTPG* 353f. 이 장을 수정할 때에(2002년 10월) 감람산 근방에서 "예수의 형제 요셉의 아들 야고보"라는 글귀가 씌어진 주후 1세기의 납골단지가 발견되었다는 소식이 내게 전해졌다.

여기서도 아주 작은 훈련된 역사적 상상력만으로도 우리는 이 장면을 그려볼 수 있다. 나사렛 예수는 위대한 지도자였다. 대다수의 사람들은 그를 선지자로 여겼고, 많은 사람들은 메시야로 여기기도 하였다. 그러나 로마인들은 선지자들과 메시야들이라고 자처하였던 많은 사람들의 경우와 마찬가지로 그를 잡아다가 죽였다. 세례 요한의 운동이 그의 투옥과 죽음으로 점차 사라져가면서, 여러 가지 종말론적인 시나리오들 안에서의 요한의 역할에 관한 사변이 그보다 약간 나이어린 사촌에게 이전되었던 것과 마찬가지로, 우리는 예수의 운동이 그의 처형과 더불어서 점차 희미해져서 그 후광이 이제 그보다 약간 나이어린 동생에게로 향하는 상황을 충분히 상상해 볼 수 있다.[32] 이 동생은 위대한 지도자임이 밝혀졌다: 다른 경건한 유대인들에 의해서조차도 존경받는 경건하고 훌륭한 교사. 사람들이 무엇을 더 바랄 수 있을 것인가? 그러나 아무도 야고보가 메시야라고 말하는 것은 꿈조차 꾸지 못했다. 그는 단순히 "메시야 예수"의 형제로 알려져 있었다. 이 대목에서 논증은, 개가 밤중에 특이한 행동을 했는가 — 또는 개가 밤중에 특이한 행동을 했어야 함에도 불구하고 아무런 행동도 하지 않았다는 것은 개가 침입자를 알아 보았다는 것을 보여준다는 사실 — 를 중심축으로 하는 셜록 홈스의 저 유명한 이야기와 비슷한 맥락으로 흘러 간다.[33] 나사렛 예수가 메시야를 참칭하는 자로 처형되었고, 그의 동생이 그 후의 30년 동안에 예수의 이전 제자들 가운데서 아주 강력한 지도자가 되어 있었다고 우리가 생각한다면, 당시의 풍토를 감안할 때, 우리는 야고보 자신이 메시야였다고 주장하지 않을 수 없었을 것이다. 그러나 그렇게 말하는 사람은 한 사람도 없었다.

그러므로 역사가는 부활에 대한 유대교적인 신앙의 두드러진 채택 — 비록

---

32) 요한에 관한 생각에 대해서는 눅 3:15; 요 1:24-8을 참조하라; 예수에게 이전시키고 있는 것에 대해서는 마 4:12; 요 3:25-30; 4:1-3; 마 11:2-15/눅 7:18-28을 참조하라.

33) "당신이 내게 일러줄 다른 말이 있습니까?"
"간밤에 그 개에게 이상한 사건이 있었습니다."
"그 개는 간밤에 아무 일도 하지 않았습니다."
"바로 그것이 이상한 사건이었습니다"라고 셜록 홈스는 말했다.
(Sir Arthur Conan Doyle, *The Memoirs of Sherlock Holmes,* 1894, "Silver Blaze.")

변형된 것이긴 하지만 — 에 의해서 제기되는 것과 동일한 종류의 수수께끼에 직면한다. 우리는 나사렛 예수를 중심으로 한 메시야적 소망을 품고 있었던 주후 1세기의 한 무리의 유대인들이 그의 죽음 후에 정반대의 결정적인 증거들에도 불구하고 그가 진정으로 메시야였다고 주장했다는 사실을 설명해 줄 수 있는 그 무언가를 전제하지 않으면 안 된다.[34] 그들은 그의 명백한 실패 이후에 그의 가족 중에서 아주 유력한 후보자가 있었음에도 불구하고 또 다른 메시야를 찾는 가능성조차도 전혀 고려하지 않았다.

이러한 역사적인 질문은 초기 기독교에서 "메시야"에 관한 초상에 대하여 일어났던 일에 의해서 한층 더 첨예해진다.[35] 학자들이 흔히 말해 왔던 것에도 불구하고, 그것은 포기된 것도 아니었고, 단순히 기존의 유대교적 모델들로부터 가져와서 전폭적으로 채택된 것도 아니었다. 그것은 예수를 중심으로 해서 변형되고 다시 그려졌다. 한편으로 초기 그리스도인들은 유대교적인 메시야 신앙의 기본적인 형태를 유지하였다. 그들은 메시야 신앙이 시편들, 예언서들, 성경의 왕과 관련된 이야기들에 뿌리를 두고 있다는 것을 재확인하였다; 그들은 그것을 성경적인 방식들로 발전시켰다(이스라엘의 메시야가 세상의 참된 주라는 신앙 등과 같은 것들; 아래를 보라). 이와 동시에 다른 한편으로 그들은 이 신앙을 네 가지 방식으로 신속하게 변형시켰다. 그것은 인종적 특수성을 상실하였다: 메시야는 오직 유대인들에게만 속한 것이 아니었다. "메시야적 전투"는 그 성격이 바뀌었다: 메시야는 군사적인 전투를 수행하는 것이 아니라, 악 그 자체와 대결한다. 재건된 성전은 예루살렘에 있는 벽돌과 역청으로 만들어진 구조물이 아니라, 예수를 따르는 자들의 공동체이다. 메시야가 세상에 가져올 공의, 평화, 구원은 로마 제국의 꿈의 유대적인 판본이 아니라, 피조 세계 전체의 갱신을 통해서 세상에 쏟아 부어질 하나님의 공의('디카이오쉬네'), 하나님의 평화, 하나님의 구원이다. 이 모든 것은 로마서, 고린도전서, 사도행전, 요한계시록 같은 초기 기독교의 주요한 몇몇 문헌들 속에서 볼 수 있다. 장차 오실 메시야에 대한 신앙과 관련해서도 장래의 부활에 대한 유대교적 신앙에 일

34) Wedderburn 1999, 21.

35) 상당히 확장될 수 있었을 이 단락에 대해서는 Wright, *Climax* chs. 2, 3; *NTPG* 406-09; *JVG* ch. 11을 참조하라.

어났던 것과 비슷한 일이 일어났다. 그것은 결코 포기되지도 않았고, 단순히 전폭적으로 재천명된 것도 아니었다. 그것은 예수를 중심으로 재정의되었다. 왜?

물론, 이 질문에 대하여 초기 그리스도인들은 한 목소리로 대답한다: 우리는 예수가 죽은 자로부터 몸으로 부활하였기 때문에, 그가 메시야였고 또한 지금도 메시야라는 것을 믿는다. 이것은 다른 그 무엇으로도 될 수 있는 일이 아니다. 그리고 이것에 대하여 역사가들은 이렇게 말하여야 한다: 그렇다. 그러한 믿음이 그러한 결과를 낳았을 것이다. 초기 그리스도인들이 이스라엘의 신이 예수를 죽은 자로부터 다시 살렸다고 믿었다면, 그들은 예수가 그의 수치스러운 죽음에도 불구하고 메시야로 신원되었다고 믿었을 것이다. 그러나 이러한 논증은 단지 우리를 그 신앙 자체로 데려다 줄 뿐이다. 초기 그리스도인들이 이러한 신앙에 어떻게 그리고 왜 도달하였는가 하는 것은 우리가 적절한 때에 다시 살펴보아야 할 추가적인 질문이다.

하지만 먼저 우리는 초기 그리스도인들이 예수에 관하여 말하였던 또 하나의 주목할 만한 것을 살펴보지 않으면 안 된다: 예수는 세상의 참된 주라는 의미에서 및 야훼 자신을 가리키는 데에 사용했던 칠십인역의 '퀴리오스'의 용법과 동일한 의미에서 '퀴리오스'였다는 것.

3. 메시야 예수는 주이다

(i) 서론

예수가 메시야였다면, 그는 또한 온 세상의 주였다. 이러한 초기 그리스도인들의 신앙은 시편들에 굳건하게 뿌리를 내리고 있고, 이러한 뿌리들로부터 단절되는 경우에는 그 특별한 의미를 잃어버리게 된다. 물론, 이러한 단절은 지난 세기 동안에 신약학계의 상당 부분에서 일어났던 일이다. 학자들의 논증 속에서 사고의 흐름은 다음과 같이 진행되었던 것으로 보인다: (a) 메시야직은 당연히 유대교적인 범주이기 때문에, 복음이 이방 세계로 전파되면서, 그 단어는 무의미하게 되었다; (b) 그 시점에서 초기의 복음 전도자들, 특히 바울은 그것을 전혀 다른 범주, 즉 이방인들 사이에서 이미 이교의 신들을 가리키는 명칭으로 잘 알려져 있었던 '퀴리오스'로 교체하였다; (c) 그러므로 초기 기독교에서 예수의 "주되심"(Lordship)은 유대교적인 기대가 아니라 헬레니즘 종교라는 관점에서 이해되어야 하고, 죽은 자로부터의 그의 부활이 아니라 그가 하늘로 승귀된 것, 그리고 그에 대한 초기 그리스도인들의 "종교적 체험"에 토대를 둔 것으로 보아져야 한다; (d) 따라서 예수의 "주되심"은 유대적인 하나님 나라 기대는 물론이고 사회 정치적인 현실과 거의 관계가 없었고, 예수의 죽음 직후에 그에게 일어났었을 그 어떤 일과도 아무런 상관이 없다.[36]

초기 기독교에서의 "주되심"에 관한 이러한 분석은 최근 수십년 동안에 여러 측면으로부터 공격을 받아 왔다. 그러나 그 여러 특징들에 대하여 반론을 제기하였던 학자들조차도 여기서 지적되어야 할 요점, 즉 바울 이래로 예수가 주시라는 믿음은 (다른 무엇보다도 특히) 메시야로서의 예수에 대한 믿음의 한 기능이지, 그 믿음으로부터 멀어져 간 것이 아니었다는 것을 통상적으로 놓쳐 왔다. 사실, 그것은 메시야에 관한 성경의 고전적인 묘사들에 토대를 두고 있는 것이었다:

> 내가 여호와의 명령을 전하노라
> 여호와께서 내게 이르시되 너는 내 아들이라 오늘 내가 너를 낳았도다
> 내게 구하라 내가 이방 나라를 네 유업으로 주리니
> 네 소유가 땅 끝까지 이르리로다
> 네가 철장으로 그들을 깨뜨림이여
> 질그릇 같이 부수리라 하시도다
> 그런즉 군왕들아 너희는 지혜를 얻으며
> 세상의 재판관들아 너희는 교훈을 받을지어다
> 여호와를 경외함으로 섬기고
> 떨며 즐거워할지어다
> 그의 아들에게 입맞추라
> 그렇지 아니하면 진노하심으로 너희가 길에서 망하리니 …[37]

---

36) 이것이 W. Bousset와 그 이후, 불트만을 거쳐서 1950년과 2000년 사이의 많은 학자들에게로 소급되는 가설에 대한 대단히 축약된 요약이다.

37) 시편 2:7-12. 마지막 어구들에 있어서의 번역상의 문제점들은 이 점에 영향을 미치지 않는다.

하나님이여 주의 판단력을 왕에게 주시고
주의 공의를 왕의 아들에게 주소서
그가 주의 백성을 공의로 재판하며
주의 가난한 자를 정의로 재판하리니 …
그가 바다에서부터 바다까지와
강[유프라테스 강]에서부터 땅 끝까지 다스리리니
광야에 사는 자는 그 앞에 굽히며
그의 원수들은 티끌을 핥을 것이며
다시스와 섬의 왕들이 조공을 바치며
스바와 시바 왕들이 예물을 드리리로다
모든 왕이 그의 앞에 부복하며
모든 민족이 다 그를 섬기리로다
그는 궁핍한 자가 부르짖을 때에 건지며
도움이 없는 가난한 자도 건지며 …
그의 이름이 영구함이여
그의 이름이 해와 같이 장구하리로다
사람들이 그로 말미암아 복을 받으리니
모든 민족이 다 그를 복되다 하리로다[38]

내가 내 종 다윗을 찾아내어 나의 거룩한 기름을 그에게 부었도다 …
원수가 그에게서 강탈하지 못하며
악한 자가 그를 곤고하게 못하리로다
내가 그의 앞에서 그 대적들을 박멸하며
그를 미워하는 자들을 치려니와 …
내가 또 그의 손을 바다 위에 놓으며 오른손을 강들 위에 놓으리니
그가 내게 부르기를 주는 나의 아버지시요
나의 하나님이시요 나의 구원의 바위시라 하리로다
내가 또 그를 장자로 삼고 세상 왕들에게 지존자가 되게 하며.[39]

---

38) 시편 72:1f., 8-12, 17.

이새의 줄기에서 한 싹이 나며
그 뿌리에서 한 가지가 나서 결실할 것이요 …
공의로 가난한 자를 심판하며
정직으로 세상의 겸손한 자를 판단할 것이며
그의 입의 막대기로 세상을 치며
그의 입술의 기운으로 악인을 죽일 것이며 …
그 날에 이새의 뿌리에서 한 싹이 나서 만민의 기치로 설 것이요
열방이 그에게로 돌아오리니 그가 거한 곳이 영화로우리라.[40)]

내가 붙드는 나의 종, 내 마음에 기뻐하는 자
곧 내가 택한 사람을 보라
내가 나의 영을 그에게 주었은즉 그가 이방에 정의를 베풀리라 …
그는 쇠하지 아니하며 낙담하지 아니하고
세상에 정의를 세우기에 이르리니
섬들이 그 교훈을 앙망하리라 …
나 여호와가 의로 너를 불렀은즉
내가 네 손을 잡아 너를 보호하며
너를 세워 백성의 언약과 이방의 빛이 되게 하리니 …[41)]

내가 또 밤 환상 중에 보니
인자 같은 이가 하늘 구름을 타고 와서
옛적부터 항상 계신 이에게 나아가 그 앞으로 인도되매
그에게 권세와 영광과 나라를 주고
모든 백성과 나라들과 다른 언어를 말하는 모든 자들이
그를 섬기게 하였으니
그의 권세는 소멸되지 아니하는 영원한 권세요

---

39) 시편 89:20, 22f., 25-7.
40) 이사야 11:1, 4, 10.
41) 이사야 42:1, 6; cp. 49:1-6.

그의 나라는 멸망하지 아니할 것이니라.[42]

이러한 본문들은 모두 잘 알려져 있는 것이지만, 그 온전한 의미를 파악하기 위해서는, 더 넓은 맥락들 속에서 읽혀질 필요가 있다. 이 본문들을 둘러싼 논쟁들, 제2성전 시대 유대교 내에서의 이 본문들의 재사용, 그리고 초기 기독교 내에서의 이 본문들의 새로운 사용은 논의하기는커녕 열거하기도 힘들 정도로 무수하게 많다.[43] 그러나 현재의 논쟁 속에서 그러한 것은 꼭 필요한 것이 아니다. 내가 말하고자 하는 요지는 간단하고, 세 가지 명제로 진술될 수 있다: (1) 이러한 본문들은 모두 이스라엘만이 아니라 온 세상에 대하여 주인이 될 장차 오실 왕에 대한, 성경에 뿌리를 둔 신앙을 증언해 준다; (2) 이러한 본문들은 초기 그리스도인들이 예수가 이스라엘의 메시아(물론, 재정의된 의미에서이긴 하지만)일 뿐만 아니라 역시 재정의되었지만 결코 포기되지 않은 의미에서 세상의 참된 주라고 말할 때에 인용하였던 대목들이다; (3) 그러므로 우리는 예수를 주라고 믿은 초기 그리스도인들의 신앙은 유대교적 범주들을 버리고 헬라적인 범주들을 채택한 것도 아니고, 하나님 나라에 대한 소망을 버리고 그 대신에 "종교적인 체험"으로 돌아선 것도 아니며, 이 보편적 주권이 지니는 정치적 의미를 포기하고 "종교적인" 충성이라는 관점에서 재표현한 것도 아니라, 한 분 참 신, 창조주가 온 세상의 주가 되실 것이라는 유대적인 소망에 관한 새로운 진술이라고 이해하여야 한다. 사실, "주"라는 단어는 앞에서 인용한 본문들에서 이러한 의미로 나오지는 않지만, 주후 1세기에 이 단어는 세상 나라들에 대한 주권과 통치권이 부여된 자를 가리키는 데에 사용된 단어였다.

이렇게 해서, 예수의 주되심에 관한 질문은 세 가지 더 구체적인 질문들로 이어진다: "하나님의 나라"의 개시에 관한 질문; 현재의 세상의 통치자로서의 예수에 관한 질문; 예수와 야훼의 관계(이 관계라는 말은 대단히 파악하기 어려운 교묘한 단어이다)에 관한 질문. 이런 것들은 방대한 주제들이다. 우리의 현재의 목적을 위해서 우리는 얼음 아래의 아주 차가운 물을 인식하는 가운데 그것들의 표면 위로 가볍게 스치고 지나가겠지만, 그것이 논증의 무게를 지니

42) 다니엘서 7:13f.

43) "인자"에 대해서는 *NTPG* 291-7; *JVG* 510-19를 참조하라.

게 될 것이라고 나는 확신한다.

(ii) 예수와 하나님 나라

초기 기독교에서 예수가 주시라고 말하는 것은 적어도 선취적으로 "하나님의 나라"의 성취에 관하여 말하는 한 가지 방식이 되었다. 이것도 너무도 방대한 내용이어서 이 자리에서 다 다루기는 힘들다.[44] 그러나 여기에서도 유대교적인 기대 내에서의 실질적인 수정이 일어났다. 이스라엘의 하나님의 나라는 여전히 장래의 것으로 말해지지만, 또한 이제는 현재적으로 말해지기도 한다. 이미 바울 시대에 이르러서 "하나님의 나라"라는 어구 및 그것에 해당하는 어구들은 "도"(the Way)와 마찬가지로 초기 기독교 운동, 그 삶의 방식, 그 존재 근거를 가리키는 축약어로 사용되고 있었다.[45] 이것은 하나님의 나라를 여전히 장래의 것으로 말하는 다른 본문들과 분명한 긴장관계 속에 있다;[46] 적어도 바울은 내가 여기서 말하고 있는 바로 그와 같은 요지를 부각시키는 이러한 긴장관계를 해결할 수 있는 길을 암시하고 있다. 현재의 때, 하나님의 나라에 대한 진정한 선취는 이미 그 합법적인 주로서 세상을 다스리고 있는 메시야의 나라이다. 장래의 하나님의 나라는 그가 이 사역을 끝마치고 나라를 아버지 하나님에게 바쳐 드릴 때에 임하게 될 것이다.[47] 이러한 도식이 가장 뚜렷하게 등장하는 두 본문(고린도전서 15장과 빌립보서 2-3장)은 의미심장하게도 부활에 관하여 말하고 있는 본문들이다.[48]

또한 이것은 단순히 이전보다 장차 도래할 하나님의 나라에 대한 소망을

---

44) 초보적으로는 *NTPG* 299-307; *JVG passim*(see index s.v.), 특히 제6장과 제10장을 보라.

45) 롬 14:17; 고전 4:20; 골 1:13; 4:11.

46) 예를 들면, 고전 6:9f.; 15:24, 50; 갈 5:21; 엡 5:5; 살전 2:12; 살후 1:5; 딤후 4:1, 18; 신의 백성 또는 "은혜"의 장래의 "다스림"에 대해서는 로마서 5:17, 21을 참조하라.

47) 고전 15:24-8; cf. 엡 5:5("그리스도와 하나님의 나라"). 또한 히브리서 2:8f.도 보라.

48) 이 논의와 관련된 그 밖의 다른 초기 기독교의 본문들에 대해서는 *JVG* 663-70을 보라.

더 강력하게 부각시켜서 사람들이 그것을 현재 시제로 말하기 시작했다는 것을 보여주는 그런 것이 아니다 — 물론, 이것 자체만으로도 가이사의 나라가 계속되고 있었다는 점을 감안하면 그들이 왜 그렇게 하였는지에 관한 문제를 불러일으키지만. 초기 그리스도인들은 예수에 관한 이야기를 하나님의 나라가 도래하고 있는 것에 관한 이야기 — 복음서 전승들 속에 너무도 확고하게 섞여 짜여 있기 때문에 그러한 전승들을 통째로 해체하기 전에는 결코 제거할 수 없는 주제 — 로 말하였고, 나아가 그 나라가 어떤 의미에서는 이미 도래하였고, 어떤 의미에서는 여전히 장래에 도래할 것이라는 것을 토대로 해서 자신의 삶을 재정립하였다. 물론, 이것은 우리가 앞서 보았던 "부활"에 대한 재정의의 한 측면과 대응된다: 부활은 이미 한 경우에 있어서는 일어났지만, 그 밖의 다른 모든 사람에 있어서 그것은 여전히 장래의 일이다. 초기 그리스도인들이 그들의 새로운 생활 방식을 구축할 때에 사용하였던 상징적 우주는 예수를 중심으로 재정의된 유대적인 하나님의 나라라는 틀이었다.

다시 한 번 말해두지만, 재정의된 것이지 결코 포기된 것은 아니었다. 그들은 하나님의 나라 주제들(포로생활로부터의 귀환을 포함한 이스라엘의 회복; 이방 제국의 전복; 시온으로의 야훼의 귀환)을 재사용하였지만, 그러한 것들을 수정된 의미로 재사용하였다. 이 대목에서 이러한 수정된 의미가 "영적인 해석," 즉 사적인 조명 또는 "종교적 체험"의 범주들로 옮겨 놓은 것이라고 생각하기 쉽지만, 그러한 일은 결코 일어나지 않았다. (예를 들면 도마복음서에서처럼 이와 같은 일이 일어났을 때, 유대교 특유의 현세적인 지시대상은 몸의 부활과 더불어 사라졌다는 것은 주목할 만하다.) 이러한 수정된 의미는 여전히 공적이고 현세적인 의미, 신이 사람들을 피조 세계로부터 건져내기 위하여 역사한다는 의미가 아니라 창조주 신이 피조 세계 내에서 뭔가 새로운 일을 하고 있다는 의미로 남아 있었다. 그리고 이러한 공적이고 현세적인 의미는 기독교 공동체의 공통적인 삶, 특히 예수가 사사로운 또는 엄밀하게 개인적인 의미에서 "그들의 주"라는 의미에서가 아니라 예수가 이미 세상의 참된 주권자가 되었다는 의미에서 예수가 주라는 그들의 주장을 포함하고 있었다. 이렇게 제2성전 시대 유대인들이 그들의 신이 왕이 되는 것에 관한 언어를 사용했을 때에 기대하였던 것들 중 그 어느 것도 사실 일어나지 않았지만 — 이스라엘은 이방의 압제로부터 구원받지도 못했고, 성전은 재건되지 않았으며, 불의와 악은 세상에서 여전히 날뛰고 있었다 — 초기 그리스도인들은 하나님의 나라가 실제로 임하였다고 선포하였고(또한 여전히 결정적으로 중요한 미래적인 측면을 가지고 있으면서), 그들은 이것을 이스라엘의 소망의 폐기가 아니라 성취라고 생각했다. 그들은 마치 그들이 실제로 아브라함, 이삭, 야곱의 하나님에 의해서 구속받아서 포로생활로부터 귀환한 새 계약 안에서의 새 성전의 백성인 것처럼 행동하였다. 물론, 또한 그들은 아주 새로운 종류의 "종교적 체험"을 하였다고 믿었다; 그러나 이것에 관하여 말할 때, 그들은 "하나님의 나라"에 관한 언어를 사용하지 않고, 성령, 마음의 새로워짐 등등에 관한 언어를 사용하였다.

그러므로 다시 한 번 우리는 대규모로 살펴보았던 재정의된 부활 신앙 및 훨씬 더 간략하게 개관하였던 재정의된 메시야적 신앙에서와 마찬가지로, 다음과 같은 질문에 직면한다: 무엇이 그들로 하여금 이렇게 행하고 이런 식으로 말하며 활동하게 하였던 것인가? 왜 그들은 그들이 내내 마음속에 지니고 있었고 예수가 그들을 거기로 이끌고 있다고 생각하였던 그러한 종류의 하나님의 나라 운동을 계승하지 않았던 것인가?[49] 어떻게 우리는 초기 기독교가 민족주의적인 유대인 운동이나 사사로운 종교적 체험이 아니였다는 사실을 설명해야 하는가? 어떻게 우리는 그들이 마치 장차 도래할 대단원인 하나님 나라 운동이 비록 또 다른 의미에서는 여전히 장래의 일이었지만 이미 도달하였고, 유대인들의 기대와의 연속성을 지니고 있긴 하지만 또한 재정의된 의미에서 임한 것처럼 말하고 행동하였다는 사실을 설명할 수 있는가? 어떻게 우리는 그들이 예루살렘의 한복판에서 일어났던 일에 관한 소식을 듣고서 그것이 온 세상에 대하여 유효할 뿐만 아니라 절박하다는 믿음 속에서 이방 세계로 나아갔다는 사실을 설명해야 하는가?

물론, 그들의 대답은 나사렛 예수가 죽은 자로부터 몸으로 부활하였다는 것이었다. 나아가(부활은 위대한 회복, 오랫동안 기다려왔던 이스라엘의 하나님의 나라를 가리키는 은유적이고 환유적인 방식이었기 때문에) 그들은 하나님의 나라가 비록 부활 자체와 마찬가지로 두 단계로 나누어져 있기는 하지만 사실 이미 도래하였다고 선포하였다: 예수와 함께 온 하나님 나라, 그리고 그

49) 사도행전 1:6에서 제자들이 당혹스러워하면서 던진 질문을 참조하라.

가 이미 이루어 놓은 일을 완성시키게 될 장래의 하나님 나라. 이것은 그렇지 않으면 수수께끼 같이 여겨질 수 있는 자료들에 대한 온전하고 완벽한 설명이기 때문에, 우리는 다음과 같은 결론을 부정해서는 안 된다: 초기 그리스도인들 — 우리가 그들에 대한 실제적인 증거들을 가지고 있는 그런 자들에 관한한 — 은 실제로 예수가 죽은 자로부터 부활하였다는 것을 믿었다. 그리고 또 다른 시각에서 볼 때, 우리는 너무도 강력해서 그들의 세계관들, 그들의 실천, 상징들, 이야기들, 신념들, 목적들, 동기들을 바꾸어 놓았던 이러한 보편적인 신앙을 야기시킨 것은 과연 무엇이었느냐고 묻지 않을 수 없다.

(iii) 예수와 가이사

'퀴리오스'로서의 예수에 관한 초기 기독교의 주된 의미들 중의 하나를 간략하게 고찰해 보면, 우리는 앞에서와 동일한 결론에 도달하게 된다: 가이사와의 암묵적인 대비. 시편들, 이사야서, 다니엘서 등등에 나오는 핵심적인 본문들을 토대로 해서, 초기 그리스도인들은 예수가 주라는 것을 선포하면서, 은연중에 거듭거듭 가이사는 주가 아니라는 것을 내비쳤다. 나는 다른 곳에서 이것에 관하여 썼기 때문에, 여기에서는 단지 신약학계에서 주된 흐름이 되어가고 있는 것만을 요약하고자 한다.[50]

최근까지 별로 알려져 있지 않았지만, 이 주제는 바울 서신에 강력하게 등장한다. 로마서 1:3-5은 예수가 왕적인 강력한 "하나님의 아들"이므로 그에게 세상이 충성 맹세를 해야 한다고 하는 "복음"을 선포한다; 로마서 1:16-17은 이 "복음" 안에서 구원('소테리아')과 의('디카이오쉬네')가 발견될 수 있다고 선언한다. 이 두 개의 문구 속에 나오는 모든 요소들은 당시에 출현하고 있었던 황제 숭배와 제국 이데올로기 속에서 말해지고 있었던 것들을 반영하여 패러디하고 있는 것들이다. 로마서의 신학적인 해설의 다른 쪽 끝부분(15:12)에서 바울은 이사야 11:10을 인용한다: 다윗 가문의 메시야는 세상의 참된 주이고, 열방들은 그에게 소망을 둘 것이다. 그리고 서두의 본문과 마지막 본문에서 왕적인 메시야, 세상의 참된 주로서의 예수에 대한 이러한 신앙은 부활 위

50) Wright, "Paul and Caesar"; Horsley 1997, 2000; Carter 2001; 그리고 요한계시록에 관한 몇몇 저작들, 예를 들면, Rowland 1998 등을 보라.

에 세워지고 있다.[51] 마찬가지로, 빌립보서 2:6-11에서 예수에 관하여 말하고 있는 내용은 당시의 제국 이데올로기 속에서 말하고 있었던 것을 주목할 만한 정도로 반영하고 있다.[52] 그런 후에, 기독론적인 색채를 띤 돌연한 섬광 같은 빌립보서 3:19-21은 이것을 토대로 해서 예수가 메시야, 구주, 주이며, 그가 지금 현재적인 인간의 몸들의 구성 및 본성을 비롯한 모든 것을 자기 자신에게 복속시키는 능력을 가지고 있고, 그의 백성은 지금 "하늘의 해방구," 온 세상을 이스라엘의 신의 주권적이고 구원하는 통치 아래 두기 위한 계획의 전위대라고 선언한다. 고린도전서 15:20-28(바울의 많은 주제들, 특히 부활과 관련하여 중심적이고 아주 중요한 본문)은 예수를 아주 분명하게 왕적인 의미에서 메시야라고 말하면서, 모든 원수들을 그의 발 아래 복속시킬 것이라고 말한다. 데살로니가전서 4:15-17은 황제가 "왕림"할 때에 신민들이 가이사를 맞으러 나와서 그를 도성으로 호위해 가는 그러한 모습을 의도적으로 반영하는 언어를 통해서 예수의 "왕림"(arrival)에 관하여 말한다. 그런 후에, 다음 장에서는 "평화와 안전" — 달리 말하면, 그러한 것들을 통상적으로 자랑하였던 로마의 제국 이데올로기 — 에 관하여 말한 자들은 돌연히 멸망할 것이라고 경고한다 (5:3).

이것은 바울에게만 국한되어 있는 것이 아니다. 마태의 부활한 예수는 하늘과 땅의 모든 권세가 지금 그에게 주어져 있다고 분명하게 말한다.[53] 사도행전의 시작 부분에서 제자들이 예수에게 지금이 그가 이스라엘 나라를 회복할 때이냐고 물었을 때, 예수는 그들에게 그들이 권능을 받고서 땅끝까지 이르러서 그의 증인이 될 것이라고 말한다. 달리 말하면, 그들의 질문에 대한 예수의 대답은 이런 것이다: "그렇다. 그러나 재정의된 의미로 그러하다; 그리고 너희는 그 수혜자들일 뿐만 아니라 그 대리자들이 될 것이다."[54] 그러므로 유대인들의 왕으로서의 예수에 관한 복음은 암묵적으로 12장에서 헤롯의 돌연한 죽음이

51) 이 두 본문에 대해서는 Wright, *Romans*를 보라; 또한 Wright, "Fresh Perspective."

52) 특히, Oakes 2001 ch. 5을 보라.

53) 마태복음 28:18.

54) 사도행전 1:6-8.

있을 때까지 유대인들의 왕으로서의 헤롯의 통치와 긴장관계에 놓여진다; 한편 세상의 주로서의 예수의 복음은 세상의 주로서의 가이사의 통치와의 긴장관계, 17:7에서 표면에 등장하고 바울이 로마에서 참 신의 나라와 예수의 주되심을 전파하였다고 말하는 마지막 본문의 함축적이지만 강력한 진술에 이르기까지 모락모락 연기를 피우는 긴장관계 속에 두어진다. 물론, 요한계시록은 "죽은 자로부터의 첫 열매이며 땅의 왕들의 통치자," "만왕의 왕이자 만주의 주"로서의 예수를 부각시키고, 몇몇 본문들에서 이것은 단지 "영적인" 또는 "천상의" 주되심이 아니라 피조 세계 자체, 궁극적으로는 그 위대한 갱신 속에서 효과를 발휘하게 되도록 되어 있는 그러한 주되심이라는 것을 분명하게 보여 준다.[55] 이러한 전체적인 사상 흐름, 즉 이스라엘의 하나님의 나라가 예수의 주되심을 통하여 개시되었고 이제 충성을 위한 경쟁적인 부르심을 통해서 세상의 나라들과 대결하고 있다는 사상 흐름은 바울보다 한 세기 후에 등장한 폴리카르푸스의 저 유명한 의도적으로 전복적인 진술 속에서 고전적인 표현을 발견한다: "어찌 내가 나를 구원하신 나의 왕을 모독할 수 있겠는가?"[56] 가이사는 왕, 구원자였고, 백성들에게 그의 "수호신"을 두고 맹세할 것을 요구하였다; 폴리카르푸스는 가이사를 그러한 식으로 부르는 것은 참된 신적인 왕이자 구원자이신 분에 대하여 신성모독을 범하는 것이 될 것이라고 분명하게 말하였다.

여기서 강조해 두어야 할 것은 이것은 초기 그리스도인들이 합법적인 당국자들을 한 분 참 신에 의해서 구성된 것으로 존중할 준비가 되어 있지 않았다는 것을 의미하지는 않는다는 것이다. 전복적인 성향을 지닌 예수의 복음을 선포하는 문서들 자체가 흔히 그러한 존중과 순종을 강권한다; 그 한 좋은 예는 『폴리카르푸스의 순교』인데, 이 저작은 동일하게 짧은 본문 속에서 그리스도인들은 가이사가 아니라 그리스도에게 충성을 바쳐야 한다는 것과 그들이 하나님이 정하신 권세자들에게 마땅한 존중을 드려야 하는 것으로 가르침을 받았

55) 요한계시록 1:5; 19:16; cf. 5:10; 10:11; 11:15-18; 15:3f.; 그리고 13-14장과 21-22장의 전체적인 사고의 흐름.

56) *Mt. Pol.* 9.3.

57) *Mt. Pol.* 10.1f.

다는 것을 분명하게 말하고 있다.[57] 이러한 문제들을 표현하는 우리의 특유한 현대적이고 서구적인 방식, 즉 우리는 혁명가이거나 아니면 타협적인 보수주의자이거나 해야 한다는 것을 함축하는 그러한 방식이 우리로 하여금 초기 그리스도인들이 이 문제를 어떻게 보았는가를 역사적으로 파악하기가 더 어렵게 만들어 왔다.[58] 권세자들을 존중하라는 명령은 복음의 정치적인 도전의 신경줄을 끊어버리는 것이 아니다. 그것은 예수의 "주되심"이 순수하게 "영적인" 문제로 축소되는 것을 의미하지 않는다. 만약 그것이 그런 것이었다면, 첫 3세기 동안의 큰 박해들은 대체로 피할 수 있었을 것이다. 앞 장에서 보았듯이, 그것은 영지주의가 택한 길이었다.

가이사가 주가 아니라 예수가 주라는 이러한 전복적인 신앙은 가이사가 예수를 십자가에 못박음으로써 자신의 우월한 권세를 명명백백하게 과시한 상황 아래에서 주장되었다. 그러나 진정으로 이례적인 것은 이러한 신앙이 적어도 처음 두 세대 동안에는 제국 안에서 혁명을 일으키기는커녕 한 촌락에서 폭동을 일으키지도 못했을 작은 무리에 의해서 주장되었다는 것이다. 그렇지만 그들은 모든 예상에도 불구하고 지속되었고, 그 메시지의 능력과 그것이 낳고 유지하였던 세계관 및 생활 양식으로 인하여 당국자들의 곱지 않은 시선을 끌게 되었다.

그리고 우리가 그들이 그러한 있을 법하지 않고 위험스러운 신앙을 계속해서 견지해 나간 이유를 보여주는 증거들이 되는 핵심적인 본문들로 되돌아가 볼 때마다, 그들은 이렇게 대답한다: 그것은 나사렛 예수가 죽은 자로부터 부활하였기 때문이다. 그리고 이것은 우리에게 다시 한 번 다음과 같은 질문을 제기하게 만든다: 왜 그들은 이러한 주장을 한 것인가?

(iv) 예수와 야훼

예수의 "주되심"의 세 번째 측면은 그 밖의 다른 두 가지 측면과 밀접하게 통합되어 있기 때문에, 다른 주제로서 완전히 분리되어서는 안 된다. 이것은 아

---

58) 예를 들면, cf. 롬 13:1-7(이것에 대해서는 Wright, *Romans,* 716-23을 보라); 벧전 2:13-17; 특히, O'Donovan 1996에 제시된 기독교의 정치 사상에 대한 분석을 보라.

마도 초기 기독교에 관한 연구에 있어서 가장 방대한 단일 주제일 것이지만, 우리는 우리의 더 큰 논증의 일부로서 이 주제를 다루는 것이기 때문에 짧은 항목 이상의 지면을 할애할 수가 없다. 이 주제는 다음과 같이 요약된다: 초기 그리스도인들이 예수를 '퀴리오스' 라고 불렀을 때, 그 단어가 놀랍고도 충격적으로 — 사실은 이것이 당연한 것이었지만 — 신속하게 획득하였던 뉘앙스들 중의 하나는 헬라어 성경 속에서 하나님의 이름인 야훼를 번역하기 위하여 '퀴리오스' 를 사용하였던 본문들이 이제 기독교 운동의 초창기로 거슬러 올라갈 수 있는 것으로 보이는 신학적인 정교함과 섬세함을 가지고 예수 자신을 가리키는 데에 사용되었다는 것이다. 그것은 이미 우리의 가장 초기의 증거들 중 일부에 확고하게 배어 있는데, 몇몇 경우들에 있어서는 마치 그것이 이미 전승 문구들의 일부인 것처럼 보이기조차 한다. 이와 같은 혁명을 일으킨 것은 과연 무엇이었고, 그것은 우리가 계속해서 살펴보고 있는 다른 재정의들과는 어떠한 관계에 있는가?

보통 그러하듯이, 일차적인 증거들은 바울 서신 속에 있다. 나는 다른 곳에서 그 내용들을 자세하게 설명하였기 때문에, 여기에서는 단순히 요약만 할 것이다.[59] 빌립보서 2:10에서 바울은 오직 야훼에게만(물론, 칠십인역 본문은 야훼를 가리키는 단어로 '퀴리오스' 를 사용한다) 모든 무릎이 꿇을 것이고 모든 혀가 맹세할 것이라고 말하는 맹렬한 유일신론적인 본문인 이사야 45:23을 인용한다; 그리고 바울은 이 일이 모든 무릎과 혀가 예수에게 충성을 맹세할 때에 실현될 것이라고 분명하게 말한다. "메시야 예수는 '퀴리오스' 이다"라고 그들은 분명하게 말할 것이다 — 아버지 하나님의 영광을 위하여. 고린도전서 8:6에서 바울은 유대인들이 매일 드리는 기도와 유일신론적인 신앙고백의 핵심("야훼는 우리의 하나님, 야훼는 한 분이시다")인 '쉐마' 자체를 가져와서, 야훼('퀴리오스')와 "하나님"('데오스')이라는 두 단어에 각각 다른 지시대상들을 부여해서, '데오스' 는 "만물이 그로부터 나왔고 우리가 그에게로 갈 아버지"를 가리키고, '퀴리오스' 는 "그를 통하여 만물이 지음을 받았고 우리도 그를 통하여 지음받은 메시야 예수"를 가리킨다고 말한다. 골로새서 1:15-20에

---

59) Wright, *Climax*, chs. 4-6. 이 주제 전반에 대해서는 특히 Bauckham 1999를 보라.

서는 앞에서와 동일한 차별화가 다른 언어로 표현되어 있지만, 그 취지는 동일하다. 나는 바울이 어떻게 및 왜 이러한 입장에 도달하게 되었는지를 위의 제8장에서 짤막하게 설명하고자 시도한 바 있다.

게다가 바울은 다른 곳에서 야훼를 가리키는 특정한 본문들을 가져다가 아무런 변명이나 설명 없이 예수에 관한 본문들로 사용한다. 이것은 그가 그 본문 전체를 염두에 두고 있는 맥락들 속에서 일어난다; 그는 단순히 본문의 전체적인 의미를 인식하지 않은 채로 무작위적으로 몇몇 단어들을 가져와서 사용하고 있는 것이 아니다. 그 한 좋은 예가 로마서 10:13인데, 거기에서 바울은 "주의 이름을 부르는 모든 자는 구원을 받으리라"는 취지로 요엘 2:32을 인용한다. 그는 분명히 "주"('퀴리오스')라는 표현을 통해서 요엘이 야훼를 가리키고 있다는 것을 잘 알고 있다; 또한 그가 '퀴리오스'를 예수를 가리키기 위하여 사용하고 있다는 것도 마찬가지로 분명하다.[60] 의미심장하게도, 이 본문은 기독교 신앙과 신앙고백의 중심으로서의 예수의 부활과 주되심(10:9), 그 직접적인 결과로서 복음 메시지가 온 세계로 펴져 나가는 것(10:14-19)에 관하여 말하고 있는 사고의 흐름 중의 일부이다. 마찬가지로, 구약성서에 나오는 "야훼의 날"과 관련된 주제 전체는 바울 및 초기 기독교의 다른 곳에서 "'퀴리오스'의 날," 즉 예수의 날 또는 "메시야의 날"로 자리를 옮겼다.[61]

우리는 초기 기독교의 다른 흐름들 속에서 이와 비슷한 현상들을 발견하기 위하여 멀리 갈 것도 없다. 요한복음 20장에 나오는 도마의 위대한 신앙고백은 '퀴리오스'와 '데오스'를 한꺼번에 예수에게 적용하고 있다. 여기서 복음서 기자의 논평은 그가 글을 쓴 목적은 예수가 메시야라는 신앙을 생겨나게 하고 유지시키기 위한 것이라는 것이다.[62] 베드로전서는 예수와 관련하여 시편 34편이 야훼에 관하여 말하였던 것을 인용하면서 "주의 선하심을 맛보는 것"에 관하여 말한다(2:3).[63] 베드로전서 3:15에서는 이사야 8:13을 인용하면서 구약성서의 이 본문에서 야훼에 관하여 말하였던 것을 이제 메시야 예수와 관련

60) Wright, *Romans*, ad loc.를 보라. 또한 사도행전 2:20f.도 참조하라.

61) 행 2:20; 고전 1:8; 5:5; 고후 1:14; 빌 1:6, 10; 2:16; 살전 5:2; 벧후 3:10.

62) 요한복음 20:28; 20:30f.

63) 시편 34:8(33:9 LXX).

하여 이해해야 할 것을 분명히 하기 위하여 "메시야"를 "주"에 덧붙여 놓는다.[64] 물론, 이것은 신약성서에 나오는 주목할 만한 정도로 유대교적인 초기의 고등 기독론의 빙산의 일각에 불과하지만, 우리의 현재의 목적을 위해서는 이것으로 충분할 것이다.

그렇다면, 왜 초기 그리스도인들은 예수를 "세상의 참된 주"이라는 의미에서 '퀴리오스'로 여겼을 뿐만 아니라 — "가이사는 이 예수에 대한 패러디이다" — 어느 정도 야훼 자신과 동일시되는 분으로 여겼던 것인가? 이것도 부활과 어떤 관계가 있는 것인가? 몇몇 분명한 본문들은 이러한 방향을 보여준다. 도마가 최초의 의심에서 예수의 몸의 부활에 대한 믿음으로 돌연한 방향 수정을 하였을 때, 그는 "나의 주 나의 하나님"이라고 탄성을 지른다; 그리고 복음서 기자는 분명히 이것을 복음서의 서문에서 말했던 것에 대한 절정을 이루는 결정적이고 결론적인 진술로 의도하고 있다.[65] 또한 로마서 1:4에 나오는 바울의 진술(그가 이전의 정형 문구를 인용하고 있는 것이라면, 그가 그렇게 하고 있는 것은 그 본문이 자기가 이 고도로 강령적인 본문에서 말하고자 하는 것을 말하고 있기 때문이다)도 흔히 이런 의미로 해석된다: 예수는 죽은 자의 부활의 결과로서 "하나님의 아들"로 선포되었다. 나는 다른 곳에서 이 본문에 나오는 "하나님의 아들"은 특히 앞 절에서 명시적으로 다윗 자손에 관한 언급이 나와 있기 때문에 일차적으로 "메시야"를 의미하는 것으로 받아들여져야 한다는 것을 논증한 바 있다.[66] 그러나 로마서 5:10과 8:3을 보면, 바울이 이 메시야적인 칭호를 예수를 인간적 반열과 동시에 신적 반열에 두는 방식으로 사용할 수 있었다는 것도 분명하다. 로마서 1:3-4은 아주 분명하게 강령적이기 때문에, 그것은 여기에서도 배제될 수 없다.

우리는 이 대목에서 당시에 일어나고 있었던 것으로 보이는 이해의 발전을 피해가지 않도록 조심하여야 한다. 도마에 관한 이야기는 그 밖의 다른 몇몇 이야기들에서와 마찬가지로 이 점에 있어서 독특하다: 부활에 관한 다른 이야

64) 이사야 8:13: 주, 너희는 그를 거룩케 하라('퀴리온 아우톤 하기아사테'); 벧전 3:15: 주 그리스도를 너희는 거룩케 하라('퀴리온 데 톤 크리스톤 하기아사테').

65) 특히, 요한복음 1:1-5, 14, 18을 보라(아래 제17장을 보라).

66) Wright, *Romans*, 416-19.

기들 또는 바울의 회심에 관한 이야기들 속에는 "죽은 자로부터 부활했기 때문에 어떤 의미에서 신적이다"라는 즉각적인 추론이 있었다는 것을 보여주는 암시가 전혀 없다. 별로 이상한 일은 아니지만, 제2성전 시대 유대교 내에서도 그러한 연결관계를 보여주는 그 어떠한 표지도 존재하지 않는다; 우리가 알고 있는 제2성전 시대 유대인들 중에서 한 분 신이 육신적인 죽음을 당하는 것은 말할 것도 없고 인간적인 형태로 나타나는 것을 예상하고 있었던 사람이 전혀 없었기 때문에, 그 누구도 부활을 그 사람의 신성을 보여주는 것으로 생각하지 않았을 것이다. 또한 제2성전 시대 유대인들 중에서 부활을 기대하였던 자들은 그것이 모든 사람들에게 일어날 것이라고 기대하고 있었다 — 분명히 하나님의 백성들 가운데에서 모든 의인들에게, 그리고 아마도 모든 악인들에게. 신약성서가 예수에게 속한 모든 자들의 부활을 예언할 때, 거기에는 그들이 신적인 존재가 될 것임을 암시하는 내용이 전혀 없다. 그러므로 분명히 부활 그 자체는 예수의 "신성"을 "증명하는" 것으로 받아들여질 수 없었을 것이다; 만약 그렇게 받아들여졌다면, 부활은 너무도 많은 것들을 증명하는 것이 되고 말 것이다. 사람들이 종종 만나는 지나치게 단순한 변증적 전략("그는 죽은 자로부터 부활하였기 때문에, 삼위일체의 두 번째 위격이다")은 주후 1세기의 역사적 세계 내에서 그 어느 쪽 끝으로부터도 아무런 의미를 지니지 못한다.

특히, 내게는 진상을 정확히 거꾸로 뒤집어 놓는 것으로 보이는 역사적인 도식이 종종 제기된다.[67] 이 견해에 의하면, 제자들이 예수의 죽음 후에 그에 관하여 믿게 되었던 최초의 것은 그가 일종의 신격화의 방식으로 하늘로 승귀되었다는 것이다; 그런 후에, 그들은 그러한 신앙을 그가 죽은 후에 다시 살아났다는 관점에서 표현하게 되었다; 그런 후에, 그들은 이 새로운 살아있는 상태를 묘사하기 위하여 부활이라는 언어를 사용하게 되었다; 그런 후에, 그들은 빈 무덤에 관한 이야기들을 만들어내었다; 그런 후에 마지막으로, 그들은 예수가 그들과 함께 먹고 마시며 그들에게 자기를 만져보라고 한 것에 관한 추가적인 이야기들을 만들어내었다. 이러한 일련의 도식 속에서 첫 번째 단계는 그것이 헬라-로마의 영웅들, 특히 왕들, 율리우스 가이사 이래로 로마의 통치자들과 황제들에 관하여 통상적으로 말해졌던 것과 일치하고, 그들은 오늘날 통상

67) 위의 제8장에 나오는 바울의 기독론의 기원에 관한 논의를 보라.

적으로 의미하는 방식으로가 아니라(사후의 몸을 입지 않은 지복의 상태 또는 적어도 안식) 만신전에 합류한다는 의미에서 죽음 후에 "하늘로 갔다"는 점에서 두드러진다.[68]

이것은 우리의 발을 제2성전 시대 유대교의 땅에 굳건하게 붙이고 있는 것이 아주 중요한 그런 대목이다. 이 시기의 유대인들이 얼마 지나지 않은 과거의 어떤 인물이 이러한 이교적인 방식으로 "신이 될 수" 있었다고 생각했다는 것을 보여주는 그 어떤 증거도 없다. (물론, 이것은 이 대목에서 기독교는 유대교와 결별하고 이방의 관념들을 차용하였다고 주장한 옛 종교사학파의 모형의 일부였다; 이것의 결과로서, 유대교 및 불가지론자들인 저술가들은 초기 그리스도인들, 특히 바울이 유대교적인 유산을 버리고 혼합적인 이교적 사변에 빠졌다고 비판한다.)[69] 사도행전 1장에 나오는 예수의 승천에 관한 이야기는 황제들이 신이 되었다는 것에 관한 이야기들과 몇 가지 유사점들을 지니고 있다. 실제로 이것이 이 이야기의 요지 중 일부인 것 같다.[70] 그러나 어떤 종류의 사건이 제2성전 시대 유대인들로 하여금 이교의 당국자들에 의해서 참혹하게 처형당했던 어떤 사람이 이제 이러한 일련의 사고 전체가 작동하기 위해서 요구되는 "신격화"라는 의미에서 "하늘로 승귀되었다"는 것을 확신시킬 수 있었는지를 아는 것은 어렵다. 그 가장 가까운 병행들은 순교자들, 특히 마카베오 영웅들의 죽음이 될 것이다. 그러나 마카베오2서에는 순교자들이 그들의 장래의 부활에 관하여 예언하고 죽음을 맞이하러 갔지만, 그들이 신격화되었다거나 죽은 자로부터 부활하였다는 것은 말할 것도 없고 승귀되었다거나 영화롭게 되었다는 암시가 전혀 없다.

우리가 유대교의 유일신론자들이었던 초기 제자들이 몸의 부활이 일어나지 않은 상태에서 예수의 신성을 확신하게 되었다는 도저히 가능성 없는 전제를 받아들인다고 할지라도, 그런 후에 그들이 부활 자체에 관하여 생각하거나 말하기 시작하였을 것이라고 생각할 만한 그 어떤 이유도 존재하지 않는다. 어쨌든 그들이 예수 같은 어떤 사람이 하늘로 승귀되었다고 믿게 되었다면, 그것으

68) 앞의 제2장을 보라.

69) 예를 들면, Maccoby 1986, 1991.

70) 아래 제16장을 보라.

로 아주 충분했을 것이다; 그 밖의 다른 관념들을 덧붙일 이유가 무엇이 있겠는가? 우리가 가정하고 있는 관점에서 볼 때, 무엇이 승귀 또는 신격화에 부활을 첨가하도록 만들 수 있었을까? 그러한 길을 거꾸로 추적해 가는 작업이 왜 아무도 예상하지 못했고 그 누구도 일어나리라고 알지 못했던 그런 일을 예언하는 것으로 끝나게 되는 것인가? 예수의 신성을 믿게 된(어떤 경로를 통해서 그렇게 되었는지는 분명치 않다) 그들은 이제 그들이 갖게 된 신앙을 밑받침해 줄 자료를 찾기 위하여 성경을 샅샅이 뒤지기 시작했다고 하자. 그리고 그들이 이러한 맥락 속에서 다니엘 12장, 이사야 26장, 에스겔 37장을 깊이 숙고했다고 하자. 그럴지라도 여전히 그들이 이러한 본문들 중 그 어느 것도 모든 이스라엘, 모든 의인들 — 이스라엘의 신의 화신인 분은 말할 것도 없고 — 가운데에서 한 사람의 부활을 예언하고 있는 것으로 읽었을 것이라고 생각할 만한 이유는 전혀 없다. 또한 그들이 그러한 본문들을 그렇게 읽었다고 할지라도, 그들이 그것이 이 이론에 의하면 그들이 이미 도달해 있었던 예수의 신성에 대한 신앙과 결부시켰을 것이라고 생각할 만한 그 어떤 이유도 마찬가지로 없다. 바울은 아그립바에게 이스라엘의 신이 죽은 자를 다시 살린 것이 믿을 수 있는 일인지를 말해 보라고 도전할 수 있었다. 이스라엘의 신이 죽은 자로부터 스스로 부활할 가능성을 생각해 보도록 어떤 사람에게 이런 식으로 도전했던 사람은 지금까지 아무도 없었다.

그렇다면, 우리는 어떠한 대안적인 사고의 흐름을 전제할 수 있는가? 우리는 적어도 네 가지를 구별하는 것으로 시작해야 한다: (1) 최초의 제자들로 하여금 예수의 정체성에 관한 그들의 온전한 견해에 이르게 해준 부활절을 시작으로 한 일련의 사고; (2) 바울로 하여금 자신의 온전한 견해에 이르게 해준 예수를 "본" 독특한 사건 이후의 사고의 흐름; (3) 그런 후에 바울이 다른 사람들을 자신의 견해에 대하여 설득시키거나 그러한 견해를 붙잡고 있으라고 그들을 밑받침해 줄 때에 사용하였던 논증; (4) 동일한 목적을 지닌 그 밖의 다른 초기 기독교의 논증들.[71] 그리고 우리가 역사적으로 작업하고자 한다면, 우

71) 바울(그리고 다른 사람들)이 그들 자신의 결론들에 도달하기 위하여 사용한 사고의 흐름과 그들이 다른 사람들에게 동일한 내용을 확신시키기 위하여 사용한 (판이하게 다른) 논증들의 차이에 대해서는 Wright, *Climax*, 8-13을 보라.

리는 성토요일 양식(Holy Saturday mode)이라고 부를 수 있는 것 속에서, 즉 예수의 십자가 처형 이후와 부활 사건의 그 어떤 징조도 있기 전에 최초의 제자들과 바울이 지니고 있었을 것이라고 추론할 수 있는 세계관들, 목적들과 신앙들의 네트워크들을 우리의 사고의 틀로 삼지 않으면 안 된다. 물론, 바울에게 있어서 이러한 양식은 더 오래 지속되었고, 우리가 그에 관하여 알고 있는 모든 것은 그의 머리는 이 모든 것을 예수를 중심으로 다시 사고하기 이전에 오래 전부터 성경적인 내용과 신학적인 이해로 잘 채워져 있었다는 것을 보여준다. 그러나 또한 우리는 그 밖의 다른 제자들도 적어도 몇몇 기본적이고 잘 알려져 있던 성경의 본문들을 알고 있었고, 그것들을 신학적인 관념들, 특히 당시에 통용되고 있었을 선지자들, 메시야들, 하나님의 나라에 관한 사변들과 적어도 느슨하게나마 연결시켰을 것이라고 보아야 한다.

내가 제시하고자 하는 설명은 내가 위에서 비판했던 설명과 정반대의 것으로서, 내가 제8장에서 논의하였던 김세윤 및 뉴먼(Newman)의 설명과 다른 방향으로 나아간다. 그것은 일련의 단계들을 제시하는데, 각각의 단계는 제2성전 시대 유대교 내에서 이해될 수 있는 것이다. 그리고 현재의 장의 다른 요소들과 마찬가지로, 그것은 우리에게 다시 한 번 다음과 같은 질문을 남긴다: 무엇이 가장 초기의 제자들, 그리고 그 후에는 바울로 하여금 이러한 일련의 단계 속에서 첫 번째 단계를 형성하였던 신앙을 그토록 분명하게 견지하게 만들었는가?

최초의 제자들은 나사렛 예수가 "말과 행위에 있어서 능한 선지자"라고 믿었었다.[72] 그들은 좀 더 점진적으로이긴 하지만 결국에는 결정적으로 예수가 이스라엘의 메시야, 야훼의 기름부음 받은 자, 약속된 구속자라는 것을 믿게 되었다.[73] 내가 『예수와 하나님의 승리』에서 자세하게 논증했듯이, 이것은 유대 및 로마 당국자들 앞에서의 심문 장면에서 예수에게 제시된 주된 죄목이었다; 적어도 유대 당국자들은 유대교식의 신성모독자라는 죄목보다는 왕을 참칭하고 반란을 일으킨 자라는 것이 빌라도에게 더욱 관심을 끌 수 있을 것임을 알고 있었기 때문에, 로마 총독에게 예수를 인계할 때에 그러한 죄목으로 넘겨주

72) 누가복음 24:19.
73) 누가복음 24:2.

었다.[74] 예수를 유대인의 왕으로 묘사하고 있는 십자가 위에 붙여진 죄패는 성전에 대한 예수의 전복 성향을 지닌 예언적 상징 행위, 시편 110편과 다니엘 7장 같은 본문들, 암호적인 "왕적," 즉 메시야적 논증들의 사용을 포함한 몇 가지 사고의 흐름들을 통합한 것이었다.[75] 내가 앞 권에서 논증했듯이, 예수는 이러한 것들이 메시야를 참칭하는 자에게 이전에 돌려졌던 그 어떤 것보다도 더 깊은 소명과 정체성을 가리키는 지표로 의도하였을 가능성이 크다. 하지만 제자들이 그러한 것을 알아차렸다는 것을 보여주는 암시는 전혀 없다.[76]

각각의 단계는 당연하게 여기거나 회피하는 것이 아니라 주의 깊게 검토될 필요가 있다. 부활은 그 자체가 부활한 사람이 이스라엘의 메시야라는 것을 의미하지는 않았을 것이다. 기독교 이전의 유대교 문헌들 속에는 어떤 사람이 죽은 자로부터 다시 살아났다는 사실을 그가 "신적인" 존재라는 것과 결부시키는 사람이 있었음을 보여주는 내용이 전혀 없는 것과 마찬가지로, 그러한 사건을 그 사람이 이스라엘의 메시야라는 것과 결부시키는 것도 존재하지 않았다.[77] 순교자들은 그들을 고문하는 자들에게 자기가 죽은 자로부터 부활할 것이라고 약속하지만, 그렇다고 해서 그들이 "신적인" 존재들이 되거나 메시야가 될 것이라고 말하고 있는 것은 아니었다. 나사로, 야이로의 딸, 나인성 과부의 아들은 모두 어떤 의미에서 "다시 살리심을 받았지만," 이것이 그들이 메시야적인 인물이라거나 "신적인" 존재라는 것을 의미한다고 생각한 사람은 아무도 없었다. 예수와 나란히 십자가에 못 박힌 두 강도 중 한 명이 삼일 후에 죽은 자로부터 부활하였다면, 그것은 대단히 큰 소동을 일으켰을 것이지만, 그가 이스라엘의 메시야, 야훼의 기름부음 받은 자였다고 사람들이 결론을 내렸을 것이라고 생각할 만한 이유는 전혀 없다.

제자들이 나사렛 예수가 죽은 자로부터 몸으로 부활하였다는 것을 믿게 되자마자 그것으로부터 이끌어내었을 최초의 가장 분명한 결론은 그가 진실로 말과 행위에 있어서 능한 선지자였고, 더 구체적으로는 이스라엘의 메시야였

74) 사도행전 18:14f.에 나오는 갈리오에 의한 구별과 비교해 보라.

75) "명패"와 예수의 "재판들" 내에서의 그 배경 및 의미에 대해서는 Hengel 1995 41-58을 보라.

76) *JVG* ch. 13을 보라.

77) 위의 제1장 제2절을 보라.

다는 것이다. 이것은 그들이 이미 메시야가 죽은 자로부터 부활할 것이라는 것을 믿고 있었기 때문이 아니라, 예수가 메시야로서 재판을 받고 처형당했다는 것을 그들이 알고 있는데, 이 이례적이고 전혀 예상치 못한 사건(그들에게는 그렇게 보였다)이 분명히 유대 및 로마의 법정의 판결들을 뒤집어 놓았기 때문이었다. 우리는 신약성서의 몇몇 대목들, 특히 바울서신과 사도행전에서 메시야와 부활의 연결관계, 아무도 그 이전에는 필수적이라고 생각하지 않았지만 갑자기 초기 기독론에 있어서 핵심적인 것이 되어버린 연결관계를 찾아내기 위하여 초대 교회가 성경의 본문들을 여기저기서 끌어 모았다는 것을 볼 수 있다.[78] 이러한 본문들은 이것이 새로운 연결관계였고, 그것이 일련의 연쇄 속에서 최초의 결정적으로 중요한 연결관계였다는 것을 강력하게 시사해 준다.

그 시점으로부터 우리의 가장 좋은 초기의 증거는 바울이다. 앞에서 살펴보았듯이, 그는 예수와의 다른 종류의 만남을 가졌지만, 다른 사람들이 도달했던 결론에 신속하게 도달하였다: 내내 이스라엘의 메시야였음이 입증된 이 예수 안에서 이스라엘의 한 분 참 신이 마치 영매를 통해서 말하듯이 말씀하고 있었을 뿐만 아니라 친히 임재해 계셨다는 것. 나는 제8장에서 바울이 어떻게 그러한 결론에 도달하게 되었는지를 살펴본 바 있다.

바울과는 상관 없이, 그 밖의 다른 초기 그리스도인들이 이와 비슷한 관점에 도달하게 된 단계들을 규명하는 일은 더 어렵다. 공관복음 전승은 그러한 탐구에 있어서 별로 도움이 되지 않는데, 이것은 그것이 지속적인 하등 기독론(low christology)을 가지고, 또는 전혀 기독론이 없는 가운데 부활절 이후의 상황을 반영하고 있기 때문이 아니라, 적어도 이 점에 있어서 그것을 전한 사람들이 그들이 나중에 열정적으로 발전시키고 있는 중이었던 기독론을 그 전승 속에 거꾸로 집어넣어서 읽지 않도록 세심한 주의를 기울였기 때문이다.[79] 내가 『예수와 하나님의 승리』에서 논증했듯이, 특히 그들은 예수를 새로운 출

78) 예를 들면, cf. 행 2:24-36; 13:32-9 등. 또한 누가복음 24:26, 46과 비교해 보라.

79) 자세한 내용과 논거들에 대해서는 *JVG* ch. 13을 보라.

애굽, 더 구체적으로는 오랫동안 기다려왔던 시온으로의 야훼의 귀환이라는 관점에서 보게 되었다.[80]

바울이 이러한 새로운 신앙을 살펴보고 발전시키며 설명하였던 방식들을 우리가 설명하려면 더 많은 시간이 필요할 것이지만, 다행히도 여기에서는 그럴 필요가 전혀 없다.[81] 그 밖의 다른 초기 그리스도인들이 동일한 통찰력을 발전시킨 방식들은 요한, 히브리서, 요한계시록의 기독론을 포함하는데, 이러한 것도 여기에서는 또 다시 다룰 필요도 없고 그럴 지면도 없다. 이 모든 것들을 통해서 우리가 주목해야 할 주된 요지는 초기 그리스도인들이 제2성전 시대 유대교의 역동적인 유일신론으로부터 친숙한 범주들 내에서 예수를 창조주 신과 더불어서 및 창조주 신의 인격적인 자기표현으로 결정적으로 말한 방식이다.

내가 다른 곳에서 보여주었듯이, 제2성전 시대 유대교 내에는 이스라엘의 신이 어떻게 하나님, 한 분이고 유일한 신적 존재, 세상으로부터 구별되면서도 세상에 대하여 책임을 지며, 세상 안에서 현존하며 활동하실 수 있는 창조주인지를 말하기 위한 여러 가지 다양한 전략들이 존재하였다. 여러 다양한 저자들은 하나님의 말씀, 하나님의 지혜, 하나님의 법, 하나님의 장막 속의 임재('쉐키나'), 하나님의 영에 관하여 말하면서, 그러한 것들이 독립적인 존재들임과 동시에 한 분 참 하나님이 그의 백성 및 세상을 치유하고 인도하며 심판하고 구원하는 방식들인 것처럼 말하였다. 그들은 서로 다른 언어학적 차원에서 이 모든 것들이 장차 도래할 큰 날에 계시될 종말론적인 의미에서 하나님의 영광과 하나님의 사랑, 하나님의 진노와 하나님의 능력에 관하여 말하였다.[82] 신약성서의 기자들은 그들이 이미 다른 수단들을 통해서 도달하였던 요지를 표현하기 위하여 이 모든 것들을 활용하였다: 예수가 메시야였다는 것; 그러므로 예수는 세상의 참된 주라는 것; 창조주 하나님이 그를 메시야로 높여서, 자신의 보좌와 유일무이한 주권을 함께 공유하게 하셨다는 것; 그러므로 예수는 '퀴리오스'로 보아져야 한다는 것. 그리고 '퀴리오스'는 예수가 만유의 조종간을 잡

80) 자세한 것은 Watts 1994; Tan 1997을 보라.

81) Wright, *Climax* chs. 4, 5, 6; *Romans* on 9:5, 10:12f.를 보라.

82) Newman 1992, *passim*.를 보라.

고 있는 인간이고, 가이사를 포함한 모든 무릎이 그 앞에서 꿇어야 할 그런 인간이라는 점에서 "세상의 주"라는 것을 의미할 뿐만 아니라, "구약성서가 야훼 자신에 관하여 말한 것을 현재화하고 가시화하는 분"이라는 것을 의미하였다. 이것이 초기 그리스도인들이 예수(그리고 성령, 물론 이것은 또 다른 주제이지만)에 관하여 말하는 적절한 범주들을 찾아내기 위하여 세상에서의 하나님의 현존과 활동에 관한 본문들을 샅샅이 뒤진 이유였다. 그들이 거의 처음부터 지니고 있었던 고등 기독론 — 유대교적인 유일신론의 틀 안에 확고하게 위치하면서도 예수를 신적인 존재로 본 신앙 — 은 유대교적인 삶과 사상을 이교화한 것이 아니라, 적어도 의도에 있어서는 그 내부의 핵심을 살핀 것이었다.

이 모든 것은 창조주 신, 계약의 신이 예수를 메시야적인 사역과 십자가 처형 이후에 죽은 자로부터 몸으로 다시 살리셨기 때문에 예수는 진실로 시편 2편, 시편 89편, 사무엘하 7:14의 의미에서 메시야, "하나님의 아들"이었다는 신앙에서 시작되었다 — 이것은 우리의 현재의 논증을 위해서 중요한 요지이다[83] "우리가 거꾸로 거슬러 올라갈 수 있는 한에 있어서, 예수의 부활에 대한 신앙은 그의 유일무이한 신분과 역할에 관한 교회의 사변들과 주장들을 위한 토대이다."[84] 우리가 계속해서 역사적으로 사고하고자 한다면, 우리는 예수의 부활에 대한 그러한 신앙을 전제함으로써 이러한 극적인 일련의 사고를 설명해 낼 수 있다; 나는 그 밖의 다른 어떤 수단에 의해서 그것을 설명해낼 수 있는 길을 알지 못한다. 따라서 다시 한 번 말하지만, 역사가에게 제기되는 질문은 다음과 같은 것이다: 무엇이 초기 그리스도인들로 하여금 모든 기대들과는 반대로 그가 죽은 자로부터 몸으로 부활하였다는 것을 믿게 만들었는가?

4. 결론: 초기 기독교 세계관 내에서의 부활

이러한 질문에 대답하기 전에, 우리는 먼저 본서의 제2부와 제3부를 종합하

83) 예를 들면, cf. Hengel 1983, 77. 본문들은 사무엘하 7:12-14(LXX)을 참조하라: '카이 아나스테소 토 스페르마 수 메타 세["내가 네 뒤에 네 씨를 일으키리라"] … 에고 에소마이 아우토 에이스 파테라 카이 아우토스 에스타이 모이 에이스 휘온["내가 그에게 아비가 되고 그가 내게 아들이 되리라"].' 위의 제4장 제4절에 나오는 논의를 보라.

84) Nickelsburg 1992, 691.

여서, 초기 기독교의 세계관과 그 안에서의 부활 신앙의 지위를 말해주는 요약적인 진술을 제시하지 않으면 안 된다. 나는 세계관 연구를 위한 패러다임을 『신약성서와 하나님의 백성』 제2부에서 상세하게 설명하였고, (몇몇 서평자들이 지적하기를 즐겨하였던 과도한 일반화라는 위험성을 의식적으로 감수한 채) 그러한 패러다임에 의거해서 제8장과 제12장에서 제2성전 시대 유대교와 초기 기독교의 세계관들을 간략하게 서술하였으며, 제13장과 제14장에서 초기 기독교의 이야기들을 좀 더 자세하게 다룬 바 있다. 그런 후에, 나는 동일한 패러다임을 『예수와 하나님의 승리』 제2부에서 예수에 대하여 적용하였다. 나는 여기에서 그러한 연구들을 전제하고, 단순하게 이렇게 묻는다: 예수 및 그리스도인들의 부활은 그러한 그림 속에서 어느 지점에 속해 있는가?

나는 실천(praxis)으로부터 시작하고자 한다. 부활은 초기 그리스도인들이 관습적으로 행하였던 것 속에서 어디에 나타났는가?

간략하고 포괄적으로 말한다면, 그들은 마치 그들이 몇몇 중요한 의미들에 있어서 이미 하나님의 새로운 창조 안에서 살고 있는 것처럼 활동하였다. 그들은 마치 계약이 이미 갱신되었고, 하나님 나라가 어떤 의미에서 이미 현존하고 있는 것처럼 — 물론, 하나님 나라는 미래적인 것이기도 하였다 — 살았다: 흔히 현재적인 하나님 나라와 관련된 그들의 행동(예를 들면, 그들을 핍박하는 자들을 저주하는 것이 아니라 오히려 기꺼이 용서하는 것)은 하나님 나라가 아직 온전히 실현되지 않았다는 것이 너무도 분명하게 드러나는 맥락들 속에서 전면에 부각된다.[85] 초기 그리스도인들의 실천의 그 밖의 다른 요소들, 특히 세례, 성찬, 순교는 동일한 방향을 보여준다.[86] 그들의 생활양식 또는 공동체로서의 그들의 실존과 관련하여 이 도전을 받은 경우에 초기 그리스도인들은 예수, 특히 죽음에 대한 그의 승리에 관한 이야기들을 말하는 것으로 응수하였다.

더 구체적으로 말해서, 예수의 죽음, 그리고 그들 자신의 공동체의 지체들의 죽음과 관련한 그들의 실천은 아주 뚜렷하게 드러난다. 당시의 유대인들, 그리

---

85) 예를 들면, 베드로전서 2-3장: 이것과 마카베오2서에 나오는 엄숙한 저주들 간의 차이는 주의 깊게 지적되어야 한다(위의 제9장 제2절을 참조하라).

86) cf. *NTPG* ch. 12.

고 초기 그리스도인들 중에서 적어도 일부는 선지자들과 순교자들의 무덤을 숭배하였다. 사람들은 종종 예수의 무덤의 경우에서도 이와 비슷한 현상이 있었고, 부활절 이야기들은 그러한 것을 토대로 해서 점차적으로 생겨난 것이라고 주장해 왔지만, 사람들이 예수의 무덤으로 가서 거기서 기도하거나 친구들과 가족들을 만나거나 기념 식사를 했다는 것을 보여주는 그 어떤 증거도 없다.[87] 하지만 초기 그리스도인들이 계속해서 동굴과 지하 무덤 속에 이장을 행한 주후 1세기의 유대인들의 관습을 지켰다는 것을 보여주는 증거들은 있다. 이장은 육체가 다 썩어서 분해된 후에 뼈들만을 모아서 납골단지에 가지런히 넣은 후에 동굴 무덤 또는 이와 비슷한 곳에 안치하는 것이었다. 이러한 관습은 통상적으로 한 개인의 뼈가 계속적으로 존재하는 것이 필요하다는 부활에 대한 신앙을 반영하고 있는 것으로 생각된다.[88] 불행히도 우리는 초기 그리스도인들이 정확히 어떻게 장례식을 거행하였는지를 보여 주는 증거들을 갖고 있지 않다; 그러한 증거들이 처음 나오는 주후 4세기에 기독교의 장례식은 기쁨의 때로 여겨졌고, 참석자들은 흰 옷을 입었다.[89] 이것이 순전히 후대의 혁신이었을 가능성은 거의 없어 보인다. 앞 권에서 설명했듯이, 순교에 대한 태도도 미묘한 변화들을 겪었다.[90] 우리가 말할 수 있는 한에 있어서, 부활과 관련된 초기 그리스도인들의 실천은 이교적인 패러다임이 아니라 유대적인 패러다임에 확고하게 속해 있었던 것으로 범주화시킬 수 있고, 유대교적 세계관 속에서이기는 하지만 부활 신앙에 대한 새로운 명확성과 첨예함이 출현하였다는 것

87) 유대인들의 무덤 숭배에 대해서는 마태복음 23:29 등을 참조하라; 안디옥의 순교자 제의에 대해서는 Cummins 2001 ch. 2, esp. 83-6, 기독교 순교자들에 대해서는 리옹의 순교자들과 관련된 *Mt. Pol.* 18.2f.와 위의 제11장 제7절을 참조하라. 예수의 무덤에서 제의가 있었다는 주장에 대해서는 아래의 제18장 제3절을 보라.

88) 이것에 대해서는 Rutgers and Meyers 1997; McCane 1990, 1997, 2000; 그리고 우리가 살펴보고 있는 시기를 넘어서지만 많은 것을 시사해주는 자료들을 소개하는 Bynum 1995, 51-8을 보라. 위의 제3장 제2절을 보라.

89) *ODCC*[3] 253. 또한 무덤 앞에서의 성찬 예식의 등장에 관한 증거들 및 초기 성찬 신학과 부활에 관하여 믿어졌던 것 간의 연결관계에 대해서는 Bynum 1995, 55f.를 보라.

90) *NTPG* 364f.

을 보여주는 표지들을 지니고 있었다.

이것은 특히 한 주간의 특별한 날을 마지막 날에서 첫날로 옮긴 주목할 만한 현상 속에서 잘 드러난다. 선견자 요한은 이 날을 "주의 날"이라고 불렀다; 그리고 그리스도인들이 한주간의 첫날에 모임을 가졌음을 보여주는 매우 이른 시기의 증거가 존재한다.[91] 이것은 단순히 그들이 그들의 이웃인 유대교와 그들 자신을 구별하고자 했다거나 그들이 새로운 창조가 이미 시작되었다고 믿었기 때문이라는 이유들만으로는 설명하기 힘들다; 이러한 설명들 중 어느 쪽이 제시된다면, 그들은 우리에게 신속하게 왜 그들이 전자를 하기를 원했는가 또는 후자를 믿었는가라는 질문으로 압박해 올 것이다. 초기의 저술가들은 이러한 질문들에 직면해서, 다음과 같은 분명한 대답들을 제시하고 있다: 이그나티우스는 부활이 이러한 새로운 관습의 존재 근거라고 주의를 환기시키고 있고, 유스티누스는 그것을 새 창조의 첫 날과 연결시킨다.[92] 또한 우리는 이러한 변화가 지니는 의미를 축소시켜서는 안 된다. 일곱 째날 안식일은 유대교에서 주요한 사회적, 문화적, 종교적, 정치적 지계표로서 확고하게 뿌리를 내리고 있었기 때문에, 그것을 수정한다는 것은 마치 오늘날의 서구인이 수요일이 아니라 목요일에 테니스를 치기로 결심한 것과 같은 것이 아니라, 아주 경건한 중세의 로마 가톨릭 신자를 설득해서 금요일이 아니라 목요일에 금식하게 한다거나 스코틀랜드 자유교회의 가장 경건한 신자로 하여금 일요일이 아니라 월요일에 예배를 드리도록 설득하는 것과 같은 것이었다. 하나의 세계관내에서 상징적인 실천의 가장 강력한 요소들 중의 하나를 수정하거나 변경하는 데에는 의식적이고 의도적이며 끈질긴 노력이 있어야 한다 — 특히, 안식일은 할례 및 음식법들과 더불어서 유대인들을 이교도들로부터 구별했던 세 가지 것들 중의 하나였다.[93] 이 모든 것에 대한 가장 쉬운 설명은 모든 초기 그리스도

---

91) "주의 날": 계 1:10; Ign. *Magn.* 9.1; *Did.* 14.1. 한 주간의 첫째 날: 행 20:7; 고전 16:2.

92) Ign. *Magn.* 9.1; Justin, *1 Apol.* 67. 이 문제 전반에 대해서는 Rordorf 1968, esp. ch. 4; Polkinghorne 1994; Swinburne 1997, 207-12; Wedderburn 1999, 48-50; Carson 2000을 보라.

93) 제2성전 시대 유대교 내에서의 안식일에 대해서는 Sch er 2.424-7, 447-54, 467-75를 보라; cf. mShab. p*assim*. 신약성서에서는 롬 14:5-12(부활은 그러한 문제

인들은 그 첫 번째 일요일 아침에 어떤 일이 일어났다고 믿었다는 것이다.

초기 기독교의 상징 세계는 예수에게 그 초점이 맞춰져 있었다. 세례와 성찬이라는 상징적인 행위들은 물론 유대교적인 선례들과 이교적인 유비들을 갖고 있긴 하지만, 예수를 준거로 삼아서 의도적으로 행하여졌다. 메시야와 주로서의 예수의 신분, 이교적인 다신론이 아니라 유대교적인 유일신론을 그대로 유지하고 있는 예수에 대한 예배는 초기 기독교 세계에서 그 어디에서나 분명하게 드러나는데, 이것은 새로운 상징적 용법들을 낳았다: 이것은 특히 십자가의 경우에서 가장 잘 드러나는데, 십자가는 제국의 악랄한 압제의 표지로서의 그 수치스러운 상징적 가치를 상실하고, 하나님의 사랑의 표지가 되었다.[94] 직설적이고 강력한 기독론에 대한 신앙을 명확하게 보여주는 잘 알려져 있던 물고기 상징은 주후 2세기에 처음으로 발견된다. 예수와 관련된 문구의 첫 글자들을 모았을 때에 그것이 물고기를 가리키는 단어가 되었기 때문에 이 상징이 사용된 것인지(Iesous CHristos Theou (H)Yios Soter[하나님의 아들 구주 예수 그리스도], ICHTHYS = "물고기"), 아니면 물고기 상징이 이미 사용된 후에 거기에 맞춰서 각 글자마다 의미를 부여한 것인지는 여전히 말하기 어렵다.[95] 이와 같은 알파벳 유희는 이교적인 신탁들 속에서 널리 사용되었고, 이러한 상징의 사용은 그러한 방식으로 의사소통을 하는 세계에서 의사소통을 행하는 방식이었거나 비밀스러운 암호로서 생겨났을 것이다.

초대 교회의 이야기들(stories)은 거듭거듭 예수 및 그의 죽음과 부활에 초점을 맞추고 있다. 우리는 이제 아래의 제4부에서 살펴보게 될 가장 중심적인 이야기들을 제외한 모든 것들을 살펴보았고, 제4부에서 우리는 예수의 부활에

들에 있어서 다른 사람들을 판단하지 말아야 하는 이유 중의 하나로 주어진다); 갈 4:10; 골 2:16을 보라.

94) cf. *NTPG* 366f.

95) 가장 초기의 두 용례는 알파벳 시를 토대로 한 시 전체(8.218-50)를 시작하는 부분으로서 끝에 '스타우로스'("십자가")를 덧붙이고 있는 *Sib. Or.* 8.217(late C2), 주후 200년경의 것으로 추정되는 Abercius(in Lightfoot 1989 [1889], 3.496f.)의 금석문이다. 또한 그것은 Clement of Alexandria와 Tertullian, 예를 들면, Aug. *Civ. Dei.* 18.23에서도 발견된다. Celsus는 그리스도인들이 오래된 신탁들을 날조해내었다고 공격한다(Or. *C. Cels.* 7.53).

관한 이야기들이 그것들의 현재적인 문학적 맥락들 속에서 이스라엘의 역사와 세계의 역사가 하나님이 정하신 절정과 새 탄생에 도달한 것에 관한 이야기들 및 오랫동안 기다려 왔던 이스라엘의 하나님의 나라가 도래한 것에 관한 이야기들로 기능하고 있다는 것을 보게 될 것이다. 그러나 또한 부활 이야기들은, 우리가 자주 지적해 왔듯이, 현재 및 미래에 있어서 예수의 부활의 수혜자들인 부활 백성으로서의 그리스도인 공동체에 관하여 말하는 방식들로 이야기되기도 한다. 이 모든 것들은 계약 백성이 고난 후에 신원받는 것에 관한 유대교 스타일의 이야기들의 격자망 속에 배치될 수 있다. 이것 자체는 출애굽에 관한 이야기, 포로생활로부터의 귀환에 관한 역사적 및 예언적인 수많은 이야기들로 거슬러 올라간다; 그렇지만 기독교의 이야기들은 중요한 차이점들, 나름대로의 특징들, 특히 새 창조가 이미 시작되었다는 주장을 포함하고 있다. 게다가 바울 이래로 예수의 부활은 하나님의 성령의 역사로 보아졌고, 초기 그리스도인들은 그 동일한 성령이 그들 안에서 역사하고 있고 장래에 그들을 다시 살릴 것이라는 중심적인 주장을 제시하였다.[96]

세계관적 질문들이 초기 그리스도인들에게 적용될 때에 부활과 관련된 일련의 대답들이 도출된다.[97] 우리는 누구인가? 부활 백성이다: 즉, 부활절에서 시작하여 성령의 능력을 따라서 세례 및 믿음 안에서 우리를 껴안은 새로운 세상 안에서 형성된 백성. 우리는 어디에 있는가? 장차 회복될 하나님의 선한 피조 세계 안에 있다: 현재에 있어서는 고난과 쇠함에 종속되어 있고 언젠가는 죽게 될 것이지만 장차 구속받을 몸들을 지닌 채. 무엇이 잘못되었는가? 그 사역은 미완성이다: 부활절에 시작된 사업(죄와 사망의 패배)은 아직 완결되지 않았다. 해법은 무엇인가? 피조 세계 및 우리 자신들의 온전하고 최종적인 구속; 이것은 예수가 다시 나타날 때에 새로운 창조적 은혜의 행위를 통해서 이루어질 것이고, 성령의 역사를 통해서 현재적으로 선취된다. 지금은 어느 때인가? 현세와 내세가 서로 중복되어 있는 시기: 이스라엘이 기다렸던 "내세"는 이미 시작되었지만, "현세"는 여전히 계속된다. 분명히 이것은 우리가 이미 살펴본 부활 내부로부터의 재정의와 서로 관련이 있다.

96) 분명한 본문들로는 로마서 8:9-11 등이 있다.

97) 이 질문들의 성격에 대해서는 *NTPG* 123f.: *JVG* 137-44, 443-72를 보라.

이러한 세계관은 초기 그리스도인들의 신앙들, 소망들, 목적들 속에 표현되어 있다. 신과 세상에 관한 초기 그리스도인들의 견해는 어떤 차원에서는 제2성전 시대 유대교의 견해와 실질적으로 동일하다: 세상을 창조하였고, 세상과 여전히 적극적이고 권능 있는 관계 속에 있으며, 세상에서의 악의 문제에 대한 일차적인 반응으로서 이스라엘을 부르신 — 이것 자체가 부차적인 일련의 문제점들과 질문들을 낳는다(이스라엘은 왜 실패한 것으로 보이는가? 이스라엘 자신의 문제점들에 대한 해법, 그러니까 세상의 문제점들에 대한 해법은 무엇인가?) — 한 분 신이 존재한다. 그러나 예수의 부활, 그리고 초기 그리스도인들이 그 사건 속에서 및 그들 자신의 삶 속에서 보았던 성령의 강력한 역사는 이스라엘과 세상의 문제점들에 대한 대답을 제시함으로써 한 분 신과 세상에 대한 다음과 같은 견해를 재형성하였다: 예수는 이스라엘을 대표하는 메시야로 보아졌고, 그의 죽음과 부활은 이스라엘의 회복, 그렇기 때문에 세상의 회복의 전조적(前兆的)인 성취이다. 실존주의 신학의 전성기 때에 말해졌던 것에도 불구하고, 최초의 그리스도인들은 역사가 이미 원칙적으로 중단되었기 때문에 이제 시공간의 우주의 임박한 종말을 통해서 역사를 깨끗이 청산하는 것만이 남아 있다고 생각해서, 환상의 세계 속에서 살고 있었던 것이 아니라, 역사 내에서 살며 일하고 있었다.[98] 그들 자신 및 만유 전체와 관련하여 약속된 미래는 현재의 몸을 입고 살아가는 삶에 의미와 타당성을 부여해 주었다.

이것은 우리가 지난 세기 동안에 주류적인 학계가 지닌 생각 속에서의 결함을 분명하게 규명해 낼 수 있다는 것을 의미한다고 나는 생각한다. 알버트 슈바이처(Albert Schweitzer) 이래로 대부분의 학자들은 "종말론적인" 관점과 타협하기 위하여 최선을 다해 왔다. 그것은 서로 다른 사람들에게 매우 다른 것들을 의미했지만, 그 핵심에는 기독교는 사람들이 무슨 일이 일어나기를 기대하고 있었던 세계 속에서 탄생하였다는 인식이 존재하였다. 많은 학자들은 시공간적인 사건들의 세계 속에서 대단한 일은 결코 일어나지 않았을 것이라고 전제하였기 때문에 — 달리 말하면, 몸의 부활이 일어나지 않았다는 것을 당연한 것으로 여겼기 때문에 — 모든 무게는 또 다른 문제, 즉 임박한 "재림"에 두어졌다. 초기 그리스도인들은 위대한 장래의 사건이 언젠가는 일어날 것

98) 이른바 "재림의 지연"에 대해서는 *NTPG* 459-64를 보라.

이라고 실제로 소망하고 있었긴 하지만, 그들은 그들의 신학의 무게를 그들이 이미 일어났다고 굳게 믿었던 사건에 두었다. 재림이 의미가 있었던 것은 몸의 부활 때문이었다. 그러한 점에서 초기 기독교 신학은 자전거와 동일한 방식으로 작용한다: 뒷바퀴(과거의 사건)는 자전거를 탄 사람의 몸무게를 떠받치고, 앞바퀴(장래의 소망)는 행선지를 지시한다. 오직 뒷바퀴만을 가지고 자전거를 타는 것은 어렵다. 오직 앞바퀴만을 가지고 자전거를 타는 것은 아예 불가능하다.

물론, 이 모든 것은 초기 그리스도인들이 세상 및 그 창조주와 관련하여 우리가 나그 함마디 문서들에서 발견하는 것과는 완전히 다른 견해를 지니고 있었다는 것을 의미한다. 그리고 그것은 일련의 다른 목적들을 낳았다: 사적인 영성의 개발 대신에, 초기 그리스도인들의 부활에 의해서 형성된 세계관은 전통적인 장벽들을 뛰어넘은 공동체들을 형성하고, 모범과 말을 통해서 로마의 관리들, 지방 방백들 등등이 경각심을 가질 정도로 신속하게 퍼져나간 삶의 양식을 형성하는 데에 강력한 추진력을 부여해주었다.[99] 특히 흔히 반복되는 비방과는 반대로, 그것은 영지주의를 받아들인 자들에게는 아무런 의미도 지니지 못했던 로마 제국과의 명확한 대결을 억제한 것이 아니라 격려하였다. 만약 그리스도인들이 예수가 고상한 능력을 지닌 채 단지 "천국에 갔다"고 믿었고, 그들의 목적이 장래에 거기에서 예수와 만나며, 실제로 현재에 있어서 그러한 축복을 어느 정도 미리 맛보는 것을 경험하는 것이었다면, 왜 현재의 세상이 그들에게 관심거리가 되었을 것인가? 그러나 예수가 죽은 자로부터 부활하였고, 새 창조가 시작되었으며, 그들이 창조주 신의 새로운 나라의 시민들이 되었다면, 예수가 하늘에서와 마찬가지로 땅에서도 주라는 그들의 주장은 궁극적으로 가이사의 주장과 갈등을 빚게 되었을 것이다. 우리가 이러한 갈등의 표지들, 그리고 기독교적인 고상함 속에서 그러한 갈등을 해결하는 방식들을 찾을 때, 우리는 부활의 주된 주창자들을 바라보게 된다: 바울, 요한계시록, 이그나티우스, 유스티누스, 이레나이우스, 테르툴리아누스.[100]

---

99) cf. *NTPG* chs. 11, 12, 15.

100) 위의 제11장을 보라. 초기 저술가들의 "정치" 사상에 대해서는 O'Donovan and O'Donovan 1999, 1-29를 보라. 이 책은(그 제목에도 불구하고) Irenaeus가 아니

사람들이 사두개인들이 신학적으로나 정치적으로 당시의 "보수주의자들"이었기 때문에 부활사상에 반대했다는 것을 깨닫지 못하고, 그들이 부활을 믿지 않았기 때문에 "자유주의자들"이었다고 생각하는 것과 마찬가지로, 사람들은 흔히 확고한 몸의 부활 신앙이 오늘날 "보수적인" 신앙과 부합한다고 생각하여, 그것을 받아들인 사람들은 틀림없이 세상에 대한 "보수적인" 또는 "현상유지적인" 견해를 지지할 것이라고 생각해 왔다. 그러한 생각은 실상과는 너무도 동떨어진 것이다. 앞서 제2장에서 보았듯이, 예수의 부활은 그가 메시야라는 것이 옳다는 것을 입증한 것이었다. 그리고 그가 메시야였다면, 그는 세상의 참된 주이기도 하다. 부활은 모든 면에서 바리새인들에게 있어서와 마찬가지로 초기 그리스도인들에게도 급진적인 신앙이었다 — 아니 그 이상이었다. 그리스도인들은 "부활"이 이미 시작되었고, 그러한 부활을 개시시킨 한 사람은 그 이름 앞에 모든 무릎이 꿇어야 할 바로 주님이라고 믿었다.

우리는 이제 예수에 관한 초기의 견해들이 부활 신앙에 의해서 형성된 방식(현재의 장에서 살펴본 것)을 포함해서 초대 교회의 부활 신앙을 개관하였다. 우리는 마침내 우리가 앞에서 서술한 방식들로 사고하고 생활하였던 사람들이 거듭거듭 말하였던 결정적으로 중요한 이야기들인 부활절 기사들이 어떤 의미를 지니고 있는지를 보기 위하여 그 기사들 자체를 읽는 핵심적인 과제를 시작할 수 있는 준비가 되었다.

라 Justin Martyr로 시작한다; 이 책이 Ignatius 또는 *Mt. Pol.*도 포함하고 있지 않은 것은 유감이다.

제4부

부활절 이야기

나는 당신의 길에 깔려고 꽃들을 준비했고
나는 나무에서 많은 가지들을 꺾었다;
하지만 당신은 날이 밝자 올라가셨고
당신과 함께 당신의 감미로운 것들도 가져가버리셨다.

태양은 동쪽에서 뜨고(arising)
빛을 내며 동쪽의 향기를 주지만
만약 태양이 당신이 다시 살아나신 것(arising)과
경쟁하고자 한다면, 그건 오만이리라.

이와 같은 날이 있을 수 있을까?
빛을 비추는 수많은 태양들이 애를 써도.
삼백일을 헤아리지만, 거기엔 없다.
오직 한 날이 있으니, 그날은 영원하네.

George Herbert, "Easter"

제13장

부활절 이야기들의 일반적인 쟁점들

1. 서론

복음서들에 나오는 부활 이야기들은 지금까지 씌어진 이야기들 중에서 가장 이상한 이야기들에 속한다. 어떤 차원에서 그 이야기들은 단순하고 간략하며 분명하지만, 또 다른 차원에서는 복잡하고 당혹스러운 것이다. 그 이야기들을 주의 깊게 연구한다는 것은 복음서의 나머지 이야기들을 연구할 때에 생기는 거의 모든 문제점들을 포함하고 있고, 거기에다가 몇 가지 복잡한 문제점들이 상당한 정도로 추가된다.

나는 이러한 이야기들을 소개하기 위하여 이 시점까지 기다려 왔다 — 이것은 베토벤이 그의 9번 교향곡의 처음 세 악장을 합창대가 기다리도록 만든 것과 같다고 생각할 수 있을 것이다. 왜냐하면, 연구사는 우리가 이 이야기들로부터 시작하게 되면 엄청난 수의 세부적인 문제들에 얽혀 들어가서 결코 빠져나올 수 없게 된다는 것을 잘 보여주고 있기 때문이다. 더 구체적으로 말한다면, 우리가 이 이야기들을 무엇이라고 생각하든지 간에, 그것들은 초대 교회의 지속적인 삶 속에서 거듭거듭 말해진 후에 마침내 글로 씌어지게 되었다는 것은 분명하고, 그러므로 우리가 초대 교회가 일반적으로 부활, 그리고 구체적으로는 예수의 부활에 관하여 무엇을 믿고 있었던 것으로 보이는가에 관한 가능한 한 분명한 이해를 미리 얻고 난 후에 이 이야기들에 접근하는 것이 중요하다. 그래서 우리는 위의 제2부와 제3부에서 길게 그러한 연구를 진행해 왔다. 이제 우리는 지금까지 우리가 해온 역사적 탐구에 비추어서 마침내 무거운 돌을 굴려내고, 모든 이야기들 중에서 가장 신비스러운 이 이야기들의 어두운 내부를 들여다볼 수 있는 준비가 되어 있다.

제3부의 끝에서 우리는 초기 기독교의 삶이 실질적으로 거의 모든 초기 그리스도인들 — 물론, 나그 함마디 문서들 속에 대변된 작은 규모의 후대의 소수를 제외한다면(그들 중의 일부가 그리스도인이라고 불리기를 원한다고 했을 때) — 이 실제로 나사렛 예수가 단순히 동일한 몸으로 소생한 것이 아니라 변화된 몸을 입고서 죽은 자로부터 몸으로 부활하였고, 이 사건은 이스라엘의 위대한 소망의 전조적(前兆的)인 성취이자 당시에 그 누구도 준비한 적이 없었던 것이었다고 믿었다는 전제가 없이는 설명할 수 없다는 것을 알 수 있는 지점에 도달하게 되었다. 이 신앙은 왜 초기 기독교가 이러한 소망을 그 비전의 주변부가 아니라 중심에 놓았던 "부활" 운동이었는지, 그 이유를 보여준다. 또한 이것은 "메시야"가 십자가 위에서 죽었음에도 불구하고 그것이 메시야적인 운동이었던 이유, "하나님 나라"가 제2성전 시대 유대인들이 소망하여 왔던 그 어떤 의미에 있어서도 아직 도래하지 않았음에도 불구하고 그것이 여전히 하나님 나라 운동이었던 이유를 설명해준다. 우리는 이러한 신앙이 길든 짧든 고린도전서 15:3-7, 그리고 더 짧게는 데살로니가전서 4:14에서처럼 예수 및 그의 죽음과 부활에 관한 기본적인 이야기를 말하는 것을 포함할 수 있었다는 것을 살펴보았다. 만약 우리가 초기 기독교 문헌들에서 동일한 이야기에 관한 다른 판본들을 가지고 있지 않았다면, 그러한 신앙은 참으로 의외의 놀라운 것이 되었을 것이다.

그런데 우리는 실제로 그러한 다른 판본들을 가지고 있다; 그러나 우리가 가지고 있는 다른 판본들 — 즉, 정경 복음서의 이야기들 및 그것들과 관련되어 있는 또 하나의 추가적인 자료(『베드로복음서』) — 은 그것들 자체가 거의 마찬가지로 놀라운 것들이다. 우리는 몇 가지 점에서 일치하지만 세부적인 내용에서 그 이야기들이 갈라지는 것만이 아니라 특정한 강조점들을 지니고 있는 두드러진 개별적인 특징들을 보여주는 다섯 가지의 기사들을 갖고 있다. 이것은 우리로 하여금 그것들에 관하여 다음과 같은 일련의 질문들을 제기하지 않을 수 없게 만든다: 이 이야기들은 어디에서 온 것인가? 그것들은 공동체 속에서의 특정한 영향력들에 의해서 형성되었는가? 복음서 기자들은 그 이야기들에 자신만의 독특한 특징을 각인시켜서, 기존에 존재했던 이야기들을 자신의 특정한 신학과 관심에 합치하게 만든 것인가, 만약 그렇다면, 어떤 방식으로 및 어느 정도로 그렇게 한 것인가?

오늘날 다양한 출신 배경을 지닌 수많은 비평학자들 속에서 이러한 질문들에 대한 대답들은 폭넓은 견해의 일치 가운데에 오래 전부터 형성되어 있다.[1] 언제나 많은 견해의 불일치들이 있어 왔지만, 다음과 같은 설명은 상당수의 영향력 있는 저술가들을 포괄하는 견해이다.

이러한 현대적인 서사(narrative)에 의하면, 제일 먼저 등장한 것은 예수의 승귀에 대한 신앙이었다. 그런 후에, 현현들과 빈 무덤에 관한 "부활절 전설들"이 생겨났다. 가장 먼저 씌어진 마가의 기사는 짧고 신비스러운 것으로서, 여자들이 너무 놀라서 다른 사람들에게 아무 말도 하지 않았다는 내용으로 의도적으로 갑자기 끝나게 된다. 부활한 예수의 실제적인 현현들은 거기에서 보도되어 있지 않고, 여자들이 제자들에게 고한 일도 나오지 않는다. 마가복음의 기사 속에서 우리가 보는 것은 빈 무덤(이러한 뒤늦게 만들어진 "부활절 전설들"과 관련된 호교론적인 모티프로서 후대에 전승에 도입된)과 예수가 갈릴리에서 나타나게 될 것이라고 말하는 천사가 전부이다. 다음으로 씌어진 마태의 기사는 예수가 여자들에게 잠깐 동안 나타났다가 그 후에 갈릴리에 있는 제자들에게 약간 더 긴 시간 동안 나타난 것으로 기록하고 있는데, 거기에서 예수의 마지막 말씀은 마태복음의 앞 부분에서 나온 몇몇 주제들을 마무리하는 역할을 한다.

그런 후에, 현대적인 합의는 추가적인 발전들에 관한 가설로 계속된다. 주후 1세기가 끝나갈 무렵에, 세 가지 문제점들이 머리를 들기 시작한다. 첫째, 이그나티우스가 말한 문제점: 예수는 진정으로 사람이었는가, 아니면 그는 단지 혈과 육을 지닌 진정한 사람인 것처럼 "보였던"('도케오,' 따라서 "가현설") 것뿐인가? 이것이 누가의 기사와 요한의 기사가 부활한 예수에 관한 더 자세한 "몸의" 부활에 관한 이야기들을 쓴 배경이라고 그들은 전제한다: 부활한 예수는 떡을 떼고, 성경을 설명해 주며, 도마에게 자기를 만져보라고 하고, 해변에서 아침을 요리한다. 둘째, 현현들과 빈 무덤에 관한 이야기들을 포함한 발전된

1) 고전적인 진술은 Bultmann 1968 [1931], 290에 나온다. 이와 비슷한 입장들에 관한 오늘날의 전형적인 진술들은 Robinson 1982; Riley 1995 등에서 찾아볼 수 있다.

"부활절 전설들"은 한 가지 문제점을 불러일으킨다: 어떻게 하면, 이러한 이야기들을 예수의 승귀에 대한 기본적인 신앙과 결부시킬 수 있는가? 이렇게 해서 반(反)가현설적인 내용과 거의 동일한 시기와 동일한 본문들 속에서 최초의 몸을 입은 부활과 이제 두 번째 단계로 보아지게 된 승귀, 이 둘 다를 단언하는 "승천"에 관한 이야기들이 만들어진다. 셋째, 폭넓은 합의의 몇몇 판본들은 초대 교회에 있어서의 세 번째 문제점을 인식한다: 한 사도를 함정에 빠뜨려서 다른 사도를 높이는 이야기들을 말하는 것을 통해서 다루어진 사도적 권위를 놓고 벌어진 암투(남자들 대 여자들, 베드로와 요한 상호 간, 도마 대 베드로와 요한 등등). 세부적인 많은 내용들에 있어서는 폭넓은 견해의 불일치가 존재하긴 하지만, 그렇게 해서 출현한 합의는, 예수의 죽음 이후에 며칠 동안 무슨 일이 일어났는지와는 상관 없이, 현재 형태의 복음서 기사들은 마가 기사를 제외하고는 십자가 처형 이후의 한 주간의 첫 날에 관한 묘사가 아니라 초대 교회의 신학, 석의, 정치에 관한 서술이라는 것이다. 사실, 이러한 것은 현대적인 비평가들에게는 당연한 것이었고, 지금 포스트모더니즘적인 비평가들에게도 마찬가지이다.

최근의 학계에서 새롭게 등장하여 우리가 고려하지 않으면 안 되는 추가적인 한 가지 요소는 『베드로복음서』이다. 대부분의 학자들은 베드로복음서가 다른 것으로부터 파생되어 후대에 나온 것으로서, 정경 복음서들과는 판이하게 다른 견해를 보여주고 있다고 생각하여 왔다; 한 학자(J. D. Crossan)는 상당한 독창성을 발휘해서 베드로복음서가 매우 초기에까지 거슬러 올라가는 여러 요소들 — "부활" 이야기들을 포함한 — 을 담고 있고, 사실 정경 복음서 기사들을 위한 주된 자료였다고 주장하였다. 이 문제는 이제 자료들에 대한 좀 더 폭넓은 고찰 속에서 대답되어야 한다.

2. 부활 이야기들의 기원

(i) 자료들과 전승들?

부활 이야기들은 어디로부터 온 것인가? 공관복음서를 연구하는 학자들은 문헌적인 차원에서 이 본문들의 상호관계에 관한 어떤 확고한 결론들에 도달한다는 것이 어렵다는 것을 발견하여 왔다. 물론, 네 자료들이 어떤 동일한 단어들을 사용함이 없이 본질적으로 동일한 이야기를 말하는 것은 실질적으로 불가능하다. 동일한 미식축구 시합에 관한 서로 다른 네 개의 기사들을 본 후에, 그것들 모두에 공통적으로 나오는 "득점"이라는 단어가 기자들 사이에서의 담합을 보여주는 것인지 아닌지를 스스로 물어보라. 그러나 부활절 이야기의 처음 부분 — 마가복음 16:1-8과 그 병행들 — 을 헬라어로 된 공관복음서 대조본문으로 얼핏 보기만 해도, 우리는 복음서 기자들이 서로로부터 얼마나 다를 수 있는지를 보여주려고 작정한 것이 아닌가 생각할 수 있을 정도로 서로 다르다.

나는 누가가 마가를 사용했다는 것이 공관복음서 비평의 어느 정도 확고한 출발점이라고 본다. 그러나 이 대목에서 누가는 그 이야기를 아주 많이 자기 나름대로의 방식으로 말하고 있다: 누가복음 24:1-9에 나오는 123개의 단어들 중에서 오직 16개의 단어만이 마가복음 16:1-8에 나오는 138개의 단어들 중에서 동일한 수의 단어와 일치한다.[2] 또한 병행들도 특히 중요한 것은 아니다: "한 주간의 첫날에," "그 무덤으로," "저희가 도착하였을 때," "너희가 찾고 있다," "그가 살아나셨고 여기 계시지 아니하니라."[3] 누가가 마가를 "사용하였다면," 우리는 누가가 마가를 아주 자유롭게 사용한 것이거나 누가에게 또 다른 자료가 함께 있어서 거의 전적으로 그 자료를 사용한 것이라는 결론을 내리지 않을 수 없다. 이 둘 중의 하나가 아니라면, 이 경우에 있어서 "사용했다"라는 말은 아마도 누가가 마가의 두루마리를 책상 위에 올려놓기만 하고 이야기를 나름의 방식대로 말하는 데에 습관이 되어 있었기 때문에, 마가복음을 얼핏 보기는 했지만, 그것 없이 써 나가기로 결심하고, 그것을 한쪽 편으로 밀어놓고 더 이상 그것을 참조하지 않았다는 것을 의미할 수 있을 것이다.

마가와 마태의 관계는 더 밀접하다. 마치 우리가 동일한 본문에 관한 하나의 판본을 듣고 있는 것이 아닌가 생각할 정도로 그렇게 들리는 순간들이 있다

---

2) 누가복음 24:10은 우리에게 그 여자들이 누구였는지를 말해주는데, 막달라 마리아와 야고보의 어머니 마리아에 관한 언급을 병행문들에 덧붙인다(막 16:1에서처럼). 하지만 누가는 그런 후에 마가가 살로메라고 언급하고 있는 요안나를 언급한다.

3) 누가복음 24:1, 1, 3, 5, 6, 6과 병행되는 마가복음 16:2, 2, 5, 6, 6, 6. 마지막 어구는 마가복음에서는 거꾸로 되어 있다("그는 다시 살아나셨다, 그는 여기에 계시지 않는다").

— 물론, 그 본문 자체로부터는 어느 쪽이 어느 쪽을 사용했는지를 말하는 것은 불가능하겠지만. 그럴지라도, 마태 본문(28:1-8)에 나오는 136개의 단어들 중에서 마가와 일치하는 것은 단지 35개의 단어들뿐이다.[4] 마태와 누가를 나란히 놓는 경우에는 무엇을 정확한 병행들로 보느냐에 따라서 대략 10개 내지 12개의 단어들이 서로 일치한다.[5] 하지만 공관복음서 대조본문에 대한 이러한 짧은 검토로부터 주목할 만한 가치가 있는 것은 천사가 여자들에게 한 말은 확고하게 일치한다는 것이다: 예수는 살아나셨고 여기에 계시지 않는다(문자적으로는, "그가 일으키심을 받았다"['에게르데']). 물론, 이 대목 이후에서는 마가는 더 이상 이야기를 진행하지 않고 멈추고 있고(우리는 적절한 때에 마가의 긴 결말을 논의하게 될 것이다), 마태와 누가는 각자의 길을 간다.

한편 요한은 누가와 마태를 결합시켜 놓은 것과 어느 정도 동일한 서두의 단어들("안식 후 첫날 일찍이 아직 어두울 때에 막달라 마리아가 무덤에 와서 … ") 이후에는 오직 병행들에 대한 아주 희미한 반영들만을 보여 주는 가운데 처음부터 자신의 길을 추구한다.[6] 요한복음에 나오는 마리아는 누가의 기사에서와 마찬가지로 돌이 굴려져 있는 것을 보지만, 무덤 속으로 들어가는 것이

---

4)(아래에서 괄호 안의 절들은 마 28장/막 16장의 것이다): 주간(1/2); 막달라 마리아, 마리아(1/1); 흰(3/5); 너희가 십자가에 못 박히신 예수를 찾는다(5/6); 그는 여기에 계시지 않고, 그는 다시 살아나셨다(6/6, 마가는 이 어구의 순서를 바꾸어 놓는다); 장소를 보라(6/6); 제자들에게 말하라(7/7), 그가 너희에 앞서 갈릴리로 갈 것이라고(7/7), 무덤으로부터(8/8). 그 밖의 다른 몇몇 어휘들의 반영은 한 본문이 다른 쪽 본문을 각색했다는 것을 보여준다. 예를 들면, "보라, 내가 너희에게 말하였다"('이두 에이폰 휘민,' 마 28:7)과 "그가 너희에게 말씀한 대로"('카도스 에이펜 휘민,' 막 16:7).

5)(아래에서 괄호 안의 절들은 마 28장/눅 24장의 것이다): 주간(1/1); 찾다(5/5); 그는 여기에 계시지 않는다, 그는 다시 살아나셨다(6/6; 두 어구의 순서가 마가와는 다르고 둘은 일치하지만, 누가는 두 어구 사이에 "그러나" ['알리아']를 첨가한다); 무덤으로부터(8/9). 마태의 결말(8)에서 여자들은 "달려가서 제자들에게 말한다('아판게일라이')"; 누가의 결말(9)에서 그들은 돌아가서 "열한 제자 및 모든 다른 사람들에게 이 모든 일을 말하였다('아펜게일란')." 온건하게 말해서, 여기에는 "Q"가 보이지 않는다.

6) 무덤을 지칭하는 데에 누가와 마가의 '므네마,' 마태의 '타포스' 가 아니라 '므네메이온' 을 사용하지만.

아니라, 베드로와 사랑하는 제자에게 달려가서 말하는 것으로 되어 있다. 이 시점으로부터 이야기 전체 속에서 유일하게 중복되는 부분은 예수가 다락방의 "중앙에" 서서 그들에게 자신의 손과 옆구리를 보여주어서 그들로 하여금 기뻐하게 하였다는 것에 대한 서로 다른 언급들이다.[7]

자료들이라는 문제와 관련해서 우리가 직면하고 있는 선택은 분명해 보인다. 문헌적인 의존성이 존재한다면, 가장 가능성 있는 것은 마태와 마가 간의 의존성이다. 그러나 한 쪽이 다른 쪽을 의존했다고 하더라도, 우리가 결코 알 수 없는 실질적인 개작이 이루어졌다. 중복들은 그것을 거의 피할 수 없는 대목들(막달라 마리아의 이름, 무덤에 관한 언급) 또는 공관복음 전승의 나머지에서와 마찬가지로 짧고 핵심적인 문장들("그는 살아나셨고 여기 계시지 아니하니라")에서 일어나고 있기 때문에, 문헌적인 의존성으로 보이는 현상은 아마도 구전 전승이라는 헤아릴 수 없는 떠돌아다니는 세계 속에서의 자연스러운 중복에 의해서 야기된 허구일 가능성이 있다. 그러한 것이 사실이라고 할지라도, 적어도 몇몇 문헌적인 관계에 관한 가설은 공관복음서들 전체에 있어서 가능성이 있는 것으로 보이기 때문에, 우리는 각각의 복음서 기자들이 서로 다르기는 하지만 궁극적으로는 연관되어 있는 구전 전승과 문서 전승들로 소급되는 이 이야기를 말하는 여러 가지 방식들에 접근할 수 있었다고 전제해야 한다.

그렇다면, 이 이야기들이 현재의 모습에 도달하기까지 문서화 이전의 구전 전승에서의 여러 단계들을 추적하는 일이 가능할 수 있을까? 몇몇 학자들은 이 이야기들의 여러 단편들을 추출해 내서 그것들을 가설적인 연대기적 발전 순서에 따라서 배열함으로써 그렇게 하고자 시도해 왔다.[8] 그러나 별로 놀랄 일은 아니지만, 이러한 과정은 거의 의견의 일치를 낳지 못했는데, 그것은 우리에게 그러한 것들을 배치시킬 수 있는 역사적인 격자망이 결여되어 있다는 분명한 이유 때문이었다. 우리는 어떤 종류의 이끼들이 초기 기독교의 어느 지점에서 생겨났는지를 말해주는 지도를 가지고 있지 않기 때문에, 어떠한 단편들이 전승의 구르는 돌에 의해서 채택되었는지를 말할 수가 없다(이 구르는 돌

7) 눅 24:36, 39, 41; 요 20:19, 20.

8) Alsup 1975; Fuller 1980 [1971]; Lüdemann 1994, ch. 4을 보라.

은 돌들과 이끼에 관한 일반적인 준칙을 따르지 않을 것이라고 언제나 전제한다면). 특히 아래 제18장의 논증은 우리를 초기 기독교 내에서 빈 무덤에 관한 이야기들과 예수의 현현들에 관한 이야기들이 서로로부터 완전히 독립적으로 유포되었을 가능성이 있었는가라는 문제로 이끌게 될 것이다. 나중에 있을 논의의 결과를 미리 가져오지 않더라도, 우리는 단순히 기독교의 출현에 관한 역사적인 고찰들은 그러한 이야기들이 언제나 서로의 존재를 적어도 함축하고 있었을 것임에 틀림없다는 것을 보여준다고 말할 수 있을 것이다. 방법론의 차원에 있어서 부활 이야기들의 경우에 우리는 예수와 복음서 기자들 사이의 알려져 있지 않은 기간을 천착하는 방식으로 복음서들이 현재의 형태를 띠기 전에 이미 존재하였던 문학적인 단위들에 관한 이론들을 사용할 수 없다. 우리가 그 어두운 터널 속을 들여다보기 위해서는 둘 중의 어느 한 쪽으로부터 빛을 빌려올 수밖에 없다. 터널 자체 속에는 그 너머에 놓여 있는 것을 독자적으로 비추어 줄 빛이 존재하지 않는다.

그러므로 문학적인 자료들 또는 구전 전승들에 관하여 많은 말을 하는 것은 어렵다. 구전 전승들은 분명히 존재하였다: 바울은 우리가 알아차리지 못했다고 할지라도 고린도전서 15:3에서 그와 같은 것을 우리에게 말해준다. 사실, 바울의 이야기는 십자가 처형과 매장을 비롯한 그 밖의 다른 이야기들을 그 중에서 일부 요소들(여자들)을 생략하고 일부 요소들(야고보와 "오백여 형제에게 일시에" 일어난 현현)을 첨가해서 간략하게 요약한 내용인 것으로 보인다. 그러나 가설적인 자료들 간의 관계를 추적하는 일은 어두운 방 안에 있는 검은 고양이를 찾아내는 것 — 또는 실제로 돌이 여전히 무덤 입구에 놓여져 있을 때에 무덤 안에서 시신을 찾는 것 — 과 같다.

(ii) 베드로복음서

그러나 만약 어떤 자료가, 한 번도 들어 본 적이 없는 사촌이 찾아온 것처럼 갑자기 집에 나타나서 가족의 일원으로 받아달라고 한다면, 우리는 어떻게 해야 하는가? 그러한 경우에는 엄격한 판별기준들이 적용되어야 할 것이다. 다른 분야들에 있어서 그와 같은 사례들은 드물다: 우리는 빈(비엔나)의 한 다락방에서 슈베르트의 "미완성" 교향곡의 제3악장과 제4악장이라고 추정되는 한 사본이 발견되었을 때에 음악학 연구자들이 그 진위를 판별하기 위하여 던졌을 질문들을 생각해 볼 수 있을 것이다. 종종 이미 알려져 있는 한 저작이 그 연속적인 연쇄 속에서 잃어버려진 연결고리라는 것이 밝혀진다: 나는 토머스 무어(Thomas Moore)를 연구하였던 학자들로부터의 조언을 받아서 내가 단순히 16세기에 성찬에 관하여 익명의 저자가 쓴 글이라고만 알려져 있었던 한 저작을 영국의 초기 개혁가인 존 프리스(John Frith)의 진정한 저작들 중의 하나라는 것을 밝혀내서 간행할 수 있었을 때에 느꼈던 흥분을 기억하고 있다.[9] 따라서 학자들이 수난과 부활에 관한 정경의 이야기들의 배후에 모종의 문서로 된 자료가 있었을 것임에 틀림없다고 생각한 끝에, 그러한 사건들을 서술한 한 문서가 발견된다면, 그 기원에 관한 문제, 우리가 이미 가지고 있는 문서들과의 관계가 진지하게 고려되어야 한다.

이러한 질문들을 제기하는 한 본문은 베드로복음서의 현존하는 단편이다. 이 저작은 오리게네스, 유세비우스, 테오도레투스에 의해서 언급되었지만, 1886-7년 겨울에 상부 이집트의 아크밈(Akhmim)에 있는 수도원 무덤에서 헬라어로 된 에녹서의 일부 및 지금은 별개의 묵시론이라고 생각되는 또 다른 단편과 더불어서 베드로복음서의 단편으로 보이는 것이 발견될 때까지는 달리는 알려져 있지 않았다. 1972년에 옥시린쿠스 파피루스(Oxyrhynchus Papyri)에서 나온 두 개의 단편이 주후 2세기 말을 하한선으로 하는(유세비우스가 이 저작과 관련하여 세라피온을 언급하고 있는 것으로 보아서) 이 동일한 저작으로부터 온 것임이 확인되었다. 또한 이 저작은 순교자 유스티누스와 사르디스의 멜리토(Melito of Sardis)도 알고 있었다고 주장되어서 — 이것은 불가능한 것이 아니다 — 그 연대는 적어도 주후 2세기 중엽으로 소급되었다.[10]

---

9) Wright, *Frith*, 477-84; 또한 ibid. 55, 566f.에 나오는 논의를 보라. Frith는 그의 두 번째이자 좀 더 자세하고 인정받는 저작 속에서 그 전에 쓴 짧은 책을 언급한다. *A Christian Sentence*라는 그 제목의 서두의 단어들에 의해서만 알려져 있는 이 익명의 소논문은 그 적절한 묘사와 밀접하게 일치한다; 그러나 특히 제안된 임직 기도문에 있어서의 여러 변형들은 그것이 어떤 사람이 나중에 나온 책에 담겨있는 암시들을 토대로 해서 Frith의 "첫 번째 소고"를 재현해 내고자 한 시도의 결과물일 수 없다는 것을 보여준다.

10) Origen *On Matthew* 10.17; Euseb. *HE* 3.3.2; 6.12.2-6(주후 190년경에 안디옥의 감독이었던 Serapion이 말한 이 책에 대하여 의구심을 표시한); Theod. *Heret.*

이 본문이 평가되기 시작한 이래로, 두 가지 서로 다른 견해가 학자들에 의해서 제기되어 왔다. 어떤 학자들은 이 본문이 정경 복음서들에 의존하고 있다고 주장하였다(Zahn, Swete를 비롯한 대부분의 학자들); 또 어떤 학자들은 이 본문이 정경 복음서들로부터 독립되어 있다고 주장한다(Harnack, Gardner-Smith). 압도적인 대다수의 학자들은 잔(Zahn)과 스위트(Swete)의 견해를 계속해서 따르고 있고, 그 견해를 밑받침하기 위하여 점점 더 세부적인 논거들이 제시되어 왔다. 하지만 최근에 헬무트 쾨스터(Helmut Koester)는 이 저작이 그 현재의 형태에 있어서는 정경 복음서들에 의존하고 있음을 보여주는 분명한 지표들을 지니고 있긴 하지만, 원래의 형태에 있어서는 정경 복음서의 본문들과는 독립적이었던 좀 더 오래되고 덜 개작된 판본으로 소급될 수 있다고 주장하였다. 그리고 크로산(J. Dominic Crossan)은 상당한 부피의 연구서와 그 이후의 저작들을 통해서 이 단편의 몇몇 부분들이 후대의 첨가들이고, 그렇기 때문에 몇몇 부분들은 주후 1세기 40년대로 추정되는 원래의 형태로 소급된다고 주장하였다. 나아가 그는 이 원래의 저작(그가 "십자가 복음서"라고 부르는)은 복음서들에 나오는 수난과 부활 이야기들을 위한 단일한 자료였기 때문에, 정경 복음서의 나머지 부분은 그 이후의 여러 저자들의 신학적 및 정치적 관심들이라는 관점에서 설명될 수 있다고 주장한다.[11]

Fables 2.2. James 1924, 90는 1884년에 이 발견이 이루어졌다고 말하지만, C. Maurer는 Hennecke 1965, 1.179에 실린 글에서 이것을 1886/7년으로 수정한다. 간략한 소개들: Maurer loc. cit.; Quasten 1950, 114f.; Mirecki 1992a; Elliott 1993, 150-54; Charlesworth and Evans 1994, 503-14에 나오는 자세한 논의; Kirk 1994; Verheyden 2002, 457-65. 영어 본문은 Hennecke and Schneemelcher 1965 1.183-7; Elliott 1993, 154-8에 실려 있고, 헬라어 본문은 Aland *Synopsis* 479-507에 실려 있는데, 거기에는 정경 본문들과의 병행도 지적되어 있다.

11) Crossan 1988(이것은 Crossan 1995, 223-7에 요약되어 있고, 또한 본문이 편집층위별로 편리하게 표시되어 있다). Koester 1982, 163을 보라(Cameron 1982, 78도 그를 따른다); cf. Koester 1990, 216-40. 하지만 Koester는 Crossan의 중심적인 주장(1990, 219f.)에 동의하지 않는다. 이와는 다른 견해가 Bauckham 1992a, 288에 의해서 개관되고 있다(또한 Bauckham 2002, 264를 보라): 베드로 복음서가 마가복음, 그리고 마태가 사용했던 "특수자료"에 의존하였고, 후자의 경우에는 동일한 자료에 대한 마태의 (서로 다른) 사용과는 독립적으로 구전 전승에 의거해서 사용되

우리가 무엇에 관하여 말하고 있는지를 보기 위하여, 우리는 관련된 본문들을 어느 정도 길게 인용해 볼 수 있을 것이다. 부활절 날에 관한 이야기들을 제공해 주는 두 개의 단락들이 있다. 첫 번째 단락은 저 유명한 "말하는 십자가" 단락이다:

> 안식일이 밝아왔을 때에 아침 일찍 봉인된 무덤을 보기 위하여 예루살렘 및 그 근방의 지역에서 한 무리의 사람들이 왔다. 그러니까 주의 날이 밝은 바로 그 밤에 군사들이 네 경마다 둘씩 짝을 지어 보초를 서고 있었을 때에, 하늘에서 큰 음성이 울렸고, 그들은 하늘이 열리고 두 사람이 거기로부터 큰 밝음 속에서 내려와서 무덤 가까이로 나아가는 것을 보았다. 무덤 입구에 놓여져 있었던 저 돌은 저절로 굴러가기 시작해서 옆으로 길을 비켜주었고, 무덤이 열렸으며, 두 사람이 안으로 들어갔다. 이 병사들이 이 일을 보았을 때에 그들은 백부장과 장로들을 깨웠다 — 왜냐하면, 그들도 보초 서는 것을 돕기 위해서 거기에 있었기 때문이다. 그리고 그들이 본 것을 말하고 있는 동안에 그들은 또 다시 세 사람이 무덤으로부터 나가는 것을 보았는데, 그 중 두 사람은 다른 한 사람을 떠받치고 있었고, 십자가가 그들 뒤를 따랐으며, 두 사람의 머리는 하늘에 닿았지만, 그들의 손에 의해서 이끌려 갔던 사람의 머리는 하늘을 뚫고 지나갔다. 그리고 그들은 하늘로부터 한 음성이 "너는 그들에게 그 잠자는 것에 대하여 전하였느냐?"라고 소리쳤고 십자가로부터 "예"라는 대답이 나오는 것을 들었다.[12)]

이 주목할 만하고 극적인 서술은 내게 및 많은 다른 사람들에게 그것이 정경의 자료들에 의존하고 있고 후대의 신학적인 성찰을 보여주는 표지들을 지니고 있음을 나타내 주는 몇 가지 특징들을 담고 있다. 크로산은 그의 재구성

었다는 것. 몇몇 그러한 가설들이 서로 경쟁적으로 제기될 수 있다는 사실은 확실한 결론에 도달하는 것이 얼마나 어려운지를 잘 보여준다.

12) *Gos. Pet.* 9.34-10.42. 번역문은 Maurer(Hennecke 1963, 186)와 Crossan의 수정들(1995, 226)을 따랐다.

이 탁월함에도 불구하고 거의 지지자들을 얻지 못했다(Anchor Bible Dictionary에 P. A. Mirecki가 쓴 항목 기사를 제외하면). 몇몇 학자들은 그의 주장을 전체적으로 및 세부적으로 반박하기 위한 논거들을 제시하여 왔다.[13] 대부분의 독자들에게 베드로복음서가 정경에 나오는 병행 본문들보다 더 후대의 것이고 더 발전된 것임을 보여주는 결정적인 증거들로 여겨지는 많은 요소들이 있다. 나는 단지 여덟 가지만을 말하고자 한다.

(1) 모든 부활 기사들이 극히 이상한 사건들을 포함하고 있다는 것을 감안할 때, 정경 본문들 속에는 두 명의 거대한 천사가 무덤으로부터 나왔고, 더 거대한 예수를 두 천사가 부축하고 있었으며, 그 뒤를 말하는 십자가가 따랐다는 것과 비슷한 내용이 전혀 나오지 않는다. (2) 내가 아래에서 논증하겠지만, 한편으로는 바울과 신약성서의 나머지 부분, 다른 한편으로는 베드로복음서와 비교해 볼 때, 정경의 부활절 이야기들 속에 성경 본문에 대한 명시적인 언급들이 거의 전무하다시피하다는 것은 가장 초기의 기사들 속에는 "틀림없이" 존재하였던 성경의 석의를 보여주는 표지들을 정경 복음서들이 병행적이지만 독립적인 방식으로 제거하였다는 것을 보여주는 증거들 — 크로산 등의 학자들이 주장하는 것 같이 — 이 아니라, 정경 복음서들이 더 이른 시기의 것이라는 것을 보여주는 증거들이다. (3) 또한 베드로복음서가 지닌 강력한 반유대적인 편향은 후대의 연대와 더 잘 부합한다. (4) 한 무리의 군사들과 유대 지도자들이 부활을 목격하였다는 사실은 모든 정경의 복음서 기자들이 소수의 놀란 여자들을 원래의 최초의 증인들로 세우기 위하여 일부러 생략하였을 것 같지 않다. (5) 이 이야기에는 역사적으로 불가능한 그 밖의 추가적인 세부적 내용들이 첨가되어 있다; 예를 들면, 이 본문 속에서 예수에게 사형을 선고한 사람은 빌라도가 아니라 헤롯으로 나온다. (6) 이 본문은 부활이 "주의 날"에 일어났다고 말하고 있는데, 이 어구는 정경의 신약성서에서만 사용된 어구로서

13) 예를 들면, D. F. Wright 1984; Green 1987; 1990; Meier 1991, 116-18; Brown 1994, 2.1317-49; Charlesworth and Evans 1994, 506-14; Kirk 1994. Elliott 2001, 1321는 오직 매우 소수의 예외들을 제외하고는 이 저작이 정경의 기사들보다 후대의 것으로서 이차적인 것이라는 데에 "학자들의 일반적인 견해의 일치"가 존재한다고 말한다. 대부분의 최근의 주석자들은 이러한 주장에 동의한다(예를 들면, Davies and Allison 1988-97, 3.645; Evans 2001, 531). 또한 *JVG* 59-62도 보라.

요한계시록 1:10에 나온다.[14] 베드로복음서가 마가 이전의 본문이었다면, 왜 마가는 그것을 억눌렀던 것일까? (7) 정경 복음서들이 베드로복음서를 사용하였다면, 그것들은 모두 똑같이 몇 가지 요소들을 생략한 것이 된다: 무덤으로부터 나온 세 사람, 하늘로부터 내려와서 이제 세 번째 사람을 떠받치고 있는 두 사람은 신약성서에는 병행되는 내용이 없는 것으로서, 정경 복음서들에 나오는 부활 이야기들과 비슷한 그 무엇이 아니라 다시 소생시킨 것 또는 거의 죽을 뻔한 예수를 구조해 낸 것(이것이 양쪽에서 예수를 부축했다는 말이 가리키는 것이라면)을 보여주는 것 같다.[15] 그리고 말하는 십자가가 다른 곳에서 병행이 없다는 것은 두말할 필요도 없다. (8) 말하는 십자가의 의미와 관련해서 크로산은 "십자가"는 구속받은 자들의 십자가 형태의 행렬, 즉 잠자는 자들에게 예수가 복음을 전파함으로써 이미 "부활한" 큰 무리의 행렬이라고 기가 막힌 주장을 한다.[16] 그러나 본문 자체는 이러한 것을 보여주는 그 어떠한 암시도 없고, "죽은 자들에게 복음을 전파한" 것에 관한 다른 기사들(벧전 3:19과 그 이후의 전승)이나 후대의 부활을 그린 그림들 속에는 새롭게 구속받은 자들이 십자가 형태로 행렬을 벌였음을 보여주는 그 어떠한 내용도 존재하지 않는다 — 주후 1세기의 한 동굴 무덤으로부터 그러한 묘사가 나올 수 있을 것이라고 생각해 볼 수 있는 있겠지만. 어쨌든 이러한 "지옥의 침탈" 모티프의 존재는 그 밖의 다른 초기 증거들에 결여되어 있는 것에 대한 신학적인 해석을 보여주는 표지인 것으로 보인다.[17]

크로산이 후대의 것으로 생각하고 정경 복음서들로부터 유래하였다고 본 단락 속에 나오는 두 번째 본문은 막달라 마리아와 그녀의 친구들이 애곡하고 분향하기 위하여 무덤으로 가는 장면을 묘사하고 있다. 그들은 어떻게 무덤 입

---

14) 또한 Ign., *Magn.* 9.1; *Did.* 14.1을 보라. 고전 16:2; 행 20:7과 대비해 보라.

15) 가장 밀접한 병행은 *Asc. Isa.*(주후 1세기 말이나 주후 2세기 초) 3.16f.의 내용이다; 그러나 어떤 본문이 다른 본문으로부터 그 관념을 가져왔는지, 또는 두 본문이 그 관념을 지금은 멸실된 제3의 본문으로부터 가져왔는지는 판단하기가 불가능하다.

16) 예를 들면, Crossan 1995, 197.

17) 예를 들면, Rebell 1992, 97. 마태복음 27장에서 일어난 "성도들"이 예외가 되는지의 여부는 아래 제15장에서 다루어질 것이다.

구를 막고 있는 돌을 치울 것인가를 궁리하였지만, 거기에 도착해서 무덤이 이미 열려져 있는 것을 발견하였다. 그들은 무덤에 가까이 다가가서,

> 몸을 굽혀 굴 속을 들여다보았을 때에 한 젊은이가 아름다운 용모로 밝게 빛나는 옷을 입은 채로 무덤 중앙에 앉아 있는 것을 보았다. 그가 그들에게 말했다. "당신들은 어찌하여 온 것입니까? 당신들은 누구를 찾고 있습니까? 분명히 십자가에 못 박히신 분은 아니겠지요? 그분은 부활하여서 떠났습니다. 그러나 당신들이 믿지 못하겠다면, 몸을 굽혀서 이쪽으로 와서 그분이 누워 있던 곳을 보십시오. 그분은 부활하셨고 그가 원래 있던 곳으로 가셨습니다." 그러자 여자들은 두려워서 도망쳐 나왔다.[18]

이 본문과 정경의 기사 간의 주된 차이점은 여기서 천사들이 여자들에게 예수가 부활하였을 뿐만 아니라 이미 승천하였다고 말하고 있다는 것이다. 이 동일한 본문의 앞부분은 화가 난 유대인들에 대한 여러 가지 경고들을 담고 있다.[19]

베드로복음서에는 그것이 영지주의적인 배경으로부터 왔다는 것을 보여주는 그 어떠한 암시도 없다. 베드로복음서는 어조나 내용상으로 나그 함마디 문서들과 맥을 같이 하지 않는 것으로 보인다. 세라피온(Serapion)은 베드로복음서의 일부 내용들이 가현설적인 기독론을 밑받침하기 위하여 사용되고 있다는 말을 들었지만, 그 내용들이 그런 식으로 꼭 읽혀질 수 있는 것은 아니었다. 그러므로 이 본문은 후대의 교회가 이단적인 관점으로 여기게 되었던 것을 보여주는 너무도 많은 표지들을 담고 있다. 문제는 간단하다. 베드로복음서는 그 전체 또는 재구성된 부분에 있어서 바울은 물론이고 정경 복음서들 이전의 시기로부터 나왔다는 것을 보여주는 그 어떠한 설득력 있는 내용도 담고 있지 않고, 기독교의 기원에 관한 이치에 맞는 이론도 아니라는 것이다.

베드로복음서의 저자가 예수의 부활의 몸의 성격에 관하여 정확히 무엇을 믿고 있었는지를 말하는 것은 불가능하다. 두 사람에 의해서 부축받고 있던 인

18) *Gos. Pet.* 13.55-14.57.

19) 예를 들면, *Gos. Pet.* 11.50; 12.52.

물이 바로 예수였는가? 어떤 의미에서 예수는 "부활한 것인가"? 부활과 승천은 동일한 것으로 여겨지고 있는 것인가? 충분한 토대를 갖춘 이론을 제시하기 위해서는 그 밖에도 너무도 많은 과제들이 산적해 있다(특히 "유대인들"에 반대하는 변증, 빌라도의 의도적인 배제). 베드로복음서는 여전히 수수께끼로 남아있지만, 예수의 부활에 관한 네 개의 주된 기사들에 관한 우리의 평가에 실질적으로 영향을 미치지 않는 수수께끼이다.

(iii) 부활 이야기의 양식

복음서들에 대한 양식비평은 최근 수십 년 동안에는 대략 1920년과 1970년 사이의 기간에서보다 별로 유행이 되지 않았다. 그 이유들 중의 하나는 초기 양식비평학자들, 특히 불트만의 철학적·해석학적·신학적 과제들이 원래 생각했던 것보다 그 작업을 심하게 몰아붙여 왔기 때문에, 이제는 한 발자국 물러서서 다르게 볼 필요가 있다는 암묵적인 인식이 신약학자들 사이에서 존재하기 때문이라고 나는 생각한다. 나는 제1권에서 이 점을 지적하고, 양식비평의 폐지가 아니라 양식비평을 다른 식으로 수행할 것을 제안하면서, 예수의 가장 초기의 제자들이 당연히 채택하였을 유대적인 이야기 양식들로부터 시작하여 이 이야기들이, 말하자면 견유학파의 경구들에 더 익숙하였던 환경 속에서 다시 말해졌을 때에 취하였을 양식들로 연구를 진행해 나갈 것을 주장하였다.[20] 여기서 나는 그러한 논증을 전제한다. 실제로 한 이야기의 양식을 토대로 해서, 그것이 초기 기독교 공동체에서 어떤 종류의 역할을 했는지를 탐지해내는 것은 가능하다. 그러나 그러한 시도들이 과거에 행해져 왔던 방식은 지금에 이르러서는 가장 좋은 방식은 아닐 것이다.

사실, 부활 이야기들은 양식비평의 통상적인 잣대들에 의해서는 분류하기가 대단히 어렵다.[21] 부활 이야기들은 압축되어 있고 다루기 힘들기 때문에, 오직 양식만을 토대로 해서 그것들이 공동체 안에서 어떻게 사용되었는지를 말하는 손쉬운 가설들은 용납되지 않는다. 마태와 마가에 나오는 서두의 일련의 내용들은 갈릴리로 갈 것이라는 예수의 말씀(마태에서)과 천사의 말(마가에서)

---

20) *NTPG* ch. 14.

21) 이러한 취지의 고전적인 논증은 Dodd 1967에 의해서 제시되었다.

을 핵심으로 하는 선포 이야기로 읽혀질 수 있을 것이다.[22] 도마가 예수를 만난 것에 관한 요한의 이야기도 예수가 보지 않고 믿는 자들이 복되다고 한 말씀에서 이와 비슷하게 정점에 도달한다.[23] 그러나 이러한 이야기들이 단순히 그러한 최종적인 말씀들을 위한 포장(包裝)으로서 발전되었다고 주장하는 것(몇몇 선포 이야기들과 관련하여 행해져 왔듯이)은 무모한 짓이 되고 말 것이다. 마찬가지로, 요한복음 21:1-4에는 물고기를 잡는 것에 관한 한 이적 이야기가 나온다; 그러나 그것은 그 가장 가까운 병행인 누가복음 5:1-11의 물고기를 잡는 이야기와 모든 특징들을 공유하고 있지 않다. 물고기를 잡는 이야기(21:1-11)가 아침 식사 장면(12-14절)으로 무리없이 이어지고 있는 방식은 우리로 하여금 그것이 과연 이적 이야기로 분류될 수 있는지에 대하여 의구심을 갖게 만든다. 통상적인 이적 이야기에서와는 달리, 제자들이 물고기가 많이 잡힌 것에 대하여 놀라는 것은 이 이야기의 최종적인 핵심이 아니다. 그 주된 핵심들은 (1) 예수를 알지만 여전히 "당신은 누굽니까?"라고 묻고 싶을 정도로 이상한 예수의 현현(12절), (2) 예수가 떡과 물고기를 나누어 준 것에 관한 훨씬 이전의 이야기에 대한 요한의 의도적인 반영, (3) 요한이 이것이 세 번째 부활 현현이었다고 언급한 것에 부여하고 있는 의미 등이다.[24]

복음서들에 나오는 이야기들 가운데에서 종종 부활 이야기들과 나란히 놓여지는 그 밖의 다른 이야기는 물론 변화산 사건이다.[25] 그렇지만 내용면에서나 양식면에서 — 그리고 여기에서는 양식과 내용은 밀접하게 서로 결합되어 있다 — 중요한 차이점들이 존재한다. 변화산 사건에 관한 이야기 속에는 환상을 위한 준비, 환상 자체, 이 모든 것이 무엇을 의미하는지에 관한 몇몇 결론적인 논평들이 나온다. 그것은 꽤 전형적인 환상 이야기이지만, 부활 이야기들은 그렇지 않다. 특히 부활 이야기들은 환상들에 관한 성경의 기사들과 몇몇 요소들을 공유하지만(사람들에게 두려워하지 말라고 하는 천사의 출현, 환상을 본 자에게 다른 사람들에게 말하도록 의탁하는 것 등등), 그 양식은 서로 다르다.

22) 마 28:10/막 16:7.
23) 요한복음 20:29.
24) 요 21:13과 6:11; 21:14. 아래 제17장을 보라.
25) 마 17:1-9/막 9:2-10/눅 9:28-36.

부활 이야기들을 복음서 전승, 더 폭넓게는 성경의 전승의 다른 요소들, 그리고 실제로 헬레니즘적인 소설들 속에 나오는 빈 무덤들에 관한 판이하게 다른 이야기들과 연결시켜 보고자 한 시도들은 모두 실패하였다.[26] 사실, 양식이라는 관점에서 볼 때, 이 이야기들은 그 자체가 역사적인 설명을 필요로 하는 초기 기독교의 추가적인 요소가 된다. 왜 초기 기독교는 전례도 없고 분명한 병행도 없는 이런 종류의 이야기를 시작하였을 뿐만 아니라 말하였던 것인가?

(iv) 편집과 저작?

특히 누가와 요한의 더 자세한 기사들에서 이야기들이 점차 진행되면 될수록, 그 이야기들은 특정한 복음서 기자의 문체와 신학적 관심을 더욱 많이 반영한다. 이것은 이후의 네 장에 걸쳐서 다루어질 것이다. 그러나 이 이야기의 초기 부분(마가복음 16:1-8과 그 병행문들)에서조차도 몇몇 독특한 특징들이 나타난다. 부활 이야기들 사이에 어떤 문헌적인 의존관계가 존재하였는지를 우리가 말할 수는 없기 때문에, 복음서 기자들 중 누가 그들 자신의 신학 또는 그 밖의 다른 과제들에 대한 관심으로 자신의 자료들을 의도적으로 수정하였는지, 만약 그렇게 하였다면, 어느 정도로 하였는지를 말하는 것은 불가능하다. 하지만 복음서 기자들의 특별한 관심들을 보여주는 여러 표지들은 본문들 속에 저절로 드러나 있다. 우리는 이하의 장들에서 이러한 것들을 더 자세하게 살펴보게 될 것이다; 그러나 여기서는 짤막한 서술을 통해서 복음서들의 본문에서 무슨 일이 진행되고 있었는지를 살펴보고자 한다.

가장 분명한 예는 누가복음에 나오는 천사는 여자들에게 인자가 고난을 당하고 다시 살아나야 할 것을 말하고 있는 것인데, 이것은 예수 자신이 엠마오 도상의 두 제자와 마가 다락방의 열한 제자에게 나중에 말하게 될 그 내용이다(24:7). 또 하나는 요한이 서두의 이야기 속에서 사랑하는 제자의 역할을 부각시키고 있는 것이다. 또한 너무도 잘 알려져 있는 것으로, 여자들이 두려워서 침묵하였다는 것에 관한 마가의 이상한 논평은 마가복음 전체에 걸쳐서 나타나는 침묵 명령과 맥을 같이 하고 있는 것으로 보인다(물론, 아이러니컬하게도, 이 대목은 침묵이 더 이상 적절하지 않은 그런 때였음에도 불구하고).[27] 이

26) 후자에 대해서는 위의 제2장 제3절을 보라.

러한 것들 각각에 대하여 우리는 나중에 더 자세하게 살펴보지 않으면 안 된다. 그러나 이 시점에서는 좀 더 일반적인 편집비평적인 논평이 제시되어야 할 것이다.

각각의 복음서 기자들의 세계, 과제, 목적들을 재구성하고자 시도해 왔던 편집비평학자들은 점점 더 그들이 대체로 마치 예수가 그들 자신의 교회의 지체인 것처럼 서술한 것이 아니라 원래의 모습대로 예수를 서술하고자 주의를 기울였다는 것을 깨닫게 되었다.[28] 물론, 이 점을 진지하게 받아들이게 되면, 그것은 양식비평에 상당한 정도의 타격을 준다; 복음서 기자들이 마치 예수가 그들 자신의 정황과는 다른 배경 속에서 누군가에게 말하고 있는 것처럼 그 이야기 속에서 말하고 있다면, 우리는 그 이야기들이 예수의 삶 속에서의 정황이 아니라 교회가 또 다른 때 또는 장소에서 직면하고 있었던 정황에 대하여 말하기 위하여 유포되었거나 처음으로 만들어졌다는 전제에 그 타당성을 의존하고 있는 이론에 얼마나 많은 가치를 부여할 수 있겠는가? 아마도 이런 이유로, 일부 비평학자들은 복음서 기자들이 그들 자신과 예수 간의 역사적 시간 간격을 의식해서, 이전의 배경 속에서는 의미를 지니고 있지 않았던 원래의 내용에 영리한 "역사화 작업"을 수행한 것으로 보아왔다. 그러나 적어도 현재의 경우에 있어서는 그러한 주장은 아무런 근거가 없다. 이러한 이야기들은 이를테면 40년대와 50년대의 교회의 상황을 반영하는 판본을 가지고 있었지만, 마치 거짓된 "역사화된" 의미를 부여하기 위하여 현대 가구를 고가구처럼 보이도록 변조한 것과 비슷한 방식으로 날조되었다는 것을 보여주는 표지는 없다.

사실, 무엇보다도 이러한 이야기들 속에서 우리는 복음서 기자들이 "이것이 우리 자신의 시대, 우리 자신의 교회를 위하여 적용되는 방식이다"라고 말하고 있지 않다는 인상을 받는다. 또한 그렇게 말하고자 의도했던 초기의 판본들이 존재했다는 것을 보여주는 그 어떠한 암시도 존재하지 않는다. 마태의 예수는 그의 백성과 항상 함께 있을 것이지만, 그들은 그를 만나기 위하여 갈릴리에 있는 한 산으로 가야 할 것이라고 생각하지 않는다. 마가는 분명히 그의 독자

---

27) cf. 막 9:9.

28) 예를 들면, Lemcio 1991을 보라; 그리고 *NTPG* 142,와 제13장과 제14장에 나오는 논의를 보라.

들이 "두려움 때문에 그 누구에게도 아무 말도 하지 않을 것"을 원하거나 기대하지 않았다. 누가는 그의 독자들이 스스로 그러한 문제로 인해서 엠마오 도상을 걸어가거나 다른 곳을 걸어 다니다가 낯선 사람을 만나서 그 사람이 성경을 그들에게 해설해 준 후에 저녁 식탁에서 떡을 떼면서 자기가 누구인지를 계시할 것(그리고 그 후에는 사라질 것)을 생각하지 않았다. 요한은 교회가 더 이상 부활하신 예수를 보거나 만질 수 없지만 보지 않고 믿어야 하는 그러한 때를 위하여 명시적으로 글을 쓰고 있다고 말한다. 그 복음서에 나오는 마지막의 위대한 축복문("보지 않고 믿는 자는 복되도다," 20:29)은 최초의 제자들과 후대의 교회 간의 차이를 하나의 원칙으로 승화시킨다.[29)]

물론, 이 모든 이야기들이 후대의 시기들 및 장소들과 "관련이 있는" 것으로 읽혀지는 것은 가능하다. 누가는 엠마오 도상의 이야기를 말하면서, 예를 들면 사도행전 2:42에서 그가 다시 언급하게 될 초대 교회의 삶 속에서의 핵심적인 요소들을 담는다. 요한은 제자들이 고기를 잡으러 나갔다가 실패한 후에 예수의 명령을 따라 기적적으로 많은 고기들을 잡은 것에 관한 이야기를 말하면서, 기독교 독자들이 이 이야기를 하나님 나라를 위하여 일한 그들 자신의 시도들은 실패하였지만 오직 주의 명령을 더 분명하게 들었을 때에는 놀라운 결과들이 생겨난다는 것에 관한 묘사로 받아들일 것을 잘 알고 있었다. 이러한 이야기들은 실제로 교회에서 당시에 일어나고 있는 일에 대한 알레고리들 또는 비유들로서의 기능을 할 수 있었을 것이고, 복음서 기자들은 분명히 그러한 가능성을 잘 알고 있었다. 그러나 여기에서 다시 한 번 우리는 역사가로서의 훈련된 상상력을 발휘하지 않으면 안 된다. 우리가 이 이야기들이 이런저런 방식으로 실제적인 사건들에 대한 실제적인 회상에 토대를 두고 있다고 가정하는 것으로 시작한다면, 그 이야기들이 어떻게 이와 같은 확장된 의미로 사용될 수 있게 되었는지를 아는 것은 쉽다. 결국 예수의 부활이 진실로 새 계약, 새 창조, 초대 교회가 스스로 살고 있다고 믿었던 새로운 세상의 시작이었다면, 이것은 우리가 충분히 예상할 수 있는 그런 종류의 것이다. 그러나 우리가 이 움

---

29) 이것은 단순히 (당장에는) 본문들과 관련된 차원에서 예수를 처음 "본 사건들"과 부활한 주님에 대한 이후의 그리스도인들의 체험을 혼동하는 것을 어렵게 만드는 것이다 — 예를 들면, Coakley 2002 ch. 8에서 하고 있듯이.

직임을 정반대의 방향으로 이루어진 것이라고 생각한다면, 우리는 그것이 불가능하다는 것을 발견하게 될 것이다. 만약 복음서 기자들이 그들이 가르치고자 했던 신학적 · 도덕적 · 실제적인 교훈을 출발점으로 삼아서, 그러한 교훈들에 대한 알레고리로서의 역할을 하도록 "역사화된" 예수에 관한 이야기들을 발전시키고자 시도한 것이라면, 그들은 우리가 여기에서 가지고 있는 그런 종류의 이야기들을 만들어내지 못했을 것이다.[30] 달리 말하면, 예수와의 만남들, 초대 교회에 속한 그 누구도 그들 당시의 시대에 일어나지 않았다는 것을 잘 알고 있었던 그런 종류의 만남들에 관한 이상한 이야기들이 어떻게 좀 더 폭넓은 목적들을 위하여 사용될 수 있었는지를 아는 것은 쉬운 일이다. 하지만 우리가 이제 검토해야 할 네 가지 이유로 인해서 이러한 과정이 정반대의 방향으로 일어났다고 생각하는 것은 불가능한 일이다.

3. 부활 이야기들의 의외의 요소들

(i) 부활 이야기들에서의 성경에 대한 이상한 침묵

우리가 정경 복음서들에 나오는 부활 이야기들을 읽어나갈 때에 첫 번째 의외의 일은 그 이야기들이 성경의 전승으로부터의 수식이나 장식이 거의 없는 가운데 말해지고 있다는 것이다.[31] 이것은 두 가지 이유에서 주목할 만하다.

첫째, 복음서 기자들은 이 시점까지 그들의 이야기를 드라마의 점진적인 점층법과 서사적인 긴장 — 예수의 공생애, 예루살렘에의 당도, 성전에서의 행위, 감람산 위에서 전해진 엄숙한 경고들, 최후의 식사, 체포, 밤중의 심문, 빌라도 앞에서의 재판, 십자가 처형 — 만이 아니라, 성경으로부터의 인용, 간접인용, 참조, 반영을 지속적으로 구축해 가면서 진행해 왔다. 마가복음 11—15장의 난외주들에 나오는 성경의 참조 구절들을 얼핏 보기만 해도 이 점은 금방 드러난다.[32] 심지어 매장 이야기조차도 강력한 성경적 공명들을 갖고 있다. 이 일

30) Wedderburn 1999, 37.

31) Williams 2000, 195에 의해서 간략하게 지적되었다.

32) 그러한 관주들을 실은 신약성서의 인쇄본들을 보라. Nestle-Aland 헬라어 본문은 한 좋은 출발점을 제공해 준다; 1898년의 RV의 옥스퍼드 판본은 이 점에 있어서 나중에 나온 영역본들에 의해서 소용없게 되지 않았다.

후에, 부활 이야기들은 오케스트라가 침묵하는 가운데 새로운 멜로디를 들려주는 솔로 플루트의 적나라한 감정을 그대로 전달해 준다. 우리 시대의 학문 전통들이 주장해 왔듯이, 복음서 기자들이 자유롭게 그들의 자료들을 발전시키고 확장하며 설명하고 신학화하며 특히 성경화하고 있다는 것을 감안할 때, 왜 그들은 여기에 나오는 모든 대목들에서 그렇게 하기를 거부한 것인가?

이러한 성경적 장식의 결여가 주목할 만한 이유 중의 두 번째는 우리가 고린도전서 15:4과 바울로부터 테르툴리아누스에 이르기까지 그 이후의 전승 전체에 걸쳐서 보았던 것과 같이 그 전승의 가장 초기 시기로부터 예수의 부활은 정확히 "성경대로" 일어난 것으로 보아졌다는 것이다. 그것은 그런 식으로 보아졌을 뿐만 아니라, 그것이 그런 식으로 보아진다는 것은 교회 속에서의 설교(사도행전 2장과 13장이 분명한 예들이다), 스스로에 대한 설명(고린도전서 15장, 고린도후서 4장과 5장), 외부의 비판자들과의 대결(아테나고라스로부터 테르툴리아누스에 이르기까지)에서 결정적으로 중요한 것이었다. 만약 이 이야기들이 누구나 생각할 수 있었던 노선을 따라서 전개되었다면, 무덤에 있었던 천사들 중의 한 명, 또는 제자들 중의 한 사람, 또는 여자들 중의 한 명 또는 예수 자신이 복음서들 전체에 걸쳐서 그토록 수많은 이야기들의 경우에 그랬던 것과 마찬가지로 이 이야기와 관련해서도 성경의 본문을 말하게 하는 것은 얼마나 쉬웠을 것인가! 예를 들면, 이 이야기를 예언의 성취에 관한 고상하고 위엄있는 언어로 말하는 것은 얼마나 쉬운 일이었겠는가. 우리가 잠시 시몬 마카베오의 통치를 성경의 다양한 자료들로부터 가져온 화려한 언어를 사용하여 칭송하고 있는 마카베오1서 14:4-15에 나오는 기가 막힌 본문을 생각한다면, 우리는 그것이 어떻게 되어질 수 있었는지를 보게 된다:

> 백성은 평화롭게 자기 땅을 가꾸었고
> 땅은 많은 곡식을 내었으며
> 평지의 나무들도 많은 열매를 맺었다 …
> 그는 이 나라에 평화를 가져왔고
> 이스라엘에는 기쁨이 넘쳐 흘렀다.
> 사람마다 자기의 포도나무와 무화과나무 아래 앉았으며
> 그들의 마음을 괴롭힐 자는 아무도 없었다.

모든 원수들이 그 땅에서 자취를 감추었고
그 시대의 모든 왕들도 멸망되었다.
시몬은 백성들 가운데 보잘것없는 자들에게 힘을 북돋아 주었고
스스로는 율법을 엄수하면서,
율법을 저버린 자들과 악한들을 모두 없애버렸다.
성전을 아름답게 꾸미고
기물들을 많이 갖추어 놓았다.[33)]

이 본문은 사람들이 충분히 예상할 수 있었던 그런 종류의 것이고, 따라서 매우 자연스러운 것이다; 그러나 부활 이야기들은 결코 그렇게 하지 않는다. 적어도 마태는 마카베오1서를 능가할 수 있었을 것임에 틀림없지만, 그러한 시도조차 하지 않는다. 우리는 "이 모든 일이 일어난 것은 선지자들로 하신 말씀을 이루기 위한 것이었다"라는 그의 친숙한 논평조차도 한 번도 듣지 못한다. 요한은 우리에게 무덤으로 달려갔던 두 사람이 "그들은 성경에 그가 죽은 자 가운데서 다시 살아나야 하리라 하신 말씀을 아직 알지 못하더라"고 우리에게 말하지만,[34)] 그가 어떤 성경 본문을 염두에 두고 있는지를 우리에게 말해 주지 않을 뿐만 아니라, 심지어 이 이야기 속에서 여기에서나 나중에 그러한 성경 본문들에 대하여 암시조차 하지 않는다. 요한복음의 나머지 부분이 성경적인 언어와 이미지들로 가득 차 있기 때문에, 그것들 모두를 담기 위하여 원래의 것보다 서너 배 두꺼워졌다는 사실에도 불구하고, 56개의 절로 되어 있는 마지막 두 장은 오직 네 개의 성경 본문에 대한 간접인용들을 제시하고 있고, 그것들 중에서 오직 하나만이 실제로 중요하다: 20:22에서 예수는 성령을

33) 1 Macc. 14:8, 11-15. 반영들에 대해서는 시 67:6, 왕상 4:20-34에 나오는 솔로몬의 통치에 관한 묘사를 보고, 두 본문의 예언서들에 대한 반영과 관련해서는 사 17:2; 미 4:4; 슥 3:10을 보라. 또한 의로운 재판장이 가난한 자들을 돕고 율법을 지키며 악한 자들을 벌하는 것, 솔로몬이 성소를 장식한 것(왕상 7:40-51)에 관한 여러 성경의 묘사들을 보라.

34) 요한복음 2:9. 요한의 기독론은 십자가에서 끝이 나기 때문에 그 이후에는 추가적인 성경적 밑받침이 필요없다는 매우 불만족스러운 설명을 제시하고 있는 Menken 2002를 보라(아래의 제17장을 보라).

받으라고 하면서 제자들에게 숨을 불어넣는데, 이것은 창세기 2:7과 그 밖의 다른 본문들에 대한 분명한 반영으로 보인다.[35] 물론 누가는 예수에게 이러한 일은 반드시 일어날 수밖에 없는 일이었다는 것을 우리에게 말할 수 있는 기회를 놓치지 않는다; 천사들은 그것을 여자들에게 말하고, 예수 자신은 엠마오 도상에서 두 제자에게 그것을 말하며, 그는 그 내용을 마가 다락방에서 반복한다.[36] 그러나 누가의 이러한 이야기들은 그 자체가 완성된 예술작품들이지만 결코 '미드라쉬' 또는 석의(exegesis)의 작품들은 아니다.[37]

의심의 해석학(hermeneutic of suspicion)을 하나의 예술 형태에 적용해서, 복음서 기자들과 그 자료들이 특히 십자가 사건에 관한 이야기들 속에서 "예언을 역사화한" 방식에 관하여 웅변적으로 글을 썼던 한 비평학자가 부활 이야기들에 대해서는 동일한 내용을 말하는 것을 시작조차 할 수 없었다는 것은 많은 것을 시사해준다.[38] 아마도 이것은 그가 또 다른 종류의 의심에 빠져서, 부활 이야기들은 초대 교회 내에서의 서로 다른 권위들을 정당화하기 위하여 말해진 것이라고 주장한 이유일 것이다.[39] 그러나 그러한 주장이 가능성이 있

35) 또한 cf. 시 104:30; 겔 37:9; Wis. 15:11. 그 밖의 다른 본문들은 20:17과 시 22:23("내가 주의 이름을 내 형제들에게 선포하리이다"); 20:28과 시 35 [34 LXX]:23("나의 주 나의 하나님"); 요한복음 21:15-19에 나오는 "목자"와 관련된 여러 뉘앙스들, 예를 들면, 삼하 5:2; 시 23:1; 78:71f.(통상적인 독자의 사고 속에서는 성경을 떠올림이 없이 양과 목자를 언급하는 것은 불가능하겠지만).

36) 누가복음 24:7, 26, 46.

37) 하나의 가능한 반영에 대해서는 아래의 제16장을 보라; 그러나 그것은 단순한 반영일 뿐이지, 이 이야기 전체를 만들어 낼 수 있었던 핵(核)은 아니다.

38) Crossan 1991 ch. 15. 하지만 Crossan은 나중에 석의 전승(그는 "남성적"으로 이것을 묘사한다)은 "여성적인 애곡 전승"의 "제의적 애곡"에 의해서 수정되었고, 한 가지 결정적으로 중요한 수정은 본문의 표면으로부터 석의를 제거한 것이었다고 주장한다(1998, 568-73). "석의를 그 감추어진 기저층이자 기본적인 내용으로 전제하고 흡수하고 구현하며 통합하지 않은 수난-부활 이야기에 대한 증거는 존재하지 않는다"(강조는 원저자의 것)고 그는 말한다(571). 이 기괴한 진술은 반박을 불러온다: 역사를 그 가시적인 기저층이자 기본적인 내용으로 전제하고 흡수하고 통합하며 구현하고 있지 않은 부활에 관한 후대의 석의적인 서술(바울로부터 Tertullian에 이르기까지의 전승 속에서처럼)에 대한 증거는 존재하지 않는다.

다고 할지라도(우리는 나중에 대체로 그러한 주장이 가능성이 없다는 것을 보게 될 것이다), 그것은 이런 종류의 사건들을 말하고 있는 이런 종류의 이야기들이 왜 말해지게 되었는지를 설명하는 것을 시작조차 하지 못한 것이다. 앞에서 자세하게 보았듯이, 초기 그리스도인들은 아주 초기부터 예수의 부활이 사람들이 당연히 예상했어야 되는 바로 그런 것이었고, 예수의 부활은 이스라엘의 소망들과 예언들의 성취와 더불어 그들 자신의 선교활동을 위한 토대를 제공해 주었다는 것을 입증하기 위하여 성경의 석의에 대한 정교한 네트워크를 발전시켰다. 그러나 마태, 마가, 누가, 요한은 모두 분명히 이것이 사실이라는 것을 믿고 있음에도 불구하고, 그들은 그것을 드러내기 위하여 부활절 이야기들을 말한 것이 아니었다. 어떤 이유에서인지는 몰라도, 이 이야기들은 성경에 의해서 장식되지 않은 채로 남아 있었고, 따라서 복음서들에 나오는 그 밖의 수많은 이야기들, 특히 그 직전에 나오는 십자가 사건에 관한 이야기들과 독특하게 구별되고 다르다. 나는 이것에 대한 설명이 존재한다고 생각한다; 그것은 우리가 이러한 이야기들이 지닌 그 밖의 다른 세 가지 의외의 특징들을 다 살펴볼 때까지 기다리지 않으면 안 된다.

(ii) 부활 이야기들에서의 개인적인 소망의 이상한 부재

우리에게 상당히 의외라고 생각되는 부활 이야기들의 두 번째 특징은 그것들 속에 결여되어 있는 것과 관련되어 있다. 본서가 다른 종류의 책이었다면, 나는 이 대목에서 이 점을 부활 예배들을 인도하는 자들, 특히 찬송들을 고르고 설교하는 자들의 의식 속에 각인되도록 애썼을 것이다; 그러나 그런 것은 다른 기회를 기다리지 않을 수 없다. 이러한 이야기들이 자신들이 무엇에 관한 것이라고 생각하고 있는지, 이 이야기들이 초기 기독교의 도식 속에서 어느 지점에 속하는지를 역사가로서 평가하고자 하는 우리의 시도라는 관점에서 볼 때, 이 이야기들이 그 어느 단계에 있어서도 그리스도인들의 장래의 소망에 대하여 언급하고 있지 않다는 것은 극히 이상하고 대단히 흥미로운 일이다.

물론, 이것은 가톨릭 신자이든 개신교 신자이든, 보수주의자이든 자유주의자

39) 이것은 Wilckens 1977; Pagels 1979, 3-27; Gager 1982에 의해서 널리 알려지게 된 설명이다.

이든 대부분의 서구의 그리스도인들의 본능에 어긋나는 것이다. 시들, 성상들, 예전들, 묵상의 도구들은 말할 것도 없고 수많은 찬송들과 무수한 설교들이 중심적인 문제로서 "죽음 이후의 삶"에 집중해 왔고, 이 문제는 다른 모든 것들을 몰아내어서, 그러한 문제를 중심으로 부활절 이야기를 철저하게 왜곡시켜 왔기 때문에, 부활절 이야기의 진정한 취지는 실제로 "죽음 이후의 삶"이 존재한다는 것과 예수에게 속해 있는 자들은 결국에 그것을 공유하게 될 것임을 보여주는 것이라고 오랫동안 전제되어 왔다. 우리가 첫 두 세기 동안의 기독교 저술가들의 장래의 소망을 검토하면서 보았듯이, 이것은 그 자체가 너무도 모호하다: 거기에서의 소망은 거듭거듭 "죽음 이후의 삶" 이후의 몸의 부활에 대한 것이었다. 그러나 여기서 우리가 주목해야 할 중요한 것은 이것이다: "죽어서 천국에 가는 것," "죽음 이후의 삶," "영원한 생명"은 물론이고 "그리스도의 모든 백성의 부활"조차도 정경의 네 개의 부활 이야기들 속에는 언급되어 있지 않다. 만약 마태, 마가, 누가, 요한이 "예수께서 부활하셨으므로, 너희도 부활할 것이다"라는 취지로 이야기들을 말하고자 했다면, 그들은 참으로 엉성하게 이야기들을 말한 것이 되고 만다.[40]

그 대신에, 우리는 현재의 세상 속에서의 끝이 열려진 위임에 관한 인식을 발견한다: "예수는 부활하셨다. 그러므로 너희에게는 할 일이 있다." 이것은 마태, 누가, 요한 속에 매우 분명하게 나타난다; 심지어 마가에게도 여자들은 즉시 할 일을 갖게 되는데(그들이 이 일을 하는지 안 하는지는 우리가 나중에

40) 요한복음 20:31은 예외로 생각될 수 있을지도 모른다: 부활은 너희에게 메시야가 예수이고, 너희가 이것을 믿는다면 "너희는 그의 이름으로 생명을 소유하게 될 것"임을 확신시켜 줄 것이라고 요한은 말한다. 그러나 요한복음 전체에 걸쳐서와 마찬가지로 여기에서도 "생명"은 비록 육신의 죽음 이후에도 계속될 것으로 예상되고 있긴 하지만, 신자가 현재에 있어서 소유하는 그 무엇이다. 또 하나의 예외가 될 수 있는 것은 마태복음에서 성도들의 시신이 무덤으로부터 나오는 것에 관한 이야기이다. 하지만 그 이야기의 많은 당혹스러운 특징들 중의 하나(아래의 제15장을 보라)는 그것이 장래의 적절한 때에 모든 의인들에게 일어날 일에 대한 표지로써 의도되고 있지 않다는 사실이다. 세 번째 예외라고 할 수 있는 것은 그 점을 입증해 준다: 마가복음의 긴 결말에서 "믿고 세례를 받는 자는 구원을 얻게 될 것이지만 믿지 않는 자들은 정죄를 받으리라"(16:16). 진정한 이야기들 속에는 이와 같은 내용이 전혀 없다.

논의해야겠지만), 이 여자들을 통해서 제자들, 특히 베드로에게 천사가 전한 메시지는 그들이 해야 할 일이 있다는 것을 함축하고 있다. 이러한 과제는 바울 서신 및 사도행전에 드러나 있는 선교 명령과 밀접하게 연결되어 있다.

하지만 그것은 장래의 부활 또는 사후의 실존에 있어서 "예수와 함께" 할 것이라는 것에 관한 그 어떤 언급도 포함하고 있지 않다.[41] 그리고 정말 의외의 일은 이것이 부활 이야기들을 바울 서신, 복음서들, 사도행전을 제외한 신약성서의 나머지 부분에 나오는 부활에 관한 거의 모든 언급들, 그리고 정경 이후의 문헌들 속에서 나오는 부활에 관한 거의 모든 언급들로부터 구별시키고 있다는 것이다. 바울은 예수의 부활에 관하여 말할 때에 그것을 거듭거듭 그의 백성의 부활과 연결시킨다; 이 주제에 관한 그의 가장 주요한 본문들인 고린도전서 15장과 고린도후서 4장 및 5장은 바로 그러한 문제에 초점을 맞추고 있고, 로마서 8:9-11과 데살로니가전서 4:14 같은 본문들은 긴밀한 논증을 통해서 예수의 부활과 그의 백성의 부활, 이 두 개의 믿음을 서로 밀접하게 결합시켜 놓고 있다. 베드로전서도 이와 정확하게 동일한 사고의 흐름을 반영하고 있다: 하나님의 큰 긍휼하심으로 말미암아 너희는 다시 태어나서 죽은 자로부터 부활하신 메시야 예수를 통해서 산 소망, 썩지 않는 유업을 얻게 되었다.[42] 바울은 이러한 연결관계를 직접적으로 형성하지 않고서도 예수의 부활에 관하여 언급할 수 있었다: 앞에서 보았듯이, 그는 로마서의 신학적인 논증을 시작하는 부분과 끝맺는 부분에서 각각 부활은 예수의 메시야직, "하나님의 아들"로서의 그의 신분, 세상의 참된 주이자 통치자로서의 그의 신분을 정당화한다고 분명하게 선언한다.[43] 그러나 거기에서조차도 예수의 부활과 그의 모든 백성의 부활의 연결관계는 함축되어 있다. 예수는 골로새서 1:18과 거의 동일한 것, 즉 예수는 "시작, 첫 열매"로서 부활하였다는 것을 의미하는 "죽은 자들

---

41) 마찬가지로, 승천 이야기들(누가와 사도행전에 나오는)에는 내가 예수의 생애에 관한 영화 대본의 초고(草稿)에서 읽은 것과 같이 어떤 사람이 "그는 천국으로 갔고, 언젠가는 우리도 거기로 가게 될 것이다"라고 말하는 내용이 전혀 나오지 않는다. 그 영화 제작에 대한 자문 역을 맡은 나는 항의를 했고, 그 결말은 수정되었다.

42) 베드로전서 1:3f.

43) 롬 1:3f.; 15:12. 위의 제5장 제7절과 제12장 제3절을 보라.

의 부활을 토대로"('엑스 아나스타세오스 네크론,' 1:4) "하나님의 아들"로 인정되었다. 그리고 로마서 15:12은 열방들에 대한 부활하신 메시야의 통치만이 아니라 "열방들이 그에게 소망을 둘 것"이라는 사실을 부각시킨다.

그러므로 초기 기독교의 문헌들 속에는 예수의 부활을 그리스도인들의 장래의 소망과 분명하게 연결시키지 않고 언급하고 있는 몇몇 대목들이 존재한다; 그러나 압도적인 대다수의 본문들은 그러한 연결관계를 명시적으로 표현하고 있다. 하지만 복음서들 속에서 그것은 단지 양쪽의 균형을 맞추기 위한 그런 문제가 아니다. 균형이라는 것은 존재하지 않는다. 우리가 가지고 있는 것이 예수의 십자가 사건과 부활에 관한 이야기들뿐이었다면, 우리는 그 누구도 부활 이야기들을 무덤 너머의 장래의 소망을 위한 토대를 제공하는 것으로 해석하는 것을 결코 알지 못했을 것이다. 이 이야기들은 전혀 다른 그 무엇에 관한 것들이다: 예수가 옳다는 것을 입증한 것, 그의 메시야적 주장이 옳다는 것을 입증한 것, 그의 제자들에게 그의 전령관들이 되어서 세상에 대하여 새롭고 놀랍고 참된 주를 선포하도록 위임하는 것. 이것은 첫 번째 의외의 특징과 마찬가지로, 우리가 나머지 두 가지를 더 살펴볼 때까지 설명을 유보해 두어야 한다.

(iii) 부활 이야기들에서의 예수에 관한 이상한 묘사

특히 우리가 제4장으로 되돌아가서 생각하여 제2성전 시대 유대교의 부활에 관한 기대를 다시 성찰해 보면, 우리를 의아하게 만드는 부활 이야기들의 세 번째 특징이 드러난다. 오늘날의 통설과 마찬가지로, 이러한 이야기들이 초대 교회가 성경을 상고하고 그 신앙을 거듭거듭 표현하는 과정에서 발전되었다면, 우리는 부활 이야기들이 구약성서 가운데서 애호되었던 "부활" 본문들이 말하고 있었던 그런 것들을 반영하고 있을 것이라고 예상할 수 있다.

그러나 사실은 그렇지 않다. 무엇보다도 먼저, 예수는 이러한 이야기들에서 결코 광채가 나고 빛이 나는 천상의 존재로 묘사되지 않는다. 변화산 사건에서 보였던 광채나는 빛은 부활 이야기들에는 거의 존재하지 않는데, 이것은 변화산 사건이 잘못 놓여진 부활 이야기라는 옛 견해를 당황스럽게 만든다. (또한 제자들이 광채에도 불구하고 예수를 알아보는 데에 아무런 문제가 없었다는 사실도 그러하다.) 예수를 본 사건들이나 예수와 만난 사건들은 유대교의 묵시론적 전승이나 '메르카바'(병거) 신비주의에서 찾아볼 수 있는 것 같은 휘황찬란한 광채 또는 눈부신 빛 또는 소용돌이치는 구름 가운데서 나타나는 인물에 관한 천상의 환상들과 전혀 닮은 점이 없다.[44] 바울의 회심에 관하여 우리가 무엇이라고 말하든지간에(위의 제8장), 이 이야기들은 그것과 전혀 다르다.[45] 우리가 요한계시록 1장에 나오는 예수에 관한 환상을 어떤 식으로 설명하든지간에, 복음서의 이야기들에는 그것과 일치하는 것이 존재하지 않는다. 즉, 부활 이야기들은 복음서 기자들 또는 그들이 사용한 자료들이 예수가 신 또는 하늘의 영광의 지위로 승귀되었다고 말하고자 하였다고 가정할 때에 우리가 예상할 수 있는 그러한 종류의 것이 아니다. 또한 부활 이야기들은 전승이 이스라엘의 신이 예수의 사업을 승인하였고, 그의 죽음은 실패가 아니라 성공이었으며, 성경은 이제 성취되었다고 말하고자 하는 의도로서 시작된 것이라면 당연히 말해졌어야 할 그런 것이 아니다. 예수는 이 점에 있어서 사람들과 똑같은 한 사람으로서 부활 이야기에 등장한다.

우리는 제2성전 시대 유대교에서 애호하였던 "부활" 본문들을 생각하는 것을 통해서 아주 쉽게 이 점을 검증해 낼 수 있다. 주후 1세기의 40년대, 50년대, 또는 60년대의 한 기독교 공동체 또는 한 기독교 저술가가 성경을 연구해오다가 이제 "부활"이라는 관점에서 예수의 죽음 및 하나님이 그를 인정한 것에 관한 허구적인 이야기를 말하고자 했고, 성경의 맥락을 반영하는 방식으로 그런 이야기를 하고자 했다고 잠시 가정해 보자. 과연 그들은 어떠한 성경 본문들을 활용하였을까? 당시와 그 후의 유대교에서 다른 성경 본문들보다 단연 두드러지는 본문은 다니엘 12:2-3이다:

> 땅의 티끌 가운데에서 자는 자 중에서 많은 사람이 깨어나 영생을 받는 자도 있겠고 수치를 당하여서 영원히 부끄러움을 당할 자도 있을 것이며 지혜 있는 자는 궁창의 빛과 같이 빛날 것이요 많은 사람을 옳은 데로 돌아오게 한 자는 별과 같이 영원토록 빛나리라.

---

44) Dodd 1967, 34.

45) Perkins 1984, 137: 다른 곳에서 묵시론적 이미지에도 불구하고, 여기에서 예수는 여전히 예수이다.

앞에서 보았듯이, 예수와 동시대인이었던 솔로몬의 지혜서의 저자는 의인들이 빛을 발하고 관목 숲을 가로지르는 불꽃들과 같이 달리게 될 것이라고 예언하면서 바로 이 본문을 사용하였다.[46] 그러나 예수의 부활에 관한 복음서의 이야기들은 이 모든 것에 대하여 일언반구도 없다. 왜 그들은 예수가 별과 같이 빛났다고 말하지 않은 것인가?

다른 한편으로, 예수는 이러한 이야기들에서 거의 관습적으로 이례적인 속성들을 지닌 사람의 몸을 지니고 있었던 것으로 묘사된다. 예수가 구운 물고기를 먹었고 제자들에게 그를 만져보아서 그가 실재하는 존재라는 것을 알도록 권유하였던 누가의 동일한 본문은 마찬가지로 우리에게 예수가 자유자재로 나타났다가 사라졌고, 이러한 현현들 중의 한 사건 속에서 두 명의 친한 벗들과 동료들이 그를 알아보지 못했으며, 결국에는 그가 하늘로 들리워 올라갔다고도 말한다.[47] 예수가 도마에게 그를 만져보고 그의 손가락과 손을 창과 못에 찔린 상처들 속에 넣어보라고 하였다고 말하고 있는 요한의 동일한 본문은 마찬가지로 예수가 문이 닫혀 있는데도 두 번이나 들어왔고, "아버지에게 올라가는 일"이 아직 이루어지지 않았다고 말하였으며, 음식을 대접하는 친숙한 행위 속에서조차도 제자들이 과연 예수인가 하고 잘 알아보지 못했다고 말하고 있는 본문이기도 하다.[48] 예수가 산에서 제자들을 만나서 그들에게 온 세상에 다니며 제자들을 삼는 사역을 위탁하였다고 말하고 있는 동일한 본문은 마찬가지로 "몇몇 사람들이 의심하였다"고 말하고 있는 본문이기도 하다.[49] 루이스(C. S. Lewis)가 전에 글로 쓴 것 같이, 바로 이 대목에서 경외감과 떨림이 우리에게 임할 수밖에 없다(역사비평학자들에게는 친숙한 현상은 아니겠지만).[50] 이러한 이야기들은 과연 우리에게 무엇을 말하고자 하는 것인가?

---

46) Wis. 3:9; 위의 제4장 제4절.

47) 누가복음 24:42f., 39, 16, 31, 36, 51. 알아보지 못했다는 것에 대해서는 Polkinghorne 1994, 114를 보라. 누가의 사고 속에서 "실제"와 "환상"의 구별에 대해서는 사도행전 12:9, 11을 참조하라.

48) 요한복음 20:27, 19, 26, 17; 21:12.

49) 마태복음 28:16-20.

50) Lewis 1960 [1947], 152. Coakley 2002, 135, 140f.는 이 현상을 지적하지만, 그것으로부터 올바른 결론을 도출해내지 못한다.

내가 이미 언급한 학계의 오랜 전통에서 불구하고, 이러한 이야기들이 말하고자 시도하고 있지 않은 한 가지의 것은 가현설이 틀렸다는 것을 입증하고자 하는 것이다.[51] 이러한 이야기들, 특히 누가와 요한에 나오는 이야기들이 사람들이 부활한 예수가 확고하게 몸을 입고 있었다고 말하는 것이 꼭 필요하다고 처음으로 생각하였던 후대의 발전된 전승을 반영하고 있다는 주장은 내게는 전적으로 어불성설인 것으로 보인다. 전승들은 교회 속에서 좀 더 헬레니즘적인 초기 시대(이 경우에는 사후의 실존에 관한 "비육신적인" 견해)로부터 좀 더 유대적인 후기의 시기(이 경우에는 몸을 입은 채로의 "부활")로 발전했다는 주장은 어쨌든 극히 특이하고, 역사적으로 근거가 없을 뿐만 아니라 상식에도 어긋나는 것으로서 이제 폐기되어야 한다 — 20세기에는 널리 받아들여지기는 했지만. 어떤 발전이 있었다고 한다면, 우리가 요세푸스에게서 발견하는 모형은 우리가 전승을 헬레니즘 스타일로 "영적으로 해석하는 것"을 예상할 수 있지, 전승을 다시 유대화시키는 것을 예상할 수는 없다는 것을 보여준다. 매우 초기의 기독교에서 사건들에 관한 매우 유대적인 인식은 특정한 환경들 아래에서 주후 1세기 말경에 좀 더 헬레니즘적인 것으로 바뀌었을 가능성이 훨씬 더 많다 — 물론, 이것도 우리가 단순히 전제하면 되는 것이 아니라 먼저 주의 깊은 연구를 필요로 하겠지만. 우리 앞에 놓여 있는 경우들에 있어서 누가가 책상머리에 앉아서 예수의 진정한 인간적 몸에 관한 반가현설적인 이야기를 만들어내면서, 가끔 이 중요한 목적을 잊어버리고서 예수가 나타났다가 사라졌다거나 제자들이 잘 알아보지 못했다거나 마지막으로는 승천하였다고 말한 것으로 생각하는 것은 말도 되지 않는 것이다. 이와 비슷한 것은 요한에게도 그대로 적용된다.[52]

다시 한 번 말해두지만, 바울 또는 후대의 전승으로부터 가져온 신학적인 내

51) 반가현설적인 이론은 Hoffman 1987, 60에 의해서 당연시된다. Goulder 1996, 56f.는 거기에서 큰 역할을 한다. Perkins 1984, 110 n. 79에 나오는 요약을 보라. 역으로, Muddiman 1994, 132이 이것을 "거의 가능성이 없는 것"으로 보고 거부한 것을 옳다(Muddiman 132-4는 우리의 현재의 항목에서 서술한 전체 노선을 간략한 형태로 미리 보여준다).

52) 이하의 서술에 대해서는 Baker 1970, 253-5를 인용하고 있는 Polkinghorne 1994, 115를 보라: 예수는 휘황찬란하지도 않았고, 소생한 시체도 아니었다.

용들을 부활 이야기들 속에 거꾸로 집어넣은 것으로 설명될 수 있는 의외의 특징들은 부활 이야기들에 존재하지 않는다. 앞에서 보았듯이, 바울도 몸을 지니고 있었지만 뭔가 달랐다는 예수에 관한 견해를 궁극적으로 구속받은 인간의 본성은 육신을 지니게 될 것이지만 변화된 육신을 지니게 될 것이라는 그의 견해의 토대로 삼고 있다. 그러나 변화에 관한 바울의 개념은 썩지않음(부활한 예수나 부활하여 변화된 그의 백성이 다시는 죽음을 맞지 않을 것이라는 사실)을 강조하는 반면에, 복음서들에 나오는 부활한 예수에 관한 묘사들은 그 어디에서도 이러한 두드러진 사실을 전혀 언급하지 않는다. 부활 이야기들은 마치 내가 제10장의 끝부분에서 정의하였지만 그것을 정식으로 다루거나 그 함의들을 자세하게 설명하지 않았던 "변화된 몸"(transphysicality)에 관하여 말하고 있는 것으로 보인다.

우리에게는 여전히 마태, 누가, 요한 속에서 발견되는 부활한 예수에 관한 놀라운 이야기들을 설명하는 역사적인 수수께끼가 남겨져 있다. 우리는 그 해법을 제시하기 전에, 먼저 나머지 한 가지 의외의 일을 살펴보아야 한다.

(iv) 부활 이야기들에 이상하게도 여자들이 나온다는 것

베드로복음서 및 고린도전서 15:3-8의 전승(아마도 이 두 본문이 공통적으로 가지고 있는 유일한 것)과는 대조적으로, 정경의 네 이야기들에서 공통적인 가장 분명한 것들 중의 하나는 그것들이 여자들로 시작된다는 것이다. 이것은 이러한 이야기들과 관련한 네 가지 이상한 일들 가운데서 가장 분명한 것이기 때문에, 우리는 여기서 이것을 간략하게 다룰 수 있을 것이다.

여자들이 무덤에서 무엇을 하고 있었는지에 관한 온갖 종류의 질문들이 역사적 관점에서(그들은 정말 예수의 시신에 기름을 바르려고 했던 것인가? 이것은 표준적인 애곡 과정의 일부였는가? 우리는 어떤 여자들에 관하여 말하고 있는 것인가?), 문학적 관점에서(서로 다른 이야기들 속에서의 여자들의 역할) 제기되어 왔다.[53] 특히 막달라 마리아의 역할에 관하여 아주 많은 것들이 말해

---

53) 예를 들면, Bode 1970; Osiek 1993; Lieu 1994를 보라. 특히, Bauckham 2002, ch 8을 보라. Bauckham 258f.은 내가 여기에서 요약하고 있는 입장을 지지하는 학자들의 긴 명단을 제시하면서, 반대 논거들의 약점을 지적한다.

져 왔다. 그러나 거기에는 여자들이 있다. 고린도전서 15장의 매우 초기의 전승을 감안할 때, 여자들은 어디로부터 온 것인가?[54)]

솔직하게 말해서, 바울 시대 이후에 여자들이 전승 속으로 삽입되었다고 생각하는 것은 불가능하다. 이것은 제1세대 동안에 여자들이 온전한 지체들로 받아들여졌던 초기 시기로부터 남자들의 주도권이 다시 재천명된 후기 시기로의 변화를 상정할 수 있기 때문이 아니다. 우리는 그러한 변화를 상정할 만한 증거들을 가지고 있지 않다. 오히려, 바울이 복음전도적이고 호교론적인 사용을 위해서 인용하고 있는 전승은 여자들의 등장에 의심의 눈초리를 가지고 조롱하는 세계 속에서 복음전도적인 목적을 위하여 기여할 수 없는 것으로 여겨서 의도적으로 여자들을 부활 이야기에서 제거하였을 것이다. 그러나 이것은 단지 이 문제의 주변만을 건드릴 뿐이다. 그 근저에 있는 핵심은 좀 더 냉철하게 역사적인 것이다.

마가가 그가 쓴 내용의 대부분을 60년대 후반에 지어냈다고 가정한다고 할지라도, 마가 또는 그 밖의 다른 사람이 그 단계에서 빈 무덤에 관한 소위 호교론적인 전설을 만들어내고 여자들을 빈 무덤을 발견한 사람들로 내세웠을 가능성은 거의 없다. 이 점은 학계에서 거듭거듭 반복해서 거론되어 왔지만, 그것이 지닌 온전한 효과는 언제나 감지되어 온 것은 아니었다: 여자들은 법적인 증인들로 받아들여지지 않았다.[55)] 우리는 이것을 유감으로 생각하지만, 그것이 바로 유대 세계(대부분의 다른 나라들)의 형편이었다. 오리게네스와 켈수스의 논쟁은 기독교에 대한 비판자들이 이 이야기 전체를 비웃기 위하여 여자들에 관한 이야기를 끄집어 낼 수 있었다는 것을 보여준다; 전설을 쓴 작가들이 진정으로 그와 같은 반응을 예상하지 못했을까? 만약 그들이 고상하고 단정하며 믿을 만한 남자 증인들이 무덤에서 최초로 예수의 부활을 목격한 사람들이

54) 이 이야기들 속에서 여자들의 역할에 관한 최근의 연구로는 Corley 2002, ch 5을 참조하라.

55) 예를 들면, cf. Trites 1977, 54f.; O'Collins 1995, 94; Bauckham 2002, 268-77을 참조하라. 랍비 문헌에서의 증거들에 대해서는 mSheb. 4.1; mRosh haSh. 1.8; bBab. Kam. 88a.를 참조하라. Josephus는 이하의 내용에 증인들에 관한 법(신 19:15)을 추가한다: "여자들로부터의 증거를 받아들이지 말라. 이는 여자들은 경솔하고 무모하기 때문이다"(*Ant.* 4.219).

었다는 것에 관한 이야기들을 만들어낼 수 있었다면, 그들은 그렇게 하였을 것이다.[56] 그들이 그렇게 하지 않았다는 것은 우리에게 초대 교회에 속한 그 누구도 막달라 마리아가 이끈 여자들이 사실 이 장면에 최초로 등장하는 사람들이었다는 것을 알고 있었거나 초대 교회가 비판자들이 통상적으로 생각하는 만큼 그렇게 이야기를 만들어내는 기술이 없었다는 것을 우리에게 말해준다. 그 밖의 다른 복음서 기자들은 그것이 호교론적인 취약성을 지니고 있음에도 불구하고 역사적으로 신뢰할 만하다고 확신하지 않았다면 과연 마가의 이야기를 어리석게도 맹목적으로 베껴썼겠는가?[57]

이렇게 논증은 우리의 앞서의 논증들과 동일한 방식으로 진행된다. 어떤 전승이 외부인들에게 전파할 목적으로 계획되었을 때에 여자들이 새벽 미명에 무덤으로 달려가는 것에 관한 이야기들이 조용히 탈락되고, 그들이 보았던 것에 대하여 증인으로 소환될 수 있는 확고한 사람들로 이루어진 명단이 생겨났다고 생각하는 것은 쉽다.[58] 하지만 고린도전서 15장에 나오는 것과 같은 확고하고 잘 정립된 전승이 먼저 뭔가 추가적으로 강화시켜 줄 내용을 필요로 한다는 것이 느껴졌고(왜?), 그러한 필요성이 감지된 후에, 여자들이 봄날의 어두운 아침에 혼비백산한 내용이 생각났다고 보는 것은 결코 쉬운 일이 아니다 — 사실, 나는 그것은 거의 불가능하다고 본다. 이 이야기들은 모두 주후 1세기 말에 씌어졌을 것이다. 우리는 정확히 언제 복음서 기자들이 이 이야기들을 처음으로 글로 옮긴 것인지에 대하여 알지 못한다(반복적인 학자들의 단언들에도 불구하고). 그러나 우리는 그들이 말하고 있는 이야기는 바울 배후의 매우 이른 시기, 즉 아무도 '예수가 죽은 자로부터 부활한 것에 관한 이야기들을 말하는 것이 좋을 것 같은데, 무엇이 우리의 호교론적인 필요들에 가장 잘 부합할 것인가?' 라고 생각할 시간을 갖고 있지 않았던 때로 거슬러 올라가는 이야기라는 것을 단정하여야 한다. 이 여자들은 삼일 전에 마지막에 거기에 있었던

---

56) 마가의 기사는 아리마대 사람 요셉을 "존경받는 공회원"으로 부각시킨다(15:43; cf. 눅 23:50, "선하고 의로운"). 그들은 무덤에 최초로 도착한 사람들에 관해서도 동일한 말을 하고 싶어하지 않았을까.

57) *Gos. Pet.*에서 여자들의 다른 역할에 대해서는 Verheyden 2002, 466-82를 보라.

58) 예를 들면, Schweizer 1979, 147.

것과 마찬가지로 부활의 첫 날에 거기에 있었다고 보는 것이 너무도 자연스러운 일이다.[59]

4. 역사적 대안들

현재의 모습대로의 이러한 이야기들을 설명해 줄 수 있는 대안은 오직 두 가지가 있다; 그리고 나는 첫 번째 대안은 솔직히 믿을 수 없다고 생각한다.

이러한 본문들에 대하여 역사적으로 사고하고자 하는 독자들인 우리는 마태, 누가, 요한(물론, 마가의 여덟 절로 된 결말은 부활한 예수를 무대에 등장시키지 않는다)이 바울 및 그 밖의 다른 초기 그리스도인들로부터 부활한 인간에 관한 특정한 신학을 입수하였다고 말할 수 있다: 사람의 몸은 버려져서 썩어지는 것도 아니고, 이전에 있었던 것과 동일한 종류의 상태로 소생되는 것도 아니라, 어느 정도 변화되기 때문에, 사람의 몸은 동일하면서도 다른 수수께끼 같은 것이 된다. 이러한 "변화된 몸"은 유대교의 부활 신앙이 몇 가지 점에 있어서 그 토대를 마련하기는 했지만 우리가 이 시기의 비기독교적인 유대교 본문들 속에서 발견하는 그 어떤 것도 뛰어넘는 새로운 인간에 관한 신학적인 견해를 보여주는 것이다. 그것은 역사적인 전례를 가지고 있지 않다.

그러므로 이러한 노선을 따라서 우리는 예수의 현현에 관하여 언급하고 있는 세 복음서 기자들은 고린도전서로부터 오리게네스에 이르기까지 모든 주요한 저술가들에게서 발견되는 변화된 몸에 관한 이러한 신학을, 상호적인 영향을 보여주는 그 어떤 표지도 지니고 있지 않지만 이러한 같으면서도 같지 않은 이상한 특성을 지닌 예수에 관한 서로 상당히 다른 이야기들로 전환시켰다고 말하지 않을 수 없게 된다(마태의 예수는 산 위에 서고, 누가의 예수는 엠마오 도상을 걸으며, 요한의 예수는 해변가에서 아침을 짓는다). 아울러, 우리는 복음서 기자들은 이러한 대체로 독립적이면서도 서로 판이하게 다른 이야기들을 제시하면서, 바울과 그 밖의 다른 기자들이 제시하고 있는 같으면서도 같지 않은 부활한 인간에 관한 분석(현재의 몸은 썩어질 것이지만, 부활한 몸은 썩지 않을 것이라는 것)을 언급하기를 모두 회피하였고, 그 대신에 그들은 모두 제자들이 예수를 알아보기도 했고 알아보지 못하기도 했다는 것, 예수의

59) Wedderburn 1999, 57-61(Lüdemann은 이에 반대한다).

부활의 몸은 통상적인 몸들이 행하는 일들을 하기도 했고 통상적인 몸들이 결코 하지 못하는 일들도 했다는 것에 초점을 맞추고 있다고 말하지 않을 수 없다.

게다가, 복음서 기자들이 주후 1세기의 주류적인 유대교에 공통적인 성경적 성찰의 틀 안에서 현재의 몸과 부활한 몸 간의 연속성 및 불연속성에 관하여 말하고자 하였다면, 그들은 다니엘 12장을 토대로 해서 분명한 해법에 도달하였을 것이다: 현재의 몸은 광채가 없는 반면에, 부활한 몸은 별과 같이 빛나게 될 것이라고 그들은 말할 수 있었을 것이다. 이 첫 번째 대안은 세 복음서 기자들이 제자들이 알아보기도 했고 알아보지 못하기도 했으며, 닫힌 문으로 들어오고 나가기도 했고, 확고하게 육신적인 몸을 지니고 있어서 상처들도 여전히 눈으로 볼 수 있었지만, 동시에 두 차원에 속해 있는 듯이 보였고("하늘과 땅"? — 달리 말하면, 실체의 인간적 차원과 신적인 차원 — 물론, 이것은 결코 서술되고 있지는 않지만), 결국 얼마 후에는 우주의 통상적이고 인간적인 차원("땅")을 떠나서 여전히 몸을 입은 채로 또 다른 차원("하늘")으로 가는 것이 적어도 그들에게는 자연스럽게 생각되었던 예수에 관한 세 가지 판이하게 다른 이야기들을 만들어내었다는 전제를 필요로 한다.[60]

우리는 좀 더 나아가 보아야 할 것 같다. 우리는 마태, 누가, 요한이 이러한 특성을 주목할 만한 정도로 공유하고 있었던 이러한 매우 다른 이야기들을 쓰면서, 동시에 각각 독립적으로 이러한 이야기들로부터 그것들이 우리가 바울 및 다른 곳으로부터 알고 있는 신학을 토대로 해서 만들어내었다고 할 때에 반드시 갖고 있었어야 할 특징, 즉 도처에 널린 성경에 대한 석의, 간접인용, 반영을 뽑아내서 버렸다고 말해야 할 것이다. 만약 당신이 주후 1세기에 성경을 읽은 작가로서 바울 신학 또는 요한계시록 또는 이그나티우스로부터 시작해서 부활에 관한 신학을 마치 그것이 과거에 일어난 사건인 것 같이 예술적인 이야기로 만들어내고자 했다면, 성경에 대한 참조를 피하기는 극히 어려웠을 것이다. 만약 당신이 세 사람이 독자적으로 그런 일을 하면서 모두가 이 주목

60) 내가 복음서 기자들에게 문자 그대로의 삼층으로 되어 있는 우주에 대한 소박한 신앙을 돌리고 있다고 생각하지 않도록 하기 위하여 나는 이렇게 두 차원을 설명하고 있다.

할 만한 특징뿐만이 아니라 우리가 앞에서 지적했던 그 밖의 특징들을 공유하는 세 가지의 서로 다른 이야기들을 만들어 내었다고 생각한다면, 나는 당신이 그것은 믿을 수 없는 일이라고 말할 것이라고 생각한다. 나도 분명히 그렇다.

부활 이야기들에는 이상하게도 그리스도인들의 사후의 장래의 소망에 관한 그 어떤 언급도 나오지 않는다는 것과 관련해서도 이와 동일한 말이 그대로 적용된다. 우리가 바울에게서 볼 수 있는 것과 같은 초대 교회의 발전 중인 부활 신앙을 상고해 왔던 어떤 기독교 집단 또는 몇몇 개인들이 예수의 부활은 그리스도인들의 장래의 소망을 위한 모델이자 수단이라는 최근에 등장한 신앙을 유래론적 신화로 전환시키는 방식으로서 "실제로 무슨 일이 일어났는가"에 관한 이야기를 쓰기로 했다고 가정해 보자. 주후 1세기의 50년대에 이르러서는 예수의 부활에 관하여 생각했던 그리스도인들은(다른 무엇보다도 특히) 그들 자신의 부활에 대해서도 생각하였다. 그리스도인들이 박해를 받으면 받을수록, 그리고 그들이 죽는 수가 많아지면 많아질수록(데살로니가전서 4:13-18에서 직접적으로 얘기되고 있고 고린도전서 15:18에서 부차적으로 언급되고 있는 문제), 예수 자신의 부활에 확고하게 토대를 둔 무덤 너머의 소망이라는 이러한 주제는 그러한 상황에서 만들어진 부활 이야기들의 필수적인 부분이 되지 않을 수 없었을 것이다. 새롭게 탄생한 이야기에서 그러한 요소가 일관되게 빠져 있는 일은 거의 불가능했을 것이다. 네 명의 저술가들이 서로 매우 다른 부활절 이야기들을 만들어내면서, 각자가 일종의 묵계인 것처럼 모두 이러한 점점 중요시된 주제를 언급하는 것을 빠뜨릴 수 있었다는 것은 정말 믿을 수 없는 일이다.

마지막으로, 부활 이야기들에 나오는 여자들의 지위를 생각할 때에도 이 말은 그대로 적용된다. 핵심은 명백하고 자주 지적된다. 30년 또는 40년은 말할 것도 없고 20년 후의 이야기들을 만들어낸 사람이 그와 같이 이야기를 만들어내지는 않았을 것이다.

또한 이와 비슷한 그 밖의 다른 지적해 둘 것들이 있다: 실제로 당신이 이러한 일련의 질문들을 성찰하기 시작하기만 하면, 온갖 것들은 스스로 이러한 그림 속에서 제자리를 찾게 된다. 특히, 사람들이 예수를 만났다는 것에 관한 이야기들이 초대 교회의 지도자들을 정당화하기 위한 수단으로 만들어졌다는 것이 사실이라면, 우리가 복음서 이야기들 전체에 걸쳐서 예수의 형제인 야고보에 관하여 아무런 말도 듣지 못한다는 것은 주목할 만하다. 야고보가 부활의 증인으로 언급되고 있는 유일한 대목은 고린도전서 15:7이다. 그러나 이 이야기들의 기원에 관한 빈번하게 제기되는 전제 위에서 보면, 야고보는 분명히 여기에도 등장했어야 한다. 왜 그는 베드로와 함께 경쟁을 펼치고 있지 않은 것인가? 그것은 초대 교회의 권력투쟁을 덧씌우기에 적절치 않은 허구적인 이야기였던 것인가? 우리가 첫 번째 대안 — 후대의 창작물로서의 부활 이야기들 — 을 상정하고자 애를 쓰면 쓸수록, 문제는 점점 더 어려워진다.

그러나 다른 대안을 생각해보자. 영화를 앞쪽으로 돌려서 상영해 보자. 바울 당시에 모든 초기 그리스도인들은 극히 이상한 일이 예수에게 일어났고, 그 이상한 것은 특히 그가 다시 몸으로 부활하였지만 그의 몸은 뭔가 달랐다고 하는 것에 있었다고 믿었다는 것을 가정해 보자. 바울이 이미 잘 알려져 있었던 이야기들 — 실제로 그가 고린도전서 15장의 첫 부분에서 벌써 공식화되어 있었던 정형문구를 인용할 때에 요약하고 있는 이야기들 — 을 위한 이론적이고 신학적이며 성경적인 틀을 제시하고 있었다고 가정해 보자. 마태, 누가, 요한에 나오는 이야기들 — 바울이 그의 마지막 서신을 쓴 후까지도 아직 씌어지지 않았다는 것이 거의 분명하지만 — 이 현재의 모습을 지니고 있는 것은 그것들이 바울 이후의 그리스도인들이 예수에게 일어났어야 했다고 생각했던 것을 후대에 가서 만들어내었거나 윤색했기 때문이 아니라, 그것들이 그렇게 하지 않았기 때문이라고 가정해 보자. 그것들이 이 새롭고 부활한 몸이 어떤 종류의 것일 것이라는 것에 관한 이론들을 제시함이 없이, 좀 더 폭넓은 신학적인 주제들을 제시하려고 함이 없이(사소한 수정들을 제외하고), 자기 자신의 부활에 관한 소망의 요소를 첨가함이 없이, 특히 아주 최근에 동일한 책들 속에서 그토록 많이 행해졌던 것과는 달리 이러한 이야기들과 관련하여 성경의 직접 인용 또는 간접 인용 없이 오직 약간의 편집을 가미하는 가운데 아주 이른 시기부터 전해져 왔던 이야기들을 서술하였다고 가정해보자. 복음서 기자들 중 아무도 부활절 이야기들 속에서 다니엘 12장을 상기시키지 않은 이유는 누구나가 다 예수의 부활한 몸은 별과 같이 빛나지 않았다는 것을 알고 있었기 때문이라고 가정해 보자. 더 폭넓게, 복음서 기자들 중에서 아무도 복음서의 부활 기사들 속에서 구약성서를 제시하지 않은 이유는 예수의 부활과 유대교 전승의 이야기들 사이에 그 어떤 직접적으로 명백한 연결점이 없었기 때문이라고 가정해 보자. 달리 말하면, 이러한 이야기들은 "나는 그때에 그것을 이해하지 못했고, 지금도 내가 이해하고 있는지 잘 모르겠지만, 이것이 바로 그 일이 진행된 상황이었다"라고 어떤 사람이 당혹스러운 태도로 말하고 있는 것을 서술하고 있다고 가정해 보자.

나는 이 두 번째 대안이 순수한 역사의 차원에서 훨씬 더 개연성이 있다고 본다.[61] 나는 역사가로서 어떻게 이것(그리고 아마도 우리가 지금 가지고 있지 않은 그 밖의 다른 비슷한 것들)과 같은 이야기들이 이후의 세대들의 최고의 지성들이 그들의 온갖 성서적 및 신학적 자원들을 활용해서 씨름해야 했던 수수께끼를 만들어낼 수밖에 없었는지를 잘 이해할 수 있다. 하지만 나는 그러한 수수께끼를 만들어내는 이것과 같은 이야기들이 존재하지 않았다면 어째서 사람들이 그러한 신학과 석의를 발전시키게 된 것인지, 또는 이렇게 일종의 지적인 단성생식에 의해서 형성된 그러한 신학과 석의가 그 후에 어떻게 모든 발전된 요소들을 주의 깊게 제거한 세 가지의 독립적인 이야기들을 만들어내게 되었는지를 도저히 이해할 수 없다. 역사적으로 가장 강력한 개연성을 갖는 것은 마태, 누가, 요한이 부활하신 예수에 관하여 묘사할 때에 그들은 맨 처음에 경악을 금치 못했던 목격자들이 이 이야기들을 말해주었던 세 가지 서로 다른 방식들을 매우 이른 시기의 구전 전승에 의거해서 써내려갔다는 것이다. 이러한 전승들은 오직 최소한의 발전만을 했을 것이고, 그러한 발전도 대부분은 편집의 최종단계에서 이루어졌을 것이다. 왜냐하면, 이와 같은 경천동지할 이야기들, 이와 같이 공동체를 형성하는 토대가 되는 이야기들은 한 번 말해진 후에는 쉽게 수정되지 않기 때문이다. 너무도 많은 것들이 그러한 이야기들에 의존해 있다.[62]

이것은 복음서 기사들이 역사적으로 정확하다는 것을 입증하고자 하는 논증이 아니다. 나는 아직 우리가 그것이 무엇과 같은지를 숙고할 수 있는 지점

---

61) 또한 J. Barton 1994, 114를 보라: "부활에 대한 신앙은 그것에 관한 모든 해석들에 선행하였다." 예를 들면, de Jonge 2002, 45-7과 대비해보라.

62) 고린도전서 15:3f.의 양식상의 성격과 이런 식의 저작 연대는 동일한 방향을 보여준다. 이와 같은 공동체를 형성하는 전승들이 상당히 불변적인 성격을 지니고 있는 것에 대해서는 Bailey 1991을 보라. Bailey는 세부적인 점들에 있어서는 비판을 받아왔지만, 내 판단으로는 그의 전체적인 주장은 여전히 건전하다.

에도 도달하지 못했다. 이것은 이 기사들이 논리적으로나 연대기적으로 바울 및 그 이후의 수많은 저술가들에게서 발견되는 부활에 관한 발전된 논의들보다 선행한다는 것을 보여주고자 하는 논증이다. 복음서 기사들이 서술하고 있는 것을 토대로 해서, 바울 등을 비롯한 저술가들은 그것에 대한 신학적 및 성경적 틀을 제시하고 있고, 그것으로부터 추가적인 종말론적 결론들을 이끌어 내고 있다: 소생이나 육신적인 몸의 포기를 포함하고 있지 않고, 내가 "변화된 몸"이라고 불러왔던 것, 즉 새로운 양식의 변화된 육신으로의 변모를 포함하는 사건; 즉, 전례가 없었고, 실제로 그것에 관한 문자 그대로의 정확한 예언도 없었으며, 당시에나 우리 시대에 있어서나 그 이후에 그 어떠한 예가 없었던 사건. 복음서 이야기들은 바울에 의존하고 있는 것이 아니다. 또한 바울이 고린도전서 15장에서 인용하고 있는 전승이 복음서 이야기들에 관한 요약이라고 할 때에는 그것만을 제외하고, 바울은 복음서 이야기들을 직접적으로 언급하고 있지 않다. 그러나 복음서들이 언제 그 최종적인 형태에 도달했는지와는 상관없이, 강력한 개연성을 지니는 것은 복음서들이 담고 있는 부활절 이야기들은 진정으로 초기의 구전 전승으로 거슬러 올라간다는 것이다.

이러한 극히 중요한 결론은, 자주 무시되기는 했지만 여전히 어느 정도의 힘을 지니고 있는 좀 더 잘 알려진 논증에 의해서 밑받침될 수 있다. 우리는 마태, 누가, 요한에 의해서 제시된 부활한 예수에 관한 이야기들을 고찰해 왔다. 이러한 이야기들은 서로가 거의 중복되지 않는다(누가와 요한에서는 예수가 첫 날 저녁에 마가 다락방에 나타난다; 이 두 복음서 속에서 예수는 제자들을 선교를 위하여 준비시키기 위하여 성령이 오실 것이라고 말씀한다; 그러나 그 밖의 점들에 있어서는 두 기사는 완전히 다르다). 그러나 우리가 앞에서 복음서들 간의 문헌적인 연관관계를 찾을 때에 보았던 것처럼, 복음서들은 서로 중복이 되는 대목들에서조차도 동일한 이야기를 극히 다른 방식으로 말한다. 마가복음 16:1-8과 그 병행들 간의 표면적인 불일치들 — 이 기사들을 부주의한 허구로 보고자 하는 자들이 아주 많이 거론하는 것들[63] — 은 사실 그것들

63) Patterson 1998, 213f.은 이러한 문제점을 지나치게 과대평가한다. 예를 들면, Edwards 2002에 나오는 좀 더 균형잡힌 설명은 여전히 이 이야기들이 절망적으로 얽혀 있다는 결론을 내리기를 좋아한다.

이 이른 시기의 것임을 보여주는 강력한 논거가 된다. 그것들이 늦은 시기에 편집되거나 씌어졌다면, 불일치점들은 제거되었을 가능성이 더 많았을 것이다. 지난 100여년 동안에 걸쳐서 반복해서 말해져 왔듯이, 이 이야기들은 정확히 표면적인 긴장관계를 나타내 보여주는데, 우리는 그것을 하나의 허구적인 이야기를 지어내어서 모든 것을 올바르게 보이고자 했던 사람들에 의해서 인위적으로 만들어진 이야기들과 연관시키는 것이 아니라, 그들에게 공포와 놀라움으로 갑자기 찾아왔지만 아직도 여전히 이해하지 못한 일을 그들 자신의 눈으로 목격하였던 자들이 당혹감 가운데서 서둘러서 쓴 기사들과 연관시켜야 한다. 물론, 이것은 이 이야기들이 사실 목격자들에 의해서 원래 말해진 그대로라거나 그들이 말하는 모든 것이 당시에 일어났던 일에 대한 사진 같은 기록이라는 것을 입증해주는 것은 아니다. 그러나 그것은 그 이야기들이 이른 시기의 것이며, 그것들은 서로에 대하여 또는 발전된 신약성서에 맞춰서 각색되지 않았고, 그것들 간의 불일치점들은 결코 그것들을 역사적인 자료들로서 진지하게 받아들이는 것을 방해하는 것이 되도록 해서는 안 된다는 견해를 강력하게 밑받침해준다.

사실, 이 기사들은 그것들 중 어느 것에도 폭력을 가함이 없이 전체적인 관점에서 요약될 수 있는 하나의 이야기를 말하고 있다. 네 개의 이야기는 모두 핵심적인 사건들이 예수의 십자가 처형 이후의 제삼일에 한 주간의 첫 날 이른 아침에 일어났다고 말하는 데에 일치한다. 네 개의 이야기는 모두 막달라 마리아가 무덤에 갔었다는 것에 일치한다; 마태, 마가, 누가는 또 한 여자가 거기에 있었다는 데에 일치하고, 마가와 누가는 다른 사람들을 첨가한다. 네 기사 모두는 무덤 입구를 막고 있는 돌이 문제였지만 그러한 문제는 여자들이 어떤 조치를 취함이 없이도 해결되었다는 데에 일치한다. 네 기사 모두는 한 이상한 사람, 천사, 또는 그런 종류의 존재가 거기에 있었고, 여자들에게 말하였다는 데에 일치한다. 마태와 요한은 그 후에 막달라 마리아가 예수를 만났다는 데에 일치한다(물론, 마태에는 다른 마리아도 거기에 있었다고 말한다). 마가를 제외한 모든 기사들은 마리아(그리고 다른 여자들)가 남자 제자들에게 말하기 위하여 무덤을 떠났다는 데에 일치한다; 누가와 요한은 그 후에 베드로와 또 한 제자가 직접 보기 위하여 무덤으로 갔다는 데에 일치한다.

그런데 잘못된 결론을 도출하기 쉬운 그런 흥미로운 대목이 나온다. 누가복음 24:12을 보면, 베드로는 일어나서 무덤으로 달려가서 몸을 구부려 안을 들여다보다가 세마포를 보았고 다시 돌아온다. 이것은 마치 오직 베드로만이 관련되어 있는 것처럼 들린다. 그러나 엠마오 도상의 두 제자가 익명의 낯선 사람에게 그날 아침에 무슨 일이 일어났었는지를 말할 때에, 그들은 "우리 중의 몇몇"이 무덤으로 가서 여자들이 말한 것이 사실이라는 것을 알았다고 말한다 (24:24). 누가는 나중에 한 사람 이상이 관련되어 있다는 것을 알고 있었고, 또한 우리에게 나중에 말해주는 그러한 상황에서도 오직 한 사람만을 부각시키는 기법을 사용하기도 한다. 우리는 바울의 회심에 관한 누가 자신의 서로 다른 세 개의 기사들을 비교해 보거나, 『유대 전쟁기』와 『자서전』에 나오는 자기 자신이 관여된 사건들에 관한 요세푸스의 서로 다른 기사들을 비교해 보기만 해도, 이것을 알 수 있다. 누가가 한 사람이 거기에 있었다고 말하면서, 나중에 거기에 한 사람 이상이 있었다고 말할 수 있었다면, 여자들과 천사들에 관한 서로 다른 기사들 간의 수적인 차이들은 심각한 역사적인 문제점들로 여겨질 수 없다.[64)]

물론, 그 시점으로부터 이야기들은 더 첨예하게 갈린다. 마가의 천사는 여자들에게 그들과 남자 제자들이 갈릴리에서 예수를 보게 될 것이라고 말한다; 마태의 예수는 실제로 거기에서 현현한다(실제로 그는 예루살렘에서도 잠깐 동안 현현하지만, 28:9). 누가의 예수는 오직 예루살렘 안에서 및 그 근방에서 현현하고, 갈릴리로 갈 것이라는 말을 전혀 하지 않고, 제자들에게 예루살렘에 머물러야 한다고 말한다. 요한의 예수는 처음에 예루살렘에서 현현하고, 나중에 갈릴리에서 현현한다. 요한이 존재하지 않았다고 가정할 때, 만약 어떤 명석한 사람이 이 점에 있어서 마가와 누가가 다른 것에 대한 해법은 예수가 두

64) 누가복음 24:12과 24절의 연결관계는 고대 라틴어 사본들과 Marcion이 그랬던 것처럼 한 중요한 사본인 주후 5세기의 서방 본문인 "D"가 12절을 생략함으로써 더욱 복잡해진다. 이상한 일은 아니지만, 이 절이 요한복음 20:3, 5, 6, 10을 편집한 것이라는 주장이 종종 제기되어왔지만, 전승 전체에 있어서 그 밖의 다른 모든 사본들이 이 절을 포함하고 있는 것으로 보아서, 누가가 적어도 이 대목에서 요한의 기사 같은 한 이야기에 관한 축약된 판본을 알고 있었을 가능성이 높아 보인다. 이 절은 좀 더 폭넓은 현상인 이른바 "첨가 없는 서방 본문"의 한 예이다. 이것에 대해서는 Metzger 1971, 191-3, 특히 184를 보라.

장소에 모두 현현하였다는 것이라고 말하였다면, 많은 학자들은 그 사람에게 소리를 질러서 끽소리도 못하게 눌러놓았을 것이다. 하지만 요한이 그렇게 하고 있고, 마태도 그렇게 하고 있다는 사실로 인해서, 학자들은 요한과 마태에게 온갖 험한 말들을 퍼부어 왔지만, 그것은 우리로 하여금 성급한 판단을 내리기 전에 한 번 멈춰 서서 생각해보도록 만든다.[65]

사실, 나는 이 이야기들이 바울보다 훨씬 이전의 것으로 여겨져야 하며, 이 이야기들을 나란히 놓고 볼 때에 그것들은 표면상의 여러 불일치점들에도 불구하고 전체적으로 잘 통합되는 하나의 이야기를 말하고 있다고 주장한다. 이것을 거칠게 표현해 본다면, 이 이야기들이 여자들의 수, 천사들이 무덤에 있었는지의 여부, 또는 현현들의 장소와 관련하여 서로 일치하지 않는다는 사실은 아무 일도 일어나지 않았다는 것을 의미하지는 않는다는 것이다. 우리는 모든 세부적인 내용들을 지나치게 단순화하여 억지로 조화시키려고 하거나,[66] 그것들에 지나치게 단순화된 의심의 해석학을 적용하여 그것들을 후대의 신학의 투영 또는 서로 다른 여러 제자들이 연루되어 있었던 "정치적" 또는 "리더십" 주장들을 밑받침하기 위한 암호화된 메시지로 치부함으로써, 이 이야기들을 길들이려고 해서는 안 된다.[67] 우리는 그러한 것들을 본서의 제2부와 제3부 전체에 걸쳐서 구축해온 질문에 대답해주는 핵심적인 증거들로 다루어야 한다: 초기 기독교는 애초에 왜 시작되었고, 왜 그러한 형태를 띠었는가 — 특히, 부활에 관한 초기 기독교의 신앙들과 예수에 관한 초기 기독교의 신앙들과 관련해서. 만약 우리가 마태복음 28장, 마가복음 16장, 누가복음 24장, 요한복음 20

---

65) 제자들이 오순절 같은 절기들에 예루살렘에 여러 번 여행하였을 가능성에 대해서는 Moule 1958 등을 참조하라.

66) Wenham 1984이 제시한 조화로운 해석은 지나치게 단순한 것은 아니지만, 그것을 설득력 있다고 본 학자들은 그리 많지 않았다. 이러한 조화에 반대하는 Carnley 1987, 17-20 등의 변증은 흥미롭다: 조화를 시키는 것이 어려울 뿐만 아니라, 바로 그러한 시도 자체가 "근본적으로 잘못된 시도로서 애초부터 배제되어야 한다." 물론, 그런 후에 Carnley는 "마땅히 일어났어야 하는" 것에 대한 긴 역사적 재구성을 계속해서 제시한다: 이것이 잘못된 시도가 왜 아닌지는 분명하지 않다.

67) Bremmer 2002, 51f.에 의한 "리더십"이라는 관점에서의 설명에 대한 비판을 보라.

장과 21장의 존재를 알지 못한 가운데 이러한 질문을 제기하였다면(이것이 우리가 이 장에 이르기까지 유지하고자 했던 태도이다), 그리고 그런 후에 이러한 장들을 처음으로 접했다고 한다면, 우리는 우리의 질문이 그 대답을 발견하였다는 것을 알게 되었을 것이다.

물론, 이러한 이야기들은 직접적으로 무슨 일이 일어났었는지에 대해서만이 아니라 몇몇 서로 다른 사람들이 무슨 일이 일어났었다고 생각했는지에 대해서도 증거들을 제시해준다. (나는 『신약성서와 하나님의 백성』 제2부에서 제시한 비판적 실재론자의 입장으로부터 물러서기를 원하지 않는다; 여기에서 및 모든 곳에서 나는 나의 역사적인 논증 속에서 그것이 지탱할 수 있는 것 이상의 것을 몰래 들여오지 않도록 하는 데에 관심을 갖고 있을 뿐이다.) 우리의 연구의 이 단계에서 이 이야기들은 다음과 같은 질문에 대한 대답들이다: 초기 기독교는 왜 시작되었고, 그것은 왜 그러한 모습을 띠었는가? 이것에 대한 대답은 다음과 같은 것이다: 초기 그리스도인들은 예수의 죽음 후에 예수에게 어떤 일, 정경의 사복음서 속에 나오는 이야기들이 가장 가깝게 말하고 있는 어떤 일이 일어났었다고 믿었기 때문이다.

요컨대, 나는 정경의 네 개의 부활 기사들은 그 모든 것들 속에 우리가 곧 살펴보게 될 편집적인 특징들이 포함되어 있다고 하더라도 거의 틀림없이 기독교의 기원과 형성이라는 문제에 대한 대답을 제공해주는 구전 전승들로 거슬러 올라간다고 주장한다. 물론, 그런 후에, 이것이 제기하는 질문은 결정적으로 중요한 질문이다: 무엇이 가장 초기의 그리스도인들로 하여금 이와 같은 일이 일어났다고 믿고, 그런 종류의 이야기를 말하게 만들었는가?

바로 이것이 우리가 본서의 마지막 제4부에서 대답해야 할 질문이다. 제3부의 나머지 부분에서 좀 더 세부적인 내용들을 서술하고 우리가 확고한 토대 위에 있다는 것을 분명히 하기 위하여, 우리는 네 개의 기사들을 각각 독립적으로 살펴보지 않으면 안 될 것이다.

제14장

두려움과 떨림: 마가복음

1. 서론

"여자들이 몹시 놀라 떨며 나와 무덤에서 도망하고 무서워하여 아무에게 아무 말도 하지 못하더라." 마가는 오늘날의 연구에 있어서 그의 가장 유명한 노선들 중의 하나가 된 것 가운데서 이렇게 말한다(16:8). 마가복음에 대하여 우리는 짙은 미스테리들로 가득한 책이라고 말한다: 비밀스러운 계시들, 암울함 가운데서 섬광처럼 비치는 빛들, 보이지 않는 가운데서 믿으라는 도전, 그리고 마지막으로 떨림, 공포, 침묵.[1] 이와 같은 책과 너무도 완벽하게 어울리는 결말.

과연 그러한가? 나는 종종 학자들이 마가를 이런 식으로 읽어온 이유가 그들이 교회와 상아탑에서 성경의 가르침의 고정된 식단으로 너무도 오랫동안 제시되어 왔던 명백한 대안에 질렸기 때문은 아닌가 하고 의구심을 갖는다: 마가는 최초의 복음서이자 가장 단순한 복음서로서, 예수에 관한 기본적인 사실들을 말해주고 있고, 그런 사실들을 장식하고 추가적인 가르침을 더하며 그것들을 하나의 예술작품으로 변화시키는 일은 다른 사람들에게 넘기고 있다는 것. 이런 유의 것은 세속주의와 포스트모더니즘적인 사상의 폭풍 한가운데에서 믿음이냐 의심이냐를 놓고 씨름하면서 "해피 엔딩"에 대하여 경고하는 데에 지나친 열심을 지닌 20세기 후반의 학자들에게는 너무도 그 본능에 어긋나는 것이 되어 왔다.[2] 마가를 주후 1세기의 카프카 또는 토머스(R. S.

1) 마가복음에 관한 예비적인 논의로는 *NTPG* 390-96을 보라.

2) McDonald 1989, 70.

Thomas)로 보는 것이 훨씬 더 낫다 — 그리고 그것이 훨씬 더 정교한 견해이다. 따라서 마가는 쉽고 직설적이고 기본적이기 때문에 신학교 1년차 교과 과정에 등장하곤 했지만, 이제는 어렵고 암호 같고 상당한 지적인 수준을 요구하기 때문에 거기에 있다. 이것은 학부생들에게 충격을 줄 것이고, 그들로 하여금 신학이 그들이 생각했던 것보다 더 어렵다는 것을 깨닫게 해줄 것이라고 교수는 믿는다!

이렇게 마가의 결말에 관한 논쟁들은 보수적인 모더니즘과 급진적인 포스트모더니즘, 그리고 그 사이에 있는 몇몇 단계들에 속하는 다양한 인식들을 반영하고 있다; 그러나 그것은 진정한 논증들을 제시할 것이 없다는 것을 의미하지는 않는다. 여기에도 역사적인 질문들이 존재하고, 그것들은 단순히 수사학적인 입장을 취하는 것이 아니라 역사적인 논의를 요구한다. 마가는 16:8에서 자신의 복음서를 갑자기 끝내기로 의도했던 것인가? 그는 자신의 복음서 전체를 잘 알다시피 '에포분토 가르'("무서워하여")라는 거친 헬라어로 끝내기로 작정한 것인가? 그 밖의 두 개의 추가적인 결말은 어디에서 온 것이고, 마가는 그것들에 대하여 어떻게 생각했을까?

나는 『신약성서와 하나님의 백성』에서 마가는 실제로 좀 더 긴 결말을 썼지만, 그것은 지금 멸실되었고, 그것 대신에 두 개의 추가적인 결말들이 후대의 몇몇 사본들에서 제공되었다는 것을 짤막하게 논증한 바 있다. 본서의 전체적인 논증에서 그 어느 것도 이와 관련된 논증에 좌지우지되는 것은 아무것도 없다; 그러나 그러한 논증이 제시될 수 있고, 여기에서 약간 더 자세하게 제시될 것이라는 사실은 하나의 중요한 소극적인 내용을 입증해준다: 학자들이 마가를 흔히 사용하여 왔던 것과는 달리, 마가는 가장 초기의 그리스도인들이 빈 무덤, 떨림, 공포 이외의 것에 대해서는 알지 못했다는 것을 보여주는 증거로 사용될 수 없다는 것. 단선적인 전승사를 추구하는 학자들이 부활 기사들을 연대기적인 순서로 배열하여 삼단논법을 제시하는 일은 너무도 쉬운 일이다: 처음에는 짧고 어둡고 그 어떤 부활 현현들도 없이 완벽하게 형성된 마가; 그런 후에, 몇몇 현현들이 나오고 좀 더 자세한 마태; 그런 후에, 부활한 예수에 관한 좀 더 자세한 내용들이 길고 자세하게 실려있는 누가/사도행전과 요한.[3]

---

3) 종종 우리는 발견한다: 먼저 바울, 하나의 '케리그마'는 있지만 빈 무덤은 없

앞 장의 논증은 무엇보다도 특히 누가와 요한의 좀 더 자세한 기사들조차도 매우 이른 시기의 구전 전승으로 거슬러 올라간다고 했을 때에 가장 잘 설명될 수 있는 적극적이고 소극적인 여러 특징들을 보여준다는 것을 입증함으로써 이러한 행진을 멈추도록 하기 위하여 제시된 것이다. 현재의 장의 논증은 무엇보다도 특히 출발점이 틀렸다는 것을 보여주기 위하여 제시된다. 마가가 진정으로 지금은 멸실되고 없는 더 자세한 결말로 끝났을 가능성이 적어도 진지하게 고려될 수 있다면, 마치 '에포분토 가르'가 뭔가를 기다리고 있는 세상을 향한 그의 마지막 말이었다는 듯이 논증을 진행해 나가는 것은 잘못된 것이다. 어둡고 신비스러운 본문들을 좋아하는 사람들은 이것에 대하여 너무 걱정할 필요가 없다; 마가 및 그 밖의 다른 많은 초기 기독교 본문 속에는 풍부한 감춰진 비밀들이 여전히 존재한다. 그러나 우리는 특정한 종류의 이야기에 대한 우리의 현대적인 기호(嗜好)를 선입견이 아니라 분석을 요구하는 역사적인 문제에 투영시켜서는 안 된다.

그러므로 우리는 그 밖의 다른 필수적인 질문들을 제기하기 전에 마가의 결말에 관한 문제를 살펴보는 것으로 논의를 시작하지 않으면 안 된다: 이 대목에서 마가에 대하여 어떠한 역사적인 가치가 부여될 수 있고, 마가는 자신의 짤막한 이야기를 써 나가면서 우리에게 무엇을 말하고자 하고 있는 것인가?[4]

2. 결말

이 문제는 잘 알려져 있다. 간단하게 말해서, 이 문제는 다음과 같이 표현할 수 있다(이 문제를 복잡하고 상세하게 살펴보고자 하는 사람들은 비평적인 주석서들과 연구서들을 찾아보면 될 것이다).[5] 이 복음서의 가장 초기의 사본들, 즉 주후 4세기의 것인 시내산 사본과 바티칸 사본은 16:8로 끝난다. 그 뒤로

다. 위의 제2부를 보라.

4) 이 장 및 다음 세 장에 걸쳐서 나는 Catchpole 2000이 다루고 있는 것에 맞춰서 글을 쓰고 있다. 애석하게도 그 책은 내가 좋아했을 방식으로 그것과 대화하기에는 너무 늦게 내 책상에 도달하였다.

5) 자세한 것은 비평 본문들과 아울러 Metzger 1971, 122-6; Gundry 1993, 1012-21에 나오는 자세한 참고문헌들과 논의들; Cox 1993; Evans 2001, 540-51을 보라.

나온 몇몇 후대의 사본들과 초기 교부들 중 일부는 긴 결말이 존재한다는 것을 아예 알지 못하였거나, 긴 결말을 재현해 놓고 있으면서도 그것이 의심스러운 것으로 여겼음을 보여준다. (불행히도 신약성서를 담고 있는 수많은 좀 더 초기의 파피루스 단편들은 그 어느 것도 마가복음 16장을 담고 있지 않다; 우리는 하나님의 섭리로 고고학적 증거가 발견되기를 소망할 수 있다.) 그러나 알렉산드리아 사본을 필두로 주후 5세기의 두 사본은 "긴 결말"(9-20절)을 포함하고 있고, 그 이후의 대부분의 사본들은 이러한 노선을 따른다. 아울러, 주후 7세기, 8세기, 9세기의 것인 네 개의 사본들과 몇몇 후대의 사본들은 이른바 "짧은 결말"인 8b절을 삽입해 놓고 있다; 그리고 그런 후에 이 사본들 중 하나를 제외한 모든 사본은 "긴 결말"을 계속해서 싣고 있다. 하지만 긴 결말을 담고 있는 상당수의 사본들은 그 본문의 진정성이 의심스럽다는 것을 나타내기 위하여 난외주에 표시들(별표 또는 십자가표)을 해 두고 있다.

주후 4세기의 두 개의 사본이 서로 독립적으로 긴 결말을 생략하고 있는 것과 그 밖의 모든 산재하는 증거들을 볼 때, 긴 결말은 원래의 것이 아닐 가능성이 대단히 높다. 아울러, 9-20절의 내용은 겉보기에 마가적인 몇몇 특징들을 담고 있지만(예를 들면, 16:11, 13, 14에서 제자들의 믿음 없음에 관하여 말하는 것), 그 밖의 다른 점들에 있어서 그것은 마치 다른 복음서들에 나오는 부활 기사들의 요소들을 가져온 듯한 의심스러운 모습을 보인다.[6] 예를 들면, 16:12-13은 누가의 엠마오 도상에 관한 이야기(24:13-35)를 요약한 것이고, 제자들이 음식을 먹고 있을 때에 예수가 현현한 사건(14절)은 누가복음 24:36-43과 맥을 같이 한다; 15절에 나오는 위임 명령은 마태복음 28:18-20과 병행을 이룬다; 그리고 19절에 나오는 승천은 누가복음 24:50과 사도행전 1:9-11에서 가져온 것이다. 그리고 흔히 지적되고 있듯이, 구원을 위하여 세례를 받아야 한다는 명령(16절)과 사도들이 행하게 될 기사(奇事)들의 목록(17-18절)은 마치 그것들이 후대의 교회의 삶의 몇몇 측면들에 대한 요약인 것처럼 보인다.[7] 이 모든 것들은 오늘날의 압도적인 다수의 주석자들로 하여금 긴

6) Kelhoffer 2000을 보라.

7) 예를 들면, 18절에서 뱀을 집어드는 것과 사도행전 28:3-6에서 말타에서의 바울의 체험 간의 병행을 참조하라.

결말과 짧은 결말은 지극히 흥미로운 것이기는 하지만, 그것들은 거의 틀림없이 마가에 의한 것이 아니라는 데에 동의하게 만들었다 — 그들의 견해는 가지각색이기는 하지만.

실제로 "긴 결말"은 그 시작 부분인 9절에서부터 마치 그것이 원래 전연 별개의 기사였던 것처럼 보이는데, 그것은 마가복음 16:1-8과의 연속성 속에서가 아니라 마가복음 16:1-2/마태복음 28:1/누가복음 24:1/요한복음 20:1과 병행되는 내용으로 시작되기 때문이다:

> [9]예수께서 안식 후 첫날 이른 아침에 살아나신 후 전에 일곱 귀신을 쫓아내어 주신 막달라 마리아에게 먼저 보이시니 [10]마리아가 가서 예수와 함께 하던 사람들이 슬퍼하며 울고 있는 중에 이 일을 알리매 [11]그들은 예수께서 살아나셨다는 것과 마리아에게 보이셨다는 것을 듣고도 믿지 아니하니라.

이것은 9-20절이 단순히 마가복음을 위한 좀 더 자세한 결말을 제시하고자 했던 어떤 사람에 의해서 씌어진 것이 아니라, 원래는 부활 사건들에 관한 별개의 요약으로서 존재해 있다가 나중에 마가복음의 공백을 메우기 위하여 사용되었다는 것을 의미하는 것일 수 있다 — 비록 그것이 실제로 이미 존재하고 있었던 몇몇 부활 이야기들과 중복되는 내용이었다고 할지라도. 그러나 이러한 고찰은 매력적인 가능성들을 열어주기는 하지만(그것은 원래 별개의 기사였는가? 아니면, 지금은 멸실된 복음서의 일부였는가?), 우리의 현재의 과제와는 상관이 없다. 마가복음의 저자는 8b절이나 9-20절을 스스로 쓰지 않았다는 데에 폭넓은 견해의 일치가 존재한다.

이것이 오늘날의 비평학이 우리에게 16:8을 원래의 결말로 보고 만족해야 한다고 확신시켜 왔던 지점이다. 또 다른 결말, 아마도 "행복한" 결말을 찾는 것은 문학적인 또는 신학적인 순진함을 보여주는 것이라는 말을 우리는 종종 듣는다.[8] 마가복음은 그 비유들과 마찬가지로 그 끝도 의도적으로 열어놓고서, 독자들을 그 이야기를 스스로 완결해 보도록 유도한다.[9] 마가를 그 후에 행복

8)Kelber 1983을 인용하고 있는 McDonald 1989, 70.

하게 잘 살았더라는 식의 순진한 책이 아니라 고도의 글쓰기 기법을 보여주는 책으로서 재활시키기 위한 이러한 말들을 우리는 최근의 학계로부터 많이 들을 수 있다. 이렇게 마가복음이 16:8에서 끝난다는 주장이 통상적으로 가장 초기의 복음서로 받아들여지고 있는 복음서가 실제의 부활 현현들에 대하여 전혀 언급하지 않고 있다는 것을 말하고자 하는 의도에 의해서 어느 정도나 촉발되어 왔는지는 우리가 말하기가 어렵다. 이러한 주제들이 서로 얽혀 있는 것을 보기 때문에, 우리는 필연적으로 그러한 질문을 제기하지 않을 수 없다.

하지만 이러한 이론에 의문을 제기하고, 마가는 실제로 지금은 멸실된 더 자세한 결말을 썼고, 8b절과 9-20절은 후대의 필사자들이 마가의 의도를 어느 정도 고려해서 대체한 것들이라고 주장할 수 있는 강력한 근거들이 존재한다.[10] 무엇보다도 먼저 우리는 두루마리의 처음과 끝 부분은 언제나 훼손되기 쉬웠다는 점을 지적할 수 있다. 사해 두루마리들에 관한 그 어떤 판본, 특히 영인본들을 한 번 쭉 훑어보면, 거의 전부를 보존하고 있는 두루마리들조차도 많은 경우들에 있어서 처음 부분과 끝 부분이 손상되어 있는 것을 우리는 알게 될 것이다. 또한 우리는 예레미야서를 기록한 두루마리가 왕에 의해서 그의 포켓 나이프로 점차 깎여졌다는 것을 떠올려 볼 수 있다.[11] 그러나 이것은 결말 부분(그리고 시작 부분)이 멸실되었을 물리적인 가능성이 매우 높다는 것만을 보여줄 뿐이고, 아무것도 입증해주지는 못한다.[12] 또한 한 책은 물론이고 한 문장을 '가르'로 끝내는 것이 이례적인 것이라는 사실은 우리에게 그렇게 큰 설득력을 지니지 못한다.[13] 중요한 것은 마가가 쓰고 있었던 책에 대한 이해와

9) 예를 들면, A. Y. Collins 1993, 123.

10) 마가가 지금은 멸실된 결말 부분을 직접 썼다는 아주 강력한 최근의 주장은 Gundry 1993, 1009-12의 것으로서, Evans 2001, 539f.도 이를 따른다. Fenton 1994, 6은 그러한 논증들이 여전히 행해지고 있는 이유는 갑작스러운 결말에 대한 통상적인 설명들에 대한 반대로 인해서라고 주장한다. 나는 Gundry 또는 Evans의 견해에 찬성할 수 없다: 내가 결말이 멸실되었다고 주장하는 이유는 마가복음 본문의 나머지 부분의 석의에 대한 결과 때문이다(아래를 보라).

11) 예레미야 36:20-26.

12) 서두 부분도 멸실되었고, 현재의 서두는 후대의 편집에 의한 첨가일 가능성(서두 부분은 결말 부분보다 잘려나간 채로 그대로 두기가 더 어렵다)에 대해서는 *NTPG* 390 n. 67과 거기에 나오는 Moule 1982과 Koester 1989에 대한 언급을 보라.

무엇이 그런 종류의 책을 위하여 적절한 결말이었을지에 관한 인식이다. 물론, 궁극적으로 이 주제에 관하여 논증을 하려면, 한 권의 주석서가 필요할 것이다; 하지만 여기에서는 우리는 단지 그러한 논증을 요약적으로 제시할 수밖에 없다.

나는 앞 권에서 마가복음을 일련의 계시들을 통해서 예수가 누구인가에 관한 진리를 드러내고자 한 "묵시록"으로 이해하는 것이 가장 좋다고 논증한 바 있다.[14] 마가의 유명한 비유들은 이러한 틀 속에서 이스라엘의 신이 그의 기이한 목적들을 어떻게 성취하고 있는지에 관한 이야기들로서의 기능을 한다; 이러한 비유들 중의 하나는 유대교적인 맥락 속에서 거의 틀림없이 죽음과 부활에 관한 암시로 들렸을 그러한 이미지들을 사용한다.[15] 이러한 묵시론적 도식 안에서 마가는 예수 일행이 예루살렘을 향하여 가는 도중에 예수가 그의 제자들에게 장차 그에게 일어날 일에 관하여 말하는 일련의 주의 깊은 예고들을 조직해 놓았다. 인자는 많은 고난을 받고서 거부당하고 죽임을 당한 후에 제삼일에 다시 살아나야 한다(8:31; 9:31; 10:33-34). 이러한 예고들은 고난과 관련해서 더 길게 서술되지만, 그것들은 모두 "사흘만에 그가 다시 살아나리라"

13) 다양한 학자들의 견해들에 관하여 논의하고 있는 Evans 2001을 보라: '가르' 라는 단어는 한 문장 또는 한 책의 끝에 올 수 있지만, 마가가 '가르'를 그의 마지막 단어로 의도했다고 생각하는 것만큼이나 그 이후에 마가가 더 많은 내용을 쓰고자 했다고 생각할 만한 이유가 존재한다. 창세기 18:15에 나오는 사라에 관한 묘사("사라가 부인하여 이르되 내가 웃지 아니하였나이다 하였으니 이는 두려워하였음이라 ['에포베데 가르']")와의 병행은 여전히 나의 뇌리를 떠나지 않고 뭔가를 암시해 주고 있지만, 이런저런 방식으로 아무것도 입증해주지는 못하고 있다. 그것은 이 이야기가 계속되어야 한다는 것을 암시해 준다. 결국, 사라는 나중에 자신의 회의적인 웃음이 잘못되었음을 보게 된다.

14) *NTPG* 390-96. 계시의 계기들은 마가복음 1:10f.; 8:29; 9:7; 14:61; 15:39에서 온다.

15) 마가복음 4:26-29: 씨앗은 은밀하게 자라지만, 씨 뿌리는 자는 밤낮으로 "가서 잠을 자고 일어난다('카듀데 카이 에게이레타이')"; 마침내 그는 추수 때가 되어서 낫을 댄다. 묵시론적인 뉘앙스(욜 3:15의 반영을 주목하라)는 "티끌 속에서 잠자는 많은 자들이 일어나게 될"(단 12:2; Theodotion 역본은 막 4:27과 동일한 동사들을 사용한다) 장차 다가올 큰 심판이라는 맥락을 강화시킨다. "씨 뿌리는 자" 비유 자체 속에서의 부활에 대해서는 McDonald 1989, 55-8, 72를 보라.

는 말로 끝이 난다. 이러한 예고들은 이 복음서의 후반부의 이야기의 형태를 규정하고 있고, 마가가 우리에게 예수는 진실로 이스라엘의 메시야라고 말하는 것과 밀접하게 연관되어 있다(8:29; 14:61-62). 마가복음은 단호하고도 단순한 구조를 지니고 있다: 1-8장은 예수의 메시야직에 대한 인식을 지향하여 구축되어 있고, 9-15장은 그의 죽음을 향하여 구축되어 있다. 그러나 그것들은 언제나 예수의 죽음을 내다볼 뿐만 아니라, 마찬가지로 그의 부활도 내다본다. (따라서 설령 이 복음서가 16:8에서 끝난다고 할지라도, 예수가 진정으로 죽은 자로부터 몸으로 부활하였다는 것을 마가가 믿었다는 데에는 의심의 여지가 없다.) 이야기가 절정을 향하여 다가갈 때에 마가의 요지 중의 일부는 예수가 참 선지자이고, 그가 성전에 관하여 및 베드로에 관하여 말한 것이 실현되리라는 것이기 때문에,[16] 예수가 그의 거부, 고난, 넘기움, 죽음에 관하여 앞서 예언했던 것들이 14-15장에서 세부적으로 성취되는 것은 당연히 독자들을 그러한 예언의 또 다른 부분의 성취에 관한 꽤 상세한 묘사가 있을 것이라고 예상하도록 만들었을 것이다.

특히, 이 복음서의 전반부는 8:29에 나오는 베드로의 신앙고백에서 절정에 달하는데, 그 결과로 고난, 죽음, 신원에 이르기까지 예수를 주체로 하는 도전이 뒤따라나온다(8:31—9:1). 이 신앙고백은 주목할 만한 사건(변화산 사건)에 의해서 확증되는데, 거기에서 하늘에서 들려온 목소리는 사실상 베드로의 판단이 옳았다는 것을 분명하게 말해준다(9:2-8); 그러나 인자가 죽은 자로부터 부활할 때까지 이 사건에 관해서는 그 어떤 것도 누설되어서는 안 된다(9:9). 이것은 단지 빈 무덤과 소스라치게 놀란 여자들에 관한 것을 지시하는 것이 아니라, 14:61에서의 가야바의 반어법적인 진술과 15:39의 백부장의 선언이라는 틀 안에서 고난받고 십자가에 못 박힌 메시야로서의 예수에 관한 절정에 해당하는 계시 이후에 생긴 이와 비슷한 사건 — 이스라엘의 신이 사실상 그들이 옳았고, 실제로 그들이 알고 있었거나 의도했던 것보다 훨씬 더 옳았다는 것을 분명하게 말해줄 최종적인 사건 — 에 관한 최후의 기사를 분명하게 지

16) 막 13:2과 14:58f.(*JVG* 522f.에 나오는 논의); 14:66-72, 특히 14:65(수비대들은 예수를 누가 그를 치고 있는지를 맞출 수 없는 거짓 선지자라고 조롱하지만, 바깥뜰에서는 베드로에 관한 예수의 이전의 예언이 실현되고 있다)을 보라.

시하고 있는 것으로 보인다. 이렇게 복음서의 구조 속에는 저자가 그의 작품에 더 자세하고 더 완결적인 결말을 제시하고자 했다고 볼 만한 타당한 근거가 존재한다. 마가는 장차 일어날 일에 관한 많은 암시들을 곳곳에 배치해 놓는다. 그의 죽음과 그것을 둘러싼 정황들과 관련하여 선지자 예수가 얼마나 참되었는가를 그토록 상세하게 설명했던 마가가 갑자기 그 다음에 일어날 일에 관한 그의 예언의 참됨을 설명하기 직전에 복음서를 중단했을 가능성은 없어 보인다.

이와 동일한 논증은 8:33에서 베드로를 책망한 후에, 예수를 좇고 사람들이 지켜보는 세상 앞에서 담대하게 그를 고백하며 부끄러워하지 말아야 할 것에 대한 도전을 하고 있는 것이라는 관점에서도 소극적으로 제시될 수 있다(8:34-38). 물론, 이것은 베드로가 정반대의 행동을 하게 되는 한 재난스러운 순간을 지시하고 있다(14:66-72). 그렇다면 이 복음서가 여자들이 "두려워하여 아무에게도 아무 말을 하지 않았다"라는 말로 끝날 가능성은 있는 것인가? 여기에서 견해들은 서로 갈리지만, 내 견해는 그럴 가능성이 없다는 것이다. 제자들과 그 밖의 다른 사람들이 앞서의 몇몇 경우들에 있어서 두려워하였다는 사실(광풍이 일어난 후의 4:41; 귀신들린 자를 치유한 후의 5:15; 고난의 예고에 관하여 예수에게 다시 묻기를 두려워한 9:32; 그들이 길에서 그를 좇을 때에 두려워한 10:32)은 실제로 여자들이 빈 무덤이라는 극히 이례적인 사건에 두려워하는 것에 대하여 우리가 이상하게 여기지 않을 맥락을 만들어놓고 있다. 그러나 마가복음 전체에 걸쳐서 두려움이라는 것은 믿음으로 극복되어야 하는 것이다: "어찌하여 이렇게 무서워하느냐 너희가 어찌 믿음이 없느냐 하시니"(4:40); "안심하라 내니 두려워하지 말라"(막 6:50).[17]

여자들이 무덤에서 도망친 것에 관한 묘사와 가장 가까운 병행은 5:33에서 무리 중에서 예수를 만진 여자가 "두려움과 떠는 가운데" 나아와서 예수 앞에 무릎을 꿇는 장면이다. 그녀의 두려움은 그녀로 하여금 말을 못하고 침묵하게 만들었다; 그러나 이제 그 능력이 예수로부터 나갔고, 예수는 그녀에게 그 모

---

17) 마가복음 4:40 뒤에도 예수가 피조세계에 대하여 권세를 지니고 있다는 것을 깨닫고 큰 두려움이 있었다는 말이 나오는데, 이것은 우리가 16장을 염두에 둘 때에 많은 것을 함축하고 있는 내용이다.

든 이야기를 말하라고 도전하였다. 예수는 "딸아 네 믿음이 너를 구원하였으니 평안히 가라 네 병에서 놓여 건강할지어다"라고 대답한다(5:34). 이 이야기는 이러한 대화 중에 이미 죽어 있었지만 예수가 곧 다시 살리게 될 야이로의 딸에 관한 이야기 중간에 삽입되어 있다; 이 두 이야기 간의 병행은 여자가 야이로의 죽은 딸의 나이와 동일하게 12년 동안 병에 걸려 있었다는 사실에 의해서 부각된다. 그 여자를 치유한 직후에, 사자들이 야이로에게 와서 그의 딸이 죽었다고 말하고, 예수는 야이로 및 그 밖의 다른 사람들에게 "두려워말고 오직 믿기만 하라"(5:36)고 말한다. 마가는 무덤에 갔던 여자들이 나중에 필요로 하게 될 그러한 메시지를 부각시키고 있는 것으로 보인다. 그 여자들은 떨림과 두려움이 그들을 사로잡았기 때문에 아무에게도 아무 말도 하지 않은 채 16:8에서 우리의 시야로부터 사라진다; 그러나 5장으로부터 계속적으로 주어진 여러 말씀들이 성취되려면, 우리는 마가가 앞서 예수가 혈우병 앓는 여자나 야이로를 두려움의 상태로 그냥 내버려두지 않았던 것과 마찬가지로 그 여자들을 그러한 상태로 내버려두고자 하지 않았을 것이라고 전제해야 한다. 사실, 야이로의 딸이 다시 살아난 후에, "그들이 크게 놀랐고"(5:42),[18] 예수는 야이로에게 아무에게도 아무말도 하지 말라고 하였다(5:43); 그러나 제자들에게 이와 비슷한 명령을 하였을 때, 예수는 인자가 죽은 자로부터 다시 살아났을 때에 침묵 명령은 철회될 것이라는 것을 분명하게 말하였다(9:9).

물론, 이것은 부활에 대한 마가의 유일한 언급은 아니다.[19] 우리는 이미 6:14-16에서 헤롯 안디바에게 돌려진 이상한 말을 살펴본 바 있다; 마가의 이야기에서 이것은 가이사랴 빌립보에서 있은 베드로의 신앙고백을 향하여 구축해 나가는 복선 중의 일부이다(6:14-15과 8:28을 비교해 보라). 예수는 죽은 자로부터 다른 사람으로 부활하는 것이 아니라, 자기 자신이 죽은 자로부터 부활하게 될 자라는 것을 마가는 암시하고 있다(8:31; 9:9). 이것은 예수가 진정으로 메시야, 이스라엘의 왕이고, 헤롯은 그 실체에 대한 가엾은 패러디라는 것을 보여주게 될 것이다.

복음서의 좀 더 큰 구조와 그 안에서의 암시들이 마가가 그의 복음서를 단

---

18) '엑세스테산 엑스타세이 메갈레' ; cp. 16:8의 '트로모스 카이 엑스타시스.'
19) 이 항목에 대해서는 cf. Combet-Galland 2001, 106-08.

지 빈 무덤에 관한 기사가 아니라 예수의 부활에 관한 기사로 끝맺고자 의도하였다는 것을 강력하게 보여주는 것과 마찬가지로, 11-14장에서 십자가 처형을 향하여 구축되고 있는 내용들도 동일한 방향을 보여준다. 성전에서의 예수의 상징 행위는 그와 유대 지도자들 간의 일련의 논쟁들을 촉발시키고, 그것은 점차 예수가 신원될 것이라는 것, 성전에서의 그의 행위는 그 결과를 통해서 선지자적 행위로서 정당화될 수 있다는 것이 밝혀질 것이라는 것, 그가 성전의 멸망과 마찬가지로 재건에 관하여 말하였든 아니든, 요한이 나중에 그 말씀을 해석한 대로, 예수 자신이 "파괴되었다가 재건될" 것이라는 것 등과 같은 크고 묵중한 진술들로 나아간다.[20] 이러한 일련의 논쟁들의 한복판에서 우리는 이미 위의 제9장에서 논의하였던 사두개인들의 질문을 발견한다(12:18-27). 마가는 그것을 예수가 자신의 성전에서의 상징 행위를 통해서 무엇을 의도했는지를 설명하고 있는 이러한 일련의 수수께끼 같은 말씀들 속에 놓고 있는 것으로 보아서, 그것도 예수 자신의 부활에 관한 몇몇 예언들의 맥락 속에서 최종적인 진리의 때, 예수의 신원의 때를 지시하는 기능을 지니고 있었다는 것을 깨닫고 있었음에 틀림없다. 그런 후에, 동산으로 가는 도중에 제자들과 대화를 나누면서 예수는 스가랴의 목자처럼 그가 침을 당할 때에 그들 모두가 흩어질 것이라고 경고한다: 그러나 그는 "내가 살아난 후에 너희보다 먼저 갈릴리로 가리라"고 분명하게 말한다(14:28). 물론, 이것은 16:7에서 천사의 말 속에 다시 나온다. 그것은 마가가 예수가 거기에서 그들을 만난 것이라는 단순한 약속이 아니라 예수가 그렇게 행할 것이라는 사실을 서술할 의도를 가지고 있었다는 것을 보여주는 것이다.

이 모든 것은 마가가 16:8 이후로 자신의 이야기를 계속해 나갈 의도를 지니고 있었을 가능성이 대단히 높다는 것을 보여준다. 그는 무엇을 말하고자 의도했던 것인가? 추측컨대, 그것은 예수의 제자들, 특히 베드로가 갈릴리에서 부활하신 주님을 만나서, 그들이 전에 보았던 것(9:9)을 마침내 사람들에게 말하고 복음을 모든 민족들에게 전하라는(13:10; 14:9) 위임을 받는 것에 관한 내용일 것이다.

물론, 이것은 마가가 그러한 결말을 썼다고 말하는 것은 아니다. 아마도 마가

---

20) 요한복음 2:19-22과 마가복음 14:58-62을 보라.

는 자신의 책을 다 완성시키기 전에 죽었을지도 모른다(요한이 그랬던 것처럼); 어쩌면 마가는 자신의 과업을 완수할 수 없는 사정이 있었을지도 모른다. 하지만 그런 일이 실제로 있었고, 마가가 어떤 식으로든 그의 교회 또는 더 넓은 범위의 교회의 구전 전승 속에서 알려져 있던 예수의 삶과 죽음에 관한 기사를 따르고 있었다면, 그로부터 얼마 있지 않아서 다른 누군가가 그를 위하여 그러한 작업을 완수하였을 가능성은 얼마든지 있다(요한의 경우에 실제로 그런 일이 일어났던 것으로 보인다). 또 다른 가능성은 "일시에 오백여 형제"(고린도전서 15:6)에게 예수의 현현이 나타났던 사건을 겪은 사람들 중에서 적어도 일부가 여전히 살아 있을 때에 글을 쓰고 있었던 마가는 그 본문을 봉독할 때에 생존해 있는 어떤 사람이 그들의 눈으로 직접 본 이야기를 말할 수 있도록 결말을 공백으로 남겨놓았다는 것이다. 이 두 가지 가능성은 어느 것이나 특별히 설득력이 있지는 않다. 더 좋은 대답은 마가가 실제로 긴 결말을 썼고, 그가 쓴 것은 멸실되었다는 것이다 — 우연히 멸실되었을 가능성이 가장 높고, 로마의 화재에 의해서 멸실되었을 가능성도 있으며, 악의적인 행위에 의해서 멸실되었을 가능성도 생각해 볼 수 있다(아마도 후대의 독자들에게 말썽을 일으킬 소지가 있다고 본 초기의 어떤 본문비평가에 의해서 — 또는 교회 내부 혹은 외부에서 마가가 하고 있던 일을 탐탁지 않게 생각하였던 어떤 사람에 의해서).[21]

그렇다면, 이 멸실된 결말은 무슨 내용을 담고 있었을까? 여기서 대답은 넓게 열려져 있다. 우리는 다만 "Q"의 몇 가지 서로 다른 수정본들을 재구성하는 데에 성공하고, 도마복음서 내에서의 초기 자료층을 탐지해내며, "마가 비밀복음서"를 "발견해내고," 베드로복음서의 가설적인 매우 초기의 판본을 만들어내는 데에 열을 올렸던 사람들이 마가 자신의 결말이 무슨 내용을 담고 있

21) 나는 여기에서 Rudolf Bultmann 속에서 동맹군을 발견한다. 그의 유명한 *History of the Synoptic Tradition*(1968 [1921], 285 n. 2, 또한 441에 나오는 보충적인 내용)에서 그는 특히 E. Meyer에 반대하여 추가적인 결말이 멸실되었을 가능성은 매우 크다는 것을 논증하는 긴 설명을 하고, 이것은 1-8절이 그 자체로 하나의 완결된 단락을 형성하는지의 여부에 관한 문제에 영향을 미치지 않는다고 지적한다. 내가 불트만과 동맹을 형성한 것에 관하여 염려하는 사람들이 있다면, 그들은 다음 절에서 안도하게 될 것이다.

었을지를 밝혀내는 훨씬 더 실속있는 과제를 이제까지 별로 다루지 않았다는 것에 대하여 이상하게 여길 뿐이다.[22] 실제로 이제까지 알려져 있지 않았던 본문들을 발견해내고자 하는 유행이 너무도 강했기 때문에, 우리는 마가가 멸실된 결말을 가지고 있었다고 주장하는 것에 대해서 아주 편안한 마음을 느낄 수 있을 정도이다 — 이러한 유행이 초기 기독교에 관한 연구 속에서 특별히 반정경적인 운동의 지류이기 때문에, 아마도 모든 주장들 중에서 가장 개연성 있는 이 주장이 시작도 하기 전에 배제되고 있다는 사실만 없다면. 그러나 다른 사람들이 단편들과 암시들을 토대로 해서 공백들을 메우며 가능성들을 그려나가는 식으로 초기 기독교의 본문들을 만들어내는 것이 허용된다면, 나도 그렇게 할 권리가 있다고 주장할 수 있을 것이다 — 고린도후서 11장에서 바울이 말한 것처럼, 그러한 어리석은 짓은 수사학적인 효과 이외의 다른 것은 별로 거두지 못할 것이라는 것을 알지만.

나는 실제의 본문을 재구성하고자 하지는 않을 것이다. 그러나 마태가 이 시점에 이르기까지 왜 충실하게 마가를 따라 왔고, 특히 28:5b-8a을 마가복음 16:6-8a로부터 발전시켰기 때문에(공관복음서들의 관계에 관한 통설에 의하면), 마태가 계속해서 그런 식으로 서술하였고, 따라서 마태복음 28:9-20은 적어도 마가복음 16장이 계속해서 말하고자 했던 것에 대한 개요일 가능성이 있다.[23] 물론, 마태복음 28:1-8이 마가복음과는 몇몇 주요한 차이점들을 드러내 보여주고 있는 것과 마찬가지로, 우리는 동일한 것이 결말의 본문에도 그대로 적용될 것이라고 예상할 수 있고, 마태가 첨가했다고 전제해야 하는 몇몇 마태 특유의 주제들도 나타난다 — 특히, 산(16절), 계명들에 관한 가르침(20a절), 그리고 마지막으로 1:23의 임마누엘 예언을 아주 분명하게 반영하여 마태복음의 정연한 결론을 제시하고 있는 마지막의 "내가 너희와 함께 있으리라"(20b). 따라서 그 개요는 다음과 같이 되어 있었을 것임에 거의 틀림없다: 여자들 및 베드로와의 최초의 문안인사; 갈릴리로 가서 거기에서 다시 예수를

---

22) Crossan 1991, 415은 "마가 비밀복음서"가 빈 무덤을 발견한 것에 관한 이야기로 끝이 났느냐고 묻고, "물론 그렇다"고 대답한다.

23) W. R. Farmer가 죽는 날까지 계속해서 주장했듯이, 마가가 마태를 사용한 것이라면, 동일한 결론이 자연스럽게 도출될 것이다.

본 것: 최후의 가르침과 온 세상을 향한 선교에 대한 위임. 사실, 이것은 기존의 "긴 결말"이 그 개요에 있어서 원래 거기에 있었던 것과 그리 다르지 않을 가능성이 있다는 것을 보여준다 — 물론, 마가가 우리에게 보여주지 않았던 판이하게 다른 언어와 강조점들을 지니고 있기는 하지만.

당연히 우리는 그 다음에 무슨 내용이 왔을 것인지를 알 수가 없다. 만약 누가가 24:12에서 갑자기 이야기를 끝냈다면, 우리는 결코 저 놀라운 엠마오 도상의 이야기를 생각해내지 못했을 것이다. 만약 요한이 20장으로 그의 복음서를 중단했다면, 우리는 결코 해변가의 장면을 생각해내지 못했을 것이다. 아마도 마가는 지금은 영원히 — 행복한 고고학적 우연이 없다면 — 멸실되고 없지만 우리에게 보여줄 보화들을 가지고 있었을 것이다. 그러나 마가의 결말과 관련된 주된 요지는 이미 제시되었다: 우리는 마가의 실제의 결말이 무슨 내용을 담고 있었는지를 알지 못하고, 과연 그러한 것이 존재했는지에 대해서도 절대적으로 확신할 수는 없지만, 우리는 그러한 결말이 없었다는 것을 어떤 수단을 통해서도 확신할 수 없다. 또한 우리는 마가복음이 실제로 16:8로 끝났다고 한다면, 이것이 마가가 더 이상 아무것도 몰랐기 때문인지, 아니면 여러 이야기들을 그가 알고 있었지만 독자들의 관심을 그러한 이야기들로부터 돌려놓고자 했기 때문인지, 아니면 그는 교회에 속한 어떤 사람이 이 대목에서 그들 자신이 알고 있었던 이야기를 말할 것이라고 예상했기 때문인지를 알 수가 없다. 그러므로 우리는 대부분을 말하지 않고 그대로 남겨두는 것이 한층 더 강력한 힘을 지님에도 불구하고, 마가복음에는 "현현" 이야기들이 없기 때문에 그러한 이야기들은 후대에 만들어졌을 것이라는 취지의 통상적인 주장을 거부해야 한다. 물론, 우리는 고린도전서 15장으로부터 그러한 논증이 사실이 아니라는 것을 잘 알고 있다. 그러나 현존하는 상태의 마가복음은 결코 그 반대의 것을 증명하는 데에 사용될 수도 없고 또한 되어서도 안 된다는 것을 기억하는 것이 좋을 것이다. 마가복음과 그 결말은 여전히 하나의 수수께끼로 남아 있다. 그 수수께끼 중의 일부는 마가가 과연 결말을 수수께끼처럼 보이도록 의도하였느냐의 여부이다.

3. 이야기에서 역사로

그렇다면, 우리는 마가의 이야기를 어떻게 이해해야 하는가? 20세기의 가장 영향력 있는 비평학자들 중의 한 사람은 다음과 같은 대답을 힘주어 제시한다:

> 빈 무덤에 관한 이야기는 완전히 이차적인 것이다 … 이 이야기의 요지는 빈 무덤이 부활을 증명해 준다는 것이다. 이 이야기는 호교론적인 전설이다. 바울은 빈 무덤에 관하여 아무것도 모르고 있었고, 이것은 그 이야기가 아예 존재하지 않았다는 것을 의미하는 것은 아니지만, 아마도 그 이야기는 공식적인 케리그마에 별 의미를 지니지 못하는 종속적인 주제였을 것이다 … 이와 같은 것은 최종적으로 예수의 부활과 그의 승천 간에는 그 어떠한 차이도 원래 없었다는 사실에 의해서 확증된다; 이 구별은 결국 부활한 주님의 지상 체류의 결말로서 하늘로 승천하는 것에 관한 특별한 이야기를 필요로 하였던 부활절 전설들의 결과로서 생겨났다. 그러나 빈 무덤에 관한 이야기는 이러한 발전의 한복판에 자리를 잡고 있는데, 이것은 거기에서 원래의 승귀 개념이 이미 수정되어있기 때문이다.[24)]

불트만은 무수한 작은 빛들의 추종을 받아 왔는데, 그들은 그 밖의 다른 점들을 첨가해 왔다. 우리는 그러한 것들 가운데 일부를 살펴보고자 한다. 바울은 여자들에 관하여 언급하지 않는다. 부활에 대한 원래의 신앙은 영적인 것이었고, 몸과 관련된 문제를 다루지 않았다; 마가는 다니엘서 12장(몸을 입지 않은 "영적인" 실존을 언급하고 있다고 생각된)으로부터 마카베오2서의 좀 더 몸과 관련된 해석으로 부활 개념을 변화시키기 시작하였다. "Q"는 빈 무덤에 관하여 전혀 언급하지 않는다. 사도행전도 마찬가지이다. 그러므로 빈 무덤이 역사적으로 이른 시기의 것일 가능성은 없다.[25)]

이러한 점들은 마가복음 자체로부터 대답될 수 없다. 마가는 이 대목에서 단지 훨씬 더 큰 경합(contest)을 위한 장(場)만을 제공해줄 뿐이다. 그러나 지금까지 제기되어 왔던 점들은 마가를 어떻게 읽을지, 특히 무덤에 갔던 여자들에

---

24) Bultmann 1968 [1921], 290.

25) 예를 들면, A. Y. Collins 1993, 129-31.

관한 마가의 이야기를 몸의 부활이라는 최근에 만들어진 관념을 밑받침하기 위하여 만들어진 주후 1세기 중반의 전설로 치부하여 거부하여야 하는지, 아니면 마가가 우리에게 초기 그리스도인들의 신앙을 탄생시킨 역사적인 사건들에 관하여 뭔가를 말해주는 것이라고 생각해야 하는지에 영향을 미친다. 따라서 현재의 장의 이 부분은 우리의 직접적인 과제 — 초기 그리스도인들의 신앙을 증언하고 거기에 기여하는 일에 있어서 마가의 역할을 이해하는 것 — 를 뛰어넘어서 제4부의 과제를 지향하고 있다.

첫째, 가장 초기의 그리스도인들에게는 부활과 승귀/승천 간에 원래 아무런 차이도 없었다는 주장은 바울에 대한 잘못된 읽기를 토대로 한 주후 20세기의 허구이다. 실제로 불트만의 설명은 결정적으로 중요한 대목에서 교묘하게 비켜간다: 그는 부활과 승천 간에는 아무런 차이도 없었다고 말하고 있지만, 그의 말이 의미하는 것은 우리가 이미 살펴본 대로 "부활"이라는 단어와 그 동일 어원의 단어들은 아무리 영광스러운 것이라고 할지라도 천계에서의 몸을 입지 않은 삶을 가리키는 데에 사용되지 않았기 때문에 "부활"에 대한 초기의 신앙은 아예 존재하지 않았다는 것이다. 하늘로의 승귀를 나타내는 단어들은 많이 존재하였다; "부활"은 결코 그러한 단어들 중의 하나가 아니다. (우리는 이 대목에서 다니엘서 12장과 마카베오2서 7장 사이에 쐐기를 박아서는 안 된다; 랍비들의 증거가 증언해 주듯이, 주후 1세기에 다니엘서 12장은 몸의 부활을 의미하는 것으로 이해되었다.) 그러므로 불트만은 주후 1세기 중반의 어느 시점에 이전에 예수가 단지 "죽어서 천국에 간" 것으로 믿고 있었던 어떤 사람이 이러한 신앙을 나타내기 위하여 이전에 결코 그러한 것을 의미한 적이 없었고 이교 사상, 유대교, 기독교에서 그 이후에 계속해서 그것을 의미하지 않았던 언어, 즉 부활에 관한 언어를 사용하기 시작했고, 곧이어서 부활이 몸과 관련된 것을 의미했고 그것은 곧 빈 무덤을 의미한다는 것을 잘 알고 있었던 또 다른 사람들이 마가복음에 나오는 것과 같은 빈 무덤에 관한 호교론적인 이야기들을 편의적으로 만들어서 유포시켰다는 것을 전제하지 않으면 안 된다 — 물론, 그는 이러한 커다란 움직임을 은폐해 버리고 있지만. 나아가, 불트만은 부활한 몸에 관한 이론이 이미 다양화된 기독교회 내에서 새로운 것이었음에도 불구하고 그러한 이론이 거의 일시에 받아들여져서 원래의 견해 — 예수가 죽은 자로부터 부활한 것이 아니라 단지 고양된 능력 안에서이기는 하지만 "천국으로 간" 것이라는 것 — 의 모든 흔적들은 역사의 시야로부터 사라져버렸다는 것을 전제하지 않으면 안 된다.[26] 물론, 우리는 이번에는 이것을 설명해내기 위해서 음모 이론을 쉽게 만들어낼 수 있다("악한 정통 교회는 이러한 신앙을 억눌렀지만, 그것은 흥미진진하고 급진적인 나그 함마디 문서들에서 다시 출현하였다").[27] 그러나 이 대목에서 역사가는 항의를 하지 않으면 안 된다. 이러한 이론은 자료들에 접근하고 있는 것도 아니고, 어떤 단순성을 가지고 그렇게 하고 있는 것도 아니며, 그 어떤 다른 분야들에 대해서 빛을 던져주지도 않는다. 그런데 왜 우리가 그러한 이론을 계속해서 따라야 하는가? 그 밖의 다른 불트만적인 많은 구성물들의 경우와 마찬가지로, 이러한 가설을 밑받침하기 위하여 요구되는 일련의 조치들은 불트만이 회피하고자 했던 역사적 상상력을 훨씬 더 많이 발휘하고 있다.

그러나 좀 더 해두어야 할 말이 있다. 불트만과 그의 추종자들은 바울이 빈 무덤에 관하여 아무것도 모르고 있었다고 말하는데, 이것은 잘못된 것이다.[28] 또한 그들이 그러한 모티프를 이차적인 것으로 본 것도 잘못된 것이다. 나중에 보게 되겠지만, 그러한 모티프는 언제나 본질적인 것이었다. 빈 무덤의 모티프가 없다면, 아무리 많은 현현들이 목격되었고, 아무리 많은 천사들이 주목할 만한 것들을 말했다고 할지라도, 예수의 이전의 제자들 중에서 가장 경건한 자라고 할지라도 예수가 죽은 자로부터 부활하였다고 말하거나, 부활 신앙에 있어서의 초기 기독교의 놀라운 발전들이 일어나거나, 그 누가 예수를 메시야로 생각하는 일은 없었을 것이다. 또한 바울이 여자들을 언급하고 있지 않은 것은 별로 중요한 것이 아니다.[29] "Q"의 경우에 가장 노련하고 숙련된 해석자들이 "Q"에는 수난 이야기나 부활 이야기가 없었다고 믿기 때문에, "빈 무덤" 이야기의 부재는 현악4중주에서 트럼본 파트가 없는 것만큼이나 중요하다. 그러나

26) 이 자료는 다른 식으로 정렬될 수 있다. Perkins 1995, 730에 의하면, 변화산 사건에 관한 이야기와 부활절 이야기 간의 병행은 빈 무덤에 관한 내용이 예수가 엘리아 및 모세와 마찬가지로 하늘로 승천하였다는 것임을 의미한다. 나는 이것이 여러 층에 걸친 오해라고 믿는다.

27) cf. Robinson 1982.

28) 위의 제7장 제1절을 보라.

29) 위의 제7장 제1절을 보라.

앞에서 보았듯이, "Q"가 존재했다면, 그것이 알고 있던 것들 중의 하나는 예수와 요나 간의 병행이었다. 그리고 내가 그 병행의 의미에 관하여 올바르게 알고 있다면, 그 핵심은 이것이다(누가에서보다는 마태에서 더 명시적으로 나온다): 바다 괴물의 배로부터의 요나의 "부활"은 예수가 "땅의 심장"으로부터의 그의 부활을 통해서 따르게 될 패턴을 설정한다.[30] 사도행전의 경우에 있어서도 거기에 나오는 부활 설교는 몸과 관련된 것을 단호하게 말하면서, 예수와 다윗의 대비를 제시하며, 다윗은 죽어서 매장되어 우리가 그 묘를 볼 수 있지만 하나님의 거룩한 자는 "썩어짐을 보지 않을 것"이라고 말하고 있는 시편을 강조하고 있기 때문에, 빈 무덤이 당연한 것으로 전제되지 않았다고 생각하기가 어렵다. 그리고 사도행전과 관련해서, 마가복음 16장이 후대의 호교론적인 창작이라면, 그것이 왜 아주 자주 더 발전된 관점을 반영하고 있는 사도행전의 설교 속에 등장하지 않는 것인가?[31]

특히, 이러한 이론은 우리에게 마가복음 16장과 그것으로부터 나왔다고 하는 다른 기사들(불트만은 "실제로 오직 하나의 이야기만이 존재하였다"고 말한다)을 읽을 때에 불가능한 것을 믿도록 요구한다.[32] 이러한 이론은 우리에게 핵심적인 이야기가 40년대, 50년대, 60년대의 어느 때에 새롭게 생겨난 예수의 몸의 부활에 관한 신앙을 설명하기 위하여 호교론적인 목적으로 만들어졌고, 그러한 호교론적인 목적을 위하여 그 이야기를 만들어낸 사람들은 모든 사람들 중에서 막달라 마리아를 필두로 한 두세 명의 여자들을 주요한 증인들로 세우기로 결정하였다는 주장을 받아들이도록 요구한다. 나는 이것에 관하여 이미 앞 장에서 쓴 바 있다. 제럴드 오 콜린스(Gerald O'Collins)는 이 기사가 여자들에게 주의를 환기시키게 되면 자신의 심각한 약점이 드러날 것이기 때문에, 이 이론은 실제로 여자들을 기사로부터 주변화시키고 있다는 점을 지적해 왔다.[33]

---

30) 위의 제9장. 물론, 이것은 논란이 있지만, 현악 연주회에 갔다가 관악기가 없는 것에 대하여 불평하는 사람들을 제외하고는 그 어떤 것도 그것에 의해서 영향을 받지 않는다.

31) A. Y. Collins 1993, 114.

32) Bultmann 1972 [1921], 290 n. 2.

33) O'Collins 1973, 16.

그러므로 지배적인 이론은 개연성이 없는 내용들로 가득 차 있다. 마가가 아무리 이상한 이야기를 말하고 있다고 할지라도, 그것은 주후 1세기 중반에 만들어진 전설로 설명될 수 없다. 이것은 마가의 이야기에 나오는 모든 단어가 자동적으로 증명된다는 것을 의미하는 것이 아니라, 단지 이 이야기가 자동적으로 그 진정성이 부정된다고 주장하는 데에 사용되는 논거들은 모두 실패하고 있다는 것을 의미한다. 이러한 결론은 마가가 그 이야기를 말한 방식에 있어서 중심적인 강조점들에 대한 연구를 통해서 강력하게 밑받침된다.

4. 마가의 관점에서 본 부활절

마가가 최초의 부활절에 관한 이야기를 말한 방식에 관하여는 우리가 말할 수 있는 내용들이 아주 많다. 여기서 우리의 목적은 그의 이야기가 지닌 전체적인 취지를 살펴보고, 마가는 그것이 어떤 종류의 이야기라고 생각하였는지를 보여주는 몇 가지 특징들을 부각시키는 것이다.

첫째, 우리는 이 이야기 전체는 여자들의 관점으로부터 말해지고 있다는 점을 지적하지 않을 수 없다. 이것은 공관복음서의 모든 기사들 속에서 그러한데, 내용 — 여자들이 유일한 등장인물들이고, 마태의 경우에서는 주요한 등장인물들이다 — 을 감안하면, 그것은 거의 다른 식으로 말해질 수 없다. 그러나 그것은 만약 이 이야기가 허구라면, 어떤 사람이 둘 또는 세 명의 여자의 입장이 되어서 무덤을 막고 있는 돌을 어떻게 굴려낼까에 관한 걱정을 비롯하여 이 이야기 전체를 생각하는 수고를 하였다는 것을 의미한다 — 만약 그들이 남자들이었다면 그들은 그 돌을 충분히 굴려낼 수 있었을 것이다; 15:46에 의하면, 아리마대 사람 요셉은 그 돌을 자기 혼자 힘으로 굴렸는데, 비록 어떤 사람이 그를 도왔다고 할지라도, 그 돌이 두세 사람의 남자가 옮길 수 없을 정도로 무거웠다는 것처럼 들리지는 않는다. 이렇게 여자들이 무덤에 간 이유(시신에 향유를 바르기 위하여), 무덤을 막고 있는 돌을 어떻게 치울 것인가에 관한 염려, 무덤 안에 있던 젊은이를 보고 놀란 것, 그들의 두려움과 경악과 아무 말도 못하고 도망친 것 — 이 모든 것은 여자들의 관점에서 말해진다. 우리는 이 장면 전체를 여자들의 눈을 통해서 보고 있는 것이다. 이것은 복음서 전승 속에서 주목할 만하다고 생각될 수 있는 충분히 이례적인 일이다.

둘째, 이 이야기 전체에 걸쳐서 강조점은 이 사건 전체와 거기에 속한 서로 다른 여러 부분들이 모두 예기치 않았던 일이라는 데에 두어져 있다. "호교론적인 전설" 이론이 다양한 판본들로 존재하고 있다는 것을 감안하면, 이 이야기가 "아 그래, 우리가 이것을 예상했지"라고 어느 사람이 말했다는 것을 보여주는 표지를 전혀 지니고 있지 않다는 것은 놀라운 일이다. 오히려, 그 정반대이다. 이 사건을 예상된 패턴에 들어맞는 것으로 인식할 수 없다는 것은 때에 관한 유대인들의 소망(부활은 모든 의인들에게 일시에 일어나게 될 일이었다)을 감안하면 우리가 충분히 예상할 수 있는 것과 부합한다. 그것은 교회의 일부 진영들에서 채택되기 시작하였던 신앙에 대한 주의 깊은 설명으로서 말해지고 있는 그런 이야기에는 부합하지 않는다.

셋째, 빈 무덤의 발견은 예수의 부활에 대한 신앙의 역사화된 "설명"으로서가 아니라 해법을 필요로 하는 수수께끼로 제시된다. 그것은 어떤 사람이 예수의 부활을 믿고 있는데, 이제 그러한 믿음을 확증해줄 빈 무덤을 발견하였다는 것이 아니다; 오히려, 그것은 그들이 빈 무덤을 발견하였고, 예수가 부활하였다는 전혀 예상치 못했던 깜짝 놀랄 만한 설명을 듣게 되었다는 것이다. 부활이 빈 무덤을 해석하고 있는 것이지, 그 정반대가 아니다. 또한 우리가 가지고 있는 여덟 개의 절 속에서(내가 반대하고 있는 논증을 제시해 온 대부분의 학자들이 보기에는 이것이 우리가 가지고 있는 모든 것이다) 마가는 그 어떠한 추가적인 보강 증거들을 제시하지 않는다. 만약 어떤 사람이 회의론자를 설득하기 위하여 이 이야기를 쓴 것이라면, 논증의 필요에 의해서, 그는 "신경질적인 여자들"(켈수스는 이 여자들을 그렇게 보았다)을 명망 높은 한 남자로 대체하였을 뿐만 아니라, 무덤 속에 있던 이상한 젊은이를 제거했거나 좀 더 자세하게 설명했을 것이다.

넷째, 이 젊은이의 역할 그 자체가 두드러진다. 마가는 그를 천사라고 부르지 않지만, 마태는 그렇게 부른다. 마가복음에서 이 젊은이가 하는 역할은 묵시론적 환상들 속에서 천사들이 하는 역할과 같다. 앞에서 이미 보았듯이, 마가는 "묵시론적인" 유형의 책을 쓰고 있다; 그러나 그의 요지는 이것은 환상이 아니라 깜짝 놀랄 만한 현실이라는 것이다.[34] 이 천사는 꿈으로부터 나와서 무대,

---

34) 예를 들면, 사도행전 12:9을 보라. "묵시적인" 책으로서의 마가에 대해서는

아니 여기서는 무덤에 등장한 것이다. 묵시론적 환상들에 익숙한 사람(반드시 환상들을 경험하지 않았다고 할지라도 그러한 것들에 관한 기사들을 읽은 사람)에게 이 장면의 해석은 예수에게 그가 이전의 중요한 계기들에서, 즉 수세(受洗), 가이사랴 빌립보, 변화산 사건, 재판, 십자가에서 받았던 "하나님의 아들"과 "메시야"라는 칭호들을 제시하지 않는다. 하지만, 예수가 부활하였다는 천사의 설명은 아마도 그러한 이전의 계기들과 연결시키기 위한 것일 것이다. 예수가 전에 말했던 대로 다시 부활하였다면, 그가 했던 이전의 모든 말씀들은 참임이 입증된 것이다.

다섯째, 이 이야기는 제자들이 재활훈련을 받게 될 것이라는 것을 함축하고 있다(16:7). 특별히 베드로를 선택해서 특별한 말을 주고 있는 것은 분명히 적어도 여기에서는 곧 새로운 방식으로 시작될 운동에 있어서 베드로의 지도적 위치에 관한 어떤 것을 시사하기 위해서가 아니라 14:66-72에서 베드로가 예수를 부인하는 비극적인 이야기를 염두에 두고 의도된 것으로 보인다. 베드로가 장차 예수를 부인하게 될 사건과 관련이 있는 베드로에 대한 이러한 언급은 14:26-31과 밀접하게 연결되어 있다; 여기에서와 마찬가지로 거기에서도 예수가 제자들이 앞서서 갈릴리로 갈 것이라는 말이 나온다. 7절 끝부분에서 천사는 "그가 너희에게 말씀한 대로 너희가 그를 보게되리라"고 말하지만, 마가복음에 나오는 부활 예고들에는 그 어디에도 예수가 명시적으로 "너희가 나를 보리라"고 말했다는 내용이 나오지 않는다. 이것은 14:28과 그 밖의 다른 본문들 속에 함축되어 있는 것으로 해석되어야 한다; 마가는 비록 제자들이 예수를 본 것을 서술하고 있지는 않지만, 그런 일이 있게 될 것이라는 약속을 말해준다. 그러므로 이 짤막하고 아마도 중간에 잘려나간 기사 속에서조차도, 왜 초기 그리스도인들이 예수에게 일어난 일에 관하여 그들이 믿었던 것을 믿게 되었는지를 설명하는 데에 꼭 필요한 핵심적이고 양보할 수 없는 역사적인 토대가 될 두 가지 요소가 등장한다(빈 무덤과 예수를 본 것; 아래 제18장).

여섯째, 16:1-8의 이야기 문법은 그것이 단순히 별개의 전승단위로서 생겨날 수 없었다는 것을 보여준다.[35] 15:47에 언급되었던 여자들의 이름이 16:1

NTPG 390-96을 보라.

35) 이야기들의 "문법"에 대해서는 *NTPG* 69-80을 참조하라.

에서 반복되고 있기 때문에, 그것은 표면상으로는 별개의 단위인 것으로 보인다 — 실제로 그 요지가 막달라 마리아가 금요일 밤에는 또 다른 마리아와 동행하였고, 일요일 오전에는 또 다른 마리아와 살로메를 동행하였다는 것이 아니라면. 그러나 어쨌든 여자들을 "주체들"로 내세우고 있는 이 이야기는 통상적인 이야기 패턴과 잘 맞지 않는다. 이 여자들은 예수의 시신에 향유를 바르기 위하여 무덤에 간 것이라고 되어 있다. 바로 그것이 이 여자들의 행위 전체의 목적인 것으로 보인다. 그들이 잘 알고 있는 문제점(이야기 분석의 용어를 사용하자면 "대적자")은 어떻게 무덤 입구를 막고 있는 돌을 굴릴 것인가 하는 것이다. 그런데 그 후에 이것은 전혀 아무런 문제도 되지 않는다는 것이 밝혀지지만, 그 대신에 또 다른 문제점이 제시된다; 시신이 없어진 것이다. 이제 우리는 이 여자들의 원래의 의도(시신에 향유를 바르기 위한 것) 그 자체가 더 큰 암묵적인 이야기 속에서 "문제점," 즉 전문적인 의미에서의 "대적자"였다는 것을 깨닫게 된다. 사실, 예수의 몸은 이미 매장을 위하여 기름부음을 받았었다(14:8); 이 여자들은 다시 그것을 할 필요가 없었다.[36] 우리가 이 절들에서 발견하는 이야기는 오직 더 큰 다른 이야기의 일부로서만 유효하다; 이 여자들은 다른 어떤 사람의 드라마 속에서 "조력자들"이 되도록 호출받은 것이다. 이야기 문법이라는 관점에서 분석하면, 마가복음 16:1-8은 독립적인 단위가 아니라 더 큰 이야기의 일부라는 것이 드러난다. 우리가 그것이 어떤 큰 이야기일까를 탐구한다면, 그 대답은 분명하다: 그것은 "주체"가 어떤 차원에서는 예수이고, 또 다른 차원에서는 이스라엘의 신인 그러한 이야기이다. 여자들은 이 드라마 속에서 "조력자들"이 되어야 한다. 남자 제자들이 예수가 죽은 자로부터 부활하였다는 것과 그들이 갈릴리에서 그를 보게 될 것이라는 것을 신속하게 알아차리고, 또한 그들이 어느 누가 그들에게 말해주지 않는다면 이것을 알지 못했을 것이라는 것은 이 드라마 속에서 대단히 중요한 요소이다. 이것은 우리가 지금까지 내내 논증해 왔던 것, 즉 이 이야기는 예수의 부활에 대한 새롭게 만들어진 신앙을 밑받침하기 위하여 호교론적인 전설로 생겨난

36) 마태는 기름부음 또는 향유에 대하여 언급을 하지 않음으로써 이 이야기를 단순화하였다. 요한(19:39f.)은 요셉과 니고데모가 시신에 향유를 바른 것으로 말하고 있기 때문에, 그러한 문제점은 일어나지 않는다.

것일 수 없다는 것을 확증해 준다. 또한 그것은 이 결말 부분을 누가 썼든지 간에, 그 저자는 독자들을 여자들이 아무에게도 아무말도 결코 하지 않았다고 생각하도록 내버려두고자 의도하지 않았다는 것을 강력하게 시사해 준다. 이것은 최종적인 가능성을 열어준다.

16:1-8이 그 안에서 그 의미를 발견하게 되는 암묵적인 이야기는 이러한 이야기 문법상의 여러 가지 이유들로 인해서 아무에게도 아무 말도 하지 않는 침묵과 실패로 끝나도록 의도될 수 없었다. 아무튼 상식적인 차원에서조차도, 청중들은 만약 여자들이 계속해서 침묵을 지켰다면 어떻게 사람들이 그날 아침에 무슨 일이 일어났는지를 알게 된 것이냐고 묻지 않을 수 없게 된다. 상호 배타적인 것은 아니지만 두 가지 가능한 결론이 제시될 수 있다. 우리가 이 장의 첫 번째 절에서 논증했듯이, 이 이야기는 실제로 여자들이 정신을 차린 후에 제자들에게 고해서 제자들이 갈릴리로 가서 부활하신 예수와 만났다는 내용으로 이어졌거나, 아니면 16:8의 마지막 문장이 체계적으로 잘못 읽혀져 왔거나, 이 둘 중의 하나이다. 이것이 이 이야기 속에서의 호교론적인 요점이었다고 가정해보자. 마가가 "너는 예수가 부활한 것을 어떻게 아느냐?"(이에 대한 대답은 빈 무덤이다)가 아니라 "여자들이 빈 무덤을 발견했다면, 왜 모든 예루살렘이 그것에 관한 소식을 즉시 듣지 못하였는가? 분명히 이른 아침에 무덤으로 달려갔던 한 무리의 신경질적인 여자들이 그 소식을 불과 수분 내에 도성 전체에 퍼뜨렸겠지 않았겠는가?"라는 질문에 직면했다고 가정해보자. 이것은 모든 점에서 불트만과 그의 추종자들이 상정했던 것과 비슷한 호교론적인 시나리오가 될 것이다 — 사실, 그것보다 한층 더 그렇다. 누가가 암시하고 있듯이, 아무도 예수가 부활했다고 한두 달 동안 선포하지 않았다면 다음과 같은 질문이 생겨났을 것임에 틀림없다: 왜 사람들은 이 일에 관하여 곧 듣지 못한 것인가? 그리고 마가는 대답한다: 그들은 두려워하였기 때문에 아무에게도 아무말도 하지 않았다("그들이 도성으로 되돌아가는 도중에"라는 의미가 여기에 함축되어 있다). 물론, 여자들이 두려워 한 것은 빈 무덤과 그것을 설명하는 천사들이 충분히 사람들에게 겁을 줄 만한 것들이기 때문이다. 또한 여자들이 두려워 한 것은 메시야를 참칭하는 자로 정죄받은 자의 시신에 향유를 바르기 위하여 은밀하게 무덤에 갔었고, 따라서 그들은 이 일이 널리 알려지지 않기를 바랐기 때문이었다.

결국, 마가는 은폐가 아니라 계시의 복음서이다; 또한 은폐의 모티프가 있다고 할지라도, 그것은 계시를 위한 은폐인 것이다. 그러나 이것은 그의 이야기를 쉽고 직설적이고 기본적인 것으로 만들지는 않는다. 또한 복잡하게 사고하기를 좋아하는 비평학자들이 이 가장 짧은 복음서를 연구하는 일이 지루하게 될 위험성에 빠지게 될까봐 걱정할 필요도 없다. 마가복음은 은폐되어 있는 것, 그리고 그 후에 계시되어 있는 것으로 말미암아 주후 1세기의 사람들과 마찬가지로 주후 20세기의 철학들과 정치들에 있어서 위험스러운 책일 뿐만 아니라 여전히 혁명적인 책이기도 하기 때문이다.

제15장

지진들과 천사들: 마태복음

1. 서론

마태는 자신의 길을 가고, 나름대로의 문제점들을 드러낸다. 마태복음에는 두 가지 이야기가 나오고, 그 각각은 두 부분으로 되어 있는데, 이것은 마태복음을 다른 복음서들과 구별시키는 특징이다: 두 번의 지진, 이야기들을 퍼뜨리도록 뇌물을 받은 보초들. 이 모든 것의 한복판에 마가의 것과 아주 유사하지만 상당한 차이점들도 보이는 빈 무덤을 발견한 것에 관한 이야기가 나온다. 그런 후에, 마태의 이야기는 갈릴리의 한 산에서 일어난 최후의 위임으로 끝이 난다.

우리가 문제점들을 먼저 다루는 것이 좋은 이유는 그것들이 이 중심적인 이야기의 틀을 구성하고 채색하며 맥락을 제공해 주고 있기 때문이다. 이것은 부활절과 그 의미에 관한 초기 기독교의 이해에 있어서 마태의 독특한 기여를 고찰할 수 있는 길을 열어줄 것이다.

2. 땅이 갈라지고 시체들이 일어남

오직 마태만이 예수의 십자가 처형에 관한 기사 속에서 지진과 국지적으로 일어났지만 매우 대규모로 일어난 것으로 보이는 죽은 자들의 부활에 관한 극히 이례적인 이야기를 포함하고 있다. 예수가 마지막 숨을 거둔 직후에,

> 이에 성소 휘장이 위로부터 아래까지 찢어져('에스키스데') 둘이 되고 땅이 진동하며 바위가 터지고('에스키스데산') 무덤들이 열리며 자던 성

> 도의 몸이 많이 일어나되 예수의 부활 후에 그들이 무덤에서 나와서 거룩한 성에 들어가 많은 사람에게 보이니라 백부장과 및 함께 예수를 지키던 자들이 지진과 그 일어난 일들을 보고 심히 두려워하여 이르되 이는 진실로 하나님의 아들이었도다 하더라.[1]

이 기사는 특히 마태가 실제로 무슨 일이 일어나고 있다고 생각하였는지와 이 모든 것이 무엇을 의미한다고 생각하였는지라는 차원에서 온갖 종류의 수수께끼들을 제기한다.[2] 지진은 성전의 휘장이 어떻게 두 갈래로 찢어지게 되었는지를 설명하기 위한 것인가? 그는 백부장과 그 밖의 다른 사람들이 무덤들이 열리고 시체들이 부활할 준비를 갖추고 있는 것을 보았다고 말하고 있는 것인가? 왜 그는 그들이 이틀이나 지난 예수의 부활 후에야 무덤으로부터 나왔다고 말하고 있는 것인가? 그들은 그 사이에 무엇을 하고 있었던 것인가? 그리고 그 이후에 그들에게 무슨 일이 일어난 것인가? 마태는 그들이 계속해서 살아있어서 모종의 정상적인 삶을 재개하였다고 생각하고 있지 않은 것인가? 그렇다면, 그는 그들이 "많은 사람들에게 보인" 후에 『루디고레』(*Ruddigore*)에 나오는 유령들과 같이 다시 무덤 속으로 들어가서 누웠다고 생각한 것인가?[3]

나는 우리가 이러한 질문들 중 그 어느 것에 대해서도 확실한 대답을 발견할 수 있다고 생각하지 않는다 — 물론, 이것은 그것들이 묻지 말아야 할 것을 물은 잘못된 질문들이라는 것을 의미할 수도 있다. 그러나 마태 기사의 의미를 평가하기 위한 분명한 출발점은 잠자는 자들 자신들과 마찬가지로 이 기사 속에서 일깨워지고 있는 성경의 반영들을 검토하는 것이다(제13장에서 지적했듯이, 부활 기사 자체 속에서는 그렇지 않지만).

---

1) 마태복음 27:51-4.

2) 이 문제에 대해서는 주석서들과 아울러 Senior 1976; Wenham 1981; Denaux 2002를 보라.

3) *Asc. Isa.* 9.17f.에서 그들은 예수와 함께 승천하고, *Ac. Pil.* 17.1에서 그들은 이 땅에서의 삶으로 되돌아와서 그 후에 다시 죽으며, 그로부터 천년 후에 글을 쓴 Theophylact에서 그들 중의 일부가 여전히 살아있는 것으로 보도되고 있다는 점을 지적하고 있는 Davies and Allison 1988-97, 3.634를 보라.

자연스러운 출발점은 야훼가 포로생활 중에 있는 이스라엘에게 "너희의 무덤들을 열어서 너희의 무덤들로부터 너희를 이끌어내어"(칠십인역 본문의 표현은 마태복음 27:52-53과 유사하다), 이스라엘을 다시 본토로 되돌아오게 할 것이라고 말하고 있는 에스겔 37:12-13이다. 앞에서 보았듯이, 에스겔에게 있어서 은유로 시작되었던 이것은 주후 1세기에 이르러서는 이미 문자 그대로의 예언으로 이해되고 있었다 — 물론, 여전히 민족의 회복에 대한 기대의 일부로서 이기는 하지만. 마태(또는 그의 자료; 그러나 마태가 다른 곳에서 성경을 사용하고 있는 것은 이것이 그 자신의 편집일 가능성이 높다는 것을 보여준다)는 이러한 전승 전체를 반영하고 있는 것으로 보인다.

또한 성경에 나오는 그 밖의 다른 두 개의 두드러진 "부활" 본문들이 여기에 반영되어 있다. 이사야 26:19은 죽은 자들이 다시 살아나고, "무덤에 있던 자들이 일어나게 될 것"이라고 예언하고 있는데, 여기에서도 칠십인역 본문의 표현은 마태복음 27:52-53의 헬라어에 반영되어 있다. 다니엘 12:2은 "잠자고 있는 많은 자들"이 깨어나서 다시 일어나게 될 것이라고 말하고 있고, 마태는 "잠자다"를 가리키는 단어를 칠십인역 본문이나 테오도티온 역본과는 다른 단어를 사용하고 있기는 하지만, "잠자고 있는 성도들의 많은 시신들"에 관한 그의 묘사는 그가 히브리어로 잘 알고 있었을 이 본문에 대한 의도적인 간접인용인 것으로 보인다.[4]

이러한 간접인용들은 마태의 의도와 관련하여 우리에게 무엇을 말해주는가? 기본적으로 네 가지 선택지가 존재한다.

1. 마태는 이러한 이상한 사건들에 관하여 말하고 있는 전승을 알고 있었고, 성경적으로 깨어 있는 독자들에게 그러한 사건들이 지닌 의미를 알 수 있도록 그 전승을 다시 전해주고 있는 것이다: 이것은 포로생활로부터의 진정한 귀환, 새로운 시대의 동터옴, 그리고 심지어 지옥을 뒤집어 놓는 일이다.

2. 이것은 예수의 십자가 처형을 이스라엘의 신의 묵시론적인 행위라고 말

---

4) 마태는 에녹1서 93.6을 토대로 해서 새 시대가 동터왔다는 것을 나타내기 위해서가 아니라 백부장의 신앙고백을 말하기 위하여 이 장면을 만들어 내었다고 주장하는 Troxel 2002의 분석을 보라; Denaux 2002, 133-5는 이러한 견해에 동의하지 않는다.

하는 마태의 생생한 방식일 수 있다. 마태는 이것을 일련의 실제의 사건들이 아니라 십자가에서 일어난 일에 대한 극적인 은유로 보아지도록 하기 위한 의도를 가지고 이 이야기를 만들어내었을 수도 있다.[5]

3. 마태는 베드로복음서에 나오는 전승, 즉 세 사람이 무덤으로부터 나올 때에 십자가가 뒤따르면서, "너는 잠자고 있는 자들에게 전하였느냐?"라는 질문에 대하여 "그렇다"라고 대답하였다는 전승을 알고 있었을지도 모른다. 그의 이야기는 이 전승에 대한 하나의 변형일 수 있다; 지금은 적어도 원칙적으로는 "부활"이 일어난 때이다.[6]

4. 마태 또는 그의 전승은 에스겔 37장, 이사야 26장, 스가랴 14장, 다니엘 12장, 그리고 그 밖의 다른 이후의 유대교 본문들을 "성취하거나," 거기에 맞추기 위한 의도로 하나의 이야기를 만들어낸 것일 수 있다.[7]

우리는 이러한 선택지들을 역순으로 살펴보기로 하자. 네 번째 대안은 특별히 가능성이 있을 것 같지 않다. 앞에서 보았듯이, 이러한 성경 본문들에 대한 분명한 반영들은 존재한다. 그러나 주후 1세기의 한 유대인이 이러한 성경 본문들의 울림들이 말해주고 있듯이 이스라엘의 최종적인 민족적 회복이나 일반적인 부활이 그 어느 쪽도 분명하게 일어나지 않았음에도 불구하고 마치 일어난 것처럼 묘사했다고 보는 것은 이상한 일이 될 것이다. 다니엘 12:2이 잠자는 자들의 "다수"가 깨어난다고 말함으로써, 적어도 이것이 모든 의인들이 아니라 제한된 수일 것이라고 해석할 수 있는 여지를 허용하고 있기는 하지만, 마태 또는 그의 자료가 마치 그것이 이 복음서 기자가 초대 교회 전체와 더불어서 예수 자신의 부활 속에서 보았던 성취를 일정 정도 보완해주는 다니엘서 및 에스겔서의 "성취"를 이루는 것처럼 "다수" — 아마도 기껏해야 수십 명 — 가 죽은 자로부터 부활한 것에 관한 이야기를 만들어내었다고 생각하는 것은 믿기 어려운 일일 것이다. 제2성전 시대 유대교 그 어디에서도 이런 종류의 사건을 통해서 에스겔서, 이사야서, 다니엘서가 성취되었다고 사람들이

---

5) McDonald 1989, 91: 지진은 "하나님의 묵시론적 행위를 가리키는 마태의 암호"이다.

6) Crossan 1998, 517f.

7) 에스겔 37장에 대해서는 Grassi 1965; Cavallin 1974, 110을 참조하라. 스가랴서에 대해서는 Allison 1985, 42-5; Aus 1994, 118-30을 보라.

생각했을 것이라고 볼 만한 근거는 전혀 없다.[8]

내 생각에는, 마태가 베드로복음서를 알고 있었을 가능성은 희박하다. 크로산(J. D. Crossan)의 끈질긴 주장을 제외하고는, 오직 소수의 학자들이 그러한 것을 주장하여 왔다.[9] 특히, 크로산이 무덤으로부터 세 사람을 따라서 나온 "십자가"는 구속받은 자들의 십자가 형태의 행렬을 의미하는 것이라고 해석한 것은 내게는 본문 읽기에 대한 참을 수 없는 왜곡인 것으로 보인다; 이것을 근거로 크로산이 베드로복음서는 죽은 성도들이 많이 다시 살아났다고 말하고 있는 마태복음과 동일한 흐름의 전승 또는 신학에 속한다고 주장한 것은 정말 억지에 가깝다. 역사적으로 볼 때, 베드로복음서를 후대의 본문으로서 마태복음과 베드로전서, 그 밖의 다른 본문들에 의존해 있는 것으로 보는 것이 그것을 그러한 문서들 또는 그 밖의 다른 정경의 저작들의 자료로 보는 것보다 훨씬 더 자연스럽다.[10]

두 번째 대안도 특별히 가능성이 있어 보이지 않는다. 기독교 이전의 유대교 내에서 메시야로 자처한 자의 죽음을 일반적인 부활을 촉진하거나 그것에 대한 작은 선취로서 이해하였다고 볼 만한 근거가 전혀 없다.[11]

심지어 더 발전된 기독교 전승 속에서조차도, 우리는 그러한 것을 십자가 처형의 결과가 아니라 부활절 자체의 결과로서 기대할 수 있다 — 물론, 마태는 시신들이 일어난 것과 시신들이 무덤에서 나와서 예루살렘 주변을 걸어다닌 것 사이에 이틀이라는 엉성한 시간 유예를 제시하고 있고, 이것은 한 이상한 전승을 당시에 좀 더 적합한 신학적 의미와 부합하도록 만들기 위한 방식이었겠지만.

그러나 이것은 이미 우리를 첫 번째 대안을 채택하지 않을 수 없게 만든다: 마태는 십자가 처형의 때를 전후해서 일어난 이상한 일들에 관한 이야기를 알

8) 여러 가지 가능성들에 대해서는 Troxel 2002를 참조하라.

9) 위의 제13장 제2절을 보라.

10) 이제는 Troxel 2002, 41을 보라. 예수가 다른 사람들 — 아마도 기독교 이전의 모든 의인들 — 을 새로운 생명으로 다시 살린다는 주제는 주후 2세기 이래로 몇몇 저작들에서 발전된다: 예를 들면, *Od. Sol.* 42.11; Ign. *Magn.* 9.2; 현재의 본문과 연결시키고 있는 Iren. frag. 26. 자세한 것은 Bauckham 1998, 244를 보라.

11) Senior 1976, 326f.는 "암묵적인 구원론"이라고 말한다.

고 있었고, 다음과 같은 것을 말하기 위하여 그 이야기를 독자들에게 전해주고자 한 것이다: (1) 이 이야기는 바람직한 성경에 대한 간접인용들을 포함하고 있다; (2) 이 이야기는 적어도 최소한의 역사적 의미를 지니고 있다(지진은 성전 휘장이 찢어진 것, 무덤들이 열린 것, 특히 백부장의 말을 설명해 준다); (3) 이 이야기는 마태가 제시하고자 하는 신학적인 의미, 즉 예수의 죽음과 부활이라는 결합된 사건들을 통해서 이스라엘이 오랫동안 기다려왔던 새 시대가 시작되었다는 것을 정확하게 표현하고 있지는 못할지라도 적어도 그러한 것을 지시해 준다.[12] 또한 여기에서는 24:7에 나오는 예수의 예고들에 대한 간접인용이 28:2에 존재할 가능성이 있다; 그러나 그것은 단지 우연에 불과한 것일 수도 있다.

물론, 마태는 그가 말하고 있는 시신들이 여전히 거리를 활보하고 다니고 있지 않다는 것을 너무도 잘 알고 있었고, 그들에게 그 후에 어떤 일이 일어났는지를 설명하고자 시도하지도 않는다. 마찬가지로, 그는 교회가 여전히 다니엘 12장이 말하고 있는 것과 같이 의인들이 아버지의 나라에서 해와 같이 빛나게 될 최종적이고 완전한 일반적인 부활을 기다리고 있다는 것도 잘 알고 있었다. 달리 말하면, 마태는 이것이 실제로 위대한 일반적인 부활이었다고 말하고 있는 것이 아니라, 그러한 일반적인 부활에 대한 이상한 국지적인 선취였다고 말하고 있는 것이다.

한 가지 것에 대해서는 우리가 확실하게 말할 수 있을 것이다. 이 이야기는 바울의 신학 또는 신학성서의 그 밖의 다른 기자들의 신학을 구체화하거나 표현하기 위하여 씌어진 것이 아니었다. 히브리서에서는 여자들이 "그들의 죽은 자들을 부활을 통해서 돌려받거나," 또 어떤 사람들은 "더 나은 부활을 구하여" 고문과 죽음을 기꺼이 받아들였다는 것에 관하여 말하고 있지만, 히브리서 기자나 그 밖의 다른 어떤 기자들도 그러한 사건들을 예수 자신의 죽음과 결부시켜서 말하고 있지는 않다. 그리고 바울은 아주 분명하게 말한다: "메시야에게 속한 자들"은 그의 재림('파루시아') 때에 단일한 사건으로 부활하게 될

12) Troxel 2002이 이것은 문맥 속에서의 직접적인 의미가 아니라고 말한 것은 옳다. 그렇지만 마태복음에서 Troxel이 주된 핵심으로 보고 있는 백부장의 신앙고백은 그 자체가 새 시대의 개시와 연결되어 있다.

것이다.[13]

마태는 이 이야기를 말함으로써 예수의 부활에 관한 자신의 기사를 앞지르고자 했을 가능성은 거의 없어 보이고, 물론 28장에 나오는 예수의 부활 사건에 관한 묘사는 부활한 예수를 27장에 나오는 깨워진 잠자는 자들로부터 극적으로 구별시키는 몇몇 특징들을 지니고 있다. 그러나 이 두 기사는 다음과 같은 것을 공통적으로 지니고 있다: 금요일 오후와 마찬가지로 일요일 아침에도 큰 지진이 있었고, 그 결과 한 무덤이 열렸다. 실제로 마태가 예수의 부활에 관한 이야기를 말하고 있는 방식을 보면, 그것은 마치 천사의 왕림과 돌이 굴려진 것은 27:51-52 에서처럼 큰 지진의 결과인 것이 아니라, 오히려 두 번째 지진의 원인인 것처럼 보인다.[14] 물론, 일부 학자들은 두 번의 지진이 아니라 실제로는 한 번의 지진이 있었다고 주장해 왔지만, 마태가 이 이야기를 말하는 있는 방식을 보면 그것은 마치 그가 이 사건들이 별개의 것이라고 말하고 있는 것으로 보인다.[15]

역사성의 문제에 대하여 어떤 결정을 내리는 것은 불가능하고, 우리의 목적상 불필요하기도 하다. 다른 점들에 있어서는 자료들이 병행되고 있는데 오직 한 자료만이 말하고 있는 그러한 내용들은 특히 지진 같은 사건들은 묵시론적 기대의 통상적인 요소들 중의 일부였다는 것을 감안하면(24:7이 분명히 보여주듯이) 그 역사성이 의심스러울 수 있다. 그러나 마태가 27:51-53 에서 묘사하고 있는 사건들은 그 밖의 다른 초기 기독교의 자료들 속에 병행이 없는 것과 마찬가지로 제2성전 시대의 종말론적인 기대 속에도 그 전례가 없기 때문에, 우리는 이와 같은 이야기들이 단순히 그 이전에는 이런 식으로 아무도 이해하지 않았던 예언들을 "성취된" 것으로 제시하기 위하여 만들어졌을 것이라고 생각하는 것도 의문스럽다는 것은 여전히 사실이다. 이것은 거의 만족할 만한 결론은 아니지만, 역사성이 있을 개연성이 높다는 것을 입증하기 위하여 어

---

13) 히 11:35; 고전 15:23.

14) 마태복음 28:2: "큰 지진이 나며 주의 천사가 하늘로부터 내려와 돌을 굴려 내고 그 위에 앉았는데."

15) 일부 학자들(예를 들면, Troxel 2002, 36, 47과 그가 인용하는 학자들)은 마태복음 27:53에서 "그가 살아나신 후에"는 후대의 첨가임에 틀림없다고 주장해 왔지만, 이 문제의 본문에 대한 만족스러운 해법이 아니다.

려운 논증을 제시하는 것이다. 그저 단순하게 합리주의적으로 생각해서 그럴 가능성을 배제해 버리는 것과 이러한 논증 가운데서 어느 한 쪽을 택하기보다는 수수께끼 같은 내용으로 남겨두는 것이 더 낫다. 어떤 이야기들은 너무도 기묘해서, 그러한 것들이 정말 일어났을 수 있다. 바로 이것이 그러한 이야기들 중의 하나일 수 있지만, 역사적인 관점에서 볼 때, 그것을 입증해 낼 만한 방법은 존재하지 않는다.

3. 제사장들, 보초들, 뇌물

마태복음에서 십자가 처형에 관한 이야기로부터 부활절 기사로 넘어가는 중간에 끼어들어 있는 또 다른 이야기는 고위 제사장들이 바리새인들과 함께 모여서 빌라도에게 가서 예수의 무덤을 지킬 것을 요청했다는 것에 관한 것이다. 이것은 그 자체로도 흥미로울 뿐만 아니라 그것이 우리에게 초대 교회의 이야기 하기(story-telling)의 동기들에 관하여 말해 주고 있는 것과 관련해서도 상당히 흥미로운 것이다.

이 이야기는 안식일 날에 시작된다. 예수의 시신은 금요일 오후에 아리마대 사람 요셉에 의해서 막달라 마리아와 "또 다른 마리아"가 지켜보는 가운데에 매장되었다(27:61). 그런 후에, 안식일 날에,

> 대제사장들과 바리새인들이 함께 빌라도에게 모여 이르되 주여 저 속이던 자가 살아 있을 때에 말하되 내가 사흘 후에 다시 살아나리라 한 것을 우리가 기억하노니 그러므로 명령하여 그 무덤을 사흘까지 굳게 지키게 하소서 그의 제자들이 와서 시체를 도둑질하여 가고 백성에게 말하되 그가 죽은 자 가운데서 살아났다 하면 후의 속임이 전보다 더 클까 하나이다 하니 빌라도가 이르되 너희에게 경비병이 있으니 가서 힘대로 굳게 지키라 하거늘 그들이 경비병과 함께 가서 돌을 인봉하고 무덤을 굳게 지키니라.[16)]

---

16) 마태복음 27:62-6.

역사적으로 말한다면, 우리는 바리새인들과 고위 제사장들, 그리고 이 두 부류와 빌라도가 너무도 쉽게 서로 공모하는 것에 대하여 분노를 금할 수 없지만, 이 이야기의 그러한 측면과 관련해서 근본적으로 일어날 성 싶지 않은 그러한 내용은 전혀 없다. 오히려, 이 모든 일이 안식일에 일어났다는 것이 더 놀라운 일이지만, 그것도 특히 비상 상황임을 감안하면 가능성을 넘어서는 것은 아니다. 흥미로운 것은 27:63에 나오는 예수에 관한 묘사이다: "저 속이는 자"('에케이노스 호 플라노스'). 이것은 "백성들을 속이는" 거짓 선지자들과 교사들에 대한 성경의 여러 경고들을 반영한 것으로서, 예수에게 붙인 유대인들의 통상적인 죄목과 연결되어 있다. 한 초기 그리스도인이 이 이야기를 만들어내면서 예수에 관한 그러한 묘사를 유대교 지도자들의 입 속에 넣었을 가능성은 얼마든지 생각해볼 수 있다 왜냐하면, 이러한 죄목은 예수에 대한 고소의 핵심에 근접해 있다는 것이 아주 널리 알려져 있었기 때문이다. 그러나 이것은 모종의 근거가 뚜렷한 기억으로부터 나왔을 가능성이 더 많아 보인다.[17]

보초에 관한 이야기는 예수가 예루살렘에서 여자들에게 나타난 현현 사건과 갈릴리에서 열한 제자에게 나타난 사건 사이에서 계속된다:

> 여자들이 갈 때 경비병 중 몇이 성에 들어가 모든 된 일을 대제사장들에게 알리니 그들이 장로들과 함께 모여 의논하고 군인들에게 돈을 많이 주며 이르되 너희는 말하기를 그의 제자들이 밤에 와서 우리가 잘 때에 그를 도둑질하여 갔다 하라 만일 이 말이 총독에게 들리면 우리가 권하여 너희로 근심하지 않게 하리라 하니 군인들이 돈을 받고 가르친 대로 하였으니 이 말이 오늘날까지 유대인 가운데 두루 퍼지니라.[18]

이 이야기 속에는 있을 법하지 않은 내용은 전혀 없다; 실제로 이 이야기는 모든 면에서 의미가 잘 통한다. 그러나 제자들이 예수의 시신을 훔쳐갈 것을 우려해서 보초를 세울 계획을 세웠다는 것과 보초가 세워져 있음에도 불구하

---

17) 이러한 고소에 대해서는 요 7:12, 47을 보라; cp. 마 9:34; 눅 23:5, 14; *JVG* 439f.에서의 좀 더 자세한 내용과 논의.

18) 마태복음 28:11-15.

고 제자들이 예수의 시신을 훔쳐갔다는 것, 이렇게 이 이야기의 두 개의 절반을 합쳐서 보면, 초기 기독교 공동체 내에서 이러한 이야기 전체를 말하는 것과 관련하여 몇 가지 흥미로운 질문들이 생겨난다.

분명히, 이 이야기는 예수의 몸의 부활을 위한 변증의 일부이다. 그것은 무덤이 빈 것에 대한 가장 자연스러운 해석으로 보였을 것임에 틀림없는, 제자들이 사실 예수의 시신을 훔쳐간 것이라는 주장을 물리치기 위한 시도이다. 그러나 역사가는 언제나 변증적 목적이 분명한 이야기들을 받아들이는 데에 조심스러워 하지만, 이 이야기가 실제로 기독교 공동체 내의 낙서로부터 만들어졌을 가능성을 거의 없애주는 추가적인 근거가 존재한다.

가장 먼저, 제자들이 실제로 예수의 시신을 훔쳐갔다는 소문이 이미 돌고 있지 않았다면, 이 이야기 전체가 애초에 만들어지거나 말해지고 최종적으로 기록될 가능성은 없었을 것이다. 아무도 그런 말을 하지 않았다고 한다면, 그리스도인들이 그러한 이야기를 사람들이 했다고 날조하여 사람들의 머릿속에 그러한 생각을 집어넣었다고 보는 것은 어렵다.

나아가, 무덤이 비어 있었고 시신이 없어졌다는 설명을 요구하는 일들이 이미 잘 알려져 있었거나 적어도 널리 유포되어 있지 않았다면, 이와 같은 소문은 결코 생겨나지 않았을 것이다. 빈 무덤 자체가 후대의 전설이었다면, 사람들이 제자들이 예수의 시신을 훔쳐간 것에 관한 이야기를 퍼트렸을 리가 없고, 그러면 그리스도인들이 그러한 이야기를 반박하기 위하여 복음서들에 보도하는 위험스러운 전략을 채택했을 리도 없다.

셋째, 이 이야기는 고위 제사장들, 바리새인들, 그리고 거기에 관련되어 있었던 사람들 누구에게나 있어서 예수가 "삼일 후에 다시 살아날" 것이라는 보도된 예언이 나중에 그의 시신에 일어난 일을 가리킨다는 것을 전제한다. 만약 "다시 살아나는 것"이 예수의 영혼이 천국으로 갔고 그의 시신이 무덤에 남아 있다거나 그와 비슷한 어떤 것을 의미했다면, 보초를 세울 필요도, 무덤 입구를 돌로 막을 필요도, 이야기들과 또 그것을 반박하는 이야기들을 유포시킬 이유도 전혀 없었을 것이다.[19]

---

19) 이 이야기는 부활에 관한 것이 아니라 무덤과 시신에 관한 것이라고 말하는 것은 옳지 않다(Evans 1970, 85). 이 이야기가 분명히 보여주고 있듯이, 무덤과 시신

끝으로, 이 이야기를 말하고 있는 것은 초기 그리스도인들이 시신을 훔쳐갔다는 고소가 그들이 언제나 직면할 가능성이 있는 그러한 고소라는 것을 알고 있었다는 것을 아주 잘 보여준다 — 그리고 그러한 고소를 대답하지 않은 채로 그냥 두기보다는, 비록 사람들의 머릿속에 그러한 생각을 심어줄 위험성을 감수하고서라도, 그러한 고소가 어떻게 생겨났는지에 관한 이야기를 말하는 것이 더 좋을 것이라고 생각했다는 것을 잘 보여준다.[20]

우리의 현재의 목적을 위해서 중요한 것은 두 부분으로 된 이 이야기가 역사적으로 모든 점에서 사실이라는 것을 논증하는 것이 아니다 — 물론, 앞에서 보았듯이, 이 이야기는 후대에 전설로 만들어졌을 가능성은 없지만. 중요한 것은 이런 종류의 이야기가 빈 무덤이 절대적이고 의문시될 수 없는 사실이었던 공동체 속에서만 의미를 지닐 수 있었으리라는 것이다. 빈 무덤에 관하여 아무것도 모르고 있었던 기독교의 분파들이 존재했다면 — 달리 말하면, 빈 무덤 자체가 후대의 호교론적인 허구라고 말하는 불트만의 주장이 옳다면 — 시신을 훔쳐 갔다는 것에 관한 이야기와 그러한 고소가 왜 사실이 아닌지를 설명하는 반박 이야기가 생겨난 이유를 우리는 도무지 설명할 수 없게 된다. 이와는 대조적으로, 불트만적인 도식 속에서는 우리는 마태의 이야기를 극히 단순하고 뻔하게 보이도록 만들어 버리는 복잡한 이론을 받아들이도록 요구받는다: (1) 기독교는 예수의 몸의 부활에 대한 그 어떤 신앙도 없이 시작되었다; (2) 초기 그리스도인들은 예수의 영적인 또는 하늘로의 승귀에 관하여 말하기 위해서 "부활" 언어를 사용하기 시작하였다(이것은 참으로 지혜롭지 않은 것으로 보인다); (3) 그 밖의 다른 초기 그리스도인들은 이것이 몸의 부활을 가리키는 것으로 오해해서, 빈 무덤의 발견에 관한 이야기들(보잘 것 없는 여자들을 주요한 증인들로 내세워서)을 만들어내어 그것을 밑받침하기 시작하였다; (4) 지켜보고 있던 유대인들은 기독교의 출현에 걱정하면서, 이러한 빈 무덤에 관한 (허구적인) 기사들을 믿었고, 제자들이 시신을 훔쳐간 것이라는 이

이 중요한 이유는 예수가 제삼일에 살아날 것이라고 약속한 것 때문이다.

20) Justin(*Dial.* 108)는 이 이야기가 여전히 주후 2세기 중엽에 반기독교적인 유대교 변증가들에 의해서 말해지고 있었다고 보도한다. 이 이야기가 어떻게 생겨나게 되었는가에 관한 다소 복잡한 설명은 Weren 2002에 의해서 제시되고 있다.

야기를 유포시키기 시작하였다; (5) 그렇지만 다른 초기 그리스도인들은 그러한 이야기들이 유포되고 있는 것을 발견하고서, 그러한 이야기들이 제사장들, 보초, 뇌물과 연관되어 있음을 말하는 편의적인 전승을 만들어내었다; (6) 이 전승은 마태의 수중에 들어갔고, 마태는 그것을 주의 깊게 두 부분으로 분리한 후에, 그의 복음서의 마지막 장면들 속에 깔끔하게 엮어 넣었다. 이 모든 일은 마태복음의 저작 연대를 90년경으로 볼 때에 — 이것은 대부분의 학자들이 동의하는 가장 늦은 시기이다 — 외부에서 60년 동안에 일어난 일이다; 마태복음의 저작 연대가 더 이른 시기의 것이라면, 가능성은 그 만큼 더 줄어든다.

물론, 예수의 시신을 제자들이 훔쳐갔다는 유대인들의 이야기들이 존재하지 않았고 단지 초기 그리스도인들이 그러한 주장이 있을지도 모른다고 우려하여 그러한 이야기들을 만들어내어서 그것들을 "반박하고" 있는 것이라고 한다면, (4)와 (5)는 하나로 합쳐지게 될 것이다. 또한 마태 자신이 유대인들의 이야기에 관한 허구와 예수의 시신에 관한 진상을 말하고 있는 "참된" 판본에 대한 허구, 이 둘 모두에 대하여 책임이 있다면 (4), (5), (6)은 하나로 합쳐지게 될 것이다.

어떤 역사가가 이러한 일련의 설명이 마태복음이 제시하고 있는 것보다 더 개연성이 있다고 생각한다면, 나는 단지 그러한 기가 막힌 것들을 믿는 그들의 능력에 찬탄을 금할 수 없을 뿐이다. 그러나 나는 심지어 루돌프 불트만이 배심원의 한 사람으로서 자리하고 있다고 할지라도, 그는 마태의 이야기가 불가능하다는 것을 말하기 위해서 제시되어야 하는 다섯 또는 여섯 단계에 걸친 전승의 발전을 포함한 이야기보다는 마태가 말하고 있는 것과 같은 이야기를 기꺼이 더 믿게 되지 않을까 생각한다.

보초에 관한 이야기와 관련해서 마지막으로 두 가지만 더 지적해 두기로 하자. 첫째, 마태복음에 나오는 제사장들이 삼일 후에 부활할 것에 관한 예수의 예고들을 알고 있었다는 것은 주목할 만하다. 이 예고들은 언제나 제자들과 함께 은밀하게 있을 때에 말해졌다(16:21; 17:23; 20:19); 유다가 이러한 비밀을 그의 배신 행위의 일부로서 누설한 것이라고 전제하지 않는다면, 그러한 것에 관한 그 밖의 다른 유일한 암시는 예수가 성전을 허물고 삼일 후에 재건하겠다고 말했다는 고소가 될 것이다(26:61). 제사장들이 이러한 사실을 알고 있었다고 말하는 것이 후대에 만들어낸 것이라고 볼 특별한 이유는 존재하지 않는다; 어쨌든, 모든 면으로 보아서 삼일 후에는 시신은 썩기 시작할 것이다.[21] 이것도 초기 전승으로 거슬러 올라가는 것으로 보인다.

둘째, 돌과 봉인에 관한 마태의 묘사는 또 하나의 성경 본문을 반영한 것으로서, 이번에도 다니엘서로부터 가져온 것이다. 다니엘 6:17(칠십인역 본문으로는 6:18)에서 다리오 왕은 다니엘을 사자 굴 속에 넣은 후에 돌을 입구에 놓고 자신의 봉인과 신하들의 봉인으로 봉하여, 다니엘이 밤새도록 사자 굴 속에 있게 만든다. 물론, 아침이 되어서 왕은 사자 굴로 다시 돌아와서 다니엘이 안전하고 건강하게 있는 것을 발견한다; 돌을 치웠다거나 천사들과 지진들에 관한 이야기는 없다. 그러나 성경에 대한 반영들에 대하여 마태만큼 깨어 있었던 독자들이라면 분명히 이러한 간접인용을 놓쳤을 리가 없다. 예수는 자기를 치기 위해서 줄지어 달려드는 모든 세력들에게도 불구하고 다니엘와 같이 이스라엘의 신에게 충성한 자로서 그의 무덤으로 간다; 그리고 다니엘의 경우와 마찬가지로, 그의 신은 그를 신원할 것이다. 결국, 예수는 다니엘서의 다음 장에서와 마찬가지로 겉보기에 괴물들에 의해서 패배한 것처럼 보이지만 그 후에 높이 들리우게 될 참된 "인자"이다.[22]

4. 무덤, 천사들, 첫 번째 현현(28:1-10)

앞에서 본 것처럼, 첫 번째 부활절에 관한 마태의 기사는 마가의 기사에 의거한 것일 가능성이 많다.[23] 그러나 이 기사는 마태가 나름대로 다시 말하고 있다는 것을 보여주는 온갖 표지들을 지니고 있다. 마태가 좋아하는 작은 단어들 중의 하나인 '이두'("보라")[24]는 이 이야기에 최소한 여섯 번 등장하는데,

21) 요한복음 11:39; cf. mYeb. 16.3; Semahot 8.1.

22) 단 7:13f., 17f., 21f., 27. Cf. *JVG* 360-65, 510-19. Kellerman 1991, 184f.은 마태의 이야기가 지닌 정치적 의미에 대한 시사하는 바가 많은 묵상을 통해서 다니엘서와의 병행을 환기시키고(내가 제시했던 모든 의미와의 병행은 아니지만), 그런 후에 계속해서 보초들이 뇌물을 받았을 때에 "이제 봉인은 그들의 입술에 부쳐졌다. 지상명령에 대한 대위 선율로서 이제 다시 진실을 매장하고 거짓을 선전하기 위하여 … 그들에게 후한 뇌물이 주어졌다"고 지적한다.

23) Evans 1970, 85가 주장하는 것과는 달리, "맹목적"이라고 할 수는 없지만; 위의 제13장 제2절을 보라.

그 중에서 네 번이 이 첫 번째 단락에 나온다(2, 7, 7, 9절; 나머지 두 번은 11절과 20절에서 발견된다).[25] 그는 이 이야기의 도입부에 공식적인 시간 표시 문구를 포함시키고 있는데, 그것은 다른 세 개의 기사들에서보다 더 길다. 여자들은 향유를 바르기 위해서가 아니라 단지 "무덤을 보기 위해서" 무덤에 간다(28:1); 마태는 이 여자들이 몇몇 랍비 문헌들이 권고하고 있는 것, 즉 매장한 지 삼일 후에 몸이 과연 진정으로 죽은 것인지를 보기 위하여 무덤을 살피러 가는 것을 행하고 있다고 생각하고 있는 것인가?[26] 여자들은 마가복음에서와는 달리 무덤 속으로 들어가지 않는다; 아마도 마태는 정결법을 염두에 두고 있었던 것으로 보인다. 정결법에 의하면, 시신이 있는 무덤 속으로 들어가는 것은 사람들을 부정하게 만든다.[27] 마태복음에서 여자들은 마가에서처럼 한 "젊은이" 또는 누가에서처럼 "눈부신 옷을 입고 있는 두 남자"만이 아니라 번개처럼 보이는 용모에 눈처럼 흰옷을 입고 있는 투명한 천사와 민난다.[28]

두 번째 지진이 일어나는데(2절, 첫 번째 지진은 27:51에서 묘사된다), 아마도 이것은 천사에 의해서 일어난 것인 것 같다(위를 보라). 마태복음에는 많은 점들에 있어서 마가 및 누가에 나오는 것들과 병행되는 천사의 긴 말이 나오는데, 마태의 것이 좀 더 길다. 여자들은 제자들에게 가서 말하지만, 그들이 아

---

24) 히브리어 '힌네'("보라")에 맞춰서.

25) '이두'는 마가복음에 8번 나오는데 반하여 마태복음에는 62번 나온다. 마태복음보다 약간 긴 누가복음은 마찬가지로 성경적인 언어를 좋아하는데 거기에는 이 단어가 56번 나오고, 그 중의 어떤 것도 마태복음 28장에 나오는 것들과 병행이 되지 않는다. "보라"는 고어풍의 단어이고, 현대 영어에서 직접적으로 이 단어에 해당하는 것이 없기 때문에, 이 단어는 흔히 "갑자기"로 번역된다. 그러나 엄밀하게 말해서, 이 단어는 시간적인 의미를 전달하는 것이 아니라, 중요하거나 두드러진 사실을 도입하는 역할을 한다. 구어체에서 이것에 해당하는 표현은 "저런!"일 것이다.

26) Semahot 8.1.

27) cf. mOhol. *passim*. Danby가 설명하고 있듯이(1933, 649 n. 3), 이것은 어떤 사람 또는 그릇이 시체와 동일한 지붕(또는 "장막"; '오홀롯'은 "장막들"을 의미한다) 아래에 있게 되면 칠일 동안 시체로 인한 부정을 타게 된다고 말하고 있는 민수기 19:46에 대한 읽기로부터 유래한 것이다.

28) 마태복음 17:2의 다른 읽기를 참조하라. 여기서 대부분의 사본들은 "빛과 같이 흰"이라고 읽는다.

무에게도 아무 말도 하지 않았다거나(마가) 그들이 전한 말이 헛소리 같이 들렸다는(누가) 그런 암시는 존재하지 않는다 — 물론, 공정하게도 마태는 여자들이 실제로 이런저런 식으로 위임에 의해서 전달하고 있는 것이라고 언급하고 있지 않지만. 예수를 만나자, 여자들은 경배를 드린다(9절, 이것은 마태가 좋아하는 또 하나의 용어를 반영한 것이다).[29] 천사는 여자들에게 제자들이 갈릴리에서 예수를 보게 될 것이라고 제자들에게 말하라고 지시하지만, 여자들 자신은(요한복음에서의 막달라 마리아와 같이) 예수를 예루살렘에서 보게 된다. 이토록 짧은 이야기 속에서조차도 거의 모든 대목에서 마태는 단호하게 독자적으로 이야기를 전개한다. 그의 자료들이 무엇이었든지간에, 마태는 그것들을 자신의 것으로 만들어서 말하고 있는 것이다.

이것은 마태가 하지 않고 있는 것을 한층 더 주목할 만한 것으로 만든다. 제13장에서 지적했듯이, 마태는 우리가 성경적이고 신학적인 간접인용들과 함의들이라는 관점에서 예상할 수 있었던 것을 도입하지 않았다. 구약성서의 반영들은 27장의 마지막 절까지 계속되지만, 28장에 들어서서는 거의 존재하지 않는다.[30] 그 대신에, 우리는 마가복음에서와 마찬가지로 두 명의 마리아가 무덤에 갔으며 이상한 하늘의 사자가 무덤이 왜 비었는지를 설명하면서 여자들에게 지시들을 주었고 여자들은 두려움 속에서 황급히 무덤을 떠났다는 내용을 보게 된다. 여기서 우리는 다른 기사들의 경우에서와 마찬가지로 마태의 경우에 있어서도 다음과 같이 묻지 않을 수 없다: 마태가 이 이야기를 나름대로 서술하면서 분명히 천사적이며 묵시론적인 요소들을 가져와서 수식할 자유가

---

29) 마태복음 2:2, 8, 11; 8:2; 9:18; 14:33; 15:25; 20:20; 28:17에 나오는 예수에 대한 "예배." 마가복음에는 2번 나오고(5:6; 15:19, 후자는 병사들의 조롱이다), 누가복음에는 1번 나오는데(24:52), 이것들 중 어느 것도 마태복음에 나오는 것과 병행되지 않는다.

30) 천사에 관한 묘사에 있어서 다니엘 7:9(그 옷이 눈처럼 흰 옛적부터 계신 이)에 대한 반영들과 10:6(그 얼굴이 번개같은 천사)에 대한 좀 더 희미한 반영들을 계산에 넣지 않는다면; 그러나 이러한 것들은 강력하지 않고(눈과 번개는 흰 것과 눈부시게 밝은 것에 대한 분명한 이미지들이다), 어쨌든 그것들은 서로를 상쇄시킨다(마태복음은 천사가 동시에 이 두 가지 역할을 하고 있다는 것을 함축하고 있지 않는 것 같다).

있다고 생각했다는 것을 감안하면, 왜 그가 이를테면 적어도 한 명의 남자 증인이 예수를 만나게 함으로써 (또 다른 전승에서처럼) 이 이야기를 좀 더 설득력 있게 만들지 않은 것인가?[31]

달리 말하면, 우리는 마태복음 28:1-10에서 그 말하는 것의 이러한 방식을 통해서 마태복음 내에 확고하게 속하는 하나의 이야기를 보게 된다는 것이다. 이 이야기는 그의 문체의 많은 흔적들을 보여준다. 그러나 그것은 여전히 동일한 이야기, 도저히 있을 것 같지 않은 이야기, 실제로 도저히 있을 것 같지 않고 개연성이 없어 보이기 때문에 우리가 이 이야기가 매우 초기의 전승으로서만이 아니라 아주 길고 복잡하고 예술적인 문학 작품의 절정으로서 말해주고 있는 것에 대하여 놀라게 되는 그러한 이야기이다. 따라서 우리가 이끌어 낼 수 있는 최선의 결론은 마태는 이 이야기를 나름대로 말할 자유가 있다고 생각했지만 새로운 이야기를 만들어 낼 자유가 있다고는 생각하지 않았다는 것이다. 우리는 아주 많은 편집 행위 속에서 그의 손길이 닿아 있는 것을 볼 수 있기 때문에, 또한 우리는 그가 어디에서 편집적인 재량권을 제한하지 않으면 안 되었는가를 볼 수가 있다. 이것은 모든 초기 그리스도인들이 알고 있었던 이야기였다.[32] 만약 그들이 나름대로의 이야기들을 자유롭게 만들어내었다면, 그들은 겉보기에는 더 나은 작업을 했을지도 모른다. 그러나 그들은 그럴 자유가 없었고, 그렇게 하지도 않았다.

5. 갈릴리의 산에서(28:16-20)

마가의 천사는 여자들에게 예수가 제자들을 갈릴리에서 만나게 될 것이라고 말했다는 것을 상기시킨다(16:7, 이것은 14:28을 언급하고 있는 것이다). 마태복음 26:32에는 마가복음 14:28에 대한 병행이 나오지만, 마태의 천사는 여자들에게 이러한 사실을 상기시키지 않는다; 대신에, 마태는 단순히 여자들에게 제자들로 하여금 갈릴리로 가서 거기에서 예수를 보도록 알리라고 말한

---

31) 누가복음 24:34.

32) Perkins 1984, 135, 137은 부활에 관한 초기 전승들은 시각적인 것이 아니라 청각적이었기 때문에, 마태복음에 나오는 것과 같은 이야기들은 후대의 것임이 틀림없다고 주장한다. 이것은 아무런 근거가 없는 주장으로 보인다.

다(28:7). (마태나 예수는 한 산에서 만날 것에 관하여 언급하고 있지 않기 때문에, 16절에서 예수가 그들에게 한 산으로 가라고 지시했다는 것에 관한 내용은 마태복음에서 또 하나의 설명되지 않는 수수께끼로 남는다.) 이것은 우리를 마태의 압축된 결말 장면으로 데려다 준다.

앞서의 단락과 마찬가지로, 이 단락에도 마태 자신의 손길들이 도처에 널려 있다.[33] 그러나 이것은 28:1-10에도 그대로 적용됨에도 불구하고 동시에 그 본문이 마가복음 16:1-8 및 누가복음 24:1-2과 실질적으로 동일한 이야기를 말하고 있다는 사실은 우리로 하여금 마태가 과연 초기의 전승에 뿌리를 두지 않고 자유롭게 글을 쓴 것인가에 대하여 잠시 생각해 보게 만든다. 일부 학자들은 이것이 고린도전서 15:6에서 말하고 있는 "일시에 오백여 형제"가 한 번에 예수를 보았던 때라고 주장해 왔지만, 마태는 단지 "열한 제자"만을 언급하고 있다는 것이 주목할 만하다(28:16). 그런데, 이것이 다른 사건이고, 이것이 그 사건에 관한 유일한 언급이라면, 우리는 이 사건을 역사적인 쌍안경으로 볼 수가 없게 된다. 하지만 고대 역사에서 흔히 그러하듯이, 단일한 자료는 보강적인 병행들이 결여되어 있다는 이유로 기각될 것이라 아니라(복음서 비평에서 흔히 일어나는 것처럼) 나름대로의 장점들에 의거해서 평가될 필요가 있다.

누가와 요한에 나오는 위임 장면들과 마찬가지로, 마태의 마지막 장면은 이 복음서의 전략상 예수의 공생의 기간 동안에 "이스라엘 집의 잃어버린 양들"에게로 국한되어 있었기는 하지만 복음서에서 내내 염두에 두어져 있었던 새로운 세계 선교를 위하여 부활하신 예수가 제자들에게 주는 지시들에 집중한다.[34] 하지만 누가와 요한에서와는 달리 죄사함에 관한 언급은 없다 — 그것이

33) 마지막에 말해진 마태의 주제들은 다음과 같은 것들을 포함한다: 제자도, 갈릴리에서의 계시, 산, 예배, 권세, 가르침, "시대의 종말," 예수가 임마누엘, 즉 "하나님이 우리와 함께 하신다"로 불릴 것이라고 천사가 서두에 한 약속을 연상시키는 "내가 너희와 함께 있으리라"는 약속(1:23). 예를 들면, McDonald 1989, 93 n. 18을 보라. 예수가 약속의 땅 — 물론, 이것은 지금은 전세계이다 — 을 산 위에서 바라보고 있는 장면은 "새로운 모세" 주제에 관한 암시일 수 있다.

34) cf. 마 10:5f.; 15:24; Evans 1970, 88, 90는 위임의 이러한 확장에 대하여 놀라서, 이전의 원칙을 수정한다. 그러나 2:11; 8:11-13과 *JVG* 308-10을 보라. "만방" 또는 "모든 이방인들"에 대해서는 Perkins 1984,134, 147 n. 83을 보라.

세례를 주라는 명령 속에 함축되어 있는 것으로 보지 않는다면. 오히려, 열한 제자들은 교사들, 즉 제자를 삼는 자들로 묘사된다.

그러나 이 마지막 단락의 주된 강조점은 위의 제12장의 논증과 밀접하게 연관되어 있는 내용, 즉 지금 예수가 누구로 계시되고 있는가에 두어져 있다. 예수는 "하늘과 땅의 모든 권세"를 부여받았다 — 표현에 있어서 주기도문에 관한 마태 판본에 나오는 "나라" 조항과 실질적으로 동일하다.[35] 이것은 기도가 어떻게 응답되고 있는지를 보여주는 것인 것 같다; 달리 말하면, 이것은 하나님 나라가 어떻게 임하고 있고, "아버지"의 뜻이 어떻게 이루어지고 있는가를 보여주는 것이다. 마태에 관한 한, 부활의 의미는 예수가 지금 다니엘 7장 및 그러한 사상 노선을 발전시킨 본문들 속에 나오는 "인자" 같은 풍부한 이미지를 지닌 인물들과 연관되었던 시편 2편, 72편, 89편의 메시야를 위하여 구별되어 있었던 역할을 맡고 있다는 것이다. 달리 말하면, 이 장면은 원래는 "승귀" 장면이었는데 이 이야기 속에서의 그 위치로 말미암아 "부활" 장면이 된 것뿐이라는 주장은 잘못된 것이라는 말이다.[36] 예수가 제자들에게 주고 있는 전세계적인 위임은 지금 진정으로 개시된 하나님 나라 안에서 하늘과 땅의 모든 권세를 예수가 소유하고 있다는 것에 직접적으로 의거해 있다. 한편으로는 이러한 메시야적인 권세, 다른 한편으로는 이러한 하나님 나라의 성취에 대한 유일한 설명은 예수가 죽은 자로부터 부활하였다는 것이다.[37]

---

35) 마태복음 6:10; 또한 cf. *Did.* 8.2.

36) Evans 1970, 83와는 반대로. Carnley 1987, 18는 이와 비슷한 노선을 취한다: 예수가 "하늘의 지위와 권세"를 향유하고 있는 마태의 마지막 장면은 그들이 단순히 부활하여 승귀된 그리스도가 하늘로부터 나타난 것과 관련되어 있다는 것을 보여준다. "그런 것처럼"이라는 어구(Carnley는 25, 143, 199, 242에서 이와 비슷한 맥락들 속에서 이 표현을 반복한다!)는 우리가 이 논증이 마태가 쓰고자 의도했던 것에 관한 설명으로서 부적절하다는 것을 감안할 때에 충분히 예상할 수 있는 불편한 심기를 보여주는 것이다. Carnley는 마태의 예수가 하늘에서와 마찬가지로 땅에서도 권세를 가지고 있다는 것을 눈치채지 못했다. 하지만 하늘로부터의 나타남들에 관한 그의 이론은 현존하는 복음서의 부활 이야기들 속에서 삼켜진 가설적인 초기 전승에 대한 그 자신의 재구성(234-42)에서 큰 역할을 담당한다.

37) Evans 1970, 83와는 반대로. 마태복음에서의 "인자"의 권세에 대해서는 9:6, 8을 참조하라; cp. 11:27; 21:23-7. 예수의 보편적인 주되심과 이방 선교는 둘 다 유

이 단락의 진정성를 보여주는 가장 강력한 표지는 표현이 앞뒤가 잘 맞지 않는다는 것이다: "그러나 어떤 사람들은 의심하였다"(17절). 마태는 이 장면에 오직 열한 제자만 있는 것으로 묘사하였다: "어떤 사람들"은 과연 몇 명이나 되는 것인가? 두 명 또는 세 명? 그리고 그들은 어떤 사람들인가? 그들의 의심들은 과연 풀어졌는가? 그들의 의심은 어떤 형태를 띠고 있었는가? 우리는 이러한 것들을 알고자 하지만, 또 다시 마태는 우리를 어둠 속에 내버려둔다. 하지만 우리는 어떤 사람이 신앙과 선교를 강화시킬 목적으로 주후 1세기 말경의 어느 시점에 순수한 허구로서 이 이야기를 말하고 있는 것이라면 이러한 이상한 말은 등장하지 않았을 것이라고 확신할 수 있다. 예수의 가장 가까운 제자들 중 몇몇 사람들조차 의심을 하였다면, 과연 다른 사람들에게는 어떤 소망이 있을 것인가라고 독자들은 생각할 수 있을 것이다.

또한 그것은 마태가 제자들의 서로 다른 분파들 또는 열한 제자로부터 출현한 서로 다른 지도자들 간의 분열상에 관하여 암시하고 있다는 것을 보여주는 것도 아니다. 만약 그것이 그런 것이었다면, 우리는 몇몇 이름들이 거론되었을 것이라고 예상할 수 있다. 이 이야기가 어떤 다른 방식으로 제자들을 부각시킴과 동시에 제자들에게 경고할 수 있겠는가? 우리에게는 그런 방법이 없다. 이것은 우리로 하여금 또 다른 설명을 찾아보도록 강제한다. 한 가지 분명한 설명은 다른 정경의 부활 이야기들에서와 마찬가지로 여기에서도 부활한 예수는 그의 이전의 모습과 "동일"하기도 했고 그렇지 않기도 했다는 것이다. 예수에게는 다른 그 무엇, 그의 가장 가까운 친구들과 제자들조차도 당시에 뭐라고 말할 수 없었던 그 무엇, 예수로 하여금 뭔가 다른 것들을 할 수 있게 해주었던 것으로 보이는 그 무엇이 존재하였다. 마태의 예수는 요한의 예수, 그리고 좀 더 분명하게는 누가의 예수와는 달리 제자들의 의심과 두려움을 덜어주지 않는다. 마태는 그러한 긴장관계를 그대로 내버려둔다. 이 사람은 분명 예수였지만, 그에게는 그를 가장 잘 알고 있었던 사람들조차도 이제는 꿰뚫어 알 수 없는 어떤 신비가 존재하였다.

이 단락에 나오는 의외의 내용들 중의 하나는 이스라엘의 신이 19절에서

대적인 메시야 기대 속에 확고하게 뿌리를 내리고 있는데, 이것들 간의 연결관계는 Bornkamm에 의해서 철저하게 간과되고 있다(Evans 1970, 89를 보라).

삼위일체적으로 언급되고 있다는 것이다. 이것은 결코 신약성서에서 그러한 문구의 가장 초기의 것은 아니지만(고린도후서 13:13과 갈라디아서 4:4-7 같은 본문들을 생각해 볼 수 있다), 오직 이것만을 토대로 해서 이 이야기의 저작 연대를 늦은 시기로 설정하는 것은 잘못된 것이다.[38] 이러한 삼위일체적인 문구는 대체로 이 본문으로 인해서 교회 전승 및 특히 예전 속에 단단히 뿌리를 내렸기 때문에, 이 어구는 마치 주후 4세기와 5세기의 기독론 및 삼위일체론에 거의 근접한 것이거나 그것으로부터 발생한 것인 것처럼 "발전된" 형태라는 느낌을 주게 된다.

하지만 이러한 판단은 바울 및 그 밖의 다른 곳에 이것과 병행되는 것들이 존재하기 때문에 잘못된 것임을 우리는 알 수 있다. 제12장에서의 우리의 논의에서와 마찬가지로, 여기에서도 다시 한 번 우리는 초기 기독교 신학 속에서 부활을 통한 이스라엘의 메시야로서의 예수에 대한 계시의 추가적인 차원을 엿보게 된다: 바로 메시야로서 예수는 이스라엘의 신이 다른 사람과 공유하지 않을 것이라고 말하였던 그러한 권세를 공유하고 있는 세상의 참된 주이다. 그리고 이제 그러한 권세는 성령을 통해서 행사된다.

세례를 주라는 명령과 더불어 성령이 언급되고 있는 것은 장차 오실 자가 성령으로 세례를 주실 것이라고 약속하였던 세례 요한을 생각나게 한다. 이것은 우리가 부활한 예수의 명령으로 시작된 운동을 세례 요한에게서 시작되었고 지금은 부활한 예수의 권세 아래에서 성령의 능력으로 — 사실, 사도행전에서처럼 — 계속되고 있는 계약 갱신의 운동으로 보아야 한다는 것을 말해준다.[39] 사도행전에서 세례는 통상적으로 예수의 이름"으로" 또는 그 이름과 "합하여" 주어진다;[40] 바울에게 있어서 세례는 "메시야와 합하여"('에이스 크리스

38) 아버지, 아들, 성령이 여기에서 바울 속에서 정확하게 병행되고 있지 않다는 점을 감안할 때: 인용된 두 본문은 주-신-성령과 신-아들-성령으로 표현한다. 하지만 이스라엘의 신에 대한 바울의 중심적인 이해들 중의 하나는 그 신이 예수의 아버지이고 예수가 그의 아들이라는 것임이 분명하기 때문에, 이러한 차이점은 실제적인 것이라기보다는 현상적인 것이다. 또한 고린도전서 12:4-6(성령-주-신)도 참조하라.

39) 마 3:11; 행 1:5; 11:16.

40) cf. 행 2:38; 8:16; 10:48; 19:3-5.

톤') 주어진다.[41] 이러한 것들이 상호배타적인 것은 아니고, 동일한 복합적인 사건의 여러 다른 특징들을 부각시키고 있는 것과 마찬가지로, 우리는 마태가 참 신을 삼위일체적인 형태로 언급하고 있는 것과 그 이름으로 세례를 주라고 한 명령을 마태 또는 그 밖의 다른 초기 그리스도인들이 사도행전이 묘사하고 있고 바울이 반영하고 있는 관행과 반대되는 것으로 이해하였을 것이라고 생각해서는 안 된다. 거기에서 말하고자 하는 요지는 부활한 예수는 지금 살아 계신 하나님에 대한 초기 기독교의 묘사의 핵심에 있다는 것이다. 요한의 세례에까지 거슬러 올라가는 출애굽 상징 체계를 지닌 세례는 이 하나님의 가족, 갱신된 계약의 가족 속으로 들어가는 방식이다. 그리고 바울 서신에서 더 명시적으로 나오는 것과 같이(로마서 6장, 골로새서 2장), 세례는 특히 살아 계신 하나님이 예수의 부활을 통해서 이루었던 것과 연결되어 있다.

예수가 "세상 끝날까지"('헤오스 테스 쉰텔레이아스 투 아이오노스') 그의 백성과 함께 있을 것이라는 마지막 약속은 주류적인 바리새파적-랍비적 유대교 및 초기 기독교, 특히 바울의 특징이었던 "두 세대" 구조를 지닌 연대기와 밀접하게 연관되어 있다.[42] 여기서의 요지는 "내세"가 지금 예수의 부활을 통해서 개시되었고, 부활한 예수는 이 새로운 시대를 대표하고 구현하고 있기 때문에, 내세와 현세를 잇는 다리 역할을 하고 있다는 것이다. 이렇게 "항상 너희와 함께 있겠다"는 예수의 약속은 임마누엘 약속의 성취임과 동시에 아주 작은 무리의 예배자들일지라도 마치 그들이 성전 자체에 있는 것처럼 그들과 함께 있겠다는 야훼의 약속의 성취이다.[43] 또한 그것은 예수 안에서 종말이 시작되었다는 것을 보여주는 표지이기 때문에, 그의 백성은 현세를 안전하게 통과해서 그토록 오랫동안 기다려왔던 내세로 들어 가게 되는 것이 보장된다.

---

41) 예를 들면, 롬 6:3; 갈 3:27.

42) 마태복음에서 "세상 끝"에 대해서는 13:39f., 49; 24:3(여기서는 예루살렘의 멸망 및 예수의 '파루시아'와 연결되어 있다)을 참조하라. 또한 히 9:26; *1 En.* 16.1; 4 Ezra 7:113을 보라.

43) cf. 마 1:23; 18:20과 mAb. 3.2, 6(*JVG* 297을 보라). 야훼께서 자기 백성과 함께 하실 것이라는 약속은 깊은 성경적인 뿌리를 지닌다; 예를 들면, cf. 신 31:3-6; 학 1:12-15. 이러한 것들 및 마태복음의 다른 주제들에 대해서는 *NTPG* 384-90을 참조하라.

6. 마태와 부활: 결론

이렇게 예수의 부활이라는 사실의 직접적인 결과라고 생각했던 것에 대한 마태의 풍부한 해설은 우리가 제3부에서 살펴보았던 다양한 초기 기독교의 전승들과 많은 접촉점들을 지니고 있다. 만약 그렇지 않다면, 그것이 오히려 이상한 일일 것이다. 그렇지만 그는 마태라는 개성을 가지고 그렇게 하고 있다. 그의 언어와 이미지들은 그의 복음서의 나머지 부분과 맥을 같이 한다. 마태는 분명히 바울 또는 요한계시록의 부활 신학에 동화된 것이 아니었다. 그는 여러 잡다한 글들을 사용해서 부활 이야기들을 만들어낸 것도 아니었다; 제13장에서 제기된 논증들은 그러한 가능성을 배제한다. 그는 부활 이야기를 다시 말하면서, 그의 복음서의 서사적 및 신학적 논리의 결말부에 적합한 형태로 다듬었고, 또한 그러한 요소들을 부각시켰다; 그러나 부활 이야기들이 단순히 주후 1세기 말경의 한 필의 천으로부터 수작업을 통해서 만들어졌다는 것은 불가능하다.

이렇게 다시 말해진 이야기들을 통해서 마태는 우리로 하여금 예수가 마침내 하나님이 아브라함과 다윗에게 한 약속들, 포로생활로부터 귀환에 관한 약속을 성취했고, 그것은 모세가 말했던 모든 것의 성취라는 것을 보게 해준다.[44] 이 모든 것은 부활 이야기들이 바울이나 그 밖의 다른 사람들로부터 유래한 것이 아니라, 마태 자신이 초기의 이야기들을 오랜 시간 동안 되새김질하다가 기본적으로 초기의 이야기들의 형태를 여전히 간직하고 있는 모습으로 그 이야기들을 다시 말했다는 것을 보여준다.

마태는 철저하게 유대적인 역사와 신학의 책을 썼다. 그의 전체적인 명제는 이스라엘의 신이 예수 안에서 절정에 해당하는 방식으로 및 결정적으로 역사하였다는 것이다. 내가 제1권에서 논증했듯이, 역사적 사건들과 관련시키지 않고서는 그러한 유대적인 틀 내에서 우리가 이러한 하나님의 활동을 생각할 수 있는 길은 없다.[45] 마태는 바울과 마찬가지로 예수가 진정으로 죽은 자로부터 부활하였고, 빈 무덤을 남겨 두었다고 믿었다. 그가 28장에서 말하고 있는 이야기들은 모든 점에서 그의 동료 복음서 기자들이 말하고 있는 것들과 마찬가

44) cf. *NTPG* 394-90.
45) cf. *NTPG* 396-403.

지로 이상한 이야기들이지만, 그의 자료들에 의해서 "이것은 십자가의 승리를 말하는 은유적인 방식이다" 또는 "이 이야기들을 읽으면, 너희는 예수의 영적인 현존을 느끼게 될 것이다"라는 의미로 받아들여지도록 의도되지 않았다. 이러한 이야기들은 많은 차원들에서 의미들로 가득 차 있긴 하지만, 그러한 의미를 드러내기 위해서 마치 역사인 것처럼 위장한 것이 결코 아니다. 그것들은 결코 얼음으로 만든 케이크가 아니다. 마태가 실제의 케이크가 있다고 믿지 않았다면, 애초에 케이크를 장식하는 것은 아무 의미도 없었을 것이다.

또한 마태는 다른 복음서 기자들과 마찬가지로 예수라는 분이 왔다가 가고, 나타났다가 사라지는 모습을 묘사하고 있고, 복음서의 마지막까지도 예수의 가장 가까운 사람들 중 일부가 그를 의심하였다고 기록하고 있다. 마태는 고별의 순간을 기록하고 있지 않지만, 분명히 그런 순간이 있었을 것이다: 제13장에서 지적했듯이, 마태의 예수는 "항상 너희와 함께" 있을 것이지만, 마태는 그의 독자들이 이제는 열한 제자가 그랬던 것처럼 갈릴리의 한 산에서 예수를 만날 수 있을 것이라고 기대하지는 않는다. 마태의 부활한 예수는 빈 무덤을 남겨둘 뿐만 아니라, 그리스도인들과 그들의 대적자들 사이에서 두 진영이 몸의 부활에 관한 것을 알고 있지 못한 경우에는 도저히 설명될 수 없는 그러한 일이 일어난 것과 관련하여 벌어진 복잡한 논쟁을 불러일으킬 정도로 충분히 "몸"을 지니고 있었다. (달리 말하면, 11-15절은 모종의 실제적인 논쟁의 반영으로밖에는 이해될 수 없다는 말이다: 그러나 그러한 논쟁은 아무리 영광스러운 것이라고 할지라도 몸을 입지 않은 "죽음 이후의 삶"에 관한 주장의 결과가 아니라, 몸의 부활에 관한 주장의 결과로서만 이해될 수 있다.) 그러나 이와 동시에, 마태의 예수는 예측할 수 없는 방식으로 나타났다가 사라졌고 또한 일부 제자들에 의해서 의심을 받을 정도로 예전의 몸과 충분히 달랐다(이러한 표현은 초기 그리스도인들에게와 마찬가지로 우리에게도 실망스러운 것이다: 다시 한 번 우리는 이러한 신비를 풀기 위해서가 아니라 적어도 그러한 신비에 이름을 붙이기 위해서라도 "변형된 몸"이라는 단어를 사용하기를 고려해야 한다). 실제로 요한에서처럼, 의심했다는 사실 자체가 믿음을 강력하게 강화시키는 것이 된다.

우리는 이제 곧 요한복음을 살펴보게 될 것인데, 거기에서 우리는 더 많은 설명과 더 많은 신비를 발견하게 될 것이다. 그러나 먼저 우리는 공관복음서의 부활 기사들 중에서 가장 길고 가장 예술적인 누가복음을 살펴봄으로써, 공관복음서의 기사들에 대한 개관을 끝마쳐야 할 것이다.

제16장

불붙는 가슴과 떡을 뗌: 누가복음

1. 서론

누가복음 24장은 대규모의 예술작품을 위한 마지막 장면으로 계획된 작은 명품이다. 전승이 상상에 의해서 주장하고 있는 것처럼, 제3복음서의 저자가 화가였든지 아니든지, 언어를 구사해서 묘사하는 그의 솜씨는 신약성서에서 따라올 자가 없고, 그의 부활에 관한 장은 그러한 솜씨를 유감없이 보여준다.[1] 물론, 누가복음에 나오는 것은 부활한 예수에 관한 누가의 두 개의 묘사들 중에서 첫 번째의 것이고, 또 하나의 것은 사도행전 1장에 나온다; 현재의 장에서는 이 둘 모두를 다루게 될 것이다.

누가복음 24장은 세 개의 단락과 마지막 결론부로 되어 있다. 그 이후에 수많은 화폭에 담겨지고 스테인드글라스의 창문에 그려지게 되었던 중심적인 장면은 엠마오로 가는 여행과 도착해서의 짤막한 식사 장면이다. 누가복음의 많은 부분은 사도행전과 마찬가지로 그 근저에 여행이라는 모티프를 지니고 있다: 엠마오로 가는 길은 누가가 부활절과 그 의미에 관하여 전달하고자 하는 중심적인 메시지를 위한 도구가 된다. 이 긴 중심적인 이야기(24:13-35)는 짤막한 서두(24:1-12, 마태와 마가에 나오는 서두의 부활절 장면들과 어느 정도 병행된다)와 제자들이 모여 있던 다락방을 배경으로 한 마지막 장면(24:36-49)에 의해서 둘러싸여 있다. 마지막 네 개의 절(50-53절)은 복음서

1) J. Gillman 2002, 179-85은 이 점과 관련된 누가의 이야기 기법에 관한 최근의 연구를 제시한다.

전체를 마무리함과 동시에 사도행전의 서두의 장면과 중복된다. 독자들은 잠시 그들이 처음에 시작하였던 곳에 남겨져서, 성전에서 예배를 드리고 있다; 그러나 예수 자신은 세상의 승귀된 주로서 이제 그의 사역의 두 번째 국면을 시작할 준비를 완료한다. (사도행전은 "예수가 행하고 가르치기 시작한 모든 것"(1:1)에 관하여 말하는 것으로 시작한다; 사도행전은 예수의 행위와 말에 의한 지속적인 사역을 묘사하고 있는 것이다.)

다른 복음서 기자들과 마찬가지로, 누가는 부활절 이야기들을 나름대로의 방식으로 말하고 있다. 그는 그 이야기들을 자유롭게 형성하고 특정한 교훈들을 지적하는데, 이러한 것들은 그가 그것들을 이 장의 각각의 단락 속에서 반복하고 있기 때문에 꽤 분명하게 드러난다. 그러나 제13장에서 보았듯이, 그는 매우 초기의 전승이라고 생각되는 것을 실질적으로 수정할 자유가 있다고 느끼고 있지는 않다. 그의 이야기들은 다른 정경 복음서들에 나오는 이야기들과 함께 이상한 특징들을 공유하고 있는데, 이것은 유대교이든 이교이든 고대 문헌들 속에서 독특한 것으로서, 부활이 실제로 무엇을 포함하고 있었는지에 관한 초기 기독교의 성찰과 부합하지만, 그러한 성찰로부터 그토록 신속하게 예수의 부활 및 그의 제자들의 부활에 대한 신앙과 결부시켜지게 된 발전된 신학적 또는 석의적 세부사항을 빌려 왔다는 것을 보여주는 표지들을 전혀 담고 있지 않다.

세부적인 내용들을 좀 더 정연하게 다듬고자 한 시도도 없었다. 누가는 그의 복음서 전체에 걸쳐서 많은 점들에 있어서 마가를 따랐지만, 여기에서는 기꺼이 마가로부터 떠나서, 제자들이 갈릴리로 가라는 말을 들었다는 것에 대한 언급도 하지 않고, 예루살렘에서 및 그 근방에서 이외에는 부활 현현이 있었다는 것을 보여주는 암시도 없다. 누가는 무덤을 가장 먼저 찾아갔던 사람들로서 막달라 마리아, 요한나, 야고보의 어머니 마리아, 이렇게 세 명의 여자들의 이름을 언급한다; 그러나 또한 그는 "그들과 함께 다른 사람들도 있었다"(24:10)고 말한다. 마가에 나오는 흰옷 입은 젊은이와 마태에 나오는 빛나는 천사가 아니라, 그 대신에 "빛나는 옷을 입은 두 남자"(24:4)가 등장한다. 마태에서는 여자들이 예수를 보았다고 하고 있고, 요한에서는 막달라 마리아가 예수를 보았다고 하고 있는 반면에, 여기에서는 여자들이 예수를 보았다는 언급이 없다. 누가는 여자들이 예수의 시신에 향유를 바르는 작업을 끝마치기 위하여 향유를 가지고 갔다고 말하고 있다는 점에서 마가와 일치하지만, 마태에서는 그러한 언급이 없고, 요한에서는 요셉과 니고데모가 그런 일을 한 것으로 나온다. 여자들은 제자들에게 전하라는 천사의 지시를 그대로 따르지만, "그들의 말은 그들에게 헛소리로 보였기 때문에, 그들은 그 말을 믿지 않았다"(24:11, 개역에서는 "사도들은 그들의 말이 허탄한 듯이 들려 믿지 아니하나"). 요한에서처럼, 베드로는 무덤으로 달려가서 세마포를 본다. 이 장면을 서술하고 있는 절(24:12)은 일부 사본들에는 빠져 있다; 그러나 이 절을 그대로 두어야 할 이유들 중의 하나는 24절에서 글로바가 "우리와 함께 있던 자들 중 몇몇"이 무덤에 갔다고 말함으로써 이 사건을 가리키고 있다는 것이다.[2]

만약 12절이 이것에 대한 복선을 제시하기 위하여 후대에 만들어진 것이라면, 우리는 그것이 단지 베드로가 아니라 더 많은 사람들을 언급했을 것이라고 예상할 수 있다. 그리고 이 장이 보여주는 여러 부수적인 특징들 가운데서 가장 두드러지는 것은 승천 자체에서 절정에 달하는 일련의 부활 현현들이 하루 동안에 일어난 것으로 보인다는 것이다. 이 장의 구조적인 단순성으로 인해서, 브뤼겔(Breughel)의 한 그림에 나오는 사람들과 마찬가지로 장소를 둘러싸고 명확하지 않는 것들이 많이 있다.

마지막 두 가지 특징 — 베드로에게 일어난 현현, 하루라는 틀 — 은 우리에게 주후 1세기 저술가라면 당연하게 여겼을 것이지만 계몽주의 이후의 비평가들은 종종 잊어버리고 있는 그 무엇을 환기시켜 준다. 고대 세계에서 사람들에게 실제로 일어난 일을 말해주고자 했던 사람은 하나하나의 사건이 지닌 온갖 특징을 언급해야 한다는 부담을 지고 있지 않았다(오늘날에도 훌륭한 신문기자나 진정한 역사가가 그렇듯이). 베드로는 무덤에 갔다; "우리 중의 몇몇"이 무덤에 갔다. 내가 "그 주교가 파티에 갔다"고 말하고, 어떤 다른 사람이 "그 주교와 그의 두 딸이 파티에 갔다"고 말한다면, 우리는 서로 모순되는 말을 한 것이 아니다. 요세푸스가 주후 66년에 유대-로마 전쟁을 촉발시켰던 여러 가지 행위들에 자기가 참여한 것에 관한 이야기를 말할 때, 그가 『유대 전쟁기』에서 말하고 있는 이야기와 그의 『자서전』에서 그가 말하고 있는 병행되

---

2) 이 절의 본문상의 문제점들에 대해서는 위의 제13장 제4절을 참조하라. 요한복음에 나오는 병행문들은 20:3, 5, 6, 10이다.

는 이야기는 세부적인 내용에서 언제나 일치하는 것은 아니다. 누가가 누가복음 24장에서 모든 부활 현현들이 하루에 일어난 것으로 구도를 설정한 후에, 사도행전 1장에서 그러한 현현들을 40일에 걸쳐서 산재시켜 놓고 있는 것을 보고, 우리는 누가가 역사적 사실을 안중에도 두지 않는 모습을 우리가 포착하였다고 생각해서는 안 된다.[3] 마찬가지로, 정경의 네 개의 부활 이야기들 간의 사소한 불일치점들이 마치 실제로 그와 같은 일이 전혀 일어나지 않았다는 것을 보여주는 증거들인 것처럼 부각시키는 것은 잘못된 일이다. 만약 그러한 일들이 실제로 일어나지 않은 것이라면, 그것에 관한 논증은 다른 식으로 수행되어야 한다. 아무런 일이 일어나지 않았고, 수년 후에 어떤 사람이 여자들이 빈 무덤을 발견한 것에 관한 이야기를 만들어낸 것이라면, 우리는 네 가지 약간씩 다른 이야기들이 아니라 하나의 이야기를 예상하여야 한다. 비슷한 예를 들어보자: 우리는 베드로가 예수를 부인한 것에 관한 서로 다른 기사들을 조화시킬 수가 없다(닭이 몇 번이나 운 것이고, 언제 운 것인가?). 이것은 베드로가 예수를 부인하지 않았기 때문이 아니라, 베드로가 예수를 부인하였기 때문이다.[4]

그 밖의 다른 정경의 이야기들에서와 마찬가지로, 누가의 저작에서도 예수의 부활이 지닌 일차적인 의미가 어떤 다른 사람의 개인적인 사후의 미래와 관련이 있다는 암시는 존재하지 않는다(우리가 앞에서 보았듯이). 결론은 "너도 죽음 이후의 삶을 가질 수 있다"거나 이와 비슷한 내용이 아니다. 결론은 "이것은 이스라엘과 세상을 위한 하나님의 계획이 예기치 않은 방식으로 절정에 도달하였고, 그럼으로써 너희는 그것을 세상에 수행하도록 위임을 받았다는 것을 보여준다"는 것이다. 이 두 가지 요소 — 하나님이 정하신 긴 이야기의 절정, 새로운 세계 선교의 개시 — 는 누가복음 24장과 사도행전 1장의 몇몇 대목들에 섞여 짜여 있고, 그것들은 그것으로부터 도출되어야 하는 그 밖의 다른 특징, 즉 이제 예수의 제자들에게 맡겨진 삶의 패턴을 위한 맥락을 제공해 준다.[5] 누가에게 있어서 부활절은 한편으로는 역사의 의미에 관한 것이고

---

3) Evans 1970, 98-101을 보라.

4) 마 26:69-75/막 14:66-72/눅 22:56-71/요 18:25-7을 보라.

5) Morgan 1994, 13은 누가복음과 사도행전이 부활절 사건은 "하나님의 최후의 승리를 미리 보여주는 사건에 의한 새 시대의 개시"가 아니라 십자가 사건의 역전

(특히, 이스라엘의 역사; 그러나 그가 보기에 그러한 역사는 온 세상의 유익을 위한 것이다), 다른 한편으로는 그러한 역사로부터 직접적으로 흘러나오는 교회의 과제와 형태에 관한 것이다.

하지만 우리는 먼저 복음서 전체의 맥락 속에서 누가복음 24장을 살펴보고, 사도행전 전체의 맥락 속에서 사도행전 1장을 살펴보지 않으면 안 된다. 그것들은 둘 다 누가의 전체적인 계획 속에서 구조적인 역할들을 지니고 있다. 그것들이 이 점에 있어서 어떻게 기능하는가를 고찰함으로써, 우리는 역사의 전환점 및 교회의 과제와 삶에 관한 누가의 기사의 세부적인 내용을 공략할 수 있는 발판을 마련할 수 있다.

2. 누가의 저작 전체 내에서의 누가복음 24장과 사도행전 1장

누가복음 24장이 우리에게 잘 구조화된 그림을 제시한다면, 누가복음서 전체에 대해서도 우리는 동일한 말을 할 수 있다. 부활 이야기는 복음서 전체에 걸쳐서 두드러지는 몇몇 주제들을 이끌어내고 있지만, 특히 서문(1-2)과 짝을 이루도록 의도된 것으로 보이는데, 하지만 맹목적인 병행관계를 만들어내고 있는 것이 아니라, 그 둘을 함께 나란히 놓고 보면 서로를 비추어 주는 몇 가지 특징들을 통해서 그렇게 하고 있다.

공식적인 서두(1:1-4) 후에 누가는 세례 요한의 부모가 될 사람들인 스가랴와 엘리사벳을 우리에게 소개한다. 스가랴는 성전에서 제사장으로 복무할 때에 천사로부터 그에게 아들이 있을 것이라는 말을 전해 듣는다(1:5-23). 스가랴가 들은 것은 바로 24:11에서 열한 제자가 들은 말과 비슷한 것이었다: 이러한 말들은 그에게 우스갯소리로 들렸고, 그는 그 말을 믿지 않았다. 그러나 이스라엘의 신의 능력이 역사하여, 그 모든 일이 이루어졌을 때에 이 늙은 부부는 놀라게 된다(1:24-25, 57-80) — 물론, 누가복음 24장에 나오는 등장 인물들도 마찬가지이다.

서두의 장들의 중심에는 예수의 수태와 출생에 관한 이야기가 놓여져 있고,

으로 묘사하고 있다고 주장함으로써 핵심을 멀리 벗어나고 있는 것으로 보인다. 이 마지막 어구는 누가복음 24장과 사도행전의 좀 더 폭넓은 과제, 이 둘을 상당 부분 요약하고 있다.

우리는 누가가 이것을 어떤 식으로든 부활절의 사건과 병행되는 것으로 볼 것을 의도하고 있다고 전제해야 한다. 이 이야기는 나름대로의 내적인 논리를 지니고 있고, 이 이야기나 누가복음 24장은 서로에 대하여 동화되어 있지 않다; 그러나 우리는 천사가 무슨 일이 진행되고 있는지를 알리고 설명한다는 것, 특히 이스라엘의 메시야로서의 예수에 대한 강조점을 놓칠 수 없다(1:32; 2:11-26; 24:26, 46). 이 이야기는 예수가 이스라엘뿐만 아니라 이방인들에 대해서도 구원을 가져오게 될 자라고 시므온이 말하는 것에 대한 배경을 이루는데(2:32), 그런 후에 이것은 부활절 이야기의 마지막 부분(24:47)에서 주요한 핵심들 중의 하나로서 반복된다. 특히, 시므온은 예수를 축복하고 그가 앞으로 이루게 될 일에 관하여 말하면서 마리아에게 운명적인 말을 전한다: "이 아이는 이스라엘 중 많은 사람의 넘어짐과 부활을 위해 세워졌다"('에이스 프토신 카이 아나스타신 폴론 엔 토 이스라엘,' 2:34; 개역에서는 "이는 이스라엘 중 많은 사람을 패하거나 흥하게 하며 비방을 받는 표적이 되기 위하여 세움을 받았고")고 그는 말한다. 이스라엘 전체는 그 안에서 및 그를 통해서 "넘어지고" "다시 일어날" 것이다: 예수는 출애굽 백성, 종살이 하다가 구속받은 백성, 포로생활을 하다가 회복된 백성으로의 이스라엘의 운명을 걸머지게 될 것이다. 여선지 안나가 선포하고 있듯이, 예수는 "예루살렘의 구속('루트로시스')을 기다리는" 자들의 소망을 이루게 될 자이다. 엠마오 도상에서 글로바는 "우리는 이 사람이 이스라엘을 속량할 자('호 멜론 루트루스다이 톤 이스라엘')라고 바랐노라"(24:21)고 말한다. 이러한 다중적인 연결고리들은 거의 우연일 수 없다. 누가는 다음과 같은 취지로 부활절 이야기를 말하고 있는 것이다: 서문에서 약속된 모든 것이 지금 실현되었다 — 물론, 그 누구도 상상치 못했던 방식을 통해서이긴 하지만.

1-2장과 24장 간의 가장 장엄한 병행은 12살 된 예수가 성전에서 한 일에 관한 이야기(2:41-51)와 엠마오 도상에서 부지불식간의 찾아온 예수 간의 병행이다.[6] 한 번의 유월절과 한 번의 예루살렘 방문: 예루살렘으로 떠나온 지 얼마 되지 않아서 두 사람은 예수가 그들과 함께 있지 않다는 것을 발견하거

6) 나는 이것을 *Challenge* ch. 8에서 더 자세하게 다룬 바 있다. 엠마오 도상의 이야기에 대해서는 Schwemer 2001을 보라.

나(2장에서) 예수가 그들이 모르는 사이에 함께 있다는 것을 발견한다(24장에서). 마리아와 요셉은 서둘러서 도성으로 되돌아가고, 마찬가지로 글로바와 그의 동료는 매우 다른 분위기에서이긴 하지만 도성으로 서둘러 돌아간다. 그들은 삼일 동안 찾았지만 헛수고였는데(2:46), 이것과 병행되는 내용은 거의 지적할 필요가 없을 것이다. 그들이 소년 예수를 찾았을 때, 그의 퀴즈 같은 대답은 복음서 이야기를 한참 통과해서 엠마오 도상에서의 두 제자에 대한 예수의 대답을 반영하고 있다. "어찌하여 나를 찾으셨나이까 내가 내 아버지 집에 있어야 될 줄을 알지 못하셨나이까"('호티 엔 토이스 투 파트로스 무 데이 에이나이 메,' 2:49); 그런 후에 마지막으로, "미련하고 선지자들이 말한 모든 것을 마음에 더디 믿는 자들이여 그리스도가 이런 고난을 받고('우키 타우타 에데이 파데인 톤 크리스톤') 자기의 영광에 들어가야 할 것이 아니냐"(24:25-6). 성전에서 지쳐 걱정하는 부부는 엠마오 도상에서 슬픈 기색의 실망한 두 제자와 상응한다. 마리아와 요셉은 예수를 발견하지만, 하나님의 필연성에 관한 이상한 말만을 들을 뿐이다; 글로바와 그의 동료는 하나님의 필연성에 관한 이상한 말을 들은 후에, 같이 앉아서 먹다가 그 분이 내내 예수였다는 것을 발견한다.

두 본문 속에 나오는 "필연성"— 헬라어의 작은 동사 '데이' — 은 누가복음 전체에 걸쳐서 반복적으로 등장하는 주제인데, 이 두 번의 용례(24:26과 매우 밀접하게 관련되어 있는 마지막 장에 나오는 나머지 두 개의 용례(24:7, 44)와 더불어서)는 전개되고 있는 이야기, 특히 부활절의 궁극적인 의미에 각각 기여하고 있는 다른 용례들을 위한 틀로서의 역할을 한다:

> 이르시되 인자가 많은 고난을 받고 장로들과 대제사장들과 서기관들에게 버린 바 되어 죽임을 당하고 제삼일에 살아나야('데이') 하리라 하시고.

> 너희는 가서 저 여우[즉, 헤롯 안디바]에게 이르되 오늘과 내일은 내가 귀신을 쫓아내며 병을 고치다가 제삼일에는 완전하여지리라 하라 오늘과 내일과 모레는 내가 갈 길을 가야('데이') 하리니 선지자가 예루살렘 밖에서는 죽는 법이 없느니라.

> 얘 너는 항상 나와 함께 있으니 내 것이 다 네 것이로되 이 네 동생은 죽었다가 살아났으며 내가 잃었다가 얻었기로 우리가 즐거워하고 기뻐하는 것이 마땅하다('에데이') 하니라.

> 그러나 그[인자]가 먼저 많은 고난을 받으며 이 세대에게 버린 바 되어야('데이') 할지니라.

> 내가 너희에게 말하노니 기록된 바 그는 불법자의 동류로 여김을 받았다 한 말이 내게 이루어져야('데이') 하리니 내게 관한 일이 이루어져 감이니라.[7)]

누가에게 있어서 부활절의 의미는 특히 그것이 예수에 관하여 "마땅히" 일어나야 할 일들을 완성시킨다는 것이다. 그렇게 함으로써, 그것은 이전에 요지를 파악하지 못했던 사람들에게 이스라엘의 성경이 내내 말해 왔던 바로 그 이야기를 제시해준다.

누가는 단지 우리에게 아직 끝나지 않은 성경의 이야기, 창조주이자 세상, 특히 이스라엘과 계약을 맺은 신에 관한 이야기를 완성시키기 위하여 이 모든 일이 "마땅히" 일어나야 한다는 것을 말해줄 뿐만 아니라, 그의 기사를 성경의 기사와 접목시키고, 칠십인역 본문에 나오는 표현들을 사용하여(특히, 1-2장에서) 끊임없이 성경 본문을 참조하고 함축하는 방식으로 그것이 어떻게 일어나는지를 우리에게 보여준다. 그리고 앞에서 말했듯이, 그의 이야기는 다른 복음서 기자들의 이야기와 마찬가지로 성경의 직접적인 반영들로부터는 주목할 만한 정도로 자유롭긴 하지만, 엠마오 도상의 이야기의 핵심에는 누가가 부활절의 의미라고 여겼던 것에 관한 내용을 우리에게 분명하게 말해주는 한 가지가 있다.

성경에 언급된 최초의 식사는 아담과 하와가 금지된 과실을 먹은 때였다. 그

---

7) 누가복음 9:22; 13:33; 15:32(물론, 탕자의 비유의 끝부분); 17:25; 22:37. 누가복음에서 그 밖에 다른 곳에서 이 단어가 나오는 유일한 대목은 21:9("난리와 소요가 먼저 있어야 하되")이다.

직접적인 결과는 환영받지 못할 새로운 지식이었다: "그들의 눈이 밝아져 자기들이 벗은 줄을 알고"('디에노크데산 호이 오프달모이 톤 두오 카이 에그노산 호티 귐노이 에산,' 창 3:7).[8] 이제 이 다른 한 쌍, 글로바와 그의 동료(그의 아내였을 가능성이 가장 높은데, 복음서 이야기 속에 나오는 여러 마리아들 중의 한 사람이었을 것이다)는 식탁에 앉아서, 새롭고 충심으로 환영할 만한 지식에 직면한다: "그들의 눈이 밝아져 그인 줄 알아 보더니"('아우톤 데 디에노크데산 호이 오프달모이, 카이 에페그노산 아우톤,' 24:31). 이것은 궁극적인 구속이라고 누가는 말한다; 이것은 단지 이스라엘만이 아니라 인류의 오랜 포로생활이 마침내 끝났다는 것을 보여주는 식사이다. 이것은 새 창조의 시작이다. 이것은 "회개와 죄사함이 모든 민족에게 선포되어야 할"(24:47) 이유이다. 얼 엘리스(Earle Ellis)가 지적한 대로, 엠마오 장면이 이 복음서에서 8번째 식사라면, 동일한 요지를 강조하기 위하여 숫자적인 도식이 사용되고 있을 가능성도 있다(앞으로 보게 되겠지만, 이러한 도식은 특히 요한에 의해서 부각된다). 이것은 새로운 한 주간의 첫 날이다.[9]

누가는 이 모든 것 속에서 유대교에서 부활은 언제나 혁명적인 교리였다는 사실을 잊지 않았다. 그것은 참 신의 참 나라가 세상의 나라들에 대하여 승리를 거두는 것에 관한 것이었다. 그는 자신의 복음서의 처음 두 장을 유대인의 왕 및 (당시의) 세상의 왕과 관련된 내용으로 시작한다. 1장은 헤롯으로부터 시작되고, 2장은 가이사 아구스도로부터 시작한다; 그런 후에, 3장은 아구스도의 아들인 디베료 가이사와 헤롯의 아들인 안디바를 이 모든 일이 일어난 때만이 아니라 그들이 모르게 참 하나님의 나라가 이 하나님의 참 아들 안에서 이제 막 개시되려고 하던 때에 있어서 세상 나라들이 취하고 있었던 구체적인 형태를 보여주는 연대기적인 좌표 속으로 들여온다.[10] 그 후에, 복음서들의 많은 독자들은 이러한 암묵적인 맥락을 잊어버리지만, 누가는 잊지 않는다: 9:7-

---

8)또한 cf. 왕하 6:17; 그러나 이것은 우연한 병행인 것으로 보인다.

9) Ellis 1966, 277과 192; 그 밖의 다른 식사들은 누가복음 5:29; 7:36; 9:16; 10:39; 11:37; 14:1; 그리고 물론 22:14에 나온다. 식사 장면이 함축되어 있지만, 서술되지는 않은 삭개오 이야기(19:8)은 제외하였다.

10) 누가복음 1:5; 2:1; 3:1.

9에 나오는 헤롯의 당혹해하는 모습, 13:31-33에 나오는 헤롯의 위협과 예수의 응수는 로마 당국자들로부터의 위협(13:1-3)과 결합되고, 23:12에서 헤롯과 빌라도가 마침내 손을 잡고 친구가 될 때, 독자들은 예수가 선포해 왔던 나라가 마침내 세상의 연합세력들과 대결하고 있다는 인식을 갖게 된다. 누가복음 24장은 이러한 그림에 실질적인 내용을 추가하고 있지는 않지만, 여기에서도 누가는 그러한 사실을 무시하고 있지 않다. 그 메시지가 "모든 민족들"에게 나아갈 때, 그것은 단순한 새로운 종교의 길 이상의 것을 제시하는 것이다. 사도행전이 분명히 보여주듯이, 그 메시지는 예수가 세상의 참된 주라는 것이다. 창조주 신은 제국의 권력과 의사소통의 네트워크들을 무시하고 있다. 누가에 관한 한, 한 중심적인 의미는 예수와 그의 제자들이 세상의 나라들과 대결하고 있다는 것이다.

부활한 예수가 제자들에게 사명을 위임한 후에 승천한 것에 관한 간략한 이야기로 시작되는 사도행전 자체도 헤롯의 세계와 가이사의 세계, 그리고 복음이 그 두 세계로 강력하게 퍼져 나가는 것에 관한 이야기를 자신의 큰 틀로 삼고 있다. 전반부(사도행전 1-12장)는 어떻게 유대 당국자들, 특히 헤롯이 예수의 제자들을 막으려고 최선을 다하다가 무리수를 두어서 실패한 후에, 헤롯 아그립바가 마침내 마치 자기가 전형적인 헬레니즘적인 왕이라도 되는 것처럼 스스로 "신" 행세를 하다가 그 자리에서 침을 당하여 죽은 것을 말하고 있다(하지만 "하나님의 말씀은 계속해서 진보하여 그 추종자들을 얻었다"[개역에서는 "하나님의 말씀은 흥왕하여 더하더라"]고 누가는 말한다).[11] 후반부(사도행전 13-28장)는 복음이 특히 바울을 통해서 로마 제국의 더 넓은 세계로 퍼져 나가는 모습을 그리고 있는데, 바울은 데살로니가에서 "또 다른 왕, 즉 예수"가 있다고 선언하고, 마침내 로마에 당도해서 아무런 방해도 받지 않고 담대하게 한 분 참 하나님의 나라를 선포하며, 메시야인 주 예수에 관하여 가르친다.[12] 물론, 이러한 밋밋한 요약이 보여주는 것보다 더 많은 것들이 사도행전에 있지만, 이 요약은 예수가 부활한 메시야와 주로서 불리게 된 것의 직접적인 결과로서 누가의 마음속에 무엇이 들어 있었는지를 잘 보여준다.[13]

---

11) 사도행전 12:20-23(cf. Jos. *Ant.* 19.343-61에 나오는 비슷한 이야기); 12:24.
12) 사도행전 17:7; 28:31.

승천에 관한 이야기를 곁들인 부활한 예수에 관한 누가의 기사를 완결하는 사도행전 1장의 역할은 이제 누가의 저작의 나머지 부분과의 전체적인 관계 속에서 이해될 수 있다. 물론, 그것은 독특한 기사이다; 다른 복음서들 중에서 그 어느 것도 그러한 것을 시도하지 않는다(물론, 마가의 긴 결말은 그것을 언급하고 있지만).[14] 자신의 복음서에서와 마찬가지로, 누가는 예수가 진정으로 살아있다는 것을 역설한다: "그가 고난 받으신 후에 또한 그들에게 확실한 많은 증거로 친히 살아 계심을 나타내사('옵타노메노스 아우토이스') 사십 일 동안 그들에게 보이시며 하나님 나라의 일을 말씀하시니라"(1:3). 물론, 이것은 문맥상으로 예수의 새로운 몸을 입은 삶 이외의 것에 대한 언급으로 해석될 수 없다; 누가는 환상들과 "실생활"에서 일어나는 일들 간의 차이를 잘 알고 있고, 부활은 말할 것도 없이 후자에 속하는 것이다.[15] 특히, 예수는 제자들에게 그들에게 부어질 성령을 기다리라는 것(1:4-5)과 그런 후에 온 세상에 걸친 선교 활동(1:6-8)에 관한 지시사항들을 준다.

이 마지막의 것은 오해되어서는 안 된다. "주여, 이스라엘의 나라를 회복하실 때가 이때이니까?"라는 제자들의 질문을 받고서, 예수는 많은 학자들이 "아니다"로 해석하여 왔지만 거의 틀림없이 누가는 "그렇다"로 의도하였던 대답을 준다. 그들은 특정한 때에 관하여 알지 못할 것이지만, 이것이 그 나라가 오게 되는 방식이다.: 그들이 성령에 이끌려서 예루살렘, 유대, 사마리아, 땅끝까지 이르러 예수를 증거하는 것을 통해서. 흔히 지적되어 왔듯이, 이 문장은 사도행전 전체에 대한 강령 역할을 하는 것으로서, 사도행전은 예루살렘과 그 주변지역에서의 최초의 복음 전파로부터 시작해서, 8장에서 사마리아에 대한 선교 활동을 거쳐서, 베드로가 10장에서 고넬료에게 복음을 전한 것을 필두로 하여 13—28장에서 바울의 선교 여행들을 통하여 구체적으로 실행되는 전 세계에

13) 사도행전 2:36 등; 위의 제10장을 보라. 물론, 누가복음 24장에는 주제상의 계기들과 관련하여 사도행전과의 많은 연결고리들이 존재한다: 예를 들면, cf. 행 3:18; 17:3; 24:14f.; 26:22f.; 28:23.

14) 마가복음 16:19.

15) 10장을 참조하라: 사도행전은 예수의 부활이 분명하게 몸의 부활이었다는 것을 강조한다. 사도행전에서 환상들과 현실 간의 차이에 대한 인식에 대해서는 위의 제13장 제3절을 참조하라.

걸친 복음 전파로 나아간다. 바울이 로마에 가기 이전에 이미 로마에는 그리스도인들이 있었지만, 이미 우리가 인용한 바 있는 누가의 마지막 절은 의심할 여지 없이 1:6을 회고하고 있다. 이것은 하나님 나라가 장차 오게 될 방식이다: 사람들이 소망해 왔던 대로 이스라엘 민족의 회복을 통해서가 아니라(24:21을 보라), 이스라엘의 메시야의 대표자들이 세계 속으로 나아가서 메시야를 세상의 참된 주로 선포하는 것을 통해서. 제12장에서 보았듯이, 이것은 옛적의 메시야 기대의 자연스러운 결과이다. 그것은 요세푸스가 강변했던 돌연변이와는 다른 방식이기는 하지만, 그 저자가 주후 1세기의 열렬한 소망으로 서술하고 있는 것과 부합한다.[16)]

이러한 신학적이고 정치적인 배경은 누가가 누가복음 4:51에 그 복선이 나와 있는 사도행전 1:9-11에서 예수의 "승천"에 관하여 묘사하면서 의도하고 있는 것을 이해할 수 있는 적절한 맥락이 된다.[17)] 승천이라는 사건, 그리고 승천과 부활 간에 그어진 세심한 구별이 누가에게 특유한 것이라고 종종 단언되고 있지만, 우리는 이미 바울도 그러한 구별을 하였다는 것을 지적한 바 있고, 또한 우리는 반복된 주장들에도 불구하고 요한도 그렇게 하고 있다는 것을 보게 될 것이다.[18)] 누가와 마찬가지로 바울이 단언하고 있듯이, 예수가 진정으로 다시 모종의 육신적인 몸으로(우리가 그렇게 부를 수 있다면) 살아난 것이라면, 그리고 그로부터 얼마 후에 이 육신적인 몸이 존재하기를 그쳤다면(그 몸이 무덤의 어딘가에 있지 않고), 이 새로운 상태에 대한 모종의 설명이 요구된다. 사실, 이 이야기를 듣는 주후 1세기의 청중들이나 주후 20세기의 그들의 후계자들에게 진정한 문제점은 승천 자체가 아니라 육신적이기도 하고(그 몸이 없어진 후에 무덤이 비었다는 의미에서) "변화된 몸이기도 한"(그 몸이 나

---

16) Jos. *War* 3.399-408; 6.312-15; *NTPG* 304, 312f.를 보라.

17) 후자의 절에 나오는 "그리고 하늘로 올리워갔다"라는 어구는 두 개의 중요한 사본들 속에는 생략되어 있다. 승천과 그 의미에 대해서는 특히 Farrow 1999를 보라.

18) 요한복음 20:17; 아래의 제17장 제1절을 보라. 나는 Perkins 1984, 86이 누가복음 24:51과 요한복음 20:17은 "부활 사건 자체가 예수의 승천임을 전제하고 있다"고 주장한 이유를 도무지 모르겠다. 내게는 그것은 두 기자가 그것이 아니라고 역설하는 바로 그 내용인 것으로 보인다.

타났다가 사라질 수 있고, 항상 즉각적으로 알아볼 수는 없는 것이었다는 의미에서) 몸에 관한 개념이다. 무덤 속에 예전의 몸을 그대로 내버려 둔 것도 아니고 단순히 시신이 소생된 것도 아닌 이러한 종류의 몸을 입은 것은 참으로 설명하기가 어렵다. 여기서 승천은 누가와 요한이 나름대로의 방식으로 제시하고 있고, 바울도 나름대로의 방식으로 제시하고 있는 해법이다.

우리는 이 시점에서 현대의 독자들이 옛 유대 문헌들을 읽을 때에 염두에 두어야 할 두 가지 기본적인 원칙을 상기해 볼 수 있다. 첫째, 땅 위에 있는 창공 속의 "하늘"에 관하여 두 층으로 되어 있다는 표현을 쓰고 있다고 해서, 그것이 세 층으로 된 우주는 말할 것도 없고 두 층으로 된 우주를 나타내고 있는 것은 아니라는 것이다. 우리가 지구가 태양 주위를 돌고 있다는 것을 알면서도 태양이 "떠오른다"고 말하는 것과 마찬가지로, 옛 유대인들은 그들의 신 및 그 신과 거처를 같이 한 자들이 물리적으로 지표면으로부터 수천 피트 위에 위치해 있다고 생각함이 없이 하늘로의 승천에 관한 표현을 편안하게 사용할 수 있었다. 이것과 관련되어 있는 두 번째의 것은 "하늘"과 "땅"이라는 언어는 각각 창공과 단단한 땅을 가리키는 데에 사용될 수 있었지만, 통상적으로 정교한 신학적인 방식으로 한편으로는 창조주 신이, 다른 한편으로는 사람들이 거하는 병행적이고 서로 얽혀있는 우주들을 가리키는 데에 사용되었다. 어떤 사람이 "하늘로 올라간다"고 말하는 것은 결코 그 사람이 (a) 원시적인 우주 여행가가 되어서 (b) 그러한 수단을 통해서 현재의 시공간의 우주 내에서의 다른 장소로 갔다는 것을 의미하지 않는다. 우리는 우리가 현재적으로 거하고 있는 우주 내에서 멀리 떨어져 있는 장소를 가리키기 위하여 "하늘"이라는 단어를 사용하고 있는 중세 시대의 생생하고 심지어 으시시하기까지 한 언어 또는 수많은 찬송들과 기도문들을 근거로 해서, 주후 1세기의 유대인들도 문자적으로 그런 식으로 사고하였을 것이라고 생각해서는 안 된다. 실제로 일부 유대인들은 그렇게 생각했을지도 모른다; 사람들이 어떤 것들을 믿었을지는 말할 수가 없다; 그러나 우리는 초기 기독교 저술가들이 그와 같이 생각했을 것이라고 상상해서는 안 된다.

또한 우리는 누가의 이야기를 구약성서에 나오는 엘리야에 관한 이상한 이야기와 비슷한 것으로 생각해서도 안 된다.[19] 엘리야는 죽지 않았다; 그는 직접적으로 "하늘로 들리워 올라갔다." 거의 틀림없이 누가가 이 이야기를 말하는 방식에 영향을 미쳤을 좀 더 흥미로운 성경적 병행은 "인자 같은 이"(환상의 신화론적 틀 내에서 "지극히 높으신 이의 성도들"을 대표하는)가 "짐승들," 특히 네 번째 짐승의 손에 의해서 고난을 당한 후에 승귀되어서 "옛적부터 계신 이" 옆에 앉게 되는 것에 관하여 말하고 있는 다니엘서 7장에 나오는 이야기이다.[20] 승천은 단지 이러한 새로운 종류의 몸에 일어나고 있는 일과 관련된 문제점에 관한 해법인 것은 아니다. 바울에게와 마찬가지로 누가에게도 승천은 예수가 이스라엘의 대표자라는 것을 증명해 주는 것이고, 적어도 함축적으로는 이스라엘을 압제해왔던 이방 나라들과 이스라엘을 부패시켜 왔던 현재의 통치자들에 맞서서 예수에게 지지를 보내는 하나님의 심판이다.

달리 말하면, 승천은 1:6의 제자들의 질문에 대한 직접적인 대답이라는 것이다. 그 나라가 이스라엘에게 회복되고 있는 방식은 이런 것이다: 이스라엘의 대표자인 메시야가 세상의 참된 주로 등극하는 것을 통해서. 이것은 거의 전적으로 다른 경로를 통해서 바울이 고린도전서 15:20-28에서 설명하고 있는 그러한 입장에 도달한다 — 물론, 바울이 그 점을 설명하기 위하여 발전된 석의를 사용하고 있지는 않지만.

사실 당시의 로마 독자들에게나 더 넓은 이교 세계의 수많은 독자들에게 예수의 승천에 관한 이야기는 경건한 유대인이 다니엘서 7장의 암묵적인 반영들로부터 머리에 떠올렸을 것과 비슷한 반(反)제국적인 효과를 즉각적으로 미쳤을 것이다. 제2장에서 보았듯이, 바울 시대에 이르러 황제들이 죽은 후에 신으로 선포되는 관습이 잘 정립되어 있었고, 죽은 황제의 영혼이 하늘로 승천하는 것을 보았다는 한두 명의 증인들로 이루어진 증거들이 제시되었다. 아우구스투스는 한 혜성을 그의 양부인 율리우스 가이사의 영혼이라고 선포하였다; 티투스 황제의 장례식 때에는 한 마리 독수리가 화장용 장작더미로부터 나와서 멀리 날아올랐다. 기독교의 이야기와의 병행은 정확히 동일하지는 않다. 왜냐하면, 거기서의 요지는 새로운 황제가 그의 전임자의 신격화를 토대로 해서 "신의 아들"로 선포되는 것에 있었던 반면에, 초기 그리스도인들은 그러한 칭호를 부활하여 승귀한 예수에게 부여하였기 때문이다. 기독교의 승천 이

19) 열왕기하 2:11f.; 위의 제3장 제2절을 보라.

20) 다니엘 7:9-27; cf. *NTPG* 291-7.

야기들은 이교의 승천 이야기들로부터 유래한 것일 수 없다; 그러나 기독교의 승천 이야기들은 분명히 주후 1세기의 후반부에 반제국적인 것으로 들려졌을 것이다. 예수는 주(主)였고, 가이사는 주가 아니었다. 예수의 부활만이 아니라 그의 승천도 어쩔 수 없이 정치적인 의미를 지녔다; 그리고 그 의미는 우리가 바울을 살펴보았을 때에 발견하였던 것과 거의 동일한 것이었다. 그러나 다시 한 번 말해두지만, 누가는 이러한 내용을 바울적인 방식으로 발전시키지는 않았다. 그는 단지 이 이야기를 최소한의 수식을 통해서 전복 성향을 지니는 복음이 격렬한 반대를 무릅쓰고 이스라엘의 신과 그의 전세계적인 나라를 선포하고 특히 예수를 주와 메시야로 선포하기 위하여 퍼져나가는 것에 관하여 말하고 있는 책을 위한 토대로 사용하고 있을 뿐이다.

3. 독특한 사건

"엠마오 사건은 결코 일어나지 않았다; 엠마오 사건은 언제나 일어난다." 크로산은 도발적인 부정(否定)과 애교섞인 호소라는 전형적인 결합을 통해서 이렇게 말한다.[21] 그는 학계에서만이 아니라 수많은 교회들에서조차도 많은 진영들에서 당연한 것으로 여길 정도로 널리 퍼져 있는 견해를 요약하고 있다: 복음서들에 나오는 부활 이야기들, 특히 누가에 나오는 이야기들은 시공간으로 이루어진 실제 세계에서 일어난 일들과는 아무런 상관이 없고, 예수가 빈 무덤을 포함하지 않는 의미에서 "살아 있고," 신자들의 마음과 사고가 그러한 예수에 대한 체험에 의해서 강화된 눈에 보이지 않는 현실 속에서 진행된 일과 관련이 있다는 것.[22]

오늘날 우리가 이 문제에 관하여 어떠한 결정을 하든지간에 — 이 문제는 본서의 제5부에서 고찰될 것이다 — 우리는 누가 자신이 크로산의 판단에 동

---

21) Crossan 1994, 197. 또한 Crossan 1995, 216도 보라: 빈 무덤과 현현들에 관한 이야기들은 "선한 사마리아인 이야기와 비슷한 방식으로 [기독교적인] 신앙을 표현하는 완벽하게 유효한 비유들이다." 이 절에서 나의 요지는 내가 이러한 해석에 동의하지 않는다는 것이 아니라, 누가 자신이 그러한 해석에 동의하지 않는다는 것을 보여주는 것이다.

22) 예를 들면, Borg, in Borg and Wright 1999, ch. 8.

의하지 않았을 것이라고 확신할 수 있다. 누가의 이야기의 전체적인 요지는 그것이 사람들이 이상한 사건들을 숙고하거나 성경을 묵상하거나 떡을 같이 떼면서 여전히 겪을 수 있는 그러한 종류의 "영적인 체험"의 한 "예"로서가 아니라, 하나의 충격, 일회적인 독특한 사건으로 이해되는 그러한 사건에 관한 것이라는 것이다. 누가는 예수의 부활을 여자들(24:1-8), 열한 제자(24:9-11), 베드로(24:12), 엠마오 도상의 두 제자(24:3-35), 다락방에 있던 제자들(24:37, 41)에게 의외의 일이었던 것으로 묘사한다. 그리고 거듭거듭 누가가 제시하는 설명은 이것은 단순히 교회의 삶과 예배에서 반복될 패턴을 정립하는 것이 아니라(이 장의 다음 절에서 보게 되듯이, 이것도 사실이긴 하지만), 세상과 이스라엘을 영원히 변화시킨 단회적인 사건이었다는 것이다. 이것은 누가가 누가복음 24장과 사도행전 1장에서 역설하고 있는 것이다. 이러한 이야기들을 그리스도인들의 지속적인 체험에 관한 묘사로 해석하거나 바꾸어 놓는 것은 이 이야기의 모든 구절들에 있어서의 누가의 명백한 의도에 대하여 폭력을 자행하는 것이다. 다시 한 번 말해두지만, 이것은 누가가 이 이야기들이 가져올 그리스도인들의 경험 속에서의 다양한 공명들을 알지 못했다고 말하는 것이 아니라, 그러한 것들은 누가에 있어서 원래의 사건 자체로부터 울려 퍼져나가는 공명들이라고 말하는 것이다.

특히, 누가는 부활하신 예수가 몸을 입고 있었다는 것을 역설하는데, 그것을 너무도 철저하게 묘사하기 때문에, 바울은 좀 불완전한 몸을 입은 부활한 예수를 묘사하고 있다고 생각한 자들이 이 두 사람을 서로 대비시킬 정도였다. 물론, 누가에 관한 한, 무덤은 비어 있었다(1-8절); 베드로는 세마포를 보았다(12절); 식탁에 있었던 낯선 사람이 갑자기 사라졌을 때, 그는 떼어놓은 떡을 남겨두었다(30-31, 35절). 예수는 "많은 설득력 있는 증거들"을 통해서 자기가 살아 있다는 것을 보여주었는데(행 1:4), 이것을 통해서 누가는 아마도 이것이 허깨비나 유령이나 환각이었다는 그 어떤 주장에 대해서도 명시적으로 반박하고 있는(우리가 보았듯이, 이 모든 것들은 다양한 문화 속에서 살아가는 사람들에게 자연스럽게 떠오른 관념들이었을 것이다) 다락방 장면을 포함시키고자 했던 것 같다:

24:36이 말을 할 때에 예수께서 친히 그들 가운데 서서 이르시되 너희에

> 게 평강이 있을지어다 하시니 37그들이 놀라고 무서워하여 그 보는 것을
> 영('프뉴마')으로 생각하는지라 38예수께서 이르시되 어찌하여 두려워하며
> 어찌하여 마음에 의심이 일어나느냐 39내 손과 발을 보고 나인 줄 알라
> 또 나를 만져 보라 영은 살과 뼈가 없으되 너희 보는 바와 같이 나는 있
> 느니라 40이 말씀을 하시고 손과 발을 보이시나 41그들이 너무 기쁘므로
> 아직도 믿지 못하고 놀랍게 여길 때에 이르시되 여기 무슨 먹을 것이 있
> 느냐 하시니 42이에 구운 생선 한 토막을 드리니 43받으사 그 앞에서 잡수
> 시더라.

이 장면에 나오는 모든 행, 거의 모든 단어는 이 점을 잘 보여준다. 누가에게 있어서 부활한 예수는 너무도 확고하고 몸을 입고 있고, 만져질 수 있으며, 먹을 수 있다. 이것이 다른 책들에서 일깨우고 있는 반영들은 이것이 무엇을 의미하는지를 분명하게 보여준다.[23] 그의 손과 발 — 누가는 그것들이 여전히 지니고 있었던 상처들을 언급하고 있지 않지만, 이것은 요한복음 20:20, 25, 27에서와 마찬가지로 그 요지인 것으로 보인다 — 은 이전과 동일한 손과 발이다.[24] 그는 "영"('프뉴마') 또는 "유령"이 아니었다; 그러한 존재는 예수가 분명히 지니고 있는 물리적인 의복들을 소유하지 못한다. 우리는 여기에 나오는 "살과 뼈"를 고린도전서 15:50에 나오는 바울의 표현인 "살과 피"와 싸움을

23) Tob. 12:19에서 천사 Raphael은 자신의 정체를 Tobit과 Tobias에게 계시하면서, 그들과 함께 있는 동안에 그는 먹지도 않고 마시지도 않았다고 분명하게 말한다; 그들은 환상('호라시스')을 보고 있었던 것이다. 사도행전 10:41에서 베드로는 제자들이 예수의 부활 후에 그와 함께 먹고 마셨다고 분명하게 말한다; 사도행전 1:4에 나오는 이상한 동사는 "그들과 함께 머물렀다"가 아니라 "그들과 함께 먹었다"로 번역될 수 있다(이 문제에 대해서는 Metzger 1971, 278f.; Barrett 1994, 71f.를 보라). Segal 1997, 110f.은 예수의 부활의 몸에 관한 누가의 묘사에 대한 관심에 정신이 팔려서, 누가가 "성찬을 행하여 떡을 먹고 포도주를 마셨다"고 말하고 있다고 주장한다 — 이것은 성례전 신학에 몰두한 사람들이 누가 본문 속에서 발견하고자 했을 법한 것이지만, 실제로 그러한 내용은 누가 본문에 존재하지 않는다.

24) 요한복음에서 언급되고 있는 것은 손들과 옆구리이지, 발은 아니다. 십자가 처형 장면에 관한 통속적인 설명들에도 불구하고, 정경 복음서들 중 그 어느 것도 십자가 처형 장면을 서술하면서, 예수의 손과 발이 못 박혔다고 언급하지 않는다.

붙여서는 안 된다; 누가는 "육체"('사륵스')가 언제나 썩어 없어질 것, 그리고 흔히 반역적인 것을 가리키는 바울의 특별한 용어 사용과 관계가 없다. 후대의 테르툴리아누스 등의 저술가들에게와 마찬가지로 누가에게도 이것은 단순히 오늘날 우리가 "육신적인"이라는 단어를 사용할 때에 말하고 있는 것을 말하는 방식이었다.[25] 이미 우리가 살펴본 사도행전의 증거들은 예수의 몸이 썩지 않았다는 것을 강조함을 통해서 이 점을 생생하게 확증해 준다.[26]

누가가 이 모든 것으로부터 특별히 도출해 내고 있는 것은 단순히 예수의 부활한 몸이 육체성(physicality)을 지녔다는 것이 아니라, 그것이 하나님의 목적에 있어서 세상과 이스라엘에 관한 견해 전체와 관련해서 의미하는 것이다: 부활절을 계기로 새로운 세상, 이스라엘의 구속, 새 창조가 출현하였다. 이러한 이야기들의 취지는 몇몇 사람들이 그들과 그 밖의 사람들이 그 후에도 계속해서 할 수 있었던 어떤 특정한 종류의 영적 체험을 하기 시작했다는 것이 아니다. 이와는 반대로, 1장에 나오는 승천 기사 이후에 사도행전에서는 그 어느 대목에서도 아무도 부활절 이후 40일 동안에 걸쳐서 일어난 사건들에 관하여 누가가 묘사하고 있는 것들 같은 체험을 하지 않는다. 물론, 누가가 그리스도인들의 지속적인 공동체적 삶의 기원을 보여주기 위한 방식으로 묘사하고 있는 이러한 체험들의 몇 가지 요소들이 존재한다. 우리는 이러한 것들을 곧 살펴보게 될 것이다. 그러나 그러한 것들은 누가가 모든 대목들에서 그가 할 수 있는 한 이후의 그리스도인들의 삶과 불연속적인 것으로 만들고자 애쓰는 그 어떤 사건으로부터 나온 것이다. 엠마오 사건은 실제로 일어났다고 누가는 말한다; 성경 강의를 듣고 마음이 불타오르거나 떡을 떼면서 믿음이 새로워질 때마다 부분적으로 이와 비슷한 현상들이 일어나기는 하지만, 또 다른 더 중요한 의미에서 엠마오 사건은 결코 두 번 다시 일어나지 않을 것이다.

이와 동시에, 반복된 주장들에도 불구하고, 누가가 초대 교회 내의 가현설적인 성향들과 싸우기 위하여 부활한 예수의 육체성을 강조하였다고 주장하는 것은 잘못된 것이다. 이 대목에서 예수가 영('프뉴마')이 아니라는 누가의 역

---

25) (특히 Cullmann에 반대하여) 특정한 단어 선택들에 너무 속박될 위험성을 지적하는 Peters 1993, 67.

26) 사도행전 2:27-9, 31; 13:35, 37; 위의 제10장 제2절을 보라.

설과 부활한 예수는 '다이몬'이 아니었다는 이그나티우스의 역설 간의 병행은 우리를 잘못된 길로 인도할 수 있다[27] 이그나티우스는 실제로 예수의 부활한 몸만이 아니라 십자가 처형 이전의 예수의 인성과 관련해서도 가현설적인 분석이라는 문제점에 직면하였다. 그러나 누가가 그런 종류의 견해와 싸우기 위하여 복음서를 쓴 것이라면, 그가 동일한 장에서 엠마오 도상에 관한 이야기, 제자들이 몰라보았고 그 후에 사라진 예수, 예수가 다락방에 갑자기 나타난 것에 관한 기사, 그리고 마지막으로 승천 자체를 포함시켰을 것이라는 것은 생각할 수 없는 일이다.

그러므로 누가에 관한 한, 우리는 그 어떤 의심도 가질 필요가 없다: 그는 예수의 몸의 부활이라는 이례적이고 독특한 사건을 믿었고, 그 결과로서 창조주가 세상 및 이스라엘을 다루시는 것에 관한 이야기 전체가 새로운 초점을 갖게 되었다고 믿었다. 모든 성경의 이야기들은 이 길을 지시하는 것이었다 — 아무도 이전에는 그와 같이 성경을 읽지 않았지만. 이스라엘의 이야기는 그 메시야에게서 절정에 도달하였다; 그로 말미암아 세계사의 새로운 장이 열렸고, 하나님의 죄사함을 특징으로 하는 새 시대가 열렸다.[28] 누가의 부활 이야기는 바울이나 신약의 그 밖의 다른 신학자들로부터 유래한 것이 아니다. 그것은 누가가 매우 초기의 전승들을 나름대로 다시 쓴 것으로 보인다. 그러나 마지막 부분에 이르러서 누가는 그 밖의 다른 모든 기자들과 매우 비슷한 지점에 안착하였다.

4. 부활절과 교회의 삶

이 모든 것을 다 말한 후에, 누가가 이 이야기를 그 자신이 나중에 환기시키고 있는 공동 생활의 패턴들을 정립하거나 밑받침하기 위한 방식으로 말하였다는 것을 인식하는 것도 중요하다. 그 분명한 출발점은 엠마오 도상에 관한 이야기에 나오는데, 거기에서 누가는 두 가지 특징을 부각시킨다: 성경에 대한 새로운 해석과 떡을 떼는 것. 엠마오 도상의 두 제자의 마음은 첫 번째에 의해서 불타오르고, 그들의 눈은 두 번째에 의해서 열려진다.[29] 그런 후에, 다락방에

27) 누가복음 24:37, 39; Ign. *Smyrn.* 3.1-3. 위의 제10, 12, 13장을 보라.
28) 눅 24:47; 행 13:38f.

서 예수는 "그들의 마음을 열어서 성경을 이해할 수 있게 해주었다."[30] 이것을 사도행전에 비추어보면, 우리는 초대 교회의 삶 속에서의 네 가지 요소들 중에서 두 가지를 발견하게 된다: 사도들의 가르침, 교제, 떡을 떼는 것, 기도들.[31](우리는 "사도들의 가르침"이 물론 예수 자신에 관한 이야기들 및 예수의 가르침들을 포함하고 있었겠지만 대체로 성경에 대한 강해로 이루어졌을 것이라고 생각해 볼 수 있다.) 누가의 저작 전체가 전체적으로 행하고자 의도한 것, 예수 및 초대 교회에 관한 이야기를 함으로써 이스라엘의 성경적 이야기의 절정에 그것이 위치해 있다는 것을 온전하게 이해하고 자기 것으로 만드는 것을 누가의 예수는 제자들로 하여금 세밀하게 행할 수 있게 해준다. 그들은 예수에게 일어난 사건들에 비추어서 성경을 전혀 새로운 방식으로 이해하여야 한다. 그리고 그들은 성경에 대한 이러한 새로운 읽기를 불타오르는 열심의 내적인 삶의 원천으로 삼아야 하고(24:32), 예수가 누구였고 지금 누구이며, 그와 관련하여 그들이 누구이고, 그 결과로서 그들이 무엇을 하여야 하는지를 이해하는 틀로 삼아야 한다(24:45-48).

또한 엠마오에서의 식사가 지니는 뉘앙스도 잘못 해석되어서는 안 된다. 누가는 최후의 만찬 본문들 속에서만이 아니라 요한에 의해서 기록된 광야에서의 급식 사건 및 요한의 광야 급식 사건과 바울의 고린도전서 속에 묘사되어 있는 성찬 예식과 관련된 행위를 의도적으로 반영하는 방식으로 떡을 취하여 축사하고 떼어서 주었다는 예수의 네 가지 행위를 묘사한다.[32] 이것은 앞 절에서 말했던 것을 부정하려는 것이 아니라, 단지 누가가 이 이례적인 이야기를 이후의 예배 생활을 위한 패러다임으로 들려줄 수 있는 방식으로 말했다는 것을 분명히 해두고자 하는 것이다.

물론, 제자들에 대한 위임은 당연히 누가가 사도행전에서 묘사하고 바울이 그의 서신들 속에서 묘사하고 있는 후대의 교회 사역에 대한 복선이다. "그의 이름으로 죄 사함을 받게 하는 회개가 예루살렘에서 시작하여 모든 족속에게

---

29) 누가복음 24:27, 32, 35.

30) 누가복음 24:45.

31) 사도행전 2:42.

32) 마 26:26/막 14:22/눅 22:19; 요 6:11; 고전 11:23f.; cf. Justin *1 Apol.* 1.66.3.

전파될 것이 기록되었으니"(24:47); 이것을 구현하고 있는 사도행전의 많은 장면들 외에도, 우리는 데살로니가전서 1:9-10, 로마서 1:5, 그리고 이와 비슷한 본문들을 참조해 볼 수 있을 것이다. 이러한 위임이 자의적이 아니라는 것을 아는 것이 중요하다. 예수의 부활이라는 사건과 그런 후에 그가 제자들에게 행하라고 말한 여러 상세한 일들은 서로 연결되어 있지 않은 것이 아닌 것 같다. 예수는 부활하였기 때문에, 이스라엘의 메시야임이 입증되었다; 예수가 이스라엘의 메시야이기 때문에, 그는 세상의 참된 주이고, 세상에 대하여 충성을 요구할 것이다; 이러한 목적을 위해서 그는 그를 대신하여 성령의 능력으로 행하도록 자신의 제자들에게 위임할 것이다 — 이것 자체가 계약 갱신과 새로운 삶의 표지이자 수단이다. 그리고 이러한 사업을 개시시킬 핵심적인 제자들은 예수가 실제로 십자가처형 후에 다시 살아났다는 것을 직접 목격한 "증인들"이다.[33]

5. 누가와 부활: 결론

누가의 부활 이야기들에 대한 이러한 개관은 우리가 마가 및 마태와 관련하여 보았던 것을 확증해준다. 각각의 복음서 기자들은 나름대로의 특정한 강조점들과 신학적인 의도들을 드러내는 방식으로 그 이야기들을 형성하고 다시 말할 수 있는 자유가 있다고 느꼈음이 분명하다. 누가가 마가 및 마태와 중복되는 대목에서조차도 이 이야기는 실제적으로 다시 씌어졌다. 그러나 예수에 관한 묘사는 동일하고, 그것은 그 자체로는 대단히 수수께끼 같지만, 우리가 가장 초기의 신학자인 바울 등과 같은 신학적인 전승들 속에서 발견하는 부활에 관한 좀 더 발전된 신학적인 분석과 부합하는 묘사이다. 그것은 새롭고 예기치 않은 설명할 수 없는 특성들을 지닌 몸을 확고하게 입은 인간 존재로서의 부활한 예수에 관한 그림이다: 우리가 "변화된 몸"(transphysicality) 또는 변화된 육신이라고 불러왔던 것에 관한 그림이다. 누가는 다른 복음서 기자들과 마찬가지로 이러한 극히 이례적인 혁신을 설명하거나 정당화하고자 하는 시도를 하지 않는다. 그는 단지 자신의 해석을 곁들여서, 하지만 우리가 그 근

33) 눅 24:48; cf. 행 1:22; 2:32; 3:15; 10:39, 41; 13:31.

저에 있는 초기 전승이라고 전제해야 하는 것, 모든 초기 그리스도인들이 예수에게 일어났었다고 믿었던 것을 실질적으로 수정함이 없이 전달해준다. 누가는 우리로 하여금 이러한 길을 따라서 한 단계 더 나아가 모든 초기 그리스도인들이 믿었던 것이 무엇이었는지를 발견할 뿐만 아니라 그들이 왜 그것을 믿게 되었는지를 묻도록 만든다.

제17장

새 날, 새 과제들: 요한복음

1. 서론

요한의 부활절에 관한 두 개의 장은 고린도 서신에 나오는 핵심적인 본문들은 말할 것도 없고 로마서 8장과 아울러서 부활에 관한 가장 영광스러운 글들 가운데 하나로 꼽힌다. 물론, 요한과 로마서는 장르와 문체에서 완전히 다르다. 바울의 빈틈없는 논증과 압축된 표현들 대신에, 부활절 사건들에 관한 요한의 믿을 수 없을 정도로 단순한 기사는 깊고 극적인 인간적 특성을 지닌 따뜻함이 있고 새로운 가능성들로 넘쳐 있다. 길고 단호한 바울의 논증 끝에 나오는 강력하고도 긴장시키는 "그러므로"(QED) 대신에, 요한의 최후의 장면은 당황스러울 정도로 그 끝이 열려 있다: "너는 어떠냐? 나를 따르라." 복음서는 새롭게 발견된 믿음으로 끝나지만, 그것은 이제 새로운 세상, 새로운 날을 향하여 나아가서, 이 모든 것이 어디로 이끌 줄을 미리 알지 못하는 가운데 새로운 과제들을 시도하는 그런 믿음이다.[1)]

요한복음의 마지막 두 장은 문제가 있는 본문으로도 잘 알려져 있다. 요한(나는 "요한들"이 저자일 가능성을 배제하지 않는 가운데 이 복음서의 저자의 이름을 그냥 요한이라고 부르고자 한다; 또한 마찬가지로 사랑하는 제자의 정체성 또는 그와 이 복음서 저자의 관계에 대한 그 어떤 결론을 제시함이 없이 그렇게 부르고자 한다)은 이 복음서를 20장 끝에서 끝내고자 했다는 온갖 표

1) 이 대목과 관련해서 작곡가인 Paul Spicer에 대한 나의 감사의 말은 서문에 기록되어 있다. 20세기 초에 요한/바울을 구분한 것에 대해서는 나의 "Coming Home to St Paul"을 보라.

지들을 보여준다. 30-31절은 실제로 예수에 관한 그 어떤 이야기만이 아니라 특히 요한의 이야기에 대한 적절한 결론을 이루고 있는 것으로 보인다:

> 예수께서 제자들 앞에서 이 책에 기록되지 아니한 다른 표적도 많이 행하셨으나 오직 이것을 기록함은 너희로 예수께서 하나님의 아들 그리스도이심을 믿게 하려 함이요 또 너희로 믿고 그 이름을 힘입어 생명을 얻게 하려 함이니라.[2)]

그러나 그 후에 21장이 나온다; 그 어떤 사본도 21장이 없이 유포된 이 복음서에 대한 사본이 있었다는 것을 보여주는 암시를 제시하고 있지 않다. 이 장의 마지막 두 절에 이르기까지는 이 장은 마치 저자가 이 복음서의 나머지 부분의 저자와 동일인물인 것처럼 보인다. 실제로 23절은 저자가 죽음을 가까이 두었을 때에(이 복음서의 저자와 사랑하는 제자가 실제로 동일인물이라고 한다면) 또는 사랑하는 제자의 임종 즈음에 저자에 의해서(사랑하는 제자가 이 복음서의 저자가 아니라면) 씌어진 일종의 친필 서명인 것처럼 보인다. 분명히 이 절은 사랑하는 제자가 죽기 전에 예수가 다시 오기로 되어 있었다고 생각하는 것 — 이러한 관념은 교회 속에 어느 정도 뿌리를 내리고 있었다 — 에 대하여 경고한다. 그러나 그런 후에, 마치 편집자에 의해서 덧붙여진 보증서처럼, 이 복음서는 저자의 일종의 진술서로 끝이 난다:

> 이 일들을 증언하고 이 일들을 기록한 제자가 이 사람[즉, 앞 절에 언급된 사랑하는 제자]이라 우리는 그의 증언이 참된 줄 아노라.[3)]

그리고 이 복음서는 24절을 첨가한 동일한 편집자에 의해서 추가되었거나 편집자가 원래의 저자가 남겨 놓은 마지막 말을 자신이 삽입한 것으로서, 편집자가 자신의 해설 다음의 끝 부분에 놓은, 20:30을 연상시키는 마지막 수식어구로 끝이 난다:

---

2) 31절의 번역에 대해서는 위의 제12장 제2절을 보라.

3) 요한복음 21:24.

> 예수께서 행하신 일이 이 외에도 많으니 만일 낱낱이 기록된다면 이 세상이라도 이 기록된 책을 두기에 부족할 줄 아노라.[4]

복음서 전승에 있어서 결코 쉽지 않은 저자 문제는 이렇게 해서 한층 더 현기증이 나는 문제가 되어 버린다: 우리에게 누가 저자인지를 말해주고 있지만 우리가 해독해낼 수 없는 주해(註解)! 하지만 거기에서 주장하고 있는 것은 분명하다: 이 증언은 믿을 만할 뿐만 아니라, 그는 이 모든 일에 대한 목격자였다. 물론, 이와 같은 주장들은 성경학계에 의해서 통상적으로 불신을 받아 왔다; 실제로 그러한 주장을 하고 있다는 사실 자체가 누군가가 어떤 것을 슬쩍 끼워 넣고자 하는 것을 보여주는 표지로서 의심스러운 눈으로 보아져 왔다. 현재의 경우에 있어서 그것이 과연 그러한지 그렇지 않은지는 다음을 기약해야 할 주제이다. 이러한 주장은 본문에 대한 새로운 읽기와 더불어서 저자가 말하고자 하는 것에 관한 우리의 그림의 일부로서 고찰되어야 한다.

요한의 부활절 이야기의 기본적인 특징들은 쉽게 제시될 수 있다. 빈 무덤을 발견한 것에 관한 최초의 이야기(20:1-18)는 내용상으로 공관복음서들에 나오는 것과 중복되지만, 여기서 두드러지는 것은 차이점들이다: 여자들 가운데서 오직 막달라 마리아만이 언급되고, 그녀는 예수를 만난다(마태에서 여자들이 예수를 만난 것과 마찬가지로). 누가복음 24:12에서처럼, 베드로는 이 소식을 듣고 무덤으로 달려간다; 그러나 이 복음서에서는 베드로는 사랑하는 제자를 동행하고, 그들이 함께 달려가는 극적인 장면에서 사랑하는 제자가 먼저 무덤에 도착한다.[5] 이 이야기에서는 공관복음서에 나오는 일부 병행되는 대목들에서보다도 모든 대목에서 상당히 더 자세하다; 예를 들면, 세마포에 관한 묘사, 예수와 마리아의 대화.[6]

---

4) 요한복음 21:25. 이 절은 Codex Sinaiticus에는 생략되어 있다.

5) 우리가 보았듯이, 누가복음 24:24은 둘 이상의 남자 제자가 무덤에 갔다는 누가의 인식을 보여준다.

6) 베드로와 요한에 관한 이야기는 원래는 독립적이었던 마리아에 관한 이야기 속에 이 전승의 후기 단계에서 첨가된 것이라는 주장은 아무런 근거가 없다(예를 들면, Carnley 1987, 19, 45)

그런 후에, 마가 다락방에서 저녁을 배경으로 두 가지 이야기가 전개되는데, 그 중 첫 번째는 동산에서 일어난 사건들과 동일한 날에 관한 것이고, 두 번째는 한 주간 후의 일에 관한 것이다. 첫 번째 이야기(20:19-23)는 단어 사용에 있어서는 별로 그렇지 않지만 내용면에 있어서는 누가복음 24:36-49과 상응하는 것으로 보인다: 예수는 제자들에게 선교를 위임하고, 그들을 그 일에 대하여 준비시키기 위하여 성령을 수여한다. 두 번째 이야기는 고대와 현대의 화가들이 즐겨 그린 장면이다. 그 첫날 저녁에 다락방에 없었던 도마는 주가 진실로 부활했다는 것을 의심함으로써 지금 그가 지닌 영속적인 별명을 얻게 되는데, 그런 후에 부활한 예수는 그에게 직접 만져보라고 말씀한다. 도마는 그러한 초청을 거부하고, 대신에 이 복음서 전체에 걸쳐서 가장 온전한 신앙고백을 한다: "내 주 내 하나님"(20:28). 예수는 빈정거리는 듯한 논평을 하는 것으로 이 장면은 끝나는데, 원래 이 복음서는 여기에서 끝난 것으로 보인다.

21장의 배경은 갈릴리이다: 요한은 마태와 마찬가지로 예수가 예루살렘과 갈릴리에서 나타난 것으로 보도한다 — 물론, 현현 사건들에 대한 보도는 훨씬 자세하지만. 갈릴리에서의 현현은 산이 아니라 해변가에서 일어난다. 베드로와 그 밖의 다른 여섯 명의 제자들(이들은 모두 열두 제자에 속한 사람들이었을 것이다)은 고기를 잡으러 갔다가 한 마리도 잡지 못하고 돌아온다. 누가복음에서 전에 한 번 그랬듯이, 예수는 제자들이 알아보지 못하는 가운데 해변에서 작업을 지시하고, 또 다시 엄청난 물고기를 잡는 결과를 가져온다. 해변에 도착해서, 제자들은 예수가 이미 아침밥을 지어놓고 그들에게 먹으라고 권하는 것을 발견한다. 기겁을 한 저자는 옆에서 이렇게 논평한다: "제자들이 주님이신 줄 아는 고로 당신이 누구냐 감히 묻는 자가 없더라"(21:12). 그런 후에, 예수는 시몬 베드로를 데리고 해변가를 거닐다가(우리는 그들이 사랑하는 제자가 뒤에서 그들을 따라오고 있다는 것을 발견할 때에야 비로소 이것을 알게 된다), 베드로에게 18장에 나오는 베드로의 세 번의 부인과 상응하게 세 번 나를 사랑하느냐고 묻는다. 삼중의 "그렇다"를 대답으로 받은 후에, 예수는 베드로를 장차 고난을 받게 될 일종의 보좌목자로 위임한다.[7] 그런 후에, 사랑하는 제자가 그들을 따라오고 있을 것을 보고, 그들은 "그것이 너와 무슨 상관이 있느

7) 10:1-39의 "목자" 강론을 반영하고 있는 요한복음 21:15-19.

냐? 너는 나를 좇을 것이니라!"는 끝이 열려져 있는 도전으로 끝나는 그에 관한 짤막한 대화를 나눈다. 이것은 우리가 이미 지적한 바 있는 결말로 곧장 이어진다.

제4복음서의 나머지 부분의 상당수의 경우에서와 마찬가지로, 공관복음 전승을 읽은 후에 이 복음서를 새롭게 접하는 독자들은 특히 한 가지 특징, 즉 긴 대화들과 자세한 묘사에 놀라지 않을 수 없다. 우리는 다른 공관복음서들 전체를 합한 것만큼이나 이 두 장 속에서 막달라 마리아, 도마, 사랑하는 제자(그가 누구이든지간에)에 관하여 알게 된다. 우리가 다른 곳으로부터 얻은 베드로에 관한 그림은 추가적으로 실증된다. 이것에 대한 평가는 기본적으로 세 가지로 제시될 수 있다: 자세한 묘사를 실제의 사람들에 관한 진정으로 역사적인 지식을 보여주는 증거들로 보는 사람들, 그것을 영리한 소설적인 허구를 보여주는 표지로 보는 사람들, 그것을 적어도 몇몇 경우들에 있어서 다른 사도들에 맞서서 한 사도의 지도자적인 위치를 입증하고자 하는 정치적인 시도로 보는 사람들.

우리는 이러한 문제를 여기에서 결정할 필요는 없다; 그러나 우리는 이 복음서 기자가 목격자들에 의거한 것이든 아니면 고도로 노련한 허구를 통해서이든 분명히 관련된 인물들에 관한 통일적이고 믿을 만한 초상을 제시하고자 시도하고 있다는 것을 지적하지 않으면 안 된다. 그들은 정해진 반응들과 질문들을 낳는 마분지로 만든 종이인형들이 아니다. 복음서 기자는 우리가 이 이야기를 후대의 교회의 체험에 대한 분명한 알레고리로 받아들이는 것이 아니라 고유한 맥락을 지닌 하나의 이야기로 진지하게 받아들이기를 의도한다.

이러한 짤막한 개관을 통해서도 이미 요한에 관한 한 가지 통상적인 인식이 상당한 정도로 결함이 있다는 것이 분명해진다. 일부 학자들은 요한이 "영생"을 사람들이 현재의 삶 속에서 얻을 수 있는 것으로 가르쳤고, 예수의 십자가 처형 그 자체를 영광, "들리움"의 핵심적인 순간으로 보고 있다는 것을 지나치게 강조함으로써, 요한의 신학 속에는 예수의 부활 또는 그의 제자들의 부활이 들어설 여지가 없다고 지적하여 왔다. 물론, 그런 후에, 그것은 부활 이야기들에 대한 평가절하만이 아니라, 우리가 위의 제9장에서 언급하였던 핵심 본문인 5:25-29을 주변화시키는 시도로 이어진다. 또한 그것은 요한에게 있어서 십자가 사건, 부활, 승천은 모두 기본적으로 동일한 것이었다는 주장으로 귀

결된다: 예수는 "떠나갔고," 이것이 전부이다. 중요한 것은 "그가 죽은 후에 이 땅에 잠깐 현현했다는 것이 아니라 영광 중에 하늘로 승귀되었다는 것"이다.[8]

그러나 본문들 자체는 이러한 이미 지나간 종말론(over-realized eschatology)이 제시하고 있는 것보다 더 미묘하다. 물론, 요한은 십자가 사건, 부활, 승천을 단일한 사건으로 보고 있다고 할 수도 있다; 그것은 신학적으로 어떤 차원에서는 일리가 있다. 그러나 요한은 또한 그러한 것들을 주의 깊게 차별화한다. 실질적으로 십자가 사건, 승천과 마찬가지로 부활에 대해서도 이야기를 쓰고 있다는 사실 자체가 십자가 사건과 부활을 구별하고 있다는 것을 웅변적으로 말해준다; 그리고 앞으로 보게 되겠지만, 이 복음서 전체의 주제상의 구조는 모든 것을 단순히 영광의 순간이기도 한 죽음으로 통합시키는 것에 반대한다. (예수가 나사로를 다시 살린 것에 대해서 어떻게 말해야 하는가? 그것도 범주의 오류라고 치부해 버려야 하는 것인가? 그러나 그것은 전체 이야기의 주된 초점들 중의 하나가 아닌가?) 게다가 예수가 마리아와 나누는 대화 속에 나오는 핵심적인 본문은 요한이 다른 곳에서 굳이 부활과 승천의 구별을 부각시킬 필요가 없었던 것일 뿐, 그러한 구별을 잘 알고 있었다는 것을 보여준다:

> 예수께서 이르시되 나를 붙들지 말라 내가 아직 아버지께로 올라가지 아니하였노라 너는 내 형제들에게 가서 이르되 내가 내 아버지 곧 너희 아버지, 내 하나님 곧 너희 하나님께로 올라간다 하라 하시니.[9]

---

8) 초기 기독교적인 견해라고 생각되는 것을 요약한 후에, 그것을 "훌륭한 요한 신학"이라고 설명하고서, 요한복음에 나오는 부활 현현들은 "신앙에 대한 보조수단"으로 사용되지 않았다고 주장함으로써 이러한 견해를 밑받침하고 있는 Harvey 1994, 74. 또한 Macquarrie 1990, 413도 보라: 요한은 부활 이야기들을 포함시키고 있지 않지만, 그러한 이야기들의 의의는 축소된다. 이것은 신약성서에 나오는 아주 자세한 부활절 이야기들에 대한 이상한 논평이다. 예수의 "떠남"(going away)이라는 주제에 대해서는 요한복음 3:33; 16:28, 그리고 고별 강론들(13-17장)에 나오는 다른 많은 본문들을 참조하라.

9) 요한복음 20:17. Evans 1970, 122f.의 논의를 보라. Brown 1973, 89은 이 사건은 "예수가 통상적인 실존으로 되돌아온 것이 아니라, 아버지와 함께 하는 영광된 실존으로 되돌아갔다는 신학적인 진리를 극화한 것"이라고 주장한다; 만약 이것이

이 유명한 대화는 그 자체로 설명할 가치가 있다. 테레사 오쿠레(Teresa Okure)는 만지지 말라는 명령은 그녀가 예수에게 매달릴 것이 아니라 그녀가 직접 본 것을 가서 말하라는 마리아에 대한 위임의 일부라고 주장하였다. 아울러, 예수의 명령이 "내게 매달리지 말라" 또는 "나를 붙잡지 말라"로 번역될 수 있다면 — 그럴 가능성은 충분하다 — 요한은 부활한 예수가 몸을 지니고 있다는 것과 사람들이 만지고자 했으나 만질 수 없었던 그런 종류의 존재로 밝혀진 호메로스에 나오는 유령 또는 영과 대비시키고자 하는 의도를 지니고 있었다고 할 수 있다.[10] 이러한 주장들을 종합해 보면, 요한은 예수가 실제로 손으로 만져질 수 있었고 마리아는 자신의 새로운 과제들을 안고서 가서 수행해야 할 것이라고 말하고 있는 것일 수 있다. 이렇게 요한이 서로 다른 사건들 사이에 분명한 쐐기를 박아서 구별하고자 하지 않는다는 것은 분명히 사실이지만, 그가 그러한 사건들을 서로 구별되지 않는 단일한 것으로 뭉개버리지 않았다는 것도 마찬가지로 사실이다. 요한을 예수와 부활에 관한 하나의 견해를 증언하는 증인으로 여기고, 부활절 이야기들을 단지 예수의 죽음이 승리였고, 그는 지금 하늘에 살아 있으며, 그의 제자들은 지금 그를 통해서 새로운 삶을 경험하고 있다고 말하는 극적이고 암호화된 방식으로 보는 것은 잘못된 것이다. 그것이 진정으로 요한이 말하고자 했던 것이라면, 그는 사람들을 잘못된 해석으로 이끌 정도로 서툴게 그런 작업을 했다고 볼 수밖에 없다.[11]

사실, 특히 20장의 부활 이야기는 이 복음서의 나머지 부분에 나타난 신학을 붕괴시켜버리려고 하는 부록이 아니라, 요한이 그의 복음서에서 내내 말해왔던 이야기, 십자가 사건에서 그 절정에 달한 이야기에 대한 진정한 완성으로

사실이라면, 이 이야기는 분명히 그것에 대한 극화가 아니라 날조가 된다. Davies 1999, 15는 "나를 만지지 말라"는 만 삼일이 완전히 지날 때까지는 죽은 자들은 온전히 죽은 것이 아니어서 여전히 위험스러운 존재로 여겨졌다는 이교 신앙의 유비를 토대로 해서 설명될 수 있다고 주장한다. 이것은 요한에 대한 기괴한 오해인 것으로 보인다.

10) 이 사건을 일종의 사도적 "파송"으로 부각시키는 Okure 1992, 181f. 호메로스의 유령들에 대해서는 위의 제2장 제2절, 아래의 제18장 제2절을 보라.

11) 복음서의 나머지 부분과 부활절 이야기들 간의 긴장 관계에 관하여 말하면서, 이 복음서의 신학은 부활이 들어설 여지를 남겨놓지 않는다고 주장하는 Evans 1970, 116을 참조하라(위의 제9장을 보라).

보아질 수 있다. 우리는 이것을 복음서의 끝에 나오는 20장이 처음에 나오는 서문(1:1-18)과 몇 가지 점에서 서로 대응되는 가운데 이 복음서의 "틀"을 형성하고 있는 여러 가지 방식들을 서술하는 것을 통해서 입증해 낼 수 있다; 그리고 복음서의 나머지 부분에서 이미 중요하였던 주제들이 궁극적으로 이 장에 다시 나타나고 있다는 것을 추적함으로써도 그것은 입증될 수 있다.

2. 복음서 전체 속에서의 요한복음 20장

나는 이미 요한복음의 서문이 20장의 주제들에 대한 복선을 이루고 있는 여러 가지 방식들에 대하여 설명한 바 있다.[12] 우리는 그 점을 여기에서 간략하게 다음과 같이 요약할 수 있다.

요한은 창세기 1:1에 대한 분명한 간접인용을 통해서 처음부터 그의 복음서가 예수 안에서의 새로운 창조에 관한 것이라는 것을 선언한다. 20장에서 그는 부활절이 "한 주간의 첫날"이었다는 것을 강조함으로써 동일한 요지를 제시한다(20:1, 19; 요한이 이와 같은 것들을 강조할 때, 그는 분명히 우리가 그 점을 숙고하기를 원하는 것이다). 창조 이야기의 여섯째 날에 인간은 하나님의 형상을 따라 창조되었다. 요한은 예수의 공생애의 마지막 한 주간의 여섯째 날에 빌라도가 "보라 이 사람이로다!"고 분명하게 말하였다고 보도한다. 일곱째 날은 창조주를 위한 안식의 날이다; 요한에게 있어서 그 날은 예수가 무덤에서 안식하는 날이다. 부활절은 새로운 창조의 시작이다.

이것은 빛과 생명이라는 주제들에 의해서 더욱 강화된다. "그 안에 생명이 있었으니 그 빛은 어둠 속에서 꺼지지 않고 빛을 발하는 사람들의 빛이었다"(1:4-5). 이제 마리아는 아직 어두울 때에 무덤에 가서, 어둠을 물리친 새로운 빛과 생명을 발견한다. 서문은 계속해서 여전히 어둠 속에 있는 곳들에 대하여 말한다. 말씀이 "자기 백성에게 왔으나 자기 백성이 그를 영접치 않았지만," 그를 영접한 자들에게는 창조주 신의 자녀들이 되는 권세가 주어졌다. 이제 20장에서 우리는 문들이 닫혀져서 적대적인 유대인들이 두려워하는 것을 발견하지만, "그를 영접한" 자들의 작은 무리는 처음으로 창조주 신이 그들의 아버지, 그들의 신이라는 말씀을 듣는다(20:17; 이제까지 예수는 "아버지" 또는

12) *NTPG* 410-17; cf. 위의 제8장.

"나의 아버지"라고 말해 왔다). 그들은 이제 독자적으로 아버지의 자녀들이다. 서문의 빛 아래에서 20장을 읽으면, 우리는 이렇게 예수의 죽음과 부활이 제자들에게 1:3과 3:1-13에서 언급된 중생을 가져다주었다는 것을 이해하게 된다. 우리는 창세기 2:7에서 야훼가 자신의 영을 사람의 코에 불어넣음과 마찬가지로 예수가 그의 영을 그들에게 불어넣는 것을 볼 때에 놀라지 않아야 한다. 예수의 백성에게 일어나고 있는 일은 예수가 누구인지를 추가적으로 보여주는 것이다: 말씀이 육신이 되었다(1:14). 서문의 절정인 이 절은 요한에게 있어서 대단히 중요하다: 한 분 신과 함께 있었고 이 신과 동일시되었던 말씀이 이제 그리고 영원히 육신이 되었다. 육신이 말씀과 영으로 다시 되돌아갔다는 것은 말도 되지 않는 소리이다. 요한에게 있어서 부활이 중요한 것은 그 핵심에 있어서 요한은 창조의 신학자였기 때문이다. 언제나 창조주와 피조물을 하나로 결합시킬 때에 그 초점이 되었던 말씀은 이제 부활 속에서 창조주와 새 창조가 하나가 되는 지점이다.

이것은 도마의 신앙고백이 1:18을 되돌아보고 있다는 것을 부각시켜준다. 서문에 뚜렷하게 드러나 있는 고등 기독론은 여기에서 그 절정에 도달한다: 아무도 한 분 참 신을 본 적이 없지만, "독생하신 하나님"이 이 신을 드러내 보여주고 세상에 이 신이 누구인지를 보여주었다.[13] 우리는 복음서의 나머지 부분 전체에 걸쳐서 이 이야기 속에 나오는 등장인물들이 무슨 일이 진행되고 있는지를 깨우쳐서 알고 있는지를 찾아보아야 헛수고이다. 예수는 제자들에게 여러 가지 방식으로 "자신의 영광을 드러내었지만," 1:18에서 말하고 있는 것과 같은 것으로 반응한 사람은 아무도 없었다.

부활절 때까지는 말이다. 로완 윌리엄스(Rowan Williams)는 웨스트코트(Westcott)의 견해를 따라서 무덤의 돌판 양 끝에 있었던 천사들은 법궤의 속죄소의 양끝에 있던 그룹 천사들과 같은 역할을 한다고 주장하였다: 참 하나님은 그 가운데 공간 속에서 발견될 수 있다고 요한은 암시하고 있는 것이다.[14] 이것이 궁극적으로 개연성이 있든 없든, 이 장의 끝부분에 이르러서 지금

---

13) 이 절의 본문상의 문제점들에 대해서는 Metzger 1971, 198을 보라.

14) Williams 2000, 186f. 그의 주장은 방법론과 신학의 차원에서 기능하도록 계획되어 있다: 아래 제19장을 보라.

무엇이 계시되었는가 하는 것은 전혀 의문의 여지가 없다. 이른바 "의심하는 도마"는 작은 말 한 마디를 하고 나서, 믿음과 신학이 비약적으로 진보한다: "내 주 내 하나님"(20:28). 이것은 진정으로 믿음이다. 도마(모든 사람들 가운데서!)를 그들의 대변인으로 삼아서, 제자들은 그들이 전에 알고 있었고 이제 새로운 방식으로 또 다시 알게된 "육신"이 진실로 아버지와 하나인 "말씀"이라는 것을 고백한 것이다.

이 모든 것은, 요한에게 중요한 것은 부활절 사건이 실제로 일어났다는 것이라는 점을 강조해준다. 요한은 예수의 인간적 육신 속에 살아계신 하나님이 계시다는 것을 깨닫고 다른 사람들로 하여금 깨닫도록 돕고자 한 성육신 신학자였기 때문에, 도마가 이러한 신앙고백을 했을 때에 그가 단순히 믿음의 눈으로서만이 아니라(요한이 곧 분명하게 보여주듯이, 다른 사람들은 바로 이 길을 통해서 오게 될 것이다) 통상적인 인간의 촉각을 통해서 밑받침될 수 있는 인간의 육안을 통해서도 사람의 형태를 한 살아계신 하나님을 보고 있다고 말하는 것은 그에게 결정적으로 중요하고 타협할 수 없는 것이었다 — 도마는 여전히 보는 것으로 만족하고 있는 것으로 보이지만. 달리 말하면, 복음서 전체, 특히 대칭을 이루고 있는 서문의 맥락 안에서 볼 때, 요한복음 20장 속에는 이러한 이야기들이 영적인 체험에 대한 알레고리 또는 은유로서 유래하였거나 첫 번째 청중들이 그런 식으로 들었을 것임을 시사해주는 그 어떠한 내용도 없다는 것이다. 물론, 요한복음에 나오는 거의 모든 것과 마찬가지로, 그것들은 의미의 다중적인 차원들에 있어서 동시적으로 기능한다; 그러나 그 밖의 다른 모든 것의 토대가 되고 있는 의미는 말씀이 육신이 되었다는 것이다. 요한복음 20장과 관련해서 이 점을 부정하는 것은 그 마지막 종결부, 최후의 놀랄 만한 화음(和音)들을 듣지 않은 채로 교향곡을 마치는 것이나 다름없다.[15)]

사실, 부활 이야기들을 복음서의 나머지 부분과 긴밀하게 연결시켜주는 몇 가지 서로 다른 실마리들이 존재하기 때문에, 부활 이야기들을 떼어버렸을 때에 나머지 앞의 열아홉 장이 아무런 손상도 없이 온전하게 남는 일은 없다. 나는 여기서 일곱 가지(충분히 흥미로운 숫자)를 언급하고자 하는데, 그 각각은

15) Evans 1970, 120는 이에 반대한다. 그는 이 이야기들의 "엄청난 사실성"에 스스로 "놀랐다"고 말한다.

더 자세하게 서술할 가치가 있다.

첫째, 복음서 전체를 관통하는 일련의 "표적들"이 존재한다. 요한은 우리에게 그 밖에도 무수한 표적들이 있지만, 그가 이러한 표적들을 배열한 것은 사람들로 하여금 예수를 메시야로 믿고 그의 이름 속에서 발견되는 생명을 얻게 하기 위한 것이라고 말한다.[16] 요한은 방금 도마가 명백하게 부활한 예수를 만나고 나서 이러한 신앙고백을 했다고 묘사하고 있기 때문에, 우리는 분명히 부활 자체를 이러한 일련의 표적들 중에서 마지막 "표적"으로 보아야 한다. 복음서에 나오는 "표적들"의 실제 숫자는 요한이 그것들을 가져왔다고 하는 가설적인 "표적 자료집"과의 관계라는 문제와 더불어서 끊임없는 논란의 대상이다.[17] 그러나 내 판단으로는 요한이 분명히 우리로 하여금 따르도록 의도하고 있는 이 일련의 표적들을 이해하는 가장 좋은 방식은 그것들을 이렇게 보는 것이다:

1. 물을 포도주로 만드심(2:1-11)
2. 신하의 아들을 고치심(4:46-54)
3. 베데스다 못에서 병자를 고치심(5:2-9)
4. 오천 명을 먹이심(6:1-14)
5. 나면서 소경된 자를 고치심(9:1-7)
6. 나사로를 살리심(11:1-44)
7. 십자가 사건(19:1-37)
8. 부활(20:1-29)

십자가 사건은 예수가 옛 창조의 칠일을 따라서 제시한 "표적들"의 절정이자 완성이다. (물론, 어떤 관점에서 보면, 십자가 자체, 그리고 그 후의 부활은 그 밖의 다른 모든 표적들이 가리키는 진리들이다; 하지만 또 다른 관점에서 보면, 그것들 자체는 이제 세상에 대한 표적들, 예수 안에서 성육신된 하나님의

16) 요한복음 20:30f.

17) "표적 자료"에 대해서는 특히 Fortna 1970, 1988, 1992를 보라. 최근의 연구들로는 Kostenberger 1995; Koester 1996 등이 있다.

생명과 사랑을 가리키는 지시자들로서의 기능을 한다.)[18] 이제 여덟째 날에 여덟 번째 표적이 제시된다; 이러한 순서는 언제나 새 창조가 옛 창조 속으로 돌입해 오는 것에 관한 것이었다. 공생애 기간 동안에 행해진 "표적들"은 제자들을 믿음의 시작으로 이끌었지만(2:11), 대부분의 무리들에게는 아무런 영향도 주지 못했다(12:37). 이제 예수가 지금까지 해왔던 일을 설명해줄 궁극적인 "표적"(2:18-22, 이것에 대해서는 아래를 보라)인 부활 자체를 통해서 새 날이 열렸다. 이것을 통해서 온갖 부류의 사람들이 믿음으로 부르심을 받는다(20:30-31).

신앙 또는 믿음은 20장을 복음서의 나머지 부분과 연결시켜주는 두 번째 주제이다. "믿음"('피스티스')이라는 명사 자체는 요한복음에 한 번도 나오지 않지만, 동일한 어원에서 파생된 "믿다"('피스튜에인')는 마태, 마가, 누가를 합친 것보다 이 복음서에서 더 많이 나온다; 그리고 한층 더 놀라운 것은 바울서신에 나오는 모든 것을 다 합쳐도 요한복음에 나오는 것보다 더 적다는 것이다. 성경 관주사전을 찾아보면, 이 단어가 요한복음에 99번 나오는데, 15, 18, 21장(이상하게도)을 제외하고는 모든 장에 걸쳐서 분포되어 있다. 이 주제는 십자가 사건을 통해서가 아니라 20장에서 성취에 이른다.[19] 사랑하는 제자는 무덤으로 가서, 보고, 믿는다(8절). 도마는 보고 만지지 않고서는 자기가 믿지 않을 것이라고 분명하게 말한다(25절); 예수는 그에게 "믿지 못하는 자가 되지 말고 믿는 자가 되라"(27절)고 도전한다;[20] 도마는 예수가 자신의 주와 하나님이라고 선언하고, 예수는 "믿음 없는 자가 되지 말고 믿는 자가 되라"(29절)고 응수한다.[21] 그런 후에, 저자는 곧장 결론부로 나아간다: 이런 것들을 쓴

18) Barrett 1978 [1955], 78의 시사하는 바가 있는 논평을 보라.

19) 19장에는 '피스튜에인' 이 오직 1번 나온다: 35절에서 저자는 예수의 옆구리에서 피와 물이 나오는 것을 목격자들이 보았다고 말하면서, 이것은 그가 실제로 죽었다는 증거로서, 목격자가 20:31에 대한 복선으로서 "너희로 믿게 하기 위하여" 이것을 말하는 것임을 강조한다.

20) 이것들은 이 책에서 '아피스토스' 와 '피스토스' 가 나오는 유일한 대목들이다.

21) 29절은 "영지주의적인 방향"으로 사고를 옮겨간다는 Robinson 1982, 12의 주장은 이 장 전체에 걸쳐서 스며들어 있는 새 창조 신학에 비추어 볼 때에 대단히 불합리한 주장이다. 29절에서의 축복과 20:8에서의 사랑하는 제자가 믿음을 가지게 된 것 간의 연결관계는 Byrne 1985 등에 의해서 연구되었다.

이유는 너희로 믿고 그 믿음을 통해서 생명을 얻게 하고자 하기 위한 것이다 (31절). 이 복음서 전체를 지배해 온 이 주제가 20장에서 완성에 도달하도록 계획되었다는 것은 의심의 여지가 없다.

요한복음 전체에 걸쳐서 골고루 분포되어 있지는 않지만 여전히 강력하고 또한 20장에서 성취되는 세 번째 주제는 성령이라는 주제이다. 세례 요한은 성령이 비둘기처럼 내려와서 예수에게 머무르는 것을 보았다; 이것은 예수가 성령으로 세례를 주실 자라는 것을 보여주는 약속된 표적이었다 — 달리 말하면, 예수가 참 신의 참된 아들이라는 것(1:32-34). 약속된 거듭남을 위해서는 성령이 필요하다(1:13; 3:5-8). 예수는 아버지께서 성령을 물 붓듯이 부어주시기 때문에 아버지께서 그에게 주신 말씀들을 말할 수 있었다(3:34). 장막절의 마지막 큰 날에 그 절기에서 사용한 물이라는 이미지를 활용해서, 예수는 목마른 자는 누구든지 자기에게 와서 마시라고 초청하고, 그러면 "생수의 강"이 그들로부터 흘러넘쳐날 것이라고 말한다(7:37-38).[22] 요한의 설명은 강력하고도 계시적이다:

> 이는 그를 믿는 자들이 받을 성령을 가리켜 말씀하신 것이라 예수께서 아직 영광을 받지 않으셨으므로 성령이 아직 그들에게 계시지 아니하시더라.[23]

물론, 이것은 우리를 장차 올 것에 대하여 준비시키는 것인데, 그것과 밀접하게 결합되어 있는 "믿음"이라는 주제와 마찬가지로, 그것은 십자가 사건에서가 아니라 부활절의 저녁에 찾아온다(20:21-23). 달리 말하면, 예수는 지금 "영화롭게 되었다" — 십자가와 부활, 이 둘 모두를 통해서. 고별 강론들도 실질적으로 이러한 주제에 기여한다: 예수는 떠날 것이고(20장의 도움을 받아서, 우리

---

22) 여기서의 성경에 대한 간접인용은 47:1-12에서 회복된 성전으로부터 강이 흘러나오는 것과 에덴 동산으로부터 흘러나오는 네 지류의 강(창 2:10-14)에 대한 것인 것 같다; 또한 cf. Sir. 24.25-7, 30f.; 계 22:1f.

23) 요한복음 7:39. "성령이 아직 오지 않았음으로"라는 구절은 번역문에서와 마찬가지로 헬라어 원문에서도 아주 강력하다('우포 가르 에 프뉴마'). 고대 사본들과 현대어 역본들 속에서의 여러 변형들은 단지 이 점을 부각시켜줄 뿐이다.

는 이것이 죽음/부활/승천의 결합된 사건을 가리킨다는 것을 안다), 제자들에게 성령을 보내어서, 그들로 하여금 그를 증거하고 세상에 대한 하나님의 치유와 심판을 행하게 할 것이다.[24] 그러므로 다락방에서 예수와 제자들이 함께 있는 것을 볼 때, 거기에서 우리는 다시 한 번 그 온전하고 최종적인 진술에 도달하는 장엄한 분위기를 느끼게 된다:

> 예수께서 또 이르시되 너희에게 평강이 있을지어다
> 아버지께서 나를 보내신 것 같이 나도 너희를 보내노라.
> 이 말씀을 하시고 그들을 향하사 숨을 내쉬며
> 이르시되 성령을 받으라 너희가 누구의 죄든지
> 사하면 사하여질 것이요 누구의 죄든지 그대로 두면
> 그대로 있으리라 하시니라.[25]

요한복음 7장에 나오는 마음으로부터 흘러넘치는 물과 마찬가지로, 이것은 새 창조와 새 성전에 대한 반영들을 일깨운다. 창조주가 태초에 사람의 코에 생기를 불어넣었던 것과 마찬가지로, 예수는 제자들에게 숨을 불어넣는다; 그들은 죄사함을 세상 속에서 현실이 되게 할 사람들로 준비를 갖추게 된다.[26] 이렇게 해서, 아버지가 예수를 이스라엘에게 보냈던 것과 마찬가지로, 그들은 예수를 증거함으로써 그의 사역, 그의 죽음, 그의 부활이라는 유일무이하고도 결정적인 사건들을 수행하도록 세상 속으로 보내심을 받는다.

다른 주제들과 밀접하게 관련되어 있는 네 번째 주제는 회복된 성전이라는 주제이다. 요한복음은 예수가 여러 절기들마다 예루살렘과 성전에 간 것으로 묘사하고 있는데, 2장 처음에 나오는 유월절과 12장 마지막에 나오는 유월절이 그 틀을 이루고 있다. 이러한 경우들 중 첫 번째에서 요한은 다른 복음서들이 예수가 붙잡혀서 재판을 받고 죽음을 당하기 며칠 전에 일어난 사건으로 말하고 있는 성전 사건을 묘사한다.[27] 별로 이상한 일은 아니지만, 예수는 성전

24) 요한복음 14:16f., 26; 15:26; 16:7-15.

25) 요한복음 20:21-3.

26) 창세기 2:7을 보라. "죄사함"과 성전에 대해서는 cf. *JVG* 434-7.

27) 요 2:13-22; cf. 마 21:12f/막 11:15-17/눅 19:45f.

에서 상을 뒤엎고 매매하는 자들과 짐승들을 쫓아낸 자신의 행동에 대하여 설명을 요구받는다; 그는 이러한 일들을 행할 권세가 있다는 "표적"을 제시할 수 있는가? 예수의 대답은 우리가 요한이 왜 이 사건을 여기에 두었는지를 이해하는 데에 도움을 준다: 그는 우리가 복음서에 나오는 성전 장면들의 나머지 부분을 한편으로는 이러한 행위, 다른 한편으로는 부활에 의해서 제공되고 있는 틀 안에서 이해하도록 의도하고 있는 것이다:

> 예수께서 대답하여 이르시되 너희가 이 성전을 헐라 내가 사흘 동안에 일으키리라 유대인들이 이르되 이 성전은 사십육 년 동안에 지었거늘 네가 삼 일 동안에 일으키겠느냐 하더라 그러나 예수는 성전된 자기 육체를 가리켜 말씀하신 것이라 죽은 자 가운데서 살아나신 후에야 제자들이 이 말씀하신 것을 기억하고 성경과 예수께서 하신 말씀을 믿었더라.[28)]

표적, 믿는 것, 부활, 성전. 20장을 제외해 버리면, 이 모든 사건과 그것에 대한 설명은 의미를 잃어버린다. 20장을 다시 가져다 붙여 놓으면, 독자들은 예수의 부활을 통해서 심판이 성전에 행하여졌고, 이제 예수 자신이 아버지의 임재와 용서하시는 사랑이 베풀어지는 장소라는 것을 이해하게 될 것이다. 또한 이것은 예수가 사마리아 여자에게 한 말씀, 즉 사람들이 아버지를 영과 진리로서 예배하게 될 것이기 때문에 참된 예배자들이 특정한 지리적인 장소를 필요로 하지 않게 될 때가 올 것이라고 한 말씀의 의미이기도 하다(4:20-24).

이것을 통해서 우리는 복음서 전체를 관통하다가 20장에서 절정에 달하는 다섯 번째 주제에 도달하게 된다: 예수 자신에 대한 요한의 이해. "메시야가 오신다는 것을 내가 안다"라고 사마리아 여인은 말한다; 그러자 예수는 "내가 그라"고 대답한다.[29)] 이 주제는 다른 주제들보다도 한층 더 한 권의 연구서로 써볼 만한 가치가 있는 것이지만, 여기에서는 단지 한두 단락으로 표현할 수밖에 없다.

내가 바울과 관련해서도 논증했듯이, "메시야직"이라는 범주는 요한에게 있

---

28) 요한복음 2:19-22.

29) 요한복음 4:25f.

어서도 중심적인 것이다; 여기에서는 바울에서보다 더 분명하게 여전히 "왕적이고" 민족적인 뉘앙스를 지니는 유대적인 범주와 온전히 "신적인" 의미에서 "하나님의 아들"이라는 명칭 간에 상당한 정도의 유동성이 존재한다. 이러한 것은 서문의 고등 기독론(1:1-2, 14, 18)과 세례 요한의 말("내가 보고 그가 하나님의 아들이심을 증언하였노라," 1:34), 1:41, 45에 나오는 "메시야의 발견" 주제, 그리고 극히 이례적인 1:49("나다나엘이 대답하되 랍비여 당신은 하나님의 아들이시요 당신은 이스라엘의 임금이로소이다")의 결합으로부터 분명하다. 화자들은 엄밀하게 "메시야적인" 의미에서 "하나님의 아들"이라는 표현을 사용하고 있는 것으로 보이지만, 요한은 그의 독자들이 그것을 그가 서문에서 밝힌 감춰진 진리에 대한 초보적인 고백으로 듣도록 의도하고 있다.

그런 후에, 이 주제는 이런저런 이야기 또는 강론 속에서 꼬리를 물고 계속해서 등장한다. 예수는 신랑, 위로부터 온 자, 아버지가 보내신 자이고, 사람의 영원한 운명은 그에 대한 자신의 반응에 달려 있다(3:29, 31, 35-36). 그는 메시야요 세상의 구주이다(4:25, 29, 42). 그는 아버지와 독특한 관계에 있고, 아버지는 그에게 만물을 심판할 권세, 즉 메시야적인 역할을 수여하게 하였다(5:18, 19-47). 무리들은 그를 오기로 되어 있던 선지자로 인정하고, 한 걸음 더 나아가서 그를 왕으로 삼고자 하나(6:14-15), 제자들은 그를 "하나님의 거룩한 자"로 인정한다(6:69). 무리들과 예루살렘 당국자들은 그가 메시야 또는 선지자인지를 놓고 의견이 갈린다(7:25-31, 40-52; 9:22; 12:34). 그는 아버지인 이스라엘의 신으로부터 온 자이다(8:42-59). 그는 양떼의 목자이다 — 구약성서에서 주로 왕에 대하여 사용되었지만 종종 야훼 자신에 대하여 사용된 이미지(10:11-30). 마르다는 예수가 "부활이요 생명"이라고 믿느냐는 질문을 받자 그는 "메시야, 신의 아들, 세상에 오실 자"라고 분명하게 말한다(11:27). 예수를 본 자들은 아버지를 본 것이다(14:7-11). 그는 참 포도나무이다(15:1-11). 제자들은 그가 이스라엘의 신으로부터 왔다는 것을 믿는다(16:30). 빌라도 앞에서의 심문은 예수가 이스라엘의 왕을 자처하고 있는지, 만약 그렇다면, 그러한 그의 말이 무엇을 의미하는지를 놓고 진행된다(18:33-39, 19:12-16, 19-22). 이러한 일련의 내용들 전체에 걸쳐서(여기서는 숨가쁠 정도로 축약해서 제시하였다) "메시야"와 "하나님의 아들"이 지니는 왕적이고 다윗적인 의미가 여전히 활발하게 드러나 있고, 좀 더 깊은 차원(1:18에서처럼)은 대체로 수면 아래에 잠복해 있다.

그러나 부활 이야기, 그리고 도마의 신앙고백을 통해서 이 모든 것은 일시에 하나로 꿰어지게 된다. 6:69에 나오는 제자들의 선언과 11:27에 나오는 마르다의 선언은 이러한 방향을 보여주고 있지만, 도마의 신앙고백은 1:18 이래로 가장 명시적인 선언이다: "내 주 내 하나님!" 그리고 복음서를 씀으로써 불러일으키고 밑받침하고자 했던 믿음에 관한 요한의 설명은 그가 그의 이야기 속에 나오는 많은 등장인물들이 보지 못했던 것을 내내 보고 있었다는 것을 보여준다: "메시야, 하나님의 아들"은 "이스라엘의 참된 기름부음 받은 왕"이라는 의미와 "성육신의 말씀, '퀴리오스,' 신실한 유대인 유일신론자들이 하나님('데오스')이라는 단어를 붙일 수 있는 그러한 인간 존재"라는 의미를 동시에 지니고 있다는 것. 다시 한 번 말해두지만, 특히 부활절 때까지는 이러한 신앙을 위한 근거들이 온전히 마련되어 있지 않기 때문에, 부활 이야기 없이는 이러한 신앙은 온전한 표현에 도달하지 못한다.

마지막 두 주제는 기독론과 밀접하게 연관되어 있다. 여섯 번째 주제는 복음서의 많은 부분을 관통하고 있는, 예수가 "영화롭게 되었다"거나 "들리움을 받았다"는 모티프, 그가 "아버지에게로 되돌아가게" 될 사건에 관한 것이다. 이러한 것들은 여러 본문들 속에서 상호적으로 규정되고 있는 것으로 보인다.[30] 고별 강론들은 다락방에서의 식사라는 맥락 속에 두어져 있고, 이 주제에 관한 길고 세심한 진술로 시작된다:

> 예수께서 자기가 세상을 떠나 아버지께로 돌아가실 때가 이른 줄 아시고 … 예수는 아버지께서 모든 것을 자기 손에 맡기신 것과 또 자기가 하나님께로부터 오셨다가 하나님께로 돌아가실 것을 아시고 … [31]

고별 강론들의 끝에 나오는 기도문도 동일한 방향을 보여준다:

> 아버지여 때가 이르렀사오니 아들을 영화롭게 하사 아들로 아버지를

30) 예를 들면, 요한복음 3:13-15; 6:62; 12:23, 32-4; 14:12, 28; 16:28.
31) 요한복음 13:1, 3.

> 영화롭게 하게 하옵소서 … 아버지여 창세 전에 내가 아버지와 함께 가졌던 영화로써 지금도 아버지와 함께 나를 영화롭게 하옵소서 … 나는 세상에 더 있지 아니하오나 그들은 세상에 있사옵고 나는 아버지께로 가옵나니 … 지금 내가 아버지께로 가오니 내가 세상에서 이 말을 하옵는 것은 그들로 내 기쁨을 그들 안에 충만히 가지게 하려 함이니이다.[32)]

이 본문은 종종 사람들을 당혹스럽게 만드는 것으로서, 주석자들도 당연히 당혹스러워해 왔다. 예수가 "들림을 받을" 때에 "영화"가 일어난다면, 이것은 분명히 십자가를 가리킨다. 그리고 예수의 죽음은 그가 "떠나가는 것"이라는 것도 마찬가지로 분명해 보인다. 독자들은 십자가 사건이 결국 주요한 주제가 목표에 도달하는 지점이 아닌가 생각할지도 모른다.

그러나 십자가 사건에 관한 기사 속에는 그 어떤 것도 이러한 결론을 밑받침해 주지 않는다. 오히려 예수가 떠나서 아버지가 간다는 주제로 되돌아가고 있는 것은 부활 이야기이다(20:17). 오직 부활절의 빛 아래에서만 그 온전한 의미가 드러난다. 예수가 마르다에게 믿기만 하면 "하나님의 영광"을 보게 되리라고 말한 것과 마찬가지로(11:40), 이제 믿는 자들은 20:8의 사랑하는 제자와 20:28의 도마 같이 단지 십자가 사건을 보는 것을 통해서가 아니라 십자가에 못 박히신 이의 부활을 보는 것을 통해서(첫 번째 경우에서처럼 믿음의 눈으로 보든, 또는 두 번째 경우에서처럼 육안으로 보든) "하나님의 영광"을 보고 있는 것이다. 다른 기사들과 마찬가지로, 요한은 예수가 눈에 보이는 "영광"으로 빛을 발하였다고 말하지 않는다; 죽은 자로부터 부활하였다는 사실만으로 충분하다. 부활절은 "영광"이라는 주제가 제자리를 찾는 지점이기도 하다. 그리고 이것은 요한에게 있어서 십자가, 부활, 승천이라는 사건들이 모두 동일하게 "세상"과 "아버지의 집"(14:2)이 커다란 간격에 의해서 분리되어 있는 것이 아니라 예수가 지금 건널 수 있고 또 건너는 피조된 질서의 쌍둥이 영역이라는 참된 우주론을 계시해 준다는 것을 보여준다.

마지막 주제는 요한을 유명하게 해준 바로 그 주제이다: 사랑('아가페').[33)]

---

32) 요한복음 17:1, 5, 11, 13.

33) '아가파오' 라는 동사를 바울은 34번 사용하는 데 비해서 요한은 37번 사용

"하나님이 세상을 이처럼 사랑하사 독생자를 주셨으니 … "(3:16)는 성경 중에서 가장 많이 송축되고 자주 인용되는 절들 중의 하나이다. 그러나 요한이 제시하고 있는 대로의 이 주제는 세상 일반에 대한 하나님의 사랑이 아니라 제자들에 대한 예수의 사랑, 그리고 아들의 사랑의 사역을 밑받침해주는 아들에 대한 아버지의 사랑에 그 초점이 맞춰져 있다.[34]

주요한 단어군(單語群)의 등장은 단지 빙산의 일각일 뿐이다. 우리가 요한복음 전체에 걸쳐서 발견하는 것은 이런저런 등장인물들과의 긴 대화들 속에서, 그리고 마지막으로는 다락방과 십자가에서의 그의 행위들 속에서 예수가 이 사랑을 나타내고 있는 연속적인 장면이다. 특히, 10장에 나오는 "선한 목자" 강론은 오직 이 단어를 한 번만 언급하고 있지만("이로 말미암아 아버지께서 나를 사랑하시느니라," 10:17), 이 본문 전체가 "사랑," 양들을 위하여 자기 목숨을 내어주는 희생적인 목자에 관한 것이다. 이렇게 자기를 내어주는 사랑이 3:1-20에 나오는 세족 장면에 의해서 미리 상징화되고 있는 십자가에서 가장 온전하게 표현되고 있기는 하지만, 그러한 사랑은 예수와 막달라 마리아, 예수와 제자들("내 형제들," 20:17), 예수와 도마, 그리고 마지막으로 예수와 베드로(21:15-22) 간의 관계의 갱신 속에서 최종적으로 표현된다. 죽음을 통해서 주어진 사랑은 이제 부활의 새 생명을 통해서 새롭게 갱신된다.

이러한 짤막한 개관으로부터 두 가지 중요한 결론이 나온다. 첫째, 20장은 복음서의 의도된 "틀"의 일부로 확고하게 속해 있을 뿐만 아니라, 복음서 전체와 밀접하게 통합되어 있다 — 그 주된 주제들 중 몇몇은 예수의 십자가 사건만이 아니라 그의 부활을 바라볼 때에만 이해될 수 있다. 요한은 복음서를 쓰는 동안 내내 부활을 염두에 두고 있었다. 그것은 단지 전승과 맞추기 위해서거나 신학적으로 정당하지 못한 속셈에 의해서 첨가된 것이 아니었다.

둘째, 이 복음서 전체 및 그 안에 나오는 이러한 주제들의 근저에 있는 "새 창조" 신학은 요한이 그의 이야기들을 현실적이고 문자적으로 이해할 것을 의도하고 있음을 보여준다. 물론, 그도 온갖 종류의 반영들과 공명들이 그 이야기

한다; '아가페' 라는 명사를 바울은 76번 사용하는 데 반해 요한은 오직 7번 사용한다. 물론, 이러한 통계는 관련된 많은 문제들을 숨기고 있다.

34) 예를 들면, cf. 요 3:35; 13:1, 34; 14:21, 31; 15:9; 17:23, 24, 26.

들 안에서 들려질 것을 의도하고 있다; 그는 언제나 그렇게 의도한다; 그러나 그러한 것들은 여전히 일련의 구체적인 사건들에 관한 문자 그대로의 서술과는 구별되는 반영들과 공명들이다. 물론, 이것은 역사가로서 우리가 그러한 사건들과 유사한 것이 실제로 일어났다고 공언할 수 있다고 말하는 것이 아니다. 그것은 단지 정확히 역사가로서, 이 경우에서는 고대 본문들을 읽는 독자들로서, 이것이 요한이 우리에게 그것들을 이해하도록 의도하고 있는 방식이라는 결론을 내리지 않을 수 없다고 말하는 것이다. 공관복음서들에서와 마찬가지로 여기에서도, 많은 신약학 연구에서의 지배적인 가설, 즉 부활 이야기들은 그리스도인들의 체험에 관한 알레고리로서 발생하고 발전된 후에, 그 이후의 세대들에 의해서 구체적인 사건들에 관한 문자 그대로의 서술들로 잘못 받아들여졌다는 가설은 문학, 역사, 신학의 차원에서 실패하고 만다. 이 이야기들이 가지고 있는 다중적인 의미들은 기본적인 사항을 다중화시킨 것들이다 — 마치 우리가 모든 다중화에 있어서 무로부터 시작할 수 없듯이. 이 복음서 기자는 이러한 일들이 일어났다고 믿는다. 또한 이 복음서에 나타나 있는 여러 가지 단서들은 그가 사용했을 수 있는 그 어떤 자료들도 그것을 믿었다는 것을 보여준다.

3. 요한복음 21장의 기여

앞 절에서 설명한 내용은 20장이 실제로 요한복음 전체의 의도된 절정이었다는 것을 보여준다. 그것은 서문과 대응되는 바깥쪽 틀로서, 우리가 지금까지 추적해온 모든 주요한 주제들은 그것 안에서 절정에 도달한다. 놀랍게도, 그러한 주요한 주제들 중에서 마지막 주제를 제외하고는 그 어떤 것도 21장에서는 다시 나타나지 않는다. 21장은 추가적인 글이라는 것이 매우 분명하다.

그러나 한 가지 중요한 것이 있다. 21장은 아무리 매력적인 것이라고 할지라도 부활 장면을 한 가지 더 제시하기 위하여 씌어진 것이 아니었다. 원래의 저자는 이미 자기 부인(self-denying)에 관한 명령을 추가적인 자료(20:30)에 첨가한 상태였고, 만약 그가 이것을 포함시키고자 한 것이라면, 그가 또한 첨가하고자 했을 다른 많은 것들이 존재했다는 것은 의심의 여지가 없다. "사랑하는 제자"가 죽음에 직면했거나 방금 죽었을 때에 이것을 포함시킨 이유는 공동체 속에서 두 가지 종류의 질문, 베드로와 사랑하는 제자의 역할에 관한 첫 번째 질문과 주가 다시 올 때에 사랑하는 제자가 여전히 살아있을까 하는 두 번째 문제에 대하여 답할 필요가 있었던 것과 관련이 있을 것임에 틀림없다. 우리는 21:1-14에 나오는 물고기 잡는 것에 관한 이야기가 그 자체로는 별 관심을 끌 만한 이야기가 아니기 때문에 일차적으로 이러한 좀 더 절박한 관심사들을 위한 배경으로 도입된 것이라고 생각할 수 있다.[35)]

이 장의 두 가지 주된 강조점들 중에서 첫 번째는 베드로의 재활과 위임이다. 베드로가 13:30에서 자신만만하게 충성할 것을 선언한 것과 18:15-27에서 예수를 부인한 것에 관한 언급이 그 자체로 추가적인 자세한 장면을 필요로 했던 것은 아니지만, 어쨌든 이것은 복음서의 앞부분에 그 뿌리를 두고 있다. (흔히 지적되듯이, 21:9에 나오는 숯불은 우리에게 18:18에서 대제사장의 뜰에 있었던 숯불을 연상시킨다.) 삼중적인 질문과 대답은 사랑, 즉 14장에서 주된 주제가 된 주인에 대한 제자의 사랑의 단어를 통해서 삼중적인 부인을 상쇄시키고 있다.[36)] 베드로는 다시 진정한 제자로 되돌아온 것이다. 이것은 10장을 지배하였던 목자 이미지라는 관점에서 보아진 새로운 위임으로 이어진다. 이스라엘에 대한 예수의 선교는 이미 원칙적으로 성령에 의해서 세계를 향한 교회의 선교로 변화되었다(20:21); 이제 그것 안에서 좀 더 뚜렷한 초점이 세워지는 가운데, 선한 목자로서의 예수의 사역은 양떼에 대한 책임과 목자장 자신에 대한 책임을 의식하는 보좌목자로서의 베드로에 의해서 수행될 것이다.[37)] 이 모든 것 속에서 베드로는 예수를 좇으라는 기본적인 부르심으로부터 떠나지 않는다(21:19). 이 부르심은 이제 다른 역할들과 책임들이 맡겨졌을 수 있고 또한 맡겨지지 않을 수 있는 다른 사람들에 대해서는 상관하지 말고 그가 좇고 있는 주님만을 바라보아야 한다는 관점에서 반복된다(21:22).

두 번째는 사랑하는 제자의 임박한 또는 실제적인 죽음이다. 이것은 전적으로 다른 이유로 인해서 우리에게 흥미롭다. 저자는 그의 복음서를 읽는 독자들

---

35) 제자들이 예수를 보고 깜짝 놀란 것은 이것이 그들이 목격한 최초의 현현 사건이었다는 것을 보여주는 것이라는 주장(Carnley 1987, 17)은 순전히 허구적인 것이다. 이 장에 대한 최근의 개관에 대해서는 Söding 2002를 참조하라.

36) 요한복음 21:15, 16, 17; 14:15, 21, 23, 28.

37) cf. 벧전 5:1-4.

을 포함해서 모든 사람이 예수가 장래의 어느 때에 "다시 오실" 것임을 알고 있다고 전제한다 — 이제까지 이 복음서 속에는 그것에 관한 언급이 없었음에도 불구하고. 예수에 관한 요한의 견해 속에는 부활과 승천이라는 요소들만이 들어있었던 게 아니라, 재림도 거기에 포함되어 있었음에 틀림없다. 그런데 사랑하는 제자의 임박한 또는 실제적인 죽음에 의해서 제기된 문제점은 교회 내의 일부 신자들이 예수가 사랑하는 제자가 재림 때에 죽지 않고 여전히 살아있을 것이라고 예언했다는 것을 믿고 있었다는 것이다. 이 복음서 기자는 그것이 사실이 아니었다는 것을 조심스럽게 역설한다. 예수가 베드로에게 말했던 것은 단지 "내가 그에게 원하는 것(그것이 내가 올 때까지 기다리는 것이라고 할지라도)은 네가 상관할 바가 아니다"는 것이었다. 그러므로 교회를 향한 메시지는 이중적이다. 첫째, 사랑하는 제자의 죽음은 전혀 문제가 되지 않는다; 그것은 예수의 핵심적인 말씀이 실현되지 못했다는 것을 의미하지 않는다. 복음서 기자는 "재림"을 부정하거나 평가절하하고 있지 않다; 그는 단지 사랑하는 제자의 죽음이 섭리에 의한 시간표에서 뭔가 잘못되었다는 것을 의미하지 않는다는 것을 역설한다. 둘째, 그리스도인들은 베드로와 같이 다른 사람들의 운명에 쓸데없이 관심을 가져서는 안 된다는 것을 배워야 한다. 그리스도인들은 자신의 제자도와 책임에 신경을 써야 한다.

20장에서와 마찬가지로, 저자의 분명한 의도라는 차원에서 이러한 이야기들의 요지는 그것들이 실제로 일어난 사건들에 대하여 언급하고자 의도하고 있다는 것이다. 초대 교회 속에 여기서 말해진 것 같은 그러한 일들에 관한 확고한 전승이 없었다면, 오해라는 문제도 결코 일어나지 않았을 것이다. 물론, 이것은 역사적인 문제를 해결해 주는 것은 아니지만, 그러한 문제에 답해줄 수 있는 문학적인 맥락을 설정해 준다.

특히, 이러한 본문들은 21장 및 20장과 관련하여 그것들이 교회 내에서의 상대적인 권위라는 문제들과 결부되어 씌어졌는가의 여부에 관한 문제를 불러일으킨다. 타브가(Tabgha)에 있는 작은 교회(요한복음 21장의 배경이라고 주장되고 있는 곳)가 지금은 프란체스코회 수도사들에 의해서 개명된 것과 마찬가지로, 이 이야기는 진정으로 "베드로의 수장성(primacy)"에 관한 것인가? 이 두 장 속에는 베드로와 사랑하는 제자(그리고 그들의 각각의 추종자들)를 서로서로 추켜세우고자 한 시도들인 것인가? 20:1-8에 나오는 막달라 마리아 및 20:24-29에 나오는 도마와 관련해서도 이와 비슷한 시도가 존재하는가?

이와 같은 주장들이 흔히 제기되어 왔지만, 내 판단에는 그러한 주장들은 여전히 설득력이 없다.[38] 어떤 사람이 부활 이야기들을 예수의 제자들 중에서 특히 한 사람을 가장 높은 지위로 끌어올리기 위한 방편으로 사용하고자 했다면, 그는 이것보다 더 나은 작업을 할 수 있었을 것이다. 막달라 마리아는 분명히 무덤에 최초로 간 인물이었고 부활하신 예수를 본 최초의 인물이었지만, 우리는 이것을 통해서 누가 그녀의 제일가는 지위를 확보하고자 했다거나 그러한 주장에 맞서서 그것을 반박하기 위하여 이 장을 썼다고 생각할 만한 그 어떤 근거도 가지고 있지 않다. 베드로와 사랑하는 제자는 함께 무덤으로 달려간다; 사랑하는 제자가 거기에 먼저 도착하지만, 안으로 먼저 들어가서 살펴본 것은 베드로였고, 그런 후에 사랑하는 제자는 "보고 믿는다" — 여전히 예수가 다시 살아나야 할 것이라고 말하는 성경을 이해하지 못한 채. 이러한 숨가쁜 묘사 속에 숨겨진 모략, 즉 베드로와 사랑하는 제자가 각각 서로 다른 유형의 기독교를 대표하게 하고자 하는 시도가 존재한다면, 그것은 그날로부터 오늘날에 이르기까지 대부분의 독자들에게 전달되었을 것이고, 내가 보기에도 정말 그렇게 보였을 것이다.[39]

그렇다면, 도마는 어떻게 된 것인가? 우리는 그의 완악한 의심을 요한, 베드로, 또는 그 밖의 그리스도인들의 관점에서 보아진 "도마 그리스도인들"에 관한 묘사로 볼 수 있을지도 모른다 — 초대 교회 내의 다른 운동을 거부하거나 비웃는 방식.[40] 그러나 만약 그것이 이 복음서 기자가 염두에 두고 있었던 것이라면, 도마의 입 속에 이 복음서 전체에 걸쳐서 가장 위대한 신앙고백(20:28), 분명히 독자들의 마음속에 이후의 모든 믿음에 대한 패러다임으로서 의도된 신앙고백을 집어넣은 취지는 무엇이란 말인가? 도마복음서에서 모든

38) 예를 들면, Söding 2002, 231: 요한복음 21장은 "폭발성 있는 교회정치적 본문"(ein kirchenpolitisch brisanter Text)이다.

39) Bultmann, Grass, Marxsen의 이론들에 대한 Evans 1970, 121의 현명한 논평들을 보라.

40) Riley 1995, 78-126을 보라: 요한복음의 저자와 공동체는 "도마 그리스도인들"(즉, 도마복음서에 토대를 둔 집단)을 제자리에 갖다 놓고 있다.

41) Riley 1995, 123f.; cf. *Gos. Thom.* 13, 108.

그리스도인들은 예수 자신과 대등하기 때문에, 요한이 도마를 "주와 하나님"으로 예수를 고백하게 함으로써 그를 정통 신앙의 반열에 올려놓고 있는 것이라고 말하는 것은 거의 불가능할 것이다.[41] 이것은 신앙에 관한 장엄한 진술로서, 우리가 그것을 복음서의 마지막 구조(構造)표지(위를 보라) 및 태동 중이었던 황제 숭배에 대한 직접적인 도전(적어도 도미티아누스는 스스로 "주와 신"으로 자처하였었다)으로 들으면서, 그것이 동시에 요한 그리스도인들이 "그것은 전적으로 옳다. 도마는 결국 우리에게 동의하였고, 저 이상한 도마 그리스도인들은 잘못되었다"고 말하는 것으로 듣는다는 것은 거의 상상할 수 없는 일이다.[42]

도마가 보지 않고 믿었어야 했다는 뜻을 함축하고 있는 29절에 나오는 예수의 온건한 책망은 이러한 신앙고백의 의미를 축소시키는 것으로 읽혀지기 어렵다. 이 본문이 지향하고 있는 진정한 대상은 감각적인 증거들을 토대로 해서 신앙을 갖고자 하는 가설적인 도마 그리스도인들이라는 집단이 아니라 "도마에게는 그것이 당연한 것이었다; 동일한 증거를 갖지 않고 있기 때문에 당신은 내게 그런 종류의 신앙을 본받으라고 기대할 수 없다"고 말하는 반응을 보일 수 있는 장래의 독자들이라고 우리는 생각해야 한다.[43]

21장과 관련해서도 이와 비슷한 점들이 제시될 수 있다. 물고기를 잡는 기가 막힌 장면은 여러 가지 방식으로 해석되어 왔지만 — 아마도 과도하게 해석되어 왔다 — 그것을 친베드로적인 분파의 견해를 담는 수단으로 사용했음을 보이고자 한 시도들은 분명히 실패하고 만다. 예수와 베드로의 대화는 기본적으로 수장성에 관한 것이 아니라 회개에 관한 것이다; 특정한 신분을 설정하거나 강화시키는 것이 아니라, 화해를 이끌어내는 것이다. 베드로에게 새로운 과제를 주는 것은 사랑의 고백을 행한 후에 신뢰관계가 재정립되었다는 것

42) 나는 Dominic Crossan이 한 강연에서 부활 이야기들은 "기독교를 지엽화하고 있다"는 말을 한 것을 들은 기억이 난다(이 말을 통해서 그가 의도했던 것은 그들이 기독교를 파워 게임으로 변질시키고 있다는 것이다). 사실, 이러한 이야기들을 지엽화시키고 있는 것은 Riley 같은 이론들이다.

43) 그러한 가설적인 "도마 그리스도인들"의 집단을 도마 복음서와 연결시키려고 하는 것은 추가적인 큰 비약이 될 것이다. 어쨌든 도마가 자신의 육신적인 감각들의 증거를 자신의 신앙의 토대로 삼고자 했다는 것(이 본문 속에서)은 그 저작의 신학과 거의 부합하지 않는다.

을 보여주는 것이다. 베드로는 사랑하는 제자에 대한 예수의 계획에 관하여 신경을 쓰지 않아야 한다; 그러나 우리는 베드로가 이제 특별히 높은 지위를 맡게 될 것이라는 말을 듣지 못한다. 마지막으로, 이 이야기가 사랑하는 제자를 베드로에 비해서 높이고자 한 의도로 말해졌다면, 대부분의 독자들은 과연 그러한 의도가 정확히 전달되었는지 의아해할 것이다.

우리의 현재의 목적을 위해서 21장이 지닌 가장 흥미로운 특징은 부활한 예수에 관한 묘사이다. 다른 복음서에서와 마찬가지로, 요한의 예수는 실재하고 손으로 만질 수 있으면 아침 식사를 준비하는 것을 포함한 육신적인 행위들을 행할 수 있는 육신을 입고 있는 사람이다. 이 이야기의 끝부분에서 예수가 사라진 것에 관해서는 그 어떤 말도 없다; 그러나 복음서 기자가 말로 표현하기는 힘들지만 오직 암시할 수 있는 이상한 것, 차이점이 부활한 예수와 관련하여 존재한다는 것을 은연중에 드러내주는 또 다른 암시가 있다:

> 예수께서 이르시되 와서 조반을 먹으라 하시니
> 제자들이 주님이신 줄 아는 고로
> 당신이 누구냐 감히 묻는 자가 없더라.[44]

내가 "질문으로서 그를 압박하다"라고 번역한 동사는 '엑세타조'라는 드물게 사용되는 단어이다.[45] 이 단어는 단순히 "묻다"를 의미하는 것이 아니라, "샅샅이 검토하다, 자세히 살피다, 심문하다"라는 뉘앙스를 지닌다.[46] 그들은 그가 진정으로 예수라는 것을 알았다고 요한은 말한다; 그러나 이와 동시에 그들은 예수에게 꼬치꼬치 묻고 싶어했다. 이것은 우리로 하여금 다음과 같은 질문을 던지지 않을 수 없게 만든다: 왜 그들은 그렇게 하기를 원했던 것인가? 그리고 요한은 그들이 그렇게 하기를 두려워하였다고 계속해서 말한다. 다시 한 번, 왜 그랬던 것인가? 이 두 가지 질문에 대한 유일하게 가능한 대답은 그들이 예수가 분명히 예전과 동일하면서도 뭔가 다르다는 것을 알고 있었다는

---

44) 요한복음 21:12.
45) 신약성서의 다른 곳에서는 오직 마태복음 2:8; 10:11에서만.
46) BDAG 349.

것이다. 이 짤막한 기사는 새 창조의 낯설음으로 가득 차 있다. 그들이 예수가 다시는 죽지도 않고 쇠하지도 않는 몸을 지니고 있는 것으로 인식하였다는 것을 보여주는 암시도 전혀 없다 — 이것은 바울 이래로 현재의 몸과 부활한 몸 간의 주된 차이점으로 부각되는 것이다. 달리 말하면, 이 이야기는 발전된 신학에다 교활하게 고안된 "사실주의적인 허구"를 입히고자 한 시도를 통해서 만들어졌던 것으로 보이지 않는다는 것이다. 이 이야기는 분명히 제자들이 알아볼 수 있으면서도 뭔가 당혹스러운 것이 동시에 존재하는 최초의 순간, 질문 이외에는 거의 말로 표현할 수 없는 그 어떤 것에 대한 인식, 그들이 감히 묻기를 두려워하였던 어떤 질문을 반영하고 있는 것으로 보인다.

달리 말하면, 연속성과 아울러서 불연속성에 관한 인식이 존재한다는 것이다. 그러나 이것은 바울과 그 이후에서 발견되는 언어 또는 신학으로 표현되지 않는다. 그것은 우리가 복음서의 이야기들 속에서 발견해온 그림과 아주 잘 부합한다: 이 모든 이야기들 속에서 우리가 바울 및 후대의 저술가들에게서 발견하는 것과 같은 발전된 신학과 석의를 충분히 발생시킬 수 있음에도 불구하고, 영리하고 겉보기에 "소박한 사실주의적인" 허구가 거꾸로 투영되었다는 것을 보여주는 그 어떤 표지도 지니고 있지 않은 그 무엇. 요한의 중심적인 이미지를 사용해서 말해본다면, 예수의 부활 이야기들은 포도나무에서 새로 자라난 열매가 아니라 그 뿌리처럼 보인다.

4. 복음서의 부활절 이야기들: 결론

사복음서의 모든 기사들에 일반적으로 공통적인 내용들은 이미 제13장에서 살펴본 바 있다. 이 시점에서 우리가 해야 할 것은 우리가 이 좀 더 상세한 연구를 통해서 알아낸 것을 요약하는 것이다.

각각의 복음서 기자가 나름대로의 방식으로 이야기를 하고 있다는 것은 의심의 여지가 없다. 한 쪽이 다른 쪽을 자료로 사용하였다고 전제할 만한 상당한 근거가 존재한다고 할지라도 — 나는 적어도 누가는 마가를 사용했고, 마태가 마가를 사용했을 가능성은 꽤 많으며, 마가가 마태를 사용했을 가능성도 배제할 수 없다는 것을 전제한다 — 어휘상의 중복은 눈에 띄게 적다. 그 대신에, 우리는 각각의 이야기 속에서 원시 전승으로부터 복음서 기자가 글을 쓸 당시에 그 전승이 그 시점까지 성장해 온 형태로의 점진적인 발전을 보여주는 표지를 발견하는 것이 아니라, 복음서 기자가 자신의 복음서에 맞는 절정을 형성하는 방식으로 원시적인 이야기들을 다시 말하고 있다는 것을 발견한다. 마치 아이들이 보는 그림책들에서 거기에 등장하는 인물들의 머리, 몸, 다리를 제멋대로 바꿔서 갖다 붙일 때에 우스꽝스러운 결말들이 나오는 것과 마찬가지로, 누가의 결말 부분을 요한의 것으로 대체하거나 또는 요한의 결말 부분을 마태의 것으로 대체하면 기형적인 모습이 생겨나게 된다. 복음서 기자들은 각각의 복음서에 중요한 주제들과 강조점들을 부각시킬 수 있을 정도로 자신의 이야기들을 다시 말하고 다시 형성하는 데에 상당한 자유를 가지고 있었다.

그러므로 부활 이야기들의 기본적인 개요가 거의 변함이 없고, 제13장에서 살펴본 것과 같이 발전되지 않은 채로 그대로 머물러 있다는 것은 한층 더 주목할 만하다. 특히, 각각의 복음서 기자는 그리스도인들의 삶, 특히 기독교의 세계 선교에 대한 특정한 이해를 바탕으로 해서 이야기를 전개해 나가고 있음에도 불구하고(물론, 마가는 예외로 하고; 갈릴리로의 계획된 여행이 그러한 방향을 보여주는 것이라고 할 수도 있지만) 빈 무덤과 예수의 현현들에 관한 기본적인 이야기들은 후대의 단계에서 생겨났다는 표지들을 전혀 보여주지 않는다. 그러한 이야기들이 "부활"이라는 단어가 예수에 관하여 사용되고 있었다는 사실을 변호하기 위한 새롭게 만들어진 변증으로부터, 또는 교회 내의 특정한 지도자들 또는 특정한 관습들을 정당화하기 위한 의도로부터 생겨났다고 생각할 만한 그 어떤 근거도 없다. 물론, 학자들이 그러한 주장들이 결국 옳다는 것을 여러 가지 교묘한 방식으로 생각해내서 이러한 이야기들이 후대의 변증적인 허구라는 견해가 다시 되살아날 수 있는 가능성은 언제든지 존재할 것이다; 그러나 그러한 재구성을 반대하는 주된 장벽들은 튼튼하고 높다. 만약 당신이 주후 1세기 중반에 이미 죽은 예수의 제자였고, 왜 당신이 여전히 그가 중요하며, 당신의 무리들 중 일부가 그가 죽은 자로부터 부활하였는지를 설명하고자 한다면, 당신은 결코 이런 식으로 이야기들을 말하지 않았을 것이다. 당신은 얼마든지 이것보다 더 훌륭하게 그런 일을 해낼 수 있었을 것이다.

복음서 기자들 자신과 그들이 나름대로 자신의 목적을 위하여 사용하였지만 그 근저에 있는 내용을 파괴하지는 않았던 자료들은 실제로 예수의 처형 후에 제삼일에 일어난 실제적인 사건들을 가리킬 의도를 지니고 있었다는 결론을 우리는 내리지 않을 수 없다. 정경 복음서 기자들에 대한 이러한 네 개의 연구로부터 드러나는 주된 결론은 복음서 기자들은 각각 서로 매우 다른 방식으로 그들이 실제로 일어난 사건들에 관하여 글을 쓰고 있다고 믿었다는 것이다. 그들의 이야기들은 은유적으로 또는 알레고리적으로 온갖 종류의 다른 것들을 가리키는 데에 사용될 수 있었고, 아마도 그들은 자신의 이야기가 그렇게 사용되기를 의도한 것으로 보인다(누가와 요한의 경우에는 더욱 확실하다). 그러나 그들이 말한 이야기들, 그들이 자신의 기사들 전체에 대한 의도적이고 절정에 해당하는 결론부로서 그러한 이야기들을 써낸 방식(이 점에 있어서도 각각 아주 다르게)은 신학과 이야기 문법을 이유로 그들은 부활절 사건들이 공상을 통해서 만들어낸 것이 아니라 현실적인 사건들이었고 역사적으로 유명할 뿐만 아니라 또한 역사적인 사건들이었다는 의미를 그들의 독자들에게 전달하고자 의도했다는 것을 분명히 보여준다. 물론, 그들은 이러한 사건들이 교회의 존재 자체에 대하여 토대가 되었다고 믿었고, 따라서 당연히 이것을 부각시키는 방식으로 그러한 이야기들을 말하였다.

그러나 그들이 모두 동의한 세계관, 가장 초기의 기독교 전체에 걸쳐서 나타나는 유대교적 세계관 내부로부터의 새롭게 수정된 세계관 속에서 전개된 이 이야기들의 전체적인 핵심은 이스라엘의 신, 창조주의 갱신된 백성이 창조의 세계, 시간과 공간과 물질의 세계 속에서 일어난 사건들에 의해서 탄생하게 되었다는 것이었다. 복음서 기자들, 그리고 그것들 배후에 있다고 전제할 수 있는 자료들은 "부활" 신앙의 전체적인 발전, 본서의 제2부와 제3부에서 살펴본 초기 기독교의 다른 특징들을 설명하고, 아울러 그러한 발전들과 특징들을 후대의 신학을 단순히 투영한 것이라고 변질시키고자 하는 시도들에 대하여 단호하게 저항하는 이야기를 말하고 있다. 이 이야기를 말한 자들, 그리고 그것을 기록한 자들은 그들이 이 이야기 속에서 들을 수 있었던 뉘앙스들에 매우 큰 관심을 가지고 있었다. 그러나 우리는 근본적인 것을 건드릴 때에만 그러한 뉘앙스들을 들을 수 있다.

우리는 이제 이교 사상과 유대교의 고대 세계들 속에서의 죽음 이후의 삶에 관한 신앙들이라는 틀 안에서 처음 두 세기에 걸쳐 씌어진 예수와 그의 부활에 관한 글들 전체를 개관하였다. 우리는 바울로부터 테르툴리아누스, 오리게네스에 이르기까지 예수 자신과 그의 제자들(그리고 몇몇 경우들에 있어서는 모든 인류)의 부활에 관한 기독교적인 글들을 광범위하게 살펴보았다. 우리는 초기 기독교의 부활 신앙이 표현의 다양성들에도 불구하고 주목할 만한 일관성을 지니고 있다는 것, 이러한 일관성은 기독교가 유대교적 신앙의 스펙트럼 위에 있는 한 점(몸의 부활)에 위치해 있다는 것, 그 점 내부로부터의 네 가지 핵심적인 수정들이 존재한다는 것을 포함하고 있음을 살펴보았다: (1) 부활은 신앙의 주변부로부터 중심부로 이동하였다; (2) "부활"은 더 이상 단일한 사건이 아니라, 연대기적으로 두 부분으로 구분되어졌는데, 첫 번째 부분은 이미 일어났다; (3) 부활은 단순히 다시 살아나는 소생이 아니라 변화를 내포한다; (4) "부활" 언어가 은유적으로 사용될 때, 그것은 더 이상 이스라엘의 민족적 회복을 가리키는 것이 아니라, 세례와 거룩함을 가리킨다.

여러 예외들은 이러한 표준을 입증해 주는 역할을 한다: 디모데후서 2장에 나오는 후메내오와 빌레도는 『레기노스서』와 그 밖의 다른 비슷한 본문들과 더불어서 자연스러운 발전 또는 성장이 아니라 단순한 혁신이었다. 그것들은 부활과 관련된 단어군이 이전에는 결코 가리킨 적이 없었던 대상을 가리키기 위하여 부활이라는 언어를 사용하였다. 그러한 용법에 대한 유일한 설명은 관련된 저자들이 다른 신학들과 세계관들을 서술하고 정당화하기 위하여 당시에 통용되었던 기독교적인 언어를 사용하고자 했다는 것이다. 그렇게 함으로써, 그들은 역설적으로 동의하지 않았던 입장 — 거기로부터 그들의 언어를 빌려와서 사용하지 않을 수 없었던 바로 그러한 입장 — 의 강점을 부각시켰다.

이 모든 것 전체에 걸쳐서 우리는 분명하지만 중요한 점, 즉 복잡하지만 주목할 만한 정도로 일관된 초기 기독교의 견해를 지니고 있었던 사람들은 나사렛 예수가 죽은 자로부터 부활하였다는 것을 그들의 근거로 삼고 있었다는 것을 보았다. 그리고 우리는 이제 그들이 이것을 통해서 무엇을 의미하고 있는지를 보았다: 로마인들에 의해 예수가 처형된 지 사흘 만에 그의 무덤은 비어 있었고, 그는 살아나서, 여러 경우들과 여러 장소들에서 그의 제자들 및 그때까지는 그의 제자들이 아니었거나 믿지 않았던 몇몇 사람들에게 나타나서, 그들에게 그가 결코 유령이나 환각이 아니라 진정으로 죽은 자로부터 몸으로 부활하였다는 것을 확신시켜 주었다는 것.

예수에 관한 이러한 신앙은 그가 이스라엘의 메시야이자 세상의 참된 주라는 신앙의 출현과 발전에 대한 역사적으로 완전하고 철저하며 만족할 만한 근거를 제공해 준다. 그것은 오랫동안 기다려 왔던 새 시대가 개시되었고, 새로운 과제들과 가능성들이 열리게 되었다는 초기 기독교의 확신을 설명해 준다. 무엇보다도, 그것은 세상 전체 및 특히 예수의 제자들에게 있어서 소망은 역사가 영원히 계속되는 것에 있지도 않고, 스토아 학파 사상에서처럼 죽음과 재탄생이 무한히 반복되는 것에 있지도 않으며, 몸을 입지 않은 채로 지복의 불멸의 삶을 사는 것에 있지도 않고, 오직 새로 몸을 입은 삶, 변화된 몸을 입고 사는 삶에 있다는 신앙을 설명해 준다. 그리고 우리는 이러한 신앙이 그 토대로 삼고 있었던 중심적인 이야기들은 사복음서 기자들에 의해서 능숙하게 재형성되고 편집되기는 했지만 그것들이 후대에 만들어졌다는 견해를 거부하면서도 바울 이래로의 발전들을 설명하는 데에 아주 큰 기여를 하는 단순하면서도 매우 초기에 속하는 특징들을 그대로 지니고 있다는 것을 살펴보았다. 우리는 이제 다음과 같은 질문에 대답해야 할 차례가 되었다: 이러한 신앙의 출현에 대해서 어떠한 역사적인 이유들이 제시될 수 있는가?

제5부

신앙, 사건, 의미

헤롯: 그가 죽은 사람을 다시 살린다고?

나사렛 사람 1: 예, 전하, 그가 죽은 사람을 살린답니다.

헤롯: 나는 그가 그렇게 하는 걸 좋아하지 않아. 내가 그걸 금지시키겠어. 나는 죽은 사람을 다시 살리는 일을 누구도 하지 못하게 하겠어. 그 자에게 죽은 사람을 다시 살리는 일을 하지 못하도록 내가 금했다는 걸 전하라. 그 자는 지금 어디에 있느냐?

나사렛 사람 2: 전하, 그는 도처에 있지만, 찾기는 어렵습니다.

Oscar Wilde, *Salome*
(Wilde 1966, 565)

은유로, 유비로, 회피함으로, 초월로
그 사건, 옛적의 희미해진 신빙성 속에 그려진 표지를
비유로 여김으로써 하나님을 조롱하지 말자.
문을 정면으로 통과해서 걸어보자.
그것을 덜 기괴한 것으로 만들려 하지 말자.
우리의 편의와 우리 자신의 미의식을 위하여.
생각하지 않은 시간에 깨어나서 우리가 이적 때문에 당황해하고
충고 때문에 박살나지 않도록 하기 위하여.

John Updike, from "Seven Stanzas at Easter"
(Updike 1964, 72f.)

제18장

부활절과 역사

1. 서론

지금 우리 앞에 놓여져 있는 엄연한 역사적 사실은 하나의 널리 받아들여지고 일관되게 형성되어 있으며 큰 영향력을 지닌 신앙이다: 나사렛 예수는 죽은 자로부터 몸으로 부활하였다는 것. 이 신앙은 그 증거들이 남아 있는 거의 모든 초기 그리스도인들에 의해서 받아들여졌다. 그것은 그들의 특징적인 실천, 이야기, 상징, 신앙의 중심에 있었다; 그것은 예수가 메시야와 주라는 그들의 인식, 창조주 신이 사람들이 오랫동안 기다려 왔던 새 시대를 개시시켰다는 그들의 주장, 그리고 무엇보다도 그들 자신의 장래의 몸의 부활에 대한 소망의 토대였다. 우리가 지금 직면하고 있는 질문은 분명하다: 무엇이 예수의 부활에 대한 이러한 신앙을 불러일으켰던 것인가?

행동 심리학자들이 흔히 말하듯이, 이 시점에서 실험용 쥐가 벌렁 드러누워 울부짖으며 못하겠다고 버틴다. 나의 학문분과에서 실험용 쥐에 해당하는 사람들이 누구인지는 분명하다: 완고한 역사가들과 멍청한 신학자들은 흔히 바로 여기에서 멈추기로 결심한다. 완고한 역사가들은 우리가 더 이상 나아갈 수 없다고 말하고, 멍청한 신학자들은 우리가 더 나아가려고 해서는 안 된다고 말한다.[1)]

신중하지 못한 역사가들은 역사가 물리학이나 화학처럼 반복될 수 있는 사건들에 관한 학문이 아니라 율리우스 카이사르가 루비콘 강을 건넌 것 같은

---

1) 제1장을 보라.

반복될 수 없는 사건들에 관한 학문이라는 것을 잊어버리고, 우리는 실제로 더 나아갈 수 있고, 우리는 분명한 부정적인 판단에 도달할 수 있다고 선언한다: 우리는 부활절에 예수의 몸에 그 어떤 일도 일어나지 않았고, 그 몸은 계속해서 부패하여 갔다는 것을 아주 분명하게 말할 수 있다. 죽은 사람들은 부활하지 않는다. 그러므로 예수는 마찬가지로 부활하지 않았다.[2)]

신중하지 못한 신학자들은 두 진영으로 나뉜다. 한 진영에 속한 사람들은 이스라엘의 신이 했다고 부활 이야기들이 주장하는 것을 그 어떤 신이 예수에 대하여 행한다는 것은 잘못된 일이고, 사람들이 그러한 것을 믿는 것은 도덕적으로 잘못된 것일 뿐만 아니라, 사회적으로 및 심리학적으로 해로운 것이라고 말한다. 하지만 또 다른 진영에 속한 사람들은 성경이 이렇게 말하고 있기 때문에, 또는 초자연주의적인 세계관을 지니는 것은 자연주의적인 세계관을 지니는 것과 마찬가지로 타당한 것이기 때문에, 또는 예수가 "하나님의 아들"이었다면 우리가 다른 그 무엇을 기대할 수 없기 때문에, 우리는 이 이야기들을 믿어야 한다고 말한다.

그러므로 그러한 질문에 대답하기는커녕 그러한 질문을 제기하는 것마저도, 우리가 내용에 접근하기 전에 방법론이라는 차원에서 비판에 대처할 준비를 할 것을 요구한다. 이렇게 전방위적으로 뿜어져 나오는 인식론적인 냉수 속으로 걸어 들어가는 것은 저녁에 골프를 치다가 마지막 그린에서 갑자기 자동 스프링클러 시스템에서 뿜어져 나오는 물세례를 받는 것과 비슷하다. 마지막 퍼팅을 할 기회는 과연 존재하는가? 아니면, 우리는 물에 흠뻑 젖은 채 좌절감을 안고 물러서야 하는가?

우리는 정신을 차리고 용기를 내어서 계속 진행해 나가지 않으면 안 된다. 두 가지의 것이 안전하게 확보될 수 있고, 우리는 그것들을 기준선으로 삼는 데에 부끄러워하지 않아야 한다. 그것을 넘어서서 나아가기 위해서는, 다시 한 번 우리는 실제로 방법론 및 세계관과 관련된 큰 문제들에 직면하지 않으면

---

2) Lüdemann 1994는 고전적인 예이다. 그 책이 출간된 후에 공개적인 토론회에서 Lüdemann은 이러한 결론이 현대 과학에 의해서 확증되었다는 것을 거듭거듭 역설하였다(마치 고대 세계가 죽은 자들이 계속해서 죽은 상태로 있다는 사실을 몰랐다는 것처럼).

안 된다; 그러나 우리는 그러한 문제들을 그것들이 속해 있는 곳에 가져다 놓아야 하고, 최초의 난관에 부딪혀서 우리의 손을 놓고 포기해 버려서는 안 된다.

2. 무덤과 만남들

우리가 첫 번째 부활절에 관하여 말할 때에 역사적으로 확실한 것으로 보아야 하는 두 가지는 무덤이 비어 있었다는 것과 부활한 예수와의 만남들이다. 일단 우리가 초기 그리스도인들을 제2성전 시대 유대교의 세계 속에 위치시키고, 그들이 그들 자신의 장래의 소망과 예수 자신의 부활에 관하여 무엇을 믿었는지를 파악하게 되면, 이러한 두 가지 현상은 확고하게 보증된다. 이에 대한 논증은 일곱 단계로 제시될 수 있는데, 나는 이것을 먼저 요약적인 형태로 서술한 후에 나중에 더 자세하게 설명하고자 한다.

1. 우리가 이제까지 도달한 지점을 요약해 보자: 제2성전 시대 유대교의 세계는 부활이라는 개념을 제공해 주었지만, 유대교적인 부활 신앙 내에서의 기독교의 두드러지고 일관된 돌연변이들은 그러한 신앙이 유대교라는 배경으로부터 자발적으로 생겨났을 가능성을 배제한다. 우리가 초기 그리스도인들에게 무엇이 이러한 신앙을 생겨나게 하였는지를 묻는다면, 그들의 대답은 두 가지로 압축된다: 예수의 무덤이 비었다는 것에 관한 이야기들과 예수가 다시 살아나서 사람들에게 나타난 것에 관한 이야기들.

2. 하지만 빈 무덤 자체나 예수의 현현 사건들 자체는 초기 그리스도인들의 신앙을 발생시킬 수 없었을 것이다. 빈 무덤 자체는 하나의 수수께끼이고 하나의 비극일 뿐이다. 예수가 살아나서 사람들을 만난 사건들도 그 자체로만 보면 고대 세계에서 아주 잘 알려져 있었던 환상들 또는 환각으로 분류될 수 있었을 것이다.

3. 하지만 빈 무덤과 부활한 예수의 현현들을 함께 고려하게 되면, 그것은 이러한 신앙의 출현에 대한 강력한 근거를 제공해 준다.

4. 제2성전 시대 유대교 내에서의 부활의 의미를 감안하면, 시신이 사라졌다는 것과 그 사람이 다시 살아나서 다른 사람들을 만났다는 것이 없었다면, 이러한 재형성된 부활신앙이 출현한다는 것은 생각할 수 없는 일이다.

5. 이러한 신앙의 출현과 관련해서 종종 제기되는 그 밖의 다른 설명들은 이와 동일한 설득력을 지니고 있지 못하다.

6. 그러므로 예수의 무덤이 실제로 그의 처형 후 제삼일에 비어 있었다는 것과 제자들이 실제로 그를 만났으며, 그가 다시 살아나서 진짜 살아있는 모든 모습을 보였다는 것은 역사적으로 대단히 개연성 있는 일이라는 것이다.[3]

7. 이것은 우리에게 마지막이자 가장 중요한 질문을 남겨준다: 이러한 두 가지 현상들에 대하여 어떠한 설명이 제시될 수 있는가? 초기 그리스도인들 자신에 의해 주어진 설명과는 다른 또 다른 대안이 존재하는가?

내가 여기에서 제시하고 있는 종류의 논증은 필요조건과 충분조건이라는 도구들을 사용하는 설명에 관한 이론들에 속한다. 대부분의 세부적인 역사적 탐구는 범인들을 탐구해내는 탐정 활동과 마찬가지로 적어도 이러한 도구들을 암묵적으로 사용하고 있고, 나는 그러한 도구들을 명시적으로 사용하는 것이 명료성이 흔히 결여되어 있는 분야에서 어느 정도의 명료성을 가져다 줄 수 있다고 본다. 그것은 물질을 현미경 아래에 놓는 것과 같다. 조건들과 관련해서는 서로 다른 유형들과 하위 유형들에 관한 상당히 많은 분량의 문헌들이 존재하기 때문에, 여기에서는 상세한 내용들 속으로 들어가서 살펴볼 수도 없고, 그럴 필요도 없다.[4] 어쨌든 역사를 다룰 때 — 특히 사람들이 무엇을 믿었고 사람들이 어떻게 그것을 믿게 되었는지에 관한 역사 — 우리는 기호 논리학에서 요구하는 빈틈없는 완결성에 도달할 가능성은 없다.

필요조건과 충분조건의 대체적인 차이점은 파악하기가 그리 어렵지 않다. 필요조건은 어떤 조건에 도달하기 위해서는 그것이 사실이지 않으면 안 되는

---

3) 나는 "개연성 있는"이라는 단어를 고도로 문제가 있는 철학자들의 방식이 아니라 통상적인 역사가들의 방식으로 사용하고 있다(예를 들면, cf. Lucas 1970): 다시 말하면, "확실한" 결론을 내리는 것이 상대적으로 드문 역사적 증거들에 대해서 "거의 불가능한," "가능한", "그럴 수 있는," "개연성 있는," "고도로 개연성 있는"으로 분류하는 한 가지 방식으로서.

4) 필요조건과 충분조건의 의미 및 사용과 관련된 상당한 양의 문헌들이 존재한다: 예를 들면, Lowe 1995; Sosa and Tooley 1993을 보라. 나는 지금은 Mackie 1980에 수록되어 있는 J. L. Mackie의 글을 통해서 필요조건의 복잡한 관계들을 처음으로 접하였다.

그러한 조건을 말한다: 예를 들면, 집에 전력 공급이 되는 것은 내 컴퓨터가 올바르게 작동할 수 있는 필요조건이다. 충분조건은 그 조건이 충족된다면 반드시 어떠한 결론에 도달하게 되는 그러한 것이다: 어떤 사람이 내 침실 창문 바깥에서 백파이프를 연주하고 있다면, 그것은 내가 밤을 꼬박 세우는 것의 충분조건이 된다. 우리가 다른 대안들을 고려해 보면 이 둘 간의 차이점이 분명하게 드러난다. 집에 전력 공급이 되는 것은 내 컴퓨터가 올바르게 작동하는 필요조건이지만 분명히 충분조건은 아니다; 컴퓨터 자체에 몇 가지 문제점들이 생겨서 작동하지 않을 수도 있는 것이다. 밤중에 어떤 사람이 백파이프를 연주하는 것은 내가 잠을 이루지 못하는 것에 대한 충분조건이지만 분명히 필요조건은 아니다; 진한 커피 한 단지 또는 길거리에서 작업하는 인부의 압축공기를 사용한 드릴 소리도 동일한 효과를 가져올 수 있기 때문이다. 따라서 전력 공급은 컴퓨터가 제대로 작동하기 위한 필요조건이지만 충분조건은 아니다; 백파이프 연주는 내가 잠을 자지 못하고 밤 세우는 것의 충분조건이지만 필요조건은 아니다.

내가 앞서 개략적으로 제시한 일곱 단계로 된 나의 논증, 더 정확하게 말하면, 결정적으로 중요한 2, 3, 4, 5의 단계들은 동일한 개념적인 도구들을 통해서 규정될 수 있다. 2단계와 3단계는 빈 무덤과 예수의 현현 사건들이 초기 기독교의 부활 신앙의 출현을 위한 충분조건들로 보아질 수 있느냐라는 문제와 관련되어 있다; 4단계와 5단계는 그것들이 필요조건으로 보아질 수 있느냐라는 문제와 관련된다.[5] 이 두 경우에 있어서 대답은 세밀한 조율이 필요하지만, 나의 실질적인 제안은 빈 무덤과 현현 사건들의 결합은 몇 가지 유보조건들을 수반하기는 하지만 어쨌든 초기 기독교의 신앙의 출현을 위한 충분조건을 이루고(2단계와 3단계), 몇몇 실질적인 유보조건들을 통해서 그것들은 또한 필요조건이 된다는 것이다(4단계와 5단계). 유보조건들은 이 논증이 수학적인 증명에는 미치지 못한다는 것을 의미하기 때문에 중요하다; 그러나 이 제안은 역사적 가능성을 넘어서서 고도의 개연성으로 나아가는 것이기 때문에 여전히 중요하다.

---

5) 이 질문을 제기한 이와 비슷한 방식에 대해서는 Williams 1982, 106 등을 보라.

일곱 단계는 이제 다음과 같이 좀 더 정교하게 제시될 수 있다.

1단계는 앞의 여러 장들에 나오는 실마리들을 한데 모아서 우리가 직면한 문제에 대한 배경을 설정한다. 초기 기독교의 신앙들은 제2성전 시대의 유대교라는 맥락 속에서 인식되고 형성되었으며, 유대교의 스펙트럼 위에서 하나의 잘 알려진 입장 내부로부터의 돌연변이로서의 의미를 지닌다; 그러나 그 밖의 다른 제2성전 시대 유대인들은 그들과 희미하게나마 비슷한 것을 주장하지 않았다. 우리가 초기 그리스도인들에게 왜 그들이 이러한 신앙들을 지니게 되었는지를 묻는다면, 그들이 제시하는 대답들은 정경의 사복음서들의 끝부분에 나오는 이상한 이야기들을 가리킨다. 무덤이 비어 있었고(그 무덤은 분명히 죽은 나사렛 예수가 앞서 매장된 바로 그 무덤이라는 것을 우리에게 주의 깊게 알려주면서), 그들은 그가 다시 살아난 것을 보았고, 그와 얘기했으며, 그와 함께 먹고 마셨다고 그들은 말한다.

이것은 우리를 2단계, 즉 한편으로는 빈 무덤, 다른 한편으로는 부활 현현들은 그 자체로서는 초기 기독교의 신앙의 출현을 위한 충분조건이 되지 못한다는 나의 이중적인 논증으로 데려다 준다.[6] 이제 각각의 논증을 살펴보기로 하자.

2a. 예수와의 그 어떤 만남들이 없는 상태에서 빈 무덤은 고민스러운 수수께끼였을 것이지만, 장기적으로는 문제가 되지 않았을 것이다.[7] 그것은 아무것도 아닌 것임이 입증되었을 것이기 때문이다; 그것은 꽤 흔하게 일어났던 무덤 도굴 이외의 그 어떤 것도 의미하지 않았을 것이다. 그것은 분명히 우리가

---

6) Stuhlmacher 1993, 48. Stuhlmacher는 당혹스럽게도 현현 사건들의 대부분(요한복음 20장에 나오는 마리아에 대한 현현 사건을 제외한)을 "하늘로부터" 보여진 환상으로 여기고 있지만.

7) Schillebeeckx 1979 [1974], 381: "사라진 시체"는 그 자체로는 부활이 아니다. (하지만, Schillebeeckx에 대해서 자세한 것은 아래를 보라.) McDonald 1989, 140; Macquarrie 1990, 407f.도 보라; 그리고 cf. Polkinghorne 1994, 116-18. Perkins 1984, 84가 빈 무덤은 그 자체로는 어떤 사람이 부활하였다는 신앙을 생겨나게 할 수 없다는 말을 한 것은 옳지만, 그녀는 무덤이 비어 있었든 다른 식으로 되어 있었든 그러한 것은 기독교적인 선포와는 아무런 관계가 없다는 믿음을 토대로 해서 이렇게 말하고 있기 때문에, 그녀의 결론은 큰 가치가 없다.

본서에서 이제까지 살펴본 현상들을 불러일으키지 못했을 것이다. 고대 세계에서는 무덤에 대한 도굴이 흔히 있었는데, 이것은 슬픔에 굴욕과 상처를 더하는 일이었다. 이교 세계에 속한 그 누구도 빈 무덤이 부활을 의미하는 것이라고 해석하지 않았을 것이다; 누구나 다 그러한 것은 전혀 문제가 되지 않는다는 것을 잘 알고 있었다. 마찬가지로, 고대 유대 세계에 속한 사람들도 빈 무덤을 그와 같이 해석하지 않았을 것이다; 세상이 정상적으로 진행되어가고 있는 동안에 "부활"이 한 개인에게 일어날 것이라고 기대한 사람은 아무도 없었다.[8] 분명히 제자들도 그러한 일이 예수에게 일어날 것이라고 예상하고 있지 않았다 — 이 점은 비평학자들에 의해서 흔히 무시되어 왔다.

다른 이례적인 사건들이 없는 가운데 무덤만 비어 있었다고 한다면, 아무도 예수가 메시야라거나 세상의 주라고 말하지 않았을 것이고, 아무도 하나님 나라가 개시되었다고 생각하지 않았을 것이다. 특히, 아무도 몸의 부활에 대한 유대교적 소망의 급진적이고 재형성된 견해를 그토록 신속하고 일관되게 발전시키지 않았을 것이다.[9] 빈 무덤은 그 자체로는 이후에 나타난 증거들을 설명하기에 불충분하다.

이러한 주장에 대한 분명하고도 두드러진 반증이 요한복음 20:8에서 발견된다. 사랑하는 제자는 빈 무덤에 가서 베드로가 조금 전에 보았던 것(세마포가 머리 수건으로부터 분리되어 놓여져 있는 것)을 보고 믿음을 갖게 된다. 그의 경우에 있어서, 또는 적어도 이 글을 쓴 복음서 기자의 생각 속에서 빈 무덤은 그 자체가 그의 신앙을 생기게 한 충분조건이었을 수 있는가? 본문에 의해서 암시되고 있는 대답은 "아니다"이다. 세마포는 예수에게 무슨 일이 일어났다는 것을 보여주는 표지, 기능상으로 예수의 실제적인 현현들과 대등한 표지로 이해되었던 것으로 보인다(요 20:19-23). 사랑하는 제자는 새로운 믿음에 이르게 되었고, 본문은 우리에게 단순히 무덤이 비었다는 것(마리아는 2절

8) 마가복음 6:14-16에 나오는 이상한 보도는 원칙을 증명해 주는 예외인 것으로 보인다; 위의 제5장 제7절을 보라.

9) Wedderburn 1999, 65의 증거들은 최초의 부활절 날에 무슨 일이 일어났음에 틀림없다는 것을 요구한다고 올바르게 결론을 내린 후에, "무슨 일"이라는 것은 단지 "시신에 대한 헛된 수색"이었을 것이라고 잘못 주장한다. 이러한 설명은 그 후에 일어난 일을 해명하기에 충분치 못했을 것이라고 나는 생각한다.

에서 이것을 시신이 다른 장소로 옮겨졌다는 관점에서 설명한다)만을 토대로 하는 것이 아니라, 세마포가 남겨져 있었다는 사실과 그것이 놓여져 있었던 위치로부터 그가 추론해 낸 것을 토대로 이해하기를 원한다. 그는 이 장의 마지막에 나오는 도마처럼 믿음을 이끌어내는 그 무엇을 보았다. 세마포가 남겨져 있었다는 사실은 예수의 시신이 대적들, 친구들, 또는 실제로 동산지기에 의해서 옮겨진 것이 아니라는 것을 보여주는 것이었다(15절). 7절에서 주의 깊게 묘사되고 있는 세마포의 위치는 누군가가 예수의 몸에 동여져 있었던 세마포를 풀어낸 것이 아니라, 나중에 예수가 닫힌 문에도 불구하고 나타났다가 사라진 것과 같이, 그 시신이 어떤 방식으로든 동여매진 세마포를 원형 그대로 남겨둔 채 통과해서 나왔다는 것을 보여주는 것이다(19절). 그러므로 다음과 같은 결론이 나온다: 빈 무덤 그 자체는 예수의 부활에 대한 초기 그리스도인들의 신앙의 충분조건으로서의 기능을 하지 못했을 것이다.

2b. 마찬가지로, 예수와의 "만남들"은 그 자체로는 다양한 방식으로 해석될 수 있었다. 고대 세계의 대부분의 사람들(현대 세계에 있어서는 그렇게 많은 사람은 아닌 것으로 보이지만)은 최근에 죽은 사람들의 환상들과 현현들이 일어난다는 것을 알고 있었다.[10] 이와 같은 일들에 대해서 온갖 종류의 설명들이 존재한다는 것은 의심의 여지가 없다. 그러한 것들을 경험하는 사람의 심리적인 상태에 관하여 다양한 이론들이 제기될 수 있다 — 물론, 그 증거들은 적어도 몇몇 경우들에 있어서는 그러한 현상들이 단순히 죄책감 또는 슬픔의 투사가 아니라 분명히 실제적인 사건들(예를 들면, 사랑하는 사람이 사라졌는데 예기치 않게 최근에 죽었고 그 죽음이 이제까지 설명되지 않고 알려져 있지 않았던 그런 사건)과 연관되어 있다는 것을 시사해 주고 있는 것으로 보이지만.[11] 그러나 그러한 "본 것들," 그러한 "만남들"이 일어난다는 것, 사람들이 기

---

10) 고전적인 현대적 연구는 Jaffe 1979의 연구이다. 그러한 사건들에 대하여 어떠한 해석들이 제시되든지간에(이 책은 "Jungian Classics Series" 속에 들어 있다), 그것이 보도하고 있는 현상들은 비록 사람들이 속는 것 또는 공상의 희생물들이 되는 것을 두려워하는 세계 속에서는 자주 말해지지는 않지만 분명히 널리 퍼져 있었다.

11) Lüdemann 1994, 97-100은 이런 유형의 체험들을 베드로와 바울의 최초의 "환상들"에 대한 그의 설명에 있어서 중심적인 것으로 삼는다.

록된 역사 전체에 걸쳐서 그러한 것들을 알고 있었다는 것은 의문의 여지가 없다.

그러한 일들은 최근의 일부 저술가들이 밝히고자 시도해 왔던 것처럼 아주 빈번하게 일어나지는 않았을 것이다.[12] 아울러, 이런 종류의 환상들은 최근에 죽은 사람이 먹고 마시는 것을 보는 것은 말할 것도 없고 통상적으로 육체적인 접촉을 포함하고 있지 않았다; 실제로, 죽은 사람을 본 환상에 관한 기사들은 종종 그런 일이 실제로 일어난 일은 아니었다는 것을 분명하게 보여준다. 그러나 그러한 "만남들" ― 비록 그것들이 최근에 죽은 사람을 보고 만지고 또는 함께 먹고 마시는 것을 포함하고 있는 것으로 보였을지라도 ― 은 즉각적으로 제자들이 사도행전 12장에서 베드로를 보고 그렇게 생각했던 것처럼 "천사"의 방문들로 해석되었을 수 있다. 그러한 것들은 죽은 사람으로 보인 그 무엇과의 짧은 만남이라는 일반적으로 알려져 있고 널리 인식되어온 가능성과 관련된 매우 특별한 경우, 매우 고무적이며 가슴 따뜻하게 하는 경우를 제공해 주었을 것이다. 현대 세계에서나 고대 세계에서나 이러한 종류의 환상들을 말하는 사람들에 대한 일반적인 반응은 그 사람들의 정신상태 또는 최근의 다이어트에 관하여 질문하는 것이다. 우리가 여러 차례에 걸쳐서 언급했듯이, 현대 세계와 마찬가지로 고대 세계도 환상들과 "실제" 세계 속에서 일어나는 일들 간의 차이점을 잘 알고 있었다.[13] 그러나 환상들은 어쨌든 일어났다.

하지만 그러한 만남들이 꽤 잘 알려져 있었기 때문에(최근에 이것이 부활절에 "진정으로 일어난" 것이라고 역설하고자 해 온 학자들의 강점), 그것들은 그 자체로는 예수가 죽은 자로부터 부활하였다는 신앙을 생겨나게 할 수 없었을 것이다. 그러한 것들은 초기 그리스도인들의 신앙에 있어서 철저하게 불충분한 조건이다. 이러한 "환상들"이 "통상적"이면 일수록, 아무리 그 경험이 인지적으로 다른 느낌이었다고 할지라도, 아무도 이전에 그러한 죽은 사람에 관하여 말한 적이 없었던 것, 즉 그 사람이 죽은 자로부터 부활하였다고 어느 누구가 말하였을 가능성은 더 줄어들게 된다.[14] 실제로 고대 세계와 현대 세계에

12) cf. Riley 1995, 58-68. Crossan 1998, xiv-xix 등이 그를 따른다.

13) 사도행전 12:9 등등. 환상가들의 체험을 예수와의 '만남들'을 이해하기 위한 범례적인 것으로 보는 것의 위험성에 대해서는 Schneiders 1995, 90f.를 보라.

14) 예를 들면, 인간 존재는 이런 종류의 체험을 가지도록 "하드웨어적으로 구성

속한 사람들이 발견해 왔듯이, 그러한 환상들은 그 사람이 지금 살아있는 것이 아니라 죽었다는 것을 의미할 뿐이다.[15] 그러한 몇몇 경험들이 일어났다고 할지라도, 시신이 여전히 무덤 속에 있었다면, 그들은 그러한 경험이 끝난 후에, "우리는 극히 이상한 환상들을 보았지만, 그는 여전히 죽어 있고 매장되어 있다. 결국, 우리의 체험들은 우리가 옛 이야기들과 시들에서 읽었던 것들과 다르지 않다"고 스스로 말했을 것이다.[16]

빈 무덤의 경우에서처럼, 우리는 여기에서도 가능한 반론들에 직면한다. 바울 자신도 단순히 부활 현현만을 토대로 해서 예수의 부활에 대한 믿음을 갖게 된 것이 아닌가? 여기서도 사정은 그렇게 금방 확연하게 드러나지 않는다. 사도행전의 증언을 전체적으로 불신하지 않는다면, 우리는 예수의 빈 무덤, 그의 시신이 부패하여 분해되지 않았다는 반복된 주장이 바울이 핍박하고 있었던 그리스도인들의 설교와 삶 속에서 중심적이고 근본적인 중요성을 지니고 있었다고 결론내리지 않을 수 없다. 바울은 적어도 예수의 제자들이 그의 무덤이 비어 있었다고 주장했으며, 이 주장은 날조된 것이 아니었다는 것을 알고 있었을 가능성이 대단히 높다. 그러므로 그가 부활한 예수를 본 것은 적어도 빈 무덤에 관한 보도가 전제되어 있는 상황 속에서 일어났다. 동일한 방식으

되어" 있다는 Crossan의 주장(1998, xviii)은 초기 그리스도인들이 "부활"에 관하여 말하게 된 이유를 설명하는 방식으로서의 그러한 "환상들"에 배치된다. 그가 초기 그리스도인들의 체험을 "죽은 사람에 관한 환상"(xiii, xiv 등)이라고 반복해서 설명하고 있는 것은 증거들을 검토하기 이전에 결정을 내려버리는 것처럼 보인다. "인지적 불협화설"에 대해서는 아래에서 Festinger의 논의를 보라.

15) Chariton, *Call.* 3.7.4f.를 보라. Jaffe 1979는 사람들이 그들과 함께 방을 썼던 한 친구 또는 가족을 각자 보고 나서 그들이 이미 죽은 사람들이라는 것을 곧 깨닫게 된 오늘날의 많은 예들을 제시하고 있다.

16) Lindars 1993에 의한 빈 무덤에 관한 논의는 결함들로 가득 차 있다. 일단 우리가 이 이야기들이 "추상적인 진리들을 구체적인 형태로 표현하는 경향을 지니고 있었던 사람들 가운데에서 부활 신앙의 합리화들"이었다는 것을 읽고 나면(119), 우리는 더 이상 주후 1세기 유대교적 신앙에 관한 진지한 역사적 논의를 기대하지 않게 된다. O'Collins 1997, 13-17는 무덤이 비어 있었다는 것을 확신해 온 학자들을 열거하고, 마가가 이 이야기를 직접 만들어 내었다는 이론을 설득력 있게 반박한다(A. Y. Collins 1993 등이 주장하듯이).

로, 요한복음 20:11-18에서 마리아가 예수와 만난 것에 관한 이야기는 우리를 당혹스럽게 하는 "나를 만지지 말라"는 표현을 포함하고 있다; 흔히 주장되듯이, 이것에 대한 적절한 해석이 "내게 매달리지 말라"는 것이라면, 이 이야기는 이것은 단순히 오디세우스가 매달리고자 했으나 매달릴 수 없었던 것과 같은 한 유령, 몸이 없는 영의 출현이 아니라는 것을 말해주고 있는 것일 수 있다. 좀 더 긴 이야기 속에서 마리아는 빈 무덤을 직접 보았지만, 고대 세계에서 이 이야기를 말하는 사람은 누구든지 그러한 이야기가 그렇게 나타난 몸이 단순한 유령이 아니라는 표지를 그 자체 속에 내포하고 있다는 것을 알았을 것이다. 누가, 요한, 사도행전도 예수가 제자들과 함께 먹었다는 것에 관한 이야기들을 통해서 이와 동일한 취지의 말을 한다.[17] 여기에는 "현현 사건들"은 그러한 사건들을 통해서 사람들이 본 것이 빈 무덤을 남겨둔 실질적인 몸이라는 증거를 통해서 밑받침되어야 한다는 인식이 끊임없이 존재하고 있는 것으로 보인다. 이렇게, 빈 무덤 또는 가시적인 "현현 사건들" — 우리가 그러한 것들을 어떻게 범주화한다고 할지라도 — 은 그 자체로는 우리가 지금까지 살펴보았던 초기 그리스도인들의 신앙들을 낳기에 충분하지 않았을 것임을 비교적 분명하게 보여준다. 이것은 우리가 이미 잠깐 살펴보았던 한 주제에 중요한 영향을 미친다: 빈 무덤에 관한 이야기 또는 "현현 사건들"에 관한 이야기들은 다른 쪽에 대한 적어도 어느 정도의 암시 없이 단독적으로 초기 기독교 내에서 생성되었거나 유포되었을 가능성은 없어 보인다. 빈 무덤에 관한 이야기들의 요지는 언제나 예수가 다시 살아났다는 것이었다; 현현 사건들에 관한 이야기들의 요지는 언제나 현현 사건 속에서 나타난 예수는 몸과 관련해서 무덤 속에 있었던 시신과 연속성을 지니고 있었다는 것이었다. 어느 쪽이든 다른 쪽이 없이는 초기 그리스도인들이 그러한 이야기들이 제시하고 있다고 믿었던 그러한 의미를 지니지 못하게 된다. 그것들은 도로표지판의 두 부분과 같아서, 표지판 본체는 도로를 표시하고, 수직으로 세워진 기둥은 그것을 떠받친다. 기둥이

---

17) 눅 24:41-3; 요 21:1-14(본문은 예수가 먹었다는 것을 명시적으로 말하고 있지는 않지만 "와서 식사를 하라"는 말 속에 분명하게 그것이 함축되어 있다 [21:12]; cp. 21:13과 눅 24:30); 행 10:41. 나는 사적인 대화 중에 이 점을 지적해 준 Baylor 대학의 Charles Talbert 교수에게 감사를 드린다.

없이는 표지판 본체는 보여질 수 없고, 표지판 본체가 없이는 기둥은 아무것도 말해주지 못한다. 이 둘이 합쳐질 때에 그것들은 진리를 가리킨다.

3. 물론, 두 개의 불충분한 조건들을 합쳐보아야, 그것은 아무것도 보증해주지 못한다. 집에 전력 공급이 잘 되고 있고, 컴퓨터가 아무런 고장이 없다는 사실은 그 컴퓨터가 지금 잘 작동하리라는 것을 보증해주지 못한다. 누군가가 그 컴퓨터와 전력을 연결해주는 동력선을 가져가 버렸을지도 모른다. 다시 한 번 말하지만, 그러한 예화들에서 온갖 종류의 경우들을 생각해내는 것은 별로 힘든 일이 아니다. 그러나 몇몇 경우들에 있어서는 두 개의 불충분한 조건들이 합쳐지면 충분조건이 된다. 비행기가 기계적으로 아무런 결함이 없고 제대로 되어 있다는 사실은 안전한 착륙을 보증해주지 못한다. 잘 훈련되고 경각심을 지닌 비행기 조종사가 착륙 책임을 맡고 있다는 것도 마찬가지로 불충분하다. 비행기는 일류급인데 조종사가 신참이거나 노후한 비행기를 일류급의 조종사가 조종하는 경우에는 여전히 추락의 가능성이 존재한다. 그러나 일류급의 비행기를 일류급의 조종사가 조종한다면 — 기후 조건이나 도로 상태 같은 다른 것들이 좋다고 할 때 — 이 둘의 결합은 안전한 착륙을 위한 충분조건이 된다.

이것이 바로 우리가 빈 무덤 및 현현 사건들과 관련하여 취하는 입장이다. 우리는 그것들이 단독으로는 초기 그리스도인들의 신앙을 낳기에 불충분하다는 것을 살펴보았다. 하지만 그것들을 합쳐 놓으면, 그것들은 충분조건을 형성한다.[18] 우리가 제2성전 시대라는 맥락, 그리고 예수와 그의 선교 활동에 관한 제자들의 믿음들, 이 두 가지에 관하여 알고 있는 모든 것을 종합해 볼 때, 우리는 그들이 한편으로는 그의 무덤이 비었다는 것을 발견하였고, 다른 한편으로는 한동안 그를 다시 만나서 그가 더 이상 죽지 않고 다시 살아있다는 것을

18) Vermes 2000, 173는 이에 반대하면서, 현현 이야기들이 증가하면서, 빈 무덤에 관한 이야기들은 사라져갔다고 주장한다. 또한 마태, 누가, 요한이 원래 독립적이었던 환상들과 빈 무덤에 관한 전승들을 결합해서, 그것을 마치 그것들이 부활에 대한 신앙의 토대로서 결합되어 있었던 것처럼 보이게 만들었지만, 사실은 빈 무덤에 관한 이야기들은 후대의 투영들이고 "환상들"은 주관적인 체험들이라고 주장하는 Schillebeeckx 1979 [1974], 332f. 등에 의해서 대변된 오랜 전통을 보라. 자세한 것은 아래의 서술을 보라.

발견했다면, 우리가 기독교의 처음 두 세기 전체에 걸쳐서 살펴보았던 신앙이 분명히 출현했을 것이라고 확신할 수 있게 된다.[19]

다시 한 번, 한 가지 반론을 생각해보자. 도마에 관한 이야기 속에서의 요한, 제자들이 산에서 예수를 만난 것에 관한 이야기 속에서의 마태에 의하면, 첫 번째 경우에서는 빈 무덤에 관한 보도들이 현현 사건들에 관한 보도들로 보완되었을 때, 두 번째 경우에서는 빈 무덤의 발견 후에 예수가 실제로 즉시 나타났을 때, 모든 사람이 믿었던 것은 아니었다.[20] 게다가, 복음 메시지가 더 넓은 세상으로 퍼져나갔을 때, 수많은 사람들이 빈 무덤과 현현 사건들에 대한 열정적인 목격자들의 증언에도 불구하고 믿기를 거부하였다. 이것은 빈 무덤과 현현들이 결합된다고 하더라도, 그것은 결국 초기 그리스도인들의 신앙의 출현을 위한 충분조건을 이루지 못한다는 것을 의미하는 것은 아닌가?

이번에 위의 반론을 위한 예시는 우리가 우리의 주장에 수정을 가미해야 한다는 것을 보여준다. 빈 무덤과 예수의 현현들의 결합은 분명히 그것에 관하여 들은 모든 사람에게 그리스도인으로서의 믿음을 생겨나게 하는 데에 충분하지 않았다. 그러나 우리는 미묘하게 다르지만 궁극적으로 더 강력한 사례를 제시할 수 있다. 빈 무덤을 발견하였고 부활한 예수를 본 사람들이 제2성전 시대의 유대인으로서 이전의 예수를 좇았고 그가 이스라엘의 메시야라는 것이 밝혀지기를 소망했던 자들이라고 한다면, 이러한 두 가지 증거는 그들 중 대부분으로 하여금 우리가 이미 살펴본 것과 같은 의미에서 예수가 죽은 자로부터 부활하였다는 결론을 내리게 만드는 데에 충분했을 것이다. 당시의 몇몇 사람들의 의심들과 나중에 기독교 설교자들의 증언을 믿지 않은 자들의 거부는 실질적으로 이러한 점에 영향을 주지 않는다. (나쁜 기후 조건이나 활주로 상태, 또는 다른 사람들의 경솔하거나 적대적인 행위들 때문에, 일류 조종사가 조종하는 일류급 비행기가 모두 안전하게 착륙하지는 못할 것이라는 사실은 전체적인 논증에 영향을 주지 못한다.) 빈 무덤과 현현 사건들은 그 이야기를

---

19) 이 대목에서 나는 내 자신이 Sanders 1993, 276-81와 실질적으로 견해를 같이하고 있다는 것을 발견하게 된다. 그의 글은 짤막한 설명이지만, 훨씬 더 긴 많은 설명들보다 더 훌륭한 역사적인 판단을 담고 있다.

20) 요 20:25; 마 28:17.

들은 모든 사람으로 하여금 그리스도인으로서의 신앙에 이르게 하는 데에는 충분조건이 되지 못하지만, 예수의 제자들로부터 시작되었던 공동체 내에서 생겨나서 거기로부터 밖으로 퍼져나간 그러한 신앙을 위해서는 충분조건이었다.

4. 이러한 의미에서 빈 무덤과 예수의 현현 사건들이 초기 그리스도인들의 신앙의 출현을 위한 충분조건이라면, 우리는 이제 이렇게 물어야 한다: 그것들은 필요조건이기도 한 것인가? 이것은 부정을 증명해야 하기 때문에 좀더 어려운 과제이다. 전력 공급이 컴퓨터가 작동하기 위한 필요조건이라는 것을 입증해 보이는 것이 그 한 예이다. 우리는 다른 가능성들을 실험해 보고 다른 어떤 것으로도 실제로 컴퓨터를 작동시킬 수 없다는 것을 보여줄 수 있을 뿐만 아니라, 컴퓨터 자체를 살펴서, 그 컴퓨터가 전기로, 오직 전기로만 작동되도록 설계되어 있다는 것을 입증할 수 있어야 한다. 그러나 역사와 관련된 문제들에 있어서는 사정이 그렇게 호락호락하지 않다. 게다가, 우리가 일차적으로 살펴보고 있는 사실이 널리 받아들여진 신앙이고, 우리가 그 원인들을 찾고 있다고 할 때, 문제는 한층 더 복잡해진다. 사람들은 수많은 이상한 이유들로 인해서 수많은 이상한 것들을 믿는다. 무덤과 현현들의 결합이 초기 그리스도인들의 신앙의 출현을 위한 필요조건이 아니라는 것을 입증하는 데에 필요한 모든 것은 어떤 다른 상황 또는 상황들의 결합이 마찬가지로 이러한 신앙을 낳을 수 있었을 가능성이다. 우리가 설명하고자 하는 사실을 위한 충분조건임이 입증된 둘 이상의 판이하게 다른 일련의 상황들이 존재한다면, 그러한 것들은 어느 것도 필요조건으로 여겨질 수 없다.

이것이 우리가 이 문제는 엄밀한 역사적 증명 너머에 있다는 것을 선언해야 하는 지점이다. 천재적인 역사가들이 어떻게 초기 그리스도인들의 신앙이 생겨났고 그런 형태를 띠게 되었는가라는 주제를 빈 무덤이나 예수의 현현들 없이 설명해 낼 수 있는 방식들을 제시하는 것은 언제든지 가능할 것이다. 하지만 그 반대의 경우에 대해서도 두 가지 강력한 요소들이 제시될 수 있다. 첫째(항목 4), 일반적으로는 고대 세계, 구체적으로는 제2성전 시대 유대교 내에서의 "부활"의 의미는 대안들 중 대다수를 배제한다. 둘째(항목 5, 좀더 긴), 대안적인 설명들로 제시되는 주된 이론들은 자세히 검토해 보면 불충분하다는 것이 드러난다. 항목 4는 항목 3과 마찬가지로 논의 중인 두 개의 핵심적인 요소들, 즉 빈 무덤 및 현현들과 대응해서 둘로 구분될 수 있다.

4a. 우리가 본서의 제1부에서 보았듯이, 고대 후기의 유대 세계 및 비유대 세계에서 "부활"의 의미는 결코 관련된 사람이 단지 "천국에 갔다"거나 새로운 몸을 입은 삶을 포함하지 않는 방식으로 "승귀되었다"는 것이 아니었다. 사후의 몸을 입지 않은 상태에 관한 많은 견해들이 제시되었고, 그러한 상태들을 가리키는 데에 사용되는 아주 풍부하고 다양한 용어들이 존재했지만, 거기에는 "부활"이 포함되어 있지 않았다. "부활"은 몸을 입는 것을 의미하였다; 이것은 부활을 부정하였던 이교도들에게나 적어도 일부는 그것을 소망하였던 유대인들에게나 마찬가지였다. 이것이 몇몇 비기독교적인 지도적 역사가들이 우리가 다른 무엇을 말하든지 간에 무덤은 비어 있었음에 틀림없다(달리 말하면, 그것은 이후의 현상들을 위한 필요조건이다)는 결론에 도달하게 된 이유이다. 그러한 세계 속에서 그 밖의 다른 종류의 "부활"을 상상한다는 것은 어렵다:

> 모든 논거를 고려하고 비중을 달아 보았을 때, 역사가가 받아들일 수 있는 유일한 결론은 정통 신앙, 그러한 신앙을 지지하는 자유주의자, 비판적인 무신론자 — 그리고 심지어 제자들 — 의 견해들은 모두 한결같이 단순히 하나의 의견이 분분한 사실에 대한 해석들이다: 즉, 예수에게 마지막 경의를 표하기 위하여 나섰던 여자들이 경악스럽게도 시신이 아니라 빈 무덤을 발견 했다는 것.[21]

사실, 다른 무슨 일이 일어났다고 할지라도, 나사렛 예수의 시신이 무덤 속에 그대로 놓여 있었다면, 우리가 발견하는 것 같은 그런 종류의 초기 그리스도인들의 신앙은 존재하지 않았을 것이라고 우리는 말할 수 있다. 예를 들면, 사람

---

21) Vermes 1973, 41. 2000, 170-75에서 Vermes는 이러한 결론을 다시 말하지도 철회하지도 않는다. 또한 cf. O'Neill 1972; Rowland 1993, 78. Carnley 1987, 60f.는 우리가 "오직 과학적 역사 서술의 비판적 기법들만을 사용해서는" 이 지점에 도달할 수 없다고 분명하게 말한다; 그렇게 말하는 것 속에 어떠한 전제들이 스며들어 있는지를 확실히 알 수는 없지만, 나는 우리가 실제적인 증거들로부터의 단계적인 논증을 통해서 이 지점에 도달해야 한다고 생각한다.

들이 부활을 기대하고 있었던 세계 속에서 제자들이 살고 있었다는 것이 제자들이 예수에 대하여 그러한 용어를 사용한 이유를 설명해 줄 것이라고 주장하는 것은 전혀 설득력이 없다. 다른 많은 유대인 지도자들, 영웅들, 메시야를 자처하는 자들이 동일한 세계 속에서 죽었지만, 그 어느 경우에 있어서도 아무도 그들이 죽은 자로부터 부활하였다고 주장한 적이 없었다. 우리는 빈 무덤을 포함하고 있지 않았던 사건들에 의해서 발생될 수 있었을 그 밖의 다른 종류의 초기 신앙을 상상해 볼 수 있을 것이다. 그러나 가장 초기의 그리스도인들의 특유의 신앙은 빈 무덤이 아무런 역할도 하지 않는 일련의 상황들에 의해서 발생될 수 없었을 것이다. 그러므로 나는 빈 무덤을 매우 특유한 초기 그리스도인들의 신앙의 출현을 위한 필요조건(앞에서 보았듯이, 그 자체로는 불충분한 조건임에도 불구하고)이라고 본다.

4b. 그러나 현현 사건들에 대해서도 동일하게 말할 수 있는 것인가? 부활 현현들도 초기 그리스도인들의 신앙의 필요조건인가? 나는 이것이 입증하기가 더 힘들기는 하지만 그렇다고 생각한다. 부활 현현들은 빈 무덤의 발견에 대한 일종의 필수적인 보완으로 보인다; 그것들은 첫 번째 불충분한 조건(빈 무덤)을 충분조건으로 바꾸어 주는 추가적인 요소를 제공해 준다. 전력 공급을 집과 연결하는 것은 컴퓨터의 작동을 위한 필요조건이자 불충분조건이다. 이러한 조건은 그 자체가 필요조건이면서 불충분한 조건인 다른 조건들에 의해서 보완될 필요가 있다 — 적절한 연결선, 제대로 작동하는 컴퓨터. 이렇게 해서 조건들의 결합은 충분조건임과 동시에 필요조건이 된다. 예수의 현현들도 바로 그러한 경우라고 나는 생각한다.

다시 한 번 말해두지만, 이것은 입증하기가 어렵다. 인간의 독창성에는 제한이 없고, 누군가가 어떤 다른 사건 또는 현상이 빈 무덤의 발견을 보완해 줄 수 있고 그것과의 결합을 통해서 초기 그리스도인들의 신앙의 출현을 위한 충분조건을 낳게 되는 그러한 이론을 생각해 내는 것은 언제든지 가능하다. 사실, 꿈들은 경쟁적인 설명들을 찾을 수 있는 분명한 장소이다. 어떤 사람들은 제자들이 예수에 관한 강력한 꿈을 꾼 것이라고 말할 수도 있을 것이다(어쨌든 그들은 밤낮으로 긴 시간 동안 예수와 함께 있었고, 그는 그들의 삶에 거대한 영향을 미쳤다). 아마도 그들은 마치 예수가 살아 있는 듯이 보였던 너무도 생생한 예수에 관한 꿈을 꾸었기 때문에, 그가 죽은 것이 아니라 다시 살아났다고 말하기 시작했고, 그 후에 조금씩 조금씩 부활이라는 언어를 사용하기 시작하였을 수도 있다.

그러나 이것은 우리가 지금까지 살펴본 실제적인 신앙을 발생시킬 수는 없었을 것이다. 위에서 보았듯이, 최근에 죽은 사람들에 관한 꿈은 주후 1세기에 슬픔 자체만큼이나 흔한 일이었다. 그러한 꿈들은 죽은 사람이 사후의 상태로 넘어갔고, 그러한 의미에서 "살아있다"는 것을 보여주는 것으로 해석될 수 있다. 그러나 그것은 이교도들에게나 유대인들에게나 "부활"이라는 언어가 가리켰던 그런 것이 결코 아니었다.

아울러, 우리는 그리스도인들이 부활에 관한 유대교적인 언어를 채택하여 사용하였을 때에 일어난 두드러진 수정들 중의 하나를 설명하지 않으면 안 된다. 그들은 연속성만이 아니라 변화에 대해서도 다양한 방식으로 말하였다; 그리고 우리는 복음서들에 나오는 부활절 이야기들이 분명히 몸을 입고 있으면서도 그 몸이 전례가 없고 이제까지 실제로 상상할 수 없었던 속성들을 지니고 있었던 예수에 관한 이상한 묘사 속에서 이것에 대하여 모델을 제공해 준다는 것을 지적한 바 있다. 제13장에서 보았듯이, 이러한 묘사들을 초기 기독교 신학으로부터의 허구적인 투사(投射)로 설명하는 것은 불가능하다. 우리는 다른 설명을 찾아야 한다. 가장 좋은 설명은 부활에 대한 이해에 있어서 이러한 변화를 포함시키는 것을 촉진시켰던 것은 예수의 부활 현현들이었다는 것이다. 초기 그리스도인들이 그들 자신과 그 밖의 다른 모든 사람의 예상과는 반대로 죽은 예수와 지금 다시 살아난 예수 간에 연속성과 아울러 그의 몸의 양식에 있어서의 변화를 보여주는 분명한 증거를 가지고 있다고 믿었다면, "부활"의 언어와 초기 기독교 속에서의 유대교적 부활 신앙의 특별한 수정들이 일어날 수 있었을 것이다. 이러한 살아 있는 예수의 현현들은 그러한 증거를 제공해 주었을 것이다. 그 밖의 다른 것들은 그렇게 할 수가 없었을 것이다.

우리는 빈 무덤과 살아 있는 예수의 현현들의 결합은 그 자체가 초기 그리스도인들의 신앙의 출현을 위한 필요조건이자 충분조건인 일련의 상황들을 구성한다는 결론에 이르게 된다. 이러한 현상들이 없었다면, 우리는 그러한 신앙이 왜 존재하게 되었고 그러한 형태를 띠게 되었는지를 설명할 수 없다. 그러한 현상들을 통해서 우리는 그것을 정확하고도 세밀하게 설명해낼 수 있다.

5. 이것을 검증하기 위하여, 우리는 그 밖의 다른 어떤 것이 초기 그리스도

인들의 신앙을 동일한 방식으로 생성시킬 수 있었을지의 여부에 대하여 물어야 한다. 빈 무덤과 현현들의 결합은 단지 초기 그리스도인들의 신앙을 출현하게 할 수 있었던 것들 중의 한 가지에 불과한 것인가, 아니면 그것은 그렇게 할 수 있었던 유일한 것인가?

초기 그리스도인들의 신앙의 출현에 대하여 다른 식의 설명들을 제시하고자 하는 꽤 많은 연구가 수행되어 왔다. 그러한 설명들은 어느 것이나 앞 절에서 제시한 논증에 도전해서, 부활절 이야기들을 다른 토대 위에서 이루어진 신앙에 구체적인 살을 붙이기 위한 유래론적 또는 호교론적인 시도들로서 치부될 수 있다고 주장한다. 하지만 그러한 설명들 중에서 가장 강력한 견해가 그와 같은 목적을 제대로 달성하지 못한다는 것을 입증할 수 있다면, 무덤과 현현들의 결합이 초기 그리스도인들의 신앙을 위한 필요조건이라는 주장은 상당히 더 강력해지게 될 것이다.

우리는 이미 은연중에 주요한 대안적인 설명들 중 일부를 다루었다. 예를 들면, 나는 여러 대목들에서 만약 초기 그리스도인들이 유대 성경에 대한 주후 1세기의 읽기들로부터 작업을 시작해서 그것들을 성취하기 위하여 "마땅히" 일어났어야 하는 것에 관한 이야기들을 구성해 내고자 시도한 것이라면 그들이 지니고 있었던 그러한 유형과 형태의 신앙들을 발전시킬 수 없었을 것임을 보여준 바 있다.[22] 그러나 우리가 좀더 관심을 가지고 살펴보아야 할 그 밖의 다른 두 가지 유형의 대안적인 설명이 있다. 우리는 한 절을 따로 할애해서 그것들을 살펴본 후에, 우리의 논증에 대한 연속, 특히 단계 6과 7로 다시 돌아갈 것이다.

3. 두 경쟁적인 이론들

(i) "인지적 불협화" 이론

첫 번째 유형의 대안적인 설명은 우리가 빈번하게 만나는 설명이다 — 물론, 수십 년 전보다는 지금에 와서는 그렇게 자주 만나지는 않지만. 이것은 제자들이 "인지적 불협화"라는 신경증적 증세를 겪고 있었다는 이론이다: 사회

22) 위의 제13장.

심리학의 연구 분야인 이러한 가설적인 상태는 개인들 또는 집단이 현실을 제대로 대처하는 데에 실패하고, 그 대신에 그들의 내면 깊은 곳에 있는 열망들과 일치하는 환상 속에서 살아가는 상태를 가리킨다. 이 이론은 레온 페스팅거(Leon Festinger)의 저작을 통해서 1950년대와 그 이후에 유행하게 되었다.[23] 부활절 논의와 관련해서 이 이론이 함축하고 있는 의미는 분명하다: 제자들은 예수를 너무도 간절하게 믿고 싶었기 때문에, 그의 죽음이라는 사실을 정면으로 받아들이는 것 대신에 그가 살아 있다고 주장하게 되었다.

페스팅거가 이 이론에 대하여 체계적으로 제시하고 있는 내용들 중 많은 부분은 어떤 사람이 "알고" 있다고 말할 수 있는 두 가지 서로 다른 것들 간의 불협화(dissonance)와 관련되어 있다. 애연가가 건강이 이상이 있다는 의학적인 징후에 직면할 때;[24] 두 대학의 미식축구 팀들을 지원하는 후원자들이 특정한 거친 시합 후에 무슨 일이 일어났고 누가 그것을 시작했는지를 평가해 달라는 질문을 받았을 때;[25] 어떤 사람이 한 선물(자동 토스터기, 휴대용 라디오, 화보집 등과 같은 여러 물품 등 중에서)을 선택한 후에 그러한 선택을 자기가 잘 했는지에 관하여 의구심을 던져주는 그 물품에 관한 더 많은 정보를 접했을 때;[26] 그들은 그들의 선입견들과 너무도 강력하게 배제되는 증거를 어떤 의미에서 "알고" 있는 것인가? 오늘날 군중심리학이 우리에게 가르쳐 준 대로, 그들이 "그것을 걸러낼" 때 무슨 일이 일어나는가?

우리들은 이러한 것들이 주후 1세기의 유대인들의 한 무리에 관한 역사적인 연구와는 별 상관이 없다고 느낄지 모르지만, 페스팅거와 그의 동료들은 그것들이 별 상관이 없다고 말하지 않았다. 그러나 그런 식으로 수행된 주된 연구는 1840년대의 밀러파(the Millerite sect)와 같은 역사적으로 유사한 사례

23) 특히 Festinger, Riecken and Schachter 1956; Festinger 1957을 보라. 또한 Jackson 1975를 보라. Festinger는 흔히 초기 기독교 신앙의 출현과 관련하여 대안적인 충분한 설명을 제시한 것으로 인용된다(예를 들면, C. S. Rodd가 *JVG*(*Exp. Times* 108, 1997, 225)에 대하여 서평하면서): "Festinger가 제시한 도전은 … 여전히 반드시 짚고 넘어가지 않으면 안 된다").

24) Festinger 1957, 5f.

25) Festinger 1957, 149-53.

26) Festinger 1957, 61-71.

들과 마찬가지로 1950년대에 중서부 미국에서 일어난 작은 비행접시 제의에 관한 연구였다. "인지적 불협화"라는 현상에 대한 페스팅거의 체계적인 분석에서, 이것은 1944년의 인도의 지진 이후에 퍼진 소문에 대한 연구 및 일본이 제2차 세계대전에서 승리하였다고 계속해서 믿었던 일본 사람들에 대한 연구와 더불어서 최종적인 사례 연구가 되었다. 그것은 분명히 이 주제 전체에 대하여 비중이 있는 것으로 보아지기를 의도하고 있다.[27)]

자신의 체계적인 서술 속에 나오는 페스팅거의 요약문을 보면, 그의 주된 취지를 분명하게 알 수 있다. 비행접시를 숭배하는 작은 무리는 한 여자를 중심으로 하고 있었다. 그 여자는 그들에게 자기가 외부 우주로부터 메시지들을 받고 있는데, 장차 큰 홍수가 나서 미국을 덮칠 때에 신자들은 정해진 날짜와 시간에 비행접시를 통해서 구원받게 될 것이라고 예언하였다. 이 정해진 날짜가 거의 다가올 즈음에, 언론에서의 상당한 관심에도 불구하고, 이 집단은 대중의 시선을 피하기에 급급하는 모습을 보였고, 새로운 "신자들"을 끌어모으는 데는 관심이 없었다. 하지만 결정적인 시간이 지나간 후에(이 이야기는 여러 가지 예측가능한 연기들에 의해서 계속 이어진다), 작은 집단에 함께 속해 있었던 사람들은 "하나님이 … 이 무리와 그들이 그날 밤에 전세계에 걸쳐서 뿌렸던 빛과 힘으로 말미암아 세상을 구원하고 홍수를 멈추었다"는 취지의 메시지를 받았다.[28)] 이 집단의 태도는 갑자기 변화되었다: 그들은 열성적으로 그러한 신앙을 알리고자 했고, 다른 사람들을 그들의 신앙 속으로 끌어들이고자 했다. "… 점점 더 많은 개종자들이 확보될 수 있다면 … 그들의 신앙과 메시지들이 올바르지 않았다는 지식 간의 불협화는 축소될 수 있을 것이다."[29)] 이 연구에 대한 페스팅거의 요약문의 결론은 그것이 함축하고 있는 의미가 무엇이라고 그가 생각하는지(그리고 초기 기독교에 관하여 글을 쓰는 수많은 저술가들이 그것의 함의로서 보아왔던 것)를 분명하게 보여준다:

27) Festinger 1957, 252-9(인도의 지진: 236-41; 일본과의 전쟁: 244-6; 밀러파: 248-51). 이하의 서술이 토대로 하는 자세한 보도는 Festinger, Riecken and Schachter 1956에 나와 있다.

28) Festinger 1957, 258.

29) Festinger 1957, 259.

> 충분한 사회적 지지를 얻어냄으로써, 그들은 그들이 그토록 철저하게 헌신되어 있었던 신앙을 가까스로 유지할 수 있었고, 예언이 잘못되었다는 너무도 명백한 지식 앞에서 추가적인 불협화를 축소시키는 유일한 길은 더욱더 많은 사람들이 그들의 신앙들과 메시지들이 옳다고 받아들였다는 것을 아는 것을 통해서 그들의 신앙과 일치하는 더 많은 인지를 획득하는 것이었다.[30]

달리 말하면, 이것은 특히 무엇보다도 예수의 제자들이 그의 죽음 이전에는 염려하며 숨어 있었던 사람들인데 그 후에 갑자기 그의 메시지가 참되다는 것을 알리는 열성적이고 열심있는 전도자들이 되어서 더 많은 개종자들을 끌어들이는 데에 열심을 보인 것은 그들의 소망들의 실패에 의해서 너무도 심각하게 도전을 받게 된 그들 자신의 신앙을 지탱하기 위한 것이었다고 설명하는 이론이다.[31]

이러한 논증이 지닌 결함들은 너무도 엄청난 것이기 때문에, 진지한 학자들이 여전히 그것을 경외감을 지니는 가운데 언급하고 있다는 것은 참으로 당혹스러운 일이다 — 이것이 여기에서 따로 지면을 할애해서 이것을 논의하는 유일한 이유이다.[32] 비행접시 제의에 관한 아주 중요한 연구는 그 자체가 문제점들 투성이이다. 그러한 이론을 퍼뜨린 사회학자들은 기존의 회원들에게 그들도 교외의 집에 앉아서 우주인들과 비행접시로부터 오는 더 많은 메시지들을 받는 진정한 신자들로서, 아주 믿을 만한 동료들이 되어서, 심심치 않게 문의하는 사람들에게 대답해주고 전화로 얘기를 나누며 언론과 인터뷰를 하기 위하여 파견되는 자들이라는 것을 확신시켜야 했다. 이 집단은 아주 작았기 때문에, 몇몇 집회들에서는 사회학자들이 가장 강력한 회원들로 참석하였을 것임에 틀림없다. 한 사람의 인류학자가 자신의 존재 자체와 질문들을 통해서 한

---

30) Festinger 1957, 259.

31) Schillebeeckx 1979 [1974], 347도 J. Delorme를 따라서 이와 비슷한 주장을 한다: 매장 이야기들은 "예수가 불명예스럽게 매장되었다는 생각을 견딜 수 없었던 경건한 그리스도인들에 의해서 유포되었다"는 것.

32) 나는 위의 각주 23에 언급된 *Exp. Times*의 서평에 의해서 이 문제를 다룰 필요성이 있다는 것에 대하여 처음으로 경각심을 갖게 되었다.

집단 전체의 태도와 자기 인식에 아주 심각하게 영향을 줄 수 있다면,[33] 비행접시 숭배자들의 무리 중에서 1/4 또는 종종 1/3을 차지하는 세 명의 사회학자들이 그 진행과정들에 영향을 미쳤을 뿐만 아니라 실질적으로 지도력을 발휘하였다는 것은 너무도 뻔한 일이다.[34]

아울러, 이 집단이 그 사회학자들이 연구를 지속하고 있었던 한 달(그들은 분명히 정회원으로 참여하였을 것이다)보다 더 긴 시간 동안 자신의 정체성 또는 열성적인 전도를 유지하였다는 것을 보여주는 표지는 전혀 없다. 직장을 버리고 재산을 처분하였던 사람들은 이제 다시 그들의 삶을 재건해야 했다. 언론은 관심을 잃어버렸다; 사회학자들은 현장에서 물러나서 타자기 앞에 앉아 어떻게 적용할지를 궁리하였다; 비행접시에 관한 예언은 실패했고 완전히 사라졌다. 그러나 이러한 것들은 중요하기는 하지만, 그러한 것들 중 그 어떤 것도 페스팅거에 의해서 연구된 내용(인도의 지진 소문과 그 밖의 다른 현상들을 포함한)과 초기 기독교의 출현 간의 병행 — 그것이 아무리 느슨한 종류의 병행이라고 할지라도 — 을 주장하는 것과 관련된 문제의 핵심에 이르지는 못한다.

진정한 문제점은 주후 1세기의 역사가라면 그 누구나 알 수 있는 바로 그런 것이다: 초기 그리스도인들이 기대하고 원하고 소망하며 기도하고 있었던 것이 무엇이었든지 간에, 그것은 부활절 이후에 그들이 일어났다고 말한 바로 그것이 아니었다는 것이다. 이것이 모든 가장 초기의 그리스도인들이 제2성전 시대 유대인들이었다는 사실 — 이것은 무덤과 현현들의 결합이 그것이 당연히 가져와야 할 결과를 낳기 위해 꼭 필요한 조건이다 — 이 이러한 결과들이 "메시야로 자처하는 자를 강력하게 믿은 제2성전 시대 유대인들은 그의 죽음

33) 예를 들면, cf. Barley 1986, 34f.

34) 비행접시 집단은 "수많은 현상들에 대한 자료들"이라는 부제를 단 한 장("Data on Mass Phenomena") 속에 포함될 정도로 충분히 큰 집단은 아니었다(Festinger 1957, viii-ix는 출간을 서둘렀다는 것을 인정한다). Festinger, Riecken and Schachter 1956는 그들이 이러한 프로젝트 속에 내포된 심각한 방법론적인 결함들을 알고 있었다는 것을 보여주지만, 아무도 이 전체적인 가설 속에서 선도적인 역할을 했던 Festinger 1957 속에 들어 있는 내용으로부터 그것을 추측해 낼 수는 없었다.

이후에 그와 같은 것들을 말할 수밖에 없었다"는 식으로 환원될 수 있다는 것을 의미하지 않는 이유이다(이것은 반론을 염두에 두고서 말하는 것이다). 사실, 하나님 나라가 성취되었고, 예수는 진실로 메시야였다(그들이 기대했던 것과 동일한 의미에서는 아니지만)는 그들의 선포는 비행접시가 정해진 시간에 오지 않은 후에 전해진 새로운 "계시들"에 의해서 이루어진 기대들에 대한 근본적인 수정과는 피상적으로만 유비관계가 성립될 뿐이다. 그러나 초기 그리스도인들이 이러한 수정에 대하여 제시한 근거는 그들이 잘못되었다는 것을 깨닫게 만든 새로운 사적인 메시지를 받았기 때문이 아니라, 그들이 전혀 예상치 못했고 소망하지 않았던 그 무엇, 그들로 하여금 그것을 중심으로 그들의 삶을 재구성하고 그들의 힘을 쏟을 방향을 재정립하게 만든 그러한 일이 일어났기 때문이었다.

그들은 자기들이 내내 잘못 생각하고 있었다는 사실을 받아들이기를 거부하지 않았다. 이와는 반대로, 그들은 실제로 그들이 잘못 생각했었다는 극적이고 반박할 수 없는 증거를 받아들였고, 그 증거를 중심으로 자신들의 삶을 재정립하였다. 그들은 혼란스러워진 일본 국민들이 1945년의 사건을 받아들이기를 거부하고 계속해서 그들이 이 전쟁에서 "당연히" 이겼을 것임에 틀림없다는 그들의 믿음에 매달려서, 그 정반대의 모든 증거들은 교활한 적군의 선전이라고 믿었던 것과는 아주 달랐다. 그들은 자기들이 잘못된 편에 속해서 싸워 왔다는 것을 발견하고서, 즉시 충성의 대상을 바꾸어서, 승리하는 나라의 시민권을 얻은 사람들과 더 흡사하다. 그들은 로마의 내전에서는 안토니우스를 후원하였고, 그 후에 아우구스투스가 이기자 즉시 로마로 가서 동일한 열정으로 그를 후원하였던 헤롯 대왕과 더 흡사하였다.[35] 그들은, 깊이 잠들어 있다가 그런 식으로 계속해서 머물기를 선호했지만 자명종 소리를 듣고서 침대에서 벌떡 일어나서 직장에 일하러 간 어떤 사람과 같았다.

페스팅거의 이론은 어쨌든 제2성전 시대의 다른 유대인 집단들의 태도에 의해서 심각하게 도전을 받는다. 우리는 제12장에서도 대략 주전 150년과 주후 150년 사이에 일어난 수많은 메시야 운동들이 창시자의 폭력적 죽음으로 끝이 났다는 것을 살펴보았다. 이런 일이 발생했을 때, 죽음을 모면한 사람들에

35) Richardson 1996, 171-3을 보라.

게는 두 가지 대안이 열려져 있었다: 그들은 운동을 완전히 포기하거나, 또 다른 메시야를 찾아 나서거나 해야 한다. 물론, 한 죽은 선지자를 따른 추종자들은 그가 참된 선지자였다고 계속해서 믿을 수 있었다; 실제로, 그것은 세례 요한을 따랐던 사람들에게 일어났던 일이다.[36] 그러나 하나님 나라를 개시시키고 있다고 생각되었던 메시야를 자처한 인물인 경우에는, 그러한 것이 불가능하였다. 아무튼 아무도 메시야가 죽은 자로부터 부활할 것이라고 믿지 않았다; 아무도 그러한 것을 기대하고 있지 않았다.[37] 최근에 처형된 사람이 결국 메시야였다는 신앙에 매달리는 것은 하나의 대안이 아니었다. 우리는 요세푸스의 저작의 면면들에서 많은 "인지적 불협화"에 관한 증거들을 발견하지 못한다; 주후 1세기 유대인들은 이 점에 있어서 주후 20세기의 비행접시 숭배자들보다 더 완고했던 것으로 보인다. 페스팅거의 이론 속에서 취할 만한 것이 있다고 할지라도, 그것은 초기 그리스도인들의 신앙의 출현에 대한 충분한 대안적인 설명을 제시해 줄 수 없다.

이와 비슷한 이론들은 종종 계속해서 불쑥불쑥 제시되는데, 그러한 것들은 진지한 역사적 사고를 보여주는 증거가 아니라, 비판자의 처절한 몸부림을 보여주는 증거인 것으로 보인다.[38] 그러나 나는 이제 초기 그리스도인들이 믿었던 것에 관한 대안적인 충분한 설명으로서 제시되어온 판이하게 다른 종류의 설명을 살펴보고자 한다.

(ii) 새로운 은혜 체험

도미니쿠스 수도회의 신학자인 쉴레벡스(Edward Schillebeeckx)는 예수에

---

36) 요한을 계속해서 추종한 자들에 대해서는 사도행전 18:25; 19:1-7을 참조하라.

37) 이것은 Barr의 주장 속에 들어 있는 결함이다(1992, 109; "위대한 종교 지도자의 죽음 후에 다시 살아날 것이라는 기대가 크면 클수록, 그것이 성취되었다는 주장은 그 동일한 기대가 설명해 줄 가능성도 더 높아진다") 또한 cf. de Jonge 2002, 47f.

38) 예를 들면, Goulder 1996; 또한 O'Collins 1997, 10f.의 논평, 특히 Pannenberg 1968 [1964], 95-8에 대한 언급을 참조하라. Carnley 1987 ch. 4는 몇몇 회의적인 이론들에 대한 설명과 비판을 제시한다.

관한 가장 방대한 저작들 중의 하나를 써서 1970년대에 간행하였는데, 부활 문제에 대하여 상당한 분량의 지면을 할애하였다. 그의 저작은 폭넓은 주목을 받았고, 상당한 영향력을 행사해 왔다.[39] 그는 불트만과 마르크센(Marxsen)으로 대표되는 독일의 주류 개신교 사상의 환원주의(reductionism)로부터 스스로 거리를 두고자 하였다. 부활절 신앙의 출현과 관련해서 그가 말하고자 한 것은, 예수는 "죽은 자들의 세계에서" 어른거리고 있고 오직 "케리그마 속에서" 또는 "신자로서의 우리의 체험 속에서" 부활한 것이라는 관념과는 아무런 상관이 없다.[40] 하지만 이러한 주장은 쉴레벡스가 자유주의적인 개신교도가 아니라 자유주의적인 가톨릭교도라는 것을 역설하는 것으로 들릴 뿐이다. 길게 설명되고 있는 그 자신의 이론은 본질적으로 표준적인 불트만적 모형과 매우 유사하다.

개략적으로 말해서 그의 견해는 다음과 같이 전개된다. 최초의 그리스도인들, 특히 베드로는 "회심"이라고 묘사될 수 있는 은혜와 죄사함, "보는 것"과 "깨달음"의 놀라운 체험을 가졌다.[41] 이것은 원래 빈 무덤이나 "객관화된" 방식으로 예수를 "본 것"에 관한 보도들과는 아무런 상관이 없었다.[42] 하지만 어느 시점에서 특히 예수의 무덤을 방문하는 제의적 관습을 통해서(아래를 보라) 빈 무덤에 관한 이야기들은 원래는 실제적인 연대기와는 아무런 상관이 없고 엄밀하게 은유적인 의미에서 신적인 현존과 행위를 상기시키는 것과 관련이 있었던 "제삼일에"라는 모티프와 더불어서 말해지기 시작하였다.[43] 이러

39) Schillebeeckx 1979 [1974](cf. *JVG* 24f.); 다른 표시가 없다면, 앞으로 나오는 이 저자의 전거는 이 저작을 가리킨다. 몇 가지 점에서 나의 저작과 병행되고 또 어떤 점들에 있어서는 결코 그렇지 않은 부활에 관한 Schillebeeckx의 저작에 대한 상세한 설명과 비판은 Carnley 1987, 199-222에 나와 있다. 벨기에에서 태어난 Schillebeeckx는 네덜란드에서 오랫동안 일하였다.

40) Schillebeeckx, 647.

41) Schillebeeckx 346f.; 3831; 387; 390; 397.

42) Schillebeeckx 352; 이것이 불트만의 반영이 아니라면, 나는 그것이 무엇인지를 모르겠다.

43) Schillebeeckx 329-404, esp. 332; 542; 또한 cf. 725f. n. 33. 여기서 Schillebeeckx는 예전적인 삼일 묵상(*triduum*)의 문자적인 삼일을 정당화하는 것을 조심스러워 한다.

한 전승이 점차 발전되면서 예수를 본 것에 관한 이야기들도 포함되게 되었다; 이 때(이 대목에서 쉴레벡스는 불트만의 통상적인 방법론을 역전시킨다) 지상의 예수의 말씀들은 부활한 주님의 입 속에 넣어졌다.[44] 무엇보다도, 이것은 사람들이 예수를 실제로 물리적으로 보고 만졌다고 생각한 것과는 아무런 상관이 없었다:

> 단지 우리는 유대적인 성경의 말하기 방식의 독특한 성격에 대한 무지로 인해서 "예수의 현현들"이라는 후대의 전승이 만들어낸 조악하고 소박한 사실 같은 묘사로 인해서 고통을 겪고 있을 따름이다.[45]

우리는 제3장과 제4장에 비추어서 쉴레벡스가 근거로 제시하고 있는 "유대적인 성경의 말하기 방식"이라는 것에 대해서 도전할 필요가 있는데, 이것에 대해서는 곧 다시 살펴보게 될 것이다. 그러나 그의 주장은 적어도 지금에 와서는 분명하다. 기독교의 제1세대에서 일어난 일은 초기의 기본적인 신앙과 체험, "회심"의 체험이 나중에는 유대교적인 관념들의 영향을 통해서 죽은 자가 다시 살아나는 것에 관한 소박하고 문자적인 이야기들 같이 보이는 그러한 이야기들에 비추어서 표현되는 것으로 바뀌었다는 것이다. 쉴레벡스는 이러한 주장을 통해서 자기가 신약성서의 기자들이 실제로 말하고 있는 것을 뒤집어 놓고 있다는 것을 의식하고 있다.[46] 그는 적어도 일부 유대인들은 죽은 자로부터의 부활을 몸의 부활이라는 의미로 사고했다는 것을 인정한다; 그러나 온전한 "종말론적" 의미에 있어서(쉴레벡스는 이것을 "초경험적이고 초역사적인" 것으로 정의하고, 인식론적 및 해석학적으로 많은 여지를 허용하는 것이라고 말한다) "부활"은 몸과는 아무런 상관이 없다고 그는 말한다.[47]

쉴레벡스는 이러한 이론 구성을 복음서들과 바울에 대한 간략한 분석들로

---

44) cf. *JVG* 24.

45) Schillebeeckx 346.

46) Schillebeeckx 391. 이것에 동의하여, 우리는 고린도전서 15:17에서 바울은 "너희의 믿음이 옳고, 너희가 더 이상 죄 가운데 있지 않다면, 그리스도는 부활한 것이다!"라고 썼어야 했다고 논평할 수 있을 것이다.

47) Schillebeeckx 380f.: 기가 막히게 뒤죽박죽인 각주 704 n.45를 참조하라: "하

밑받침한다. 마가복음은 순례자들이 거룩한 무덤을 방문해서 "거기에서 종교적인 예식을 행하였고, 그러한 방문을 기회로 이른 아침에 순례자들이 부활에 대한 사도적 신앙을 상기한 것"과 관련된 제의적 전설로부터 발전된 것이라고 그는 말한다. 그는 초기에 부활절 예식이 있었고 거기로부터 빈무덤에 관한 이야기들이 생겨났다고 주장한 여러 학자들의 견해를 그대로 따르고 있다. 이러한 "유래론적 제의 전설"은 "인간의 본성 깊은 곳에" 있는 것과 상응한다고 그는 말한다.[48] 마태는 엉뚱하게도 몸이 포함되어야 한다는 (유대적인) 관념을 도입한다.[49] 누가는 헬라인들에게 말하기 위하여 헬레니즘적인 "휴거"(rapture) 모델을 "신인"('데이오스 아네르') 기독론의 일부로서 제시한 후에, 나중에 가서야 사도행전에 나오는 몇몇 설교들을 쓸 때에 그것을 삭제한다.[50] 바울은 먼저 이방인들에 대한 선교로 부르심을 받았고, 나중에 이것을 가지고 자신의 다메섹 도상의 체험, "그리스도" 예수를 그가 "본 것"을 정당화한다. 이렇게 바울도 일종의 부활 현현 체험을 가졌지만, 그것은 그가 이미 가지고 있던 신앙으로부터 나온 것으로서, 그가 실제로 예수를 본 것은 아니었다.

지만, 신학적으로 말해서, 종말론적인 몸의 부활은 시체와는 아무 상관이 없다."

48) Schillebeeckx 331f., 334f., 336, 702f.. 여기에는 논리에 있어서 흥미로운 간격들이 존재한다: (a) 관련된 사람들이 아무리 경건했을지라도, 시신이 놓여 있었던 무덤을 방문한 사람들이 자발적으로 무덤 속에 시신이 없었다는 전승을 만들어 내었을 가능성은 없다; (b) 무덤이 비어 있지 않았다면, 왜 사람들이 애초에 부활절 예전들을 만들어 내기 시작했을까? 이러한 의문들은 Schillebeeckx 또는 그가 인용하고 있는 학자들에게는 생각나지 않았던 것으로 보인다. Perkins 1984, 93f.; Carnley 1987, 50에 나오는 논의들을 보라; 그리고 무덤 방문들, 방문자들을 위하여 특별한 방 또는 공간을 마련해 놓는 관습에 대한 미쉬나의 언급들(mErub. 5.1; mOhol. 7.1)을 인용하고 있는 Lindars 1993, 129를 참조하라. "무덤 제의" 이론의 귀류법이 Riley 1995, 67; Williams 1998, 232에서 사용되고 있다(아리마대 사람 요셉은 초기 그리스도인들에게 사용한 적이 없는 무덤 하나를 제공하였기 때문에, 그들은 거기에서 상징적인 예식들을 위하여 만날 수 있었다).

49) Schillebeeckx 358.

50) Schillebeeckx 343. 많은 저술가들과 마찬가지로, Schillebeeckx는 예수의 몸이 부패하지 않았다는 사도행전의 두드러진 본문들을 주목하지 않는다(예를 들면, 시편 16:10을 인용하고 있는 사도행전 2:31; 위의 제10장 제2절을 보라).

> 예수의 현현은 중립적인 관찰의 대상이 아니다; 그것은 부활하신 분으로서의 예수에 대한 기독론적인 단언을 통해서 표현된 종말론적인 계시, 즉 예수가 종말론적이고 기독론적인 의미를 지닌다는 것에 관한 계시 및 믿음에 대하여 응답하는 가운데 믿음이 동기가 된 체험이다. 이것이 바로 그 밖의 다른 모든 그리스도 현현들의 핵심이었고, 이후에 그것은 마태, 누가, 요한에 의해서 대표되는 공동체들의 신학 또는 사도 바울 자신의 구체적인 사역을 통해서 보완되었다.[51]

이러한 견해는 독창적이고 교묘하지만, 거의 모든 면에서 잘못되었음이 입증될 수 있다.[52] 유대교적인 맥락에 대한 쉴레벡스의 파악은 개략적이고 오도하는 것이다. 죽음 및 그 너머에 있는 것에 관한 유대교적 견해들의 역사 속으로 한 발자국 들어섰음에도 불구하고, 그는 여러 견해들의 스펙트럼이 존재하기 때문에 "부활"은 그 스펙트럼 위의 한 점, 즉 죽은 자들이 몸으로 죽어 있는 상태를 그치고 다시 몸으로 살아 있게 되는 것과 관련이 있는 그런 것을 가리킨다는 것을 전혀 보지 못한다.[53] 이른바 "유대적인 성경의 말하기 방식"이라는 그가 만들어낸 조어는 진상을 뒤집어 놓은 것으로서, 그것에 비추어 볼 때에 부활한 예수에 관한 이야기들은 조악하고 소박한 사실주의인 것으로 보이게 된다. 마가복음에 대한 그의 읽기의 토대가 되고 있는 예수의 무덤을 방문하는 제의적 관습에 관한 그의 묘사는 전혀 근거가 없다. 마태가 몸의 부활을 의미하는 "부활"을 전제한 이야기들을 말하고 있다고 본 것은 옳은 것이지만, 그것이 전승 속에서의 이상한 혁신이라고 말한 것은 잘못된 것이다. "휴거" 전승에 대한 그의 분석은 근거 없는 것이고, 어쨌든 누가복음에 적용되지 않는다(예수가 엠마오에서 사라졌을 때, 그것은 "휴거"가 결코 아닌데, 이는 예수가 그 직후에 예루살렘에 다시 나타났기 때문이다).[54] 바울에 관한 그의 설명은

51) Schillebeeckx 378. 비슷한 요약들: 346(오늘날의 신앙 체험은 기본적으로 초기 제자들의 경험과 동일한 종류의 것이라고 주장한다); 384.

52) Schillebeeckx가 전형적으로 보여주는 통설적인 견해는 Stuhlmacher 1993, 47f.에 의한 역사비평을 손상시킨다.

53) Schillebeeckx 518-23과 "유대적 견해들"에 대한 빈번한 언급들(예를 들면, 346).

사도행전의 이야기들 및 바울 자신의 증거들에 관한 보도에 있어서 부정확하다.[55]

우리는 이것만으로도 그의 이론이 역사적인 설명이 아니라는 것을 충분히 알 수 있다: 그는 증거들을 제대로 다루지 않았다. 그러나 추가적으로 두 가지 특징이 두드러진다. 첫째, 그는 부활한 예수에 관한 체험들은 오직 이미 신자들이었던 사람들에게만 일어났다는 것을 반복해서 역설한다. 앞에서 보았듯이, 이 점을 역설하기 위해서, 그는 바울에 관한 이야기들을 다소 심각하게 왜곡시킬 수밖에 없었다; 그리고 그는 결코 두 가지 다른 명백한 반증들을 논의하지 않는다. 무엇보다도 먼저 도마가 있다(그는 도마를 편집비평적인 칼날을 통해서 요한 공동체의 상상력으로 만들어낸 허구라고 치부해 버릴 수 있었다); 그러나 또한 우리가 소유하고 있는 가장 초기의 전승 속에 확고하게 속해 있으면서(고전 15:7), 예루살렘의 기득권층에 대해서만이 아니라 사변적인 학계에 대해서도 걸림돌로서 존재해 있었던 예수의 동생 야고보가 있다. 야고보는 예수의 공생애 기간 동안에 예수의 제자가 아니었을 가능성이 크지만, 초대 교회에서 중심적인 인물이 되었다 — 후자의 반박할 수 없는 사실이 전자를 밑받침해준다. 왜냐하면, 만약 야고보가 예수의 제자였다면, 초대 교회가 야고보가 제자가 아니었다고 말하는 이야기들을 만들어내었을 리가 없기 때문이다.[56]

둘째, 쉴레벡스는 두 행에 걸쳐서 지나가는 말로 자기는 사실 제자들이 왜 애초에 신앙을 갖게 되었는지를 설명할 수 없다는 것을 인정한다. 그는 단순히 역사적인 질문을 한 단계 후퇴시켰을 뿐이다. 제자들은 "역사적 토대 위에서 재구성하는 것이 지금으로서는 불가능한 회개와 회심의 과정"을 겪었다고 그

54) Schillebeeckx 341.

55) Schillebeeckx 369, 377f.; 사실, 사도행전에서 바울은 예수를 보지만, 그의 동료들은 보지 못한다; 고린도전서 9:1에서 바울은 자기가 예수를 보았다고 분명하게 말한다(Schillebeeckx는 그가 보지 않은 것이라고 은연중에 말한다).

56) 예를 들면, 요한복음 7:2-5을 참조하라. 야고보와 그 밖의 다른 형제들이 예수의 제자들의 좀 더 넓은 무리 중에 과연 합류하였는지, 그렇게 하였다면 어느 단계에서 하였는지에 관한 문제에 대해서는 야고보가 결국 예수의 공생애 기간 동안에 예수를 좇았다고 최근에 주장해 온 학자들과 관련하여 논의하고 있는 위의 제7장 제1절과 제11장 제6절을 보라.

는 말한다.[57] 신약성서는 "은혜와 은총," 또는 "예수 안에서의 구원의 갱신된 수여"가 이루어진 사건들이 구체적으로 어떤 사건들이었는지를 "그 어디에서도 명시적으로 말하고 있지 않다"고 그는 분명하게 말한다. 신약성서는 단지 "놀라운 은혜의 사건으로서의 이 사건의 성격에 관해서만" 말하고 있다고 그는 말한다. 제자들이 체험한 것은 죄사함의 형태로 된 은혜였다고 쉴레벡스는 주장한다 — 물론, 이것도 그들이 예수의 삶의 사건들과 말씀들에 대하여 깊이 숙고하다가 "논의를 하던 중에 은혜로서 겪게 된 것으로서, 예수의 죽음 이후의 죄사함에 관한 그들의 구체적인 체험"으로 묘사된다:

> 그는 그들을 위하여 구원의 제안을 다시 새롭게 한다; 이것을 그들은 그들 자신의 회심 속에서 체험한다; 그러므로 그는 살아 있지 않으면 안 된다 … 죽은 자는 죄사함을 수여하지 못한다. 이렇게 예수와의 현재적인 교제가 회복되었다 …그것은 믿음에 대하여 예수가 살아 있다거나 장차 오실 세상의 심판자라는 확신을 수여해 주는 새로운 존재에 관한 개인의 체험이다.[58]

본서의 제2부, 제3부, 제4부의 논증 전체는 이 모든 것을 정면으로 반박하고 있다. 부활 기사들이 액면 그대로 하나님의 은혜와 은총을 계시한 "구체적인 사건들"에 관한 기사를 제시하고 있다는 것을 부정하는 것은 참으로 악한 것이다(쉴레벡스는 먼저 카페트 아래에 있는 모든 증거들을 다 쓸어버린 후에, "보라! 아무런 증거도 없다!"고 소리친다). 그러한 증거들 대신에, 기사들에서 실제로 열한 제자(아이러니컬하게도 암묵적으로 쉴레벡스가 가장 우선시하는 베드로의 경우를 제외하고[59])에 관한 수식어구로 나오지 않는 죄사함에 관한 제자들의 인식을 "구체적인 체험"이라고 단언하는 것 — 이것은 비록 그러한 것이 본문들 속에 있다고 할지라도 그것이 결코 할 수 없는 일을 하도록 꾸며

57) Schillebeeckx 387.

58) Schillebeeckx 391f.

59) 요한복음 21:15-19. 아마도 이것은 그의 이론들에 대한 바티칸의 불쾌함을 피하고자 하는 시도였던 것으로 보인다. 만약 그런 것이었다면, 그것은 실패한 것이다.

내는 것에 불과하다. 그것은 마치 플라스틱으로 세심하게 도끼를 만들어서 그것으로 거대한 상수리 나무를 벨 수 있을 것이라고 기대하는 것과 같다. 제12장에서 지적했듯이, 바르 기오라(Bar-Giora) 또는 바르 코크바(Bar-Kochba)의 일부 제자들이 그들의 지도자의 죽음 후에 그들 중의 일부가 죄사함에 관한 새로운 체험을 시작했다는 것을 근거로 해서 그가 진정으로 메시야였다고 주장하였다면, 이것에 대한 반응은 유대교는 하나님의 죄사함에 관하여 말하고 있는 풍부한 범주들을 가지고 있지만, 최근에 처형된 지도자가 메시야(쉴레벡스가 사용하고 있는 의미에서의 "그 그리스도"는 말할 없도 없고)라고 선언하거나 그가 어떤 의미에서 죽은 자로부터 부활하였다는 것은 그러한 범주들 중의 하나가 아니라는 것이었을 것이다. 예수가 공생애 기간 동안에 구원과 죄사함에 관한 말들을 했고, 그의 제자들이 그러한 말들을 기억하고 소중히 여겼으며, 그 후의 말들에서 그들과 함께 하는 하나님에 관한 강력한 의식을 가졌다고 하더라도, 그것은 결코 그가 많은 사랑받는 유대교적인 본문들의 저자들이 그러지 않았던 방식으로 예수가 "다시 살아났다"고 말할 수 있는 근거들을 제공해주지 못한다. 시편들은 죄사함에 관하여 말하였다; 이사야도 마찬가지였다. 많은 유대인들은 그러한 약속들에 의거해서 살았지만, 다윗과 이사야가 죽은 지 오래되었다는 것을 아주 잘 알고 있었다.

사실, 쉴레벡스의 전체적인 구성은 기독교 신학의 차원에서가 아니라(이것은 전혀 다른 문제이다) 역사적 재구성의 차원에서 잘못되었고 오도된 것이다. 그가 보통 때보다 덜 보호장치를 하고서 진정으로 그가 일어났다고 생각하고 있는 것을 요약할 때에 보여주는 그의 입장은 알버트 슈바이처의 입장에 대한 한 변형으로 와해되어 버릴 위험성을 보여준다는 것은 많은 것을 시사해준다: 예수는 고상하지만 재앙스러운 실패자였다. 하지만 그의 제자들은 그가 행하고 말했던 것에 대한 기억을 통해서 새로운 방식으로 도전을 받았다. 하나님은 예수의 "역사적인 대실패"에도 불구하고 최종적인 말씀을 가지고 있음에 틀림없고, "이것을 초기 그리스도인들은 예수의 부활에 대한 그들의 신조 성격의 단언를 통해서 표현하고자 했다" — 이러한 단언은 "비판에 종속될 수밖에 없다." 쉴레벡스의 이러한 말은 그것이 사람을 "조악하고 소박한 사실주의," 무슨 일이 실제로 부활절에 일어났다는 불행한 신앙으로 이끈다는 것을 의미하는 것으로 보인다.[60] 그러나 앞에서 보았듯이, 초기 기독교의 관습과 소망에 관한 역사적인 연구는 우리로 하여금 이 불행한 신앙이 모든 초기 그리스도인들이 지니고 있었던 바로 그것이었다는 결론을 내리지 않을 수 없게 만든다. 실제로, 그들은 그것이 그들의 삶의 중심이라고 고백하였다. 그들은 본서의 제4부의 표문(表文)에 나와 있는 글을 쓴 존 업다이크(John Updike)와 거의 동일한 방식으로 응답하였던 것 같다. 은유들은 중요하다; 그러나 그것들은 하나님을 조롱하는 데에 사용되어서는 안 된다.

물론, 쉴레벡스는 이런 종류의 이론을 제시한 유일한 학자는 아니고, 내가 지금까지 제시한 모든 비평들이 해당되지 않는 그 밖의 다른 예들도 있을 것이다.[61] 그러나 그는 그러한 노선의 사상을 가장 자세하게 제시한 사람들 중의 하나이다. 따라서 그러한 이론은 가변적일 수 있는 세부적인 내용들에 있어서와 마찬가지로 그 기본적인 구조에 있어서도 실제로 부활절에 일어난 일을 설명해 낼 수 없다는 것을 입증하는 것이 중요하다. "인지적 불협화" 이론과 마찬가지로, 초기 그리스도인들이 심오한 종교적인 체험을 가졌고, 그 이후에 서서히 그 체험은 몸의 부활에 관한 언어로 잘못 성장해 갔다는 이론은 초기 기독교의 신앙의 출현에 대한 올바른 설명을 제시해주지 못한다.[62]

4. 필요조건

예수의 부활과 관련된 초기 기독교의 신앙의 출현에 대한 두 가지 널리 사용되는 대안적인 설명들에 관한 이러한 연구는 나를 이 장의 첫머리에서 개략적으로 제시한 논증 가운데에서 6단계로 되돌아가게 만든다. 빈 무덤과 예수와의 "만남들"은 서로 결합되었을 때에 우리에게 초기 기독교 신앙의 출현을 위한 충분조건만이 아니라 필요조건도 제시해 주는 것으로 보인다. 역사가들이 지금까지 생각해 낼 수 있었던 그 어떤 다른 것도 우리 앞에 놓여 있는 그

60) Schillebeeckx 639.

61) "자연주의적" 이론들에 대한 검토와 반응으로는 Habermas 2001을 참조하라.

62) Goulder 1996는 "집단적인 환각"의 유지에 관한 Festinger식의 이론과 베드로와 바울의 "회심 환상들"에 관한 Schillebeeckx식의 이론을 결합시킨다. 이 둘은 철저하게 설득력이 없다. Davis 1997, 146는 이 점을 잘 지적하고 있다: "그들이 보았던 것은 예수를 참칭한 자이거나 환각이었거나 심령체이거나 일종의 상호작용하는 홀로그램인 것이 아니라 예수였다."

러한 현상들을 설명해 줄 수 있는 힘을 갖고 있지 못하다.

물론, 이것은 여전히 논리적 또는 수학적인 견지에서 입증될 수 없는 것이다. 역사가는 결코 피타고라스가 했던 것을 할 수 있는 입장에 있지 않다: 피타고라스는 올바른 각도를 지닌 삼각형들을 그리는 것에 만족하지 않고, 삼각형의 사변(斜邊)의 제곱은 언제나 다른 양변의 제곱의 합과 같다는 것이 언제나 참이라는 것을 입증함으로써, 이것이 언제나 옳다는 정리(定理)를 세워놓았다. 역사는 그런 것과 같지 않다. 역사에 있어서는 거의 모든 것이 절대적으로 배제되지 않는다; 결국, 역사는 대체로 이례적이고 반복될 수 없는 것들에 관한 연구이다. 우리가 추구하는 것은 고도의 개연성이다; 그리고 그것은 모든 가능성들과 모든 제안들을 검토하고, 그것들이 현상들을 얼마나 잘 설명해줄 수 있는지를 물음으로써 달성될 수 있다. 부활에 관한 논의에 있어서 어떤 사람이 회의적인 비평학자의 꿈을 이루게 되는 것도 얼마든지 가능하다: 초기 기독교 신앙의 출현을 위한 충분조건을 제시하면서, 계몽주의 이후의 인식론적 및 존재론적 범주들에 맞거나 단순히 주류적인 이교적 범주들에 맞음으로써 비평의 비둘기장 속에서 큰 소동을 일으키지 않는 설명. 지난 200년간에 걸친 수많은 학자들의 필사적인 시도들(적어도 켈수스 이래로 비평학은 말할 것도 없고)에도 불구하고 그러한 설명은 전혀 발견되지 않았다는 것을 지적해 둘 필요가 있다.

초기 그리스도인들은 그들이 이미 지니고 있었던 신앙을 설명하기 위하여 빈 무덤과 부활한 예수와의 "만남들" 또는 "본 것들"을 만들어낸 것이 아니었다. 그들은 이러한 두 가지 현상의 출현과 결합을 근거로 해서 그러한 신앙을 발전시켰다. 이런 종류의 일을 예상했던 사람은 아무도 없었다; 그 어떠한 회심 체험도 그러한 관념들을 생성해내지 못했을 것이다; 그들이 죄책감을 많이 느끼고 있었거나 죄사함을 받았다는 느낌이 있었다고 할지라도, 그리고 그들이 아무리 많은 시간을 들여서 성경을 상고했다고 할지라도, 아무도 그런 것을 만들어내지는 못했을 것이다. 이와 다른 것을 주장하는 것은 역사학을 행하기를 중단하고 우리 자신의 상상의 세계 속으로 들어가는 것이고, 계몽주의 이후의 세계관이 붕괴될 절박한 위험성에 처해 있는 것을 몹시 걱정하면서 안절부절해하는 모더니즘주의자가 그러한 세계관을 안전하게 상륙시키기 위한 전략들을 고안해 내는 새로운 인지적 불협화 속으로 들어가는 것이다.[63] 역사가들이 통상적으로 받아들이고 있는 그런 종류의 증거라는 관점에서 볼 때, 우리가 제시한 주장, 빈 무덤과 현현들의 결합은 초기 기독교의 신앙을 생성한 바로 그것이었다는 주장은 우리가 발견할 가능성이 있는 것들 중에서 가장 완벽한 것이다.

이러한 결론은 그 밖의 다른 작지만 중요한 역사적 증거 단편들이 꼭 들어맞는 확고한 틀을 제공해 준다. 이러한 것들은 흔히 지적되고 있고, 우리는 위의 제12장에서 그러한 것들을 좀 더 자세하게 살펴본 바 있다. 그것들은 증거들에 대한 어떤 특정한 읽기를 강제하지 않는다; 그러나 그것들은 빈 무덤과 현현들의 결합이라는 가설을 강력하게 밑받침해 준다. 첫째, 초기 그리스도인들은 주목할 만한 정도로 신속하게 한 주간의 첫날을 그들의 특별한 날로 여기기 시작하였다. 둘째, 그 누가 예수의 무덤을 숭배 대상으로 삼았다는 것을 보여주는 증거는 전혀 없다. 이 두 가지 증거는 이미 위의 제12장에서 살펴본 바 있다.

셋째, 예수의 무덤과 관련된 것으로서, 예수의 이장(移葬)은 전혀 문제가 되지 않았다. 물론, 통상적으로는 그러한 이장이 있었다; 이것은 흔히 역사적 연구에서 무시되고 있지만, 그것은 중요하다. 복음서들에서 아주 주의 깊게 묘사되고 있는 매장은 우리가 주후 1세기 팔레스타인의 유대교에서 예상할 수 있는 것과 같이 두 단계로 이루어진 매장의 첫 번째 단계였다.[64] 시신은 상당한 분량의 향유와 더불어 세마포로 동여매졌는데, 이것은 무덤 동굴의 다른 안치대들이 동일한 가족 또는 무리에 의해서 곧 사용될 것이라는 통상적인 전제

63) Goulder 1996, 54f.는 이러한 경향성을 보여주는 좋은 예이다 "우리는 자연적인 가설(초자연적인 가설과 반대되는 것으로서의)을 선호하여야 한다. 그렇지 않으면, 우리는 미신으로 떨어지고 말 것이다"라고 그는 쓰고 있다. 자연/초자연이라는 구별 자체, 그리고 "초자연"을 "미신"과 거의 동일시하는 것은 계몽주의 사상이 이러한 것이 유도하는 역사적 논증을 따르는 사람들을 겁주기 위하여 자신의 밭들에 세워놓은 허수아비들이다. 지금은 새들이 그런 허수아비들을 신경쓰지 않아도 된다는 것을 배워 버린 절호의 때이다. 추가적인 예는 Williams 1998에 의해서 제공된다.

64) 아주 상세한 내용들은 Meyers 1971 ; Longstaff 1981, 279f.에서 볼 수 있다. 예루살렘 지역에서 돌로 된 납골 단지들을 사용한 것은 주후 1세기 중엽에 절정에 달하였다.

하에서 시신이 썩는 냄새를 없애기 위한 것이었다. 매장 동굴에서 사람들은 여러 시신들을 운반하고 안치하였다; 매장 동굴을 소유하지 않은 사람들은 거기에 오직 하나의 시신만을 안치하고자 하지는 않았을 것이다. 성경의 이야기에 따르면, 부자였고 예수에게 헌신되었던 아리마대 사람 요셉조차도 그 동굴을 다시 사용할 것을 예상하고 있었다. 6개월이나 2년의 기간이 흐른 후에, 다른 시신들을 매장하기 위하여 왔다간 사람들은 해당 시신이 완전히 해체되어서 오직 두개골과 뼈들만 남아 있게 된 것을 알게 된다. 그때 그들은 뼈들을 모아서, 전통적인 방식을 따라서 경외심을 가지고 조심스럽게 뼈들을 쌓은 후에, 납골단지에 넣어서, 동일한 매장 동굴 내의 납골당이나 그 밖의 다른 가까운 장소에 안치하게 된다. 이것이 바로 요셉이 예수의 뼈와 관련해서 예상하였던 바로 그것이다.

훈련된 역사적 상상력은 예수에게 무엇이 일어났었는지를 보여준다. 만약 통상적인 방식으로 매장되었던 예수가 육신적으로 여전히 죽어 있다가 무덤 내부에서 부패하여 해체되었고, 예수와 그의 제자들 간의 "만남들"은 말할 것도 없고 빈 무덤도 결코 존재하지 않았다면, 우리는 그의 집 또는 가족, 아니면 요셉의 가족 중에서 어떤 사람이 조만간 이 무덤 동굴에 찾아와서 이러한 마지막 존경의 예식을 행하였을 것이라고 생각하여야 한다. 그리고 (우리가 선험적으로 초기 기독교에 관한 우리의 증거들의 모든 단편들이 후대의 허구라고 선언하지 않는다면) 우리는 그러한 일이 초대 교회가 예수가 죽은 자로부터 부활하였다는 것 — 사도행전에 의하면, 좀 더 구체적으로 말해서 그의 몸은 부패하지 않았다[65] — 을 근거로 해서 그를 메시야이자 주로 선포하고 다니던 바로 그때에 일어났어야 했다고 생각하지 않을 수 없다. 그리고 우리는 그런 일이 열심있던 다소의 사울이 교회를 핍박하다가 그가 예수라고 여겼던 분을 만나서, 그 이후로 그가 죽은 자로부터 부활하였다고 선포했던 것과 동일한 시기에 일어났을 것이라고 생각해야 한다. 이러한 것을 토대로 해서 이야기를 전체적으로 통합해 내는 것이 불가능하다는 것을 알았기 때문에, 학자들은 요셉에 관한 모든 것을 부정하고, 바울에 관한 거의 모든 것을 불신하며, 그 대신에 일차적인 증거들이 결여되어 있는 그들 자신의 이야기를 제시하는 필사적인

65) 사도행전 2:25-36; 위의 제10장 제2절을 보라.

편법으로 내몰려온 것이다.[66]

이 문제 전체와 관련된 매력적인 정보는 무덤에 대한 도굴을 금지한 클라우디우스 시대에 나온 것으로 보이는 나사렛 근방에서 발견된 금석문이다. 고대의 많은 증거 단편들과 마찬가지로, 그것은 우리의 문제와 아무런 관련이 없을 수도 있고 또한 있을 수도 있다. 최근에 처형된 "유대인의 왕"을 이스라엘의 메시야이자 세상의 참된 주로 환호하고 있는 새로운 분파에 관한 소문이 퍼져나갔고, 마태복음 28:11-15에 나오는 것들과 같은 소문들이 공식적인 해명으로서 유포되고 있었다고 가정한다면, 어느 누가 황제의 권위를 빌려서 말이 달아난 후에 마구간의 문을 봉쇄하고자 했던 것이라고 생각할 수 있는 가능성은 거의 없다:

> 가이사의 칙령. 무덤들과 봉분들이 영원히 아무런 방해도 받지 않고 그대로 남아있는 것이 나의 기쁨이다 … 어떤 사람이 무덤들을 허물었다거나 다른 어떤 방식으로 매장된 사람을 빼내갔다거나 악의적으로 시신들을 해코지하기 위하여 다른 곳으로 옮겼다거나 무덤의 봉인들 또는 그 밖의 다른 돌들을 옮겼다고 신고해 온 경우에는, 그런 자를 재판에 회부하도록 내가 명하노라 … 그 누구도 무덤들을 훼방하지 말도록 절대적으로 금지시키노라. 위반하는 경우에는 그 범죄자를 매장지 훼손죄로 사형 선고를 내리기를 원하노라.[67]

물론, 우리는 이 본문을 토대로 해서 그 어떠한 확실한 설명을 제시할 수는 없다. 수많은 고고학적 발견물들과 같이, 이 금석문은 문제들에 대답해 주기보다는 오히려 문제들을 불러일으킨다. 그러나 이 금석문은 분명히 논증의 가장자리를 살짝살짝 건드리는 약간의 내용을 제공해 주고 있다.

이러한 모든 이유들에 의거해서, 나는 어떤 교파에 속한 역사가이든 그들은 빈 무덤과 예수와의 "만남들"을 우리가 제1장에서 개관한 모든 의미들에 있

66) 예를 들면, Crossan 1998; Wright, "A New Birth?"를 보라.

67) Barrett 1987 [1956], 15와 다른 참고문헌들; 또한 Evans 2001, 533에 나오는 논의도 보라.

어서 "역사적 사건들"이라고 단언하는 것 이외의 다른 선택을 할 수 없다고 결론을 내리게 된다: 그것들은 실제적인 사건들로서 일어났다; 그것들은 중요한 사건들이었다; 그것들은 역사가들에 의해서 요구되는 통상적인 의미에서 입증 가능한 사건들이다; 역사가들은 그것들에 관해 쓸 수 있고 또한 써야 한다. 우리는 그러한 사건들이 없이는 초기 기독교를 설명해 낼 수 없다. 실제로, 빈 무덤과 현현들이라는 시나리오는 내가 이전에 예수에 관한 연구에서 방법론적인 모형으로서 논증한 바 있는 이중적 유사성과 이중적 비유사성(한편으로는 유대교, 다른 한편으로는 초대 교회)에 의해서 보증된다.[68] 이것들과 같은 이야기들은 초기 그리스도인들이 제시한 것과 같은 설명과 더불어서 주후 1세기 유대교 내에서 의미를 지니지만(유사성), 주후 1세기 유대교 내에 속해 있었던 그 누구도 이와 같은 것을 예상하지 않았다(비유사성). 실제로, 이것들과 같은 이야기들은 초기 기독교의 출현을 설명해 주지만(유사성), 초기 기독교의 신앙, 신학, 석의를 투사한 것으로는 설명되지 않는다(비유사성).[69]

이러한 결론은 종종 제시되어 왔던 대안적인 설명들 중 몇몇, 대체로 이른 아침에 행해진 실수들이라는 주제에 대한 변형들(여자들은 예수의 무덤이 아닌 무덤으로 갔고, 다른 사람을 예수로 오인하였다는 것 등등)을 배제한다. 우리가 예수의 십자가 처형 이후에 제자들의 마음상태와 그들이 이와 같은 일이 일어날 것이라고는 꿈에도 생각하지 않고 있었다는 사실을 기억한다면, 이러한 것들은 어쨌든 문제가 되지 않는다. 오해들에 토대를 둔 소문들은 신속하게 정리되었을 것이다. 예수는 실제로 십자가 위에서 죽지 않았고 서늘한 무덤 속에서 소생한 것이라는 해묵은 이론은 마찬가지로 권할 만한 것이 없고, 부활을 부정하는 데에 열정적으로 헌신하는 역사가들조차도 그러한 노선을 따르려 하지 않는다는 것은 주목할 만하다.[70] 어쨌든, 로마 병사들은 사람들을 죽이는

---

68) cf. *JVG* 131-3.

69) 후자에 대해서는 특히 위의 제13장을 보라.

70) 예를 들면, Lüdemann 1994. 이러한 개념을 최근에 지지하고 있는 학자는 Thiering 1992, chs. 25-7인데, 그에 대한 답변이 Wright, *Who Was Jesus?*, ch. 2에 나와 있다. 또한 그 밖의 다른 설득력 없는 이론들을 언급하고 있는 Theissen and Merz 1998, 476 속에 열거된 학자들도 보라. Moule 1967, 6f.는 적절한 반응 이상의 것을 제시하고 있다. 이 이론과 관련하여 유일하게 말해 둘 것은 그러한 이론이 주

데에 어느 정도 능숙한 이들이었고, 특히 그것이 반군 지도자였다고 할 때, 그들은 그 일이 제대로 되었는지를 여러 차례 확인할 동기를 가지고 있었을 것이다. 또한 좀더 최근에 제시된 또 하나의 주장도 배제되어야 한다: 십자가 처형 후에 예수의 시신은 매장된 것이 아니라, 개들과 독수리들의 먹잇감으로 내버려두어졌다는 것.[71] 만약에 그런 일이 있었다면, 아무리 많은 "환상들"을 가졌다고 할지라도, 제자들은 그가 죽은자로부터 부활하였다고 결론을 내리지 않았을 것이다. 우리에게는 역사적으로 안전한 결론이 남겨져 있다: 무덤은 비어 있었고, 여러 번에 걸친 "만남들"은 예수와 그의 제자들(적어도 한 명의 최초의 회의론자를 포함해서) 간의 만남으로 일어났을 뿐만 아니라, 적어도 한 경우에 있어서는(바울의 경우; 또한 야고보의 경우도 그럴 가능성이 있다) 예수와 이전의 그의 제자들이 아니었던 사람들 간에도 일어났다. 나는 이러한 결론을 아우구스투스가 주후 14년에 죽었다든가 예루살렘의 멸망이 주후 70년에 있었다는 것과 같이 역사적 개연성에 있어서 거의 확실한 것일 정도로 그러한 사건들과 동일한 종류의 범주에 속한다고 본다.

이것은 내가 이 장의 첫머리에서 개략적으로 제시한 논증의 7단계로 우리를 데려다준다. 우리가 이러한 결론을 어떤 외적이고 선험적인 신념들에 호소해서가 아니라 역사적인 논증을 따라서 얻어냈다는 것을 아는 것이 중요하다. 우리가 초기 그리스도인들은 모두 예수가 복음서들이 말하고 있는 이야기들과 같은 부활절 사건을 통해서 몸으로 부활하였다고 믿었다는 것을 전제할 때에만, 초기 그리스도인들의 폭넓은 신앙과 관습은 설명될 수 있다; 그들이 예수가 몸으로 부활하였다는 것을 믿은 이유는 무덤이 비어 있었고, 그 후에 얼마 있지 않아서 그들이 예수 자신을 만났으며, 예수가 몸으로 다시 살아났다는 것을 보여주는 온갖 증거들을 그들이 보았기 때문이었다. 그렇다면, 우리는 이 두 가지 사실, 빈 무덤과 "만남들"을 어떻게 설명할 수 있는가?

목할 만한 정도로 자기준거적이라는 것이다: 자주 최후의 일격이 주어지지만, 그것은 계속해서 스스로 부활한다 — 박살났지만 다시 부활한 예수가 스스로 행하였던 것과 같은 확신을 가지고.

71) Crossan 1994 ch. 6.

5. 예수의 부활의 역사적 도전

이에 대한 대답은 눈감고도 알 만큼 명백하다. 아마도 다소의 사울이라면, 이렇게 말했을 것 같다: 그것은 다메섹으로 가는 길에서 그가 말에서 떨어졌는지 안 떨어졌는지만큼이나 명백하다. 여기서는 '눈감고도 알 만큼'(blindingly)이라는 부사가 중요하다; 이 질문에 대한 명백한 대답은 계몽주의 이후의 역사적 인식론의 원칙들에 대한 너무도 대담하고 무례한 언동인 것으로 보이기 때문에, 그것을 긍정하는 유일한 길은 '눈을 가리고' 어둠 속에서 도리깨질을 하는 것인 것처럼 보인다. 초기 그리스도인들이 그랬던 것처럼, 예수가 실제로 죽은 자로부터 몸으로 부활하였기 때문에 무덤이 비어 있었고 예수와의 "만남들"이 일어났다고 말하는 것은 우리가 과거에 관한 일들에 대하여 알고 있는 방식에 관한 우리의 통상적인 모든 언어를 중지할 것을 요구하는 것으로 보인다.

물론, "눈감고도 알 만큼"과 "명백하다"라는 단어를 강조하는 것이 중요하다. 만약 우리가 우리를 안전하고 서로 연관된 한 쌍의 결론으로 데려다준 다른 어떠한 역사적 문제에 직면해 있고, 그러한 결론들을 설명해 줄 사실 또는 사건을 찾고 있으며, 예수의 몸의 부활이 빈 무덤과 "만남들"을 설명해 주는 것과 마찬가지로 철저하고도 만족스럽게 그런 결론들을 설명해 주는 것을 발견했다면, 우리는 한시도 지체하지 않고 그것을 받아들일 것이다. 한 고고학자가 옛 홍예문의 두 기둥을 발견한다. 그의 동료가 그 근처에 있는 널따란 잔디밭을 여기저기 들쑤셔서 그 홍예문의 뒷부분을 완성시킬 조각된 돌들을 발견한다. 모든 사람이 만족해하면서 집으로 간다; 원형이 복원되었다. 내가 코끼리 한 마리가 의사당 앞을 걸어서 지나가는 것을 본다고 한다면, 나는 그것이 영리한 판토마임 같은 속임수(아마도 또 다른 동물보호협회의 시위의 일부)라고 생각하거나 내가 생각했던 것보다 지난 밤에 더 많은 술을 마셨음에 틀림없다고 생각할 것이다. 그런 후에, 내가 하이드파크에서 서커스 공연을 하는 중에 코끼리 한 마리가 달아났다는 소식을 듣는다면, 이 두 가지 사실을 포괄하는 하나의 가설을 생각해 내는 데에는 그리 많은 시간이 걸리지 않을 것이다. 조금 전만 해도 깊고 빠르게 흐르는 강의 반대쪽 둑 위에 있었던 친구가 지금 이쪽 둑 위에 있다면, 그리고 내가 양쪽 둑 사이의 거리가 수 마일이나 되는 강에 다리가 없고, 그녀가 헤엄을 칠 수 없다는 것을 알고 있다면, 나는 그녀가 어떤 종류의 배를 사용하였을 것이라고 생각하게 된다. 우리는 이런 유의 추론을 내내 사용하여 왔다. 상당수의 법적 소송들도 그러한 추론에 의거한다. 살인할 때에 쓴 흉기에서 피고의 지문이 도처에서 나왔다; 피고의 옷에서도 동일한 유형의 피가 발견되었다; 그의 이전의 성품이 아무리 흠이 없고 점잖았다고 할지라도, 배심원들은 사실에 근거해서 정확한 결론을 도출해 낼 것이다.

이러한 것들은 모두 예수의 몸의 부활이 우리 앞에 놓여 있는 사실들에 대하여 제시하는 것과 같은 종류의 명백하고도 만족스러운 역사적 설명의 예들이다. 예수가 부활하였고, (초기 그리스도인들이 서로 다른 방식으로 단언하였듯이) 예수가 이전과 동일하지만 뭔가 신비스러운 방식으로 변화된 몸을 지니고 있었다면, 빈 무덤과 "만남들"이라는 두 가지 핵심적인 증거 단편들은 설명된다. 홍예문은 기둥들과 정확히 꼭 들어맞는다.[72)]

물론, 문제는 우리가 고대의 홍예문들이 흔히 잔해들로 남아있다는 것을 알고 있다는 것이다. 우리는 코끼리들이 존재한다는 것과 기회가 주어진다면 코끼리들은 새로운 놀이를 찾아서 떠돌아다닐 가능성이 있다는 것을 안다. 우리는 사람이 배를 통해서 강을 건널 수 있다는 것을 안다. 우리는 도무지 그럴 것 같지 않은 사람들이 종종 살인을 저지른다는 것을 안다. 우리가 모르는 것 — 우리가 현대의 과학적인 세계관 속에서 살기 때문이 아니라, 이 점에 있어서 모든 인간의 역사가 동일한 이야기를 하기 때문에 — 은 진정으로 죽은 사람이 다시 온전하게 살아날 수 있다는 것이다.

예수에 관한 기독교의 이야기는 그 밖의 다른 것을 주장하고자 하지 않는다. 이 점이 강조될 필요가 있다. 부활절에 대한 초기 기독교의 이해는 이런 종류의 일이 언제나 조만간에 일어날 가능성이 있다는 것이 아니었고, 최종적으로 그런 일이 일어났다는 것이었다. 그것은 특정한 사람이 이전에 그 누구도

---

72) 이러한 유의 역사적 연구는 "부활을 자연적인 것으로 만드는" 것으로서 "시체의 현세적인 회복과 별반 다르지 않다"는 Carnley 1987, 145의 말은 옳지 않다. 소생조차도 "현세적"이지 않다는 것은 그만두고라도, 우리가 수행해 온 역사적 탐구는 우리로 하여금 "자연적인 것으로 만들거나" "현세적인" 것이 아닌 바로 그 무엇을 전제하도록 이끈다.

상상치 못했던 이례적인 능력들을 소유할 수도 있다는 것이 아니었다.[73] 또한 그들은 원숭이가 타자기 앞에 앉아서 마침내 "끝이 좋으면 모든 것이 좋다"라는 문장을 쳐낸 것과 같이(몇 차례의 실수들을 범한 후에) 그것이 무작위적인 진기한 사건이었다고 생각한 것도 아니었다. 많은 비평학자들이 생각해 온 것과는 달리, 초기 그리스도인들이 예수가 죽은 자로부터 부활하였다고 말하였을 때에 그들은 그들이 믿은 신이 그들이 예상했던 것보다 더 굉장한 이적을 행하거나 더 큰 "초자연적인" 능력을 나타내 보여주기로 결심한 것이라고 말한 것도 아니었다. 이것은 그의 신이 다른 어떤 사람들보다도 그를 더 좋아했기 때문에 예수에게 특별한 은총을 베푼 것도 아니었다.[74] 죽은 사람들은 통상적으로 다시 살아나지 못한다는 사실은 그 자체가 초기 기독교의 신앙에 대한 반론이 아니라 그 일부이다. 초기 그리스도인들은 예수에게 일어난 일이 정확히 새로운 일이었다고 역설하였다; 실제로 그것은 전혀 새로운 실존 양식, 새 창조의 시작이었다. 예수의 부활이 과거에도 유비가 없었고 지금도 유비가 없다는 사실은 초기 그리스도인들의 주장에 대한 반론이 아니다. 오히려, 그것은 그러한 주장 자체의 일부이다.[75]

기독교의 출현이라는 문제가 역사가들에게 던지는 도전은 흔히 생각하는 것보다 훨씬 더 그 초점이 뚜렷하다. 그것은 단순히 사람이 "이적들," 또는 일반적으로 초자연적인 것들 — 이러한 것들 속에서는 부활이 아무런 문제가 없는 것으로 전제된다 — 을 믿느냐의 문제가 아니다. 어느 누가 부활이 그런 의미에서 아무런 문제도 없다는 그런 단계에 도달해 있다면, 우리는 그들이 어딘가에서 잘못 생각하였다는 것, 즉 그들은 이와 같이 대단히 폭발성 있고 전복 성향을 지닌 사건들 — 그것이 일어났다고 전제하고 — 이 서커스단의 코끼리나 타자를 치는 영리한 원숭이 같이 초자연적인 기념물들을 모아놓은 교회의

73) Holt 1999, 11에 나오는 이례적인 주장들을 보라. 이것은 아마도 그리스도를 인간 및 우주의 발전 속에서 "오메가 포인트"로 보는 de Chardin 1965의 저 유명한 명제를 논리적으로 확장시킨 것으로 보인다.

74) Crossan이 자주 부활 신앙으로부터 도출할 수 있는 것이라고 암시하고 있듯이: 예를 들면, 1998, 549.

75) "유비"에 대해서는 위의 제1장 제2절에 나오는 Troeltsch와 Pannenberg의 논의를 보라.

소장품 속에서 핵심적인 진열품으로서 길들여지고 전시되고 있는 세계를 구축하였다고 분명하게 말할 수 있다. 이렇게 해서, 예수의 부활은 "한 동산으로의 여행과 애교스러운 깜짝쇼", 동화의 끝을 장식하는 행복한 결말, 또는 서로 다른 유형의 기독교들 또는 그 안에서의 서로 다른 지도자들을 정당화하기 위한 수단이 된다.[76] 결코 그렇지 않다: 도전은 훨씬 더 좁은 초점으로 모아지고, 단순히 일반적으로 세계관들, 또는 구체적으로 "초자연적인 것들"과 관련이 있는 것이 아니라, 죽음과 삶, 시간과 공간과 물질의 세계 및 그것과 거기에 존재하는 "신" 또는 "하나님"이라고 부를 수 있는 존재와의 관계에 관한 직접적인 문제와 관련되어 있다. 물론, 여기에는 중립성이란 존재하지 않는다. 중립을 지키고 있는 것처럼 보이는 사람들은 단지 그들이 이 문제를 이해하지 못했다는 것을 보여줄 뿐이다.[77]

특히, 계몽주의 이후의 역사가이기를 고집하는 사람들은 거울을 들여다보고 몇 가지 어려운 방법론적인 질문들을 던져야 한다.[78] 결국, 계몽주의의 근저에 있는 존재 근거는 교회의 장엄한 교의적 주장들(그리고 그 밖의 다른 많은 것들, 그러나 교회가 언제나 핵심적인 대상이었다)은 역사적 증거들에 의한 아무

76) Sawicki 1994, 92f.; Riley 1995; Crossan 1995, 202-08; 1998, 550-68의 비판들, Schillebeeckx의 재구성이 후자에 대하여 취약하다는 것을 보라. 또한 Macquarrie 1990, 403-14에 의해서 제시된 "이 이야기에 대한 대조적인 결말들": 전통적으로 단언되고 있는 "해피 엔딩"과 칸트 이후의 불트만적인 견해에서의 "엄숙한 결말"의 대비를 보라. 위의 제14장 제1절을 보라.

77) 이 문제를 어떻게 답할 것인가라는 문제에 대한 최근의 흥미로운 철학적인 접근방법에 대해서는 Gibson 1999를 보라.

78) 이 대목에서 나는 일반적인 수준에서 Schillebeeckx의 주장에 완전히 동의한다: "우리는 계몽주의 전체(그리고 좀 더 큰 과거)를 현재로 다시 가져와서는 안 된다. 우리는 그 무비판적인 전제들에 대하여 거부권을 행사하는 가운데 그 비판적인 충동을 개정하고 보완하여야 한다."(594). 불행히도 나는 Schillebeeckx가 이러한 과제를 실천에 옮겼다고 생각하지 않는다. Morgan 1994, 12f.은 계몽주의의 과제들에 분명하게 항복한 것으로 보인다: "육신적 부활은 거의 소생(蘇生)인 것으로 보이고, 예수가 실제로 십자가 위에서 죽지 않았다는 합리주의자들의 설명을 유도한다. 이 문제는 피하는 편이 더 좋다." 합리주의자들이라니? "거리에 사자가 있다"(잠 26:13).

런 구속이 없고 가차 없는 검증에 의해서 도전을 받을 필요가 있다는 것이었다. 계몽주의가 탄생한지 200년 후에 그러한 전통 속에 있는 역사가들이 여전히 끈질기게 제기하고 있는 질문들에 대하여 몇몇 유형의 대답을 선험적으로 배제하고 거기로부터 등을 돌리는 것은 잘못된 일일 것이다. 최근에 계몽주의의 좀 더 큰 꿈들은 온갖 종류의 차원들에서 도전을 받아 왔다. 몇몇 경우들에 있어서(식민주의, 서구자본주의의 전세계적인 승리 등등) 그 꿈들은 정치적으로, 경제적으로, 문화적으로 거대한 규모로 이기적이라는 것이 밝혀져 왔다. 끈질긴 역사적인 논증이 아니라 비평학자들의 어조(그들은 이 주제에 관한 모든 논의의 가장자리에서 "무슨 일이 실제로 일어났다고 생각하는 걸 보니 너는 참으로 순진하구나"라는 뉘앙스를 풍긴다)에 의해서 최근에까지 지켜져 왔던, 예수의 몸의 부활에 관해 말하는 것에 대한 금지령이 세계의 많은 사람들이 지금 대응하기 위하여 최선을 다하고 있는 그러한 지적·문화적 헤게모니의 일부임이 밝혀진다면, 우리는 어떻게 해야 하는가?[79] 부활이 편안하고 안락하며 사회적·문화적으로 보수적인 형태의 기독교를 정당화하는(흔히 생각되듯이) 것이 아니라, 주후 1세기에서와 마찬가지로 주후 21세기에서 사회적으로, 문화적으로, 정치적으로 가장 폭발력 있는 세력으로서 모더니즘적인 인식론과 그것이 떠받치고 있는(오늘날에 있어서) 깊이 보수적인 사회적·정치적 문화의 봉인된 무덤들과 닫힌 문들을 뚫고 돌진할 수 있는 것임이 밝혀진다면, 우리는 어떻게 해야 하는가? 내가 이 점과 관련해서 그 어떤 중립적인 지대도 존재하지 않는다고 말했을 때, 나는 단지 사고와 신념의 패턴들만을 가리키고 있었던 것은 아니다. 실제로, 정신적인 것과 영적인 것을 사회적이며 문화적이며 정치적인 것과 구분하는 것은 계몽주의가 딛고 있는 가장 중요한 토대들 중의 하나로서 그 자체가 예수의 부활이라는 질문에 의해서 도전을 받고 있

79) 이러한 노선들을 따른 최근의 문화적 비평에 대해서는 Boyle 1998을 보라. 방금 언급한 Morgan 1994은 내가 염두에 두고 있는 목소리의 좋은 예이다. Avis 1993b는 표준적이지만 매우 잘못된 노선을 반복하고 있다: 부활이 주후 1세기에 의미가 있었던 것은 사람들이 고대적인 세계관을 지니고 있었기 때문인데, 반면에 우리는 현대적인 세계관을 지니고 있다는 것. 진정한 차이점은 유대적인 세계관의 일종(이것이 나중에 기독교적인 세계관으로 변화되었다)과 고대와 현대의 거의 모든 그 밖의 다른 세계관들 간의 차이이다.

다. 이 최종적인 역사적 질문에 답하는 것은 세계관 모형 내에서 신념(신앙)들의 문제만이 아니라 실천, 이야기, 상징의 문제에 직면하는 것이다.[80)]

물론, 이것은 사람들이 부활 신앙은 "자기최면"이라고 말할 때에 그들이 의미하는 것이다. 여러 가지 다양한 차원의 자기최면적인 진술들이 있다. 내가 거리를 걸으면서 "저건 10번 버스야"라고 말한다면, 이 진술은 오직 최소한도로만 자기 최면적이다; 나는 10번 버스가 가는 곳으로 가고자 하지 않고 어쨌든 나는 걷는 것을 선택하고 있기 때문이다. 하지만 아주 중요한 약속을 위해서 버스 정류장으로 숨가쁘게 달려와서, 다음 버스가 오는 것은 두 시간 후이고 약속 장소에 제때에 도착할 수 있는 다른 수단이 없다는 것을 알고 있는 상태에서, 내가 절망적으로 거리를 바라보면서, "저것은 10번 버스야"라고 말한다면, 그러한 진술은 나에 대한 최면일 뿐만 아니라 나를 절망으로 빠뜨린다. 요지는 "나사렛 예수가 몸으로 죽은 자로부터 부활하였다"는 말은 그러한 말을 최초로 한 사람들이 최소한으로 거기에 연루되어서는 결코 말할 수 없는 것이었다는 것이다. 그런 일이 일어났다면, 그것은 중요하다. 세상은 그런 일이 일어나지 않았던 때와는 다른 장소가 된다. 그러한 진술을 하는 사람은 이 다른 세상, 이 새롭게 보아진 담론, 상상력, 행위의 우주 속에서 삶을 살게 된다.

마찬가지로 — 이것은 너무도 자주 인식되고 있지 않지만, 마찬가지로 중요하다 — 어떤 사람이 "나사렛 예수가 죽은 자로부터 몸으로 부활하지 않았다"고 말하는 것도 똑같이 자기 최면적이다. 물론, 화자가 예수에 관하여 거의 아무것도 들은 것이 없고 기독교의 중심적인 주장들에 대하여 알고 있지 못한 경우라면, 거기에 있어서 자기 연루는 최소한이 될 것이다. 그러나 화자가 이 문제를 관심을 가지고 좀 더 자세하게 들여다보면 볼수록, 자기 연루의 정도는 더 깊어지게 된다. 그러므로 그러한 진술은 보편적인 옛 이교적 세계관, "모더니즘적인" 계몽주의 이후의 세계관, 그리고 (의심할 여지 없이) 이 두 가지 것에 관한 그 밖의 수많은 변형들과 예비적인 형태들에 속하고 또한 그것을 강

80) 예를 들면, Rowland 1993, 76-9의 강력하고도 적절한 말들을 보라. Soskice 1997는 Rowland의 견해를 따름과 동시에 좀 더 풍부하게 하였다. Williams 1998, 235가 예수의 부활은 우리의 관습적인 사고의 틀을 깼다고 말한 것은 옳지만, 몸의 부활을 확고하게 배제하고 있는 그의 논증은 모든 틀 중에서 가장 중요한 틀을 공격으로부터 세심하게 보호하고 있다.

화시킨다.[81] 아이러니컬하게도, 이것이 주류적인 정통 기독교의 도전을 물리친 것을 제외하고는, 그러한 부정이 통상적으로 중요치 않은 것으로 느껴지는 이유이다(그것은 단지 널리 받아들여지고 있는 세계관을 강화시킬 뿐이다). 예수가 죽은 자로부터 부활하지 않았다고 믿는 것은 부활에 대한 믿음이 정통 기독교의 세계관에서 중심적인 요소인 것과는 달리 그런 사람들의 세계관 속에서는 별로 중심적인 요소가 아니다. 그것은 통상적으로 단순한 부차적인 결론이고, 흔히 단순히 전제된다.

그렇다면, 우리는 어떻게 더 앞으로 나아갈 수 있는가? 우리가 그러한 질문을 제시하고 결정을 요청할 수 있는 법정으로서의 역할을 할 수 있는 중립적인 "역사 서술"이 존재하지 않는다면 — 이것이 몇몇 신학자들이 맹목적인 역사 서술을 하나님에게만 속하는(어떤 신이 존재한다고 할 때) 영역으로 승격시키지 않으려는 고심 속에서 역설해온 바로 그것이다 — 우리는 상호배타적인 닫힌 인식론적 영역들 속에서 영원히 머무르도록 단죄되어 있는 것인가? 세상은 그들의 신앙이 의미를 지니는 맥락 안에서 그러한 신앙을 긍정하는 신자들과 그들의 불신앙이 의미를 지니는 맥락 속에서 그러한 불신앙을 긍정하는 불신자들로 이루어져 있고, 한 쪽이 다른 쪽에게 말을 걸 수 있는 가능성은 없는 것인가? 바로 이 지점에서 온갖 종류의 신학적 · 형이상학적 · 철학적, · 문화적 문제들이 일어나고, 나는 그러한 문제들을 너무도 잘 알고 있으며, 이것과 같은 책의 끝 부분에서 그러한 것들을 자세하게 논의할 공간이 없다는 것도 잘 알고 있다.[82] 따라서 나는 앞으로 전진할 수 있는 길을 제시해 줄 것이라고 보이는 사고의 노선을 천착해 나가고자 한다.[83]

하나의 모델로서 요한복음 20장에 나오는 도마를 포함한 장면을 생각해 보자. 도마는 하나의 특정한 인식론을 염두에 두고 있는 질문을 생각해낸다: 그

---

81) cf. Bauckham 1993c, 153: 부활은 "이신론에 따라서 피조 세계가 그 자체의 내재적인 가능성들에 맡겨져 있다고 볼 때에만 피조질서를 깨뜨리는 용납될 수 없는 것이 된다."

82) 위의 제1장을 보라. 세계관들의 의사소통이라는 문제에 대해서는 Coakley 2002, 132를 참조하라.

83) 나는 어느 정도 Watson 1994의 매우 흥미진진한 논문, 몇몇 중요한 차이들이 있는 Coakley 2002 ch. 8과 병행적으로 서술을 진행한다.

는 보는 것과 마찬가지로 만지기도 원한다. 실제로, 그는 사실들은 그가 생각하는 인식론적인 그물망 내에 포착되어야 한다고 고집하고 있고, 만약 그렇지 않는다면, 그는 그것을 진정한 사실로서 인정하지 않게 될 것이다. 하지만, 도마가 부활한 예수와 대면하고 심지어 만져보라는 요청을 받았을 때, 도마가 앞으로 나아가서 그렇게 했다고 요한은 말하지 않는다(길고 독특한 예술적인 전승임에도 불구하고).[84] 보는 것만으로 충분하였다; 그리고 그는 무심결에 요한복음 전체의 신학적인 구조를 마무리하는 신앙고백을 입밖으로 내뱉는다. 그러나 이것도 온건한 책망을 초래할 뿐이다: 보지 않고 믿는 자들이 복되도다.

계몽주의적인 역사 소설은 흔히 이 의심하는 제자가 시작했던 바로 그 입장에 서 왔다. 도마처럼, 그것은 자기가 공상의 나라 속에서 살고 있는 것처럼 보이는 믿는 자들의 기독교적인 깊은 체험을 공유하지 않았다고 항변한다. 그것은 "명백한 증거"와 "과학적 증명"을 고집한다. 그것은 기품 있지만 깨지기 쉬운 회의주의를 유지한다.

마찬가지로, 신학의 몇몇 분파들도 예수의 온건한 책망을 강조해 왔다. 당신이 증명을 필요로 한다면, 당신이 심지어 증명을 원한다면, 그것은 당신이 아직 참된 신앙을 발견하지 못했다는 것을 보여주는 것이다. 우리는 계몽주의에 대하여 그들의 관점에서 대답할 필요가 없다. 잠언서가 경고하고 있듯이, 우매한 자들에게 그들의 우매한 방식을 따라서 대답하는 것은 그 자체가 우매한 짓이다.[85] 그렇지만, 그 다음 절에서는 우매한 자들이 그들 자신의 눈에 보기에 지혜롭다고 하지 못하도록 하기 위해서 우매한 자들에게 그들 자신의 관점에서 대답해 주어야 한다고 분명하게 말한다 — 달리 말하면, 그들이 이겼다는 것을 기정사실로 생각하지 못하도록. 물론, 나는 단지 논증을 위한 논증(argumenti causa)에 불과한 잠언 26장의 그러한 사용 속에 함축되어 있는 계몽주의에 관한 전적으로 부정적인 견해에 동의하지 않는다. 계몽주의 자신의 교의체계

84) Coakley 2002, 134가 이러한 인위적인 전승은 "이미 현대적인 카라바조(Caravaggio)"로부터 유래했다고 주장한 것은 잘못된 것이다; 웨스트민스터 대성당의 남쪽 수랑(袖廊)에 있는 것을 포함한 수많은 중세의 성상들과 벽화들은 도마가 부활한 예수를 만지는 장면을 묘사하고 있다.

85) 잠언 26:4.

와 위계질서가 확고하게 권력을 장악하고 있는 지금에 있어서는 계몽주의 이후의 회의주의 자체에 대하여 역사적 논증을 들이댈 차례이기는 하지만, 주후 18세기가 교의체계와 위계질서에 대하여 역사라는 잣대를 들이댄 것은 많은 우매함과 더불어서 많은 지혜도 포함하고 있었다.

다시 도마에게로 돌아가 보자: 그 이야기 속에서 예수는 그를 환영하고 그에게 그가 원하는 것을 하도록 권유한다 — 물론, 여전히 온건한 책망이 예비되어 있는 상태이기는 하지만. 어느 쪽의 원도 닫혀져 있는 것으로 보이지 않는다. 회의주의자들이 우리가 사물들을 어떻게 알며, 무엇을 알아야 하는가에 관한 교훈을 여전히 배워야 한다고 할지라도, 회의주의자들을 앞으로 유인해 낼 충분한 증거들이 존재한다. 가장 성숙한 형태에 있어서는 만지거나 보는 것 없이 앞으로 나아가는 것이 복된 그러한 신앙은 결국 단순히 타계적인 (otherworldly) 실체들에 대한 것이 아니라(특히 요한에게 있어서!) 사람들이 들을 수 있고 볼 수 있고 만질 수 있는 육신이 된 말씀에 대한 신앙과 믿음이다.[86] 신앙은 역사와는 아무런 상관이 없어야 한다는 관념, 몇몇 진영들 속에서 오랜 세월 동안 아주 인기를 끌어왔던 이 관념이 무덤 속으로 들어갈 때가 이미 한참이나 지났다.[87]

어쨌든 "신앙"에 관한 잘못된 관념들만이 아니라 그 밖의 다른 전제들도 도전을 받아야 한다. 진정한 "과학적" 설명과 관련하여 여전히 통용되고 있는 많은 도움이 되지 않는 관념들이 있다. 역사뿐만 아니라 자연과학들도 흔히 구체적인 사실로부터의 연역과 특수(the particular)로부터 일반(the general)으로의 귀납에 의해서(결국 역사의 자료는 특수들이다)뿐만 아니라, "추정" (abduction)의 한 변형인 가장 좋은 설명으로의 추론에 의해서도 진행된다.[88] 내가 앞에서 든 예들에서, 옛날의 것인 돌로 된 기둥들에 대한 가장 좋은 설명은 실제로 거기에 홍예문이 있었다는 것이다; 우리가 꼭 들어맞는 것을 발견한다면, 우리는 논증을 끝내고자 할 것이다. 국회의사당 밖의 코끼리에 대한 가장 좋은 설명은 아무도 보지 못한 그런 것이다: 코끼리가 서커스단에서 슬며

86) 요한일서 1:1.

87) 예를 들면, cf. Patterson 1998, 238f.

88) Wright, "Dialogue," 249f.를 보라.

시 빠져나와서 길거리를 활보하고 다니는 것. 강둑의 이쪽 편에 와 있는 친구에 대한 가장 좋은 설명은 비록 배가 눈에 보이지 않는다고 할지라도 그녀가 보트를 사용했다는 것이다. 지문들과 혈흔들에 대한 가장 좋은 설명(소설가들이 만들어내기 좋아하는 그 밖의 다른 상황들은 그만두고라도)은 그 밖의 다른 증거들과 피고의 성품 등을 참작할 때에 별로 가능성이 없어 보인다고 할지라도 피고가 진정으로 살인죄를 범하였다는 것이다.

역사의 경우에 이러한 것들은 모두 원칙적으로 반복될 수 없는 것들에 대한 추론들이다. 자연과학의 경우에 있어서는, 이와 비슷한 추론들은 비슷한 사실들을 토대로 해서 그러한 추론들이 만들어질 수 있을 것이라는 전제를 가지고 이루어진다.[89] "추론"에 관한 최근의 글에서 부활에 관한 수많은 논쟁들과 어느 정도 유비를 보여주는 한 예가 제시되어 있다:

> 당신은 당신이 당신의 두뇌를 미친 과학자가 교묘하게 자극하고 있는 것이 아니라 한 권의 책을 지금 보고 있다는 것을 알고 있는가? 회의론자는 그 어떤 실험으로도 반박할 수 없도록 주의 깊게 이러한 대안을 서술한다. 하지만 당신이 진정으로 한 권의 책을 보고 있다는 결론은 미친 과학자 가설 또는 그 밖의 다른 경쟁적인 견해보다 당신의 경험들의 총체를 더 잘 설명해 준다. 근본적으로 다른 상황들을 구별해 낼 수 있는 더 많은 이야기들을 말하지 않고 이러한 것에 동의하지 않는 회의론자는 설명과 관련된 새로운 문제들에 대하여 대답하지 않으면 안 된다.[90]

부활 논쟁에 있어서 "미친 과학자" 가설에 해당하는 것은 부활과 관련된 모든 것(물론, 구체적으로는 복음서의 기사들)은 초대 교회가 판이하게 다른 근거들 위에서 도달한 신학적·석의적·교회정치적 결론들을 설명하고 정당화하며 옹호하는 작품이라고 설명될 수 있다는 정교하게 설계된 가설들일 것이

---

89) 과학에서의 추론, 신학과의 병행들과 연결고리들에 대해서는 Polkinghorne 1994 ch. 2을 참조하라.

90) Harman 1965와 비슷한 저작을 요약하고 있는 Sanford 1995, 407f. 또한 cf. Thagard 1978.

다. 우리가 직면해 있는 문제는 초기 그리스도인들 자신이 제시한 설명, 예수가 진정으로 죽은 자로부터 부활하였다는 설명이 이러한 정교한 회의주의적 주장들보다 증거들의 "총체를 더 잘 설명해 주느냐" 하는 것이다. 나의 주장은 그렇다는 것이다.

이러한 주장은 필요조건과 충분조건이라는 관점에서도 진술될 수 있다. 예수의 실제적인 몸의 부활(단순한 소생이 아니라 변화된 몸을 입고 다시 살아난 것)은 분명히 무덤이 비어 있고 "만남들"이 일어날 수 있는 충분조건을 제공해 준다. 아무도 그것을 의심할 수 없다. 일단 예수가 진정으로 부활하였다는 것을 인정하게 되면, 초기 기독교의 모든 역사적인 퍼즐 조각들은 제자리를 찾게 된다. 나의 주장은 더 강력하다: 예수의 몸의 부활은 이러한 것들에 대한 필요조건이라는 것; 달리 말하면, 그 밖의 다른 설명으로는 그러한 것들을 설명해 낼 수 없다는 것이다. 다른 대안적인 설명들을 찾고자 하는 모든 시도들은 실패하였고, 그러한 것들은 실패할 수밖에 없었다.

많은 사람들이 서로 다른 많은 이유들로 인해서 이러한 결론에 도전할 것이다. 나는 나의 논증이 어떤 중립적인 관점이라는 견지에서 부활에 대한 "증명"이라고 주장하는 것이 아니다. 오히려, 그것은 그밖의 다른 설명들, 그 밖의 다른 세계관들에 대한 역사적인 도전이다. 이 시점에서 우리는 세계관과 관련된 문제들에 직면하고 있는 것이기 때문에, 서로 싸우고 있는 대륙들에 의해서 아직 식민지화되어 있지 않은 그 어떤 중립적인 땅, 인식론적인 대양의 한복판에 있는 그 어떤 섬도 존재하지 않는다. 프랜시스 드레이크(Francis Drake)가 캘리포니아의 합병을 선언했던 사건에서와 마찬가지로, 우리는 단지 어떤 주제에 접근해서 장엄한 선포들을 행하고 나서, 그 지역의 모든 주민들이 그것들을 구속력 있는 것으로 받아들일 것이라고 생각해서는 안 된다. "나사렛 예수가 죽은 자로부터 몸으로 부활하였다"고 말하는 것은 단순히 자기 연루적인(self-involving) 진술일 뿐만 아니라, 자신의 사사로운 세계를 그 함의들을 이루어내기 위하여 다양한 차원의 헌신으로 재정립하는 것을 뛰어넘는 자기 헌신적인(self-committing) 진술이다. 우리는 단순히 언덕 위의 어느 지점에 깃발을 꽂아놓고서는 안전을 보장받기 위하여 다시 집으로 항해하여 돌아올 수는 없는 것이다.

내가 서문에서 말했듯이, 본서는 많은 점에서 정지작업을 위한 것으로서, 닦고 닳은 큰 돌들을 끄집어내고, 이 땅에서 유익한 것들이 자라나는 것을 방해해온 잡초들을 제거하는 것이다. 그러나 초기 기독교의 증거들로부터 그 뿌리가 되는 신앙에 관한 질문으로, 그러한 뿌리가 되는 신앙을 요약하고 있는 이야기들로부터 왜 그러한 것들이 애초에 존재하게 되었는지라는 문제로 거꾸로 작업을 해온 우리의 역사적 탐구는 도마 같은 질문자의 생각 속에 새로운 의심, 의심 자체에 관한 의심, 가장 좋은 설명에 대한 추론(예수가 실제로 죽은 자로부터 부활하였다는 것)과 다른 대안적인 이론들 간의 차이를 숙고할 수 있게 만드는 의심을 불러일으키지 않으면 안 된다. 물론 우리는 아무것도 결정할 수 없다고 말하는 것도 얼마든지 가능하다. 그러나 그러한 칼날 위에서 영원히 사는 것을 원하지 않지만 예수의 몸의 부활을 그 한복판에 놓음으로써 조각그림 맞추기를 완성시키고자 하지도 않는 자들에 대한 도전은 이런 것이다: 사실들 자체를 설명해 줄 뿐만 아니라 모든 증거들에 대한 대안적인 충분한 설명을 제시함으로써, 몸의 부활이라는 주장을 필요조건으로 여겨지게 할 수 있는 다른 대안적인 설명이 제시될 수 있는가?

우리는 본서에서 논증을 진행해 오면서, 명시적으로든 암묵적으로든 전형적인 대안적 이론들을 배제해 왔다.[91] 초기 그리스도인들이 "예수가 죽은 자로부터 부활하였다"고 말했을 때, 그들은 "예수는 영적이고 육신적이지 않은 의미에서 살아 있고, 우리는 그에게 우리의 주로서의 충성을 바친다" 같은 것을 의미했다는 통상적인 관념은 역사적으로 불가능하다.[92] 제1부에서 보았듯이, 이 말은 그러한 것을 의미하지 않았다; 또한 우리는 "예수가 로마 군인들에 의해서 십자가에 못 박혔다"라는 말은 예수를 생각할 때에 "나는 이교 제국의 엄청난 파괴력에 대한 인식을 경험한다"를 의미하지 않는다고 말해야 한다.

초기 그리스도인들이 그러한 것을 의미했었다면, 그러한 종류의 신앙은 제2성전 시대 유대교 세계 또는 주후 1세기의 이교의 세계 속에서 그들이 예수를 메시야와 주로서 환호한 이유, 또는 구체적으로는 그들 자신의 장래의 부활에 관한 그들의 신앙이 정확히 그러한 형태를 띤 이유를 설명해 줄 수 없을

91) 통상적인 논거들에 대한 자세한 검토는 Gary Habermas의 여러 저작들, 예를 들면, 2001에 제시되어 있다.

92) 예를 들면, Borg, in Borg and Wright 1999, ch. 8.

것이다(제3부). 부활(그리스도인들과 예수)에 관한 바울의 견해는 우리가 "몸"과 관련하여 생각하는 것과는 아무런 상관이 없었다는 주장은 제2부에서 석의적으로 근거가 없다는 것을 우리는 입증한 바 있다. 초기 기독교에 "부활" 신앙의 두 개의 병행적인 흐름들, 즉 바울로부터 『레기노스서』로 이어진 흐름과 누가와 요한에게서 나와서 테르툴리아누스에게로 이어진 흐름이 존재했다는 주장은 우리가 제2부, 특히 제3부에서 개관한 증거들에 의해서 배제된다. 내가 제4장에서 논증했고, 또한 현재의 장에서 구체적으로 쉴레벡스와 관련하여 논증했듯이, 복음서들에 나오는 부활 기사들은 주후 1세기 중반 또는 후반에 생겨난 기독교 신앙을 거꾸로 투사한 것이라는 널리 퍼져 있는 견해는 옳지 않다. 이러한 것들은 주요한 반론들, 지난 세기에 걸쳐서 가장 좋은 설명에 대한 추론을 회피하여 온 주된 방식들이다. 역사적 논증만으로는 그 어떤 사람을 예수가 죽은 자로부터 부활하였다는 것을 믿게 할 수 없다; 그러나 역사적 논증은 다양한 종류의 회의주의자들이 숨어온 잡풀들을 제거하는 데에 꽤 유용하다. 예수가 죽은 자로부터 몸으로 부활하였다는 주장은 초기 기독교의 핵심에 있는 역사적 사실들을 설명해 내는 데에 있어서 그 어떤 경쟁자도 물리칠 수 있는 막강한 힘을 소유하고 있다.

마지막으로 직접적으로 역사적인 문제와 밀접하게 얽혀져 있는 한 가지 문제가 남아 있다. 초기 그리스도인들은 예수가 죽은 자로부터 부활하였기 때문에 그가 "하나님의 아들"이라고 분명하게 선언하였다. 그들은 이 말을 통해서 무엇을 의미한 것인가? 이것은 그러한 역사적 질문과 오늘날에 있어서 그 의미 및 결과들에 대하여 어떤 빛을 비춰주는가?

제19장

하나님의 아들로서의 부활한 예수

1. 세계관, 의미, 신학

예수가 죽은 자로부터 부활하였다고 할 때, 그것은 무엇을 의미하였을까? 사실 의미의 문제는 예수의 부활이 역사적 사실들, 즉 초기 기독교의 대규모의 자료들과 그것으로부터 추론된 빈 무덤과 "만남들"에 관한 특별한 자료들에 대한 "가장 좋은 설명"인가에 대한 질문의 일부이다. 이것은 우리가 본서에서 다루는 최후의 질문이다.

나는 『신약성서와 하나님의 백성』에서 단어들, 문장들, 이야기들이 더 큰 전체 내에서 차지하는 위치로 말미암아 그것들의 "의미"가 발생하는 방식들을 지적한 바 있다: 문장들 내에서의 단어들, 이야기들 내에서의 문장들, 세계관들 내에서의 이야기들.[1] 우리는 지금 "예수는 죽은 자로부터 몸으로 부활하였다"라는 문장에 직면해 있다. 이것은 무엇을 의미하는가?

우리는 "의미"라는 단어가 지닌 두 가지 통상적인 의미들을 구별하여야 한다. 이 단어는 여러 가지 세부적인 의미들을 지니고 있지만, 나는 통상적인 것들 중의 한 의미에만 국한해서 이 단어를 사용하고, 그 밖의 다른 의미들에 대해서는 다른 단어를 사용하고자 한다.[2] 내가 피하고자 하는 것은 "민주주의는 국민에 의한 통치를 의미한다"라는 예문에서 볼 수 있는 것과 같이 지시대상

1) *NTPG* 951, 115-17.

2) "의미"의 다중적인 복합성을 추적해 보고자 하는 사람들은 Thiselton 1992, 13(여러 다른 의미들을 찾아내는 데는 색인이 도움이 된다)을 참고하면 될 것이다; 또한 Moore 1993.

(referent)으로서의 "의미"이다. 내가 그러한 의미를 의도할 때에, 나는 한결같이 지시대상이라는 단어를 사용할 것이다. 내가 "의미"라고 말할 때에 의도하는 것은 "민주주의는 행복을 의미한다"(훌륭한 민주주의자에 의해서 말해진 것과 같이) 또는 "민주주의는 혼돈을 의미한다"(불만에 찬 독재자에 의해서 말해진 것과 같이)라는 어구 속에서와 같이 "이 개념이 의미를 지니게 해주는 더 넓은 세계 속에서의 함의"이다. 우리의 현재의 목적을 위해서는 이 정도로 충분할 것이다.

그러므로 우리가 이제부터 살펴보아야 할 질문은 "예수가 죽은 자로부터 부활하였다"라는 문장의 지시대상이 아니다; 우리는 이미 그것을 확증한 바 있다. 주후 1세기의 담론 속에서 이 문장은 초기 그리스도인들이 예수가 처형 후에 제삼일에 다시 살아났다고 주장했던 한 사건을 가리키는 것이었다(화자가 그것을 믿든 안 믿든). (물론, 지난 두 세기 동안에 "예수가 죽은 자로부터 부활하였다"고 말해 왔거나 글을 써왔던 수많은 사람들은 예수의 몸에 일어난 일이 아니라 그의 제자들의 생각과 마음속에서 일어난 사건들을 가리키는 것으로 해석하고자 시도해 왔다. 그러나 우리는 이러한 지시대상은 원래적인 것이 결코 될 수 없다는 것을 지금까지 살펴보았다.) 나는 수학적인 방식의 "증명"은 불가능하지만, 그러한 사건은 우리가 지금까지 살펴본 그 밖의 모든 자료들에 대한 가장 좋은 설명을 제시하고 있다고 논증한 바 있다. 우리 앞에 놓여 있는 문제는 이 문장의 의미이고, 좀 더 폭넓은 이해의 세계들 내에서 그것이 가리키고자 하는 사건의 의미이다(문장은 어떤 사건을 가리키고자 하는 것이기 때문에). 이 문장은 어떠한 더 큰 이야기(들)에 속해 있는가? 그러한 이야기들은 어떠한 세계관들을 구현하고 강화시키는가? 이 문장, 그리고 그것이 가리키는 사건이 제대로 자리를 잡고 안착할 수 있는 — 그리고 이와 동시에 그것들이 그 안에서 도전하고 재형성될 수 있는 — 담론의 세계들은 무엇이었는가?[3]

여기에서 중요한 것은 여러 가능성들을 미리 배제하지 않는 것이다. 예수가 죽은 자로부터 부활하였다면, 그것은 자동적으로 기독교 세계관 전체 — 예수

3) Carnley(1987, 93-5)가 Westcott와 Pannenberg에 대한 자신의 비판에 있어서 허용하지 않았던 것으로 보이는 것은 이러한 도전과 재형성이다.

가 온전히 기독교적인 의미에서 "한 신의 아들"인 것이 아니라 하나님의 아들이었고 또한 현재도 그렇다는 신앙을 포함한 — 를 "입증해 준다"고 너무도 자주 전제되어 왔다.[4] 이러한 논증이 이런 식으로 회피될 수 있다는 사실은 교리적인 구속 없이 주후 1세기의 역사를 연구하고자 해왔던 사람들이 그들 스스로가 모든 것을 지배하고 강압하는 정통 신앙의 회오리바람 속으로 빨려들어가지 않기 위하여 예수의 부활을 부정할 수밖에 없다고 느껴왔던 한 이유이다.[5] 두 가지의 짤막한 가상적인 실험들은 삶이 그런 것보다 더 흥미롭고 더 복잡하다는 것을 보여주게 될 것이다.

먼저 주후 1세기의 70년대 어느 때에 별로 잘 교육을 받지 못한 로마의 한 병사가 사람들이 예수의 부활에 관하여 말하는 것을 듣고서 그 이야기에 매료되어서 그런 일이 사실일 가능성이 있다고 마음속으로 여기게 되었다고 가정해 보자. 물론, 그는 그것을 그것이 원래 속해 있지 않는 모형들, 즉 신격화(apotheosis) 이론 같은 모형에 맞추어 보고자 할 것이다. 그러나 그가 흥미를 가질 만한 적어도 한 가지 모형이 존재한다: "부활한 네로"에 관한 신화, 홀홀단신이 된 황제가 주후 68년에 죽은 후에 다시 살아나서 동방의 어느 곳에서 로마로 영광스럽게 귀환하기 위하여 지금 군대를 모으고 있다는 신앙.[6] 아마도 우리의 병사는 이 예수가 그것과 어느 정도 비슷한 것이 아닐까 하고 스스로 중얼거릴 것이다. 예수는 "유대인의 왕"으로 단죄되었다. 그는 실제로 죽었지만, 아마도 그는 어딘가에서 다시 살아나서, 유대인들의 저항운동을 새롭게 결집해서 예루살렘으로 진격해올 채비를 하고 있을 것이다. 아마도 이번에는 예수는 기습작전을 통해서 정권을 탈취하게 될 것이다. 병사의 마음속에 있었던 이러한 가설적인 생각들과 몇몇 초기 그리스도인들의 생각들 간에는 몇 가지 흥미로운 병행들이 존재한다는 것을 사도행전 1:6은 보여준다. 아마도 그것이 누가가 그 대목에서 말하고자 하는 요지 중의 일부인 것 같다. 그러나 나

4) 예를 들면, Schwankl 1987, 631f.

5) 예수의 부활에 관한 이야기들이 애초부터 의도적으로 끝을 열어 놓은 것은 이런저런 분파 또는 이익집단이 그 이야기들을 자기편에 유리하게 해석하는 것을 막기 위한 것이었을 가능성이 많다; 이것이 Williams 2000 ch. 12의 주된 요지이다.

6) 위의 제2장 제3절을 보라.

의 현재의 목적은 단순히 예수의 처형 후 제삼일에 일어났던 사건을 가리키는 "예수가 죽은 자로부터 부활하였다"는 진술 자체가 모든 가장 초기의 그리스도인들의 출발점이었던 제2성전 시대 유대교의 세계관들과는 상당한 차이를 보이는 세계관 내에 위치하여서도 "의미"를 완벽하게 획득할 수 있다는 것을 보여주는 것이다.

다시 한 번 한 걸음 더 나아가 보자. 온갖 종류의 신들과 여신들을 믿었던. 일반화되고 다소 느슨한 고대의 이교적 세계관을 지니고 있었던 사람을 가정해 보자. 그러한 사람은 이러한 신적인 존재들이 시간, 공간, 물질의 세계 속에서 온갖 종류의 예측할 수 없는 방식들로 행동한다는 것을 기꺼이 받아들일 수 있는 사고구조를 갖추고 있을 것이다. 하지만 그러한 사람이 상식과 일반적인 사람에 대하여 충분히 알고 있지 못해서 죽은 사람들이 언제나 죽은 채로 머물러 있을 수밖에 없다는 것을 알지 못했다고 가정해 보자. 그러한 사람은 나사렛 예수가 죽은 자로부터 부활하였다는 말을 들었을 때에 어깨를 으쓱하면서 그 밖의 다른 많은 이상한 일들 — 천둥과 번개, 일식과 월식, 불과 웃음과 지진과 성(性) — 과 더불어서 다시 한 번 이상한 일이 세상에서 일어났다고 결론을 내리게 될 것이다. 죽은 사람들은 종종 다시 살아 돌아왔다! 그리고 그것으로 끝이다. 이것은 그대로 끝날 만한 매우 안정적인 의미는 아닐 것이라고 우리는 생각할 수 있다. 현대 세계에서와 마찬가지로 고대 세계에 속한 대부분의 사람들은 아무리 교육을 받지 못하고 경험이 미숙하다고 할지라도 죽음은 일방통행의 길이라는 것을 아주 신속하게 깨닫게 되었다. 많은 사람들은 그 사람이 이렇게 쉽게 이 사건을 받아들이는 것을 막고, 그러한 사건에 관한 통상적으로 회의적인 생각을 강화시키려 했을 것이다. 그러나 우리는 적어도 예수의 부활이 다른 가설적인 세계관들 내에서 최초의 그리스도인들이 그들의 세계관 내에서 그것에 부여하였던 의미와는 상당한 정도로 다른 "의미"를 지닐 수 있었을 가능성을 생각할 수 있다.

좀 더 온건한 예로서, 사상 검증을 필요로 하지 않는 오늘날의 한 학자를 예로 들어보자. 유대인 저술가인 핀카스 라피데(Pinchas Lapide)는 나사렛 예수가 죽은 자로부터 몸으로 부활하였다는 것을 자기는 믿는다고 선언하였다. 실제로, 그는 이것을 소위 기독교 신학자들이라고 하는 많은 사람들보다 훨씬 더 확고하게 믿고 있다. 그러나 이러한 믿음은 그를 그리스도인으로 만들지 못한다. 그에게 부활은 예수가 메시야적이든 신적이든 "하나님의 아들"이라는 것을 "의미하지" 않는다. 오히려, 그것은 예수가 이스라엘이 당시에 주목했어야 했던 위대한 선지자였고 지금도 그러하다는 것을 의미한다.[7]

이러한 예들은 우리에게 우리가 초기 그리스도인들이 부활이 "의미하는" 것으로 이해하였던 것을 굳건하게 붙잡지 않으면 안 된다는 것을 경고해 준다. 우리는 그들이 이후의 기독교 세대들이 생각하였던 것을 의미하기 위하여 자동적으로 그러한 사건과 그것을 가리킨 언어를 받아들였다고 생각하지 않도록 주의하여야 한다. 부활을 부정하는 세속주의자들과 부활을 단언하는 완고한 신앙 사이에서 벌어진 기나긴 전쟁과 다툼 속에서 살아온 오늘날의 많은 사람들에게 부활은 "초자연적인" 세계관을 정당화 해주는 것으로 여겨진다; 그것은 진정으로 "죽음 이후의 삶"이 존재한다는 것, 예수의 제자들의 운명은 "죽어서 천국에 가는 것"이라는 것, 이 세상 속에서의 참된 실체들은 "물리적인" 것들이 아니라 "영원한" 또는 "영적인" 것들이라는 것을 의미한다. 또 어떤 사람들에게 있어서 부활절의 의미는 현재에 있어서 예수를 중심으로 한 영성으로의 초대이다: "예수는 오늘날 살아 있고, 당신은 그를 알 수 있다."[8] 이러한 결론들(그 자체로는 아무리 타당하다고 할지라도) 중 그 어떤 것도 복음서들에 나오는 부활 이야기들, 심지어 부활 이후의 가르침에 대해서 더 많은 내용을 담고 있는 누가복음과 요한복음에서조차도 언급되고 있지 않다는 사실은 이 대목에서 우리가 세심한 주의를 기울여야 한다는 것을 말해준다. 그러나 교회의 많은 부분들에서, 사람들이 듣고자 하는 이야기 때문에 그 사건과 그 사건에 관한 글들이 실제로 말하고 있는 이야기는 가려져 있다. 우리는 사건 및 이야기로서의 부활은 그러한 것들을 쉽게 받아들이는 반쯤 플라톤적인 세계관에 도전하는 것이라고 할 수 있다. 그러나 찬송가는 말할 것도 없고 교회에서는 이와는 다른 것을 말하고 있다.

특히, 최근의 학계에서는 예수의 몸의 부활이 갖는 주된 의미에 관한 다음과 같은 견해가 생겨났다. 그런 일이 일어났다고 한다면(그러한 저술가들은 부활

7) Lapide 1983 [1977].

8) 이러한 논증은 종종 정반대로 제시된다: 내가 그를 알아볼 수 있다는 사실은 그가 살아 있고 부활하였다는 것을 의미한다. 예를 들면, Lampe 1977, 150을 보라.

이라는 사실조차도 믿지 않는다), 그것은 그러한 일에 책임이 있는 그 어떤 신이 전능한 독재자로서 행동한 것으로서, 예수를 불공평하게 편애한 것이며, "기적적인 간섭 행위, 그 밖의 다른 명백하게 그럴 만한 자격이 있는 경우들에서는 반복되지 않았던 것으로 보이는 간섭 행위"라는 것이다. 그들이 말하고자 하는 요지는 초기 그리스도인들의 주장을 믿는 사람은 다른 사람들과는 별 관계가 없이 예수에게 새로운 생명을 준 어리석은 행위를 한 신을 믿는 것이라는 것인 것 같다.[9] 나는 어떤 신학자가 그러한 신앙을 주장한 적이 있었는지를 확실히 알지 못하지만, 이러한 견해가 격렬하게 공격받고 있다는 것은 나로 하여금 적어도 그것이 대중적인 차원에서 받아들여지고 있다고 생각하게 만든다. 예수는 하나님의 성육신한 아들이 아닐 뿐만 아니라, 이적(異蹟)에 의해서 죄로부터 구원받지도 않았다; 짧은 흠 없는 삶을 산 덕택에, 예수는 홀로 다시 살아나는 특권을 허락받았지만, 나머지 모든 사람들은 여전히 죽은 채로 있어야 했다. 이것은 진지한 그리스도인이라면 누구나 어떻게 접근해야 할지를 알기 어렵다고 주장할 그런 것에 대한 희화화(caricature)이다. 그러나 그것은 그리스도인들, 특히 보수적인 그리스도인들이 믿고 있다고 생각되는 것에 대한 대중적인 견해와 일치하는 것으로 보인다 — 즉, 그들은 예수의 특권적인 신분을 공유하는 은총받은 소수, 나머지 인류와는 구별되는 한 분파라는 것.

우리가 제1장에서 보았듯이, 예수의 부활은 종종 부도덕한 교리로 보아진다. 왜냐하면, 그것은 그 밖의 다른 모든 종교들에 대항하여 기독교를 정당화하고 있는 것으로 보이고, 자신의 안전을 위하여 어느 때든지 자연 세계에 개입해서 일들을 해결할 수 있지만 대부분의 경우들에 있어서는 그렇게 하지 않는 전능한 신이라는 관념에 매달리는 승리주의적인(triumphalist) 교리인 것으로 보이기 때문이다. 사람들은 그러한 신 또는 하나님을 대단히 비민주적인 신이라고 생각한다(이러한 관념 자체가 국지적이고 거의 분파적인 서구 계몽주의적 견해라는 것을 깨닫지 못하고). 신은 분명히 모든 사람을 동일하게 대우해야 한다. 예수의 부활에 관한 초기 그리스도인들의 모든 설명들 속에서 핵심적인 개념이었던 대표로서의 예수라는 관념은 여기에서 공격받고 있는 "의미" 및 그러한 의미를 무너뜨리면서 그것과 아울러 부활 자체를 무너뜨려야 한다고 생

9) Holt 1999, l0f. 또한 cf. Crossan 1998, 549; Wedderburn 1999 chs. 9, 10.

각해 왔던 비판들로부터 배제되어 왔다.

그러므로 예수의 부활을 믿는 자들에게나 그것을 믿지 않는 자들에게나, 부활을 초기 그리스도인들 자신에 의해서 사용되었던 사고의 틀 내에서 해석하는 것은 필수적인 것이 아닌 것으로 보인다. 우리는 사람들이 예수의 부활을 다른 세계관들에 맞추고자 하는 고대 세계에서의 상황들을 상상해 볼 수 있다. 우리는 현대의 세계에 있어서도 사람들이 그렇게 하고 있다는 증거들을 가지고 있다(흔히 의도는 아주 좋지만). 그러나 이것은 주로 초기 그리스도인들이 믿었던 것에 대한 역사적인 탐구였고, 그들이 부활이 의미하는 것이라고 생각했던 것은 생각보다는 널리 알려져 있지 않으며, 이러한 일련의 연구 전체의 핵심이 기독교의 기원에 관한 것이 아니라 그 기원과 관련된 "하나님의 문제"에 관하여 탐구하는 것이기 때문에, 초기 그리스도인들이 부활이 예수를 "하나님의 아들"로 세웠다고 말했을 때에 그것이 의미했던 것 — 특히, 이것이 그들에게 "신" 또는 "하나님"이라는 단어에 어떤 내용을 부여하게 만들었는지 — 을 살펴보는 것은 본서를 마무리함에 있어서 중요한 것이다.

기독교회 내부에 있거나 외부에 있거나 오늘날의 사람들이 초기 그리스도인들이 마음에 두고 있었던 의미들을 전체적으로 자신의 것으로 삼을 수 있는지 또는 삼아야 하는지, 그리고 어떤 수단을 통해서 및 어느 정도로 그렇게 해야 하는지라는 문제는 권위와 연속성에 관한 온갖 종류의 다른 쟁점들을 내포하는 별개의 문제이다. 그러나 적어도 그러한 질문들에 직면했을 때, 우리는 초기 그리스도인들이 실제로 무엇을 말하고 있었고 의미하고 있었는지를 알고 있어야 한다. 우리는 그들에게 그들이 알지 못했던 관념들을 투영하거나, 그들이 신경써서 제시하고자 했던 관념들을 간과해서는 안 될 것이다.

2. "하나님의 아들"의 의미들

(i) 서론

우리는 제8장과 제12장에서 살펴보았던 몇몇 질문들을 새로운 시각에서 직면하게 된다. 이번에 우리는 로마서 1:3-4 같은 본문들을 핵심적인 열쇠로 삼아서, 부활이 예수를 "하나님의 아들"이라는 것을 보여주었다는 초기 그리스도인들의 신앙을 우리의 출발점으로 택한 후에, 오늘날에 있어서 가능한 의미들의 토대를 제시하기 위한 방법으로서, 그것이 그들에게 무엇을 의미하였는지를 탐구할 것이다.

"하나님의 아들"은 초기 기독교에서 매우 유동적인 칭호였다. 그것이 원래의 저자들과 그들의 첫 번째 독자들에게 무엇을 의미했는지에 관한 결론들로 바로 건너뛰는 것은 극히 쉬운 일이다. 이 어구가 공명을 가질 수 있었던 의미의 두 세계가 이미 존재하였고, 그리스도인들은 이 두 세계에 답변하는 가운데 의식적으로 두 세계 모두를 초월했던 것으로 보인다. 유대적인 세계 내에서 "하나님의 아들"은 일상적인 어구는 아니었을지라도 특히 두 가지 서로 얽혀 있는 의미들을 지니고 있었다: 이스라엘 전체, 그리고 더 구체적으로는 왕(또는 메시야).[10] 이교 세계 내에서 "신의 아들"은 여러 가지 서로 다른 인물들, 반신(半神)들, 영웅들 등등을 가리킬 수 있었다. 그러나 예수 당시의 많은 사람들에게 이 어구가 쉽게 가리킬 수 있었던 것은 그들이 날마다 그 증거들을 보고 들었던 "신의 아들"으로서의 로마 황제였다. 마가복음 12:13-17에 나오는 저 유명한 사건 속에서 바리새인이 예수에게 보여주었던 "공세(貢稅)로 바칠 동전"은 AUGUST. TI. CAESAR DIVI AUG. F라고 분명하게 선언하고 있다: "신 아우구스투스의 아들 아우구스투스 디베료 가이사." 디베료 이래로 원칙은 다음과 같은 것이었다: 황제의 양자가 되어서, 온갖 음모들과 계략들 속에서 살아남아서, 황제가 죽고나서 보위를 물려받고, 선황을 그 과정 속에서 신으로 만들면, 너는 "신의 아들," 권력을 쥔 막강한 자가 될 것이다.[11]

이 두 의미의 세계는 여러 가지 점에서 서로 닿아 있기는 하지만 날카로운 차이들을 지니고 있었고, 특히 "신"/"하나님"이라는 단어의 지시대상과 의미에 있어서 상당한 차이를 보여주었다. 유대인들에게는 한 신, 야훼, 창조주이자 계약의 신이 있었다; 이 신에 관한 그들의 특정한 신앙들은 대문자로 시작하는 하나님(God)을 요구한다 — 물론, 우리가 "하나님"이라고 쓸 때에는 우리는 언제나 그렇게 행하는 모든 자들이 동일한 신을 마음에 두고 있다는 것을 전

10) 이스라엘: 출 4:22; 렘 31:9; 호 11:1; 13:13; 말 1:6. 왕: 삼하 7:14(4Q174 10-13에서 이런 의미로 인용된다; cf. 4Q246 2.1); 대상 17:13; 시 2:7; 89:26f.

11) 황제의 신격화와 제의에 대해서는 위의 제2장 제2절을 보라. 주화에 관한 자세한 내용은 Hart 1984를 참조하라.

제하지 않도록 주의해야 하지만,[12] 제2성전 시대 유대인들이 그들의 신에 관하여 생각하고 그에게 기도하며 성전에서 희생제사를 드리고 그가 그들의 운명을 회복시킬 때를 열망하였을 때, 토라, 시편, 예언서 등등에 의해서 형성된 그들의 신에 관한 마음속의 그림은 계몽주의 이후의 "신"에 관한 인식과 달랐다. 이 신은 신비스럽기는 하지만 사람들이 알 수 있는 신이었다; 사람들은 그 신이 무엇을 또는 언제 행할지를 전혀 알지 못하기는 했지만, 이 신은 여러 가지 일들을 행할 수 있었다: 이 신은 풍부한 약속들을 행하였지만, 이행하는 데에는 느렸다(그렇게 보였다); 이 신은 공의를 열망하였지만, 아직 그것을 실행에 옮기지는 않았다; 이 신은 이스라엘에 대하여 열정을 지니고 있었지만, 이상하게도 이스라엘로 하여금 고통을 당하게 허용하였다; 이 신은 세상의 창조주였지만, 대부분의 이방인들에 의해서 무시되거나 조롱당하였다. 그는 하나님이었지만, 이러한 지위는 언제나 다른 강력한 신들에 의해서 도전을 받고 있는 것으로 보였다: 이사야 40—55장에서 비웃어진 바빌로니아의 신들, 그 문화가 고대 근동의 구석구석까지 바이러스처럼 침투하였던 헬라의 신들, 그리고 이제 모든 주화마다 등장했던 강력한 신인 로마 황제를 비롯한 로마의 신들.

신의 문제는 제2성전 시대 유대인들의 삶의 핵심에 자리잡고 있었다. 모든 단언, 모든 예배 행위는 다음과 같은 질문을 담고 있었다: 누가?(그들은 이것에 대한 대답을 알고 있었다), 왜?(이것에 대한 대답도 그들은 알고 있었다: 그는 창조주이고 계약의 신이었기 때문에), 특히 어디에서?(땅과 성전은 여전히 그 초점으로 남아 있었다)가 아니라 어떻게? 무엇을? 그리고 무엇보다도 언제? 야훼는 어떻게 그들을 구원하실 것인가? 야훼는 그 동안에 그들이 무엇을 하고 있기를 원하는가? 그리고, 그런 일은 언제 일어나게 될 것인가? 이러한 것들을 그들은 알고자 했다. 나사렛 예수의 부활은 초기 그리스도인들에게 이러한 세 가지 질문들에 대한 새롭고 예기치 않은 명료하고 분명한 대답을 제시해 주었다; 그리고 그렇게 함으로써, 그것은 처음의 세 가지 질문을 완전히 새로운 방식으로 제기하였다.

어쨌든, 이것은 기독교가 이방 세계, 많은 신들과 여신들의 세계 속으로 나

---

12) *NTPG* xiv-xv에서 설명한 대로, 이것이 내가 독자들에게 경각심을 주기 위하여 하나님이 아니라 신이라는 표현을 사용한 이유이다.

아간 이상 어쩔 수 없는 일이었다. 지금 이 자리는 고대 이교 사상의 세계를 자세하게 살펴보는 것이 아니다. 그러나 신약성서에 나오는 많은 장면들이 보여주듯이, 초기 그리스도인들의 실천, 이야기, 상징, 신앙의 표면 가까이에 신의 문제가 항상 있었다: 그것들은 이스라엘의 신, 창조주, '호 데오스' 즉 대문자로 시작되는 하나님, 스스로를 이스라엘과 온 세상에 나사렛 예수를 통해서 알린 하나님에 관하여 말하였다. 그리고 부활은 하나님이 그것을 행한 방식이었다.[13] 그들은 이교의 신들과 거기에 수반된 생활방식들에 대한 전형적인 유대교적 비판, 창세기, 신명기, 시편, 이사야 등등에 뿌리박고 있고, 솔로몬의 지혜서 같은 주후 1세기의 저작들에 표현되어 있는 비판을 다시 사용하였다. 그들은 이교의 만신전과 그 가장 강력한 대표자를 좋게 보아서 진리를 가리키는 일련의 꺾여진 표지판들, 나쁘게 말해서 마귀의 속임수로 보았다. 야훼는 창조주 신이라고 토라, 시편, 예언서들은 한결같이 말하였다; 야훼는 죽이기도 하시고 살리기도 하시는 분이다. 초기 그리스도인들이 부활이 예수를 "하나님의 아들"로 세웠다고 분명하게 선언했을 때, 그들은 이교 사상에 대한 유대교적 비판을 토대로 해서 예수에 관해서만이 아니라 이스라엘의 신에 관한 진술, 이교 세계에 대하여 그 참된 주에 관한 소식을 제시하기 위한 진술을 행하였다.

이것은 "하나님의 아들의 부활"이라는 어구와 관련된 의미의 세 가지 차원, 가장 초기의 기독교 저작들 중 일부에서 너무도 밀접하게 통합되어 있어서 그것들을 분리해낸다는 것이 인위적인 것처럼 보이는 그러한 차원들을 생성해 낸다. 하지만 흔히 일어나는 논증의 압축(telescoping)을 막는 것이 필요하다. 중심적인 미스테리 자체에 접근하기 전에, 우리는 바울 및 그의 후계자들에 의해서 분명하게 의도되었고 들려졌으며 우리가 살펴보고 있는 시기 전체에 걸쳐서 계속해서 공명하였던 두 가지 차원을 먼저 살펴보지 않으면 안 된다. 이 대목에서 완전히 다른 책을 시작하는 것도 가능한 일이지만, 우리는 나사렛 예수의 부활이 초기 그리스도인들에게 의미했던 것에 관한 짤막한 요약적인 진술로 만족하지 않으면 안 된다: 바울이 로마서의 서두에 나오는 정형어구를 통해서 하고 있는 것과 같이, 그들이 예수가 "하나님의 아들"이었고 지금도 그러하다고 말했을 때에 그 말이 의미했던 것.[14]

---

13) 분명한 예들로는 행 17:22-31; 롬 1:3f.; 살전 1:9f. 등이 있다.

(ii) 부활과 메시야직

부활이 깜짝 놀란 제자들에게 열어준 최초의 의미들 중의 하나는 이스라엘의 소망이 성취되었다는 것이었다. 예수 자신이 공생애 기간 동안에 선포하였듯이, 약속된 때가 도래하였다; 그러나 그것은 그들이 생각했던 것과는 매우 달라 보였다. 종말('에스카톤')이 도래하였다. 제2성전 시대 유대인들이 소망하고 있었던 것과 가장 잘 일치하는 것으로 보이는 "종말론"이라는 의미에서 이스라엘 역사에 관한 긴 이야기는 그 절정에 도달하였다.[15] "부활"은 "종말"의 핵심적인 부분이었다; 그 일이 많은 사람이 이스라엘의 메시야로 여겼던 한 사람에게 일어났다면, 그것은 그 일이 원칙적으로 이스라엘 전체에 대하여 일어났다는 것을 의미하였다. 다윗이 골리앗과 맞섰을 때에 이스라엘을 대표하였던 것과 마찬가지로, 메시야는 이스라엘을 대표하였다. 예수는 "유대인의 왕"으로서 메시야를 참칭하는 자로 처형당하였고, 이스라엘의 신은 그를 신원하였다. 이것은 분명히 이스라엘의 신이 이스라엘에 대한 자신의 약속들을 성취하고 있는 방식이었다. 초기 그리스도인들은 예수가 신에 의해서 죽은 자로부터 부활하였다는 것을 반복해서 강조하였고, "신"이라는 말을 통해서 그들이 의미했던 것은 이스라엘의 신 야훼였다. 그들은 부활을 계약의 신, 언제나 죽이기도 하시고 살리기도 하는 능력을 가지고 있었고 실제로 그 점에 있어서 다른 신들과 달랐던 창조주의 생명 수여의 행위로 보았다. 부활은 초기 그리스도인들에게 이 살아계신 신이 그의 옛적의 약속에 따라서 마침내 역사하였고, 그렇게 함으로써 스스로를 하나님, 유일무이한 세상의 창조주이자 주권자라는 것을 보여준 표지였다.

그러므로 부활은 예수를 사무엘하 7장 또는 시편 2편(제2성전 시대 유대교 내에서 예상할 수 있는 것처럼, 초기 그리스도인들이 그들의 신앙을 설명하고

---

14) Merklein 1981; Perkins 1984에 나오는 짤막한 서술을 보라. 배경에 대해서는 특히 Hengel 1976을 보라.

15) "종말론"의 의미들에 대해서는 *JVG* 202-09를 참조하라. Perkins 1984, 95은 제자들의 직접적인 부활 체험은 "역사의 과정 속에서의 하나님의 권능있는 행위에 대한 체험이 아니라 새 시대의 동터옴에 대한 체험"이었다고 말함으로써 초대 교회가 행하지 않았을 지점에 쐐기를 박고 있다.

해설하기 위하여 인용하였던 본문들)에 나오는 다윗적인 의미에서의 "하나님의 아들," 메시야로 세웠다. "다윗" 시편들은 다윗의 장차 오실 아들의 부활에 관한 암시들을 얻기 위하여 샅샅이 조사되었다. 우리는 누가복음 24장을 그 강령적인 토대로 삼아서 사도행전에서 이러한 과정이 진행되고 있음을 목격할 수 있다; 그러나 비록 후대의 발전이라고 생각되고 있지만(그것은 내게 초기의 것으로 보임에도 불구하고), 우리는 정확히 동일한 것을 바울 속에서도 볼 수 있다. 로마서의 논증 전체는 이 주제에 관한 두 개의 큰 진술들에 의해서 둘러싸여 있다.[16] 그 중간에서 이 서신의 가장 절정에 해당하는 순간들의 하나 속에서 메시야의 "아들됨"을 공유하는 자들은 시편 2편에서도 언급된 "유업"도 공유하게 될 것이라는 진술이 나온다.[17] 부활은 예수가 메시야적인 "하나님의 아들"이라는 것, 이스라엘의 종말론적인 소망이 성취되었다는 것, 지금은 세상의 열방들이 이스라엘의 신에게 승복해야 할 때라는 것을 의미한다.

이러한 의미로 해석된 부활은 초기 그리스도인들을 당시의 다른 유대교 집단들, 특히 당국자들과의 충돌은 말할 것도 없고 대결로 치닫게 하였다. 이스라엘의 신이 유대교 내에 있는 어떤 장소(예를 들면, 성전!)가 아니라 바로 여기에서, 그리고 그의 사역과 가르침이 큰 논란을 불러일으켰던 한 사람을 신원하는 그러한 방식으로 역사하였다는 주장은 폭풍을 불러올 수밖에 없었고, 곧 그렇게 되었다. 매우 다른 종말론적이고 정치적인 과제들에 몰두해 있었던 다소의 사울 같은 강경노선의 바리새인들은 이 사람이 죽은 자로부터 부활하였다는 말과 그것이 함축하고 있었던 모든 것에 대하여 경악을 금치 못하였다. 대부분이 사두개인들이었던 고위 성직자들은 갑절이나 경악하였다. 부활은 언제나 신기하고 혁명적인 교리였었고, 이 새로운 운동은 그 운동에 관하여 그들이 가장 염려하였던 것들이 실현되었다는 것을 입증해 주는 것이었다. "예수 안에 죽은 자의 부활이 있다고 백성을 가르치고 전함을 싫어하여."[18]

타당한 이유가 있었다. 초기 그리스도인들의 선포는 새 계약의 개시를 의미

---

16) 로마서 1:3f.; 15:12. Wright, *Romans*, 416-19, 748f.; 위의 제12장 제2절을 보라.

17) 로마서 8:17; cf. 시 2:8.

18) 사도행전 4:2(위의 제10장 제2절을 보라).

하였다. 예수의 제자들은 실제로 이스라엘이 예수를 통해서 갱신되고 있으며, 그를 메시야로 세워준 그의 부활은 그를 좇으며 그의 나라를 세우면서 새로운 정체성을 발견하도록 이스라엘을 부르는 것이었다고 믿었다. 이런 의미에서, 하나님의 아들의 부활에 대한 신앙은 초기 그리스도인들을, 그러한 것을 받아들일 수도 없었고 받아들이려고도 하지 않았던 그들의 동료 유대인들로부터 구별시켰다. 물론, 그들은 비유대인들 또는 반(反)유대인들이나 모종의 이교 집단으로서가 아니라, 이스라엘의 가장 참되고 가장 중심적인 소망들과 신앙들이 실현되었고 그것들에 의거해서 살고 있다고 주장한 사람들로 구별되었다. 부활한 예수를 "메시야"라는 의미에서 "하나님의 아들"이라고 주장하는 것은 그리스도인들이 할 수 있었던 것들 중에서 가장 유대적인 것이었고, 그렇기 때문에 그들의 확신을 공유하지 않았던 유대인들의 눈에는 가장 의심스러운 것이었다.

초기 그리스도인들의 "새 계약" 신앙은 예수를 "하나님의 아들"로 환호하는 것을 통해서 그들이 이스라엘의 신이 그 안에서 마침내 악의 문제를 처리함으로써 계약의 약속들을 성취하기 위하여 역사하였다는 것을 의미하였다.[19] 예를 들면, 솔로몬의 지혜서에 의해서 대변되었던 악에 대한 하나의 전형적인 유대교적 분석은 피조 질서 그 자체가 악이라는 것을 믿지 않았고, 인간이 우상숭배를 범함으로써 그들 자신의 인성을 죄악된 행실로 왜곡시켰으며 부패, 그리고 궁극적으로는 사망을 불러왔다고 믿었다. 죽음 — 창조주의 형상을 지니고 있는 피조물들을 무효화시키는 것 — 은 선한 것이 아니라 물리쳐야 할 원수로 여겨졌다. 죽음은 궁극적인 멸망의 무기였다: 반창조적이고, 반인간적이며, 반신적인 것. 창조주 신이 계약의 신이기도 하였다면, 그리고 피조 질서의 핵심에 침입해서 인간 존재를 부패시킨 환영받지 못할 문제점을 처리한다는 계약이 있었다고 한다면, 물리쳐져야 했던 것은 바로 이 침입자, 죽음 자체였다. 죽음에 나름대로의 길을 내어주는 것 — 죽음은 인간의 몸을 취하고 창조주는 인간의 영혼을 취한다는 식의 양해각서에 서명하는 것 — 은 제2성전 시대의 대부분의 유대교 내에서 인식되었던 이 문제에 대한 해법이 아니었다. 바로 이것이 "부활"이 결코 죽음에 관한 재진술이 아니라 언제나 죽음의 패배인 이유

19) 계약의 목적으로서의 이것에 대해서는 *NTPG* 259-79를 보라.

이다.

신약성서 속에서 이것은 바울에게서, 특히 로마서 8장과 고린도 서신, 요한계시록에서 아주 분명하게 드러난다. 가장 분명한 본문인 고린도전서 15:20-28에서 우리는 메시야적으로 읽혀진 시편에 뿌리를 둔 명시적으로 메시야적인 신학, 즉 예수는 "하나님의 아들"로서 창조주 신의 대리자가 되어서 세상에서 악을 제거하고 궁극적으로 죽음 자체를 제거하는 일을 수행하였다고 말하는 신학을 발견하게 된다. 제7장에서 보았듯이, 바울에 관한 한, 이것은 실제로 죽음의 패배였다. 초기 그리스도인들은 예수의 부활을 마침내 악을 처리하겠다던 자신의 약속들을 성취한 계약의 신의 행위로 보았다. 예수의 부활에 대한 신앙을 선포한 것은 부활절을 의미있게 만든 의미의 세계가 그들 자신의 죄들을 비롯한 죄들에 대한 사함이 있었던 새로운 세상이었다는 의미에서 자기 연루적인 행위였다. 물론, 이것은 "예수가 죽은 자로부터 부활하였다"는 말의 "의미"를 "내 죄가 사함받았다"로 축소시키는 것은 아니었다. 그것은 단지 예수의 십자가 처형이 패배가 아니라 승리였다고 말하는 방식도 아니었다. 우리는 이러한 넓은 의미에 있어서의 "의미"를 "지시대상"과 혼동해서는 안 된다. 이러한 진술은 좀 더 폭넓은 의미의 세계를 생성시키고 유지시키는 것으로 인식되지만 오직 그러한 관점으로 축소될 수는 없는 역사적인 지시대상을 가지고 있었다.

예수의 부활을 "하나님의 아들"과 관련시켜서 이해하는 것의 첫 번째 차원은 다음과 같이 요약될 수 있다. 예수는 이스라엘의 메시야이다. 세상에 그토록 철저하게 영향을 미쳤던 죄와 죽음을 처리하려는 창조주의 계약과 관련된 계획은 예수 안에서 오랫동안 기다려 왔던 결정적인 성취에 도달하였다.

(iii) 부활과 세계의 주되심

"하나님의 아들"이라는 어구가 이 시기의 주후 1세기의 유대인들의 귀에 "메시야"를 의미할 수 있었다면, 우리가 앞에서 보았듯이, 초기 기독교의 세계 속에서 통용되었던 또 하나의 상당히 다른 의미가 존재하였다. 이 어구는 이교의 군주들, 특히 가이사에게 적용되었던 칭호였다.

로마 자체에서는 주후 1세기의 상당 기간 동안 황제들이 살아있는 동안에 황제를 드러내놓고 숭배하는 일을 삼가하였다. 하지만 통치자를 숭배하는 오랜 전통을 지니고 있었던 제국의 동부 지역은 그러한 거리낌을 전혀 가지고 있지 않았다. 이제 신격화된 선왕의 자손으로서 새로운 황제를 공식적으로 지칭하는(아우구스투스가 율리우스 가이사를 신격화한 것에서 시작되었던 과정) "신의 아들"이라는 칭호는 — 가이사의 대제국의 다른 대부분의 지역들에서 이상하다는 듯이 어깨를 으쓱하며 "신의 아들"이라는 칭호를, 실제로는 그렇지 않다고 하더라도, 이미 실질적으로 신적인 것으로 받아들였던 동안에 — 로마 자체에서는 새롭게 등장한 공화정의 허구가 유지될 수 있게 해 주었다. 주후 1세기의 황제들 중 적어도 두 사람, 가이우스 칼리굴라와 네로는 공화파인 척하는 가장된 태도를 버리고, 스스로를 직설적으로 신이라고 자처하였다. 그리고 그들은 그것에 걸맞게 행동하였다.[20]

초기 그리스도인들이 이러한 이교적인 용례를 토대로 "신의 아들"이라는 어구를 선택하였다는 것을 보여주는 암시는 전혀 없다. 우리는 유래(derivation)와 대결(confrontation)을 혼동해서는 안 된다.[21] 앞의 항에서 말하였듯이, 신약성서에 나오는 이 칭호의 뿌리는 확고하게 유대적인 뿌리이다. 그러나 헬라-로마 세계에 살고 있던 많은 사람에 의해서 이 칭호가 매우 초기부터 가이사에 대한 도전으로 들려졌을 것이라는 것은 의심의 여지가 없다. 그리고 바울을 비롯한 초기의 기자들 중 몇몇은 이런 식으로 이 어구를 사용하였다는 것도 분명히 의심의 여지가 없다. 다윗과 솔로몬에 관한 이야기들로부터 시편들을 거쳐서 이사야서와 다니엘서 같은 책들에 이르기까지, 그리고 그 후에 제2성전 시대의 수많은 문헌들 속에서 관통하고 있던 유대교적 사고의 긴 흐름은 이스라엘의 참된 왕을 세상의 참된 주로 보았다. 초기 그리스도인들은 예수를 이스라엘의 메시야로 여겼기 때문에, 또한 그를 이방 세계의 참된 군주로 여겼다(우리가 자주 지적했듯이). 그리스도인들은 주화를 제조하지 않았다. 만약 그들이 주화를 제조했더라면, 그 주화들 위에는 DIVI F. (하나님의 아들)가 새겨져 있었을 것이다. 사실, 물고기 상징은 헬라어로 정확히 바로 그런 것을 말하고 있었다.[22]

---

20) 이 모든 것에 대해서는 Horsley 2000에 나오는 단초적인 논문들을 보라; 위의 제2장 제2절.

21) Wright, *What St Paul Really Said,* ch. 5을 보라.

이러한 좀 더 폭넓은 의미의 세계 안에서 예수를 "하나님의 아들"이라고 부르는 것은 한적한 곳으로 물러가 있는 것을 거부한 것, 그리스도인들의 제자도를 사사로운 제의, 분파, 신비종교로 변화시키는 것을 중단하고자 하는 결단을 나타내는 것이었다. 그것은 세상에 대하여 주장을 개진하는 것이었다: 한편으로는 어처구니 없으면서도(별볼일없는 사람들로 이루어진 작은 집단이 로마의 힘을 조소했다는 의미에서) 매우 진지해서, 두 세대 내에 로마의 힘이 그것을 없애고자 했지만 실패했던 그러한 주장. 이 운동은 세상을 정사들과 권세들에게 넘기는 것을 거부하고, 그들조차도 지금 주가 된 메시야에게 충성해야 한다고 주장하였다.[23]

가이사와의 암묵적인 대결을 함축하는 의미에서 예수에 대하여 "하나님의 아들"이라는 어구를 사용한 것은 이렇게 이제 창조주 신에 의해서 자신의 소유로 강력하게 주장된 피조 질서의 선함에 대한 긍정의 일부였다. 내가 지금까지 서술한 온전히 몸과 관련된 의미에서의 예수의 부활은 이것을 위한 토대를 제공해 준다: 그것은 죄와 죽음만이 아니라 이교 제국(죄와 죽음의 제도화)이 악행을 저질러왔던 시간과 공간과 물질의 우주에 대한 재긍정이다.[24] 초기 그리스도인들은 예수의 부활을 피조 세계의 본질적인 선함을 재확인하고 새 창조의 최초이자 대표적인 행위를 통해서 이제 새 창조 전체가 탄생될 수 있는

---

22) *ICHTHYS*라는 모티프에 대해서는 위의 제12장 제4절을 보라. 우리는 오늘날 물고기 상징을 차에 붙이고 다니거나 옷의 표지로 사용하는 사람들 중에서 과연 몇 명이나 그것이 원래는 아주 명시적으로 반제국주의적인 것이었는지를 알고 있는지 의심하지 않을 수 없다.

23) 바울로부터의 분명한 예들로는 빌 2:6-11; 골 1:15-20 등이 있다.

24) "몸의"와 "몸을 지닌"이라는 단어들을 유지하면서도, 그것들을 통해서 예수의 몸 자체가 죽은 자로부터 부활하였다는 것이 아니라, 그의 생명이 세상에서 공의를 위하여 일하는 몸을 지닌 공동체들 속에서 계속된다는 것을 의미하는 것으로 사용하고자 하는 Crossan의 시도(1998, xxvii-xxxi)는 일종의 포스트모더니즘적인 가톨릭의 교회론으로 비약하는 것이다("오직 한 예수, 그러한 성육신을 그 이후에 지속시키는 데에 헌신된 믿음의 공동체를 위하여 유대적인 공의의 하나님을 성육신한 **역사적** 예수가 존재한다"[xxx, 강조는 원저자의 것]). 현재의 절에서처럼, 그가 강조하고 있는 관심사들은 예수의 실제적인 몸의 부활이 그 토대로 밑받침하고 있는 것들이라는 사실을 무시하는 것이다.

교두보를 공간과 시간과 물질의 현재의 세상(갈라디아서 1:4에서처럼 "이 악한 세대") 속에 구축하기 위한 창조주 신의 행위로 보았다.[25] 이러한 의미의 맥락 속에서 예수를 "하나님의 아들"로 부름으로써, 그들은 암묵적으로 가이사의 제국 내에서의 반역분자들의 모임, 다른 왕과 다른 주에 충성하는 모임으로 자처하였다. "예수가 죽은 자로부터 부활하였다"라고 말하는 것은 이렇게 반제국적인 세계관 내에서 그 의미를 얻는다는 점에서 자기연루적인 것임이 입증되었다. 사두개인들이 부활 교리, 특히 예수와 관련된 부활의 선포를 정치적인 화약고로 여긴 것은 옳았다.

여기서 다시 한 번 우리는 이러한 의미에서의 "의미"와 "지시대상"을 혼동하지 않아야 한다. "예수가 죽은 자로부터 부활하였다"는 말이 "내 죄들이 사함받았다"는 사실을 가리키지 않는 것과 마찬가지로(물론, 더 넓은 함의의 세계 속에서는 그것을 의미하긴 하지만), 그 말은 참 신이 잔혹한 폭정을 인정하지 않는다는 사실을 가리키는 것이 아니다(물론, 그것은 내가 이 장에서 사용하고 있는 "의미"로는 그것을 의미하긴 하지만). 부활의 정치적 함의들을 드러내고자 한 최근의 몇몇 책들은 넓은 의미에서의 이러한 정치적 "의미"를 전면적으로 허용하였고, 이러한 논증은 예수의 죽음 후 제삼일에 아무 일도 일어나지 않았다는 주장에 의해서 더욱 강화되고 있다고 전제하였다.[26]

원래의 지시대상을 제거해 버리면, 함의가 그 자리를 대신할 수 있다고 생각하는 것 같다. 그러나 이것은 초기 그리스도인들이 열심히 제시하고자 했던 요지, 그들을 신속하게 유대교 및 이교의 당국자들과 대결하게 만든 그러한 요지를 비켜가는 것이다. 예수가 "죽어서 천국에 갔다"거나 그가 지금 영적인 실존 속에 존재한다거나, 그러한 관념들이 "예수가 죽은 자로부터 부활하였다"는 말의 지시적인 의미의 전부라고 말하는 것은 핵심을 놓치는 것이고, 사회적 · 문화적 · 정치적 비판의 중추신경을 잘라내 버리는 것이다. 죽음은 독재자의 궁극적인 병기이다: 부활은 죽음과 계약을 맺지 않고, 죽음을 전복시킨다. 온전히 유대교적이고 초기 기독교적인 의미에서 부활은 피조 세계가 중요하며 몸을

25) 이 주제를 따라가려면, 갈 6:15; 롬 4:13, 18-25; 고후 2:14—6:10을 보라.

26) 예를 들면, Sawicki 1994. 실질적인 요지에 대해서는 Rowland 1993, 76-9를 보라.

입은 인간 존재들이 중요하다는 궁극적인 긍정이다.[27] 이것이 부활이 언제나 피할 수 없는 정치적 의미를 지녀왔던 이유이다: 그것은 주후 1세기에 사두개인들, 우리 시대의 계몽주의가 그것을 그토록 강력하게 반대해 온 이유이다. 그 어떤 독재자도 예수가 자신의 시신을 무덤에 남겨둔 채로 천국에 갔다는 말에 의해서 위협을 받지 않는다. 교회의 사회적 설교가 예수의 부활이라는 중심적이고 추동력 있는 사실을 도외시하고 예수의 가르침에 토대를 두고자 한다면 (또는 부활을 사후의 지복 상태를 보장해주는 초자연적인 "행복한 결말"의 한 예로서 긍정한다면), 그 어떤 정부도 진정한 기독교적인 도전에 직면하지 못하게 될 것이다.

그러므로 이것은 의미의 두 번째 차원이다. 부활은 예수를 피조 세계 내의 모든 사람과 모든 것으로부터의 절대적인 충성을 요구하는 세상의 참된 주권자, "하나님의 아들"로 세운다. 예수는 창조주의 새 세상의 시작이다: 새 세상의 조종사로 세우는 사업.

(iv) 부활과 하나님 문제

이러한 넓은 의미에서 예수의 부활이 지닌 세 번째이자 마지막 "의미"는 지시대상이라는 좁은 의미에서의 "신"이라는 단어 자체의 "의미"와 관련되어 있다. 결국, 이것은 초기 그리스도인들이 그들의 이웃이었던 이교도들에게만이 아니라 그들이 시작되었던 유대교 진영들에서도 제기하였던 문제들 중에서 가장 큰 문제였다. 유대인들이 항상 주장하였듯이, 한 분 참 신이 존재하고, 그가 진정으로 세상의 창조주이고 이스라엘의 계약의 신이라면, 예수의 부활을 토대로 해서 예수에 관하여 이제 무엇이라고 해야 하는가? 이런 의미에서 예수를 "하나님의 아들"이라고 부르는 것은 예수가 누구였고 또한 누구인가만이

27) Morgan 1994, 18f.은 마치 어떤 사람이 가지를 방금 톱으로 베어낸 후에 그 가지 위에 앉고자 하는 것과 같이 — Thiselton이 Wittgenstein을 인용해서 우리에게 상기시키기를 좋아하는 것처럼, 위험스러운 시도(예를 들면, 2000, 1216) — 그 전제를 부정하고 있음에도 불구하고 그러한 결과에 도달하고자 시도한다. 좀 더 미묘한 차이를 지닌 접근방식은 Selby 1976에서 찾아볼 수 있다 — 물론, 나는 나의 현재의 논증이 그의 관심사들에 대한 좀 더 안전한 토대를 제공해 주고 있다고 생각하지만. 앞으로 나아갈 길은 Rowland 1993에 의해서 제시되고 있다.

아니라, 한 분 참 신이 누구였고 또한 누구인가를 이해하는 데 있어서 어떤 도움을 주는 것인가?

앞에서 보았듯이, 초기 그리스도인들은 통상적으로 예수의 부활을 이 신의 역사(役事)라고 말하였다. "그가 일으키심을 받았다"라고 그들은 말하였다; "하나님이 예수를 죽은 자로부터 일으키셨다."[28] 이 신의 역사는 매우 초기부터 해석의 일부, 그들이 이 사건을 보았던 의미의 격자망의 일부였다. 그리고 매우 초기부터(그것은 이미 바울에 의해서 당연한 것으로 여겨지고 있다) 이 예수가 이 신에 의해서 일으키심을 받았다는 사실은 예수가 행하고 말하였던 모든 것과 이스라엘의 성경이 이 신의 구속 및 화해 사역에 관하여 말하였던 모든 것에 비추어서 숙고되고 성찰되었을 때에 초기 그리스도인들로부터 예수가 "하나님의 아들"이고 다른 어떤 신들과도 반대되는 이 신의 유일무이한 "아들"이라는 숨막히는 신앙을 이끌어내었다. 그들이 이 말을 통해서 의미했던 것은 단순히 예수가 이스라엘의 메시야라는 것 — 물론 이것은 여전히 그 토대가 되었다 — 이 아니었다; 또한 그것은 단순히 예수가 실체이고 가이사와 그 밖의 다른 독재자들은 그 실체에 대한 패러디라는 것 — 물론, 이것도 아주 중요한 함의였다 — 이 아니었다. 그들이 의미했던 것은 예수가 한 분 참 신의 인격적 화신이자 계시라는 것이었다.[29] 바울의 기독론, 그리고 그가 현존하는 서신들을 쓰기 전에 신조 형태의 정형문구로 표현되었던 기독론은 기독교 운동의 매우 초기부터 이 신과 이 예수는 등식(等式)의 "신" 항목에 분명하게 함께 묶여져 있는 "아버지"와 "아들"로서 지칭되고 있었다는 것을 보여준다.[30]

이것과 관련하여 진정으로 주목할 만한 것은 이러한 일이 일어나고 있는 대목에서 당시에 제기되고 있는 논증들과 거기에서 인용되고 해설되고 있는

---

28) 예를 들면, 눅 24:6; 행 4:10; cf. 롬 4:24f.; 8:11; 10:9. 대안적인 관점 — 예수가 스스로 부활할 능력을 가지고 있었다는 것 — 은 요한복음 10:17f.에 표현되어 있다.

29) 이러한 일련의 사고의 흐름 전체는 예수 및 그의 부활에 대한 진정으로 역사적인 이해와 기독론에 대한 진정한 인식을 싸움붙여서 이득을 보고자 하는 것은 잘못된 것임을 보여준다. Carnley 1987, 75-81는 Westcott에 관한 그의 논평들에서 바로 그런 식의 설명을 하고 있다.

30) 자세한 것은 Wright, *Climax*, chs. 4, 5, 6을 보라.

구약성서의 본문들은 모두 강력한 유일신론적인 어조를 띠고 있다는 것이다. 우리는 이미 바울 서신의 핵심적인 본문들을 살펴본 바 있다.[31] 그러한 본문들 중 몇몇에서 바울은 예수를 "하나님"과 관련하여 "아들"이라고 말한다; 또한 몇몇 본문들에서는 하나님을 예수와 관련하여 "아버지"라고 말한다. 여러 다양한 논증들 속에서 바울은 이 둘을 함께 두는데, 별로 놀랄 일은 아니지만 그가 그럴 때마다 부활은 결코 거기에서 멀리 있지 않다:

> 곧 우리가 원수 되었을 때에 그의 아들의 죽으심으로 말미암아 하나님과 화목하게 되었은즉 화목하게 된 자로서는 더욱 그의 살아나심으로 말미암아 구원을 받을 것이니라 …
>
> 무릇 하나님의 영으로 인도함을 받는 사람은 곧 하나님의 아들이라 너희는 다시 무서워하는 종의 영을 받지 아니하고 양자의 영을 받았으므로 우리가 아빠 아버지라고 부르짖느니라 성령이 친히 우리의 영과 더불어 우리가 하나님의 자녀인 것을 증언하시나니 자녀이면 또한 상속자 곧 하나님의 상속자요 그리스도와 함께 한 상속자니 우리가 그와 함께 영광을 받기 위하여 고난도 함께 받아야 할 것이니라 …
>
> 하나님이 미리 아신 자들을 또한 그 아들의 형상을 본받게 하기 위하여 미리 정하셨으니 이는 그로 많은 형제 중에서 맏아들이 되게 하려 하심이니라 …
>
> 자기 아들을 아끼지 아니하시고 우리 모든 사람을 위하여 내주신 이가 어찌 그 아들과 함께 모든 것을 우리에게 주시지 아니하겠느냐.[32]

---

31) 예를 들면, 이사야 45:23을 사용한 빌립보서 2:10f.; 신명기 6:4을 사용한 고린도전서 8:6(칠십인역에서 '퀴리오스'로 번역된 주는 물론 야훼이고, 바울은 이 단어를 예수와 관련하여 "주"를 가리키는 데에 사용한다); 시편 110:1을 사용한 고린도전서 15:25-8.

32) 롬 5:10; 8:14-17, 29, 32.

이러한 본문들은 예수를 가리키는 "하나님의 아들"이라는 말을 통해서 바울이 예수는 단지 사자(messenger)로서가 아니라 하나님의 사랑의 화신으로서 하나님으로부터, 하나님에 의해서 보내심을 받은 자라는 것을 의미할 때에만 그 의미를 지니게 된다. 다른 사람을 보내는 것은 자기 자신을 주는 사랑의 궁극적인 증거가 될 수 없다.[33] 이러한 것은 갈라디아서에서도 마찬가지이다:

> 내가 그리스도와 함께 십자가에 못 박혔나니 그런즉 이제는 내가 사는 것이 아니요 오직 내 안에 그리스도께서 사시는 것이라 이제 내가 육체 가운데 사는 것은 나를 사랑하사 나를 위하여 자기 자신을 버리신 하나님의 아들을 믿는 믿음 안에서 사는 것이라.

> 유업을 이을 자가 모든 것의 주인이나 어렸을 동안에는 … 그 아버지가 정한 때까지 후견인과 청지기 아래에 있나니 … 때가 차매 하나님이 그 아들을 보내사 여자에게서 나게 하시고 율법 아래에 나게 하신 것은 율법 아래에 있는 자들을 속량하시고 우리로 아들의 명분을 얻게 하려 하심이라 너희가 아들이므로 하나님이 그 아들의 영을 우리 마음 가운데 보내사 아빠 아버지라 부르게 하셨느니라 그러므로 네가 이후로는 종이 아니요 아들이니 아들이면 하나님으로 말미암아 유업을 받을 자니라.[34]

그리고 우리는 이러한 풍부하고 다층적인 진술들에 비추어 볼 때에 로마서의 위대한 서두의 진술 속에서 제3의 의미층을 발견할 수 있다:

> 하나님의 복음 … 그의 아들에 관하여 말하면 육신으로는 다윗의 혈통에서 나셨고 성결의 영으로는 죽은 자들 가운데서 부활하사 능력으로 하나님의 아들로 선포되셨으니 곧 우리 주 예수 그리스도시니라.[35]

---

33) 또한 cf. 8:3f. 로마서에 나타난 바울의 고등 기독론에 대해서는 Wright, *Romans*, 629f.를 보라.

34) 갈라디아서 2:19f.; 4:1f., 4-7.

35) 로마서 1:1, 3f.

달리 말하면, 부활은 예수가 진정으로 하나님의 아들이라는 것을 선언한다: 예수가 메시야라는 의미(물론, 바울은 여기에서 그것을 의도하고 있다)와 예수가 세상의 참된 주라는 의미(바울은 여기에서 이것도 의도하고 있다)에서만이 아니라, 예수가 살아계신 하나님, 이스라엘의 하나님이 그 안에서 세상에서 인격적으로 현존하게 된 바로 그 분, 태초에 이 동일한 하나님의 형상대로 지음 받았던 사람들 중의 하나가 되었던 그 분이라는 의미에서.

이것은 예수가 부활을 통해서 이런 의미에서 또는 그 밖의 다른 의미에서 "하나님의 아들"이 되었다는 것을 의미하는가? 분명히 그렇지 않다. 로마서 5:5-11, 8:3-4, 갈라디아서 2:19-20, 4:4-7 같은 본문들의 전체적인 요지는 예수가 공생애를 통해서 및 특히 그의 죽음을 통해서 행한 것은 그 밖의 다른 의미들에서와 마찬가지로 이런 의미에서 "하나님의 아들"의 사역으로 이해되어야 하고, 부활은 그러한 것이 사실이었다는 것을 분명하게 선언하였다는 것이다. 이것은 이러한 결론이 예수의 부활에 관하여 들었을 때에 모든 사람에 의해서 도출되어야 했다는 것을 말하는 것이 아니다. 이 장의 앞 부분에서 보았듯이, 그것은 부활을 인식할 때에 그 사람이 어떤 세계관을 지녔느냐에 따라서 달라졌을 것이다. 부활은 "예수가 신이라는 것을 자동적으로 입증해주지는" 않았다. 하지만, 초기 그리스도인들이 추구하고 있었던 의미의 세계 내에서 부활은 예수가 이전에는 하나님의 아들이 아니었는데 부활절을 기점으로 하나님의 아들이 되었다는 양자론적 견해를 시사하지 않는다는 것은 분명하다. 부활은 그 내적인 함의들을 따라 왔던 자들에게 언제나 진실이었던 바로 그것을 그들에게 분명하게 해 주었다. 부활은 예수가 언제나 다른 의미들에 있어서와 마찬가지로 이러한 의미에서 "하나님의 아들"이었다는 것을 분명하게 선언하는 것이었다.

이러한 점은 초기 기독론에 관한 좀 더 자세한 서술 속에서 거의 무한정으로 확대될 수 있지만, 우리는 그렇게 할 만한 지면도 없고 그럴 필요도 없다. 바울은 최초의 그리스도인들의 신학에 대한 우리의 가장 초기의 증인이고, 이미 그의 서신들 속에서 우리는 예수의 공생애의 2-30년 기간 동안에 부활은 나사렛 예수가 언제나 이런 의미에서 하나님의 "아들"이었다는 것을 보여주는 이스라엘의 하나님, 세상의 창조주의 행위였다는 것이 확고하고 분명하게 진술되고 있음을 발견한다. 바울은 요한복음 서문의 끝부분에 나온 탁월한 요약문(1:18)에 동의하였을 것이다: 아무도 하나님을 본 자가 없었지만, "독생하신 하나님"이 그를 계시하였고 그를 알게 하였다. 그리고 제17장에서 보았듯이, 이것은 전에 의심하는 자였던 도마가 제시한 궁극적인 신앙고백과 짝을 이루도록 계획된 것이다: 부활은 예수가 "내 주이자 내 하나님"인 것을 나타내 보여준다.

이런 종류의 기독론은 지난 200년 동안에 가장 머리 좋은 몇몇 학자들의 두뇌를 혹사시켜 왔던 미스테리라는 것을 온전히 인정하는 가운데, 우리가 그러한 언어를 어떻게 이해하여야 가장 좋은지에 대해서 한 마디는 꼭 해둘 필요가 있다. 나는 다른 곳에서 제2성전 시대 유대교 속에는 이스라엘의 한 분 하나님, 창조주, 그리고 세상에 대한 하나님의 밀접하고 복잡한 관계에 관하여 말하는 대단히 정교한 몇 가지 방식들이 존재했다는 것을 설명한 바 있다.[36] 한편으로는 하나님의 초월성과 타자성(他者性)을 확고하게 유지하면서 동시에 세상 내에서의 이 하나님의 가까움, 사랑, 활동을 표현하고자 했던 많은 유대인 저술가들은 하나님의 활동의 실제성과 거기에서 활동하고 계시는 분이 동일한 하나님, 창조주, 초월적인 분이라는 사실을 동시에 보존하기 위한 것으로 보이는 여러 가지 다양한 방식으로 이것에 관하여 말하였다. 유대교 내에서 완전히 전례가 없었던 것은 아니지만 초기 그리스도인들이 그것에 부여하였던 두드러짐과 강조점 같은 것은 그 어디에서도 찾아볼 수 없는 것으로서 신약성서에서 위에서 말한 것에 해당하는 것은 야훼의 "아들"로 보아지고 정확히 동일한 방식으로 도구로 사용되었던 왕에 관한 메시야적인 언어이다.

이것은 필로에게서 얼핏 매력적으로 감지된다.[37] 그러나 이 위대한 알렉산드

---

36) 예를 들면, *JVG* 629-31; *Challenge,* ch. 5; Wright and Borg, *Meaning,* ch. 10; cf. 위의 제12장 제3절.

37) 스가랴 6:12을 인용하고 있는 Philo *Conf. Ling.* 62f.를 참조하라. 필로는 이 본문을 "그 이름이 부활['아나톨레']인 사람"이라고 읽는다. 그는 이렇게 설명한다. 이것은 "당신이 영혼과 몸으로 구성되어 있는 어떤 존재를 여기에서 묘사하고 있다고 생각한다면, 칭호들 중에서 가장 이상한 칭호일 것이다. 그러나 당신이 그것이 신의 이미지와 조금도 다르지 않은 몸을 입은 성육신한 자라고 생각한다면, 당신은 그에게 붙여진 '부활'이라는 이름이 그를 진정으로 묘사하고 있다는 데에 동의하게 될 것이다. 왜냐하면, 그 사람은 맏아들, 모든 사람의 아버지가 다시 살리신['아네테일레'] 자, 다른 곳에서 그의 장자라고 부르고 있는 자, 실제로 그의 아버지의 방식을

리아의 철학자에게 있어서 그러한 신적인 "아들"은 여전히 엄밀하게 말해서 "무형적인" 존재로 남아있었던 반면에, 바울과 요한에게는 동일하게 그 전체적인 요지는 이 "하나님의 아들"은 육체로 왔을 뿐만 아니라 육체로 죽었고, 죽어서 매장되었을 뿐만 아니라, 삼일 후에 부활하였고, 이 부활, 필로가 결코 상상하지 못했던 의미에서의 이러한 "다시 살아남"은 이 예수가 진정으로 이러한 온전하고 자기 계시적이며 자기 화신적인 의미에서 그의 아들이었고 또한 언제나 그의 아들이었다는 것을 한 분 참 하나님이 공적으로 선포한 것이었다는 것이었다.

이것은 예수의 부활에 의해서 초기 그리스도인들에게 생성되었던 의미의 세계이다. 물론, "신의 아들"의 다른 의미들의 경우와 마찬가지로, 부활에 관한 진술들, 그리고 하나님의 아들로서의 예수에 관한 진술들은 자기연루적인 것이었다. 이런 의미에서 그 진술들은 인격적인 신앙을 보여주는 것이었다: 하나님이 예수를 죽은 자로부터 일으켰다는 신앙,[38] 그리고 이 하나님에 대한 신뢰, 하나님의 새 시대의 개시를 통해서 부활이 열어놓은 세계 선교와 제자도에의 헌신. "예수가 죽은 자로부터 부활하였다"고 말하는 것은 결코 단순히 "하나님의 운동은 계속된다!" 또는 (Godspell라는 뮤지컬에서처럼) "하나님이여 만수무강하옵소서!"라고 말하는 극적인 방식이 아니었다. 다시 한 번 말하지만, 그것은 "지시대상"과 "함의"를 혼동하는 것이다. "하나님이 예수를 죽은 자로부터 다시 살리셨다"고 말하는 것은 예수의 십자가 처형 후의 제삼일에 일어난 사건을 가리키는 것이었다. 그러나 우리가 이 사건으로 하여금 그것에 가장 적절한 의미의 세계를 생성하게 하고자 한다면, 우리는 지시대상 — 물론 이것도 대단히 중요하다 — 만으로 만족해서는 안 될 것이다. "하나님이 예수를 죽은 자로부터 다시 살리셨다"는 말은 결국 바울에 의하면 신자들을 아브라함과 동일한 반열에 올려놓는 진술이다. 그 의미의 세계는 예수의 부활을 믿는 자들이 갱신된 계약의 가족을 형성한다는 함의를 포함한다. 이것은 이 총서에서 다음 권의 주제가 될 "이신칭의"의 의미의 일부이다. 바울에 의하면, 하나님의 부활 능력에 대한 신앙은 우상숭배에 대한 대안이다: 이 신앙은 우상숭

따라서 출생한 아들이기 때문이다 …"(tr. Colson and Whitaker in LCL).

38) 로마서 4:24; 10:9.

배가 특징적으로 부정하고, 그러한 부정을 통해서 죽음을 자초하는 바로 그런 것들, 즉 하나님의 고유한 소유인 능력과 영광을 창조주 하나님에게 돌린다.[39]

그러므로 "하나님의 아들"의 세 번째 의미는 처음 두 개의 의미를 내버려두는 것이 아니라, 한 분 참 하나님, 이스라엘의 하나님이 실제로 누구인가에 관한 더 큰 그림 안에서 그것들을 통합한다. 좀 더 완전한 그림을 위해서, 우리는 그리스도인들이 하나님께서 예수를 죽은 자로부터 다시 살리실 때에 도구로 사용하였다고 믿었던 분(우리가 앞서의 장들에서 자주 보았듯이), 그들이 그들 안에서 살며 장차 그들도 일으킬 것이라고 믿은 분, 즉 하나님의 성령에 관한 신약성서의 언급도 살펴볼 필요가 있다. 신약성서의 기자들은 손쉬운 또는 정형적인 체계화를 거부한다; 그러나 창조주 하나님, 나사렛 예수, 살아계신 하나님의 성령에 관한 그들의 말들 속에서 그들은 이 세 분을 한 분 하나님에 대한 차별화되어 있지만 서로 침투해 있는 계시들로서 신비스럽게 보게 되었던 후대의 신학들을 지향하고 있다.

이 모든 것들로부터 드러나는 참 하나님에 관한 그림은 최근의 몇몇 변증적인 저작들 속에서 아주 손쉬운 공격대상이 되어왔던 희화화된 "온갖 강력한 이적을 일으키는 자," "개입하는 자" 하나님에 관한 그림과는 완전히 다르다.[40] 오늘날의 신학자들은 거드름피우는 전능한 깡패, 그러한 의미에서 승리주의적인 "신"이라는 암시를 드러내는 데에 열심이다. 그러나 그러한 것이 신약성서가 제시하는 하나님에 관한 그림이라든가 예수의 부활이 그런 것을 조금이라도 밑받침해 준다고 생각하는 것은 큰 오산이다. 물론, 메시지 속에는 "승리"가 존재한다; 로마서 8:31-9 또는 고린도전서 15:54-57이 없다면, 우리는 복음의 능력과 호소력을 어디에서 찾을 것인가? 그러나 우리는 초기 그리스도인들을 "승리주의"라고 비난하기에 앞서 다시 한 번 생각해 보아야 한다. 그러한 비난들은 되튀기는 관성을 갖고 있다 — 특히, 후기 모더니즘 또는 포스트모더니즘적인 서구의 문화의 불안정한 세계관을 가장 높은 위치로 올려놓은 다음에 그 꼭대기에 오르고자 하면서, 그것을 최고의 도덕적 토대라고 주장하고, 그들 앞

---

39) 1:18-23과 의도적인 대비를 이루는 로마서 4:18-22(Wright, *Romans,* 499-501을 보라).

40) 예를 들면, cf. Crossan 1998, 575-86; Wedderburn 1999, 128f., 178-219.

서 갔던 모든 이들을 멸시하는 자들에게, 이와 같이 이스라엘의 하나님에 관한 새롭게 출현 중이었던 삼중적인 이해는 한편으로는 이신론의 지고하고 무미건조한 "신", 다른 한편으로는 범신론의 낮고 축축한 "신"으로 옮겨가는 것을 그들의 반쯤 사촌격인 이원론적 초자연주의의 "간섭하는 자 하나님"과 오늘날의 많은 사변 속에 등장하는 "만유재신론(panentheism)적인" 신과 더불어 막아준다. 역으로, 우리가 신약성서가 제시하는 하나님에 관한 삼중적인 관점(초기 제자들의 부활절 신앙으로부터 자라난 관점)에 대한 저항을 발견하는 곳에는 고대 세계에서와 마찬가지로 현대 세계에 있어서도 "몇몇 사람들이 시간과 공간 속에서의 하나님의 존재와 행위에 대하여 갖고 있는 엄청난 증오심"을 토대로 한 저항이 있다고 생각할 만한 타당한 이유가 존재한다.[41] 다시 한 번 말해두지만, 세계관과 관련된 질문들이 발굴되어 왔고, 앞으로도 사라지지 않을 것이다.

초기 그리스도인들이 이스라엘의 하나님에 대한 이러한 삼중적인 이해를 발전시켰을 때, 그들은 유대교적인 뿌리를 포기하고 이교 사상의 언어와 사고 양식들을 채택한 것이 아니었다. 그들은 당시의 유대교의 중심적인 신앙들 중의 하나, 죽은 자들의 부활(이교도들의 압제와 불의에 맞섰을 때에 의로운 수많은 유대인들의 위로가 되었던 것)을 끌어안고, 그것을 그들이 예수에게 일어났다고 믿었던 일에 비추어서 한층 더 깊게 이해함으로써 그들의 신학을 발전시켰다. 이것이 그들을 유대교 내에서의 메시야적인 분파로 만들었던 바로 그것이었다. 이것이 그들을 "또 다른 왕"이 있다는 소식을 가지고 가이사의 세계를 누비게 만들었던 바로 그것이었다. 이것이 그들을 한 분 참 하나님에 관하여 말할 뿐만 아니라 아버지와 주(主), 아들을 보낸 하나님과 지금 아들의 영을 보내는 하나님이라는 관점에서, 다른 식으로는 볼 수 없었던 세상의 창조주를 볼 수 있게 한 독생하신 하나님이라는 관점에서 하나님의 이름을 부르며 그에게 기도하고 그를 사랑하고 그를 섬기게 만들었던 바로 그것이었다. 이것이 그들이 예수의 부활에 관하여 말하였을 때에 또한 하나님의 아들의 부활에 관하여도 말하였던 이유였다.

41) Torrance 1976, 80(강조는 원저자의 것).

3. 태양을 향해 쏘기?

나는 내가 시작했던 비유로 되돌아가고자 한다. 우리는 태양을 향하여 화살들을 쏘고 있었던 것인가? 우리는 증명될 수 없는 것을 증명하려고 하고 도달할 수 없는 것에 도달하려고 하며 찾을 수 없는 것을 찾아내려고 해왔던 것인가?

그렇지 않다. 우리의 역사적 탐구의 화살들은 모두 인식론적인 만유인력의 법칙에 따라서 땅에 떨어진다. 역사가로서의 자격을 지닌 역사가는 제1원리부터 시작해서 하나님을 증명하는 것으로 끝나는 논증을 제시할 수 없다. 하지만 기독교 신앙은 언제나 요한이 표현하고 있듯이 땅 — 만유인력과 모든 것! — 이 하나님의 아들이 거처로 삼아서 자신의 장막을 그 가운데 친 곳이라는 것을 분명하게 선언하였다. 그리고 그러한 선언은 제삼일에 하나님이 예수를 죽은 자로부터 다시 살리셨다는 신앙의 원인이 아니라 결과였다. 가장 초기의 그리스도인들에게 있어서 예수의 부활에 관하여 말하는 것은 아무리 경천동지할 만한 일이고 그것이 아무리 땅과 하늘에 속한 여러 가지 것들을 통합하였다고 할지라도 여전히 "지상적인" 사건이었고, 바로 꼭 그래야만 했던 일에 관하여 말하는 것이었다. 그것은 지상적인 결과들을 지니고 있었다: 빈 무덤, 해변가의 발자국들, 엠마오에서의 떼어 놓았지만 먹지 않은 떡.

태양이 저수지에 진정으로 반영되어 있다면, 그 물 속에 반영되어 있는 태양의 형체를 향하여 화살을 쏘는 것은 단순히 속임수가 아니고, 또한 진정한 문제를 피하는 것이 아니라, 창조주 하나님이 만든 그런 종류의 세상, 그 안에서의 하나님의 현존의 양식에 관하여 무언가를 말하는 방식이다.[42] 역사가 중요한 것은 사람이 중요하기 때문이다; 사람이 중요한 것은 창조가 중요하기 때문이다; 창조가 중요한 것은 창조주가 중요하기 때문이다. 가장 옛적의 유대적 신앙들의 몇몇에 의하면, 창조주는 피조 세계가 잘못되고 인간이 반역하는 것, 가시들과 엉겅퀴들과 티끌과 죽음에 대하여 너무도 슬퍼하였기 때문에, 애초부터 그의 세상, 그의 피조물, 그의 역사를 그 비극적인 부패와 쇠함으로부터

42) 여기서 나는 본서 전체에 걸쳐서 O'Donovan 1986에게 빚지고 있다는 것을 특별히 밝히고자 한다.

건져낼 길을 계획하였다; 그러므로 하나님이 자신의 형상을 지닌 피조물들, 뒤죽박죽이고 반역적인 인간들을 그들의 이중적으로 비극적인 운명으로부터 건져내는 길; 그러므로 하나님이 진정으로 자기 자신이고, 진정으로 자기 자신이 되는 길을 계획하였다. 우리가 신약성서에서 발견하는 나사렛 예수에 관한 이야기는, 예수 자신이 그의 공적인 사역과 말들, 그의 몸과 피를 제공하였던 것과 마찬가지로, 이 다중적인 문제에 대한 대답으로 제시된다: 시간과 공간과 물질의 세계, 불의와 압제, 제국과 십자가 처형의 세계 속에서의 하나님 나라의 도래. 이 세상은 하나님 나라가 하늘에서와 마찬가지로 땅에서도 이루어져야 할 그런 곳이다. 단순한 새로운 영성, 일방적으로 고통에서 벗어나는 것, 실제의 세계로부터의 도피에 대한 제안이 피조 세계에 대한 그 어떤 견해, 공의에 대한 그 어떤 견해에 기여할 수 있겠는가?

고대와 현대의 이 세상에 있는 헤롯들, 가이사들, 사두개인들이 실제의 부활의 모든 가능성을 배제하고자 열심히 일하는 것은 전혀 놀라운 일이 아니다. 결국, 그들은 실제 세계와 관련하여 반론을 제기하고 있는 것이다. 독재자들과 깡패들(지적이고 문화적인 독재자들과 깡패들을 포함한)이 무력으로 지배하고자 하고, 그렇게 하기 위해서는 부활에 관한 온갖 소문들, 그들의 가장 큰 병기들인 죽음과 해체가 결국 전능하지 않다는 것을 함축하고 있는 소문들을 깨부수어야 한다는 것을 알고 있는 것은 바로 이 실제 세계이다. 그러나 유대적 사고 속에서는, 실재하는 하나님이 만들었고 여전히 거기에 대하여 슬퍼하는 것은 바로 이 실제 세계이다. 예수의 부활에 관한 가장 초기의 이야기들 속에서는 그 사건, 즉 기괴한 이적이 아니라 새 창조의 시작으로 이해할 것을 요구하는 사건에 의해서 결정적으로 및 영원히 다시 주장된 것은 바로 이 실제 세계이다. 그것은 그것이 아무리 복잡하게 된다고 할지라도 연구가들이 연구하는 데에 몰두해야만 되는 것이 바로 이 실제 세계이다. 그리고 그것이 아무리 위험스럽다는 것이 밝혀진다고 할지라도, 그것 안에서 및 그것을 위하여 그리스도인들이 살고, 필요할 때는 죽기로 결심하는 것이 바로 이 실제 세계이다. 창조의 하나님, 공의의 하나님, 십자가에 못 박혔다가 부활한 나사렛 예수 안에서 계시된 하나님은 이것 이하를 요구하지 않는다.

물론, 우리가 저수지에 반영된 목표물에 우리의 가장 좋고 가장 대담한 화살들을 쏘았을 때에 물은 심하게 튀고 요동하기 때문에, 한동안은 우리가 그 이미지를 더 이상 볼 수 없게 된다. 학계에서는 종종 그러한 효과가 나타난다. 어떤 목소리가 그것은 이미지가 아니라 단지 상상에 의한 것이고, 신기루, 환타지였다고 속삭일 수 있다. 그러나 물이 안정되고, 화살들이 관통하였던 지점에서 잔물결들이 잔잔해질 때, 그 이미지는 다시 돌아오게 될 것이다. 우리는 다시 한 번 그 이미지를 응시할 것이고, 주 안에서 우리의 수고가 헛되지 않다는 것을 알게 될 것이다.

참고문헌

Abbreviations

1. Stylistic Shorthands

ad fin.	at the end
ad loc.	at the [relevant] place
bib.	bibliography
cf.	confer
com.	commentary
cp.	compare
ed.	edited by
edn.	edition
esp.	especially
frag.	fragment(s)
introd.	introduction/introduced by
MS(S)	manuscript(s)
par(r).	parallel(s) (in the synoptic tradition)
ref(s).	reference(s)
rev.	revision/revised by
subsequ.	subsequent
tr.	translation/translated by

2. Primary Sources

Achill. Tat.	Achilles Tatius
Aelian	Aelian (*Hist. Misc.* = *Historical Miscellany*)
Ael. Arist.	Aelius Aristides (*Orat.* = *Oration*)
Aesch.	Aeschylus (*Ag.* = *Agamemnon*; *Eumen.* = *Eumenides*; *Pers.* = *Persians*)
ANF	*The Ante-Nicene Fathers*, ed. A. Roberts, J. Donaldson et al. 10 vols. Buffalo: The Christian Literature Publishing Company, 1887
Aristoph.	Aristophanes (*Ecclesiaz.* = *Ecclesiazousae*)
Arist.	Aristotle (*De An.* = *De Anima*; *Hist. An.* = *Historia Animalium*; *Nic. Eth.* = *Nichomachean Ethics*)
Aug.	Augustine (*Civ. Dei* = *City of God*)
Caes.	Caesar (*Gall. War* = *Gallic War*)
CAF	*Comicorum Atticorum Fragmenta*, ed. T. Kock. 3 vols. Leipzig: Teubner, 1880–88
Callim.	Callimachus
Catull.	Catullus
Chariton	Chariton (*Call.* = *Callirhoe*)
Cic.	Cicero (*De Nat. Deor.* = *De Natura Deorum*; *De Rep.* = *De Republica*; *Tusc. Disp.* = *Tusculan Disputations*)
Commod.	Commodian (*Inst.* = *Instructions*)
Danby	H. Danby, *The Mishnah, Translated from the Hebrew with Introduction and Brief Explanatory Notes*. Oxford: OUP, 1933

Dio Chrys.	Dio Chrysostom (*Orat.* = *Oration*)
Diod. Sic.	Diodorus Siculus
Diog. Laert.	Diogenes Laertius
Epict.	Epictetus (*Disc.* = *Discourses*)
Epicur.	Epicurus (*Ep. ad Men.* = *Epistle to Menoeceus*)
Epiphanius	Epiphanius (*Haer.* = *Against All Heresies*, otherwise known as *Panarion*)
Eurip.	Euripides (*Alcest.* = *Alcestis*; *Hippol.* = *Hippolytus; Madn. Hercl.* = *Madness of Hercules*)
Euseb.	Eusebius (*HE* = *Historia Ecclesiae*; *Life of Const.* = *Life of Constantine*)
EV(V)	English Version(s) of the Bible
FrGrHist.	*Die Fragmente der griechischen Historiker*, ed. F. Jacoby. 17 vols. Berlin and Leiden: Weidmannsche Buchhandlung, 1923–58
GM	F. García Martínez, *The Dead Sea Scrolls Translated: The Qumran Texts in English*. Leiden: E. J. Brill, 1994
Herm.	Hermas
Herod.	Herodas (or 'Herondas') (*Mim.* = *Mimiambi*)
Hesiod	Hesiod (*Works* = *Works and Days*)
Hdt.	Herodotus
Hippolytus	Hippolytus (*Ag. Plat.* = *Against Plato*)
Homer	Homer (*Il.* = *Iliad*; *Od.* = *Odyssey*)
Hor.	Horace (*Sat.* = *Satires*)
Hyg.	Hyginus (*Fab.* = *Fables*)
Ign.	Ignatius of Antioch
Iren.	Irenaeus (*Adv. Haer.* = *Adversus Haereseis*)
Jer.	Jerome (*Vir. Illustr.* = *De Viris Illustribus*)
Jos.	Josephus (*Ap.* = *Against Apion*; *War* = *The Jewish War*; *Ant.* = *Jewish Antiquities*)
Juv.	Juvenal (*Sat.* = *Satires*)
Lucian	Lucian (*Adv. Ind.* = *Adversus Indoctum*; *Salt.* = *De Saltatione*; *Pereg.* = *Peregrinus*)
Lucret.	Lucretius (*De Re. Nat.* = *De Rerum Natura*)
LXX	Septuagint version of the Old Testament
MT	Masoretic Text (of the Hebrew Bible)
NH	Nag Hammadi
NPNF	*The Nicene and Post-Nicene Fathers*, ed. P. Schaff et al. 1st series: 14 vols; 2nd series: 13 vols. Buffalo: The Christian Literature Publishing Company, 1886–98
NT	New Testament
NTA	*New Testament Apocrypha*, ed. E. Hennecke and W. Schneemelcher. 2 vols. London: SCM Press, 1963–5 [1959–64]
OGI	*Orientis Graeci Inscriptiones Selectae*, ed. W. Dittenberger. 2 vols. Hildesheims: Olms, 1960 [orig.: Leipzig: Hirzel, 1903–05]
Or.	Origen (*C. Cels.* = *Contra Celsum*; *De Princ.* = *De Principiis*)
OT	Old Testament
Ovid	Ovid (*Her.* = *Heroides*; *Met.* = *Metamorphoses*)
Paus.	Pausanias
Petr.	Petronius (*Sat.* = *Satyricon*)
PG	*Patrologia Graeca*, ed. J.-P. Migne. 162 vols. Paris: Garnier, 1857–86
Philostr.	Philostratus (*Apoll.* = *Life of Apollonius of Tyana*; *Her.* = *Heroikos*)
Photius	Photius (*Bib.* = *Bibliotheca*)
Pind.	Pindar (*Ol.* = *Olympian Odes*; *Pyth.* = *Pythian Odes*)
PL	*Patrologia Latina*, ed. J.-P. Migne. 217 vols. Paris: Garnier, 1844–64

Plato	Plato (*Apol.* = *Apology*; *Cratyl.* = *Cratylus*; *Gorg.* = *Gorgias*; *Phaedr.* = *Phaedrus*; *Rep.* = *Republic*; *Tim.* = *Timaeus*; *Symp.* = *Symposium*)
Pliny	Pliny the Elder (*NH* = *Natural History*)
Plut.	Plutarch (*de Comm. Not.* = *de Communibus Notitiis*; *de Isid.* = *de Iside et Osiride*; *de Ser. Num. Vindic.* = *de Sera Numinis Vindicata*; *de Soll. Anim.* = *de Sollertia Animalium*; *Demetr.* = *Demetrius*; *Mor.* = *Moralia*; *Rom.* = *Romulus*; *Thes.* = *Theseus*)
Polyb.	Polybius (*Hist.* = *Histories)*
PSI	*Papiri greci e latini. Pubblicazioni della Società Italiana*. Florence: Ariani, 1912–35
Ptol.	Ptolemy (*Apotel.* = *Apotelesmatica*)
Sall.	Sallust (*Cat.* = *Catiline*)
SB	H. L. Strack and P. Billerbeck, *Kommentar zum Neuen Testament aus Talmud und Midrasch*. 6 vols. Munich: C. H. Beck, 1926–56
Sen.	Seneca (*Apoc.* = *Apocolocyntosis*; *Ep. Mor.* = *Moral Epistles*; *Herc. Oet.* = *Hercules Oetaeus*)
Soph.	Sophocles (*Antig.* = *Antigone*; *El.* = *Electra*; *Oed. Col.* = *Oedipus Coloneus*; *Trach.* = *Trachiniae*)
Suet.	Suetonius (*Vesp.* = *Vespasian*)
Tac.	Tacitus (*Agr.* = *Agricola*; *Ann.* = *Annals*; *Hist.* = *Histories*)
Tert.	Tertullian (*De Res.* = *On the Resurrection*; *Scorp.* = *Scorpiace*)
Theod.	Theodoret (*Heret. Fab.* = *Compendium of Heretical Fables*)
Val. Max.	Valerius Maximus
Vell. Pat.	Velleius Paterculus
Virg.	Virgil (*Aen.* = *Aeneid*; *Georg.* = *Georgics*)
Xen.	Xenophon (*Mem.* = *Memorabilia*)
Xen. Eph.	Xenophon of Ephesus

3. Secondary Sources, etc.

AB	Anchor Bible
ABD	*Anchor Bible Dictionary*, ed. D. N. Freedman. 6 vols. New York: Doubleday, 1992
ABRL	Anchor Bible Reference Library
AGJU	*Arbeiten zur Geschichte des antiken Judentums und des Urchristentums*
Aland	Aland, K., ed. *Synopsis Quattuor Evangeliorum: Locis Parallelis Evangeliorum Apocryphorum et Patrum Adhibitis*. 2nd edn. Stuttgart: Württembergische Bibelanstalt, 1967 [1963]
AnBib	Analecta Biblica
ANTC	Abingdon New Testament Commentaries
AOAT	Alter Orient und Altes Testament
ATANT	Abhandlungen zur Theologie des Alten und Neuen Testaments
BBB	Bonner Biblische Beiträge
BDAG	*A Greek-English Lexicon of the New Testament and other Early Christian Literature*. 3rd edn., rev. and ed. Frederick W. Danker, based on W. Bauer's *Griechisch-Deutsch Wörterbuch*, 6th edn., and on previous English edns. by W. F. Arndt, F. W. Gingrich, and F. W. Danker. Chicago and London: U. of Chicago Press, 2000 [1957]
BETL	Bibliotheca Ephemeridum Theologicarum Lovaniensium
BNTC	Black's New Testament Commentaries
BZNW	Beihefte zur Zeitschrift für die neutestamentliche Wissenschaft

CBQMS	Catholic Biblical Quarterly Monograph Series
DJG	*Dictionary of Jesus and the Gospels*, ed. J. B. Green, S. McKnight, I. H. Marshall. Downers Grove, Ill. and Leicester: IVP, 1992.
DMOA	Documenta et Monumenta Orientis Antiqui
Exp. Times	*Expository Times*
FAT	Forschungen zum alten Testament
FS	Festschrift
IBC	Interpretation: A Bible Commentary for Teaching and Preaching
ICC	International Critical Commentary
JB	Jerusalem Bible
JSJSup	Journal for the Study of Judaism Supplements
JSNTSup	Journal for the Study of the New Testament Supplements
JSOTSup	Journal for the Study of the Old Testament Supplements
JSPSup	Journal for the the Study of the Pseudepigrapha Supplements
JVG	N. T. Wright, *Jesus and the Victory of God* (vol. 2 of *Christian Origins and the Question of God*). London: SPCK; Minneapolis: Fortress, 1996
KJV	King James ['Authorized'] Version
LCL	Loeb Classical Library (various publishers, currently Cambridge, Mass. and London: Harvard U. P.)
LEC	Library of Early Christianity
LIMC	*Lexicon Iconographicum Mythologiae Classicae*
LS	C. T. Lewis and C. Short, *A Latin Dictionary*. Oxford: Clarendon Press, 1996 [1879]
LSJ	H. G. Liddell and R. Scott, *A Greek-English Lexicon*, 9th edn. by H. S. Jones and R. McKenzie, with suppl. by P. G. W. Glare and A. A. Thompson. Oxford: OUP, 1996 [1843]
NEB	New English Bible
NIB	*The New Interpreter's Bible*. 12 vols. Nashville: Abingdon, 1994–2002
NICNT	New International Commentary on the New Testament
NIDNTT	*The New International Dictionary of New Testament Theology*, ed. Colin Brown. 3 vols. Exeter: Paternoster, 1975–8
NIGTC	New International Greek Testament Commentary
NIV	New International Version
NJB	New Jerusalem Bible
NovTSup	Novum Testamentum Supplements
NRSV	New Revised Standard Version
NTPG	N. T. Wright, *The New Testament and the People of God* (vol. 1 of *Christian Origins and the Question of God*). London: SPCK; Minneapolis: Fortress, 1992
OBC	*The Oxford Bible Commentary*, eds. J. Barton and J. Muddiman. Oxford: OUP, 2001
OCCT	*The Oxford Companion to Christian Thought*, eds. Adrian Hastings, Alistair Mason, and Hugh Pyper. Oxford: OUP
OCD	*The Oxford Classical Dictionary*, eds. S. Hornblower and A. Spawforth. 3rd edn. Oxford: OUP, 1996
ODCC[3]	*The Oxford Dictionary of the Christian Church*, ed. E. A. Livingstone. 3rd edn. Oxford: OUP, 1997
OED	*The Oxford English Dictionary*, 2nd edn. Prepared by J. A. Simpson and E. S. C. Weiner. Oxford: Clarendon Press, 1989.
OTL	Old Testament Library
PMS	Patristic Monograph Series
QD	Quaestiones Disputatae

REB	Revised English Bible
RSV	Revised Standard Version
SB	H. L. Strack and P. Billerbeck, *Kommentar zum Neuen Testament aus Talmud und Midrasch*. 6 vols. Munich: C. H. Beck, 1926–56
SBL	Society of Biblical Literature
SBLDS	Society of Biblical Literature Dissertation Series
SBT	Studies in Biblical Theology
Schürer	E. Schürer, *The History of the Jewish People in the Age of Jesus Christ (175 B.C.—A.D. 135)*. Rev. and ed. M. Black, G. Vermes, F. G. B. Millar. 4 vols. Edinburgh: T. & T. Clark, 1973–87
SNTSMS	Society for New Testament Studies Monograph Series
SP	Sacra Pagina
TDNT	*Theological Dictionary of the New Testament*, ed. G. Kittel and G. Friedrich. 10 vols. Grand Rapids: Eerdmans, 1964–76
TDOT	*Theological Dictionary of the Old Testament*, ed. G. J. Botterweck and H. Ringgren. Grand Rapids: Eerdmans, 1974–
TNTC	Tyndale New Testament Commentaries
VCSup	Vigiliae Christianae Supplements
VTSup	Vetus Testamentum Supplements
WBC	Word Biblical Commentary
WUNT	Wissenschaftliche Untersuchungen zum Neuen Testament

Primary Sources

1. Bible

Biblia Hebraica Stuttgartensia, ed. K. Elliger and W. Rudolph. 5th edn. Stuttgart: Deutsche Bibelgesellschaft, 1997 [1967].

Septuaginta: Id est Vetus Testamentum Graece iuxta LXX interpres, ed. A. Rahlfs. 2 vols. in 1. Stuttgart: Deutsche Bibelgesellschaft, 1979 [1935].

Novum Testamentum Graece, ed. B. Aland, K. Aland, J. Karavidopoulos, C. M. Martini, and B. M. Metzger. 27th edn. Stuttgart: Deutsche Bibelgesellschaft, 1993 [1898].

The Holy Bible with the Books called Apocrypha: The Revised Version with the Revised Marginal References. Oxford: OUP, n.d. [1898].

The Holy Bible, Containing the Old and New Testaments with the Apocryphal/Deuterocanonical Books: New Revised Standard Version. New York and Oxford: OUP, 1989.

2. Other Jewish Texts

The Mishnah, Translated from the Hebrew with Introduction and Brief Explanatory Notes, ed. and tr. H. Danby. Oxford: OUP, 1933.

The Babylonian Talmud, ed. I. Epstein. 36 vols. London: Soncino, 1935–8.

The Minor Tractates of the Talmud, ed. A. Cohen. 2 vols. London: Soncino, 1965.

Midrash Rabbah, tr. and ed. H. Freedman and M. Simon. 2nd edn. 10 vols. London: Soncino, 1951 [1939].

Pesikta Rabbati, ed. M. Friedman. Vienna: Kaiser, 1880.

Pirḳê de Rabbi Eliezer, tr. and ed. Gerald Friedlander. New York: Hermon Press, 1965.

(For other rabbinic literature, and details of Targumim, etc., cf. Schürer 1.68–118.)

The Old Testament Pseudepigrapha, ed. J. H. Charlesworth. 2 vols. Garden City, N. Y.: Doubleday, 1983–85.

The Apocryphal Old Testament, ed. H. F. D. Sparks. Oxford: Clarendon Press, 1984.

The Authorised Daily Prayer Book of the United Hebrew Congregations of the British Commonwealth of Nations, tr. S. Singer. New edn. London: Eyre & Spottiswoode, 1962.

Josephus: *Works*, ed. H. St. J. Thackeray, R. Marcus, A. Wikgren and L. H. Feldman. 9 vols. LCL, 1929–65.

Philo: *Works*, ed. F. H. Colson, G. H. Whitaker, J. W. Earp and R. Marcus. 12 vols. LCL, 1929–53.

Qumran: *Discoveries in the Judaean Desert*, ed. D. Barthélemy et al. 39 vols. Oxford: Clarendon Press, 1955–2002.

——, *Die Texte aus Qumran*, ed. E. Lohse. Darmstadt: Wissenschaftliche Buchgesellschaft, 1964.

——, *The Dead Sea Scrolls. Hebrew, Aramaic, and Greek Texts with English Translations*, ed. J. H. Charlesworth. 10 vols. Tübingen: Mohr-Siebeck; Louisville: Westminster, 1994– .

——, tr.: F. García Martínez, *The Dead Sea Scrolls Translated: The Qumran Texts in English*. Leiden: Brill, 1994.
——, tr.: G. Vermes, *The Dead Sea Scrolls in English*. 4th edn. London: Penguin Books, 1995 [1962].

3. Other Early Christian and Related Texts

Apostolic Fathers: *The Apostolic Fathers*, ed. and tr. J. B. Lightfoot. 5 vols. London: Macmillan, 1889–90. Reprint: Peabody, Mass.: Hendrikson, 1989.
——, *The Apostolic Fathers*, ed. and tr. Kirsopp Lake. 2 vols. LCL, 1965.
——, *Early Christian Writings*, tr. Maxwell Staniforth, introd. and ed. by A. Louth. London: Penguin Books, 1968.
——, *The Apostolic Fathers*, 2nd edn, tr. J. B. Lightfoot and J. R. Harmer, ed. and rev. Michael W. Holmes. Leicester: Apollos; Grand Rapids, Mich.: Baker, 1989.
Athenagoras: in *ANF* 2.123–62; *and see under* Justin.
Augustine, *City of God*: *De Civitate Dei Libri XXII*, ed. B. Dombart and A. Kalb. Stuttgart: Teubner, 1981.
——, tr. in *NPNF*, 1st ser., 2.1–511.
——, *City of God*, tr. H. Bettenson. Harmondsworth: Penguin, 1972.
Commodian: in *ANF* 4.199–219.
Epiphanius, *Panarion*, tr. and ed. F. Williams. Nag Hammadi Studies 35 and 36. Leiden: Brill, 1987–94.
Eusebius: *Eusebius. The Ecclesiastical History*, ed. and tr. Kirsopp Lake, H. J. Lawlor and J. E. L. Oulton. 2 vols. LCL, 1973–5.
——, *Life of Constantine*, in *NPNF* 2nd series, 1.481–559.
Gospel of the Savior: *The Gospel of the Savior: A New Ancient Gospel*, ed. Charles W. Hedrick and Paul A. Mirecki. Santa Rosa, Ca.: Polebridge, 1999.
Hippolytus: in *ANF* 5.9–259.
Irenaeus: in *ANF* 1.309–578.
Jerome, *Liber de Viris Illustribus*, in *PL* 23.602–719.
Justin: in *ANF* 1.159–306.
——, *The Writings of Justin Martyr and Athenagoras*, tr. M. Dods, G. Reith and B. P. Pratten. Edinburgh: T. & T. Clark, 1870.
——, *St. Justin Martyr: The First and Second Apologies*, tr. and introd. L. W. Barnard. New York and Mahwah, N. J.: Paulist Press.
Melito of Sardis: *On Pascha and Fragments: Melito of Sardis*, ed. and tr. S. G. Hall. Oxford: Clarendon Press, 1979.
Methodius: in *PG* 18.9–408.
Minucius Felix: in *ANF* 4.169–98; *and see under* Tertullian.
Nag Hammadi texts: *The Nag Hammadi Library in English*, ed. J. M. Robinson. Leiden: Brill; San Francisco: Harper & Row, 1977.
New Testament Apocrypha, ed. E. Hennecke and W. Schneemelcher. 2 vols. London: SCM Press; Philadelphia: Westminster, 1963–5 [1959–64].
——, *The Apocryphal New Testament: Being the Apocryphal Gospels, Acts, Epistles, and Apocalypses*, tr. M. R. James. Oxford: Clarendon Press, 1924.
——, in *The Other Gospels: Non-Canonical Gospel Texts*, ed. Ronald D. Cameron. Philadelphia: Westminster, 1987.
——, in *The Complete Gospels: Annotated Scholars Version*, ed. R. J. Miller. Sonoma, Ca.: Polebridge, 1992.
——, *The Apocryphal New Testament: A Collection of Apocryphal Christian Literature in an English Translation based on M. R. James*, ed. J. K. Elliott. Oxford: Clarendon

Press, 1993.
Odes of Solomon: *The Odes of Solomon*, ed. and tr. J. H. Charlesworth. Oxford: Clarendon Press, 1973.
——, *The Odes of Solomon: The Syriac Texts*, ed. J. H. Charlesworth. Chico, Ca.: Scholars Press, 1977.
Origen: in *ANF* 4.223–669.
——, *Origen: Contra Celsum. Translated with an Introduction and Notes*, ed. H. Chadwick. Cambridge: CUP, 1953.
Photius: *Bibliothèque*, ed. R. Henry. 9 vols. Paris: Les Belles Lettres, 1959–91; ref. by page, col. and line in *Photii Bibliotheca*, ed. I. Bekker. Berlin: Reimeri, 1824.
Rheginos: *The Epistle to Rheginos: A Valentinian Letter on the Resurrection*, introd., tr., etc. Malcolm L. Peel. London: SCM Press, 1969.
Tatian: in *ANF* 2.59–83.
Tertullian: in *ANF* 3.1—4.166.
——, *Apology & De Spectaculis*, tr. T. R. Glover, with Minucius Felix, *Octavius*, tr. G. H. Rendall. LCL, 1931.
Theodoret: in *NPNF*, 2nd. ser., vol. 3; *PG* 80–84.
Theophilus: in *ANF* 2.85–121.
Thomas: *The Gospel According to Thomas*, ed. A. Guillaumont et al. Leiden: Brill; London: Collins, 1959.
——, in several *New Testament Apocrypha* collections (above).

4. Pagan Texts

Achilles Tatius: in *Collected Ancient Greek Novels*, ed. B. P. Reardon. Berkeley: U. of California Press, 1989, 170–284.
Aelian, *Historical Miscellany*, tr. N. G. Wilson. LCL, 1997.
Aelius Aristides, *Panathenaic Oration*, etc., ed. C. A. Behr. 4 vols. LCL, 1973–86.
Aeneas of Gaza: *Epistole/Enea di Gaza*, ed. L. M. Positano. 2nd edn. Naples: Libreria scientifica editrice, 1962 [1950].
Aeschylus, tr. and ed. H. Weir Smyth and H. Lloyd-Jones. 2 vols. LCL, 1956–7 [1922–6].
Alcaeus: *Alcée: Fragments*, tr. Gauthier Liberman. 2 vols. Paris: Les Belles Lettres, 1999.
Antiphanes, *Aphrodisias*, ed. T. Kock. *CAF* 2.31–3.
Antonius Diogenes: in *Ancient Greek Novels: The Fragments. Introduction, Text, Translation, and Commentary*, S. A. Stephens and J. J. Winkler, eds. Princeton, N. J.: Princeton U. P, 1995, 101–57.
Apollodorus, *The Library*, tr. J. G. Frazer. 2 vols. LCL, 1921.
Apuleius: *Apuleius, the Golden Ass, or Metamorphoses*, tr. and ed. E. J. Kenney. London: Penguin, 1998.
Aristophanes, ed. J. Henderson. 4 vols. LCL, 1998–2002.
——, *Fragments*: in *Poetae Comici Graeci*, ed. R. Kassel and C. Austin. 2 vols. 1983–91.
Aristotle, *De Anima*: *On the Soul*, ed. W. S. Hett. LCL, 1936.
——, *Nicomachean Ethics*, ed. H. Rackham. LCL, 1926.
——, *The Ethics of Aristotle*, tr. J. A. K. Thomson. Harmondsworth: Penguin, 1955.
——, *Historia Animalium*, ed. A. L. Peck and D. M. Balme. 3 vols. LCL, 1965–91.
Arrian, *Anabasis Alexandri*, tr. P. A. Brunt. 2 vols. LCL, 1976–83.
Artemidorus, *The Interpretation of Dreams* (*Oneirocritica*), tr. and com. Robert J. White. Park Ridge, N. J.: Noyes Press, 1975.
Augustus, *see under* Velleius Paterculus.
Caesar, *The Conquest of Gaul*, tr. S. A. Haniford, rev. J. F. Gardner. London: Penguin, 1982 [1951].

——, *The Gallic War*, ed. H. J. Edwards. LCL, 1917.
Callimachus, *Hymns and Epigrams*, tr. G. R. Mair. LCL, 1921.
Cassius Dio: see Dio Cassius.
Catullus: *The Poems of Catullus*, ed. and tr. Guy Lee. Oxford: Clarendon Press, 1990.
——, *Catullus*, ed. and tr. G. P. Goold. London: Duckworth, 1983.
——, *Catullus, Tibullus and Pervigilium Veneris*, tr. F. W. Cornish et al. LCL, 1962.
Celsus: *Celsus on the True Doctrine: A Discourse Against the Christians*, tr. and introd. R. J. Hoffmann. New York/Oxford: OUP, 1987.
——, *see also under* Origen.
Chariton, *Callirhoe*, ed. G. P. Goold. LCL, 1995.
Cicero, *De Finibus Bonorum et Malorum*, tr. H. Rackham. LCL, 1914.
——, *De Natura Deorum*: *Cicero: The Nature of the Gods*, tr. H. C. P. McGregor. London: Penguin, 1972.
——, *De Natura Deorum* and *Academica*, ed. H. Rackham. LCL, 1933.
——, *De Re Publica*, *De Legibus*, tr. C. W. Keyes. LCL, 1928.
——, *Tusculan Disputations*, tr. J. E. King. LCL, 1927.
Dio: *Dio Chrysostom*, ed. and tr. J. W. Cohoon and H. L. Crosbie. 5 vols. LCL, 1932–51.
Dio Cassius: *Dio's Roman History*, tr. H. B. Foster and E. Cary. 9 vols. LCL, 1914–27.
Diodorus Siculus, tr. C. H. Oldfather et al. 10 vols. LCL, 1933–67.
Diogenes Laertius, *Lives of Eminent Philosophers*, tr. R. D. Hicks. 2 vols. LCL, 1925.
Dionysius of Halicarnassus, *Roman Antiquities*, tr. E. Spelman and E. Cary. 7 vols. LCL, 1937–50.
The Egyptian Book of the Dead: The Book of Going Forth Day by Day, tr. R. Faulkner, introd. O. Goelet. San Francisco: Chronicle Books, 1994.
Epictetus: *The Discourses as reported by Arrian, the Manual, and Fragments*, ed. and tr. W. A. Oldfather. 2 vols. LCL, 1978–9.
Epicurus: *Epicurea*, ed. H. Usener. Dubuque, Iowa: Reprint Library, n.d. [1887].
——, *Letters, Principal Doctrines, and Vatican Sayings*, tr. and ed. R. M. Geer. Indianapolis: Bobbs-Merrill, 1964.
Euripides: *Euripides*, tr. and ed. D. Kovacs. 5 vols. LCL, 1994–2002.
Galen, *On the Natural Faculties*, tr. A. J. Brock. LCL, 1952.
Heliodorus: *Heliodori Aethiopica*, ed. A. Colonna. Rome: Typis Regiae Officinae Polygraphicae, 1938.
Hellanicus: in *FrGrHist*. 1.104–52.
Herodas, *Herodae Mimiambi: Cum Appendice Fragmentorum Mimorum Papyraceorum*, ed. I. C. Cunningham. Leipzig: Teubner, 1987.
Herodotus, *History of Greece*, tr. A. D. Godley. 4 vols. LCL, 1921–5.
——, *Herodoti Historiae*, ed. C. Hude. 2 vols. Oxford: Clarendon Press, n.d.
——, *Herodotus: The Histories*, tr. A. de Sélincourt. Harmondsworth: Penguin, 1954.
Hesiod, *Works and Days*, ed. with Prolegomena and Commentary by M. L. West. Oxford: Clarendon Press, 1978.
Hierocles Platonicus (C5 AD), *In Carmen Aureum*: in *Fragmenta Philosophorum Graecorum*, ed. F. W. A. Mullach, 1.416–84. Paris: Didot, 1860–81.
Homer, *The Iliad*, tr. A. T. Murray, rev. W. F. Wyatt. 2 vols. LCL, 1999 [1924–5].
——, *The Odyssey*, tr. A. T. Murray, rev. G. E. Dimock, 2 vols. LCL, 1995 [1919].
Horace: *The Satires of Horace*, ed. A. Palmer. London: Macmillan, 1885.
——, *Horace: Satires and Epistles; Perseus: Satires*, tr. and ed. N. Rudd. Rev. edn. London: Penguin, 1987 [1973].
Hyginus: *Fables*, ed. and tr. J.-Y. Boriaud. Paris: Les Belles Lettres, 1997.
Juvenal: *Juvenal and Persius*, tr. G. G. Ramsay. LCL, 1920.
——, *Juvenal. The Sixteen Satires*, tr. and introd. P. Green. London: Penguin Books, 1974 [1967].

Livy, *History of Rome*, tr. A. C. Schlesinger et al. 14 vols. LCL, 1919–59.
Lucian: *Lucian of Samosata*, ed. and tr. A. M. Harmon et al. 8 vols. LCL, 1921–67.
Lucretius, *De Rerum Natura*, tr. W. H. D. Rouse, rev. M. F. Smith. LCL, 1992 [1975].
Marcus Aurelius: *Marcus Aurelius*, ed. and tr. C. R. Haines. LCL, rev. edn. 1930 [1916]
Menander: *Menandri Reliquae Selectae*, ed. F. H. Sandbach. 1990.
——, *Menander*, tr. F. G. Allinson. LCL, 1964.
Ovid, *Fasti*, tr. J. G. Frazer. LCL, 1931.
——, *Heroides and Amores*, tr. G. Showerman, 1914; 2nd edn., ed. G. P. Goold. LCL, 1977.
——, *Metamorphoses*, tr. F. J. Miller. 2 vols. LCL, 1916.
Pausanias, *Description of Greece*, tr. and ed. W. Jones. 5 vols. LCL, 1918–35.
Petronius, *see* Seneca
Pherecydes of Athens: in *FrGrHist*. 1.58–104.
Philostratus, *Heroikos*, ed. L. de Lannoy. Leipzig: Teubner, 1977 (retaining the pagination of the 1870–71 edn. of Kayser).
——, *The Life of Apollonius of Tyana*, tr. F. C. Conybeare. 2 vols. LCL, 1912.
Pindar, *Odes*, etc. tr. J. Sandys. LCL, 1938.
Plato, *Cratylus, Parmenides, Greater Hippias, Lesser Hippias*, ed. H. N. Fowler. LCL, 1926.
——, *Euthyphro, Apology, Crito, Phaedo, Phaedrus*, tr. H. N. Fowler. LCL, 1914.
——, *Laches, Protagoras, Meno, Euthydemus*, ed. W. R. M. Lamb. LCL, 1924.
——, *Laws*, tr. R. G. Bury. 2 vols. LCL, 1926.
——, *Lysis, Symposium, Gorgias*, tr. W. R. M. Lamb. LCL, 1925.
——, *Politicus, Philebus, Ion*, tr. H. N. Fowler and W. R. M. Lamb. LCL, 1925.
——, *Platonis Res Publica*, tr. J. Burnet. Oxford: Clarendon Press, 1902.
——, *The Republic*, tr. P. Shorey. LCL, 1935.
——, *Timaeus, Critias, Cleitophon, Menexenus, Epistles*, tr. R. G. Bury. LCL, 1929.
——, *The Collected Dialogues, Including the Letters*, ed. E. Hamilton and H. Cairns. Princeton, N. J.: Princeton U. P. , 1963 [1961].
Pliny the Elder, *Natural History*, tr. H. Rackham et al. 10 vols. LCL, 1938–62.
Pliny the Younger: *C. Plini Caecili Secundi Epistularum Libri Decem*, ed. R. A. B. Mynors. Oxford: OUP, 1963.
——, *The Letters of the Younger Pliny*, tr. and introd. B. Radice. London: Penguin Books, 1963.
Plotinus, tr. A. H. Armstrong. 7 vols. LCL, 1966–88.
Plutarch, *Lives*, tr. B. Perrin. 11 vols. LCL, 1914–26.
——, *Moralia*, tr. F. C. Babbitt et al. 16 vols. LCL, 1927–69.
Polybius, *Histories*, tr. W. R. Paton. 6 vols. LCL, 1922–7
Ptolemy, *Apotelesmatica*, ed. F. Boll and E. Boer. Leipzig: Teubner, 1940
Sallust, *Catiline*, tr. J. C. Rolfe. LCL, 1921.
Seneca, *Tragedies*, tr. F. J. Miller. 2 vols. LCL, 1917.
——, *Apocolocyntosis* (with Petronius, *Satyricon*), tr. W. H. D. Rouse and E. H. Warmington. LCL, 1969 [1913].
——, *Apocolocyntosis*, ed. P. T. Eden. Cambridge: CUP, 1984.
——, *Moral Essays*, tr. J. W. Basore. 3 vols. LCL, 1928–35.
——, *Epistulae Morales*, tr. R. M. Gummere. 3 vols. LCL, 1917–25.
——, *L. Annaei Senecae Tragoediae. Incertum Auctorum: Hercules [Oetaeus]; Octavia*, ed. O. Zwierlin. Oxford: Clarendon Press, 1986.
Servius: *Servianorum in Vergilii Carmina Commentarium*, ed. A. F. Stocker, A. H. Travis, et al. 3 vols. Oxford: OUP, 1965.
Sophocles, ed. H. Lloyd Jones. 2 vols. LCL, 1994.
Strabo, *The Geography of Strabo*, tr. H. L. Jones. 8 vols. LCL, 1917–32.

Suetonius: *C. Suetoni Tranquili Opera*, vol. 1. *De Vita Caesarum Libri VIII*. Ed. M. Ihm. Stuttgart: Teubner, 1978 [1908].
——, *Suetonius*, tr. J. C. Rolfe. 2nd edn. 2 vols. LCL, 1997–8 [1913-14].
——, *Suetonius. The Twelve Caesars*, tr. R. Graves. London: Penguin Books, 1957.
Tacitus, *Annals*: *Cornelii Taciti Annalium ab Excessu Divi Augusti Libri*, ed. C. D. Fisher. Oxford: Clarendon Press, 1906.
——, *Tacitus. The Annals of Imperial Rome*, tr. M. Grant. London: Penguin Books, 1956.
——, *Histories*: *Cornelii Taciti Historiarum Libri*, ed. C. D. Fisher. Oxford: Clarendon Press, n.d.
——, *Tacitus. The Histories*, tr. K. Wellesley. London: Penguin Books, 1964.
——, *Agricola, Germania, Dialogus*, tr. M. Hutton and W. Peterson; rev. by R. M. Ogilvie, E. H. Warmington, and M. Winterbottom. LCL, 1970 [1914].
——, *Histories and Annals*, tr. C. H. Moore and J. Jackson. 4 vols. LCL, 1925–37.
Themistius: *Themistii Orationes*, ed. G. Downey and A. F. Norman. 3 vols. Leipzig: Teubner, 1965–74.
Thucydides: *Thucydidis Historiae*, ed. H. S. Jones. 2 vols. Oxford: OUP, 1898.
——, *Thucydides: History of the Peloponnesian War*, tr. R. Warner. London: Penguin Books, 1954.
Valerius Maximus, *Memorable Doings and Sayings*, tr. D. R. Shackleton Bailey. LCL, 2000.
Velleius Paterculus, *Compendium of Roman History*, and the *Res Gestae Divi Augusti*, tr. F. W. Shipley. LCL, 1924.
Virgil, *Eclogues, Georgics, Aeneid and the Minor Poems*, tr. H. R. Fairclough, rev. G. P. Goold. 2 vols. LCL, 1999 [1916–18].
Vitruvius, *On Architecture*, tr. F. Granger. 2 vols. LCL, 1931–4.
Xenophanes: *Senofane: Testimonianze e Frammenti*, ed. M. Untersteiner. Florence: 'La Nuova Italia' Editrice, 1956.
Xenophon, *Memorabilia* and *Oeconomicus*, tr. E. C. Marchant. LCL, 1923.
——, *Symposium* and *Apology*, tr. O. J. Todd. LCL, 1922.
Xenophon of Ephesus: in *Collected Ancient Greek Novels*, ed. B. P. Reardon. Berkeley: U. of California Press, 1989, 125–69.

Secondary Literature

Achtemeier, Paul J. 1996. *1 Peter: A Commentary on First Peter*. Hermeneia. Minneapolis: Fortress.
Ackroyd, P. R., and C. F. Evans, eds. 1975 [1970]. *The Cambridge History of the Bible*. Vol. 1, *From the Beginnings to Jerome*. Cambridge: CUP.
Akenson, Donald H. 2000. *Saint Saul: A Skeleton Key to the Historical Jesus*. Oxford: OUP.
Aldridge, R. E. 1999. 'The Lost Ending of the *Didache*.' *Vigiliae Christianae* 53:1–15.
Alexander, Loveday. 2001. 'Acts.' In *OBC* 1028–61.
Allison, Dale C. 1985. *The End of the Ages Has Come: An Early Interpretation of the Passion and Resurrection of Jesus*. Philadelphia: Fortress.
Alston, William P. 1997. 'Biblical Criticism and the Resurrection.' In *The Resurrection: An Interdisciplinary Symposium on the Resurrection of Jesus*, eds. Stephen T. Davis, Daniel Kendall and Gerald O'Collins, 148–83. Oxford: OUP.
Alsup, John E. 1975. *The Post-Resurrection Appearance Stories of the Gospel Tradition*. Stuttgart: Calwer.
Alves, M. I. 1989. 'Ressurreição e Fé pascal.' *Didaskalia* 19:277–541.
Anderson, F. I., and David N. Freedman. 1980. *Hosea*. AB 24. Garden City, N.Y.: Doubleday.
Anderson, Graham. 1986. *Philostratus: Biography and Belles Lettres in the Third Century A. D.* London: Croom Helm.
Ashton, J. 2000. *The Religion of Paul the Apostle*. New Haven/London: Yale U. P.
Attridge, Harold W. 1989. *The Epistle to the Hebrews*. Hermeneia. Philadelphia: Fortress.
——. 1992. 'Thomas, Acts Of.' In *ABD* 6:531–4.
Aune, David E. 1997–8. *Revelation*. 3 vols. WBC 52. Dallas: Word Books.
Aus, Roger A. 1994. *Samuel, Saul and Jesus*. Atlanta, Ga.: Scholars Press.
Avemarie, Friedrich, and Hermann Lichtenberger, eds. 2001. *Auferstehung – Resurrection*. WUNT 135. Tübingen: Mohr-Siebeck.
Avis, Paul, ed. 1993a. *The Resurrection of Jesus Christ*. London: Darton, Longman & Todd.
——. 1993b. 'The Resurrection of Jesus: Asking the Right Questions.' In *The Resurrection of Jesus Christ*, ed. Paul Avis, 1–22. London: Darton, Longman & Todd.
Badham, Paul. 1993. 'The Meaning of the Resurrection of Jesus.' In *The Resurrection of Jesus Christ*, ed. Paul Avis, 23–38. London: Darton, Longman & Todd.
Bailey, Cyril. 1964. *The Greek Atomists and Epicurus*. New York: Russell & Russell.
Bailey, Kenneth E. 1991. 'Informal Controlled Oral Tradition and the Synoptic Gospels.' *Asia Journal of Theology* 5:34–54.
Baird, W. 1985. 'Visions, Revelation, and Ministry: Reflections on 2 Cor 12:1–5 and Gal 1:11–17.' *Journal of Biblical Literature* 104:651–62.
Baker, John Austin. 1970. *The Foolishness of God*. London: Darton, Longman & Todd.
Balzer, K. 2001. *Deutero-Isaiah: A Commentary on Isaiah 40—55*. Hermeneia. Minneapolis: Fortress.

Barclay, John M. G. 1996a. 'The Resurrection in Contemporary New Testament Scholarship.' In *Resurrection Reconsidered*, ed. Gavin D'Costa, 13–30. Oxford: Oneworld.

——. 1996b. *Jews in the Mediterranean Diaspora: From Alexander to Trajan (323 BCE – 117 CE)*. Edinburgh: T. & T. Clark.

Barker, Margaret. 1997. *The Risen Lord: The Jesus of History as the Christ of Faith*. Valley Forge, Pa.: TPI.

Barley, Nigel. 1986. *A Plague of Caterpillars: A Return to the African Bush*. London: Penguin.

——. 1997. *Grave Matters: A Lively History of Death Around the World*. New York: Holt.

Barr, James. 1985. 'The Question of Religious Influence: The Case of Zoroastrianism, Judaism, and Christianity.' *Journal of the American Academy of Religion* 53:201–35.

——. 1992. *The Garden of Eden and the Hope of Immortality*. London: SCM Press.

Barrett, C. K. 1973. *A Commentary on the Second Epistle to the Corinthians*. BNTC. London: A. & C. Black.

——. 1978 [1955]. *The Gospel According to St John. An Introduction with Commentary and Notes on the Greek Text*. London: SPCK.

——, ed. 1987 [1956]. *The New Testament Background: Selected Documents*. Rev. edn. London: SPCK; New York: Harper & Row.

——. 1994. *A Critical and Exegetical Commentary on the Acts of the Apostles*. Vol. 1. ICC. Edinburgh: T. & T. Clark.

Barton, John. 1994. 'Why Does the Resurrection of Christ Matter?' In *Resurrection: Essays in Honour of Leslie Houlden*, eds. Stephen Barton and Graham Stanton, 108–115. London: SPCK.

Barton, Stephen. 1994. 'The Hermeneutics of the Gospel Resurrection Narratives.' In *Resurrection: Essays in Honour of Leslie Houlden*, eds. Stephen Barton and Graham Stanton, 45–57. London: SPCK.

——, and Graham Stanton, eds. 1994. *Resurrection: Essays in Honour of Leslie Houlden*. London: SPCK.

Bartsch, H.-W., ed. 1962. *Kerygma and Myth*. London: SPCK.

——. 1962–64. *Kerygma and Myth*. London: SPCK.

Baslez, Marie-Françoise. 2001. 'Le corps, l'âme et la survie: anthropologie et croyances dans les religions du monde gréco-romain.' In *Résurrection: L'après-mort dans le monde ancien et le Nouveau Testament*, eds. Odette Mainville and Daniel Marguerat, 73–89. Geneva: Labor et Fides; Montreal: Médiaspaul.

Bauckham, Richard J. 1983. *Jude, 2 Peter*. WBC 50. Waco, Tex.: Word Books.

——. 1992a. 'Gospels, Apocryphal.' In *DJG* 286–91.

——. 1992b. 'Jesus, Worship of.' In *ABD* 3:812–19.

——. 1993a. *The Climax of Prophecy: Studies on the Book of Revelation*. Edinburgh: T. & T. Clark.

——. 1993b. *The Theology of the Book of Revelation*. Cambridge: CUP.

——. 1993c. 'The God Who Raises the Dead: The Resurrection of Jesus and Early Christian Faith in God.' In *The Resurrection of Jesus Christ*, ed. Paul Avis, 136–54. London: Darton, Longman & Todd.

——. 1995. 'James and the Jerusalem Church.' In *The Book of Acts in Its First Century Setting*, eds. Richard J. Bauckham and Bruce W. Winter, 415–80. Carlisle: Paternoster; Grand Rapids: Eerdmans.

——. 1998a. *The Fate of the Dead: Studies on the Jewish and Christian Apocalypses*. Leiden: Brill.

——. 1998b. 'Life, Death, and the Afterlife in Second Temple Judaism.' In *Life in the Face of Death: The Resurrection Message of the New Testament*, ed. Richard N.

Longenecker, 80–95. Grand Rapids: Eerdmans.
——. 1999. *God Crucified: Monotheism and Christology in the New Testament*. Grand Rapids: Eerdmans.
——. 2001. 'James and Jesus.' In *The Brother of Jesus: James the Just and His Mission*, eds. Bruce Chilton and Jacob Neusner, 100–35. Louisville: Westminster John Knox.
——. 2002. *Gospel Women: Studies of the Named Women in the Gospels*. Grand Rapids: Eerdmans.
Beale, Gregory K. 1999. *The Book of Revelation: A Commentary on the Greek Text*. NIGTC. Grand Rapids: Eerdmans; Carlisle: Paternoster.
Beard, Mary, John North, and Simon Price. 1998. *Religions of Rome*. 2 vols. Cambridge: CUP.
Beauchamp, P. 1964. 'Le Salut Corporel dans le Livre de la Sagesse.' *Biblica* 45:491–526.
Beckwith, Roger T. 1980. 'The Significance of the Calendar for Interpreting Essene Chronology and Eschatology.' *Revue de Qumran* 38:167–202.
——. 1981. 'Daniel 9 and the Date of Messiah's Coming in Essene, Hellenistic, Pharisaic, Zealot and Early Christian Computation.' *Revue de Qumran* 40:521–42.
——. 1996. *Calendar and Chronology, Jewish and Christian: Biblical, Intertestamental and Patristic Studies*. AGJU 33. Leiden: Brill.
Begbie, Jeremy, ed. 2002. *Sounding the Depths: Theology Through the Arts*. London: SCM Press.
Benoit, P. 1960. 'Marie Madeleine et les Disciples au Tombeau Selon Jean 20,1–18.' In *Judentum, Urchristentum, Kirche* (FS J. Jeremias), ed. M. Eltester, 143–52. Berlin: Töpelmann.
Bieringer, R., V. Koperski and B. Lataire, eds. 2002. *Resurrection in the New Testament*. FS J. Lambrecht. BETL 165. Leuven: Peeters.
Black, Matthew. 1964 [1954]. 'The Account of the Essenes in Hippolytus and Josephus.' In *The Background of the New Testament and its Eschatology. Studies In Honour of Charles Harold Dodd*, eds. W. D. Davies and D. Daube, 172–5. Cambridge: CUP.
Bloch-Smith, Elizabeth. 1992. 'Burials, Israelite.' In *ABD* 2:785–9.
Boardman, John. 1993. *The Oxford History of Classical Art*. Oxford: OUP.
Bode, E. L. 1970. *The First Easter Morning: The Gospel Accounts of the Women's Visit to the Tomb of Jesus*. AnBib 45. Rome: Pontifical Biblical Institute Press.
Boismard, Marie-Emile. 1999. *Our Victory Over Death: Resurrection?* Collegeville, Minn.: Liturgical Press.
Bolt, Peter G. 1998. 'Life, Death and the Afterlife in the Greco-Roman World.' In *Life in the Face of Death: The Resurrection Message of the New Testament*, ed. Richard N. Longenecker, 51–79. Grand Rapids: Eerdmans.
Borg, Marcus J. 1999. 'The Irrelevancy of the Empty Tomb.' In *Will the Real Jesus Please Stand up: A Debate Between William Lane Craig and John Dominic Crossan*, ed. Paul Copan, 117–28. Grand Rapids: Baker.
——, and N. T. Wright. 1999. *The Meaning of Jesus*. London: SPCK.
Borgen, Peder. 1984. 'Philo of Alexandria.' In *Compendia Rerum Iudaicarum ad Novum Testamentum, Section Two: The Literature of the Jewish People in the Period of the Second Temple and the Talmud*. Vol. 2, *Jewish Writings of the Second Temple Period: Apocrypha, Pseudepigrapha, Qumran Sectarian Writings, Philo, Josephus*, ed. Michael E. Stone, 233—82. Assen: Van Gorcum; Philadelphia: Fortress.
Bostock, D. Gerald. 2001. 'Osiris and the Resurrection of Christ.' *Expository Times* 112:265–71.
Bovon, F. 1995. *New Testament Traditions and Apocryphal Narratives*. Allison Park, Pa.: Pickwick Publications.

Bowersock, G. W. 1982. 'The Imperial Cult: Perceptions and Persistence.' In *Jewish and Christian Self-Definition*. Vol. 3, *Self-Definition in the Greco-Roman World*, eds. Ben F. Meyer and E. P. Sanders, 171–82. Philadelphia: Fortress.

——. 1994. *Fiction as History: Nero to Julian*. Sather Classical Lectures, vol. 58. Berkeley: University of California Press.

Bowker, John W. 1971. '"Merkabah" Visions and the Visions of Paul.' *Journal of Semitic Studies* 16:157–73.

Boyce, Mary. 1975–91. *A History of Zoroastrianism*. 3 vols. Handbuch der Orientalistik. Leiden: Brill.

——. 1992. 'Zoraster, Zoroastrianism.' In *ABD* 6:1168–74.

Boyle, Nicholas. 1998. *Who Are We Now? Christian Humanism and the Global Market from Hegel to Heaney*. Notre Dame/London: U. of Notre Dame Press.

Bream, Howard N. 1974. 'Life Without Resurrection: Two Perspectives from Qoheleth', in *A Light Unto My Path: Old Testament Studies in Honor of Jacob M. Myers*, ed. H. N. Bream, R. D. Heim and C. A. Moore. Philadelphia: Temple U. P., 49–65.

Bremmer, Jan N. 1996. 'The Resurrection Between Zarathustra and Jonathan Z. Smith.' *Nederlands Theologisch Tijdschrift* 50:89–107.

——. 2002. *The Rise and Fall of the Afterlife: The 1995 Reed-Tucker Lectures at the University of Bristol*. London: Routledge.

Brown, Raymond E. 1973. *The Virginal Conception and Bodily Resurrection of Jesus*. New York: Paulist Press.

——. 1994. *The Death of the Messiah: From Gethsemane to the Grave. A Commentary on the Passion Narratives in the Four Gospels*. New York: Doubleday; London: Geoffrey Chapman.

Brueggemann, Walter. 1997. *Theology of the Old Testament: Testimony, Dispute, Advocacy*. Minneapolis: Fortress.

Brunschwig, J., and Martha C. Nussbaum, eds. 1993. *Passions and Perceptions: Studies in Hellenistic Philosophy of Mind. Proceedings of the Fifth Symposium Hellenisticum*. Cambridge/New York: CUP.

Buchholz, D. D. 1988. *Your Eyes Will be Opened: A Study of the Greek (Ethiopic) Apocalypse of Peter*. SBLDS, vol. 97. Atlanta, Ga.: Scholars Press.

Bultmann, Rudolf. 1968 [1931]. *The History of the Synoptic Tradition*. 2nd ed. Oxford: Blackwell.

——. 1969. *Faith and Understanding*. New York: Harper & Row.

Burkert, W. 1985. *Greek Religion*. Cambridge, Mass.: Harvard U. P.

——. 1987. *Ancient Mystery Cults*. Cambridge, Mass.: Harvard U. P.

Bynum, Caroline Walker. 1995. *The Resurrection of the Body in Western Christianity, 200—1336*. New York: Columbia U. P.

Byrne, Brendan. 1985. 'The Faith of the Beloved Disciple and the Community in John 20.' *Journal for the Study of the New Testament* 23:83–97.

Caird, G. B. 1966. *The Revelation of Saint John*. London: A. & C. Black.

——. 1997 [1980]. *The Language and Imagery of the Bible*. Grand Rapids: Eerdmans.

Cameron, Ronald D., ed. 1987. *The Other Gospels: Non-Canonical Gospel Texts*. Philadelphia: Westminster.

Carnley, Peter. 1987. *The Structure of Resurrection Belief*. Oxford/New York: OUP.

——. 1997. 'Response.' In *The Resurrection: An Interdisciplinary Symposium on the Resurrection of Jesus*, eds. Stephen T. Davis, Daniel Kendall and Gerald O'Collins, 29–40. Oxford: OUP.

Carson, D. A. 2000 [1982]. *From Sabbath to Lord's Day: A Biblical, Historical and Theological Investigation*. Rev. ed. New York: Wipf & Stock.

Carter, Warren. 2001. *Matthew and Empire: Initial Explorations*. Harrisburg, Pa.: TPI.

Catchpole, David R. 1992. 'The Beginning of Q: A Proposal.' *New Testament Studies* 38:205–21.

——. 1993. *The Quest for Q*. Edinburgh: T. & T. Clark.

——. 2000. *Resurrection People: Studies in the Resurrection Narratives of the Gospels*. London: Darton, Longman & Todd.

Cavallin, Hans Clemens Caesarius. 1972/3. 'De visa lärarnas död och uppstandelse.' *Svensk exegetisk årsbok* 37–38:47–61.

——. 1974. *Life After Death: Paul's Argument for the Resurrection of the Dead in 1 Cor 15, Part I. An Enquiry Into the Jewish Background*. Lund: CWK Gleerup.

Chadwick, Henry. 1948. 'Origen, Celsus and the Resurrection of the Body.' *Harvard Theological Review* 41:83–102.

——. 1953. *Origen: Contra Celsum. Translated with an Introduction and Notes*. Cambridge: CUP.

——. 1966. *Early Christian Thought and the Classical Tradition: Studies in Justin, Clement, and Origen*. Oxford: OUP.

——. 1967. *The Pelican History of the Church*. Vol. 1, *The Early Church*. Middlesex: Penguin.

Charlesworth, James H., ed. 1973. *The Odes of Solomon*. Oxford: Clarendon Press Press.

——, ed. 1977. *The Odes of Solomon: The Syriac Texts*. Chico, Ca.: Scholars Press.

——, ed. 1983. *The Old Testament Pseudepigrapha*. Vol. 1, *Apocalyptic Literature and Testaments*. Garden City, N. Y.: Doubleday.

——, ed. 1985. *The Old Testament Pseudepigrapha*. Vol. 2, *Expansions of the 'Old Testament' and Legends, Wisdom and Philosophical Literature, Prayers, Psalms and Odes, Fragments of Lost Judaeo-Hellenistic Works*. Garden City, N. Y.: Doubleday.

——. 1992. 'Solomon, Odes of.' In *ABD* 6:114–15.

——, and Craig A. Evans. 1994. 'Jesus in the Agrapha and Apocryphal Gospels.' In *Studying the Historical Jesus: Evaluations of the State of Current Research*, eds. Bruce D. Chilton and Craig A. Evans, 479–533. Leiden: Brill.

Chester, A. 2001. 'Resurrection and Transformation.' In *Auferstehung – Resurrection*, eds. Friedrich Avemarie and Hermann Lichtenberger, 47–77. Tübingen: Mohr-Siebeck.

Childs, Brevard S. 2001. *Isaiah*. OTL. Louisville: Westminster John Knox.

Chilton, Bruce, and James H. Charlesworth. 1994. 'Jesus in the Agrapha and the Apocryphal Gospels.' In *Studying the Historical Jesus*, eds. Bruce Chilton and James H. Charlesworth, 479–533. Leiden: Brill.

——, and Craig A. Evans. 1994. *Studying the Historical Jesus: Evaluations of the State of Current Research*. New Testament Tools and Studies. Leiden: Brill.

——, and Jacob Neusner, eds. 2001. *The Brother of Jesus: James the Just and His Mission*. Louisville: Westminster John Knox.

Clark, Elizabeth A. 1992. *The Origenist Controversy: The Cultural Construction of an Early Christian Debate*. Princeton, N. J.: Princeton U. P.

Clavier, H. 1964. 'Breves Remarques sur la Notion de σῶμα πνευματικόν.' In *The Background of the New Testament and Its Eschatology: Studies in Honour of C. H. Dodd*, eds. W. D. Davies and D. Daube, 342–62. Cambridge: CUP.

Clouse, R. G., ed. 1977. *The Meaning of the Millennium: Four Views*. Downers Grove, Ill.: IVP.

Coakley, Sarah. 1993 'Is the Resurrection a "Historical" Event? Some Muddles and Mysteries.' In *The Resurrection of Jesus Christ*, edited by Paul Avis, 85–115. London: Darton, Longman & Todd.

——. 2002. *Powers and Submissions: Spirituality, Philosophy and Gender*. Oxford: Blackwell.

Cohen, Shaye J. D. 1987. *From the Maccabees to the Mishnah*. LEC 7. Philadelphia: Westminster.

Cohn, N. 1993. *Cosmos, Chaos, and the World to Come*. New Haven/London: Yale U. P.

Collart, P. 1937. *Philippes, ville de Macédonie depuis ses origines jusqu'à la fin de l'époque romaine*. Paris: Boccard.

Collins, Adela Yarboro. 1993. 'The Empty Tomb in the Gospel According to Mark.' In *Hermes and Athena: Biblical Exegesis and Philosophical Theology*, eds. Eleonore Stump and Thomas P. Flint, 107–140. Notre Dame, Ind.: U. of Notre Dame Press.

——. 1999. 'The Worship of Jesus and the Imperial Cult.' In *The Jewish Roots of Christological Monotheism. Papers from the St. Andrews Conference on the Historical Origins of the Worship of Jesus*, eds. Carey C. Newman, James R. Davila and Gladys S. Lewis. JSJSup, vol. 63, 234–57. Leiden: Brill.

Collins, John J. 1974. 'The Place of the Fourth Sibyl in the Development of the Jewish Sibyllines.' *Journal of Jewish Studies* 25:365–87.

——. 1978. 'The Root of Immortality: Death in the Context of Jewish Wisdom.' *Harvard Theological Review* 71:177–92.

——. 1993. *Daniel: A Commentary on the Book of Daniel*. Hermeneia. Minneapolis: Fortress.

——. 1995. *The Scepter and the Star: The Messiahs of the Dead Sea Scrolls and Other Ancient Literature*. ABRL. New York: Doubleday.

——. 1998. *Jewish Wisdom in the Hellenistic Age*. OTL. Louisville: Westminster; Edinburgh: T. & T. Clark.

Collins, R. F. 2002. 'What Happened to Jesus' Resurrection from the Dead? A Reflection on Paul and the Pastoral Epistles'. In *Resurrection in the New Testament* (FS J. Lambrecht), eds. R. Bieringer, V. Koperski and B. Lataire, 423–40. Leuven: Peeters.

Combet-Galland, Corina. 2001. 'L'Évangile de Marc et la pierre qu'il a déjà roulée.' In *Résurrection: L'après-mort dans le monde ancien et le Nouveau Testament*, eds. Odette Mainville and Daniel Marguerat, 93–109. Geneva: Labor et Fides; Montreal: Médiaspaul.

Conzelmann, Hans. 1975. *1 Corinthians: A Commentary on the First Epistle to the Corinthians*. Hermeneia. Philadelphia: Fortress.

Cooley, R. E. 1983. 'Gathered to His People: A Study of a Dothan Family Tomb.' In *The Living and Active Word of God* (FS S. J. Schultz), eds. M. Inch and R. Youngblood, 47–58. Winona Lake, Ind.: Eisenbrauns.

Corley, Kathleen E. 2002. *Women and the Historical Jesus: Feminist Myths of Christian Origins*. Santa Rosa, Ca.: Polebridge Press.

Cox, S. L. 1993. *A History and Critique of Scholarship Concerning the Markan Endings*. Lewiston/Queenston: Edwin Mellon Press.

Cross, F. M. 1983. 'A Note on a Burial Inscription from Mount Scopus.' *Israel Exploration Journal* 33:245–6.

Crossan, J. Dominic. 1988. *The Cross That Spoke: The Origins of the Passion Narrative*. San Francisco: Harper & Row.

——. 1991. *The Historical Jesus: The Life of a Mediterranean Jewish Peasant*. Edinburgh: T. & T. Clark; San Francisco: HarperSanFrancisco.

——. 1994. *Jesus: A Revolutionary Biography*. San Francisco: HarperSanFrancisco.

——. 1995. *Who Killed Jesus? Exposing the Roots of Anti-Semitism in the Gospel Story of the Death of Jesus*. San Francisco: HarperSanFrancisco.

——. 1997. 'What Victory? What God? A Review Debate with N. T. Wright on *Jesus and the Victory of God*.' *Scottish Journal of Theology* 50:345–58.

——. 1998. *The Birth of Christianity: Discovering What Happened in the Years Immediately After the Execution of Jesus*. San Francisco: HarperSanFrancisco.

——. 2000. 'Blessed Plot: A Reply to N. T. Wright.' *Scottish Journal of Theology* 53:92–112.

Crouzel, Henri. 1989. *Origen: The Life and Thought of the First Great Theologian*. San Francisco: Harper.

Cummins, S. A. 2001. *Paul and the Crucified Christ in Antioch: Maccabean Martyrdom and Galatians 1 and 2*. SNTSMS 114. Cambridge: CUP.

Cumont, Franz V. M. 1923. *After Life in Roman Paganism*. New Haven: Yale U. P.

——. 1949. *Lux Perpetua*. Paris: Librarie Orientaliste Paul Guethner.

Dahl, M. E. 1962. *The Resurrection of the Body: A Study of I Corinthians 15*. London: SCM Press.

Dahood, M. J. 1966–70. *Psalms*. AB 16, 17, 17a. 3 vols. Garden City, NY: Doubleday.

Danby, Herbert. 1933. *The Mishnah, Translated from the Hebrew with Introduction and Brief Explanatory Notes*. Oxford: OUP.

Daube, David. 1990. 'On Acts 23: Sadducees and Angels.' *Journal of Biblical Literature* 109:493–7.

Davids, Peter H. 1990. *The First Epistle of Peter*. NICNT. Grand Rapids: Eerdmans.

Davie, Martin. 1998. 'The Resurrection of Jesus Christ in the Theology of Karl Barth.' *Proclaiming the Resurrection: Papers from the First Oak Hill College Annual School of Theology*, ed. Peter M. Head, 107–30. Carlisle: Paternoster Press.

Davies, J. 1999. *Death, Burial and Rebirth in the Religions of Antiquity*. London: Routledge.

Davies, W. D., and Dale C. Allison. 1988. *A Critical and Exegetical Commentary on the Gospel According to Saint Matthew*. ICC (New Series). 3 vols. Edinburgh: T. & T. Clark, 1988–97.

Davis, Stephen T. 1997. '"Seeing" the Risen Jesus.' In *The Resurrection: An Interdisciplinary Symposium on the Resurrection of Jesus*, eds. Stephen T. Davis, Daniel Kendall and Gerald O'Collins, 126–47.

——, Daniel Kendall and Gerald O'Collins, eds. 1997. *The Resurrection: An Interdisciplinary Symposium on the Resurrection of Jesus*. Oxford: OUP.

Day, John. 1980. 'A Case of Inner Scriptural Interpretation: The Dependence of Isaiah xxvi.13—xxvii.11 on Hosea xiii.4—xiv.10 (Eng. 9) and Its Relevance to Some Theories of the Redaction of the "Isaiah Apocalypse".' *Journal of Theological Studies* 31:309–19.

——. 1996. 'The Development of Belief in Life After Death in Ancient Israel.' In *After the Exile: Essays in Honour of Rex Mason*, eds. J. Barton and D. J. Reimer, 231–57. Macon, Ga.: Mercer U. P.

——. 1997. 'Resurrection Imagery from Baal to the Book of Daniel.' In *Congress Volume, Cambridge 1995*, ed. J. A. Emerton. VTSup 66, 125–33. Leiden: Brill.

D'Costa, Gavin, ed. 1996. *Resurrection Reconsidered*. Oxford: Oneworld.

de Boer, M. C. 1988. *The Defeat of Death: Apocalyptic Eschatology in 1 Corinthians 15 and Romans 5*. JSNTSup 22. Sheffield: JSOT Press.

de Chardin, Pierre Teilhard. 1965. *The Phenomenon of Man*. 2nd ed. New York: Harper & Row, Harper Torchbooks/Cathedral Library.

DeChow, Jon F. 1988. *Dogma and Mysticism in Early Christianity: Epiphanius of Cyprus and the Legacy of Origen*. PMS 13. Macon, Ga.: Mercer U. P.

De Jonge, H. J. 2002. 'Visionary Experience and the Historical Origins of Christianity'. In *Resurrection in the New Testament* (FS J. Lambrecht), eds. R. Bieringer, V. Koperski and B. Lataire, 35–53. Leuven: Peeters.

Delobel, J. 2002. 'The Corinthians' (Un-)belief in the Resurrection'. In *Resurrection in the New Testament* (FS J. Lambrecht), eds. R. Bieringer, V. Koperski and B. Lataire, 343–55. Leuven: Peeters.

Demson, David E. 1997. *Hans Frei and Karl Barth: Different Ways of Reading Scripture*. Grand Rapids: Eerdmans.

Denaux, A. 2002. 'Matthew's Story of Jesus' Burial and Resurrection (Mt. 27,57—28,20)'. In *Resurrection in the New Testament* (FS J. Lambrecht), eds. R. Bieringer, V. Koperski and B. Lataire, 123–45. Leuven: Peeters.

de Sola, D. A. 1962. *The Complete Festival Prayers*, Vol. 2: *Service for the Day of Atonement*. London: Shapiro, Vallentine & Co.

Dillon, John. 1996 [1977]. *The Middle Platonists: A Study of Platonism 80 B.C. to A.D. 220*. 2nd edn. London: Duckworth, 1996.

Dodd, C. H. 1953. *The Interpretation of the Fourth Gospel*. Cambridge: CUP.

——. 1959. *The Epistle of Paul to the Romans*. London: Collins-Fontana.

——. 1967. 'The Appearances of the Risen Christ: An Essay in Form-Criticism of the Gospels.' In *Studies in the Gospels: Essays in Memory of R. H. Lightfoot*, ed. D. E. Nineham, 9–35. Oxford: Blackwell.

Dodds, E. R. 1965. *Pagan and Christian in an Age of Anxiety: Some Aspects of Religious Experience From Marcus Aurelius to Constantine*. Cambridge: CUP.

Draper, Jonathan A. 1996. *The Didache in Modern Research*. Leiden: Brill.

Dreyfus, F. 1959. 'L'argument scriptuaire de Jésus en faveur de la résurrection des morts (Marc XII, vv. 26–7).' *Revue Biblique* 66:213–24.

Duff, Jeremy. 2001. '2 Peter.' In *OBC* 1270–74.

Dunn, James D. G. 1990. *Jesus, Paul and the Law: Studies in Mark and Galatians*. London: SPCK.

——. 1991. 'Once More, Pistis Christou.' *SBL Seminar Papers* 30:730–44. Reprinted, with an additional note, in Hays 2002, 249–71.

——. 1996. *The Acts of the Apostles*. Epworth Commentaries. Peterborough: Epworth Press.

——. 1998. *The Theology of Paul the Apostle*. Grand Rapids: Eerdmans.

Dupont-Sommer, A. 1949. 'De l'immortalité astrale dans la "Sagesse de Salomon" (III 7)'. *Revue des Études Grecques* 62:80–87.

Edwards, David L. 1999. *After Death? Past Beliefs and Real Possibilities*. London: Cassell.

——. 2002. *The Church That Could Be*. London: SPCK.

Edwards, Richard A. 1971. *The Sign of Jonah in the Theology of the Evangelists and Q*. Naperville, Ill.: Allenson.

Eichrodt, Walther. 1961. *Theology of the Old Testament*. 2 vols. OTL. London: SCM Press; Philadelphia:Westminster.

——. 1970. *Ezekiel: A Commentary*. London: SCM Press.

Elliott, J. K. 1993. *The Apocryphal New Testament: A Collection of Apocryphal Christian Literature in an English Translation based on M. R. James*. Oxford: Clarendon Press Press.

——. 2001. 'Extra-Canonical Early Christian Literature.' In *OBC* 1306–30.

Ellis, E. Earle. 1966. *The Gospel of Luke*. New Century Bible. London: Nelson.

Evans, Craig A. 1999a. 'Did Jesus Predict His Death and Resurrection?' In *Resurrection*, eds. Stanley E. Porter, Michael A. Hayes and David Tombs, 82–97. Sheffield: Sheffield Academic Press.

——. 1999b. 'Jesus and the Continuing Exile of Israel.' In *Jesus and the Restoration of Israel*, ed. Carey C. Newman, 77–100. Downers Grove, Ill.: IVP.

——. 2001. *Mark 8:27—16:20*. WBC 34b. Nashville: Nelson.

Evans, C. F. 1970. *Resurrection and the New Testament*. London: SCM Press.

Evans, C. S. 1999. 'Methodological Naturalism in Historical Biblical Scholarship.' In *Jesus and the Restoration of Israel*, ed. Carey C. Newman, 180–205. Downers Grove, Ill.: IVP.

Fallon, Francis T., and Ron Cameron. 1989. 'The Gospel of Thomas: A Forschungsbericht and Analysis.' In *Aufstieg und Niedergang der Römischen Welt*. Vol. 2.25.6, eds. Wolfgang Haase and Hildegard Temporini, 4195–251. Berlin/New York: De Gruyter.

Farrow, Douglas. 1999. *Ascension and Ecclesia: On the Significance of the Doctrine of the Ascension for Ecclesiology and Christian Cosmology*. Grand Rapids: Eerdmans.

Fee, Gordon D. 1987. *The First Epistle to the Corinthians*. ed. F. F. Bruce. NICNT. Grand Rapids: Eerdmans.

Fenton, John. 1994. 'The Ending of Mark's Gospel.' In *Resurrection: Essays in Honour of Leslie Houlden*, eds. Stephen Barton and Graham Stanton, 1–7. London: SPCK.

Ferguson, Everett. 1987. *Backgrounds of Early Christianity*. Grand Rapids: Eerdmans.

Festinger, Leon. 1957. *A Theory of Cognitive Dissonance*. Stanford, Ca.: Stanford U. P.

——, H. Riecken, and S. Schachter. 1956. *When Prophecy Fails*. Minneapolis: U. of Minnesota Press.

Figueras, Pau. 1974. 'Jewish and Christian Beliefs on Life After Death in the Light of the Ossuary Decoration.' Ph.D. diss., Hebrew University, Jerusalem.

——. 1983. *Decorated Jewish Ossuaries*. DMOA 20. Leiden: Brill.

Finkelstein, Louis. 1962 [1938]. *The Pharisees: The Sociological Background of their Faith*. 2 vols. 3rd edn. Philadelphia: The Jewish Publication Society of America.

Fischer, Ulrich. 1978. *Eschatologie und Jenseitserwartung im hellenistischen Diasporajudentum*. BZNW 44. Berlin: De Gruyter.

Fletcher-Louis, C. H. T. 1997. *Luke-Acts: Angels, Christology and Soteriology*. WUNT 2.47. Tübingen: Mohr.

Fortna, Robert T. 1970. *The Gospel of Signs*. SNTSMS 11. Cambridge: CUP.

——. 1988. *The Fourth Gospel and Its Predecessor*. Philadelphia: Fortress.

——. 1992. 'Signs/Semeia Source.' In *ABD* 6:18–22.

Fraser, P. M. 1972. *Ptolemaic Alexandria*. Oxford: OUP.

Frazer, Sir James George. 1951 [1922]. *The Golden Bough: A Study in Magic and Religion*. Abridged edn. New York: Macmillan. (Full edn. 1911–15)

Frei, Hans W. 1975. *The Identity of Jesus Christ, the Hermeneutical Bases of Dogmatic Theology*. 1967. Philadelphia: Fortress.

——. 1993. *Theology and Narrative: Selected Essays*. New York: OUP.

Frend, W. H. C. 1954. 'The Gnostic Sects and the Roman Empire.' *Journal of Ecclesiastical History* 5:25–37.

——. 1984. *The Rise of Christianity*. Philadelphia: Fortress.

Fuller, Reginald. *The Formation of the Resurrection Narratives*. New York: Macmillan, 1971.

Furnish, Victor P. 1984. *II Corinthians*. AB 32a. New York: Doubleday.

Fyall, Robert S. 2002. *Now My Eyes Have Seen You: Images of Creation and Evil in the Book of Job*. Downers Grove, Ill.: IVP.

Gaffron, H. G. 1970. 'Eine gnostische Apologia des Auferstehungsglaubens: Bemerkungen zur "Epistula Ad Rheginum".' In *Die Zeit Jesus*. FS für Heinrich Schlier, 218–27. Freiburg/Basel/Wien: Herder.

Gager, J. 1982. 'Body-Symbols and Social Reality: Resurrection, Incarnation, and Asceticism in Early Christianity.' *Religion* 12:345–64.

Garland, R. 1985. *The Greek Way of Death*. Ithaca, N.Y.: Cornell U. P.

Gathercole, S. J. 2002. 'A Law Unto Themselves: The Gentiles in Romans 2.14–15 Revisited.' *Journal for the Study of the New Testament* 85:27–49.

Gaventa, Beverley R. 1987. 'The Rhetoric of Death in the Wisdom of Solomon and the Letters of Paul.' In *The Listening Heart: Essays in Wisdom and the Psalms in Honor of Roland E. Murphy, O. Carm.*, eds. K. G. Hoglund, E. F. Huweiler, J. T. Glass, and R. W. Lee, 127–45. Sheffield: JSOT Press.

Ghiberti, G., and G. Borgonovo. 1993. 'Bibliografia sulla resurrezione di Gesù (1973–92).' *La Scuola Cattolica* 121:171–287.

Gibson, Arthur. 1999. 'Logic of the Resurrection.' In *Resurrection*, eds. Stanley E. Porter, Michael A. Hayes and David Tombs, 166–94. Sheffield: Sheffield Academic Press.

Gilbert, Maurice. 1999. 'Immortalité? Résurrection? Faut-il choisir?' In *Le Judaïsme à l'aube de l'ère chrétienne: XVIIIe congrès de l'association catholique française pour l'étude de la bible (Lyon, Septembre 1999)*, 271–97. Paris: Cerf.

Gillman, F. M. 2002. 'Berenice as Paul's Witness to the Resurrection (Acts 25—26)'. In *Resurrection in the New Testament* (FS J. Lambrecht), eds. R. Bieringer, V. Koperski and B. Lataire, 249–64. Leuven: Peeters.

Gillman, John. 1982. 'Transformation in 1 Cor 15,50–53.' *Ephemerides Theologicae Louvaniensis* 58:309–33.

——. 2002. 'The Emmaus Story in Luke-Acts Revisited'. In *Resurrection in the New Testament* (FS J. Lambrecht), eds. R. Bieringer, V. Koperski and B. Lataire, 165–88. Leuven: Peeters.

Gillman, N. 1997. *The Death of Death: Resurrection and Immortality in Jewish Thought.* Woodstock, Vt.: Jewish Lights Publishing.

Gilmour, S. M. 1961. 'The Christophany to More Than Five Hundred Brethren.' *Journal of Biblical Literature* 80:248–52.

——. 1962. 'Easter and Pentecost.' *Journal of Biblical Literature* 81:62–6.

Ginzberg, Louis. 1998 [1909–38]. *The Legends of the Jews.* 7 vols. Baltimore, Md.: Johns Hopkins U. P.

Glasson, T. F. 1961. *Greek Influence on Jewish Eschatology: with Special Reference to the Apocalypses and Pseudepigraphs*. London: SPCK.

Goldin, Judah. 1987. 'The Death of Moses: An Exercise in Midrashic Transposition.' In *Love and Death in the Ancient Near East: Essays in Honor of Marvin H. Pope*, eds. John H. Marks, Robert M. Good, 219–25. Guildford, Ct.: Four Quarters Publishing.

Goldingay, John E. 1989. *Daniel.* WBC 30. Dallas, Tex.: Word Books.

Goodenough, Erwin R. 1967 [1938]. *The Politics of Philo Judaeus: Practice and Theory.* Hildesheim: Georg Olms.

Goulder, Michael. 1996. 'The Baseless Fabric of a Vision.' In *Resurrection Reconsidered*, ed. Gavin D'Costa, 48–61. Oxford: Oneworld.

——. 2000. 'The Explanatory Power of Conversion-Visions.' In *Jesus' Resurrection: Fact or Figment: A Debate Between William Lane Craig and Gerd Lüdemann*, eds Paul Copan and Ronald K. Tacelli, 86–103. Downers Grove, Ill.: IVP.

Grabar, André. 1968. *Christian Iconography: A Study of Its Origins.* Princeton, N.J: Princeton U. P.

Grabbe, Lester L. 1997. *Wisdom of Solomon.* Sheffield: Sheffield Academic Press.

Grant, R. M. 1954. 'Athenagoras or Pseudo-Athenagoras.' *Harvard Theological Review* 47:121–9.

Grappe, Christian. 2001. 'Naissance de l'idée de résurrection dans le Judaïsme.' In *Résurrection: L'après-mort dans le monde ancien et le Nouveau Testament*, eds. Odette Mainville and Daniel Marguerat, 45–72. Geneva: Labor et Fides; Montreal: Médiaspaul.

Grassi, J. 1965. 'Ezekiel XXXVII.1–14 and the New Testament.' *New Testament Studies* 11:162–4.

Green, Joel B. 1987. 'The Gospel of Peter: Source for a Pre-Canonical Passion Narrative?' *Zeitschrift für die neutestamentliche Wissenschaft* 78:293–301.

——. 1990. Review of Crossan 1988. *Journal of Biblical Literature* 109:356–8.

——. 1998. '"Witnesses of His Resurrection": Resurrection, Salvation, Discipleship, and Mission in the Acts of the Apostles.' In *Life in the Face of Death: The Resurrection Message of the New Testament*, ed. Richard N. Longenecker, 227–46. Grand Rapids: Eerdmans.

Greenspoon, Leonard J. 1981. 'The Origin of the Idea of Resurrection.' In *Traditions in Transformation: Turning Points in Biblical Faith*, eds. Baruch Halpern and Jon D. Levenson, 247–321. Winona Lake, Ind.: Eisenbrauns.

Greshake, Gisbert, and Jacob Kremer. 1986. *Resurrectio Mortuorum: Zum theologischen Verständnis der leiblichen Auferstehung*. Darmstadt: Wissenschaftliche Buchgesellschaft.

Griffiths, J. G. 1999. 'The Legacy of Egypt in Judaism.' In *The Cambridge History of Judaism*. eds. William Horbury, W. D. Davies and John Sturdy. Vol. 3, *The Roman Period*, 1025–51. Cambridge: CUP.

Gruen, E. S. 1998. 'Rome and the Myth of Alexander.' In *Ancient History in a Modern University*. Vol. 1, *The Ancient Near East, Greece and Rome*, eds. T. W. Hillard, R. A. Kearsley, C. E. V. Nixon, and A. M. Nobbs, 178–91. Grand Rapids: Eerdmans.

Guelich, Robert A. 1989. *Mark 1—8:26*. WBC 34a. Dallas, Tex.: Word.

Gundry, Robert H. 1976. *SOMA in Biblical Theology with Emphasis on Pauline Anthropology*. SNTSMS 29. Cambridge: CUP.

——. 1993. *Mark: A Commentary on His Apology for the Cross*. Grand Rapids: Eerdmans.

Guthrie, W. K. C. 1962–81. *A History of Greek Philosophy*. 6 vols. Cambridge: CUP.

Habermas, Gary R. 1989. 'Resurrection Claims in Non-Christian Religions.' *Religious Studies* 25:167–77.

——. 2001. 'The Late Twentieth-Century Resurgence of Naturalistic Responses to Jesus' Resurrection.' *Trinity Journal* n.s. 22:179–96.

Hachlili, Rachel. 1992. 'Burials, Ancient Jewish.' In *ABD*, 1:789–94.

Hafemann, Scott J. 1995. *Paul, Moses, and the History of Israel*. Tübingen: Mohr-Siebeck.

——. 2000. *2 Corinthians*. The NIV Application Commentary. Grand Rapids: Zondervan.

Hall, R. G. 1990. 'The *Ascension of Isaiah*: Community Situation, Date, and Place in Early Christianity.' *Journal of Biblical Literature* 109:289–306.

Hamilton, Edith, and Huntingdon Cairns, eds. 1961. *The Collected Dialogues of Plato, Including the Letters*. Princeton: Princeton U. P.

Handy, Lowell K. 1992. 'Tammuz.' In *ABD* 6:318.

Harman, Gilbert H. 1965. 'The Inference to the Best Explanation.' *Philosophical Review* 74:88–95.

Harrington, D. J. 2002. 'Afterlife Expectations in Pseudo-Philo, 4 Ezra, and 2 Baruch, and their Implications for the New Testament.' In *Resurrection in the New Testament* (FS J. Lambrecht), eds. R. Bieringer, V. Koperski and B. Lataire, 21–34. Leuven: Peeters.

Harrison, Ted. 2000. *Beyond Dying: The Mystery of Eternity*. Oxford: Lion.

Hart, H. StJ. 1984. 'The Coin of "Render Unto Caesar . . ." (A Note on Some Aspects of Mark 12:13–17; Matt. 22:15–22; Luke 20:20–26).' In *Jesus and the Politics of His Day*, eds. Ernst Bammel and C. F. D. Moule, 241–8. Cambridge: CUP.

Hartley, John E. 1988. *The Book of Job*. Grand Rapids: Eerdmans.

Harvey, Anthony E. 1982. *Jesus and the Constraints of History: The Bampton Lectures, 1980*. London: Duckworth.

——. 1994. '"They Discussed Among Themselves What This 'Rising from the Dead' Could Mean" (Mark 9.10).' In *Resurrection: Essays in Honour of Leslie Houlden*, eds. Stephen Barton and Graham Stanton, 69–78. London: SPCK.

Harvey, Susan Ashbrook. 2000. 'Syriac Christian Thought.' In *OCCT* 692–3.

Hays, Richard B. 1997. *First Corinthians*. IBC. Nashville: Abingdon.

——. 1999. 'The Conversion of the Imagination: Scripture and Eschatology in 1 Corinthians.' *New Testament Studies* 45:391–412.
—— 2000. *The Letter to the Galatians: Introduction, Commentary, and Reflections*. In *NIB* 11.181–348.
——. 2002 [1983] *The Faith of Jesus Christ: An Investigation of the Narrative Substructure of Galatians 3:1—4:11*. 2nd ed. Grand Rapids: Eerdmans; Dearborn, Mich.: Dove Booksellers.
Hedrick, Charles W., and Paul A. Mirecki. 1999. *Gospel of the Saviour: A New Ancient Gospel*. Santa Rosa, Ca.: Polebridge Press.
Helmbold, A. K. 1972. 'Gnostic Elements in the "Ascension of Isaiah".' *New Testament Studies* 18:222–7.
Hemer, Colin J. 1989. *The Book of Acts in the Setting of Hellenistic History*. Tübingen: Mohr-Siebeck.
Hengel, Martin. 1963. 'Maria Magdalene und die Frauen als Zeugen.' In *Abraham Unser Vater* (FS O. Michel), eds. O. Betz et al., 243–56. Leiden: Brill.
——. 1974. *Judaism and Hellenism: Studies in Their Encounter in Palestine During the Early Hellenistic Period*. London: SCM Press.
——. 1976. *The Son of God: The Origin of Christology and the History of Jewish-Hellenistic Religion*. Philadelphia: Fortress.
——. 1983. *Between Jesus and Paul: Studies in the Earliest History of Christianity*. London: SCM Press.
——. 1995. *Studies in Early Christology*. Edinburgh: T. & T. Clark.
——. 2001. 'Das Begräbnis Jesu bei Paulus und die leibliche Auferstehung aus dem Grabe.' In *Auferstehung – Resurrection*, eds. Friedrich Avemarie and Hermann Lichtenberger, 120–83. Tübingen: Mohr-Siebeck.
Hennecke, Edgar, and W. Schneemelcher, eds. 1963–5 [1959–64]. *New Testament Apocrypha*. 2 vols. Philadelphia:Westminster.
Hill, Charles E. 2002 [1992]. *Regnum Caelorum: Patterns of Millennial Thought in Early Christianity*. 2nd edn. Grand Rapids: Eerdmans.
Hillard, T., A. Nobbs and B. Winter. 1993. 'Acts and the Pauline Corpus I: Ancient Literary Parallels'. In *The Book of Acts in its Ancient Literary Setting*, ed. B. W. Winter and A. D. Clarke, 183–213. Vol. 1 of *The Book of Acts in its First Century Setting*, ed. B. W. Winter. Grand Rapids: Eerdmans; Carlisle: Paternoster.
Hoffman, R. Joseph, ed. 1987. *Celsus on the True Doctrine: A Discourse Against the Christians*. New York/Oxford: OUP.
Hofius, O. 2002.'"Am dritten Tage auferstanden von den Toten": Erwägungen zum passiv ΕΓΕΙΡΕΣΘΑΙ in christologischen Aussagen des Neuen Testaments'. In *Resurrection in the New Testament* (FS J. Lambrecht), eds. R. Bieringer, V. Koperski and B. Lataire, 93–106. Leuven: Peeters.
Holmes, Michael W, ed. 1989. *The Apostolic Fathers*. 2nd edn. Rapids, Mich.: Baker; Leicester: Apollos.
Holt, Stephen. 1999. 'Foreword.' In *Resurrection*, eds. Stanley E. Porter, Michael A. Hayes and David Tombs, 9–11. Sheffield: Sheffield Academic Press.
Holzhausen, J. 1994. 'Gnosis und Martyrium. Zu Valentins viertem Fragment.' *Zeitschrift für die neutestamentliche Wissenschaft* 85:116–31.
Hooker, M. D. 1989. 'ΠΙΣΤΙΣ ΧΡΙΣΤΟΥ.' *New Testament Studies* 35:321–42.
——. 1990. *From Adam to Christ: Essays on Paul*. Cambridge: CUP.
——. 2002. 'Raised for our Acquittal (Rom 4,25).' In *Resurrection in the New Testament* (FS J. Lambrecht), eds. R. Bieringer, V. Koperski and B. Lataire, 321–41. Leuven: Peeters.
Horbury, William. 2001. 'The Wisdom of Solomon.' In *OBC* 650–67.

Horsley, Richard A., ed. 1997. *Paul and Empire: Religion and Power in Roman Imperial Society*. Harrisburg, Pa.: TPI.

——. 1998. *1 Corinthians*. ANTC. Nashville: Abingdon.

——, ed. 2000. *Paul and Politics: Ekklesia, Israel, Imperium, Interpretation. Essays in Honor of Krister Stendahl*. Harrisburg, Pa.: TPI.

Horst, Friedrich. 1960. *Hiob*. Neukirchen: Neukirchener Verlag.

Horst, P. W. van der. *See* van der Horst, P. W.

Hume, David. 1975 [1777]. *Enquiries: Concerning Human Understanding and Concerning the Principles of Morals*. ed. L. A. Selby-Bigge. 3rd edn. Oxford: OUP.

Innes, Brian. 1999. *Death and the Afterlife*. New York: St Martin's Press.

Isser, Stanley. 1999. 'The Samaritans and Their Sects.' In *The Cambridge History of Judaism*. eds. William Horbury, W. D. Davies and John Sturdy. Vol. 3, *The Roman Period*, 569–95. Cambridge: CUP.

Jackson, Hugh. 1975. 'Resurrection Belief of the Earliest Church: a Response to the Failure of Prophecy?' *Journal of Religion* 55:415–25.

Jaffe, Aniela. 1979. *Apparitions: An Archetypal Approach to Death, Dreams, and Ghosts*. Irving, Tex.: Spring.

James, M. R. 1924. *The Apocryphal New Testament, Being the Apocryphal Gospels, Acts, Epistles, and Apocalypses, with Other Narratives and Fragments*. Oxford: Clarendon Press.

Janzen, J. Gerald. 1985. 'Resurrection and Hermeneutics: On Exodus 3.6 in Mark 12.26.' *Journal for the Study of the New Testament* 23:43–58.

Jarick, John. 1999. 'Questioning Sheol.' In *Resurrection*, eds. Stanley E. Porter, Michael A. Hayes and David Tombs, 22–32. Sheffield: Sheffield Academic Press.

Jeremias, Joachim. 1955. '"Flesh and Blood Cannot Inherit the Kingdom of God" (1 Cor. XV. 50).' *New Testament Studies* 2:152–9.

Johnson, Dennis E. 2001. *Triumph of the Lamb: A Commentary on Revelation*. Phillipsburg, N.J.: P. & R. Publishing.

Johnson, Luke T. 1995. *The Real Jesus*. San Francisco: HarperSanFrancisco.

——. 1999. *Living Jesus: Learning the Heart of the Gospel*. San Francisco: HarperSanFrancisco.

Johnston, P. S. 2002. *Shades of Sheol: Death and Afterlife in the Old Testament*. Leicester: Apollos.

Johnston, Sarah Iles. 1999. *Restless Dead: Encounters Between the Living and the Dead in Ancient Greece*. Berkeley, Ca.: U. of California Press.

Judge, Edwin A. 1960. *The Social Pattern of Christian Groups in the First Century*. London: Tyndale.

——. 1968. 'Paul's Boasting in Relation to Contemporary Professional Practice.' *Australian Biblical Review* 16:37–50.

Juhász, G. 2002. 'Translating Resurrection: the Importance of the Sadducees' Belief in the Tyndale-Joye Controversy'. In *Resurrection in the New Testament* (FS J. Lambrecht), eds. R. Bieringer, V. Koperski and B. Lataire, 107–21. Leuven: Peeters.

Jupp, Peter C., and Clare Gittings, eds. 1999. *Death in England: An Illustrated History*. New Brunswick, N.J.: Rutgers U. P.

Kaiser, Otto. 1973. *Isaiah 1—39: A Commentary*. London: SCM Press.

Kákosy, Lászlo. 1969. 'Probleme der aegyptischen Jenseitsvorstellungen in der Ptolomaeer- und Kaiserzeit.' In *Religions en Egypte hellenistique et romaine. Colloque de Strasbourg, 16–18 Mai 1967*, 59–68. Paris: Presses universitaire de France.

Keesmaat, Sylvia C. 1999. *Paul and His Story: (Re)Interpreting the Exodus Tradition*. JSNTSup. Sheffield: Sheffield Academic Press.

Kelhoffer, James A. 2000. *Miracle and Mission: The Authentication of Missionaries and Their Message in the Longer Ending of Mark.* WUNT 2.112. Tübingen: Mohr-Siebeck.

Kellerman, Bill W. 1991. *Seasons of Faith and Conscience: Kairos, Confession, Liturgy.* Maryknoll, N.Y.: Orbis Books, 1991.

Kellermann, Ulrich. 1979. *Auferstanden in Den Himmel: 2 Makkabäer 7 und die Auferstehung der Märtyrer.* Stuttgarter Bibelstudien 95. Stuttgart: Katholisches Bibelwerk.

——. 1989. 'Das Danielbuch und die Märtyrertheologie der Auferstehung.' In *Die Entstehung der Jüdischen Martyrologie*, ed. W. van Henten, 51–75. Leiden: Brill.

Kelly, J. N. D. 1977. *Early Christian Doctrines.* 5th edn. London: A. & C. Black.

Kendall, D., and Gerald O'Collins. 1992. 'The Uniqueness of the Easter Appearances.' *Catholic Biblical Quarterly* 54:287–307.

Kenney, E. J. 1998. *Apuleius, the Golden Ass, or Metamorphoses: Translated with an Introduction and Notes.* London: Penguin.

Kilgallen, John J. 1986. 'The Sadducees and Resurrection from the Dead.' *Biblica* 67:478–95.

——. 2002. 'What the Apostles Proclaimed at Acts 4,2'. In *Resurrection in the New Testament* (FS J. Lambrecht), eds. R. Bieringer, V. Koperski and B. Lataire, 233–48. Leuven: Peeters.

Kim, Seyoon. 1984. *The Origin of Paul's Gospel.* 2nd edn. WUNT 2.5. Tübingen: Mohr-Siebeck; Grand Rapids: Eerdmans.

——. 2002. *Paul and the New Perspective: Second Thoughts on The Origin of Paul's Gospel.* Grand Rapids, Mich.: Eerdmans.

Kirk, Alan. 1994. 'Examining Properties: Another Look at the Gospel of Peter's Relationship to the New Testament Gospels.' *New Testament Studies* 40:572–95.

Klauck, Hans-Josef. 2000. *The Religious Context of Early Christianity: A Guide to Graeco-Roman Religions.* Edinburgh: T. & T. Clark.

Kloppenborg, John S. 1987. *The Formation of Q: Trajectories in Ancient Wisdom Collections.* Studies in Antiquity and Christianity. Philadelphia: Fortress.

——. 1990a. *Q Parallels: Synopsis, Critical Notes, & Concordance.* Sonoma, Ca.: Polebridge Press.

——. 1990b. '"Easter Faith" and the Sayings Gospel Q.' *Semeia* 49:71–100.

Knight, J. M. 1996. 'Disciples of the Beloved One: The Christology, Social Setting and Theological Context of the Ascension of Isaiah.' JSPSup, vol. 18. Sheffield: Sheffield Academic Press.

Koenig, Jean, 1983. 'La vision des ossements chez Ézéchiel et l'origine de la croyance a la résurrection dans le Judaïsme.' In *Vie et service dans les civilisations orientales*, eds. A. Thésdoridès, P. Naster and J. Riez. Acta Orientalia Belgica 3. Leuven: Peeters, 159–79.

Koester, Craig R. 1996. *Symbolism in the Fourth Gospel: Meaning, Mystery, Community.* Minneapolis: Fortress.

——. 2001. *Hebrews: A New Translation with Introduction and Commentary.* AB 36. New York: Doubleday.

Koester, Helmut. 1982a. *Introduction to the New Testament.* Vol. 1, *History, Culture and Religion of the Hellenistic Age.* Hermeneia: Foundations and Facets. Philadelphia: Fortress; Berlin/New York: De Gruyter.

——. 1982b. *Introduction to the New Testament.* Vol. 2, *History and Literature of Early Christianity.* Hermeneia: Foundations and Facets. Philadelphia: Fortress; Berlin/New York: De Gruyter.

——. 1990. *Ancient Christian Gospels: Their History and Development.* London: SCM Press; Philadelphia: TPI.

Kolarcik, Michael. 1991. *The Ambiguity of Death in the Book of Wisdom 1—6: A Study of Literary Structure and Interpretation*. AnBib 127. Rome: Pontifical Biblical Institute Press.

König, Jason. 2003. 'The Cynic and Christian Lives of Lucian's Peregrinus.' In *The Limits of Biography*, eds. Judith Mossman and Brian McGing, [forthcoming]. Swansea: Classical Press of Wales.

Koperski, V. 2002. 'Resurrection Terminology in Paul'. In *Resurrection in the New Testament* (FS J. Lambrecht), eds. R. Bieringer, V. Koperski and B. Lataire, 265–81. Leuven: Peeters.

Köstenberger, A. J. 1995. 'The Seventh Johannine Sign: a Study in John's Christology.' *Bulletin of Biblical Research* 5:87–103.

Krieg, Matthias. 1988. *Todesbilder im Alten Testament, oder, Wie die Alten den Tod Gebildet*. ATANT, vol. 73. Zürich: Theologische Verlag.

Küng, Hans. 1976. *On Being a Christian*. Garden City, N. Y.: Doubleday.

Künneth, Walter. 1965. *The Theology of the Resurrection*. London: SCM Press.

Lacocque, André. 1979. *The Book of Daniel*. London: SPCK; Atlanta, Ga.: John Knox.

Lambrecht, Jan. 1982. 'Paul's Christological Use of Scripture in 1 Cor. 15.20–28.' *New Testament Studies* 28: 502–07.

Lampe, G. W. H. 1977. *God as Spirit*. Oxford: Clarendon Press Press.

Lane, William L. 1991. *Hebrews*. WBC 47. 2 vols. Dallas, Tex.: Word Books.

——. 1998. 'Living a Life of Faith in the Face of Death: The Witness of Hebrews.' In *Life in the Face of Death: The Resurrection Message of the New Testament*, ed. Richard N. Longenecker, 247–69. Grand Rapids: Eerdmans.

Laperrousaz, E.-M. 1970. *Le Testament de Moïse*. Paris: Librarie d'Amérique et d'Orient Adrien-Maisonneuve.

Lapide, Pinchas. 1983. *The Resurrection of Jesus: A Jewish Perspective*. Minneapolis: Augsburg.

Larcher, C. 1969. *Études sur le Livre de la Sagesse*. Études Bibliques. Paris: Gabalda.

——. 1983. *Le Livre de la Sagesse ou la Sagesse de Salomon*. Paris: Gabalda.

Lattimore, Richard. 1942. *Themes in Greek and Latin Epitaphs*. Illinois Studies in Language and Literature 28. Urbana, Ill.: University of Illinois Press.

Lemcio, Eugene E. 1991. *The Past of Jesus in the Gospels*. SNTSMS 68. Cambridge: CUP.

Le Moyne, S. 1972. *Les Sadducceens*. Paris: Cerf.

Lewis, C. S. 1960. *Miracles: A Preliminary Study*. London: Collins-Fontana.

Lewis, Theodore J. 1989. *Cults of the Dead in Ancient Israel and Ugarit*. Harvard Semitic Monographs, vol. 39. Atlanta, Ga.: Scholars Press.

Lichtenberger, Hermann. 2001. 'Auferstehung in den Qumranfunden.' In *Auferstehung – Resurrection*, eds. Friedrich Avemarie and Hermann Lichtenberger, 79–91. Tübingen: Mohr-Siebeck.

Lieu, Judith. 1994. 'The Women's Resurrection Testimony.' In *Resurrection: Essays in Honour of Leslie Houlden*, eds. Stephen Barton and Graham Stanton, 34–44. London: SPCK.

Lightfoot, J. B. 1989 [1889], ed. and tr. *The Apostolic Fathers*. 5 vols. London: Macmillan. Reprint: Peabody, Mass.: Hendriksen.

Lincoln, Andrew T. 1981. *Paradise Now and not Yet: Studies in the Role of the Heavenly Dimension in Paul's Thought with Special Reference to His Eschatology*. SNTSMS 43. Cambridge: CUP.

——. 1998. '"I Am the Resurrection and the Life": The Resurrection Message of the Fourth Gospel.' In *Life in the Face of Death: The Resurrection Message of the New Testament*, ed. Richard N. Longnecker, 122–44. Grand Rapids: Eerdmans.

Lindars, Barnabas. 1993. 'The Resurrection and the Empty Tomb.' In *The Resurrection of Jesus Christ*, ed. Paul Avis, 116–35. London: Darton, Longman & Todd.

Lohfink, Gerhard. 1980. 'Der Ablauf der Osterereignisse und die Anfänge der Urgemeinde.' *Theologische Quartalschrift* 160:162–76.

Lohfink, N. 1990. 'Das Deuteronomische Gesetz in der Endgestalt – Entwurf einer Gesellschaft ohne marginale Gruppen.' *Biblische Notizen* 51:25–40.

Lohse, E. 2002. 'Der Wandel der Christen im Zeichen der Auferstehung: zur Begründung christlicher Ethik im Römerbrief'. In *Resurrection in the New Testament* (FS J. Lambrecht), eds. R. Bieringer, V. Koperski and B. Lataire, 315–22. Leuven: Peeters.

Lona, Horacio E. 1993. *Über der Auferstehung des Fleisches: Studien zur frühchristlichen Eschatologie*. BZNW 66. Berlin and New York: De Gruyter.

Longenecker, Bruce W. 1991. *Eschatology and the Covenant: A Comparison of 4 Ezra and Romans 1–11*. JSNTSup 57. Sheffield: JSOT Press.

Longenecker, Richard N., ed. 1997. *The Road from Damascus: The Impact of Paul's Conversion on His Life, Thought and Ministry*. Grand Rapids/Cambridge: Eerdmans.

——. 1998a. 'Is There Development in Paul's Resurrection Thought?' In *Life in the Face of Death: The Resurrection Message of the New Testament*, ed. Richard N. Longenecker, 171–202. Grand Rapids/Cambridge: Eerdmans.

——, ed. 1998b. *Life in the Face of Death: The Resurrection Message of the New Testament*. Grand Rapids/Cambridge: Eerdmans.

Longstaff, Thomas R. W. 1981. 'The Women at the Tomb: Matthew 28:1 Re-Examined.' *New Testament Studies* 27:277–82.

Lowe, E. J. 1995. 'Necessary and Sufficient Conditions.' In *The Oxford Companion to Philosophy*, ed. T. Honderich, 608. Oxford: OUP.

Lüdemann, Gerd. 1994. *The Resurrection of Jesus: History, Experience, Theology*. London: SCM Press.

Maccoby, Hyam Z. 1980. *Revolution in Judea. Jesus and the Jewish Resistance*. New York: Taplinger.

——. 1986. *The Mythmaker: Paul and the Invention of Christianity*. London: Weidenfeld & Nicolson.

——. 1991. *Paul and Hellenism*. London: SCM Press; Philadelphia: TPI.

Mackie, J. L. 1980 [1974]. *The Cement of the Universe: A Study of Causation*. Oxford: Clarendon Press Press.

MacMullen, Ramsey. 1984. *Christianizing the Roman Empire (A.D. 100—400)*. New Haven/London: Yale U. P.

Macquarrie, John. 1990. *Jesus Christ in Modern Thought*. London: SCM Press; Philadelphia: TPI.

Malherbe, Abraham J. 1968. 'The Beasts at Ephesus.' *Journal of Biblical Literature* 87:71–80.

——. 1989. *Paul and the Popular Philosophers*. Minneapolis: Fortress.

Marcus, Joel. 1989. 'Jane Austen's *Pride and Prejudice*: A Theological Reflection.' *Theology Today* 46:288–98.

________. 2001. 'The Once and Future Messiah in Early Christianity and Chabad.' *New Testament Studies* 47:381–401.

Martin, Dale B. 1995. *The Corinthian Body*. New Haven: Yale U. P.

Martin, Luther H. 1987. *Hellenistic Religions: An Introduction*. Oxford/New York: OUP.

Martin-Achard, R. 1960. *From Death to Life: A Study of the Development of the Doctrine of the Resurrection in the Old Testament*. Edinburgh/London: Oliver and Boyd.

Martyn, J. Louis. 1997a. *Galatians: A New Translation with Introduction and Commentary*. AB 33a. New York: Doubleday.

——. 1997b. *Theological Issues in the Letters of Paul*. Nashville: Abingdon.

Marxsen, Willi. 1968. 'The Resurrection of Jesus as a Historical and Theological Problem.' In *The Significance of the Message of the Resurrection for Faith in Jesus Christ*, ed. C. F. D. Moule, 15–50. London: SCM Press.

Mason, Steve N. 1991. *Flavius Josephus on the Pharisees: A Composition-Critical Study*. Studia Post-Biblica 39. Leiden: Brill.

Matera, F. J. 2002. 'Apostolic Suffering and Resurrection Faith: Distinguishing between Appearance and Reality (2 Cor 4,7—5,10)'. In *Resurrection in the New Testament* (FS J. Lambrecht), eds. R. Bieringer, V. Koperski and B. Lataire, 387–405. Leuven: Peeters.

Mays, James L. 1994. Psalms. IBC. Louisville: John Knox.

McAlpine, Thomas H. 1987. *Sleep, Divine and Human, in the Old Testament*. Sheffield: JSOT Press.

McArthur, H. K. 1971. 'On the Third Day.' *New Testament Studies* 18:81–6.

McCane, Byron R. 1990. 'Let the Dead Bury Their Own Dead: Secondary Burial and Matthew 8.21–22.' *Harvard Theological Review* 83:31–43.

——. 1997. 'Burial Techniques.' In *The Oxford Encyclopaedia of Archaeology in the Near East*, ed. Eric M. Meyers, 1.386–7. New York/Oxford: OUP.

——. 2000. 'Burial Practices, Jewish.' In *Dictionary of New Testament Background*, Craig A. Evans and Stanley E. Porter, 173–5. Downers Grove, Ill.: IVP.

McCaughey, J. Davis. 1974. 'The Death of Death (I Cor. 15:26).' In *Reconciliation and Hope: New Testament Essays on Atonement and Eschatology Presented. to L. L. Morris on His 60th Birthday*, ed. R. Banks, 246–61. Grand Rapids: Eerdmans.

McDannell, Colleen, and Bernhard Lang. 2001 [1988]. *Heaven: A History*. 2nd edn. New Haven: Yale U. P.

McDonald, J. I. H. 1989. *The Resurrection: Narrative and Belief*. London: SPCK.

McDowell, Josh. 1981. *The Resurrection Factor*. Nashville: Thomas Nelson.

McKenzie, Leon. 1997. *Pagan Resurrection Myths and the Resurrection of Jesus*. Charlottesville, Va.: Bookwrights Press.

McPartlan, Paul. 2000. 'Purgatory.' In *OCCT* 582–3.

Meadors, E. P. 1995. *Jesus the Messianic Herald of Salvation*. WUNT 2.72. Tübingen: Mohr-Siebeck.

Meier, John P. 1991. *A Marginal Jew: Rethinking the Historical Jesus*. Vol. 1, *The Roots of the Problem and the Person*. New York: Doubleday.

Menard, J.-E. 1975. 'La notion de résurrection dans l'épître à Rheginos.' In *Essays on the Nag Hammadi Texts in Honor of Pahor Labib*, ed. M Krause, 110–24. Leiden: Brill.

Menken, M. J. J. 2002. 'Interpretation of the Old Testament and the Resurrection of Jesus in John's Gospel'. In *Resurrection in the New Testament* (FS J. Lambrecht), eds. R. Bieringer, V. Koperski and B. Lataire, 189–205. Leuven: Peeters.

Merklein, H. 1981. 'Die Auferweckung Jesu und die Anfänge der Christologie (Messias bzw. Sohn Gottes und Menschensohn).' *Zeitschrift für die neutestamentliche Wissenschaft* 72:1–16.

Mettinger, T. N. D. 2001. *The Riddle of Resurrection: 'Dying and Rising Gods' in the Ancient Near East*. Lund: Almqvist and Wicksell International.

Metzger, Bruce M. 1957. 'A Suggestion concerning the Meaning of 1 Corinthians XV.4b.' *Journal of Theological Studies* 8:118–23.

——. 1971. *A Textual Commentary on the Greek New Testament*. London/New York: United Bible Societies.

——. 1977. *The Early Versions of the New Testament: Their Origin, Transmission and Limitations*. Oxford: Clarendon Press.

Meyer, Marvin W., ed. 1987. *The Ancient Mysteries: A Sourcebook*. Philadelphia: U. of Pennsylvania Press.

Meyers, Eric M. 1970. 'Secondary Burials in Palestine.' *The Biblical Archaeologist* 33:2–29.

——. 1971. *Jewish Ossuaries: Reburial and Rebirth. Secondary Burials in Their Ancient Near Eastern Setting*. Biblica et Orientalia, vol. 24. Rome: Pontifical Biblical Institute Press.

Michaud, Jean-Paul. 2001. 'La résurrection dans le langage des premiers chrétiens.' In *Résurrection: L'après-mort dans le monde ancien et le Nouveau Testament*, eds. Odette Mainville and Daniel Marguerat, 111–28. Geneva: Labor et Fides; Montreal: Médiaspaul.

Miller, Robert J., ed. 1992. *The Complete Gospels: Annotated Scholars Version*. Sonoma, Ca.: Polebridge Press.

Mirecki, Paul A. 1992a. 'Peter, Gospel Of.' In *ABD* 5:278–81.

——. 1992b. 'Valentinus.' In *ABD* 6:783–4.

Mitchell, Margaret M. 1991. *Paul and the Rhetoric of Reconciliation: An Exegetical Investigation of the Language and Composition of 1 Corinthians*. Tübingen: Mohr-Siebeck.

Mondésert, C. 1999. 'Philo of Alexandria.' In *The Cambridge History of Judaism*. eds. William Horbury, W. D. Davies and John Sturdy. Vol. 3, *The Roman Period*, 877–900. Cambridge: CUP.

Moore, A. W., ed. 1993. *Meaning and Reference*. Oxford: OUP.

Moore, George Foot. 1927. *Judaism in the First Centuries of the Christian Era: The Age of the Tannaim*. 3 vols. Cambridge, Mass.: Harvard U. P.

Morgan, Robert. 1994. 'Flesh is Precious: The Significance of Luke 24:36–43.' In *Resurrection: Essays in Honour of Leslie Houlden*, eds. Stephen Barton and Graham Stanton, 8–20. London: SPCK.

Morris, Jenny. 1993. 'The Jewish Philosopher Philo.' In Schürer 3.2.809–89.

Motyer, J. Alec. 1993. *The Prophecy of Isaiah*. Leicester: IVP.

Moule, C. F. D. 1958a. 'Once More, Who Were the Hellenists?' *Expository Times* 70:100–02.

——. 1958b. 'The Post-Resurrection Appearances in the Light of the Festival Pilgrimages.' *New Testament Studies* 4:58–61.

——. 1966. 'St Paul and Dualism: The Pauline Conception of Resurrection.' *New Testament Studies* 12:106–23.

——. 1967. *The Phenomenon of the New Testament: An Inquiry Into the Implications of Certain Features of the New Testament*. SBT 2nd Series, vol. 1. London: SCM Press.

——, ed. 1968. *The Significance of the Message of the Resurrection for Faith in Jesus Christ*. London: SCM Press.

——, and Don Cupitt. 1972. 'The Resurrection: A Disagreement.' *Theology* 75:507–19.

Moulton, James H. 1908–76. *A Grammar of New Testament Greek*. 4 vols, completed by Nigel Turner. Edinburgh: T. & T. Clark.

Muddiman, John. 1994. '"I Believe in the Resurrection of the Body".' In *Resurrection: Essays in Honour of Leslie Houlden*, eds. Stephen Barton and Graham Stanton, 128–38. London: SPCK.

Müller, U. B. 1998. *Die Entstehung des Glaubens an die Auferstehung Jesu*. Stuttgart: Katholisches Bibelwerk.

Murphy-O'Connor, Jerome. 1996. *Paul: A Critical Life*. Oxford: Clarendon Press Press.

——. 1998 [1980]. *The Holy Land: An Oxford Archaeological Guide from Earliest Times to 1700*. 4th edn. Oxford: OUP.

Neufeldt, R. W., ed. 1986. *Karma and Rebirth: Post-Classical Developments*. Albany, N.Y.: State University of New York Press, 1986.

Neusner, Jacob. 1971. *The Rabbinic Traditions about the Pharisees Before 70*. Leiden: Brill.

——, W.S. Green, and E. Frerichs, eds. 1987. *Judaisms and Their Messiahs at the Turn of the Christian Era*. Cambridge: CUP.

Newman, Carey C. 1992. *Paul's Glory-Christology: Tradition and Rhetoric*. NovTSup 69. Leiden: Brill.

——, ed. 1999. *Jesus and the Restoration of Israel: A Critical Assessment of N. T. Wright's* Jesus and the Victory of God. Downers Grove, Ill.: IVP.

——, James R. Davila and Gladys S. Lewis, eds. 1999. *The Jewish Roots of Christological Monotheism. Papers from the St. Andrews Conference on the Historical Origins of the Worship of Jesus*. JSJSup 63. Leiden: Brill.

Neyrey, Jerome H. 1993. *2 Peter, Jude*. AB 37C. New York: Doubleday.

Nickelsburg, George W. E. 1972. *Resurrection, Immortality and Eternal Life in Intertestamental Judaism*. Harvard Theological Studies 26. Cambridge, Mass.: Harvard U. P.

——. 1980. 'The Genre and Function of the Markan Passion Narrative.' *Harvard Theological Review* 73:153–84.

——. 1984. 'The Bible Rewritten and Expanded.' In *Compendia Rerum Iudaicarum Ad Novum Testamentum, Section Two: The Literature of the Jewish People in the Period of the Second Temple and the Talmud*. Vol. 2, *Jewish Writings of the Second Temple Period*, ed. Michael E. Stone, eds. W. J. Burgers, H. Sysling, and P. J. Tomson, 89–156. Assen: Van Gorcum; Philadelphia: Fortress.

——. 1986. 'An *ektrōma*, Though Appointed from the Womb: Paul's Apostolic Self-Description in 1 Cor 15 and Gal 1'. *Harvard Theological Review* 79:198–205.

——. 1992. 'Resurrection: Early Judaism and Christianity.' In *ABD* 5:684–91.

Niederwimmer, Kurt. 1998. *The Didache: A Commentary on the Didache*. Hermeneia. Minneapolis: Fortress.

Nigosian, S. A. 1993. *The Zoroastrian Faith: Tradition and Modern Research*. Montreal: McGill-Queen's U. P.

Nineham, Dennis. 1965. *Historicity and Chronology in the New Testament*. London: SPCK.

Nodet, Étienne, and Justin Taylor. 1998. *The Origins of Christianity: An Exploration*. Collegeville, Minn.: Liturgical Press.

Norelli, E. 1994. *L'Ascensione di Isaia: Studi su un apocrifo al crocevia dei cristianesimi*. Origini n.s., vol. 1. Bologna: Centro editoriale dehoniano.

Nussbaum, Martha C., and Amelie O. Rorty, ed., 1992. *Essays on Aristotle's* De Anima. Oxford: Clarendon Press Press.

Oakes, Peter. 2001. *Philippians: From People to Letter*. SNTSMS 110. Cambridge: CUP.

Oberlinner, L., ed. 2002. *Auferstehung Jesu – Auferstehung der Christen*. QD 105. Freiburg/Basel/Wien: Herder.

O'Collins, Gerald. 1973. *The Resurrection of Jesus Christ*. Valley Forge, Pa.: Judson Press.

——. 1973. 'Karl Barth on Christ's Resurrection.' *Scottish Journal of Theology* 26:85–99.

——. 1987. *Jesus Risen*. London: Darton, Longman & Todd.

——. 1988. *Interpreting the Resurrection: Examining the Major Problems in the Stories of Jesus' Resurrection*. New York: Paulist Press.

——. 1993. *The Resurrection of Jesus: Some Contemporary Issues*. Milwaukee: Marquette U. P.

——. 1995. *Christology: A Biblical, Historical, and Systematic Study of Jesus*. Oxford: OUP.

——. 1997. 'The Resurrection: The State of the Questions.' In *The Resurrection: An Interdisciplinary Symposium on the Resurrection of Jesus*, eds. Stephen T. Davis, Daniel Kendall and Gerald O'Collins, 5–28.

——. 1999. 'The Risen Jesus: Analogies and Presence.' In *Resurrection*, edited by Stanley E. Porter, Michael A. Hayes and David Tombs, 195–217. Sheffield: Sheffield Academic Press.

O'Donnell, Matthew Brook. 1999. 'Some New Testament Words for Resurrection and the Company They Keep.' In *Resurrection*, edited by Stanley E. Porter, Michael A. Hayes and David Tombs, 136–63. Sheffield: Sheffield Academic Press.

O'Donovan, Oliver M.T. 1986. *Resurrection and Moral Order: An Outline for Evangelical Ethics*. Leicester: IVP; Grand Rapids: Eerdmans

——. 1996. *The Desire of the Nations: Rediscovering the Roots of Political Theology*. Cambridge: CUP.

——. 2002. *Common Objects of Love: Moral Reflection as the Shaping of Community*. Grand Rapids: Eerdmans; Cambridge: CUP.

——, and Joan Lockwood O'Donovan, eds. 1999. *From Irenaeus to Grotius: A Sourcebook in Christian Political Thought*. Grand Rapids: Eerdmans.

Oegema, Gerbern S. 2001. 'Auferstehung in der Johannesoffenbarung: Eine Rezeptionsgeschichtliche Untersuchung zu der Vorstellung zweier Auferstehungen in der Offenbarung des Johannes.' In *Auferstehung – Resurrection*, eds. Friedrich Avemarie and Hermann Lichtenberger, 205–27. Tübingen: Mohr-Siebeck.

O'Flaherty, W. D., ed. 1980. *Karma and Rebirth in Classical Indian Traditions*. Berkeley, Ca.: U. of California Press.

O'Hagan, Angelo P. 1968. *Material Re-Creation in the Apostolic Fathers*. Berlin: Akademie-Verlag.

Okure, Teresa. 1992. 'The Significance Today of Jesus' Commission to Mary Magdalene.' *International Review of Missions* 81:177–88.

Ollenburger, Ben C. 1993. 'If Mortals Die, Will They Live Again? The Old Testament and Resurrection.' *Ex Auditu* 9:29–44.

O'Neill, J. C. 1972. 'On the Resurrection as an Historical Question.' In *Christ Faith and History*, eds. S. W. Sykes and J. P. Clayton, 205–19. Cambridge: CUP.

——. 1991. 'The Desolate House and the New Kingdom of Israel: Jewish Oracles of Ezra in 2 Esdras 1—2.' In *Templum Amicitiae: Essays on the Second Temple Presented. to Ernst Bammel*, ed. W. Horbury, 226–36. Sheffield: Sheffield Academic Press.

Osborne, G. R. 2000. 'Resurrection.' In *Dictionary of New Testament Background*, eds. Craig A. Evans and Stanley E. Porter, 931–6. Downers Grove, Ill.: IVP.

Osiek, Carolyn. 1993. 'The Women at the Tomb: What Are They Doing There?' *Ex Auditu* 9:97–107.

Pagels, Elaine. 1975. *The Gnostic Paul: Gnostic Exegesis of the Pauline Letters*. Philadelphia: Fortress.

——. 1979. *The Gnostic Gospels*. New York: Weidenfeld & Nicolson.

——. 1980. 'Gnostic and Orthodox Views of Christ's Passion: Paradigms for the Christian's Response to Persecution?' In *The Rediscovery of Gnosticism: Proceedings of the International Conference on Gnosticism at Yale, New Haven, Connecticut, March 28–31, 1978*, ed. Bentley Layton, 262–88. Leiden: Brill.

Painter, John. 1997. *Just James: The Brother of Jesus in History and Tradition*. Columbia, S. C.: U. of South Carolina Press.

Pannenberg, Wolfhart. 1968. *Jesus: God and Man*. Philadelphia: Westminster.

——. 1970. *Basic Questions in Theology: Collected Essays*. Philadelphia: Westminster; London: SCM Press.

——. 1991–8 [1988–93]. *Systematic Theology*. 3 vols. Grand Rapids: Eerdmans; Edinburgh: T. & T. Clark.

Park, Joseph S. 2000. *Conceptions of Afterlife in Jewish Inscriptions with Special Reference to Pauline Literature*. WUNT 2.121. Tübingen: Mohr-Siebeck.

Parsons, Mikeal C. 1988. 'ΣΑΡΚΙΝΟΣ, ΣΑΡΚΙΚΟΣ In Codices F and G: A Text-Critical Note.' *New Testament Studies* 34:151–5.

Patterson, Stephen J. 1998. *The God of Jesus: The Historical Jesus and the Search for Meaning*. Harrisburg, Pa.: TPI.

——, James Robinson, and Hans-Gebhard Bethge. 1998. *The Fifth Gospel : The Gospel of Thomas Comes of Age*. Harrisburg, Pa.: TPI.

Peel, Malcolm Lee. 1992. 'Resurrection, Treatise on the.' In *ABD* 5:691–2.

——. 1969. *The Epistle to Rheginos: A Valentinian Letter on the Resurrection. Introduction, Translation, Analysis and Exposition*. London: SCM Press.

Pelikan, J. 1961. *The Shape of Death: Life, Death, and Immortality in the Early Fathers*. Nashville: Abingdon Press.

Perkins, Pheme. 1984. *Resurrection: New Testament Witness and Contemporary Reflection*. London: Geoffrey Chapman.

——. 1995. *The Gospel of Mark: Introduction, Commentary, and Reflections*. In *NIB*, 8.507–733.

Perrin, Nicholas. 2002. *Thomas and Tatian: The Relationship Between the Gospel of Thomas and Tatian's Diatessaron*. Academia Biblica 5. Leiden: Brill; Atlanta, Ga.: Scholars Press.

Pesch, R. 1999. *Biblischer Osterglaube*. Neukirchen–Vluyn: Neukirchener Verlag.

Peters, Melvin K. H. 1992. 'Septuagint.' In *ABD* 5:1093–1104.

Peters, Ted. 1993. 'Resurrection: What Kind of Body?' *Ex Auditu* 9:57–76.

Petersen, William L. 1994. *The Diatessaron: Its Creation, Dissemination, Significance, and History in Scholarship*. VCSup 25. Leiden: Brill.

Pfeiffer, R. H. 1949. *History of New Testament Times, with an Introduction to the Apocrypha*. New York: Harper.

Pinnock, Clark H. 1993. 'Salvation by Resurrection.' *Ex Auditu* 9:1–11

Plass, P. 1995. *The Game of Death in Ancient Rome: Arena Sport and Political Suicide*. Madison, Wisc.: University of Wisconsin Press.

Plevnik, Joseph. 1984. 'The Taking up of the Faithful and the Resurrection of the Dead in 1 Thessalonians 4:13–18.' *Catholic Biblical Quarterly* 46:274–83.

Polkinghorne, John. 1994. *Science and Christian Belief: Theological Reflections of a Bottom-up Thinker*. London: SPCK.

Porter, Stanley E. 1999a. 'Resurrection, the Greeks and the New Testament.' In *Resurrection*, eds. Stanley E. Porter, Michael A. Hayes and David Tombs, 52–81. Sheffield: Sheffield Academic Press.

——, Michael A. Hayes, and David Tombs, eds. 1999b. *Resurrection*. JSNTSup 186. Sheffield: Sheffield Academic Press.

Porton, Gary G. 1992. 'Sadducees.' In *ABD* 5:892–5.

Pouderon, B. 1986. 'L'authenticité du traité sur la résurrection attribué à l'apologiste Athénagore.' *Vigilae Christianae* 40:226–44.

Price, Simon R. F. 1984. *Rituals and Power: The Roman Imperial Cult in Asia Minor*. Cambridge: CUP.

——. 1999. *Religions of the Ancient Greeks*. Cambridge: CUP.

Priest, J. 1977. 'Some Reflections on the Assumption of Moses.' *Perspectives in Religious Studies* 4:92–111.

Prigent, Pierre. 1964. *Justin et l'ancien testament: L'argumentation scriptuaire du traité de Justin contre toutes les hérésies comme source principale du Dialogue avec Trypho et de la Première Apologie*. Paris: Librarie Lecoffre.

Puech, É. 1990. 'Ben Sira 48:11 et la Résurrection.' In *Of Scribes and Scrolls. Studies on the Hebrew Bible, Intertestamental Judaism, and Christian Origins Presented. to John Strugnell on the Occasion of His Sixtieth Birthday*, eds. H. Attridge, J. J. Collins and T. H. Tobin, 81–9. Lanham, Md.: U. P. of America.

——. 1993. *La croyance des Esséniens en la vie future: immortalité, résurrection, vie éternelle? Histoire d'une croyance dans le Judaïsme ancien*. 2 vols. Paris: Cerf.

Quasten, J. 1950. *Patrology*. Vol. 1, *The Beginnings of Patristic Literature*. Utrecht: Spectrum, 1950.

Rahmani, L. Y. 1981/2. 'Ancient Jerusalem's Funerary Customs and Tombs.' *Biblical Archaeologist* 44, 45:171–7; 229–35; 43–53; 107–119.

Rahner, Karl. 1961. *Theological Investigations*. Vol. 1, *God, Christ, Mary and Grace*. Baltimore: Helicon Press.

Reardon, B. P., ed. 1989. *Collected Ancient Greek Novels*. Berkeley: U. of California Press.

——. 1991. *The Form of the Greek Romance*. Princeton, N. J.: Princeton U. P.

Rebell, Walter. 1992. *Neutestamentliche Apokryphen und apostolischen Väter*. Munich: Chr. Kaiser.

Reese, James M. 1970. *Hellenistic Influence on the Book of Wisdom and Its Consequences*. AnBib 41. Rome: Biblical Institute Press.

Rese, M. 2002. 'Exegetische Anmerkungern zu G. Lüdemanns Deutung der Auferstehung Jesu'. In *Resurrection in the New Testament* (FS J. Lambrecht), eds. R. Bieringer, V. Koperski and B. Lataire, 55–71. Leuven: Peeters.

Reumann, J. 2002. 'Resurrection in Philippi and Paul's Letter(s) to the Philippians'. In *Resurrection in the New Testament* (FS J. Lambrecht), eds. R. Bieringer, V. Koperski and B. Lataire, 407–22. Leuven: Peeters.

Richard, Earl J. 1981. 'Polemics, Old Testament, and Theology: A Study of II Cor., III, 1—IV, 6.' *Revue Biblique* 88:340–67.

——. 1995. *First and Second Thessalonians*. SP. Collegeville, Minn.: Liturgical Press.

Richardson, Peter. 1996. *Herod: King of the Jews and Friend of the Romans*. Columbia, S. C.: U. of South Carolina Press.

Riesenfeld, H. 1948. *The Resurrection in Ezekiel XXXVII and in the Dura-Europos Paintings*. Uppsala: Uppsala U. P.

Riley, Gregory. 1995. *Resurrection Reconsidered: Thomas and John in Controversy*. Minneapolis: Fortress.

Robertson, Archibald, and Alfred Plummer. 1914. *A Critical and Exegetical Commentary on the First Epistle of St Paul to the Corinthians*. ICC. Edinburgh: T. & T. Clark.

Robinson, James M., gen. ed. 1977. *The Nag Hammadi Library in English*. San Francisco: Harper & Row.

——. 1979. 'The Discovery of the Nag Hammadi Codices.' *Biblical Archaeologist* 42:206–24.

——. 1982. 'Jesus from Easter to Valentinus (or to the Apostles' Creed).' *Journal of Biblical Literature* 101:5–37.

Robinson, John A. T. 1952. *The Body: A Study in Pauline Theology*. Philadelphia: Westminster.

——. 1979. *Jesus and His Coming: The Emergence of a Doctrine*. London: SCM Press.

Rohde, E. 1925. *Psyche: The Cult of Souls and Belief in Immortality Among the Greeks*. New York, N.Y.: Harcourt Brace.

Rordorf, Willy. 1968. *Sunday: The History of the Day of Rest and Worship in the Earliest Centuries of the Christian Church*. London: SCM Press.

Rowland, Christopher C. 1980. 'The Vision of the Risen Christ in Rev i.13 ff.: The Debt of an Early Christology to an Aspect of Jewish Angelology.' *Journal of Theological Studies* 31:1–11.

——. 1982. *The Open Heaven: A Study of Apocalyptic in Judaism and Early Christianity*. New York: Crossroad.

——. 1985. *Christian Origins: From Messianic Movement to Christian Religion*. London: SPCK; Minneapolis: Augsburg.

——. 1993. 'Interpreting the Resurrection.' In *The Resurrection of Jesus Christ*, ed. P. Avis, 68–84. London: Darton, Longman & Todd.

——. 1998. *The Book of Revelation: Introduction, Commentary, and Reflections*. In *NIB*, 12.501–743.

Rowley, H. H. 1963. *The Relevance of Apocalyptic*. London: Lutterworth.

Rutgers, Leonard V., and Eric M. Meyers, eds. 1997. 'Catacombs.' In *The Oxford Encyclopaedia of Archaeology in the Near East*, 1:434–8. New York/Oxford: OUP.

Saldarini, Anthony J. 1988. *Pharisees, Scribes and Sadducees in Palestinian Society*. Wilmington, Del.: Michael Glazier; Edinburgh: T. & T. Clark.

Sampley, J. P. 2000. *The Second Letter to the Corinthians: Introduction, Commentary, and Reflections*. In *NIB* 11.1–180.

Sanders, E. P. 1977. *Paul and Palestinian Judaism: A Comparison of Patterns of Religion*. Philadelphia: Fortress; London: SCM Press.

——. 1983. 'Jesus and the Sinners.' *Journal for the Study of the New Testament* 19:5–36.

——. 1991. *Paul*. Past Masters. Oxford: OUP.

——. 1992. *Judaism: Practice and Belief, 63 BCE — 66 CE*. London: SCM Press.

——. 1993. *The Historical Figure of Jesus*. London: Penguin.

Sandnes, Olav. 1991. *Paul – One of the Prophets?* WUNT 2.43. Tübingen: Mohr.

Sanford, D. H. 1995. 'Inference to the Best Explanation.' In *Oxford Companion to Philosophy*, 407–08. Oxford: OUP.

Satran, D. 1989. 'Fingernails and Hair: Anatomy and Exegesis in Tertullian.' *Journal of Theological Studies* 40:116–20.

Sawicki, Marianne. 1994. *Seeing the Lord: Resurrection and Early Christian Practices*. Minneapolis: Fortress.

Sawyer, John F. A. 1973. 'Hebrew Words for the Ressurection [*sic*] of the Dead.' *Vetus Testamentum* 23:218–34.

Schillebeeckx, Edward. 1979. *Jesus: An Experiment in Christology*. New York: Seabury Press.

Schlosser, Jacques. 2001. 'Vision, extase et apparition du ressuscité.' In *Résurrection: L'après-mort dans le monde ancien et le Nouveau Testament*, eds. Odette Mainville and Daniel Marguerat, 129–59. Geneva: Labor et Fides; Montreal: Médiaspaul.

——. 2002. 'La résurrection de Jésus d'après la *Prima Petri*'. In *Resurrection in the New Testament* (FS J. Lambrecht), eds. R. Bieringer, V. Koperski and B. Lataire, 441–56. Leuven: Peeters.

Schmidt, B. B. 1994. *Israel's Beneficent Dead: Ancestor Cult and Necromancy in Ancient Israelite Religion and Tradition*. FAT 11. Tübingen: Mohr-Siebeck.

Schneiders, S. 1995. 'The Resurrection of Jesus and Christian Spirituality.' In *Christian Resources of Hope*, ed. M. Junker-Kenny, 81–114. Dublin: Columbia.

Schoedel, William R. 1985. *Ignatius of Antioch. A Commentary on the Letters of Ignatius of Antioch*. Hermeneia. Philadelphia: Fortress.

Schürer, E. 1973–87.*The History of the Jewish People in the Age of Jesus Christ (175 B.C.—A.D. 135)*. Rev. and ed. M. Black, G. Vermes, F. G. B. Millar. 4 vols. Edinburgh: T. & T. Clark.

Schüssler Fiorenza, E. 1993. *Discipleship of Equals*. New York; London: Crossroad; SCM Press.

Schwankl, Otto. 1987. *Die Sadduzäerfrage (Mk 12,18–27 Parr): Eine Exegetisch-Theologische Studie zur Auferstehungserwartung*. BBB 66. Bonn: Athenäum.

Schweizer, E. 1979. 'Resurrection — Fact or Illusion?' *Horizons in Biblical Theology* 1:137–59.

Schwemer, Anna Maria. 2001. 'Der Auferstandene und die Emmausjünger.' In *Auferstehung – Resurrection*, eds. Friedrich Avemarie and Hermann Lichtenberger, 496–117.

Scott, Alan. 1991. *Origen and the Life of the Stars*. Oxford: Clarendon Press.

Scroggs, R. 1966. *The Last Adam*. Oxford: Blackwell.

Segal, Alan F. 1990. *Paul the Convert: The Apostolate and Apostasy of Saul the Pharisee*. New Haven and London: Yale U. P.

——. 1991. 'Jesus, the Revolutionary.' In *Jesus' Jewishness: Exploring the Place of Jesus Within Early Judaism*, ed. James H. Charlesworth, 199–225. New York: Crossroad.

——. 1992. 'Conversion and Messianism: Outline for a New Approach.' In *The Messiah: Developments in Earliest Judaism and Christianity*, ed. James H. Charlesworth, 296–340. Minneapolis: Fortress.

——. 1997. 'Life After Death: The Social Sources.' In *The Resurrection: An Interdisciplinary Symposium on the Resurrection of Jesus*, eds. Stephen T. Davis, Daniel Kendall and Gerald O'Collins, 90–125. Oxford: OUP.

Seitz, Christopher R. 1993. *Isaiah 1—39*. IBC. Louisville: John Knox.

Selby, Peter. 1976. *Look for the Living: The Corporate Nature of Resurrection Faith*. London: SCM Press.

Senior, Donald. 1976. 'The Death of Jesus and the Resurrection of the Holy Ones (Mt 27:51– 53).' *Catholic Biblical Quarterly* 38:312–29.

Singer, S. 1962. *The Authorised Daily Prayer Book of the United Hebrew Congregations of the British Commonwealth of Nations*. London: Eyre and Spottiswood.

Siniscalco, Paolo. 1966. *Ricerche sul "De Resurrectione" di Tertulliano*. Rome: Editrice Studium.

Sleeper, C. E. 1965. 'Pentecost and Resurrection.' *Journal of Biblical Literature* 84:389–99.

Smith, Jonathan Z. 1990. *Drudgery Divine: On the Comparison of Early Christianities and the Religions of Late Antiquity*. London: School of Oriental and African Studies; Chicago: Chicago U. P.

Smith, Morton. 1958. 'The Description of the Essenes in Josephus and the Philosophumena.' *Hebrew Union College Annual* 29:273–313.

——. 1999. 'The Troublemakers.' In *The Cambridge History of Judaism*. eds. William Horbury, W. D. Davies and John Sturdy. Vol. 3, *The Roman Period*, 501–68. Cambridge: CUP.

Söding, T. 2002. 'Erscheinung, Vergebung und Sendung: Joh 21 als Zeugnis entwickelten Osterglaubens'. In *Resurrection in the New Testament* (FS J. Lambrecht), eds. R. Bieringer, V. Koperski and B. Lataire, 207–32. Leuven: Peeters.

Sosa, E., and M. Tooley, eds. 1993. *Causation*. Oxford: OUP.

Soskice, J. M. 1997. 'Resurrection and the New Jerusalem.' In *The Resurrection: An Interdisciplinary Symposium on the Resurrection of Jesus*, eds. Stephen T. Davis, Daniel Kendall and Gerald O'Collins, 41–58. Oxford: OUP.

Sparks, H. F. D., ed. 1984. *The Apocryphal Old Testament*. Oxford: Clarendon Press Press.

Spicer, Paul. 2002. '*Easter Oratorio*: The Composer's Perspective'. In *Sounding the Depths: Theology Through the Arts*, ed. Jeremy Begbie, 179–92. London: SCM Press.

Spronk, Klaus. 1986. *Beatific Afterlife in Ancient Israel and in the Ancient Near East*. AOAT 219. Kevelaer: Butzon & Berker; Neukirchen-Vluyn: Neukirchener Verlag.

Stanley, D. M. 1961. *Christ's Resurrection in Pauline Soteriology*. Rome: Pontifical Biblical Institute Press, 1961.

Stanton, Graham. 1977. '5 Ezra and Matthaean Christianity in the Second Century.' *Journal of Theological Studies* 28:67–83.

——. 1994. 'Early Objections to the Resurrection of Jesus.' In *Resurrection: Essays in Honour of Leslie Houlden*, eds. Stephen Barton and Graham Stanton, 79–94. London: SPCK.

Stark, Rodney. 1996. *The Rise of Christianity: A Sociologist Reconsiders History*. Princeton, N.J.: Princeton U. P.

Stemberger, Günter. 1972. *Der Leib der Auferstehung. Studien zur Anthropologie und Eschatologie des palästinischen Judentums im neutestamentlichen Zeitalter (Ca. 170 v. Chr.–100 n. Chr.)*. AnBib 56. Rome: Biblical Institute Press.

——. 1999. 'The Sadducees – Their History and Doctrines.' In *The Cambridge History of Judaism*. eds. William Horbury, W. D. Davies and John Sturdy. Vol. 3, *The Roman Period*, 428–43. Cambridge: CUP.

Stendahl, Krister. 1976. *Paul Among Jews and Gentiles*. Philadelphia: Fortress.

——. 1995. *Final Account: Paul's Letter to the Romans*. Minneapolis: Fortress.

Stephens, Susan A., and John J. Winkler, eds. 1995. *Ancient Greek Novels: The Fragments. Introduction, Text, Translation, and Commentary*. Princeton, N.J.: Princeton U. P.

Strack, H. L., and G. Stemberger. 1991 [1982]. *Introduction to the Talmud and Midrash*. Edinburgh: T. & T. Clark.

Stroumsa, G. G. 1981. 'Le couple de l'ange et de l'esprit: Traditions juives et chrétiennes.' *Revue Biblique* 88:42–61.

Strugnell, J. 1958. 'Flavius Josephus and the Essenes: *Antiquities* xviii.18–22.' *Journal of Biblical Literature* 77:106–15.

Stuhlmacher, Peter. 1993. 'The Resurrection of Jesus and the Resurrection of the Dead.' *Ex Auditu* 9:45–56.

Swinburne, Richard. 1997. 'Evidence for the Resurrection.' In *The Resurrection: An Interdisciplinary Symposium on the Resurrection of Jesus*, eds. Stephen T. Davis, Daniel Kendall and Gerald O'Colllins, 191–212. Oxford: OUP.

Tabor, James D. 1989. '"Returning to Divinity": Josephus's Portrayal of the Disappearences of Enoch, Elijah, and Moses.' *Journal of Biblical Literature* 108:225–38.

Tan, Kim Huat. 1997. *The Zion Traditions and the Aims of Jesus*. SNTSMS 91. Cambridge: CUP.

Tavard, George H. 2000. *The Starting Point of Calvin's Theology*. Grand Rapids: Eerdmans.

Thagard, P. 1978. 'The Best Explanation: Criterion for Theory Choice.' *Journal of Philosophy* 75:76–92.

Theissen, Gerd, and Annette Merz. 1998. *The Historical Jesus: A Comprehensive Guide*. London: SCM Press.

——. 1999. *A Theory of Primitive Christian Religion*. London: SCM Press.

Thielman, Frank. 1989. *From Plight to Solution: A Jewish Framework for Understanding Paul's View of the Law in Galatians and Romans*. NovTSup, vol. 61. Leiden: Brill.

Thiering, Barbara. 1992. *Jesus the Man: A New Interpretation from the Dead Sea Scrolls*. New York: Doubleday.

Thiselton, Anthony C. 1978. 'Realized Eschatology at Corinth.' *New Testament Studies* 24:510–26.

——. 1992. *New Horizons in Hermeneutics: The Theory and Practice of Transforming Biblical Reading*. London/New York: Harper Collins.

——. 2000. *The First Epistle to the Corinthians: A Commentary on the Greek Text*. NIGTC. Grand Rapids: Eerdmans.

Thrall, Margaret E. 1994–2000. *A Critical and Exegetical Commentary on the Second Epistle to the Corinthians*. 2 vols. ICC. Edinburgh: T. & T. Clark.

——. 2002. 'Paul's Understanding of Continuity between the Present Life and the Life of the Resurrection.' In *Resurrection in the New Testament* (FS J. Lambrecht), eds. R. Bieringer, V. Koperski and B. Lataire, 283–300. Leuven: Peeters.

Tomson, P. J. 2002. '"Death, Where is thy Victory?" Paul's Theology in the Twinkling of an Eye.' In *Resurrection in the New Testament* (FS J. Lambrecht), eds. R. Bieringer, V. Koperski and B. Lataire, 357–86. Leuven: Peeters.

Torrance, Thomas F. 1976. *Space, Time and Resurrection*. Edinburgh: Handsel Press.

Toynbee, J. M. C. 1971. *Death and Burial in the Roman World*. Baltimore: Johns Hopkins U. P.

Trites, A. A. 1977. *The New Testament Concept of Witness*. Cambridge: CUP.

Troeltsch, Ernst. 1912–25. *Gesammelte Schriften*. 4 vols. Tübingen: Mohr.

Tromp, Nicholas J. 1969. *Primitive Conceptions of Death and the Nether World in the Old Testament*. Biblica et Orientalia 21. Rome: Pontifical Biblical Institute Press.

Troxel, Ronald L. 2002. 'Matt 27.51–4 Reconsidered: Its Role in the Passion Narrative, Meaning and Origin.' *New Testament Studies* 48:30–47.

Tuckett, C. M. 1996. *Q and the History of Early Christianity: Studies on Q*. Edinburgh: T. & T. Clark.

Updike, John. 1964. *Telephone Poles and Other Poems*. New York: Alfred A. Knopf.

Urbach, E. E. 1987. *The Sages: Their Concepts and Beliefs*. Cambridge, Mass./London: Harvard U. P.

van der Horst, P. W. 1992. *Ancient Jewish Epitaphs*. Kampen: Kok Pharos.

VanderKam, James C. 1984. *Enoch and the Growth of an Apocalyptic Tradition*. CBQMS 16. Washington, D.C.: Catholic Biblical Association of America.

——. 1995. *Enoch: A Man for All Generations*. Columbia, S.C.: U. of South Carolina Press.

——. 2001. *An Introduction to Early Judaism*. Grand Rapids: Eerdmans.

Van Eijk, A. H. C. 1971. 'The Gospel of Philip and Clement of Alexandria: Gnostic and Ecclesiastical Theology on the Resurrection and the Eucharist.' *Vigiliae Christianae* 25:94–120.

——. 1974. *La résurrection des morts chez les pères apostoliques*. Paris: Beauchesne, 1974.

Verheyden, J. 2002. 'Silent Witnesses: Mary Magdalene and the Women at the Tomb in the Gospel of Peter'. In *Resurrection in the New Testament* (FS J. Lambrecht), eds. R. Bieringer, V. Koperski and B. Lataire, 457–82. Leuven: Peeters.

Vermes, Geza. 1973. *Jesus the Jew: A Historian's Reading of the Gospels*. London: Collins.

——. 2000. *The Changing Faces of Jesus*. London: Penguin.

Vermeule, C. C. 1979. *Aspects of Death in Early Greek Art and Pottery*. Berkeley, Ca.: U. of California Press.

Via, Dan O. 2002. *What is New Testament Theology?* Minneapolis: Fortress.

Viviano, Benedict, and Justin Taylor. 1992. 'Sadducees, Angels, and Resurrection (Acts 23:8–9).' *Journal of Biblical Literature* 111:496–8.

von Rad, Gerhard. 1962–5. *Old Testament Theology*. 2 vols. New York: Harper & Row; Edinburgh: Oliver and Boyd.

Vos, J. S. 1999. 'Argumentation und Situation in 1Kor. 15.' *Novum Testamentum* 41:313–33.

——. 2002. 'Die Schattenseite der Auferstehung im Evangelium des Paulus'. In *Resurrection in the New Testament* (FS J. Lambrecht), eds. R. Bieringer, V. Koperski and B. Lataire, 301–13. Leuven: Peeters.

Walker, P. W. L. 1999. *The Weekend That Changed the World: The Mystery of Jerusalem's Empty Tomb*. London: Marshall Pickering.

Wall, Robert W. 2002. *The Acts of the Apostles. Introduction, Commentary, and Reflections*. In *NIB* 10:1–368.

Warmington, B. H. 1969. *Nero: Reality and Legend*. London: Chatto & Windus.

Warnock, G. J. 1995. 'Berkeley, George.' In *The Oxford Companion to Philosophy*, ed. Ted Honderich, 89–92. Oxford: OUP.

Wartofsky, M. 1977. *Feuerbach*. Cambridge: CUP.

Watson, Francis. 1994. '"He is not Here": Towards a Theology of the Empty Tomb.' In *Resurrection: Essays in Honour of Leslie Houlden*, eds. Stephen Barton and Graham Stanton, 95–107. London: SPCK.

Watts, Rikki E. 1997. *Isaiah's New Exodus and Mark.* WUNT 2.88. Tübingen: Mohr-Siebeck.

Wedderburn, A. J. M. 1999. *Beyond Resurrection*. London: SCM Press.

Weiser, Artur. 1962. *The Psalms*. OTL. London: SCM Press.

Weitzmann, K., ed. 1979. *Age of Spirituality: Late Antique and Early Christian Art, Third to Seventh Century. Catalogue of the Exhibition at the Museum of Art, November 13, 1977 through February 12, 1978*. New York: Metropolitan Museum of Art and Princeton U. P.

Wenham, David. 1987. 'Being "Found" on the Last Day: New Light on 2 Peter 3.10 and 2 Corinthians 5.3.' *New Testament Studies* 33:477–9.

Wenham, John W. 1981. 'When Were the Saints Raised?' *Journal of Theological Studies* 32:150–52.

——. 1984. *Easter Enigma*. Exeter: Paternoster.

Weren, W. J. C. 2002. '"His Disciples Stole Him Away" (Mt 28, 13): A Rival Interpretation of Jesus' Resurrection'. In *Resurrection in the New Testament* (FS J. Lambrecht), eds. R. Bieringer, V. Koperski and B. Lataire, 147–63. Leuven: Peeters.

West, M. L. 1971. *Early Greek Philosophy and the Orient*. Oxford: OUP.

Westcott, B. F. 1903. *The Gospel According to St. John*. London: John Murray.

Westfall, Cynthia Long. 1999. 'The Relationship Between the Resurrection, the Proclamation to the Spirits in Prison and Baptismal Regeneration: 1 Peter 3.19–22.' In *Resurrection*, ed. Stanley E. Porter, Michael A. Hayms and David Tombs, 106–35. Sheffield: Sheffield Academic Press.

Whanger, Mary, and Alan Whanger. 1998. *The Shroud of Turin: An Adventure of Discovery*. Franklin, Tenn.: Providence House Publishers.

Wiesner, J. 1938. *Grab und Jenseits: Untersuchungen im ägäischen Raum zur Bronzezeit und frühen Eisenzeit*. Berlin: Töpelmann.

Wilckens, Ulrich. 1968. 'The Tradition-History of the Resurrection of Jesus.' In *The Significance of the Message of the Resurrection for Faith in Jesus Christ*, ed. C. F. D. Moule, 51–76. London: SCM Press.

——. 1977. *Resurrection: Biblical Testimony to the Resurrection: An Historical Examination and Explanation*. Edinburgh: The Saint Andrew Press.

Wilde, Oscar. 1966 [1948]. *Complete Works of Oscar Wilde*. Introd. V. Holland. London and Glasgow: Collins.

Wiles, Maurice. 1994. 'A Naked Pillar of Rock.' In *Resurrection. Essays in Honour of Leslie Houlden*, eds. Stephen Barton and Graham Stanton, 116–27. London: SPCK.

Williams, Bernard A. O. 2002. *Truth and Truthfulness: An Essay in Genealogy*. Princeton, N. J. and Oxford: Princeton U. P.

Williams, Margaret. 1999. 'The Contribution of Jewish Inscriptions to the Study of Judaism.' In *The Cambridge History of Judaism*. eds. William Horbury, W. D. Davies and John Sturdy. Vol. 3, *The Roman Period*, Cambridge: CUP.

Williams, Michael A. 1996. *Rethinking 'Gnosticism': An Argument for Dismantling a Dubious Category*. Princeton, N.J.: Princeton U. P.

Williams, Rowan D. 1982. *Resurrection: Interpreting the Easter Gospel*. London: Darton, Longman & Todd.

——. 2000. *On Christian Theology*. Oxford: Blackwell.

Williams, Trevor S. M. 1998. 'The Trouble with the Resurrection.' In *Understanding, Studying and Reading: New Testament Essays in Honour of John Ashton*, eds. Christoper Rowland and Crispin H. T. Fletcher-Louis, 219–35. Sheffield: Sheffield Academic Press.

Williamson, H. G. M. 1998. *Variations on a Theme: King, Messiah and Servant in the Book of Isaiah*. Carlisle: Paternoster Press.

Winkler, J. J. 1980. 'Lollianos and the Desperadoes.' *Journal of Hellenic Studies* 100:155–81.

Winston, David. 1979. *The Wisdom of Solomon*. AB 43. New York: Doubleday.

Winter, Bruce W. 1993. 'Official Proceedings and the Forensic Speeches in Acts 24—26.' In *The Book of Acts in Its First Century Setting*. Vol. 1, *The Book of Acts in Its Ancient Literary Setting*, eds. Bruce W. Winter and Andrew D. Clarke, 305–36. Grand Rapids: Eerdmans; Carlisle: Paternoster.

——. 2001. *After Paul Left Corinth: The Influence of Secular Ethics and Social Change*. Grand Rapids: Eeerdmans.

Wise, Michael O. 1999. *The First Messiah: Investigating the Savior Before Christ*. San Francisco: HarperSanFrancisco.

Wissman, H., G. Stemberger, P. Hoffman, et al. 1979. 'Auferstehung.' In *Theologische Realenzyklopädie*, 4:442–575. Berlin: De Gruyter.

Witherington III, Ben. 1995. *Conflict and Community in Corinth: A Socio-Rhetorical Commentary on 1 and 2 Corinthians*. Grand Rapids: Eerdmans.

——. 1998a. *The Acts of the Apostles: A Socio-Rhetorical Commentary*. Grand Rapids; Carlisle: Paternoster.

——. 1998b. *Grace in Galatia: A Commentary on St Paul's Letter to the Galatians*. Edinburgh: T. & T. Clark.

Wolff, H. W. 1974. *Hosea*. Philadelphia: Fortress.

Wolters, Al. 1987. 'Worldview and Textual Criticism in 2 Peter 3:10.' *Westminster Theological Journal* 49:405–13.

Wright, David F. 1984. 'Apocryphal Gospels: The "Unknown Gospel" (Pap. Egerton 2) and the *Gospel of Peter*.' In *Gospel Perspectives*. Vol. 5, *The Jesus Tradition Outside the Gospels*, ed. D. Wenham. 207–32. Sheffield: JSOT Press.

——. 1986. 'Apologetic and Apocalyptic: The Miraculous in the Gospel of Peter.' In *Gospel Perspectives*. Vol 6, *The Miracles of Jesus*, 401–18. Sheffield: JSOT Press.

Wright, N. T. 1986. *The Epistles of Paul to the Colossians and to Philemon* (= *Colossians*). TNTC. Leicester: IVP; Grand Rapids: Eerdmans.

——. 1991. *The Climax of the Covenant: Christ and the Law in Pauline Theology* (= *Climax*). Edinburgh: T. & T. Clark; Minneapolis: Fortress.

——. 1992. *The New Testament and the People of God* (*Christian Origins and the Question of God* vol. 1) (= *NTPG*). London: SPCK; Minneapolis: Fortress.

——. 1993. 'On Becoming the Righteousness of God: 2 Corinthians 5:21' (= 'Becoming the Righteousness'). In *Pauline Theology*. Volume 2, *1 & 2 Corinthians*, ed. David M. Hay, 200–08. Minneapolis: Fortress.

——. 1994. 'Gospel and Theology in Galatians' (= 'Gospel and Theology'). In *Gospel in Paul: Studies on Corinthians, Galatians and Romans for Richard N. Longenecker*, eds. L. Ann Jervis and Peter Richardson, 222–39. Sheffield: Sheffield Academic Press.

——. 1996a. *Jesus and the Victory of God* (*Christian Origins and the Question of God* vol. 2) (= *JVG*). London: SPCK; Minneapolis: Fortress.

——. 1996. 'The Law in Romans 2' (= 'Law'). In *Paul and the Mosaic Law*, ed. J. D. G. Dunn, 131–50. Tübingen: Mohr.

——. 1997. *For All God's Worth* (= *God's Worth*). London: SPCK; Grand Rapids: Eerdmans.

——. 1999. 'In Grateful Dialogue: A Response' (= 'Grateful Response'). In *Jesus and the Restoration of Israel: A Critical Assessment of N. T. Wright's* Jesus and the Victory of God, ed. Carey C. Newman, 244–77. Downers Grove, Ill.: IVP.

——. 1999. 'New Exodus, New Inheritance: the Narrative Substructure of Romans 3—8' (= 'Exodus'), in *Romans and the People of God: Essays in Honor of Gordon D. Fee on the Occasion of his 65th Birthday*, ed. S. K. Soderlund and N. T. Wright (Grand Rapids: Eerdmans, 1999), 26–35.

——. 1999. *The Millennium Myth*. Louisville: Westminster; London: SPCK.

——. 2000. 'Paul's Gospel and Caesar's Empire' (= 'Paul's Gospel'). In *Paul and Politics: Ekklesia, Israel, Imperium, Interpretation. Essays in Honor of Krister Stendahl*, ed. Richard A. Horsley, 160–83. Harrisburg, Pa.: TPI.

——. 2000. 'A New Birth?' review article of J. D. Crossan's *The Birth of Christianity*. In *Scottish Journal of Theology* 53:72–91

——. 2000. 'Resurrection in Q?'. In *Christology, Controversy and Community: New Testament Essays in Honour of David R. Catchpole*, ed. D. G. Horrell and C. M. Tuckett, 85–97. Leiden: Brill.

——. 2002. *The Letter to the Romans: Introduction, Commentary and Reflections* (= *Romans*). In *NIB* 10.393–770.

——. 2002. 'Resurrection: From Theology to Music and Back Again,' (= 'From Theology to Music'). In *Sounding the Depths: Theology Through the Arts*, ed. J. Begbie, 193–202. London: SCM Press.

——. 2002. 'Paul and Caesar: A New Reading of Romans' (= 'Paul and Caesar'). In *A Royal Priesthood. The Use of the Bible Ethically and Politically*, ed. C. Bartholemew, 173–93. Carlisle: Paternoster.

——. 2002. 'Jesus' Resurrection and Christian Origins,' in *Gregorianum* 83/4:615–635.

——. 2002. 'Coming Home to St Paul? Reading Romans a Hundred Years after Charles Gore'. *Scottish Journal of Theology 55:392–407*

Xella, P. 1995. 'Death and the Afterlife in Canaanite and Hebrew Thought.' In *Civilisations of the Ancient Near East*, eds. J. M. Sasson, J. Baines, G. Beckman, and K. S. Rubinson, 2059–70. New York: Macmillan.

Yamauchi, E. M. 1965. 'Tammuz and the Bible.' *Journal of Biblical Literature* 84:283–90.

——. 1998. 'Life, Death and the Afterlife in the Ancient Near East.' In *Life in the Face of Death: The Resurrection Message of the New Testament*, ed. Richard N. Longenecker, 21–50. Grand Rapids: Eerdmans.

Zanker, Paul. 1988. *The Power of Images in the Age of Augustus*. Ann Arbor, Mich.: U. of Michigan Press.

Zeller, D. 2002. 'Erscheinungen Verstorbener im griechisch-römischen Bereich'. In *Resurrection in the New Testament* (FS J. Lambrecht), eds. R. Bieringer, V. Koperski and B. Lataire, 1–19. Leuven: Peeters.

Zimmerli, Walther. 1971 [1968]. *Man and His Hope in the Old Testament*. Naperville, Ill.: Allenson.